LES DRAPEAUX DU MONDE

AMÉRIQUE DU SUD

Argentine	Bolivie	Brésil	Chili	Colombie	Équateur	Guyana
Paraguay	Pérou	Suriname	Uruguay	Venezuela		

ASIE

Afghanistan	Arabie saoudite	Arménie	Azerbaïdjan	Bahreïn	Bangladesh	Bhoutan
Birmanie	Brunei	Cambodge	Chine	Chypre	Corée du Nord	Corée du Sud
Émirats arabes unis	Géorgie	Inde	Indonésie	Iran	Iraq	Israël
Japon	Jordanie	Kazakhstan	Kirghizistan	Koweït	Laos	Liban
Malaisie	Maldives	Mongolie	Népal	Oman	Ouzbékistan	Pakistan
Philippines	Qatar	Singapour	Sri Lanka	Syrie	Tadjikistan	Taïwan
Thaïlande	Timor-Oriental	Turkménistan	Turquie	Viêt Nam	Yémen	

OCÉANIE

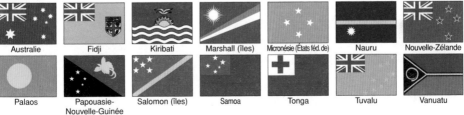

Australie	Fidji	Kiribati	Marshall (îles)	Micronésie (États féd. de)	Nauru	Nouvelle-Zélande
Palaos	Papouasie-Nouvelle-Guinée	Salomon (îles)	Samoa	Tonga	Tuvalu	Vanuatu

LES DRAPEAUX DU MONDE

EUROPE

Albanie	Allemagne	Andorre	Autriche	Belgique	Biélorussie
Bosnie-Herzégovine	Bulgarie	Croatie	Danemark	Espagne	Estonie
Finlande	France	Grande-Bretagne	Grèce	Hongrie	Irlande
Islande	Italie	Lettonie	Liechtenstein	Lituanie	Luxembourg
Macédoine	Malte	Moldavie	Monaco	Norvège	Pays-Bas
Pologne	Portugal	Roumanie	Russie	Saint-Marin	Serbie-et-Monténégro
Slovaquie	Slovénie	Suède	Suisse	Tchèque (Rép.)	
Ukraine	Vatican				

ORGANISATIONS RÉGIONALES ET INSTITUTIONS INTERNATIONALES

Union européenne	Commonwealth	Olympiques (jeux)	Croix-Rouge
Francophonie	Arabe (Ligue)	Organisation des Nations unies	Croissant-Rouge

DICTIONNAIRE
Maxi
DÉBUTANTS

DICTIONNAIRE
Maxi
DÉBUTANTS

LAROUSSE

21, Rue du Montparnasse 75283 Paris cedex 06

Direction de la rédaction
René Lagane

Rédaction
Jean-Pierre Mével
Micheline Daumas
Christine Eyrolles-Ouvrard

et, pour la nouvelle édition refondue,
Responsable éditoriale
Noëlle Degoud

Collaboration rédactionnelle
Hélène Houssemaine-Florent
Patricia Maire
Nicole Rein-Nikolaev

Direction artistique
Ulrike Meindl
assistée de
Michel Allandrieu (mise en page des planches illustrées)
Sophie Compagne (mise en page des annexes)

Illustrations
Danièle Schulthess
Amélie Veaux
Denise Bazin
Guillaume Decaux
Ginette Hoffman-Meyer
Catherine Nouvelle
Frédérique Schwebel
Mireille Chenu
Michel Populaire

et, pour la nouvelle édition refondue,
sous la direction de Jacqueline Pajouès :

Laurent Blondel (COREDOC)
Marie-Marthe Collin
Caroline Ozenne
Pronto
Michel Saemann
Danièle Schulthess
Amélie Veaux
Archives Larousse

Lecture-correction
Service lecture-correction Larousse-Bordas

Informatique éditoriale
Aziz Abdoul N'Dao
Marion Pépin

Coordination de la fabrication
Janine Mille

Les mots de la langue française sont innombrables.
Les plus gros dictionnaires ne peuvent pas prétendre
les contenir tous, avec toutes leurs significations
possibles car, chaque jour, de nouveaux mots sont créés.

Le « Maxi débutants » contient **plus de 20 000 mots** :
c'est un nombre important, et beaucoup d'adultes
ne savent pas en employer autant.

Ce dictionnaire est fait pour que tu découvres des mots
et pour que tu apprennes à bien les employer.
Ainsi, tu sauras de mieux en mieux choisir les mots qui
correspondent exactement à ce que tu veux dire.

Le sens des mots

Imagine qu'on te demande : *Qu'est-ce que c'est qu'une pièce ?*
Tu répondrais peut-être : *Ça sert à payer, c'est de la monnaie.*
Mais tu pourrais dire aussi bien : *C'est un endroit dans un appartement ou une maison,
comme une chambre ou une cuisine.*
Ou : *C'est une partie d'un moteur, d'un mécanisme.*
Ou : *C'est du théâtre.*
Ou : *C'est un morceau de tissu.*
Ou encore : *C'est un document.*

En réalité, si on ne te donne pas d'autre indication, la seule réponse possible, c'est :
Ça dépend !

Ça dépend de quoi ? De la phrase dans laquelle le mot est employé (c'est ce qu'on
appelle le « **contexte** »). Ce sera plus facile d'expliquer ce que veut dire **pièce** si ce mot est
accompagné d'autres mots, par exemple : *Nous habitons un appartement de quatre pièces*
ou *Le garagiste attend des pièces de rechange,* etc.

Il y a une foule de mots comme **pièce**. Il est impossible de deviner exactement leur sens s'ils
ne figurent pas dans une phrase. C'est le cas, par exemple, de **comprendre**, de **glace**, de
opération et de beaucoup d'autres.

**Dans le « Maxi débutants », pour mieux t'aider à bien comprendre le sens des mots,
l'explication du sens vient souvent après une courte phrase exemple, dans laquelle le
mot est placé dans son contexte et où le sens apparaît clairement.**

ENQUÊTE SUR LES MOTS À SENS MULTIPLES

**Cherche dix mots qui peuvent avoir des sens très différents :
tu les choisis dans les articles qui comportent les indications
en couleur** SENS 1, SENS 2, SENS 3, SENS 4.

Les mots et leurs familles

La majorité des mots français se rattachent à une famille de mots. **Quand on a pu relier un mot à sa famille, ce mot cesse souvent d'être un inconnu.** Regarde à droite comment on pourrait représenter la famille du mot **terre** en tenant compte de ses principaux sens. Le mot qui a donné naissance à toute la famille, qu'on appelle « **le mot souche** », figure sur le tronc de l'arbre ; chaque grosse branche porte un sens du mot souche et, comme dans les articles de ton dictionnaire, chaque sens est représenté par une couleur.

Certains mots de la famille de **terre** peuvent être rattachés à plusieurs sens différents du mot souche ; c'est le cas de **terrestre** qui peut avoir deux sens :

SENS 1. Le globe **terrestre**, c'est la planète Terre ;

SENS 2. Les plantes **terrestres**, ce sont celles qui poussent dans le sol, et non dans l'eau.

Parfois, le lien de sens est devenu moins évident avec le temps. Par exemple, quand on dit qu'on est **atterré** par une mauvaise nouvelle, on ne tombe pas vraiment par **terre**, mais, moralement, c'est ce qu'on ressent. **Atterré** est un mot de la famille de **terre**, mais il est employé au sens « figuré ».

Si tu cherches *terre* dans ton dictionnaire, tu vois que de nombreux mots de sa famille sont regroupés à la suite. Ces mots sont précédés d'un petit carré noir et ont des numéros en couleur entre crochets :

[SENS 1], [SENS 2], [SENS 3], etc.

Chacun de ces numéros correspond à un numéro de sens du mot souche *terre* :

SENS 1, SENS 2, SENS 3, etc.

Tu trouves aussi des renvois vers des mots de la famille, comme

●● *enterrer*, ●● *déterrer*, etc.

Dans le « Maxi débutants », les liens de parenté entre les mots qui ne commencent pas par la même lettre sont signalés par une bille rouge et une bille bleue collées. L'illustration montre ces correspondances. L'arbre regroupe même des mots comme *terrine*, *territoire*, *terroir*, qui sont séparés dans le dictionnaire pour faciliter la recherche, mais qui appartiennent tous à la famille de *terre*.

ENQUÊTE SUR QUELQUES FAMILLES

1. Cherche dans le « Maxi débutants » les pages qui te montrent des arbres de familles de mots. Combien en trouves-tu ?

2. Cherche *abaisser*. Ce verbe peut-il être rattaché à un autre mot ? Lequel ? Va voir ce mot et tu trouveras encore des mots de la même famille. Écris tous les mots que tu as récoltés en lisant bien chaque article où les renvois t'ont fait voyager. Normalement, tu as dû trouver 13 mots. Essaie maintenant de dessiner l'arbre de la famille à laquelle appartient *abaisser*.

3. Dessine l'arbre de la famille de l'un des mots suivants : *battre, changer, comprendre, convenir, descendre, disposer, élever, obliger, pension, raser, ravir, tourner*.

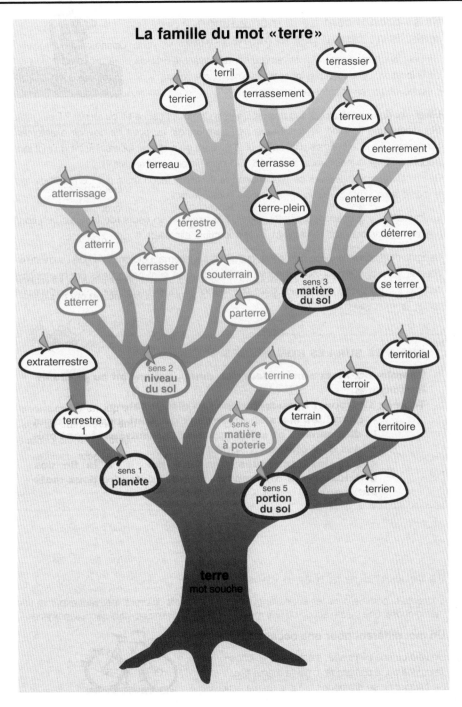

La famille du mot «terre»

Ils se prononcent de la même façon, mais ils ne disent pas la même chose

On peut **louer** une voiture : c'est l'emprunter en payant le prix de la **location**. On peut aussi **louer** les qualités d'une voiture : c'est les vanter, en chanter les **louanges**.

Louer signifie donc deux choses très différentes. Comment cela a-t-il pu arriver ? Deux mots très différents à l'origine se sont peu à peu transformés, au point de devenir exactement semblables dans le français d'aujourd'hui ; l'un vient du mot latin *locare,* l'autre du mot latin *laudare* (si tu es curieux, regarde p. 1061, « Petite histoire du français »).

Des mots comme **louer**, qui se prononcent de la même façon mais qui n'ont pas du tout le même sens, c'est ce qu'on appelle des « **homonymes** ».

En français, il y a beaucoup d'homonymes, par exemple un **cours** (de français), un **court** (de tennis), une **cour** (de récréation), c'est trop **court**, elle **court**...

Certains mots, comme **pièce** (voir p. V), ont des sens tellement éloignés l'un de l'autre qu'on pourrait les prendre pour des homonymes. Mais ils n'en sont pas, car ils ont une origine commune : une pièce, que ce soit dans une maison ou dans un moteur, c'est toujours une partie, un morceau d'un ensemble.

ENQUÊTE SUR LES HOMONYMES

Cherche dix mots comme *louer* ou *cours,* qui ont un ou plusieurs homonymes.
Tu peux en trouver beaucoup dans ton dictionnaire :
> **- quand les mots en gras (ceux qui sont expliqués dans le dictionnaire et qu'on appelle des « entrées ») sont précédés d'un chiffre (1., 2., 3.) ;**
> **- dans les remarques signalées par ☀ à la fin des articles et qui te disent de ne pas confondre deux mots entre eux.**

Ils veulent dire la même chose

En français, comme dans les autres langues, plusieurs mots différents peuvent exprimer une même chose, une même action ou une même idée. On appelle ces mots des « **synonymes** ».

Un mot différent pour une occasion différente

Un *vélo* ou une *bicyclette*, c'est la même chose.
Ta *copine* ou ta *camarade*, c'est la même fille.
Se balader ou *se promener*, c'est la même action.

On peut dire que *vélo* et *bicyclette* sont des **synonymes**, de même que *copine* et *camarade*, ou *se balader* et *se promener*.

Mais tu te rends bien compte que ces synonymes ne sont pas exactement équivalents. Si tu racontes par écrit ce que tu as fait dans la journée, tu emploieras un langage soigné, et tu diras plutôt : **« *Nous nous sommes promenés à bicyclette avec des camarades* »** ; si tu parles dans un langage plus familier, par exemple à ton frère, tu diras tout naturellement : « *On s'est baladés en vélo avec des copains* ».

Dans ton dictionnaire, les mots **copain, balade** et **se balader, vélo,** sont précédés de l'abréviation fam.
Cela signifie qu'il s'agit de mots du langage familier et qu'on ne peut pas les employer dans toutes les circonstances.

En général, on ne s'habille pas de la même façon quand on va jouer avec des copains ou des copines et quand on est invité à un anniversaire ou à une fête ; c'est exactement la même chose quand on parle ou quand on écrit : on adapte certains détails de son langage aux circonstances de la vie.

Le rôle du dictionnaire est surtout de t'apprendre le langage soigné, et si beaucoup d'expressions et de mots familiers s'y trouvent, c'est pour que tu remarques bien l'abréviation fam. et que tu apprennes comment on peut dire la même chose en langage soigné.

Des mots différents pour des choses précises

Avaler un verre d'eau ou bien *boire* un verre d'eau,
c'est à peu près pareil.

On peut aussi dire :

> *Christophe a avalé trois cuisses de poulet*
> ou *Christophe a mangé trois cuisses de poulet.*

Donc, **boire** et **manger** peuvent tous deux être considérés comme des synonymes de **avaler.**

Mais on ne dira évidemment pas :

> *Christophe a bu trois cuisses de poulet,*
> ni *Christophe a mangé un verre d'eau.*

Le changement ne fonctionne pas dans ce sens-là !

Cela signifie qu'un mot peut être synonyme d'un autre mot seulement dans certaines phrases (dans certains contextes).

Avaler a le sens général de **«faire descendre dans son estomac»** : il peut donc s'agir d'aliments solides ou de liquides. **Boire,** lui, ne s'applique qu'aux liquides et **manger** concerne uniquement les aliments solides.

IX

Il y a d'autres synonymes de **avaler** qui ont une valeur particulière ; par exemple :

engloutir = avaler goulûment, comme un glouton ;

ingurgiter = avaler avidement ;

se goinfrer = avaler abondamment, comme un goinfre,

et aussi **se bourrer, se gaver, s'empiffrer**, etc., ou encore **déguster** (avaler en goûtant bien), **siroter** (boire lentement en savourant), etc.

Il est très important, quand tu consultes ton dictionnaire, de remarquer les synonymes qui sont indiqués par le signe =, ainsi que les équivalents donnés dans les explications des phrases exemples.

Mais n'oublie surtout pas, quand tu fais une phrase, de choisir parmi les synonymes le mot qui convient le mieux à ce que tu veux exprimer.

ENQUÊTE SUR LES SYNONYMES

Cherche l'adjectif *actif* et relève les synonymes introduits par = dans l'article.

Dans la phrase : « Ce détergent est plus actif que l'autre », essaie de remplacer *actif* par chaque synonyme trouvé.

Que constates-tu ?

Les mots qui veulent dire le contraire

Quel est le contraire de **grand** ?
C'est **petit**, n'est-ce pas ?

Et de **devant** ?
C'est **derrière**,
sans aucun doute.

Et d'**entrer** ?
C'est **sortir**.

Et de **fin** ?
C'est **début**.

Et de **partir** ?
C'est **arriver**, peut-être,
mais ça peut être aussi **rester**.

X

Et de juste ? Ça dépend :

c'est peut-être **faux** *(un calcul juste / un calcul faux)*,

peut-être **injuste** *(une punition juste / une punition injuste)*.

Ça dépend du sens du mot **juste**...

Ton dictionnaire te signale beaucoup de mots de sens contraires (des « antonymes »), introduits par ≠. Il est très utile de les remarquer pour mieux comprendre le sens, pour connaître de nouveaux mots, et souvent pour alléger les phrases : *ignorer* **est plus court que « ne pas connaître » ;** *illisible* **est plus court que « qu'on ne peut pas lire ».**

Beaucoup de mots indiquant le contraire d'un mot appartiennent à sa famille. C'est le cas, en particulier, des mots qui commencent par « in- » (ou « im- », « il- », « ir- ») : capable ≠ incapable ; possible ≠ impossible ; logique ≠ illogique ; régulier ≠ irrégulier.

ENQUÊTE SUR LES CONTRAIRES

1. Cherche le mot *avant* et lis l'article. Combien de contraires trouves-tu ?

Lequel choisiras-tu pour dire le contraire de *avant-hier* ?

2. Quels contraires peux-tu employer à la place des expressions suivantes :

- **qu'on ne peut pas diviser**
- **qu'on ne peut pas croire**
- **qui n'a pas de consistance**
- **qu'on ne peut pas réaliser**

- **qui n'est pas légal**
- **qui n'est pas parfait**
- **qui n'est pas content**
- **qui n'est pas heureux**

Les images

Si tu as feuilleté ton dictionnaire, tu as remarqué qu'il est très illustré : chaque nouvelle lettre de l'alphabet est ornée de dessins qui représentent des mots expliqués dans cette partie du dictionnaire ; quelquefois, entre les deux mots situés en haut de la page et qui t'indiquent le premier et le dernier mot qui figurent dans cette page, il y a un dessin : tu peux t'amuser à trouver dans cette page le texte qui va avec le dessin.

Du mot à l'image

Dans ce dictionnaire, les dessins ne sont pas placés juste à côté des mots.

Cela permet de présenter les objets, les animaux, les plantes, etc.,

dans le milieu où ils existent en réalité.

Le regroupement des illustrations par centres d'intérêt te permet

d'enrichir ton vocabulaire dans des domaines précis. Sur ces planches

illustrées, tu pourras retrouver beaucoup de situations qui te rappelleront des choses que tu as déjà vues, et ce sera sans doute aussi l'occasion pour toi de découvrir des mots que tu ne connais pas encore. Tu pourras ainsi les employer dans des textes que tu auras à rédiger.

Dans les marges de ton dictionnaire, tu verras souvent écrit *illustr. p.* **suivi d'un nombre : c'est l'indication des pages où tu pourras trouver des dessins qui correspondent aux mots du dictionnaire.**

Pour enrichir ton vocabulaire, il est très important que tu remarques bien ces nombres et que tu penses à rechercher les dessins qui figurent sur la planche illustrée.

Parfois, tu trouveras plusieurs images qui représentent un même mot dans le même sens. Mais souvent, des dessins différents correspondent à des sens différents du mot. Regarde, par exemple, les chiffres portés dans la marge du mot *aiguille* **: il y en a 5, qui renvoient à 5 sens différents de ce mot.**

De l'image au mot

Tu connais sans doute cet appareil que le médecin utilise pour écouter ce qui se passe à l'intérieur de ton corps. Mais est-ce que tu connais son nom ? Si tu lis la liste des illustrations du «Maxi débutants» (page suivante), tu vois qu'il y a une double page illustrée sur la santé et la médecine (p. 868 et 869). Sur cette planche illustrée, tu trouveras le nom de l'objet en question : un **stéthoscope**.

Tu peux trouver ainsi beaucoup de noms que tu as oubliés ou que tu ne connais pas, en cherchant dans les pages illustrées où tu penses qu'ils pourraient figurer.

ENQUÊTE SUR LES IMAGES

Imagine que tu aies à rédiger un texte sur la montagne. Tu cherches *montagne* **dans ton dictionnaire et tu suis les indications données dans la marge. Tu découvres qu'il existe trois planches d'illustrations, l'une sur l'alpinisme, une autre sur la montagne, la troisième sur le ski et les sports d'hiver. Si tu es en panne d'idées, tu peux t'inspirer des situations que montrent les illustrations. Mais, surtout, tu découvres des séries de mots liés à la montagne et que tu peux employer dans ta rédaction.**

Combien as-tu trouvé :

- **de noms d'animaux ?**
- **de noms de plantes ?**
- **de noms d'objets qui servent à grimper ?**
- **de noms comme «versant» qui permettent de décrire le paysage ?**

LISTE DES ILLUSTRATIONS ET DES TABLEAUX

liste des illustrations et des tableaux

**À la fin de ton dictionnaire, tu trouveras des rubriques
qui t'aideront dans les différents domaines du français :**

XV

LES SIGNES PHONÉTIQUES

les signes phonétiques les sons correspondants		les principales écritures des sons
[A]	[a]	papa, à, haricot, femme
	[α]	bâton, hâte
[E]	[e]	bébé, hérisson, nez
	[ɛ]	sel, mère, clair, herbe, être, neige, maître
[i]		il, île, lys, hiver, hygiène
[O]	[o]	aube, peau, rose, pôle, zoo, hôtel, haute
	[ɔ]	robe, homme
[u]		mou, goûter, où, houle
[y]		mur, mûr, hutte
[Œ]	[Ø]	peu, vœu, heureuse
	[œ]	jeune, œuvre, œil, heure
	[ə]	me, remède
[Ẽ]	[ɛ̃]	brin, bain, faim, plein, chien, thym, synthèse
	[œ̃]	brun, parfum
[α̃]		plante, fente, hangar, paon
[ɔ̃]		mon, tomber, honteux
[j]		panier, payer, soleil, tailler, hier, faïence
[ɥ]		lui, huit
[w]		oui, oiseau, western
[p]		père, apporter
[b]		banc, abbé
[d]		dans, addition, adhésif
[t]		train, attention, thé
[k]		coq, que, kilo, accourir, chorale, cueillir stock, acquitter,
[g]		gare, guérir, agglomération
[f]		fable, affreux, phare
[v]		vie, wagon
[s]		sur, casser, cire, ça, action, ascenseur, six, isthme
[z]		zéro, cousin, deuxième
[ʒ]		jour, gigot, flageolet
[ʃ]		chou, schéma, short
[l]		calcul, million
[r]		finir, arriver, rhume
[m]		mer, nommer
[n]		nage, bonnet, damner
[ɲ]		agneau, oignon
[ŋ]		camping, bowling

Il arrive souvent qu'on ne distingue pas nettement la différence entre deux voyelles dont la prononciation se ressemble : dans ce cas, on utilise un seul signe [A] pour [a] et [α], [E] pour [e] et [ɛ], [O] pour [o] et [ɔ], [Œ] pour [Ø], [œ] et [ə], [Ẽ] pour [ɛ̃] et [œ̃].

POUR TROUVER FACILEMENT UN MOT

La première lettre d'un mot ne correspond pas toujours au premier son que l'on entend : le son [O] s'écrit « o » dans *orage*, « au » dans *aube*, « ho » dans *homme*, « eau » dans *eau-de-vie*.

Ce tableau aide à trouver un mot d'après le premier son qu'on entend, même si on ne connaît pas son orthographe.

Le premier son du mot est une voyelle

on entend	on cherche (dans l'ordre)					mots qui s'écrivent d'une façon particulière
	1	2	3	4	5	
[A]	a ou â	ha				à, le hâle, la hâte, tu as, ah !
[Œ]	eu	eu ou œu	heu			euh...
[E]	é ou e	hé ou he	ai			l'ère, être, la haie, la haine, le hêtre, l'aîné, et, eh !, tu es, elle est, que j'aie, qu'il ait
[i] ou [j]	i	hi	hy	y		une île, un îlot
[O]	o	au	ho ou hô	hau		ôter, l'eau, aux, haut, oh !, le hall, les os, le heaume
[y] ou [ɥ]	u	hu				j'ai eu, elle eut, qu'il eût
[u] ou [w]	ou	hou	w	o(i)		août, où, le houx
[ã]	en	em	an	am	han	la hampe
[Ẽ]	in	im				un, ainsi, hindou, humble, hein ?
[ɔ̃]	on	om	hon			ils ont, elles auront, nous chantons

Le premier son du mot est une consonne

la première lettre correspond au son		la première lettre peut être différente	
on entend	on cherche	on entend	on cherche
[b]	b	[f]	f, ph
[d]	d	[v]	v, w
[l]	l	[s]	s, c, ç *(ça)*
[m]	m	[ʃ]	ch, sh, sch
[n]	n	[ʒ]	j, g, ge *(geôle)*
[p]	p	[k]	c, qu, k, ch, cu *(cueillir)*
[z]	z		
[t]	t, th		
[r]	r, rh		
[g]	g, gu, gh *(ghetto)*		

LISTE DES ABRÉVIATIONS ET DES SIGNES

Plus un dictionnaire comporte de mots, plus il faut avoir de place pour les écrire sans que le livre soit trop lourd ; c'est pourquoi certaines indications, comme les catégories grammaticales des mots, sont données en abrégé, et d'autres sont représentées par des signes.

> **Voici la clef de ces indications qui, au début, pourraient paraître un peu mystérieuses.**

adj.	adjectif : *abominable, abondant* sont des adjectifs
adv.	adverbe : *d'abord, abondamment* sont des adverbes
art.	article : *le, une* sont des articles
conj.	conjonction : *car, donc, et* sont des conjonctions
conj. n°	conjugaison numéro ... : il faut se reporter au tableau des conjugaisons irrégulières pages 1051 à 1060
dém.	démonstratif : *ça* est un pronom démonstratif ; *ce*, un adjectif démonstratif
f.	féminin : *cochère, épinière* sont des adjectifs qui ne s'emploient qu'au féminin
fam., très fam.	familier, très familier : le mot appartient à la langue familière ou très familière ; en principe, on ne l'emploie pas quand on écrit ou si on surveille son langage
illustr. p.	illustration page ... : se reporter aux pages indiquées pour regarder l'illustration correspondant au mot et le situer dans un ensemble de vocabulaire thématique
indéf.	indéfini : *quelqu'un, quelque chose* sont des pronoms indéfinis
interj.	interjection : *aïe !, ah !* sont des interjections
interr.	interrogatif : *quoi ? qui ?* sont des mots interrogatifs
inv.	invariable : *abat-jour* est un mot invariable
m.	masculin : *aquilin, avant-coureur* sont des adjectifs qui ne s'emploient qu'au masculin
n.	nom : *adversaire* peut s'employer aussi bien comme nom masculin que comme nom féminin
n.f.	nom féminin : *école, abeille* sont des noms féminins
n.m.	nom masculin : *clavier, chat* sont des noms masculins
p.	page
pers.	personnel : *je, elle, lui* sont des pronoms personnels
pl., plur.	pluriel : *abats, abattis* sont des noms qui ne s'emploient qu'au pluriel
poss.	possessif : *mon, ma, sa, leur* sont des adjectifs possessifs
prép.	préposition : *à, de, vers* sont des prépositions
pron.	pronom : *je, cela, le mien* sont des pronoms
rel.	relatif : *qui, que, dont* sont des pronoms relatifs
v.	verbe : *courir, être* sont des verbes
✳	attention à la prononciation, à l'orthographe, à la conjugaison, etc.
→	se reporter au mot indiqué pour enrichir son vocabulaire ou pour trouver l'explication
●●	se reporter au mot indiqué pour compléter la famille de mots
=	synonyme
≠	contraire (antonyme)

> **Dans un article de dictionnaire, les verbes sont toujours introduits sous la forme qu'ils ont à l'infinitif : on ne trouve pas *(je) courais*, mais *courir*.**

Azalée

Autruche

Ancre

Aubergine

à prép. Ce mot joue un rôle grammatical très important, dans des emplois très divers : *reste* **à** *ta place* (lieu) ; *je viendrai* **à** *3 heures* (temps) ; *je ressemble* **à** *ma cousine* (COI) ; *elle a gagné la côte* **à** *la nage* (manière) ; *voici une machine* **à** *coudre* (but) ; *je commence* **à** *m'ennuyer* (COI).

☀ **À** se distingue par l'accent grave de *(il, elle)* **a** (de « avoir »). Suivi de « le » ou de « les », **à** devient **au** ou **aux** : *je vais* **au** *lit ; elle est allée* **aux** *États-Unis.*

abaisser v. 1er groupe. SENS 1. *On* **a** **abaissé** *le mur du jardin*, on a diminué sa hauteur (= baisser ; ≠ surélever). *Le gouvernement avait promis d'***abaisser** *les impôts* (= alléger, réduire ; ≠ augmenter). SENS 2. *Je ne* **m'abaisserai** *pas à le supplier,* je ne manquerai pas de dignité (= s'humilier). ●● *bas (1)*

■ **abaissement** n.m. [SENS 1] *On observe un* **abaissement** *de la température* (= baisse, diminution ; ≠ élévation, hausse).

abandonner v. 1er groupe. SENS 1. *Les propriétaires* **ont abandonné** *la maison,* ils l'ont quittée définitivement. SENS 2. *Il* **a abandonné** *son meilleur ami,* il l'a délaissé (= laisser tomber). SENS 3. *Le boxeur* **a abandonné** *au troisième round,* il a renoncé à continuer. SENS 4. *Ne* **vous abandonnez** *pas au désespoir,* ne vous laissez pas aller au désespoir.

■ **abandon** n.m. [SENS 1] *La guerre a provoqué l'***abandon** *de ces villages* (= désertion). [SENS 2] *Il laisse ses affaires* **à l'abandon**, il ne s'occupe plus de ses affaires. [SENS 3] *Il y a eu dix* **abandons** *dans cette étape,* dix concurrents qui ont abandonné.

abasourdir v. 2e groupe. SENS 1. *Ce vacarme* **m'abasourdit**, il m'étourdit. SENS 2. *Marie* **est abasourdie** *par une telle nouvelle,* elle est stupéfiée.

☀ On prononce [abazurdir].

s'abâtardir v. 2e groupe. *Cette race d'animaux* **s'est abâtardie**, elle a perdu

1

ses anciennes qualités (= dégénérer).
●● *bâtard (1)*

illustr.
p. 862
abat-jour n.m. inv. Les **abat-jour** sont des sortes de chapeaux en forme de dôme ou de cône, en tissu, en papier, en porcelaine, que l'on pose sur les lampes pour rendre la lumière plus douce.
✳ Ce mot composé ne prend jamais de « s » au pluriel.

illustr.
p. 582
abats n.m. pl. Les pieds, les rognons, le cœur, les poumons des animaux de boucherie sont des **abats**.

■ **abattis** n.m. pl. Les pattes, la tête, le cou d'une volaille sont des **abattis**.

abattre v. 3e groupe. SENS 1. *Le vent a* **abattu** *un arbre,* il l'a fait tomber par terre (= renverser). SENS 2. *Le boucher a* **abattu** *dix veaux,* il les a tués. *Les policiers* **ont abattu** *un gangster,* ils l'ont tué avec une arme à feu. SENS 3. *Il a été très* **abattu** *par cette mauvaise nouvelle. Ne nous laissons pas* **abattre** (= décourager, démoraliser, déprimer). SENS 4. *La grêle* **s'est abattue** *sur les récoltes,* elle est tombée sur les récoltes avec violence.
✳ Conj. n° 56.

illustr.
p. 759
■ **abattage** n.m. [SENS 1] *Les bûcherons sont chargés de l'***abattage** *des arbres,* de couper les arbres. [SENS 2] *L'***abattage** *des bœufs est réglementé.*

illustr.
p. 863
■ **abattant** n.m. [SENS 1] *Un meuble à* **abattant** *a un panneau qu'on peut abaisser ou relever.*

■ **abattement** n.m. [SENS 3] *Pierre est dans un profond* **abattement** (= découragement). ◆ *Les familles nombreuses ont droit à des* **abattements** *d'impôts* (= réduction, déduction).

■ **abattoir** n.m. [SENS 2] *Un* **abattoir** *est un bâtiment équipé pour l'abattage des animaux de boucherie.*

abbaye n.f. Une **abbaye** est un bâtiment habité par des moines ou des religieuses (= monastère, couvent).
✳ On prononce [abei].

abbé n.m. SENS 1. Un **abbé** est un prêtre catholique. *Bonjour monsieur l'***abbé** (on dit plus habituellement : *mon Père,* ou simplement *Père*). SENS 2. Le **Père abbé** est le directeur d'un monastère d'hommes ; un monastère de femmes est dirigé par la **Mère abbesse**.

abc n.m. *Pour un maçon, préparer du ciment c'est l'***abc** *du métier,* c'est une des premières choses à savoir faire, c'est très simple.

abcès n.m. Un **abcès** est un amas de pus, le plus souvent douloureux.
→ *clou, furoncle, panaris*

abdiquer v. 1er groupe. *Napoléon dut* **abdiquer** *en 1814,* il dut renoncer au pouvoir.

■ **abdication** n.f. *On avait annoncé l'***abdication** *du roi,* sa renonciation au pouvoir.

abdomen n.m. L'intestin est contenu dans l'**abdomen** (= ventre).
✳ On prononce [abdɔmɛn].
illustr.
p. 310

■ **abdominal, ale, aux** adj. *Il souffre de douleurs* **abdominales**, de douleurs au ventre.

■ **abdominaux** n.m. pl. *Maman fait de la gymnastique pour développer ses* **abdominaux**, les muscles de l'abdomen.

abeille n.f. Les **abeilles** sont des insectes volants que l'on élève dans des ruches, où elles produisent du miel et de la cire. → *apiculture*
illustr.
p. 384

abêtir v. 2e groupe. *En lisant ces niaiseries, tu vas* **t'abêtir**, tu vas devenir bête, idiot (= abrutir). ●● *bête*

abîme n.m. *Une équipe de spéléologues a exploré un nouvel* **abîme** *souterrain,* un grand trou profond (= gouffre).

abîmer v. 1er groupe. *Pierre* **abîme** *tous ses jouets,* il les met en mauvais état (= détériorer, endommager). *Ces fruits* sont vieux, ils commencent à *s'abîmer* (= se gâter, pourrir).

abject, e adj. *Ce film plein de violence est abject* (= répugnant, ignoble).

abjurer v. 1er groupe. *Henri IV abjura le protestantisme en 1593,* il renonça solennellement à cette religion.

ablation n.f. *Le malade a subi l'ablation d'un rein,* on lui a ôté un rein.

illustr. **ablette** n.f. *Une ablette est un petit*
p. 845 poisson d'eau douce.

illustr. **ablutions** n.f. pl. *Les musulmans font*
p. 820 *leurs ablutions avant la prière,* ils se purifient en se lavant. ◆ Fam. **Faire ses ablutions,** c'est faire sa toilette.

abnégation n.f. *Elle se consacre à cette œuvre avec une abnégation totale,* en renonçant à tout intérêt personnel (= dévouement, désintéressement).

aboiement → *aboyer*

abois n.m. pl. *Il n'a plus de quoi vivre, il est aux abois,* dans une situation désespérée.

abolir v. 2e groupe. *L'esclavage est aboli depuis longtemps,* il est légalement supprimé.

■ **abolition** n.f. *Les députés ont voté l'abolition de la peine de mort* (= suppression, abrogation).

abominable adj. *Quel crime abominable !* (= affreux, horrible, odieux). *Il fait un temps abominable,* un très mauvais temps.

■ **abominablement** adv. *Il chante abominablement faux* (= affreusement, horriblement).

abondant, ante adj. *La récolte a été abondante,* très importante (≠ insuffisant, maigre, pauvre). ●● *surabondant*

■ **abondamment** adv. *Il pleut abondamment* (= beaucoup). ●● *surabondamment*

■ **abondance** n.f. *Nous avions des provisions en abondance,* en grande quantité (= à foison). *Il y a abondance de fruits cette année.* ●● *surabondance*

■ **abonder** v. 1er groupe. *Le gibier abonde dans cette région,* il y en a beaucoup (= foisonner, pulluler). ●● *surabonder*

abonnement n.m. *On prend un abonnement à un journal quand on paie d'avance pour le recevoir régulièrement par la poste. L'abonnement au téléphone, à l'électricité, c'est la somme que l'on paie pour pouvoir bénéficier de ces services.*

■ **abonné, ée** n. *Ce journal a 15 000 abonnés. L'annuaire du téléphone donne la liste des abonnés,* des personnes qui paient un abonnement.

■ **abonner** v. 1er groupe. *Elle s'est abonnée à plusieurs revues. Mes grands-parents m'ont abonné à un journal de jeunes,* ils ont payé pour que je le reçoive.

d'abord adv. *Dans un repas, on sert d'abord les hors-d'œuvre,* pour commencer, en premier lieu (≠ ensuite, après).

aborder v. 1er groupe. **SENS 1.** *Le bateau a abordé dans une petite île,* il est arrivé à la côte (= accoster). **SENS 2.** *Les deux navires se sont abordés,* ils se sont heurtés. **SENS 3.** *Pierre m'a abordé dans la rue,* il s'est approché de moi pour me parler (= accoster). **SENS 4.** *Nous avons abordé ce problème difficile,* nous avons commencé à nous en occuper.

■ **abord** n.m. [SENS 3] *Cette personne est d'un abord facile,* il est facile de l'aborder, de lui parler. ◆ *Au premier abord, cela paraît possible,* selon la première impression, à première vue. ◆ (Au plur.) *La police surveille les abords de l'immeuble,* les environs immédiats.

■ **abordage** n.m. [SENS 1] *La tempête rendait l'***abordage** *difficile.* [SENS 2] *Le bateau a coulé à la suite d'un* **abordage**.

■ **abordable** adj. *On dit qu'un prix est* **abordable** *quand il n'est pas excessif* (≠ inabordable).

aborigène adj. et n. *Les* **aborigènes** *d'Australie habitent ce pays depuis l'origine, par opposition aux colons.*

aboutir v. 2ᵉ groupe. SENS 1. *Cette rue* **aboutit** *à la gare,* elle conduit à la gare. SENS 2. *La discussion* **a abouti** *à un accord,* elle a mené à ce résultat.

■ **aboutissement** n.m. [SENS 2] *Cette découverte est l'***aboutissement** *de mes recherches* (= résultat).

aboyer v. 1ᵉʳ groupe. *Les chiens* **aboient,** ils poussent leur cri. → **japper**
✳ Conj. nᵒ 3.

■ **aboiement** n.m. *L'***aboiement** *est le cri du chien.* → **jappement**

abracadabrant, ante adj. *Pour s'excuser, Pierre a inventé une histoire* **abracadabrante** (= invraisemblable, extraordinaire).

abréger v. 1ᵉʳ groupe. *J'ai dû* **abréger** *mon voyage,* diminuer sa durée, le raccourcir (= écourter).
✳ Conj. nᵒ 2 et nᵒ 10.

■ **abrégé** n.m. *Un* **abrégé** *est un texte qui ne dit que l'essentiel* (= résumé). ◆ *« Madame » s'écrit « Mme »* **en abrégé**, en employant une forme du mot plus courte.

■ **abréviation** n.f. *« Bus », « c.-à-d. » sont des* **abréviations** *pour « autobus », « c'est-à-dire », des mots raccourcis, écrits en abrégé.*

s'**abreuver** v. 1ᵉʳ groupe. *Les lions* **s'abreuvent** *à la mare,* ils boivent son eau (= se désaltérer).

■ **abreuvoir** n.m. *Un abreuvoir est un grand récipient où l'on fait boire le bétail.*
illustr. p. 385

abréviation → **abréger**

abri n.m. SENS 1. *Une grotte peut servir d'***abri** *contre la pluie,* de protection (= refuge). ●● **sans-abri**. SENS 2. *Il est à l'***abri** *de la misère,* il n'a pas à la craindre.
illustr. p. 1033, 425

■ **abriter** v. 1ᵉʳ groupe. [SENS 1] *Un store nous* **abrite** *du soleil* (= protéger).

abricot n.m. *L'***abricot** *est un fruit à noyau, de couleur jaune, produit par un* **abricotier**.
illustr. p. 747

abriter → **abri**

abroger v. 1ᵉʳ groupe. **Abroger** *une loi, un décret, c'est les annuler, les supprimer.*
✳ Conj. nᵒ 2.

■ **abrogation** n.f. *Le Parlement a voté l'***abrogation** *de cette loi* (= annulation, retrait).

abrupt, e adj. SENS 1. *Une falaise* **abrupte** *est presque verticale* (= escarpé, à pic). SENS 2. *Une réponse* **abrupte** *est brusque, brutale.*

abrutir v. 2ᵉ groupe. *Il* **est abruti** *par l'alcool,* il est rendu stupide (= abêtir). *Elle s'***abrutit** *tout le mercredi devant la télévision.*

■ **abruti, ie** n. Fam. *Cet* **abruti** *n'a rien compris* (= idiot, imbécile).

■ **abrutissant, ante** adj. *Il fait une chaleur* **abrutissante**, *qui rend incapable de réagir, de penser* (= accablant).

■ **abrutissement** n.m. *Ce travail monotone nous mène à l'***abrutissement**.

absent, ente adj. et n. *Deux élèves sont* **absents**, ils ne sont pas là (≠ présent). *On a relevé le nom des* **absents**.

■ **absence** n.f. *Son* **absence** *a été involontaire* (≠ présence). *Elle se plaint de l'***absence** *de renseignements* (= manque). ◆ *Depuis sa maladie, il a souvent des* **absences**, *des trous de mémoire.*

■ s'**absenter** v. 1ᵉʳ groupe. *Je* **m'absenterai** *de Paris au mois d'août,* je partirai momentanément.

abside n.f. L'**abside** d'une église est la partie située derrière le chœur.

absolu, ue adj. *Il exige une obéissance* **absolue,** totale, complète (≠ relatif).

■ **absolument** adv. *C'est* **absolument** *faux* (= complètement, totalement, tout à fait).

■ **absolutisme** n.m. L'**absolutisme** est un régime politique où la personne qui gouverne a tous les pouvoirs, comme Louis XIV (= totalitarisme, autoritarisme).

absolution → *absoudre*

absorber v. 1er groupe. SENS 1. *Le buvard* **absorbe** *l'encre,* il s'imbibe, s'imprègne d'encre, il la boit. SENS 2. *Le malade n'a rien pu* **absorber,** boire ou manger (= avaler). SENS 3. *Son travail l'***absorbe,** il l'occupe entièrement. *Elle est très* **absorbée** *par sa lecture,* elle est plongée dans ce qu'elle lit.

■ **absorbant, ante** adj. [SENS 1] *Ces serviettes sont en tissu très* **absorbant,** qui boit les liquides. [SENS 3] *La comptabilité est une occupation* **absorbante,** qui exige de l'attention.

absoudre v. 3e groupe. **Absoudre** une faute, c'est la pardonner.
✳ Conj. n° 60.

■ **absolution** n.f. *Le prêtre donne l'***absolution** *aux fidèles,* il leur dit que leurs péchés sont pardonnés.

s'**abstenir** v. 3e groupe. SENS 1. *Je m'***abstiens** *de le critiquer,* j'évite de le faire. SENS 2. *De nombreux électeurs* **se sont abstenus,** ils ne sont pas allés voter.
✳ Conj. n° 22.

■ **abstention** n.f. [SENS 2] *Il n'y a eu que quelques* **abstentions,** quelques électeurs qui ne sont pas allés voter.

■ **abstentionniste** n. [SENS 2] *Presque tous ont voté, il y a peu d'***abstentionnistes.**

abstrait, aite adj. SENS 1. « *Solidarité* », « *sagesse* », « *repos* » *sont des noms* **abstraits,** ils ne désignent pas des êtres ou des objets matériels (≠ concret). SENS 2. *La* **peinture abstraite** ne représente pas la réalité telle qu'elle apparaît (≠ figuratif).

■ **abstraction** n.f. **Faire abstraction de** quelque chose, c'est ne pas en tenir compte.

absurde adj. *Une explication* **absurde** ne tient pas compte de la réalité (= déraisonnable, stupide, idiot).

■ **absurdité** n.f. *C'est une* **absurdité** *de vouloir faire de l'alpinisme sans préparation* (= stupidité, bêtise).

abus n.m. *L'***abus** *du tabac nuit à la santé,* l'usage excessif.

■ **abuser** v. 1er groupe. SENS 1. *Il* **abuse** *de ses droits,* il profite de ses droits pour être injuste ou trop autoritaire. SENS 2. *Ne vous laissez pas* **abuser** *par cette ressemblance* (= tromper, illusionner).

■ **abusif, ive** adj. [SENS 1] *L'emploi* **abusif** *de médicaments peut nuire à la santé* (= excessif, exagéré). [SENS 2] *Elle fait un emploi* **abusif** *de ce mot,* elle l'emploie dans un sens qu'il n'a pas.

acabit n.m. *Quel personnage bizarre ! je n'ai jamais vu un individu* **de cet acabit,** de ce genre.

acacia n.m. L'**acacia** est un arbre épineux qui a des grappes de fleurs blanches.

académie n.f. (Avec majuscule.) SENS 1. L'**Académie française** est un groupe d'écrivains qui se réunissent régulièrement pour résoudre des questions sur la langue française et écrire un dictionnaire. SENS 2. L'**académie** de Paris, de Grenoble, de Rouen, etc., c'est la région, autour de ces villes, qui comprend tous les établissements d'enseignement.

■ **académicien, enne** n. [SENS 1] Les **académiciens** portent un habit vert et une épée pour les cérémonies.

▪ **académique** adj. [SENS 2] L'inspection académique est un service d'inspection de l'enseignement dans une académie.

acajou n.m. *Ce coffret est en* **acajou**, *un bois exotique rougeâtre.*

acariâtre adj. *Mme Lepic a un caractère* **acariâtre** (= désagréable, revêche).

accabler v. 1ᵉʳ groupe. Être **accablé** de travail, c'est en être surchargé, écrasé. *Ces témoignages* **accablent** *l'accusé,* ils prouvent sa culpabilité.

▪ **accablant, ante** adj. *En août, la chaleur a été* **accablante** (= insupportable). *Les preuves de sa culpabilité sont* **accablantes** (= irrécusable, incontestable, écrasant).

▪ **accablement** n.m. *Cette mauvaise nouvelle l'a jeté dans un profond* **accablement** (= abattement).

accalmie n.f. *Après une* **accalmie**, *la tempête a repris,* après un calme momentané. ●● **calme**

accaparer v. 1ᵉʳ groupe. *Un incident a* **accaparé** *l'attention générale,* il l'a entièrement retenue. *Il* **accapare** *la conversation,* il parle tellement que les autres ne peuvent pas parler.

accéder v. 1ᵉʳ groupe. SENS 1. *Monsieur Dupont a* **accédé** *au poste de directeur,* il a atteint ce degré de la hiérarchie. ●● **accès**. SENS 2. **Accéder** à une demande, c'est accepter de donner ce qui est demandé.
✳ Conj. n° 10.

▪ **accession** n.f. [SENS 1] *Depuis son* **accession** *à la présidence, la situation s'est améliorée* (= arrivée).

accélérer v. 1ᵉʳ groupe. SENS 1. *Le conducteur* **accélère** *dans la ligne droite,* il va plus vite (≠ ralentir, freiner). SENS 2. **Accélère** *les préparatifs* (= hâter).
✳ Conj. n° 10.

▪ **accélérateur** n.m. [SENS 1] *Appuie sur l'* **accélérateur** *!,* sur la pédale du mécanisme qui fait aller plus vite. *illustr. p. 69*

▪ **accélération** n.f. [SENS 1] *La fièvre cause une* **accélération** *des battements du cœur* (≠ ralentissement).

accent n.m. SENS 1. *Mireille a l'* **accent** *marseillais,* elle prononce le français comme les Marseillais. SENS 2. *L'* **accent** *est aigu dans « pré », grave dans « près », circonflexe dans « prêt »,* le signe placé sur la voyelle. SENS 3. *Il a mis l'* **accent** *sur les difficultés,* il a fait remarquer qu'il y a des difficultés et il a insisté.

▪ **accentuer** v. 1ᵉʳ groupe. [SENS 2] *Ce texte est mal* **accentué**, *les accents ne sont pas correctement mis.* [SENS 3] *La hausse des prix* **s'accentue**, *elle devient plus forte* (= s'intensifier, s'accroître).

▪ **accentuation** n.f. [SENS 2] *Tu as oublié l'accent de « âme » : c'est une faute d'* **accentuation**, *la faute que l'on fait quand on ne met pas les accents ou qu'on les met mal.* [SENS 3] *On note une* **accentuation** *du froid* (= accroissement, intensification).

accepter v. 1ᵉʳ groupe. *J'* **accepte** *votre aide,* je veux bien la recevoir (≠ refuser).

▪ **acceptable** adj. *Cette rédaction est* **acceptable** (= convenable, passable ; ≠ inacceptable).

▪ **acceptation** n.f. *Je me réjouis de son* **acceptation** (≠ refus).

accès n.m. SENS 1. *L'* **accès** *de ce sommet est difficile,* il est difficile d'y arriver, de l'atteindre. SENS 2. *Elle a eu un* **accès** *de fièvre,* une brusque poussée.

▪ **accessible** adj. [SENS 1] *Un lieu très* **accessible** *est très facile à atteindre* (≠ inaccessible). ●● **accéder**

accession → **accéder**

accessoire SENS 1. adj. *Je ferai une remarque* **accessoire**, *qui s'ajoute, qui* est en plus (= secondaire ; ≠ essentiel, primordial). SENS 2. n.m. *Le cric est un accessoire d'automobile,* un objet dont on peut avoir besoin pour utiliser l'automobile.

illustr. **accident** n.m. SENS 1. *Elle a été victime*
p. 733, *d'un accident de la circulation,* d'un
1011, choc causant des dommages, parfois
852 des blessures ou la mort. SENS 2. *J'ai appris cela par accident,* par hasard. SENS 3. Un **accident de terrain** est une inégalité du sol.
✽ Ne pas confondre **accident** et **incident**.

■ **accidenté, ée** adj. [SENS 1] Une voiture **accidentée** est une voiture qui a subi un accident. [SENS 3] On dit qu'un terrain est **accidenté** quand il a un relief inégal.

■ **accidentel, elle** adj. [SENS 1] *Sa mort a été accidentelle,* causée par un accident. [SENS 2] Une rencontre **accidentelle** est une rencontre due au hasard (= fortuit).

■ **accidentellement** adv. [SENS 2] *Un trésor a été découvert accidentellement* (= par hasard, fortuitement).

acclamer v. 1ᵉʳ groupe. *La foule acclame le vainqueur,* elle le salue par des cris d'enthousiasme (≠ huer, conspuer).

■ **acclamation** n.f. *Les spectateurs poussent des acclamations de joie* (= cri, clameur, ovation ; ≠ huées).

acclimater v. 1ᵉʳ groupe. **Acclimater** un animal, c'est l'habituer à vivre dans un nouveau climat. ●● **climat**

■ **acclimatation** n.f. Au **jardin d'acclimatation** on peut voir des animaux du monde entier.

accolade n.f. SENS 1. Une **accolade** (}) sert à réunir plusieurs lignes superposées dans un texte. SENS 2. *Le président donne l'accolade à celui qu'il décore,* il le tient entre ses bras et place sa tête contre la sienne.

accoler v. 1ᵉʳ groupe. *Leurs deux noms sont accolés sur l'affiche,* ils sont mis côte à côte.

accommoder v. 1ᵉʳ groupe. SENS 1. **Accommoder** des aliments, c'est les apprêter d'une certaine façon. SENS 2. **S'accommoder** de quelque chose, c'est s'en contenter.

■ **accommodant, ante** adj. [SENS 2] *Le patron est un homme accommodant* (= conciliant, arrangeant).

■ **accommodement** n.m. [SENS 2] *On a trouvé un accommodement pour les mettre d'accord* (= arrangement).
✽ Attention à l'orthographe des mots de cette famille : deux « c » et deux « m ».

accompagner v. 1ᵉʳ groupe. SENS 1. *J'accompagne un ami à la gare,* j'y vais avec lui. ●● **raccompagner**. SENS 2. *L'orchestre accompagne le chanteur,* il joue une musique s'adaptant à l'air qu'il chante.

■ **accompagnement** n.m. [SENS 2] *Linda chante avec accompagnement de guitare,* un air de guitare qui accompagne son chant.

■ **accompagnateur, trice** n. [SENS 1] *L'accompagnateur* d'un groupe d'enfants voyage avec eux et s'occupe d'eux. [SENS 2] *Cette pianiste est l'accompagnatrice du chanteur,* elle joue au piano la mélodie de ce qu'il chante.

accomplir v. 2ᵉ groupe. SENS 1. *Les éclaireurs ont accompli leur mission,* ils l'ont réalisée complètement (= exécuter, remplir, s'acquitter de). SENS 2. *Un changement total s'est accompli* (= se réaliser).

■ **accompli, ie** adj. [SENS 1] *C'est une artiste accomplie,* parfaite. [SENS 2] *On m'a mis devant le fait accompli,* devant une situation que je ne peux plus modifier.

■ **accomplissement** n.m. [SENS 1] *Maria se consacre à l'accomplissement de sa tâche,* à l'exécuter aussi bien que possible.

accord → *accorder*

illustr.
p. 628 **accordéon** n.m. *On danse au son de l'accordéon*, un instrument de musique à soufflet et à touches.

accorder v. 1er groupe. SENS 1. *Les deux adversaires **se sont accordés**, ils ont été du même avis* (= s'entendre). SENS 2. *Les musiciens **accordent** leurs instruments*, ils les règlent pour jouer juste. SENS 3. *L'adjectif **s'accorde** avec le nom*, il se met au même genre (masculin ou féminin) et au même nombre (singulier ou pluriel). SENS 4. *Je vous **accorde** cette autorisation*, j'accepte de vous la donner (≠ refuser).

■ **accord** n.m. [SENS 1] *L'**accord** règne entre nous*, la bonne entente, la concorde. *Un **accord** commercial est une convention, un traité.* [SENS 2] *Faire un **accord** au piano*, c'est jouer plusieurs notes ensemble. [SENS 3] *L'**accord** du verbe se fait avec le sujet*, on accorde le verbe avec le sujet. [SENS 4] *Je donne mon **accord** à ce projet*, je l'accepte. ◆ *Nous sommes **d'accord***, nous sommes du même avis.

■ **accordeur** n.m. [SENS 2] *Ce piano est faux, il faut faire venir l'**accordeur***, la personne qui le réglera pour qu'il joue juste.

accoster v. 1er groupe. SENS 1. *Le bateau **accoste***, il se range le long du quai. SENS 2. ***Accoster** un passant*, c'est s'approcher pour lui parler (= aborder).

■ **accostage** n.m. [SENS 1] *La houle rendait l'**accostage** difficile* (= abordage).

illustr.
p. 852 **accotement** n.m. *Défense de stationner sur l'**accotement***, le bord de la route (= bas-côté).

accoucher v. 1er groupe. *Cette femme va bientôt **accoucher***, elle va mettre au monde son enfant.

■ **accouchement** n.m. *L'**accouchement** est prévu pour la fin de février*, la mise au monde de l'enfant.

■ **accoucheur, euse** n. *Un accoucheur est un médecin spécialisé dans les accouchements.* → *sage-femme*
✳ On dit aussi un **médecin accoucheur**.

s'accouder v. 1er groupe. *Marie-Laure **s'accoude** à la balustrade*, elle appuie ses coudes dessus. ●● *coude*

■ **accoudoir** n.m. *Un fauteuil a deux **accoudoirs***, deux supports pour mettre les coudes.

s'accoupler v. 1er groupe. *Les animaux **s'accouplent** pour se reproduire*, le mâle et la femelle s'unissent. ●● *couple*

accourir v. 3e groupe. *Les gens **accouraient** vers le lieu de l'accident*, ils arrivaient en courant. ●● *courir*
✳ Conj. n° 29.

accoutrer v. 1er groupe. *Tu es bizarrement **accoutré** aujourd'hui !*, tu es habillé d'une drôle de façon (= affubler).

■ **accoutrement** n.m. *Quel **accoutrement** grotesque !* (= vêtements, tenue).

s'accoutumer v. 1er groupe. *Nous nous **accoutumons** peu à peu à notre nouveau genre de vie*, nous nous y habituons. ●● *coutume*

■ **accoutumance** n.f. *On a changé d'antibiotique pour éviter l'**accoutumance***, pour éviter que le corps s'y habitue et que son efficacité diminue.

accréditer v. 1er groupe. *L'absence du président a **accrédité** la rumeur de sa maladie*, elle a rendu cette rumeur plus digne d'être prise au sérieux.

accrocher v. 1er groupe. SENS 1. *On a **accroché** le tableau au mur*, on l'y a attaché au moyen d'un clou, d'un crochet, etc (≠ décrocher). ●● *raccrocher*. SENS 2. *Pierre a **accroché** sa chemise au fil de fer barbelé*, il l'a déchirée. SENS 3. *Le chauffeur a **accroché** l'aile d'une voiture*, il l'a heurtée, cabossée. SENS 4. **S'accrocher** *aux branches*, c'est se cramponner, s'agripper aux branches. **SENS 5. S'accrocher** à un travail, à une idée, c'est persévérer pour finir ce travail, pour faire accepter cette idée.

■ **accroc** n.m. **[SENS 2]** *J'ai fait un accroc à ma veste,* une déchirure.
✴ On prononce [akro].

■ **accrochage** n.m. **[SENS 1]** *L'accrochage des wagons à la locomotive est bruyant.* **[SENS 3]** *Il y a eu un accrochage entre deux camionnettes* (= collision).

■ **accrocheur, euse** adj. **[SENS 5]** *Une fille accrocheuse est une fille tenace,* active (= persévérant).

accroître v. 3ᵉ groupe. **Accroître** *sa fortune,* c'est la rendre plus importante (= augmenter). *Le chômage s'est encore accru* (≠ décroître). ●● *croître*
✴ Conj. n° 66.

■ **accroissement** n.m. *On craignait un accroissement du nombre des chômeurs* (= augmentation ; ≠ baisse).

s'**accroupir** v. 2ᵉ groupe. *Les enfants s'accroupissent pour jouer,* ils s'assoient sur leurs talons.

accu → *accumuler*

accueillir v. 3ᵉ groupe. *Mehdi accueille chaleureusement son ami,* il le reçoit. *Nous avons accueilli la nouvelle avec soulagement,* nous l'avons entendue.
✴ Conj. n° 24.

■ **accueil** n.m. *Jean nous a fait un accueil amical,* il nous a accueillis amicalement.

■ **accueillant, ante** adj. *Une personne accueillante reçoit ses visiteurs avec gentillesse et chaleur* (= hospitalier).

acculer v. 1ᵉʳ groupe. *Certains commerçants sont acculés à la faillite,* ils n'ont plus d'autre possibilité (= réduire, pousser).

accumuler v. 1ᵉʳ groupe. *Il a accumulé les preuves,* il en a rassemblé beaucoup.

■ **accumulation** n.f. *Le juge continue l'accumulation des preuves,* il en recueille de plus en plus.

■ **accumulateur** ou **accu** n.m. Un accumulateur est un appareil qui emmagasine l'électricité quand on le met en charge et qui peut ensuite la restituer (= batterie). *illustr. p. 69*

accuser v. 1ᵉʳ groupe. **SENS 1.** *On accusait le gardien de négligence,* on disait qu'il était coupable de ne pas avoir fait suffisamment attention. **SENS 2.** *La comparaison entre vous accuse vos différences,* elle fait apparaître et souligne vos différences. *Leurs désaccords se sont accusés avec le temps,* ils sont devenus plus nets, plus profonds (= s'accentuer ; ≠ s'atténuer). **SENS 3. Accuser** *réception d'un envoi,* c'est déclarer qu'on l'a reçu.

■ **accusation** n.f. **[SENS 1]** *Ton accusation est injuste* (= reproche, critique, attaque).

■ **accusateur, trice** n. et adj. **[SENS 1]** *Je répondrai à mes accusateurs,* à ceux qui m'accusent (≠ défenseur). *Il désignait le coupable d'un doigt accusateur.*

■ **accusé, ée** **[SENS 1]** n. *L'accusé affirmait son innocence,* celui qu'on disait coupable. **[SENS 2]** adj. *Des traits accusés ressortent fortement,* sont très marqués. **[SENS 3]** n.m. *Un accusé de réception est un papier par lequel on reconnaît qu'on a reçu un envoi.*

acerbe adj. *Des paroles acerbes sont des paroles désagréables, blessantes.*

acéré, ée adj. *Une lame acérée est une lame très tranchante. Une pointe acérée est une pointe très aiguë.*

achalandé, ée adj. *Ce magasin est bien achalandé,* il a beaucoup de marchandises (= fourni, approvisionné).

s'**acharner** v. 1ᵉʳ groupe. **S'acharner contre** (ou **sur**) *une personne,* c'est l'attaquer avec obstination et violence.

▪ **acharné, ée** adj. *Ils ont livré un combat* **acharné** (= furieux, enragé).

▪ **acharnement** n.m. *Pierre travaille avec* **acharnement**, avec beaucoup d'ardeur (= obstination, ténacité).

achat → *acheter*

acheminer v. 1er groupe. *La poste* **achemine** *le courrier,* elle le fait parvenir à destination. *Nous* **nous acheminons** *vers la maison,* nous allons vers la maison (= se diriger).

acheter v. 1er groupe. *Marie* **achète** *un pain chez le boulanger,* elle se le procure en payant. *Le père de Mathilde* **a acheté** *une nouvelle voiture* (= acquérir ; ≠ vendre). ●● **racheter**
✳ Conj. n° 7.

▪ **achat** n.m. *Il envisage l'***achat** *d'une maison* (= acquisition). ●● **rachat**.
◆ *Emportez vos* **achats** (= emplette).

▪ **acheteur, euse** n. *L'***acheteuse** *a payé comptant* (= acquéreur, client).

achever v. 1er groupe. SENS 1. *Je n'ai pas* **achevé** *la lecture de ce livre,* je ne l'ai pas finie (= terminer). ●● **inachevé**.
SENS 2. **Achever** *un animal blessé,* c'est lui donner le coup qui le tue.
✳ Conj. n° 9.

▪ **achèvement** n.m. [SENS 1] *L'***achèvement** *de mon travail est proche* (= fin).
●● **parachever**

1. acide adj. *Ces pommes ont un goût* **acide**, piquant à la langue.

▪ **acidité** n.f. *Je n'aime pas l'***acidité** *du citron,* sa saveur acide.

▪ **acidulé, ée** adj. *Les bonbons* **acidulés** *sont légèrement acides* (= piquant).

2. acide n.m. *Les* **acides** *sont des corps chimiques particuliers.*

acier n.m. *La lame de ton couteau est en* **acier**, une sorte de fer très dur et cassant.

▪ **aciérie** n.f. *Dans les* **aciéries**, on transforme la fonte en acier.

acné n.f. *L'***acné** *est une maladie de la peau qui se manifeste par des boutons.*

acolyte n.m. *Le bandit était escorté de ses deux* **acolytes**, *les deux complices qui l'accompagnent habituellement.*

acompte n.m. *Verser un* **acompte** *sur une commande,* c'est payer d'avance une partie du prix.

s'**acoquiner** v. 1er groupe. Fam. *Il a eu tort de* **s'acoquiner** *avec ces mauvais garçons,* de se lier avec eux en devenant leur complice.

à-côté n.m. *Ces inconvénients font partie des* **à-côtés** *du métier,* de ce qui est accessoire, qui vient en supplément.
✳ Au pluriel, on écrit des **à-côtés**.

à-coup n.m. *C'est un garçon irrégulier, qui ne travaille que* **par à-coups**, par intermittence, irrégulièrement.
✳ Au pluriel, on écrit des **à-coups**.

acoustique n.f. *Cette salle a une bonne* **acoustique**, on y entend bien.

acquérir v. 3e groupe. SENS 1. **Acquérir** *une voiture,* c'est en devenir le propriétaire (= acheter). SENS 2. **Acquérir** *une preuve, une certitude, etc.,* c'est parvenir à les obtenir.
✳ Conj. n° 21.

▪ **acquéreur** n.m. [SENS 1] *Ce studio n'a pas trouvé d'***acquéreur** (= acheteur).

▪ **acquis** n.m. [SENS 2] *Les* **acquis** *sociaux,* ce sont les avantages sociaux déjà obtenus.
✳ Ne pas confondre avec **acquit**.

▪ **acquisition** n.f. [SENS 1] *M. Dupont a fait l'***acquisition** *d'un piano. Montrez-moi vos* **acquisitions** (= achat, emplette).

acquiescer v. 1er groupe. *J'***acquiesce** *à cette proposition,* je donne mon accord (= accepter ; ≠ refuser).
✳ Conj. n° 1.

■ **acquiescement** n.m. *Il a fait connaître son* **acquiescement** (= accord, acceptation).

acquis, acquisition → *acquérir*

acquit n.m. *J'ai vérifié l'adresse* **par acquit de conscience**, par scrupule, pour éviter tout risque de remords.
✳ Ne pas confondre avec **acquis**.

acquitter v. 1er groupe. **SENS 1.** *Le tribunal l'a* **acquitté**, il l'a déclaré innocent (≠ condamner). **SENS 2. Acquitter** *une facture*, c'est payer le montant de cette facture (= régler). **SENS 3.** *Le messager* **s'est acquitté** *de sa mission*, il a rempli sa mission, il a fait ce qu'il devait.

■ **acquittement** n.m. **[SENS 1]** *Le tribunal a prononcé l'***acquittement** *de l'accusé*, a déclaré qu'il n'était pas coupable.

âcre adj. *Ce fromage de chèvre a un goût* **âcre** (= piquant).

■ **âcreté** n.f. *L'***âcreté** *du médicament lui fait faire la grimace*, le goût piquant.

illustr. p. 177 **acrobate** n. *Au cirque, des* **acrobates** *font des sauts périlleux*, des artistes très souples et très agiles.

■ **acrobatie** n.f. *Nous avons applaudi les* **acrobaties** *du trapéziste*, ses exercices d'équilibre et de souplesse.
✳ On prononce [akrɔbasi].

■ **acrobatique** adj. *Le funambule fait un numéro* **acrobatique**, qui exige beaucoup de souplesse et d'équilibre.

acrylique n.m. *Paul a un pull en* **acrylique**, en fibres textiles artificielles.

acte n.m. **SENS 1.** *Vous êtes responsables de vos* **actes**, de ce que vous faites (= action). **SENS 2.** *Un* **acte de naissance** est un écrit officiel qui établit la naissance d'une personne. **SENS 3.** *Une tragédie en cinq* **actes** est composée de cinq parties.

illustr. p. 952 **acteur, trice** n. *Quelle est l'***actrice** *qui joue dans ce film ?* (= interprète).

actif, ive adj. **SENS 1.** *Un homme* **actif**, *une femme* **active** sont des personnes qui agissent, qui travaillent beaucoup (= travailleur, dynamique, énergique ; ≠ indolent, négligent, inactif). ●● *agir*. **SENS 2.** On dit qu'un médicament est **actif** quand il produit un effet (= efficace). **SENS 3.** *Dans la phrase « Le chat attrape la souris », le verbe est à la voix* **active** (≠ passif).

■ **activement** adv. **[SENS 1]** *Julie prépare* **activement** *son départ* (≠ mollement, négligemment).

■ **activer** v. 1er groupe. **[SENS 1]** *Activez les travaux*, accélérez-les, hâtez-les. *On* **s'activait** *autour des blessés* (= s'affairer, s'empresser).

■ **activité** n.f. **[SENS 1]** *À plus de quatre-vingts ans, sa grand-mère est encore d'une grande* **activité** (= dynamisme, vitalité). *Barnabé a de nombreuses* **activités** *le mercredi après-midi* (= occupation). ●● *agir*

1. action n.f. *M. Balmer possède des* **actions** *d'une société*, il a acheté des parts du capital de cette société.

■ **actionnaire** n. *Les* **actionnaires** *ont touché des revenus importants*, les possesseurs d'actions.

2. action n.f. **SENS 1.** *L'***action** *de cet homme politique a été importante*, ce qu'il a fait. *Nous allons* **passer à l'action**, commencer à agir. *Ses* **actions** *sont désintéressées* (= acte). *L'***action** *de ce médicament est lente* (= effet). ●● *agir*. **SENS 2. Mettre en action** *un appareil*, c'est le faire fonctionner.

■ **actionner** v. 1er groupe. **[SENS 2] Actionner** *le signal d'alarme*, c'est le déclencher, le mettre en marche.

activement, activer, activité → *actif*

actuel, elle adj. *Les événements* **actuels** sont ceux qui ont lieu maintenant (= présent, contemporain).

illustr.
p. 945

▪ **actuellement** adv. *Il est* **actuellement** *en vacances* (= pour le moment).

▪ **actualité** n.f. *Il se tient au courant de l'**actualité**,* de ce qui se passe maintenant. ◆ (Au plur.) *C'est l'heure des **actualités** régionales à la télévision,* du journal d'information télévisé.

▪ **actualiser** v. 1er groupe. *Il faut ac-tualiser ce dictionnaire,* l'adapter à la période actuelle.

acupuncture n.f. L'**acupuncture** est une médecine d'origine chinoise qui consiste à piquer le corps avec des aiguilles à certains points précis.
✳ On prononce [akypɔ̃ktyr].

▪ **acupuncteur, trice** n. *Il se fait soigner par l'**acupuncteur**,* le médecin spécialiste d'acupuncture.
✳ On prononce [akypɔ̃ktœr].

adapter v. 1er groupe. SENS 1. **Adapter** *une poignée à un récipient,* c'est la fixer, l'ajuster à ce récipient. SENS 2. **Adapter** *un roman à l'écran,* c'est le modifier pour en faire un film. SENS 3. *Il a bien fallu s'adapter aux circonstances,* s'y plier, s'y conformer. ●● ***inadapté, réadapter***

▪ **adaptation** n.f. [SENS 2] *Ce film est une **adaptation** d'un roman,* la transformation du roman en scénario. [SENS 3] *Ce travail demande une période d'**adaptation*** (= apprentissage, mise au courant). ●● ***inadaptation***

addition n.f. SENS 1. Faire une **addition**, c'est ajouter un nombre à un autre (≠ soustraction). SENS 2. *Ce jus de fruits est garanti sans **addition** de colorant* (= ajout). SENS 3. Payer l'**addition** au restaurant, c'est payer le montant total de la dépense (= note).

▪ **additionner** v. 1er groupe. [SENS 1] *Il faut **additionner** ces nombres pour obtenir le total* (= ajouter). [SENS 2] *Elle boit du vin **additionné** d'eau,* auquel on a ajouté de l'eau (= mêler, étendre).

▪ **additif** n.m. [SENS 2] *Ce sirop ne contient aucun **additif**,* produit ajouté.

adepte n. *Alexia est une **adepte** de la musique moderne,* cette musique lui plaît (= partisan).

adéquat, e adj. *Nous avons trouvé la solution **adéquate**,* celle qui convient à la situation (= convenable, approprié).
✳ Au masculin, on ne prononce pas le « t » : [adekwa].

adhérer v. 1er groupe. SENS 1. *Le timbre **adhère** à l'enveloppe,* il y colle. SENS 2. **Adhérer** *à un club de sport,* c'est en devenir membre.
✳ Conj. n° 10.

▪ **adhérent, ente** [SENS 1] adj. *Le sparadrap est très **adhérent*** (= collant). [SENS 2] n. *De nouveaux **adhérents** se sont inscrits à la chorale* (= membre).
✳ Ne pas confondre **adhérent** et **adhérant** (participe présent du verbe « adhérer »).

▪ **adhérence** n.f. [SENS 1] *Ce pneu a une bonne **adhérence**,* il ne dérape pas.

▪ **adhésion** n.f. [SENS 2] *Adeline a rempli sa fiche d'**adhésion** au club de danse* (= inscription).

▪ **adhésif, ive** adj. [SENS 1] *Ferme le paquet avec du ruban **adhésif**,* qui colle.

illustr.
p. 122,
868

adieu interj. On dit **adieu** à quelqu'un quand on le quitte pour longtemps. ◆ n.m. *Je pars demain, je viens vous faire mes **adieux**,* vous dire au revoir.

adjectif n.m. « *Grand* », « *beau* » sont des ***adjectifs**,* des mots qui accompagnent un nom et s'accordent avec lui.

adjoindre v. 3e groupe. *On **adjoint** souvent au nom de Louis XIV le surnom de Roi-Soleil* (= ajouter). *Le directeur **s'est adjoint** un collaborateur,* il l'a engagé pour que celui-ci le seconde (= s'attacher).
✳ Conj. n° 56.

▪ **adjoint, e** n. *M. Roblan est **adjoint** au maire,* il l'aide et parfois le remplace.

illustr.
p. 440

adjudant n.m. Un **adjudant** est un sous-officier immédiatement supérieur au sergent-chef.

adjuger v. 1ᵉʳ groupe. **SENS 1.** *Le premier prix **a été adjugé** à Paul,* il lui a été attribué, donné (= décerner). **SENS 2.** *Il **s'est adjugé** un bon morceau,* il l'a pris. ✹ Conj. n° 2.

adjurer v. 1ᵉʳ groupe. *Je l'**ai adjuré** de se taire* (= supplier, conjurer).

admettre v. 3ᵉ groupe. **SENS 1.** *Jean **a été admis** dans la classe supérieure,* il a pu y entrer (= recevoir). **SENS 2.** *J'**admets** vos excuses,* je reconnais qu'elles sont valables (= accepter ; ≠ refuser, rejeter). ✹ Conj. n° 57.

■ **admission** n.f. **[SENS 1]** *Le jury a décidé l'**admission** de ce candidat,* qu'il était reçu.

■ **admissible** adj. **[SENS 1]** *Un candidat **admissible** est autorisé à passer l'oral de l'examen.* **[SENS 2]** *Une telle erreur n'est pas **admissible*** (= acceptable, tolérable ; ≠ inadmissible, intolérable).

administrer v. 1ᵉʳ groupe. **SENS 1.** *Le conseil municipal **administre** la commune,* il la dirige (= gérer). **SENS 2.** *On **a administré** au malade un remède énergique,* on le lui a fait prendre, donné.

■ **administré, ée** n. **[SENS 1]** *Le maire s'est adressé à ses **administrés**,* aux habitants de sa commune.

■ **administrateur, trice** n. **[SENS 1]** *Les **administrateurs** de la société se sont réunis,* les personnes qui dirigent, gèrent la société.

■ **administratif, ive** adj. **[SENS 1]** *Une décision **administrative** est prise par l'Administration.*

■ **administration** n.f. **[SENS 1]** *Il se consacre à l'**administration** de l'usine* (= gestion). ◆ (Avec majuscule.) *Il a des démêlés avec l'**Administration**,* avec les services publics.

admirer v. 1ᵉʳ groupe. *Nous **avons admiré** le paysage,* nous l'avons trouvé très beau. *J'**admire** ce médecin,* je trouve qu'il a de très grandes qualités.

■ **admirable** adj. *Ce film est **admirable*** (= superbe, merveilleux, magnifique, splendide).

■ **admirablement** adv. *Linda chante **admirablement*** (= merveilleusement).

■ **admirateur, trice** n. *Le chanteur était entouré d'une foule d'**admiratrices*** (= fam. fan).

■ **admiratif, ive** adj. *Un regard **admiratif** exprime l'admiration.*

■ **admiration** n.f. *Eva est **en admiration** devant le collier d'Aurélie,* elle le trouve très beau. *Je suis plein d'**admiration** pour un tel exploit* (= émerveillement).

admissible, admission
→ **admettre**

adolescent, ente n. Un **adolescent** n'est plus un enfant et n'est pas encore un adulte. ✹ On dit familièrement un **ado**.

■ **adolescence** n.f. *L'**adolescence** est la période pendant laquelle on est adolescent (entre 14 et 18 ans environ).*

s'**adonner** v. 1ᵉʳ groupe. **S'adonner** au sport, à la lecture, c'est faire beaucoup de sport, lire beaucoup (= se consacrer).

adopter v. 1ᵉʳ groupe. **SENS 1.** *Ils **ont adopté** un enfant,* ils le traitent légalement comme leur enfant. **SENS 2.** *Léo **a adopté** un air indifférent,* il a fait semblant d'être indifférent. **SENS 3. Adopter** un projet, c'est l'approuver, souvent par un vote.

■ **adoptif, ive** adj. **[SENS 1]** *Une mère **adoptive** est celle qui adopte un enfant. Un fils **adoptif** est celui qui est adopté.*

■ **adoption** n.f. **[SENS 1]** *L'**adoption** d'un orphelin est étroitement réglementée.* **[SENS 3]** *L'**adoption** du projet de voyage a été votée par toute la classe* (= approbation).

adorer v. 1ᵉʳ groupe. **SENS 1. Adorer** Dieu, c'est le prier avec respect. **SENS 2.**

*Elle **adore** son chien, le cinéma,* elle les aime beaucoup (≠ détester).

■ **adorable** adj. [SENS 2] *Léo est adorable* (= charmant ; ≠ insupportable).

■ **adorateur, trice** n. [SENS 1] *On sait que les Incas étaient des **adorateurs** du Soleil.* [SENS 2] *Cette chanteuse a beaucoup d'**adorateurs*** (= admirateur, fan).

■ **adoration** n.f. [SENS 1] *Des religieux étaient prosternés en **adoration** devant l'autel,* pour adorer Dieu. [SENS 2] *Il a une **adoration** pour son fils,* son fils est une idole pour lui.

adosser v. 1er groupe. *S'**adosser** à un mur,* c'est appuyer son dos contre ce mur. *La maison **est adossée** à la montagne,* elle touche la montagne par l'arrière.

adouber v. 1er groupe. *En 1515, Bayard a **adoubé** François Ier,* il l'a fait chevalier.

■ **adoubement** n.m. L'**adoubement** est la cérémonie au cours de laquelle le nouveau chevalier jurait fidélité à son seigneur.

adoucir v. 2e groupe. SENS 1. *Ce savon **adoucit** la peau,* il la rend plus douce. SENS 2. *Grand-père **s'est adouci** en vieillissant,* il est devenu moins sévère, moins dur. SENS 3. *Le vent **s'est adouci**,* il est devenu moins fort (= se calmer).
●● *radoucir*

■ **adoucissement** n.m. [SENS 3] *On annonce un **adoucissement** de la température* (= réchauffement).

1. adresse → *adroit*

2. adresse n.f. SENS 1. *Quelle est son **adresse** ?,* l'endroit où il habite. SENS 2. *Il a lancé des injures **à l'adresse de** ses adversaires,* à leur intention.

■ **adresser** v. 1er groupe. [SENS 1] *Adresser une lettre à quelqu'un,* c'est la lui envoyer. [SENS 2] *Adresser la parole à quelqu'un,* c'est lui parler. ***Adressez-vous** à la secrétaire !* allez lui demander ce que vous voulez savoir.

adret n.m. L'**adret** est le versant d'une vallée de montagne exposé au soleil (≠ ubac). *illustr. p. 617*

adroit, e adj. *Un ouvrier **adroit** a une grande habileté manuelle* (= habile). *Sa question est très **adroite**,* elle est très intelligemment posée (≠ maladroit).

■ **adroitement** adv. *Le chauffeur a évité **adroitement** l'obstacle* (= habilement ; ≠ maladroitement).

■ **adresse** n.f. *Marie conduit sa voiture avec **adresse*** (= habileté, dextérité ; ≠ maladresse).

adulte SENS 1. adj. *Mon chat n'a pas encore sa taille **adulte**,* la taille de son plein développement. SENS 2. n. *Un **adulte** est quelqu'un qui n'est plus dans l'enfance ou dans l'adolescence* (= une grande personne).

advenir v. 3e groupe. *Quoi qu'il **advienne**,* quoi qu'il se produise.
✳ Conj. n° 22.

adverbe n.m. *« Maintenant », « bien », « très » sont des **adverbes**,* des mots invariables qui modifient le sens des adjectifs, des verbes, d'autres adverbes.

adversaire n. *Il a répondu aux attaques de ses **adversaires**,* des gens qui s'opposent à lui (≠ partenaire, allié, partisan).

■ **adverse** adj. *C'est l'équipe **adverse** qui a gagné* (= opposé).

adversité n.f. *Il a été courageux dans l'**adversité**,* dans une situation pénible, défavorable (= malheur).

aérer v. 1er groupe. ***Aérer** une pièce,* c'est en renouveler l'air. ●● *air*
✳ Conj. n° 10.

■ **aération** n.f. *Un orifice d'**aération** permet à l'air de pénétrer dans un local.*

■ **aéré, ée** adj. *Un **centre aéré** accueille les jeunes enfants pour leur permettre de vivre en plein air quand ils ne sont pas en classe.*

■ **aérien, enne** adj. Un câble **aérien** est tendu dans l'air. ◆ Le transport **aérien** se fait par avion. ●● *antiaérien*

aéro- préfixe. Placé au début d'un mot, **aéro-** signifie « air » ou « avion » : *un aéroglisseur* (un bateau qui glisse sur un coussin d'air) ; *une aérogare* (une gare pour prendre l'avion).
✳ Au sens d'avion, **aéro-** est en réalité l'abréviation de **aéroplane**, le nom donné jadis à l'avion.

illustr. **aéro-club** n.m. Un **aéro-club** est un
p. 1017 club où les amateurs d'avion et de planeur peuvent s'entraîner.
✳ Au pluriel, on écrit des **aéro-clubs**.

aérodrome n.m. Un **aérodrome** est un terrain aménagé pour le décollage et l'atterrissage des avions.

aérodynamique adj. *Cette voiture est plus rapide que l'autre grâce à sa forme aérodynamique,* qui offre moins de résistance à l'air quand elle se déplace.

illustr. **aérogare** n.f. L'**aérogare** est le bâti-
p. 75 ment réservé aux voyageurs qui prennent l'avion et aux bagages.

aéroglisseur n.m. Un **aéroglisseur** est un bateau avançant sur un coussin d'air.

aéromodélisme n.m. *Papa fait de l'aéromodélisme,* il construit des modèles réduits d'avions ou de planeurs.

aéronautique SENS 1. adj. L'industrie **aéronautique** est celle qui concerne les avions. SENS 2. n.f. L'**aéronautique** est la fabrication des avions.

illustr. **aéroport** n.m. Un **aéroport** est l'ensem-
p. 75 ble formé par un aérodrome et par les bâtiments administratifs correspondants.

aéroporté, ée adj. Des troupes **aéroportées** sont transportées par avion.

aérosol n.m. Un **aérosol** est un réci-   *illustr.*
pient qui permet de pulvériser un liquide   *p. 869*
sous pression.
✳ On prononce [aerɔsɔl].

aérospatial, ale, aux adj. L'industrie **aérospatiale** concerne les fusées, les satellites.

affable adj. *L'hôtelier a un air affable* (= aimable, accueillant).
■ **affabilité** n.f. *Il a répondu avec affabilité* (= amabilité).

affadir v. 2ᵉ groupe. *Tu as mis trop d'eau, cela affadit l'orangeade,* elle a moins de goût. ●● *fade*

affaiblir v. 2ᵉ groupe. *La fièvre a affaibli Delphine,* elle l'a rendue plus faible. *Sa vue s'est affaiblie* (= diminuer, baisser). ●● *faible*
■ **affaiblissement** n.m. *Le malade est dans un grave état d'affaiblissement,* il n'a plus beaucoup de forces.

affaire n.f. SENS 1. *Nous discuterons de cette affaire,* de cette question. SENS 2. *Avoir affaire à* quelqu'un, c'est être mis en rapport avec lui. *C'est mon affaire,* cela ne regarde que moi. SENS 3. *Quand Julien bricole, il est à son affaire,* il fait quelque chose qu'il aime et il le fait bien. SENS 4. *Ce morceau de bois fera l'affaire,* il conviendra. SENS 5. *J'ai fait une bonne affaire,* un marché avantageux. SENS 6. (Au plur.) *M. Mercat est dans les affaires,* il est dans le commerce ou l'industrie. SENS 7. (Au plur.) *Range tes affaires !,* tes vêtements, tes objets personnels.
■ **affairé, ée** adj. [SENS 1] *Cédric est très affairé* (= occupé, pris).
■ s'**affairer** v. 1ᵉʳ groupe. *Le cuisinier s'affaire à ses fourneaux,* il s'occupe activement de préparer le repas (= s'activer).

s'**affaisser** v. 1ᵉʳ groupe. SENS 1. *En s'évanouissant, Luc s'est affaissé,* il est

15

tombé sous son propre poids. SENS 2. *Le sol s'est affaissé,* il s'est enfoncé.

▪ **affaissement** n.m. [SENS 2] *Cet affaissement de terrain est dû aux pluies* (= effondrement).

s'**affaler** v. 1er groupe. *Épuisé par cette longue marche, il s'est affalé sur un lit,* il s'y est laissé tomber.

affamé, ée adj. *Les assiégés étaient affamés,* ils souffraient de la faim. *Tiffany est affamée en rentrant de l'école,* elle a faim. ●● *faim*

affecter v. 1er groupe. SENS 1. *On m'a affecté à ce poste* (= nommer). SENS 2. *Affecter une somme à quelque chose,* c'est l'y employer. *Le mercredi après-midi, le préau est affecté à la chorale,* il est destiné à cette activité. ●● *désaffecté*. SENS 3. *Affecter* la joie, la tristesse, etc., c'est faire semblant d'éprouver de la joie, de la tristesse (= feindre, simuler). SENS 4. *Il a été très affecté par la mort de son ami,* très ému, attristé.

▪ **affecté, ée** adj. [SENS 3] *Son insouciance est affectée,* il fait semblant d'être insouciant (= feint, simulé).

▪ **affectation** n.f. [SENS 1] *J'ai reçu un changement d'affectation* (= fonctions, emploi, poste). [SENS 3] *Une affectation d'insouciance est un air d'insouciance qu'on se donne.*
✳ Ne pas confondre avec **affection**.

affection n.f. SENS 1. *Jérémy a pour moi une affection fraternelle,* il m'aime comme un frère (= tendresse, amitié, attachement ; ≠ aversion, hostilité). SENS 2. *Une affection de la peau est une maladie de la peau.*
✳ Ne pas confondre avec **affectation**.

▪ **affectif, ive** adj. [SENS 1] *Une réaction affective est inspirée par un sentiment et non par la raison.*

▪ **affectionner** v. 1er groupe. [SENS 1] *Il affectionne la musique,* il l'aime.

▪ **affectueux, euse** adj. [SENS 1] *Anissa est une enfant affectueuse* (= tendre, aimant).

▪ **affectueusement** adv. [SENS 1] *La maman parle affectueusement à son petit enfant* (= tendrement).

affermir v. 2e groupe. *Ces critiques n'ont fait que l'affermir dans sa résolution,* le rendre plus ferme, plus décidé (= renforcer). ●● *ferme (2)*

▪ **affermissement** n.m. *Le président recherche un affermissement de son autorité* (= renforcement, consolidation).

afficher v. 1er groupe. SENS 1. *On a affiché un concert,* on l'a annoncé par des affiches. *Les résultats s'affichent sur le tableau,* ils s'inscrivent sur le tableau. SENS 2. *Il affiche son mépris,* il le montre ouvertement.

▪ **affiche** n.f. [SENS 1] *Le mur est couvert d'affiches publicitaires,* de grandes feuilles portant des inscriptions. *illustr. p. 855*

▪ **affichage** n.m. [SENS 1] *Un panneau d'affichage est un panneau où l'on place les affiches. Les horaires des trains sont annoncés sur les tableaux d'affichage électronique.* *illustr. p. 913*

affilé, ée adj. *Une lame affilée est coupante, aiguisée.*
✳ Ne pas confondre **affilé** et **effilé**.

d'**affilée** adv. *Nous avons travaillé cinq heures d'affilée,* sans interruption.

s'**affilier** v. 1er groupe. *Notre club s'est affilié à la fédération,* il y a adhéré (= se rattacher).

▪ **affiliation** n.f. *La fédération a enregistré l'affiliation de notre club* (= adhésion).

affiner v. 1er groupe. SENS 1. *On affine certains fromages dans des caves,* on achève de les fabriquer. SENS 2. *La lecture affine l'esprit,* elle le rend plus fin, plus pénétrant. ●● *fin (2)*

▪ **affinage** n.m. [SENS 1] *L'affinage du roquefort se fait dans ces caves,* l'étape finale de la préparation.

■ **affinement** n.m. [SENS 2] *Cette mise au point révèle un **affinement** de sa réflexion,* une plus grande finesse. ●● *fin (2)*

affinité n.f. *Il y a entre eux des **affinités**,* des goûts semblables.

affirmer v. 1ᵉʳ groupe. *J'**affirme** que c'est vrai,* je le déclare fermement (= soutenir, certifier).

■ **affirmation** n.f. *Cette **affirmation** est exacte* (= déclaration).

■ **affirmatif, ive** adj. *Il m'a donné une réponse **affirmative**,* il a dit oui (≠ négatif).

■ **affirmative** n.f. *Il a répondu par l'**affirmative*** (≠ la négative).

affleurer v. 1ᵉʳ groupe. *Les rochers **affleurent** à la surface de l'eau,* ils arrivent juste à ce niveau, à fleur d'eau. ●● *fleur*

affliger v. 1ᵉʳ groupe. SENS 1. *Affliger quelqu'un,* c'est lui causer un profond chagrin (= peiner, attrister). SENS 2. *Être **affligé** d'une maladie,* c'est souffrir de cette maladie. ✳ Conj. n° 2. Ne pas confondre **affliger** et **infliger**.

■ **affligeant, ante** adj. [SENS 1] *Ce film est d'une bêtise **affligeante**,* navrante, désolante, consternante (= lamentable).

■ **affliction** n.f. [SENS 1] *Sa mort a plongé ses amis dans l'**affliction*** (= douleur, peine, chagrin).

affluer v. 1ᵉʳ groupe. *Les vacanciers **affluent**,* ils arrivent en grand nombre.

■ **affluence** n.f. *L'**affluence** des touristes commence fin juin,* l'arrivée de très nombreux touristes. *Aux heures d'**affluence**,* on est serré dans l'autobus, aux heures de pointe.

illustr. p. 845 ■ **affluent** n.m. *La Saône est un **affluent** du Rhône,* un cours d'eau qui se jette dans le Rhône. → ***confluent***

■ **afflux** n.m. *Aujourd'hui, il y a eu un **afflux** de visiteurs au musée* (= affluence).

affoler v. 1ᵉʳ groupe. *Son imprudence m'**affole**,* elle m'effraie (≠ calmer). *Ne vous **affolez** pas, gardez votre calme,* ne perdez pas votre sang-froid.

■ **affolant, ante** adj. *Ces maisons atteignent un prix **affolant*** (= effrayant, fou).

■ **affolement** n.m. *On entendait des cris d'**affolement*** (= terreur).

affranchir v. 2ᵉ groupe. SENS 1. ***Affranchir** une lettre, un paquet,* c'est coller dessus les timbres dont le prix paie le transport. SENS 2. *Autrefois, un maître pouvait **affranchir** ses esclaves,* les rendre libres.

■ **affranchissement** n.m. [SENS 1] *Vérifie que l'**affranchissement** est suffisant,* qu'il y a assez de timbres.

affreux, euse adj. SENS 1. *Elle a une robe **affreuse**,* très laide (= hideux, horrible). SENS 2. *Quel temps **affreux** !,* très désagréable, très pénible.

■ **affreusement** adv. *Je suis **affreusement** inquiet* (= extrêmement, terriblement, horriblement).

affront n.m. *Il lui a fait un **affront** en refusant de lui serrer la main,* une insulte en public (= offense, vexation).

affronter v. 1ᵉʳ groupe. ***Affronter** un adversaire,* c'est ne pas craindre de lutter contre lui.

■ **affrontement** n.m. *L'**affrontement** a été violent* (= combat).

affubler v. 1ᵉʳ groupe. *Il était **affublé** d'un pantalon à rayures et d'une chemise à fleurs,* il était ridiculement habillé (= accoutrer).

affût n.m. SENS 1. *Il est à l'**affût** des nouvelles,* il les guette. SENS 2. *L'**affût** d'un canon,* c'est ce qui sert à le déplacer et à le diriger. *illustr. p. 55*

affûter v. 1ᵉʳ groupe. *Le menuisier **affûte** ses outils,* il les aiguise.

17

afin que conj. *Faites un plan, afin que tout soit clair,* pour que tout soit clair.

■ **afin de** prép. *Elle se dépêche afin d'arriver à temps,* pour arriver à temps.

agacer v. 1er groupe. *Cet enfant m'agace avec ses questions,* il m'énerve (= horripiler, exaspérer).
✻ Conj. n° 1.

■ **agaçant, ante** adj. *Ce petit bruit est agaçant* (= énervant, irritant).

■ **agacement** n.m. *Il a eu un geste d'agacement* (= impatience).

agate n.f. *L'agate* est une pierre aux couleurs variées dont on fait des bijoux, des bibelots, etc. *Les billes d'agate* sont en verre coloré qui rappelle la pierre d'agate.

âge n.m. SENS 1. *Quel âge avez-vous ?,* depuis combien de temps êtes-vous né ? SENS 2. *Dans son jeune âge, dans l'âge mûr, dans un âge avancé,* dans sa jeunesse, sa maturité, sa vieillesse. SENS 3. *M. Fastin fréquente un club du troisième âge,* de gens qui ont entre 60 et 75 ans. SENS 4. *L'âge du bronze,* l'**âge du fer** sont les époques préhistoriques où les hommes fabriquaient des objets en bronze, en fer.

■ **âgé, ée** adj. [SENS 1] *Pierre est âgé de douze ans,* il a cet âge. *Sa grand-mère est âgée,* elle est vieille.

agence n.f. *Une agence de voyages, de publicité,* etc., est une entreprise commerciale qui s'occupe de ces affaires.

agencer v. 1er groupe. *Cet appartement est bien agencé,* bien organisé.
✻ Conj. n° 1.

■ **agencement** n.m. *L'agencement d'un spectacle,* c'est son organisation.

illustr. p. 123
agenda n.m. *J'inscris mes rendez-vous sur mon agenda* (= carnet).
✻ On prononce [aʒɛ̃da].

s'agenouiller v. 1er groupe. *Grand-père s'agenouille pour arracher les mau-* vaises herbes, il se met à genoux.
●● *genou*

agent n.m. SENS 1. *Un agent commercial, publicitaire,* etc., est chargé de traiter des affaires commerciales, publicitaires, etc. SENS 2. *L'agent règle la circulation* (= agent de police, gardien de la paix, policier). SENS 3. Dans la phrase « J'ai été aidé par mes amis », « mes amis » est le **complément d'agent,** il indique l'auteur de l'action.
illustr. p. 855, 1011

s'agglomérer v. 1er groupe. *La farine mal délayée s'agglomère en grumeaux,* elle se rassemble en petites boules.
✻ Conj. n° 10.

■ **agglomération** n.f. *Une agglomération* est un groupe d'habitations formant un village ou une ville et sa banlieue.

s'agglutiner v. 1er groupe. *Les bonbons se sont agglutinés dans le paquet,* ils se sont collés ensemble.

aggraver v. 1er groupe. *Cette nouvelle erreur aggrave son cas,* elle le rend plus grave. *Sa maladie s'est aggravée,* elle est devenue plus grave (= empirer).
●● *grave*

■ **aggravant, ante** adj. Si une circonstance est **aggravante,** elle rend le cas du coupable plus grave (≠ atténuant).

■ **aggravation** n.f. *On craint une aggravation de son état de santé* (≠ amélioration).

agile adj. *Cet enfant est agile comme un singe,* il a des mouvements vifs et il est souple (= leste, alerte).

■ **agilité** n.f. *Il court avec agilité,* avec rapidité et légèreté.

agir v. 2e groupe. SENS 1. *Il faut agir,* au lieu de vous lamenter, il faut faire quelque chose. ●● *actif, action (2), inactif.* SENS 2. *Agir auprès d'un ministre,* c'est faire une démarche auprès de lui. SENS 3. *Vous avez agi sagement en appelant le médecin,* vous vous êtes conduit sagement. SENS 4. *Ce médicament agit sur les nerfs,* il produit un effet. ●● *actif, action (2).* SENS 5. *Dans ce roman il s'agit d'espionnage,* on raconte une histoire d'espionnage. SENS 6. *Il s'agit de se dépêcher,* il faut se dépêcher.

■ **agissements** n.m. pl. [SENS 3] *Ses agissements m'inquiètent,* ses manières d'agir (= manœuvres).

agiter v. 1er groupe. SENS 1. *Le vent agite les branches,* il les fait remuer. SENS 2. *Cet enfant s'agite nerveusement* (= gigoter). SENS 3. *Les ouvriers s'agitent,* ils manifestent leur mécontentement.

■ **agité, ée** [SENS 1] adj. *La mer est agitée,* il y a de grosses vagues (≠ calme). → **houleux.** [SENS 2] n. *Ce garçon est un agité* (= excité).

■ **agitation** n.f. [SENS 1] *L'agitation des vagues est perpétuelle* (= mouvement). [SENS 2] *Une agitation fiévreuse précède le départ* (= excitation, remue-ménage). [SENS 3] *L'agitation sociale se développe* (= troubles).

■ **agitateur, trice** n. [SENS 3] *Les agitateurs* sont ceux qui causent volontairement des incidents politiques ou sociaux.

illustr.
p. 397
agneau n.m. SENS 1. *L'agneau* est le petit de la brebis. SENS 2. *On a mangé des côtes d'agneau,* de la viande d'agneau. ◆ *Aline est douce comme un agneau,* très douce.
✳ Au pluriel, on écrit des **agneaux.**

agonie n.f. *L'agonie,* c'est le moment où une personne va mourir, ce sont ses derniers instants.

■ **agoniser** v. 1er groupe. *Le blessé agonise,* il est en train de mourir.

illustr.
p. 228
agrafe n.f. SENS 1. *Une agrafe* est un petit crochet qui sert à fermer un vêtement. SENS 2. *Une agrafe* est une attache métallique qui sert à fixer des feuilles de papier. SENS 3. *Une agrafe* est une sorte de crochet qui sert à suspendre un stylo à une poche de vêtement.

■ **agrafer** v. 1er groupe. [SENS 1] *Cette robe s'agrafe au col* (= fermer ; ≠ dégrafer). [SENS 2] *Agrafez ces feuilles ensemble,* attachez-les avec une agrafe.

■ **agrafeuse** n.f. [SENS 2] *Une agrafeuse* est un appareil qui sert à agrafer ensemble des feuilles de papier. *illustr. p. 122*

agrandir v. 2e groupe. *Agrandir une maison,* c'est la rendre plus grande. ●● *grand*

■ **agrandissement** n.m. *Un agrandissement* photographique est la reproduction en plus grand d'une photo.

agréable adj. *L'odeur des roses est agréable,* elle plaît (≠ déplaisant, désagréable).

■ **agréablement** adv. *Les vacances se passent agréablement.* ●● *désagréablement*

■ **agrément** n.m. *Cette ville est pleine d'agrément,* de charme. ●● *désagrément*
✳ Ne pas confondre avec **agrément,** de la famille de **agréer.**

■ **agrémenter** v. 1er groupe. *Elle a agrémenté sa réponse d'un sourire,* elle a ajouté à sa réponse quelque chose d'agréable.

agréer v. 1er groupe. SENS 1. (Formule de politesse.) *Veuillez agréer mes salutations respectueuses,* veuillez les accepter. SENS 2. *Un modèle agréé* est un modèle officiellement admis.

■ **agrément** n.m. [SENS 1] *Il a agi sans mon agrément,* sans que j'aie donné mon accord (= autorisation ; ≠ refus).
✳ Ne pas confondre avec **agrément,** de la famille de **agréable.**

s'**agréger** v. 1er groupe. *Des passants s'étaient agrégés au groupe des manifestants,* ils s'étaient joints au groupe (= s'intégrer).
✳ Conj. no 2 et no 10.

agrément → *agréable* et *agréer*

L'AGRICULTURE

céréales

blé

épi

tige

grain

orge

seigle

avoine

maïs

sarrasin

semoir mécanique

faucheuse

terres cultivées

tracteur

charrue

mottes

herse

sillons

pâturage

berger

troupeau de moutons

ronces

chien

herbage

champ labouré

pré (pâturage)

herbe

friche (jachère)

La culture de la terre et l'élevage des animaux (voir aussi p. 397) permettent de produire des aliments. On cultive surtout des céréales, des plantes oléagineuses et des plantes fourragères.

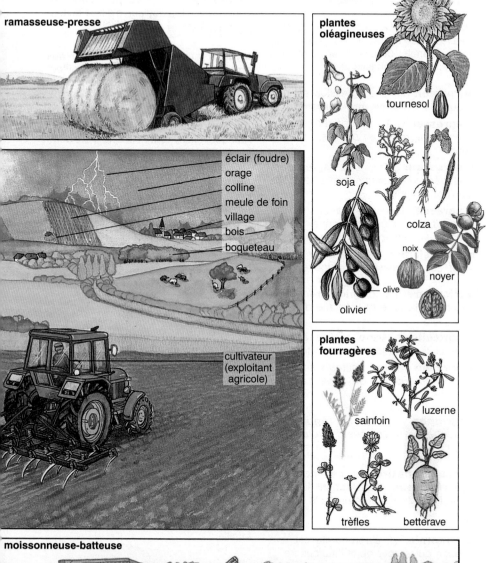

ramasseuse-presse

éclair (foudre)
orage
colline
meule de foin
village
bois
boqueteau

cultivateur
(exploitant
agricole)

plantes oléagineuses

tournesol

soja

colza

noix

noyer

olive

olivier

plantes fourragères

luzerne

sainfoin

trèfles

betterave

moissonneuse-batteuse

remorque

21

agrémenter → *agréable*

agrès n.m. pl. *La barre fixe, les barres parallèles, les anneaux sont des agrès*, des appareils utilisés pour faire des exercices de gymnastique.

agression n.f. Une **agression** est une attaque violente. ●● *non-agression*

■ **agresser** v. 1ᵉʳ groupe. *Les malfaiteurs ont agressé un pompiste* (= attaquer).

■ **agresseur** n.m. *Des agresseurs masqués ont assommé le caissier,* ceux qui l'ont attaqué.

■ **agressif, ive** adj. *Il a pris un air agressif,* l'air d'une personne qui va attaquer (= menaçant, belliqueux).

■ **agressivité** n.f. *Il a répondu calmement, sans agressivité* (≠ douceur).

illustr. p. 20, 758
agriculture n.f. L'**agriculture** est la culture de la terre et l'élevage des animaux.

illustr. p. 397
■ **agriculteur, trice** n. Les **agriculteurs** cultivent la terre (= cultivateur).

illustr. p. 397, 21
■ **agricole** adj. *Les tracteurs sont des machines agricoles,* qui servent à l'agriculture.

s'**agripper** v. 1ᵉʳ groupe. *Agrippe-toi au rocher* (= s'accrocher, se cramponner).

agroalimentaire adj. Les industries **agroalimentaires** transforment les produits de l'agriculture en produits alimentaires.

agronomie n.f. L'**agronomie** est une science qui a pour objet l'agriculture.

■ **agronome** n. Un **agronome** est un spécialiste de l'agronomie.

illustr. p. 690
agrume n.m. *Les citrons, les oranges, les mandarines, les pamplemousses sont des agrumes,* des fruits qui ont une écorce et dont la pulpe se présente en quartiers.

s'**aguerrir** v. 2ᵉ groupe. **S**'aguerrir contre le froid, la douleur, c'est s'habituer à les endurer (= s'endurcir).

aguets n.m. pl. *Le chasseur est aux aguets,* il surveille très attentivement tout ce qui l'entoure (= à l'affût).

ah !, ah ? interj. Ce mot exprime la satisfaction, la douleur, la surprise, etc. *Ah ! quel plaisir ! Ah ! comme c'est dommage ! Ah ? Pourquoi dites-vous cela ?*

ahurir v. 2ᵉ groupe. *Je suis ahuri par cette nouvelle,* extrêmement étonné (= stupéfier, abasourdir).

■ **ahurissant, ante** adj. Une histoire **ahurissante** est stupéfiante (= renversant).

■ **ahurissement** n.m. *Son visage exprimait l'ahurissement* (= stupéfaction).

aider v. 1ᵉʳ groupe. SENS 1. *Nous l'avons aidé dans ses recherches,* nous avons participé à son effort (= seconder). ●● *s'entraider.* SENS 2. *Le maçon s'aide d'un levier pour déplacer le bloc de pierre,* il se sert d'un levier.

■ **aide** n.f. [SENS 1] *Nous comptons sur l'aide de nos amis* (= appui, soutien). L'**aide internationale**, c'est le secours alimentaire ou médical que certaines organisations apportent aux populations dans le besoin. ●● *entraide.* [SENS 2] *Le prisonnier s'est évadé à l'aide d'une corde* (= au moyen de).

■ **aide** n. [SENS 1] Une **aide familiale** est une personne qui aide une mère de famille.

aïe ! interj. Ce mot exprime la douleur : *Aïe ! tu me fais mal !*

aïeux n.m. pl. *Nos aïeux sont les personnes qui ont vécu longtemps avant nous* (= ancêtres).

✴ Le singulier **aïeul, aïeule** s'emploie rarement pour désigner le grand-père ou

Ail

la grand-mère, ou chacun des arrière-grands-parents.

illustr.
p. 616

aigle n.m. *Un aigle plane dans le ciel,* un grand rapace.

■ **aiglon** n.m. L'**aiglon** est le petit de l'aigle.

aigre adj. SENS 1. *Un fruit* **aigre** *a une saveur piquante* (= acide). SENS 2. *Une voix* **aigre** *est désagréable, criarde* (= aigu).

■ **aigrelet, ette** adj. [SENS 1] *Des cerises* **aigrelettes** *sont légèrement aigres.*

■ **aigrement** adv. [SENS 2] *Il a répondu* **aigrement***, sur un ton blessant* (≠ amicalement).

■ **aigreur** n.f. [SENS 1] *L'*aigreur *de ce vin le rend imbuvable* (= acidité). [SENS 2] *L'*aigreur *de ses répliques montre sa colère* (= animosité).

■ **aigrir** v. 2ᵉ groupe. [SENS 1] *Ce vin commence à* **aigrir***, à devenir acide, mauvais.* [SENS 2] *Pierre* **est aigri** *par ses échecs,* il est devenu irritable.

aigrette n.f. L'**aigrette** est un petit bouquet de plumes que certains oiseaux ont sur la tête.

aigrir → **aigre**

illustr.
p. 431

aigu, uë adj. SENS 1. *Les abeilles ont un dard* **aigu***, terminé en fine pointe* (= piquant). SENS 2. *Un angle* **aigu** *est un angle inférieur à l'angle droit* (≠ obtus). SENS 3. *Une douleur* **aiguë** *est une douleur vive, intense.* SENS 4. *Un son* **aigu** *est un son émis fortement sur une note élevée* (= perçant ; ≠ grave). SENS 5. *Sur le « é » de « aimé », il y a un* **accent aigu***.* ✴ Noter le tréma sur le « e » au féminin : **aiguë***.*

illustr.
p. 425

aiguillage n.m. L'**aiguillage** est un dispositif qui permet de faire changer un train de voie.

■ **aiguilleur** n.m. *Un* **aiguilleur** *manœuvre l'aiguillage.* ◆ *Les* **aiguilleurs** *du ciel contrôlent le vol des avions.*

aiguille n.f. SENS 1. *On coud avec une* **aiguille** *et du fil.* SENS 2. *À midi, les deux* **aiguilles** *de la montre sont sur le chiffre 12.* SENS 3. *L'*aiguille *de la seringue s'est cassée.* SENS 4. *Les* **aiguilles** *des pins et des sapins sont vertes,* leurs feuilles effilées et dures. SENS 5. *Le sommet très pointu d'une montagne s'appelle une* **aiguille** (= pic).

illustr.
p. 228,
150,
869,
403,
617

■ **aiguillon** n.m. *Les guêpes et les abeilles piquent avec leur* **aiguillon** (= dard).

aiguiller v. 1ᵉʳ groupe. *Ce témoignage* **a aiguillé** *les enquêteurs vers une nouvelle piste* (= orienter).

aiguillon → **aiguille**

aiguiser v. 1ᵉʳ groupe. *Le boucher* **aiguise** *ses couteaux,* il les rend plus coupants (= affûter). ✴ On prononce [egize].

aïkido n.m. L'**aïkido** est un sport de combat d'origine japonaise.

ail n.m. *As-tu mis de l'*ail *dans la salade ?,* une plante qui a une odeur forte et qui sert à l'assaisonnement. ✴ Le pluriel est **ails** ou **aulx** [o].

illustr.
p. 746

aile n.f. SENS 1. *Les* **ailes** *d'un oiseau sont ses membres garnis de plumes qui lui servent à voler.* SENS 2. *Les réacteurs sont situés sous les* **ailes** *de l'avion,* sous les parties planes et allongées qui le soutiennent en l'air. SENS 3. *Un camion a accroché l'*aile *droite de ma voiture,* la partie de la carrosserie située au-dessus des roues. SENS 4. *Une* **aile** *de bâtiment est une partie de bâtiment située à gauche ou à droite de la partie centrale.* SENS 5. *Les* **ailes** *d'une armée, d'une équipe de football, etc., sont les extrémités droite et gauche de la ligne d'attaque.* SENS 6. *Cette entreprise* **bat de l'aile***,* elle n'a pas de bons résultats, elle va mal.

illustr.
p. 617,
54,
202,
75,
69

■ **ailé, ée** adj. [SENS 1] *Les mouches sont des insectes* **ailés***,* qui ont des ailes.

▪ **aileron** n.m. [SENS 1] Un **aileron** de poulet est l'extrémité d'une aile. Les **ailerons** d'un requin sont ses nageoires.

▪ **ailier** n.m. [SENS 5] Les **ailiers** d'une équipe sportive sont les joueurs placés aux ailes.

ailleurs adv. SENS 1. *Ne reste pas ici, va jouer ailleurs,* à un autre endroit. SENS 2. *Il faut rentrer, d'ailleurs il pleut,* de plus, de toute façon.

aimable adj. Une personne **aimable** est quelqu'un qui cherche à faire plaisir, qui accueille bien les gens (= gentil, accueillant, obligeant). ●● *amabilité*

▪ **aimablement** adv. *Il m'a aimablement proposé de m'aider* (= gentiment).

aimant n.m. Un **aimant** est un morceau d'acier qui attire le fer.

▪ **aimanter** v. 1er groupe. *L'aiguille aimantée de la boussole s'oriente vers le nord,* c'est une aiguille qui a les propriétés d'un aimant.

aimer v. 1er groupe. SENS 1. *Rémy aime sa femme et ses enfants,* il se sent attiré vers eux, heureux de vivre avec eux. ●● *bien-aimé.* SENS 2. *J'aime la musique, le sport,* je prends plaisir à écouter de la musique, à faire du sport. SENS 3. *J'aime mieux le théâtre que le cinéma* (= préférer).

illustr. p. 217 **aine** n.f. L'**aine** est la partie du corps située entre le haut de la cuisse et le bas du ventre.

aîné, ée adj. et n. La fille **aînée** est celle qui est née la première. *Colin est l'aîné,* il est né avant ses frères et sœurs.

ainsi adv. SENS 1. *Pourquoi me regardez-vous ainsi ?,* de cette façon (= comme ça). SENS 2. *Il n'y avait pour ainsi dire personne à la réunion,* presque personne. SENS 3. *Il est venu ainsi que je le lui avais demandé,* comme je le lui avais demandé. SENS 4. *Il avait invité ses proches parents,*

ainsi que quelques amis, et aussi quelques amis. SENS 5. *Ainsi, vous ne vous souvenez de rien ?,* alors, en fin de compte.

air n.m. SENS 1. L'**air** qu'on respire est la couche gazeuse qui entoure la Terre ; il est composé de plusieurs gaz, et principalement d'oxygène et d'azote. L'**air** **inspiré** est l'air qu'on fait entrer dans les poumons en respirant. L'**air expiré** est l'air qu'on fait sortir des poumons. *La fête a lieu en plein air,* dehors. *Je vais prendre l'air,* je sors. ●● **aérer, anti-aérien**. SENS 2. *Regardez en l'air,* vers le haut. SENS 3. *Il nous regarde avec un drôle d'air* (= expression). SENS 4. *Elle a l'air heureuse,* elle semble heureuse. *Cette histoire a l'air d'une plaisanterie,* elle ressemble à une plaisanterie, on dirait que c'est une plaisanterie. SENS 5. *L'air de cette chanson s'adapte bien aux paroles,* la musique.
✴ Ne pas confondre avec une **aire**.

aire n.f. SENS 1. L'**aire** d'atterrissage est un terrain aménagé pour les avions. L'**aire** de jeu est un terrain aménagé pour des jeux de plein air. *Sur les autoroutes, il y a des aires de repos,* des espaces réservés au stationnement et au délassement. SENS 2. Calculer l'**aire** d'un carré, c'est calculer sa surface. *illustr. p. 202, 852, 431, 991*

aisance n.f. SENS 1. *Il soulève une grosse pierre avec aisance,* avec facilité. SENS 2. *Ces gens vivent dans l'aisance,* ils ont suffisamment d'argent pour vivre sans se priver.

▪ **aisé, ée** adj. [SENS 1] Un travail **aisé** ne demande pas d'effort (= facile, simple ; ≠ difficile). ●● *malaisé.* [SENS 2] Une personne **aisée** a de quoi vivre largement sans se priver.

▪ **aisément** adv. [SENS 1] *Ce problème se résout aisément* (= facilement ; ≠ difficilement). ●● *malaisément*

aise n.f. SENS 1. *Je suis à l'aise dans ces chaussures,* elles ne me gênent pas.

Mettez-vous **à l'aise**, installez-vous confortablement, ôtez ce qui vous gêne. SENS 2. (Au plur.) *Paul aime ses* **aises**, son confort. SENS 3. *Renaud n'est pas très scrupuleux, il* **en prend à son aise** *avec le règlement,* il ne le respecte guère.

aisé, aisément → *aisance*

illustr.   **aisselle** n.f. L'**aisselle** est le creux du
p. 217   bras sous l'épaule.

ajonc n.m. *La lande est couverte d'*ajoncs, d'arbrisseaux épineux à fleurs jaunes.

ajourner v. 1er groupe. SENS 1. *Ajourner un rendez-vous,* c'est le renvoyer à plus tard (= retarder). SENS 2. Un candidat **ajourné** est un candidat qui a échoué (= refuser).

■ **ajournement** n.m. [SENS 1] *Le président a décidé l'*ajournement *de la réunion* (= renvoi).

ajouter v. 1er groupe. *Je voudrais* **ajouter** *quelques lignes à cette lettre,* les mettre en plus (≠ retrancher, ôter, enlever). ●● *rajouter, surajouter.* → *addition*

■ **ajout** n.m. *Il y a un* **ajout** *au bas de la page,* un mot ou une ligne ajoutés.

ajuster v. 1er groupe. SENS 1. *Ajustez bien le couvercle !,* mettez-le exactement à sa place (= adapter, emboîter). SENS 2. *Je dois* **ajuster** *mes dépenses à mes revenus,* les faire correspondre. ●● *rajuster*

■ **ajustage** n.m. [SENS 1] *L'*ajustage *de ce mécanisme est délicat* (= mise au point).

■ **ajustement** n.m. [SENS 2] *L'assemblée a apporté un dernier* **ajustement** *au projet* (= retouche). ●● *réajustement*

■ **ajusteur** n.m. [SENS 1] Un **ajusteur** est un ouvrier chargé de fabriquer des pièces mécaniques qui doivent s'ajuster précisément à un dispositif, une machine, etc.

alambic n.m. Un **alambic** sert à fabriquer de l'alcool par distillation.

alambiqué, ée adj. *Cet écrivain a un style trop* **alambiqué,** trop recherché (≠ simple, naturel).

alarme n.f. SENS 1. *Dès le début de l'incendie, un locataire a donné l'*alarme, il a prévenu du danger (= alerte). SENS 2. *Les cambrioleurs ont été mis en fuite par l'*alarme, le dispositif sonore qui signale un danger, une effraction.

alarmer v. 1er groupe. *Il* **s'alarme** *sans raison,* il s'inquiète.

■ **alarmant, ante** adj. *L'état du malade est* **alarmant** (= inquiétant ; ≠ rassurant).

albatros n.m. Un **albatros** est un gros oiseau de mer aux pattes palmées.

album n.m. SENS 1. *David range ses timbres dans un* **album,** un livre dont les feuilles servent à classer des timbres, des images. SENS 2. Un **album** est un livre d'images.   *illustr.*
  p. 151
✳ On prononce [albɔm].

alchimiste n.m. Les **alchimistes** du Moyen Âge étaient des sortes de magiciens qui cherchaient à fabriquer de l'or.

alcool n.m. SENS 1. *On stérilise les*   *illustr.*
*instruments chirurgicaux avec de l'*al-   *p. 868*
cool, un liquide très fort extrait de certains corps végétaux. SENS 2. *L'*alcool *nuit à la santé,* les boissons fortes qui contiennent beaucoup d'alcool.

■ **alcoolique** adj. et n. [SENS 2] *Cet homme est devenu* **alcoolique,** il boit trop d'alcool. *Dans cet hôpital, on aide les* **alcooliques** *à se soigner,* les personnes qui boivent trop.

■ **alcoolisme** n.m. [SENS 2] *L'accident est dû à l'*alcoolisme, à l'abus de l'alcool.

■ **alcoolisé, ée** adj. [SENS 2] *Le vin, la bière sont des boissons* **alcoolisées,** contenant de l'alcool.

■ **Alcootest** n.m. [SENS 2] *Les gendarmes l'ont fait souffler dans l'*Alcootest,

une sorte de ballon qui permet de voir si quelqu'un a bu de l'alcool.
✳ **Alcootest** est un nom de marque, il s'écrit avec une majuscule dans les textes imprimés.

aléa n.m. *On doit tenir compte des **aléas** de la circulation en ville et partir assez tôt,* des événements imprévus.

■ **aléatoire** adj. *Les résultats sont **aléatoires*** (= incertain, hasardeux ; ≠ sûr).

alentour adv. *Vous verrez une maison avec des arbres **alentour**,* tout autour.

■ **alentours** n.m. pl. *Les **alentours** de la ville sont pittoresques,* les lieux voisins (= environs). ◆ *Les travaux coûteront **aux alentours** de dix mille euros,* à peu près dix mille euros (= environ).

1. alerte adj. *Marie marchait d'un pas **alerte**,* vif, leste (= agile).

2. alerte n.f. *Les sirènes sonnent l'**alerte**,* elles avertissent d'un danger (= alarme).

■ **alerter** v. 1er groupe. *On **a alerté** les gendarmes aussitôt après l'accident,* on les a prévenus (= avertir).

alevin n.m. *On a mis 100 kilos d'**alevins** dans l'étang,* de tout jeunes poissons destinés à le repeupler.

alexandrin n.m. *« Rien ne sert de courir, il faut partir à point »* est un **alexandrin**, un vers de 12 syllabes.

algarade n.f. *Marc a eu une **algarade** avec ses voisins,* un échange de mots violents (= querelle, dispute, altercation).

algèbre n.f. *L'**algèbre** est une méthode particulière de calcul où certains nombres sont remplacés par des lettres de valeur plus générale.

■ **algébrique** adj. *(a + b) x 3 = 3a + 3b est un calcul **algébrique**.*

illustr. p. 719 **algue** n.f. *Les **algues** sont des plantes qui vivent dans l'eau, comme le goémon.

alibi n.m. *L'accusé a fourni un **alibi**,* une preuve ou un témoignage montrant qu'il n'était pas présent au moment du vol, du crime, etc.

aliéné, ée n. Un **aliéné** est un malade mental (= fou, dément).

■ **aliénation** n.f. *Il donne des signes d'**aliénation*** (= folie, démence).

aligner v. 1er groupe. **Aligner** des chaises, c'est les disposer en ligne. *Les coureurs **se sont alignés**, prêts à partir.* ●● *ligne*

■ **alignement** n.m. *Mettez-vous à l'**alignement**, alignez-vous.* *illustr. p. 758*

aliment n.m. *Les légumes verts sont des **aliments** sains* (= nourriture).

■ **alimentaire** adj. *Les produits **alimentaires** servent à se nourrir. La **chaîne alimentaire**, c'est le trajet que suit la nourriture depuis les plantes jusqu'aux carnivores : la sauterelle mange de l'herbe, elle est mangée par le lézard qui est à son tour mangé par le faucon. Le **régime alimentaire** des animaux est déterminé par ce qu'ils mangent, végétaux, animaux ou les deux.*

■ **alimentation** n.f. *Nous avons une **alimentation** variée* (= nourriture). ●● *sous-alimentation, suralimentation*

■ **alimenter** v. 1er groupe. *On **alimente** les bébés avec des farines et du lait* (= nourrir). ●● *sous-alimenté*

alinéa n.m. *Va à la ligne et commence un nouvel **alinéa*** (= paragraphe).

s'**aliter** v. 1er groupe. *Barnabé **s'est alité** avec de la fièvre,* il s'est mis au lit (= se coucher). ●● *lit*

allaiter v. 1er groupe. *La chienne **allaite** ses petits,* elle les nourrit de son lait, elle les fait téter. ●● *lait*

■ **allaitement** n.m. *L'**allaitement**, c'est l'alimentation d'un bébé, d'un petit animal avec le lait de sa mère.

allécher v. 1er groupe. *J'ai été alléché par ces promesses,* j'ai été attiré, séduit. ✴ Conj. n° 10.

■ **alléchant, ante** adj. Un plat **alléchant** est appétissant, il fait envie.

illustr.
p. 747,   **allée** n.f. **SENS** 1. Les **allées** d'un parc
527   sont des chemins bordés d'arbres, de haies, etc. **SENS** 2. Les **allées et venues** des voyageurs dans un hall de gare sont leurs trajets en tous sens.

allégation → *alléguer*

alléger v. 1er groupe. *Pour alléger la valise, j'ai enlevé quelques livres,* pour la rendre plus légère (≠ alourdir). ●● *léger* ✴ Conj. n° 2 et n° 10.

allègre adj. *Pierre marche d'un pas allègre,* vif et joyeux.

■ **allégresse** n.f. *Les chants et les danses exprimaient l'allégresse de la foule,* sa grande joie.

alléguer v. 1er groupe. *Pour excuser cet oubli, Pierre a allégué sa fatigue* (= faire valoir, prétexter). ✴ Conj. n° 10.

■ **allégation** n.f. *On vérifiera les allégations de l'accusé* (= déclaration, affirmation).

aller v. 3e groupe. **SENS** 1. *Emmanuelle va chaque jour à l'école* (= se rendre). **SENS** 2. *Cette route va à Lyon* (= mener, conduire). **SENS** 3. *Comment allez-vous ?* (= comment vous portez-vous ?). **SENS** 4. *Les affaires vont mal,* elles ne sont pas florissantes, prospères (= marcher). **SENS** 5. *Cette robe vous va bien,* elle fait un bel effet sur vous (= convenir). **SENS** 6. *Je vais partir, il va être 3 heures,* je partirai dans un instant, il sera bientôt 3 heures. **SENS** 7. *Je veux m'en aller, allons-nous-en* (= partir). ✴ Conj. n° 12. **Aller** se conjugue avec l'auxiliaire « être » ; il sert d'auxiliaire pour construire le futur proche : *je vais revenir bientôt.*

■ **aller** n.m. [**SENS** 1] *À l'aller, nous avons voyagé en voiture* (≠ retour).

allergie n.f. *Marie a une allergie au poisson,* elle le supporte mal, il lui donne des malaises.

■ **allergique** adj. *Je suis allergique aux fraises,* les fraises me donnent des troubles, des malaises.

alliage n.m. Un **alliage** est un métal obtenu en fondant ensemble différents métaux.

alliance n.f. **SENS** 1. *Un traité d'alliance a été conclu,* un traité qui établit une union, une solidarité. **SENS** 2. *Son alliance est en or,* l'anneau qu'elle porte à l'annulaire, comme beaucoup de gens mariés. *illustr. p. 150*

■ **allier** v. 1er groupe. [**SENS** 1] *Ces deux pays se sont alliés pour se défendre en commun* (= unir, associer).

■ **allié, ée** adj. et n. [**SENS** 1] *Les pays alliés ont remporté la victoire en 1945,* les pays associés (≠ ennemi).

alligator n.m. Un **alligator** est un crocodile d'Amérique. *illustr. p. 495*

allô ! interj. Ce mot marque le début d'une conversation téléphonique : *Allô ! Qui est à l'appareil ?*

allocation → *allouer*

allocution n.f. *Le président a prononcé une allocution de bienvenue,* un petit discours officiel. ✴ Ne pas confondre **allocution** et **allocation**.

allonger v. 1er groupe. **SENS** 1. *Cette robe est trop courte, il faudrait l'allonger,* la rendre plus longue (= rallonger ; ≠ raccourcir). ●● *long*. **SENS** 2. *Peggy voudrait allonger son séjour chez nous,* le faire durer plus longtemps (= prolonger ; ≠ abréger, écourter). *Les jours allongent,* ils deviennent plus longs. **SENS** 3. *Allongez les bras devant vous,* tendez les bras en avant. *Allongez-vous sur le lit,* étendez-vous (= se coucher). ✴ Conj. n° 2.

27

■ **allongement** n.m. *Marie souhaite toujours un allongement des vacances* (= prolongation). ●● *long*

allouer v. 1er groupe. *Une indemnité a été allouée aux sinistrés,* elle leur a été attribuée.

■ **allocation** n.f. Les **allocations** familiales sont des sommes versées par l'État aux familles ayant des enfants à charge.
✳ Ne pas confondre **allocation** et **allocution**.

allumer v. 1er groupe. SENS 1. *On a allumé le feu avec un briquet,* on l'a fait commencer à brûler (= enflammer ; ≠ éteindre). **Allumer** le gaz, c'est l'enflammer. ●● *rallumer*. SENS 2. *Allume la lampe électrique !,* mets le contact pour qu'elle éclaire (≠ éteindre).

■ **allumage** n.m. [SENS 1] *Jean est chargé de l'allumage du feu.* [SENS 2] *Nous avons eu une panne d'allumage,* du dispositif qui produit les étincelles électriques permettant de mettre le moteur en marche.

■ **allumette** n.f. [SENS 1] *Frotte une allumette !,* une petite tige de bois dont un bout est enduit d'un produit qui s'enflamme quand on le frotte.

allure n.f. SENS 1. *La voiture roule à toute allure,* très vite (= vitesse). SENS 2. *Ce garçon a une drôle d'allure* (= air, aspect).

allusion n.f. *Sa lettre fait allusion à ses projets,* elle y fait penser sans les indiquer clairement.

■ **allusif, ive** adj. *Une phrase allusive* comporte des allusions.

alluvions n.f. pl. *Des alluvions sont un dépôt boueux fertile laissé par un cours d'eau.*

almanach n.m. *Un almanach est une sorte de petit livre qui présente un* calendrier journalier et contient des renseignements très divers.
✳ On prononce [almana].

aloès n.m. *Ce sirop à l'aloès est amer,* un médicament extrait des feuilles d'une plante des pays chauds.
✳ On prononce [alɔɛs].

aloi n.m. *Une remarque de bon aloi est une remarque de bon goût, de bonne qualité, intéressante (≠ de mauvais aloi).*

alors adv. SENS 1. *Je n'étais alors qu'un enfant,* à ce moment-là. SENS 2. *Vous êtes content ? alors tant mieux,* dans ce cas, dans ces conditions.

■ **alors que** conj. *Il perd son temps, alors que son travail n'est pas fait,* tandis que, et cependant.

alouette n.f. *L'alouette est un petit oiseau des champs qu'on peut voir s'envoler verticalement dans le ciel en chantant.* *illustr. p. 753*

alourdir v. 2e groupe. SENS 1. *Tous les souvenirs que j'ai achetés alourdissent ma valise,* ils la rendent plus lourde (≠ alléger). ●● *lourd*. SENS 2. *Sabrina sent ses paupières s'alourdir de sommeil,* elles paraissent plus lourdes.

■ **alourdissement** n.m. *On annonçait un alourdissement des impôts* (= accroissement).

alpage n.m. *Les alpages sont des prairies de haute montagne.* *illustr. p. 616*

alphabet n.m. *L'alphabet est l'ensemble des lettres d'une langue classées dans un ordre défini.* En français, elles sont classées de A à Z. *illustr. p. 503*

■ **alphabétique** adj. *Les noms sont classés par ordre alphabétique,* l'ordre des lettres de l'alphabet.

■ **alphabétiser** v. 1er groupe. *Alphabétiser des adultes,* c'est leur apprendre à lire et à écrire. ●● *analphabète*

L'ALPINISME

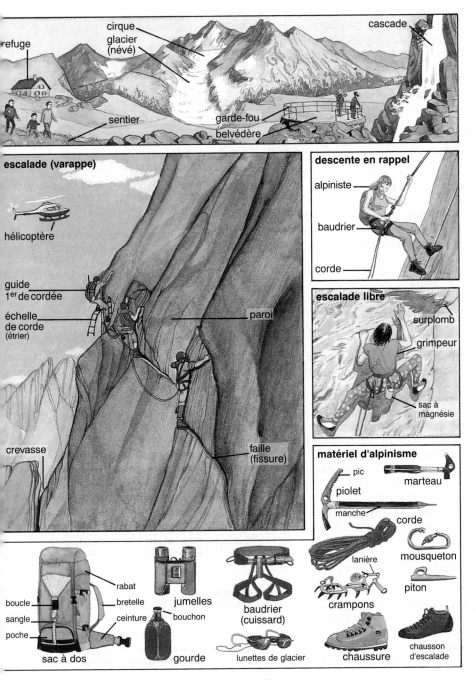

cirque
glacier
(névé)
cascade
refuge
sentier
garde-fou
belvédère

escalade (varappe)

hélicoptère

guide
1er de cordée
échelle
de corde
(étrier)
paroi

crevasse
faille
(fissure)

descente en rappel

alpiniste
baudrier
corde

escalade libre

surplomb
grimpeur
sac à
magnésie

matériel d'alpinisme

pic
marteau
piolet
manche
corde

lanière
mousqueton

crampons
piton

rabat
boucle
bretelle
jumelles
sangle
ceinture
bouchon
poche

baudrier
(cuissard)

sac à dos
gourde
lunettes de glacier
chaussure
chausson
d'escalade

29

illustr. p. 29

alpinisme n.m. L'alpinisme est un sport consistant en excursions et en ascensions en haute montagne.

illustr. p. 29, 733

■ **alpiniste** n. *Trois alpinistes ont été bloqués par la tempête,* trois personnes pratiquant l'alpinisme.

altercation n.f. Une **altercation** est une querelle violente (= algarade, dispute).

altérer v. 1er groupe. SENS 1. *Le soleil altère les couleurs,* il les rend moins belles (= abîmer, ternir). ●● *inaltérable.* SENS 2. *Cette longue promenade m'a altéré,* elle m'a donné soif (≠ désaltérer). ✳ Conj. n° 10.

■ **altération** n.f. [SENS 1] *C'est une altération de la vérité,* une déformation (= c'est un mensonge).

alterner v. 1er groupe. *Les jours et les nuits alternent régulièrement,* ils se succèdent à tour de rôle.

■ **alternance** n.f. *Nous travaillons tous les deux en alternance,* chacun notre tour.

■ **alternateur** n.m. Un **alternateur** est un appareil qui produit du courant alternatif.

■ **alternatif, ive** adj. Un mouvement **alternatif** va d'abord dans un sens, puis dans un autre. Un courant électrique **alternatif** change périodiquement de sens (≠ continu).

■ **alternative** n.f. *L'alternative est simple : obéir ou démissionner,* le choix à faire entre deux solutions.

■ **alternativement** adv. *On stationne alternativement de chaque côté de la rue,* tour à tour.

altesse n.f. **Altesse** est un titre donné à un prince ou à une princesse.

altier, ère adj. Un ton **altier** est un ton hautain, dédaigneux (≠ modeste).

altimètre n.m. Un **altimètre** est un appareil qui sert à mesurer l'altitude.

altitude n.f. Un sommet de 3 000 mètres d'**altitude** s'élève à 3 000 mètres au-dessus du niveau de la mer (= hauteur).

alto n.m. Un **alto** est un violon au son grave.

illustr. p. 628

aluminium n.m. L'**aluminium** est un métal très léger.

alunir v. 2e groupe. *Les premiers engins spatiaux ont aluni en 1966,* ils se sont posés sur la Lune.

■ **alunissage** n.m. *L'alunissage a eu lieu à l'heure prévue,* le contact de la fusée avec le sol de la Lune.

illustr. p. 202

alvéole n.f. SENS 1. Les **alvéoles** sont les petites cases dans lesquelles les abeilles déposent leur miel et leurs œufs (= cavité). SENS 2. Les **alvéoles** du poumon sont des sortes de petits sacs à parois minces, entre lesquels circulent les vaisseaux.

illustr. p. 384, 216

amabilité n.f. *La conférencière a répondu à nos questions avec amabilité* (= gentillesse). ●● *aimable*

amadouer v. 1er groupe. *Le prisonnier a amadoué ses gardiens,* il les a rendus plus doux par des paroles flatteuses, aimables.

amaigrir v. 2e groupe. *Sa maladie l'a beaucoup amaigri,* elle l'a rendu maigre. ●● *maigre*

■ **amaigrissant, ante** adj. Un régime **amaigrissant** est un régime qu'on suit pour maigrir.

■ **amaigrissement** n.m. *Son amaigrissement me paraît inquiétant,* sa perte de poids.

amalgame n.m. *Ce roman est un amalgame de plusieurs histoires vécues,* il mêle plusieurs histoires (= mélange).

■ **s'amalgamer** v. 1er groupe. *Ces populations se sont amalgamées en un* *peuple,* elles se sont fondues (= se mélanger).

illustr.
p. 690
amande n.f. L'**amande** est un fruit formé d'une coquille dure, de forme ovale, que l'on casse pour manger la graine qu'elle contient, et qui est produit par un **amandier**.
✹ Ne pas confondre **amande** et **amende**.

illustr.
p. 403
amanite n.f. *Certaines **amanites** sont très dangereuses,* des champignons à long pied et à lamelles.
✹ Ne pas confondre **amanite** et **ammonite**.

amant n.m. L'**amant** d'une femme est un homme avec lequel elle a des relations sexuelles sans être mariée avec lui.

illustr.
p. 694
amarre n.f. Les **amarres** d'un bateau sont les câbles servant à l'attacher.

■ **amarrer** v. 1ᵉʳ groupe. **Amarrer** une barque, un paquet, c'est les attacher solidement à quelque chose.

amas n.m. *Le tremblement de terre n'a laissé qu'un **amas** de ruines,* un entassement (= tas, monceau).

■ **amasser** v. 1ᵉʳ groupe. *Il a **amassé** une fortune colossale* (= réunir, entasser).

amateur SENS 1. n.m. *Jean est un **amateur** de musique,* il l'aime beaucoup. SENS 2. adj. Un photographe **amateur**, un cycliste **amateur** pratiquent la photographie, le cyclisme par plaisir, sans en faire leur profession (≠ professionnel).

amazone n.f. SENS 1. Selon la légende, les **amazones** étaient des femmes qui combattaient à cheval avec un arc. SENS 2. *Marie monte **en amazone**,* elle monte à cheval en mettant ses deux jambes du même côté.

sans **ambages** adv. *Elle a refusé **sans ambages** ma proposition,* sans façons (= sans détour, franchement).

ambassadeur n.m. Un **ambassadeur** représente officiellement son pays à l'étranger.

■ **ambassade** n.f. Partir **en ambassade**, c'est partir en mission auprès de quelqu'un pour obtenir quelque chose.
◆ *La foule a manifesté devant l'**ambassade**,* les locaux où est installé l'ambassadeur.

■ **ambassadrice** n.f. Ce mot désigne soit la femme d'un ambassadeur, soit une femme qui a rang d'ambassadeur.

ambiance n.f. SENS 1. *Il règne ici une **ambiance** sympathique* (= atmosphère, climat). SENS 2. *À la réunion, il y avait de l'**ambiance*** (= gaieté, animation).

■ **ambiant, ante** adj. [SENS 1] La température **ambiante** est la température qui règne là où l'on se trouve.

ambigu, uë adj. Une réponse **ambiguë** peut être interprétée de plusieurs façons (= équivoque).
✹ Noter le tréma sur le « e » au féminin : **ambiguë**.

■ **ambiguïté** n.f. *Explique-toi sans **ambiguïté**,* de façon qu'il n'y ait pas de doute (= équivoque).
✹ Ne pas oublier le tréma sur le « i ».

ambition n.f. SENS 1. *Il est plein d'**ambition**,* du désir de réussite, de gloire. SENS 2. *Son **ambition** est d'être élu député* (= rêve).

■ **ambitionner** v. 1ᵉʳ groupe. [SENS 2] *Elle **ambitionne** de faire du cinéma,* elle désire cela ardemment (= rêver, aspirer à).

■ **ambitieux, euse** adj. [SENS 1] *Il a des projets **ambitieux*** (≠ modeste).

ambre n.m. L'**ambre jaune** est une résine fossile dont on fait des bijoux. L'**ambre gris** est une substance parfumée tirée du cachalot.

ambulance n.f. Une **ambulance** est une voiture aménagée pour le transport des malades et des blessés.
illustr.
p. 869,
737

▪ **ambulancier, ère** n. Un **ambulancier** est un conducteur d'ambulance.

illustr.
p. 583

ambulant, ante adj. Un marchand **ambulant** transporte avec lui sa marchandise pour la vendre de place en place. → *déambuler*

âme n.f. SENS 1. Chez l'être humain, l'**âme** est la partie spirituelle qui permet de penser, d'avoir des sentiments et une conscience (par opposition au corps). SENS 2. *Il lui est dévoué corps et âme*, totalement. SENS 3. **Rendre l'âme**, c'est mourir. SENS 4. *J'ai agi en mon âme et conscience*, en toute honnêteté et selon ma conviction. SENS 5. *Cet homme est une âme noble*, une personne noble.

améliorer v. 1er groupe. *Tes résultats sont passables, il faudrait les améliorer*, les changer en mieux. ●● *meilleur*

▪ **amélioration** n.f. *On espère une amélioration de leur état de santé*, un changement en mieux (≠ aggravation).

amen n.m. inv. *C'est un garçon docile, qui dit amen à tout ce qu'on lui propose*, qui dit oui, qui accepte.
✳ On prononce [amɛn].

aménager v. 1er groupe. *On a aménagé le grenier en salle de jeux*, on l'a disposé, organisé pour le transformer en salle de jeux (= installer).
✳ Conj. no 2.

▪ **aménagement** n.m. *Il a fait des aménagements dans sa maison* (= modification, transformation).

amende n.f. SENS 1. *Défense de stationner sous peine d'amende*, sous peine d'être obligé de payer une certaine somme en punition (= contravention). SENS 2. **Faire amende honorable**, c'est reconnaître ses torts.
✳ Ne pas confondre avec **amande**.

amener v. 1er groupe. *Elle a amené un ami à la maison*, elle l'a fait venir avec elle.
●● *ramener*
✳ Conj. no 9.

s'**amenuiser** v. 1er groupe. *Nos ressources s'amenuisent*, elles deviennent de moins en moins importantes (= diminuer, s'amoindrir).

amer, ère adj. SENS 1. *Le café sans sucre est amer*, il a un goût rude que la plupart des gens trouvent désagréable. SENS 2. *Son échec a été une amère déception* (= pénible).

▪ **amèrement** adv. [SENS 2] *Il regrette amèrement son erreur* (= vivement).

▪ **amertume** n.f. [SENS 2] *Il a exprimé son amertume* (= déception).

amerrir v. 2e groupe. *L'hydravion a amerri près de la côte*, il s'est posé sur l'eau. ●● *mer*

améthyste n.f. L'**améthyste** est une pierre précieuse violette.

illustr.
p. 616

ameublement n.m. *Nous avons acheté un lit et une armoire dans un magasin d'ameublement*, où l'on vend des meubles. *Du tissu d'ameublement sert à garnir, à décorer un intérieur de maison.* ●● *meuble (1)*

ameublir v. 2e groupe. *Les labours ameublissent le sol*, ils le rendent moins compact, plus meuble. ●● *meuble (2)*

ameuter v. 1er groupe. *Ses cris ameutèrent les voisins*, ils les firent s'attrouper autour de lui, ils les firent accourir.

ami, amie n. *Mehdi a réuni chez lui quelques amis*, des personnes qu'il aime bien et avec lesquelles il reste en relation. *Anaïs s'est fait beaucoup d'amis car elle est très gentille* (≠ ennemi).

▪ **amical, ale, aux** adj. Un salut **amical** est un salut d'ami (= cordial ; ≠ hostile, inamical).

■ **amicalement** adv. *Nous avons bavardé* **amicalement**, comme le font des amis (= cordialement).

■ **amitié** n.f. SENS 1. L'**amitié** est plus profonde que la camaraderie. SENS 2. (Au plur.) *Faites-lui mes* **amitiés**, donnez-lui mon souvenir amical.

à l'**amiable** adv. *Un arrangement* **à l'amiable** se fait par accord direct, sans contestation devant des juges.

amiante n.m. L'**amiante** est une matière qui sert de protection contre le feu, mais dont on sait aujourd'hui qu'elle présente des dangers pour la santé.

amical, amicalement → *ami*

amincir v. 2ᵉ groupe. *Cette jupe l'***amincit**, elle la fait paraître plus mince (≠ grossir). ●● *mince*. *La tige va en* **s'amincissant**, en devenant plus mince.

■ **amincissant, ante** adj. *Marc suit un régime* **amincissant**, un régime qui permet de devenir plus mince (= amaigrissant).

illustr. p. 440 **amiral** n.m. *Le grade d'***amiral** est le plus haut dans la marine militaire.
✳ Au pluriel, on dit des **amiraux**.

amitié → *ami*

illustr. p. 759 **ammonite** n.f. *Une* **ammonite** est un coquillage fossile dont la coquille est enroulée comme une corne de bélier.
✳ Ne pas confondre avec **amanite**.

amnésie n.f. *À la suite d'un accident, M. Duval a été frappé d'***amnésie**, il a perdu la mémoire.

■ **amnésique** adj. et n. *M. Duval est devenu* **amnésique**, il ne se rappelle plus qui il est.

amnistie n.f. *Une* **amnistie** est un pardon général prononcé officiellement en faveur de personnes condamnées.
✳ Ne pas confondre avec **armistice**.

amoindrir v. 2ᵉ groupe. *Ces dépenses ont* **amoindri** *ses économies,* elles ont diminué ses économies (= réduire, amenuiser ; ≠ accroître). ●● *moindre*

■ **amoindrissement** n.m. *La maladie a causé un* **amoindrissement** *de ses forces* (= diminution ; ≠ accroissement).

amollir v. 2ᵉ groupe. *La chaleur* **amollit** *le goudron,* elle le rend plus mou (= ramollir). *La fatigue* **a amolli** *leur résistance* (= affaiblir). ●● *mou*

amonceler v. 1ᵉʳ groupe. *Elle* **a amoncelé** *des livres sur son bureau,* elle les a mis en tas (= entasser). ●● *monceau*. *Les preuves* **s'amoncellent** (= s'accumuler).
✳ Conj. n° 6.

■ **amoncellement** n.m. *Il y a un* **amoncellement** *de vieux journaux dans le grenier* (= tas, entassement). ●● *monceau*

amont n.m. *Melun est* **en amont de** *Paris sur la Seine,* plus près de la source. *Le bateau va vers l'***amont**, il remonte le courant (≠ aval).

amorce n.f. SENS 1. *Ce pêcheur utilise toujours des vers comme* **amorce**, comme moyen d'attirer le poisson (= appât). SENS 2. L'**amorce** d'un projectile est le petit détonateur qui le fait exploser. ●● *désamorcer*. SENS 3. *Un pistolet à* **amorces** est un jouet qui fait éclater de petites charges de poudre contenues dans du papier. SENS 4. *On entrevoit l'***amorce** *d'une solution,* le début (= commencement).

■ **amorcer** v. 1ᵉʳ groupe. [SENS 1] *Ce pêcheur* **amorce** *au blé cuit,* il attire le poisson avec du blé cuit. [SENS 4] *On* **a amorcé** *une discussion* (= commencer, entamer, ouvrir).
✳ Conj. n° 1.

amorphe adj. *Jacques n'a pas réagi, c'est un garçon* **amorphe** (= mou, indolent, apathique ; ≠ vif, énergique).

amortir v. 2ᵉ groupe. *Le tapis a amorti sa chute,* il l'a rendue moins violente (= atténuer).

illustr. p. 69 ■ **amortisseur** n.m. Les **amortisseurs** d'une voiture sont les pièces de la suspension qui réduisent les secousses.

amour n.m. SENS **1**. *Il s'est marié par amour,* par attirance pour sa femme. SENS **2**. L'**amour** de la liberté, du sport, de la littérature est un goût vif pour ces choses.

■ **amoureux, euse** adj. et n. **[SENS 1]** *Il est amoureux de sa voisine,* il l'aime (= épris). *Les amoureux s'embrassent.* **[SENS 2]** *Les amoureux de football ont regardé le match* (= amateur).

amour-propre n.m. *Pierre a trop d'amour-propre pour accepter cet échec,* il est trop conscient de sa valeur (= fierté).

amovible adj. *Les sièges de la voiture sont amovibles,* on peut les enlever (≠ inamovible).

illustr. p. 54 **amphibie** adj. SENS **1**. *La grenouille est amphibie,* elle vit à l'air et dans l'eau. SENS **2**. Un véhicule **amphibie** se déplace sur terre et sur l'eau.

illustr. p. 357 ■ **amphibien** n.m. *La grenouille, le crapaud sont des amphibiens,* des animaux ovipares dont la larve (têtard) vit dans l'eau.

amphithéâtre n.m. SENS **1**. Dans l'Antiquité, un **amphithéâtre** était un théâtre en demi-cercle et à gradins. SENS **2**. *Les cours ont lieu dans un amphithéâtre,* dans une grande salle disposée en gradins.

illustr. p. 41 **amphore** n.f. Dans l'Antiquité, une **amphore** était un grand récipient allongé à deux anses.

ample adj. Un manteau **ample** est large (≠ ajusté, serré).

■ **amplement** adv. *C'est amplement suffisant* (= largement).

■ **ampleur** n.f. SENS **1**. *Cette jupe te serre trop, il faut lui donner de l'ampleur* (= largeur). SENS **2**. *On a constaté l'ampleur du désastre* (= étendue).

■ **amplifier** v. 1ᵉʳ groupe. *Le micro amplifie le son* (= augmenter ; ≠ réduire, diminuer, baisser).

■ **amplificateur** ou **ampli** n.m. *Sa guitare électrique est branchée sur un amplificateur,* un appareil qui amplifie le son.
illustr. p. 862

ampoule n.f. SENS **1**. *L'ampoule de la lampe est cassée, il faut la changer,* un petit globe de verre qui contient un filament électrique. SENS **2**. *Ce médicament se vend en ampoules,* de petits tubes de verre dont les bouts sont effilés. SENS **3**. *J'ai des ampoules aux pieds à force de marcher avec ces chaussures,* des petites cloques sous la peau, remplies de liquide, dues au frottement répété.
illustr. p. 862, 869

amputer v. 1ᵉʳ groupe. *On l'a amputé d'une jambe,* on la lui a coupée.

■ **amputation** n.f. *Le médecin a décidé l'amputation d'un doigt.*

amuser v. 1ᵉʳ groupe. SENS **1**. *Les clowns amusent les enfants,* ils les distraient agréablement (= divertir ; ≠ ennuyer). SENS **2**. *Les enfants s'amusent dans la cour* (= jouer).

■ **amusant, ante** adj. **[SENS 1]** *Cette histoire est amusante* (= drôle, plaisant).

■ **amusement** n.m. **[SENS 2]** *Le jeu de boules est son amusement favori* (= distraction, passe-temps).

■ **amuse-gueule** n.m. inv. *On passe les amuse-gueule avec l'apéritif,* des petits gâteaux salés, des cacahouètes, des olives, etc.
✳ Ce mot composé ne prend jamais de « s » au pluriel.

Ananas

illustr.
p. 217
amygdale n.f. Les **amygdales** sont de petits organes situés de chaque côté de la gorge.
✷ On prononce [amidal].

illustr.
p. 132,
991
an n.m. *Sa maladie a duré un **an**,* douze mois (= année). ◆ (Avec majuscule.) Le **jour de l'An**, le **premier de l'An**, c'est le 1er janvier.

anachronique adj. *Cette voiture a une ligne **anachronique**,* une ligne qui n'est pas de notre époque (= démodé, désuet, suranné).

■ **anachronisme** n.m. *Le film commettrait un **anachronisme** en présentant Louis XIV en pantalon,* il ne respecterait pas la réalité de l'époque.

anaconda n.m. L'**anaconda** est un grand serpent de l'Amérique du Sud.

anagramme n.f. *« Rage » est une **anagramme** de « gare »,* un mot formé en changeant l'ordre des lettres d'un autre mot.
✷ Ce mot est du genre féminin.

analogie n.f. *Il y a une **analogie** d'aspect entre le loup et le chien,* une ressemblance générale.

■ **analogique** adj. *Un dictionnaire **analogique** rassemble des mots d'après une analogie de sens.

■ **analogue** adj. *Ces deux projets sont **analogues** mais non identiques* (= voisin, similaire, équivalent, comparable ; ≠ différent).

analphabète adj. et n. On dit qu'une personne est **analphabète** quand elle ne sait ni lire ni écrire (= illettré). ●● *alphabet*

analyse n.f. SENS 1. L'**analyse** du sang est l'examen détaillé de ce qui le compose. SENS 2. En grammaire, l'**analyse** est l'étude de la nature et de la fonction des mots ou des propositions.

■ **analyser** v. 1er groupe. [SENS 1] *On a fait **analyser** l'eau du puits dans un laboratoire.* [SENS 2] ***Analysez** la première phrase de la dictée !,* faites-en l'analyse.

ananas n.m. L'**ananas** est un gros fruit des pays chauds à la chair jaune clair.
✷ On prononce [anana] ou [ananas].

anarchie n.f. *Chacun n'en fait qu'à sa tête, c'est l'**anarchie**,* c'est un grand désordre dû à l'absence d'autorité.

■ **anarchiste** n. Les **anarchistes** sont des personnes qui rejettent toute autorité.

anatomie n.f. L'**anatomie** est l'étude scientifique du corps des êtres vivants.
illustr.
p. 694,
310
■ **anatomique** adj. *Ce livre contient des dessins **anatomiques**,* qui représentent les différents organes du corps humain.

ancêtre n.m. Nos **ancêtres** sont les personnes dont nous sommes les descendants.

■ **ancestral, ale, aux** adj. Une tradition **ancestrale** est une tradition très ancienne.

anchois n.m. Les **anchois** sont des petits poissons de mer dont on conserve souvent les filets dans la saumure.

ancien, enne adj. SENS 1. Un monument **ancien** existe depuis longtemps (= vieux ; ≠ récent, neuf). SENS 2. *Cet employé est **ancien** dans l'entreprise,* il y travaille depuis longtemps (≠ nouveau). SENS 3. *Ce musée est installé dans un **ancien** monastère,* c'était autrefois un monastère (≠ nouveau).

■ **anciennement** adv. [SENS 3] *Paris s'appelait **anciennement** Lutèce* (= jadis, autrefois).

■ **ancienneté** n.f. [SENS 2] *M. Durand a vingt ans d'**ancienneté**,* il travaille depuis vingt ans dans l'entreprise.

illustr.
p. 971,
741,
55
ancre n.f. *Le bateau a jeté l'ancre,* une lourde pièce métallique qui s'accroche au fond de l'eau pour l'immobiliser. **Lever l'ancre,** c'est partir pour naviguer.
❋ Ne pas confondre avec **encre.**

ancrer v. 1ᵉʳ groupe. *Qui t'a ancré cette idée dans la tête ?,* qui te l'a mise, enfoncée (= inculquer).

andouille n.f. SENS 1. *Le charcutier vend de l'andouille,* du boyau de porc rempli de morceaux de tripes. SENS 2. Fam. *Quelle andouille, il a tout renversé !,* quelle personne niaise et maladroite.

■ **andouillette** n.f. Une **andouillette** est une petite andouille qu'on mange grillée.

illustr.
p. 397
âne n.m. SENS 1. L'**âne** est un animal domestique à longues oreilles voisin du cheval. SENS 2. *Cet âne-là n'a rien compris !,* cet individu stupide.

■ **ânesse** n.f. [SENS 1] L'**ânesse** est la femelle de l'âne.

■ **ânerie** n.f. [SENS 2] Fam. *Il a dit une ânerie,* une chose stupide (= bêtise, sottise, stupidité).

■ **ânon** n.m. [SENS 1] L'**ânon** est le petit de l'âne.

anéantir v. 2ᵉ groupe. SENS 1. *Le village a été anéanti par un tremblement de terre,* il a été totalement détruit (= ravager). SENS 2. *Olivier est anéanti par cette nouvelle,* il est moralement abattu (= consterné).

■ **anéantissement** n.m. [SENS 1] *C'est l'anéantissement de tous ses espoirs* (= ruine).

anecdote n.f. *Le voyageur a raconté des anecdotes,* des faits curieux mais non essentiels (= historiette).

■ **anecdotique** adj. Un récit **anecdotique** consiste en anecdotes.

anémie n.f. *Philippe est tout pâle, il souffre d'anémie,* une faiblesse maladive

due à un manque de globules rouges dans le sang.

■ **anémier** v. 1ᵉʳ groupe. *Elle est anémiée parce qu'elle ne mange pas assez* (= affaiblir).

■ **anémique** adj. *Cet enfant pâlot est anémique.*

anémone n.f. SENS 1. Les **anémones** sont des fleurs de diverses couleurs à large corolle. SENS 2. L'**anémone de mer** est un animal marin à minces tentacules qui vit fixé aux rochers.
illustr.
p. 527

ânerie, ânesse → **âne**

anesthésie n.f. L'**anesthésie** est la suppression de la douleur par l'emploi d'un produit appelé **anesthésique.**

■ **anesthésier** v. 1ᵉʳ groupe. *Avant de l'opérer, on a anesthésié le malade pour qu'il ne souffre pas,* on l'a soumis à une anesthésie (= endormir, insensibiliser).

■ **anesthésiste** n. L'**anesthésiste** est un médecin spécialiste qui anesthésie les malades.
illustr.
p. 868

anfractuosité n.f. Les **anfractuosités** d'un rocher, ce sont ses creux, ses cavités.

ange n.m. SENS 1. Un **ange** est un être surnaturel, intermédiaire entre Dieu et les hommes, selon certaines religions. SENS 2. *Cette jeune fille est un ange,* une personne très douce. SENS 3. *Elle a une patience d'ange,* une patience extraordinaire. SENS 4. *Depuis son succès, il est aux anges,* il est heureux et satisfait (= ravi).

■ **angélique** adj. [SENS 2] Un sourire **angélique** est un sourire très doux.

angine n.f. Une **angine** est une maladie de la gorge.

angle n.m. SENS 1. Deux lignes qui se coupent forment quatre **angles.** SENS 2. *Le mur forme un angle,* un coin (= arête, encoignure). ◆ **Arrondir les angles,** c'est
illustr.
p. 431

se montrer conciliant pour éviter les querelles. SENS 3. *Vue sous cet angle, la question paraît simple,* sous cet aspect.

■ **anguleux, euse** adj. [SENS 2] Un visage **anguleux** est un visage maigre qui forme des sortes d'angles.

angoisse n.f. *L'angoisse lui serrait la gorge,* une inquiétude extrême (= anxiété).

■ **angoissant, ante** adj. *La situation est angoissante* (= tragique).

■ **angoissé, ée** adj. *Sa voix est angoissée* (= anxieux, affolé).

angora adj. *Marie a un chat angora,* un chat à poils longs et doux.

illustr. p. 845 **anguille** n.f. L'**anguille** est un poisson allongé comme un serpent qui vit en eau douce et se reproduit dans la mer.

anguleux → **angle**

animal n.m. SENS 1. Un **animal** est un être vivant autre qu'une plante et capable de sensibilité et de mouvement. *L'homme est un animal.* SENS 2. Les **animaux** sont les êtres vivants autres que l'homme, qui sont dépourvus de langage articulé. *Une belette, une couleuvre, un aigle sont des animaux* (= bête).
✳ Au pluriel, on dit des **animaux**.

■ **animal, ale, aux** adj. [SENS 1] La chaleur **animale** est celle des êtres animés.

animer v. 1ᵉʳ groupe. SENS 1. **Animer** une conversation, un débat, c'est y mettre de la vie, de la vivacité. SENS 2. Une chose **animée** d'un mouvement est une chose qui bouge. SENS 3. *Il est animé par des intentions charitables* (= guider, inspirer). SENS 4. *L'été, ce village s'anime,* il devient vivant, actif.

■ **animé, ée** adj. [SENS 2] L'homme, les animaux, les végétaux sont des êtres **animés**, des êtres vivants. Un **dessin animé** est un film dont les images ont été dessinées une par une. ●● *inanimé,*

ranimer. [SENS 4] Une rue **animée**, une conversation **animée** sont pleines d'activité, de vie.

■ **animateur, trice** n. [SENS 1] L'**animateur** d'une réunion est celui qui l'anime et la dirige.

■ **animation** n.f. [SENS 1] *Ils discutent avec animation* (= vivacité, ardeur). [SENS 4] *Ce quartier est plein d'animation* (= vie).

animosité n.f. *Ses paroles désagréables étaient pleines d'animosité envers moi* (= malveillance, hostilité).

anis n.m. L'**anis** est une plante aromatique avec laquelle on parfume des bonbons, des boissons.
✳ On prononce [ani] ou [anis].

ankylose n.f. *Il est resté trop longtemps immobile, il a un début d'ankylose,* il a du mal à bouger.

■ **s'ankyloser** v. 1ᵉʳ groupe. *Le malade commence à s'ankyloser,* à ne plus pouvoir bouger facilement (= s'engourdir).

anneau n.m. SENS 1. Un **anneau** de rideau est un cercle de métal, de bois. SENS 2. *Elle porte un anneau au doigt,* une bague faite d'un simple cercle de métal précieux ou une alliance. SENS 3. *Un anneau entoure le pied de certains champignons,* une membrane. SENS 4. (Au plur.) *Sur le portique, il y a des anneaux pour faire de la gymnastique,* deux cercles de métal fixés chacun au bout d'une corde. *illustr. p. 527, 403*
✳ Au pluriel, on écrit des **anneaux**.

■ **annulaire** n.m. [SENS 2] L'**annulaire** est le quatrième doigt de la main, celui qui porte l'anneau de mariage. *illustr. p. 217*

année n.f. SENS 1. *Il y a beaucoup de fruits cette année,* dans la période actuelle de douze mois, comptée du 1ᵉʳ janvier au 31 décembre. SENS 2. *C'était au début de la deuxième année de guerre,* de la période de douze mois comptée à partir d'un moment particulier. L'**année** *illustr. p. 132* scolaire est la période qui va de la rentrée d'automne aux grandes vacances.

▪ **annuel, elle** adj. Une fête **annuelle** revient chaque année.

▪ **annuellement** adv. *Combien dépensez-vous* **annuellement** *pour le chauffage ?*, chaque année.

annexe adj. *Des dépenses* **annexes** *s'ajoutent aux dépenses principales.*

▪ **annexe** n.f. *Une* **annexe** *est un bâtiment qui s'ajoute, qui se rattache au bâtiment principal. N'oubliez pas de lire l'annexe,* le document joint.

▪ **annexer** v. 1er groupe. *L'Alsace* **fut annexée** *à l'Allemagne entre 1940 et 1944,* elle fut rattachée à l'Allemagne.

▪ **annexion** n.f. *L'annexion de la Savoie à la France a eu lieu au XIXe siècle* (= rattachement).

annihiler v. 1er groupe. *L'ouragan* **a annihilé** *le travail de plusieurs années,* l'a réduit à rien, l'a détruit complètement (= anéantir, ruiner).

anniversaire n.m. SENS 1. *Ils fêtent le dixième* **anniversaire** *de leur mariage,* le souvenir de cet événement qui s'est passé à la même date, dix ans auparavant. SENS 2. *C'est aujourd'hui mon* **anniversaire**, la date (jour et mois) de ma naissance.

annoncer v. 1er groupe. SENS 1. *Julien* **a annoncé** *son mariage à ses amis,* il le leur a fait savoir (= apprendre, informer de). SENS 2. *Les hirondelles* **annoncent** *le printemps,* elles sont le signe de son arrivée. SENS 3. *La journée* **s'annonce** *bien,* elle commence bien.
✳ Conj. n° 1.

▪ **annonce** n.f. [SENS 1] *À l'annonce de cet accident, il s'est mis à pleurer* (= nouvelle). *Il lit les* **annonces** *des journaux pour trouver un emploi* (= avis, information).

▪ **annonciateur, trice** adj. [SENS 2] *Ces nuages sont* **annonciateurs** *de*

pluie, ils sont le signe de la pluie prochaine.

annoter v. 1er groupe. *Le directeur* **a annoté** *le rapport qu'on lui a remis,* il y a porté des notes, des remarques.
●● *note*

▪ **annotation** n.f. *J'ai lu les* **annotations** *en marge du rapport* (= note, remarque, observation).

annuaire n.m. *L'annuaire* du téléphone est un livre publié chaque année qui contient un ensemble de renseignements (liste, adresses, numéros de téléphone des abonnés, etc.).

annuel, annuellement → *année*

annulaire → *anneau*

annuler v. 1er groupe. *Comme il était malade, il* **a annulé** *son rendez-vous,* il l'a supprimé. ●● *nul*

▪ **annulation** n.f. *On ne part plus, j'ai appris l'annulation de notre voyage,* qu'il est annulé, supprimé.

anoblir v. 2e groupe. *Le roi pouvait* **anoblir** *les bourgeois,* leur donner un titre de noblesse. ●● *noble*
✳ Ne pas confondre **anoblir** et **ennoblir**.

anodin, ine adj. *Sa blessure n'est qu'une écorchure* **anodine**, sans gravité (= bénin).

anomalie n.f. *Cette chaleur en plein hiver est une* **anomalie**, une particularité anormale (= bizarrerie).

ânon → *âne*

ânonner v. 1er groupe. *Cet enfant* **ânonne** *sa récitation,* il la dit avec peine et en hésitant sur les mots.

anonyme adj. *Une lettre* **anonyme**, un don **anonyme** proviennent de quelqu'un qui n'a pas indiqué son nom.

■ **anonymat** n.m. Garder l'**anonymat**, c'est ne pas se faire connaître comme l'auteur de quelque chose (= incognito).

illustr.
p. 730,
895

anorak n.m. Un **anorak** est une veste imperméable et chaude, à capuchon.

anormal, ale, aux adj. *Le moteur fait un bruit* **anormal**, un bruit qui n'est pas le bruit habituel (= inhabituel, bizarre).
●● *normal, anomalie*

■ **anormalement** adv. *Il fait* **anormalement** *chaud pour le mois de janvier.*

illustr.
p. 42,
238,
556

anse n.f. SENS 1. *Elle a passé son bras dans l'***anse** *du panier,* dans la partie par laquelle on le tient. SENS 2. *Le bateau a jeté l'ancre dans une* **anse** *abritée,* une petite baie (= crique).

antagonisme n.m. Un **antagonisme** est un état d'opposition, de rivalité entre des personnes, des idées (= conflit).

■ **antagoniste** n. et adj. *Les deux* **antagonistes** *s'affrontent,* les deux adversaires. Deux **muscles antagonistes** ont une action contraire : quand l'un se contracte, l'autre se relâche.

d'**antan** adv. Cette expression rare s'emploie pour « d'autrefois », « de jadis » : *oublions les querelles* **d'antan**.

antarctique adj. Les régions **antarctiques** sont situées au pôle Sud.
●● *arctique*
✳ On ne prononce pas le « c ».

antécédent n.m. SENS 1. L'**antécédent** d'un pronom relatif est le nom ou le pronom représenté par ce relatif. Dans la phrase « Il y a des enfants qui n'aiment pas la télévision », le mot « enfants » est l'**antécédent** du pronom relatif « qui ». SENS 2. *Cet accusé a de mauvais* **antécédents**, sa conduite passée a été mauvaise.

antenne n.f. SENS 1. Une **antenne** est un dispositif métallique permettant de diffuser ou de recevoir les émissions de radio, de télévision. SENS 2. *Les papillons ont deux* **antennes**, des sortes de cornes mobiles.

illustr.
p. 572,
69,
310,
503

antérieur, eure adj. SENS 1. La période **antérieure** à la guerre est celle qui l'a précédée. SENS 2. Les pattes **antérieures** d'un chat sont ses pattes avant (≠ postérieur).

■ **antérieurement** adv. [SENS 1] *Il formait ce projet* **antérieurement** *à son accident* (= avant ; ≠ postérieurement).

anthracite n.m. L'**anthracite** est un charbon gris très foncé.

anthropophage adj. et n. Des peuplades **anthropophages** mangeaient de la chair humaine (= cannibale).

anti- préfixe. Placé au début d'un mot, **anti-** indique l'opposition, la défense contre quelque chose : *un* **anti**vol *protège contre le vol, un canon* **anti**char *est destiné à combattre les chars, etc.*
✳ Les mots formés avec **anti-** s'écrivent en un seul mot sauf quand deux « i » se suivent : **anti**vol, mais **anti-**inflammatoire.

antiaérien, enne adj. Un abri **antiaérien** est destiné à protéger contre les attaques de l'aviation. ●● *air*

antibiotique n.m. *Le médecin a prescrit un* **antibiotique**, un médicament qui empêche la multiplication de certains microbes.

illustr.
p. 869

antichambre n.f. *Un visiteur attend dans l'***antichambre**, dans la pièce qui sert de salle d'attente (= vestibule).

anticiper v. 1er groupe. *Vous* **anticipez** *en faisant comme si vous aviez déjà réussi,* vous agissez avant qu'il soit temps de le faire.

▪ **anticipation** n.f. *J'ai payé mes dettes par anticipation*, avant la date prévue. Un roman d'**anticipation** se situe dans un futur imaginaire.

anticlérical, ale, aux adj. Une campagne **anticléricale** s'oppose à l'influence du clergé dans les affaires publiques. ●● *clergé*

anticonformiste adj. et n. *Fabrice est anticonformiste*, il ne peut rien faire comme tout le monde. *Fabrice est un anticonformiste* (≠ conformiste).

anticyclone n.m. *L'anticyclone apporte du beau temps*, une zone de hautes pressions atmosphériques. ●● *cyclone*

antidater v. 1ᵉʳ groupe. *Nous sommes le 15 mai : si je date la lettre du 14, je l'antidate* (≠ postdater). ●● *date*

antidote n.m. Un **antidote** est un remède contre un poison (= contrepoison).

antigel n.m. *L'hiver, on met de l'antigel dans le radiateur de la voiture*, un produit qui empêche l'eau de geler. ●● *geler*

illustr.
p. 982 **antilope** n.f. Les **antilopes** sont des mammifères sauvages d'Afrique et d'Asie qui courent très vite.

antimilitariste adj. et n. Être **antimilitariste**, c'est être hostile à l'armée. *Xavier est un antimilitariste*. ●● *militaire*

antimite n.m. *On met de l'antimite dans l'armoire*, un produit qui protège le linge des mites. ●● *mite*

antipathie n.f. *Cet individu louche m'inspire une profonde antipathie*, un sentiment qui me détourne de lui (= aversion ; ≠ sympathie).

▪ **antipathique** adj. *Il a un visage antipathique* (= déplaisant, désagréable ; ≠ sympathique).

antipodes n.m. pl. SENS 1. *La Nouvelle-Zélande est à peu près aux antipodes de la France*, au point diamétralement opposé sur le globe terrestre. SENS 2. *Cette supposition est aux antipodes de la réalité*, totalement à l'opposé.

antiquité n.f. SENS 1. L'**antiquité** d'un monument, c'est sa grande ancienneté. SENS 2. Une **antiquité** est un objet datant d'une époque ancienne. SENS 3. (Avec majuscule.) L'**Antiquité**, ce sont les civilisations qui datent d'avant l'ère chrétienne.
illustr.
p. 42
41

▪ **antique** adj. [SENS 3] *Il y a dans ce musée beaucoup de statues antiques*, qui datent de l'Antiquité.

▪ **antiquaire** n. [SENS 2] *Il a acheté une armure chez un antiquaire*, un marchand d'antiquités.
illustr.
p. 42

antiraciste adj. Une manifestation **antiraciste** est une manifestation contre le racisme. ●● *race*

antireligieux, euse adj. Des propos **antireligieux** sont hostiles à la religion. ●● *religion*

antisémite adj. et n. Des propos **antisémites** sont hostiles aux Juifs. *C'est un antisémite enragé*.

▪ **antisémitisme** n.m. *Les Juifs ont souffert de l'antisémitisme*, de l'hostilité à leur égard. → *racisme*

antisepsie n.f. L'**antisepsie** est la lutte contre les microbes.

▪ **antiseptique** adj. et n.m. Une pommade **antiseptique** combat l'infection et détruit les microbes.

antitétanique adj. Un vaccin **antitétanique** protège du tétanos. ●● *tétanos*

antituberculeux, euse adj. Un sérum **antituberculeux** lutte contre la tuberculose. ●● *tuberculose*

antivol n.m. Un **antivol** est un dispositif de sécurité contre le vol. ●● *vol (2)*

L'ANTIQUITÉ

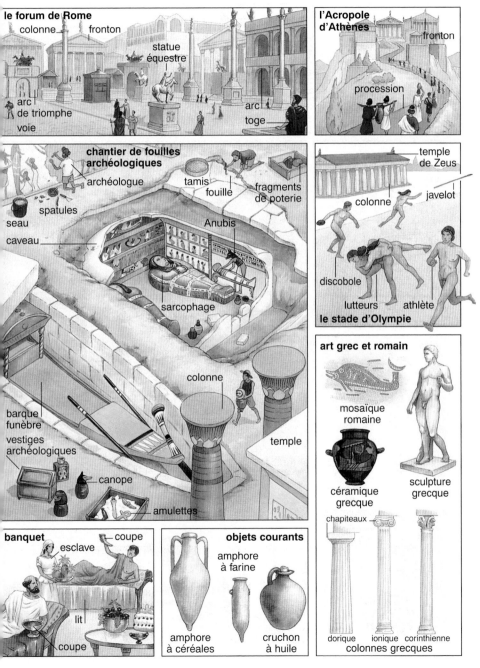

le forum de Rome
colonne
fronton
statue équestre
arc de triomphe
voie
arc
toge

l'Acropole d'Athènes
fronton
procession

chantier de fouilles archéologiques
archéologue
tamis
fouille
fragments de poterie
spatules
seau
caveau
Anubis
sarcophage
colonne
barque funèbre
vestiges archéologiques
canope
amulettes
temple

temple de Zeus
colonne
javelot
discobole
lutteurs
athlète
le stade d'Olympie

art grec et romain
mosaïque romaine
céramique grecque
sculpture grecque
chapiteaux
dorique
ionique
corinthienne
colonnes grecques

banquet
coupe
esclave
lit
coupe

objets courants
amphore à farine
amphore à céréales
cruchon à huile

41

L'ANTIQUAIRE

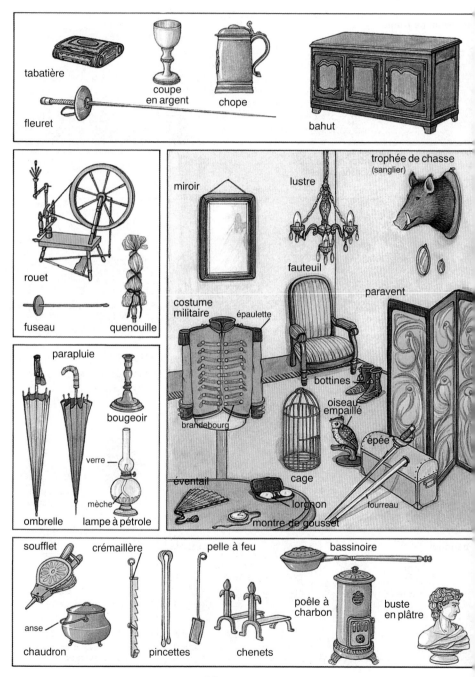

tabatière

coupe en argent

chope

bahut

fleuret

rouet

fuseau

quenouille

parapluie

bougeoir

verre

mèche

ombrelle

lampe à pétrole

miroir

lustre

trophée de chasse
(sanglier)

fauteuil

paravent

costume militaire

épaulette

bottines

oiseau empaillé

brandebourg

épée

cage

éventail

lorgnon

fourreau

montre de gousset

soufflet

crémaillère

pelle à feu

bassinoire

anse

poêle à charbon

buste en plâtre

chaudron

pincettes

chenets

antonyme n.m. *« Grand » et « petit » sont des **antonymes**, des mots de sens opposés* (= contraire).

antre n.m. *Le lion dort dans son **antre**,* le creux qui lui sert de refuge.

illustr. p. 216 **anus** n.m. *L'**anus** est l'orifice qui termine le gros intestin et par lequel les déchets de la digestion sont évacués.*
* On prononce le « s » : [anys].

anxieux, euse adj. *Le sort des sinistrés nous rendait **anxieux**,* très inquiets (= angoissé ; ≠ rassuré, tranquille).

■ **anxieusement** adv. *Les naufragés guettaient **anxieusement** l'arrivée des sauveteurs,* avec angoisse.

■ **anxiété** n.f. *À la nouvelle de la catastrophe aérienne, beaucoup de familles étaient dans l'**anxiété**,* elles éprouvaient une grande inquiétude.

illustr. p. 216 **aorte** n.f. *L'**aorte** est l'artère principale qui part du cœur.*

illustr. p. 132 **août** n.m. *Le mois d'**août** est le 8ᵉ mois de l'année.*
* On prononce [u] ou [ut].

apaiser v. 1ᵉʳ groupe. *Ma réponse l'**a apaisé**,* elle l'a calmé. *La tempête **s'est** enfin **apaisée**.* ●● *paix*

■ **apaisant, ante** adj. *On nous a tenu des propos **apaisants**,* des propos pour nous tranquilliser.

■ **apaisement** n.m. *Après des mois d'agitation, le pays connaît une période d'**apaisement**,* de retour au calme.

apanage n.m. *Le bon sens n'est pas l'**apanage** des gens instruits,* un avantage propre à ces gens.

aparté n.m. *Il m'a fait part de ses projets **en aparté**,* en confidence.

apathie n.f. *Secouez votre **apathie**, ne restez pas là à ne rien faire !,* votre manque de réaction (= mollesse, indolence).

■ **apathique** adj. *Pierre est un garçon **apathique*** (= mou, indolent).

apatride adj. *Un homme **apatride** n'a pas de patrie.* ●● *patrie*

apercevoir v. 3ᵉ groupe. SENS 1. *Quelqu'un **a aperçu** le malfaiteur qui s'enfuyait,* quelqu'un l'a vu peu distinctement (= entrevoir). SENS 2. *J'**aperçois** un ami dans la foule,* je le distingue soudain (= remarquer, discerner). SENS 3. *Il **s'est aperçu** de son erreur,* il s'en est rendu compte. ●● *inaperçu*
* Conj. nº 34.

■ **aperçu** n.m. *Il nous a donné un **aperçu** de ses projets,* une idée superficielle.

apéritif n.m. *Prendrez-vous un **apéritif** avant de dîner ?,* une boisson souvent alcoolisée.

apesanteur n.f. *Les astronautes s'exercent en **apesanteur**,* dans un endroit sans pesanteur. ●● *peser*

apeuré, ée adj. *Elle nous a jeté un regard **apeuré**,* un regard qui exprimait la peur. ●● *peur*

aphone adj. *À force de hurler, il était devenu **aphone**,* sans voix.

aphte n.m. *Les **aphtes** sont des petites plaies dans la bouche.*

apiculture n.f. *L'**apiculture**, c'est l'élevage des abeilles pour la production du miel et de la cire.* *illustr. p. 384*

■ **apiculteur, trice** n. *Nous avons acheté du miel chez un **apiculteur**.*

apitoyer v. 1ᵉʳ groupe. *Le spectacle de ces malheureux nous **a apitoyés**,* il nous a fait pitié. ●● *pitié*
* Conj. nº 3.

■ **apitoiement** n.m. *Il ne suffit pas de verser des larmes d'**apitoiement** sur le sort des sinistrés* (= pitié).

aplanir v. 2e groupe. SENS 1. *On a aplani le terrain pour faire une route*, on l'a rendu plat (= niveler). ●● *plan*. SENS 2. *Les difficultés ont été aplanies*, elles ont été supprimées.

aplatir v. 2e groupe. *On aplatit la terre avec une pelle*, on la rend plate (= écraser). ●● *plat*

aplomb n.m. SENS 1. *Cette chaise est branlante, elle n'est pas d'aplomb*, en équilibre (= stable). SENS 2. *Tu oses me dire ça, quel aplomb !* (= audace, fam. toupet).

apnée n.f. Plonger **en apnée**, c'est plonger en retenant sa respiration.

apocalypse n.f. *La ville bombardée offre un spectacle d'apocalypse*, de catastrophe épouvantable qui évoque la fin du monde.

▪ **apocalyptique** adj. *Ce film présente des images apocalyptiques*, épouvantables.

apogée n.m. *L'empereur était alors à l'apogée de sa gloire*, au plus haut point, au sommet.

apolitique adj. *Une organisation apolitique n'a pas de liens avec les partis politiques.* ●● *politique*

apologie n.f. *Un journaliste a été accusé de faire l'apologie du crime,* de dire du bien, de faire l'éloge du crime.

apoplexie n.f. *Une crise d'apoplexie est une perte soudaine de connaissance* généralement due à des troubles circulatoires (= congestion cérébrale).

a posteriori adv. *Il raisonne a posteriori,* en se fondant sur l'expérience (≠ a priori).

✹ Il n'y a pas d'accent sur le « a ».

apostolat → *apôtre*

apostrophe n.f. SENS 1. *Le chauffeur m'a lancé une apostrophe injurieuse*, une parole vive d'interpellation. SENS 2. *Une apostrophe est un signe d'écriture* (') qui sert à indiquer l'élision d'une voyelle. SENS 3. *Dans la phrase « Jacques, approche-toi », « Jacques » est mis en apostrophe*, on interpelle Jacques.

▪ **apostropher** v. 1er groupe. [SENS 1] *Il s'est fait apostropher par le gardien,* interpeller brusquement.

apothéose n.f. *Le vainqueur du Tour de France a connu une apothéose à l'arrivée*, des honneurs extraordinaires (= triomphe).

apôtre n.m. SENS 1. *Pierre était le chef des apôtres*, des douze disciples que Jésus envoya prêcher l'Évangile. SENS 2. *Gandhi s'était fait l'apôtre de la non-violence,* il s'était consacré à la diffusion de cette doctrine.

▪ **apostolat** n.m. [SENS 2] *Jacques considère son métier d'instituteur comme un apostolat,* une mission qui demande un grand dévouement.

apparaître v. 3e groupe. SENS 1. *Une image apparaît sur l'écran*, elle se montre soudain (≠ disparaître). ●● *réapparaître*. SENS 2. *Tout ce travail apparaît inutile*, il a l'air inutile (= paraître, sembler).

✹ Conj. n° 64. Ce verbe se conjugue avec l'auxiliaire « être ».

▪ **apparence** n.f. [SENS 2] *Cette maison a une belle apparence* (= aspect). *Il n'est doux qu'en apparence, en réalité il est très exigeant.* ◆ (Au plur.) *Ne vous fiez pas aux apparences, elles sont souvent trompeuses.*

▪ **apparent, ente** adj. [SENS 1] *Une tache très apparente est une tache très visible.* [SENS 2] *Sous un calme apparent, il cache une vive émotion* (= trompeur, extérieur).

▪ **apparemment** adv. [SENS 2] *Il ne répond pas au téléphone, il est appa-*

remment *absent,* à ce qu'il semble (= vraisemblablement).
✹ On prononce [aparamã].

■ **apparition** n.f. [SENS 1] *L'apparition de la vedette fut saluée d'applaudissements,* son arrivée visible (≠ disparition). *La neige a fait son* **apparition,** il a commencé à neiger. ●● *réapparition*

apparat n.m. Un costume d'**apparat,** un discours d'**apparat** conviennent à une cérémonie très solennelle.

appareil n.m. SENS 1. Un **appareil** est un objet composé d'éléments différents qui est spécialement fabriqué pour obtenir un résultat. Un aspirateur est un **appareil** ménager. Un **appareil (dentaire)** sert à redresser les dents. **Appareil** désigne aussi le téléphone ou un avion. SENS 2.

illustr. L'**appareil digestif,** l'**appareil** respira-
p. 216 toire, c'est l'ensemble des organes qui assurent une même fonction.

■ **appareillage** n.m. [SENS 1] L'**appareillage** électrique est l'ensemble des appareils d'une installation.
✹ Ne pas confondre avec **appareillage,** de la famille de **appareiller.**

appareiller v. 1er groupe. *Le bateau va* **appareiller,** se préparer au départ.

■ **appareillage** n.m. *L'appareillage est terminé, le navire va partir.*
✹ Ne pas confondre avec **appareillage,** de la famille de **appareil.**

apparemment, apparence, apparent → *apparaître*

apparenté, ée adj. *Ils ont le même nom, mais ils ne sont pas* **apparentés,** ils ne sont pas parents. ●● *parent*

■ s'**apparenter** v. 1er groupe. *L'aspect de la grenouille* **s'apparente** *à celui du crapaud,* elle a des traits communs avec lui.

apparition → *apparaître*

appartement n.m. *Mon immeuble a deux* **appartements** *par étage,* deux logements de plusieurs pièces.

appartenir v. 3e groupe. SENS 1. *Cette voiture lui* **appartient,** elle est sa propriété. SENS 2. *La baleine* **appartient** *à la classe des mammifères,* elle en fait partie.
✹ Conj. n° 22.

■ **appartenance** n.f. [SENS 2] L'**appartenance** d'une personne à un groupe, à un syndicat, c'est le fait qu'elle en fait partie.

appât n.m. SENS 1. *Le pêcheur a mis un ver comme* **appât,** comme moyen d'attirer le poisson (= amorce). SENS 2. L'**appât** du gain, c'est l'attrait du gain.

■ **appâter** v. 1er groupe. [SENS 1] *Pour le concours de pêche, j'ai* **appâté** *au ver.* [SENS 2] *Ta proposition l'a* **appâté** (= attirer, allécher).

appauvrir v. 2e groupe. *La guerre a* **appauvri** *le pays,* elle l'a rendu pauvre (= ruiner ; ≠ enrichir). ●● *pauvre*

■ **appauvrissement** n.m. *La crise a entraîné un* **appauvrissement** *de la population.*

appeau n.m. Un **appeau** est un petit instrument avec lequel les chasseurs imitent le cri de certains oiseaux, pour les prendre au piège.
✹ Au pluriel, on écrit des **appeaux.**

appeler v. 1er groupe. SENS 1. *On a* **appelé** *les enfants à table,* on leur a dit de venir. *Il y a le feu, il faut* **appeler** *les pompiers,* les avertir, les prévenir par téléphone. ●● *rappeler.* SENS 2. *Cela* **appelle** *une explication,* cela a besoin d'être expliqué (= demander, nécessiter). SENS 3. *Comment* **appelle**-*t-on cet outil ?,* quel nom lui donne-t-on ? (= nommer). *Ce chien* **s'appelle** *Dick,* son nom est Dick.
✹ Conj. n° 6.

■ **appel** n.m. [SENS 1] *Le naufragé lançait des* **appels** *désespérés* (= cri). *Il y a eu trois* **appels** *pour toi,* trois coups de téléphone. ◆ *La maîtresse fait l'appel,* elle appelle les enfants par leur nom pour savoir qui est présent. ◆ *Son discours est un **appel** à la révolte* (= incitation). ◆ **Faire appel à** quelqu'un, c'est lui demander son aide. ◆ *Le condamné **fait appel**,* il s'adresse à un tribunal spécial (la **cour d'appel**) pour lui demander de corriger le jugement qui le condamne.

▪ **appellation** n.f. [SENS 3] *C'est le même produit sous une **appellation** différente* (= nom, dénomination).

appendice n.m. SENS 1. *Des notes figurent dans un **appendice** à la fin du livre,* elles figurent comme élément ajouté. SENS 2. *L'**appendice** est un petit prolongement du gros intestin.*
🟥 On prononce [apɛ̃dis].

▪ **appendicite** n.f. [SENS 2] *Pierre a une crise d'**appendicite**,* une inflammation de l'appendice.
🟥 On prononce [apɛ̃disit].

appentis n.m. *Les outils de jardin sont rangés dans l'**appentis**,* un petit bâtiment adossé à un mur avec un toit à une seule pente.
🟥 On prononce [apɑ̃ti].

s'**appesantir** v. 2ᵉ groupe. *Je ne veux pas m'**appesantir** sur ce sujet,* je ne veux pas insister plus lourdement (= appuyer).
●● *peser*

appétit n.m. *Le convalescent retrouve l'**appétit**,* le désir de manger.
▪ **appétissant, ante** adj. *Un plat **appétissant*** met en appétit (= alléchant).

applaudir v. 2ᵉ groupe. **Applaudir** un artiste, un discours, c'est battre des mains pour marquer son contentement, son approbation.

▪ **applaudissements** n.m. pl. *Son discours a soulevé les **applaudissements** du public,* le public l'a applaudi.

applicable, application → *appliquer*

illustr. p. 862 **applique** n.f. *L'éclairage du couloir est réalisé par deux **appliques**,* des supports de lampes fixés au mur.

appliquer v. 1ᵉʳ groupe. SENS 1. *Appliquer une couche de vernis,* c'est l'étendre sur une surface (= passer). SENS 2. *Appliquer une règle,* c'est la mettre en pratique. SENS 3. *Les élèves s'**appliquent**,* ils travaillent avec soin.

▪ **appliqué, ée** adj. [SENS 3] *C'est un écolier **appliqué*** (= travailleur, soigneux).

▪ **applicable** adj. [SENS 2] *Le nouveau règlement est **applicable**,* il peut ou doit être appliqué (≠ inapplicable).

▪ **application** n.f. [SENS 1] *Laisse bien sécher la première couche de peinture avant l'**application** de la seconde.* [SENS 2] *Les clients protestent contre l'**application** des nouveaux tarifs* (= entrée en vigueur). [SENS 3] *L'élève recopie son devoir avec **application*** (= soin, zèle).

appoint n.m. SENS 1. *On est prié de faire l'**appoint**,* de payer en fournissant la petite monnaie pour arriver à la somme juste. SENS 2. *Un chauffage d'**appoint*** est un appareil qui s'ajoute au système de chauffage normal.

appointements n.m. pl. *Ses **appointements** sont médiocres,* ce qu'il gagne régulièrement par son travail (= salaire, traitement, rémunération).

appontement n.m. *Pour charger et décharger leurs marchandises, les bateaux vont à l'**appontement**,* une construction fixe au bord de l'eau. *illustr. p. 740*

apporter v. 1ᵉʳ groupe. SENS 1. *Le facteur nous **apporte** le courrier,* il le porte jusqu'à nous. SENS 2. ***Apportez** tous vos soins à ce travail* (= mettre, donner). SENS 3. *Ce médicament m'**apporte** un grand soulagement* (= procurer).

▪ **apport** n.m. [SENS 1] *L'**apport** de quelqu'un,* c'est ce qu'il apporte (= contribution).

apposer v. 1ᵉʳ groupe. *Tu dois **apposer** ta signature au bas du texte,* la mettre.

apposition n.f. Dans « Bruxelles, capitale de la Belgique », le mot « capitale » est **en apposition** au mot « Bruxelles », il le précise sans lui être relié par un verbe.

apprécier v. 1er groupe. SENS 1. *Il n'a pas apprécié ma plaisanterie,* il ne l'a pas trouvée bonne (= aimer). SENS 2. **Apprécier** une distance à vue d'œil, c'est l'évaluer.

■ **appréciable** adj. [SENS 1] *Son aide a été appréciable* (= utile). [SENS 2] *Il n'y a aucune différence appréciable* (= sensible, notable). ●● *inappréciable*

■ **appréciation** n.f. [SENS 1] *Il a porté une appréciation favorable* (= jugement). [SENS 2] *J'ai commis une erreur d'appréciation* (= évaluation, estimation).

appréhender v. 1er groupe. SENS 1. *Les policiers ont appréhendé un malfaiteur,* ils l'ont arrêté. SENS 2. *J'appréhende un accident,* je le crains (= redouter).

■ **appréhension** n.f. [SENS 2] *Il s'est présenté à l'examen avec appréhension* (= crainte).

apprendre v. 3e groupe. SENS 1. *J'ai appris cette nouvelle par la radio,* j'en ai été informé. SENS 2. *Ma grande sœur apprend l'anglais,* elle l'étudie pour le savoir. SENS 3. *Il m'a appris son mariage,* il me l'a annoncé. SENS 4. *Le professeur apprend l'anglais aux élèves,* il le leur enseigne.
✴ Conj. n° 54.

■ **apprenti, ie** n. [SENS 2] Un **apprenti** est une personne qui apprend un métier par la pratique.

■ **apprentissage** n.m. [SENS 2] *Sophie est en apprentissage chez un artisan peintre,* elle y apprend le métier par la pratique.

apprêter v. 1er groupe. SENS 1. **Apprêter** un repas, c'est le préparer. SENS 2. *Je m'apprête à partir* (= se préparer, se disposer).

apprivoiser v. 1er groupe. *Pierre a apprivoisé un corbeau,* il l'a habitué à vivre avec les hommes (= domestiquer).

approbateur, approbation → *approuver*

approcher v. 1er groupe. SENS 1. **Approche** ta chaise de la table, mets-la plus près (≠ éloigner). *Ne t'approche pas trop du bord.* ●● *rapprocher*. SENS 2. *La nuit approche,* elle va arriver. ●● *proche*. SENS 3. *Ce roman s'approche de la réalité historique,* il y ressemble.

■ **approchant, ante** adj. [SENS 3] *Il s'appelle Bertrouin ou quelque chose d'approchant,* quelque chose qui y ressemble.

■ **approche** n.f. [SENS 1] *Les oiseaux se sont envolés à notre approche,* quand nous nous sommes approchés. ◆ (Au plur.) *Aux approches de la côte, la mer est plus calme* (= près de).

approfondir v. 2e groupe. SENS 1. *On a approfondi le fossé,* on a augmenté sa profondeur. ●● *profondeur*. SENS 2. *Il faut approfondir cette question,* il faut l'étudier plus soigneusement (= creuser). ●● *profond*

■ **approfondissement** n.m. [SENS 2] *Cet échange de vues a permis un approfondissement de nos connaissances.*

approprié, ée adj. *Chaque objet est à la place appropriée,* la place qui convient (= adéquat, convenable, voulu). ●● *propre*

s'**approprier** v. 1er groupe. *Il s'est approprié la grosse part qui restait,* il l'a prise pour lui (= s'emparer de, s'adjuger). ●● *propre*

approuver v. 1er groupe. *Je vous approuve d'avoir refusé,* je suis d'accord avec vous (≠ blâmer, critiquer, désapprouver).

■ **approbateur, trice** adj. *Elle a fait un geste **approbateur**,* d'approbation (≠ désapprobateur).

■ **approbation** n.f. *Il a manifesté son **approbation** par un signe de tête* (= accord ; ≠ désapprobation, condamnation).

approvisionner v. 1ᵉʳ groupe. *Je porte de l'argent à la banque pour **approvisionner** mon compte,* pour y laisser une réserve, une provision. ●● *provision*

■ **approvisionnement** n.m. *Pendant la guerre, il y a eu des difficultés d'**approvisionnement**,* pour se fournir en provisions nécessaires (= ravitaillement).

approximation n.f. *Une **approximation** rapide permet de chiffrer la dépense à cinq mille euros environ,* un calcul qui donne à peu près la valeur réelle (= évaluation, estimation).

■ **approximatif, ive** adj. *Ce paquet a un poids **approximatif** de 5 kilos,* il pèse à peu près 5 kilos (≠ exact, précis).

■ **approximativement** adv. *La séance durera **approximativement** deux heures* (= environ, à peu près).

appuyer v. 1ᵉʳ groupe. SENS 1. *Les maçons **ont appuyé** une échelle contre le mur,* ils l'ont fait reposer sur le mur. SENS 2. *Le vieil homme **s'appuyait** sur une canne,* il s'en servait comme soutien. SENS 3. *Ne craignez rien, je vous **appuierai**,* je vous procurerai mon aide, mon secours (= soutenir). SENS 4. ***Appuyez** sur ce bouton pour allumer la lumière,* exercez une pression dessus (= presser). SENS 5. *Il **a** beaucoup **appuyé** sur cette recommandation* (= insister). ✷ Conj. nº 3.

■ **appui** n.m. [SENS 1 et 2] *Le blessé **prend appui** sur des béquilles,* il se soutient. [SENS 3] *J'ai réussi grâce à l'**appui** d'un ami* (= aide, soutien). *J'ai des preuves **à l'appui de** mes accusations,* pour les confirmer.

■ **appui-tête** n.m. *Les sièges avant de ma voiture sont munis d'**appuis-tête**,* de coussins placés derrière la tête. ✷ Au pluriel, on écrit des **appuis-tête**.

illustr. p. 868, 69

âpre adj. SENS 1. *Cette poire n'est pas mûre, elle est **âpre*** (= âcre ; ≠ doux). SENS 2. *Une lutte **âpre** est une lutte violente. Marc est **âpre au gain**,* il veut gagner de plus en plus d'argent (= cupide).

■ **âprement** adv. [SENS 2] *On combattit **âprement*** (= farouchement).

■ **âpreté** n.f. [SENS 2] *Ils discutent avec **âpreté**,* avec acharnement.

après prép. ou adv. SENS 1. *On se reposera **après** le travail,* plus tard (≠ avant). SENS 2. *La gare est **après** le carrefour,* plus loin (≠ avant). SENS 3. *Le chien court **après** le lièvre,* en le poursuivant. SENS 4. *Dessiner **d'après** un modèle,* c'est imiter ce modèle. SENS 5. ***D'après** lui, tout cela est faux,* selon ses paroles, de son point de vue.

illustr. p. 945

après-demain adv. *Nous sommes lundi, je viendrai **après-demain** mercredi,* dans deux jours. ●● *demain*

illustr. p. 132

après-midi n.m. inv. ou n.f. inv. *Je passerai vous voir cet **après-midi**,* entre midi et ce soir. *Il fait la sieste tous les **après-midi**.* ●● *midi* ✷ Ce mot composé ne change pas au pluriel.

âpreté → *âpre*

a priori adv. ***A priori**, je suis favorable à ce projet,* en principe, avant un examen plus approfondi (≠ a posteriori). ✷ Il n'y a pas d'accent sur le « a ».

à-propos n.m. inv. *Agir avec **à-propos**,* c'est agir comme le demandent les circonstances.

apte adj. *Paul est **apte** à cet emploi,* il est capable de l'exercer (= propre ; ≠ inapte).

■ **aptitude** n.f. *Travaillez selon vos **aptitudes*** (= capacité ; ≠ inaptitude).

aquarelle n.f. Une **aquarelle** est une peinture réalisée avec des couleurs délayées dans l'eau.
✳ On prononce [akwarɛl].

aquarium n.m. *Les poissons nagent dans l'**aquarium**,* un récipient de verre pour les poissons.
✳ On prononce [akwarjɔm].

aquatique adj. Une plante **aquatique** vit dans l'eau ou au bord de l'eau.
✳ On prononce [akwatik].

illustr. p. 427 **aqueduc** n.m. Un **aqueduc** est un canal pour amener l'eau.

aquilin adj. m. Un nez **aquilin** est un nez recourbé et assez fin.
✳ On prononce [akilɛ̃].

arabesque n.f. Une **arabesque** est une ligne sinueuse de caractère décoratif.

illustr. p. 982 **arachide** n.f. L'**arachide** est une plante africaine dont la graine donne de l'huile ou se mange sous le nom de « cacahouète ».

illustr. p. 385 **araignée** n.f. *L'**araignée** tisse sa toile au plafond,* un petit animal à quatre paires de pattes comprenant de très nombreuses espèces.

illustr. p. 165 **arbalète** n.f. Au Moyen Âge, une **arbalète** était un arc d'acier monté sur un support.

arbitrage → ***arbitre***

arbitraire adj. Un acte **arbitraire** est un acte accompli par quelqu'un qui ne tient pas compte de la justice, de la raison (= injustifié).

■ **arbitrairement** adv. *On l'a emprisonné **arbitrairement*** (= illégalement).

illustr. p. 913 **arbitre** n.m. SENS 1. *L'**arbitre** a sifflé la mi-temps,* celui qui est responsable du déroulement régulier du match. SENS 2. *Un expert a été désigné comme **arbitre**,* pour régler le désaccord (= médiateur).

■ **arbitrer** v. 1er groupe. [SENS 1] *Qui **arbitrera** ce match ?* [SENS 2] *Le directeur a essayé d'**arbitrer** leur querelle,* de régler cette querelle dans un esprit de justice.

■ **arbitrage** n.m. [SENS 1 et 2] *On souhaite un **arbitrage** impartial,* un contrôle du match ou un règlement du désaccord.

arborer v. 1er groupe. **Arborer** un drapeau, c'est le déployer, le montrer fièrement.

arbre n.m. SENS 1. Un **arbre** est une plante de grande taille qui a des feuilles, des branches, un tronc, des racines. SENS 2. *L'**arbre** de sa voiture est cassé,* l'axe transmettant le mouvement aux roues. SENS 3. *Grand-père a dessiné l'**arbre généalogique** de la famille,* une sorte d'arbre qui montre les liens de parenté entre les membres d'une famille.
illustr. p. 746

■ **arbrisseau** n.m. [SENS 1] Un **arbrisseau** est un petit arbre de 1 à 4 mètres qui porte des branches dès sa base. *L'aubépine est un **arbrisseau**.*
✳ Au pluriel, on écrit des **arbrisseaux**.

■ **arbuste** n.m. [SENS 1] Un **arbuste** est un petit arbre qui ne dépasse pas 10 mètres. *Le lilas est un **arbuste**.*
illustr. p. 527

■ **arborescent, ente** adj. [SENS 1] Une fougère **arborescente** est une fougère grande comme un petit arbre.

■ **arboriculteur, trice** n. [SENS 1] *Nous avons acheté des petits pommiers chez un **arboriculteur**,* quelqu'un qui cultive des arbres.

■ **arboriculture** n.f. [SENS 1] L'**arboriculture** est la culture des arbres.

arc n.m. SENS 1. *Certaines peuplades primitives chassent avec des **arcs**,* des armes faites d'une corde tendue entre les extrémités d'une tige courbée, et qui lancent des flèches. SENS 2. Un **arc de cercle** est une portion de cercle. SENS 3. L'**arc** d'une voûte, c'est sa courbure.
illustr. p. 165

illustr.
p. 41
SENS 4. Un **arc de triomphe** est un monument voûté, construit en général pour célébrer une victoire.

■ **arcade** n.f. [SENS 3] L'**arcade sourcilière** est l'endroit du visage où poussent les sourcils.

■ **arcades** n.f. pl. [SENS 3] *On se promène sous les* **arcades**, dans la galerie dont les piliers sont reliés par des arcs.

■ **arc-boutant** n.m. [SENS 3] *Beaucoup de cathédrales gothiques ont des* **arcs-boutants**, *des maçonneries en forme d'arc soutenant de l'extérieur un mur.*

■ s'**arc-bouter** v. 1er groupe. *Ils* **s'arc-boutent** *pour pousser la voiture*, ils exercent une forte poussée de tout le corps.

■ **arceau** n.m. [SENS 3] *L'allée est bordée par des* **arceaux** *de fer*, des tiges courbées en demi-cercle.
✳ Au pluriel, on écrit des **arceaux**.

illustr.
p. 845
■ **arc-en-ciel** n.m. [SENS 2] *Après l'orage, un* **arc-en-ciel** *est apparu*, une bande lumineuse multicolore en forme d'arc.
✳ Au pluriel, on écrit des **arcs-en-ciel**.

■ **arche** n.f. [SENS 3] Une **arche** est une voûte qui relie les piles d'un pont.

■ **archer** n.m. [SENS 1] Un **archer** est un tireur à l'arc.

archaïque adj. *Cette voiture est d'un modèle* **archaïque**, très vieux, totalement démodé (≠ moderne).
✳ On prononce [arkaik].

arche → *arc*

archéologie n.f. L'**archéologie** est l'étude des civilisations anciennes.

■ **archéologique** adj. *On a creusé le sol pour entreprendre des fouilles* **archéologiques**.

illustr.
p. 41
■ **archéologue** n. *Mme Delcour est* **archéologue**, spécialiste d'archéologie.
✳ Le début des mots de cette famille se prononce [arkeɔ].

archer → *arc*

archet n.m. *On joue du violon avec un* **archet**, une baguette tendue de crins pour faire vibrer les cordes.
illustr.
p. 628

archevêque n.m. Un **archevêque** est un évêque responsable de plusieurs diocèses. ●● *évêque*

■ **archevêché** n.m. L'**archevêché** est la résidence d'un archevêque ou la région sur laquelle il a autorité.

archi- préfixe. Placé au début d'un mot, **archi-** indique un degré supérieur : *archifou*, *archiconnu*, *etc.* (= très fou, très connu).

archipel n.m. Un **archipel** est un groupe d'îles.
illustr.
p. 556

architecte n. L'**architecte** dessine les plans des maisons, des bâtiments et il en dirige l'exécution.
illustr.
p. 51

■ **architecture** n.f. *Pierre fait des études d'***architecture**, il étudie l'art de construire. *Ce château a une* **architecture** *imposante* (= forme).

■ **architectural, ale, aux** adj. *On admire la beauté* **architecturale** *de ce château*, la beauté du bâtiment.

archives n.f. pl. *Les historiens consultent les* **archives**, les documents anciens conservés ensemble.
illustr.
p. 122

arctique adj. Une expédition **arctique** a lieu au pôle Nord. ●● *antarctique*
✳ On ne prononce pas le « c ».

ardent, ente adj. Une lutte **ardente** est une lutte très vive (= animé, chaud, acharné).

■ **ardemment** adv. *Nous souhaitons* **ardemment** *la paix* (= vivement).
✳ On prononce [ardamã].

■ **ardeur** n.f. *Travaillons avec* **ardeur** ! (= entrain, énergie).

ardoise n.f. SENS 1. Les **ardoises** d'un toit sont des plaques de pierre gris foncé
illustr.
p. 949

L'ARCHITECTE ET LE GÉOMÈTRE

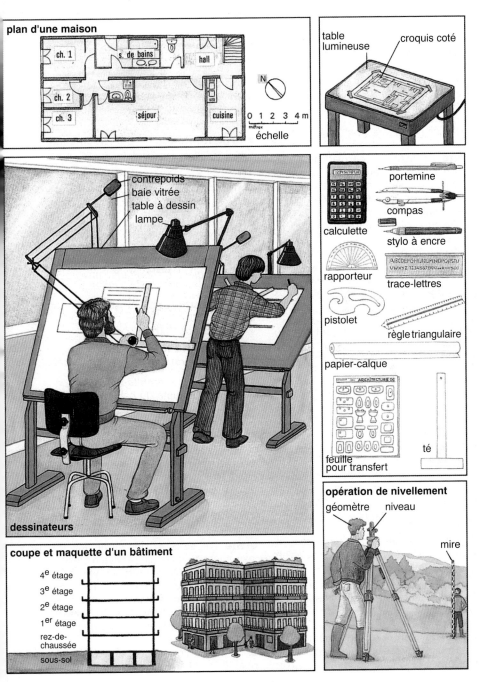

plan d'une maison

ch. 1   s. de bains   hall

ch. 2

ch. 3   séjour   cuisine

N

0 1 2 3 4 m
mètre
échelle

table lumineuse   croquis coté

contrepoids
baie vitrée
table à dessin
lampe

calculette

portemine

compas

stylo à encre

rapporteur

trace-lettres

pistolet

règle triangulaire

papier-calque

ARCHITECTURE 06

feuille pour transfert

té

dessinateurs

coupe et maquette d'un bâtiment

4e étage
3e étage
2e étage
1er étage
rez-de-chaussée
sous-sol

opération de nivellement

géomètre   niveau

mire

illustr.
p. 573

qui le couvrent. SENS 2. *Julie écrit avec une craie sur une* **ardoise,** *une plaque sur laquelle on peut facilement effacer.*

ardu, ue adj. *Ce problème est* **ardu,** très difficile (≠ facile, aisé, simple).

illustr.
p. 991

are n.m. L'**are** est une unité de mesure de terrain qui vaut 100 mètres carrés.
●● *hectare*
✳ Ne pas confondre avec **art** et **arrhes.**

illustr.
p. 427

arène n.f. SENS 1. *Les gladiateurs se battaient dans l'***arène,** dans la partie centrale d'un amphithéâtre. SENS 2. (Au plur.) *Nous sommes allés voir une corrida aux* **arènes** *de Bayonne,* dans l'amphi-théâtre qui contient l'arène et les gradins.

illustr.
p. 694,
431

arête n.f. SENS 1. Une **arête** de poisson est un petit os fin et pointu du squelette d'un poisson. SENS 2. L'**arête** d'un mur, c'est l'angle extérieur que forment deux faces du mur.

argent n.m. SENS 1. L'**argent** est un métal précieux blanc. SENS 2. *Je n'ai pas d'***argent** *sur moi,* des billets, des pièces servant à payer.

■ **argenté, ée** adj. [SENS 1] Du métal **argenté** est du métal recouvert d'argent. *Un reflet* **argenté** *a l'éclat de l'argent.*
●● *désargenté*

■ **argenterie** n.f. [SENS 1] *Pour ce grand dîner, on avait sorti toute l'***argen-terie,** les couverts en argent.

■ **argentin, ine** adj. [SENS 1] Un son **argentin** est un son clair comme celui des pièces d'argent qu'on faisait sonner.

illustr.
p. 502,
949

argile n.f. L'**argile** est une terre molle et grasse utilisée en poterie et appelée aussi « terre glaise ».

■ **argileux, euse** adj. *On s'enfonce dans les terrains* **argileux,** contenant de l'argile.

argot n.m. L'**argot** est un ensemble de mots ou d'expressions qui n'appartien-nent pas à la langue courante et qu'on

emploie parfois par goût du pittoresque : *une godasse* (= une chaussure), *se faire la malle* (= partir).

■ **argotique** adj. Une expression **argo-tique** appartient à l'argot.

argument n.m. *J'ai trouvé un* **argu-ment** *convaincant,* un raisonnement à l'appui d'une affirmation (= démonstra-tion, preuve).

■ **argumentation** n.f. *Son* **argumenta-tion** *est faible,* l'ensemble de ses argu-ments.

aride adj. Un sol **aride** est un sol sec qui ne produit rien (≠ fertile).

■ **aridité** n.f. *L'***aridité** *d'un terrain est défavorable à la culture* (= sécheresse).

aristocrate n. *Autrefois, les* **aristocra-tes** *jouissaient d'importants privilèges,* les nobles.

■ **aristocratie** n.f. L'**aristocratie** est l'ensemble des nobles (= noblesse).
✳ On prononce [aristɔkrasi].

■ **aristocratique** adj. *M. Delveau a une allure* **aristocratique** (= distingué, raf-finé).

arithmétique n.f. L'**arithmétique,** c'est l'art de calculer, de compter.

armateur → *armer (2)*

illustr.
p. 156

armature n.f. L'**armature** métallique d'une tente est l'ensemble des éléments rigides qui la soutiennent.

■ **armé, ée** adj. Du **béton armé** est pourvu d'une armature métallique.

illustr.
p. 55

arme n.f. SENS 1. Une **arme** est un instrument ou un engin servant à blesser ou à tuer. Un fusil, un pistolet, etc., sont des **armes à feu.** Un poignard, un sabre, etc., sont des **armes blanches.** SENS 2. *En lui répondant, tu lui fournis des* **armes** *contre toi,* des moyens, des arguments pour t'attaquer.
✳ Ne pas confondre avec **armes** (armoi-ries).

■ **armer** v. 1er groupe. **[SENS 1]** **Armer** des soldats, c'est les munir d'armes (≠ désarmer). **[SENS 2]** **S'armer** de patience, de courage, c'est se préparer à être très patient, très courageux.

■ **armé, ée** adj. **[SENS 1]** *Il y a eu une attaque à main armée,* faite par des personnes armées.

■ **armement** n.m. **[SENS 1]** *Cette troupe est dotée d'un armement moderne,* d'un ensemble d'armes.

■ **armurerie** n.f. **[SENS 1]** Une **armurerie** est un magasin où l'on vend des armes.

■ **armurier** n.m. **[SENS 1]** L'**armurier** vend ou fabrique des armes.

illustr.
p. 440,
55

armée n.f. **SENS 1.** L'**armée** française est l'ensemble des soldats français. **SENS 2.** Une **armée** d'employés, c'est une foule d'employés.

1. armer → *arme*

2. armer v. 1er groupe. **Armer** un bateau, c'est l'équiper, le mettre en état de naviguer (≠ désarmer).

■ **armateur** n.m. Un **armateur** est celui qui se charge d'équiper et d'exploiter un navire.

■ **armement** n.m. L'**armement** d'un navire, c'est son matériel et son équipage.

armes n.f. pl. Les **armes** d'une famille, d'une ville, c'est leur emblème, un dessin habituellement placé dans un écusson (= armoiries).

illustr.
p. 970,
165

■ **armoiries** n.f. pl. *Certaines familles nobles avaient un lion dans leurs armoiries* (= armes, blason).

armistice n.m. *Les combattants ont signé un armistice,* un accord pour cesser le combat en attendant le traité de paix.
🌸 Ne pas confondre avec **amnistie**.

armoire n.f. *Le linge est rangé dans une armoire,* un grand meuble. *Le peigne, le rasoir sont dans l'armoire de toilette,* une petite armoire à étagères.

illustr.
p. 863,
239

armoiries → *armes*

armure n.f. *Les chevaliers du Moyen Âge étaient protégés par une armure,* un habillement métallique.

illustr.
p. 165

armurerie, armurier → *arme*

arôme n.m. L'**arôme** d'un vin, du café, d'un bouillon est l'odeur agréable qui s'en dégage (= parfum, bouquet, fumet).

■ **aromate** n.m. La cannelle, le thym, l'anis sont des **aromates**, des substances végétales ayant un parfum caractéristique. → *condiment* → *épice*

■ **aromatique** adj. *Le laurier est une plante aromatique,* qui dégage un arôme qui parfume un plat.

illustr.
p. 690

■ **aromatiser** v. 1er groupe. *Cette crème est aromatisée à la vanille,* parfumée.

arpenter v. 1er groupe. *Pierre arpente sa chambre en réfléchissant,* il la parcourt en divers sens et à grands pas.

arqué, ée adj. Des sourcils **arqués** sont recourbés.

d'**arrache-pied** adv. *Ils ont travaillé d'arrache-pied toute la nuit pour finir à temps,* sans relâche, avec acharnement.

arracher v. 1er groupe. **SENS 1.** *Le jardinier arrache les mauvaises herbes,* il les enlève de terre en les tirant. **SENS 2.** *Il m'a arraché la promesse de venir,* il l'a obtenue avec peine (= soutirer). **SENS 3.** *Je n'ai pas pu l'arracher à son travail,* l'en éloigner (= séparer).

■ **arrachage** n.m. **[SENS 1]** *L'arrachage des pommes de terre se fait souvent à la machine,* on les arrache souvent à la machine.

L'ARMÉE

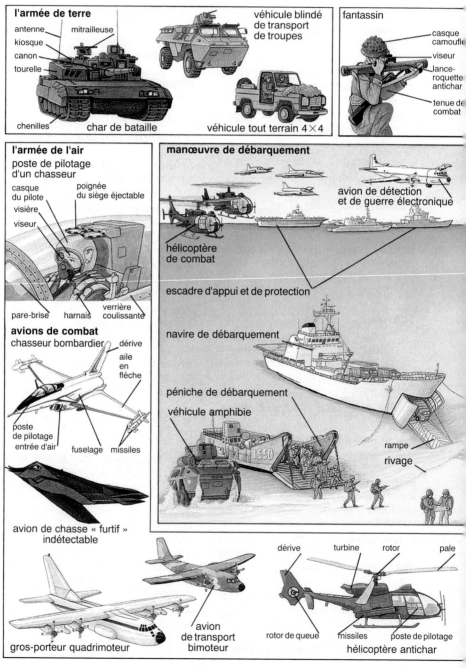

l'armée de terre

antenne
kiosque
canon
tourelle
mitrailleuse

chenilles

char de bataille

véhicule blindé
de transport
de troupes

véhicule tout terrain 4 × 4

fantassin

casque
camouflé
viseur
lance-
roquette
antichar
tenue de
combat

l'armée de l'air

poste de pilotage
d'un chasseur

casque
du pilote
visière
viseur
poignée
du siège éjectable

pare-brise   harnais   verrière
coulissante

avions de combat

chasseur bombardier
dérive
aile
en
flèche
poste
de pilotage
entrée d'air   fuselage   missiles

avion de chasse « furtif »
indétectable

manœuvre de débarquement

avion de détection
et de guerre électronique

hélicoptère
de combat

escadre d'appui et de protection

navire de débarquement

péniche de débarquement
véhicule amphibie

rampe
rivage

gros-porteur quadrimoteur

avion
de transport
bimoteur

dérive   turbine   rotor   pale

rotor de queue   missiles   poste de pilotage

hélicoptère antichar

L'armée regroupe les forces militaires de l'État. On distingue trois corps d'armée : l'armée de terre, l'armée de l'air et la marine. Tous sont chargés de la défense nationale.

canon de 155 mm
artilleurs culasse tube missile
douille affût roue
obus véhicule lance-missiles

armes
fusil baïonnette
pistolet automatique revolver
douille balle
cartouches grenade

couverture aérienne
transport de chalands de débarquement
péniche
lance-missile
mortier
camion
char

la marine
pompon ruban frégate
béret
plate-forme pour hélicoptères
ancre
chemisette
matelot

corvette
escorteur
frégate
destroyer
croiseur
vedette chasseur de mines
sous-marin nucléaire lanceur d'engins

escadre
frégate
porte-avions
ravitailleur
corvette

■ **arracheur** n.m. [SENS 1] *Il ment comme un **arracheur** de dents,* il fait de gros mensonges.

arraisonner v. 1er groupe. Arraisonner un navire, c'est le contraindre à s'arrêter pour contrôler sa nationalité, sa cargaison, etc.

illustr. p. 733

■ **arraisonnement** n.m. *En temps de guerre, des **arraisonnements** de navires ont lieu,* on les arraisonne.
❋ Attention à l'orthographe : deux « r » et deux « n ».

arranger v. 1er groupe. SENS 1. *Arrange les meubles dans la pièce,* mets-les dans un certain ordre (= disposer). SENS 2. *J'ai arrangé le jouet cassé,* je l'ai réparé. SENS 3. Arranger une affaire, une difficulté, c'est la régler. SENS 4. *Cette date ne m'arrange pas,* elle ne me convient pas. SENS 5. *Ils se sont arrangés à l'amiable,* ils se sont mis d'accord (= s'entendre, s'accorder). SENS 6. *Je m'arrangerai pour venir* (= se débrouiller).
❋ Conj. n° 2.

■ **arrangeant, ante** adj. [SENS 5] *La directrice est très **arrangeante**,* elle est facilement d'accord (= conciliant, accommodant ; ≠ intraitable).

■ **arrangement** n.m. [SENS 1] *On a changé l'**arrangement** de la salle* (= disposition). [SENS 5] *Concluons un **arrangement*** (= accord, convention).

arrêter v. 1er groupe. SENS 1. *L'agent arrête les voitures,* il les empêche d'avancer. *Les voitures s'arrêtent* (= stopper). SENS 2. *L'arbitre arrête le combat de boxe,* il l'empêche de continuer. *Arrête de pleurer !* (= cesser ; ≠ continuer). SENS 3. *Les policiers ont arrêté un malfaiteur,* ils se sont emparés de lui (= appréhender). SENS 4. *On a arrêté la date de la réunion* (= décider, fixer).

■ **arrêt** n.m. [SENS 1] *Ne pas descendre avant l'**arrêt** complet du train,* le moment où il est arrêté. *J'aperçois Jean à l'**arrêt** de l'autobus,* à l'endroit où il s'arrête (= station). [SENS 2] *Il pleut sans arrêt*

illustr. p. 855

(= continuellement). [SENS 4] *Le tribunal a rendu son arrêt* (= décision).

■ **arrêté, ée** adj. [SENS 4] *Paul a des idées bien **arrêtées** sur la question,* des idées bien nettes, bien précises.

■ **arrêté** n.m. [SENS 4] *Un **arrêté** préfectoral est une décision du préfet.*

■ **arrestation** n.f. [SENS 3] *On a annoncé l'**arrestation** du coupable,* qu'il a été arrêté.

arrhes n.f. pl. *On a versé des **arrhes** au moment de la commande,* on a payé à l'avance une partie du prix.
❋ On prononce [ar]. Ne pas confondre avec **are** et **art**.

1. arrière SENS 1. adv. *Pierre a fait un pas en arrière,* il a reculé (≠ en avant). SENS 2. n.m. *L'**arrière** du bateau est trop chargé* (= derrière ; ≠ avant, devant). SENS 3. adj. inv. *Le feu **arrière** de la voiture est cassé.*

illustr. p. 69

2. arrière- préfixe. Placé au début de certains mots, **arrière** indique ce qui est derrière (***arrière**-boutique*) ou ce qui vient après (***arrière**-saison*).
❋ Les mots formés avec **arrière-** s'écrivent tous avec un trait d'union. Au pluriel, **arrière-** reste toujours invariable.

arriéré, ée SENS 1. adj. *Des idées **arriérées** sont très démodées.* SENS 2. adj. et n. *Une personne **arriérée** a un développement intellectuel insuffisant. C'est un **arriéré**,* un faible d'esprit. SENS 3. n.m. *Il a payé l'**arriéré**,* ce qui restait dû.

arrière-boutique n.f. *L'épicier est allé dans son **arrière-boutique**,* la pièce qui est derrière la boutique. ●● ***boutique***
❋ Au pluriel, on écrit des **arrière-boutiques**.

arrière-garde n.f. *L'arrière-garde d'une armée,* ce sont les soldats détachés derrière elle pour la protéger (≠ avant-garde). ●● ***garder***

arrière-goût n.m. *Cette sauce a un arrière-goût bizarre,* un goût qui reste dans la bouche après qu'on a avalé.
●● **goût**
✳ Au pluriel, on écrit des **arrière-goûts**.

illustr.
p. 679
arrière-grand-mère, arrière-grand-père, arrière-grands-parents n. L'arrière-grand-mère est la mère de la grand-mère ou du grand-père. Les arrière-grands-parents, ce sont les parents (père ou mère) des grands-parents.
●● **grand-père**
✳ Au pluriel, on écrit des **arrière-grands-mères**, des **arrière-grands-pères**.

arrière-pensée n.f. *Il se déclarait d'accord, mais je sentais qu'il avait une arrière-pensée,* une pensée qu'il n'exprimait pas. ●● **penser**

illustr.
p. 679
arrière-petite-fille, arrière-petit-fils, arrière-petits-enfants n. L'arrière-petite-fille est la fille d'un petit-fils ou d'une petite-fille. Les arrière-petits-enfants, ce sont les enfants (fils ou fille) des petits-enfants. ●● **petit-fils**

arrière-plan n.m. **SENS 1.** *Sur cette photo, on voit notre maison et, à l'arrière-plan, la forêt,* sur un plan situé derrière. **SENS 2.** *Ce projet est à l'arrière-plan de nos préoccupations,* il est secondaire.
●● **plan**
✳ Au pluriel, on écrit des **arrière-plans**.

arrière-saison n.f. *Des fleurs d'arrière-saison fleurissent jusqu'à la fin de l'automne.* ●● **saison**
✳ Au pluriel, on écrit des **arrière-saisons**.

arrimer v. 1ᵉʳ groupe. *Il faut arrimer les valises sur le toit de la voiture,* les fixer solidement.

■ **arrimage** n.m. *L'arrimage des marchandises est assuré par des cordes,* elles sont fixées solidement.

arriver v. 1ᵉʳ groupe. **SENS 1.** *Nous arrivons à Lyon* (≠ partir). **SENS 2.** *Je suis*

arrivé à faire ce travail (= réussir). **SENS 3.** *Cela arrive,* cela se produit.
✳ Ce verbe se conjugue avec « être ».

■ **arrivage** n.m. **[SENS 1]** *L'épicier attend un arrivage de légumes* (= une livraison).

■ **arrivée** n.f. **[SENS 1]** *J'attends l'arrivée du facteur,* le moment où il arrivera. ◆ *Un coureur a abandonné à quelques kilomètres de l'arrivée* (= but ; ≠ départ).

■ **arriviste** n. **[SENS 2]** *Cet individu n'a aucun scrupule, c'est un arriviste,* il veut arriver à avoir une bonne place par tous les moyens, même s'ils sont peu honnêtes.

arrogant, ante adj. *Un ton arrogant est orgueilleux et méprisant* (= hautain).

■ **arrogance** n.f. *Le chef de service est plein d'arrogance* (= morgue).

arrondir v. 2ᵉ groupe. **SENS 1.** *Les galets sont arrondis par le frottement,* ils prennent une forme ronde. **SENS 2.** *Arrondir une somme,* c'est la mettre au chiffre rond le plus proche, par exemple 130 au lieu de 130,25. ●● **rond**

arrondissement n.m. *Un arrondissement est une division administrative d'un département ou d'une grande ville.*
illustr.
p. 358

arroser v. 1ᵉʳ groupe. *Anne arrose les fleurs,* elle répand de l'eau au pied des fleurs.

■ **arrosage** n.m. *Le tuyau d'arrosage avec lequel on arrose le jardin est crevé.*
illustr.
p. 747

■ **arroseuse** n.f. *L'arroseuse est un véhicule qui sert à arroser les rues.*
illustr.
p. 1016

■ **arrosoir** n.m. *Cet arrosoir contient 6 litres,* ce récipient destiné à arroser.
illustr.
p. 746

arsenal n.m. **SENS 1.** *Un arsenal est un lieu spécialement aménagé pour équiper les navires de guerre.* **SENS 2.** *Les policiers ont découvert tout un arsenal à son domicile,* une accumulation d'armes.
✳ Au pluriel, on dit des **arsenaux**.

arsenic n.m. *L'arsenic est un poison violent.*

illustr.
p. 41

art n.m. SENS **1**. *Ce bracelet est ciselé avec art,* d'une manière qui le rend beau. *Les tableaux, les statues, les monuments sont des œuvres d'art,* de belles choses créées par les peintres, les sculpteurs, les architectes. ●● *beaux-arts.* SENS **2**. L'*art* culinaire est un ensemble de connaissances concernant la cuisine. SENS **3**. *Elle a l'art d'apaiser les querelles,* la manière habile.
✻ Ne pas confondre avec *are* et *arrhes.*

■ **artiste** n. [SENS 1] Un **artiste** peintre peint des tableaux. Un **artiste dramatique** est un acteur.

■ **artistique** adj. Une photographie **artistique** est agréable à regarder.

illustr.
p. 216

artère n.f. SENS **1**. Le sang qui vient du cœur circule dans les **artères**. → *veine.* SENS **2**. *Cette avenue est la principale artère de la ville* (= rue, voie).

■ **artériel, elle** adj. [SENS 1] *Grand-père a une maladie artérielle,* des artères.

illustr.
p. 747

artichaut n.m. L'artichaut est un légume dont on peut manger la base des feuilles et le fond.

illustr.
p. 503

article n.m. SENS **1**. Un **article** du Code de la route est une division de ce texte. SENS **2**. *Le journal publie un article important de politique étrangère,* un texte écrit. SENS **3**. *Ce magasin vend des articles de sport,* des objets proposés à la vente. SENS **4**. *« Le », « un » sont des articles,* des mots appelés « déterminants » qu'on place devant les noms.

articuler v. 1ᵉʳ groupe. SENS **1**. *Ces noms étrangers sont difficiles à articuler,* à prononcer distinctement. ●● *inarticulé.* SENS **2**. La main **s'articule** à l'avant-bras, elle est unie à lui par une jointure mobile, le poignet. ●● *désarticuler*

■ **articulation** n.f. [SENS 1] *On a parfois du mal à comprendre Marie, car elle a un défaut d'articulation* (= prononciation).

illustr.
p. 216

[SENS 2] *J'ai une douleur à l'articulation du coude* (= jointure).

■ **articulaire** adj. [SENS 2] Des douleurs **articulaires** se manifestent aux articulations.

1. artifice n.m. *On a recouru à un artifice pour résoudre cette difficulté,* à un moyen habile plus ou moins trompeur (= ruse).

2. artifice n.m. Un **feu d'artifice** est une série de fusées lumineuses, de feux colorés, etc.

■ **artificier** n.m. Les **artificiers** sont les gens qui tirent les feux d'artifice.

artificiel, elle adj. SENS **1**. Un lac **artificiel** est fait par l'homme (≠ naturel). SENS **2**. *La gaieté de Loïc est artificielle,* il ne l'éprouve pas réellement (= factice).

■ **artificiellement** adv. [SENS 1] *Ces pommes sont mûries artificiellement* (≠ naturellement).

artillerie n.f. SENS **1**. Les canons d'une armée constituent son **artillerie**. SENS **2**. *Cet officier a fait sa carrière dans l'artillerie,* dans les troupes chargées des canons.

■ **artilleur** n.m. [SENS 2] Un **artilleur** est un soldat dans l'artillerie.

illustr.
p. 55

artimon n.m. Le **mât d'artimon** est situé à l'arrière d'un voilier.

illustr.
p. 971

artisan, ane n. *J'ai fait relier mes livres par un artisan,* quelqu'un qui travaille de ses mains pour son propre compte.

■ **artisanal, ale, aux** adj. La poterie **artisanale** est faite à la main (≠ industriel).

■ **artisanat** n.m. *Dans certaines régions touristiques, l'artisanat est développé,* le travail des artisans.

artiste, artistique → *art*

as n.m. SENS **1**. L'**as** d'un jeu de cartes porte un seul signe. SENS **2**. Aux dés, l'**as** est la face à un seul point. SENS **3**. Fam.

*Saïd est un **as** en mécanique,* il est très fort dans ce domaine (= champion).

ascendant, ante SENS 1. adj. Un mouvement **ascendant** est un mouvement de bas en haut. SENS 2. n.m. pl. Les **ascendants** sont les parents et les ancêtres (≠ descendants). SENS 3. n.m. *Romain a de l'**ascendant** sur ses camarades,* de l'influence.

■ **ascendance** n.f. [SENS 2] *Yannick a une **ascendance** bretonne,* ses ascendants étaient bretons.

■ **ascenseur** n.m. [SENS 1] Un **ascenseur** transporte les personnes d'un étage à l'autre d'un immeuble.

■ **ascension** n.f. [SENS 1] *Nous avons fait une **ascension** en haute montagne* (= escalade).

aseptique adj. Un pansement **aseptique** ne contient pas de microbes.

■ **aseptiser** v. 1ᵉʳ groupe. *Aseptiser un linge,* c'est le rendre aseptique (= désinfecter). —→ **antisepsie**

asile n.m. SENS 1. On appelait autrefois **asile** un établissement accueillant des vieillards sans ressources ou les malades mentaux (= hospice). SENS 2. *Le fugitif cherchait un **asile**,* un lieu pour être à l'abri du danger (= refuge).

aspect n.m. *Cet homme a un **aspect** négligé* (= allure, air).

asperge n.f. Les **asperges** sont des plantes dont on peut manger les jeunes pousses.

asperger v. 1ᵉʳ groupe. *Une voiture m'a **aspergé**,* elle a projeté de l'eau sur moi.
✳ Conj. nº 2.

aspérité n.f. *On s'écorche les doigts aux **aspérités** du rocher,* aux parties pointues (= rugosité).

illustr. p. 974 **asphalte** n.m. Les trottoirs sont recouverts d'**asphalte** (= bitume).

asphyxie n.f. *Les mineurs accidentés sont morts par **asphyxie**,* parce qu'ils ne pouvaient pas respirer normalement.

■ **asphyxier** v. 1ᵉʳ groupe. *Deux personnes sont mortes **asphyxiées** par une fuite de gaz.*

aspic n.m. L'**aspic** est une vipère vivant en France, dans les endroits secs et pierreux.

aspirant n.m. Un **aspirant** est un élève officier. *illustr. p. 440*

aspiré, ée adj. Un « h » **aspiré** empêche les élisions et les liaisons au début d'un mot, comme dans **le hérisson** [ləeris͡ɔ], **les haltes** [le?alt] (≠ muet).

aspirer v. 1ᵉʳ groupe. SENS 1. **Aspirer** l'air, c'est l'attirer, et spécialement le faire pénétrer dans la poitrine. **Aspirer** une boisson avec une paille, c'est l'attirer dans la bouche. SENS 2. **Aspirer** au calme, à la célébrité, c'est avoir un désir profond de calme, de célébrité.

■ **aspirateur** n.m. [SENS 1] Un **aspirateur** est un appareil ménager qui aspire les poussières. *illustr. p. 238*

s'**assagir** v. 2ᵉ groupe. *En grandissant, Charlotte **s'est assagie**,* elle est devenue plus sage. ●● **sage**

assaillir v. 3ᵉ groupe. *Il **a été assailli** par deux individus masqués,* il a été attaqué soudain.
✳ Conj. nº 23.

■ **assaillant, ante** n. *Les **assaillants** ont subi de lourdes pertes* (= attaquant).

■ **assaut** n.m. *Nos troupes ont repoussé un **assaut**,* une vive attaque d'ensemble.

assainir v. 2ᵉ groupe. **Assainir** l'air d'une pièce, c'est le rendre sain, plus salubre (= purifier, désinfecter ; ≠ polluer). ●● **sain**

■ **assainissement** n.m. *On a entrepris l'**assainissement** des marais,* de les assainir.

assaisonner v. 1er groupe. **Assaisonner** la nourriture, c'est lui donner du goût en ajoutant du sel, des épices, etc.

■ **assaisonnement** n.m. Un **assaisonnement** est un mélange d'ingrédients qui sert à donner plus de goût aux plats.

assassin n.m. Un **assassin** est quelqu'un qui tue un être humain volontairement (= meurtrier, criminel).

■ **assassinat** n.m. *Ce sauvage assassinat est une vengeance* (= crime).

■ **assassiner** v. 1er groupe. *Ce dictateur a fait assassiner ses adversaires* (= massacrer, tuer).

assaut → *assaillir*

assécher v. 1er groupe. *On a asséché cette région marécageuse,* on a rendu le sol sec en faisant disparaître l'eau. ●● *sec*
✷ Conj. n° 10.

assembler v. 1er groupe. SENS 1. *Nicolas assemble les pièces de son jeu de construction,* il les réunit en les adaptant les unes aux autres. SENS 2. *La foule s'est assemblée sur la place,* elle s'est réunie, groupée. ●● *rassembler*

■ **assemblage** n.m. [SENS 1] *Un moteur est un assemblage de nombreuses pièces.*

■ **assemblée** n.f. [SENS 2] *L'orateur s'adresse à l'assemblée* (= foule, auditoire).

asséner ou **assener** v. 1er groupe. **Asséner** un coup, c'est frapper violemment.
✷ Conj. n° 10 ou n° 9. On prononce [asene], même s'il n'y a pas d'accent aigu dans l'orthographe **assener**.

assentiment n.m. *Tu as mon assentiment* (= consentement, accord).

asseoir v. 3e groupe. SENS 1. *On assoit le bébé sur sa chaise haute. Jean s'assoit sur un tabouret,* il y pose ses fesses (≠ se lever). ●● *rasseoir.* SENS 2. *Il faut asseoir son jugement sur des preuves* (= fonder, établir). ●● *assise (1)*
✷ Conj. n° 44.

■ **assis, ise** adj. [SENS 1] Une **place assise** est une place avec un siège (≠ debout). [SENS 2] *Sa fortune est solidement assise,* établie.

asservir v. 2e groupe. *Ce journal a toujours refusé de se laisser asservir* (= soumettre, assujettir). ●● *servage, servile, servitude*

■ **asservissement** n.m. *Dans le pays envahi, des résistants s'opposaient à l'asservissement* (= soumission).

assez adv. SENS 1. *J'ai assez mangé,* en quantité suffisante (= suffisamment). SENS 2. *Je suis assez surpris,* plus qu'un peu et moins que beaucoup (= passablement). SENS 3. *J'en ai assez de ce vacarme,* j'en suis fatigué, excédé.

assidu, ue adj. Un travail **assidu** est fait de manière régulière.

■ **assiduité** n.f. *Il travaille avec assiduité* (= persévérance, régularité).

■ **assidûment** adv. *Je m'occupe assidûment de cela* (= sans relâche).

assiéger v. 1er groupe. *Les ennemis ont assiégé la ville,* ils ont fait le siège de la ville en s'installant autour (= bloquer). ●● *siège*
✷ Conj. n° 2 et n° 10.

■ **assiégeant, ante** n. *Toute la ville se défend contre les assiégeants,* ceux qui l'assiègent.

assiette n.f. SENS 1. *Nous mangeons dans des assiettes de porcelaine,* des récipients individuels généralement ronds et plus ou moins plats, servant aux repas. SENS 2. *On dirait qu'il n'est pas dans son assiette,* qu'il ne se sent pas bien. *illustr. p. 238*

■ **assiettée** n.f. [SENS 1] *Hugo a avalé une assiettée de potage,* le contenu d'une assiette.

assigner v. 1er groupe. *Attendez qu'on vous assigne une place,* qu'on vous l'attribue (= fixer, désigner).

assimiler v. 1er groupe. SENS 1. *On peut assimiler un vélomoteur à une bicyclette,* le ranger dans une même catégorie. SENS 2. **Assimiler** un aliment, c'est bien le digérer. SENS 3. **Assimiler** ce qu'on apprend, c'est bien le comprendre et le retenir. SENS 4. *Pierre s'est bien assimilé au groupe,* il s'y est bien mêlé, intégré.

■ **assimilation** n.f. [SENS 2] L'**assimilation** des aliments se fait dans l'estomac et dans l'intestin. [SENS 4] L'**assimilation** des étrangers venus s'installer dans un pays, c'est le fait qu'ils s'intègrent aux habitants d'origine en adoptant leur façon de vivre.

assis → *asseoir*

1. assise n.f. *Votre raisonnement n'a pas une assise très solide* (= base, fondement). ●● *asseoir*

2. assises n.f. pl. *La cour d'assises* est un tribunal qui juge les crimes.

assister v. 1er groupe. SENS 1. *J'ai assisté à la réunion,* j'y ai été présent. SENS 2. *La Croix-Rouge assiste les sinistrés* (= secourir, aider). SENS 3. *Le maire est assisté de ses adjoints* (= aider, seconder).

■ **assistant, ante** n. [SENS 1] *Les assistants ont longuement applaudi* (= spectateur, auditeur). [SENS 2] Les **assistantes sociales** aident les gens qui en ont besoin. [SENS 3] *Le médecin était accompagné de ses assistants,* des médecins qui travaillent sous sa direction.

illustr. p. 868

■ **assistance** n.f. [SENS 1] L'**assistance** *à cette séance est obligatoire* (= présence). ◆ *Le conférencier parle devant une nombreuse assistance* (= public, auditoire). [SENS 2] *On a créé une organisation d'assistance aux réfugiés,* d'aide.

associer v. 1er groupe. SENS 1. *M. Dupont a associé son fils à la direction de* l'usine, il lui a donné un rôle, il l'a fait participer. SENS 2. *Ces questions sont liées, on peut les associer* (= grouper, réunir ; ≠ dissocier).

■ **association** n.f. *La commune possède une association sportive* (= groupe, union).

■ **associé, ée** n. [SENS 1] *Il lui faut l'accord de son associée,* celle qui travaille avec lui et partage ses responsabilités.

assoiffé, ée adj. SENS 1. *Les explorateurs étaient assoiffés,* ils avaient soif (= altéré). ●● *soif.* SENS 2. *Il est assoiffé de vengeance,* il a un violent désir de se venger.

assombrir v. 2e groupe. SENS 1. *Les rideaux assombrissent la pièce,* ils la rendent sombre (≠ éclairer). ●● *sombre. Le ciel s'assombrit* (= s'obscurcir ; ≠ s'éclairer). SENS 2. *Son visage s'assombrit,* il devient triste et soucieux.

assommer v. 1er groupe. SENS 1. *Pierre a été assommé par la chute d'une branche,* il a été étourdi par un coup sur la tête. SENS 2. Fam. *Il nous assomme avec ses discours interminables* (= ennuyer, fatiguer).

■ **assommant, ante** adj. [SENS 2] *Ce roman est assommant* (= ennuyeux).

assortir v. 2e groupe. *Voilà un bouquet de fleurs bien assorties,* qui vont bien ensemble.

■ **assortiment** n.m. *On nous a présenté un assortiment de hors-d'œuvre,* un ensemble varié.

s'assoupir v. 2e groupe. *Grand-père s'assoupit après les repas,* il s'endort doucement.

■ **assoupissement** n.m. *L'accident est dû à l'assoupissement du conducteur* (= somnolence).

assouplir v. 2e groupe. SENS 1. **Assouplir** *du cuir, c'est le rendre plus souple.*

●● **souple**. SENS 2. **Assouplir** un règlement, c'est le rendre moins strict, moins sévère.

▪ **assouplissement** n.m. [SENS 1] *Chaque matin, nous faisons des exercices d'**assouplissement**, pour assouplir nos membres.* [SENS 2] *On a obtenu un **assouplissement** du règlement* (= adoucissement).

assourdir v. 2ᵉ groupe. SENS 1. *Ce bruit m'**assourdit**,* il me fait mal aux oreilles. ●● **sourd**. SENS 2. *Le tapis **assourdit** les pas,* il les rend moins sonores. *Le bruit s'**assourdit**,* on l'entend moins.

▪ **assourdissant, ante** adj. [SENS 1] *Les machines font un bruit **assourdissant**,* si fort qu'il rend sourd.

assouvir v. 2ᵉ groupe. **Assouvir** sa faim, c'est se rassasier (= calmer). **Assouvir** sa vengeance, c'est se venger (= satisfaire). ●● **inassouvi**

▪ **assouvissement** n.m. *Il a longtemps préparé l'**assouvissement** de sa vengeance,* sa réalisation complète.

assujettir v. 2ᵉ groupe. SENS 1. *Nous sommes **assujettis** à l'impôt,* nous y sommes soumis. SENS 2. **Assujettir** un peuple, une nation, c'est les soumettre à une domination totale. ●● **sujet**. SENS 3. *Le couvercle **est** mal **assujetti**,* il est mal fixé.

assumer v. 1ᵉʳ groupe. *Je suis prêt à **assumer** mes responsabilités,* à m'en charger, à y faire face.

assurer v. 1ᵉʳ groupe. SENS 1. *Je vous **assure** que je n'exagère pas* (= affirmer, certifier, garantir). *Assurez-vous que tout le monde est là,* vérifiez-le, soyez-en bien sûr. SENS 2. *Il faut **assurer** votre maison contre l'incendie,* la garantir par contrat contre ce risque. SENS 3. *Le bateau **assure** la liaison entre l'île et le continent,* il la réalise avec régularité.

▪ **assurance** n.f. [SENS 1] *Nous avons l'**assurance** de sa participation* (= ga-

rantie). [SENS 2] *À la suite de l'inondation, faites une déclaration à votre **compagnie d'assurances**.* ◆ *Le président parle avec **assurance**,* avec confiance en soi (= aisance, aplomb).

▪ **assuré, ée** adj. *Jérémy parle d'un ton **assuré**,* qui montre qu'il est sûr de lui (= ferme, décidé).

▪ **assurément** adv. [SENS 1] *Il a **assurément** tort de se fâcher* (= certainement, sûrement).

astérisque n.m. *Un **astérisque** est un signe d'écriture en forme d'étoile (*) qui sert à renvoyer à un autre mot.*

asthme n.m. *Claire a une crise d'**asthme**,* une crise pendant laquelle elle a des difficultés à respirer. ✳ On prononce [asm].

▪ **asthmatique** adj. *Claire est **asthmatique**.* ✳ On prononce [asmatik].

asticot n.m. *On pêche parfois avec des **asticots** comme appât,* des larves de mouches qui ressemblent à des vers.

asticoter v. 1ᵉʳ groupe. Fam. *Si tu continues à m'**asticoter**, je vais me fâcher* (= agacer, irriter).

astiquer v. 1ᵉʳ groupe. *Astique tes chaussures !,* fais-les briller en frottant.

astre n.m. *Les étoiles et les planètes sont des **astres**.*

▪ **astrologie** n.f. *L'**astrologie** prétend deviner l'avenir ou le destin en étudiant la position des astres.* ✳ Ne pas confondre avec **astronomie**.

▪ **astrologique** adj. *Il croit aux prédictions **astrologiques**.*

▪ **astrologue** n. *On représente les anciens **astrologues** avec de grands chapeaux pointus,* ceux qui pratiquent l'astrologie.

▪ **astronaute** n. *Des **astronautes** ont marché sur la Lune,* des personnes *illustr. p. 202* voyageant dans les vaisseaux spatiaux (= cosmonaute).

■ **astronautique** n.f. *L'astronautique fait des progrès rapides,* la science et la technique des voyages dans l'espace.

■ **astronome** n. *Les astronomes ont découvert une nouvelle étoile,* les spécialistes d'astronomie.

■ **astronomie** n.f. *L'astronomie* est l'étude scientifique de l'Univers, des astres.
❋ Ne pas confondre avec **astrologie**.

■ **astronomique** adj. *Une lunette* **astronomique** permet d'observer les astres. ◆ Fam. *Une quantité* **astronomique** est une très grande quantité.

astreindre v. 3ᵉ groupe. *Le médecin l'a astreinte à un régime sévère,* il l'a obligée, forcée (= contraindre).
❋ Conj. nº 55.

■ **astreignant, ante** adj. *Son travail est astreignant,* il lui laisse peu de loisirs. (= contraignant).

astrologie, astrologique, astrologue, astronaute, astronautique, astronome, astronomie, astronomique → *astre*

astuce n.f. SENS 1. *J'ai trouvé une astuce pour résoudre ce problème,* une manière ingénieuse d'agir (= truc, fam. combine). SENS 2. Fam. *Il fait tout le temps des astuces,* des plaisanteries, des jeux de mots.

■ **astucieux, euse** adj. [SENS 1] *Voilà un procédé astucieux !* (= ingénieux).

■ **astucieusement** adv. [SENS 1] *J'ai résolu astucieusement le problème,* ingénieusement.

asymétrique adj. SENS 1. *Un visage asymétrique* est un visage qui manque de symétrie (= dissymétrique). ●● **symétrique**. SENS 2. En gymnastique, les barres **asymétriques** sont des barres parallèles dont l'une est plus basse que l'autre.

atelier n.m. *Le menuisier travaille dans son atelier,* son lieu de travail.
illustr. p. 995

atermoyer v. 1ᵉʳ groupe. *Il faut se décider, il n'est plus temps d'atermoyer,* de traîner en longueur, de gagner du temps (= tergiverser).
❋ Conj. nº 3.

■ **atermoiement** n.m. *Assez d'atermoiements,* il faut agir dès maintenant.

athée n. et adj. *Les athées ne croient pas en l'existence de Dieu* (= incroyant). *Il est athée mais respecte les croyants.*

athlétisme n.m. *L'athlétisme* est la pratique des sports individuels comme la course à pied, le saut en hauteur, le lancer de poids, etc.
illustr. p. 912

■ **athlète** n. *Un coureur à pied est un athlète,* il fait de l'athlétisme.
illustr. p. 41

■ **athlétique** adj. *Ce déménageur est athlétique,* il est puissamment musclé.

atlas n.m. *Un atlas* est un recueil de cartes géographiques.

atmosphère n.f. SENS 1. *La planète Mars a une atmosphère,* une couche de gaz qui l'entoure. SENS 2. *Il règne ici une atmosphère sympathique* (= ambiance, climat).

■ **atmosphérique** adj. [SENS 1] *La pression atmosphérique* est le poids de l'air.

atoll n.m. *Un atoll* est une île des mers tropicales faite de récifs de corail en forme d'anneau.

atome n.m. *L'atome* est une particule de matière extrêmement petite.

■ **atomique** adj. *Une pile atomique* utilise l'énergie obtenue en faisant exploser des atomes.

atomiseur n.m. *Elle s'est acheté du parfum en atomiseur,* un flacon qui projette le parfum en fines gouttelettes (= vaporisateur).

atours n.m. pl. *La gravure représente une duchesse dans ses plus beaux atours*, avec ses plus beaux vêtements et ses plus beaux bijoux (= ornements, parure).

atout n.m. SENS 1. *Atout trèfle !,* le trèfle est la couleur de carte choisie comme la plus forte. SENS 2. *Sa connaissance de l'anglais est un bon atout,* un bon moyen de réussir (= avantage).

âtre n.m. *Le feu brûle dans l'âtre* (= cheminée, foyer).

atroce adj. SENS 1. *Un crime atroce* est un crime d'une grande cruauté (= épouvantable, abominable, monstrueux). SENS 2. *Une douleur atroce* est insupportable.

■ **atrocement** adv. [SENS 2] *Le blessé souffre atrocement* (= terriblement).

■ **atrocité** n.f. [SENS 1] *Ce film montre les atrocités de la guerre* (= horreur).

s'**attabler** v. 1ᵉʳ groupe. *Les invités se sont attablés,* ils se sont mis à table. ●● *table*

attacher v. 1ᵉʳ groupe. SENS 1. *Le chien est attaché à sa niche par une chaîne* (= lier, enchaîner ; ≠ libérer, détacher). ●● *rattacher.* SENS 2. *Attachez vos ceintures, l'avion va décoller !* (= boucler, agrafer). SENS 3. *Elle s'est attachée à ce chien perdu,* elle l'a pris en affection. SENS 4. *Attacher de l'importance à* une chose, c'est la juger importante.

■ **attachant, ante** adj. [SENS 3] *Une personne attachante* est sympathique, aimable.

■ **attache** n.f. [SENS 1] *On peut réunir des feuilles avec une attache* (= agrafe, trombone). [SENS 3] *Avoir des attaches avec quelqu'un,* c'est lui être lié par la parenté ou l'amitié.

■ **attachement** n.m. [SENS 3] *Il proclame son attachement à la liberté* (= amour).

attaquer v. 1ᵉʳ groupe. SENS 1. *L'ennemi nous a attaqués par surprise,* il s'est élancé contre nous. *Des malfaiteurs l'ont attaqué pour le voler* (= agresser). ●● *contre-attaquer.* SENS 2. *Ce journal attaque le gouvernement (s'attaque au gouvernement),* il le critique. ●● *inattaquable.* SENS 3. *Attaquer* un travail (*s'attaquer à* un travail), c'est l'entreprendre. SENS 4. *La rouille attaque le fer,* elle l'abîme (= ronger).

■ **attaquant** n.m. [SENS 1] *Repoussons les attaquants hors du pays !* (= assaillant, agresseur).

■ **attaque** n.f. [SENS 1] *L'infanterie a lancé une violente attaque* (= assaut, offensive). ●● *contre-attaque.* [SENS 2] *L'orateur a répondu aux attaques de ses adversaires* (= critique, accusation). ◆ *Ce garçon a parfois des attaques de paludisme,* des accès violents de cette maladie (= crise). ◆ *Son grand-père est resté paralysé après une attaque,* une hémorragie cérébrale.

s'**attarder** v. 1ᵉʳ groupe. *Ne vous attardez pas trop en route,* ne rentrez pas trop tard (= flâner). ●● *tard*

atteindre v. 3ᵉ groupe. SENS 1. *Amélie essaie d'atteindre les bonbons sur l'étagère,* de parvenir à les toucher (= attraper). SENS 2. *Le soldat a été atteint d'une balle à l'épaule,* il a été blessé. SENS 3. *Atteindre* un but, un résultat, c'est y arriver, y parvenir.
☀ Conj. nº 55.

■ **atteinte** n.f. [SENS 1] *Une chose hors d'atteinte* ne peut pas être touchée (= hors de portée). [SENS 2] *Porter atteinte à la réputation de quelqu'un,* c'est nuire à cette réputation.

atteler v. 1ᵉʳ groupe. SENS 1. *Atteler* un cheval, c'est l'attacher à une voiture pour qu'il la tire (≠ dételer). SENS 2. *On a attelé la remorque au tracteur,* on l'y a accrochée.
☀ Conj. nº 6.

■ **attelage** n.m. [SENS 1] *L'attelage tire la charrette,* les animaux attelés.

illustr. p. 970

attelle n.f. Une **attelle** est une planchette pour maintenir immobiles des os fracturés.

attendre v. 3ᵉ groupe. **SENS 1.** *Attendez un instant !,* restez là sans changer d'occupation (= patienter). **SENS 2.** *Je vous attendrai à la gare,* je serai là pour vous accueillir. **SENS 3.** *Les malades attendent beaucoup de ce nouveau médicament* (= espérer). **SENS 4.** *On s'attend à des encombrements sur les routes* (= prévoir). ●● *inattendu*
✹ Conj. n° 50.

■ **attente** n.f. [**SENS 1 et 2**] *Ces heures d'attente paraissent interminables.* [**SENS 3 et 4**] *Le résultat répond à l'attente de tous* (= espoir, prévision).

attendrir v. 2ᵉ groupe. *Ses paroles pleines de douceur ont attendri les auditeurs* (= émouvoir, toucher, apitoyer). ●● *tendre*

■ **attendrissant, ante** adj. *Une lionne léchant ses petits, voilà un spectacle attendrissant* (= émouvant, touchant).

■ **attendrissement** n.m. *Plusieurs personnes pleuraient d'attendrissement* (= émotion).

attendu que conj. *On ne peut pas m'accuser, attendu que j'étais absent,* puisque j'étais absent (= étant donné que).

attentat n.m. *Le président a échappé à un attentat,* on a essayé de l'assassiner (= agression).

■ **attenter** v. 1ᵉʳ groupe. **Attenter** à la vie de quelqu'un, c'est chercher à le tuer.

attente → *attendre*

attention n.f. **SENS 1.** *Chacun écoute avec attention,* en concentrant son esprit sur ce qui est dit (≠ inattention). *Faites attention à l'obstacle* (= prendre garde). **SENS 2.** (Au plur.) *Il a des attentions pour moi,* il est aimable avec moi (= prévenances, égards).

■ **attentif, ive** adj. [**SENS 1**] *Les spectateurs sont attentifs* (= concentré ; ≠ inattentif, distrait).

■ **attentivement** adv. [**SENS 1**] *Lisez attentivement la notice,* avec attention.

■ **attentionné, ée** adj. [**SENS 2**] Une infirmière **attentionnée** est une infirmière prévenante, dévouée, empressée.

atténuer v. 1ᵉʳ groupe. *L'emballage a atténué la violence du choc,* il l'a rendue moins forte (= adoucir, diminuer ; ≠ aggraver).

■ **atténuant, ante** adj. Les **circonstances atténuantes** diminuent la responsabilité d'un coupable (≠ aggravant).

■ **atténuation** n.f. *On annonce une atténuation du froid* (= diminution ; ≠ augmentation).

atterrer v. 1ᵉʳ groupe. *Tous étaient atterrés à l'annonce de la catastrophe* (= abattre, accabler, consterner).
✹ Attention à l'orthographe : deux « t » et deux « r ».

atterrir v. 2ᵉ groupe. *L'avion a atterri à 8 heures,* il s'est posé à terre (≠ décoller). ●● *terre*

■ **atterrissage** n.m. *Les avions atterrissent sur la piste d'atterrissage* (≠ décollage). *illustr. p. 202, 75*

attester v. 1ᵉʳ groupe. *Ce fait est attesté par de nombreuses preuves* (= certifier, établir, confirmer, prouver).

■ **attestation** n.f. *On lui a remis une attestation d'assurance* (= certificat).

attirail n.m. *Le pêcheur range son attirail,* l'ensemble des objets qu'il utilise pour la pêche.

attirer v. 1ᵉʳ groupe. **SENS 1.** *L'aimant attire le fer,* il le fait venir à lui (≠ éloigner, repousser). **SENS 2.** *Cette jeune fille l'attire,* elle lui plaît.

■ **attirant, ante** adj. [**SENS 2**] *Son projet est attirant* (= attrayant, séduisant).

▪ **attirance** n.f. [SENS 2] *Jacques éprouve de l'attirance pour Marie,* elle lui plaît (≠ répulsion, aversion, antipathie).

▪ **attraction** n.f. [SENS 1] *Le satellite a échappé à l'attraction terrestre,* à la force qui l'attire. [SENS 2] Les **attractions** d'une fête foraine sont les stands de tirs, les manèges, etc.

▪ **attrait** n.m. [SENS 2] *L'attrait de l'aventure est grand chez les jeunes* (= attirance, goût).

▪ **attrayant, ante** adj. [SENS 2] *Cette lecture est attrayante,* intéressante, amusante.

attiser v. 1ᵉʳ groupe. *Attise le feu !,* fais-le brûler plus vivement (= aviver).

attitré, ée adj. *Mlle Marceau est la bibliothécaire attitrée,* elle a ce titre, cette qualification officielle. ●● *titre*

attitude n.f. SENS 1. *Georges a une attitude nonchalante,* une manière de se tenir (= maintien, pose). SENS 2. *Mon adversaire a eu une attitude conciliante,* une manière de se conduire.

attraction, attrait → *attirer*

attraper v. 1ᵉʳ groupe. SENS 1. *Paul attrape des papillons,* il réussit à les saisir (= prendre). SENS 2. *Tu as été bien attrapé,* surpris ou trompé. SENS 3. *J'ai attrapé la grippe,* cette maladie m'a atteint (= prendre). SENS 4. Fam. *Les élèves peu soigneux se font attraper* (= réprimander, gronder, fam. disputer).

▪ **attrape** n.f. [SENS 2] *Une attrape est une petite farce.*

▪ **attrape-nigaud** n.m. [SENS 2] *Ces publicités ne sont que des attrape-nigauds,* des ruses pour tromper les gens naïfs.
✹ Au pluriel, on écrit des **attrape-nigauds**.

attrayant → *attirer*

attribuer v. 1ᵉʳ groupe. SENS 1. *Le premier prix a été attribué à Mme Valdois* (= donner, décerner). SENS 2. *On attribue ce tableau à Rembrandt,* on suppose que Rembrandt en est l'auteur.

▪ **attribution** n.f. [SENS 1] *Le gouvernement a décidé l'attribution de secours aux sinistrés.* ◆ Dans la phrase « Natacha a prêté son pull à Myriam », Myriam est **complément d'attribution** de « a prêté » : le pull a été remis, attribué à Myriam. ◆ (Au plur.) Les **attributions** de quelqu'un, c'est ce qu'il est chargé de faire (= fonctions).

attribut n.m. Dans « le chat est noir », l'adjectif « noir » est **attribut** du nom « chat » ; il est relié au nom par le verbe « être ».

attribution → *attribuer*

attrister v. 1ᵉʳ groupe. *Ça m'attriste de voir mon chien si malade,* ça me rend triste (= peiner, chagriner ; ≠ réjouir). ●● *triste*

s'**attrouper** v. 1ᵉʳ groupe. *Les passants s'attroupent autour du blessé,* ils se rassemblent.

▪ **attroupement** n.m. *Circulez ! Pas d'attroupement !,* pas de rassemblement de personnes. ●● *troupe*   *illustr. p. 1010*

au → *à*

aubade n.f. *Les musiciens ont donné l'aubade aux jeunes mariés,* ils ont joué à l'aube sous leurs fenêtres (≠ sérénade).

aubaine n.f. *Il m'a offert une place dans sa voiture : j'ai profité de l'aubaine,* de cette chance inattendue.

1. aube n.f. *Nous nous lèverons à l'aube,* au lever du jour (= aurore).

2. aube n.f. *Le prêtre revêt une aube pour dire la messe,* une robe blanche.   *illustr. p. 821*

3. aube n.f. *C'est une roue à aubes qui actionnait ce vieux moulin,* une roue avec des pales.

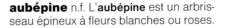

aubépine n.f. L'**aubépine** est un arbrisseau épineux à fleurs blanches ou roses.

auberge n.f. Une **auberge** est un hôtel-restaurant à la campagne.

illustr. ■ **aubergiste** n. L'*aubergiste accueille*
p. 970 *ses clients*, la personne qui tient une auberge.

illustr. **aubergine** n.f. Les **aubergines** sont
p. 690 des légumes violets ayant une forme allongée et renflée à un bout.

aubergiste → *auberge*

aubier n.m. L'**aubier** est la partie la plus tendre du bois, sous l'écorce.

aucun, une adj. et pron. indéf. SENS 1. *Il n'y a aucun risque,* pas un seul. SENS 2. *Aucun d'entre eux n'est au courant* (= pas un).

audace n.f. *Ce défi est plein d'audace,* d'une grande hardiesse (≠ timidité).

■ **audacieux, euse** adj. *Il a fait un pari* **audacieux** (= risqué).

au-delà SENS 1. adv. *Tu peux aller jusqu'au coin de la rue mais pas au-delà,* pas plus loin. SENS 2. prép. *Le village est au-delà de la rivière,* de l'autre côté. SENS 3. n.m. L'**au-delà,** c'est la vie future, après la mort.

audible → *auditeur*

audience n.f. SENS 1. *J'ai obtenu une audience du président,* un entretien. SENS 2. *Le procès a duré plus de dix audiences,* dix séances du tribunal. SENS 3. *Cette chaîne de télévision a augmenté son audience,* le nombre de ses téléspectateurs.

audiovisuel, elle adj. Les moyens **audiovisuels** utilisent les sons et les images pour l'enseignement ou l'information (spécialement radio et télévision).

auditeur, trice n. Les **auditeurs** de la radio sont les gens qui l'écoutent.

■ **audition** n.f. *Bruno a des troubles de l'audition,* il entend mal (= ouïe). ◆ *Le pianiste est dans le studio pour une* **audition,** pour l'exécution d'une œuvre musicale.

■ **auditif, ive** adj. *Bruno a des troubles*   *illustr.*
auditifs, de l'audition.   *p. 217*

■ **auditoire** n.m. L'**auditoire** *applaudit,* l'ensemble des auditeurs.

■ **auditorium** n.m. Un **auditorium** est une salle spécialement aménagée pour entendre de la musique dans les meilleures conditions.
❋ On prononce [oditɔrjɔm].

■ **audible** adj. *L'émission est à peine* **audible,** on peut à peine l'entendre (≠ inaudible).

auge n.f. *Le cochon mange dans son*   *illustr.*
auge, un grand récipient dans lequel on   *p. 157*
met sa nourriture.

augmenter v. 1er groupe. SENS 1. *Vous* **augmentez** *vos chances en prenant plusieurs billets de loterie* (= accroître ; ≠ diminuer). SENS 2. *On va* **augmenter** *l'essence,* la rendre plus chère. *L'essence va* **augmenter,** elle va devenir plus chère.

■ **augmentation** n.f. [SENS 1] *On note une* **augmentation** *de la circulation* (= accroissement ; ≠ diminution, baisse). [SENS 2] *Mme Moreau a demandé une* **augmentation,** une hausse de salaire.

augure n.m. *Le patron est de bonne humeur, c'est* **de bon augure,** c'est bon signe.

aujourd'hui adv. SENS 1. *C'est* **aujour-**   *illustr.*
d'hui *lundi,* le jour où nous sommes.   *p. 132,*
SENS 2. *L'homme est* **aujourd'hui** *capable*   *945*
d'aller sur la Lune, à notre époque (= maintenant).

aumône n.f. *Faire l'**aumône** à quelqu'un,* c'est lui donner un peu d'argent pour l'aider.

aumônier n.m. Un **aumônier** est un prêtre exerçant son activité dans un établissement public (lycée, hôpital, prison, etc.).

illustr. p. 945 **auparavant** adv. *Je vais venir, mais* **auparavant** *j'ai quelques affaires à régler,* d'abord, avant cela (≠ après, ensuite).

auprès de prép. SENS 1. *Je reste* **auprès de** *vous,* à côté de vous. SENS 2. *Cet appartement paraît luxueux* **auprès** *du précédent,* en comparaison.

auquel → *lequel*

auréole n.f. SENS 1. *Les peintres, les sculpteurs représentent souvent les saints avec une* **auréole** *autour de la tête,* un cercle lumineux. SENS 2. *La tache est partie mais il reste une* **auréole**, une trace arrondie laissée par un détachant.

illustr. p. 217 **auriculaire** n.m. *L'***auriculaire** est le petit doigt de la main.

aurore n.f. SENS 1. *Je me suis levé à l'***aurore**, au lever du soleil (= aube). *illustr. p. 730* SENS 2. *Une* **aurore boréale** *est une lumière particulière qui apparaît parfois dans le ciel des régions polaires.*

ausculter v. 1er groupe. *Le médecin* **ausculte** *ses malades,* il écoute les bruits de la respiration et du cœur.

auspices n.m. pl. *L'entreprise a commencé sous d'heureux* **auspices**, avec de bonnes chances de réussite.

aussi adv. SENS 1. *Cette voiture est* **aussi** *chère que l'autre,* elle est d'un prix égal. SENS 2. *Il part et moi* **aussi**, je pars comme lui (= également). SENS 3. *J'étais loin,* **aussi** *j'ai mal entendu,* c'est pourquoi j'ai mal entendu.

aussitôt adv. SENS 1. *Il a approché une allumette :* **aussitôt** *tout s'est enflammé,* tout de suite, immédiatement. SENS 2. *Je vous rejoindrai* **aussitôt que** *je le pourrai* (= dès que).

austère adj. *Une personne* **austère** *est quelqu'un qui ne rit pas, qui est grave, sévère. Un mobilier* **austère** *n'est pas gai.*

■ **austérité** n.f. *Cette existence solitaire est pleine d'***austérité** (= rigueur).

austral, ale adj. *Le Chili est dans l'hémisphère* **austral** (= sud ; ≠ boréal). ❋ Au pluriel, on dit **australs** ou **austraux**.

autant adv. SENS 1. *Cette voiture coûte* **autant** *que l'autre,* elle est d'un prix égal. SENS 2. *Je suis d'***autant plus** *heureux* **que** *je ne m'y attendais pas,* encore plus heureux pour cette raison.

autel n.m. *Le calice est sur l'***autel**, sur la table qui sert aux cérémonies du culte, dans une église, un temple. *illustr. p. 821* ❋ Ne pas confondre avec **hôtel**.

auteur n.m. SENS 1. *On a arrêté l'***auteur** *de l'attentat,* celui qui l'a commis (= responsable). SENS 2. *Alexandre Dumas est l'***auteur** *des « Trois Mousquetaires »,* il a écrit ce livre.

authentique adj. SENS 1. *Une œuvre* **authentique** *n'est pas une imitation, une reproduction* (≠ faux). SENS 2. *Cette histoire est* **authentique**, *elle est vraie, ce n'est pas un conte.*

■ **authenticité** n.f. *On s'interroge sur l'***authenticité** *de ces documents,* certains les croient falsifiés.

■ **authentifier** v. 1er groupe. *Les experts ont* **authentifié** *le tableau,* ils l'ont déclaré authentique.

auto- préfixe. Placé au début d'un mot, **auto-** indique souvent une action faite sur soi-même ou par soi-même : *une* **auto***critique est une critique de ses propres actes, une enveloppe* **auto***collante se colle d'elle-même, sans qu'on la mouille.* *illustr. p. 123*

auto ou **automobile** n.f. *L'***auto** est au garage (= voiture). *illustr. p. 69*

■ **automobile** adj. *Nous avons fait un rallye* **automobile**, en voiture.

■ **automobiliste** n. *Marion est une* **automobiliste** *expérimentée* (= conducteur, chauffeur).

L'AUTOMOBILE

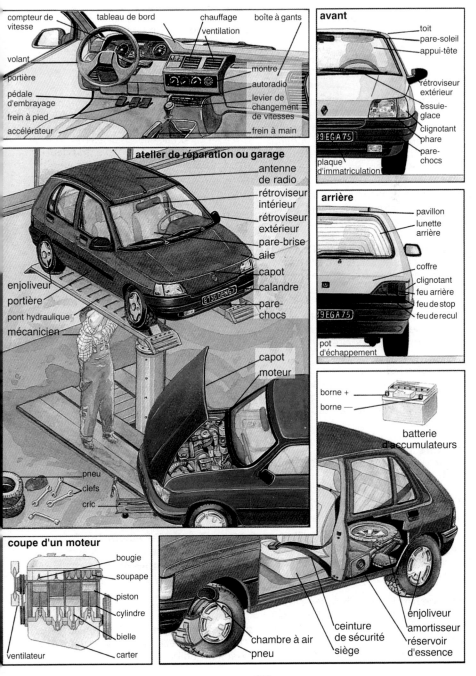

compteur de vitesse

tableau de bord

chauffage

ventilation

boîte à gants

volant

portière

pédale d'embrayage

frein à pied

accélérateur

montre

autoradio

levier de changement de vitesses

frein à main

avant

toit

pare-soleil

appui-tête

rétroviseur extérieur

essuie-glace

clignotant

phare

pare-chocs

plaque d'immatriculation

atelier de réparation ou garage

antenne de radio

rétroviseur intérieur

rétroviseur extérieur

pare-brise

aile

capot

calandre

pare-chocs

enjoliveur

portière

pont hydraulique

mécanicien

capot

moteur

arrière

pavillon

lunette arrière

coffre

clignotant

feu arrière

feu de stop

feu de recul

pot d'échappement

borne +

borne −

batterie d'accumulateurs

pneu

clefs

cric

coupe d'un moteur

bougie

soupape

piston

cylindre

bielle

ventilateur

carter

chambre à air

pneu

ceinture de sécurité

siège

enjoliveur

amortisseur

réservoir d'essence

illustr. p. 855 **autobus** ou **bus** n.m. Un autobus assure un service régulier de transport en commun dans une ville.

illustr. p. 852 **autocar** ou **car** n.m. Un autocar est destiné aux transports collectifs hors des villes.

autocollant, ante adj. Un timbre auto-collant se colle de lui-même, sans qu'il soit nécessaire de le mouiller. ◆ n.m. *Il a mis des autocollants sur la lunette arrière de sa voiture,* des images qui se collent toutes seules. ●● *colle*

illustr. p. 238 **autocuiseur** n.m. Un autocuiseur est une marmite à fermeture hermétique qui permet de cuire sous pression.

autodéfense n.f. Une ligue d'autodé-fense a pour but d'assurer par elle-même la défense de ses membres, sans recou-rir à la police. ●● *défendre*

auto-école n.f. Les auto-écoles sont des établissements préparant les candi-dats au permis de conduire.

autographe n.m. *Le chanteur distri-bue des autographes,* il met sa signature sur des programmes, des papiers qu'on lui présente, parfois avec quelques mots de dédicace.

automate n.m. Un automate est une machine qui ressemble à un être vivant et imite ses mouvements.

automatique adj. *La fermeture des portes est automatique,* elle se fait par des moyens mécaniques.

■ **automatiquement** adv. *Les portiè-res se ferment automatiquement,* d'elles-mêmes.

automne n.m. Dans l'hémisphère Nord, l'automne est la saison qui suit l'été et qui est comprise entre le 22 ou le 23 sep-tembre et le 21 ou le 22 décembre.
☀ On ne prononce pas le « m » : [otɔn].

automobile, automobiliste
→ *auto*

autonome adj. Un territoire autonome s'administre librement.

■ **autonomie** n.f. *Certaines régions ré-clament leur autonomie,* le droit de s'administrer elles-mêmes.

■ **autonomiste** adj. et n. Les autono-mistes sont des personnes qui réclament l'autonomie pour leur région.

autopsie n.f. *Pour déterminer les cau-ses de la mort, on procède à l'autopsie du cadavre,* à l'examen médical.

illustr. p. 69 **autoradio** n.m. *Cette voiture est équi-pée d'un autoradio,* d'un poste de radio spécial pour voiture. ●● *auto*

illustr. p. 424 **autorail** n.m. Un autorail est un véhi-cule circulant sur rails et destiné au transport de voyageurs.

autoriser v. 1er groupe. *Le médecin a autorisé le malade à se lever,* il lui a donné la permission de se lever (= per-mettre ; ≠ interdire).

■ **autorisation** n.f. *Vous devez deman-der une autorisation d'absence* (= per-mission).

autorité n.f. SENS 1. *Ces employés sont sous l'autorité d'un chef de service,* ils sont soumis à ses ordres. SENS 2. *Michaël a de l'autorité sur ses camarades* (= in-fluence, poids). SENS 3. (Au plur.) *Les autorités sont les représentants de l'État.*

■ **autoritaire** adj. [SENS 1] Une per-sonne autoritaire impose avec force son autorité.

illustr. p. 853 **autoroute** n.f. Une autoroute est une route sans croisement et à deux sens de circulation séparés. ●● *auto*

■ **autoroutier, ère** adj. *Le trafic auto-routier est dense à chaque week-end,* le trafic sur l'autoroute.

autosatisfaction n.f. *Il a écouté ce compliment avec un sourire d'autosa-tisfaction,* de contentement de soi.

auto-stop ou **stop** n.m. *Des jeunes gens font de l'***auto-stop** *au bord de la route,* ils font signe aux automobilistes de les prendre à leur bord. ●● **auto**

■ **auto-stoppeur, euse** n. *M. Dupont a pris des* **auto-stoppeurs**, des personnes qui font de l'auto-stop.

autour de prép. SENS 1. *Marie a une écharpe* **autour du** *cou,* une écharpe qui entoure son cou. SENS 2. *Il a* **autour de** *cinquante ans* (= environ).

■ **autour** adv. [SENS 1] *Le paquet s'est ouvert, mets une ficelle* **autour**.

autre adj. et pron. indéf. *Montre-moi ton* **autre** *main,* la seconde des deux. *Ce n'est pas le même, c'est un* **autre**. *Il faut agir d'une* **autre** *façon* (= différent).

■ **autrement** adv. *Il faut s'y prendre* **autrement** (= différemment). *Dépêchez-vous,* **autrement** *vous serez en retard* (= sinon).

illustr. **autrefois** adv. **Autrefois**, *Paris s'appe-*
p. 945 *lait Lutèce,* il y a longtemps (= jadis).

autrement → **autre**

illustr. **autruche** n.f. *L'***autruche** *est un très*
p. 983 grand oiseau d'Afrique qui court très vite mais ne vole pas.

autrui pron. indéf. *On doit respecter le bien d'***autrui**, celui des autres.

illustr. **auvent** n.m. *Un* **auvent** *est un petit toit*
p. 572 au-dessus d'une porte.

aux → **à**

auxiliaire SENS 1. n. *Sa secrétaire est pour lui une* **auxiliaire** *précieuse* (= aide, assistant). SENS 2. adj. *Des troupes* **auxi-liaires** sont des troupes chargées d'aider. SENS 3. n.m. *Les verbes « être » et « avoir » sont des* **auxiliaires** *de conjugaison :* ils servent à former les temps composés.

avachir v. 2e groupe. SENS 1. *Un vête-ment, des chaussures* **sont avachis** quand on les a déformés. SENS 2. *Kevin* **s'avachit** *sur le canapé quand il rentre du volley,* il se laisse aller (= s'affaler).

aval n.m. *Rouen est* **en aval de** *Paris sur la Seine,* plus loin de la source. *Le bateau va vers l'***aval** (≠ amont).

avalanche n.f. *Une* **avalanche** *a em-* *illustr.*
porté le chalet, une masse de neige qui *p. 894*
s'est détachée du flanc d'une montagne.

avaler v. 1er groupe. SENS 1. *Il a avalé deux sandwichs et une bière* (= manger, boire, ingurgiter, engloutir). *Le malade n'a rien* **avalé** *depuis deux jours* (= ab-sorber). SENS 2. Fam.*Tu ne me feras pas* **avaler** *cette blague* (= croire).

avancer v. 1er groupe. SENS 1. ***Avancez** *cette chaise !,* déplacez-la vers l'avant. *La troupe* **s'avance** (= approcher ; ≠ re-culer, s'éloigner). SENS 2. *M. Coman a* **avancé** *en grade,* il a atteint un grade plus élevé (= monter). SENS 3. *As-tu* **avancé** *ton travail ?,* l'as-tu fait progres-ser ? *Le travail n'***avance** *pas* (= s'accom-plir). SENS 4. *J'ai avancé mon départ,* je l'ai effectué plus tôt que prévu (= anti-ciper ; ≠ reculer, retarder, différer). SENS 5. *Cette montre* **avance** *de cinq minutes :* elle marque midi un quart et il n'est que midi dix (≠ retarder). SENS 6. *Je peux vous* **avancer** *de l'argent* (= prêter).
✸ Conj. no 1.

■ **avancé, ée** adj. [SENS 3] *Le spectacle s'est terminé à une heure avancée de la nuit,* tard. [SENS 5] *Des* **idées avancées** sont en avance sur leur temps, nouvelles, non conformistes (= progressiste ; ≠ re-tardataire, rétrograde).

■ **avance** n.f. [SENS 1] *On n'a pas pu s'opposer à l'***avance** *de l'armée* (= pro-gression ; ≠ recul). [SENS 5] *Tu es* **en avance** *d'une heure,* tu arrives une heure plus tôt que prévu (≠ retard). *Aurélie est* **en avance** *pour son âge : à cinq ans, elle sait déjà lire,* elle est précoce. *J'ai su sa décision longtemps* **à l'avance**, avant le moment fixé. [SENS 6] *Pouvez-vous me faire une* **avance** *de cinquante euros ?* (= prêt). ◆ (Au plur.) *M. Martin nous a* **fait des avances**, il a cherché à entrer en relations avec nous.

▪ **avancement** n.m. [SENS 2] *Mme Bertrand a eu de l'***avancement**, *elle est montée en grade.* [SENS 3] *Où en est l'***avancement** *de ton travail ?* (= progrès, progression).

illustr. p. 945,

69

1. avant SENS 1. prép. *Il est arrivé* **avant** *moi,* plus tôt que moi (≠ après). *Réfléchissez* **avant d'***agir. Rentrons* **avant qu'***il ne fasse nuit.* SENS 2. adv. *Il est tombé* **en avant** (≠ en arrière). SENS 3. n.m. *Les vagues fouettent l'***avant** *du bateau,* la partie située à l'avant. SENS 4. adj. inv. *La roue* **avant** *de ma bicyclette est voilée* (≠ arrière).

2. avant- préfixe. Placé au début de certains mots, **avant-** indique ce qui est devant (*avant-garde*) ou ce qui se passe avant (*avant-hier*). ✳ Les mots formés avec **avant-** s'écrivent tous avec un trait d'union. Dans ces mots, **avant-** reste invariable et le deuxième élément du mot peut prendre la marque du pluriel.

avantage n.m. SENS 1. *Le métier d'agriculteur présente l'***avantage** *d'une vie en plein air* (= agrément, intérêt ; ≠ inconvénient, désavantage). SENS 2. *Ce concurrent a pris l'***avantage** *sur son adversaire,* il lui a été supérieur (= le dessus).

▪ **avantager** v. 1er groupe. [SENS 2] *L'équipe adverse* **a été avantagée** *par le vent,* le vent l'a aidée (≠ désavantager). ✳ Conj. n° 2.

▪ **avantageux, euse** adj. [SENS 1] *Il a fait un échange* **avantageux** (= intéressant, profitable ; ≠ désavantageux).

▪ **avantageusement** adv. [SENS 1] *Les livres ont remplacé* **avantageusement** *les parchemins.*

avant-bras n.m. inv. *L'***avant-bras** *est la partie du bras qui va du poignet au coude.* ●● *bras* ✳ Ce mot composé ne change pas au pluriel.

illustr. p. 216

avant-coureur adj.m. *On observe déjà les signes* **avant-coureurs** *du printemps,* les signes qui le précèdent et l'annoncent (= annonciateur). ✳ Au pluriel, on écrit **avant-coureurs**.

avant-dernier, ère adj. et n. *Le coureur est arrivé* **avant-dernier**, *juste avant le dernier. Elle est l'***avant-dernière** *d'un marathon.* ●● *dernier* ✳ Au pluriel, on écrit **avant-derniers**.

avant-garde n.f. *Ces troupes forment l'***avant-garde** *de l'armée,* elles marchent devant. ●● *garde*. *Des idées d'***avant-garde** sont des idées hardies, de progrès (= avancé).

avant-goût n.m. *Ces quelques images nous donnent un* **avant-goût** *du film,* un premier aperçu. ●● *goût*

avant-hier adv. *Hier, c'était jeudi ;* **avant-hier**, *c'était mercredi,* le jour précédant hier. ●● *hier*

illustr. p. 132

avant-propos n.m. inv. *L'auteur explique ses intentions dans l'***avant-propos**, le texte qu'il a écrit au début de son livre (= introduction, préface). ✳ Ce mot ne change pas au pluriel.

avant-veille n.f. *Lundi est l'***avant-veille** *de mercredi,* le jour qui précède la veille. ●● *veille*

illustr. p. 132

avare adj. et n. SENS 1. *Cet homme n'est pas seulement économe, il est* **avare**, il aime amasser de l'argent et le conserver (= cupide, ladre, grippe-sou ; ≠ généreux, large, prodigue). *C'est un vieil* **avare**. SENS 2. *M. Dupont est* **avare de** *compliments,* il fait peu de compliments.

▪ **avarice** n.f. [SENS 1] *Par* **avarice**, *il se prive même du nécessaire* (= rapacité, cupidité, ladrerie).

avarie n.f. *La tempête a causé des avaries au bateau,* elle l'a endommagé.
■ **avarié, ée** adj. *Des fruits avariés sont des fruits* abîmés, pourris.

avatar n.m. *Ce projet a connu bien des avatars avant d'être adopté,* bien des remaniements, des bouleversements.

avec prép. Ce mot peut donner différentes indications : *François se promène avec un ami* (accompagnement) ; *avec quoi fait-on les confitures ?* (moyen) ; *Marie conduit avec prudence* (manière).

aven n.m. *Un aven est un gouffre dans des régions calcaires.*
✹ On prononce [avɛn].

avenant, ante adj. *Sophie a un air avenant,* un air aimable, accueillant.

à l'**avenant** adv. *M. Dupont a une voiture toute rouillée, un jardin à l'abandon, et tout à l'avenant,* du même genre.

avènement n.m. *À son avènement, Henri IV avait trente-six ans,* à son arrivée au pouvoir.

illustr. p. 945 **avenir** n.m. **SENS 1.** *Il est difficile de prévoir l'avenir,* ce qui arrivera (= futur). **SENS 2.** *Ce garçon songe à son avenir,* à sa situation future. **SENS 3. À l'avenir, soyez plus prudents,* à partir de maintenant, désormais, dorénavant.

aventure n.f. **SENS 1.** *Je me suis perdu : quelle aventure !,* quel événement important et imprévu ! ●● *mésaventure.* **SENS 2.** *Les explorateurs ont le goût de l'aventure,* des entreprises qui comportent des risques. **SENS 3. Dire la bonne aventure,** c'est prétendre prédire l'avenir de quelqu'un.

■ s'**aventurer** v. 1er groupe. **[SENS 2]** *Peu de bateaux se sont aventurés en mer par ce mauvais temps,* se sont risqués (= se hasarder).
■ **aventureux, euse** adj. **[SENS 2]** *Ce projet est aventureux,* il est peu sûr (= risqué).

■ **aventurier, ère** n. **[SENS 2]** *Certains soldats mercenaires sont des aventuriers,* des gens qui recherchent l'aventure, le risque, le danger.

avenue n.f. *Une avenue est une large rue plantée d'arbres.*   *illustr. p. 855*

s'**avérer** v. 1er groupe. *Tous les efforts se sont avérés inutiles,* ils sont apparus inutiles (= se révéler).
✹ Conj. n° 10.

averse n.f. *Une averse nous a surpris,* une pluie soudaine et courte.

aversion n.f. *Mathilde a de l'aversion pour M. Dubuis,* elle ne l'aime pas du tout (= antipathie, dégoût, répulsion ; ≠ attirance, sympathie).

avertir v. 2e groupe. *Un panneau avertit les automobilistes du danger,* il les prévient, les informe.
■ **avertissement** n.m. *Il a eu tort de ne pas tenir compte de mes avertissements* (= avis, mise en garde).
■ **avertisseur** n.m. *Un avertisseur de voiture est un appareil sonore pour avertir* (= klaxon). *On peut appeler les pompiers en cassant la glace de l'avertisseur d'incendie.*

aveu n.m. *Le juge a entendu les aveux de l'accusé,* ce qu'il a avoué. ●● *avouer*
✹ Au pluriel, on écrit des **aveux.**

aveugle **SENS 1.** adj. et n. *Ce musicien est aveugle,* il est privé de la vue. *Les aveugles marchent avec une canne blanche.* → *cécité.* **SENS 2.** adj. *Il est aveugle sur les défauts de son enfant,* il ne les remarque pas. **SENS 3.** adj. *Laure a en moi une confiance aveugle,* une confiance totale, inébranlable.
■ **aveugler** v. 1er groupe. **[SENS 1]** *Le soleil m'aveugle,* il m'empêche de voir (= éblouir).
■ **aveuglant, ante** adj. **[SENS 1]** *Ces phares mal réglés sont aveuglants,* ils

L'AVION ET L'AÉROPORT

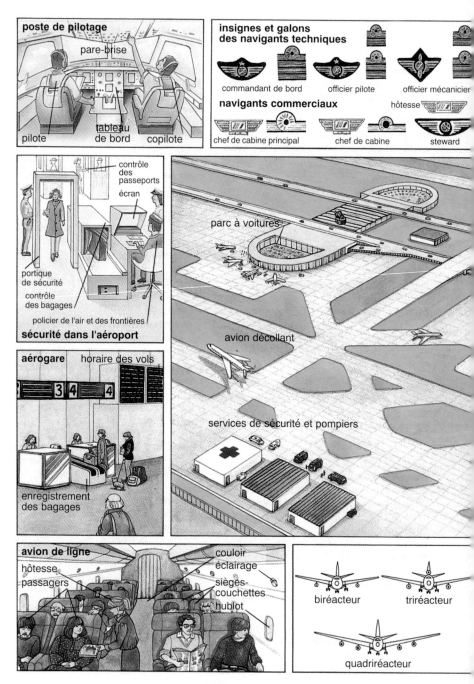

poste de pilotage

pare-brise

pilote

tableau de bord

copilote

insignes et galons des navigants techniques

commandant de bord   officier pilote   officier mécanicien

navigants commerciaux

hôtesse

chef de cabine principal   chef de cabine   steward

contrôle des passeports

écran

portique de sécurité

contrôle des bagages

policier de l'air et des frontières

sécurité dans l'aéroport

parc à voitures

avion décollant

services de sécurité et pompiers

aérogare   horaire des vols

enregistrement des bagages

avion de ligne

hôtesse

passagers

couloir

éclairage

sièges-couchettes

hublot

biréacteur   triréacteur

quadriréacteur

Aujourd'hui, beaucoup de gens voyagent en avion.
Dans l'aéroport, tout est prévu pour le confort des passagers,
le chargement des marchandises et la sécurité du trafic aérien.

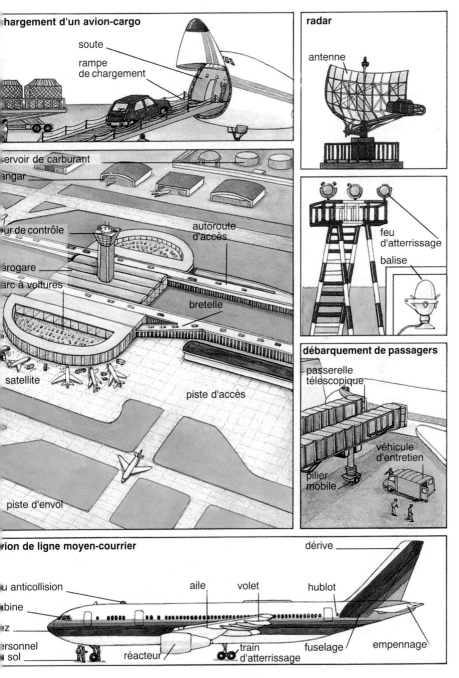

chargement d'un avion-cargo

soute

rampe
de chargement

radar

antenne

ervoir de carburant

angar

ur de contrôle

érogare

arc à voitures

satellite

piste d'envol

autoroute
d'accès

bretelle

piste d'accès

feu
d'atterrissage

balise

débarquement de passagers

passerelle
télescopique

véhicule
d'entretien

pilier
mobile

vion de ligne moyen-courrier

u anticollision

bine

z

rsonnel
sol

aile

volet

réacteur

train
d'atterrissage

dérive

hublot

fuselage

empennage

éblouissent. [SENS 3] *C'est une preuve* **aveuglante** *de son innocence,* une preuve évidente, claire.

■ **aveuglement** n.m. [SENS 2] *Certains s'obstinent dans l'erreur par* **aveuglement**, par manque total de jugement.

■ **aveuglément** adv. [SENS 3] *Obéir* **aveuglément**, *c'est obéir sans réfléchir, sans discuter.*

■ à l'**aveuglette** adv. [SENS 1] *Nous avancions* **à l'aveuglette** *dans la nuit,* sans voir où nous allions (= à tâtons).

aviateur, aviation → *avion*

avide adj. *Je suis* **avide** *de connaître la vérité,* je le désire avec passion.

■ **avidement** adv. *J'ai lu* **avidement** *ce roman passionnant.*

■ **avidité** n.f. *M. Denoël est d'une* **avidité** *insatiable en affaires* (= cupidité).

s'**avilir** v. 2ᵉ groupe. *S'abaisser à de telles flatteries, c'est* **s'avilir**, *se déshonorer.*

illustr. p. 971, 74

avion n.m. *Un* **avion** *est un appareil volant muni d'ailes et d'un ou plusieurs moteurs.* ●● *porte-avions*

illustr. p. 75

■ **avion-cargo** n.m. *Un* **avion-cargo** *transporte uniquement des marchandises.*

■ **aviation** n.f. SENS 1. *L'*aviation *a commencé vers 1900,* la navigation aérienne. SENS 2. *Une partie de l'*aviation *ennemie avait été détruite,* des avions.

■ **aviateur, trice** n. *Une* **aviatrice** *est une femme qui pilote un avion.*

aviron n.m. *Les rameurs tirent sur les* **avirons** (= rame).

avis n.m. SENS 1. *Je vous donne mon* **avis** *sur cette question* (= opinion, point de vue). SENS 2. *On a affiché un* **avis** *à la population,* une note d'information (= avertissement). ●● *préavis*

■ **aviser** v. 1ᵉʳ groupe. [SENS 2] *Il ne m'a pas* **avisé** *de sa décision* (= informer).

◆ *Ne* **vous avisez** *pas de le contredire,* ne vous y risquez pas. ◆ *Je ne* **m'étais** *pas* **avisé de** *ce détail,* je ne l'avais pas remarqué (= s'apercevoir).

avisé, ée adj. *En homme* **avisé**, *M. Tamon avait pris ses précautions,* comme quelqu'un de sage, de prudent.

aviser → *avis*

aviver v. 1ᵉʳ groupe. *Son air mystérieux* **avivait** *ma curiosité,* il la rendait plus vive (= exciter). ●● *vif*

1. avocat, ate n. *Un* **avocat** *est chargé de défendre l'accusé dans un procès.*

2. avocat n.m. *En hors-d'œuvre, on a mangé un* **avocat**, *un fruit en forme de poire, de couleur vert foncé, qui contient un gros noyau.*

avoine n.f. *L'*avoine *est une céréale que l'on donne à manger aux chevaux. Rémi mange des* **flocons d'avoine** *avec du lait au petit déjeuner.*

illustr. p. 20

avoir v. SENS 1. *J'*ai *un stylo* (= posséder). SENS 2. ***Avoir** du courage, avoir* **faim**, *c'est être courageux, être affamé.* SENS 3. *Ce couloir* **a** *10 mètres de long* (= mesurer). SENS 4. *Jean* **a** *onze ans,* c'est son âge. SENS 5. *J'*ai *quelque chose à faire, je dois le faire.* SENS 6. *Il y a des gens dehors,* des gens sont là. *Il y a* **longtemps**, *cela fait longtemps.* ✳ Conj. p. 1048. **Avoir** *sert d'auxiliaire de conjugaison :* j'**ai** vu.

■ **avoir** n.m. [SENS 1] *Je te confie tout mon* **avoir**, *tout ce que je possède* (= bien).

avoisinant, ante adj. *Les rues* **avoisinantes** *sont les rues du voisinage* (= proche). ●● *voisin*

avorter v. 1ᵉʳ groupe. SENS 1. *Une femme qui* **avorte** *ne mène pas à terme sa grossesse.* SENS 2. *Un projet qui* **avorte** *échoue avant sa réalisation.*

■ **avortement** n.m. [SENS 1] *Une loi autorisant l'avortement dans certains cas a été votée* (= interruption volontaire de grossesse). [SENS 2] *L'avortement du projet est regrettable,* l'échec.

avouer v. 1ᵉʳ groupe. *Avoue tes torts ! Avoue que c'est toi qui as cassé ce verre* (= reconnaître ; ≠ nier). ●● *aveu*

■ **avouable** adj. Un acte **avouable** est un acte qu'on peut avouer sans honte (≠ inavouable).

illustr.
p. 132

avril n.m. Avril est le 4ᵉ mois de l'année.

axe n.m. SENS 1. L'**axe** d'une roue est la ligne ou la tige centrale autour de la-quelle elle peut tourner. SENS 2. L'**axe** d'une rue est la ligne qui passe au milieu de cette rue.

illustr.
p. 431

azalée n.f. Une **azalée** est un petit arbuste cultivé pour ses fleurs rouges, roses ou blanches.

azimut n.m. Fam. *Les projectiles sont partis dans tous les azimuts,* dans toutes les directions.
✳ On prononce le « t » : [azimyt].

azote n.m. *L'air est formé d'oxygène et d'azote,* un gaz.

azur n.m. L'**azur** est le bleu du ciel.

B b

Ballon

Boa

Bouvreuil

Blé

baba n.m. Un **baba** est un gâteau arrosé de rhum.

babiller v. 1er groupe. *Le bébé **babille** dans son berceau,* il fait entendre des sons (= gazouiller).

■ **babillage** n.m. *À la crèche, on entend le **babillage** des petits* (= gazouillis).

babines n.f. pl. *Inquiet, le chien retrousse ses **babines**,* ses lèvres. *Cette glace a l'air bonne, **je m'en lèche les babines** !,* je me régale d'avance.

babiole n.f. SENS 1. *Les derniers lots de la tombola sont des **babioles**,* de petits objets de peu de valeur. SENS 2. *Tu t'inquiètes pour des **babioles**,* des choses sans importance (= bagatelle, futilité).

illustr. p. 741 **bâbord** n.m. *Les bateaux ont viré à **bâbord**,* du côté gauche quand on regarde vers l'avant (≠ tribord).

babouche n.f. *Dans les pays arabes, on porte des **babouches**,* des pantoufles en cuir sans talon.

babouin n.m. Le **babouin** est un singe d'Afrique au museau allongé comme celui du chien.

baby-foot n.m. inv. Un **baby-foot** est une table de jeu avec des petits personnages en bois qu'on peut manœuvrer pour faire une sorte de partie de football à deux ou à quatre. illustr. p. 530
✳ On prononce [babifut]. Ce mot composé ne prend jamais de « s » au pluriel.

baby-sitter n. *Une **baby-sitter** vient nous garder ce soir,* une personne chargée de veiller sur les enfants quand les parents sont sortis.
✳ On prononce [bebisitœr]. Au pluriel, on écrit des **baby-sitters**.

1. bac n.m. SENS 1. *Il n'y a plus de glaçons dans le **bac à glace**,* le récipient à cloisons qui se trouve dans le réfrigérateur. SENS 2. *On passe le fleuve sur un **bac**,* un bateau spécialement aménagé pour le traverser.

78

2. bac ou **baccalauréat** n.m. *On passe l'examen du baccalauréat à la fin des études secondaires.*
✻ On dit aussi **bachot**.

■ **bachelier, ère** n. *Ma sœur est bachelière, elle a obtenu son baccalauréat.*

illustr. p. 582
bâche n.f. *On a recouvert le tas de sable d'une bâche, d'une toile imperméable.*

■ **bâcher** v. 1er groupe. *On a bâché la voiture, on l'a recouverte d'une bâche.*

bachelier, bachot → **bac (2)**

bacille n.m. *La tuberculose est provoquée par un bacille, un microbe en forme de bâtonnet.*

bâcler v. 1er groupe. Fam. *Bâcler un travail, c'est le faire trop vite, sans soin (= saboter).*

bactérie n.f. *Les bactéries sont un groupe de microbes comprenant les bacilles.*

illustr. p. 1010
badaud n.m. *L'accident a attiré une foule de badauds, de personnes venues pour regarder (= curieux).*

illustr. p. 150, 123
badge n.m. *Pour se reconnaître, les enfants de la colonie portent un badge sur leur blouson (= insigne).*

badigeon n.m. *Le peintre a passé une couche de badigeon sur la façade, un enduit léger.*

■ **badigeonner** v. 1er groupe. *Le pêcheur badigeonne son bateau de goudron, l'enduit de goudron.*

badiner v. 1er groupe. *Il ne faut pas badiner avec les précautions de sécurité, les négliger, les considérer avec trop de légèreté (= plaisanter).*

badminton n.m. *Le badminton est un sport qui se joue avec une raquette et un volant.*
✻ On prononce [badmintɔn].

baffle n.m. *Les baffles sont les grands haut-parleurs d'une chaîne stéréo.*

bafouer v. 1er groupe. SENS 1. *Nous ne nous laisserons pas bafouer, tourner en ridicule.* SENS 2. *On a bafoué le règlement, on s'en est moqué (≠ respecter).*

bafouiller v. 1er groupe. Fam. *Julien a bafouillé quelques excuses, il les a dites de manière peu distincte (= bredouiller, balbutier).*

■ **bafouillage** n.m. Fam. *Ton bafouillage est incompréhensible.*

■ **bafouilleur, euse** n. Fam. *Personne n'écoutait plus ce bafouilleur.*

illustr. p. 74
bagage n.m. SENS 1. *Nous avons entassé les bagages dans la voiture, les sacs, les valises, les paquets.* ●● **porte-bagages.** SENS 2. *Il va falloir plier bagages, partir rapidement.* SENS 3. *Cette femme a un important bagage scientifique, des connaissances scientifiques.*

bagarre n.f. *Au cours du bal, une bagarre a éclaté, des gens se sont battus (= rixe, bataille).*

■ se **bagarrer** v. 1er groupe. Fam. *Les manifestants se sont bagarrés avec la police (= se battre, lutter).*

■ **bagarreur, euse** adj. et n. Fam. *Paul est très bagarreur (= batailleur). Marie est une bagarreuse, elle aime la bagarre.*

bagatelle n.f. *Ils se sont fâchés pour une bagatelle, pour une chose sans importance (= futilité, babiole).*

bagne n.m. *Certains condamnés étaient envoyés au bagne, une sorte de prison (= pénitencier, travaux forcés).*

■ **bagnard** n.m. *Un bagnard était un condamné aux travaux forcés (= forçat).*

bagnole n.f. Fam. *J'ai acheté une nouvelle bagnole (= auto, voiture).*

bagout ou **bagou** n.m. Fam. *Pour être un bon vendeur, il faut avoir du bagout,* parler avec facilité (= fam. avoir la langue bien pendue).

illustr. p. 150

bague n.f. Une **bague** est un anneau généralement orné d'une pierre précieuse, d'une perle, ou fait d'une matière ouvragée (or, argent, ivoire, etc.)

illustr. p. 629, 150

baguette n.f. SENS 1. *Le chef d'orchestre dirige les musiciens avec une **baguette**,* un bâton mince. SENS 2. *Va chez le boulanger acheter une **baguette**,* un pain long et mince. SENS 3. *Elle élève ses enfants **à la baguette**,* d'une façon dure et autoritaire.

bah ! interj. Ce mot exprime l'indifférence, l'insouciance : ***Bah !** Tout finira bien par s'arranger.*

illustr. p. 42

bahut n.m. *L'antiquaire nous a vendu un **bahut** breton,* un buffet bas.

illustr. p. 51, 556

1. baie n.f. SENS 1. *Le soleil entre à flots par la **baie** vitrée,* la grande fenêtre. SENS 2. *Ici, la côte se creuse, formant une **baie**,* un petit golfe (= anse).

illustr. p. 616

2. baie n.f. *Les mûres, les groseilles sont des **baies**,* de petits fruits à pépins.

baigner v. 1er groupe. SENS 1. *Nous **nous sommes baignés** dans la rivière,* nous nous sommes plongés dans l'eau. SENS 2. *Jean a le visage **baigné** de sueur* (= mouiller, inonder). SENS 3. *Les cornichons **baignent** dans le vinaigre* (= tremper).

■ **baignade** n.f. [SENS 1] *C'est l'heure de la **baignade**,* de se baigner. *Dans la rivière, on a aménagé une **baignade**,* un endroit pour se baigner.

illustr. p. 719, 531

■ **baigneur, euse** n. [SENS 1] *Le beau temps a attiré sur la plage une foule de **baigneurs**,* de gens venus se baigner. ◆ n.m. *Marie joue avec son **baigneur**,* une poupée nue qui ressemble à un bébé.

illustr. p. 239

■ **baignoire** n.f. [SENS 1] *Fais-toi couler un bain dans la **baignoire**,* le récipient en forme de grand bac dans lequel on prend un bain. ◆ Au théâtre, une **baignoire** est une sorte de loge.

illustr. p. 952

■ **bain** n.m. [SENS 1] *J'ai pris un **bain**,* je me suis baigné. ●● **balnéaire**. ◆ *Delphine prend un **bain de soleil** sur la terrasse,* elle expose son corps au soleil. *Le président de la République prend un **bain de foule**,* il se mêle à la foule.

illustr. p. 719

■ **bain-marie** n.m. [SENS 3] *Des entremets cuisent au **bain-marie**,* dans un récipient qui baigne dans une casserole d'eau bouillante.

bail n.m. *J'ai signé le **bail** de l'appartement,* le contrat fixant le prix et la durée de la location.
✳ Au pluriel, on dit des **baux**.

bâiller v. 1er groupe. *Amélie **bâille** de fatigue,* elle ouvre involontairement la bouche toute grande.

■ **bâillement** n.m. *Adrien a étouffé un **bâillement** derrière la main.*

bâillon n.m. Mettre un **bâillon**, c'est poser un bandeau sur la bouche.

■ **bâillonner** v. 1er groupe. *Le caissier a été retrouvé **bâillonné**.*

bain, bain-marie → *baigner*

baïonnette n.f. *On peut mettre une **baïonnette** au bout d'un fusil de guerre,* une lame effilée.

illustr. p. 55

baiser n.m. Donner un **baiser** à quelqu'un, c'est l'embrasser.

■ **baiser** v. 1er groupe. *Ce vieux monsieur **baise** la main des dames pour les saluer,* il pose ses lèvres sur leur main.

baisser v. 1er groupe. SENS 1. ***Baisse** la vitre de la voiture !,* mets-la plus bas (= abaisser ; ≠ relever). *La mer **baisse*** (= descendre ; ≠ monter). *Il **s'est baissé** pour ramasser son crayon* (≠ se lever). SENS 2. ***Baisse** le son du poste de radio !,* mets-le moins fort (= diminuer). SENS 3. *Le prix des légumes **a baissé**,* il a diminué (≠ s'élever, augmenter). *Sa vue **baisse**,*

elle s'affaiblit. SENS 4. *Pierre **baisse** dans mon estime*, je l'estime moins qu'avant.
●● *rabaisser (1)*

■ **baisse** n.f. [SENS 3] *Il faut profiter de la **baisse** des prix pour acheter* (= diminution ; ≠ hausse).

bajoues n.f. pl. *Ce vieux chien a des **bajoues***, des joues pendantes.

bal n.m. *Cet accordéoniste joue dans les **bals** populaires*, des fêtes où l'on danse.
❉ Ne pas confondre avec une **balle**. Au pluriel, on écrit des **bals**.

balade n.f. Fam. *Il est parti en **balade***, en promenade.
❉ Ne pas confondre **balade** et **ballade**.

■ se **balader** v. 1ᵉʳ groupe. Fam. *Allons nous **balader***, nous promener.

illustr.
p. 502
■ **baladeur** n.m. *Jean écoute de la musique avec son **baladeur***, un petit magnétophone portable muni d'écouteurs (= walkman).

balafre n.f. *Son accident lui a fait une **balafre** à la joue*, une longue entaille.

■ **balafré, ée** adj. *Un visage **balafré** est marqué d'une longue cicatrice.

illustr.
p. 894,
583
balai n.m. *Donne un coup de **balai** dans la cuisine !*, une brosse fixée au bout d'un long manche.
❉ Ne pas confondre **balai** et **ballet**.

■ **balayage** n.m. *Le **balayage** de la chambre est terminé*, on a balayé.

■ **balayer** v. 1ᵉʳ groupe. *Le concierge **balaie** l'escalier*, il le nettoie avec un balai. ◆ *Le vent **balaie** les nuages*, il les pousse devant lui (= chasser).
❉ Conj. n° 4.

illustr.
p. 238
■ **balayette** n.f. *Une **balayette** est un petit balai.

■ **balayeur, euse** n. *Les **balayeurs** municipaux ramassent les feuilles mortes*, les hommes chargés du balayage.

balance n.f. *L'épicier m'a pesé un kilo d'oranges sur sa **balance***, un appareil pour mesurer le poids.
illustr.
p. 151,
582

balancer v. 1ᵉʳ groupe. SENS 1. *Le vent **balance** la cime des arbres*, il la fait bouger d'un côté et de l'autre. SENS 2. *Les enfants **se balancent** dans le jardin*, ils jouent à la balançoire. SENS 3. Fam. *J'ai **balancé** mes vieilles chaussures*, je les ai jetées. SENS 4. Fam. *C'est défendu, mais il **s'en balance***, il s'en moque.
❉ Conj. n° 1.

■ **balancement** n.m. [SENS 1] *Le **balancement** du bateau m'a donné le mal de mer* (= mouvement, oscillation).

■ **balancier** n.m. [SENS 1] *Le **balancier** de l'horloge est immobile, elle est arrêtée*, la pièce qui se balance, qui oscille (= pendule). ◆ *Sur le fil, le funambule se tient en équilibre grâce à un **balancier***, une longue perche.
illustr.
p. 150,
177

■ **balançoire** n.f. [SENS 2] *Les enfants sont sur la **balançoire***, sur un siège suspendu qui les fait monter et descendre.
illustr.
p. 531,
527

balayage, balayer, balayette, balayeur → *balai*

balbutier v. 1ᵉʳ groupe. *L'homme, embarrassé, a **balbutié** une excuse*, il l'a prononcée confusément (= bredouiller, bafouiller).
❉ On prononce [balbysje].

■ **balbutiement** n.m. *Sa réponse n'a été qu'un **balbutiement** incompréhensible* (= bredouillement).
❉ On prononce [balbysimã].

balcon n.m. SENS 1. *Un **balcon** est une plate-forme construite au-dessus du vide sur la façade d'une maison*. SENS 2. *Les places de **balcon** dans un théâtre sont situées en hauteur.
illustr.
p. 573,
952

baldaquin n.m. *Dans la chambre du roi, il y avait un **lit à baldaquin***, un lit surmonté d'une tenture.

81

illustr.
p. 730 **baleine** n.f. SENS 1. *Une baleine peut peser 150 tonnes,* un mammifère marin de la famille des cétacés qui est le plus grand des animaux marins. SENS 2. Les baleines du parapluie sont les tiges qui tendent le tissu.

illustr.
p. 730 ■ **baleinier** n.m. [SENS 1] Les baleiniers sont des bateaux équipés pour la chasse à la baleine.

illustr.
p. 741,
75 **balise** n.f. *Ce rocher isolé est signalé aux navigateurs par une balise,* un repère visible de loin. *Des balises indiquent le chemin à suivre,* des signaux.

■ **baliser** v. 1er groupe. *La piste d'atterrissage est balisée,* signalée par des balises.

■ **balisage** n.m. *Le balisage des routes est réalisé par des panneaux,* la signalisation.

balistique adj. *Un engin balistique est destiné à être lancé. Une étude balistique concerne la trajectoire d'un projectile.*

balivernes n.f. pl. *Ne le crois pas, il raconte des balivernes,* des choses sans intérêt ou sans fondement (= sornettes, sottises, futilités).

ballade n.f. *Une ballade est un poème à plusieurs strophes.*
✳ Ce mot s'écrit avec deux « l » ; ne pas confondre avec **balade**.

ballant, ante adj. *Il reste immobile, les bras ballants,* ses bras pendent en se balançant légèrement.

illustr.
p. 970,
425 **ballast** n.m. SENS 1. *La voie ferrée est posée sur le ballast,* sur un lit de pierres concassées. SENS 2. *Le sous-marin ouvre ses ballasts pour plonger,* ses compartiments de remplissage.

illustr.
p. 913,
55 **balle** n.f. SENS 1. *La balle de tennis a frôlé le filet,* une petite sphère élastique. SENS 2. *Une balle de fusil, de pistolet est un projectile d'arme à feu.*
✳ Ne pas confondre avec **bal**.

■ **ballon** n.m. [SENS 1] *Un ballon de football est rond, un ballon de rugby est ovale,* une grosse balle. ◆ *Il y a encore des amateurs de voyages en ballon,* au moyen d'un appareil gonflé d'un gaz léger ou d'air chaud. → **montgolfière**
illustr.
p. 913

■ **ballonné, ée** adj. *Le malade a le ventre ballonné,* gonflé comme un ballon.

ballet n.m. *L'Opéra donne un spectacle de ballet,* de danse artistique. → **chorégraphie**
✳ Ne pas confondre avec **balai**.

■ **ballerine** n.f. *Marie voudrait être ballerine,* danseuse de ballet. ◆ *Nadia a mis des ballerines,* des chaussures plates qui ressemblent à des chaussons de danse.
illustr.
p. 1011

ballon, ballonné → **balle**

ballot n.m. *Voilà un ballot de linge sale* (= paquet).
illustr.
p. 277

ballottage n.m. *L'élection a abouti à un ballottage,* aucun candidat n'a eu assez de voix pour être élu au premier tour.

ballotter v. 1er groupe. *Le canot est ballotté par les vagues,* il est secoué en tous sens.

ball-trap n.m. *Un ball-trap est un appareil qui lance des cibles pour permettre l'entraînement à la chasse.*
✳ Au pluriel, on écrit des **ball-traps**.

balluchon ou **baluchon** n.m. Fam. *J'ai pris mon balluchon et je suis parti,* un petit paquet de vêtements, de linge.

balnéaire adj. *Ses belles plages font de cette ville une station balnéaire réputée,* une station pour les baigneurs.
●● **bain**

balourd, e adj. *Pierre est balourd,* il manque de finesse (= lourd, lourdaud).

■ **balourdise** n.f. *Ses balourdises l'ont ridiculisé* (= sottise).

balsa n.m. Le **balsa** est un bois très léger utilisé pour fabriquer des modèles réduits.
❋ On prononce [balza].

illustr. **balustrade** n.f. *Le promeneur s'appuie*
p. 573 *à la **balustrade** du pont,* la rampe supportée par des piliers (= parapet, garde-fou, rambarde).

bambin n.m. Un **bambin** est un petit enfant.

bambou n.m. *Ma canne à pêche est en **bambou**,* une sorte de roseau très dur.

ban n.m. SENS 1. *Il y a eu un **ban** en l'honneur du chanteur,* on a applaudi en cadence. SENS 2. Être au **ban** de la société, c'est être rejeté, être banni de la société. SENS 3. (Au plur.) *Les **bans** de mariage sont publiés,* une affiche qui annonce le mariage à la mairie, à l'église.
❋ Ne pas confondre **ban** et **banc**.

banal, ale, als adj. *Ce roman raconte une histoire **banale**,* sans originalité (= commun, ordinaire ; ≠ original).
❋ Attention au masculin pluriel : **banals**.

■ **banalisé, ée** adj. *Ces policiers circulent dans des voitures **banalisées**,* que rien ne permet de reconnaître.

■ **banalité** n.f. *La conversation n'a été qu'un échange de **banalités**,* de propos sans intérêt (= platitude).

illustr. **banane** n.f. Une **banane** est un fruit
p. 983 allongé à peau jaune épaisse poussant en grosses grappes appelées « régimes » et produit par un **bananier**.

illustr. **banc** n.m. SENS 1. *Asseyons-nous sur un*
p. 572, ***banc** du parc !,* un siège allongé. SENS 2.
1017, *Un **banc** de sable barre l'entrée du port*
845 *à marée basse,* une masse de sable accumulé. SENS 3. *Les sardines se déplacent par **bancs**,* par troupes très nombreuses.
❋ On ne prononce pas le « c » : [bã]. Ne pas confondre avec **ban**.

bancaire adj. *J'ai payé mes achats avec un chèque **bancaire**,* un chèque que le commerçant pourra toucher dans une banque. ●● ***banque***

bancal, ale, als adj. SENS 1. *Des meubles **bancals** ont des pieds de longueurs inégales* (= boiteux). SENS 2. *Ton raisonnement est **bancal**,* il manque de cohérence, de logique.
❋ Attention au masculin pluriel : **bancals**.

1. bande n.f. SENS 1. Une **bande** de
tissu est un morceau de tissu mince et   *illustr.*
allongé (= ruban, lanière). SENS 2. *On*   *p. 868,*
peut enregistrer de la musique ou des   *504*
*images sur une **bande**,* un long ruban
mince. → ***magnétique**.* SENS 3. Une
bande dessinée est une suite de dessins
illustrant une histoire (on dit habituellement une B.D.).

■ **bandeau** n.m. [SENS 1] *Ses cheveux sont tenus par un **bandeau**,* une bande de tissu.
❋ Au pluriel, on écrit des **bandeaux**.

■ **bander** v. 1er groupe. [SENS 1] **Bander** un poignet, c'est l'entourer d'une bande de tissu spécial. ◆ **Bander** un arc, c'est le tendre.

■ **bandage** n.m. [SENS 1] *Le **bandage** s'est desserré, la cheville n'est plus maintenue* (= pansement).

■ **banderole** n.f. [SENS 1] Une **banderole** est une grande bande de tissu portant une inscription.

2. bande n.f. *Une **bande** de loups a attaqué des moutons* (= troupe, meute, groupe). ◆ *Loïc et Marc font **bande à part**,* ils se retirent à l'écart du groupe.

bandit n.m. *Le caissier a été attaqué par deux **bandits**,* (= malfaiteur, gangster, truand).

■ **banditisme** n.m. *Le caissier a été victime d'un acte de **banditisme**,* commis par des bandits.

bandoulière n.f. *Marie a mis son sac*   *illustr.*
*en **bandoulière**,* avec une courroie pas-   *p. 1011*

sant sur une épaule et barrant le corps en biais.

illustr. p. 629 **banjo** n.m. *Dans ce western, on voit un fermier jouer du banjo*, une sorte de guitare ronde avec une peau tendue.
✳ On prononce [bɑ̃dʒo] ou [bɑ̃ʒo].

banlieue n.f. *J'habite en banlieue*, dans une commune près d'une grande ville.

■ **banlieusard, arde** n. *Beaucoup de banlieusards viennent travailler en ville*, des habitants de la banlieue.

illustr. p. 165 **bannière** n.f. *Une bannière est une sorte de drapeau portant l'insigne d'une société sportive, musicale, etc.*

bannir v. 2ᵉ groupe. *Le congrès a banni le recours à la violence* (= rejeter, proscrire, condamner).

■ **bannissement** n.m. *Le bannissement est la peine qui interdit à un citoyen de séjourner dans son pays* (= exil).
✳ En France, cette peine n'existe plus.

banque n.f. *J'ai retiré de l'argent à la banque*, à l'établissement qui reçoit des dépôts d'argent et peut faire des prêts.
●● *bancaire*

■ **banquier, ère** n *Un banquier est un homme qui dirige une banque.*

banqueroute n.f. *Une entreprise fait banqueroute quand elle ne peut plus assurer ses paiements* (= faillite).

illustr. p. 41 **banquet** n.m. *Après la cérémonie, un banquet réunira les invités*, un grand repas (= festin).

banquette n.f. *Cette voiture a une banquette à l'avant*, un siège pour plusieurs personnes.

banquier → *banque*

illustr. p. 730 **banquise** n.f. *Près des pôles, les navires sont parfois prisonniers de la ban-*

quise, la couche de glace formée par de l'eau de mer gelée.

baobab n.m. *Le baobab est un grand arbre d'Afrique au tronc énorme.* *illustr. p. 982*

baptiser v. 1ᵉʳ groupe. SENS 1. *Le prêtre verse l'eau sur le front de celui qu'il baptise*, à qui il administre le baptême. SENS 2. *Comment as-tu baptisé ton chien ?*, quel nom lui as-tu donné ?
●● *débaptiser*

■ **baptisé, ée** n. [SENS 1] *Le nouveau baptisé est entouré de son parrain et de sa marraine*, celui qui a reçu le baptême.

■ **baptême** n.m. [SENS 1] *L'enfant est appelé par son prénom au moment du baptême*, du sacrement par lequel on devient chrétien. *illustr. p. 821*
✳ On ne prononce pas le « p » des mots de cette famille : [batize, batɛm].

baquet n.m. *L'eau de la gouttière tombe dans un baquet*, un récipient de bois. *illustr. p. 427*

1. bar n.m. SENS 1. *Allons boire un verre dans un bar* (= café). SENS 2. *L'ivrogne a passé son après-midi devant le bar*, devant le comptoir où l'on sert des boissons. ●● *barman*
✳ Ne pas confondre avec la **barre**.

2. bar n.m. *Le bar est un très bon poisson de mer* (= loup).
✳ Ne pas confondre avec la **barre**.

baragouiner v. 1ᵉʳ groupe. Fam. *John baragouine le français*, il le parle mal.

baraque n.f. *Les outils de jardin sont rangés dans une baraque*, une petite cabane en planches. *illustr. p. 530*

■ **baraquement** n.m. *Les réfugiés étaient logés dans des baraquements*, des constructions provisoires.

baraqué, ée adj. Fam. *Ce garçon est baraqué*, il est grand et fort de carrure.

baratin n.m. Fam. *Le vendeur nous a garanti la qualité extra de l'article, mais,* *tout ça, c'est du **baratin**,* ce sont de belles paroles, on ne peut pas s'y fier (= boniment).

■ **baratiner** v. 1er groupe. Fam. *Arrête de **baratiner** et viens nous aider,* de raconter des boniments.

■ **baratineur, euse** n. Fam. *C'est une **baratineuse** intarissable,* elle raconte des boniments.

illustr.
p. 354
baratte n.f. *Une **baratte** est un appareil qui sert à faire du beurre en agitant la crème.*

barbant → *barber*

barbare SENS 1. adj. et n. *Ces tribus se sont livrées à des combats **barbares*** (= cruel, féroce, sauvage). *Les vainqueurs se sont conduits comme des **barbares**.* SENS 2. adj. *Cette notice est pleine de mots **barbares**,* peu compréhensibles ou incorrects.

■ **barbarie** n.f. [SENS 1] *Cette exécution est un acte de **barbarie*** (= cruauté, férocité, sauvagerie).

■ **barbarisme** n.m. [SENS 2] *En écrivant « je chanta » au lieu de « je chantai », tu as fait un **barbarisme**,* une grosse faute de grammaire.

barbe n.f. *Mon frère ne se rase plus, il se laisse pousser la **barbe**,* les poils de la partie inférieure du visage.

■ **barbiche** n.f. *La chèvre a une **barbiche** au menton,* une touffe de poils.

■ **barbier** n.m. *Autrefois les hommes se faisaient raser chez le **barbier**.*

■ **barbu, ue** adj. et n. *Pierre est **barbu**, il a une barbe* (≠ glabre). ●● ***imberbe***

barbecue n.m. *On a fait griller des saucisses sur le **barbecue**,* un petit fourneau fonctionnant en plein air au charbon de bois.
✳ On prononce [barbəkju].

barbelé, ée adj. et n.m. *Le fil de fer **barbelé** est hérissé de pointes. Une clôture de **barbelé** entoure le pré.*

barber v. 1er groupe. Fam. *Tu nous **barbes** avec tes histoires,* tu nous ennuies.

■ **barbant, ante** adj. Fam. *Quel film **barbant** !* (= ennuyeux).

barbiche, barbier → *barbe*

barboter v. 1er groupe. *Les canards **barbotent** dans la mare,* ils s'agitent dans l'eau.

barbouiller v. 1er groupe. SENS 1. *Son visage **est barbouillé** de chocolat,* il en est sali (≠ débarbouiller). SENS 2. *Avoir le cœur ou l'estomac **barbouillé**,* c'est avoir mal au cœur, avoir envie de vomir.

■ **barbouillage** n.m. [SENS 1] *Un **barbouillage** est une peinture grossière, mal faite.*

barbu → *barbe*

barbue n.f. *La **barbue** est un poisson de mer qui ressemble au turbot.*

barda n.m. Fam. *Les campeurs ont ramassé leur **barda**,* leur chargement, leur matériel, leur attirail.

1. barder v. 1er groupe. SENS 1. ***Barder** une volaille,* c'est l'entourer d'une barde. SENS 2. *Ce général a la poitrine **bardée** de décorations,* couverte de décorations.

■ **barde** n.f. [SENS 1] *Le boucher met une **barde** autour du rôti,* une mince tranche de lard.

2. barder v. 1er groupe. Fam. *Ça va **barder** !,* ça va être très animé, ou dangereux.

barème n.m. *Pour calculer ses prix, le commerçant consulte son **barème**,* une liste de calculs tout faits.

baril n.m. *On a acheté un **baril** de vin,* un petit tonneau.

bariolé, ée adj. *Marie a une robe **bariolée**,* avec des dessins de couleurs vives et variées (= bigarré).

barman n.m. Un **barman** est un homme qui a pour métier de servir les consommations aux clients. ●● *bar*
✳ On prononce le « n » : [barman]. Au pluriel, on dit des **barmans** ou des **barmen** [barmɛn].

baromètre n.m. *Les navigateurs surveillent le baromètre,* un appareil servant à prévoir le temps en indiquant la pression atmosphérique.

baron, onne n. Un **baron** a un titre de noblesse inférieur à celui de vicomte.

baroque adj. SENS 1. Le **style baroque,** en architecture, en sculpture, en peinture s'est développé surtout au XVIIe et au XVIIIe siècle ; il se caractérise par la très grande abondance des ornements. SENS 2. Des idées **baroques** sont des idées qui choquent par leur étrangeté (= bizarre, extravagant).

baroud n.m. Un **baroud d'honneur,** c'est un combat, une compétition qu'on livre pour l'honneur, bien qu'on se sache déjà vaincu.
✳ On prononce le « d » : [barud].

illustr. p. 845, 41
barque n.f. *Pour se promener sur le lac, on peut louer des barques,* des petits bateaux à rames.

■ **barquette** n.f. *Des barquettes sont des petits gâteaux ou des emballages en forme de barque.*

barrage → *barrer (2)*

illustr. p. 572, 912
barre n.f. SENS 1. Une **barre** de fer est un morceau de fer allongé. SENS 2. (Au plur.) On a fait des exercices aux **barres parallèles,** à l'un des agrès. SENS 3. Une **barre** de mesure est en musique un trait vertical séparant deux mesures. SENS 4. *La barre de ton « t » est mal faite,* le petit trait de plume droit et horizontal. SENS 5. *Le témoin est appelé à la barre,* il se présente devant les juges à la barrière du tribunal. SENS 6. *Les bateaux ne peuvent pas franchir la barre,* une ligne de hautes

vagues près du rivage. SENS 7. *Le capitaine tient la barre du bateau,* il le dirige en actionnant le gouvernail.
✳ Ne pas confondre avec le **bar.**
illustr. p. 740

■ **barreau** n.m. [SENS 1] *Un barreau de l'échelle est cassé,* une petite barre (= échelon). [SENS 5] Entrer au **barreau,** c'est devenir avocat.
✳ Au pluriel, on écrit des **barreaux.**
illustr. p. 862

■ **barrer** v. 1er groupe. [SENS 4] *Son devoir est plein de mots barrés,* rayés d'un trait (= biffer, raturer). [SENS 7] *Pierre barre un voilier,* il tient la barre.

■ **barreur** n.m. [SENS 7] *Le bateau a gagné la course grâce à son excellent barreur,* celui qui tient la barre.

1. barrer → *barre*

barrette n.f. *Marie retient ses cheveux d'une barrette,* une pince allongée.

barreur → *barre*

2. barrer v. 1er groupe. *Pendant les travaux, la rue est barrée* (= boucher, fermer ; ≠ ouvrir).

■ **barrage** n.m. *Les policiers ont installé un barrage sur la route,* ils l'ont barrée. ✦ *On a construit un barrage sur le fleuve,* un grand mur pour retenir l'eau.
illustr. p. 333, 617, 845

■ **barricade** n.f. *Les manifestants élèvent une barricade,* ils entassent des objets pour barrer le passage.

■ **barricader** v. 1er groupe. **Barricader** une porte, c'est la fermer solidement.

■ **barrière** n.f. *La barrière du passage à niveau empêche les voitures de passer,* la clôture qui barre la route.
illustr. p. 424, 527

barrique n.f. Une **barrique** est un grand tonneau.
illustr. p. 691

barrir v. 2e groupe. *L'éléphant barrit,* il pousse son cri.

■ **barrissement** n.m. Le **barrissement** est le cri de l'éléphant.

baryton n.m. Un **baryton** est un chanteur dont la voix se situe entre celles du ténor et de la basse.

1. bas, basse adj. SENS 1. *Dans le salon, il y a une table **basse*** (≠ haut). ●● *abaisser*. SENS 2. *Chut ! il dort, parlez à voix **basse** !,* doucement (≠ fort). SENS 3. *Il a acheté sa voiture **à bas prix**,* peu cher (≠ élevé). ●● *rabais*. SENS 4. *Un enfant **en bas âge** est un enfant très jeune.* SENS 5. *La manière dont il s'est vengé est **basse*** (= méprisable, infâme, odieux ; ≠ noble).

■ **bas** n.m. [SENS 1] *Signez au **bas** de la page,* dans la partie inférieure (≠ haut).

■ **bas** adv. [SENS 1] *Le temps est orageux, les hirondelles volent **bas*** (≠ haut). ◆ *Le malade est très **bas**, au plus **bas**,* en mauvais état, mal en point. ◆ *La chatte **a mis bas** cette nuit,* elle a eu ses petits. ◆ ***À bas** la dictature !,* il faut la renverser (≠ vive !).

■ **en bas** adv. [SENS 1] *Maman est **en bas**,* dans le salon, à l'étage inférieur (≠ en haut).

■ **en bas de** prép. [SENS 1] *La maison est **en bas de** la colline,* au pied de la pente.

■ **basse** n.f. *Ce chanteur est une **basse**,* il a une voix grave.

■ **bassement** adv. [SENS 5] *En se vengeant ainsi, il s'est conduit **bassement**,* très mal.

■ **bassesse** n.f. [SENS 5] *En le dénonçant, tu as commis une **bassesse**,* un acte infâme.

■ **basset** n.m. [SENS 1] *Le **basset** est un chien bas sur pattes.*

*illustr.
p. 221* **2. bas** n.m. *Ma sœur a les jambes nues, elle a retiré ses **bas**,* une pièce de vêtement qui couvre le pied et la jambe.

*illustr.
p. 949* **basalte** n.m. *Le **basalte** est une roche volcanique qui forme parfois des colonnes appelées « orgues **basaltiques** ».*

basané, ée adj. *Ces paysans ont la peau **basanée**,* brune, bronzée.

bas-côté n.m. *La voiture est arrêtée sur le **bas-côté**,* la partie qui longe la route (= accotement). *illustr.
p. 974,
852*

bascule n.f. SENS 1. *Papa se balance sur son fauteuil **à bascule**,* qui oscille d'avant en arrière. SENS 2. *On pèse des camions sur cette **bascule**,* une balance pour peser des objets très lourds. *illustr.
p. 397*

■ **basculer** v. 1er groupe. [SENS 1] *La voiture **a basculé** dans le fossé,* elle s'est renversée (= culbuter). *illustr.
p. 157*

base n.f. SENS 1. *La **base** de la montagne est sa partie inférieure* (≠ sommet). SENS 2. *La **base** du triangle est le côté opposé au sommet.* SENS 3. *Après l'exercice, les militaires sont rentrés à leur **base**,* l'endroit où ils sont installés. SENS 4. *Les dirigeants des syndicats ont consulté la **base**,* l'ensemble des adhérents. SENS 5. *Ce projet est **à la base** de notre désaccord* (= origine). SENS 6. *Le chocolat est **à base de** cacao,* il est fait essentiellement avec du cacao. *illustr.
p. 431*

■ **baser** v. 1er groupe. [SENS 3] *Des troupes **sont basées** dans la ville,* elles y ont leur base. [SENS 5] *Son raisonnement **est basé** sur une erreur* (= établir, fonder).

bas-fond n.m. SENS 1. *La barque passe sans danger sur les **bas-fonds**,* les endroits où l'eau est très profonde. (≠ haut-fond). SENS 2. *Les **bas-fonds** de la société,* c'est la partie de la société qui vit dans la misère et la délinquance.

basilic n.m. *Le **basilic** est une plante aromatique utilisée comme condiment.* *illustr.
p. 690*

basilique n.f. *L'église du Sacré-Cœur, à Paris, est une **basilique**,* elle a reçu ce titre du pape.

basket-ball ou **basket** n.m. *Jean est grand, il joue bien au **basket-ball**,* un sport de ballon qui se joue à deux équipes de cinq joueurs qui cherchent à *illustr.
p. 913*

envoyer le ballon dans le panier défendu par l'équipe adverse.
✳ On prononce [basketbol], [basket].

illustr. p. 1011
■ **basket** n.f. *J'ai mis mon survêtement et mes baskets*, des chaussures de sport montantes.

illustr. p. 913
■ **basketteur, euse** n. Les **basketteurs** sont des joueurs de basket.

bas-relief n.m. Un **bas-relief** est une sculpture de faible relief sur un fond uni.
●● *haut-relief*

basse → *bas (1)*

illustr. p. 384
basse-cour n.f. *On élève la volaille dans des basses-cours*, des endroits spécialement aménagés dans les fermes.

bassement, bassesse, basset → *bas (1)*

illustr. p. 527, 1017, 741,

217
bassin n.m. SENS 1. *Dans le parc, il y a un bassin plein de poissons rouges* (= pièce d'eau). SENS 2. *M. Caradec a mis son bateau dans le bassin*, dans la partie la plus abritée du port. SENS 3. *Un bassin est une vaste région en forme de cuvette.* SENS 4. *Un bassin houiller est une région contenant des gisements de houille.* SENS 5. *Dans l'accident, il a eu une fracture du bassin*, des os de la base du tronc où s'articulent les os des cuisses.

illustr. p. 239
bassine n.f. *Elle lave sa lingerie dans une bassine*, un large récipient en métal ou en matière plastique généralement pourvu de deux anses.

illustr. p. 42
bassinoire n.f. *Autrefois, on chauffait les lits avec une bassinoire*, un récipient où l'on mettait de la braise.

illustr. p. 629
basson n.m. *Un basson est un instrument à vent en bois qui a un son grave.*

bastingage n.m. *Les matelots étaient accoudés au bastingage*, à la paroi ou à la rampe qui borde le pont du bateau.

bastion n.m. SENS 1. *Les bastions d'une fortification étaient des constructions dépassant à l'extérieur de l'enceinte.* SENS 2. *Ce parti politique a perdu un de ses bastions aux dernières élections*, une localité où il avait une position forte.

bastonnade → *bâton*

bastringue n.m. Fam SENS 1. *Le bastringue de la fête foraine nous abrutit*, la musique criarde. SENS 2. *Ramasse tout ton bastringue*, tes affaires, ton attirail.

bât n.m. *L'âne porte deux gros ballots fixés à un bât*, une sorte de selle.

bataclan n.m. Fam. *Il a déballé tout son bataclan*, son matériel, son attirail.

bataille n.f. *Les deux armées se sont livré bataille*, elles se sont battues (= combat). *La bataille politique a été rude* (= lutte). ◆ *Sur le pont, Nicolas a les cheveux en bataille*, en désordre (= ébouriffé).

■ **batailler** v. 1er groupe. *Les syndicats ont longtemps bataillé pour obtenir ce droit* (= combattre, lutter). ●● *battre*

■ **batailleur, euse** adj. *Une fille batailleuse aime se battre* (= bagarreur).

bataillon n.m. *Un commandant est à la tête d'un bataillon*, une unité militaire comprenant plusieurs compagnies.

illustr. p. 150
bâtard, arde SENS 1. adj. et n. *Un chien bâtard n'est pas de race pure. Son chien est un bâtard de basset et de teckel.* ●● *s'abâtardir*. SENS 2. n.m. *Le boulanger vend des bâtards*, des pains plus courts que des baguettes.

illustr. p. 746
batavia n.f. *Une batavia est une salade proche de la laitue.*

illustr. p. 694, 740
bateau SENS 1. n.m. *Un bateau est un moyen de transport qui navigue sur l'eau* (voilier, paquebot, etc.). → *navire*.

SENS 2. adj. Fam. *C'est un sujet bateau,* un sujet qu'on connaît déjà, banal.
✱ Au pluriel, on écrit des **bateaux**.

■ **bateau-mouche** n.m. [SENS 1] *Les touristes peuvent visiter Paris en bateaux-mouches,* des bateaux de promenade sur la Seine.

■ **batelier, ère** n. [SENS 1] *Les bateliers ont amarré leurs péniches devant l'écluse,* ceux qui conduisent les bateaux sur les cours d'eau (= marinier).

bateleur n.m. Le **bateleur** est un clown qui dans les foires amuse le public par ses acrobaties, ses tours.

batelier → *bateau*

illustr. p. 354 **bat-flanc** n.m. inv. *Dans l'écurie, les chevaux sont séparés par des bat-flanc,* des cloisons.
✱ Ce mot ne change pas au pluriel.

bathyscaphe n.m. Un **bathyscaphe** est un engin de plongée à grande profondeur.

bâti → *bâtir*

batifoler v. 1er groupe. *Les chiots batifolent dans le jardin,* ils s'ébattent (= jouer, folâtrer).

bâtir v. 2e groupe. SENS 1. *Le maçon bâtit une maison,* il l'élève en assemblant les matériaux (= construire). SENS 2. *La couturière bâtit une jupe,* elle assemble les morceaux de tissu en faisant de grands points.

■ **bâti, ie** adj. *Un homme bien bâti est un homme solide et bien fait.*

illustr. p. 333, 51 ■ **bâtiment** n.m. [SENS 1] *Ce groupe d'immeubles comprend six bâtiments* (= construction). ◆ *Les maçons, les couvreurs, les peintres sont des ouvriers du bâtiment,* qui travaillent dans l'industrie de la construction. ◆ *Un bâtiment de guerre est un navire de guerre.*

■ **bâtisse** n.f. [SENS 1] Une **bâtisse** est une grande maison sans caractère.

bâton n.m. SENS 1. *Le voyageur marchait en s'appuyant sur un bâton,* un bout de bois. SENS 2. *Un bâton de craie, de rouge à lèvres a une forme cylindrique et allongée.* SENS 3. *On a parlé à bâtons rompus de nos vacances,* sans qu'il y ait un ordre précis dans la conversation, au fur et à mesure que les idées venaient. SENS 4. *Ne t'attaque pas à eux, ils te mettront des bâtons dans les roues,* ils créeront des obstacles pour t'empêcher de réussir.

illustr. p. 311

■ **bâtonnet** n.m. [SENS 2] *Pendant la leçon de calcul, les petits comptent des bâtonnets,* des petits bâtons.

■ **bastonnade** n.f. [SENS 1] Une **bastonnade** est une volée de coups de bâton.

batracien n.m. Les **batraciens** sont appelés aujourd'hui « amphibiens ».
→ *amphibien*

battage, battant, batte, battement → *battre*

batterie n.f. SENS 1. *La voiture ne démarre pas, la batterie est à plat,* les accus. → *accumulateur*. SENS 2. *Vincent est à la batterie dans un orchestre de jazz,* il joue d'un instrument de percussion. SENS 3. Une **batterie** de cuisine est un ensemble de casseroles, de plats.

illustr. p. 69, 628, 629

■ **batteur** n.m. [SENS 2] *Maxime est le batteur de l'orchestre,* il tient la batterie.

illustr. p. 629

batteur → *batterie* et *battre*

battre v. 3e groupe. SENS 1. *Le chien hurle parce que quelqu'un l'a battu,* on lui a donné des coups (= frapper). *Cet enfant se bat souvent avec ses camarades.* ●● *batailler, combattre*. SENS 2. *Je l'ai battu aux échecs,* j'ai gagné la partie (= vaincre). ●● *imbattable*. SENS 3. *Pierre bat des blancs d'œufs en neige* (= fouetter). *On bat le blé pour séparer le grain de la paille,* on frappe les épis. SENS 4. *Notre cœur bat pendant toute la vie,* il est animé de mouvements

rythmiques (= palpiter). SENS 5. *Ferme la porte : elle bat* (= taper). SENS 6. *Les promeneurs **ont battu** la forêt en tous sens* (= parcourir, explorer). SENS 7. *L'armée **a battu en retraite**, elle a reculé.* ✹ Conj. n° 56.

illustr.
p. 758
■ **battage** n.m. [SENS 3] *Après la moisson, le **battage** du blé commençait,* on battait le blé pour en récolter les grains. ◆ Fam. *Quel **battage** autour de la sortie de ce film !,* quelle publicité !

■ **battant** n.m. [SENS 5] Le **battant** de la cloche est la masse métallique qui frappe ses parois. ◆ Une porte à deux **battants** est une porte à deux panneaux mobiles.

■ **battant, ante** adj. [SENS 4] *Paul avait le cœur **battant** à l'annonce des résultats,* son cœur battait fort. ◆ Une pluie **battante** est une forte pluie.

illustr.
p. 495
■ **batte** n.f. Dans certains sports, on frappe la balle avec une **batte**.

■ **battement** n.m. [SENS 4] *Écoute les **battements** de mon cœur* (= pulsation, palpitation). ◆ *Entre les séances, il y a cinq minutes de **battement**,* d'intervalle.

illustr.
p. 238
■ **batteur** n.m. [SENS 3] *La cuisinière bat la crème avec un **batteur** électrique,* un appareil spécial.

■ **batteuse** n.f. [SENS 3] La **batteuse** était une machine destinée à battre le blé. Elle est aujourd'hui remplacée par la moissonneuse-batteuse.

■ **battu, ue** adj. [SENS 1] *Le sol de cette ferme est en terre **battue**,* en terre durcie, tassée. ◆ Des yeux **battus** sont des yeux cernés par la fatigue.

■ **battue** n.f. [SENS 6] *Les chasseurs organisent une **battue**,* ils parcourent la forêt pour rabattre le gibier.

baudet n.m. On appelle parfois un âne un **baudet**.

baudruche n.f. *Les enfants gonflent des ballons de **baudruche**,* de caoutchouc très fin.

bauge n.f. *Le sanglier est dans sa **bauge**,* le lieu boueux où il se vautre.

baume n.m. *On a soigné sa brûlure avec un **baume**,* une pommade. ✹ Ne pas confondre **baume** et **bôme**.

bavard, arde adj. et n. *Marie est (une) **bavarde**,* elle parle beaucoup et souvent (≠ taciturne, silencieux).

■ **bavarder** v. 1er groupe. *En attendant la sortie des écoliers, les mères **bavardent*** (= causer, papoter, jacasser).

■ **bavardage** n.m. *Ne perdez pas votre temps en **bavardages*** (= parlote).

bave n.f. *Le chien a sali le parquet avec sa **bave**,* avec la salive qui coule de sa gueule.

■ **baver** v. 1er groupe. *Les bébés **bavent**,* ils laissent couler la salive. ◆ Fam. *Elle **en a bavé** avec tout ce travail* (= souffrir).

■ **baveux, euse** adj. Une omelette **baveuse** est un peu liquide à l'intérieur.

■ **bavoir** n.m. *Bébé porte un **bavoir**,* une petite serviette.

■ **bavure** n.f. *Ce coloriage est plein de **bavures**,* les couleurs dépassent le contour du dessin. ◆ Fam. Une **bavure** policière est une erreur ou une faute grave commise au cours d'une opération de police.

bazar n.m. SENS 1. Les **bazars** sont des magasins où l'on vend un peu de tout. SENS 2. Fam. *Ramasse ton **bazar**,* ton attirail, tes affaires.

bazarder v. 1er groupe. Fam. *Bazarde-moi tous ces objets inutiles,* jette-les pour te débarrasser.

B.D. n.f. B.D. est l'abréviation courante de « bande dessinée ». → ***bande (1)***

béant, ante adj. Un sac **béant** est largement ouvert.

béat, e adj. *Il sourit d'un air **béat**,* à la fois satisfait et un peu niais.

■ **béatement** adv. *Quand on le complimente, il sourit béatement, d'un air béat.*

■ **béatitude** n.f. *Son visage rayonnait de béatitude* (= satisfaction, joie, bonheur).

beau, belle adj. SENS 1. *Jean a fait un beau dessin* (= joli ; ≠ laid). ●● ***embellir.*** SENS 2. *Nous avons vu un beau match à la télé* (= réussi). SENS 3. *Ce n'est pas beau de mentir !* (= bien). SENS 4. *Mon grand-père a laissé un bel héritage* (= gros, considérable). SENS 5. *En voilà une belle excuse !, c'est une mauvaise excuse.* SENS 6. *Cette aventure lui arriva un beau matin,* un certain matin, alors qu'il ne s'y attendait pas.
✹ Au masculin pluriel, on écrit **beaux**. L'adjectif **beau** devient **bel** devant une voyelle ou un « h » muet : *un bel arbre, un bel homme.*

■ **beau** n.m. [SENS 1] *Le chien fait le beau,* il se dresse sur ses pattes de derrière.

■ **beau** adv. *Hier, il faisait beau,* le temps était agréable. ◆ *Il a beau pleuvoir, je sors,* bien qu'il pleuve.

■ de plus **belle** adv. *Il pleure de plus belle,* plus fort qu'avant.

■ **beauté** n.f. [SENS 1] *Je suis émerveillé par la beauté de ce paysage* (≠ laideur). *Cette femme est une beauté,* elle est très belle.

beaucoup adv. SENS 1. *Il mange beaucoup,* en grande quantité. *Il a beaucoup d'amis,* un grand nombre d'amis (≠ peu). SENS 2. *Son frère est de beaucoup le plus âgé* (= de loin ; ≠ de peu).

beau-fils, belle-fille n. SENS 1. *M. Duc a épousé une veuve qui avait deux fils : ce sont ses beaux-fils. L'homme que Françoise a épousé avait déjà une fille : c'est la belle-fille de Françoise.* SENS 2. *illustr. Le mari de la fille de quelqu'un, c'est le p. 679 gendre,* qu'on appelle parfois aussi le « **beau-fils** ». *La belle-fille est la femme du fils* (on dit moins souvent la « bru »).

beau-frère, belle-sœur n. SENS 1. *illustr. Les frères et les sœurs de ma femme p. 679 sont mes beaux-frères et mes belles-sœurs.* SENS 2. *Le mari de ma sœur est mon beau-frère. L'épouse de mon frère est ma belle-sœur.*

beaujolais n.m. *Le beaujolais est un vin d'une région voisine de la Bourgogne.*

beau-père, belle-mère, beaux- *illustr.* **parents** n. SENS 1. *Mon beau-père, ma p. 679 belle-mère sont les parents de mon conjoint ; ce sont mes beaux-parents.* SENS 2. *Le beau-père de Pierre est le second mari de sa mère. La belle-mère de Jacques est la seconde femme de son père.*

beaupré n.m. *Le beaupré est un mât illustr. oblique à l'avant d'un voilier.* p. 971

beauté → *beau*

beaux-arts n.m. pl. *La peinture, la sculpture, la musique, l'architecture sont les beaux-arts.* ●● *art*

bébé n.m. SENS 1. *La maman promène son bébé,* son petit enfant. SENS 2. *Un bébé singe est un très jeune singe.*

bec n.m. SENS 1. *Les oiseaux ont un bec illustr. dur et généralement pointu, ce qui ter- p. 617 mine leur bouche.* SENS 2. *J'ai tordu le bec de ma plume,* son extrémité. SENS 3. *Ce paquet est muni d'un bec verseur,* d'une partie en pointe qui sert à verser.

■ **becquée** n.f. [SENS 1] *L'oiseau donne la becquée aux oisillons,* il leur met de la nourriture dans le bec.

■ **becqueter** v. 1er groupe. [SENS 1] *Les oiseaux commencent à becqueter les cerises,* à les piquer avec leur bec.
✹ Conj. no 8 ou no 9. On écrit aussi **béqueter.**

bécarre n.m. *Le bécarre ramène à son illustr. ton naturel une note de musique modi- p. 628 fiée auparavant par un dièse ou un bémol.*

bécasse n.f. SENS 1. *Le chasseur a abattu une bécasse,* un oiseau migrateur à long bec. SENS 2. Fam. Une **bécasse** est une femme ou une fille naïve et sotte.

■ **bécassine** n.f. La **bécassine** est un oiseau plus petit que la bécasse.

bec-de-lièvre n.m. Un **bec-de-lièvre** est une malformation de la lèvre supérieure, qui est fendue.
✻ Au pluriel, on écrit des **becs-de-lièvre**.

béchamel n.f. La **béchamel** est une sorte de sauce blanche.

illustr. p. 746 **bêche** n.f. *Le jardinier retourne la terre avec une bêche,* une pelle droite.
■ **bêcher** v. 1er groupe. **Bêcher** son jardin, c'est en retourner la terre avec une bêche.

bêcheur, euse adj. et n. Fam. *Colin est bêcheur,* il prend une attitude hautaine, distante (= vaniteux, prétentieux, crâneur). *Valérie est une bêcheuse.*

becquée, becqueter → *bec*

bedonnant, ante adj. Un homme **bedonnant** a un gros ventre (= ventru).

bée adj.f. *Les enfants contemplent ce spectacle bouche bée,* ils ont la bouche ouverte d'étonnement.

beffroi n.m. *Il y a une horloge sur le beffroi de l'hôtel de ville,* sur la tour qui le surmonte.

bégayer v. 1er groupe. *Quand il est intimidé, Maxime bégaie,* il parle avec difficulté, en répétant des syllabes.
✻ Conj. n° 4.

■ **bégaiement** n.m. *Son bégaiement est pénible.*

■ **bègue** adj. et n. *Maxime est bègue,* il bégaie. *La dame des renseignements était une bègue !*

bégonia n.m. *Le balcon est garni de pots de bégonias,* des plantes dont les fleurs ont des couleurs vives. *illustr. p. 527*

bègue → *bégayer*

beige adj. *Le sable est de couleur beige,* brun très clair.

beignet n.m. Un **beignet,** c'est de la pâte cuite dans la friture.

bel → *beau*

bêler v. 1er groupe. *Le mouton bêle,* il pousse son cri.
■ **bêlement** n.m. Le **bêlement** est le cri du mouton, de la brebis.

belette n.f. La **belette** est un petit mammifère carnassier au corps allongé. *illustr. p. 402*

bélier n.m. SENS 1. Le **bélier** est un mouton mâle apte à la reproduction. SENS 2. *Autrefois, on défonçait les murailles des forteresses avec un bélier,* une longue poutre de bois. *illustr. p. 397, 164*

belle → *beau*

belle-fille → *beau-fils*

belle-mère → *beau-père*

belle-sœur → *beau-frère*

belligérants n.m. pl. Les **belligérants** sont les pays, les États en guerre.

belliqueux, euse adj. *C'est un homme belliqueux* (= agressif ; ≠ pacifique). *Ce peuple est belliqueux* (= guerrier).

belote n.f. La **belote** est un jeu de cartes qui se joue avec 32 cartes.

belvédère n.m. *Du belvédère, on a une vue superbe sur la vallée,* du lieu aménagé pour l'observation. *illustr. p. 29*

illustr.
p. 628

bémol n.m. Le **bémol** est un signe mis devant une note de musique pour indiquer qu'il faut l'abaisser d'un demi-ton.

bénédictin, ine n. Les **bénédictins** sont des religieux qui vivent dans des couvents. ◆ Un **travail de bénédictin** est un travail qui demande beaucoup de patience et d'assiduité.

bénédiction → *bénir*

bénéfice n.m. *En vendant 10 € un objet qui a coûté 6 €, on fait un **bénéfice** de 4 €, on gagne 4 €* (= profit ; ≠ perte).
■ **bénéficier** v. 1ᵉʳ groupe. *Je **bénéficie** d'une réduction sur le prix,* j'en profite.

bénéfique adj. *Son séjour à la mer lui a été **bénéfique*** (= profitable, bienfaisant, avantageux).

benêt adj.m. et n.m. *Il a un air **benêt**. Il se dandinait comme un grand **benêt*** (= niais, nigaud).

bénévole adj. et n. Un travail **bénévole** est un travail fait sans intention d'être payé. *On a fait appel à des **bénévoles** pour évacuer les blessés* (= volontaire).
■ **bénévolat** n.m. *Pierre fait du **bénévolat**,* il travaille comme bénévole.

bénin, bénigne adj. Une maladie **bénigne** est une maladie sans gravité.

bénir v. 2ᵉ groupe. SENS 1. *Le pape **bénit** la foule,* il appelle sur elle la protection de Dieu. SENS 2. *Je **bénis** cette rencontre,* j'en suis très heureux (≠ maudire).
☀ Conj. n° 15.
■ **bénédiction** n.f. [SENS 1] *Le prêtre donne sa **bénédiction** aux mariés,* il les bénit.
■ **bénit, e** adj. [SENS 1] L'eau **bénite** est de l'eau consacrée par une cérémonie religieuse.
☀ On distingue dans l'orthographe **bénit**, adjectif, et **béni**, participe passé.

■ **bénitier** n.m. [SENS 1] Un **bénitier** est un petit bassin, souvent en pierre, contenant de l'eau bénite.

benjamin, ine n. *Chloé est la **benjamine** du groupe,* la plus jeune (≠ aîné).
☀ On prononce [bɛ̃ʒamɛ̃].

benne n.f. *Le camion transporte du sable dans sa **benne**,* la partie arrière destinée aux charges.

illustr.
p. 157,
974

béquille n.f. SENS 1. *Depuis sa chute, il marche avec des **béquilles**,* des cannes munies d'une poignée sur lesquelles il s'appuie. SENS 2. La **béquille** d'un vélomoteur, c'est la tige de métal qui lui sert de support à l'arrêt.

illustr.
p. 1002

bercail n.m. *Jean est revenu au **bercail**,* chez lui.

bercer v. 1ᵉʳ groupe. **Bercer** un enfant, c'est le balancer doucement.
☀ Conj. n° 1.
■ **berceau** n.m. *Le nouveau-né est dans un **berceau**,* un petit lit que l'on peut balancer.
☀ Au pluriel, on écrit des **berceaux**.
■ **bercement** n.m. *Le **bercement** de la voiture l'avait endormi* (= mouvement, balancement).
■ **berceuse** n.f. *La maman chante une **berceuse**,* une chanson pour endormir les enfants.

béret n.m. *Les marins sont coiffés d'un **béret** à pompon rouge,* une coiffure ronde et plate sans bords.

illustr.
p. 1011,
55

berge n.f. *Le pêcheur est installé sur la **berge**,* sur le bord de la rivière.

illustr.
p. 974,
845

1. berger, ère n. *La **bergère** garde ses moutons,* la personne qui veille sur le troupeau.

illustr.
p. 20

■ **bergerie** n.f. *Les moutons sont enfermés dans la **bergerie**,* dans un local de la ferme qui leur est réservé.

illustr.
p. 385
2. berger n.m. *Renaud a un **berger** allemand*, un gros chien de garde.

berlingot n.m. SENS 1. *Les enfants se partagent un paquet de **berlingots**, une sorte de bonbons*. SENS 2. *Mme Barbier a acheté un petit **berlingot** de lait à la fraise*, du lait dans une petite boîte de carton à quatre faces triangulaires.

berlue n.f. Fam.*C'est bien ton frère qui arrive, je n'ai pas **la berlue**?*, mes yeux ne me trompent pas ?

bermuda n.m. *Un **bermuda** est un short descendant jusqu'aux genoux*.

illustr.
p. 718
bernard-l'ermite n.m. inv. *Les **bernard-l'ermite** sont des petits crustacés qui logent dans des coquilles vides*. ✳ Ce mot ne change pas au pluriel.

berne n.f. *Les drapeaux sont **en berne**, ils ne sont pas déployés*, en signe de deuil.

berner v. 1ᵉʳ groupe. *Il s'est laissé **berner** par un escroc*, il s'est laissé tromper (= duper, abuser).

illustr.
p. 718
bernique n.f. *La **bernique** est un coquillage marin comestible en forme de cône qu'on trouve collé sur les rochers*.

besogne n.f. *Transporter tous ces sacs est une rude **besogne*** (= travail, tâche).

besoin n.m. SENS 1.*Il a **besoin** de repos*, le repos lui est nécessaire. SENS 2. *Ce malheureux est dans le **besoin***, il est très pauvre (= misère). SENS 3. *Les bébés font leurs **besoins** dans leurs couches* (= urine et excréments).

bestial, bestiaux, bestiole → **bête**

best-seller n.m. *Un **best-seller** est un livre qui a un très grand succès*. ✳ On prononce [bɛstsɛlœr]. Au pluriel, on écrit des **best-sellers**.

bête SENS 1. n.f. *Ce taureau est une belle **bête*** (= animal). SENS 2. adj. *Ce garçon est **bête**, il n'est pas intelligent* (= sot, stupide, idiot). ●● **abêtir**

■ **bestial, ale, aux** adj. [SENS 1] *Cet homme a un air **bestial**, il ressemble à une bête*.

■ **bestiaux** n.m. pl. [SENS 1] *Dans un marché aux **bestiaux**, on vend des bœufs, des moutons, des porcs* (= bétail). *illustr. p. 397, 385*

■ **bestiole** n.f. [SENS 1] *Il y a une **bestiole** sur le rideau*, une petite bête.

■ **bétail** n.m. [SENS 1] *Le **bétail** est l'ensemble des bestiaux*. *illustr. p. 758*

■ **bêtement** adv. [SENS 2] *Cet accident est arrivé **bêtement**, à cause d'une bêtise. Arrête de rire **bêtement***, stupidement. ◆ *Il a **tout bêtement** suivi le mode d'emploi*, sans chercher de complications (= simplement).

■ **bêtise** n.f. [SENS 2] *Paul a montré sa **bêtise*** (= sottise, stupidité). *Les enfants ont fait des **bêtises**, des choses qu'il n'aurait pas fallu faire* (= sottise).

béton n.m. *Ce mur est en **béton**, en un mélange de ciment, de gravier, de sable et d'eau*. *illustr. p. 333, 156*

■ **bétonnière** n.f. *La **bétonnière** est une cuve tournante qui sert à faire le béton*. *illustr. p. 156*

bette ou **blette** n.f. *La **bette** est un légume à grandes feuilles vertes fixées sur de larges tiges blanches*. *illustr. p. 746*

betterave n.f. *Dans cette région, on cultive la **betterave à sucre**, une plante dont la racine fournit du sucre. La **betterave rouge** se mange en salade*. *illustr. p. 21, 747*

beugler v. 1ᵉʳ groupe. *La vache **beugle**, elle pousse son cri* (= meugler, mugir).

■ **beuglement** n.m. *On entend les **beuglements** du taureau*, ses cris (= meuglement, mugissement).

beur n. Fam. *Saïd et Aïcha sont des **beurs**, ils sont nés en France de parents arabes immigrés*.

beurre n.m. Le **beurre** est un corps gras obtenu en agitant la crème du lait.

■ **beurrer** v. 1er groupe. **Beurrer** un moule à gâteau, c'est l'enduire de beurre.

■ **beurrier** n.m. *Le beurre est servi à table dans un **beurrier**,* un récipient spécial.

beuverie n.f. *La fête s'est terminée en **beuverie**,* on a bu jusqu'à l'ivresse.

bévue n.f. Une **bévue** est une erreur (= bourde).

bi- préfixe. Au début d'un mot, **bi-** indique parfois l'idée de deux : *un **bi**moteur a deux moteurs ; un tissu **bi**colore est de deux couleurs.*

biais n.m. SENS 1. *Jean a traversé la route **en biais**,* en oblique, en diagonale. SENS 2. *Il a trouvé un **biais** pour ne pas répondre à ma question,* un moyen habile (= échappatoire).

■ **biaiser** v. 1er groupe. [SENS 2] *Quand on lui pose une question précise, il **biaise** toujours,* il ne répond jamais directement.

bibelot n.m. *L'étagère est garnie de **bibelots**,* de petits objets décoratifs.

biberon n.m. *Mme Legendre fait chauffer le **biberon** de lait de son bébé,* un flacon muni d'une tétine. *Bébé a bu tout son **biberon**,* le contenu du flacon.

illustr.
p. 820,
821
bible n.f. SENS 1. (Avec majuscule.) *Le christianisme est fondé sur la **Bible**,* un recueil de textes religieux (= Écriture sainte). SENS 2. *Ce vieux livre de cuisine est ma **bible**,* j'applique soigneusement les indications qu'il me donne.

■ **biblique** adj. [SENS 1] *Moïse est un personnage **biblique**,* de la Bible.

illustr.
p. 311
bibliothèque n.f. SENS 1. *Peu à peu, Jean se constitue une **bibliothèque**,* une

collection de livres. SENS 2. *J'emprunte des livres à la **bibliothèque** municipale,* un organisme qui prête des livres. SENS 3. *On range les livres dans une **bibliothèque**,* un meuble à étagères.

illustr.
p. 862

■ **bibliothécaire** n. [SENS 2] La **bibliothécaire** s'occupe du classement et du prêt des livres dans une bibliothèque.

biblique → *bible*

bicentenaire n.m. *En 1989, on a célébré le **bicentenaire** de la Révolution française de 1789,* le deux centième anniversaire. ●● *cent*

biceps n.m. *L'athlète plie son avant-bras pour gonfler ses **biceps**,* ses muscles.

illustr.
p. 216

✳ On prononce le « p » et le « s ».

biche n.f. La **biche** est la femelle du cerf.

illustr.
p. 402

bichonner v. 1er groupe. *Il **bichonne** sa voiture,* il est aux petits soins pour elle.

bicolore adj. Une écharpe **bicolore** est une écharpe de deux couleurs. ●● *couleur*

bicoque n.f. *Ils se sont acheté une **bicoque** à la campagne,* une petite maison sans grande valeur.

bicorne n.m. Un **bicorne** est un chapeau à deux pointes.

illustr.
p. 221

bicyclette n.f. Une **bicyclette** est un véhicule à deux roues, avec un guidon et des pédales. ●● *cycle*

illustr.
p. 1004

bidet n.m. *Le **bidet** est à côté de la baignoire,* un appareil sanitaire en forme de cuvette allongée.

illustr.
p. 239

1. bidon n.m. *L'huile pour moteur est vendue en **bidons**,* dans des récipients de métal ou de plastique.

illustr.
p. 354

2. bidon adj. inv. Fam. *Cette histoire est complètement **bidon*** (= faux, truqué).

bidonville n.m. *Des malheureux vivent dans des* **bidonvilles**, *des quartiers de cabanes en matériaux divers.*

bidule n.m. Fam. *À quoi sert ce* **bidule** *?* (= objet, fam. truc, fam. machin).

illustr. p. 845

bief n.m. *Un* **bief** *est un petit canal.*

illustr. p. 69

bielle n.f. *Dans un moteur, le va-et-vient des pistons est transformé en mouvement rotatif par des* **bielles**, *des barres métalliques mobiles.*

bien adv. SENS 1. *Il a* **bien** *chanté* (≠ mal). SENS 2. *J'aime* **bien** *les gâteaux* (= beaucoup). SENS 3. *Je suis* **bien** *content* (= très). SENS 4. *J'ai* **bien** *essayé d'entrer, mais c'était fermé* (= certes, sans doute).

■ **bien** adj. inv. *Elle est* **bien**, *elle est belle. Ce film était* **bien** (= bon, intéressant ; ≠ mauvais). ◆ *C'est une fille* **bien** (= sérieux, honnête). ◆ *Nous sommes* **bien**, *dans des conditions confortables. Elle ne se sent pas* **bien**, *elle a un malaise.* ◆ *Nous sommes* **bien** *avec nos voisins, nous avons de bonnes relations avec eux* (= en bons termes).

■ **bien** n.m. *Il ne distingue pas le* **bien** *du mal, ce qui est moral, convenable.* ◆ *Ce médicament m'*a fait du bien*, il m'a soulagé.* ◆ *Cet homme possède des* **biens**, *de la fortune et des propriétés. Il a dépensé tout son* **bien**, *son argent, son capital.*

■ **bien-être** n.m. *Après le bain on éprouve une sensation de* **bien-être**, *on se sent bien* (≠ malaise). ◆ *Vivre dans le* **bien-être**, *c'est vivre dans l'aisance et le confort* (≠ gêne).

■ **bien du, de la, des** adj. indéf. *Bien des personnes m'approuvent, beaucoup de personnes. Ça m'a donné* **bien du** *mal* (= beaucoup de ; ≠ peu de).

■ **bien que** conj. *Elle sort* **bien que** *le ciel soit menaçant* (= quoique).

bien-aimé, ée, bien-aimés, ées adj. et n. *Il embrasse sa fille* **bien-aimée**, *sa fille chérie. Elle attend son* **bien-aimé**, *celui qu'elle aime tendrement.* ●● *aimer*

bienfait n.m. *Je ressens les* **bienfaits** *de ce médicament,* je sens qu'il m'a fait du bien (≠ méfait).

■ **bienfaiteur, trice** n. *Elle a été sa* **bienfaitrice**, *elle l'a secouru.*

■ **bienfaisant, ante** adj. *À la sécheresse a succédé une pluie* **bienfaisante**, *qui a fait du bien* (= bénéfique, salutaire). ✴ *On prononce* [bjɛ̃fəzɑ̃].

■ **bienfaisance** n.f. *Une œuvre de* **bienfaisance** *a pour but de soulager des misères, de faire du bien.* ✴ *On prononce* [bjɛ̃fəzɑ̃s].

bien-fondé n.m. *Nous examinerons le* **bien-fondé** *de votre réclamation, si elle est justifiée.*

bienheureux, euse adj. et n. *Nous étions* **bienheureux** *en ce temps-là, parfaitement heureux. Il dort comme un* **bienheureux**, *profondément et paisiblement.* ●● *heureux*

bien-pensant, ante n. *Ces déclarations ont scandalisé les* **bien-pensants**, *les gens qui se conforment aux traditions sans réfléchir* (= conformiste). ✴ *Au masculin pluriel, on écrit* **bien-pensants**.

bienséant, ante adj. *Il serait* **bienséant** *de vous excuser de votre absence, ce serait convenable, poli, bien élevé* (≠ malséant). ✴ *Ce mot s'emploie surtout dans la langue écrite.*

■ **bienséance** n.f. *La* **bienséance** *interdit l'emploi des mots grossiers, la bonne éducation* (= décence).

bientôt adv. *Nous serons* **bientôt** *prêts, dans peu de temps.*

illustr. p. 945

bienveillant, ante adj. *Des paroles* **bienveillantes** *indiquent qu'on est bien* disposé envers quelqu'un (≠ malveillant).

■ **bienveillance** n.f. *Sa demande a été examinée avec **bienveillance*** (= compréhension, bonne volonté ; ≠ malveillance).

bienvenu, ue adj. *Cette somme d'argent est **bienvenue**, elle arrive au bon moment.*

■ **bienvenue** n.f. *Mme Duchamp nous a souhaité la **bienvenue**, elle nous a accueillis avec des paroles aimables.*

illustr. p. 427 **1. bière** n.f. La **bière** est une boisson fermentée, blonde ou brune, faite avec de l'orge et du houblon.

2. bière n.f. *On a mis le mort en **bière**, dans un cercueil.*

biffer v. 1er groupe. **Biffer** un mot dans une phrase, c'est le rayer.

bifteck n.m. Un **bifteck** est une tranche de viande de bœuf ou de cheval (= steak).

bifurquer v. 1er groupe. SENS 1. *Ici, la route **bifurque**,* elle se divise en deux branches. SENS 2. *La voiture **a bifurqué** au carrefour,* elle a changé de direction.

illustr. p. 853 ■ **bifurcation** n.f. [SENS 1] *Prenez à gauche à la **bifurcation** !,* à l'endroit où la route bifurque (= croisement, embranchement).

bigamie n.f. La **bigamie** est la situation de quelqu'un qui est marié à deux personnes en même temps, c'est-à-dire qui est **bigame**. ●● ***monogamie, polygamie***

bigarré, ée adj. Un tissu **bigarré** a des couleurs vives et contrastées (= bariolé).

■ **bigarrure** n.f. *Sa robe a des **bigarrures**,* des couleurs bigarrées.

bigarreau n.m. Les **bigarreaux** sont des cerises à chair ferme.
✱ Au pluriel, on écrit des **bigarreaux**.

bigorneau n.m. Les **bigorneaux** sont des petits coquillages marins comestibles ressemblant à des escargots. *illustr. p. 718*
✱ Au pluriel, on écrit des **bigorneaux**.

bigot, ote adj. et n. *Mlle Lemaire est un peu **bigote**,* elle a une façon mesquine de pratiquer la religion. *Deux **bigotes** parlaient devant l'église.*

bigoudi n.m. *Pour friser une mèche de cheveux, on l'enroule mouillée autour d'un **bigoudi**,* un petit rouleau.

bigre ! interj. Ce mot marque une certaine surprise. ***Bigre !** quel froid !*

■ **bigrement** adv. Fam. *Ce travail est **bigrement** difficile !* (= très).

bijou n.m. SENS 1. Les **bijoux** sont de petits objets de parure, comme les colliers, les bagues, les bracelets, etc. SENS 2. *Ce meuble est un vrai **bijou**,* il est finement travaillé, précieux. *illustr. p. 150*
✱ Au pluriel, on écrit des **bijoux**.

■ **bijouterie** n.f. [SENS 1] La **bijouterie** est le magasin du bijoutier. *illustr. p. 150*

■ **bijoutier, ère** n. [SENS 1] La **bijoutière** vend des bijoux.

bilan n.m. SENS 1. *Le commerçant fait son **bilan** annuel,* il fait ses comptes de l'année. SENS 2. *L'entreprise n'a pas pu redresser sa situation, elle a dû **déposer son bilan**,* elle a fait faillite. SENS 3. Le **bilan** d'une journée de travail, c'est son résultat ; le **bilan** d'un accident, ce sont ses conséquences.

bilatéral, ale, aux adj. *Dans cette rue, le stationnement **bilatéral** est interdit,* le stationnement des deux côtés (≠ unilatéral). ●● ***latéral***

bile n.f. SENS 1. *Le foie sécrète la **bile**,* un suc digestif jaunâtre et amer. SENS 2. Fam. *Jean se fait de la **bile**,* du souci.

■ **bileux, euse** adj. et n. [SENS 2] Fam. *Pierre n'est pas (un) **bileux**,* il n'est pas d'un tempérament inquiet.

illustr.
p. 216 ■ **biliaire** adj. [SENS 1] La **vésicule biliaire** est une petite poche qui reçoit la bile, puis la diffuse dans l'intestin.

■ **bilieux, euse** adj. [SENS 1] *M. Durand a un teint bilieux*, jaunâtre.

bilingue adj. Une secrétaire **bilingue** parle deux langues. → *trilingue*

illustr.
p. 310,
122,
311 **bille** n.f. SENS 1. *Ces garçons jouent avec des billes*, des petites boules servant à divers jeux. ◆ *Un stylo à bille écrit grâce à une petite boule métallique qui dépose l'encre sur la feuille.* SENS 2. *Le camion transporte des billes de bois*, des grands morceaux de troncs d'arbres.

illustr.
p. 530 ■ **billard** n.m. [SENS 1] Le **billard** est un jeu où l'on pousse des boules avec une longue canne appelée « queue ».

■ **billot** n.m. [SENS 2] *Pour fendre une bûche, on la pose sur un billot*, un gros morceau de bois.

illustr.
p. 151 **billet** n.m. SENS 1. *J'ai payé mes achats avec un billet de 100 F*, un rectangle de papier servant de monnaie (= billet de banque). SENS 2. *Le voyageur montre son billet de chemin de fer au contrôleur* (= ticket).

billot → *bille*

bimensuel, elle adj. Une revue **bimensuelle** est une revue qui paraît deux fois par mois. ●● *mois*

bimoteur n.m. Un **bimoteur** est un avion qui a deux moteurs. ●● *moteur*

binaire adj. Un rythme **binaire** est un rythme à deux temps.

biner v. 1er groupe. *Le jardinier bine les haricots*, il retourne la terre en surface autour des pieds.

illustr.
p. 746 ■ **binette** n.f. *Pour biner, on se sert d'une binette*, un outil agricole.

biniou n.m. *Les Bretons dansent au son du biniou*, une sorte de cornemuse.

binocle n.m. *Autrefois, certains hommes portaient des binocles*, des lunettes sans branches pinçant le nez.

biographie n.f. La **biographie** d'un écrivain est l'histoire de sa vie.

■ **biographique** adj. Une notice **biographique** résume la vie de quelqu'un.

biologie n.f. *Jacques se passionne pour la biologie*, l'étude scientifique des êtres vivants.

■ **biologiste** n. *Les biologistes ont trouvé un nouveau vaccin.*

bipède n. *L'homme est un bipède*, il a deux pieds. → *quadrupède*

biplan n.m. Les **biplans** étaient des avions qui avaient deux paires d'ailes superposées. illustr.
p. 971

bique n.f. Fam. Une **bique**, c'est une chèvre. ◆ *C'est de la crotte de bique*, ça ne vaut rien.

biréacteur n.m. Un **biréacteur** est un avion équipé de deux réacteurs. ●● *réaction* illustr.
p. 74

1. bis adv. *Ma maison porte le numéro 6 bis, car la maison voisine porte déjà le numéro 6.*
✴ On prononce [bis].

■ **bis !** interj. *Les spectateurs crient : « Bis ! bis ! »*, ils veulent que l'artiste fasse son numéro une deuxième fois.
✴ On prononce [bis].

■ **bisser** v. 1er groupe. *Le pianiste a été bissé*, on lui a crié « bis ! ».

2. bis, bise adj. *Jean aime le pain bis*, un pain de couleur grise.
✴ On prononce [bi, biz].

biscornu, ue adj. Un objet **biscornu** a une forme étrange, irrégulière. Une idée **biscornue** est une idée bizarre.

biscotte n.f. *À la place du pain, elle achète des biscottes*, des tranches de pain de mie séchées.

biscuit n.m. Des **biscuits** sont des gâteaux secs.

1. bise n.f. *La bise souffle du nord,* un vent glacé.

2. bise n.f. Fam. *Marie nous a fait la bise,* elle nous a embrassés.

■ **bisou** n.m. Fam. Un **bisou** est un petit baiser, une bise.
✳ Au pluriel, on écrit des **bisous**.

biseau n.m. *Cette glace est taillée en biseau,* le bord est coupé en oblique.

■ **biseauté, ée** adj. *Cette glace est biseautée,* elle est taillée en biseau.

illustr. p. 970, 494 **bison** n.m. *L'Amérique du Nord avait autrefois d'immenses troupeaux de bisons,* de grands bœufs sauvages.

bisquer v. 1er groupe. Fam. *Je lui ai dit ça pour le faire bisquer,* pour le taquiner, lui causer du souci.

illustr. p. 431 **bissectrice** n.f. La **bissectrice** d'un angle partage celui-ci en deux angles égaux.

bisser → *bis (1)*

bissextile adj. f. *Tous les quatre ans, l'année est bissextile,* elle dure 366 jours et février a 29 jours au lieu de 28.

bistouri n.m. *Le chirurgien opère avec un bistouri,* un petit couteau très tranchant (= scalpel).

bistre adj. inv. *La moquette est bistre,* d'un brun jaunâtre.

bistrot ou **bistro** n.m. Fam. *On va boire un verre au bistrot,* au débit de boissons (= café, bar).

illustr. p. 974 **bitume** n.m. *Les trottoirs sont recouverts de bitume* (= goudron, asphalte).

bivouac n.m. *Les alpinistes installent un bivouac au pied de la montagne,* un campement provisoire en plein air.

■ **bivouaquer** v. 1er groupe. *Nous bivouaquerons à 2 000 mètres d'altitude, nous camperons en plein air.*

bizarre adj. *Une idée* **bizarre,** *un objet* **bizarre** surprennent, étonnent (= étrange, curieux, extravagant, insolite ; ≠ ordinaire, naturel).

■ **bizarrement** adv. *Il gesticulait bizarrement* (= étrangement, curieusement).

■ **bizarrerie** n.f. *Les* **bizarreries** *de l'orthographe française sont nombreuses* (= anomalie).

blafard, arde adj. *Une lumière* **blafarde** *est une lumière pâle et triste.*

1. blague n.f. Fam. SENS 1. *Il passe son temps à dire des* **blagues,** *des plaisanteries.* SENS 2. *On m'a fait une* **blague,** *une farce.* SENS 3. *Il a fait une grosse* **blague,** *une grosse bêtise, une sottise.*

■ **blaguer** v. 1er groupe. [SENS 1] Fam. *Tu as dit ça pour* **blaguer** (= plaisanter).

2. blague n.f. *Une* **blague à tabac** *est un petit sac destiné à contenir du tabac.*

illustr. p. 402, 239 **blaireau** n.m. SENS 1. Le **blaireau** est un petit mammifère sauvage au poil raide. SENS 2. *Mon grand-père fait mousser le savon à barbe avec un* **blaireau,** *une sorte de gros pinceau.*
✳ Au pluriel, on écrit des **blaireaux**.

blâme n.m. *On lui a infligé un* **blâme,** on l'a réprimandé de façon officielle.

■ **blâmable** adj. *Une action* **blâmable** mérite un blâme (= répréhensible, critiquable, condamnable).

■ **blâmer** v. 1er groupe. *On l'a* **blâmé** *d'avoir menti* (= désapprouver, critiquer ; ≠ louer, féliciter).

illustr. p. 117 **blanc, blanche** adj. SENS 1. La couleur **blanche** est celle de la neige. SENS 2. *Les Européens ont la peau* **blanche,** ils ont le teint clair. Le vin **blanc** est plus clair que le vin rouge. SENS 3. *Tu m'accuses à tort, je suis* **blanc comme neige,** je suis innocent. SENS 4. Un examen **blanc** ne compte pas. Un bulletin **blanc** dans un vote n'exprime aucun choix. SENS 5. Une nuit **blanche** est une nuit sans sommeil.

▪ **blanc** n.m. [SENS 1] *Ma boîte de gouache contient un gros tube de **blanc**, de peinture blanche. Elle est vêtue de **blanc**, de vêtements blancs. Quand on écrit, on laisse des **blancs** entre les mots* (= espace). *Le **blanc** d'œuf, le **blanc** de l'œil sont des substances de couleur blanche.* [SENS 2] n. (Avec majuscule.) *L'Europe est habitée par une majorité de **Blancs**, des gens à la peau blanche.* [SENS 4] *Dans mon fusil, il y a une cartouche **à blanc**, sans projectile.*

▪ **blanchâtre** adj. [SENS 1] *À force d'être lavé, son jean a pris une teinte **blanchâtre**, tirant sur le blanc.*

illustr. p. 628

▪ **blanche** n.f. *Une **blanche** est une note de musique dont la durée est le double de celle d'une noire et la moitié de celle d'une ronde.*

▪ **blancheur** n.f. [SENS 1] *Nous étions éblouis par la **blancheur** de la neige, la couleur blanche.*

▪ **blanchir** v. 2ᵉ groupe. [SENS 1] *Le peintre **blanchit** la façade de la maison, il y met de la peinture blanche. Quand on vieillit, les cheveux **blanchissent**, ils deviennent blancs.* [SENS 3] *L'accusé a été **blanchi**, on a démontré son innocence.*

▪ **blanchissage** n.m. [SENS 1] *Cette lessive est très bonne pour le **blanchissage** du linge* (= lavage).

▪ **blanchisserie** n.f. [SENS 1] *Elle donne son linge à laver et à repasser dans une **blanchisserie**.*

▪ **blanchisseur, euse** n. [SENS 1] *La **blanchisseuse** est en train de repasser les draps de ses clients*, la femme qui travaille dans une blanchisserie.

blanc-bec n.m. Fam. *Ce n'est pas un **blanc-bec** comme lui qui va m'apprendre mon métier !*, un jeune homme sans expérience.

blanquette n.f. *La **blanquette**, c'est de la viande de veau en ragoût.*

blasé, ée adj. *On nous a fait tellement de promesses non tenues que nous sommes **blasés**, sans illusions* (= désabusé).

blason n.m. *Les villes, les pays, les familles nobles ont chacun leur **blason**, un dessin, un emblème qui leur est particulier* (= armoiries). ◆ **Redorer son blason**, c'est rétablir sa fortune, retrouver son rang.

illustr. p. 165

blasphème n.m. *Il a proféré des **blasphèmes**, il a dit des paroles qui offensent la religion.*

▪ **blasphémer** v. 1ᵉʳ groupe. *La colère le fait **blasphémer**, lui fait dire des blasphèmes.*
✳ Conj. n° 10.

▪ **blasphémateur, trice** n. *On a accusé cet écrivain d'être un **blasphémateur**, un homme qui blasphème.*

▪ **blasphématoire** adj. *Il a prononcé des paroles **blasphématoires**, qui offensent la religion* (= sacrilège).

blatte n.f. *La **blatte** est un insecte appelé aussi « cafard ».*

blazer n.m. *Un **blazer** est une veste croisée en tissu généralement bleu marine ou en flanelle.*
✳ On prononce [blazɛr].

illustr. p. 1011

blé n.m. *Le **blé** est une céréale qu'on transforme en farine pour faire le pain.*

illustr. p. 20

bled n.m. Fam. *Je n'étais jamais venu dans ce **bled**, dans ce village, cet endroit.*

blême adj. *Après l'accident, son visage était **blême*** (= pâle, livide).

▪ **blêmir** v. 2ᵉ groupe. *Il **blêmit** de rage, il devint blême.*

blesser v. 1ᵉʳ groupe. SENS 1. *D'un coup de patte, le lion **a blessé** le dompteur, il* lui a déchiré la chair. SENS 2. *J'ai été blessé par tes paroles désagréables,* j'ai été vexé (= froisser, peiner, offenser).

■ **blessant, ante** adj. [SENS 2] *Il m'a dit des paroles blessantes* (= vexant, offensant).

illustr. p. 869 ■ **blessé, ée** n. [SENS 1] *L'accident a fait un mort et deux blessés.*

■ **blessure** n.f. [SENS 1] *Une plaie, une fracture sont des blessures* (= lésion). [SENS 2] *Je n'ai pas oublié cette blessure d'amour-propre* (= offense).

blet, blette adj. *Une poire blette est molle, trop mûre.*

blette → *bette*

illustr. p. 845 **bleu, bleue** adj. SENS 1. *La couleur bleue est celle d'un ciel sans nuages.* SENS 2. *J'ai eu une peur bleue,* une grande peur.
* Au masculin pluriel, on écrit **bleus**.

illustr. p. 117 ■ **bleu** n.m. [SENS 1] *Le bleu va très bien à votre teint,* la couleur bleue. *En me cognant, je me suis fait un bleu,* une marque bleue sur la peau (= ecchymose). *Le mécanicien porte un bleu de travail,* un vêtement en toile bleue (= salopette).* Fam. *Il a triché, mais le maître n'y a vu que du bleu,* il ne s'est rendu compte de rien.

■ **bleuâtre** adj. [SENS 1] *Il porte un pantalon délavé, bleuâtre,* tirant sur le bleu.

illustr. p. 753 ■ **bleuet** n.m. [SENS 1] *Au bord du champ de blé, elle a cueilli un bouquet de bleuets,* de fleurs bleues.

■ **bleuir** v. 2e groupe. [SENS 1] *Ses mains sont bleuies par le froid,* elles ont pris une teinte bleue.

■ **bleuté, ée** adj. [SENS 1] *Le pied de cette lampe est bleuté,* légèrement coloré de bleu.

blinder v. 1er groupe. *Une porte blindée est doublée de métal pour résister aux chocs.*

■ **blindé** n.m. *Un groupe de blindés a attaqué l'ennemi* (= char, tank).

■ **blindage** n.m. *Le blindage du char a résisté aux obus,* le revêtement d'acier.

blizzard n.m. *Le blizzard est un vent violent, souvent accompagné de neige.*

bloc n.m. SENS 1. *D'énormes blocs de pierre se sont détachés de la falaise* (= masse). SENS 2. *La famille forme un bloc,* un groupe uni. *Ils ont fait bloc contre l'agresseur.* SENS 3. *Un bloc de papier à lettres est un ensemble de feuilles collées par le haut.* SENS 4. *Le projet a été refusé en bloc,* en totalité, sans entrer dans les détails. SENS 5. *Serrez cette vis à bloc !,* le plus possible (= à fond).

illustr. p. 157, 123

blocage, blocus → *bloquer*

blond, e adj. et n. *Martine a les cheveux blonds comme les blés* (= clair ; ≠ foncé, noir). *C'est une blonde* (≠ brun).

■ **blondinet, ette** n. *Son fils est un joli blondinet,* un petit enfant blond.

bloquer v. 1er groupe. SENS 1. *L'autoroute est bloquée par un accident,* les voitures ne peuvent plus avancer (= boucher). SENS 2. *L'automobiliste a bloqué le frein à main,* il l'a serré à fond. SENS 3. *Le gouvernement a décidé de bloquer les prix,* de les empêcher de monter (≠ débloquer). SENS 4. *Le gardien de but a bloqué le ballon,* il l'a arrêté net.

■ **blocage** n.m. [SENS 3] *Le blocage des prix s'est accompagné du blocage des salaires* (≠ débloquage).

■ **blocus** n.m. [SENS 1] *Les ennemis ont fait le blocus de la ville,* on ne peut plus y rentrer ni en sortir (= siège).
* On prononce le « s » final : [blɔkys].

se **blottir** v. 2e groupe. *L'enfant apeuré se blottit dans les bras de sa mère,* il se serre contre elle en se repliant sur lui-même (= se pelotonner).

illustr.
p. 1011,
869

blouse n.f. *L'infirmière a mis sa blouse blanche*, le long vêtement de toile mis par-dessus les autres vêtements par souci de propreté et d'hygiène.

illustr.
p. 1011

blouson n.m. *Hiver comme été, il porte un blouson, une veste courte.*

blue-jean → *jean*

blues n.m. *Le blues est un chant, un air lent et triste créé par les Noirs d'Amérique dans les plantations de coton.*
❋ On prononce [bluz] comme **blouse**.

bluff n.m. *Cette publicité pour un produit qui nettoie tout seul est du bluff*, elle trompe les gens en exagérant.
❋ On prononce [blœf].

■ **bluffer** v. 1er groupe. *Il est passé au contrôle en bluffant : il s'est fait passer pour le fils du directeur*, en trompant les gens par son assurance.
❋ On prononce [blœfe].

boa n.m. *Le boa est un gros serpent d'Amérique qui étouffe ses proies en les serrant dans les replis de son corps.*

bob → *bobsleigh*

bobard n.m. Fam. *Tu nous racontes des bobards*, des mensonges.

illustr.
p. 228,
952,
503

bobine n.f. *Le fil à coudre, les films, le papier à imprimer sont enroulés sur des bobines*, des cylindres spéciaux.
●● *embobiner, rembobiner*

bobo n.m. Fam. *Jean a un bobo au doigt*, une petite blessure sans gravité.

illustr.
p. 895

bobsleigh ou **bob** n.m. *Le bobsleigh est un sport pratiqué avec un traîneau sur des pistes de glace ou de neige spécialement aménagées.*
❋ On prononce [bɔbslɛg].

bocage n.m. *La Bretagne est une région de bocage*, les champs sont fermés par des haies ou des rangées d'arbres.

bocal n.m. SENS 1. *Certaines conserves de légumes, de fruits sont en bocaux*, dans des récipients de verre. SENS 2. *Un poisson rouge tourne dans son bocal*, dans son aquarium en forme de globe.
❋ Au pluriel, on dit des **bocaux**.

bœuf n.m. SENS 1. *On élève les bœufs pour se nourrir de leur viande.* ●● *bovin*. SENS 2. *Le menu comporte du bœuf en daube*, de la viande de bœuf ou de vache.
❋ Le pluriel **bœufs** se prononce [bø].

illustr.
p. 385,
397,
354

bohème SENS 1. n.f. *Mener une vie de bohème, c'est aller et venir en vivant joyeusement, sans se soucier du lendemain.* SENS 2. adj. *Jacques est très bohème*, il mène une vie insouciante.

■ **bohémien, enne** n. *Un groupe de bohémiens campe à l'entrée de la ville* (= nomade, gitan).

boire v. 3e groupe. SENS 1. *Quand j'ai soif, je bois de l'eau* (= avaler). ●● *buvable, buvette*. SENS 2. *Cet homme boit*, il absorbe trop d'alcool (= s'enivrer). ●● *buveur*. SENS 3. *La terre a bu l'eau de pluie*, elle l'a absorbée, elle s'en est imbibée. ●● *buvard*. SENS 4. *Jean boit les paroles de son père*, il les écoute avec attention et admiration.
❋ Conj. no 75.

■ **boisson** n.f. [SENS 1] *Le jus de fruits est une boisson*, un liquide que l'on peut boire. [SENS 2] *Cet homme s'adonne à la boisson* (= alcool).

bois n.m. SENS 1. *Ici, la route traverse un bois*, un groupement d'arbres plus petit qu'une forêt. ●● *sous-bois, boqueteau, bosquet*. SENS 2. *Pour faire du feu dans la cheminée, on met du bois*, la matière dure formant le tronc ou les branches des arbres. *Cette vieille armoire est en bois de pommier.* SENS 3. *Les bois du cerf, du renne sont leurs cornes.*

illustr.
p. 357,
403,
21

■ **boisé, ée** adj. [SENS 1] *Les Landes sont une région* **boisée**, couverte de bois. ●● *déboiser, reboiser*

■ **boiserie** n.f. [SENS 2] *Les murs de la salle sont revêtus de* **boiseries**, de panneaux décoratifs en bois.

boisson → *boire*

illustr. p. 117, 122

boîte n.f. SENS 1. *Une* **boîte** *à outils est un récipient dans lequel on met les outils.* SENS 2. *Ils ont mangé une* **boîte** *entière de chocolats*, les chocolats contenus dans une boîte. SENS 3. *Une* **boîte de nuit** *est un cabaret ouvert la nuit où l'on peut boire et danser* (= discothèque).
✷ Ne pas confondre **boîte** et (il, elle) **boite**.

illustr. p. 504, 150

■ **boîtier** n.m. [SENS 1] *Le mécanisme de la montre est enfermé dans un* **boîtier** *d'acier*, la partie qui contient le mécanisme.

boiter v. 1er groupe. *Sa blessure au genou le fait* **boiter**, *il marche en penchant d'un côté.* → *claudication*

■ **boiteux, euse** adj. et n. *Après son accident, Pierre est resté* **boiteux**, *il boite. Un* **boiteux** *mendie devant l'église.* ◆ *Une explication* **boiteuse** *ne tient pas debout* (= bancal).

■ **boitiller** v. 1er groupe. **Boitiller**, *c'est boiter légèrement.*

boîtier → *boîte*

illustr. p. 238

bol n.m. SENS 1. *Le lait du déjeuner est versé dans des* **bols** *de faïence*, de petits récipients ronds. SENS 2. *J'ai bu un* **bol** *de café*, le café contenu dans un bol.

boléro n.m. *Un* **boléro** *est une veste de femme courte et sans manches.*

illustr. p. 402

bolet n.m. *Les* **bolets** *sont des champignons sans lamelles et à chapeau épais dont certaines variétés sont excellentes* (= cèpe).

bolide n.m. *Cette voiture est un vrai* **bolide**, *elle est très rapide.*

bombance n.f. *À ce banquet, on* **a fait bombance**, *on a mangé et bu abondamment.*

bombe n.f. SENS 1. *Les avions ont lâché des* **bombes**, *des engins de guerre qui explosent.* SENS 2. *Une* **bombe** *d'insecticide est un récipient métallique qui vaporise ce liquide.* SENS 3. *Quand on monte à cheval, on se protège la tête avec une* **bombe**, *une sorte de chapeau rond et dur.* SENS 4. *Ce fait divers a fait l'effet d'une* **bombe**, *il a provoqué la stupeur.*
illustr. p. 531

■ **bombarder** v. 1er groupe. [SENS 1] *Les avions* **ont bombardé** *un pont*, *ils l'ont détruit avec des bombes.* ◆ *Les journalistes l'ont* **bombardé** *de questions*, *ils lui en ont posé sans arrêt.*

■ **bombardement** n.m. [SENS 1] *Le* **bombardement** *a détruit un quartier de la ville.*

■ **bombardier** n.m. [SENS 1] *Les bombes sont transportées par des* **bombardiers**, *des avions spéciaux.*
illustr. p. 54

bombé, ée adj. *La route est* **bombée**, *elle est renflée, arrondie au milieu.*

bôme n.f. *La* **bôme** *est la barre horizontale au bas de la grande voile d'un bateau.*
✷ Ne pas confondre avec un **baume**.
illustr. p. 740

bon, bonne adj. SENS 1. *Ce gâteau est* **bon**, *il a un goût agréable* (≠ mauvais). ●● *bonifier.* SENS 2. *Un* **bon** *acteur est un acteur qui joue bien. Une* **bonne** *voiture est une voiture de qualité. Le* **bon** *endroit est l'endroit qui convient.* SENS 3. *Ce meuble est* **bon marché**, *il n'est pas cher.* SENS 4. *La gare est à une* **bonne** *distance d'ici*, *à une distance considérable.* SENS 5. *Ce médicament est* **bon pour** *le foie*, *il soigne le foie.* SENS 6. *Ce ticket est* **bon à** *jeter*, *il n'y a rien à en faire sinon le jeter.* SENS 7. *Cet homme est* **bon** (= généreux, bienveillant ; ≠ méchant). *C'est une* **bonne** *fille*, *elle est bien gentille* (= brave).

▪ **bon** n.m. [SENS 5] *Cette solution a du bon,* elle a des avantages. ◆ *Un* **bon** *de réduction sur un paquet de lessive est un papier donnant droit à une réduction.*

▪ **bonté** n.f. *La* **bonté** *de cette femme se lit dans ses yeux* (= générosité, bienveillance ; ≠ méchanceté). ◆ *Auriez-vous la* **bonté** *de m'aider ?* (= obligeance, gentillesse).

▪ **bon** adv. [SENS 1] *Aujourd'hui, il* **fait bon**, *le temps est doux. Les roses* **sentent bon**, *elles ont une odeur agréable.* ◆ ***Tiens bon !**,* résiste !

▪ **bon !** interj. *Ah* **bon !** *je suis rassuré.* ✳ Ne pas confondre **bon** et un **bond**.

illustr. p. 150
bonbon n.m. *Annie suce un* **bonbon**, *une friandise à base de sucre.*

▪ **bonbonnière** n.f. *L'antiquaire m'a vendu une* **bonbonnière** *en porcelaine,* *une jolie boîte à bonbons.*

bonbonne n.f. *J'ai acheté une* **bonbonne** *de vin,* *une très grosse bouteille.*

bond n.m. SENS 1. *Le kangourou avance par* **bonds** (= saut). ●● ***rebond, rebondissement**. SENS 2. Les prix ont fait un* **bond**, *ils ont brusquement augmenté.* ✳ Ne pas confondre avec **bon**.

▪ **bondir** v. 2ᵉ groupe. *Le chat* **bondit** *sur le bouchon, il saute.* ●● ***rebondir***

illustr. p. 691, 239
bonde n.f. *On remplit le tonneau par la* **bonde**, *par un trou rond sur la partie bombée du tonneau.* ◆ *Pour que l'eau reste dans le lavabo, il faut mettre la* **bonde**, *la pièce qui ferme le trou d'évacuation.*

bondé, ée adj. *Le train est* **bondé**, *il est rempli de voyageurs.*

bondir → *bond*

illustr. p. 310
bongo n.m. *Un* **bongo** *est un instrument de musique constitué de deux petits tambours.*

bonheur n.m. SENS 1. *Je vous souhaite beaucoup de* **bonheur**, *d'être heureux* (≠ malheur). SENS 2. *Il* **a eu le bonheur** *de voir ses enfants réussir,* la chance. ●● ***porte-bonheur***

bonhomme, bonne femme n. SENS 1. Fam. *M. Duval est un sale* **bonhomme**, *un homme désagréable. C'est une sacrée* **bonne femme**, *une femme dynamique.* SENS 2. *Les enfants ont fabriqué un* **bonhomme** *de neige.* ✳ Au masculin pluriel, on écrit des **bonshommes** et on prononce [bɔ̃zɔm].

illustr. p. 894

bonifier v. 1ᵉʳ groupe. *En vieillissant, le vin* **se bonifie**, *il devient meilleur.* ●● ***bon***

boniment n.m. *Le vendeur nous raconte des* **boniments** *pour nous convaincre d'acheter, il nous tient des propos habiles et trompeurs* (= baratin).

bonjour n.m. SENS 1. *Quand je rencontre quelqu'un dans la journée, je lui dis* **bonjour** (≠ au revoir). SENS 2. *C'est* **simple comme bonjour**, *c'est très simple.*

▪ **bonsoir** n.m. *Si je rencontre ou si je quitte quelqu'un le soir, je lui dis* **bonsoir**.

bonne n.f. *Nous avons engagé une* **bonne**, *une employée logée qui fait les travaux ménagers.*

bonnement adv. *Il est* **tout bonnement** *charmant* (= vraiment, réellement). ●● ***bon***

bonnet n.m. *Marie porte un* **bonnet** *de laine qui lui cache les oreilles, un chapeau souple sans bords.* → ***coiffure***

illustr. p. 895, 869

▪ **bonneterie** n.f. *Les chaussettes, les bonnets, les tricots sont des articles de* **bonneterie**, *des vêtements en tissu à mailles.* ✳ On prononce [bɔnɛtri] ou [bɔntri].

bonsaï n.m. *Un* **bonsaï** *est un arbre miniature élevé dans un pot.*

illustr. p. 151

bonsoir → *bonjour*

bonus n.m. *Comme je n'ai pas été responsable d'accident cette année, j'ai droit à un bonus*, une réduction de la somme à payer pour être assuré (≠ malus).
☀ On prononce le « s » final : [bɔnys].

bonze n.m. Un **bonze** est un religieux bouddhiste.

boom n.m. *Cette entreprise a connu un boom important cette année*, une prospérité soudaine (= expansion).
☀ On prononce [bum].

boomerang n.m. Un **boomerang** est une lame courbe qui revient à son point de départ quand on la lance d'une certaine façon.
☀ On prononce [bumrãg].

illustr. p. 21 **boqueteau** n.m. Un **boqueteau** est un petit bois (= bosquet). ●● *bois*
☀ Au pluriel, on écrit des **boqueteaux**.

bord n.m. SENS 1. *Le bord de l'assiette est ébréché*, le tour, la partie extérieure. *Ton verre est trop près du bord de la table, il va tomber* (= côté). ●● *rebord, déborder*. *Le bord de la mer*, ce sont les lieux voisins de la mer. SENS 2. *Jean était au bord des larmes*, sur le point de pleurer. SENS 3. *Nous sommes montés à bord du bateau*, nous avons embarqué.

■ **border** v. 1ᵉʳ groupe. [SENS 1] *La route est bordée d'arbres*, les arbres sont alignés au bord de la route. ◆ *Borde le lit !*, rentre les draps et les couvertures sous le matelas.

illustr. p. 527 ■ **bordure** n.f. [SENS 1] *Une bordure de fleurs entoure la plate-bande*, des fleurs la bordent. *Une maison en bordure de mer* est bâtie au bord de la mer.

bordeaux SENS 1. n.m. Le **bordeaux** est un vin réputé. SENS 2. adj. inv. Une robe **bordeaux** est d'un rouge violacé.

border, bordure → *bord*

boréal, ale adj. L'hémisphère **boréal** est la moitié de la Terre située au nord de l'équateur (= nord ; ≠ austral).
☀ Au masculin pluriel, on dit **boréals** ou **boréaux**.

borgne adj. et n. *Mon grand-père est borgne, il ne voit que d'un œil. J'ai rencontré une borgne*. ●● *éborgner*

borne n.f. SENS 1. *Chaque kilomètre de route est marqué par une borne*, un bloc de pierre ou de ciment. SENS 2. (Au plur.) *Il dépasse les bornes*, il exagère, il va au-delà de ce qui est permis (= limites). *illustr. p. 852*

■ **borner** v. 1ᵉʳ groupe. [SENS 1] **Borner** un champ, c'est mettre des repères qui en fixent les limites. [SENS 2] *Bornons-nous à étudier la première question du problème*, limitons-nous à cela.

■ **borné, ée** adj. [SENS 2] Un individu **borné** a une intelligence limitée, faible (= obtus).

bosquet n.m. *Le jardin est caché par un bosquet*, un petit groupe d'arbres (= boqueteau). ●● *bois* *illustr. p. 753*

bosse n.f. SENS 1. *Le dos du chameau a deux bosses*, son dos est bombé en deux endroits (= protubérance). SENS 2. *La route est pleine de bosses*, de parties bombées. SENS 3. *En tombant, il s'est fait une bosse au front*, son front a enflé. SENS 4. Fam. *Jean a la bosse des maths*, il est très bon dans cette matière. *illustr. p. 277*

■ **bosselé, ée** adj. [SENS 2] Une casserole **bosselée** est pleine de bosses et de creux.

■ **bossu, ue** adj. et n. [SENS 1] On dit que quelqu'un est **bossu** quand il a une bosse dans le dos ou quand il se tient voûté. *Je joue le rôle du bossu dans la pièce.*

bot adj.m. Un **pied bot** est un pied difforme.
☀ **Bot** se prononce [bo] comme **beau**.

botanique SENS 1. n.f. *Jean étudie la* **botanique**, la science des végétaux. SENS 2. adj. *Un* **jardin botanique** *est un jardin où l'on cultive toutes sortes de plantes dans un but scientifique ou artistique.*

botte n.f. SENS 1. *M. Lamy a acheté une* **botte** *de poireaux, des poireaux liés*

illustr. p. 221, 736, 1011

ensemble. SENS 2. *Jean a des* **bottes** *de cuir, des chaussures montantes couvrant une partie de la jambe.* SENS 3. *Porter une* **botte**, *en escrime, c'est donner un coup de la pointe du fleuret.*

■ **botté, ée** adj. [SENS 2] Être **botté**, *c'est porter des bottes, comme le Chat botté du conte.*

■ **bottillon** n.m. [SENS 2] *Marie a des* **bottillons** *fourrés, des petites bottes.*

illustr. p. 220, 42

■ **bottine** n.f. [SENS 2] *Vers 1920, les dames portaient des* **bottines**, *des chaussures montantes serrées à la cheville.*

illustr. p. 397

bouc n.m. SENS 1. *Le* **bouc** *est le mâle de la chèvre.* SENS 2. *Pierre a un* **bouc**, *une petite barbe au menton* (= barbiche).

boucan n.m. Fam. *Vous faites trop de* **boucan**, *les enfants ne peuvent pas s'endormir* (= bruit, vacarme).

illustr. p. 216, 217, 855

bouche n.f. SENS 1. *La maman met une cuillerée de bouillie dans la* **bouche** *de son bébé.* ●● **buccal**. SENS 2. *Sur le trottoir, il y a une* **bouche d'égout**, *un trou communiquant avec les égouts.*

■ **bouche-à-bouche** n.m. inv. *Le* **bouche-à-bouche** *est une méthode de respiration artificielle consistant à faire pénétrer de l'air dans les poumons de la personne secourue en lui soufflant dans la bouche selon un rythme régulier.*

■ **bouchée** n.f. [SENS 1] *Il refuse de manger une* **bouchée** *de viande, un morceau.* ◆ *Une* **bouchée** *au chocolat est un bonbon fourré au chocolat.* ◆ *Ils ont acheté cette maison pour une* **bouchée de pain**, *pour très peu d'argent.* ◆ *Il va falloir* **mettre les bouchées doubles**

pour finir à temps, aller beaucoup plus vite.

1. boucher v. 1ᵉʳ groupe. SENS 1. *Le cantonnier* **bouche** *les trous du chemin, il les remplit* (= combler). SENS 2. ***Bouche** la bouteille !*, ferme-la (≠ déboucher). ●● **reboucher**. SENS 3. *Le lavabo est* **bouché**, *l'eau ne coule plus* (= obstruer). SENS 4. *Cet immeuble nous* **bouche** *la vue, il nous empêche de voir au loin* (= cacher, masquer).

■ **bouche-trou** n.m. [SENS 1] *Le chanteur a eu du retard, alors on a passé un disque comme* **bouche-trou**, *comme moyen de combler le vide.*

✳ Au pluriel, on écrit des **bouche-trous**.

■ **bouchon** n.m. [SENS 2] *Ces bouteilles de vin sont bouchées avec des* **bouchons** *de liège.* [SENS 3] *Il y a un* **bouchon** *sur l'autoroute, une accumulation de voitures bloquant la circulation* (= embouteillage).

illustr. p. 691

2. boucher, ère n. *Le* **boucher** *vend du bœuf, du veau et du mouton.*

illustr. p. 582

■ **boucherie** n.f. *Le lundi, la* **boucherie** *est fermée, le magasin du boucher.* ◆ *Cette bataille fut une* **boucherie** (= tuerie, massacre).

bouche-trou, bouchon
→ **boucher (1)**

boucle n.f. SENS 1. *La plupart des ceintures s'attachent à l'aide d'une* **boucle**. SENS 2. *Isabelle a de belles* **boucles**, *des mèches de cheveux roulées en spirale.* SENS 3. *Delphine a des* **boucles d'oreilles**, *une sorte de bijou s'accrochant aux oreilles.*

illustr. p. 29, 150

■ **boucler** v. 1ᵉʳ groupe. [SENS 1] *Luc a* **bouclé** *ses valises* (= fermer). [SENS 2] *Fatima a les cheveux* **bouclés** (= frisé ; ≠ raide). ◆ *Les policiers* **ont bouclé** *le quartier pour rechercher les voleurs* (= encercler).

■ **bouclage** n.m. *On n'a pas retrouvé les malfaiteurs, malgré le* **bouclage** *du quartier, son encerclement.*

illustr.
p. 165,
427

bouclier n.m. *Autrefois, les guerriers tenaient un bouclier, une arme défensive faite d'une plaque pour se protéger.*

bouddhisme n.m. *Le bouddhisme est une religion de l'Asie orientale, fondée par Bouddha.*

■ **bouddhiste** adj. et n. *Un bonze est un moine bouddhiste. En Inde, en Chine, au Japon, il y a beaucoup de bouddhistes, de gens qui pratiquent le bouddhisme.*

bouder v. 1er groupe. *Elle boude dans son coin, elle est fâchée et refuse de parler.*

■ **bouderie** n.f. *Sa petite bouderie n'a pas duré.*

■ **boudeur, euse** adj. et n. *Il a un air boudeur* (= renfrogné, grognon). *Cette femme est une boudeuse, elle a l'habitude de refuser de parler quand elle est fâchée.*

boudin n.m. SENS 1. *Le charcutier fait du boudin en mettant du sang de cochon dans un boyau, un produit de charcuterie.* SENS 2. *Le bateau pneumatique est composé de deux boudins, de deux longs cylindres gonflables.*

■ **boudiné, ée** adj. Fam. *Depuis qu'il a grossi, il est boudiné dans sa veste, il est serré, à l'étroit.*

boue n.f. *Attention, tu marches dans la boue !, dans la terre détrempée par la pluie.*
✹ Ne pas confondre avec un **bout** et (il, elle) **bout** (du verbe « bouillir »).

■ **boueux, euse** adj. *Le chemin est boueux, plein de boue.*

illustr.
p. 741,
719

bouée n.f. SENS 1. *À l'entrée du port, il y a une bouée, un objet flottant pour signaler un écueil ou indiquer un passage.* SENS 2. *Les naufragés se cramponnaient à leur bouée de sauvetage, une sorte d'anneau flottant.*

bouffant, ante adj. *Cette robe a des manches bouffantes, qui paraissent gonflées.*

bouffée n.f. SENS 1. *Une bouffée d'air frais entre dans la pièce* (= souffle). SENS 2. *Une bouffée d'orgueil, c'est un brusque sentiment d'orgueil* (= poussée).

bouffer v. 1er groupe. Très fam. *J'ai faim : il n'y a rien à bouffer ?, à manger.*

■ **bouffe** n.f. Très fam. *On va préparer la bouffe, la nourriture, le repas.*
✹ On n'emploie pas les mots de cette famille quand on surveille son langage.

bouffi, ie adj. *Henri a le visage bouffi, gonflé, enflé.*

bouffon, onne SENS 1. n.m. *Le bouffon était l'homme chargé de divertir le roi et sa cour* (= fou). *Il aime faire le bouffon en société, il veut faire rire les autres* (= clown). SENS 2. adj. *Cette scène est bouffonne* (= drôle, comique).

■ **bouffonnerie** n.f. [SENS 2] *Le chansonnier dit des bouffonneries, de grosses plaisanteries.*

bouge n.m. *Ce malheureux vit dans un bouge, un local malpropre, sordide.*

bougeoir → *bougie*

bouger v. 1er groupe. *Je prends une photo, ne bouge pas !* (= remuer, se déplacer).
✹ Conj. n° 2.

■ **bougeotte** n.f. *Jean n'est jamais tranquille, il a la bougeotte, il n'arrête pas de bouger.*

bougie n.f. SENS 1. *Pendant les pannes d'électricité, on s'éclaire à l'aide de bougies, de cylindres de cire ou de paraffine munis d'une mèche qu'on allume.* SENS 2. *Les bougies d'un moteur produisent des étincelles qui font exploser le mélange d'essence et d'air.*

illustr.
p. 69

■ **bougeoir** n.m. [SENS 1] *Un bougeoir est un support pour bougie.*

illustr.
p. 42

bougon, onne adj. et n. *Il m'a répondu d'un air bougon, peu aimable* (= grognon). *Quel vieux bougon !*

■ **bougonner** v. 1er groupe. *Mécontent, il s'est mis à* **bougonner**, à marmonner des paroles de protestation (= grogner, ronchonner).

bouillabaisse n.f. Une **bouillabaisse** est une soupe provençale préparée à partir de divers poissons.

bouillant ⟶ *bouillir*

bouillie n.f. SENS 1. *Bébé mange sa* **bouillie**, *un aliment à demi liquide fait de farine et de lait.* SENS 2. *Les fraises étaient au fond du panier, elles sont* **en bouillie**, elles sont écrasées.

bouillir v. 3e groupe. SENS 1. *À 100 degrés, l'eau* **bout**, il s'y forme de grosses bulles. ●● **ébullition**. SENS 2. *Luce fait* **bouillir** *des légumes,* elle les fait cuire dans de l'eau bouillante. SENS 3. *Je* **bouillais** *de colère,* j'avais du mal à contenir ma colère.
✳ Conj. n° 31.

■ **bouillant, ante** adj. [SENS 1] De l'eau **bouillante** est de l'eau en train de bouillir. *J'aime boire mon café* **bouillant**, très chaud. ●● **ébouillanter**. [SENS 3] Un garçon **bouillant** est vif, emporté.

■ **bouilloire** n.f. [SENS 1] Une **bouilloire** est un récipient spécial pour faire bouillir de l'eau.

■ **bouillon** n.m. [SENS 1] *Ma sauce doit bouillir à gros* **bouillons**, en faisant de grosses bulles. [SENS 2] Le **bouillon** de légumes, c'est l'eau dans laquelle les légumes ont bouilli. ●● **court-bouillon**

■ **bouillonner** v. 1er groupe. [SENS 1] *Le torrent* **bouillonne**, il fait de grosses bulles, des remous.

■ **bouillonnement** n.m. [SENS 1] *Le* **bouillonnement** *du torrent est impressionnant.* [SENS 3] *Pendant les révolutions, il se produit des* **bouillonnements** *d'idées,* on agite beaucoup d'idées.

■ **bouillotte** n.f. [SENS 1] *Pour chauffer son lit, grand-père y met une* **bouillotte**, un récipient plein d'eau bouillante.

boulanger, ère n. Le **boulanger** fabrique et vend le pain.

■ **boulangerie** n.f. La **boulangerie** est la boutique du boulanger.
illustr. p. 150

boule n.f. Une **boule** est un objet tout rond (= sphère).
illustr. p. 530

■ **boulet** n.m. *Autrefois, les canons lançaient des* **boulets**, *des projectiles en forme de grosse boule.* ◆ *Traîner quelque chose comme un* **boulet**, c'est être toujours gêné par cette chose.

■ **boulette** n.f. *Ils se lancent des* **boulettes** *de papier,* des petites boules.

■ **boulier** n.m. *Dans certains pays on se sert d'un* **boulier** *pour compter,* d'un appareil formé de tringles sur lesquelles glissent des boules.

■ **boulot, otte** adj. Fam. Un homme **boulot** est petit et gros.
✳ Ne pas confondre avec **bouleau**.

bouleau n.m. Le **bouleau** est un arbre à l'écorce blanche.
illustr. p. 402
✳ Au pluriel, on écrit des **bouleaux**. Ne pas confondre avec **boulot**.

bouledogue n.m. Un **bouledogue** est un chien au museau aplati.

boulet, boulette ⟶ *boule*

boulevard n.m. *La ville est entourée d'un* **boulevard**, une rue très large (= avenue).
illustr. p. 855

bouleverser v. 1er groupe. SENS 1. *Je suis* **bouleversé** *par cette catastrophe,* très ému (= retourner, secouer). SENS 2. *Voilà un événement qui* **bouleverse** *tous nos projets,* qui les change complètement (= déranger, bousculer, perturber).

■ **bouleversant, ante** adj. [SENS 1] *Le récit de leurs retrouvailles est* **bouleversant** (= émouvant).

■ **bouleversement** n.m. [SENS 2] *La guerre a causé un* **bouleversement** *économique* (= désordre, révolution).

boulier ⟶ *boule*

illustr. **boulon** n.m. *Ces deux pièces sont*
p. 117 *assemblées à l'aide d'un boulon,* d'une
tige de métal sur laquelle se visse un
écrou.

1. boulot → *boule*

2. boulot n.m. Fam. *On va partir au*
boulot, au travail.
✳ Ne pas confondre avec **bouleau**.

illustr. **bouquet** n.m. SENS 1. *Michaël a offert*
p. 151 *un bouquet de fleurs à Marie,* des fleurs
réunies ensemble. SENS 2. *Ce vin a du*
bouquet, il sent bon (= parfum). SENS 3.
Le **bouquet** d'un feu d'artifice, c'est la
gerbe de fusées qu'on tire à la fin. SENS 4.
Fam. *Ça c'est le bouquet !,* c'est le plus
fort, c'est le comble.

illustr. **bouquetin** n.m. Le **bouquetin** est une
p. 617 chèvre sauvage à longues cornes, qui vit
dans les montagnes.

bouquin n.m. Fam. *J'ai lu un bouquin*
sur les volcans, un livre.
■ **bouquiner** v. 1ᵉʳ groupe. Fam. *Sa-*
brina aime bouquiner (= lire).
■ **bouquiniste** n. Un **bouquiniste** est
un marchand de livres d'occasion.

bourbier n.m. *Ce chemin est un véri-*
table bourbier, il est plein de boue.
■ **bourbeux, euse** adj. Une eau **bour-**
beuse est une eau pleine de boue
(= boueux). ●● *s'embourber*

bourde n.f. Fam. *J'ai commis une*
bourde en oubliant d'inviter Julie, une
erreur, une maladresse (= bévue).

illustr. **bourdon** n.m. Un **bourdon** est une
p. 753 grosse abeille velue.
■ **bourdonner** v. 1ᵉʳ groupe. *Beaucoup*
d'insectes bourdonnent en volant, ils
font un bruit sourd.
■ **bourdonnement** n.m. *On entend le*
bourdonnement des hannetons, le bruit
que font leurs ailes quand ils volent.

bourg n.m. Un **bourg** est un gros village
où sont regroupés les commerces.
■ **bourgade** n.f. *Mon oncle habite une*
bourgade, un petit bourg (= village).

bourgeois, oise n. SENS 1. Autrefois, le
bourgeois était celui qui habitait un
bourg, une ville. → *noble, paysan.*
SENS 2. *Les banquiers, les industriels*
sont des grands bourgeois, des gens qui
ont un niveau social très élevé, qui vivent
dans l'aisance. *Les commerçants, les*
employés sont des petits bourgeois, des
gens qui ont un niveau social assez
élevé. → *ouvrier, paysan*
■ **bourgeois, oise** adj. [SENS 2] *Ils*
habitent un quartier bourgeois (= riche ;
≠ populaire). ●● *s'embourgeoiser*
■ **bourgeoisie** n.f. [SENS 2] *La Révolu-*
tion française de 1789 a donné le
pouvoir à la bourgeoisie, à la classe
moyenne ou riche qui n'était pas noble.
→ *peuple, aristocratie*

bourgeon n.m. Un **bourgeon** est une
petite excroissance qui pousse au printemps sur les tiges et les branches et qui
s'ouvre en donnant des feuilles et des
fleurs.
■ **bourgeonner** v. 1ᵉʳ groupe. *Les ar-*
bres bourgeonnent, les bourgeons se
forment.

bourgmestre n.m. En Belgique, en
Suisse, un **bourgmestre,** c'est comme un
maire en France.
✳ On prononce [burgmɛstr].

bourgogne n.m. *On a servi la viande*
avec un vieux bourgogne, un vin réputé
de la région de Bourgogne.

bourguignon n.m. *Maman prépare du*
bourguignon, de la viande de bœuf cuite
longuement avec du vin et des oignons.
✳ On dit aussi du **bœuf bourguignon**.

bourrade n.f. *On m'a poussé d'une*
bourrade, d'un coup brusque.

bourrage → *bourrer*

bourrasque n.f. *La tente a été arrachée par une bourrasque,* un coup de vent bref mais violent.

bourratif → *bourrer*

bourre n.f. *Ce coussin est rempli de bourre,* de poils ou de déchets de laine et de tissu. ●● *rembourrer*

bourreau n.m. SENS 1. Un **bourreau** est la personne qui exécute les condamnés à mort. SENS 2. *On a arrêté un bourreau d'enfants,* une personne qui martyrisait des enfants.
✱ Au pluriel, on écrit des **bourreaux.**

bourrée n.f. La **bourrée** est une danse folklorique d'Auvergne.

bourrelet n.m. SENS 1. *On a mis un bourrelet au bas de la porte,* une bande de feutre, de papier, de caoutchouc qui empêche l'air de passer. SENS 2. *Le médecin lui a donné un régime pour faire disparaître ses bourrelets,* des replis de chair formés par la graisse.

bourrer v. 1er groupe. SENS 1. **Bourrer** une pipe, c'est la remplir jusqu'au bord en tassant. *Le train est bourré de voyageurs,* il est bondé. SENS 2. *Ne te bourre pas de pain !,* n'en mange pas trop (= se gaver). SENS 3. Fam. *On nous avait encore bourré le crâne avec toutes ces histoires,* on nous avait trompés.
■ **bourrage** n.m. [SENS 3] Fam. *Toute cette publicité, c'est du bourrage de crâne !,* des mensonges répétés.
■ **bourratif, ive** adj. [SENS 2] Fam. *Ce gâteau est bourratif,* il remplit très vite l'estomac (= lourd ; ≠ léger).

bourriche n.f. *Pour Noël, on a acheté une bourriche d'huîtres,* une sorte de panier sans anse dans lequel on expédie les huîtres.

bourrique n.f. Une **bourrique** est un âne ou une ânesse. ◆ Fam. *C'est une vraie bourrique !,* une personne stupide et entêtée.

■ **bourricot** n.m. Un **bourricot** est un petit âne.

bourru, ue adj. *C'est un homme sympathique, malgré son air bourru,* peu aimable (= renfrogné, rude, revêche ; ≠ aimable, affable).

bourse n.f. SENS 1. *Autrefois, on mettait son argent dans une bourse,* un petit sac de cuir fermé par un cordon. ●● *débourser, rembourser.* SENS 2. *Mon frère a une bourse d'études,* l'État ou un organisme privé lui verse de l'argent pour l'aider à payer ses études. SENS 3. (Avec majuscule.) La **Bourse** est un bâtiment où les financiers se réunissent pour acheter et vendre des actions, des titres, etc.
■ **boursier, ère** [SENS 2] n. et adj. *Jean est (un) boursier,* il fait ses études grâce à une bourse. [SENS 3] adj. *M. Rambert a fait une transaction boursière,* une vente ou un achat en Bourse.

boursouflé, ée adj. Avoir le visage **boursouflé,** c'est avoir le visage enflé par endroits (= bouffi, gonflé).
■ **boursouflure** n.f. *La croûte du gâteau présente des boursouflures,* des parties qui se sont soulevées.

bousculer v. 1er groupe. SENS 1. *En courant, il a bousculé son petit frère,* il l'a heurté rudement. *Les élèves se bousculent à l'entrée du gymnase* (= se pousser). SENS 2. *Cet enfant est sensible, il ne faut pas le bousculer,* lui parler rudement. SENS 3. *J'ai été bousculé ces jours-ci,* j'ai eu trop de travail.
■ **bousculade** n.f. [SENS 1] *C'était la bousculade à l'entrée du stade,* une grande agitation où on se bouscule (= cohue).

bouse n.f. *Le chemin est plein de bouses de vache,* d'excréments.

bousiller v. 1er groupe. Fam. *Si tu laisses tomber ton stylo, tu risques de **bousiller** la plume* (= endommager, abîmer).

illustr. p. 694 **boussole** n.f. *Les marins se dirigent avec une **boussole**, un instrument dont l'aiguille aimantée indique le nord.*

bout n.m. SENS 1. *Attends-moi au **bout** de la rue !*, à son extrémité (≠ milieu, début). SENS 2. *J'arrive au **bout** de mon travail*, à la fin. SENS 3. *Un **bout** de pain*, c'est un morceau de pain. *Un **bout** de bois*, c'est un morceau de bois. SENS 4. *Je suis **à bout***, je suis excédé, j'en ai assez. SENS 5. Fam. *Il ne gagne pas beaucoup, il a du mal à **joindre les deux bouts***, à assurer toutes les dépenses nécessaires. SENS 6. *Au **bout de** deux jours, il est parti*, après deux jours.
✳ Ne pas confondre avec la **boue** et [l'eau] **bout**.

boutade n.f. *Ne vous fâchez pas : ce que je vous dis est une **boutade***, ce n'est pas sérieux (= plaisanterie).

boute-en-train n.m. inv. *Vanessa est un **boute-en-train**, elle met de la gaieté partout où elle se trouve.*
✳ Ce mot ne change pas au pluriel.

illustr. p. 869, 691, **bouteille** n.f. SENS 1. *On a mis le vin en **bouteilles**, dans des récipients de verre ayant un goulot.* SENS 2. *Nous avons bu une **bouteille** de soda*, le contenu de la *994* bouteille. SENS 3. *Achète une **bouteille** de gaz*, du gaz sous pression dans un récipient métallique (= bonbonne).

illustr. p. 855 **boutique** n.f. *La **boutique** du fleuriste, c'est son magasin.* ●● ***arrière-boutique***

bouton n.m. SENS 1. *Les fleurs sont en **bouton**, elles ne sont pas ouvertes.* SENS 2. *Jacques a un **bouton** sur le nez*, une petite enflure (= grosseur). SENS 3. *illustr. p. 228* *Mon manteau est fermé par quatre **boutons** dorés*, des petits morceaux, souvent ronds, de métal, de bois, de plastique, que l'on coud sur les vêtements pour les fermer. SENS 4. *Je tourne les **boutons** du poste de radio pour le régler*, des petites pièces que l'on manœuvre pour faire fonctionner un appareil. *Appuie sur le **bouton** de la sonnette*, la pièce du mécanisme qui produit une sonnerie.

■ **boutonner** v. 1er groupe. [SENS 3] *Boutonne ton manteau !*, fais passer les boutons dans les boutonnières (= fermer ; ≠ déboutonner).

■ **boutonneux, euse** adj. [SENS 2] *Un visage **boutonneux** est couvert de boutons, de pustules.*

■ **boutonnière** n.f. [SENS 3] *La couturière a refait les **boutonnières** de ma veste*, les fentes dans lesquelles passent les boutons.

bouton-d'or n.m. *Les **boutons-d'or** sont des plantes à fleurs jaunes souvent abondantes dans les prés.* *illustr. p. 753*
✳ Au pluriel, on écrit des **boutons-d'or**.

bouture n.f. *Mes **boutures** de géranium ont pris*, les pousses mises en terre pour qu'elles prennent racine.

bouvreuil n.m. *Un **bouvreuil** est un petit oiseau qui a le ventre rouge et un gros bec.*

bovidé n.m. *Les ruminants comme les vaches et les bœufs, les moutons, les chèvres, etc. sont des **bovidés**.*

■ **bovin** SENS 1. n.m. *Les vaches, les bœufs, les taureaux, les bisons, les buffles sont des **bovins**, des mammifères *illustr. p. 397* ruminants et pourvus de cornes. ●● ***bœuf***. SENS 2. adj. Fam. *Un regard **bovin** est un regard inexpressif comme celui d'un bœuf ou d'une vache.*

bowling n.m. *Un **bowling** est une salle où l'on joue aux quilles avec une grosse boule.*
✳ On prononce [buliŋ] ou [boliŋ].

box n.m. SENS 1. *Il cherche à louer un* **box** *pour sa voiture,* un garage particulier. SENS 2. *Le cheval est dans son box,* dans un compartiment de l'écurie aménagé pour lui (= stalle). SENS 3. Le **box** des accusés est la partie de la salle du tribunal où se tient l'accusé pendant le procès.
✳ Ce mot ne change pas au pluriel. Ne pas confondre avec la **boxe**.

boxe n.f. *Sur le ring se déroule un match de* **boxe**, un sport de combat où les deux adversaires se battent avec des gants aux poings.
✳ Ne pas confondre avec un **box**.
■ **boxer** v. 1er groupe. *Il* **boxe** *dans la catégorie poids lourd,* il pratique la boxe.
✳ On prononce [bɔkse].
■ **boxeur, euse** n. *Les* **boxeurs** *montent sur le ring,* les sportifs qui font de la boxe.

1. boxer n.m. Un **boxer** est un chien voisin du bouledogue.
✳ On prononce [bɔksɛr].

2. boxer, boxeur → **boxe**

boyau n.m. SENS 1. *Le charcutier fait de la saucisse avec les* **boyaux** *du cochon,* les intestins. SENS 2. *Le coureur cycliste vient de crever un de ses* **boyaux**, un pneu de vélo, fin et léger. SENS 3. *Ce couloir est un vrai* **boyau**, il est étroit et long.
✳ Au pluriel, on écrit des **boyaux**.

boycotter v. 1er groupe. **Boycotter** un commerçant, c'est refuser d'acheter chez lui pour montrer qu'on est mécontent de ce qu'il vend, du prix qu'il fait payer, etc.
✳ On prononce [bɔjkɔte].

illustr. **bracelet** n.m. *Elle a un* **bracelet** *en or,* *p. 150* un bijou en forme de cercle, d'anneau qui se porte autour du poignet. ◆ Le **bracelet** d'une montre, c'est ce qui la maintient autour du poignet.

braconner v. 1er groupe. **Braconner,** c'est chasser ou pêcher sans en avoir le droit.
■ **braconnage** n.m. *Le* **braconnage** *est puni par la loi,* la chasse ou la pêche sans autorisation.
■ **braconnier** n.m. *Le garde-chasse arrête le* **braconnier**, celui qui braconne.

brader v. 1er groupe. *Après Noël, les commerçants* **bradent** *leurs marchandises,* ils les vendent à bas prix (= liquider, solder).
■ **braderie** n.f. *Les commerçants organisent deux jours de* **braderie**, de vente à bas prix.

braguette n.f. *La* **braguette** *de son* *illustr.* *pantalon est mal fermée,* la fente verti- *p. 1010* cale sur le devant.

braies n.f. pl. *Les Gaulois portaient des* *illustr.* **braies**, des sortes de pantalons. *p. 220,* *427*

braille n.m. Le **braille** est un alphabet en relief destiné aux aveugles qui peuvent le déchiffrer avec les doigts.

brailler v. 1er groupe. Fam. *Un ivrogne* **braillait** *une chanson,* il la chantait très fort (= hurler). *Inutile de* **brailler**, *je ne suis pas sourd !* (= crier).
■ **braillard, arde** adj. et n. Un enfant **braillard** crie beaucoup.

braire v. 3e groupe. *L'âne* **brait**, il pousse son cri.
✳ Conj. n° 79.
■ **braiment** n.m. *On entend les* **braiments** *de l'âne,* les cris qu'il pousse.

braise n.f. *On grille la viande sur la* **braise**, sur des charbons qui brûlent sans flamme.

braisé, ée adj. *Du bœuf* **braisé** a été cuit doucement dans une cocotte fermée.

bramer v. 1er groupe. *Le cerf et le daim* **brament**, ils poussent leur cri.

illustr.
p. 385 **brancard** n.m. SENS 1. *On transporte un blessé étendu sur un* **brancard**, *une sorte de lit de toile tendue entre deux morceaux de bois* (= civière). SENS 2. *On attelle le cheval entre les* **brancards** *de la charrette*, *entre les deux pièces de bois qui la prolongent.*

illustr.
p. 737 ■ **brancardier, ère** n. [SENS 1] *Les deux* **brancardiers** *mettent la civière dans l'ambulance*, *les personnes qui portent le brancard.*

illustr.
p. 427,
753 **branche** n.f. SENS 1. *Les* **branches** *des arbres portent les feuilles, les fleurs et les fruits.* SENS 2. *Ici, l'autoroute se divise en deux* **branches**, *deux voies qui mènent dans deux directions différentes.* ●● *embranchement.* SENS 3. *Nous travaillons tous deux dans la même* **branche**, *dans le même secteur* (= domaine).

■ **branchages** n.m. pl. [SENS 1] *On a brûlé un tas de* **branchages**, *de branches coupées.*

brancher v. 1er groupe. **Brancher** *un appareil électrique, c'est le raccorder à l'installation électrique pour le faire fonctionner* (≠ débrancher).

■ **branchement** n.m. *Faire le* **branchement** *d'une canalisation d'eau, c'est la raccorder à une autre canalisation.*

illustr.
p. 694 **branchies** n.f. pl. *Les poissons respirent avec leurs* **branchies**, *des organes situés près des ouïes et qui captent l'oxygène de l'eau.*

brandir v. 2e groupe. *Il* **brandit** *un bâton dans ma direction*, *il l'agite en l'air.*

branler v. 1er groupe. *La table* **branle**, *elle n'est pas stable.* ◆ **Branler** *la tête, c'est la bouger dans un sens et dans l'autre* (= hocher).

■ **branlant, ante** adj. *Une dent* **branlante** *est une dent qui bouge.*

■ **branle** n.m. *Pour chercher ses clefs, il* **a mis en branle** *toute la maisonnée, il*

a obligé tout le monde à courir de tous côtés.

■ **branle-bas** n.m. inv. *La veille du départ en vacances, il y a un grand* **branle-bas** *dans la maison*, *il y règne une grande agitation* (= remue-ménage). ✳ *Ce mot ne change pas au pluriel.*

braquer v. 1er groupe. SENS 1. *Il* **braque** *ses jumelles sur nous*, *il les dirige vers nous pour nous regarder.* **Braquer** *une arme sur quelqu'un, c'est le viser avec cette arme.* SENS 2. **Braque** *à droite !*, *dirige les roues du véhicule vers la droite pour tourner.* SENS 3. *Il* **s'est braqué** *contre ce projet*, *il s'y est opposé résolument* (= se buter).

■ **braquage** n.m. [SENS 1] *Les gangsters ont commis plusieurs* **braquages**, *plusieurs attaques à main armée pour voler.* [SENS 2] *Cette voiture a un faible rayon de* **braquage**, *elle tourne en décrivant un cercle assez petit.*

braquet n.m. *Les cyclistes mettent le grand* **braquet** *dans le sprint*, *ils mettent le dérailleur sur la vitesse rapide, qui fait faire le plus de chemin en un tour de pédalier* (= développement).

illustr.
p. 216,
217, **bras** n.m. SENS 1. *La maman tient son bébé dans ses* **bras**, *les membres du corps humain qui vont de l'épaule à la main.* ●● *avant-bras.* SENS 2. *Il tapait à* **tour de bras, à bras raccourcis**, *avec violence.* SENS 3. *Le policier saisit le malfaiteur* **à bras-le-corps**, *par le milieu du corps.* SENS 4. *On a besoin de* **bras**, *d'aides, de travailleurs. Il est le* **bras droit** *du patron*, *son collaborateur le plus proche, son adjoint.* SENS 5. *Un* **bras** *du* 557 *fauteuil est cassé*, *un accoudoir.* SENS 6. *Il a traversé le* **bras** *de mer en planche à voile*, *une partie de mer serrée entre deux terres.*

■ **brassée** n.f. [SENS 1] *Marie a ramassé une* **brassée** *de fleurs*, *autant que ses deux bras peuvent en tenir.*

illustr.
p. 869 ■ **brassard** n.m. [SENS 1] *Les membres du service d'ordre portent un* **brassard**, *un morceau de tissu entourant le bras.*

brasero n.m. *Les terrassiers se réchauffent autour d'un **brasero**, un récipient percé de trous et contenant de la braise.*
✳ On prononce [brazero].

illustr.
p. 737
brasier n.m. *La maison n'était plus qu'un immense **brasier**, elle était entièrement en feu.*

brassage → *brasser*

brassard → *bras*

brasse n.f. SENS 1. *Mon petit frère nage la **brasse**, une nage à plat sur le ventre où l'on avance en écartant puis en rassemblant simultanément les bras et les jambes.* SENS 2. *Nous sommes à dix **brasses** du rivage*, à une distance du rivage qu'on peut parcourir en dix mouvements de brasse.

brassée → *bras*

brasser v. 1er groupe. SENS 1. **Brasser** le linge dans l'eau de lessive, c'est le remuer. SENS 2. **Brasser** la bière, c'est préparer le mélange de malt et d'eau pour la fabriquer. SENS 3. *Cet industriel **brasse** beaucoup d'argent*, il lui passe beaucoup d'argent entre les mains.

■ **brassage** n.m. [SENS 1] *Certaines régions ont connu de grands **brassages** de populations* (= mélange, fusion).

■ **brasseur, euse** n. [SENS 2] *Le **brasseur** fabrique de la bière.*

■ **brasserie** n.f. [SENS 2] *Une **brasserie** est une usine où l'on fabrique de la bière.*
◆ *Allons déjeuner dans une **brasserie***, dans une sorte de restaurant.

brassière n.f. *Une **brassière** est un vêtement à manches pour les bébés.*

brave SENS 1. adj. *C'est un **brave** homme*, il est bon, honnête, serviable. SENS 2. adj. et n. *C'est un (homme) **brave**,* un homme courageux (≠ lâche, poltron).

■ **bravement** adv. [SENS 2] *Il défend **bravement** son petit frère* (= courageusement, vaillamment).

■ **braver** v. 1er groupe. [SENS 2] **Braver** un danger, c'est l'affronter sans peur. **Braver** quelqu'un, c'est s'opposer hardiment à lui (= défier, provoquer).

■ **bravoure** n.f. [SENS 2] *Nos troupes ont fait preuve de **bravoure**, elles se sont montrées braves* (= courage, hardiesse ; ≠ lâcheté, poltronnerie).

■ **bravade** n.f. [SENS 2] *Il s'approcha du taureau **par bravade***, pour paraître brave.

bravo n.m. *Des **bravos** montent de la salle*, les mots que les spectateurs enthousiastes crient en signe d'approbation. ◆ interj. ***Bravo** Rémy, tu as gagné !* (= félicitations).

bravoure → *brave*

break n.m. *Pour transporter son matériel, il a acheté un **break**, une voiture dont l'arrière s'ouvre par une grande porte.*
✳ On prononce [brɛk].

brebis n.f. *Les agneaux accompagnent la **brebis**, la femelle du mouton.*   *illustr. p. 397*

brèche n.f. SENS 1. *Les ouvriers font une **brèche** dans le mur,* ils démolissent une partie du mur (= ouverture, trou).
●● **ébrécher**. SENS 2. *Battre en **brèche** un argument, un projet,* c'est l'attaquer violemment, le critiquer vivement.

bréchet n.m. *Le **bréchet** est l'os qui fait une saillie sur la poitrine des oiseaux.*

bredouille adj. *Le pêcheur est rentré **bredouille**, il n'a rien pêché.*

bredouiller v. 1er groupe. *L'acteur, saisi par le trac, s'est mis à **bredouiller**, à parler d'une façon incompréhensible* (= bafouiller). *Delphine **a bredouillé** des excuses*, elle les a murmurées en articulant mal (= balbutier, marmonner).

■ **bredouillement** n.m. *La récitation du poème s'acheva en* **bredouillement** (= bafouillage).

bref, brève adj. *Faites-nous un* **bref** *exposé des faits* (= court). *Une réponse* **brève** *est demandée* (≠ long).

■ **bref** adv. *Il y avait des pommes, des poires, des pêches, des oranges,* **bref** *toutes sortes de fruits,* en un mot, en résumé.

■ **brièvement** adv. *Répondez* **brièvement,** en peu de mots (≠ longuement).

■ **brièveté** n.f. *Excusez la* **brièveté** *de notre visite* (≠ longueur, durée).

breloque n.f. *Elle porte un bracelet plein de* **breloques,** de petits bijoux qui y sont pendus.

illustr.
p. 29,

853,
75
bretelle n.f. SENS 1. *La* **bretelle** *d'un fusil est une courroie qui sert à le porter.* SENS 2. (Au plur.) *Son pantalon tient avec des* **bretelles,** *des bandes qui passent sur les épaules.* SENS 3. *On entre sur l'autoroute par une* **bretelle,** par un tronçon de raccordement.

breuvage n.m. *Un* **breuvage** *est une boisson au goût bizarre.*

brevet n.m. SENS 1. *Jules a passé un* **brevet** *de pilotage,* un examen qui donne droit à un diplôme. SENS 2. *Un* **brevet** *d'invention est un papier officiel qui déclare que quelqu'un a inventé quelque chose et que personne n'a le droit de copier cette invention.*

■ **breveter** v. 1er groupe. [SENS 2] *Breveter une invention,* c'est la protéger par un brevet.
✳ Conj. n° 8.

bréviaire n.m. *Le prêtre lisait son* **bréviaire,** un livre contenant des prières à lire chaque jour.

bribe n.f. *On ne saisit que des* **bribes** *de conversation,* des petits bouts (= fragment).

bric-à-brac n.m. inv. *Le brocanteur a étalé son* **bric-à-brac,** un ensemble d'objets de toutes sortes posés n'importe comment.
✳ Ce mot ne change pas au pluriel.

de **bric et de broc** adv. *Sa collection est constituée* **de bric et de broc,** avec des objets rassemblés au hasard.

bricoler v. 1er groupe. SENS 1. *Mon frère adore* **bricoler,** faire des petits travaux manuels chez lui. SENS 2. **Bricoler** un appareil, c'est le transformer ou le réparer soi-même.

■ **bricolage** n.m. [SENS 1] *Le* **bricolage** *est un passe-temps agréable,* ce qu'on fait quand on bricole. *illustr. p. 117*

■ **bricole** n.f. Fam. *Papa m'a rapporté une* **bricole** *de son voyage,* un objet de peu de valeur (= babiole). ◆ *Ne vous disputez pas pour des* **bricoles,** des choses sans importance (= bagatelle, futilité).

■ **bricoleur, euse** adj. et n. [SENS 1] *Être* **bricoleur,** c'est aimer bricoler. *Maman est une vraie* **bricoleuse,** elle sait faire beaucoup de petits travaux dans la maison. *illustr. p. 117*

bride n.f. SENS 1. *Le cavalier retient son cheval en tirant sur la* **bride,** la courroie attachée au mors. SENS 2. *La* **bride** *d'un torchon est le petit anneau de tissu qui sert à l'accrocher.* *illustr. p. 531*

■ **brider** v. 1er groupe. [SENS 1] **Brider** un cheval, c'est lui mettre sa bride. ●● *débridé.* ◆ *Ce vêtement me* **bride,** il me serre.

bridé, ée adj. *Les Asiatiques ont les yeux* **bridés,** leurs paupières sont étirées sur les côtés.

bridge n.m. SENS 1. *Le* **bridge** *est un jeu de cartes qui se joue à quatre avec cinquante-deux cartes.* SENS 2. *Le dentiste lui a posé un* **bridge,** un appareil fixe pour remplacer des dents absentes.

▪ **bridger** v. 1ᵉʳ groupe. [SENS 1] *Chez nos amis, on* **bridge** *chaque samedi, on joue au bridge.*
✳ Conj. n° 2.

▪ **bridgeur, euse** n. [SENS 1] *Les* **bridgeurs** *n'ont pas fini leur partie*, les joueurs de bridge.

brie n.m. Le **brie** est un fromage à pâte molle présenté sous forme de larges disques.

brièvement, brièveté → *bref*

illustr. p. 440 **brigade** n.f. Une **brigade** de gendarmerie est un groupe de gendarmes.

illustr. p. 440 ▪ **brigadier** n.m. Un **brigadier** est le gendarme qui commande une brigade de gendarmerie.

brigand n.m. *Autrefois, les* **brigands** *attaquaient les voyageurs* (= bandit).

▪ **brigandage** n.m. *Ils furent emprisonnés pour* **brigandage**, attaques faites pour voler, piller.

briguer v. 1ᵉʳ groupe. **Briguer** un emploi, c'est chercher à l'obtenir (= solliciter).

briller v. 1ᵉʳ groupe. SENS 1. *Le ciel est clair, le soleil* **brille**, il émet une lumière éclatante. *Les étoiles* **brillent** (= scintiller). SENS 2. *Ce meuble* **brille** *comme un miroir*, sa surface lisse réfléchit la lumière (= reluire). SENS 3. *Il* **a brillé** *à son examen*, il a réussi remarquablement.

▪ **brillant, ante** adj. [SENS 2] *La peinture de la salle de bains est* **brillante** (≠ mat, terne). [SENS 3] *Colin a fait un exposé* **brillant** (= remarquable, magistral).

▪ **brillant** n.m. [SENS 2] *Elle porte un* **brillant** *au doigt*, un diamant.

▪ **brillamment** adv. [SENS 3] *Alex a réussi* **brillamment**, avec brio, de façon remarquable (= magistralement).

brimer v. 1ᵉʳ groupe. *Certains élèves essaient de* **brimer** *les nouveaux*, de les maltraiter en les humiliant ou en les vexant (= persécuter).

▪ **brimade** n.f. *Il devait encore subir les* **brimades** *des grands*, les vexations inutiles et injustes (= tracasserie).

brin n.m. SENS 1. Un **brin** d'herbe, de muguet est une tige fine et allongée. SENS 2. *Une ficelle est formée de plusieurs* **brins** (= filament, fil). SENS 3. *Je prendrais bien* **un brin de** *café*, un tout petit peu.

▪ **brindille** n.f. [SENS 1] *On allume le feu avec des* **brindilles**, de toutes petites branches.
illustr. p. 753

bringuebaler ou **brinquebaler** v. 1ᵉʳ groupe. *Le matériel* **bringuebale** *dans la camionnette*, il va et vient un peu dans tous les sens.

brio n.m. *Le pianiste joue avec* **brio**, il joue avec grand talent et brillamment (= virtuosité).

brioche n.f. *Le boulanger fait des* **brioches**, des pâtisseries légères en forme de boules surmontées d'une autre boule plus petite.
illustr. p. 150

brique n.f. *Le maçon construit une cloison avec des* **briques**, des pavés moulés en argile rouge ou jaune, qui servent de matériaux de construction.
illustr. p. 157

▪ **briqueterie** n.f. Une **briqueterie** est une usine où l'on fabrique des briques.
✳ On prononce [brikɛtri].

briquer v. 1ᵉʳ groupe. *Les cuivres* **sont** *bien* **briqués**, ils sont nettoyés, on les a frottés vigoureusement (= astiquer).

briquet n.m. *Il allume sa cigarette avec son* **briquet**, un appareil qui produit du feu.

briqueterie → *brique*

bris, brisant → *briser*

LE BRICOLAGE

mètre pliant

vis   pointes (clous)

virole   lime

boîte à outils

salopette (bleu de travail)
râtelier
étau
valet
établi

escabeau
presse
copeaux
sciure
taches

pots de peinture

bleu   orange   rouge

rose   blanc   vert   ocre   noir   violet

rouleau à peindre   grille d'essorage   pinceau   poils

bac   brosse à coller

marteau   manche

tournevis

couteau   lame

pince universelle

tenailles

boulon   crochet

écrou   piton

clé à mollette

scie égoïne   poignée

ponceuse

mèches
(forets)

grattoir   perceuse

117

brise n.f. *Une **brise** agréable souffle de la mer,* un vent léger.
✳ Ne pas confondre la **brise** et la **bise**.

briser v. 1er groupe. SENS 1. *Le choc a **brisé** le vase,* il l'a cassé. SENS 2. *Son accident au bras a **brisé** sa carrière de pianiste,* sa carrière a été interrompue définitivement. SENS 3. *Les vagues se **brisent** sur les rochers,* leur sommet se recourbe puis s'écroule (= déferler).

illustr. p. 431 ■ **brisé, ée** adj. *Une ligne **brisée** est une ligne qui forme des zigzags (≠ droite, courbe).*

■ **bris** n.m. [SENS 1] *Il y a eu **bris** de vitrines,* des vitrines ont été brisées.

illustr. p. 556 ■ **brisant** n.m. [SENS 3] *Le long de cette côte, il y a des **brisants**,* des rochers sur lesquels les vagues se brisent.

illustr. p. 730 ■ **brise-glace** n.m. inv. [SENS 1] *Un **brise-glace** est un navire équipé pour ouvrir un chemin aux bateaux dans la banquise.*
✳ Ce mot ne change pas au pluriel.

illustr. p. 740 ■ **brise-lames** n.m. inv. [SENS 3] *Le port est protégé des vagues par un **brise-lames**,* une digue de protection.
✳ Ce mot ne change pas au pluriel.

bristol n.m. *Les cartes de visite sont en **bristol**,* en papier fort et lisse.

broc n.m. *Un **broc** est un récipient en métal ou en plastique muni d'un bec évasé et d'une anse.*
✳ On ne prononce pas le « c » : [bro].

illustr. p. 42 **brocanteur, euse** n. *J'ai vendu ces vieux meubles à un **brocanteur**,* à un commerçant qui achète et vend des objets d'occasion.

■ **brocante** n.f. *Nous allons à la foire à la **brocante**,* où les brocanteurs vendent leurs objets.

illustr. p. 150 **broche** n.f. SENS 1. *Elle a orné le col de sa veste d'une **broche**,* d'un petit bijou qu'on épingle sur un vêtement. SENS 2. *Ce poulet est cuit à la **broche**,* on l'a

traversé d'une tige de fer et fait tourner près du feu ou dans le four. ●● *embrocher*

■ **brochette** n.f. [SENS 2] *On a mangé des **brochettes**,* des petits morceaux de viande ou de poisson rôtis sur une tige de fer appelée aussi **brochette**.

broché, ée adj. *Un livre **broché** est un livre dont les feuilles sont assemblées par des fils et collées dans une couverture légère (≠ relié).*

■ **brochure** n.f. *Lisez cette **brochure**,* ce petit livre broché.

illustr. p. 845 **brochet** n.m. *Le **brochet** est un poisson d'eau douce très vorace et au corps allongé.*

brochette → *broche*

brochure → *broché*

brodequin n.m. *Les militaires portent des **brodequins**,* des grosses chaussures montantes.

broder v. 1er groupe. *Un mouchoir **brodé** est orné de motifs exécutés avec une aiguille et du fil.*

illustr. p. 228 ■ **broderie** n.f. *Marie fait de la **broderie**,* elle brode.

illustr. p. 216 **bronche** n.f. *L'air est amené aux poumons par les **bronches**,* deux gros conduits qui partent du fond de la bouche.

■ **bronchite** n.f. *Damien tousse, il a une **bronchite**,* une maladie aiguë des bronches.

broncher v. 1er groupe. *Personne n'a osé **broncher** devant lui,* manifester un désaccord, s'agiter. *Tous ont obéi **sans broncher**,* sans protester, sans discuter.

bronze n.m. *Le **bronze** est un métal brun fait d'un alliage de cuivre et d'étain.*

bronzer v. 1er groupe. *Mon visage est **bronzé** par le soleil,* il est devenu brun (= brunir, hâler).

■ **bronzage** n.m. *Elle revient de vacances avec un magnifique **bronzage**, elle est bien bronzée.*

illustr.
p. 583,
239,
117

brosse n.f. Les **brosses** à dents, à cheveux, à habits sont des ustensiles faits de poils montés sur un support. ◆ *Jérémy a les cheveux **en brosse**,* coupés court et droit et qui font penser aux poils d'une brosse.

■ **brosser** v. 1ᵉʳ groupe. **Brosser** ses chaussures, c'est les nettoyer avec une brosse. ◆ **Brosser un tableau** de la situation politique, c'est décrire la situation en général sans donner de détails.

brou n.m. *Ce meuble est teinté au **brou** de noix*, avec un liquide brun qu'on extrait de l'enveloppe verte de la noix.

illustr.
p. 156,
746

brouette n.f. *Le jardinier transporte de la terre dans sa **brouette**,* un petit chariot à une roue que l'on pousse devant soi en le tenant par les brancards.

brouhaha n.m. *On entend de loin le **brouhaha** des conversations,* le bruit confus des voix (= rumeur).

brouillard n.m. *Un **brouillard** épais recouvre toute la région,* des gouttelettes d'eau en suspension dans l'air qui empêchent de voir (= brume).

brouiller v. 1ᵉʳ groupe. SENS 1. *Le temps **se brouille**,* des nuages apparaissent (= se gâter). SENS 2. *Ma vue **se brouille**,* je vois trouble. SENS 3. *Les deux amis **se sont brouillés**,* ils se sont fâchés (≠ se réconcilier). SENS 4. *L'émission de radio **a été brouillée** par des parasites,* elle a été troublée, on ne l'entendait pas bien (= perturber). SENS 5. **Brouiller les cartes**, c'est créer volontairement le désordre ou la confusion.

■ **brouille** n.f. [SENS 3] *Leur **brouille** n'a pas duré* (= dispute).

brouillon n.m. *Voici le **brouillon** de ma lettre,* le premier texte destiné à être corrigé et recopié.

■ **brouillon, onne** adj. *Elle est **brouillonne**,* elle est désordonnée.

broussaille n.f. SENS 1. *Le jardin est envahi de **broussailles**,* de touffes de plantes épineuses. ●● **débroussailler**. SENS 2. *Des cheveux **en broussaille**** sont mal peignés.

■ **broussailleux, euse** adj. [SENS 2] Une barbe **broussailleuse** est épaisse et en désordre.

brousse n.f. *Dans les zones tropicales sèches, la forêt est remplacée par la **brousse**,* une étendue couverte de buissons épars et de petits arbres.

illustr.
p. 983

brouter v. 1ᵉʳ groupe. *Les vaches **broutent** l'herbe,* elles l'arrachent avec leur langue et leurs dents pour la manger (= paître).

broutille n.f. *Il y a quelques erreurs dans ce rapport, mais ce sont des **broutilles**,* de menus détails sans importance (= vétille).

broyer v. 1ᵉʳ groupe. SENS 1. **Broyer** quelque chose, c'est l'écraser pour le réduire en petits morceaux ou en poudre. SENS 2. **Broyer du noir**, c'est être triste. ✷ Conj. nº 3.

■ **broyeur** n.m. [SENS 1] *Dans la benne à ordures, les déchets sont écrasés par un **broyeur**,* une machine qui les réduit en morceaux et les comprime.

bru n.f. *Il téléphone à sa **bru**,* la femme de son fils (= belle-fille).

illustr.
p. 679

brugnon n.m. Un **brugnon** est une pêche à peau lisse.

bruine n.f. *Il tombe de la **bruine**,* une pluie fine (= crachin).

■ **bruiner** v. 1ᵉʳ groupe. *Il **bruine**,* la bruine tombe.
✷ C'est un verbe impersonnel, il ne s'emploie qu'à la 3ᵉ personne du singulier, avec « il ».

bruire v. 3ᵉ groupe. *On entend le vent **bruire** dans les branches,* faire un bruit léger et continu.

✻ Ce verbe ne s'emploie qu'à l'infinitif (**bruire**) ou à l'imparfait de l'indicatif : *le vent **bruissait**.*

■ **bruissement** n.m. Le **bruissement** des feuilles est le bruit léger qu'elles font quand le vent les agite.

bruit n.m. SENS 1. *J'entends le **bruit** d'un avion* (= son). SENS 2. *Qui a fait courir ce **bruit** ?,* cette nouvelle peu sûre (= rumeur). ●● ***ébruiter***

■ **bruitage** n.m. [SENS 1] Réaliser le **bruitage** d'une émission de radio ou de télévision, ou d'un film, c'est produire artificiellement les bruits qui accompagnent l'action.

■ **bruyant, ante** adj. [SENS 1] *Nos voisins sont **bruyants**,* ils font du bruit (≠ silencieux).

■ **bruyamment** adv. [SENS 1] *Il rit **bruyamment**,* très fort et en faisant beaucoup de bruit.

brûlant, brûlé → ***brûler***

à **brûle-pourpoint** adv. *Mon père m'a interrogé **à brûle-pourpoint**,* de façon inattendue et brusque.

brûler v. 1ᵉʳ groupe. SENS 1. *Le jardinier **brûle** des herbes sèches,* il en fait un feu. → ***combustible***. SENS 2. *La forêt **brûle**,* elle est la proie d'un incendie (= flamber). *Le bois **brûle** bien* (= se consumer). SENS 3. *Un invité **a brûlé** la nappe avec une cigarette,* il l'a abîmée, trouée avec la braise de sa cigarette. SENS 4. *Je **me suis brûlé** le doigt,* j'ai senti une vive douleur au contact d'une flamme ou d'un objet très chaud. SENS 5. *Ces projecteurs **brûlent** beaucoup d'électricité,* ils consomment beaucoup d'électricité. SENS 6. *La voiture **a brûlé** le feu rouge,* elle ne s'est pas arrêtée. SENS 7. *Il **brûle** de partir,* il le désire ardemment. SENS 8. *Cherche encore, tu **brûles**,* tu es sur le point de trouver.

■ **brûlant, ante** adj. [SENS 4] *Une soupe **brûlante** est très chaude.*

■ **brûlé** n.m. [SENS 1 et 2] *On sent une odeur de **brûlé**,* de quelque chose qui brûle ou qui a brûlé.

■ **brûleur** n.m. [SENS 2] *Les **brûleurs** d'une cuisinière à gaz sont les pièces percées de petits trous où le gaz brûle.* *illustr. p. 573*

■ **brûlure** n.f. [SENS 3 et 4] *J'ai une **brûlure** à la main,* je me suis brûlé la main et j'en porte la marque.

brume n.f. *Le navire est dans la **brume*** (= brouillard).

■ **brumeux, euse** adj. *Le temps est **brumeux**,* il y a de la brume.

brun, brune adj. et n. *Mario a les cheveux **bruns*** (= foncé, noir). *C'est un **brun*** (≠ blond).

■ **brunâtre** adj. *Il y a des taches **brunâtres** sur le mur,* tirant sur le brun.

■ **brunir** v. 2ᵉ groupe. *Son visage **a bruni** au soleil,* il a pris une couleur brune (= bronzer).

■ **brunissement** n.m. *Cette crème accélère le **brunissement** de la peau* (= bronzage).

Brushing n.m. *Maman se fait un **Brushing**,* elle se sèche les cheveux en enroulant chaque mèche sur une brosse. ✻ On prononce [brœʃiŋ]. **Brushing** est un procédé déposé, il s'écrit avec une majuscule dans les textes imprimés.

brusque adj. SENS 1. *Cet homme a des manières **brusques**,* il manque de douceur (= rude, brutal ; ≠ doux). SENS 2. *Il fit un mouvement **brusque**,* soudain et vif. *Il s'est produit un changement **brusque** de température* (= subit, brutal).

■ **brusquement** adv. [SENS 2] *Le train s'arrêta **brusquement*** (= subitement, brutalement, soudain, tout à coup).

■ **brusquer** v. 1ᵉʳ groupe. [SENS 1] *Ne **brusquez** pas cet élève,* ne le traitez pas

durement (= malmener, bousculer). [SENS 2] *Il a brusqué son départ,* il est parti plus tôt que prévu (= précipiter, hâter).

■ **brusquerie** n.f. [SENS 1] Traiter quelqu'un avec **brusquerie**, c'est le traiter rudement (≠ douceur).

illustr. p. 983 **brut, e** adj. SENS 1. Une matière **brute**, comme le pétrole **brut**, le sucre **brut**, n'a pas encore subi de transformations (≠ raffiné). SENS 2. Le poids **brut** d'un paquet, c'est celui de la marchandise et de l'emballage (≠ net).

brutal, ale, aux adj. SENS 1. *Il est brutal avec les animaux,* il ne maîtrise pas ses mouvements de colère, ses gestes sont brusques (= dur, violent ; ≠ doux). SENS 2. Un événement **brutal** est inattendu et provoque une forte émotion (= soudain).

■ **brutalement** adv. [SENS 1] *Il a fermé la porte* **brutalement** (= violemment). [SENS 2] *Il s'est retrouvé* **brutalement** *dans la misère* (= brusquement, subitement).

■ **brutaliser** v. 1er groupe. [SENS 1] Brutaliser un animal, c'est le maltraiter.

■ **brutalité** n.f. [SENS 1] *Il s'est plaint des* **brutalités** *de ses gardiens* (= violence).

■ **brute** n.f. [SENS 1] *Tu es une brute !,* tu es violent, brutal.

bruyamment, bruyant → *bruit*

illustr. p. 403 **bruyère** n.f. SENS 1. *Les landes bretonnes sont couvertes de* **bruyères**, de plantes à petites fleurs violettes ou roses. SENS 2. *Une pipe de* **bruyère** est taillée dans la racine de certaines bruyères.

illustr. p. 239 **buanderie** n.f. Une **buanderie** est un local où l'on fait la lessive.

buccal, ale, aux adj. *Ce médicament se prend par voie* **buccale**, par la bouche (= oral). ●● *bouche*
✻ Ce mot s'écrit avec deux « c ».

bûche n.f. SENS 1. *Une bûche flambe dans la cheminée,* un gros morceau de bois. SENS 2. *Le jour de Noël, nous avons mangé une* **bûche**, un gâteau en forme de bûche. *illustr. p. 403*

■ **bûcher** n.m. [SENS 1] *Jeanne d'Arc est morte sur le* **bûcher**, une pile de bois à laquelle on avait mis le feu.

■ **bûcheron, onne** n. [SENS 1] Un **bûcheron** est une personne dont le métier est d'abattre et de débiter des arbres. *illustr. p. 403*

1. bûcher v. 1er groupe. Fam. *Pierre bûche beaucoup pour préparer son examen,* il travaille (= étudier).

■ **bûcheur, euse** adj. et n. Fam. *Pierre est un (élève)* **bûcheur** (= studieux ; ≠ paresseux).

2. bûcher → *bûche*

budget n.m. Le **budget** de la famille est l'ensemble de ses dépenses par rapport à ses recettes.

■ **budgétaire** adj. *Le gouvernement a décidé de réduire les dépenses* **budgétaires**, les dépenses qui sont prévues au budget de l'État.

buée n.f. *Il y a de la* **buée** *sur les vitres,* de la vapeur, une couche de fines gouttelettes d'eau qui s'est déposée sur les vitres froides.

buffet n.m. SENS 1. Un **buffet** de salle à manger est un meuble où on range la vaisselle. SENS 2. *Les invités se pressent autour du* **buffet**, des tables où sont disposés les mets et les boissons. SENS 3. Le **buffet** d'une gare est le restaurant installé dans la gare où les voyageurs peuvent manger et boire. *illustr. p. 238, 424*

buffle n.m. Le **buffle** est une sorte de bœuf vivant surtout en Asie et en Afrique. *illustr. p. 983*

LE BUREAU

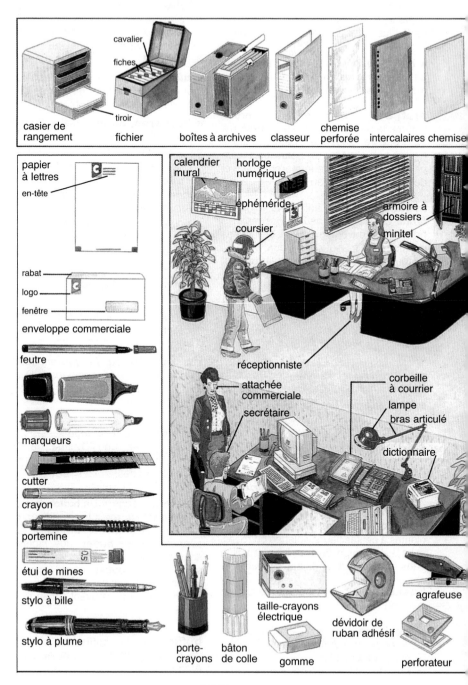

cavalier

fiches

tiroir

casier de rangement

fichier

boîtes à archives

classeur

chemise perforée

intercalaires

chemise

papier à lettres

en-tête

rabat

logo

fenêtre

enveloppe commerciale

feutre

marqueurs

cutter

crayon

portemine

étui de mines

stylo à bille

stylo à plume

calendrier mural

horloge numérique

éphéméride

coursier

armoire à dossiers

minitel

réceptionniste

attachée commerciale

secrétaire

corbeille à courrier

lampe bras articulé

dictionnaire

porte-crayons

bâton de colle

taille-crayons électrique

gomme

dévidoir de ruban adhésif

agrafeuse

perforateur

Aujourd'hui, beaucoup de gens travaillent dans des bureaux :
la réceptionniste, la secrétaire, le comptable, l'assistante du directeur,
la rédactrice... Chacun est derrière son... bureau !

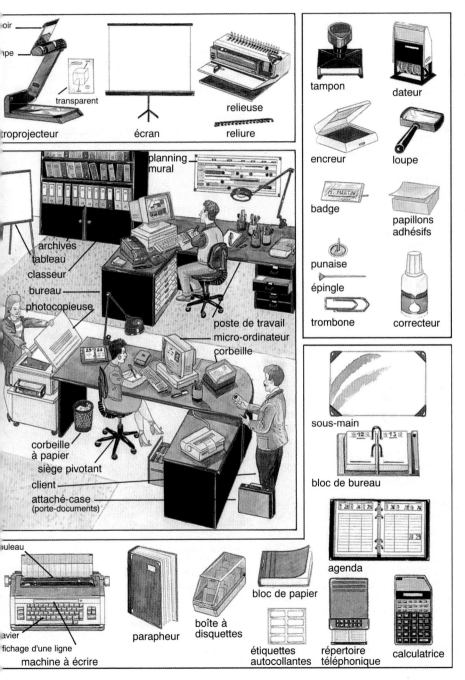

oir

pe

transparent

roprojecteur

écran

transparent

relieuse

reliure

tampon

dateur

encreur

loupe

badge

papillons
adhésifs

punaise

épingle

trombone

correcteur

planning
mural

archives
tableau
classeur
bureau
photocopieuse

poste de travail
micro-ordinateur
corbeille

corbeille
à papier
siège pivotant
client
attaché-case
(porte-documents)

sous-main

bloc de bureau

agenda

uleau

avier
fichage d'une ligne
machine à écrire

parapheur

boîte à
disquettes

bloc de papier

étiquettes
autocollantes

répertoire
téléphonique

calculatrice

123

illustr.
p. 494

building n.m. *Il y a maintenant des* **buildings** *au centre de la ville, des immeubles modernes très hauts* (= tour, gratte-ciel).
✳ On prononce [bildiŋ].

buis n.m. *Les allées du jardin ont des bordures de* **buis***, un arbrisseau qui ne perd jamais ses feuilles.*

buisson n.m. *Les enfants se sont cachés derrière un* **buisson***, une touffe d'arbustes* (= fourré, bosquet).

buissonnier, ère adj. *Gauthier* **a fait l'école buissonnière***, il est allé se promener au lieu d'aller en classe.*

illustr.
p. 527

bulbe n.m. *Une plante à* **bulbe** *est une plante qui a un renflement à sa base, enfoui dans la terre, comme la tulipe* (= oignon).

illustr.
p. 974,
736

bulldozer n.m. *Pour niveler un terrain, on utilise des* **bulldozers***, des gros engins à chenilles munis d'une lame d'acier sur l'avant.*
✳ On prononce [byldɔzɛr] ou bien [byldozœr].

bulle n.f. SENS 1. *Quand on verse de l'eau gazeuse dans un verre, il se forme des* **bulles***, des petites boules remplies de gaz qui montent à la surface.* SENS 2. *Les* **bulles** *d'une bande dessinée sont les espaces encerclés par un trait dans lesquels sont écrites les paroles prononcées par les personnages.*

bulletin n.m. SENS 1. *Le jour des élections, les gens déposent dans l'urne leur* **bulletin** *de vote, un papier sur lequel est inscrit le nom du candidat choisi.* SENS 2. *Mathieu a rapporté un mauvais* **bulletin***, le papier sur lequel figurent les notes d'un élève.* SENS 3. *La radio diffuse le* **bulletin** *de la météorologie, les informations périodiques sur le temps qu'il fait et qu'il va faire.*

bungalow n.m. *Nous avons loué un* **bungalow** *dans un camp de vacances,*

une petite habitation sans étage, très simple.
✳ On prononce [bɛ̃galo].

bureau n.m. SENS 1. *Je suis installé à mon* **bureau***, devant ma table à écrire.* SENS 2. *Le directeur est dans son* **bureau***, dans la pièce où se trouve son bureau et où il travaille.* SENS 3. *Allez au* **bureau** *de poste, dans le local où sont installés les services de la poste.* SENS 4. *C'est un employé de* **bureau***, il travaille dans un service administratif.* SENS 5. *Un* **bureau de tabac** *est une boutique où l'on vend du tabac.* SENS 6. *On a élu le* **bureau** *de l'assemblée, les personnes qui vont la diriger* (= comité).
✳ Au pluriel, on écrit des **bureaux**.

illustr.
p. 123

■ **buraliste** n. [SENS 5] *J'achète des timbres chez la* **buraliste***, chez la commerçante qui tient un bureau de tabac.*

■ **Bureautique** n.f. [SENS 1] *La* **Bureautique***, c'est l'ensemble du matériel informatique destiné au bureau.*
✳ **Bureautique** est un nom déposé, il s'écrit avec une majuscule dans les textes imprimés.

burette n.f. SENS 1. *Pour graisser ma machine à coudre, j'utilise une* **burette***, un petit récipient muni d'un tube mince pour verser de l'huile de graissage.* SENS 2. *L'eau et le vin utilisés pour la messe sont dans des* **burettes***, des petites fioles.*

burin n.m. *Un* **burin** *est un ciseau d'acier pour entailler ou couper la pierre ou les métaux.*

illustr.
p. 156,
995,
759

■ **buriner** v. 1er groupe. *Le vent, la mer et le soleil* **ont buriné** *le visage du marin, ils l'ont marqué de profondes rides.*

burlesque adj. *Il m'est arrivé une aventure* **burlesque***, à la fois extravagante et comique* (= cocasse).

burnous n.m. *Certains Arabes portent un* **burnous***, une grande cape de laine à capuchon.*
✳ On prononce [byrnu] ou [byrnus].

illustr.
p. 277

bus → *autobus*

illustr. **buse** n.f. La **buse** est un rapace qui se
p. 616 nourrit de reptiles et de petits rongeurs.

busqué, ée adj. Un nez **busqué** est un
nez courbe.

illustr. **buste** n.m. SENS 1. Le **buste** est la partie
p. 217, du corps qui va de la tête à la taille
(= tronc, torse). SENS 2. *Au musée, j'ai vu*
42 *un* **buste** *de Jules César,* une sculpture
représentant sa tête et une partie de sa
poitrine.

illustr. **but** n.m. SENS 1. *Paris est le* **but** *de notre*
p. 913, *voyage,* le point que nous voulons at-
894, teindre (= objectif). SENS 2. *Notre* **but** *est*
de vous satisfaire, c'est ce que nous
530 voulons faire, ce que nous visons (= intention, dessein). SENS 3. *Le ballon est*
entré dans le **but,** dans le cadre, entre les
poteaux, où il doit pénétrer pour que
l'équipe marque un point. SENS 4. *Notre*
équipe a marqué un **but,** un point.

▪ **buteur** n.m. [SENS 4] *Notre équipe a*
un bon **buteur,** un joueur habile à marquer des buts.

butane n.m. *Cette cuisinière fonc-*
tionne au **butane,** un gaz vendu en
grosses bouteilles de métal.

de **but en blanc** adv. *De but en blanc,*
il a décidé de partir, soudain, sans l'avoir
laissé prévoir.

buter v. 1er groupe. SENS 1. *J'ai buté*
contre une pierre, je l'ai heurtée (= tré-

bucher). SENS 2. **Buter** sur une difficulté,
c'est ne pas savoir la résoudre. SENS 3. *Il*
se **bute** *souvent,* il s'entête (= s'obstiner,
se braquer).

▪ **buté, ée** adj. [SENS 3] *Il m'a regardé*
d'un air **buté** *sans rien dire* (= fermé,
obstiné).

▪ **butoir** n.m. [SENS 1] *Le train s'arrête* *illustr.*
au ras du **butoir,** de l'obstacle placé à *p. 425*
l'extrémité de la voie ferrée.

buteur → *but*

butin n.m. *Les voleurs ont caché leur*
butin, ce qu'ils ont volé.

▪ **butiner** v. 1er groupe. *L'abeille* **bu-**
tine, elle récolte le pollen des fleurs.

butoir → *buter*

butte n.f. SENS 1. *Sur cette* **butte,** on *illustr.*
découvre tout le village, sur cette éléva- *p. 427*
tion de terrain (= monticule, colline).
SENS 2. **Être en butte aux** moqueries,
c'est subir sans cesse des moqueries.

buvable adj. *Ce médicament existe en*
ampoules **buvables,** dont le contenu
peut être bu (≠ imbuvable). ●● *boire*

▪ **buvard** n.m. Le **buvard** est un papier
spécial que l'on utilise pour sécher l'encre.

▪ **buvette** n.f. *À l'entrée de la plage, il*
y a une **buvette,** un petit local où l'on
vend des boissons (= café).

▪ **buveur, euse** n. *C'est un* **buveur** *de*
bière, il aime boire de la bière.

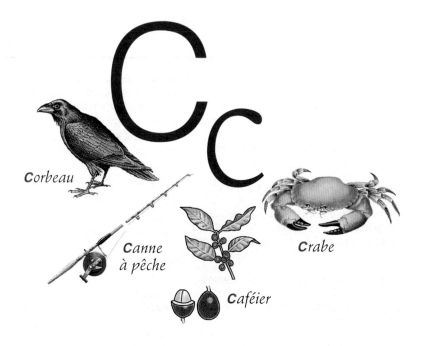

Corbeau

Canne à pêche

Caféier

Crabe

c' → ce

ça pron. dém. Fam. *Ça me donne une idée,* ceci. *Ça va bien,* cela. ●● *ce*
❋ Ne pas confondre **ça** et **çà**.

çà adv. *Les habits sont dispersés çà et là,* n'importe où, en désordre.
❋ Ne pas confondre avec **ça**.

cabale n.f. Monter une **cabale** contre quelqu'un, c'est s'entendre avec d'autres en secret pour lui nuire (= complot).

cabalistique adj. Des signes **cabalistiques** sont des signes mystérieux, difficiles à comprendre (= secret, énigmatique ; ≠ clair).

caban n.m. Un **caban** est une longue veste, comme en portent les matelots.

illustr. p. 747, 495
cabane n.f. SENS 1. *On range les outils dans une cabane au fond du jardin,* une petite maison (= baraque, cahute). SENS 2. Une **cabane à lapins** est un abri composé de casiers dans lesquels on élève les lapins (= clapier).

cabaret n.m. *On va ce soir dans un cabaret,* un endroit où on peut boire, manger en voyant un spectacle de variétés.

cabas n.m. *Mme Durand fait son marché avec un cabas,* un grand sac à provisions. *illustr. p. 582*

cabestan n.m. Sur un navire, un **cabestan** est un treuil vertical qui sert à tirer de lourdes charges comme un filet rempli de poissons, l'ancre, etc. (= treuil).

cabillaud n.m. Un **cabillaud** est une morue fraîche. *illustr. p. 694*

cabine n.f. SENS 1. *Dans la rue, on peut téléphoner d'une cabine (téléphonique),* un petit local spécialement aménagé. SENS 2. *Sur la plage, on se déshabille dans une cabine,* une petite cabane qui permet de s'isoler. SENS 3. *Sur un paquebot, les voyageurs dorment dans leur cabine,* leur chambre à bord du bateau. *Dans un avion, les passagers ne peuvent pas aller dans la cabine de pilotage* (= poste de pilotage, cockpit). *illustr. p. 940, 718, 971, 75, 425*

126

illustr.
p. 868

cabinet n.m. SENS 1. *Pierre se lave dans le cabinet de toilette*, la pièce qui contient un lavabo. SENS 2. (Au plur.). *David est allé aux cabinets*, la pièce où l'on fait ses besoins (= W.-C., toilettes). SENS 3. *Un médecin, un dentiste, un avocat reçoivent leurs clients dans leur cabinet*, le local, la pièce où ils travaillent. SENS 4. *Le cabinet d'un ministre*, c'est l'ensemble de ses collaborateurs (= ministère).

illustr.
p. 894,
156,
940,
504

câble n.m. SENS 1. *Le bateau est attaché au quai par des câbles d'acier* (= cordage, filin). SENS 2. *Des câbles sous-marins servent aux liaisons téléphoniques et télégraphiques entre l'Europe et l'Amérique*, de gros fils métalliques. SENS 3. *Êtes-vous abonné au câble?*, à un système de transmission des émissions télévisées par un réseau de câbles souterrains (= télévision par câble).
■ **câbler** v. 1ᵉʳ groupe. [SENS 2] *Le technicien a câblé le poste*, il a établi les liaisons électriques nécessaires. ◆ *Le radio a câblé un message*, il l'a transmis par câble télégraphique. [SENS 3] *Cette ville est entièrement câblée*, elle est équipée d'un réseau de télévision par câble.

caboche n.f. Fam. *Il a reçu un coup sur la caboche* (= tête).
■ **cabochard, arde** adj. et n. Fam. *Aubin est très cabochard*, il n'en fait qu'à sa tête (= indocile, entêté ; ≠ docile).

cabosser v. 1ᵉʳ groupe. *Il a cabossé sa voiture contre un arbre*, il l'a abîmée (= défoncer).

cabot n.m. Fam. *Ce sale cabot est encore en train d'aboyer* (= chien).

cabotage n.m. *Un navire de commerce qui fait du cabotage ne s'éloigne pas beaucoup des côtes* (≠ navigation au long cours).
■ **caboteur** n.m. *Un caboteur est un bateau qui fait du cabotage.*

cabotin, ine n. et adj. *Un cabotin est un acteur médiocre qui fait l'important pour qu'on l'admire. Hélène est très cabotine*, elle cherche à se faire remarquer en faisant beaucoup de manières (= comédien).
■ **cabotinage** n.m. *Son cabotinage m'agace* (≠ simplicité, naturel).

se **cabrer** v. 1ᵉʳ groupe. *Le cheval s'est cabré devant la barrière*, il s'est dressé sur ses membres postérieurs.

cabri n.m. *La chèvre est suivie de ses cabris*, ses petits (= chevreau).

cabriole n.f. *Les enfants font des cabrioles sur la plage*, ils sautent, se roulent dans le sable (= galipette).

cabriolet n.m. *Un cabriolet est une voiture légère décapotable.*

caca n.m. Fam. *Mon petit frère a fait caca dans son pot*, il a fait ses besoins.

cacahouète ou **cacahuète** n.f. *Les cacahouètes sont les graines de l'arachide que l'on mange légèrement grillées.*

illustr.
p. 982

cacao n.m. SENS 1. *Le cacao est une graine qui sert à fabriquer le chocolat.* SENS 2. *J'ai bu ce matin une tasse de cacao*, de la poudre de cacao diluée dans de l'eau ou du lait (= chocolat).
■ **cacaoté, ée** adj. *De la farine cacaotée est une farine qui contient du cacao.*
■ **cacaoyer** n.m. *Le cacaoyer est l'arbre qui produit le cacao.*
✳ On prononce [kakaɔje].

illustr.
p. 982

cacatoès n.m. *Un cacatoès est un perroquet avec une huppe colorée de jaune ou de rouge.*
✳ On prononce le « s » : [kakatɔɛs].

cachalot n.m. *Un cachalot est une sorte de baleine qui peut peser plusieurs tonnes.*

illustr.
p. 730

cache-cache → *cacher*

cachemire n.m. *Pierre porte une belle écharpe en* **cachemire**, *un tissu très doux fait avec le poil de chèvres originaires du Cachemire, en Inde.*

cache-nez n.m. inv. *Il fait froid, prends ton* **cache-nez** *!* (= écharpe).
❉ Ce mot ne change pas au pluriel.

cacher v. 1ᵉʳ groupe. SENS 1. *Pierre a caché mon stylo, il l'a mis dans un endroit secret* (= dissimuler). *Jacques s'est caché derrière l'armoire.* SENS 2. *Ce mur nous cache la mer, il nous empêche de la voir* (= masquer). SENS 3. *M. Dourven cherche à cacher son inquiétude, à ne pas la montrer* (= dissimuler ; ≠ exprimer, avouer, dévoiler).
■ **cache-cache** n.m. inv. [SENS 1] *Le jeu de* **cache-cache** *consiste à essayer de retrouver ceux qui se sont cachés.*
❉ Ce mot ne change pas au pluriel.
■ **cachette** n.f. [SENS 1] *Il a mis son argent dans une* **cachette**, *un endroit secret.* [SENS 3] *Il agit en cachette, secrètement* (= en catimini ; ≠ ouvertement).
■ **cachotterie** n.f. [SENS 3] *Aurélie n'avait rien dit : elle nous fait des* **cachotteries** (= secret, mystère).
■ **cachottier, ère** adj. et n. [SENS 3] *Marie est très* **cachottière**, *elle ne dit pas tout ce qu'elle sait.*

cachet n.m. SENS 1. *Cette lettre porte le cachet de la poste,* la date et le lieu de départ imprimés sur l'enveloppe. SENS 2. *L'argent que touchent les acteurs et les musiciens s'appelle un* **cachet**. SENS 3. *Un cachet d'aspirine est un médicament* (= comprimé).

cacheter v. 1ᵉʳ groupe. *Il faut cacheter une lettre avant de la mettre à la poste,* il faut la fermer en la collant (≠ décacheter).
❉ Conj. nº 8.

cachette → *cacher*

cachot n.m. *Le prisonnier a été mis au* **cachot**, *dans une cellule obscure et étroite.*

cachotterie, cachottier → *cacher*

cachou n.m. *Luc suce des* **cachous**, *des petites pastilles parfumées.*

cacophonie n.f. *Tous les bruits de la fête foraine font une véritable* **cacophonie**, *un mélange désagréable de sons* (= tintamarre, vacarme).

cactus n.m. *Les* **cactus** *sont des plantes grasses à piquants.*
❉ On prononce le « s » : [kaktys].

illustr. p. 277, 151

c.-à-d. → *c'est-à-dire*

cadastre n.m. *On peut consulter le cadastre à la mairie,* le registre qui contient le plan des propriétés de la commune.

cadavre n.m. *On a retiré plusieurs* **cadavres** *de la voiture accidentée,* les corps des personnes mortes.
■ **cadavérique** adj. *Il a un teint* **cadavérique**, *aussi pâle que celui d'un mort.*

Caddie n.m. *On fait ses courses au supermarché avec un* **Caddie**, *un chariot métallique sur roulettes.*
❉ **Caddie** est un nom de marque, il s'écrit avec une majuscule dans les textes imprimés.

illustr. p. 1017, 151

cadeau n.m. *Ce livre est un superbe* **cadeau** (= présent). *Mon père m'a fait cadeau d'une montre,* il me l'a offerte.
❉ Au pluriel, on écrit des **cadeaux**.

cadenas n.m. *Un* **cadenas** *est un petit dispositif que l'on bloque ou débloque à l'aide d'une clef et qui sert à fermer une porte, à attacher une chaîne, etc.*
■ **cadenasser** v. 1ᵉʳ groupe. *Il a cadenassé son vélomoteur,* il l'a attaché avec une chaîne et un cadenas.

cadence n.f. SENS 1. *Accélérez la* **cadence** *!,* agissez plus rapidement (= rythme). SENS 2. *Les soldats marchent en cadence* (= régulièrement).

■ **cadencé, ée** adj. [SENS 2] Marcher au pas **cadencé**, c'est marcher en faisant tous un pas en même temps.

cadet, ette adj. et n. SENS 1. *Vincent est le cadet de la famille,* le plus jeune des enfants (= benjamin ; ≠ aîné). SENS 2. n. Un **cadet** est un jeune sportif de 13 à 16 ans. SENS 3. n. *Ma cousine Caroline est ma cadette de deux ans,* elle a deux ans de moins que moi. ◆ *C'est le cadet de mes soucis,* je ne m'en soucie pas du tout, cela me laisse indifférente.

illustr.
p. 150,
573

cadran n.m. SENS 1. Le **cadran** d'une horloge, d'une montre, c'est la surface graduée sur laquelle se déplacent les aiguilles. SENS 2. Un **cadran solaire** indique l'heure grâce à une tige dont l'ombre tourne avec le soleil.

cadre n.m. SENS 1. *Le cadre de ce tableau est en bois doré,* la bordure qui l'entoure (= encadrement). ●● *enca-drer.* SENS 2. *Cela n'entre pas dans le cadre de mon travail,* cela n'a pas de rapport avec mon travail (= limites, domaine). SENS 3. *Mme Bernier fait partie des cadres de son entreprise,* de ceux qui ont des fonctions de direction (≠ employé). ●● *encadrer.* SENS 4. Le

illustr.
p. 1002

cadre d'une bicyclette, c'est l'ensemble des tubes qui en constituent l'armature.

■ **cadrer** v. 1er groupe. [SENS 2] *Ton récit ne cadre pas avec ce que je sais* (= concorder). [SENS 2] **Cadrer** une photo, c'est tenir l'appareil de façon que le sujet soit bien dans le champ.

illustr.
p. 503

■ **cadreur, euse** n. Un **cadreur** est une personne dont le métier est de manœuvrer la caméra (= cameraman).

caduc, caduque adj. *Le chêne a des feuilles caduques,* qui tombent chaque année (≠ persistant).
☀ Attention au féminin : **caduque**.

cafard n.m. SENS 1. *Il y a des cafards dans la cuisine,* des petits insectes bruns qui vivent dans l'obscurité (= blatte).

SENS 2. Fam. *Marie a le cafard,* elle est triste.

■ **cafardeux, euse** adj. [SENS 2] *Marie est cafardeuse* (= triste, mélancolique).

café n.m. SENS 1. *Maman a acheté un paquet de café,* de graines grillées et moulues pour faire une boisson appelée elle aussi « café ». *J'ai bu une tasse de café.* SENS 2. *Mon oncle nous a offert une limonade dans un café,* dans un lieu où l'on peut consommer des boissons diverses (= bar).

illustr.
p. 982,

1016

■ **caféier** n.m. [SENS 1] Le **caféier** est l'arbre qui produit les graines de café.

illustr.
p. 982

■ **cafétéria** n.f. [SENS 2] Une **cafétéria** est un local où l'on peut consommer du café, du thé, du chocolat, des sandwichs ou des repas rapides.

illustr.
p. 852

■ **cafetière** n.f. [SENS 1] Une **cafetière** est un appareil pour faire la boisson appelée « café ».

illustr.
p. 238

cafouiller v. 1er groupe. Fam. SENS 1. *Le moteur cafouille,* il fonctionne irrégu-lièrement. SENS 2. *Il a cafouillé dans ses calculs* (= s'emmêler, se tromper).

■ **cafouillage** n.m. Fam. [SENS 2] *Il y a eu du cafouillage dans l'organisation du pique-nique* (= désordre, pagaille).

cage n.f. SENS 1. *Les lions vont et viennent dans leur cage,* l'endroit garni de barreaux où ils sont enfermés. SENS 2. La **cage** de l'escalier est l'espace où il est construit. SENS 3. La **cage thoracique** est la partie du corps comprise entre les côtes, qui contient les poumons et le cœur.

illustr.
p. 177,
1033

cageot n.m. *On transporte les fruits et les légumes dans des cageots,* de petites caisses.

illustr.
p. 583

cagibi n.m. *Nous rangeons nos valises dans un cagibi,* un petit local (= réduit, débarras).

cagnotte n.f. *Anissa s'est offert un bracelet avec sa cagnotte,* de l'argent économisé peu à peu.

illustr.
p. 895 **cagoule** n.f. SENS 1. *Les gangsters portaient une **cagoule**, un capuchon cachant toute la tête sauf les yeux.* SENS 2. *Une **cagoule** est une sorte de bonnet qui couvre la tête et le cou.*

illustr.
p. 311 **cahier** n.m. *Pierre a écrit son devoir sur son **cahier** de brouillon, des feuilles de papier agrafées ou reliées ensemble et protégées par une couverture.*
✳ Ne pas confondre **cahier** et **cailler**.

cahin-caha adv. *La voiture avance **cahin-caha**, en cahotant, péniblement (= irrégulièrement).*

cahot n.m. *J'ai été réveillé par les **cahots** de la voiture, les secousses dues aux inégalités du sol.*
✳ Ne pas confondre avec **chaos**.

■ **cahoter** v. 1er groupe. *La voiture **cahote** sur le chemin, elle est secouée par les cahots.*

■ **cahotant, ante** adj. *Cette vieille carriole est **cahotante**, on y sent toutes les secousses que provoque le mauvais état du chemin.*

■ **cahoteux, euse** adj. *Ce chemin est **cahoteux**, il est plein de trous et cause des cahots (= irrégulier).*

cahute n.f. *Les enfants ont construit une **cahute** de branchages dans la forêt, une sorte de cabane (= hutte).*

caïd n.m. Fam. *N'essaie pas de jouer au **caïd** !, au chef de gang.*

caillasse → **caillou**

illustr.
p. 753 **caille** n.f. *Une **caille** est un oiseau qui ressemble à une petite perdrix.*

cailler v. 1er groupe. *Le lait a **caillé**, il est devenu presque solide (= se coaguler).*

■ **caillot** n.m. *Un **caillot** de sang, c'est du sang coagulé.*

caillou n.m. *Un **caillou** est une petite pierre.* *illustr.*
p. 753
✳ Au pluriel, on écrit des **cailloux**.

■ **caillouteux, euse** adj. *Le chemin est **caillouteux**, il est parsemé, couvert de cailloux.*

■ **caillasse** n.f. Fam. *On marche difficilement sur cette **caillasse** (= cailloux, pierres, pierraille).*

caïman n.m. *Un **caïman** est un crocodile d'Amérique à museau large.*

caisse n.f. SENS 1. *Nous avons mis les livres dans des **caisses**, dans de grandes boîtes en bois (= coffre).* SENS 2. *L'épicier compte le contenu de sa **caisse**, du tiroir où il met l'argent qu'il reçoit.* ●● **encaisser**. SENS 3. *Mme Durand est passée à la **caisse** de sa banque, au guichet où se font les paiements.* SENS 4. *On fait la queue aux **caisses** du supermarché, l'endroit où on paie ses achats.* SENS 5. *Jean joue de la **grosse caisse**, une sorte de tambour.* *illustr.*
*p. 583,
151,

629*

■ **caissette** n.f. [SENS 1] *Une **caissette** est une petite caisse.* *illustr.*
p. 583

■ **caissier, ère** n. [SENS 2] *La **caissière** d'un magasin reçoit l'argent des clients.*

■ **caisson** n.m. [SENS 1] *Un **caisson** est une sorte de grosse boîte étanche qui permet de travailler sous l'eau.*

cajoler v. 1er groupe. *La maman **cajole** son bébé, elle est très affectueuse avec lui (= câliner, dorloter).*

cake n.m. *Au dessert, nous avons mangé du **cake**, une sorte de gâteau aux raisins secs et aux fruits confits.*
✳ On prononce [kɛk].

calamar ou **calmar** n.m. *Le **calamar** est un mollusque marin comestible, voisin de la seiche.*

calamité n.f. *La guerre est une **calamité**, un grand malheur (= fléau, catastrophe).*

illustr.
p. 69
calandre n.f. La **calandre** d'une voiture est la partie métallique ou en matière plastique qui se trouve devant le radiateur.

illustr.
p. 949
calcaire SENS 1. n.m. Le **calcaire** est une roche blanchâtre. SENS 2. adj. Une eau **calcaire** est une eau qui contient du calcaire dissous. *La craie est une roche calcaire*, elle contient du calcaire.

calciner v. 1ᵉʳ groupe. *Le rôti a été calciné*, complètement brûlé (= carboniser).

calcium n.m. *Le calcium est un constituant essentiel de nos os*, un métal blanchâtre que l'on rencontre dans de nombreux matériaux naturels et dans les organismes vivants. ●● ***décalcifier***
❋ On prononce [kalsjɔm].

calcul n.m. SENS 1. *2 + 2 = 4, voilà un calcul simple* (= opération). *Marie est bonne en calcul* (= arithmétique). SENS 2. Faire un mauvais **calcul**, c'est faire une mauvaise prévision. SENS 3. *On lui a extrait des calculs de la vésicule biliaire*, des petites pierres qui se forment dans la vésicule ou la vessie et causent de vives douleurs.

■ **calculer** v. 1ᵉʳ groupe. [SENS 1]*Peux-tu calculer la surface de ce carré ?*, la déterminer par un calcul. ●● ***incalculable***. [SENS 2] *Il faut bien calculer les chances de succès*, les évaluer, les estimer (= peser, mesurer).

■ **calculateur, trice** adj. [SENS 2] *Il a un esprit calculateur*, il prévoit tout à l'avance pour garantir son intérêt (= habile, avisé).

illustr.
p. 51,
123
■ **calculette** ou **calculatrice** n.f. [SENS 1] Une **calculette** est une machine qui fait automatiquement des calculs et qu'on peut mettre dans la poche.

illustr.
p. 741
cale n.f. SENS 1. *La table est branlante : mets une cale sous ce pied*, un objet plat qui l'empêche de bouger. SENS 2. *On met les marchandises dans la cale du navire*, dans l'espace qui est sous le pont. SENS 3. *Le bateau est en cale sèche*,

dans un bassin sans eau où on peut le réparer.

■ **caler** v. 1ᵉʳ groupe. [SENS 1] *Cale la voiture avec une pierre !* (= immobiliser).
◆ *Le moteur a calé*, il s'est arrêté.

■ **cale-pied** n.m. [SENS 1] *Le coureur cycliste resserre ses cale-pieds*, les attaches qui fixent ses pieds aux pédales.
❋ Au pluriel, on écrit des **cale-pieds**.

calé, ée adj. Fam. SENS 1. *Marie est calée en histoire*, elle est savante (= fort). SENS 2. *Ce problème est très calé* (= difficile, ardu).

illustr.
p. 1010
caleçon n.m. SENS 1. *Mon grand frère porte un caleçon à fleurs*, un sous-vêtement qui part de la taille et s'arrête à mi-cuisse. SENS 2. *Julie porte un caleçon beige*, une sorte de pantalon de femme très moulant.

calembour n.m. Un **calembour** est un jeu de mots que l'on fait en utilisant des mots qui se prononcent de la même façon mais n'ont pas le même sens, comme « une personne alitée » et « une personnalité ».

illustr.
p. 132,
122
calendrier n.m. Un **calendrier** est un tableau qui représente la suite des jours, des semaines et des mois contenus dans une année.

cale-pied → *cale*

calepin n.m. *Alix note ses rendez-vous sur son calepin*, un petit carnet.

caler → *cale*

calfeutrer v. 1ᵉʳ groupe. *On a calfeutré la porte*, on a bouché les fentes pour empêcher l'air de passer.

calibre n.m. SENS 1. *Le calibre de ce revolver est de 8 millimètres*, le diamètre intérieur du canon. SENS 2. *Des fruits de même calibre* ont la même grosseur.

■ **calibrer** v. 1ᵉʳ groupe. [SENS 2] *Calibrer des fruits*, c'est les trier selon leur taille, leur grosseur.

131

Le calendrier

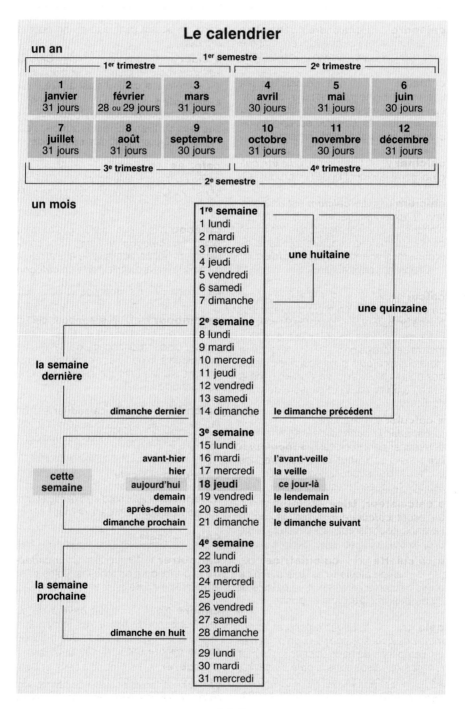

un an

1er semestre					
1er trimestre			2e trimestre		
1 janvier 31 jours	**2** février 28 ou 29 jours	**3** mars 31 jours	**4** avril 30 jours	**5** mai 31 jours	**6** juin 30 jours
7 juillet 31 jours	**8** août 31 jours	**9** septembre 30 jours	**10** octobre 31 jours	**11** novembre 30 jours	**12** décembre 31 jours
3e trimestre			4e trimestre		
2e semestre					

un mois

1re semaine
1 lundi
2 mardi
3 mercredi
4 jeudi — une huitaine
5 vendredi
6 samedi
7 dimanche

une quinzaine

2e semaine
8 lundi
9 mardi
10 mercredi
11 jeudi
12 vendredi
13 samedi
14 dimanche — le dimanche précédent

la semaine dernière — dimanche dernier

3e semaine
15 lundi
avant-hier — 16 mardi — l'avant-veille
hier — 17 mercredi — la veille
aujourd'hui — **18 jeudi** — ce jour-là
demain — 19 vendredi — le lendemain
après-demain — 20 samedi — le surlendemain
dimanche prochain — 21 dimanche — le dimanche suivant

cette semaine

4e semaine
22 lundi
23 mardi
24 mercredi
25 jeudi
26 vendredi
27 samedi
dimanche en huit — 28 dimanche

la semaine prochaine

29 lundi
30 mardi
31 mercredi

illustr. **calice** n.m. SENS 1. *Le prêtre verse le vin*
p. 821 *de messe dans le* **calice**, *une sorte de*
vase. SENS 2. *Le* **calice** *d'une fleur, c'est*
son enveloppe extérieure qui s'épanouit
au moment de la floraison.

calicot n.m. SENS 1. *Le* **calicot** *est un*
tissu de coton. SENS 2. *Les manifestants*
portaient des **calicots**, *des banderoles*
avec des inscriptions.

calife n.m. Un **calife** était, chez les musulmans, un chef religieux, une sorte de roi.

à **califourchon** adv. *Pierre est assis* **à**
califourchon *sur une branche*, *une*
jambe de chaque côté (= à cheval).

câlin, ine SENS 1. adj. *Aïcha est très*
câline, *elle aime les caresses*. SENS 2.
n.m. *Viens me* **faire un câlin**, *te blottir*
tendrement contre moi (= caresse).

■ **câliner** v. 1er groupe. *La mère* **câline**
son enfant (= cajoler, dorloter).

calleux, euse adj. *Le bûcheron a les*
mains **calleuses**, *les mains rugueuses*
parce que la peau s'est épaissie et durcie
(≠ doux, lisse).

■ **callosité** n.f. *Les terrassiers ont des*
callosités aux mains, *des endroits où la*
peau est dure et épaisse.

illustr. **calligraphie** n.f. La **calligraphie** est
p. 820 une écriture très élégante, artistique.

■ **calligraphier** v. 1er groupe. *Marie a*
calligraphié le titre de son rapport, *elle*
l'a écrit en calligraphie.

calmant → **calme**

calmar → **calamar**

calme adj. SENS 1. *Nous habitons dans*
une rue **calme** (= tranquille ; ≠ animé,
bruyant). *La mer est* **calme** (≠ agité).
●● **accalmie**. SENS 2. *Nos voisins sont*
des gens **calmes** (= paisible ; ≠ nerveux,
agité, excité).

■ **calme** n.m. [SENS 1] *J'aime le* **calme**
de la forêt, *l'absence d'agitation et de*
bruit. [SENS 2] *Il m'a répondu avec beau-*
coup de **calme**, *sans s'énerver* (≠ nervosité, agitation). *Malgré les insultes de*
ses adversaires, il n'a pas perdu son
calme (= sang-froid).

■ **calmement** adv. [SENS 2] *Il parle*
toujours **calmement** (= posément, sereinement).

■ **calmer** v. 1er groupe. [SENS 1 et 2] *Ce*
médicament **calme** *la douleur* (= apaiser, soulager ; ≠ exciter). *Calmez-vous*
et nous pourrons discuter, *reprenez*
votre sang-froid (≠ s'énerver).

■ **calmant** n.m. [SENS 2] *Si tu as mal à*
la tête, prends un **calmant**, *un médica-*
ment qui fait disparaître la douleur.

calomnie n.f. *Ne crois pas ce qu'on dit*
sur moi, ce sont des **calomnies**, *des*
accusations mensongères (= diffamation).

■ **calomnier** v. 1er groupe. *On me*
calomnie en prétendant que j'ai triché,
on dit des choses fausses pour me faire
du tort (= diffamer).

■ **calomniateur, trice** n. *Je méprise*
les **calomniateurs**, *ceux qui répandent*
des calomnies (= médisant).

■ **calomnieux, euse** adj. *Ce sont des*
accusations **calomnieuses**, *qui contien-*
nent des calomnies (= mensonger).

calorie n.f. *Les aliments nous fournis-*
sent des **calories**, *ils procurent à notre*
corps de la chaleur et de l'énergie.

calot n.m. SENS 1. *Les soldats portent un*
calot, *une coiffure allongée en tissu.*
SENS 2. *J'ai touché sa bille avec mon*
calot, *une grosse bille.*

calotte n.f. SENS 1. *Une* **calotte** est un
petit bonnet rond que l'on porte sur le
sommet de la tête. SENS 2. *Le mont Blanc*
est recouvert d'une **calotte glaciaire**,
d'une masse de glace.

calque n.m. *Marie a fait un* **calque** *du*   *illustr.*
plan de la maison, *un dessin copié*   *p. 51*

directement sur le modèle grâce à du papier transparent appelé **papier-calque**. ●● *décalque*

■ **calquer** v. 1er groupe. *Pierre a calqué le dessin d'un oiseau,* il l'a recopié grâce à du papier-calque. ●● *décalquer, décalcomanie.* ◆ Calquer son attitude sur celle de quelqu'un, c'est copier exactement l'attitude de cette personne (= imiter).

calumet n.m. *Les Indiens fumaient le calumet de la paix,* une pipe à long tuyau.

calvaire n.m. SENS 1. *Il y a un calvaire à l'entrée du village,* un groupe de statues rappelant la mort du Christ sur la croix. SENS 2. *Sa maladie a été un long calvaire,* une longue période de souffrance (= épreuve, martyre).

calvitie n.f. La **calvitie**, c'est une absence totale ou partielle de cheveux. ●● *chauve*
※ On prononce [kalvisi].

camarade n. *Adrien a invité ses camarades de classe,* les enfants de sa classe avec lesquels il a des rapports familiers et qu'il aime bien (= ami, fam. copain).

■ **camaraderie** n.f. *Il y a beaucoup de camaraderie entre Pierre et Rachid,* ils s'entendent bien (= amitié).

cambouis n.m. *Serge a du cambouis sur les mains,* de la graisse noire.

cambrer v. 1er groupe. *Cambrez le corps !,* redressez-le jusqu'à le courber en arrière. *Anémone se cambre pour répondre aux critiques* (= se redresser).

cambrioler v. 1er groupe. *Des voleurs ont cambriolé l'appartement* (= dévaliser, piller).

■ **cambriolage** n.m. *Il a été victime d'un cambriolage,* d'un vol dans sa maison.

■ **cambrioleur, euse** n. *La police a arrêté les cambrioleurs* (= voleur).

caméléon n.m. Un **caméléon** est une sorte de lézard qui peut prendre la couleur de son environnement (branches, feuilles, etc.) afin de se protéger. *illustr. p. 1033*

camélia n.m. Les **camélias** sont des arbustes qui donnent de belles fleurs portant le même nom.

camelot n.m. Un **camelot** est un marchand qui vend des objets sur le trottoir. *illustr. p. 583*

camelote n.f. Fam. *Ce stylo ne marche plus, c'est de la camelote,* c'est un article de mauvaise qualité.

camembert n.m. Le **camembert** est un fromage rond à pâte molle.

caméra n.f. Une **caméra** est un appareil qui permet de faire des films. *illustr. p. 503*

■ **cameraman** n.m. Un **cameraman** est une personne dont le métier est de faire fonctionner une caméra pendant le tournage d'un film ou l'enregistrement d'une émission de télévision (= cadreur).
※ On prononce [kameraman]. **Cadreur** est le mot français qu'il est recommandé d'employer.

Caméscope n.m. Le **Caméscope** est une petite caméra portative qui fonctionne avec une cassette vidéo. *illustr. p. 862*
※ **Caméscope** est un nom de marque, il s'écrit avec une majuscule dans les textes imprimés.

camion n.m. *Il y avait beaucoup de camions sur la route* (= poids lourd). *illustr. p. 277, 853, 157*

■ **camionnette** n.f. Une **camionnette** est un petit camion. *illustr. p. 853*

■ **camionneur** n.m. *Au restaurant de l'autoroute, j'ai rencontré des camionneurs,* des conducteurs de camion (= routier).

camisole n.f. *Autrefois, on mettait aux fous furieux une camisole de force,* une

camomille

canapé C

illustr. p. 868 **camomille** n.f. La **camomille** est une plante dont les fleurs sont utilisées pour faire des tisanes.

camoufler v. 1er groupe. *Les soldats camouflent leurs engins sous des branchages* (= cacher, dissimuler).

■ **camouflage** n.m. *Les soldats ont une tenue de camouflage, une tenue de la couleur des arbres qui leur permet de ne pas être vus.*

camouflet n.m. *Son échec aux élections a été pour lui un camouflet, une humiliation publique* (= affront, vexation).

camp n.m. SENS 1. *Les soldats ont installé un camp, des tentes, des baraques.* SENS 2. *Nous avons passé nos vacances dans un camp au bord de la mer, un terrain de camping.* SENS 3. *Pour la partie de ballon, la classe est divisée en deux camps, en deux partis opposés* (= clan). ✹ Ne pas confondre **camp** et **quand**.

■ **camper** v. 1er groupe. **[SENS 1 et 2]** *Nous avons campé au bord de la mer, nous avons fait du camping.* ◆ *Paul s'est campé devant la porte, il s'y est installé avec assurance, en se tenant bien droit.*

illustr. p. 277 ■ **campement** n.m. **[SENS 1]** *Il y a un campement de nomades à l'entrée du village* (= camp).

illustr. p. 733 ■ **campeur, euse** n. **[SENS 2]** *Des campeurs ont mis leur tente près de la rivière.*

■ **camping** n.m. **[SENS 2]** *Pendant les vacances nous avons fait du camping, nous avons dormi sous la tente. Nous étions dans un camping au bord de la mer, un terrain réservé aux campeurs.* ✹ On prononce [kãpiŋ].

campagne n.f. SENS 1. *La campagne est jolie au printemps, les champs, les prés, les bois* (≠ ville). → **rural, rustique**. SENS 2. *Napoléon a fait de nombreuses campagnes, des expéditions militaires.* SENS 3. *Une campagne élec-*

torale est l'ensemble des opérations par lesquelles les candidats aux élections font connaître leur programme (affiches, réunions publiques, émissions de radio ou de télévision).

■ **campagnard, arde** n. **[SENS 1]** Les **campagnards** sont les personnes qui vivent à la campagne (≠ citadin). ◆ Un **buffet campagnard** est un ensemble de mets et de boissons simples disposés sur une table pour une réception.

campanile n.m. Un **campanile** est un petit clocher au-dessus d'un édifice.

campanule n.f. Les **campanules** sont des fleurs mauves, blanches, roses en forme de clochettes. *illustr. p. 617*

campement, camper, campeur, camping → **camp**

canadienne n.f. *Il fait très froid, prends ta canadienne !, une grosse veste doublée de fourrure.*

canaille n.f. *Cet homme est une canaille, une personne malhonnête* (= crapule, gredin, fripouille).

canal n.m. SENS 1. *Le canal de Bourgogne relie la Seine et le Rhône, une voie d'eau navigable créée par l'homme.* SENS 2. *Un canal d'irrigation est une tranchée qui permet d'amener de l'eau aux cultures.* ✹ Au pluriel, on dit des **canaux**. *illustr. p. 1016, 1017*

■ **canaliser** v. 1er groupe. **[SENS 1]** *On a canalisé la rivière, on l'a rendue navigable.* ◆ *Le service d'ordre canalise la foule, il l'encadre et le dirige.*

■ **canalisation** n.f. **[SENS 1]** *La canalisation de la Moselle est terminée, sa transformation en voie navigable.* **[SENS 2]** *La canalisation est bouchée, le tuyau dans lequel passe un liquide ou un gaz.* *illustr. p. 573, 157*

canapé n.m. Un **canapé** est un fauteuil à plusieurs places. *illustr. p. 862*

135

illustr.
p. 384,
357

canard n.m. Un **canard** est un oiseau au large bec et aux pattes palmées dont il existe des espèces sauvages et des espèces domestiques.

illustr.
p. 384

■ **cane** n.f. La **cane** est la femelle du canard.

✳ Ne pas confondre avec une **canne**.

■ **caneton** n.m. Le **caneton** est le petit du canard.

canari n.m. *Le canari chante dans sa cage,* un petit oiseau jaune (= serin).

cancan n.m. *N'écoute pas ces cancans !,* ces bavardages malveillants (= commérage, racontar, ragot).

cancer n.m. *M. Toulens est mort d'un cancer du foie,* une maladie grave causée par un développement désordonné des cellules (= tumeur).

■ **cancéreux, euse** adj. et n. *M. Durand était cancéreux,* il avait un cancer. *On guérit de plus en plus de cancéreux.*

■ **cancérigène** adj. *Le tabac est cancérigène,* il peut provoquer le cancer.

cancre n.m. Fam. *Alexis ne travaille pas en classe, c'est un cancre,* un très mauvais élève.

illustr.
p. 164

candélabre n.m. Un **candélabre** est un grand chandelier où on peut mettre plusieurs bougies.

candeur n.f. *Marie est pleine de candeur,* elle a un esprit pur, innocent et sincère (= naïveté, ingénuité).

■ **candide** adj. *Marie a un regard candide,* plein de candeur (= pur, ingénu).

candi adj.m. inv. Le **sucre candi** est du sucre raffiné et cristallisé que l'on vend en morceaux irréguliers.

candidat, ate n. *M. Vallès est candidat aux élections,* il se présente.

■ **candidature** n.f. *Mon grand frère a posé sa candidature à un poste d'informaticien,* il a déclaré qu'il était candidat.

candide → *candeur*

cane, caneton → *canard*

canette n.f. SENS 1. La **canette** est un petit cylindre autour duquel est enroulé le fil à l'intérieur de la machine à coudre. SENS 2. *Au café, j'ai bu une canette de limonade,* une petite bouteille ou une petite boîte ronde en métal.

illustr.
p. 228

canevas n.m. SENS 1. *On fait de la tapisserie sur un canevas,* une toile spéciale. SENS 2. Le **canevas** d'un roman, c'est son plan.

illustr.
p. 228

caniche n.m. Un **caniche** est un chien à poil frisé.

canicule n.f. *On se rappelle la canicule de l'été dernier,* la forte chaleur.

■ **caniculaire** adj. *Il fait une chaleur caniculaire* (= torride).

canif n.m. Un **canif** est un petit couteau dont la lame se replie dans le manche.

canin, ine adj. La race **canine**, c'est la race des chiens.

canine n.f. *Le chat a des canines très pointues,* les dents qui se trouvent entre les incisives et les molaires.

illustr.
p. 217

caniveau n.m. *J'ai glissé dans le caniveau,* la rigole au bord du trottoir.

illustr.
p. 1016

✳ Au pluriel, on écrit des **caniveaux**.

cannage → *canné*

canne n.f. SENS 1. *Mon grand-père marche avec une canne,* un bâton pour s'appuyer. SENS 2. La **canne à sucre** est une plante tropicale qui ressemble au bambou et dont on extrait du sucre. SENS 3. Une **canne à pêche** est un bâton flexible au bout duquel on fixe une ligne (= gaule).

illustr.
p. 221,
845

✳ Ne pas confondre avec **cane**.

canné, ée adj. Un siège **canné** est fait de rotin tressé.

■ **cannage** n.m. *Le **cannage** de la chaise est défoncé, le fond canné.*

cannelé → *cannelure*

illustr. p. 691 **cannelle** n.f. SENS 1. *On se sert de la **cannelle** pour parfumer certains gâteaux,* une poudre faite avec l'écorce aromatique d'un arbre. SENS 2. *La **cannelle** du tonneau est mal fermée,* le robinet de bois.

cannelure n.f. *Les **cannelures** d'une colonne sont des rainures verticales et parallèles.*

■ **cannelé, ée** adj. *Ce temple a des colonnes **cannelées** (≠ lisse).*

cannibale n. et adj. *Des (peuplades) **cannibales** mangeaient de la chair humaine (= anthropophage).*

illustr. p. 845 **canoë** n.m. *Pierre a descendu la rivière en **canoë**,* une sorte de barque légère que l'on manœuvre avec une pagaie.

illustr. p. 971 **1. canon** n.m. SENS 1. *Un **canon** est une pièce d'artillerie composée d'un gros tube installé sur un support roulant et qui sert à lancer des boulets, des obus. SENS 2. Le **canon** d'une arme à feu, c'est le tube cylindrique par où sort la balle.*

■ **canonner** v. 1er groupe. [SENS 1] *Le bateau a **canonné** le port,* les canons du bateau ont lancé des projectiles vers le port (= bombarder).

■ **canonnade** n.f. [SENS 1] *À dix kilomètres, on entendait la **canonnade**,* les coups de canon.

2. canon n.m. *Les enfants chantent « Frère Jacques » en **canon** à quatre voix,* ils entonnent l'air successivement avec un décalage qui produit un effet harmonieux.

illustr. p. 495 **cañon** n.m. *Un **cañon** est une vallée très profonde aux versants abrupts creusée par un cours d'eau.*
✹ On prononce [kaɲɔn].

canoniser v. 1er groupe. *L'Église a **canonisé** Jeanne d'Arc en 1920,* elle a déclaré que c'était une sainte.

■ **canonisation** n.f. *La **canonisation** d'un personnage est décidée à Rome,* sa nomination au nombre des saints.

canonnade, canonner → *canon*

illustr. p. 740, 531 **canot** n.m. *Un **canot** est un petit bateau que l'on manœuvre avec des rames (= barque).*

■ **canoter** v. 1er groupe. *Nous **avons** canoté sur le lac,* nous nous sommes promenés en canot.

■ **canotage** n.m. *Nous avons fait du **canotage** sur le lac,* une promenade en canot, en barque.

cantal n.m. *Le **cantal** est un fromage d'Auvergne.*

cantate n.f. *Une **cantate** est un morceau de musique pour un orchestre et des chœurs.*

cantatrice n.f. *Une **cantatrice** est une chanteuse d'opéra.*

cantine n.f. SENS 1. *Marie déjeune tous les jours à la **cantine** du collège,* l'endroit où l'on peut prendre les repas. SENS 2. *Le soldat range ses affaires dans une **cantine** (= coffre, malle).*

cantique n.m. *À l'église, on chante des **cantiques**,* des chants religieux.

illustr. p. 358 **canton** n.m. SENS 1. *Il y a plusieurs **cantons** dans un département et plusieurs communes dans un **canton**,* une division administrative. SENS 2. *En Suisse, un **canton** est un État de la Confédération.*

■ **cantonal, ale, aux** adj. *Les élections **cantonales** servent à élire les conseillers généraux chargés d'administrer le canton.*

cantonade n.f. *Parler à la **cantonade**,* c'est parler fort et pour toute l'assistance.

cantonal → *canton*

cantonner v. 1er groupe. SENS 1. *Les soldats ont été cantonnés dans l'école,* on les y a installés provisoirement. SENS 2. *Nous nous sommes cantonnés à des remarques sans importance,* nous nous en sommes tenus à cela (= se limiter).

▪ **cantonnement** n.m. [SENS 1] *L'école a servi de cantonnement aux soldats* (= logement).

cantonnier n.m. Le métier du **cantonnier** est d'entretenir les routes.

caoutchouc n.m. *Les pneus de la voiture sont en caoutchouc,* en une matière résistante et élastique tirée de la sève de certains arbres comme l'hévéa, ou fabriquée à partir du pétrole.
❊ Le « c » final ne se prononce pas : [kaut∫u].

▪ **caoutchouté, ée** adj. Un tissu **caoutchouté** est enduit de caoutchouc.

▪ **caoutchouteux, euse** adj. *Cette viande n'est pas bonne, elle est caoutchouteuse,* elle a la consistance du caoutchouc.

illustr. p. 556 **cap** n.m. SENS 1. *Le bateau est passé au large d'un cap,* d'une pointe de terre. SENS 2. *Le bateau a mis le cap sur l'Amérique,* il se dirige vers l'Amérique. *Le voilier a changé de cap,* de direction.
❊ Ne pas confondre le **cap** et la **cape**.

capable adj. SENS 1. *Pierre est capable de faire ce problème,* il peut le faire (= apte à, en mesure de ; ≠ incapable). SENS 2. *M. Guérin est un homme capable* (= compétent ; ≠ incompétent, incapable).

▪ **capacité** n.f. [SENS 2] *Amélie a de grandes capacités,* des aptitudes, des ressources (= faculté, aptitude). ●● *incapacité.* ◆ *La capacité de cette bouteille est de 1 litre,* elle peut contenir 1 litre (= contenance).

cape n.f. Une **cape** est une sorte de manteau sans manches. ◆ **Rire sous cape,** c'est rire en cachette.
❊ Ne pas confondre avec un **cap**.
illustr. p. 220

capeline n.f. Les **capelines** sont des chapeaux à grands bords souples.
illustr. p. 220

capharnaüm n.m. *Cette boutique de brocanteur est un vrai capharnaüm,* un lieu plein d'objets en désordre.
❊ On prononce [kafarnaɔm].

capillaire adj. SENS 1. Une lotion **capillaire** est destinée au soin des cheveux. SENS 2. adj. et n.m. Les (vaisseaux) **capillaires** sont des vaisseaux sanguins fins comme des cheveux.
❊ On prononce [kapilɛr].
illustr. 216

capillarité n.f. *L'eau monte dans une éponge par capillarité,* en s'infiltrant dans les interstices.

capitaine n.m. SENS 1. Un **capitaine** est un officier d'un grade immédiatement supérieur à celui de lieutenant. SENS 2. Le **capitaine** d'un navire de commerce est l'officier qui le commande. *L'équipe de football a un nouveau capitaine,* un nouveau chef.
illustr. p. 440

1. capital, ale, aux adj. SENS 1. *Le maintien de la paix est un problème capital* (= essentiel ; ≠ secondaire, accessoire). SENS 2. *L'assassin fut condamné à la peine capitale,* à mort.

2. capital n.m. SENS 1. *M. Valogne a placé des capitaux dans une entreprise,* de l'argent qui lui rapporte des intérêts. SENS 2. *Son capital consiste en valeurs boursières et en immeubles,* sa fortune, son patrimoine.
❊ Au pluriel, on dit des **capitaux.**

▪ **capitalisme** n.m. [SENS 1 et 2] Le **capitalisme** est un système économique dans lequel les capitaux, les entreprises appartiennent à des particuliers et non à l'État (≠ socialisme, communisme).

■ **capitaliste** [SENS 1 et 2] adj. et n. *Les États-Unis sont un pays* **capitaliste**, *où le système économique est le capitalisme. M. Santon est un* **capitaliste**, *une personne qui possède des capitaux qui lui rapportent beaucoup d'argent.*

capitale n.f. SENS 1. *Paris est la* **capitale** *de la France,* la ville importante où se trouve le siège du gouvernement. SENS 2. *Écrivez votre nom en* **capitales**, en majuscules.

capitalisme, capitaliste
→ *capital*

capiteux, euse adj. Un vin **capiteux** monte à la tête et entraîne vite l'ivresse.

capitonné, ée adj. Un fauteuil **capitonné** est rembourré et garni d'un tissu maintenu par des piqûres.

capituler v. 1er groupe. *Les soldats ont dû* **capituler**, *cesser de résister* (= se rendre).
■ **capitulation** n.f. *On a annoncé la* **capitulation** *de l'ennemi* (= reddition).

illustr. p. 440 **caporal** n.m. Un **caporal** est un gradé du rang le moins élevé.
❋ Au pluriel, on dit des **caporaux**.

illustr. p. 69 **capot** n.m. Le **capot** d'une voiture est la partie mobile de la carrosserie qui recouvre le moteur.

capote n.f. SENS 1. La **capote** d'un soldat, c'est son manteau d'uniforme. SENS 2. *Certaines voitures ont une* **capote**, un toit pliant formé d'une toile montée sur une armature. ●● *décapotable*

capoter v. 1er groupe. *La voiture a* **capoté** *dans un virage dangereux,* elle s'est retournée.

câpre n.f Les **câpres** sont les fleurs en bouton du **câprier** conservées dans du vinaigre et employées comme condiment.

caprice n.m. *Marie voudrait qu'on cède à tous ses* **caprices**, *ses exigences, ses fantaisies* (= lubie).
■ **capricieux, euse** adj. *Tu es* **capricieuse**, *tu fais des caprices.*

capsule n.f. SENS 1. *La bouteille est bouchée avec une* **capsule**, *une sorte de bouchon en métal ou en plastique.* ●● *décapsuler.* SENS 2. *Les astronautes sont restés dans la* **capsule spatiale**, la partie habitable de la fusée.

capter v. 1er groupe. SENS 1. **Capter** une émission de radio, c'est la recevoir (≠ émettre). SENS 2. **Capter** une source, c'est recueillir ses eaux pour pouvoir les utiliser. SENS 3. **Capter** l'attention de quelqu'un, c'est la retenir.

captif, ive n. et adj. Un **captif** est un militaire qui a été fait prisonnier. *Il est resté* **captif** *pendant deux ans.*
❋ Ce mot ne s'emploie plus beaucoup aujourd'hui ; on dit plutôt « prisonnier ».
■ **captivité** n.f. SENS 1. *Il a passé cinq ans en* **captivité**, *comme prisonnier de guerre.* SENS 2. *Beaucoup d'animaux ne se reproduisent pas en* **captivité**, *lorsqu'ils sont enfermés dans un zoo* (≠ liberté).

captiver v. 1er groupe. *Pierre est* **captivé** *par son livre,* il est très intéressé (= passionner).
■ **captivant, ante** adj. *J'ai vu un film* **captivant**, *intéressant du début à la fin* (= passionnant).

captivité → *captif*

capturer v. 1er groupe. *Les chasseurs ont* **capturé** *un lion,* ils l'ont pris vivant (= attraper).
■ **capture** n.f. *Les chasseurs ont ramené leur* **capture** (= prise).

capuchon n.m. SENS 1. Le **capuchon** d'un manteau, c'est la partie qui peut se rabattre sur la tête. SENS 2. *Où est le*
illustr. p. 311

139

capuchon *de mon stylo ?,* la partie qui protège la plume.

*illustr.
p. 1011* ▪ **capuche** n.f. *La **capuche** de mon anorak est amovible* (= capuchon).

capucine n.f. Les **capucines** sont des plantes à fleurs orangées.

caqueter v. 1er groupe. *Les poules **caquettent** dans le poulailler,* elles font entendre des séries de petits cris. ✳ Conj. n° 8.

▪ **caquet** n.m. Fam. *Il faisait l'important, mais je lui **ai rabaissé son caquet**,* je l'ai obligé à se taire en le vexant.

1. car conj. Ce mot sert à introduire une explication : *il ne viendra pas **car** il est malade* (cause).

2. car → *autocar*

carabine n.f. *À la fête foraine, il y a des stands de tir à la **carabine**,* un fusil léger.

carabiné, ée adj. Fam. *J'ai eu un rhume **carabiné**,* très fort.

caracoler v. 1er groupe. *Le cheval s'est mis à **caracoler**,* à faire des petits sauts de divers côtés.

*illustr.
p. 994,
502* **caractère** n.m. SENS 1. *Le titre du journal est écrit en gros **caractères**,* en lettres d'imprimerie importantes. SENS 2. *Le **caractère** d'une personne,* c'est sa manière de se comporter (= tempérament). *Pierre a mauvais **caractère**,* il se fâche facilement. SENS 3. *Maman **a du caractère**,* c'est une femme énergique. SENS 4. *Cette maladie a les **caractères** de la varicelle,* elle en présente les signes distinctifs (= caractéristique, aspect, symptôme).

▪ **caractériel, elle** adj. et n. [SENS 2] Une personne **caractérielle** présente des troubles du caractère qui rendent difficiles ses relations avec son entourage.

▪ **caractériser** v. 1er groupe. [SENS 4] *Le climat continental **est caractérisé** par* d'importants écarts de température entre l'été et l'hiver,* ces écarts sont des signes distinctifs de ce type de climat, ce qui le distingue des autres.

▪ **caractéristique** adj. et n.f. [SENS 4] *Les courbatures sont un signe **caractéristique** de la grippe* (= particulier, distinctif, spécifique). *Quelles sont les **caractéristiques** de cette voiture ?* (= particularité).

carafe n.f. *Apporte une **carafe** d'eau sur la table !,* une bouteille à base large et à goulot étroit.

*illustr.
p. 733* **carambolage** n.m. *Il y a eu un **carambolage** sur l'autoroute,* un accident dans lequel plusieurs voitures se sont heurtées (= télescopage).

*illustr.
p. 150* **caramel** n.m. SENS 1. *Le **caramel**,* c'est du sucre chauffé avec un peu d'eau et qui est devenu brun. SENS 2. *Fatima mange un **caramel**,* un bonbon à base de caramel.

▪ **caraméliser** v. 1er groupe. [SENS 1] Faire **caraméliser** *du sucre,* c'est le transformer en caramel. ◆ *Maman a préparé des choux à la crème **caramélisés**,* recouverts de caramel fondant.

carapace n.f. *Les tortues ont le corps recouvert d'une **carapace**,* une enveloppe dure qui les protège.

*illustr.
p. 277,
970,
853,
177* **caravane** n.f. SENS 1. *Une **caravane** de nomades a traversé le Sahara,* des gens qui voyagent ensemble. SENS 2. *Ils passent leurs vacances en **caravane**,* dans une roulotte tirée par une automobile.

*illustr.
p. 971* **caravelle** n.f. *Le bateau de Christophe Colomb était une **caravelle**,* un bateau à voiles.

carbone n.m. Le **carbone** est une matière très répandue dans la nature et qui est le constituant essentiel du charbon.

▪ **carbonique** adj. Le **gaz carbonique** est un gaz composé de carbone et d'oxygène.

■ **carbonisé, ée** adj. *Le rôti est carbonisé*, il a été brûlé (= calciné).

carburant n.m. *L'essence, le gazole sont des carburants*, des liquides qui, en brûlant, font fonctionner des moteurs.

■ **carburateur** n.m. *Le carburateur est bouché*, l'appareil qui envoie dans le moteur de l'essence vaporisée.

illustr. p. 582 **carcasse** n.f. *On a mangé tout le poulet, il ne reste que la carcasse*, les os, le squelette.

carcéral, ale, aux adj. *La vie carcérale*, c'est la vie en prison. ●● *incarcérer*

cardiaque adj. SENS 1. *Les muscles cardiaques*, ce sont les muscles du cœur. *Le rythme cardiaque*, c'est la vitesse à laquelle bat le cœur. SENS 2. *Grand-père est cardiaque*, il a une maladie de cœur. → *cœur*

■ **cardiologue** n. *J'ai consulté un cardiologue*, un spécialiste des maladies du cœur.

illustr. p. 1010 **cardigan** n.m. *Un cardigan est un lainage à manches longues se fermant sur le devant.*

illustr. p. 642 **1. cardinal, ale, aux** adj. SENS 1. *1, 20, 100 sont des nombres cardinaux*, qui indiquent une quantité (≠ ordinal). SENS 2. *Le nord, le sud, l'est et l'ouest sont les quatre points cardinaux*, les points de repère qui permettent de s'orienter.

2. cardinal n.m. *Le pape est élu par les cardinaux*, des prélats d'un rang élevé. ✳ Au pluriel, on dit des **cardinaux**.

cardiologue → *cardiaque*

carême n.m. *Autrefois, les catholiques jeûnaient pendant le carême*, la période de 40 jours qui précède Pâques. ●● *mi-carême*

carence n.f. *Ma sœur souffre d'une carence de vitamines* (= insuffisance, manque).

caresse n.f. *Papa m'a fait une caresse sur la joue*, il a passé doucement sa main sur ma joue.

■ **caresser** v. 1er groupe. *Les chats aiment qu'on les caresse*, qu'on passe la main sur leur pelage.

cargaison n.f. *La cargaison d'un navire, d'un avion, d'un camion, c'est l'ensemble des marchandises qu'ils transportent* (= chargement).

cargo n.m. *Un cargo est un navire qui ne transporte que des marchandises.* → *paquebot*

caricature n.f. *Marie a fait une caricature de la maîtresse*, un dessin ressemblant mais comique car il déforme les particularités physiques de la personne.

carie n.f. *Brossez-vous les dents pour ne pas avoir de carie*, une maladie de la dent qui la creuse et peut la détruire.

■ **carié, ée** adj. *Pierre a plusieurs dents cariées*, attaquées par une carie.

carillon n.m. SENS 1. *Le carillon sonne 8 heures*, une horloge qui fait entendre un air pour marquer les heures. SENS 2. *Le carillon du beffroi vient de sonner*, un groupe de cloches.

■ **carillonner** v. 1er groupe. *Les cloches de l'église carillonnent* (= sonner).

carlingue n.f. *La carlingue d'un avion, c'est la partie où se trouvent l'équipage et les passagers.* *illustr. p. 531*

carmin n.m. *Le carmin est un rouge très vif, intense.*

carnage n.m. *La bataille s'est terminée par un carnage* (= massacre, tuerie).

carnassier → *carnivore*

carnassière n.f. ou **carnier** n.m. *Le chasseur rapporte deux perdrix dans sa carnassière, un sac spécial pour mettre le gibier* (= gibecière).

carnaval n.m. *Les fêtes du carnaval se terminent le Mardi gras, des réjouissances populaires avec défilés, chars, etc.* ✳ Au pluriel, on écrit des **carnavals**.

illustr. p. 311 **carnet** n.m. SENS 1. *Maman note ses rendez-vous sur son carnet, un petit cahier de poche* (= calepin). SENS 2. *Pierre a acheté un carnet de tickets d'autobus, un ensemble de tickets détachables.*

carnier → **carnassière**

carnivore adj. et n.m. *L'homme, le tigre, le chat sont (des) carnivores, ils mangent de la viande.*
■ **carnassier, ère** adj. *Le tigre et le lion sont carnassiers, ils se nourrissent de la chair crue d'autres animaux.*

carotide n.f. *Les carotides sont les deux artères du cou qui conduisent le sang à la tête.*

illustr. p. 747 **carotte** n.f. *La carotte est une plante que l'on cultive pour sa racine rouge-orangé que l'on mange crue ou cuite.*

illustr. p. 357 **carpe** n.f. *La carpe est un grand poisson d'eau douce.* ◆ *Il est resté muet comme une carpe, il n'a pas dit un mot.*

carpette n.f. *Il y a une carpette devant la cheminée, un petit tapis.*

illustr. p. 165 **carquois** n.m. *Un carquois est un étui dans lequel les tireurs à l'arc mettent leurs flèches.*

carre n.f. *Les carres d'un ski sont les baguettes d'acier qui bordent sa semelle.*

illustr. p. 431 **carré** n.m. SENS 1. *Un carré est une figure géométrique qui a quatre côtés*

égaux et quatre angles droits. SENS 2. *Le carré d'un nombre est le produit de la multiplication de ce nombre par lui-même. 4 est le carré de 2.* SENS 3. *M. Vandamme cultive son carré de choux, une surface plantée (en choux).*
■ **carré, ée** adj. [SENS 1] *La salle à manger est carrée, elle a la forme d'un carré.* [SENS 2] *Cette salle mesure 16 mètres carrés, elle a la forme d'un carré qui mesure 4 mètres sur 4.*   *illustr. p. 991*

illustr. p. 156, **carreau** n.m. SENS 1. *Le ballon a cassé un carreau de la fenêtre* (= vitre). SENS 2. *Le sol de la salle de bains est en carreaux de faïence, des petites plaques plates* (= dalle). SENS 3. *Christophe a une veste à carreaux, à petits dessins carrés.* SENS 4. *Le carreau de la mine, c'est le terrain où sont groupées toutes les installations de la mine, à la surface.* SENS 5. *Je joue le dix de carreau, la couleur représentée par un losange rouge.*   *530*
✳ Au pluriel, on écrit des **carreaux**.

■ **carrelage** n.m. [SENS 2] *J'ai lavé le carrelage, les carreaux du sol ou des murs.*   *illustr. p. 239*

■ **carreler** v. 1er groupe. [SENS 2] *Nous avons fait carreler notre cuisine, recouvrir le sol ou les murs de carreaux.*
✳ Conj. n° 6.

carrefour n.m. *Il y a des feux de signalisation au carrefour, à l'endroit où les rues se croisent* (= croisement).   *illustr. p. 855*

carrelage, carreler → **carreau**

carrément adv. *Dis-moi carrément ce que tu penses, dis-le sans détour* (= nettement, franchement).

se **carrer** v. 1er groupe. *Le directeur se carre dans un large fauteuil, il s'y installe bien à l'aise* (= s'enfoncer, se caler).

carrière n.f. SENS 1. *Une carrière est un lieu d'où on extrait des pierres, du sable.* SENS 2. *Mon frère ne sait pas quelle* *carrière il choisira,* dans quelle profession il s'engagera (= métier).

illustr. p. 385 **carriole** n.f. Une **carriole** est une petite charrette. ●● *char*

carrossable adj. *Arrête ! le chemin n'est plus carrossable,* une voiture ne peut pas y passer (= praticable ; ≠ impraticable).

illustr. p. 970 **carrosse** n.m. *Autrefois, les reines roulaient en carrosse,* dans de luxueuses voitures tirées par des chevaux. ◆ Fam. *Ce garçon est la cinquième roue du carrosse,* il n'a aucun rôle à jouer, il ne sert à rien.

illustr. p. 994 **carrosserie** n.f. La **carrosserie** d'une voiture est la partie extérieure en métal qui comprend le capot, le toit, les ailes, les portes, etc.

■ **carrossier** n.m. *Le carrossier a redressé l'aile de la voiture,* la personne qui répare les carrosseries.

carrure n.f. *Pierre a une belle carrure d'athlète,* il a le dos large et les épaules musclées.

illustr. p. 311 **cartable** n.m. *As-tu mis tes livres et tes cahiers dans ton cartable ?* (= serviette, sacoche, sac à dos).

illustr. p. 530, **carte** n.f. SENS 1. Les **cartes** à jouer sont des petits rectangles de carton qui portent des signes, des figures et qui se présentent en jeux de 32 ou 54. *L'as est la carte la plus forte.* SENS 2. *Montrez-moi votre carte d'identité,* le document prouvant qui vous êtes. La **carte grise** d'une voiture, c'est le document où est inscrit le nom du propriétaire. ●● *porte-cartes.* *311,* SENS 3. *La carte de France ressemble à un hexagone,* sa représentation géographique. SENS 4. *M. Valeton a laissé sa carte de visite,* un petit carton portant son nom et son adresse. SENS 5. *Pendant les vacances, écris-nous une carte 151 postale,* un rectangle de carton illustré sur une face.

■ **cartographie** n.f. [SENS 3] La **cartographie** est l'art de dessiner des cartes de géographie.

■ **cartomancien, enne** n. [SENS 1] Une **cartomancienne** est une femme qui prétend lire l'avenir grâce à un jeu de cartes.

cartilage n.m. *L'oreille est faite de cartilage,* d'une sorte d'os assez mou.

■ **cartilagineux, euse** adj. *La raie est un poisson cartilagineux,* elle n'a pas d'arêtes mais des cartilages.

cartographie, cartomancien
→ **carte**

carton n.m. SENS 1. *La couverture de ce livre est en carton,* en une sorte de papier rigide et épais. SENS 2. *Émilie range sa collection de cailloux dans un carton à chaussures* (= boîte).

■ **cartonnage** n.m. [SENS 1] *L'appareil est expédié dans un cartonnage robuste,* un emballage en carton.

■ **cartonné, ée** adj. [SENS 1] *Les livres cartonnés sont plus solides,* les livres avec une couverture en carton.

cartouche n.f. SENS 1. Une **cartouche** est un projectile d'arme à feu constitué par un tube rempli d'une charge de poudre et muni d'une amorce. SENS 2. *Amina s'est acheté un stylo à cartouche,* où l'encre est contenue dans un petit réservoir en plastique. *illustr. p. 55, p. 311*

■ **cartouchière** n.f. [SENS 1] *Le chasseur a sorti deux cartouches de sa cartouchière,* de la ceinture où il les range.

cas n.m. SENS 1. *Il a neigé en mai : c'est un cas assez rare,* cela arrive rarement (= événement, circonstance). SENS 2. *Ne faire aucun cas de quelque chose,* c'est ne lui accorder aucune importance. SENS 3. *Je ne sais pas qui a fait ça, en tout cas ce n'est pas moi* (= de toute façon). SENS 4. *En cas de malheur, prévenez-moi,* si un malheur arrive. SENS 5. *Au cas où vous passeriez par ici, venez me voir,* si vous passez par ici.

casanier, ère adj. *Marie est très casanière*, elle aime rester à la maison.

casaque n.f. *Une casaque est une veste de jockey.* ◆ Fam. *Il a tourné casaque*, il a changé d'avis, de camp.

illustr. p. 29 **cascade** n.f. SENS 1. *Le torrent fait une cascade de 10 mètres*, il tombe de cette hauteur (= chute d'eau). SENS 2. *Il s'est produit des incidents en cascade*, en série.

cascadeur, euse n. *Pour cette scène dangereuse, l'acteur principal du film a été remplacé par un cascadeur*, un acrobate professionnel qui exécute des cascades.

illustr. p. 530 **case** n.f. SENS 1. *Ces villageois africains vivent dans des cases*, des habitations très simples (= hutte). SENS 2. *Un échiquier a 64 cases*, des petits carrés. SENS 3. *Ce tiroir est divisé en trois cases* (= compartiment).

illustr. p. 122, 863 ■ **casier** n.m. [SENS 3] *Un casier est un meuble divisé en cases. Dans un casier à bouteilles*, chaque bouteille occupe une case. ◆ *Le casier judiciaire est la liste des condamnations en justice prononcées contre quelqu'un.*

casemate n.f. *Les tirs de mitrailleuse venaient d'une casemate*, un ouvrage fortifié au ras du sol.

caser v. 1er groupe. *Je ne pourrai pas caser tous ces livres dans mon cartable* (= placer, mettre, loger).

illustr. p. 737 **caserne** n.f. *Les soldats vont à la caserne*, au bâtiment où ils logent.

casier → *case*

casino n.m. *Il a perdu sa fortune au casino*, dans un établissement où l'on joue de l'argent.

casoar n.m. *Le casoar est un grand oiseau d'Australie.* *illustr. p. 1033*

casque n.m. SENS 1. *Les soldats et les pompiers portent un casque*, une coiffure rigide qui protège la tête. SENS 2. *Lionel écoute la musique sous son casque*, des écouteurs que l'on met sur les oreilles. *illustr. p. 733, 736, 165, 1011, 862*

■ **casqué, ée** adj. *Les motocyclistes doivent être casqués*, ils doivent porter un casque.

casquette n.f. *Jean porte une casquette*, une coiffure à visière. *illustr. p. 1011*

casser v. 1er groupe. SENS 1. *Julien a cassé une assiette*, il l'a réduite en morceaux (= briser). *Adeline s'est cassé la jambe au ski*, elle s'est brisé un os de la jambe (= fracturer). *Attention, ça se casse*, c'est fragile. ●● **incassable**. SENS 2. *Casser un fonctionnaire, c'est lui faire perdre son poste* (= destituer). SENS 3. *Casser un jugement, c'est le déclarer nul.* SENS 4. *Ce commerçant a décidé de casser les prix*, de les diminuer de beaucoup.

■ **cassant, ante** adj. [SENS 1] *Attention ! cette branche est cassante*, elle risque de se casser facilement.

■ **cassation** n.f. [SENS 3] *On attend la cassation du jugement*, qu'il soit cassé (= annulation). *La Cour de cassation est le tribunal qui peut casser des jugements.*

■ **casse** n.f. [SENS 1] *Au cours du déménagement, il y a eu de la casse*, des choses cassées.

■ **casse-cou** n. inv. et adj. inv. [SENS 1] *Pierre est (un) casse-cou*, il aime faire des choses dangereuses et prendre des risques (= imprudent).
✳ *Ce mot ne change pas au pluriel.*

■ **casse-croûte** n.m. inv. Fam. *Pour le pique-nique, j'ai apporté un casse-croûte*, un repas léger.
✳ *Ce mot ne change pas au pluriel.*

■ **casse-noix** n.m. inv. [SENS 1] *Un casse-noix est un instrument en forme de*

pince dont on se sert pour casser les noix, les amandes, les noisettes.
✴ Ce mot ne change pas au pluriel.

illustr. p. 530 ■ **casse-tête** n.m. inv. *Ce problème de maths est un vrai casse-tête*, il est très difficile.
✴ Ce mot ne change pas au pluriel.

■ **cassure** n.f. [SENS 1] *On voit sur ce vase la marque d'une cassure*, de l'endroit où il a été cassé. → *fracture*

illustr. p. 238 **casserole** n.f. Une **casserole** est un ustensile de cuisine, généralement en métal, muni d'un manche, dont on se sert pour faire cuire des aliments ; c'est aussi le contenu du récipient.

casse-tête → *casser*

illustr. p. 504, 862, 502 **cassette** n.f. SENS 1. Une **cassette** est un étui contenant une bande magnétique sur laquelle on peut enregistrer ou écouter de la musique, enregistrer des films ou regarder des films déjà enregistrés. → *vidéocassette*. SENS 2. *Autrefois, on mettait ses bijoux dans une cassette*, un petit coffre.

1. cassis n.m. Le **cassis** est une sorte de groseille noire dont on fait une liqueur ou de la confiture.
✴ On prononce [kasis].

2. cassis n.m. *Ralentis, le panneau annonce un cassis*, une rigole en travers de la route qui provoque une importante secousse des véhicules qui la franchissent. → *dos-d'âne*
✴ On prononce [kasi].

cassoulet n.m. Un **cassoulet** est un ragoût de haricots et de viande.

cassure → *casser*

illustr. p. 628 **castagnettes** n.f. pl. Les **castagnettes** sont deux plaquettes de bois qu'on entrechoque en mesure, en particulier pour accompagner certaines danses espagnoles.

caste n.f. *Ces gens forment une caste privilégiée*, un groupe qui se juge supérieur aux autres et ne les fréquente pas.

castor n.m. Le **castor** est un mammifère rongeur à fourrure qui vit en groupe au bord des rivières, en Amérique du Nord, en Europe et en Sibérie. *illustr. p. 494*

castrer v. 1er groupe. **Castrer** un animal mâle, c'est le priver de ses organes génitaux (= châtrer).

cataclysme n.m. Un **cataclysme** est une grande catastrophe naturelle comme un tremblement de terre, un raz de marée, un cyclone.

catacombes n.f. pl. *Les premiers chrétiens enterraient leurs morts dans des catacombes*, des souterrains.

catafalque n.m. *Le cercueil était posé sur un catafalque*, un support pour les cérémonies funéraires.

catalogue n.m. *On a reçu le catalogue d'un grand magasin*, la liste des articles qu'il vend accompagnée des photos qui les représentent.

catamaran n.m. Un **catamaran** est un voilier à deux coques.

cataplasme n.m. *Autrefois, on soignait souvent les bronchites avec des cataplasmes*, des bouillies spéciales mises dans du linge et appliquées sur la peau.

catapulte n.f. Une **catapulte** était une machine de guerre pour lancer des projectiles (pierres, boulets, etc.). *illustr. p. 164*

cataracte n.f. *Les cataractes du Nil ont plusieurs mètres de hauteur*, de grandes chutes d'eau sur un fleuve.

catastrophe n.f. *Cent personnes sont mortes dans une catastrophe aérienne*, un grave accident (= désastre). *illustr. p. 737*

▪ **catastrophé, ée** adj. Fam. *Pourquoi me regardes-tu de cet air catastrophé ?* (= atterré, consterné).

▪ **catastrophique** adj. *L'incendie a eu des conséquences catastrophiques* (= désastreux).

catch n.m. Le **catch** est une forme de lutte spectaculaire où presque toutes les prises sont permises.

▪ **catcheur, euse** n. *On a vu des catcheurs hier soir à la télévision,* des sportifs qui pratiquent le catch.

catéchisme n.m. *Thomas va au catéchisme,* à l'instruction religieuse chrétienne.

▪ **catéchiste** n. Les **catéchistes** sont des laïcs chargés de l'instruction religieuse.

catégorie n.f. *La flûte fait partie de la catégorie des instruments à vent* (= classe, groupe, ensemble).

catégorique adj. *Il m'a donné une réponse catégorique,* claire et sans réplique (= net ; ≠ équivoque, confus, évasif).

▪ **catégoriquement** adv. *Il a refusé catégoriquement* (= nettement, carrément).

illustr. p. 425, 971 **caténaire** n.f. Une **caténaire** est un câble électrique suspendu pour fournir du courant aux trains.

cathédrale n.f. *Les touristes ont visité la cathédrale,* une grande et belle église qui dépend d'un évêque.

illustr. p. 821 **catholique** n. et adj. Les **catholiques** sont des chrétiens qui reconnaissent le pape comme le chef de leur Église. *Les prêtres catholiques célèbrent la messe.*

▪ **catholicisme** n.m. Le **catholicisme**, c'est la religion catholique.

en **catimini** adv. *Nicolas mangeait des bonbons en catimini,* sans se faire re-marquer (= en cachette, en tapinois ; ≠ ouvertement).

catogan n.m. *Elle a les cheveux attachés sur la nuque par un catogan,* un gros nœud de ruban. *illustr. p. 221*

cauchemar n.m. *Cette nuit, j'ai fait un cauchemar,* un rêve pénible et angoissant.

caudal, ale, aux adj. La nageoire **caudale** d'un poisson est celle qui termine sa queue.

cause n.f. SENS 1. *On ne connaît pas encore les causes de l'accident,* ce qui a provoqué l'accident (= motif, raison ; ≠ conséquence, effet, résultat). SENS 2. *Je suis arrivé en retard à cause du brouillard,* parce qu'il y en avait (= en raison de). SENS 3. *La lutte contre la misère est une noble cause,* une idée, une action à laquelle on peut se dévouer. SENS 4. *Un incident imprévu a remis en cause notre décision,* il nous l'a fait réexaminer. SENS 5. *Chacun des plaideurs espère obtenir gain de cause,* espère gagner.

▪ **causer** v. 1er groupe. [SENS 1] *C'est un imprudent qui a causé l'accident,* qui en est la cause (= provoquer).

1. causer v. 1er groupe. *Pierre est en train de causer avec Marie,* de lui parler (= s'entretenir, bavarder).

▪ **causerie** n.f. Une **causerie** est une conversation familière ou un exposé.

▪ **causette** n.f. Fam. *Alexis et Fanny font la causette,* ils bavardent.

▪ **causeur, euse** n. *Jacques est un brillant causeur,* il a le don de causer agréablement devant un auditoire.

2. causer → *cause*

caustique adj. SENS 1. Un produit **caustique** ronge la peau, les tissus, etc. SENS 2. Une remarque **caustique** est blessante, mordante (= cinglant, incisif).

caution n.f. *Ma sœur a versé une* **caution** *au propriétaire de son logement,* une somme d'argent pour garantir qu'elle paiera son loyer.

■ **cautionner** v. 1er groupe. *Je ne peux pas* **cautionner** *ce projet,* lui donner mon appui (= soutenir).

cavalcade n.f. Une **cavalcade** est une course bruyante.

illustr. p. 733 **1. cavalier, ère** n. SENS 1. *Un* **cavalier** *a lancé son cheval au galop,* une personne qui va à cheval. SENS 2. *Il s'est incliné devant sa* **cavalière,** la femme avec qui il danse.

■ **cavalerie** n.f. [SENS 1] La **cavalerie** était la partie de l'armée formée des troupes à cheval.

2. cavalier, ère adj. *Pierre est entré sans frapper, c'est un peu* **cavalier,** un peu grossier (= désinvolte ; ≠ poli, respectueux).

■ **cavalièrement** adv. *Il m'a répondu* **cavalièrement** (= insolemment ; ≠ respectueusement).

cave n.f. *Papa est descendu chercher du vin à la* **cave,** la pièce qui est sous le sol de la maison.

illustr. p. 41 **caveau** n.m. Dans un cimetière, un **caveau** est une fosse surmontée d'une construction qui sert de tombe.
❋ Au pluriel, on écrit des **caveaux.**

caverne n.f. *L'ours est entré dans une* **caverne** *pour se mettre à l'abri,* un creux dans le rocher (= grotte).

caverneux, euse adj. Une voix **caverneuse** est une voix grave et sourde.

caviar n.m. *Au restaurant russe, on peut manger du* **caviar,** des œufs d'esturgeon salés.

cavité n.f. *La mer a creusé des* **cavités** *dans la falaise,* des trous.

CD n.m. inv. **CD** est le sigle de Compact Disc, le nom de marque d'un disque qui se lit grâce à un rayon laser. *illustr. p. 502*
❋ On prononce [sede].

ce, cet, cette, ces adj. démonstratifs. Ces mots, qui sont des déterminants, servent à désigner quelqu'un ou quelque chose : *ce livre, cet animal, cette femme, ces enfants.* Ils peuvent être accompagnés de **-ci** et de **-là** : *ce livre-**ci** est plus proche que ce livre-**là.***
❋ Ne pas confondre **cet** avec **cette** et **sept,** ni **ces** avec **ses** et **c'est.** Ne pas confondre non plus **ce** et **se.** Devant une voyelle ou un « h » muet, **ce** devient **cet** : **cet** *avion,* **cet** *homme.*

■ **ce, c', ceci, cela, ça, celui, celle(s), ceux** pron. démonstratifs. Ces mots servent à montrer : *c'est bien ; ce (ceci, cela) n'est pas bien ; ça va ? je n'ai pas de livre, je prends* **celui** *de Pierre ;* **celui-ci** *est plus près que* **celui-là.***
❋ Ne pas confondre **ce** et **se.** Ne pas confondre **celle** avec le **sel** et la **selle.**

cécité n.f. *Ce pauvre homme est frappé de* **cécité,** il est aveugle.

céder v. 1er groupe. SENS 1. *Thomas m'a* **cédé** *sa place* (= laisser, abandonner). ●● **cession.** SENS 2. *Pierre a* **cédé** *à sa sœur,* il a fait ce qu'elle voulait. SENS 3. *Il était trop lourd, et la branche a* **cédé,** *elle n'a pas résisté* (= casser, lâcher).
❋ Conj. n° 10.

cédille n.f. On met une **cédille** sous un « c » (ç) devant « a », « u », « o » pour indiquer le son [s] : : *façade, gerçure, leçon.*

cèdre n.m. Le **cèdre** est un très grand conifère.

ceinture n.f. SENS 1. *Resserre ta* **ceinture,** *ton pantalon tombe,* une bande de tissu ou de cuir entourant la taille. SENS 2. *On avait de l'eau jusqu'**à la ceinture,*** jusqu'au milieu du corps (= taille). SENS 3. *En voiture, on attache sa* **ceinture de** *illustr. p. 912, 1010,* *69*

sécurité, une bande de tissu très solide qui maintient le passager sur son siège en cas de choc.

▪ **ceinturer** v. 1er groupe. [SENS 2] *Le lutteur a ceinturé son adversaire*, il l'a saisi en lui serrant la taille entre ses bras.

illustr. p. 736 ▪ **ceinturon** n.m. [SENS 1] Un **ceinturon** est une grosse ceinture.

cela → *ce*

célébration → *célébrer*

célèbre adj. *Victor Hugo est un écrivain **célèbre***, très connu (= renommé ; ≠ inconnu).

▪ **célébrité** n.f. *Cet artiste jouit d'une grande **célébrité*** (= renom, réputation).

célébrer v. 1er groupe. SENS 1. *On **a célébré** l'anniversaire de la victoire*, on l'a fêté par une cérémonie. SENS 2. *Le prêtre **célèbre** la messe*, il la dit, il est le **célébrant**.
✳ Conj. n° 10.

▪ **célébration** n.f. [SENS 1 et 2] *Nous avons assisté à la **célébration** d'un mariage* (= cérémonie).

célébrité → *célèbre*

céleri n.m. Le **céleri** est une plante dont on mange la racine, la tige ou les feuilles.

céleste adj. SENS 1. *Pierre regarde la voûte **céleste***, le ciel. SENS 2. *La **puissance céleste***, c'est la puissance divine.

célibataire adj. et n. *Vincent est **célibataire***, il n'est pas marié. *C'est un **célibataire** endurci*, il ne souhaite pas se marier.

▪ **célibat** n.m. *Le mariage met fin au **célibat***, à la situation de célibataire.

celle → *ce*

cellier n.m. *On conserve les provisions dans le **cellier***, un local frais.
✳ Ne pas confondre **cellier** et **sellier**.

cellule n.f. SENS 1. *Le prisonnier a été enfermé dans une **cellule***, une petite pièce fermée à clef. SENS 2. *Les gâteaux de cire des abeilles sont divisés en **cellules***, en petites cavités. SENS 3. *La matière vivante est formée de **cellules***, d'éléments très petits.

▪ **cellulite** n.f. [SENS 3] La **cellulite** est une couche de cellules de graisse qui se forme sous la peau.

▪ **cellulose** n.f. [SENS 3] La **cellulose** est une substance contenue dans les cellules végétales et qui constitue l'essentiel de la pâte à papier.

celui → *ce*

cendre n.f. *La **cendre**, c'est la poudre grisâtre qui reste quand on a fait brûler quelque chose.* illustr. p. 949

▪ **cendrier** n.m. *Éteins ta cigarette dans le **cendrier***, le récipient destiné aux cendres et aux mégots.

censé, ée adj. *Nul n'est **censé** ignorer la loi*, on fait comme si personne ne l'ignorait. *Tu étais **censée** arriver tôt*, tu devais arriver tôt.
✳ Ne pas confondre **censé** et **sensé**.

censeur n.m. SENS 1. *Le **censeur** du lycée a réuni les élèves*, la personne qui fait régner l'ordre et la discipline. SENS 2. *Les **censeurs** sont des gens chargés par certains gouvernements d'examiner les livres, les films, etc. et d'accorder ou de refuser l'autorisation de les publier ou de les représenter.

▪ **censure** n.f. [SENS 2] *Le livre est passé devant la commission de **censure***, le comité des censeurs qui prononce l'autorisation ou l'interdiction de paraître ou d'être présenté.

▪ **censurer** v. 1er groupe. [SENS 2] *Ce film **a été censuré***, il a été interdit ou autorisé pour une certaine catégorie de public seulement.

cent adj. numéral. SENS 1. **Cent**, c'est dix fois dix. 10 x 10 = 100. ●● *pourcen-* illustr. p. 642

tage. → **hecto-.** SENS 2. *Il y a* **cent** *façons de régler la question,* de très nombreuses façons.

✴ On écrit deux **cents** euros, trois **cents** euros, etc. avec un « s », mais deux **cent** dix euros, trois **cent** cinquante euros, sans « s » à **cent** quand il est suivi d'un autre nombre. Ne pas confondre **cent** avec **sans,** le **sang** ou (je) **sens** et (il, elle) **sent** (du verbe « sentir »).

illustr.   ■ **centaine** n.f. [SENS 1] *Dans 821, 8 est*
p. 642   *le chiffre des* **centaines,** un groupe constitué de cent unités. [SENS 2] *J'ai une* **centaine** *de pièces dans ma poche,* environ cent pièces.

■ **centenaire** [SENS 1] adj. et n. *Ma grand-mère est* **centenaire,** elle a cent ans ou plus. *Les* **centenaires** *sont de plus en plus nombreux,* les personnes qui atteignent ou dépassent cent ans. ◆ n.m. *On a fêté le* **centenaire** *de notre école,* le centième anniversaire.
●● *bicentenaire, tricentenaire*

illustr.   ■ **centième** adj. et n. *10 est la* **cen-**
p. 642   **tième** *partie de 1 000. Elle est arrivée la* **centième** *au marathon.*

■ **centime** n.m. *J'ai échangé une pièce de 1 euro contre 5 pièces de 20* **cen-** **times,** la centième partie de l'euro.

■ **centuple** n.m. *1 000 est le* **centuple** *de 10,* le nombre que l'on obtient en multipliant 10 par 100.

■ **centupler** v. 1er groupe. *Il* **a centuplé** *sa fortune,* il l'a multipliée par 100.

illustr.   **centi-** préfixe. Placé devant une unité
p. 991   de mesure, **centi-** la divise par 100 : *un* **centi***gramme est un centième de gramme, un* **centi***litre est un centième de litre, un* **centi***mètre est un centième de mètre.* ●● *gramme, litre, mètre*

centième → *cent*

centigramme, centilitre, centimètre → *centi-*

centime → *cent*

centre n.m. SENS 1. *Amélie s'est placée*   *illustr.*
au **centre** *de la classe,* au milieu. *Le*   *p. 431,* **centre** d'un cercle est le point qui est situé à égale distance de tous les points de sa circonférence. ●● *concentrique,* *excentrique.* SENS 2. *Lyon est un* **centre** *industriel,* une ville importante. SENS 3. *Le* **centre** est un parti politique entre la gauche et la droite. SENS 4. *Le* **centre** *d'intérêt de la discussion a été le*   *p. 150* *chômage,* le point essentiel. SENS 5. *Samedi, on est allés regarder les bouti- ques du* **centre commercial,** un endroit où sont regroupés de nombreux commerces.

■ **central, ale, aux** adj. [SENS 1] *Nous habitons un quartier* **central,** au centre (≠ excentrique).

■ **centrale** n.f. [SENS 1] Une **centrale**   *illustr.* électrique produit du courant et l'envoie   *p. 333* dans toutes les directions.

■ **centraliser** v. 1er groupe. [SENS 2] *On* **a centralisé** *l'Administration,* on l'a grou- pée dans un seul endroit (≠ décentra- liser).

■ **centrer** v. 1er groupe. [SENS 4] *La discussion* **a été centrée** *sur le chô- mage,* elle s'est fixée sur ce point (= orienter).

■ **centriste** adj. et n. [SENS 3] Un (dé- puté) **centriste** n'est ni de gauche ni de droite (= modéré).

centuple, centupler → *cent*

cep n.m. Un **cep** est un pied de vigne.   *illustr.*
✴ Ne pas confondre **cep** et **cèpe.**   *p. 690*

cèpe n.m. Le **cèpe** est un champignon comestible (= bolet).
✴ Ne pas confondre avec **cep.**

cependant conj. Ce mot marque une opposition plus forte que « mais » (= pourtant, toutefois, néanmoins).

céramique n.f. *Les potiers font de la*   *illustr.* **céramique,** des poteries de terre cuite,   *p. 41* des faïences.

LE CENTRE COMMERCIAL

pains

ficelle

pain de mie

pain de campagne

baguette

pain parisien

bâtard

couronne

pain en épi

pain de seigle

petits pains

croissant

pain au chocolat

brioche

pain aux raisins

croissant aux amandes

pâtisseries

éclair

mille-feuille

chausson

religieuse

flan

tarte

petits fours

glaces

esquimau

cornet

coupe de sorbets

friandises

sucette

chocolats et pralinés

bonbons

tablettes de chewing-gum

caramels

horlogerie

cadran

aiguille

trotteuse

pendule à quartz

poids

balancier

affichage digital

réveil électronique

horloge

boîtier remontoir

montre

bijoux

bagues

boucles d'oreilles

bracelets

broche

gourmette

collier

fermoir

chaînette

pendentif

alliance

badge

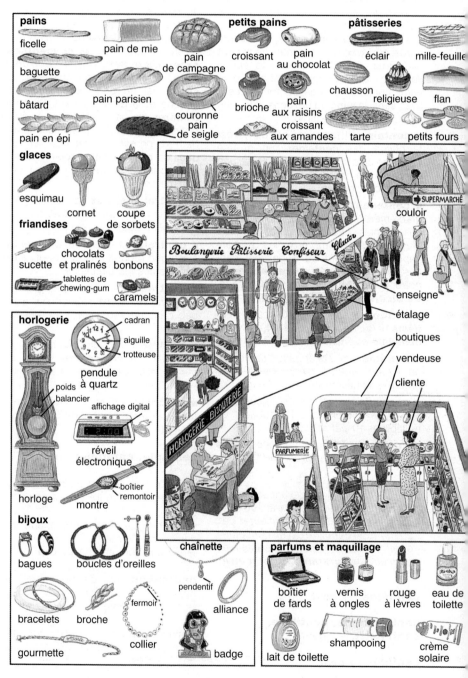

SUPERMARCHÉ

couloir

Boulangerie Pâtisserie Confiseur

Glacier

enseigne

étalage

boutiques

vendeuse

cliente

HORLOGERIE BIJOUTERIE

PARFUMERIE

parfums et maquillage

boîtier de fards

vernis à ongles

rouge à lèvres

eau de toilette

lait de toilette

shampooing

crème solaire

150

Près des villes importantes, il y a souvent un hypermarché et un centre commercial. Plusieurs boutiques sont regroupées là. Si on veut faire un cadeau, on a le choix : un livre, des fleurs, des friandises...

main courante (rampe)

marche

escalier roulant (Escalator)

chariot (Caddie)

ticket

balance automatique

panier

produits surgelés

lecture optique

code à barres

crayon lecteur

lecteur optique de codes à barres

écran

touches

tiroir-caisse

caisse enregistreuse

billets

pièces de monnaie

carte de crédit

chèque

chéquier

imprimante pour chèques

vitrine

présentoir

comptoir

librairie

journal (quotidien)

magazine (mensuel ou hebdomadaire)

carte routière

album de photos

carte postale

guide touristique

le fleuriste

bonsaï

bouquet de fleurs coupées

cactus

plante verte

livre relié (dictionnaire)

pages

titre

plat

dos

couverture

roman

livre de poche

album de bandes dessinées

album cartonné

151

illustr.
p. 177
cerceau n.m. *Les enfants font rouler leur cerceau,* un cercle servant à jouer qu'on pousse avec une baguette.
✳ Au pluriel, on écrit des **cerceaux**.

illustr.
p. 431,
691
cercle n.m. SENS 1. *Tracez un cercle avec votre compas,* une figure géométrique formée par une courbe fermée (= rond). *Un disque est un cercle plat. On place des cercles métalliques autour des tonneaux.* ●● *circulaire, encercler.* SENS 2. *Jean s'est inscrit à un cercle d'échecs,* un lieu où se réunissent des joueurs d'échecs.

cercueil n.m. *Le cercueil a été descendu dans la tombe,* le long coffre de bois renfermant le cadavre.

illustr.
p. 20
céréale n.f. SENS 1. Une **céréale** est une plante comme le blé, l'avoine, le riz dont les graines servent de nourriture. SENS 2. (Au plur.) *On a mangé des céréales au petit déjeuner,* une préparation alimentaire à base de maïs, d'avoine, etc., que l'on consomme en général avec du lait et du sucre.

cérébral → *cerveau*

cérémonie n.f. SENS 1. *La cérémonie du mariage aura lieu samedi,* l'acte solennel. SENS 2. *Il s'est invité sans cérémonie,* sans façons, très simplement (= à la bonne franquette).
■ **cérémonial** n.m. [SENS 1 et 2] *L'accueil d'un roi étranger se fait selon un cérémonial précis,* un ensemble de règles, de cérémonies (= protocole).
✳ Au pluriel, on écrit des **cérémonials**.
■ **cérémonieux, euse** adj. [SENS 2] *Il est cérémonieux, même avec ses amis,* trop poli (= solennel ; ≠ naturel, simple).

illustr.
p. 402
cerf n.m. *Les chasseurs ont tué un cerf,* un grand mammifère sauvage, qui a des cornes ramifiées appelées « bois ».
✳ Le « f » ne se prononce pas : [sɛr]. Ne pas confondre avec une **serre**.

illustr.
p. 746
cerfeuil n.m. *Marie met du cerfeuil dans la salade,* une plante aromatique.

cerf-volant n.m. *Les enfants font voler leurs cerfs-volants sur la plage,* des panneaux de papier ou de tissu montés sur une armature et retenus par un fil.
✳ Le « f » ne se prononce pas : [sɛrvɔlã]. Au pluriel, on écrit des **cerfs-volants**.

illustr.
p. 719

cerise n.f. Les **cerises** sont des fruits rouges à noyau produits par un **cerisier**.

illustr.
p. 747

cerne n.m. *Jean doit être fatigué, il a des cernes autour des yeux,* des cercles bleuâtres.
■ **cerné, ée** adj. *Jean a les yeux cernés car il n'a pas assez dormi.*

cerner v. 1er groupe. *Les gangsters étaient cernés par la police,* ils étaient entourés de tous côtés (= encercler).

certain, aine SENS 1. adj. *Ils menaient par 5 à 0 : la victoire était certaine,* elle ne faisait aucun doute (= sûr, assuré ; ≠ douteux, incertain). SENS 2. adj. *Jean est certain de ce qu'il dit* (= sûr, convaincu). SENS 3. adj. indéf. *Connaissez-vous un certain Dumont ?,* quelqu'un nommé Dumont. *Il a montré un certain courage,* du courage.
■ **certains** pron. indéf. pl. [SENS 3] *Certains acceptent de venir, les autres refusent,* quelques-uns.
■ **certainement** adv. [SENS 1] *Il viendra certainement* (= sûrement).
■ **certes** adv. [SENS 1] Ce mot sert à renforcer ce qu'on dit : « *Tu viendras ? — Certes !* » (= bien sûr). *La situation est certes délicate* (= assurément).
■ **certifier** v. 1er groupe. [SENS 1] *Il m'a certifié qu'il viendrait,* il me l'a affirmé.
■ **certificat** n.m. [SENS 1] Un **certificat** est un document officiel qui certifie, qui garantit quelque chose.
■ **certitude** n.f. [SENS 1] *C'est probable, mais ce n'est pas une certitude,* une chose certaine (≠ incertitude). [SENS 2] *J'ai la certitude qu'il viendra,* j'en suis certain.

cerveau n.m. Le **cerveau** est l'organe principal du système nerveux. ●● *écervelé*

* Au pluriel, on écrit des **cerveaux**.

■ **cervelet** n.m. Le **cervelet** est un petit organe situé à l'arrière du cerveau.

illustr. p. 216

illustr. p. 216

■ **cervelle** n.f. *On a mangé de la **cervelle** d'agneau,* le cerveau de cet animal.

■ **cérébral, ale, aux** adj. L'activité **cérébrale**, c'est l'activité du cerveau.

ces → *ce*

cesser v. 1er groupe. ***Cessez** de vous inquiéter,* ne continuez pas (= arrêter). ●● *incessant*

■ **cessation** n.f. *Les pourparlers ont abouti à la **cessation** des combats* (= arrêt, fin).

■ **cesse** n.f. *Il rit **sans cesse*** (= continuellement).

■ **cessez-le-feu** n.m. inv. Le **cessez-le-feu**, c'est l'arrêt des combats.

* Ce mot ne change pas au pluriel.

cession n.f. *Ils ont accepté la **cession** de leurs droits,* de les abandonner. ●● *céder*

* Ne pas confondre avec une **session**.

c'est-à-dire adv. Ce mot sert à expliquer ce qu'on vient de dire : *cette voiture pèse une tonne, **c'est-à-dire** 1 000 kilos* (= autrement dit).

* **C'est-à-dire** s'abrège en **c.-à-d.**

cet → *ce*

cétacé n.m. Les **cétacés** comme la baleine, le cachalot, le dauphin sont des mammifères marins.

illustr. p. 730

cette, ceux → *ce*

chacal n.m. Les **chacals** sont des sortes de chiens sauvages d'Asie et d'Afrique qui se nourrissent de cadavres.

illustr. p. 983

* Au pluriel, on dit des **chacals**.

chacun pron. indéf. ***Chacun** des enfants a eu un cadeau,* chaque enfant, tous les enfants. ●● *chaque*

chafouin, ine adj. *C'est un petit bonhomme au visage **chafouin**,* au visage ratatiné et sournois.

chagrin n.m. *Pierre est triste, il a du **chagrin** car son chat est malade* (= peine, tristesse ; ≠ joie).

■ **chagriner** v. 1er groupe. *La nouvelle de son départ m'**a** beaucoup **chagriné*** (= peiner).

chahuter v. 1er groupe. *Quand l'instituteur est sorti dans le couloir, les élèves se sont mis à **chahuter**,* à faire beaucoup de bruit et à s'agiter.

■ **chahut** n.m. *Quel **chahut** dans cette classe !* (= vacarme, tapage).

■ **chahuteur, euse** adj. et n. *Les élèves **chahuteurs** ont été punis. Quel **chahuteur**, ce Romain !*

chaîne n.f. SENS 1. *À la ferme, le chien est parfois attaché avec une **chaîne**,* une suite d'anneaux métalliques entrelacés. *La **chaîne** du vélo relie le pédalier au pignon.* ●● *enchaîner.* SENS 2. *Dans une usine, le travail **à la chaîne**, c'est la façon de fabriquer un objet en série, selon laquelle chaque ouvrier exécute toujours la même opération.* SENS 3. *Les Pyrénées sont une **chaîne de montagnes**,* une suite de montagnes. SENS 4. *Il y a un film à la télévision sur la deuxième **chaîne**,* un ensemble de programmes. SENS 5. *Papa s'est acheté une **chaîne hi-fi**,* un ensemble constitué par un lecteur de disques, une radio, un magnétophone, un amplificateur et des baffles. SENS 6. **Chaîne alimentaire** → *alimentaire*

illustr. p. 573, 1002, 994, 895, 502, 862

* Ne pas confondre avec un **chêne**.

■ **chaînon** n.m. [SENS 1] *Une chaîne est faite d'un ensemble de **chaînons*** (= maillon).

chair n.f. SENS 1. *La **chair** du poulet est blanche,* la viande, les muscles. ●● *décharné.* SENS 2. *Les pêches ont une **chair** parfumée,* la partie tendre sous la peau. ●● *charnu.* SENS 3. *J'avais vu*

153

son portrait dans les journaux, mais là je l'ai vu **en chair et en os**, en personne. SENS 4. Mme Bel **est bien en chair**, elle est grassouillette. SENS 5. Brrr ! Il fait froid, **j'ai la chair de poule** !, les poils de la peau qui se hérissent.
✳ On prononce [ʃɛr]. Ne pas confondre avec une **chaire**, **cher** et la **chère**.

illustr.
p. 820,
821

chaire n.f. Le prêtre a fait un sermon du haut de la **chaire**, une sorte de tribune dans l'église.
✳ Ne pas confondre avec **chair**.

illustr.
p. 862,
719

chaise n.f. Prends une **chaise** et assieds-toi !, un siège à dossier et sans accoudoirs. Grand-père se repose sur une **chaise longue**, un siège sur lequel on peut s'allonger et poser ses jambes.

chaland n.m. Un **chaland** est une petite péniche.

illustr.
p. 1011

châle n.m. Mets un **châle** sur tes épaules, une grande pièce d'étoffe tissée ou tricotée.

illustr.
p. 616

chalet n.m. Les Morin ont loué un **chalet** pour les sports d'hiver, une petite maison en montagne.

chaleur n.f. SENS 1. En août, la **chaleur** était étouffante, la température élevée (≠ froid). → **thermique**. SENS 2. Nous avons été accueillis avec beaucoup de **chaleur**, d'une manière enthousiaste (= empressement).

■ **chaleureux, euse** adj. [SENS 2] L'accueil que nous avons reçu là-bas a été **chaleureux** (= empressé ; ≠ froid).

■ **chaleureusement** adv. [SENS 2] On l'a félicitée **chaleureusement** (= vivement). Nous avons été reçus **chaleureusement** (≠ froidement, fraîchement).

challenge n.m. Un **challenge** est une compétition sportive qui met en jeu un titre de champion.
✳ On prononce [ʃalɑ̃ʒ] ou [ʃalɑ̃dʒ].

■ **challenger** n.m. Un **challenger** est une équipe ou un athlète qui cherche à obtenir un titre de champion.
✳ On prononce [ʃalɑ̃dʒœr].

chaloupe n.f. Les **chaloupes** de sauvetage d'un navire sont de grands canots que l'on tient prêts en cas de naufrage.

chalumeau n.m. Le plombier a fait une soudure au **chalumeau**, avec un appareil à flamme très chaude.
✳ Au pluriel, on écrit des **chalumeaux**.

illustr.
p. 994

chalut n.m. Les pêcheurs ont jeté leur **chalut**, une sorte de grand filet en forme de poche qu'on traîne au fond de la mer.

illustr.
p. 694

■ **chalutier** n.m. Un **chalutier** est un bateau de pêche équipé d'un chalut.

illustr.
p. 694

se **chamailler** v. 1er groupe. Vous n'allez pas vous **chamailler** pour si peu !, vous disputer, vous quereller.

chamarré, ée adj. Au carnaval, Juliette portait un déguisement **chamarré**, aux couleurs vives et variées (= bariolé).

chambarder v. 1er groupe. Fam. On ne va pas **chambarder** tout le programme pour un détail (= bouleverser).

■ **chambardement** n.m. Fam. Les guerres provoquent de grands **chambardements**, de grands bouleversements.

chambouler v. 1er groupe. Fam. Tous mes projets de balade **sont chamboulés** avec cette pluie, démolis, bouleversés.

chambranle n.m. Le **chambranle** d'une porte, c'est son encadrement fixe.

chambre n.f. SENS 1. Une **chambre** est une pièce où l'on peut coucher. SENS 2. (Avec majuscule.) Les élections à la **Chambre des députés** vont bientôt avoir lieu, l'assemblée qui vote les lois (= Assemblée nationale). SENS 3. L'accusé est passé devant la **chambre** d'accusation, une des branches, des parties du tribunal. SENS 4. La **chambre à air** de

illustr.
p. 863,

69

mon vélo est dégonflée, le tube de caoutchouc rempli d'air à l'intérieur du pneu.

■ **chambrée** n.f. [SENS 1] Une **chambrée** est une grande chambre où couchent des soldats.

illustr. **chameau** n.m. Un **chameau** est un
p. 277 mammifère du désert à deux bosses, endurant et sobre.
　❋ Au pluriel, on écrit des **chameaux**.

illustr. ■ **chamelier** n.m. Le **chamelier** conduit
p. 277 la caravane des chameaux.

illustr. **chamois** n.m. Un **chamois** est un mam-
p. 617 mifère de la montagne très agile qui ressemble un peu à une chèvre.

illustr. **champ** n.m. SENS 1. *Le cultivateur est*
p. 20, *en train de labourer un* **champ**, *un terrain cultivé.* SENS 2. (Au plur.) *Nous sommes allés nous promener dans les* **champs**, *la campagne.* SENS 3. *Un* **champ de**
397 **bataille**, *un* **champ de courses**, *un* **champ de foire** *sont de vastes espaces de terrain.* SENS 4. *Cette entreprise a élargi son* **champ d'action**, *le domaine où elle agit.*
　❋ On prononce [ʃɑ̃]. Ne pas confondre **champ** et **chant**.

■ **champêtre** adj. [SENS 2] *Jean aime la vie* **champêtre**, *la vie à la campagne* (= rural, rustique).

champagne n.m. *On a débouché une bouteille de* **champagne**, *d'un vin blanc pétillant très apprécié.*

champêtre → ***champ***

illustr. **champignon** n.m. *En automne on*
p. 403 *ramasse des* **champignons**, *mais attention aux* **champignons** *vénéneux !, des plantes ayant le plus souvent un pied et un chapeau et qui poussent très vite.*
　→ ***mycologie***

champion, onne adj. et n. *L'équipe de Nantes a été* **championne** *de France de football, elle a été la meilleure. Elle est arrivée première, c'est la* **championne** *!*

■ **championnat** n.m. *Nantes a gagné le* **championnat** (= compétition).

chance n.f. SENS 1. *Marie a de la* **chance**, *elle a encore gagné à la loterie, elle est favorisée par le hasard* (= fam. veine ; ≠ malchance). SENS 2. *Il y a peu de* **chances** *qu'il vienne demain, cela est peu probable* (= probabilité).

■ **chanceux, euse** adj. [SENS 1] *Tu as été plus* **chanceux** *que moi, tu as eu plus de chance* (≠ malchanceux).

chanceler v. 1ᵉʳ groupe. *Jean a reçu un coup et* **a chancelé**, *il a failli tomber* (= vaciller, tituber).
　❋ Conj. nº 6.

chandail n.m. *Maria a mis trois* **chandails**, *tellement elle avait froid, des tricots de laine* (= pull-over).

chandelle n.f. SENS 1. *Autrefois on s'éclairait avec des* **chandelles**, *des bougies.* SENS 2. *L'avion a fait une* **chandelle**, *une figure d'acrobatie aérienne qui consiste à monter très vite à la verticale.*

■ **chandelier** n.m. [SENS 1] *On a décoré*   *illustr.*
la table avec deux beaux **chandeliers**,   *p. 820*
des grands bougeoirs à pied.

changer v. 1ᵉʳ groupe. SENS 1. *Le temps va* **changer**, *il va devenir différent.*
　●● ***inchangé***. SENS 2. *Cette nouvelle coiffure la* **change**, *elle lui donne un air différent.* SENS 3. *Camille* **a changé de robe**, *elle en a mis une autre.*
　●● ***rechange***. Changer un bébé, *c'est remplacer sa couche sale par une couche propre.* SENS 4. *David* **a changé de** *place* **avec** *moi, il a pris ma place et j'ai pris la sienne.* ●● ***échanger, interchangeable***. SENS 5. *Pour voyager à l'étranger, on* **change** *des euros en dollars, en yens, en roubles, etc., on donne des euros et on reçoit une somme équivalente dans une monnaie d'un autre pays* (= convertir).
　❋ Conj. nº 2.

■ **change** n.m. [SENS 3] *La maman a mis plusieurs* **changes** *dans sa valise, plu-*

LE CHANTIER DE CONSTRUCTION

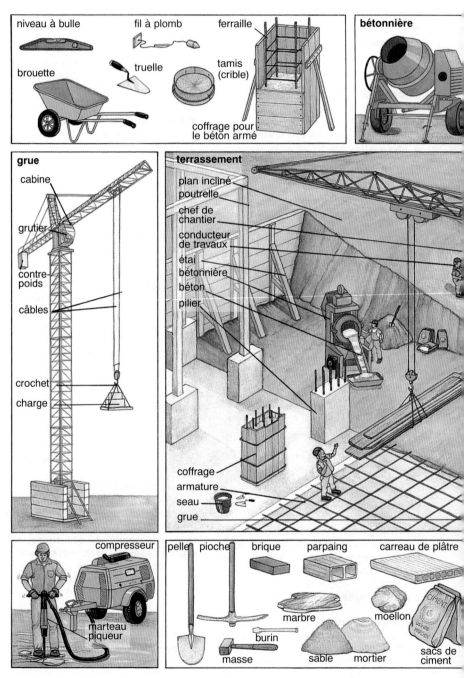

niveau à bulle

fil à plomb

ferraille

bétonnière

brouette

truelle

tamis (crible)

coffrage pour le béton armé

grue

cabine

grutier

contre-poids

câbles

crochet

charge

terrassement

plan incliné

poutrelle

chef de chantier

conducteur de travaux

étai

bétonnière

béton

pilier

coffrage

armature

seau

grue

compresseur

marteau piqueur

pelle   pioche   brique   parpaing   carreau de plâtre

marbre

moellon

burin

masse

sable

mortier

sacs de ciment

156

Sur un chantier, des ouvriers qui ont des métiers différents travaillent ensemble pour construire un bâtiment...
Ils doivent porter un casque pour éviter d'être blessés accidentellement.

çon

briques

tier

mur

levier

bloc de pierre

point d'appui

camion

benne basculante

échafaudage

garde-fou

pelleteuse

planches

excavation

monte-charge

montant

échelon

échelle

manœuvre

gravats (déblais)

tranchée

trier

tre

ge

taloche

wagonnet

benne

rail

poulie

conduite d'eau (canalisation)

157

sieurs couches pour changer son bébé. [SENS 4] Perdre **au change**, c'est faire un échange désavantageux (≠ gagner au change). [SENS 5] Un bureau de **change** est un endroit où l'on change de l'argent.

■ **changeant, ante** adj. [SENS 1] *Depuis quelques jours, le temps est **changeant*** (= variable, instable). *Il a une humeur **changeante*** (≠ égal).

■ **changement** n.m. [SENS 1] *Il va y avoir un **changement** de temps.* [SENS 3] *illustr. p. 69* Le levier de **changement de vitesse** d'une voiture permet de passer la vitesse supérieure ou inférieure.

chanson n.f. *Je connais l'air et les paroles de cette **chanson**,* ce texte mis en musique (= chant).

■ **chansonnette** n.f. Une **chansonnette** est une petite chanson.

■ **chansonnier** n.m. Un **chansonnier** chante des textes moqueurs sur l'actualité.

illustr. p. 310 **chant** n.m. SENS 1. *Marie apprend le **chant**,* l'art d'émettre des sons musicaux avec sa voix selon certaines règles. SENS 2. *La Marseillaise est un **chant** patriotique,* un texte mis en musique (= chanson). SENS 3. *J'aime écouter le **chant** des oiseaux,* les oiseaux chanter, émettre de jolis sons.

■ **chanter** v. 1er groupe. [SENS 1] *Marie nous **a chanté** une très jolie chanson.* [SENS 3] *Perché sur une branche, un merle **chantait** gaiement.*

■ **chantant, ante** adj. [SENS 3] *Les gens du Midi ont un accent **chantant*** (= musical).

illustr. p. 629 ■ **chanteur, euse** [SENS 1] n. *J'ai entendu cette **chanteuse** à la radio.* → *cantatrice, chantre*. [SENS 3] adj. *Quel est cet oiseau **chanteur** ?*

■ **chantonner** v. 1er groupe. [SENS 1] *Il **chantonne** en travaillant,* il chante à mi-voix (= fredonner).

chantage n.m. *M. Durand a été victime d'un **chantage**,* quelqu'un l'a forcé à verser de l'argent en le menaçant d'un scandale.

■ **chanter** v. 1er groupe. *Quelqu'un **a fait chanter** M. Durand,* il a exercé un chantage.

■ **chanteur** n.m. Un **maître chanteur** est un homme qui fait du chantage.

chantant → *chant*

chanter, chanteur → *chant, chantage*

chantier n.m. *Le **chantier** est interdit au public,* l'endroit où des ouvriers travaillent à la construction de quelque chose. *illustr. p. 156*

chantonner → *chant*

chantre n.m. Le **chantre** est celui qui a pour profession de chanter à l'église en soliste.

chanvre n.m. Le **chanvre** est une plante dont les fibres servent à fabriquer des cordes.

chaos n.m. *Le **chaos** règne dans le pays,* un grand désordre.
✻ On prononce [kao]. Ne pas confondre avec **cahot** et **K.-O.**

■ **chaotique** adj. *Il y a sur cette table un entassement **chaotique** de livres* (= confus).

chaparder v. 1er groupe. Fam. *Les enfants **chapardaient** des poires dans le jardin du voisin,* ils commettaient un larcin en les volant (= voler, fam. chiper).

chapeau n.m. SENS 1. *M. Delcour ne sort jamais sans **chapeau**,* la pièce d'habillement plus ou moins rigide qui se porte sur la tête. → *coiffure*. SENS 2. *Le **chapeau** de ce cèpe est brun,* la partie supérieure du champignon. *illustr. p. 220*
✻ Au pluriel, on écrit des **chapeaux**.

■ **chapelier** n.m. [SENS 1] Un **chapelier** est un fabricant ou un marchand de chapeaux d'homme. → *modiste*

chapelain → *chapelle*

illustr.
. 820,
821 **chapelet** n.m. *Elle récitait ses prières en faisant glisser entre ses doigts les grains d'un chapelet*, un objet de piété.

chapelier → *chapeau*

chapelle n.f. Une **chapelle** est une petite église, ou bien, dans une grande église, une partie pourvue d'un petit autel.

■ **chapelain** n.m. *Autrefois, il y avait des chapelains dans certains châteaux*, des prêtres attachés à la chapelle de ces châteaux.

chapelure n.f. *Les escalopes panées sont recouvertes de chapelure*, de miettes de pain sec.

illustr.
p. 41,
177 **chapiteau** n.m. SENS 1. Un **chapiteau** est la partie supérieure, élargie et souvent ornée, d'une colonne. SENS 2. Le **chapiteau** d'un cirque est la tente sous laquelle a lieu le spectacle.
✳ Au pluriel, on écrit des **chapiteaux**.

chapitre n.m. *Ce livre contient quinze chapitres*, quinze parties distinctes.

chapitrer v. 1er groupe. **Chapitrer** quelqu'un, c'est le réprimander.

chapon n.m. Un **chapon** est un poulet castré devenu bien gras.

chaque adj. indéf. Ce mot indique que quelque chose ou quelqu'un est considéré séparément : *chaque objet, chaque personne* (= tout). ●● *chacun*

char n.m. SENS 1. *Les Romains aimaient les courses de chars*, de voitures à deux roues tirées par des chevaux. SENS 2. Un *illustr.*
p. 55 **char (d'assaut)** est un engin de guerre qui roule sur des chenilles (= tank). SENS 3. *Les chars du carnaval défilent*, les voitures décorées.

illustr.
. 425,
868 ■ **chariot** n.m. Un **chariot** est une petite voiture à quatre roues pour transporter des colis.

■ **charrette** n.f. Une **charrette** est *illustr.*
p. 385,
427 une voiture légère tirée par un cheval (= carriole).
✳ **Chariot** n'a qu'un « r », mais **charrette** en a deux.

■ **charretier** n.m. Le **charretier** conduit sa charrette.

■ **charrier** v. 1er groupe. *Le cultivateur charrie du fumier dans une remorque* (= transporter).

charabia n.m. Fam. *Je ne comprends rien à ton charabia*, à ton langage obscur (= jargon).

charade n.f. « *Mon premier miaule, mon second est devant le port, mon tout est une devinette* », as-tu trouvé la solution de cette **charade** ? [chat + rade = charade].

charançon n.m. Les **charançons** sont *illustr.*
p. 385 de petits insectes qui rongent les grains, les fruits à l'aide d'une sorte de trompe.

charbon n.m. SENS 1. Le **charbon** extrait *illustr.*
p. 333 de la terre est une matière noire qu'on brûle pour se chauffer ou pour produire de l'énergie (= houille). SENS 2. *On fait des grillades au barbecue avec du **charbon de bois***, des morceaux de bois incomplètement brûlés qui servent de combustible.

■ **charbonnier, ère** n. Un **charbonnier** est un marchand de charbon.

charcutier, ère n. Le **charcutier** pré- *illustr.*
p. 582 pare et vend de la viande de porc sous diverses formes : jambon, saucisson, pâté, etc.

■ **charcuterie** n.f. La **charcuterie** est la boutique du charcutier. *Nous avons mangé de la **charcuterie***, des aliments à base de viande de porc.

chardon n.m. Un **chardon** est une *illustr.*
p. 617 plante à feuilles piquantes.

chardonneret n.m. Le **chardonneret** est un petit oiseau chanteur qui a du rouge sur la tête et du jaune sur les ailes.

*illustr.
p. 156,
161*

charge n.f. SENS 1. *Il porte une lourde charge sur son dos* (= fardeau, poids). ●● **surcharge**. *M. Dupuis a de grosses charges familiales,* des obligations coûteuses. SENS 2. *Francis s'est bien acquitté de sa charge,* de ce qu'il devait faire (= mission, tâche). SENS 3. *Il y a de lourdes charges contre l'accusé* (= accusation). ◆ Un **témoin à charge** présente l'accusé comme coupable. ●● **décharge**. SENS 4. *La bataille s'est terminée par une charge de cavalerie,* une attaque violente. SENS 5. *Chaque cartouche a une charge de poudre et une charge de plomb,* une certaine quantité de ces matières qui lui permet d'exploser et de frapper.

■ **charger** v. 1er groupe. [SENS 1] *La voiture est trop chargée,* le poids de sa charge est trop lourd. *Aide-moi à charger la voiture,* à y mettre des charges (≠ décharger). ●● **recharger, surcharger**. [SENS 2] *Jean m'a chargé d'acheter ce livre,* il m'a dit de le faire. *Ne vous inquiétez pas, je me charge de tout* (= s'occuper). [SENS 4] *La police a chargé les manifestants* (= attaquer). [SENS 5] *Attention, ce pistolet est chargé,* il contient une charge, on peut tirer une balle. ◆ **Charger une batterie**, c'est lui faire emmagasiner de l'électricité. ●● **recharger**
✳ Conj. n° 2.

■ **chargement** n.m. [SENS 1] *Il faut faire le chargement de la voiture,* la charger. *Le camion s'est renversé avec tout son chargement* (= cargaison).

■ **chargeur** n.m. [SENS 5] *Un chargeur de fusil, de pistolet contient plusieurs cartouches.*

chariot → *char*

charité n.f. SENS 1. *La charité, c'est l'amour, la générosité qui pousse à faire du bien aux autres.* SENS 2. *Un mendiant m'a demandé la charité,* une aumône.

■ **charitable** adj. [SENS 1] *Marie est très charitable,* elle est bonne.

charivari n.m. *Il y a eu hier soir un charivari épouvantable,* des bruits forts et désagréables (= vacarme, fam. boucan).

charlatan n.m. *Un charlatan est une personne qui prétend avoir des recettes miraculeuses pour guérir les gens* (= escroc, imposteur).

1. charme n.m. *Marie est une fille pleine de charme,* elle est séduisante, elle plaît aux autres.

■ **charmant, ante** adj. *Amélie est une femme charmante,* elle est très aimable.

■ **charmer** v. 1er groupe. *Le film d'hier soir nous a charmés,* il nous a beaucoup plu.

■ **charmeur, euse** adj. *Elle a un sourire charmeur,* qui plaît, qui séduit.

2. charme n.m. *Le charme est un arbre à bois blanc et dur.*

■ **charmille** n.f. *Une charmille est une allée bordée de charmes.*

charnière n.f. *Les portes de la voiture sont attachées à la carrosserie par des charnières,* des parties mobiles (= gond).

charnu, ue adj. *La poire est un fruit charnu,* qui a beaucoup de chair. ●● **chair**

charogne n.f. *Cette charogne répand une odeur infecte,* le cadavre d'un animal en train de pourrir.

charpente n.f. *La charpente est l'ensemble des pièces de bois ou de métal soutenant un toit.*
*illustr.
p. 572
427*

■ **charpentier** n.m. *Un charpentier fabrique et pose des charpentes.*

charpie n.f. *Le chien a mis la couverture en charpie,* il l'a déchirée en petits morceaux, déchiquetée.

charretier, charrette, charrier → *char*

charrue n.f. *Une charrue est une machine agricole tirée aujourd'hui par un*
*illustr.
p. 20*

La famille du mot «charge»

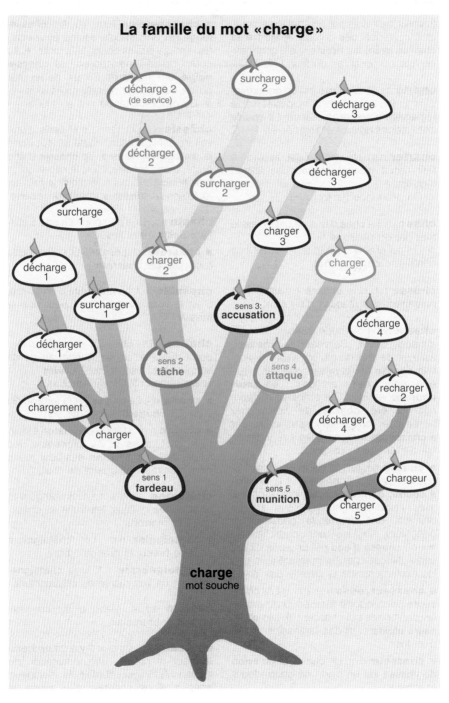

tracteur, autrefois par un attelage animal, et qui creuse des sillons. ◆ **Mettre la charrue avant les bœufs**, c'est commencer par où on aurait dû finir.

charte n.f. Une **charte** est un document qui énonce les grands principes et fixe le règlement d'une organisation. *La charte des Nations unies a été signée en 1945.*

charter n.m. Un **charter** est un avion à tarif réduit n'assurant pas une liaison régulière.
🟊 On prononce [ʃartɛr].

illustr. p. 228
chas n.m. Le **chas** d'une aiguille, c'est le trou par où passe le fil.
🟊 On ne prononce pas le « s ». Ne pas confondre **chas** et **chat**.

châsse n.f. Une **châsse** est un coffret contenant des reliques d'un saint.

chasser v. 1er groupe. SENS 1. *Tous les dimanches, M. Beliveau va* **chasser**, essayer de tuer du gibier. SENS 2. *Valentine* **chasse** *les papillons,* elle les poursuit pour s'en emparer. ●● **pourchasser**. SENS 3. *Cet employé malhonnête* **a été chassé** *de son poste* (= renvoyer, congédier). SENS 4. *Le vent* **a chassé** *les nuages,* il les a repoussés, fait disparaître (= dissiper).

■ **chasse** n.f. [SENS 1] *Pierre accompagne son père à la* **chasse**. *À la* **chasse** *à courre,* on poursuit le gibier à cheval avec l'aide de chiens. [SENS 2] *Les policiers* **ont donné la chasse** *aux gangsters,* ils les ont pourchassés. ◆ Une **chasse d'eau** est un appareil qui sert à évacuer par un puissant jet d'eau les excréments de la cuvette des W.-C.

■ **chasseur, euse** n. [SENS 1] *Les* **chasseurs** *ont rapporté beaucoup de gibier,* les personnes qui chassent. ◆ Les **chasseurs alpins** sont des fantassins armés d'un fusil.

illustr. p. 54
■ **chasseur** n.m. Un **chasseur** ou **avion de chasse** est un avion de guerre léger et rapide.

■ **chasse-neige** n.m. inv. Un **chasse-neige** est un véhicule équipé pour écarter la neige sur les côtés de la route. ◆ *Au cours de ski, on apprend le* **chasse-neige**, *une façon de freiner, de tourner ou de s'arrêter en écartant ses skis.* 🟊 Ce mot ne change pas au pluriel.
illustr. p. 894

châssis n.m. SENS 1. Le **châssis** d'une voiture est l'armature rigide qui supporte la carrosserie. SENS 2. Le **châssis** d'une porte, d'une fenêtre, c'est le cadre qui la maintient. SENS 3. *Le jardinier a mis les radis sous un* **châssis**, *une sorte de serre.*
illustr. p. 746

chaste adj. Une personne **chaste** s'abstient des plaisirs sexuels.

■ **chasteté** n.f. *Les prêtres catholiques font vœu de* **chasteté**.

chasuble n.f. La **chasuble** d'un prêtre, c'est le vêtement qu'il met pour dire la messe.

chat n.m. Un **chat** est un petit animal domestique à longue queue, au corps souple et au poil doux. → **félin**
🟊 Ne pas confondre avec **chas**.
illustr. p. 384

■ **chatte** n.f. La **chatte** est la femelle du chat. *La* **chatte** *miaule pour sortir.*
illustr. p. 385

■ **chaton** n.m. SENS 1. Un **chaton** est un petit chat. SENS 2. *Au printemps, les saules ont des* **chatons**, *des bourgeons doux comme une queue de chat.*
illustr. p. 385 403

châtaigne n.f. *Nous avons mangé des* **châtaignes** *grillées,* les fruits du châtaignier (= marron).
illustr. p. 402

■ **châtaignier** n.m. Les **châtaigniers** sont de beaux et grands arbres.
illustr. p. 402

■ **châtaigneraie** n.f. Une **châtaigneraie** est un lieu planté de châtaigniers.

châtain adj.m. *Marie a les cheveux* **châtains**, *brun clair.*

château n.m. SENS 1. *Il y a un* **château** *fort sur la colline,* une fortification du Moyen Âge qui abritait le seigneur. SENS 2. *Nous sommes allés visiter le*
illustr. p. 164

château de Versailles, la grande et très luxueuse demeure du roi Louis XIV

*illustr.
p. 1017* (= palais). SENS 3. *Le **château d'eau** se trouve à l'entrée du village*, le réservoir qui alimente le village en eau.
✴ Au pluriel, on écrit des **châteaux**.

■ **châtelain, aine** n. [SENS 1 et 2] *Les paysans saluaient le **châtelain** et la **châtelaine***, les maîtres du château.

chat-huant n.m. Le **chat-huant** est un oiseau rapace nocturne. → **hibou, chouette**
✴ Au pluriel, on écrit des **chats-huants**.

châtier v. 1ᵉʳ groupe. **Châtier** un criminel, c'est lui infliger un châtiment, une punition sévère (= punir).

■ **châtiment** n.m. *Il a reçu le **châtiment** de ses fautes* (= punition).

chatoiement → *chatoyer*

chaton → *chat*

chatouiller v. 1ᵉʳ groupe. *Étienne **chatouille** sa sœur*, il la fait rire en la touchant à certains endroits sensibles.

■ **chatouillement** ou **chatouillis** n.m. *On ressentait les **chatouillements** des hautes herbes sur les mollets.*

■ **chatouille** n.f. Fam. *Arrête de me faire des **chatouilles** !*, de me chatouiller.

■ **chatouilleux, euse** adj. *Marie est très **chatouilleuse***, elle est très sensible quand on la chatouille.

chatoyer v. 1ᵉʳ groupe. *Les diamants **chatoient** au soleil*, ils brillent d'éclats variés (= scintiller, étinceler).
✴ Conj. n° 3.

■ **chatoiement** n.m. *Nous étions éblouis par le **chatoiement** des lustres.*

châtrer v. 1ᵉʳ groupe. *Le bœuf est un taureau **châtré***, privé de ses organes sexuels (= castré).

chatte → *chat*

chatterton n.m. *On isole le fil électrique avec du **chatterton***, un ruban de toile adhésive.
✴ On prononce [ʃatɛrtɔn].

chaud, e adj. SENS 1. *Attention ! l'eau est **chaude**, presque brûlante* (≠ tiède, froid, glacé). *Il gèle : mets des vêtements **chauds**, qui conservent bien la chaleur du corps.* ●● **échauffer**. SENS 2. *La dispute a été **chaude***, vive, ardente.
●● **chaleur**

■ **chaud** adv. [SENS 1] *Il fait très **chaud** en août. J'ai trop **chaud**.*

■ **chaud** n.m. [SENS 1] *L'hiver, Zoé aime à rester bien **au chaud** dans son lit*, à l'abri du froid.
✴ Ne pas confondre **chaud** et la **chaux**.

■ **chaudement** adv. [SENS 1] *Il neige, habille-toi **chaudement**.* [SENS 2] *On l'a **chaudement** applaudi* (= vivement).
●● **chaleureusement**

*illustr.
p. 573* ■ **chaudière** n.f. [SENS 1] *Nous nous chauffons à l'aide d'une **chaudière** à mazout*, un appareil qui produit de la chaleur.

*illustr.
p. 42* ■ **chaudron** n.m. [SENS 1] *Un **chaudron** est un grand récipient muni d'une anse qui sert à faire chauffer de l'eau.*

■ **chauffer** v. 1ᵉʳ groupe. [SENS 1] *C'est au gaz qu'on **chauffe** la maison*, on la rend chaude. *L'eau **chauffe** sur le feu*, elle devient chaude (≠ refroidir). ●● **réchauffer, surchauffer**. *Le chat se **chauffe** au soleil.*

■ **chauffage** n.m. [SENS 1] *Il fait froid, mets le **chauffage** en marche*, l'appareil, le dispositif pour chauffer la maison.

■ **chauffe-eau** n.m. inv. [SENS 1] *Un **chauffe-eau** est un appareil qui sert à produire de l'eau chaude.*
✴ Ce mot ne change pas au pluriel.

■ **chaufferie** n.f. [SENS 1] *La **chaufferie** est le local où est installée la chaudière.*

chauffeur n.m. *M. Paoli est **chauffeur** de taxi*, son métier est de conduire un taxi.
*illustr.
p. 970*

LE CHÂTEAU FORT

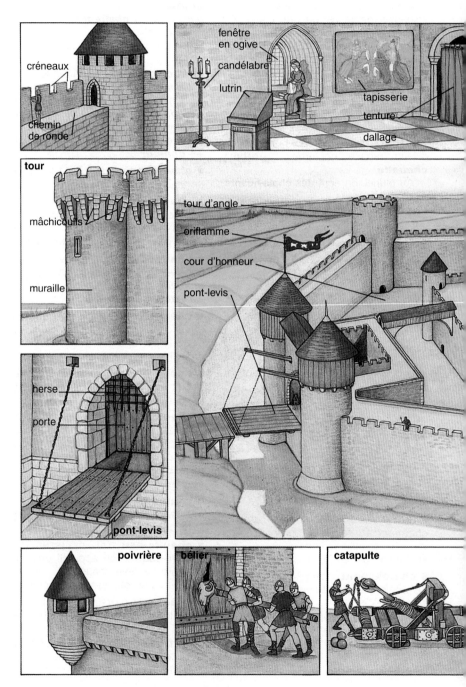

créneaux

chemin
de ronde

fenêtre
en ogive

candélabre

lutrin

tapisserie

tenture

dallage

tour

tour d'angle

mâchicoulis

oriflamme

cour d'honneur

muraille

pont-levis

herse

porte

pont-levis

poivrière

bélier

catapulte

164

Au Moyen Âge, le château fort était la résidence du seigneur, de sa famille et de son armée. C'est là, derrière les murs d'enceinte, que se réfugiaient les paysans en cas de danger.

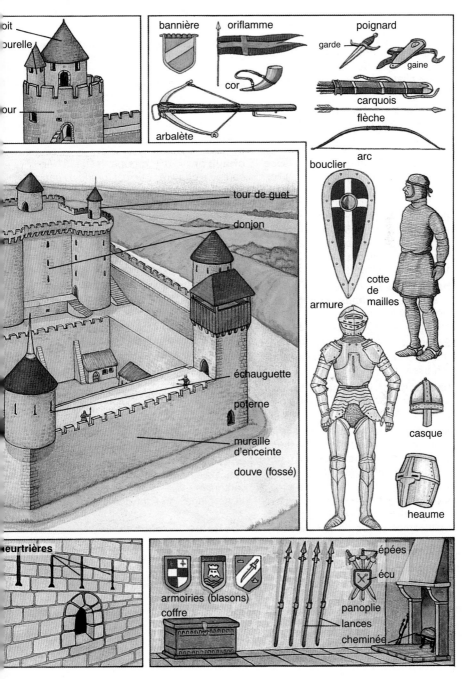

oit
ourelle
our

bannière   oriflamme   poignard
garde
gaine
cor
carquois
flèche
arbalète   arc
bouclier
tour de guet
donjon
cotte
de
mailles
armure
échauguette
poterne
casque
muraille
d'enceinte
douve (fossé)   heaume

eurtrières   épées
écu
armoiries (blasons)
coffre   panoplie
lances
cheminée

■ **chauffard** n.m. Fam. Un **chauffard** est un mauvais conducteur.

illustr. **chaume** n.m. *Après la moisson, il ne*
p. 427, *reste que les* **chaumes** *dans les*
759 *champs,* des brins de paille sectionnés. Un **toit de chaume** est un toit couvert de paille.

■ **chaumière** n.f. Une **chaumière** est une petite maison couverte de chaume, de paille.

illustr. **chaussée** n.f. *Attention, la* **chaussée**
p. 852, *est glissante,* la partie de la route où l'on
855, roule.
1016

chausser v. 1er groupe. SENS 1. *Marie est en train de* **se chausser,** de mettre ses chaussures (≠ se déchausser). SENS 2. *Marie* **chausse** *du 40,* c'est la taille de ses chaussures.

■ **chausse-pied** n.m. [SENS 1] *Nous nous servons de* **chausse-pieds** *pour mettre nos chaussures.*
✳ Au pluriel, on écrit des **chausse-pieds.**

illustr. ■ **chausses** n.f. pl. *Autrefois, les*
p. 221 *hommes portaient des* **chausses,** *des bas en tissu.*

illustr. ■ **chaussette** n.f. Les **chaussettes** sont
p. 1010 des vêtements tricotés recouvrant le pied et le bas de la jambe.

illustr. ■ **chausson** n.m. [SENS 1] *À la mai-*
p. 150, *son, je reste souvent en* **chaussons**
869 (= pantoufle). ◆ Un **chausson** aux pommes, c'est une pâtisserie renfermant de la compote de pommes.

illustr. ■ **chaussure** n.f. [SENS 1] Les balleri-
p. 895 nes, les sandales, les tennis, les bottes sont différentes sortes de **chaussures.**

chauve adj. *À trente ans, M. Legendre était déjà* **chauve,** *il n'avait plus de cheveux.* ●● *calvitie*

illustr. **chauve-souris** n.f. Une **chauve-souris**
p. 385 est un petit mammifère nocturne possédant un corps de souris et volant grâce à de grandes ailes faites d'une membrane.

chauvin, ine adj. Les gens **chauvins** ont une admiration exagérée et partiale pour leur pays.

■ **chauvinisme** n.m. Le **chauvinisme** est l'attitude des gens chauvins.

chaux n.f. La **chaux** est une matière minérale blanche de nature calcaire utilisée dans la construction.
✳ Ne pas confondre avec l'adjectif **chaud.**

chavirer v. 1er groupe. SENS 1. *Le bateau* **a chaviré** *: Luc est tombé à l'eau, il s'est retourné sens dessus dessous.* SENS 2. *Ce spectacle était horrible : j'en suis encore tout* **chaviré** (= bouleversé).

chef n.m. SENS 1. Un **chef** est celui qui   *illustr.*
commande, c'est un dirigeant, un res-   *p. 628*
ponsable, un patron : un **chef** d'État, un
chef d'entreprise, un **chef** de bande, un
chef d'orchestre. SENS 2. Un **chef** d'accusation, c'est un motif d'accusation.

■ **cheftaine** n.f. Une **cheftaine** est une jeune fille responsable d'un groupe de jeunes scouts, de louveteaux, etc.

chef-d'œuvre n.m. *Ces tableaux sont des* **chefs-d'œuvre,** *des œuvres admirables, remarquables.*
✳ On prononce [ʃɛdœvr]. Au pluriel, on écrit des **chefs-d'œuvre.**

chef-lieu n.m. Le **chef-lieu** est la ville principale d'un département ou d'un canton.
✳ Au pluriel, on écrit des **chefs-lieux.**

cheftaine → *chef*

cheikh n.m. Un **cheikh** est un chef d'une tribu arabe.
✳ On prononce [ʃɛk]. Ne pas confondre avec **chèque.**

chemin n.m. SENS 1. *Un* **chemin** *tra-*   *illustr.*
verse la forêt, une petite route.   *p. 753,*
→ **sentier.** SENS 2. *La ligne droite est le*   *853,*
plus court **chemin** *d'un point à un autre*   *402*

*illustr.
p. 494* (= parcours, trajet). ●● ***acheminer***.
SENS 3. Le **chemin de fer** est le moyen de transport utilisant la voie ferrée (= train).

■ **cheminer** v. 1er groupe. [SENS 1]
*La troupe **cheminait** lentement,* elle marchait lentement mais régulièrement.

■ **chemineau** n.m. [SENS 1] On appelait **chemineaux** des mendiants qui erraient sur les chemins.
✳ Au pluriel, on écrit des **chemineaux**. Ne pas confondre avec **cheminot**.

*illustr.
p. 424* ■ **cheminot** n.m. [SENS 3] Un **cheminot** est un employé des chemins de fer.
✳ Ne pas confondre avec **chemineau**.

*illustr.
p. 165,
862,
572,
971* **cheminée** n.f. SENS 1. *Nous avons fait du feu dans la **cheminée*** (= foyer).
SENS 2. *Du clocher on voit toutes les **cheminées** du village,* la partie extérieure des conduits de fumée.

cheminer, cheminot → ***chemin***

*illustr.
p. 1011,
1010,

122* **chemise** n.f. SENS 1. *Sous sa veste, il porte une **chemise**,* un vêtement boutonné devant. SENS 2. *Marie a mis sa **chemise de nuit**,* une sorte de robe qu'on met pour dormir. SENS 3. *Les papiers sont rangés dans une **chemise** jaune,* une feuille repliée de papier fort ou de carton.

*illustr.
p. 55* ■ **chemisette** n.f. [SENS 1] Une **chemisette** est une chemise à manches courtes.

■ **chemisier** n.m. [SENS 1] Un **chemisier** est une chemise de femme (= corsage).

chenal n.m. *Les **chenaux** du port se sont ensablés,* les passages permettant la navigation.
✳ Au pluriel, on dit des **chenaux**.

chenapan n.m. *Espèce de **chenapan**, arrête de voler des cerises !* (= vaurien, galopin, garnement).

*illustr.
p. 402* **chêne** n.m. Un **chêne** est un arbre forestier au bois très résistant.
✳ Ne pas confondre avec une **chaîne**.

chenet n.m. Les **chenets** sont des barres métalliques qui supportent le bois dans une cheminée.

*illustr.
p. 42*

chenil → ***chien***

chenille n.f. SENS 1. *Cette **chenille** deviendra un beau papillon,* la larve du papillon. SENS 2. *Les tanks roulent sur des **chenilles**,* des bandes métalliques articulées.

*illustr.
p. 746,
310,
54,
974*

cheptel n.m. *Le **cheptel** de la ferme se compose de quarante vaches, vingt porcs et cinq chevaux,* l'ensemble des bestiaux.

chèque n.m. *Je n'ai pas d'argent sur moi, je vais vous signer un **chèque**,* un écrit ordonnant à ma banque de vous payer.
✳ Ne pas confondre avec **cheikh**.

*illustr.
p. 151*

■ **chéquier** n.m. *M. Dupont a sorti son **chéquier** pour payer ses achats,* son carnet de chèques.

*illustr.
p. 151*

cher, chère adj. SENS 1. *Philippe est mon ami le plus **cher**,* celui que j'aime le plus. SENS 2. *Bonjour **cher** monsieur,* est une formule de politesse. SENS 3. *Ce costume est trop **cher** pour moi,* il coûte trop d'argent (≠ bon marché).
✳ On prononce [ʃɛr]. Ne pas confondre avec l'adverbe **cher**, ni avec la **chère**, la **chair** ou la **chaire**.

■ **chérir** v. 2e groupe. [SENS 1] *Pierre **chérit** ses parents,* il les aime beaucoup.

■ **chéri, ie** adj. et n. [SENS 1] *Mes petits enfants **chéris**,* que j'aime beaucoup. On dit « mon **chéri** » ou « ma **chérie** » à quelqu'un qu'on aime tendrement.

■ **cherté** n.f. [SENS 3] *On se plaint de la **cherté** de la vie,* qu'elle est trop chère (= coût).

chercher v. 1er groupe. SENS 1. *Jean **cherche** partout son stylo,* il essaie de le trouver. *Je **cherche** à comprendre, mais* *je n'y arrive pas* (= essayer de, s'efforcer de). ●● *rechercher*. SENS 2. *Je vais chercher de l'argent à la banque,* je vais le prendre.

▪ **chercheur, euse** n. [SENS 1] *Ce roman raconte une histoire de chercheur d'or.* ◆ Un **chercheur** est une personne dont le métier est de faire des recherches scientifiques.

chère n.f. *Il a l'habitude de faire bonne chère,* de bien manger.
✳ Ne pas confondre avec l'adjectif **cher**, avec la **chair** et une **chaire**.

chérir, cherté → *cher*

chérubin n.m. *La maman veille sur son chérubin,* son petit enfant mignon comme un ange.

chétif, ive adj. *À dix ans, Marie était chétive,* maigre et de santé fragile (= malingre, faible ; ≠ robuste).

illustr. p. 691, 397, 354, 970

cheval n.m. SENS 1. La femelle du **cheval** est la jument, un jeune **cheval** est un poulain. *Dimanche nous avons vu une course de chevaux. Pierre sait monter à cheval.* → *cavalier, équitation, hippique*. SENS 2. *Il y a du rôti de cheval au menu,* de la viande de cheval ou de jument. SENS 3. *Il s'est assis à cheval sur la chaise,* une jambe d'un côté, une jambe de l'autre (= à califourchon). SENS 4. (Au plur.) On mesure la puissance d'une voiture en **chevaux** ou **chevaux fiscaux** (ou **CV**).
✳ Au pluriel, on dit des **chevaux**.

▪ **chevalin, ine** adj. [SENS 1] La race **chevaline**, c'est la race des chevaux.

▪ **chevaucher** v. 1ᵉʳ groupe. [SENS 1] *Les voyageurs chevauchèrent longtemps,* ils firent un long voyage à cheval. [SENS 3] *Les tuiles du toit se chevauchent,* elles se recouvrent en partie l'une l'autre.

▪ **chevauchée** n.f. [SENS 1] Une **chevauchée** est une longue promenade à cheval.

▪ **chevauchement** n.m. [SENS 3] *Il y a un chevauchement d'horaire entre ces deux séances,* l'un des horaires déborde sur l'autre.

chevalerie n.f. Au Moyen Âge, la **chevalerie** était un ordre propre à la noblesse qui imposait à ses membres des obligations morales et religieuses (loyauté, bravoure, fidélité, etc.).

▪ **chevalier** n.m. Les **chevaliers** étaient des seigneurs qui juraient de défendre les faibles et les opprimés.

▪ **chevaleresque** adj. *Sa conduite a été très chevaleresque,* noble, généreuse.

chevalet n.m. *Le peintre s'est mis devant son chevalet,* le support qui soutient sa toile quand il peint.

chevalier → *chevalerie*

chevalière n.f. *Il porte une chevalière en or avec ses initiales,* une grosse bague aplatie sur le dessus et généralement gravée.

chevalin, chevauchée, chevauchement, chevaucher → *cheval*

chevelu, chevelure → *cheveu*

chevet n.m. SENS 1. Le **chevet** d'un lit, c'est la partie où l'on pose la tête. SENS 2. Le **chevet** d'une église, c'est la partie qui est derrière le chœur, à l'extérieur de l'église.

cheveu n.m. *Lara a de beaux cheveux blonds qui tombent jusqu'aux épaules,* les poils sur la tête des humains. ●● *échevelé, capillaire*. ◆ *Le résultat ne tient qu'à un cheveu,* il est très incertain. ◆ *Cette histoire fait dresser les cheveux sur la tête,* elle est effrayante. ◆ Fam. *Sa démonstration est tirée par les cheveux,* elle n'est pas très convaincante.
✳ Au pluriel, on écrit des **cheveux**.

illustr. p. 217

■ **chevelu, ue** adj. *Pierre est très che-velu, il a beaucoup de cheveux.*

■ **chevelure** n.f. *Lara peigne sa che-velure,* l'ensemble de ses cheveux.

illustr. **cheville** n.f. SENS 1. *Les pieds de la*
p. 217 *table sont fixés par des chevilles,* de petites tiges de bois. SENS 2. *Adrien s'est cassé la cheville,* l'articulation entre le pied et la jambe.

■ **chevillé, ée** adj. [SENS 1] *Ce buffet ancien est chevillé,* assemblé par des chevilles. ◆ *Cet homme a survécu à ses blessures ; il a l'âme chevillée au corps,* il est très résistant.

illustr. **chèvre** n.f. Une **chèvre** est un mammi-
p. 397, fère domestique ruminant à cornes re-
616 courbées et qui a une barbiche.

■ **chevreau** n.m. Le **chevreau** est le petit de la chèvre (= cabri).
☀ Au pluriel, on écrit des **chevreaux**.

■ **chevrotant, ante** adj. *Mon grand-père a une voix chevrotante,* tremblo-tante comme le bêlement d'une chèvre.

illustr. **chèvrefeuille** n.m. Le **chèvrefeuille**
p. 753 est une plante grimpante qui a des fleurs parfumées.

illustr. **chevreuil** n.m. Un **chevreuil** est un
p. 402 mammifère sauvage de la famille du cerf et qui est un gibier recherché.

illustr. **chevron** n.m. SENS 1. *Les lattes et les*
p. 572 *tuiles du toit reposent sur des chevrons,* de longues pièces de bois de charpente. SENS 2. Un **chevron** est un signe en forme de ∧.

chevronné, ée adj. Un conducteur **chevronné** a une longue expérience de la conduite.

chevrotant → **chèvre**

illustr. **chewing-gum** n.m. *Il mâche sans arrêt*
p. 150 *du chewing-gum,* une pâte parfumée.
☀ On prononce [ʃwiŋɡɔm]. Attention au pluriel : des **chewing-gums**.

chez prép. Ce mot indique un lieu : *je suis chez moi,* dans ma maison (sens propre) ; *il y a chez lui une grande bonté,* dans son caractère (sens figuré).

chic adj. inv. en genre. SENS 1. *Marie a une robe très chic,* d'une grande élé-gance (= élégant, distingué). SENS 2. *Alice est une chic fille* (= aimable, sympathique).
☀ Ce mot ne change pas au pluriel ou au féminin.

■ **chic** [SENS 1] n.m. *Pierre a beaucoup de chic dans son costume neuf* (= élé-gance). ◆ interj. *Chic ! nous partons en vacances,* nous sommes contents.
☀ Ne pas confondre avec une **chique**.

chicane n.f. SENS 1. *Les policiers ont établi des chicanes sur la route,* des barrages en zigzag. SENS 2. Une **chicane** est une dispute portant sur des détails.

■ **chicaner** v. 1ᵉʳ groupe. [SENS 2] *Il m'a chicané sur mon retard,* il m'a cherché querelle sur un détail sans importance.

1. chiche adj. SENS 1. *Les invités n'ont pas été chiches de compliments,* ils ne les ont pas ménagés, ils en ont fait beaucoup (= avare ; ≠ prodigue). SENS 2. *Des pois chiches* sont de gros pois gris.

■ **chichement** adv. [SENS 1] *Nos voi-sins vivent très chichement,* en dépen-sant le moins possible.

2. chiche ! interj. Fam. Cette interjection exprime le défi : *Chiche que je saute !*

chicorée n.f. SENS 1. *La chicorée* est une variété de salade. SENS 2. *Au petit déjeuner, Hélène boit une tasse de chi-corée au lait,* une boisson ressemblant au café faite à partir de la racine de chicorée.

chien n.m. Le **chien** est un animal *illustr.*
domestique dont il existe de nombreuses *p. 730,*
races. → **canin**. ◆ Une **vie de chien** est *737,*
une vie très pénible. ◆ *Il est d'une* *573*
humeur de chien, de très mauvaise humeur.

∎ **chienne** n.f. La **chienne** est la femelle du chien. *La chienne aboie quand on approche de ses petits.*

∎ **chiot** n.m. Un **chiot** est un jeune chien.

∎ **chenil** n.m. Dans un **chenil,** on élève ou on dresse des chiens.

chiendent n.m. Le **chiendent** est une mauvaise herbe.

chiffon n.m. *Antonin essuie les meubles avec un **chiffon,*** un morceau de tissu sans valeur.

∎ **chiffonner** v. 1er groupe. *Marie a chiffonné sa robe* (= froisser).

∎ **chiffonnier, ère** n. Le **chiffonnier** récupère, pour les revendre, les papiers et les chiffons. ◆ *Ils se disputent comme des chiffonniers,* avec acharnement.

illustr. p. 642
chiffre n.m. SENS 1. *1 et 5 sont des chiffres arabes, I et V, des chiffres romains,* des signes représentant les nombres. SENS 2. *Ses dépenses atteignent un **chiffre** élevé* (= montant, valeur). SENS 3. Le **chiffre** d'un message secret, c'est le code qui permet de le comprendre.

∎ **chiffrer** v. 1er groupe. [SENS 2] *Votre dépense se chiffre à 1 000 euros* (= atteindre, se monter à). [SENS 3] *L'espion a envoyé un message chiffré,* noté à l'aide d'un code secret. ●● **déchiffrer, indéchiffrable**

chignole n.f. Une **chignole** est un outil servant à percer des trous au moyen de forets (= perceuse).

chignon n.m. *Mme Ferreira a un **chignon,*** ses cheveux sont roulés ensemble et noués derrière la tête.

chimère n.f. *Ce projet est une **chimère,*** une idée irréalisable.

∎ **chimérique** adj. *Votre projet est **chimérique*** (= utopique, irréalisable).

chimie n.f. La **chimie** est la science qui étudie la nature, la composition, les combinaisons des corps, de la matière.

∎ **chimique** adj. *L'analyse **chimique** de l'eau montre qu'elle est formée d'oxygène et d'hydrogène.*

∎ **chimiste** n. *Pierre est **chimiste,*** spécialiste de chimie.

chimpanzé n.m. Le **chimpanzé** est un grand singe d'Afrique. *illustr. p. 982*

chiné, ée adj. Un tissu **chiné** est fait de fils de couleurs différentes entremêlés.

chinoiserie n.f. Fam. *Je ne m'attarde pas à ces **chinoiseries** sans intérêt,* qui retarderaient notre action (= vétille).

chiot → **chien**

chiper v. 1er groupe. Fam. *Marion m'a chipé mon stylo* (= prendre, voler).

chipie n.f. Fam. *Annie est une **chipie,*** elle est désagréable, prétentieuse.

chipoter v. 1er groupe. Fam. *Je ne vais pas **chipoter** pour quelques centimes* (= discuter, ergoter).

∎ **chipoteur, euse** n. Fam. *On perd son temps avec ce **chipoteur.***

chips n.f. pl. Les **chips** sont des rondelles de pommes de terre frites.
❋ On prononce toujours le « s » : [ʃips].

chique → **chiquer**

chiqué n.m. Fam. **Faire du chiqué,** c'est faire des manières, manquer de naturel.

chiquenaude n.f. *D'une **chiquenaude,** il a relevé sa casquette,* d'un léger coup de doigt (= pichenette).

chiquer v. 1er groupe. Le tabac à **chiquer** est un tabac spécial destiné à être mâché.

∎ **chique** n.f. *Le vieux matelot mâchait une **chique,*** un morceau de tabac.
❋ Ne pas confondre avec **chic.**

chiromancienne n.f. *Une **chiromancienne** lui a lu les lignes de la main et lui*

a prédit beaucoup de bonheur, une personne qui dit la bonne aventure.
✸ On prononce [kirɔmãsjɛn].

illustr. p. 869, 868

chirurgie n.f. La **chirurgie** est la partie de la médecine qui s'occupe des opérations.

■ **chirurgical, ale, aux** adj. *Le blessé a subi une opération chirurgicale.*

illustr. p. 868

■ **chirurgien, enne** n. *Le chirurgien m'a opéré de l'appendicite.*

chlore n.m. Le **chlore** est un gaz verdâtre, dangereux à respirer, utilisé dans des produits désinfectants.
✸ On prononce [klɔr].

chloroforme n.m. Le **chloroforme** est une substance chimique volatile et dangereuse qui endort profondément quand on le respire.
✸ On prononce [klɔrɔfɔrm].

chlorophylle n.f. La **chlorophylle** est une substance qui donne aux végétaux leur couleur verte.
✸ On prononce [klɔrɔfil].

choc n.m SENS 1. *Le vase a reçu un choc et s'est cassé,* un coup. SENS 2. *Quand j'ai vu l'accident, ça m'a fait un choc,* une grosse émotion.

■ **choquer** v. 1er groupe. [SENS 2] *J'ai été très choqué par son attitude* (= scandaliser).

■ **choquant, ante** adj. [SENS 2] *Il m'a dit des paroles choquantes,* des paroles qui blessent ou scandalisent.

illustr. p. 150

chocolat n.m. SENS 1. Le **chocolat** est un mélange de cacao et de sucre. SENS 2. *Veux-tu une tasse de chocolat ?,* une boisson faite de **chocolat** délayé dans du lait (= cacao).

chœur n.m SENS 1. Plusieurs personnes qui chantent ensemble forment un **chœur**. SENS 2. *Ils ont répondu tous en chœur,* ensemble (= à l'unisson). SENS 3. *Nous nous promenons dans le chœur*

de l'église, la partie où se trouve l'autel.
SENS 4. Un **enfant de chœur** assiste le prêtre pendant la messe.
✸ On prononce [kœr]. Ne pas confondre avec **cœur**.

illustr. p. 821

■ **chorale** n.f. [SENS 1] *Je fais partie de la chorale,* un groupe de choristes.
✸ On prononce [kɔral].

■ **chorus** n.m. [SENS 2] *Tout le monde a fait chorus,* a exprimé à haute voix le même avis.
✸ On prononce [kɔrys].

■ **choriste** n. [SENS 1] *Notre chorale comprend cinquante choristes,* des personnes qui chantent ensemble (= chanteur).
✸ On prononce [kɔrist].

illustr. p. 629

choir → *chute*

choisir v. 2e groupe. *Audrey a choisi une robe bleue,* elle l'a prise de préférence à d'autres (= opter pour).

■ **choix** n.m. *Je n'approuve pas ton choix,* ce que tu as choisi. *Il y a un grand choix de cravates,* un ensemble où l'on peut choisir. *Je n'ai pas eu le choix,* la possibilité de choisir.

choléra n.m. Le **choléra** est une maladie grave et très contagieuse due à un bacille.
✸ On prononce [kɔlera].

chômer v. 1er groupe. *Les ouvriers chôment à cause de la crise économique,* ils manquent provisoirement de travail. ◆ *Aujourd'hui, je n'ai pas chômé,* j'ai eu beaucoup de travail à faire.

■ **chômage** n.m. *Le père de Pierre est au chômage,* il n'a pas d'emploi.

■ **chômeur** n. *Le nombre des chômeurs a augmenté,* les gens qui sont au chômage.

chope n.f. *M. Muller a bu une chope de bière,* un grand verre.

illustr. p. 42

choquant, choquer → *choc*

chorale → *chœur*

171

chorégraphie n.f. La **chorégraphie** est l'art de composer des ballets.
→ *danse*
✳ On prononce [kɔregrafi].

choriste, chorus → *chœur*

chose n.f. SENS 1. *Quelle est cette* ***chose*** *qui traîne par terre ?,* cet objet (= fam. machin, truc). SENS 2. *Il m'est arrivé une* ***chose*** *bizarre,* un événement.
✳ **Chose** est un mot qui peut remplacer d'autres noms concrets (sens 1) ou abstraits (sens 2).

illustr. p. 747 **chou** n.m. SENS 1. Le **chou** est un légume dont il existe de nombreuses variétés (chou blanc, chou vert, chou rouge, chou de Bruxelles, etc.). SENS 2. Un **chou à la crème** est un gâteau.
✳ Au pluriel, on écrit des **choux**.

■ **choucroute** n.f. [SENS 1] La **choucroute** est un plat composé de chou fermenté et de charcuterie.

illustr. p. 747 ■ **chou-fleur** n.m. [SENS 1] Le **chou-fleur** est une variété de chou.
✳ Au pluriel, on écrit des **choux-fleurs**.

chouchou, chouchoute n. Fam. *On disait que Sonia était la* ***chouchoute*** *de la maîtresse,* l'enfant qu'elle préférait.

■ **chouchouter** v. 1ᵉʳ groupe. Fam. *Ses grands-parents le* ***chouchoutent*** *trop* (= gâter, dorloter, choyer).

choucroute → *chou*

illustr. p. 616, 403 **1. chouette** n.f. La **chouette** est un oiseau rapace nocturne. → *chat-huant, hibou*

2. chouette interj. Fam. ***Chouette*** *! il fait beau !,* je suis contente (= chic).

chou-fleur → *chou*

choyer v. 1ᵉʳ groupe. *Pierre* ***est choyé*** *par ses grands-parents,* ils l'entourent de soins affectueux (= dorloter).
✳ Conj. n° 3.

chrétien, enne n. et adj. Les catholiques, les protestants et les orthodoxes

sont des **chrétiens**, ils croient en Jésus-Christ. L'ère **chrétienne** commence à la naissance du Christ.

■ **chrétienté** n.f. La **chrétienté** est l'ensemble des chrétiens.

■ **christianisme** n.m. Le **christianisme** est la religion chrétienne.
✳ Le début des mots de cette famille se prononce [kr].

chrome n.m. SENS 1. Le **chrome** est un métal dur et brillant. SENS 2. (Au plur.) *J'ai astiqué les* ***chromes*** *de la voiture,* les parties chromées.

■ **chromé, ée** adj. *Les pare-chocs de la voiture sont* ***chromés,*** recouverts de chrome.
✳ Le début des mots de cette famille se prononce [kro].

1. chronique n.f. *M. Montel lit la* ***chronique*** *sportive de son journal,* les articles sur le sport.

■ **chroniqueur** n.m. Le **chroniqueur** théâtral d'un journal écrit des articles sur le théâtre.
✳ Le début des mots de cette famille se prononce [krɔ].

2. chronique adj. Une maladie **chronique** est une maladie qui dure longtemps sans guérir (≠ aigu).
✳ On prononce [krɔnik].

chronologie n.f. *Je vais vous rappeler la* ***chronologie*** *des événements,* l'ordre dans lequel ils se sont produits.

■ **chronologique** adj. *1700, 1800, 1900 : ces trois dates sont dans l'ordre* ***chronologique,*** *de la plus ancienne à la plus récente.*
✳ Le début des mots de cette famille se prononce [krɔ].

chronomètre n.m. Un **chronomètre** est une sorte de montre d'une très grande précision qui permet de mesurer le temps en minutes, secondes et fractions de secondes.

■ **chronométrer** v. 1er groupe. *On a chronométré les coureurs,* on a mesuré le temps exact qu'ils ont mis.
✹ Conj. n° 10. Le début des mots de cette famille se prononce [krɔ].

illustr.
p. 310

chrysalide n.f. Une **chrysalide** est une chenille qui s'est enfermée dans un cocon avant de devenir papillon.
✹ On prononce [krizalid].

chrysanthème n.m. *Il a mis sur la tombe un bouquet de **chrysanthèmes**,* des fleurs de diverses couleurs semblables à la marguerite, et qui fleurissent en automne.
✹ On prononce [krizɑ̃tɛm].

chuchoter v. 1er groupe. *Pierre m'a chuchoté quelques mots à l'oreille,* il me les a dits à voix basse (= murmurer).

■ **chuchotement** n.m. *On entend des chuchotements dans le fond de la classe,* des bruits de voix assourdis.

chut ! interj. Ce mot sert à demander le silence : ***Chut !** il dort.*

illustr.
p. 1002,

chute n.f. SENS 1. *Il a fait une **chute** de trois mètres,* il est tombé. SENS 2. *Il y a eu des **chutes** de neige dans les Alpes,* de la neige est tombée. SENS 3. *1792 est la date de la **chute** de la royauté en France* (= renversement). SENS 4. *Une cascade,* *494* *une cataracte sont des **chutes** d'eau,* des torrents qui tombent à pic.

■ **chuter** v. 1er groupe. *La cote de popularité du président a brusquement chuté,* elle a subi une forte baisse.

■ **choir** v. Ce verbe se disait autrefois pour « tomber ».
✹ Conj. n° 49.

ci adv. Cet adverbe sert à indiquer quelque chose de proche (≠ là).
✹ **Ci** s'emploie toujours avec un trait d'union après les démonstratifs (celui-ci) ou avant quelques adverbes (ci-contre, ci-dessus, ci-dessous) et quelques formules (ci-joint, ci-gît). [Voir ces mots.]

cible n.f. *Il a placé sa flèche au centre de la **cible**,* du but qu'il visait.

ciboire n.m. Un **ciboire** est une coupe où l'on conserve les hosties consacrées.

illustr.
p. 821

ciboulette n.f. La **ciboulette** est une plante aromatique à goût d'oignon. On appelle ses tiges coupées des « fines herbes ».

illustr.
p. 746

cicatrice n.f. *Depuis son opération, il lui reste une petite **cicatrice**,* une marque sur la peau.

■ **cicatriser** v. 1er groupe. *La blessure a cicatrisé,* elle a guéri et il ne reste qu'une cicatrice.

■ **cicatrisation** n.f. *La **cicatrisation** de la plaie a été rapide,* la plaie a vite cicatrisé.

cidre n.m. Le **cidre** est une boisson pétillante faite de jus de pomme fermenté.

ciel n.m. SENS 1. *Il fait beau, le **ciel** est bleu,* l'espace qu'on voit au-dessus de nous. ◆ *Une piscine **à ciel ouvert** est à l'air libre.* SENS 2. *C'est le **ciel** qui l'envoie,* la providence. SENS 3. *Son âme est allée au **ciel**,* vers Dieu (≠ enfer). ●● **céleste**
✹ Au sens 1, le pluriel est **ciels** ou **cieux** ; au sens 2, il est toujours **cieux**.

illustr.
p. 845

cierge n.m. *Un **cierge** brûle devant l'autel,* une grande bougie.

illustr.
p. 821

cigale n.f. La **cigale** est un insecte des régions méditerranéennes qui fait entendre un bruit strident.

cigare n.m. *M. Durand fume un gros **cigare**,* des feuilles de tabac roulées.

■ **cigarette** n.f. Une **cigarette** est du tabac haché enveloppé dans du papier pour être fumé.

ci-gît adv. Sur les tombeaux anciens, on lit parfois : *« **Ci-gît** Monsieur X »,* ici est enterré. ●● **gésir**

cigogne n.f. *Il n'y a plus beaucoup de **cigognes** en Alsace,* de grands oiseaux échassiers migrateurs blancs et noirs au long bec et aux longues pattes.

illustr. p. 753 **ciguë** n.f. La **ciguë** est une plante vénéneuse qui ressemble un peu au persil.
🌟 Ne pas oublier le tréma sur le « e ».

ci-joint → *joindre*

illustr. p. 217 **cil** n.m. Les **cils** sont les poils au bord des paupières.

cime n.f. *Regarde l'oiseau sur la cime de l'arbre*, sur le sommet.

illustr. p. 156 **ciment** n.m. *Le maçon fait tenir les briques avec du ciment*, une pâte faite d'argile et de chaux, qui durcit en séchant.

■ **cimenter** v. 1er groupe. *On a cimenté le sol*, on l'a recouvert de ciment.

■ **cimenterie** n.f. *Une cimenterie est une fabrique de ciment*.

illustr. p. 1017 **cimetière** n.m. *Un cimetière est un terrain où l'on enterre les morts*.

cinéma n.m. SENS 1. *Le cinéma a été inventé par les frères Lumière. C'est l'art de réaliser et de projeter des films qui montrent des images en mouvement.* SENS 2. *Un nouveau cinéma s'est ouvert*, une salle où l'on projette des films.

illustr. p. 952, 1016

■ **cinéaste** n. [SENS 1] *Un cinéaste est un réalisateur de films.*

■ **ciné-club** n.m. [SENS 2] *On peut encore voir de vieux films muets dans les ciné-clubs*, des clubs pour ceux qui s'intéressent au cinéma.

■ **cinéphile** n. [SENS 1] *Les cinéphiles sont les amateurs de cinéma.*

cinglé, ée adj. et n. Fam. *Tu es cinglé de conduire si vite !* (= fou).

cingler v. 1er groupe. *Il m'a cinglé les jambes avec sa ceinture*, il me les a frappées d'un coup vif (= fouetter).

■ **cinglant, ante** adj. *Une réplique cinglante est très vive, blessante.*

cinq adj. numéral. *La main a cinq doigts. 3 + 2 = 5.*
illustr. p. 642

■ **cinquième** adj. et n. *2 est la cinquième partie de 10. Il est arrivé (le) cinquième.*
illustr. p. 642

cinquante adj. numéral. *Cinquante est la moitié de cent.*
illustr. p. 642

■ **cinquantaine** n.f. SENS 1. *Il y avait une cinquantaine de personnes*, environ cinquante personnes. SENS 2. *M. Durand approche de la cinquantaine*, de cinquante ans. → *quinquagénaire*
illustr. p. 643

■ **cinquantenaire** n.m. *On a célébré le cinquantenaire de sa mort*, le cinquantième anniversaire.

■ **cinquantième** adj. et n. *Le cinquantième de 100 est 2. Il est arrivé (le) cinquantième.*
illustr. p. 642

cinquième → *cinq*

cintre n.m. *Suspends ta veste sur un cintre !*, un support en forme d'arc muni d'un crochet.

cintré, ée adj. *Une veste cintrée est une veste resserrée à la taille.*

cirage → *cire*

circoncision n.f. *La circoncision est une opération qui consiste à couper un peu de peau au bout du pénis des petits garçons et qui est un rite des religions musulmane et juive.*

circonférence n.f. *La circonférence d'un cercle est sa limite extérieure, son périmètre.*
illustr. p. 434

circonflexe adj. *Le « a » de « pâte » porte un accent circonflexe.*

circonscription n.f. *La commune, le canton, le département sont des circonscriptions*, des divisions administratives.

circonscrire v. 3e groupe. *Il faut circonscrire le domaine des recherches*, en fixer les limites (= délimiter).
🌟 Conj. n° 71.

circonspect, e adj. *M. Sorel est un homme* **circonspect**, *il réfléchit avant de prendre une décision* (= prudent, méfiant).

■ **circonspection** n.f. *Elle a pris sa décision avec* **circonspection**.

circonstance n.f. *En raison des* **circonstances**, *la séance n'aura pas lieu*, en raison des faits qui se sont produits (= situation).

■ **circonstancié, ée** adj. *Un compte rendu* **circonstancié** *expose les détails* (= détaillé, précis).

■ **circonstanciel, elle** adj. *Un complément* **circonstanciel** *indique les circonstances (temps, lieu, manière, etc.) d'une action.*

illustr.
p. 1002

circuit n.m. SENS 1. *Nous avons fait un* **circuit** *en autocar*, un parcours qui nous a ramenés à notre point de départ. SENS 2. *Un* **circuit** *électrique*, c'est l'ensemble des fils où passe le courant.
●● *court-circuit*

illustr.
p. 1016

1. circulaire adj. *Une piste* **circulaire** *est une piste qui a la forme d'un cercle.*
●● *cercle*

2. circulaire n.f. *Une* **circulaire** *est une même lettre adressée à plusieurs personnes.*

circuler v. 1er groupe. *Les piétons* **circulent** *dans les rues*, ils se déplacent. *Le sang* **circule** *à travers le corps.*

■ **circulation** n.f. *La* **circulation** *des voitures a beaucoup augmenté.*

■ **circulatoire** adj. *L'appareil* **circulatoire**, ce sont le cœur, les veines et les artères qui assurent la circulation du sang.

cire n.f. *La* **cire**, produite par les abeilles, est une matière jaune qui sert à fabriquer la **cire** à parquet, le cirage, etc.
✳ Ne pas confondre avec **sire**.

■ **cirage** n.m. *Le* **cirage** *est une pâte qui sert à entretenir les objets de cuir.*

■ **cirer** v. 1er groupe. *On* **cire** *le parquet*, on l'enduit de cire. ◆ *As-tu* **ciré** *tes chaussures ?*, y as-tu mis du cirage ?

■ **1. ciré, ée** adj. *Il y a une toile* **cirée** *sur la table*, une toile enduite d'un produit qui la rend imperméable.

■ **2. ciré** n.m. *Un* **ciré** *est un vêtement enduit d'une cire ou plastifié, ce qui le rend imperméable.*

■ **cireuse** n.f. *Une* **cireuse** *est un appareil pour cirer les parquets.*

■ **cireux, euse** adj. *Pierre a le teint* **cireux**, jaune comme de la cire.

cirque n.m. SENS 1. *Un* **cirque** *est un lieu où se donnent des spectacles qui montrent des acrobates, des clowns, des animaux dressés, etc.* → **chapiteau**. SENS 2. *Un* **cirque** *de montagnes est un ensemble de montagnes de forme plus ou moins circulaire.*

illustr.
p. 177,

29

ciseau n.m. SENS 1. (Au plur.) *Voilà des* **ciseaux** *pour découper du papier*, un instrument formé de deux lames. SENS 2. *Un* **ciseau** *est une lame d'acier servant à tailler le bois, le métal ou la pierre.*
✳ Au pluriel, on écrit des **ciseaux**.

illustr.
p. 228,
239,
311,
995

■ **cisailles** n.f. pl. [SENS 1] *Les* **cisailles** *sont de gros ciseaux servant à couper le métal, les pousses des plantes.*

illustr.
p. 527

■ **cisailler** v. 1er groupe. [SENS 1] *Les fils de fer* **ont été cisaillés** (= couper).

■ **ciseler** v. 1er groupe. [SENS 2] **Ciseler** *un métal*, c'est le sculpter à l'aide d'un ciseau.
✳ Conj. n° 5.

citadelle n.f. *Autrefois, certaines villes étaient protégées par une* **citadelle**, *une forteresse.*

citadin → *cité*

citation → *citer*

cité n.f. SENS 1. *Autrefois, une grande ville s'appelait une* **cité**. SENS 2. *Dans l'Antiquité, une* **cité** *était un État.* SENS 3.

illustr.
p. 1016

Il habite dans une **cité** *ouvrière,* un groupe d'immeubles d'habitation.

▪ **citadin, ine** n. [SENS 1] Un **citadin** est un habitant des villes (≠ campagnard).

citer v. 1ᵉʳ groupe. SENS 1. *Il m'a cité une phrase de Victor Hugo,* il me l'a rapportée avec précision. SENS 2. *Le juge* **a cité** *de très nombreux témoins,* il leur a ordonné de se présenter devant le tribunal.

▪ **citation** n.f. [SENS 1] *Il a mis dans son devoir une* **citation** *de Molière,* une phrase tirée d'une œuvre de Molière. [SENS 2] *J'ai reçu une* **citation** *à comparaître en justice* (= ordre, convocation).

illustr. p. 737, 740 **citerne** n.f. Une **citerne** est un grand réservoir destiné à contenir des liquides (de l'eau, du mazout, etc.).

citoyen, enne n. *M. Duranton est* **citoyen** *belge,* il dépend de l'État belge, il est de nationalité belge. ●● **concitoyen**. → **civil, civique**

illustr. p. 690 **citron** n.m. Le **citron** est un fruit ovale jaune à goût acide, produit par un arbre des pays chauds, le **citronnier**.

▪ **citronnade** n.f. Une **citronnade** est faite de jus de citron, de sucre et d'eau.

citrouille n.f. Une **citrouille** est un gros légume sphérique ou allongé de couleur orangée.

civet n.m. *Marie a fait un* **civet** *de lièvre,* un lièvre cuit au vin rouge.

illustr. p. 1011 **civière** n.f. *On a transporté le blessé sur une* **civière** (= brancard).

civil, e adj. SENS 1. Les droits **civils**, ce sont les droits des citoyens. Une guerre **civile** est une guerre entre les citoyens d'un pays. SENS 2. Le mariage **civil** a lieu à la mairie (≠ religieux).

▪ **civil** n.m. *Le soldat s'était habillé* **en civil**, comme tout le monde, et non en uniforme.

civilisation n.f. Une **civilisation**, c'est la manière de vivre des gens qui forment une société, ainsi que l'ensemble des progrès scientifiques, techniques, culturels de cette société.

▪ **civiliser** v. 1ᵉʳ groupe. *Les Romains ont été* **civilisés** *par les Grecs,* ceux-ci leur ont apporté leur civilisation.

civique adj. Les devoirs **civiques** sont les devoirs du citoyen envers l'État. L'éducation **civique**, c'est l'enseignement des droits et des devoirs de chaque citoyen.

clafoutis n.m. Un **clafoutis** est un gâteau dont la pâte contient des fruits (cerises, prunes, etc.).

claie n.f. *On a mis les fromages à sécher sur une* **claie**, une sorte de grillage en osier ou en métal.

clair, e adj. SENS 1. *Mon bureau est très* **clair** (= lumineux ; ≠ sombre, obscur). ●● **éclairer**. SENS 2. *Pierre porte un costume* **clair** (≠ foncé). ●● **éclaircir**. SENS 3. *L'eau de cette source est très* **clair** (= limpide, transparent ; ≠ trouble). SENS 4. *Cette phrase est* **claire**, facile à comprendre (≠ obscur). ●● **éclaircir**

▪ **clair** adv. [SENS 1] *Il fait* **clair**, il y a de la lumière (≠ sombre). [SENS 4] *Je cherche à y* **voir clair**, à comprendre.

▪ **clair** n.m. [SENS 1] Le **clair de lune** est la lumière de la Lune. [SENS 4] *On va* **tirer** *cette affaire* **au clair**, essayer de la comprendre.

☀ Ne pas confondre **clair** et un **clerc**.

▪ **clairement** adv. [SENS 4] *Expliquez-vous plus* **clairement**, de façon à ce que je comprenne mieux.

▪ **à claire-voie** adv. [SENS 1] *Un volet* **à claire-voie** laisse passer la lumière par les fentes.

▪ **clarifier** v. 1ᵉʳ groupe. [SENS 4] *Cela va* **clarifier** *la situation,* la rendre plus claire, plus compréhensible (= éclaircir).

▪ **clarté** n.f. [SENS 1] *La lampe répand sa* **clarté** (= lumière). [SENS 4] *Il m'a tout*

LE CIRQUE

chapiteau
oriflamme
mât
roulotte
caravane
piquet
entrée

ménagerie
cage des fauves

e spectacle
musiciens
rideau
Monsieur Loyal
gradins
spectateurs

tigre
cerceau
dompteur

balancier
massue
acrobate
trampoline
funambule
écuyère
jongleur
ressort
otarie
piste

exercice de voltige
trapèze volant
trapéziste
échelle
de corde
filet

lown
usicien
clown blanc
collerette
dingote

parade
singe
dressé
éléphant
dompteur
écuyère
porte-voix
clown

expliqué avec **clarté** (= netteté ; ≠ confusion).

clairière n.f. Dans une forêt, une **clairière** est un endroit sans arbres.

clairon n.m. *Les soldats sont réveillés par le son du **clairon**,* un instrument à vent en cuivre.

claironner v. 1ᵉʳ groupe. *Ne lui confie pas de secrets, il risque de les **claironner** partout* (= proclamer, clamer).

clairsemé, ée adj. *M. Durand a les cheveux **clairsemés**,* peu abondants (≠ touffu, dense, dru).

clairvoyant, ante adj. *C'est une femme **clairvoyante**,* prudente et intelligente.

clamer v. 1ᵉʳ groupe. *L'accusé **clamait** son innocence* (= proclamer, crier).

■ **clameur** n.f. *Une **clameur** vient de la rue,* de grands cris poussés par une foule.

clan n.m. *La classe est divisée en deux **clans**,* en deux groupes opposés.

clandestin, ine SENS 1. adj. *Une réunion **clandestine** est une réunion tenue secrètement. On a trouvé dans le bateau un passager **clandestin**,* qui avait embarqué illégalement. SENS 2. n. *Un **clandestin** est une personne qui a immigré dans un pays où elle vit en cachette des autorités, sans papiers.*

■ **clandestinement** adv. *Il a passé la frontière **clandestinement*** (= en cachette).

■ **clandestinité** n.f. *Pendant la guerre, les résistants étaient dans la **clandestinité**,* ils se cachaient.

clapier n.m. *Un **clapier** est une cabane à lapins.*

clapoter v. 1ᵉʳ groupe. *On entend l'eau **clapoter** contre la barque,* produire de petits claquements.

■ **clapotis** ou **clapotement** n.m. *Écoute le **clapotis** des vagues !,* le bruit qu'elles font en remuant.

claque n.f. *Pierre a reçu une paire de **claques*** (= gifle).

claquer v. 1ᵉʳ groupe. SENS 1. *Il y a un volet qui **claque**,* qui bat avec un bruit sec. SENS 2. *Il a **claqué** la porte en partant,* il l'a refermée brutalement. SENS 3. *Le coureur s'est **claqué** un muscle,* il l'a déchiré en faisant un mouvement trop violent.

■ **claquage** n.m. [SENS 3] *Le coureur s'est fait un **claquage**,* il s'est claqué un muscle.

■ **claquement** n.m. [SENS 1] *J'entends un **claquement** de portières,* un bruit de portières qui claquent.

■ **claquettes** n.f. pl. [SENS 1] *Isabelle fait des **claquettes**,* elle danse en faisant claquer sur le sol les talons et les pointes métalliques de ses chaussures spéciales.

clarifier → **clair**

clarinette n.f. *Pierre apprend à jouer de la **clarinette**,* d'un instrument de musique à vent.
illustr. p. 628

clarté → **clair**

classe n.f. SENS 1. *La société est divisée en **classes**,* en catégories de personnes ayant des intérêts communs. SENS 2. *M. Durand voyage dans le train en première **classe**,* dans des compartiments de première catégorie. SENS 3. *Pierre va **en classe**,* à l'école. SENS 4. *La **classe** de CM2 est celle de la dernière année de l'enseignement primaire,* le niveau d'études. SENS 5. *Les élèves ont décoré la **classe**,* la salle de leur école. SENS 6. *Le professeur **fait la classe**,* il enseigne (= faire cours). ●● **interclasse**
illustr. p. 310

classer v. 1ᵉʳ groupe. SENS 1. *Veux-tu m'aider à **classer** mes timbres ?,* à les mettre en ordre (= ranger ; ≠ déclasser). ●● **reclasser**. SENS 2. *Jean **s'est classé** premier en français,* il a obtenu la première place. ●● **surclasser**

■ **classement** n.m. [SENS 1] *J'ai fait le* *classement de mes livres,* je les ai mis en ordre. [SENS 2] *Jean a obtenu un bon* *classement à l'école.*

illustr. ■ **classeur** n.m. [SENS 1] *Un classeur* *p. 122* *sert à ranger des papiers.*

classique adj. SENS 1. *Racine est un* *écrivain classique,* un de ceux que l'on considère souvent comme des modèles, et qu'on étudie en classe parce qu'ils ont, à une époque (surtout au XVIIe siècle, en France), atteint une certaine perfection. SENS 2. *Mozart, Chopin sont des compo-* *siteurs de musique classique* (≠ contemporain). SENS 3. *Il m'a donné tous les ar-* *guments classiques,* ceux qu'on donne habituellement (= habituel, traditionnel). *Elle porte toujours des tailleurs très clas-* *siques,* de bon goût, mais sans fantaisie.

■ **classicisme** n.m. [SENS 1] Le **classi-** **cisme** est la période de l'histoire des arts et de la littérature français qui se situe au moment du règne de Louis XIV.

claudication n.f. *Depuis son accident,* *il garde une légère claudication,* il boite un peu.

clause n.f. *Il a fait ajouter une clause à* *son contrat,* une disposition particulière.

illustr. **clavecin** n.m. Le **clavecin** est un ins-*p. 629* trument de musique ancien à clavier et à cordes qui a précédé le piano.

illustr. **clavicule** n.f. La **clavicule** est un os *p. 216* long qui va du cou à l'épaule.

illustr. **clavier** n.m. *Le clavier d'un piano, d'un* *p. 504,* *clavecin, d'une machine à écrire,* c'est *123,* l'ensemble de ses touches. *629*

illustr. **clef** ou **clé** n.f. SENS 1. Une **clef** est un *p. 572,* objet en métal spécialement fabriqué pour faire fonctionner une serrure. *117,* ●● *porte-clefs.* SENS 2. Une **clef à** **molette,** une **clef anglaise** sont des outils qui servent à desserrer les écrous. SENS 3. *Pierre a trouvé la clef du mystère,* *628* l'explication. SENS 4. Dans une partition

musicale, la **clef** de sol (𝄞) ou la **clef** de fa (𝄢) indiquent comment il faut lire la portée.

✳ On prononce [kle].

clématite n.f. *Le mur est couvert de* **clématites,** une plante grimpante à fleurs bleues, roses, rouges, etc.

clément, ente adj. *Le directeur s'est* *montré clément envers tous les retarda-* *taires,* il ne les a pas punis trop sévèrement (= indulgent ; ≠ sévère).

■ **clémence** n.f. *Il a fait preuve d'une* *grande clémence* (= indulgence ; ≠ sévérité).

clémentine n.f. La **clémentine** est une sorte de mandarine sans pépins, produite par un **clémentinier.**

clerc n.m. *Mon cousin est clerc de* *notaire,* il est employé chez un notaire.

✳ On prononce [klɛr]. Ne pas confondre avec **clair.**

clergé n.m. Les prêtres, les évêques, les moines forment le **clergé.**

■ **cléricalisme** n.m. Le **cléricalisme** est l'opinion des gens qui souhaitent une intervention du clergé dans la vie politique. ●● *anticlérical*

cliché n.m. SENS 1. *J'ai fait de beaux* **clichés** *pendant les vacances* (= photo). SENS 2. *Son discours était plein de cli-* *chés,* de phrases banales, toutes faites.

client, ente n. *La boutique était pleine*   *illustr.* *de clientes,* de personnes venues pour   *p. 150,* acheter.   *220*

■ **clientèle** n.f. *Ce médecin a une* *nombreuse clientèle,* beaucoup de gens viennent le voir, le consulter.

cligner v. 1er groupe. *Le soleil me fait* *cligner les yeux,* les fermer et les ouvrir rapidement.

■ **clin d'œil** n.m. *Marie m'a fait un clin* *d'œil,* un signe rapide. ◆ *On a fait cela en* *un clin d'œil,* très vite.

✳ Au pluriel, on écrit des **clins d'œil.**

■ **clignoter** v. 1er groupe. *Le feu orange* **clignote** *au carrefour,* il s'allume et s'éteint alternativement.

illustr. p. 69 ■ **clignotant** n.m. Le **clignotant** d'une voiture est un signal lumineux que le conducteur fait clignoter pour avertir qu'il va changer de direction.

climat n.m. *La Norvège a un* **climat** *froid et humide,* il y fait froid et il pleut souvent. ●● **acclimater**

■ **climatique** adj. *Il y a ici de bonnes conditions* **climatiques,** le climat est agréable.

■ **climatiser** v. 1er groupe. **Climatiser** une salle, c'est faire que la température y soit agréable.

■ **climatisation** n.f. *Dans une voiture, la* **climatisation** *est très appréciée pendant les grandes chaleurs,* un dispositif qui donne une température agréable. → *conditionné*

clin d'œil → *cligner*

clinique n.f. *Il a été opéré dans une* **clinique,** un petit hôpital privé.

clinquant, ante adj. Des bijoux **clinquants** sont brillants mais sans valeur.

clip n.m. SENS 1. *Élodie porte de jolis* **clips,** des boucles d'oreilles montées sur une pince. SENS 2. *Il aime regarder les* **clips** *de ses chanteurs favoris,* des petits films.

clique n.f. SENS 1. Une **clique** militaire, c'est l'ensemble des clairons et des tambours (= fanfare). SENS 2. Fam. *Il est venu avec toute sa* **clique,** sa bande que l'on n'aime pas beaucoup.

cliquetis n.m. *On entend le* **cliquetis** *d'une machine à écrire,* une suite de petits bruits secs.

clivage n.m. *Un* **clivage** *s'est produit entre deux tendances du parti,* une séparation entre des personnes.

cloaque n.m. *Après la pluie, la rue était un* **cloaque,** un lieu boueux.

clochard, arde n. Un **clochard** est une personne qui vit dans la misère, qui n'a pas de domicile (= vagabond).

cloche n.f. SENS 1. *D'ici on entend sonner la* **cloche** *de l'église,* un instrument de métal qui résonne quand il est frappé par le battant. SENS 2. *On met les melons sous une* **cloche** *pour les protéger du froid,* un abri en verre. *illustr. p. 628*

■ **clocher** n.m. [SENS 1] *Les cloches sont en haut du* **clocher.**

■ **clochette** n.f. [SENS 1] Une **clochette** est une petite cloche.

à **cloche-pied** adv. Marcher **à cloche-pied,** c'est avancer en sautant sur un pied.

clocher, clochette → *cloche*

cloison n.f. *Les pièces de l'appartement sont séparées par des* **cloisons,** des murs intérieurs. *illustr. p. 863*

■ **cloisonner** v. 1er groupe. *En* **cloisonnant** *le salon, on peut faire deux pièces.*

cloître n.m. Un **cloître** est une galerie couverte qui entoure la cour d'un couvent.

■ **cloîtré, ée** adj. *Il vit* **cloîtré** *chez lui,* il ne sort jamais et ne voit personne (= calfeutré, enfermé).

clopin-clopant adv. Fam. *Avec sa jambe plâtrée, il s'avançait* **clopin-clopant,** en boitant plus ou moins.

cloporte n.m. Un **cloporte** est un petit crustacé terrestre gris vivant dans les lieux humides, sous les pierres, etc. *illustr. p. 357*

cloque n.f. *Il s'est brûlé et il a une* **cloque** *à la main* (= ampoule).

clore v. 3e groupe. SENS 1. *Un muret* **clôt** *le terrain,* le ferme. SENS 2. **Clore** une discussion, c'est la terminer. ✳ Conj. n° 81.

illustr.
p. 758,
1033,
354

■ **clôture** n.f. [SENS 1] *Le champ est entouré d'une* **clôture**, de quelque chose qui le ferme (mur, palissade, haie, grillage). ●● ***enclore***. [SENS 2] *Il est arrivé après la* **clôture** *du débat,* une fois le débat terminé (= fin).

■ **clôturer** v. 1er groupe. [SENS 2] *On a* **clôturé** *la séance à 8 heures,* on a déclaré qu'elle était finie (= terminer).

illustr.
p. 354,
117

clou n.m. SENS 1. *Il a planté des* **clous** *dans le mur pour accrocher un tableau,* une petite tige pointue, de fer ou d'acier (= pointe). SENS 2. Fam. *Pierre a un* **clou** *au cou* (= furoncle). SENS 3. *Les lions ont été le* **clou** *du spectacle,* le moment le plus réussi.

■ **clouer** v. 1er groupe. [SENS 1] *On a* **cloué** *un écriteau sur le poteau,* on l'a fixé avec des clous (≠ déclouer).

■ **clouté, ée** adj. [SENS 1] *Les pneus* **cloutés** *sont garnis de clous spéciaux pour rouler sur la neige.* ◆ *Les piétons doivent traverser au* **passage clouté**, à l'endroit de la rue qui était autrefois délimité par de gros clous et aujourd'hui par des bandes blanches.

illustr.
p. 177

clown n.m. *Au cirque, Pierre aime les* **clowns**, les artistes qui font rire par des grosses farces, des acrobaties grotesques.
✳ On prononce [klun].

■ **clownerie** n.f. *Tout le monde rit de ses* **clowneries**, de ses pitreries, de ses facéties.

illustr.
p. 530

club n.m. SENS 1. *Pierre s'est inscrit à un* **club** *sportif* (= association). SENS 2. *Les* **clubs** *de golf sont les bâtons qui servent à envoyer la balle.*
✳ On prononce [klœb].

---

co- préfixe. Placé au début d'un mot, **co-** indique une association : **co**habiter avec quelqu'un, c'est habiter dans le même logement ; *une* **co**édition *est une édition faite en commun,* etc.

---

coaguler v. 1er groupe. *Le sang* **coagule** *à l'air libre,* il se fige, se solidifie.

■ **coagulation** n.f. *Ce médicament empêche la* **coagulation** *du sang,* le sang de ne plus couler.

coalition n.f. *Napoléon a été vaincu par la* **coalition** *de ses ennemis,* l'alliance faite entre eux contre lui (= ligue).

■ **coaliser** v. 1er groupe. *Tout le monde* **s'est coalisé** *contre moi* (= liguer, unir).

coasser v. 1er groupe. *Les grenouilles* **coassent**, elles poussent leur cri.
✳ Ne pas confondre **coasser** et **croasser**.

■ **coassement** n.m. *Le* **coassement** est le cri de la grenouille.

cobaye n.m. *Le* **cobaye** est un petit mammifère rongeur qui sert souvent à des expériences scientifiques (= cochon d'Inde).
✳ On prononce [kɔbaj].

cobra n.m. *Le* **cobra** est un grand serpent très venimeux de l'Inde et de l'Afrique (= serpent à lunettes, naja).

illustr.
p. 983

cocagne n.f. SENS 1. *À la fête, Alain a réussi à décrocher un ballon en montant au* **mât de cocagne**, un mât glissant au sommet duquel sont suspendus des objets. SENS 2. *Le pays de* **cocagne** est un pays imaginaire où l'on a tout ce qu'on veut.

cocaïne n.f. *La* **cocaïne** est une drogue très dangereuse.

cocarde n.f. *Les avions étaient peints de* **cocardes** *tricolores,* des emblèmes circulaires.

cocasse adj. *J'ai fait un rêve* **cocasse**, drôle parce que tout à fait inattendu, bizarre.

■ **cocasserie** n.f. *Le rapprochement de certains mots crée des* **cocasseries**, des situations drôles.

illustr.
p. 746 **coccinelle** n.f. Les **coccinelles** sont de petits insectes coléoptères au dos orangé ou rouge tacheté de points noirs parfois appelés « bêtes à bon Dieu ».

coccyx n.m. *Serge s'est cassé le coccyx en tombant sur le derrière,* la partie terminale de la colonne vertébrale. ✶ On prononce [kɔksis].

coche → *cocher (2)*

1. cocher v. 1er groupe. *Elle a coché mon nom,* elle l'a marqué d'un trait.

illustr.
p. 970 **2. cocher** n.m. Les **cochers** conduisaient autrefois les voitures à cheval.

illustr.
p. 970 ■ **coche** n.m. Un **coche** était une grande diligence.

■ **cochère** adj.f. Une **porte cochère** est une porte à deux battants assez grande pour laisser passer une voiture (autrefois un coche).

illustr.
p. 397 **1. cochon** n.m. SENS 1. *Les **cochons** grognent dans la porcherie,* les porcs. SENS 2. *Le **cochon d'Inde** est un cobaye.* ◆ Fam. *Quel **temps de cochon** !,* quel mauvais temps.

2. cochon, onne n. *Tu as fait des taches partout, tu es un **cochon** !,* tu es malpropre, dégoûtant.

■ **cochonnerie** n.f. *Tu as fait des **cochonneries** sur ton cahier* (= saleté). ◆ *Ce papier, c'est de la **cochonnerie** : il se déchire tout le temps,* c'est de la mauvaise qualité.

illustr.
p. 690 **cochonnet** n.m. *À la pétanque, il faut envoyer sa boule le plus près possible du **cochonnet**,* une petite boule qui sert de but.

cocker n.m. Les **cockers** sont des chiens aux oreilles pendantes. ✶ On prononce [kɔkɛr].

cockpit n.m. Le **cockpit** est la cabine où se tient le pilote d'un avion, le barreur d'un bateau. ✶ On prononce [kɔkpit]. illustr.
p. 740

cocktail n.m. SENS 1. Un **cocktail** est une boisson obtenue en mélangeant des alcools, des jus de fruits, etc. SENS 2. *Je suis invité à un **cocktail**,* une réception où l'on offre à boire et à manger.

coco n.m. La **noix de coco** est le gros fruit du **cocotier**, un grand palmier des régions chaudes. illustr.
p. 982

cocon n.m. *Les chenilles des vers à soie s'entourent d'un **cocon**,* d'une enveloppe de fils de soie. ◆ **Être élevé dans un cocon**, c'est être trop choyé.

cocotier → *coco*

cocotte n.f. SENS 1. *Emmanuelle s'amuse à faire des **cocottes** en papier,* à plier du papier en forme de poule. SENS 2. *Le cuisinier a fait un ragoût dans une **cocotte**,* une petite marmite.

code n.m. SENS 1. Un **code** est un recueil de lois : le **Code** civil, le **Code** de la route. SENS 2. *Il a écrit un message en **code**,* en langage secret. ●● *décoder*. SENS 3. *Quand une voiture en croise une autre la nuit, elle doit se mettre en **code**,* un éclairage moins éblouissant que les phares* (= feux de croisement). SENS 4. Le **code postal** est l'ensemble des cinq chiffres qui précède le nom de la ville, quand on écrit une adresse.

■ **codé, ée** adj. [SENS 2] Un message **codé** est rédigé selon un code (= secret).

■ **codifier** v. 1er groupe. [SENS 1] *On a codifié l'usage des rollers,* on a établi des règles pour leur utilisation (= réglementer).

coefficient n.m. *J'ai eu 12/20 en maths ; avec le **coefficient** 3, cela fait 36/60,* le chiffre par lequel il faut multiplier la note.

coéquipier, ère n. *Elle a passé la balle à sa coéquipière*, à une joueuse de son équipe. ●● **équipe**
✴ On dit aussi **équipier**.

illustr. **cœur** n.m. SENS 1. *Le cœur est un*
p. 216, muscle qui envoie le sang dans tout notre corps. *On sent battre son cœur.*
→ **cardiaque**. SENS 2. *Il habite au cœur de Paris* (= centre). SENS 3. *Pierre a mal au cœur*, il a des nausées. ●● **écœurer**. SENS 4. *Marie a le cœur sensible*, elle est facilement émue. SENS 5. *Jean a bon cœur*, il est généreux. SENS 6. *Il a fait cela de bon cœur*, avec plaisir, volontiers. ●● **à contrecœur**. SENS 7. *Il sait sa leçon par cœur*, il peut la réciter de mémoire et parfaitement. SENS 8. *Pierre a*
530 joué la dame de cœur, la couleur représentée par un cœur rouge.
✴ Ne pas confondre avec **chœur**.

coexister v. 1er groupe. *Plusieurs tendances coexistent dans ce parti*, elles s'y trouvent en même temps. ●● **exister**

■ **coexistence** n.f. *Le parti admet la coexistence de plusieurs tendances en son sein.*

illustr. **coffre** n.m. SENS 1. *Pierre range ses*
p. 165, jouets *dans un coffre*, une grande
863, caisse. SENS 2. *Les valises sont dans le*
69 coffre, on peut partir, un espace généralement situé à l'arrière d'une voiture pour mettre les bagages.

■ **coffre-fort** n.m. *Les coffres-forts de la banque ont été dévalisés*, les armoires en métal où l'on enferme de l'argent et des objets précieux.

■ **coffret** n.m. *Maman met ses bijoux dans un coffret*, une petite boîte qui ferme à clef et où l'on met les objets auxquels on tient.

cognac n.m. *Le cognac est une eau-de-vie de raisin fabriquée en Charente.*

illustr. **cognée** n.f. *Une cognée est une hache*
p. 403 de bûcheron.

cogner v. 1er groupe. *Il cogne de toutes ses forces contre la porte* (= frapper, taper).

cohabiter v. 1er groupe. *J'ai cohabité quelque temps avec Alain*, j'ai habité dans le même logement que lui. ●● **habiter**

cohérent, ente adj. *Son raisonnement est très cohérent*, tous ses éléments se tiennent bien entre eux (= logique ; ≠ incohérent).

■ **cohérence** n.f. *Son raisonnement a beaucoup de cohérence*, il s'organise logiquement (≠ incohérence).

■ **cohésion** n.f. *Le succès est dû à la bonne cohésion de l'équipe*, au fait que tous les membres s'entendent et se soutiennent (= unité, solidarité).

cohorte n.f. *Les joueurs s'avancent entourés d'une cohorte de supporters*, d'une foule qui les accompagne.

cohue n.f. *Il y a la cohue dans le métro*, beaucoup de gens qui se poussent, qui se pressent (= bousculade).

coi, coite adj. *Raphaël se tient coi*, *Marie se tient coite*, ils restent complètement silencieux et immobiles, par prudence ou par perplexité.

coiffer v. 1er groupe. SENS 1. *Pierre est coiffé d'un drôle de chapeau*, il l'a sur la tête. SENS 2. *Marie se coiffe devant la glace*, elle arrange ses cheveux (= se peigner ; ≠ décoiffer). ●● **recoiffer**

■ **coiffe** n.f. [SENS 1] *Autrefois, en Bretagne, de nombreuses femmes portaient des coiffes en dentelle*, des sortes de bonnets qui font partie du costume traditionnel.

■ **coiffeur, euse** n. [SENS 2] *Pierre est allé chez le coiffeur*, la personne dont le métier est de coiffer, de couper les cheveux.

■ **coiffeuse** n.f. [SENS 2] *Une coiffeuse* *illustr.* est une table avec un miroir, devant *p. 863* laquelle les femmes se coiffent, se ma-quillent.

illustr. ■ **coiffure** n.f. **[SENS 1]** Les chapeaux, les
p. 221 bérets, les casquettes sont des **coiffures**.
[SENS 2] *Tu as changé ta* **coiffure** *?,* la
manière d'arranger tes cheveux.

illustr. **coin** n.m. **SENS 1.** *On a mis la table dans*
p. 238, *un* **coin** *de la pièce,* dans l'angle formé
par deux murs. ●● **encoignure, recoin**.
SENS 2. *On s'est retrouvé au* **coin** *d'une
rue,* au croisement de deux rues. **SENS 3.**
*Nous avons passé nos vacances dans
un* **coin** *tranquille,* un endroit, un lieu.
◆ *Elle a voyagé aux* **quatre coins du
monde,** partout. **SENS 4.** *Le bûcheron*
403 *met un* **coin** *dans le bois pour mieux le
fendre,* un morceau de métal ou de bois
très dur.
✳ Ne pas confondre **coin** et **coing**.

coincer v. 1ᵉʳ groupe. *La porte* **est
coincée** *par l'humidité,* on ne peut plus
la manœuvrer (= bloquer).
✳ Conj. nᵒ 1.

coïncider v. 1ᵉʳ groupe. *Son arrivée* **a
coïncidé** *avec mon départ,* elle a eu lieu
au même moment (= concorder).

■ **coïncidence** n.f. *Vous ici ! quelle*
coïncidence *!,* c'est une rencontre due
au hasard.

coing n.m. Le **coing** est un fruit jaune
ressemblant à une poire, qu'on ne peut
consommer que cuit en confiture, en
gelée, en pâte, etc.
✳ Le « g » ne se prononce pas : [kwɛ̃].
Ne pas confondre avec **coin**.

illustr. **col** n.m. **SENS 1.** Autrefois on disait **col**
pour désigner le cou. ●● **décolleté, tor-**
p. 1011, **ticolis**. **SENS 2.** *Le* **col** *de ta chemise est
sale,* la partie qui entoure le cou. ●● **en-**
617 **colure**. **SENS 3.** Un **col** est un passage qui
permet de franchir une montagne.
✳ Ne pas confondre avec la **colle**.

■ **collet** n.m. **[SENS 1]** Un **collet** est un
nœud coulant pour prendre les lapins ou
les lièvres en les étranglant. ◆ *Les gen-*

darmes **ont mis la main au collet** *du
malfaiteur,* ils l'ont arrêté.

■ **collier** n.m. **[SENS 1]** *Marie porte un*   *illustr.*
collier *de perles,* un bijou qui se met   *p. 150*
autour du cou. *Ce chien perdu n'a pas de*   *354*
collier, de courroie autour du cou.

coléoptère n.m. Les **coléoptères** sont
des insectes, comme le hanneton et la
coccinelle, qui ont quatre ailes : deux
ailes dures appelées « élytres » qui, au
repos, recouvrent deux ailes légères.

colère n.f. *Quand il se met en* **colère,**
il devient tout rouge et il crie (= fureur).

■ **coléreux, euse** adj. *Nicolas est très*
coléreux, *il se met souvent en colère*
(= irritable, irascible).

colibri n.m. Un **colibri** est un tout petit   *illustr.*
oiseau d'Amérique (= oiseau-mouche).   *p. 103.*

colimaçon n.m. **SENS 1.** On appelait
autrefois un escargot un **colimaçon**.
SENS 2. Un escalier **en colimaçon** monte
en tournant (= en spirale).

colin n.m. Le **colin** est un poisson de
mer (= lieu).

colin-maillard n.m. *Les enfants jouent
à* **colin-maillard,** *l'un d'eux, les yeux
bandés, essaie d'en attraper un autre et
de trouver qui il est en le touchant.*

colique n.f. *Pierre a mangé des fruits
verts, il a la* **colique,** *il a mal au ventre*
(= diarrhée).

colis n.m. *Le facteur a apporté un* **colis**
(= paquet).

collaborer v. 1ᵉʳ groupe. *Il* **a collaboré**
avec un ami pour écrire ce livre, ils ont
travaillé ensemble (= coopérer).

■ **collaboration** n.f. *Je vous remercie
de votre* **collaboration** (= participation,
aide, concours, coopération).

■ **collaborateur, trice** n. *Ce journal a
de nombreux* **collaborateurs,** *des personnes qui travaillent pour lui.*

collage, collant → *colle*

collation n.f. *À 4 heures, les enfants prennent une légère **collation**, ils font un petit repas.*

illustr. p. 311, 122

colle n.f. SENS 1. *La **colle** est une matière gluante qui permet de faire adhérer entre eux des objets.* SENS 2. Fam. *Pierre m'a posé une **colle**, une question difficile.* SENS 3. Fam. *Pascal a eu une heure de **colle*** (= retenue).
✳ Ne pas confondre avec un **col**.

■ **coller** v. 1ᵉʳ groupe. [SENS 1] *Des affiches **ont été collées** sur les murs, fixées avec de la colle* (≠ décoller). *La gadoue **colle** aux semelles* (= adhérer). ●● ***encoller, recoller.*** ◆ Fam. *Cette explication ne **colle** pas, elle n'est pas satisfaisante* (= convenir, marcher). [SENS 2] Fam. *Il s'est fait **coller** à son examen, il a échoué.* ●● ***incollable***. [SENS 3] Fam. *Pascal **a été collé** samedi, il a dû venir à l'école pour faire sa punition* (= consigner).

■ **collage** n.m. [SENS 1] *À l'école maternelle, on fait des **collages**, on colle des images.*

■ **1. collant, ante** adj. [SENS 1] *Il a réparé son stylo avec du papier **collant*** (= adhésif).

illustr. p. 1010

■ **2. collant** n.m. *Un **collant** est un sous-vêtement qui réunit en une seule pièce un slip et des bas.*

■ **colleur, euse** n. [SENS 1] *Le **colleur** d'affiches est tombé de son échelle, celui dont le métier est de coller des affiches.*

collecte n.f. *On a fait une **collecte** pour les sinistrés, on a recueilli de l'argent, des objets pour eux.* → *quête*

■ **collecter** v. 1ᵉʳ groupe. *On **a collecté** une somme importante pour les victimes de la catastrophe* (= recueillir).

collectif, ive adj. *Ce livre est le résultat d'un travail **collectif**, fait par un groupe* (≠ individuel).

■ **collectivement** adv. *Nous avons agi **collectivement*** (= ensemble).

■ **collectivité** n.f. *Une **collectivité** est un groupe de personnes qui ont des intérêts communs.*

illustr. p. 358

collection n.f. SENS 1. *Pierre fait **collection** de timbres, il les recherche, les réunit et les classe pour son plaisir.* SENS 2. *Le couturier a présenté sa **collection** d'automne, un ensemble de vêtements créés par lui à chaque saison.*

■ **collectionner** v. 1ᵉʳ groupe. [SENS 1] *Marie **collectionne** les papillons, elle en fait collection.*

■ **collectionneur, euse** n. [SENS 1] *M. Delcour est **collectionneur** de tableaux, il les collectionne.*

collectivement, collectivité → *collectif*

collège n.m. *Un **collège** est un établissement scolaire qui va de la 6ᵉ à la 3ᵉ comprise.*

■ **collégien, enne** n. *Christophe est en 4ᵉ, c'est un **collégien**.*

collègue n. *Mme Legal et M. Tavard sont des **collègues**, ils travaillent dans la même entreprise, font le même métier.*

coller, colleur → *colle*

collet, collier → *col*

collimateur n.m. SENS 1. *Un **collimateur** est un appareil de visée pour le tir.* SENS 2. Fam. *Qu'il se méfie, je l'**ai dans le collimateur**, je le surveille de près pour l'attaquer dès que l'occasion s'en présentera.*

colline n.f. *Nous sommes montés sur une **colline** pour voir le paysage, une petite montagne* (= hauteur, butte, mamelon).

illustr. p. 21

collision n.f. *Il y a eu une **collision** sur l'autoroute, un choc entre des voitures* (= heurt).

illustr. p. 855

185

colloque n.m. Un **colloque** est une réunion de spécialistes qui discutent d'un sujet (= congrès).

colmater v. 1er groupe. *On a colmaté une fissure dans le mur,* on l'a bouchée (= obturer).

colombe n.f. Une **colombe** est un pigeon blanc.

■ **colombier** n.m. *Cette ferme possède un colombier,* un bâtiment pour les pigeons (= pigeonnier).

colon → *colonie*

illustr. p. 440 **colonel** n.m. Le **colonel** est un officier qui commande un régiment.

colonie n.f. SENS 1. *Autrefois, les grands pays d'Europe avaient des colonies,* des territoires étrangers sous leur domination. SENS 2. *On a vu un documentaire sur les colonies de pingouins,* les groupes de ces animaux vivant ensemble. SENS 3. *Pierre est parti en colonie de vacances,* avec un groupe d'enfants et des moniteurs.

■ **colon** n.m. [SENS 1] *Les colons français ont quitté l'Algérie après l'indépendance de ce pays.*

■ **colonial, ale, aux** adj. [SENS 1] *Le thé, le chocolat étaient appelés « produits coloniaux »,* ils venaient des colonies.

■ **colonialisme** n.m. [SENS 1] Le **colonialisme** était une doctrine favorable à la conquête des colonies.

■ **coloniser** v. 1er groupe. [SENS 1] *L'Inde a été colonisée par l'Angleterre,* elle a été transformée en colonie (≠ décoloniser).

■ **colonisation** n.f. [SENS 1] *La colonisation de l'Algérie a duré plus d'un siècle.*

illustr. p. 41 **colonne** n.f. SENS 1. *Les temples grecs sont soutenus par des colonnes,* des supports verticaux. SENS 2. *Une colonne de soldats a traversé la ville,* des soldats disposés les uns derrière les autres (= file). SENS 3. *Les pages des journaux* sont partagées en **colonnes**, en parties disposées verticalement.

■ **colonnade** n.f. [SENS 1] Une **colonnade** est une rangée de colonnes.

colorer v. 1er groupe. *Les cerises commencent à se colorer,* à prendre leur couleur rouge (= teinter ; ≠ décolorer).

■ **colorant** n.m. Les **colorants** servent à colorer les tissus, les liquides, etc.

■ **coloration** n.f. *Le rôti commence à prendre une belle coloration dans le four* (= teinte). ●● *couleur*

■ **colorier** v. 1er groupe. *Romain a colorié ses dessins avec des crayons de couleur.*

■ **coloriage** n.m. *J'ai eu un album de coloriages pour Noël,* un album de dessins à colorier.

■ **coloris** n.m. *J'aime le coloris de ta chemise,* la couleur (= teinte).

colosse n.m. *M. Dupont est un colosse,* il est très grand et très fort.

■ **colossal, ale, aux** adj. *Il est d'une force colossale* (= herculéen). *Sa fortune est colossale* (= énorme, immense, gigantesque).

■ **colossalement** adv. *M. Richard est colossalement riche* (= immensément).

colporter v. 1er groupe. SENS 1. *Autrefois, les marchands ambulants colportaient leurs produits de porte en porte pour les vendre* (= transporter). SENS 2. *Colporter une nouvelle, c'est la dire à tout le monde* (= répandre).

■ **colporteur, euse** n. [SENS 1] Un **colporteur** était un marchand ambulant.

colt n.m. Un **colt** est un pistolet automatique américain.

colza n.m. Le **colza** est une plante à fleurs jaunes dont les graines fournissent de l'huile. *illustr. p. 21*

coma n.m. *La malade est tombée dans le coma, elle a perdu connaissance et ne se rend plus compte de rien.*

combattre v. 3ᵉ groupe. SENS 1. *Les soldats ont combattu avec courage* (= se battre). SENS 2. *Les pompiers combattent l'incendie, ils luttent contre lui.*
❋ Conj. n° 56.

■ **combattant, ante** n. [SENS 1] *On a séparé les combattants, ceux qui se battaient.*

■ **combat** n.m. [SENS 1] *Le combat entre les deux armées ennemies a été bref mais acharné* (= lutte, bataille).

■ **combatif, ive** adj. *Pierre est un garçon combatif, il aime lutter et ne s'avoue jamais vaincu.*
❋ **Combatif** n'a qu'un « t » alors que **combattre** et **combattant** en ont deux.

combien adv. Ce mot sert à interroger au sujet d'une quantité, d'un nombre, d'un prix : *Combien sont-ils ?* (nombre) ; *combien ça coûte ?* (prix).

illustr. p. 202, 736
combinaison n.f. SENS 1. *Il a trouvé une combinaison astucieuse pour réussir* (= moyen, arrangement). SENS 2. *Le motocycliste a une combinaison de cuir, un vêtement qui lui couvre tout le corps.*

■ **combiner** v. 1ᵉʳ groupe. [SENS 1] *C'est Pierre qui a combiné ce mauvais coup* (= arranger, préparer, organiser).

■ **combine** n.f. Fam. [SENS 1] *J'ai une combine pour réussir à tous les coups, un moyen ingénieux.*

■ **combinard, arde** adj. et n. Fam. [SENS 1] *Pierre se débrouillera toujours, c'est un combinard, quelqu'un qui emploie des combines plus ou moins louches.*

illustr. p. 940
combiné n.m. *Passe-moi le combiné téléphonique, la partie mobile du téléphone qui permet à la fois d'écouter et de parler.*

illustr. p. 572
comble n.m. SENS 1. *Ce qu'il vient de dire, c'est le comble de la bêtise, c'est très bête.* SENS 2. (Au plur.) *Il habite dans*

les **combles**, dans la partie de la maison située sous le toit. ◆ *On a fouillé la maison de fond en comble,* complètement.
❋ **De fond en comble** se prononce [dəfɔ̃tɑ̃kɔ̃bl].

■ **comble** adj. [SENS 1] *La salle est comble,* très pleine.

■ **combler** v. 1ᵉʳ groupe. [SENS 1] *On a comblé le trou, on l'a rempli entièrement* (= boucher). *Elle a été comblée d'honneurs,* couverte d'honneurs. ◆ *Ces résultats m'ont comblé,* ils m'ont entièrement satisfait.

combustible adj. et n.m. *Le bois est combustible, il brûle bien. Le chêne est un bon combustible.* ●● *incombustible*

■ **combustion** n.f. *La combustion du bois produit de la fumée et de la cendre, quand il brûle.*

comédie n.f. SENS 1. *On est allé au théâtre voir une comédie, une pièce drôle.* → *tragédie, vaudeville.* SENS 2. Fam. *Carole dit qu'elle est malade, à mon avis c'est de la comédie, elle fait semblant, elle feint d'être malade.*

■ **comédien, enne** [SENS 1] n. *Un comédien est un acteur de théâtre, de cinéma ou de télévision.* [SENS 2] n. et adj. *Il est très comédien. Quelle comédienne, on croirait presque qu'elle pleure !,* elle fait semblant (= hypocrite).
illustr. p. 952

■ **comique** adj. [SENS 1] *Nous avons vu un film comique* (= drôle ; ≠ tragique).

comestible adj. *Ce champignon est comestible, il est bon à manger.*
illustr. p. 402

comète n.f. *Une comète est un astre formant une traînée lumineuse.*

comique → *comédie*

comité n.m. *L'association sportive a élu son comité, les gens qui prennent les décisions.*

commander v. 1ᵉʳ groupe. SENS 1. *Un général commande une armée, il en est le chef.* SENS 2. *Il m'a commandé de* sortir, il m'en a donné l'ordre (= ordonner). SENS 3. *Pierre **a commandé** un livre au libraire,* il lui a demandé de le lui fournir (≠ décommander). SENS 4. *Cette manette **commande** tout l'éclairage,* elle le fait fonctionner.

illustr. p. 440, 74
■ **commandant** n.m. [SENS 1] *Un **commandant** commande un bataillon. Le **commandant de bord** commande à bord de l'avion.*

illustr. p. 504
■ **commande** n.f. [SENS 3] *Le boucher a livré les **commandes**,* les marchandises demandées. [SENS 4] *Appuie sur la **commande** de démarrage* (= mécanisme). ●● **télécommande**. *Le pilote **est aux commandes** de l'avion,* il le dirige.

■ **commandement** n.m. [SENS 1 et 2] *Je n'obéirai pas à ce **commandement*** (= ordre).

commando n.m. *Un **commando** de parachutistes s'est emparé du fort,* un petit groupe de soldats spécialement entraînés pour des actions rapides.

comme conj. et adv. Ce mot sert à donner différentes indications. *Il est agile **comme** un singe* (comparaison) [= de même que]. ***Comme** on dit* (manière) [= ainsi que]. ***Comme** il ne vient pas, je m'en vais* (cause) [= puisque]. *Il travaille **comme** manœuvre* (qualité) [= en tant que]. ***Comme** c'est beau !* (intensité) [= que].

commémorer v. 1er groupe. *On **a commémoré** la victoire,* on en a rappelé le souvenir par une cérémonie.

■ **commémoratif, ive** adj. *Un monument **commémoratif** a été construit sur la place.*

■ **commémoration** n.f. *Des cérémonies ont marqué la **commémoration** de la victoire,* le souvenir.

commencer v. 1er groupe. *J'ai **commencé** mon travail,* je me suis mise à le faire (= entreprendre ; ≠ achever). *L'année **commence** le 1er janvier* (= débuter ; ≠ finir). ●● **recommencer**
✹ Conj. n° 1.

■ **commencement** n.m. *C'est le **commencement** du printemps* (= début ; ≠ fin).

comment adv. Ce mot sert à interroger sur la manière : ***comment** as-tu fait ?* Il est aussi employé dans les phrases exclamatives : ***Comment !** Tu t'es encore trompé !* (étonnement, indignation).

commenter v. 1er groupe. *Pierre **commente** tout ce que je dis,* il fait des remarques.

■ **commentaire** n.m. *Cet événement se passe de **commentaires*** (= remarque, explication, observation).

■ **commentateur, trice** n. *Cette phrase du discours a été remarquée par les **commentateurs**,* ceux qui font le compte rendu en y ajoutant leurs réflexions.

commérage → **commère**

commerce n.m. SENS 1. *M. Alberti fait du **commerce**,* il achète et vend des marchandises. SENS 2. *Mme Dupont a acheté un petit **commerce*** (= boutique, magasin).

■ **commerçant, ante** [SENS 1] n. *Les boulangers, les bouchers, les épiciers, etc., sont des **commerçants**.* [SENS 2] adj. *C'est un quartier très **commerçant**,* où il y a beaucoup de commerces.

■ **commercial, ale, aux** adj. [SENS 1] *Il dirige une entreprise **commerciale**.* *illustr. p. 150*

■ **commercialiser** v. 1er groupe. [SENS 1] *Cette voiture n'est pas encore **commercialisée**,* elle n'est pas encore en vente dans le commerce.

commère n.f. *Une **commère** est une femme curieuse et bavarde.*

■ **commérage** n.m. *Ne croyez pas cela, ce sont des **commérages*** (= bavardage, fam. ragot, fam. racontar).

commettre v. 3e groupe. *Pierre **a commis** une grosse erreur,* il l'a faite. ✹ Conj. n° 57.

commis n.m. *Mon cousin est commis de bureau,* petit employé.

commisération n.f. *Maria regardait les blessés d'un air de commisération* (= pitié, compassion).

commissaire n. SENS 1. Le **commissaire** dirige la police du quartier. SENS 2. n.m. Le **commissaire-priseur** dirige la vente aux enchères.

■ **commissariat** n.m. [SENS 1] *On l'a arrêté et conduit au commissariat,* au bureau du commissaire de police.

commission n.f. SENS 1. *On m'a chargé d'une commission pour vous,* de vous transmettre un message, une nouvelle. SENS 2. (Au plur.) *Papa est parti faire les commissions* (= courses, achats). SENS 3. *Le gouvernement a désigné une commission d'enquête,* des gens chargés d'enquêter sur une question. SENS 4. *Elle touche une commission sur les ventes,* une somme d'argent proportionnelle au prix.

■ **commissionnaire** n. [SENS 1] *Un commissionnaire a apporté un colis,* une personne chargée des commissions, des livraisons.

commissure n.f. La **commissure** des lèvres, c'est l'endroit où elles se rejoignent, de chaque côté de la bouche.

illustr. p. 863 **1. commode** n.f. *Ton linge est dans le troisième tiroir de la commode,* une sorte de meuble bas à tiroirs.

2. commode adj. SENS 1. *Ce problème n'est pas commode,* il n'est pas facile. SENS 2. *Voilà un outil très commode,* bien adapté (= pratique ; ≠ incommode, malcommode). SENS 3. *Le directeur n'est pas commode,* il est sévère.

■ **commodité** n.f. [SENS 2] (Au plur.) *Cet appartement a toutes les commodités,* il est bien adapté, confortable. ◆ *Il voyage en train par commodité,* parce que c'est plus pratique.

■ **commodément** adv. [SENS 2] *Asseyez-vous commodément* (= confortablement).

commotion n.f. *L'annonce de l'accident lui a causé une commotion,* une grosse émotion (= choc).

■ **commotionner** v. 1er groupe. *Elle a été commotionnée au cours de l'accident* (= choquer).

commun, une adj. SENS 1. L'intérêt **commun,** c'est celui de tout le monde (= collectif, général ; ≠ particulier, personnel). SENS 2. *Les deux chambres ont une salle de bains commune* (≠ particulier, privé). SENS 3. *Ils ont mis leurs affaires en commun,* à la disposition de tous. ◆ transport en commun → **transport.** SENS 4. *Il a fait preuve d'un courage peu commun,* peu habituel, peu courant. SENS 5. *Pierre a des manières communes* (= vulgaire). SENS 6. *Les noms communs,* comme « chat », ne prennent pas de majuscule (≠ nom propre).

■ **communauté** n.f. [SENS 1] *Il a agi pour le bien de la communauté,* de tout le monde (= collectivité).

■ **communautaire** adj. [SENS 3] *Les moines mènent une vie communautaire,* en commun.

■ **communément** adv. [SENS 4] *C'est une idée communément admise* (= couramment, habituellement).

commune n.f. Une **commune** est une division administrative, souvent petite, dirigée par le maire et le conseil municipal (= municipalité). *illustr. p. 358*

■ **communal, ale, aux** adj. *Les élections communales viennent d'avoir lieu* (= municipal).

communément → **commun**

communicatif, communication → **communiquer**

communion n.f. SENS 1. *Nous sommes en communion d'idées,* nous avons les *illustr. p. 821*

189

mêmes idées, nous nous entendons très bien. SENS 2. La **communion** est un sacrement de l'Église catholique (= eucharistie). ●● ***excommunier***

■ **communier** v. 1ᵉʳ groupe. [SENS 2] *Il communie tous les dimanches,* il reçoit la communion.

■ **communiant, ante** n. [SENS 2] *Les communiants reçoivent l'hostie avec ferveur,* ceux qui communient.

communiquer v. 1ᵉʳ groupe. SENS 1. *Pierre m'a communiqué ses projets,* il me les a fait connaître (= faire part de). SENS 2. *Cette chambre communique avec la salle de bains,* elle est reliée par un passage. SENS 3. *Les sourds-muets communiquent par des gestes,* ils échangent des idées, des informations. SENS 4. *Le rire se communique facilement,* il gagne peu à peu tout le monde (= se transmettre, se propager).

■ **communiqué** n.m. [SENS 1] *La presse a publié le communiqué du gouvernement,* la note d'information, l'avis au public.

illustr.
p. 502,
940

■ **communication** n.f. [SENS 1] *Le porte-parole a une communication à nous faire,* un message à nous transmettre. [SENS 2] *Une route est une voie de communication,* une voie de passage, de liaison. [SENS 3] *Le téléphone, la télévision, les journaux, etc., sont des* **moyens de communication**.

■ **communicatif, ive** adj. [SENS 1] *Pierre est peu communicatif,* il parle peu (= liant, ouvert, sociable ; ≠ taciturne, renfermé). [SENS 4] *Le rire est communicatif* (= contagieux).

communisme n.m. Le **communisme** est une doctrine qui veut mettre les biens en commun sous la direction de l'État (≠ capitalisme).

■ **communiste** adj. et n. *Les (députés) communistes ont voté contre ce projet de loi.*

compact, e adj. SENS 1. *Dans le métro, la foule était compacte,* serrée, dense.

SENS 2. Un **disque compact** (ou CD) est un petit disque lu par un rayon laser.

compagnie n.f. SENS 1. *Loïc aime la compagnie de Yasmina,* il aime être avec elle (= présence). *Daniel est parti en compagnie de ses amis* (= avec). SENS 2. *Il travaille dans une compagnie d'assurances* (= société). SENS 3. Dans l'armée, une **compagnie** est une troupe commandée par un capitaine.

■ **compagnon** n.m. [SENS 1] *Il est allé en vacances avec ses compagnons de travail,* ceux qui travaillent avec lui (= camarade, collègue).

■ **compagne** n.f. [SENS 1] *Marie joue avec ses compagnes* (= camarade).

comparable, comparaison
→ ***comparer***

comparaître v. 3ᵉ groupe. *L'accusé a comparu devant le juge,* il a dû se présenter.
☀ Conj. n° 64.

■ **comparution** n.f. *L'avocat a demandé la comparution d'un nouveau témoin,* qu'il comparaisse.

comparer v. 1ᵉʳ groupe. **Comparer** des choses ou des êtres, c'est examiner leurs ressemblances et leurs différences. *On compare parfois la vie à un voyage,* on dit qu'elle lui ressemble.

■ **comparaison** n.f. *La comparaison de ces deux restaurants est favorable au premier.*

■ **comparable** adj. *Ces deux métiers ne sont pas comparables,* ils sont très différents (≠ incomparable).

■ **comparatif, ive** adj. *Entre ces deux produits, on a fait une étude comparative de qualité,* en les comparant. ◆ n.m. « Meilleur » est le **comparatif** de supériorité de « bon ».

comparse n. *L'accusé principal et ses comparses ont été condamnés,* ceux qui n'avaient joué qu'un rôle secondaire (= complice).

compartiment n.m. SENS 1. *Ce meu-*
ble est divisé en **compartiments**, en
parties séparées (= case). SENS 2. *Il y*
avait six personnes dans le **comparti-**
ment, *une partie d'un wagon.*

illustr. p. 424

comparution → **comparaître**

compas n.m. SENS 1. *Un* **compas** *est un*
instrument à deux branches d'écarte-
ment variable pour tracer des cercles.
SENS 2. *Les marins, les pilotes utilisent un*
compas *pour se diriger, une boussole*
spéciale. ◆ **Avoir le compas dans l'œil,**
c'est évaluer vite et bien une dimension.

illustr. p. 51

compassé, ée adj. *Le maître d'hôtel*
nous a reçus d'un air **compassé**, *d'un air*
exagérément digne (= guindé, affecté).

compassion n.f. *Elle regardait avec*
compassion *toute cette misère, avec*
apitoiement (= pitié).

■ **compatir** v. 2e groupe. *Je* **compatis**
à votre douleur, je la partage, je souffre
avec vous.

■ **compatissant, ante** adj. *Les paro-*
les **compatissantes** *de mes amis ne*
suffisent pas à me consoler.

compatible adj. *Ces deux projets sont*
compatibles, *ils peuvent exister ensem-*
ble, s'accorder (≠ incompatible).

compatir → **compassion**

compatriote n. *En Italie, nous avons*
rencontré des **compatriotes**, *des gens*
du même pays que nous. ●● *patrie*

compenser v. 1er groupe. **Compenser**
un inconvénient, *c'est l'équilibrer par un*
avantage.

■ **compensation** n.f. *Il a reçu un ca-*
deau en **compensation** *de ses peines*
(= dédommagement, contrepartie).

compère n.m. *Le prestidigitateur a fait*
un signe à son **compère** (= complice).

compétent, ente adj. *Mme Carel est*
très **compétente** *sur cette question, elle*
est tout à fait capable de s'en occuper
(≠ incompétent).

■ **compétence** n.f. *Ce travail n'est pas*
de ma **compétence**, *je suis incapable de*
le faire (= domaine).

compétition n.f. *Nous avons assisté à*
une grande **compétition** *sportive, à une*
épreuve, à un match.

illustr. p. 1002

■ **compétitif, ive** adj. *Ce commerçant*
a des prix **compétitifs**, *des prix assez*
bas pour supporter la concurrence. Une
entreprise **compétitive**.

complainte n.f. *Une* **complainte** *est un*
chant triste.

se **complaire** v. 3e groupe. *Pierre*
semble **se complaire** *dans son igno-*
rance, y trouver du plaisir (= se délecter,
se plaire).
✳ Conj. n° 77.

complaisant, ante adj. *Marie est une*
fille **complaisante**, *elle cherche à faire*
plaisir (= serviable).

■ **complaisance** n.f. *Auriez-vous la*
complaisance *de m'ouvrir la porte ?*
(= amabilité, obligeance).

1. complet, ète adj. SENS 1. *Ce jeu de*
cartes est **complet**, *il ne manque pas de*
cartes (= entier ; ≠ incomplet). SENS 2. *Ils*
ont abouti à un succès **complet** (= total ;
≠ partiel). SENS 3. *L'autobus est* **complet**,
il n'y a plus de place (= plein).

■ **complètement** adv. [SENS 1 et 2] *Tu*
es **complètement** *fou !* (= totalement).

■ **compléter** v. 1er groupe. [SENS 1 et 2]
Pierre veut **compléter** *sa collection, la*
rendre complète.
✳ Conj. n° 10.

■ **complément** n.m. [SENS 1 et 2] *Il faut*
payer le **complément**, *la somme pour*
compléter le prix. ◆ *En grammaire, les*
compléments *sont les mots ou groupes*
de mots qui complètent le sens de la
phrase.

■ **complémentaire** adj. [SENS 1 et 2]
J'aurais besoin de quelques renseigne-

ments **complémentaires**, pour compléter mon information.

2. complet n.m. Un **complet** est un costume d'homme dont la veste et le pantalon sont du même tissu.

complètement, compléter
→ *complet (1)*

1. complexe adj. *Ce problème est* **complexe**, *il est constitué par des éléments multiples et enchevêtrés.*

■ **complexité** n.f. *Ce problème est d'une grande* **complexité** (= difficulté).

2. complexe n.m. *Il n'a aucun* **complexe**, *il n'a pas l'impression d'être moins bien que les autres, il n'est pas gêné.*

■ **complexé, ée** adj. *Quand il était jeune, il était* **complexé**, *gêné, mal à l'aise.*

complexité → *complexe (1)*

complication → *compliqué*

complice n. et adj. *Le voleur a dénoncé ses* **complices**, *ceux qui ont agi avec lui. Ils étaient* **complices** *du vol.*

■ **complicité** n.f. *Il a été arrêté pour* **complicité** *de meurtre, pour y avoir participé avec d'autres.*

compliment n.m. *Il a fait des* **compliments** *à Émilie, il lui a dit que c'était bien* (= félicitations, éloges, louanges).

■ **complimenter** v. 1er groupe. *Il m'a* **complimentée** *sur ma robe, il m'a fait des compliments.*

compliqué, ée adj. *Ce texte est* **compliqué**, *difficile à comprendre* (≠ simple).

■ **compliquer** v. 1er groupe. *Ne* **complique** *pas mon travail, ne le rends pas plus difficile. L'affaire* **se complique**, *elle devient compliquée* (= s'embrouiller).

■ **complication** n.f. SENS 1. *Je n'aime pas les* **complications**, *les choses compliquées qui apparaissent dans une situation.* SENS 2. *Une maladie mal soignée*

peut avoir des **complications**, *une évolution qui l'aggrave.*

complot n.m. *On a découvert un* **complot** *contre le président, des manœuvres secrètes pour le renverser* (= conspiration).

■ **comploter** v. 1er groupe. *Qu'est-ce que vous* **avez comploté** *ensemble ?, préparé secrètement.*

■ **comploteur, euse** n. *Les* **comploteurs** *ont été démasqués* (= conspirateur).

comporter v. 1er groupe. SENS 1. *Ce logement* **comporte** *trois pièces, il se compose de trois pièces* (= comprendre). SENS 2. *François* **s'est comporté** *en garçon raisonnable* (= se conduire, agir).

■ **comportement** n.m. [SENS 2] *Jean a eu un* **comportement** *bizarre, une façon de se comporter* (= conduite).

composer v. 1er groupe. SENS 1. *Marie* **a composé** *un joli bouquet, elle l'a fait en assemblant des fleurs.* SENS 2. *L'eau est* **composée** *d'hydrogène et d'oxygène, elle en est formée* (= constituer ; ≠ décomposer). SENS 3. *Beethoven* **a composé** *neuf symphonies* (= écrire).

■ **composé, ée** adj. [SENS 1] *Un mot* **composé** *est un mot formé de plusieurs mots. « Chef-d'œuvre » est un mot* **composé**. [SENS 2] *Le passé* **composé** *est un temps du verbe formé avec un auxiliaire au présent et le participe passé du verbe conjugué.*

■ **compositeur** n.m. [SENS 3] *Mozart est un grand* **compositeur**, *un créateur d'œuvres musicales* (= musicien).

■ **composition** n.f. [SENS 2] *Quelle est la* **composition** *de cette sauce ?, de quels éléments est-elle formée ?* ◆ *Demain, Elsa aura une* **composition** *de géographie, un devoir que l'on fait en classe.*

composite adj. *Une foule* **composite** *est faite de gens très divers* (= disparate, hétéroclite).

compositeur, composition
→ *composer*

illustr. **composter** v. 1er groupe. *N'oublie pas*
p. 424 *de composter ton billet avant de monter*
dans le train, de le faire valider par
l'appareil appelé **composteur**, qui inscrit
la date dessus.

compote n.f. Une **compote** de pommes, c'est des pommes cuites avec du
sucre et réduites en purée.

■ **compotier** n.m. Un **compotier** est un
plat à fruits.

comprendre v. 3e groupe. SENS 1. *Je*
n'ai pas compris ses explications, leur
sens m'échappe (= saisir). ●● ***incom-***
pris. SENS 2. *J'ai des amis qui me*
comprennent, qui approuvent ce que je
fais (= admettre). SENS 3. *Ce livre*
comprend *trois parties* (= être formé, se
composer de, comporter).
✱ Conj. n° 54.

■ **compris, ise** adj. [SENS 3] *Le restau-*
rant propose un menu à prix fixe, vin et
*café **compris**,* le vin et le café ne sont pas
comptés en plus (= inclus). ◆ *On a tout*
*fouillé, **y compris** la cave,* même la cave.
✱ Noter que, dans **y compris, compris**
reste invariable.

■ **compréhensible** adj. [SENS 1] *Parlez*
*d'une manière **compréhensible**,* pour
qu'on vous comprenne (= intelligible,
clair ; ≠ incompréhensible).

■ **compréhensif, ive** adj. [SENS 2] *Sa*
*mère est **compréhensive**,* elle comprend
les motifs de ses actes (= indulgent,
tolérant).

■ **compréhension** n.f. [SENS 1] *Ce livre*
*est d'une **compréhension** difficile,* il est
difficile à comprendre. [SENS 2] *Mon père*
*m'a parlé avec **compréhension*** (= bienveillance ; ≠ incompréhension).

illustr. **compresse** n.f. *On a mis une com-*
p. 868 *presse sur sa blessure,* un morceau de
gaze qu'on utilise comme pansement.

comprimer v. 1er groupe. *On peut*
comprimer les gaz mais non les liquides,
diminuer leur volume.

illustr. ■ **comprimé** n.m. *Jean a pris un com-*
p. 869 *primé d'aspirine,* un médicament en

forme de pastille fait de poudre compri-
mée.

■ **compression** n.f. *Il y a eu une*
compression de personnel, une diminution du nombre des employés.

■ **compressible** adj. *Les gaz sont*
compressibles, on peut les comprimer
(≠ incompressible).

compris → **comprendre**

compromettre v. 3e groupe. SENS 1. *Il*
s'est compromis dans une affaire mal-
honnête, il a détruit sa réputation d'intégrité (= se déshonorer). SENS 2. *L'abus de*
tabac compromet la santé, il la met en
danger.
✱ Conj. n° 57.

■ **compromission** n.f. [SENS 1] *M. La-*
vanant est un homme droit, honnête, qui
*n'accepte aucune **compromission**.*

compromis n.m. *Les adversaires ont*
*accepté un **compromis*** (= arrangement,
accord, transaction).

compter v. 1er groupe. SENS 1. *Marie*
sait compter, énumérer les chiffres. *Jean*
compte son argent, il calcule combien il
en a. SENS 2. *En comptant les taxes, la*
réparation coûte plus de mille euros, en
les faisant entrer dans le calcul (= inclure). SENS 3. *Il compte arriver demain,*
il en a l'intention. SENS 4. *Vous pouvez*
compter sur moi, me faire confiance.
SENS 5. *Ce qu'il a fait ne compte pas,* n'a
pas d'importance.
✱ Dans tous les mots de cette famille, le
« p » ne se prononce pas : [kɔ̃t].

■ **compte** n.m. [SENS 1] *Le commerçant*
*fait ses **comptes**,* il calcule ses recettes et
ses dépenses. ◆ *M. Durand a un **compte***
en banque, une provision d'argent à la
banque. ◆ *Il ne s'est rendu **compte** de*
rien (= s'apercevoir). ◆ *Je n'ai pas de*
***comptes** à vous rendre,* d'explications à
vous donner. ◆ *En fin de **compte** (tout*
***compte** fait) j'irai passer Noël chez mes*
grands-parents (= finalement).
✱ On prononce [kɔ̃t]. Ne pas confondre
avec **comte** et **conte** (de fées).

■ **comptant** adv. *Payer comptant,* c'est payer tout de suite (≠ à crédit).
✺ On prononce [kɔ̃tɑ̃]. Ne pas confondre avec **content**.

■ **comptable** n. [SENS 1] Le métier du **comptable** consiste à tenir une comptabilité.

■ **comptabilité** n.f. [SENS 1] La **comptabilité** d'un commerçant, c'est l'ensemble de ses comptes.

illustr. p. 869
■ **compte-gouttes** n.m. inv. [SENS 1] Un **compte-gouttes** est un petit tube qui sert à mesurer la dose d'un médicament liquide.

■ **compte rendu** ou **compte-rendu** n.m. *Les comptes rendus de voyage m'intéressent toujours. Il m'a fait un compte rendu détaillé de la réunion* (= rapport, récit).

illustr. p. 852, 69
■ **compteur** n.m. [SENS 1] Un **compteur de vitesse** est un appareil qui indique la vitesse atteinte, un **compteur d'eau** indique le volume d'eau consommé, un **compteur de taxi** indique le prix à payer selon le trajet parcouru.

comptine n.f. Une **comptine** est une courte chanson que les enfants récitent pour tirer l'un d'eux au sort dans un jeu.

illustr. p. 151
comptoir n.m. SENS 1. Le **comptoir** d'un café, c'est une table haute et étroite où l'on sert des consommations. SENS 2. *La vendeuse étale les tissus sur le comptoir,* une table ou un meuble.

comte, comtesse n. Un **comte** a un titre de noblesse inférieur à celui de marquis. ●● *vicomte*
✺ Ne pas confondre avec **compte** et **conte**.

■ **comté** n.m. Un **comté** était un territoire possédé par un comte.

concasser v. 1ᵉʳ groupe. **Concasser** des cailloux, c'est les réduire en petits morceaux (= broyer).

concave adj. Un miroir **concave** est légèrement creux (≠ convexe).

concéder v. 1ᵉʳ groupe. *Je vous concède que c'est une entreprise difficile,* je le reconnais, je vous l'accorde.
✺ Conj. n° 10.

■ **concession** n.f. *Pour arriver à un accord, ils se sont fait des concessions,* ils ont abandonné certaines exigences.

concentrer v. 1ᵉʳ groupe. SENS 1. *Beaucoup de gens sont concentrés à Paris* (= rassembler ; ≠ disperser). SENS 2. *Jean se concentre sur son problème,* il y réfléchit profondément (≠ se déconcentrer).

■ **concentration** n.f. [SENS 1] Dans un **camp de concentration,** on rassemble des prisonniers dans des conditions inhumaines, sous la surveillance de militaires ou de policiers. [SENS 2] *Ce travail demande beaucoup de concentration* (= attention).

■ **concentré, ée** [SENS 1] adj. Du lait **concentré** est du lait rendu plus épais par élimination d'une partie de son eau.
◆ n.m. Le **concentré** de tomate est de l'extrait de tomate.

concentrique adj. Deux cercles sont **concentriques** quand ils ont le même centre.

conception → *concevoir*

concerner v. 1ᵉʳ groupe. *Ce que vous dites ne me concerne pas,* ne s'applique pas à moi (= intéresser).

illustr. p. 629
concert n.m. SENS 1. *Les musiciens ont donné un concert,* une séance de musique. SENS 2. *Ils ont agi de concert,* en s'étant mis d'accord (= ensemble).
✺ De concert s'emploie surtout dans la langue écrite.

■ se **concerter** v. 1ᵉʳ groupe. [SENS 2] *Les deux hommes se sont concertés,* ils se sont mis d'accord.

■ **concertiste** n. [SENS 1] *Mme Gomez est concertiste,* elle joue en concert.

■ **concerto** n.m. [SENS 1] Un **concerto** est une œuvre musicale dans laquelle un

ou deux instruments alternent avec l'orchestre.

concession → *concéder*

concevoir v. 3ᵉ groupe. *Pierre a conçu un projet magnifique,* il l'a formé dans son esprit (= imaginer). ●● *inconcevable, préconçu*
✳ Conj. n° 34.

■ **conception** n.f. *Tu as une drôle de* **conception** *du mariage !* (= idée, point de vue, représentation).

concierge n. La personne qui garde un immeuble est un(e) **concierge** (= gardien).

concile n.m. Un **concile** est une assemblée d'évêques présidée par le pape.

conciliabule n.m. *Les deux hommes ont tenu un* **conciliabule,** *ils ont parlé à voix basse et en secret.*

concilier v. 1ᵉʳ groupe. *On ne peut pas* **concilier** *des théories aussi opposées,* les mettre en accord. ●● *réconcilier*

■ **conciliable** adj. *Ces deux théories sont* **conciliables** (≠ inconciliable).

■ **conciliant, ante** adj. *M. Durand ne vous refusera pas ça : il est très* **conciliant** (= accommodant, tolérant).

■ **conciliation** n.f. *On a cherché tous les moyens de* **conciliation** (= arrangement).

concis, ise adj. Un exposé **concis** est un exposé qui est fait en peu de mots (= bref, succinct, dense, laconique).

■ **concision** n.f. *Il a fait un rapport d'une grande* **concision** (= brièveté).

concitoyen, enne n. Nos **concitoyens** sont les gens qui sont du même pays ou de la même ville que nous. ●● *citoyen*

conclave n.m. Le **conclave** est l'assemblée de cardinaux qui élit le pape.

conclure v. 3ᵉ groupe. SENS 1. *Les deux pays* **ont conclu** *la paix,* ils l'ont décidée (= signer). SENS 2. *Il faut* **conclure** *votre*

discours, le terminer. SENS 3. *Comme il n'a rien dit, on peut en* **conclure** *qu'il était d'accord,* on peut aboutir à ce jugement (= déduire).
✳ Conj. n° 68.

■ **concluant, ante** adj. [SENS 3] *Le résultat de l'expérience n'est pas* **concluant,** *il ne permet pas de juger qu'elle a réussi* (= probant, convaincant).

■ **conclusion** n.f. [SENS 1] *On est parvenu à la* **conclusion** *d'un accord,* à un arrangement final (= réalisation). [SENS 2] *La* **conclusion** *de ce devoir est mal écrite* (= fin ; ≠ introduction).

concombre n.m. Un **concombre** est un légume allongé à peau verte et au goût amer, qu'on mange généralement en hors-d'œuvre.   *illustr. p. 747*

concorde n.f. *La* **concorde** *ne règne pas entre eux,* la bonne entente (= accord, entente, harmonie ; ≠ discorde).

■ **concorder** v. 1ᵉʳ groupe. *Leurs idées ne* **concordent** *pas,* elles ne sont pas en accord.

concours n.m. SENS 1. *Pierre a été reçu premier au* **concours,** à une épreuve où les candidats sont classés. ●● *concurrent.* SENS 2. *Il a réussi avec le* **concours** *de son frère* (= aide, appui). SENS 3. *Un* **concours de circonstances,** c'est une coïncidence.

■ **concourir** v. 3ᵉ groupe. [SENS 1] *Antoine* **avait concouru** *pour l'entrée dans une grande école,* il avait été candidat. [SENS 2] *De nombreuses personnes* **ont concouru** *au succès de la fête,* elles ont apporté leur aide.
✳ Conj. n° 29.

■ **concret, ète** adj. *« Table » est un nom* **concret,** *il désigne une chose qu'on peut toucher, voir, etc.* (≠ abstrait).

■ **concrètement** adv. *Voilà de beaux principes, mais,* **concrètement,** *que proposez-vous ?* (= pratiquement).

■ se **concrétiser** v. 1ᵉʳ groupe. *Nos espoirs ne* **se sont** *pas* **concrétisés,** ils ne se sont pas réalisés.

concubin, ine n. Des **concubins** sont des personnes qui vivent ensemble comme mari et femme sans être mariées.

■ **concubinage** n.m. *François et Anne vivent en **concubinage**, ils vivent ensemble sans être mariés.*

concurrent, ente n. et adj. *Il a battu tous ses **concurrents**, ceux qui participaient à la même épreuve* (= rival). ●● ***concours***. *Si vous ne respectez pas les délais, je m'adresse à une entreprise **concurrente**, qui fournit les mêmes services.*

■ **concurrence** n.f. *Il y a entre eux une vive **concurrence*** (= rivalité).

■ **concurrencer** v. 1er groupe. *Les supermarchés **concurrencent** les épiceries du quartier, ils attirent leurs clients.* ✳ Conj. n° 1.

condamner v. 1er groupe. SENS 1. *L'accusé **a été condamné** à la prison,* il a été jugé et devra subir cette peine (≠ acquitter). SENS 2. *Il faut **condamner** ces actes barbares* (= blâmer, désapprouver). SENS 3. *On **a condamné** cette porte,* on l'a bouchée.

■ **condamnable** adj. [SENS 2] *Son attitude est **condamnable*** (= blâmable).

■ **condamnation** n.f. [SENS 1] *Le tribunal a prononcé une lourde **condamnation*** (= peine).

■ **condamné, ée** n. [SENS 1] *Le **condamné** s'est évadé de prison,* la personne qui a été condamnée. ✳ Dans tous les mots de cette famille, le « m » ne se prononce pas : [kɔ̃dan-].

condenser v. 1er groupe. SENS 1. *Il faut **condenser** ce récit* (= abréger, résumer). SENS 2. *La vapeur d'eau **se condense** sur les vitres froides,* elle passe à l'état liquide.

■ **condensation** n.f. [SENS 2] *La **condensation** est la transformation de la vapeur d'eau en fines gouttelettes d'eau.* → ***buée***

condescendre v. 3e groupe. *Allez-vous enfin **condescendre** à m'écouter ?* (= consentir, daigner). ✳ Conj. n° 50.

■ **condescendant, ante** adj. *Il m'a répondu d'un ton **condescendant*** (= supérieur, hautain).

condiment n.m. *Le sel, le poivre, la moutarde sont des **condiments**, ils donnent du goût à la nourriture* (= assaisonnement). → ***aromate, épice***

condisciple n. *Un **condisciple** est un compagnon d'études.*

condition n.f. SENS 1. *Jean est dans de bonnes **conditions** de travail,* des circonstances lui permettant de bien travailler. SENS 2. *Quelles sont vos **conditions** ?,* que réclamez-vous ? (= exigence). ●● ***inconditionnel***. SENS 3. *Vous partirez, **à condition d'**avoir fini,* si vous avez fini. SENS 4. *Ses parents étaient d'une **condition** modeste,* d'une situation sociale modeste.

■ **conditionnel** n.m. [SENS 3] *« Je chanterais » est le **conditionnel présent** du verbe « chanter »,* un mode du verbe qu'on emploie quand l'action dépend d'une condition.

■ **conditionner** v. 1er groupe. [SENS 3] *C'est le beau temps qui **conditionne** le succès de la fête,* qui en est la condition (= déterminer).

■ **conditionnement** n.m. *Le **conditionnement**, c'est la façon dont les marchandises sont emballées pour le transport ou la vente.* .

conditionné, ée adj. *Les chambres ont l'air **conditionné**,* de l'air maintenu automatiquement à une certaine température. → ***climatisation***

conditionnel, conditionnement, conditionner → ***condition***

condoléances n.f. pl. *Il m'a présenté ses **condoléances**, à la mort de mon* *oncle,* il m'a dit qu'il prenait part à ma douleur.

illustr.
p. 1033
condor n.m. Le **condor** est un oiseau de proie d'Amérique du Sud de la famille des vautours.

conduire v. 3ᵉ groupe. SENS 1. *Mme Durand conduit son fils à la gare,* elle l'y accompagne (= emmener). ●● *recon-duire.* SENS 2. *Cette route conduit à la plage* (= mener). SENS 3. *Mme Dupont conduit bien,* elle sait bien diriger les voitures (= piloter). SENS 4. *Éric s'est mal conduit à l'école,* il a mal agi (= se tenir, se comporter).
✳ Conj. nº 70.

illustr.
p. 971,
869
■ **conducteur, trice** [SENS 3] n. *Il est interdit de parler à la conductrice de l'autobus* (= chauffeur). [SENS 2] n.m. *Les métaux sont de bons conducteurs de l'électricité,* ils laissent bien passer le courant.

illustr.
p. 425,

157
■ **conduite** n.f. [SENS 3] *Ève prend des leçons de conduite,* elle apprend à conduire. [SENS 4] *Sa bonne conduite a été récompensée* (= tenue, comporte-ment). ●● *inconduite* ◆ *Une conduite d'eau a éclaté,* un tuyau qui sert à transporter l'eau (= canalisation).

■ **conduit** n.m. [SENS 2] *Un conduit* est un tuyau où circule un liquide, un gaz.

illustr.
p. 431
cône n.m. *Un cône est un solide dont la base est un cercle et dont le sommet est pointu.* ●● *conique.* → *conifère*

confection n.f. SENS 1. *La confection de ce gâteau est difficile* (= fabrication). SENS 2. *M. Gilbert travaille dans la confection,* l'industrie du vêtement.

■ **confectionner** v. 1ᵉʳ groupe. [SENS 1] *Marie est en train de confectionner un gâteau* (= fabriquer).

confédération n.f. *La confédération helvétique est un regroupement de can-tons qui conservent une certaine auto-nomie.* ◆ *Une confédération syndicale regroupe plusieurs fédérations de syndi-cats.* ●● *fédération*

conférence n.f. *M. Dupré a fait une conférence sur ses voyages,* il les a racontés (= discours, causerie, exposé).

■ **conférencier, ère** n. *Un conféren-cier* est une personne qui fait des confé-rences.

conférer v. 1ᵉʳ groupe. *La Légion d'honneur a été conférée à M. Dumont,* elle lui a été décernée, donnée.
✳ Conj. nº 10.

confesser v. 1ᵉʳ groupe. SENS 1. *Je confesse que j'ai tort,* je le reconnais (= avouer). SENS 2. **Se confesser,** c'est avouer ses péchés à un prêtre.

■ **confession** n.f. [SENS 1] *M. Lamy est de confession catholique,* le catholi-cisme est sa religion. [SENS 2] *La confes-sion fait partie du sacrement de pénitence,* l'aveu de ses péchés.

■ **confessionnal** n.m. [SENS 2] *Un confessionnal est une cabine de bois cloisonnée dans laquelle on se confesse.*
✳ Au pluriel, on dit des **confessionnaux.**

■ **confessionnel, elle** adj. [SENS 1] *Un enseignement confessionnel est donné dans des établissements privés selon une religion déterminée.*

■ **confesseur** n.m. [SENS 2] *Il a avoué ses fautes à son confesseur,* le prêtre auquel il se confesse.

confetti n.m. *Au carnaval, on lance des confettis,* de toutes petites rondelles de papier de couleur.

confiance n.f. *J'ai confiance en lui,* je sais qu'il ne me trompera pas (≠ méfiance, défiance).

■ **confiant, ante** adj. *Alex est un gar-çon confiant,* il fait confiance aux autres.

confier v. 1ᵉʳ groupe. SENS 1. *M. Ber-nard m'a confié une lettre pour toi,* il me l'a donnée pour que je te la remette. SENS 2. *Pierre s'est confié à moi,* il m'a fait des confidences.

■ **confidence** n.f. [SENS 2] Faire des **confidences** à un ami, c'est lui dire des choses secrètes et intimes.

■ **confident, ente** n. [SENS 2] *Anne est ma* **confidente**, *mon amie intime.*

■ **confidentiel, elle** adj. [SENS 2] *Ce rapport est* **confidentiel** *(= secret).*
✸ On prononce [kɔ̃fidɑ̃sjɛl].

confiné, ée adj. *On respire ici un air* **confiné** *(= vicié).*

se **confiner** v. 1er groupe. *M. Dupré est un solitaire qui* **se confine** *chez lui,* qui vit cloîtré chez lui.

confins n.m. pl. *Ce village se trouve aux* **confins** *de la Bretagne,* dans sa partie la plus éloignée, à sa limite extrême.

confire v. 3e groupe. *On* **confit** *les fruits en les imprégnant de sucre.*
✸ Conj. n° 72.

■ **confiserie** n.f. *Dans une* **confiserie**, *on trouve des bonbons, des chocolats, des fruits confits,* la boutique du confiseur. ◆ *Aimes-tu les* **confiseries** *?* (= sucreries, friandises).

■ **confiseur** n.m. *Le* **confiseur** fabrique et vend des confiseries.

■ **confiture** n.f. *Veux-tu de la* **confiture** *sur ton pain ?,* des fruits cuits dans du sucre.

confirmer v. 1er groupe. [SENS 1] *Peux-tu me* **confirmer** *que tu viendras ?,* me l'assurer de nouveau (= certifier).

■ **confirmation** n.f. SENS 1. *Il m'a donné la* **confirmation** *de cette nouvelle,* il m'a affirmé qu'elle était exacte. SENS 2. *La* **confirmation** *est un sacrement de l'Église catholique.*

confiscation → *confisquer*

confiserie, confiseur → *confire*

confisquer v. 1er groupe. *Le surveillant lui* **a confisqué** *sa balle,* il la lui a prise provisoirement pour le punir.

■ **confiscation** n.f. *L'accusé a été condamné à la* **confiscation** *de ses biens,* on les lui prend (= saisie).

confiture → *confire*

conflit n.m. Un **conflit** est une lutte entre des personnes ou des pays qui ont des intérêts opposés. → *guerre*

■ **conflictuel, elle** adj. *Leurs relations sont* **conflictuelles**, *ils sont en conflit* (≠ harmonieux).

confluent n.m. *Lyon est au* **confluent** *du Rhône et de la Saône,* à l'endroit où ces deux cours d'eau se rejoignent. → *affluent*

illustr. p. 845

confondre v. 3e groupe. SENS 1. *Tu* **confonds** *les noms de ces deux personnes,* tu les prends l'une pour l'autre (= mélanger). SENS 2. *Il* **était confondu** *d'avoir fait cette erreur,* très troublé.
✸ Conj. n° 51.

■ **confus, use** adj. [SENS 1] *Il m'a donné des explications* **confuses** (= embrouillé ; ≠ clair, précis). [SENS 2] *Pierre était* **confus** *d'avoir fait une erreur* (= honteux).

■ **confusément** adv. [SENS 1] *On devine* **confusément** *les maisons dans le brouillard* (= vaguement ; ≠ nettement).

■ **confusion** n.f. [SENS 1] *Fabien a fait une* **confusion** *de dates,* une erreur (= méprise). [SENS 2] *Marie était rouge de* **confusion** (= honte).

conforme adj. *Ma décision est* **conforme** *au règlement,* elle est en accord avec lui.

■ **conformément** adv. *Il a agi conformément à la loi* (≠ contrairement).

■ se **conformer** v. 1er groupe. *Il* **s'est conformé** *à l'avis de ses chefs* (= se soumettre).

■ **conformiste** adj. et n. Être **conformiste**, c'est se conformer à l'avis général (≠ anticonformiste, original).

■ **conformité** n.f. *Ses actes sont en* **conformité** *avec ses idées,* en accord.

confort n.m. *Notre appartement a tout le **confort***, toutes les commodités qui rendent la vie agréable.

■ **confortable** adj. *Ce fauteuil est très **confortable***, on y est très bien (≠ inconfortable).

■ **confortablement** adv. *Il s'est installé **confortablement*** (= à l'aise).

confrère, consœur n. *L'avocat a rencontré des **confrères** et des **consœurs***, d'autres avocats et avocates.

■ **confrérie** n.f. *Une **confrérie** regroupe des personnes ayant les mêmes activités.

confronter v. 1er groupe. SENS 1. *On a **confronté** les témoins de l'accident*, on les a mis en présence pour vérifier leurs déclarations. SENS 2. *Nous sommes **confrontés** à de graves difficultés*, nous devons y faire face, les affronter.

■ **confrontation** n.f. *La **confrontation** de leurs opinions est intéressante* (= comparaison).

confus, confusément, confusion → **confondre**

congé n.m. SENS 1. *M. Legrand est en **congé***, il ne travaille pas (= vacances). SENS 2. *Pierre **a pris congé de** ses amis*, il leur a dit au revoir. SENS 3. *Donner son **congé** à quelqu'un*, c'est le renvoyer.

■ **congédier** v. 1er groupe. [SENS 3] *Plusieurs employés **ont été congédiés***, on les a mis dehors (= renvoyer, licencier, remercier).

congeler v. 1er groupe. *On **congèle** la viande pour la conserver*, on la soumet à un froid intense. ●● **geler**
✳ Conj. n° 5.

illustr. p. 238
■ **congélateur** n.m. *Un **congélateur** est un appareil frigorifique qui permet de congeler des aliments.

congénital, ale, aux adj. *Jean a une maladie **congénitale***, il l'avait à sa naissance. ●● **génital**

congère n.f. *Une **congère** est un amas de neige entassée par le vent.

congestion n.f. *M. Legendre est mort d'une **congestion** cérébrale*, d'un afflux de sang dans le cerveau.

■ **congestionner** v. 1er groupe. *La chaleur lui **congestionne** le visage*, le rend rouge.

congratuler v. 1er groupe. ***Congratuler** quelqu'un*, c'est le féliciter.

■ **congratulations** n.f. pl. *Les parents des lauréats ont échangé de longues **congratulations*** (= félicitations).

congre n.m. *Un **congre** est un poisson de mer ressemblant à une anguille.*

illustr. p. 556

congrégation n.f. *Une **congrégation** est une association de prêtres, de religieux ou de religieuses.*

congrès n.m. SENS 1. *M. Marlin a assisté à un **congrès** de savants*, une réunion de savants pour parler de leur science (= colloque). SENS 2. (Avec majuscule.) *Aux États-Unis, le **Congrès** vote les lois*, le Parlement.

■ **congressiste** n. [SENS 1] *Les **congressistes** ont applaudi l'orateur*, les participants au congrès.

conifère n.m. *Le pin, le sapin, le cyprès, le thuya sont des **conifères***, ils produisent des fruits plus ou moins coniques et ont des feuilles en forme d'aiguilles ou de petites écailles. → **feuillu, résineux***

illustr. p. 495

conique adj. *Les pommes de pin ont une forme **conique*** (= pointu). ●● **cône**
✳ Bien qu'il appartienne à la famille de **cône**, ce mot ne prend pas d'accent circonflexe.

conjecture n.f. *Je me perds en **conjectures***, en suppositions.
✳ Ne pas confondre avec **conjoncture**.

■ **conjecturer** v. 1er groupe. *On peut difficilement* **conjecturer** *la suite des événements* (= prévoir, imaginer).

conjoint, e n. *M. Duval est le* **conjoint** *de Mme Duval,* son mari, son époux.

■ **conjugal, ale, aux** adj. *L'amour* **conjugal,** *c'est l'amour qu'ont les époux l'un pour l'autre.*

conjonction n.f. *« Car », « ou » sont des* **conjonctions** *de coordination ; « si », « puisque » sont des* **conjonctions** *de subordination,* des mots grammaticaux servant de lien.

conjoncture n.f. *La* **conjoncture** *économique est peu favorable* (= situation).
✳ Ne pas confondre **conjoncture** et **conjecture.**

conjugal → *conjoint*

conjuguer v. 1er groupe. **SENS 1.** *Peux-tu* **conjuguer** *le verbe « aimer » ?,* en réciter les formes. **SENS 2.** *Pierre et Jean* **ont conjugué** *leurs efforts,* ils les ont mis ensemble (= unir, associer).

■ **conjugaison** n.f. [**SENS 1**] *La* **conjugaison** *est l'ensemble des formes que peut prendre un verbe.*
✳ À la fin de ce dictionnaire, il y a des tableaux de **conjugaisons.**

conjuration n.f. *Une* **conjuration** *est un complot, une conspiration.*

■ **conjuré, ée** n. *La police a arrêté les* **conjurés,** *les personnes qui ont pris part à une conjuration* (= conspirateur).

conjurer v. 1er groupe. **SENS 1.** *Je te* **conjure** *de venir, je t'en prie très vivement* (= supplier). **SENS 2.** *Le sorcier prononce une formule magique pour* **conjurer** *le mauvais sort* (= écarter).

connaître v. 3e groupe. **SENS 1.** *Connais-tu ce mot ?, l'as-tu déjà rencontré ? en sais-tu le sens* (≠ ignorer).

●● *inconnu.* **SENS 2.** *Connais-tu Lyon ?, sais-tu comment est cette ville ?* **SENS 3.** *Je* **connais** *M. Lemaire,* j'ai des relations avec lui. **SENS 4.** *Ce film* **connaît** *un grand succès* (= avoir). **SENS 5.** *Julien* **s'y connaît** *en mécanique,* il est compétent (= s'y entendre).
✳ Conj. n° 64.

■ **connaissance** n.f. [**SENS 1 et 5**] *Jean a une bonne* **connaissance** *de l'anglais,* il le connaît bien. [**SENS 3**] *M. Durand est une ancienne* **connaissance** (= relation). *J'ai fait la* **connaissance** *du nouveau voisin (j'ai fait* **connaissance** *avec lui),* je l'ai rencontré pour la première fois et je lui ai parlé. ◆ *Pierre* **a perdu connaissance,** *il s'est évanoui* (= perdre conscience).

■ **connaisseur** n.m. [**SENS 5**] *Il est* **connaisseur** *en vins,* il les connaît bien, il sait les apprécier.

■ **connu, ue** adj. [**SENS 3**] *Cet écrivain est très* **connu** (= célèbre ; ≠ inconnu).
●● *méconnu*

connecter v. 1er groupe. *Le poste de téléphone* **est connecté** *au standard par un circuit électrique,* il est relié au standard (≠ déconnecter).

■ **connexion** n.f. *La* **connexion** *entre les deux appareils a été effectuée,* le branchement électrique.

connivence n.f. *Pierre et Paul sont* **de connivence,** *ils s'entendent secrètement.*

connu → *connaître*

conquérir v. 3e groupe. *Napoléon* **avait conquis** *une partie de l'Europe,* il s'en était emparé (= soumettre).
●● *reconquérir*
✳ Conj. n° 21.

■ **conquérant** n.m. *Napoléon fut un grand* **conquérant,** *il a fait des conquêtes par les armes.*

■ **conquête** n.f. *Napoléon n'a pas conservé ses* **conquêtes,** *ce qu'il avait*

illustr.
p. 202 conquis. ◆ *Les astronautes partent à la* **conquête** *de l'espace,* ils partent pour l'explorer (= assaut).

consacrer v. 1ᵉʳ groupe. SENS 1. Consacrer quelqu'un ou quelque chose, c'est lui donner un caractère sacré, religieux. SENS 2. *Il **a consacré** sa vie à la science,* il l'a complètement employée (= vouer, dédier).

■ **consécration** n.f. [SENS 1] *La **consécration** de l'église a été suivie d'une fête.*

conscience n.f. SENS 1. *J'ai la **conscience** tranquille,* je n'ai rien à me reprocher. *En **conscience** je ne peux pas le condamner* (= moralement, honnêtement). SENS 2. *Sabine travaille avec **conscience**,* en s'appliquant le plus possible. SENS 3. *Le choc lui a fait perdre **conscience**,* il s'est évanoui (= connaissance). *Il n'avait pas **conscience** de ma présence,* il ne s'en apercevait pas (≠ inconscience).

■ **consciencieux, euse** adj. [SENS 2] *Aurélie est une élève **consciencieuse**,* appliquée, sérieuse.

■ **consciencieusement** adv. [SENS 2] *Elle travaille **consciencieusement*** (= sérieusement).

■ **conscient, ente** adj. [SENS 3] *Le blessé est encore **conscient*** (= lucide ; ≠ inconscient). *M. Legras est **conscient** de ses responsabilités,* il les connaît, il s'en rend compte.

■ **consciemment** adv. [SENS 3] *Il a fait cela **consciemment*** (= exprès, sciemment ; ≠ inconsciemment).
✹ On prononce [kɔ̃sjamɑ̃].

consécration → *consacrer*

consécutif, ive adj. SENS 1. *Il a plu pendant trois jours **consécutifs*** (= de suite). SENS 2. *La cicatrice est **consécutive** à un accident,* elle en est la conséquence.

conseil n.m. SENS 1. *Je vous donne un **conseil** : méfiez-vous des apparences,* je vous y invite. *Ce n'est pas un ordre, c'est seulement un **conseil*** (= recommandation, avis). SENS 2. *Un **conseil** est une assemblée de personnes qui donnent leur avis, qui délibèrent.*

illustr.
p. 358

■ **conseiller** v. 1ᵉʳ groupe. [SENS 1] *Il m'a **conseillé** de patienter* (= recommander ; ≠ déconseiller).

■ **conseiller, ère** n. [SENS 1] *Mon frère est mon **conseiller**,* il me donne des conseils. [SENS 2] *M. Durand est **conseiller** municipal,* il fait partie du conseil.

consentir v. 3ᵉ groupe. *Maria **consent** à venir,* elle veut bien venir (= accepter ; ≠ refuser).
✹ Conj. nº 19.

■ **consentement** n.m. *Il ne veut pas partir sans le **consentement** de son père* (= accord, approbation).

conséquent, ente SENS 1. adj. *M. Durand est un homme **conséquent**,* il agit avec logique (≠ inconséquent). SENS 2. adv. *Paul est malade, **par conséquent** il n'ira pas en classe* (= donc).

■ **conséquence** n.f. [SENS 2] *L'orage a eu de graves **conséquences*** (= suite, résultat, effet ; ≠ cause).

conservateur, conservation
→ *conserver*

conservatoire n.m. *Dans un **conservatoire**,* on apprend la musique, la danse ou le théâtre.

conserver v. 1ᵉʳ groupe. SENS 1. *Il a **conservé** l'espoir de réussir* (= garder ; ≠ perdre). *Maman a **conservé** toutes ses poupées* (≠ jeter, donner, se débarrasser). SENS 2. *On **conserve** les aliments au réfrigérateur,* on les garde en bon état.

■ **conservateur, trice** n. [SENS 2] *Le **conservateur** d'un musée est chargé d'en garder les objets en bon état.* ◆ *Ce jambon est garanti sans **conservateur**,* sans produit spécial pour le conserver plus longtemps. ◆ adj. et n. *M. Bertrand*

LA CONQUÊTE DE L'ESPACE

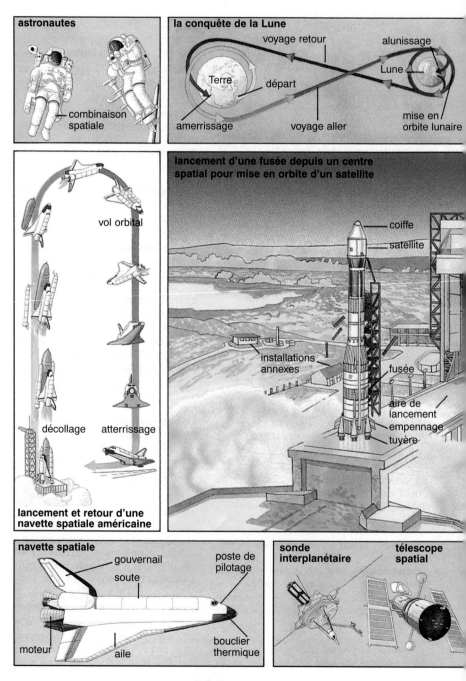

astronautes

combinaison spatiale

la conquête de la Lune

voyage retour

alunissage

Lune

Terre

départ

amerrissage

voyage aller

mise en orbite lunaire

vol orbital

décollage   atterrissage

lancement et retour d'une navette spatiale américaine

lancement d'une fusée depuis un centre spatial pour mise en orbite d'un satellite

coiffe

satellite

installations annexes

fusée

aire de lancement

empennage

tuyère

navette spatiale

gouvernail

soute

poste de pilotage

moteur

aile

bouclier thermique

sonde interplanétaire

télescope spatial

Depuis 1961, les hommes ont commencé à explorer l'espace.
Dans moins de vingt ans, ils devraient être en mesure
d'installer une base extraterrestre permanente sur la Lune.

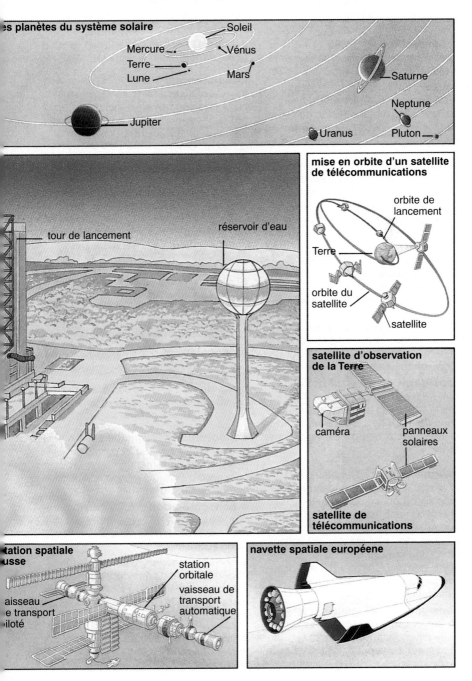

es planètes du système solaire

Soleil
Mercure
Vénus
Terre
Mars
Lune
Saturne
Neptune
Jupiter
Uranus
Pluton

tour de lancement

réservoir d'eau

**mise en orbite d'un satellite
de télécommunications**

orbite de
lancement

Terre

orbite du
satellite

satellite

**satellite d'observation
de la Terre**

caméra

panneaux
solaires

**satellite de
télécommunications**

**station spatiale
usse**

station
orbitale

vaisseau de
transport
automatique

aisseau
e transport
iloté

navette spatiale européene

203

a des opinions **conservatrices**, de droite (≠ progressiste). Un **conservateur** est partisan de maintenir l'ordre existant.

▪ **conservation** n.f. [SENS 2] *Le froid permet la* **conservation** *des aliments,* leur maintien dans le même état.

▪ **conserve** n.f. [SENS 2] *Ils se nourissent de* **conserves**, *d'aliments conservés dans des boîtes métalliques ou dans des bocaux.* On a ouvert une **boîte de conserve**.

considérable adj. *Julien travaille beaucoup : il a fait des progrès* **considérables** (= important, remarquable, notable).

▪ **considérablement** adv. *Mes dépenses ont* **considérablement** *augmenté ce mois-ci* (= notablement, énormément).

considérer v. 1er groupe. SENS 1. *Les assistants* **considéraient** *avec curiosité la nouvelle venue,* ils la regardaient attentivement (= examiner). *Je n'*avais pas **considéré** *la question sous cet aspect* (= envisager). ●● **reconsidérer**. SENS 2. *Je* **considère** *cette affaire comme réglée,* je le juge ainsi (= estimer). ✳ Conj. n° 10.

▪ **considération** n.f. [SENS 1] *Son avis a été pris en* **considération**, *il a été examiné attentivement.* [SENS 2] *Il jouit de la* **considération** *de ses supérieurs,* il est bien jugé par eux (= estime). ●● **déconsidérer**

illustr. p. 424

consigne n.f. SENS 1. *Dans les gares, on peut laisser ses bagages à la* **consigne**, *un endroit où on les garde.* SENS 2. *Les ouvriers doivent respecter les* **consignes** *de sécurité,* ce qu'on leur dit de faire pour leur sécurité (= instruction). SENS 3. *Une* **consigne** *est une punition scolaire.* SENS 4. *L'épicier m'a remboursé la* **consigne**, *la somme payée pour l'emballage.*

▪ **consigner** v. 1er groupe. [SENS 3] *Cinq élèves* **ont été consignés**, *punis par une privation de sortie.* [SENS 4] *Cette bouteille* **est consignée**, *elle sera remboursée quand on la rendra vide.*

consistant, ante adj. *Cette pâte est très* **consistante**, *elle est presque solide* (= ferme ; ≠ inconsistant).

▪ **consistance** n.f. *La boue a une* **consistance** *molle* (= aspect).

consister v. 1er groupe. SENS 1. *Son travail* **consiste** *à relier les livres,* c'est la nature de son travail (= avoir pour objet de). SENS 2. *Son appartement* **consiste** *en deux pièces et une cuisine* (= être composé de).

consœur → **confrère**

console n.f. SENS 1. *Une* **console** *est une table à pieds recourbés, appuyée contre un mur.* SENS 2. *Une* **console** *de jeux vidéo est un petit ordinateur comportant un écran ou relié à un téléviseur.*

illustr. p. 504

consoler v. 1er groupe. *Jean pleurait, et sa mère l'*a **consolé**, *elle a essayé de le calmer.* ●● **inconsolable**

▪ **consolation** n.f. *Il lui a dit quelques mots de* **consolation**, *pour le consoler* (= apaisement, réconfort).

▪ **consolateur, trice** adj. *Il m'a dit des paroles* **consolatrices**, *réconfortantes.*

consolider v. 1er groupe. *Le maçon* **consolide** *le mur,* il le rend plus solide (= renforcer). ●● **solide**

consommer v. 1er groupe. *Les Chinois* **consomment** *beaucoup de riz,* ils l'utilisent comme aliment. *Cette voiture* **consomme** *trop d'essence,* elle l'utilise comme source d'énergie.

▪ **consommation** n.f. *La* **consommation** *de poisson a augmenté.* ◆ *Il a pris une* **consommation** *dans un café* (= boisson).

▪ **consommateur, trice** n. *Il faut satisfaire les besoins des* **consommateurs** (= acheteur). ◆ *Il y avait cinq* **consommateurs** *dans le café,* des personnes en train de boire.

illustr. p. 1016

consonne n.f. *Le mot « parti » contient trois* **consonnes** *: « p », « r » et « t »* (≠ voyelle).

conspirer v. 1ᵉʳ groupe. *Ils conspiraient contre l'État,* ils faisaient des projets secrets pour le renverser (= comploter).

■ **conspiration** n.f. *La police a découvert une conspiration* (= complot).

■ **conspirateur, trice** n. *Les conspirateurs ont été arrêtés* (= comploteur).

conspuer v. 1ᵉʳ groupe. *Une foule hostile a conspué l'orateur* (= huer, injurier ; ≠ applaudir, acclamer).

constance n.f. SENS 1. *Ce mouvement se répète avec constance,* sans changer (= régularité). SENS 2. *Pierre travaille avec constance* (= persévérance ; ≠ inconstance).

■ **constant, ante** adj. [SENS 1] *Dans cette pièce, la chaleur est constante,* elle ne varie pas (≠ inconstant).

■ **constamment** adv. [SENS 1] *Jean est constamment fatigué* (= sans arrêt, continuellement).

constater v. 1ᵉʳ groupe. *J'ai constaté une erreur dans ton calcul,* j'ai vu qu'il y en avait une (= remarquer, observer, noter).

■ **constatation** n.f. *Il m'a communiqué ses constatations,* le compte rendu de ce qu'il a constaté (= observation).

illustr. p. 733 ■ **constat** n.m. *Après l'accident, on a établi un constat,* un compte rendu écrit constatant les faits.

constellation n.f. *Une constellation est un groupe d'étoiles formant une figure à laquelle on donne un nom. La Grande Ourse, la Petite Ourse, le Taureau sont des constellations.*

■ **constellé, ée** adj. *Une page constellée de taches est pleine de taches éparpillées* (= parsemé).

consterner v. 1ᵉʳ groupe. *Après son échec à l'examen, il était consterné, très triste* (= affliger, démoraliser, abattre).

■ **consternant, ante** adj. *J'ai reçu des nouvelles consternantes* (= désolant, affligeant).

■ **consternation** n.f. *Après la défaite, la consternation était générale* (= désolation, abattement).

constipé, ée adj. *Être constipé, c'est avoir de la difficulté à aller à la selle.*

■ **constipation** n.f. *Il prend un médicament contre la constipation* (≠ diarrhée).

constitution n.f. SENS 1. (Avec majuscule.) *La Constitution d'un pays, c'est l'ensemble des lois qui définissent son régime politique.* SENS 2. *Pierre a une solide constitution,* il est fort, bien bâti. SENS 3. *On connaît maintenant la constitution de la nouvelle équipe de football,* les noms de ceux qui la constituent (= formation).

■ **constituer** v. 1ᵉʳ groupe. [SENS 3] *Le Premier ministre a constitué le gouvernement,* il l'a formé (= organiser). ●● *reconstituer.* [SENS 2] *Pierre est bien constitué,* bien bâti.

■ **constituant, ante** adj. et n. [SENS 1] *Une assemblée constituante est chargée d'établir la Constitution d'un pays.* [SENS 3] *L'oxygène et l'azote sont les constituants essentiels de l'air,* les éléments qui le forment.

■ **constitutionnel, elle** adj. [SENS 1] *Le Conseil constitutionnel veille au respect de la Constitution.*

construire v. 3ᵉ groupe. *M. Dumont a fait construire une maison* (= bâtir ; ≠ démolir, détruire). ●● *reconstruire* ✳ Conj. n° 70.

■ **constructeur, trice** n. *Un constructeur d'automobiles est une entreprise qui crée des modèles et fabrique des automobiles.*

■ **construction** n.f. *La construction du pont est finie* (≠ destruction). ◆ *Il y a de nouvelles constructions dans la rue* (= bâtiment, immeuble, maison). *illustr. p. 156, 759*

consul n.m. SENS 1. Les **consuls** gouvernaient la Rome antique. SENS 2. Un **consul** représente son pays dans un pays étranger.

■ **consulat** n.m. [SENS 1] *À Rome, le* **consulat** *durait un an,* la charge de consul. [SENS 2] *Il est allé au* **consulat** *de France,* dans les bureaux du consul.

consulter v. 1er groupe. SENS 1. *Jean ne m'a pas* **consulté** *avant de partir,* il ne m'a pas demandé mon avis. SENS 2. *Si tu ne sais pas le sens d'un mot,* **consulte** *le dictionnaire !,* regarde dedans pour te renseigner.

■ **consultatif, ive** adj. [SENS 1] *Certains délégués au comité n'ont qu'une voix* **consultative**, ils peuvent donner leur avis mais ne prennent pas part aux votes (≠ délibératif).

■ **consultation** n.f. [SENS 1] *Le médecin donne des* **consultations** *le matin,* il reçoit les malades et les examine.

se **consumer** v. 1er groupe. *La cigarette* **se consume** *dans le cendrier,* elle brûle et disparaît.

contact n.m. SENS 1. *Le* **contact** *du fourneau est brûlant,* le fourneau est brûlant quand on le touche. SENS 2. *Il a mis le* **contact** *et a démarré,* il a établi le circuit électrique. SENS 3. *Je me tiens* **en contact** *avec son secrétaire,* je corresponds régulièrement avec lui (= en rapport).

■ **contacter** v. 1er groupe. **Contacter** quelqu'un, c'est entrer en relations avec lui (= joindre, toucher).

contagieux, euse adj. *La rougeole, la tuberculose sont des maladies* **contagieuses**, elles s'attrapent facilement quand on est auprès des malades.

■ **contagion** n.f. *Pour éviter la* **contagion**, il ne faut pas s'approcher du malade, la transmission de la maladie.

container → *conteneur*

contaminer v. 1er groupe. *La source est* **contaminée** *par les déchets de l'usine,* elle peut donner des maladies (= infecter, souiller, polluer).

■ **contamination** n.f. *C'est l'usine qui est responsable de la* **contamination** *de la source* (= pollution).

conte n.m. *Charles Perrault a écrit de nombreux* **contes**, des récits d'aventures merveilleuses.
✸ Ne pas confondre avec **compte** et **comte**.

■ **conter** v. 1er groupe. **Conter** une histoire, c'est la raconter.
✸ Ce verbe s'employait surtout autrefois. Ne pas confondre avec **compter**.

■ **conteur, euse** n. *Grand-père est un excellent* **conteur**, il raconte bien.
✸ Ne pas confondre avec un **compteur**.

contempler v. 1er groupe. *Il* **contemplait** *le paysage d'un air rêveur,* il le regardait longuement en l'admirant.

■ **contemplation** n.f. *Il était en* **contemplation** *devant le paysage,* en admiration.

contemporain, aine SENS 1. adj. et n. *La Fontaine et Molière étaient* **contemporains**, ils vivaient à la même époque. *Ce chanteur est très apprécié de ses* **contemporains**. SENS 2. adj. La musique **contemporaine**, c'est la musique composée de nos jours (≠ ancien, classique).

conteneur ou **container** n.m. *Un* **conteneur** *est une grande caisse métallique servant au transport des marchandises.*   *illustr. p. 740*
✸ **Container** se prononce [kɔ̃tɛnɛr]. **Conteneur** est le mot français qu'il est recommandé d'utiliser.

contenir v. 3e groupe. SENS 1. *Cette bouteille* **contient** *1 litre,* on peut y mettre 1 litre. SENS 2. *Cette bouteille* **contient** *du vin,* il y a du vin dedans. SENS 3. *Il n'a pas pu* **se contenir**, retenir ses sentiments (= se dominer).
✸ Conj. n° 22.

■ **contenance** n.f. [SENS 1] *La* **contenance** *de cette bouteille est de 1 litre*

(= capacité). [SENS 3] La **contenance** d'une personne, c'est la manière dont elle se tient. **Perdre contenance,** c'est se troubler, être embarrassé. ●● *déconte-nancer*

■ **contenu** n.m. [SENS 2] *Le contenu de cette bouteille est de l'eau,* ce que la bouteille contient.

content, ente adj. *Thomas est content de sa voiture* (= satisfait ; ≠ mé-content).
✻ Ne pas confondre avec **comptant.**

■ **contenter** v. 1er groupe. *Il se contente de peu* (= satisfaire).

■ **contentement** n.m. *Son contente-ment était visible* (= satisfaction, joie ; ≠ mécontentement).

contenu → *contenir*

conter → *conte*

contester v. 1er groupe. *Personne ne peut contester cette évidence,* refuser de l'admettre (= discuter ; ≠ approuver).

■ **contestation** n.f. *Tout le monde a accepté sans contestation,* sans discu-ter (= opposition).

■ **contestable** adj. *Ce qu'il dit est contestable* (= discutable, douteux ; ≠ incontestable).

■ **contestataire** n. et adj. *Le directeur a discuté avec les contestataires,* ceux qui exprimaient leur désaccord.

■ sans **conteste** adv. *C'est sans conteste la meilleure solution* (= incon-testablement, sans contredit).

conteur → *conte*

contexte n.m. *Un mot peut avoir des sens bien différents selon son contexte,* l'ensemble des mots avec lesquels il forme une phrase (= environnement).

contigu, uë adj. *La cuisine et la salle à manger sont contiguës,* elles se tou-chent (= voisin).
✻ Noter le tréma sur le « e » au féminin : **contiguë.**

continent n.m. *L'Europe, l'Asie, l'Amé-rique, l'Afrique, l'Australie et l'Antarcti-que sont les six continents,* de vastes étendues de terre qu'on peut parcourir sans traverser d'océans.

■ **continental, ale, aux** adj. *Le climat continental est le climat que l'on trouve à l'intérieur des continents.* *illustr. p. 949*

contingent n.m. *Le premier contin-gent de touristes a débarqué sur l'île,* un groupe de personnes.

continuer v. 1er groupe. *L'orateur a continué à parler,* il ne s'est pas arrêté. *La lutte continue* (≠ cesser).

■ **continu, ue** adj. *Il travaille de façon continue,* sans s'interrompre (= perma-nent ; ≠ discontinu).

■ **continuel, elle** adj. *Je suis agacé par ses critiques continuelles* (= perpétuel, incessant).

■ **continuellement** adv. *Jean siffle continuellement* (= sans cesse, sans arrêt).

■ **continuité** n.f. *Sa réussite est due à la continuité de ses efforts,* au fait qu'ils n'ont pas cessé.

contorsions n.f. pl. *Les contorsions du clown faisaient rire tout le monde,* ses mouvements acrobatiques.

■ se **contorsionner** v. 1er groupe. *Le clown se contorsionnait bizarrement,* il tordait son corps dans tous les sens.

contour n.m. *Le contour du tapis est plus foncé que son centre,* la ligne qui l'entoure (= bord, bordure).

■ **contourner** v. 1er groupe. *La rivière contourne la ville,* elle passe autour. ◆ **Contourner** une difficulté, c'est cher-cher à l'éviter. ●● *tourner, incontour-nable*

contraception n.f. *La contraception,* c'est l'ensemble des moyens employés pour ne pas avoir d'enfants.

contracter v. 1er groupe. SENS 1. *Pierre contracte ses muscles,* il les raidit, les raccourcit (≠ relâcher, décontracter). **SENS 2.** *M. Lamy **a contracté** une assurance contre le vol,* il s'est engagé par contrat (= prendre). **SENS 3.** *Marie **a contracté** la rougeole* (= attraper).

■ **contracté, ée** adj. *Elle avait un air **contracté**,* tendu (= crispé ; ≠ décontracté). ●● *décontraction*

■ **contraction** n.f. **[SENS 1]** *Une crampe est une **contraction** douloureuse d'un muscle.*

■ **contrat** n.m. **[SENS 2]** *M. Rouget et M. Lemistre ont signé un **contrat**,* un accord qui leur impose des obligations.

contractuel, elle n. *Une **contractuelle** est une auxiliaire de police.*

contradicteur, contradiction, contradictoire → *contredire*

contraindre v. 3ᵉ groupe. *Le manque d'essence m'**a contraint** à m'arrêter* (= obliger, forcer). ✹ Conj. nᵒ 55.

■ **contraignant, ante** adj. *J'ai un horaire très **contraignant**,* qui m'impose des obligations étroites (= astreignant).

■ **contrainte** n.f. *Il est parti sous la **contrainte**,* on l'y a forcé. ◆ *Il mène une vie sans **contraintes**,* une vie libre, sans obligations.

contraire adj. *C'est **contraire** au règlement,* en opposition avec lui.

■ **contraire** n.m. *« Beau » et « laid » sont des **contraires**,* des mots de sens opposés (= antonyme ; ≠ synonyme). ◆ *Il ne pleuvait pas, **au contraire**, il faisait beau,* loin de là (= à l'inverse).

■ **contrairement** adv. *Il a agi **contrairement** à mes ordres,* d'une manière opposée (≠ conformément).

contralto n.m. *Cette chanteuse a une voix de **contralto**,* la plus grave des voix de femme.

contrarier v. 1ᵉʳ groupe. **SENS 1.** *Son refus me **contrarie*** (= mécontenter, fâ-

cher ; ≠ réjouir). **SENS 2.** *La pluie a **contrarié** nos projets,* elle s'y est opposée (≠ favoriser).

■ **contrariété** n.f. *Il a éprouvé une grande **contrariété*** (= ennui ; ≠ satisfaction).

contraste n.m. *Il y a un fort **contraste** entre ces couleurs* (= opposition ; ≠ ressemblance).

■ **contraster** v. 1ᵉʳ groupe. *Son calme **contrastait** avec mon impatience* (= s'opposer).

contrat → *contracter*

contravention n.f. *Vous risquez une **contravention** pour stationnement interdit,* d'être pénalisé pour infraction au règlement (= amende).

---

1. contre- préfixe. Placé au début d'un mot, **contre-** forme de nombreux mots composés exprimant le plus souvent une opposition, une réaction, comme dans « ***contre**-attaque* ». ✹ Seul le deuxième mot prend un « s » au pluriel : *des **contre**-performances.*

---

2. contre prép. *Ce mot peut donner différentes indications : il est **contre** le changement* (opposition) [≠ pour] ; *il s'est serré **contre** moi* (contact) ; *il m'a donné des billes **contre** des timbres* (échange).

3. contre adv. *Par **contre** indique une opposition entre deux phrases. Ce garçon est faible en maths ; **par contre** il est bon en français* (= en revanche).

contre-amiral n.m. *Un **contre-amiral** est un officier de la marine d'un grade inférieur à l'amiral.* ✹ Au pluriel, on dit des **contre-amiraux**.

illustr. p. 440

contre-attaque n.f. *Nos troupes sont passées à la **contre-attaque**,* elles ont

attaqué à leur tour après avoir subi une attaque (= contre-offensive, riposte).
✴ Au pluriel, on écrit des **contre-attaques**.

■ **contre-attaquer** v. 1er groupe. *L'armée s'est d'abord repliée, puis elle a contre-attaqué,* elle a fait une contre-attaque. ●● **attaquer**

contrebalancer v. 1er groupe. *Ces inconvénients sont contrebalancés par de nombreux avantages* (= compenser). ✴ Conj. n° 1.

contrebande n.f. La **contrebande** est un délit qui consiste à faire passer des marchandises d'un pays dans un autre sans payer les droits de douane.

■ **contrebandier** n.m. *Des contrebandiers ont été arrêtés par les douaniers,* ceux qui font de la contrebande.

en **contrebas** adv. *La maison est en contrebas de la colline* (= en dessous).

illustr. v. 628 **contrebasse** n.f. Une **contrebasse** est une sorte de violoncelle au son très grave.

contrecarrer v. 1er groupe. *Nos adversaires ont contrecarré nos plans,* ils s'y sont opposés (≠ favoriser).

à **contrecœur** adv. *Il a repris le travail à contrecœur,* malgré lui, de mauvaise grâce (≠ volontiers). ●● **cœur**

contrecoup n.m. *L'usine a subi les contrecoups de la crise,* ses conséquences, ses effets (= répercussion).

à **contre-courant** adv. Nager à contre-courant, c'est nager en remontant le courant. ●● **courant**

contredire v. 3e groupe. SENS 1. *Jean me contredit sans arrêt,* il dit le contraire de ce que je dis. SENS 2. *Ces deux phrases se contredisent,* elles expri-

ment des idées opposées ou incompatibles.
✴ Conj. n° 72, sauf le participe passé : **contredit**.

■ **contradicteur** n.m. [SENS 1] *Je répondrai sans peine à mes contradicteurs.*

■ **contradiction** n.f. [SENS 1] *Jean a l'esprit de contradiction,* il contredit les autres. [SENS 2] *Il y a des contradictions dans son raisonnement,* des idées qui se contredisent.

■ **contradictoire** adj. [SENS 2] *Il subit des influences contradictoires* (= opposé, contraire).

■ sans **contredit** adv. *Ce film est sans contredit le meilleur de la saison,* sans contestation possible (= sans conteste, assurément, indiscutablement).

contrée n.f. *Nous avons traversé de nombreuses contrées* (= région).

contre-espionnage n.m. Les services de **contre-espionnage** sont chargés de démasquer les espions étrangers. ●● **espionnage**

contrefaire v. 3e groupe. *L'escroc avait contrefait des signatures,* il les avait imitées frauduleusement. ✴ Conj. n° 76.

■ **contrefaçon** n.f. La **contrefaçon** des billets de banque est punie par la loi (= imitation).

contrefort n.m. Les **contreforts** de la terrasse sont lézardés, les gros piliers appliqués contre elle pour la soutenir.

contre-indiqué, ée adj. *Le sel est contre-indiqué dans certaines maladies* (= déconseillé, interdit). ●● **indiquer**

■ **contre-indication** n.f. *Ce médicament ne comporte aucune contre-indication,* on peut le prendre dans tous les cas. ●● **indication**
✴ Au pluriel, on écrit des **contre-indications**.

contre-jour n.m. *On ne distingue pas bien les objets à cause du **contre-jour**, parce qu'ils sont éclairés par-derrière.* ●● *jour*

contremaître n.m. Une équipe d'ouvriers est dirigée par un **contremaître**.

contre-offensive n.f. *Notre **contre-offensive** a surpris l'ennemi* (= contre-attaque). ●● *offensif*
☀ Au pluriel, on écrit des **contre-offensives**.

contrepartie n.f. *Julie m'a fait un cadeau **en contrepartie** de mon aide* (= en échange).

contre-performance n.f. *Le sauteur n'a pas égalé son précédent record : cette **contre-performance** est due à une fatigue passagère* (= échec). ●● *performance*
☀ Au pluriel, on écrit des **contre-performances**.

contre-pied n.m. *Pierre **a pris le contre-pied** de ce que j'ai dit,* il a dit exactement le contraire.

contreplaqué ou **contre-plaqué** n.m. Le **contreplaqué** est un bois formé de minces plaques collées. ●● *plaquer*

illustr. p. 51, 156 **contrepoids** n.m. Un **contrepoids** est une masse pesante qui en compense une autre. ●● *poids*

contrepoison n.m. Un **contrepoison** est un remède contre un poison (= antidote). ●● *poison*

contrer v. 1er groupe. *Contrer* un projet, c'est s'y opposer.

contresens n.m. SENS 1. *Vous faites un **contresens** sur ce mot,* vous l'employez mal. SENS 2. *La voiture roulait à **contresens** de la circulation,* en sens contraire. ●● *sens*

contretemps n.m. Un **contretemps** est un événement fâcheux qui vient s'opposer à une action.

contrevérité n.f. *J'ai relevé plusieurs **contrevérités** dans ses déclarations,* des affirmations contraires à la vérité (= erreur, mensonge). ●● *vérité*

contribution n.f. SENS 1. *Sa **contribution** a été très précieuse* (= participation). SENS 2. (Au plur.) *On paie chaque année ses **contributions** directes* (= impôts).
■ **contribuer** v. 1er groupe. [SENS 1] *Elsa **a contribué** à la réussite de notre projet,* elle y a aidé (= collaborer).
■ **contribuable** n. [SENS 2] Un **contribuable** est une personne qui doit payer des impôts.

contrôler v. 1er groupe. *La police **contrôlait** les papiers des passants* (= vérifier). ●● *incontrôlable*
■ **contrôle** n.m. *Il y a un **contrôle** sévère à l'entrée de la salle* (= surveillance). ◆ *Le chauffeur a perdu le **contrôle** de son camion,* il n'a pas pu le diriger (= maîtrise). illustr. p. 74, 502
■ **contrôleur, euse** n. *Le **contrôleur** est venu poinçonner les billets,* l'employé chargé du contrôle. illustr. p. 97, 425

contrordre n.m. Un **contrordre** est un ordre ou une décision annulant un ordre ou une décision formulés auparavant. *Nous arriverons à midi, sauf **contrordre**,* sauf avis contraire. ●● *ordre*

controverse n.f. *Une **controverse** a opposé les deux savants* (= discussion, débat).

contusion n.f. *Pierre est tombé de l'arbre mais n'a eu que quelques **contusions*** (= meurtrissure).

convaincre v. 3e groupe. *Les paroles de Sophie m'**ont convaincu**,* j'ai reconnu qu'elle avait raison (= persuader).
☀ Conj. no 85.

■ **convaincant, ante** adj. *Cet argument est convaincant* (= probant, décisif).

❋ On distingue dans l'orthographe **convaincant** (adjectif) et **convainquant** (participe présent de « convaincre »).

■ **conviction** n.f. *J'ai la conviction qu'elle viendra*, je le crois fermement (= certitude).

convalescence n.f. *Le médecin lui a donné quinze jours de convalescence*, de repos après sa maladie.

■ **convalescent, ente** adj. et n. *Adrien est encore convalescent*, il est guéri mais encore faible.

convenir v. 3ᵉ groupe. SENS 1. *Nous avons convenu de nous rencontrer*, nous nous sommes mis d'accord pour le faire (= décider). SENS 2. *Il ne veut pas convenir de son erreur*, la reconnaître (≠ disconvenir). SENS 3. *Ta proposition me convient*, elle me plaît. SENS 4. *Il convient de partir tout de suite* (= il faut).
❋ Conj. n° 22.

■ **convenable** adj. [SENS 4] *Ce que tu dis n'est pas convenable*, comme il faut (= correct ; ≠ inconvenant).

■ **convenablement** adv. [SENS 4] *Il est habillé convenablement* (= correctement).

■ **convenance** n.f. [SENS 3] *J'ai trouvé cette maison à ma convenance*, à mon goût. [SENS 4] (Au plur.) *C'est contraire aux convenances*, à ce qu'il faut faire.
●● *inconvenant*

■ **convention** n.f. [SENS 1] *Les deux partis ont signé une convention*, un accord.

converger v. 1ᵉʳ groupe. *Leurs opinions convergent*, elles aboutissent au même résultat (= se rencontrer ; ≠ diverger).
❋ Conj. n° 2.

■ **convergence** n.f. *Il y a une convergence d'idées entre nous*, nous avons les mêmes idées (≠ divergence).

■ **convergent, ente** adj. *Deux lignes convergentes* sont des lignes qui se rencontrent (≠ divergent).

conversation n.f. *Max et Alex ont eu une longue conversation*, ils ont parlé ensemble longuement (= entretien).

■ **converser** v. 1ᵉʳ groupe. *Pierre a longuement conversé avec son institutrice*, il a eu une longue conversation avec elle (= parler, bavarder).

convertir v. 2ᵉ groupe. SENS 1. *Jean s'est converti au christianisme*, il est devenu chrétien. SENS 2. *Marie a converti ses euros en monnaie étrangère* (= changer).

■ **conversion** n.f. [SENS 1] *Sa conversion au catholicisme date tout juste d'un an*. [SENS 2] *On a fait un exercice de conversion d'hectares en mètres carrés* (= changement, transformation).

convexe adj. *Un miroir convexe* est bombé (≠ concave).

conviction → *convaincre*

convier v. 1ᵉʳ groupe. *On nous a conviés à un mariage* (= inviter).

■ **convive** n. *Il y avait dix convives à ce repas*, dix personnes invitées.

convocation → *convoquer*

convoi n.m. *Un convoi est un ensemble de véhicules qui font route ensemble*.

■ **convoyer** v. 1ᵉʳ groupe. *Convoyer des navires*, c'est les accompagner pour les protéger.
❋ Conj. n° 3.

■ **convoyeur** n.m. *Des gangsters ont attaqué des convoyeurs de fonds*, des personnes chargées de protéger les sommes transportées.

convoiter v. 1ᵉʳ groupe. *Convoiter un bien*, c'est le désirer vivement (= guigner).

■ **convoitise** n.f. *Ses yeux brillent de convoitise* (= avidité).

convoquer v. 1er groupe. *Le directeur a convoqué Paul dans son bureau,* il l'a fait venir.

■ **convocation** n.f. *J'ai reçu une convocation à l'examen,* une lettre me disant d'y aller.

convoyer, convoyeur → *convoi*

convulsion n.f. *Le malade est agité de convulsions,* de mouvements violents et involontaires.

■ **convulsif, ive** adj. *Une crise d'épilepsie fait faire des gestes convulsifs,* des gestes de convulsion.

coopérer v. 1er groupe. *Renaud et Chloé ont coopéré pour cet exposé,* ils y ont travaillé ensemble (= collaborer). ✳ Conj. n° 10.

■ **coopération** n.f. *Il m'a offert sa coopération* (= aide).

■ **coopératif, ive** adj. *Jean s'est montré coopératif,* prêt à aider.

■ **coopérative** n.f. *Une coopérative est une association de personnes qui se réunissent pour acheter ou vendre.*

coordination → *coordonner*

coordonnées n.f. pl. *Laissez-moi vos coordonnées,* votre adresse et votre numéro de téléphone.

coordonner v. 1er groupe. *Ils ont coordonné leurs efforts,* ils les ont combinés pour réussir.

■ **coordination** n.f. *Votre travail est désordonné : les efforts manquent de coordination* (= lien, harmonisation). ◆ « Mais, ou, et, donc, or, ni, car » sont des conjonctions de **coordination,** elles servent à relier deux mots ou deux propositions qui ont la même fonction. ✳ **Coordination** s'écrit avec un seul « n ».

copain, copine n. Fam. *Olivier et ses copains, Aurélie et ses copines sont allés au cinéma* (= ami, camarade).

copeau n.m. *Le rabot détache des copeaux de la planche,* de petits morceaux de bois minces. ✳ Au pluriel, on écrit des **copeaux.** *illustr. p. 117*

copie n.f. SENS 1. *Ce tableau est une copie,* une reproduction d'un autre tableau (= imitation ; ≠ original). SENS 2. *Le maître corrige les copies des élèves* (= devoir). SENS 3. *Sarah a acheté des copies,* des feuilles de papier.

■ **copier** v. 1er groupe. [SENS 1] *Jean a copié dix lignes,* il les a reproduites exactement. *Olivier copie sur son voisin,* il écrit ce qu'il lit sur le devoir de son voisin au lieu de donner sa propre réponse. ●● *recopier*

■ **copieur, euse** n. [SENS 1] *Un copieur copie sur son voisin.*

copieux, euse adj. *Nous avons fait un repas copieux* (= abondant ; ≠ maigre).

■ **copieusement** adv. *Nous avons mangé copieusement* (= abondamment).

copilote n. *Le copilote est le pilote en second.* ●● *pilote* *illustr. p. 74*

copine → *copain*

coproduction n.f. *Une coproduction franco-italienne est un film produit en commun par des Français et des Italiens.* ●● *production*

copropriété n.f. *Notre immeuble est en copropriété,* il appartient en commun à plusieurs personnes. ●● *propriété*

■ **copropriétaire** n. *Une assemblée de copropriétaires a lieu chaque année,* des personnes qui sont propriétaires en commun d'un bien immobilier.

coq n.m. *Ce matin, j'ai entendu le chant du coq,* du mâle de la poule. ✳ Ne pas confondre avec la **coque.** *illustr. p. 384*

Corbeau

coque n.f. SENS **1**. Des œufs **à la coque** sont des œufs cuits dans leur coquille avec le jaune encore liquide. SENS **2**. La **coque** d'un navire ou d'un avion, c'est sa partie extérieure. SENS **3**. *Au bord de la mer, nous avons trouvé des coques,* des coquillages qui vivent dans le sable.
✳ Ne pas confondre avec le **coq**.

illustr. p. 740, 970, 718

■ **coquetier** n.m. [SENS **1**] Un **coquetier** est un support pour maintenir les œufs qu'on mange à la coque.

■ **coquille** n.f. [SENS **1**] *Les œufs, les noix, les escargots, les coquillages ont une coquille,* une enveloppe dure.

illustr. p. 694

■ **coquillage** n.m. [SENS **1**] Les huîtres, les moules sont des **coquillages**.

illustr. p. 583

coquelicot n.m. Le **coquelicot** est une fleur des champs rouge.

illustr. p. 753

coqueluche n.f. La **coqueluche** est une maladie contagieuse caractérisée par des quintes de toux.

coquet, ette adj. *Marie est très co-quette,* elle cherche à plaire par son élégance.

■ **coquetterie** n.f. *Marie s'habille avec coquetterie,* avec recherche.

coquetier, coquillage, coquille → **coque**

coquillette n.f. Les **coquillettes** sont des pâtes alimentaires coudées.

coquin, ine adj. et n. SENS **1**. *Anaïs est très coquine,* elle est malicieuse et ta-quine (= espiègle). *Petit coquin, où t'étais-tu caché ?* SENS **2**. *Ne l'écoutez pas, c'est un coquin,* un homme mal-honnête.

1. cor n.m. Le **cor** est un instrument de musique à vent fait d'un tube enroulé sur lui-même. ◆ *Les enfants réclament leur goûter à cor et à cri,* avec beaucoup de bruit et d'insistance.

illustr. p. 628, 165, 628

2. cor n.m. *Pierre souffre d'un cor au pied* (= durillon).
✳ Ne pas confondre **cor** et **corps**.

corail n.m. SENS **1**. Les **coraux** sont des animaux à squelette calcaire vivant dans les mers chaudes. SENS **2**. *Marie a un bracelet en corail,* fait d'une pierre rouge qui est le squelette du corail.
✳ Au pluriel, on dit des **coraux**.

illustr. p. 556

coranique adj. La loi **coranique** est celle qui est contenue dans le Coran, le livre saint des musulmans.

illustr. p. 820

corbeau n.m. Le **corbeau** est un grand oiseau noir qui vit souvent en bandes.
✳ Au pluriel, on écrit des **corbeaux**.

corbeille n.f. SENS **1**. *Ils ont apporté une corbeille de fleurs,* un grand panier. SENS **2**. *Dans le bureau, il y a une corbeille à papier,* un récipient pour recevoir les papiers qu'on jette.

illustr. p. 123

corbillard n.m. Le **corbillard** est la voiture servant à transporter les morts au cimetière.

corde n.f. SENS **1**. *M. Dupré attache les bagages avec une corde,* une grosse ficelle. SENS **2**. *La guitare et le violon sont des instruments à cordes,* le son est produit par la vibration d'un fil. SENS **3**. En géométrie, une **corde** est un segment de droite qui joint deux points du cercle.

illustr. p. 29, 310, 527, 629

■ **cordage** n.m. [SENS **1**] *Le bateau est relié au quai par des cordages d'acier,* de grosses cordes (= câble).

illustr. p. 970

■ **cordeau** n.m. [SENS **1**] *Le jardinier aligne ses semis avec un cordeau,* une petite corde ou une ficelle que l'on tend.
✳ Au pluriel, on écrit des **cordeaux**.

illustr. p. 746

■ **cordée** n.f. [SENS **1**] Une **cordée** est un groupe d'alpinistes reliés les uns aux autres par une corde. ●● ***encorder***

illustr. p. 29

■ **cordelette** n.f. [SENS **1**] *On a fermé le colis avec une cordelette,* une corde fine.

■ **cordon** n.m. [SENS **1**] *On ferme ce rideau en tirant sur le cordon,* une petite

illustr. p. 1010

corde. ◆ *Un **cordon** de policiers barrait la route* (= rangée).

cordial, ale, aux adj. *Nous avons reçu chez eux un accueil **cordial**, venu du cœur* (= sympathique, chaleureux).

■ **cordialement** adv. *Il m'a parlé **cordialement*** (= amicalement).

■ **cordialité** n.f. *Ce sont des gens d'une grande **cordialité*** (≠ froideur).

cordon → *corde*

cordon-bleu n.m. *Mme Martin est un excellent **cordon-bleu**, une très bonne cuisinière.*

cordonnier n.m. *Pierre a apporté ses chaussures chez le **cordonnier** pour les faire ressemeler,* l'artisan qui répare les chaussures.

■ **cordonnerie** n.f. *La **cordonnerie** est la boutique du cordonnier.*

coriace adj. SENS 1. *Cette viande est **coriace**, très dure.* SENS 2. *Un adversaire **coriace** est un adversaire dont on peut difficilement vaincre la résistance.*

illustr. p. 718 **cormoran** n.m. *Le **cormoran** est un grand oiseau de mer.*

cornac n.m. *En Inde, un **cornac** est un homme qui soigne et conduit un éléphant.*

illustr. p. 617, 354 **corne** n.f. SENS 1. *Les chèvres, les bœufs ont des **cornes** sur la tête,* des pointes dures plus ou moins recourbées. SENS 2. *Loïc s'est acheté un peigne en **corne**,* fait avec la matière qui forme les cornes et les sabots de certains animaux. ●● *racornir.* SENS 3. *Le bateau actionne sa **corne de brume**,* un avertisseur puissant.

■ **cornu, ue** adj. [SENS 1] *Il a dessiné un diable **cornu**,* avec des cornes sur la tête.

cornée n.f. *La **cornée** est la partie transparente du globe de l'œil.*

corneille n.f. *La **corneille** est un oiseau noir voisin du corbeau.*

cornemuse n.f. *Ils dansent au son de la **cornemuse**,* un instrument de musique à vent composé d'une poche de cuir gonflable et de tuyaux. *illustr. p. 629*

1. corner v. 1ᵉʳ groupe. **Corner** *une page, c'est plier le coin de la page pour la retrouver facilement.*

2. corner n.m. *Au football, il y a **corner** quand un joueur envoie le ballon derrière sa ligne de but.*
✹ On prononce [kɔrnɛr].

cornet n.m. SENS 1. *Un **cornet** à pistons est une sorte de trompette.* SENS 2. *Jean a acheté un **cornet** de frites,* des frites enveloppées dans du papier roulé en cône. SENS 3. *Claire mange une glace dans un **cornet**,* un cône en pâte qui ressemble à de la gaufrette. SENS 4. *Avant de lancer les dés, on les agite dans le **cornet**,* une sorte de gobelet. *illustr. p. 583, 150*

corn flakes n.m. pl. *Au petit déjeuner, les enfants mangent des **corn flakes**,* un aliment à base de grains de maïs.
✹ On prononce [kɔrnflɛks].

corniche n.f. SENS 1. *La **corniche** d'un bâtiment, c'est la partie en surplomb située au sommet.* SENS 2. *Pour aller au chalet, on a pris la **route de la corniche**,* une route aménagée au flanc de la montagne. *illustr. p. 691*

cornichon n.m. *Les **cornichons** sont des petits concombres qu'on garde dans du vinaigre et que l'on consomme comme condiments.*

cornu → *corne*

cornue n.f. *Le chimiste fait chauffer un liquide dans une **cornue**,* un récipient spécial à col étroit et recourbé.

corolle n.f. *Les pétales d'une fleur forment sa **corolle**.*

illustr. **corps** n.m. SENS 1. La tête, le tronc, les
p. 216 bras et les jambes forment le **corps**.
SENS 2. Un **corps** est un objet naturel
formé d'une certaine substance. *La
glace est un **corps** solide, l'eau est un
corps liquide, l'air est un **corps** gazeux.*
●● *incorporer.* SENS 3. Le **corps** médical est l'ensemble des médecins, le
corps électoral, l'ensemble des électeurs.
✳ Ne pas confondre avec **cor**.

■ **corps-à-corps** n.m. [SENS 1] *L'attaque s'est achevée par de furieux **corps-
à-corps**,* des combats où l'on frappe
directement l'adversaire.

■ **corporation** n.f. [SENS 3] Une **corporation** est un ensemble de personnes du
même métier.

■ **corporatif, ive** adj. [SENS 3] *Les
commerçants défendent leurs intérêts
corporatifs,* ceux de leur métier.

■ **corporel, elle** adj. [SENS 1] *Les punitions **corporelles** sont interdites,* celles
qui frappent le corps.

■ **corpulent, ente** adj. [SENS 1] *M. Marlin est un homme **corpulent**,* il a un gros
corps (≠ maigre).

■ **corpulence** n.f. [SENS 1] *Pierre et
Paul ont la même **corpulence**,* la même
grosseur de corps.

■ **corpuscule** n.m. [SENS 2] Un **corpuscule** est une très petite partie d'un corps,
d'une substance.

correct, e adj. *Ce que tu as dit n'est
pas **correct**,* tu as fait une faute (= juste ;
≠ incorrect, inexact). ●● ***corriger***

■ **correctement** adv. *Ce mot n'est pas
écrit **correctement**,* il y a une faute
d'orthographe (= comme il faut).

**correcteur, correctif, corrective,
correction, correctionnelle**
→ ***corriger***

correspondre v. 3ᵉ groupe. SENS 1. *Ce
qu'il a dit **correspond** à la vérité,* est
conforme à la vérité (≠ s'opposer).
SENS 2. *Ces deux chambres **correspon-**

dent (se **correspondent**),* on va directement de l'une à l'autre (= communiquer).
SENS 3. *Ils **ont correspondu** pendant dix
ans,* ils ont échangé des lettres
(= s'écrire).
✳ Conj. n° 51.

■ **correspondance** n.f. [SENS 1] *Leurs
idées sont en **correspondance*** (= accord). [SENS 2] *Ce train assure la **correspondance** entre les deux villes,* le moyen
d'aller de l'une à l'autre (= communication). [SENS 3] *Pierre reçoit une grosse
correspondance,* beaucoup de lettres.

■ **correspondant, ante** n. [SENS 3]
*Marie a une **correspondante** anglaise,*
une amie avec laquelle elle échange des
lettres.

corrida n.f. *En Espagne, les **corridas**
sont appréciées,* des spectacles de combat entre un homme et un taureau.

corridor n.m. Un **corridor** est un couloir, un passage.

corriger v. 1ᵉʳ groupe. SENS 1. *Le
professeur **corrige** les devoirs,* il relève
les fautes. *Jean **corrige** les fautes de son
devoir,* il les supprime. ●● ***correct***.
SENS 2. *Il n'arrive pas à se **corriger** de sa
brusquerie,* à la faire disparaître.
●● *incorrigible.* ◆ *Ce chien **a été** brutalement **corrigé** par son maître,* il a été
battu.
✳ Conj. n° 2.

■ **corrigé** n.m. [SENS 1] *Le professeur
nous a donné le **corrigé** de la dictée,* le
texte exact, la forme correcte.

■ **correcteur, trice** n. [SENS 1] *Les
correctrices recherchent et suppriment
les fautes dans les textes.*

■ **correctif, ive** adj. [SENS 1] *La gymnastique **corrective** vise à corriger les
défauts corporels.* ◆ n.m. *Il faut apporter
un **correctif** à ces déclarations*
(= nuance, rectificatif).

■ **correction** n.f. [SENS 1] *Le professeur
a fini la **correction** des devoirs,* il a fini de
les corriger. *Il a marqué les **corrections***

LE CORPS HUMAIN

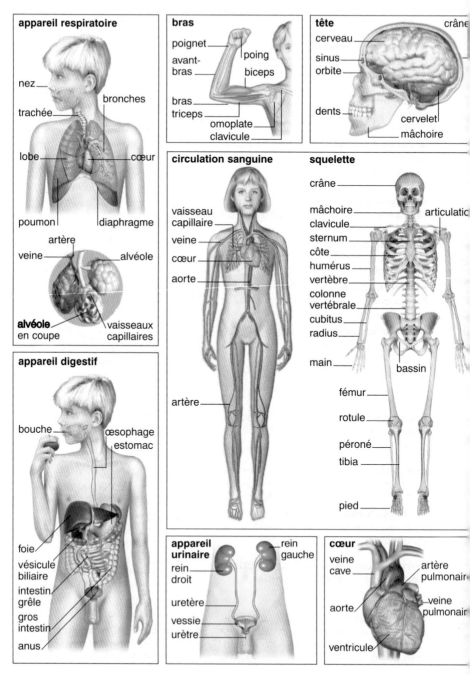

appareil respiratoire

nez
trachée
bronches
lobe
cœur
poumon
diaphragme
artère
veine
alvéole

alvéole en coupe
vaisseaux capillaires

appareil digestif

bouche
œsophage
estomac
foie
vésicule biliaire
intestin grêle
gros intestin
anus

bras

poignet
avant-bras
poing
biceps
bras
triceps
omoplate
clavicule

circulation sanguine

vaisseau capillaire
veine
cœur
aorte
artère

appareil urinaire

rein droit
rein gauche
uretère
vessie
urètre

tête

crâne
cerveau
sinus
orbite
dents
cervelet
mâchoire

squelette

crâne
mâchoire
clavicule
sternum
côte
humérus
vertèbre
colonne vertébrale
cubitus
radius
main
articulatio
bassin
fémur
rotule
péroné
tibia
pied

cœur

veine cave
artère pulmonair
aorte
veine pulmonair
ventricule

Les grandes fonctions nécessaires à la vie sont assurées par des ensembles d'organes : l'appareil respiratoire, l'appareil digestif... Pour bien grandir, il est important d'avoir une alimentation équilibrée.

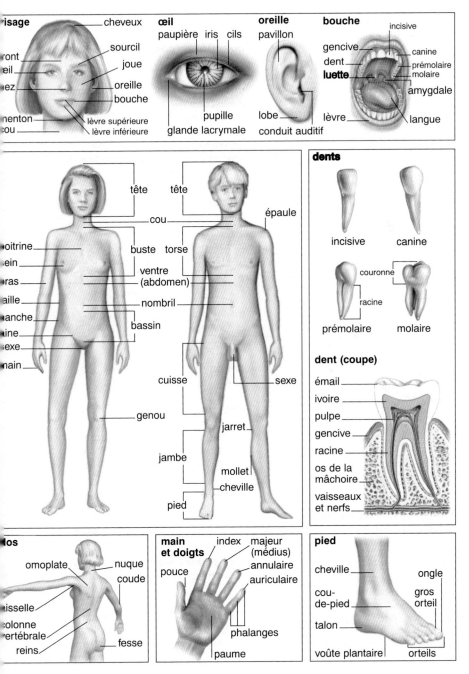

à *l'encre rouge,* les fautes corrigées.
◆ *Max s'exprime avec* **correction,** *sans fautes.* [SENS 2] *Le pauvre chien a reçu une* **correction,** *des coups* (= fam. raclée).

■ **correctionnelle** n.f. La **correctionnelle** est un tribunal qui juge les délits, mais ne juge pas les crimes.

corrompre v. 3e groupe. **Corrompre** quelqu'un, c'est le faire agir malhonnêtement en échange d'argent, de cadeaux (= acheter, soudoyer). ●● *incorruptible*
✳ Conj. n° 53.

■ **corruption** n.f. *La* **corruption** *de fonctionnaire est un délit.*

corrosif, ive adj. *Cet acide est très* **corrosif,** *il ronge les métaux, les tissus, etc.*

■ **corrosion** n.f. *La* **corrosion** *a rongé cette barre de fer.*

corsage n.m. Un **corsage** est un vêtement de femme (= chemisier).

corsaire n.m. Les **corsaires** étaient des navigateurs qui attaquaient les navires marchands des pays ennemis du leur.
→ *pirate*

corser v. 1er groupe. SENS 1. *L'affaire se* **corse,** elle devient plus compliquée. SENS 2. Une sauce **corsée** a un goût assez fort.

corset n.m. Un **corset** est un sous-vêtement rigide qui maintient le buste et le ventre.

cortège n.m. Un **cortège** est une suite de personnes qui marchent ensemble dans la rue.

corvée n.f. SENS 1. *Ce travail est une* **corvée,** *il est pénible ou désagréable, mais il doit être fait.* SENS 2. La **corvée** était autrefois un travail que les paysans devaient faire pour le seigneur.

cosaque n.m. Les **cosaques** étaient des cavaliers de l'armée russe.

cosmétique n.m. et adj. Les **cosmétiques** sont des produits de beauté pour la peau, les cheveux.

cosmique, cosmonaute
→ *cosmos*

cosmopolite adj. Une ville **cosmopolite** est une ville où il y a des gens de tous les pays.

cosmos n.m. *La fusée est partie pour le* **cosmos,** *l'espace situé au-delà de l'atmosphère terrestre.*
✳ On prononce le « s » final : [kɔsmos].

■ **cosmique** adj. *La navigation* **cosmique** *est devenue possible* (= spatial, interplanétaire).

■ **cosmonaute** n. *Il y avait deux* **cosmonautes** *dans le vaisseau spatial,* deux personnes transportées par ce vaisseau (= astronaute).

cosse n.f. La **cosse** des haricots, c'est l'enveloppe qui contient les graines (= gousse). ●● *écosser* *illustr. p. 747*

cossu, ue adj. *Il habite un appartement* **cossu,** qui indique une grande aisance.

costaud adj. Fam. *Julien est* **costaud** (= fort, solide).
✳ Le féminin est parfois **costaude,** mais plus souvent **costaud** : *cette chaise n'est pas très* **costaud.**

costume n.m. SENS 1. *Michaël a mis un* **costume** *de cow-boy,* il s'est habillé comme un cow-boy (= habit). SENS 2. *M. Dupuis s'est acheté un* **costume,** *une veste et un pantalon assortis.* *illustr. p. 42, 220, 1010*

■ **costumé, ée** adj. [SENS 1] Un bal **costumé** est un bal où tout le monde est déguisé.

cote n.f. SENS 1. La **cote** de quelqu'un ou de quelque chose, c'est l'estimation de sa valeur, le niveau auquel on l'apprécie. SENS 2. *Recopie ce dessin en respectant*

les cotes, les dimensions qui sont indiquées.
* Ne pas confondre avec **côte** et **cotte**.

illustr.
p. 51

■ **coté, ée** adj. [SENS 1] *Ce vin est très coté*, il a une grande valeur (= estimé). [SENS 2] *Sur un croquis coté, les dimensions de chaque partie sont indiquées.*
* Ne pas confondre avec le **côté**.

illustr.
». 216,

557

côte n.f. SENS 1. *Pierre s'est cassé une côte*, un des os allongés et courbes de la poitrine. SENS 2. *Il était essoufflé en arrivant au haut de la côte* (= pente, montée). SENS 3. *Cette route longe la côte, le bord de la mer* (= rivage). SENS 4. *David et Solène marchent côte à côte*, l'un à côté de l'autre.
* Ne pas confondre avec **cote** et **cotte**.

■ **coteau** n.m. [SENS 2] *Un coteau est le versant d'une colline.*
* **Coteau** n'a pas d'accent circonflexe. Au pluriel, on écrit des **coteaux**.

■ **côtelette** n.f. [SENS 1] *J'ai mangé une côtelette de mouton,* un morceau de viande de la région des côtes. → **entre-côte**

■ **côtier, côtière** adj. [SENS 3] *La navigation côtière se fait près des côtes.*

côté n.m. SENS 1. *Jean a une douleur au côté droit*, dans la partie droite de la poitrine. → **flanc**. SENS 2. *Le côté gauche de la voiture est abîmé* (= partie). → **latéral**. SENS 3. *Écris sur l'autre côté de la feuille* (= face). SENS 4. *Un triangle a trois côtés*, trois lignes qui le délimitent. SENS 5. *Pierre a de bons et de mauvais côtés*, de bons et de mauvais aspects dans son caractère. SENS 6. *Il est parti de ce côté*, dans cette direction. SENS 7. *Jean est assis à côté de moi* (= près de). SENS 8. *Mon frère met de l'argent de côté*, il le garde en réserve (= économiser). ●● **à-côté**
* Ne pas confondre avec l'adjectif **coté**.

illustr.
p. 431

■ **côtoyer** v. 1ᵉʳ groupe. [SENS 7] *Son métier lui fait côtoyer beaucoup de gens* (= fréquenter, rencontrer, coudoyer).
* Conj. n° 3.

coteau, côtelette, côtier → *côte*

cotiser v. 1ᵉʳ groupe. *Ils se sont cotisés pour m'acheter un cadeau*, chacun a versé de l'argent pour cela. *Nous cotisons à une mutuelle*, nous versons de l'argent pour bénéficier des services qu'elle offre.

■ **cotisation** n.f. *J'ai versé ma cotisation à l'association sportive*, l'argent pour en faire partie.

coton n.m. SENS 1. *Pierre a une chemise en coton*, d'une étoffe faite avec des fils provenant du **cotonnier**, une plante des pays chauds. SENS 2. *Il a mis un coton sur sa blessure*, un morceau d'ouate.

illustr.
p. 495,

239

■ **cotonnade** n.f. [SENS 1] *Une cotonnade est un tissu de coton.*

côtoyer → *côté*

cotte n.f. *Les soldats du Moyen Âge portaient une cotte de mailles*, un vêtement de fils d'acier.
* Ne pas confondre avec **cote** et **côte**.

illustr.
p. 165

cotylédon n.m. *Le cotylédon d'une graine de haricot, c'est chacune des deux enveloppes contenant les réserves de la plante.* → **plantule**

cou n.m. *Le cou est la partie du corps qui relie la tête au tronc.* ◆ **Sauter au cou** de quelqu'un, c'est l'embrasser en se précipitant vers lui.
* Ne pas confondre avec **coup** et **coût**.

illustr.
p. 354,

217

1. couche → *coucher*

2. couche n.f. *Le bébé a sali sa couche*, le tissu absorbant ou l'ouate qu'on place entre ses jambes.

coucher v. 1ᵉʳ groupe. SENS 1. *Carole se couche tous les soirs à 9 heures*, elle va au lit pour dormir (≠ lever). *Nous avons couché sous la tente* (= dormir). ●● **découcher, recoucher**. SENS 2. *Le soleil va se coucher*, disparaître à l'horizon (≠ se lever). SENS 3. **Coucher**

LE COSTUME À TRAVERS LES ÂGES

Romain et Romaine

péplum

toge

tunique

sandale

saie

braies

Gaulois et Gauloise

Moyen Âge

sarrau

hennin

poulaine

serf

1916

voilette

chapeau melon

bottines

1900

manchon

manteau

haut-de-forme

tournure

présentation de mode

caméra de télévision

clientes

stylistes

queue-de-pie

habit

gilet

ombrelle capeline

second Empire

cape

fichu

redingote

spencer

botte à revers

1860

crinoline

Au cours du temps, la façon de s'habiller a beaucoup changé.
Ce n'est qu'en 1860 que les hommes se mettent à porter le pantalon,
qui ressemble aux braies des Gaulois.

XVᵉ siècle · Renaissance · pourpoint · Henri II · crevés · manche à taillades · haut-de-chausses · épée · chausses · robe à la française · vertugadin · cape · fraise · Louis XIII · feutre · perruque · Louis XIV · botte à chaudron · volants · canons · soulier · coiffure à la caravelle · justaucorps · catogan · projecteur · défilé des mannequins · journalistes · photographes · grand couturier · nœud papillon · 1er Empire · habit · culotte · aumônière · fin du XVIIIᵉ siècle · tricorne · bicorne · canne · cravate · un incroyable · Louis XVI · robe à paniers · bas

un objet, c'est l'étendre sur une surface horizontale (= allonger ; ≠ dresser).

■ **coucher** n.m. [SENS 2] *Il y a eu un beau **coucher** de soleil* (≠ lever).

■ **couchage** n.m. [SENS 1] *Un **sac de couchage** est un sac garni de duvet, dans lequel on peut coucher, par exemple quand on campe.*

■ **couchant** n.m. [SENS 2] *Le **couchant** est la direction où le soleil se couche* (= ouest ; ≠ levant).

■ **couche** n.f. [SENS 3] *On a mis deux **couches** de peinture sur le mur,* de la peinture étendue régulièrement (= épaisseur).
✸ **Couche** se disait autrefois pour « lit » : *elle était étendue sur sa **couche**.*

■ **couchette** n.f. [SENS 1] *Une **couchette** est un petit lit dans un train, un bateau.*

couci-couça adv. Fam. *Mon grand-père va **couci-couça**,* comme ci, comme ça (= à peu près).

coucou n.m. SENS 1. *Le **coucou** est un oiseau migrateur qui doit son nom à son cri [kuku], et qui dépose ses œufs dans le nid d'autres oiseaux.* SENS 2. *Un **coucou** est une pendule qui, en sonnant, imite le chant du coucou.* SENS 3. *Marie a cueilli des **coucous**,* des fleurs jaunes qui apparaissent au printemps.

illustr. p. 217, 845 **coude** n.m. SENS 1. *Jean s'est cogné le **coude**,* l'articulation du bras. ●● **s'accouder**. SENS 2. *La rivière fait un **coude**,* une courbure brusque. SENS 3. *Les sauveteurs travaillaient **coude à coude**,* ensemble, dans un mouvement de solidarité.

■ **coudé, ée** adj. [SENS 2] *Un tuyau **coudé** forme un angle.*

■ **coudée** n.f. [SENS 1] *La **coudée** est une ancienne mesure d'environ 50 centimètres (du coude au bout des doigts).* [SENS 2] *Je veux bien assurer la direction, à condition d'**avoir les coudées franches**,* de pouvoir agir en toute liberté.

■ **coudoyer** v. 1er groupe. [SENS 3] *Ici, on **coudoie** beaucoup d'étrangers,* on est mêlé à eux (= côtoyer).
✸ Conj. n° 3.

cou-de-pied n.m. *Ces chaussures dégagent bien le **cou-de-pied**,* la partie supérieure du pied, vers la jambe. *illustr. p. 217*
✸ Au pluriel, on écrit des **cous-de-pied**. Ne pas confondre avec un **coup de pied**.

coudre v. 3e groupe. *Sonia a **cousu** elle-même sa robe,* elle l'a assemblée avec du fil et une aiguille (≠ découdre).
●● **recoudre, couture**
✸ Conj. n° 59. Ne pas confondre (je) **couds**, (il, elle) **coud** avec **cou**, **coup** ou **coût**.

coudrier n.m. *Coudrier* est l'autre nom du noisetier.

couenne n.f. *La **couenne**, c'est la peau du jambon.*
✸ On prononce [kwan].

couette n.f. SENS 1. *Laura a des **couettes**,* des mèches de cheveux de chaque côté des oreilles. SENS 2. *Une **couette** est une sorte d'édredon dans une housse qui remplace un drap et une couverture.*

couffin n.m. *On transporte le bébé dans un **couffin**,* un grand panier souple muni de deux anses.

couler v. 1er groupe. SENS 1. *Colin s'est coupé, son sang **coule**,* il se répand au-dehors (= s'écouler). *La Seine **coule** à travers Paris,* ses eaux s'y déplacent. SENS 2. *Le maçon a **coulé** du ciment,* il l'a versé à l'état liquide ou pâteux. SENS 3. *Un sous-marin a **coulé** le bateau,* il l'a envoyé au fond. *Le bateau a **coulé*** (= sombrer).

■ **coulant, ante** adj. [SENS 1] *Une pâte **coulante** est de consistance liquide.*
◆ *Un **nœud coulant** est un nœud formant une boucle, dans lequel une ficelle peut glisser.*

illustr.
p. 983,
949

■ **coulée** n.f. [SENS 1] Une **coulée** de lave, c'est de la lave liquide qui coule hors du volcan.

illustr.
p. 845

couleur n.f. SENS 1. Les **couleurs** primaires sont les couleurs de base (bleu, rouge, jaune). *Nous avons vu un film en* **couleur** (≠ en noir et blanc). ●● *incolore, bicolore, tricolore, multicolore, colorer.* SENS 2. *Marie* **a pris des couleurs** *aux sports d'hiver, ses joues se sont colorées de rose.* SENS 3. Une **personne de couleur** a la peau foncée ou noire. SENS 4. Le cœur, le carreau, le pique et le trèfle sont les quatre **couleurs** aux cartes.

couleuvre n.f. La **couleuvre** est un serpent inoffensif.

illustr.
p. 995,
952

coulisse n.f. SENS 1. *Le placard a des portes à* **coulisse,** *des portes qui glissent sur une rainure.* SENS 2. (Au plur.) *Les acteurs sont repartis dans les* **coulisses,** *dans la partie du théâtre située derrière les décors et sur les côtés de la scène.*

■ **coulisser** v. 1er groupe. [SENS 1] *Ce tiroir* **coulisse** *bien* (= glisser).

illustr.
p. 862,
869,
74,
424,

894

couloir n.m. SENS 1. *Toutes les portes donnent sur le* **couloir,** *un passage allongé qui permet de communiquer d'une pièce à l'autre. Il y a des voyageurs debout dans le* **couloir** *du train.* SENS 2. *Le taxi a pris le* **couloir d'autobus,** la partie de la chaussée réservée aux autobus, aux taxis et aux ambulances. SENS 3. Un **couloir d'avalanche** est un ravin dans une montagne par où passent les avalanches.

coup n.m. SENS 1. Donner des **coups** de marteau, c'est frapper avec un marteau. SENS 2. Donner un **coup de** brosse, c'est brosser, un **coup de** balai, c'est balayer, un **coup de** sifflet, c'est siffler. SENS 3. Un **coup de feu** est le bruit d'une arme à feu, un **coup de soleil,** une brûlure causée par le soleil, un **coup de vent,** un souffle brusque du vent. SENS 4. *Tu as reçu un* **coup de téléphone** (ou, fam. *un* **coup de fil**), un appel téléphonique. SENS 5. *Il*

réussit à tous les **coups,** *chaque fois qu'il agit* (= fois). SENS 6. *Il prépare un mauvais* **coup,** *une mauvaise action.* SENS 7. Un **coup d'État** est une action pour renverser le gouvernement. SENS 8. *Quand j'ai appris la nouvelle, ça m'a fait un* **coup,** *une émotion.* SENS 9. *Il m'a jeté un* **coup d'œil** *furieux,* un regard rapide. SENS 10. Fam. *Viens nous* **donner un coup de main,** nous aider. SENS 11. **Tout à coup (tout d'un coup),** *il s'est mis en colère* (= soudain, brusquement).
✳ Ne pas confondre avec **cou** et **coût.**

coupable adj. et n. *Pierre est* **coupable** *de négligence,* il a commis une faute (= fautif). *Les* **coupables** *ont été punis* (≠ innocent). ●● *culpabilité*

1. coupant, coupe → *couper*

illustr.
p. 41,
42

2. coupe n.f. SENS 1. *On a cassé une* **coupe** *de champagne,* un verre large et peu profond. → *flûte.* SENS 2. Une **coupe** est une compétition sportive récompensée par la remise d'un objet au vainqueur.

coupé n.m. Un **coupé** est une voiture de type sportif à deux portes.

illustr.
p. 150

couper v. 1er groupe. SENS 1. *Ce rasoir* **coupe** *bien,* il a une lame tranchante. SENS 2. *Mathieu* **a coupé** *du pain,* il l'a séparé en tranches. ●● *découper, recouper.* SENS 3. *Jean* **s'est coupé** *avec son couteau,* il s'est fait une entaille, une coupure. → *incision.* SENS 4. *L'eau* **a été coupée** *pendant presque deux heures* (= interrompre). ●● *entrecouper.* SENS 5. *Nous* **avons coupé** *par la forêt,* nous avons pris un chemin plus court. SENS 6. *Ces deux routes* **se coupent** *après le village* (= se rejoindre, se croiser). SENS 7. *Je ne bois que du vin* **coupé** *d'eau,* du vin avec de l'eau (= additionné, mêlé). SENS 8. *Ne me* **coupe** *pas la parole,* ne m'interromps pas. SENS 9. **Couper les cartes,** c'est séparer en deux un paquet de cartes à jouer. SENS 10. **Couper** une carte, c'est mettre un atout sur cette carte.

■ **coupant, ante** adj. [SENS 1] *Mon couteau est* **coupant**, *il coupe bien* (= tranchant). *Attention aux herbes* **coupantes**.

■ **coupe** n.f. [SENS 1] *Marion a une nouvelle* **coupe** *de cheveux, elle les a fait couper d'une nouvelle façon.* ◆ *La* **coupe** *d'un objet, c'est un dessin qui en représente l'intérieur comme s'il était coupé par le milieu.*

illustr. p. 51

■ **coupe-gorge** n.m. inv. [SENS 1] *Cette ruelle est un* **coupe-gorge**, *un endroit où on risque de se faire attaquer.*
✳ *Ce mot composé ne prend jamais de « s » au pluriel.*

■ **coupe-papier** n.m. inv. [SENS 1] *Prends un* **coupe-papier** *pour ouvrir l'enveloppe !, une sorte de couteau à lame peu tranchante.*
✳ *Ce mot composé ne prend jamais de « s » au pluriel.*

illustr. p. 1011

■ **coupe-vent** n.m. inv. *Un* **coupe-vent** *est un vêtement imperméable qui protège du vent.*
✳ *Ce mot composé ne prend jamais de « s » au pluriel.*

illustr. p. 228, 583

■ **coupon** n.m. [SENS 2] *Un* **coupon** *de tissu est ce qui reste d'une pièce de tissu qu'on a coupée.*

■ **coupure** n.f. [SENS 3] *Jean s'est fait une* **coupure** *au doigt, il s'est coupé* (= entaille, incision). [SENS 4] *Il y a eu une* **coupure** *de courant* (= interruption). ◆ *J'ai payé en* **coupures** *de vingt euros, en billets.*

couple n.m. SENS 1. *L'union d'un homme et d'une femme est un* **couple**. SENS 2. *Catherine élève un* **couple** *de souris blanches, un mâle et une femelle.* ●● *s'accoupler*

couplet n.m. *Cette chanson a six* **couplets**, *six parties séparées par un refrain* (= strophe).

coupole n.f. *On aperçoit d'ici la* **coupole** *des Invalides, le toit en forme de demi-sphère* (= dôme).

coupon, coupure → *couper*

cour n.f. SENS 1. *Les enfants jouent dans la* **cour** *de l'école, l'espace découvert entre les bâtiments.* SENS 2. *La* **cour** *d'assises, la* **cour** *d'appel, la* **Cour** *de cassation sont des tribunaux.* SENS 3. *À partir de Louis XIV, la* **cour** *des rois de France se trouvait à Versailles, leur résidence, leur gouvernement, les nobles qui recherchaient des faveurs.* SENS 4. *Ce jeune homme* **fait la cour** *à Marie, il cherche à lui plaire.*
✳ *Ne pas confondre avec le* **cours** *et l'adjectif* **court**.

illustr. p. 164, 310, 384

■ **courtisan, ane** n. [SENS 3] *Les* **courtisans** *étaient des nobles qui vivaient à la cour des rois.*

■ **courtiser** v. 1er groupe. [SENS 4] *Dans ce roman, la jeune fille* **est courtisée** *par plusieurs garçons, ils lui font la cour.*

courage n.m. SENS 1. *Il faut du* **courage** *pour faire de l'alpinisme, ne pas avoir peur du danger* (= bravoure, hardiesse ; ≠ lâcheté). SENS 2. *Pierre travaille avec beaucoup de* **courage** (= ardeur, énergie ; ≠ indolence, mollesse). ●● *décourager, encourager*

■ **courageux, euse** adj. *Les pompiers sont des hommes* **courageux** (≠ lâche, peureux).

■ **courageusement** adv. *Il travaille* **courageusement** (= résolument).

courant, ante adj. SENS 1. *Cette automobile est un modèle* **courant**, *qu'on voit habituellement* (= ordinaire ; ≠ rare). *Ici les gelées ne sont pas* **courantes** (= fréquent, habituel). SENS 2. *Cette ferme n'avait pas l'eau* **courante**, *l'eau qui arrive aux robinets par les tuyaux.*

■ **courant** n.m. [SENS 2] *Il y a beaucoup de* **courant** *dans cette rivière, le mouvement de l'eau y est très puissant.* ●● *à contre-courant.* ◆ *Il y a eu une coupure de* **courant**, *l'électricité a été coupée.* ◆ *Denis arrivera* **dans le courant de** *la semaine* (= au cours de).

■ au **courant** adv. *Je ne suis pas* ***au*** ***courant*** *de cette affaire,* je ne suis pas renseigné, informé.

■ **couramment** adv. [SENS 1] *Cela arrive* ***couramment*** (= habituellement, fréquemment, souvent ; ≠ rarement). ◆ *Il parle l'anglais* ***couramment*** (= facilement, bien).

courbature n.f. *J'ai des* ***courbatures*** *dans le dos,* des douleurs musculaires.

■ **courbaturé, ée** ou **courbatu, ue** adj. *J'ai fait trop d'efforts, je suis tout* ***courbaturé,*** plein de courbatures.

courbe adj. *Jean a tracé des lignes* ***courbes*** *sur son cahier,* plus ou moins arrondies (≠ droit).

illustr. p. 431

■ **courbe** n.f. *La route fait une* ***courbe,*** elle cesse d'être droite.

■ **courber** v. 1er groupe. *Le vent* ***courbe*** *les roseaux,* il les fait plier (= incliner). ●● *recourber*. *Pierre* ***s'est*** ***courbé*** *pour ramasser son crayon,* il s'est incliné en avant (= se baisser).

■ **courbette** n.f. *Faire des* ***courbettes,*** c'est se courber exagérément devant quelqu'un, par respect.

■ **courbure** n.f. *La* ***courbure*** *d'un objet* est sa partie courbe.

coureur → *courir*

courge n.f. *Une* ***courge*** *est une plante potagère dont le fruit est la citrouille.*

illustr. p. 747, 690

■ **courgette** n.f. *Nous avons mangé des* ***courgettes*** *farcies,* de petites courges.

courir v. 3e groupe. SENS 1. *Adrien s'est mis à* ***courir*** *pour rattraper ses amis,* à aller vite. ●● *accourir*. SENS 2. *Deux cents coureurs* ***ont couru*** *le Tour de France,* ils ont participé à cette course. SENS 3. *Mme Lamy* ***a couru*** *les magasins,* elle est allée de l'un à l'autre pour faire ses courses. SENS 4. ***Le bruit court*** *que des élections vont avoir lieu,* on le dit (= se répandre). SENS 5. *Courir un*

danger, c'est y être exposé ; **courir sa chance,** c'est la tenter.
❋ Conj. no 29.

■ **coureur, euse** n. [SENS 2] *Dix* ***coureurs*** *ont pris le départ du 100 mètres,* les athlètes qui font la course.

■ **course** n.f. [SENS 1] *Il est parti au pas de* ***course,*** en courant. [SENS 2] *Qui a gagné la* ***course*** *?,* la compétition sportive (à pied, à cheval, à vélo, en auto). [SENS 3] *(Au plur.) Mme Bouvier est allée faire des* ***courses,*** les achats pour la maison (= commissions).

illustr. p. 912

■ **coursier** n.m. [SENS 3] *Un* ***coursier*** *m'a apporté le paquet à domicile,* un employé d'une entreprise chargé des courses.

illustr. p. 122

courlis n.m. *Le* ***courlis*** *est un oiseau échassier migrateur au bec arqué.*

illustr. p. 357

couronne n.f. SENS 1. *Une* ***couronne*** *est un objet circulaire (fait de métal, de fleurs, de feuilles) que l'on met sur la tête en signe de distinction.* SENS 2. *Une* ***couronne*** *mortuaire est un grand cercle de fleurs qu'on apporte à un enterrement.* SENS 3. *Une* ***couronne*** *dentaire est un revêtement de métal ou de céramique que le dentiste pose sur une dent.*

illustr. p. 217

■ **couronner** v. 1er groupe. [SENS 1] *Les rois de France* ***étaient couronnés,*** ils recevaient une couronne, signe de leur dignité. ◆ *Ce livre* ***a été couronné*** *par le jury,* il a reçu un prix. [SENS 3] *Ma sœur a plusieurs dents* ***couronnées,*** munies d'une couronne.

■ **couronnement** n.m. [SENS 1] *Ce tableau représente le* ***couronnement*** *du roi.* → *sacre*

courre → *chasse*

courrier n.m. SENS 1. *Le facteur a apporté le* ***courrier,*** les lettres, les paquets, les journaux. SENS 2. *Un* ***courrier*** *était un homme qui portait des lettres, des messages.*

courroie n.f. *On a attaché la valise avec des* ***courroies*** *de cuir* (= lanière, bande).

courroux n.m. Un grand **courroux**, c'est une grande colère (= fureur).

■ **courroucer** v. 1er groupe. *Le retard du valet a courroucé le roi*, l'a mis en colère.

✷ Conj. n° 1. Les mots de cette famille ne sont plus couramment employés.

cours n.m. SENS 1. *Le cours d'un fleuve*, c'est le trajet qu'il suit, ainsi que l'écoulement de ses eaux. SENS 2. *Un fleuve, une rivière, un ruisseau sont des cours d'eau.* SENS 3. *Le professeur fait un cours de français*, il l'enseigne (= leçon). SENS 4. *Le cours du blé a monté*, son prix actuel. SENS 5. *Je n'ai pas suivi le cours des événements*, la façon dont ils se sont déroulés. SENS 6. **Au cours de** *l'année passée, Pierre est allé en Allemagne* (= pendant).

✷ Ne pas confondre avec **cour** et **court**.

course, coursier → *courir*

1. court, e adj. SENS 1. *Pierre a les cheveux courts*, de faible longueur (≠ long). ●● *raccourcir*. SENS 2. *En hiver, les jours sont courts* (= bref ; ≠ long). ●● *écourter*

■ **court** adv. [SENS 1] *Ses cheveux sont coupés court.* ◆ *Je suis à court d'argent*, je n'en ai pas assez. ◆ *Sa question m'a pris de court*, elle m'a pris au dépourvu, sans que j'aie le temps de préparer une réponse.

illustr. p. 913 **2. court** n.m. *On joue au tennis sur le court n° 2*, le terrain.

✷ Ne pas confondre avec **cour** et **cours**.

court-bouillon n.m. Un **court-bouillon** est un bouillon épicé dans lequel on fait cuire du poisson.

court-circuit n.m. *L'incendie a été causé par un court-circuit*, par le contact de deux fils électriques provoquant une forte décharge.

courtisan, courtiser → *cour*

courtois, oise adj. *M. Launay est un homme courtois*, aimable et poli (≠ grossier).

■ **courtoisie** n.f. *Il m'a répondu avec courtoisie*, avec amabilité.

couscous n.m. *Le couscous est un plat arabe fait de semoule de blé, de légumes et de viande.*

✷ On prononce [kuskus].

1. cousin, cousine n. *Pierre est mon cousin, Marie est ma cousine*, ce sont les enfants de mon oncle et de ma tante. *illustr. p. 679*

2. cousin n.m. *Un cousin est un grand moustique.*

coussin n.m. *Les coussins de la voiture sont confortables*, des enveloppes de tissu rembourrées pour s'asseoir ou s'appuyer.

coût, coûtant → *coûter*

couteau n.m. SENS 1. *On coupe sa viande avec un couteau*, un instrument tranchant composé d'une lame et d'un manche. SENS 2. *À marée basse, on peut ramasser des couteaux*, des coquillages en forme de manche de couteau. *illustr. p. 117, 238, 718*

✷ Au pluriel, on écrit des **couteaux**.

■ **coutelas** n.m. [SENS 1] *Le boucher aiguise son coutelas*, un grand couteau.

■ **coutelier** n.m. [SENS 1] *Le coutelier fabrique et vend des couteaux.*

■ **coutellerie** n.f. [SENS 1] *Une coutellerie est la boutique d'un coutelier.*

coûter v. 1er groupe. SENS 1. *Combien coûte ce livre ?*, quel est son prix ? *Il coûte cinq euros* (= valoir). SENS 2. *Ce travail m'a coûté bien des efforts*, il a été une cause d'efforts (= valoir). SENS 3. *Pierre veut partir coûte que coûte*, à tout prix (= absolument).

■ **coût** n.m. [SENS 1] *Le coût de la vie a encore augmenté*, le prix des choses qu'on achète.

✷ Ne pas confondre avec **cou** et **coup**.

■ **coûtant, ante** adj. Vendre **à prix coûtant**, c'est vendre sans bénéfice, au prix de revient.

■ **coûteux, euse** adj. [SENS 1] *Ils ont pris des vacances coûteuses*, occasionnant des dépenses élevées (= cher, onéreux).

coutume n.f. *Chaque peuple a ses coutumes*, ses manières de vivre, d'agir (= usage, habitude). ●● *accoutumer, inaccoutumé*

■ **coutumier, ère** adj. SENS 1. *Chaque matin, il fait sa promenade coutumière*, habituelle. SENS 2. *Serge est encore en retard : il est coutumier du fait*, c'est son habitude.

illustr. p. 228 **couture** n.f. SENS 1. *Anne apprend la couture*, à coudre. SENS 2. *Elle a fait une couture à mon pantalon*, une suite de points cousus.

illustr. p. 221 ■ **couturier** n.m. Un **grand couturier** crée et fabrique des vêtements de luxe.

illustr. p. 228 ■ **couturière** n.f. Une couturière confectionne des vêtements féminins d'après des modèles. → *tailleur*

couvée → *couver*

couvent n.m. Les moines et les religieuses vivent en communauté dans des **couvents** (= monastère).

couver v. 1er groupe. SENS 1. *La poule couve ses œufs*, elle reste dessus pour les tenir au chaud jusqu'à ce qu'ils éclosent. ◆ *Les enfants uniques sont souvent couvés par leurs parents*, trop protégés. SENS 2. *Le feu couve sous la cendre*, il n'est pas éteint. SENS 3. *Pierre couve une grippe*, la grippe est sur le point de se déclarer.

illustr. p. 691, 357 ■ **couvée** n.f. [SENS 1] *Ces poussins sont de la même couvée*, ils ont été couvés en même temps.

■ **couveuse** n.f. [SENS 1] Une **couveuse** est un appareil où l'on fait éclore des œufs. ◆ Une **couveuse** est un appareil en forme de berceau fermé dans lequel on

place les prématurés et les nouveau-nés fragiles à température égale et à l'abri des microbes.

couvrir v. 3e groupe. SENS 1. *Les ouvriers ont couvert le toit d'ardoises*, ils ont mis des ardoises dessus. *La bâche sert à couvrir le chargement*. SENS 2. *Veux-tu couvrir la casserole ?*, mettre le couvercle dessus (≠ découvrir). SENS 3. *Pierre a couvert ses cahiers*, il leur a mis une couverture (= recouvrir). SENS 4. *La table est couverte de livres*, il y en a beaucoup dessus. SENS 5. *M. Mercier est couvert de dettes*, il en a beaucoup. SENS 6. *Le ciel se couvre*, il est caché par de nombreux nuages. SENS 7. *Il fait froid, couvre-toi bien*, habille-toi de manière à avoir chaud. SENS 8. *L'armée couvre les frontières* (= protéger). SENS 9. *Le patron a couvert ses employés*, il les a défendus en engageant sa responsabilité. SENS 10. *Le coureur a couvert la distance en deux heures*, il l'a parcourue.
✶ Conj. n° 16.

■ **couvercle** n.m. [SENS 2] *Où est le couvercle de la boîte ?*, l'objet destiné à la couvrir. *illustr. p. 238*

■ **couvert** n.m. [SENS 1] *Ils se sont mis à couvert*, dans un endroit couvert. ◆ Le couteau, la cuillère et la fourchette sont des **couverts**. *Veux-tu mettre le couvert ?*, préparer la table pour le repas. *illustr. p. 238*

■ **couverture** n.f. [SENS 3] *La couverture de ce livre est déchirée*, ce qui le recouvre. [SENS 7] *Il fait froid, on a mis deux couvertures de laine sur le lit*, deux pièces de tissu pour le recouvrir. *illustr. p. 572, 151, 863*

■ **couvreur** n.m. [SENS 1] Le **couvreur** est un ouvrier qui fait et répare les toitures.

■ **couvre-feu** n.m. *En temps de guerre, un couvre-feu est parfois imposé dans les villes*, une interdiction de sortir dans les rues à partir d'une certaine heure.
✶ Au pluriel, on écrit des **couvre-feux**.

■ **couvre-lit** n.m. *Le couvre-lit est déchiré*, le tissu décoratif recouvrant le lit (= dessus-de-lit).
✶ Au pluriel, on écrit des **couvre-lits**.

LA COUTURE ET LE TRICOT

bobine de fil

dé à coudre

jours

points

surjet

pièce

broderie

plis

fronces

reprise

mètre ruban

couturière
machine à coudre
canette
craie

pelote à épingles

agrafes

dentelle

boutons de nacre

fermeture à glissière

tissu
piqûre
ourlet

mannequin

patron

ciseaux

épingles

coupon de tissu

motif

canevas de tapisserie

écheveau

crochet

chas

aiguille

pelote de laine

aiguille à tricoter

maille

tricot

illustr.
p. 495,
970

cow-boy n.m. *On a vu un film de cow-boys*, racontant les aventures des pionniers du Far West.
✳ On prononce [kɔbɔj]. Au pluriel, on écrit des **cow-boys**.

illustr.
p. 494

coyote n.m. Le **coyote** est une sorte de chacal d'Amérique du Nord.

illustr.
p. 718

crabe n.m. *On peut pêcher des crabes dans les rochers à marée basse*, des crustacés munis de pinces.

crac → *craquer*

cracher v. 1er groupe. SENS 1. *Il est défendu de cracher par terre*, de projeter des crachats. SENS 2. *Ludovic a craché (recraché) une prune trop acide*, il l'a rejetée de sa bouche.

■ **crachat** n.m. [SENS 1] *Un crachat*, c'est de la salive projetée en une fois par la bouche.

illustr.
p. 868

■ **crachoir** n.m. [SENS 1] *Le dentiste m'a présenté le crachoir*, une petite cuvette pour cracher.

crachin n.m. Le **crachin** est une pluie très fine (= bruine).

crack n.m. Fam. *Pierre est un crack en mathématiques*, il est très fort.

illustr.
p. 311,
228

craie n.f. La **craie** est une roche blanche et tendre dont on fait des bâtonnets parfois colorés pour écrire au tableau.

■ **crayeux, euse** adj. *Sur la côte normande, il y a des falaises crayeuses*, constituées par de la craie.

craindre v. 3e groupe. *Je crains un accident*, je le redoute (= appréhender).
✳ Conj. n° 55.

■ **crainte** n.f. *N'ayez aucune crainte, ce n'est pas dangereux* (= peur).

■ **craintif, ive** adj. *Jean est un garçon craintif* (= peureux ; ≠ audacieux).

■ **craintivement** adv. *Il m'a regardé craintivement* (≠ bravement, hardiment).

cramoisi, ie adj. *Pierre a honte, il a le visage cramoisi*, très rouge.

crampe n.f. Une **crampe** est une contraction involontaire et douloureuse d'un muscle.

illustr.
p. 29

crampon n.m. *Les footballeurs ont des chaussures à crampons*, munies de pointes ou de petits cylindres qui les empêchent de glisser.

■ **cramponner** v. 1er groupe. *Anaïs se cramponne à mon bras*, elle s'y accroche.

cran n.m. SENS 1. Les **crans** d'une ceinture sont les trous qui servent d'arrêt pour la serrer ou la desserrer. SENS 2. Le **cran d'arrêt** d'une arme à feu est une encoche qui sert à maintenir fixe une pièce mobile et empêche le coup de partir. SENS 3. Fam. *Pierre a du cran*, du courage, du sang-froid.

illustr.
p. 216

crâne n.m. *M. Dupont a le crâne chauve* (= tête). *Il faut se mettre tous ces chiffres dans le crâne* (= cervelle).

■ **crânien, enne** adj. *Le cerveau est contenu dans la boîte crânienne*, le logement constitué par les os du crâne.

crâner v. 1er groupe. Fam. *Arrête de crâner !*, de prendre des airs supérieurs.

■ **crâneur, euse** adj. et n. Fam. *Marie est crâneuse*, elle est prétentieuse. *Fabien est un crâneur* (= bêcheur).

crânien → *crâne*

illustr.
p. 357

crapaud n.m. Un **crapaud** ressemble à une grosse grenouille peu agile, à peau rugueuse.

crapule n.f. *Cet homme est une crapule*, il est très malhonnête (= canaille, fripouille, scélérat).

■ **crapuleux, euse** adj. Un **crime crapuleux** est un crime commis pour voler quelqu'un.

se **craqueler** v. 1er groupe. *L'émail commence à se craqueler* (= se fendiller).
✳ Conj. n° 6.

craquer v. 1er groupe. SENS 1. *Pierre a craqué son pantalon,* il l'a déchiré. SENS 2. *Le parquet craque,* il produit un bruit sec. SENS 3. *La branche a craqué,* elle s'est cassée avec un bruit sec. SENS 4. Fam. *Isabelle a craqué pour ce mignon petit chat,* elle n'a pas pu se retenir de l'adopter, de l'acheter.

■ **crac !** interj. [SENS 2] Ce mot indique un bruit sec.

■ **craquement** n.m. [SENS 2 et 3] *On entend le craquement d'une poutre,* un bruit sec.

crasse n.f. SENS 1. *Sous le capot, le moteur est couvert de crasse,* d'une couche de saleté. ●● *décrasser, encrasser.* SENS 2. Fam. *Paul m'a fait une crasse,* il m'a joué un mauvais tour, il m'a fait une méchanceté.

■ **crasseux, euse** adj. [SENS 1] *Ta chemise est crasseuse,* très sale.

illustr. p. 949 **cratère** n.m. Le **cratère** d'un volcan est l'ouverture évasée par où sortent les laves et les cendres.

cravache n.f. Une **cravache** est une baguette souple avec laquelle les cavaliers stimulent ou corrigent leur cheval.

illustr. p. 221, 1011, 583 **cravate** n.f. Une **cravate** est une bande d'étoffe étroite que les hommes nouent sous le col de leur chemise.

crawl n.m. *Luc nage bien le crawl,* une nage rapide avec un battement continu des pieds.
✳ On prononce [krol].

crayeux → *craie*

illustr. p. 122, 311 **crayon** n.m. Un **crayon** est un bâtonnet de bois contenant une mine pour écrire. ◆ **Avoir un bon coup de crayon,** c'est savoir très bien dessiner.

■ **crayonner** v. 1er groupe. *Ne crayonne pas sur le mur !,* ne fais pas des traits de crayon.

créancier, ère n. *Il est mon créancier,* je lui dois de l'argent. → *débiteur*

créateur, créatif, création, créature → *créer*

crécelle n.f. *Mme Barbier a une voix de crécelle,* une voix aiguë et désagréable comme le bruit de la crécelle, un jouet qu'on fait tourner et dont une lame flexible vient frapper les crans de l'axe.

crèche n.f. SENS 1. Une **crèche** représente la naissance de Jésus-Christ dans une étable. → *santon.* SENS 2. *Ma voisine amène tous les matins son bébé à la crèche,* dans un établissement qui le garde pendant qu'elle travaille.

crédible adj. *Son récit n'est pas crédible,* on ne peut pas raisonnablement y croire (= croyable, vraisemblable, digne de foi). ●● *croire*

crédit n.m. SENS 1. *M. Gervais a acheté sa maison à crédit,* il a obtenu un délai pour la payer (≠ comptant). SENS 2. *Il a épuisé ses crédits,* l'argent mis à sa disposition. ◆ Une **carte de crédit** est une carte de paiement électronique. SENS 3. *Il a un grand crédit auprès du directeur,* son directeur a de la considération pour lui, il l'estime. *illustr. p. 151*

■ **créditer** v. 1er groupe. [SENS 2] *Cette somme a été créditée à votre compte,* elle vous a été attribuée (≠ débiter). [SENS 3] *On crédite le nouvel ambassadeur de beaucoup d'habileté,* on lui attribue cette qualité.

crédule adj. *On lui fait avaler n'importe quelle histoire, tellement il est crédule,* il croit trop facilement ce qu'on lui dit (= naïf ; ≠ incrédule). ●● *croire*

■ **crédulité** n.f. *On s'est moqué de sa crédulité* (= naïveté ; ≠ incrédulité).

créer v. 1er groupe. *M. Marel a créé une usine de chaussures,* il a fait qu'elle existe (= fonder, réaliser). ●● *recréer.* *Son départ nous crée des difficultés* (= causer, occasionner, susciter).

■ **créateur, trice** n. *Qui est le créateur de cette œuvre ?* (= auteur).

■ **créatif, ive** adj. *Ce metteur en scène a fait preuve d'un esprit créatif* (= imaginatif, inventif).

■ **création** n.f. *La Bible raconte la création du monde par Dieu,* la réalisation à partir de rien.

■ **créature** n.f. *Les explorateurs ont marché trois jours sans rencontrer une créature humaine,* un être humain.

illustr. p. 42 **crémaillère** n.f. Une **crémaillère** est une tige de métal qui servait à suspendre une marmite dans une cheminée. ◆ *M. et Mme Bertrand ont pendu la crémaillère,* ils ont fait une fête pour leur installation dans leur nouveau logement.

crématoire adj. Un four **crématoire** sert à brûler les corps des morts.
☀ On dit aussi un « crématorium ».

illustr. p. 354, **1. crème** n.f. SENS 1. La **crème** est une matière grasse tirée du lait ; elle sert à faire le beurre et le fromage. ●● *écrémer.* SENS 2. *Pierre aime bien les crèmes glacées,* les glaces faites de lait et *150* d'œufs (= entremets). SENS 3. Une **crème de beauté** est un produit pour les soins de la peau.

■ **crémeux, euse** adj. [SENS 1] *Ce lait est crémeux,* il contient de la crème.

■ **crémerie** ou **crèmerie** n.f. [SENS 1] La **crémerie** est la boutique du crémier.

illustr. p. 582 ■ **crémier, ère** n. [SENS 1] La **crémière** vend du lait, du beurre, du fromage, de la crème et des œufs.

2. crème adj. inv. Des chaussures **crème** sont d'une couleur blanche légèrement beige.

illustr. p. 164 **créneau** n.m. SENS 1. *Les murs des châteaux forts avaient des créneaux,*

des ouvertures rectangulaires pour envoyer des projectiles tout en se protégeant. SENS 2. *M. Lebras a fait un créneau,* il a fait une manœuvre pour garer sa voiture entre deux autres voitures le long du trottoir.
☀ Au pluriel, on écrit des **créneaux**.

créole SENS 1. n. Une **créole** est une Européenne née aux Antilles, en Guyane, à la Réunion (≠ indigène). → *métis.* SENS 2. n.m. Le **créole** est une langue qui mélange une langue européenne et des langues africaines.

1. crêpe n.f. Une **crêpe** est une galette très mince faite à la poêle.

■ **crêperie** n.f. Une **crêperie** est un restaurant qui fait des crêpes.

2. crêpe n.m. SENS 1. Le **crêpe** est un tissu léger d'aspect ondulé. SENS 2. *Pierre est en deuil, il porte un crêpe à sa boutonnière,* un morceau de crêpe noir. SENS 3. Des semelles de **crêpe** sont des semelles de chaussures en caoutchouc clair dont la surface est gaufrée.

crépi n.m. *Le mur de la maison est recouvert d'un crépi,* une couche de plâtre ou de ciment non lissé.

crépiter v. 1er groupe. *Le feu crépite dans la cheminée,* il fait des petits bruits secs.

crépu, ue adj. *Seydou a les cheveux crépus,* frisés en toutes petites vagues (≠ raide, lisse).

crépuscule n.m. Le **crépuscule** est le moment où le soleil se couche et où la lumière baisse (≠ aube, aurore).

crescendo adv. *La rumeur va crescendo,* en augmentant.
☀ On prononce [kreʃɛ̃do] ou [kreʃɛndo].

illustr. p. 845 **cresson** n.m. Le **cresson** est une plante qui pousse dans l'eau et qu'on mange en salade.
☀ On prononce [kresɔ̃] ou [krəsɔ̃].

illustr.
p. 384,

616**crête** n.f. SENS 1. *Le coq redresse fièrement sa **crête**,* le morceau de chair rouge qui est au sommet de sa tête. SENS 2. *Le soleil disparaît derrière la **crête** de la montagne,* le sommet.

crétin, ine n. Fam. *Quel **crétin**, ce type !* (= idiot, imbécile).

creuser → *creux*

creuset n.m. Un **creuset** est un récipient servant à fondre les métaux.

creux, creuse adj. SENS 1. *Cette boule est **creuse**,* vide à l'intérieur (≠ plein). SENS 2. *On sert le potage dans des assiettes **creuses**,* très concaves (≠ plat). SENS 3. *Il n'a dit que des paroles **creuses**,* sans intérêt. SENS 4. *Les heures **creuses** sont les heures de moindre activité,* de moindre affluence.

■ **creux** n.m. [SENS 1] *Il y a un gros **creux** dans le rocher* (= trou ; ≠ bosse). [SENS 2] *Le **creux** de la main,* c'est la partie enfoncée de la paume. [SENS 4] *J'ai un **creux** dans mon emploi du temps,* une période de liberté.

■ **creuser** v. 1er groupe. [SENS 1] *Le chien **creuse** le sol pour cacher son os,* il y fait un trou. *Creuser un fossé,* c'est le faire dans le sol (≠ combler). ◆ *Il s'est **creusé** la tête pour trouver la solution,* il a beaucoup réfléchi. *Il faut **creuser** cette idée,* l'approfondir.

crevaison, crevant → *crever*

illustr.
p. 29**crevasse** n.f. *L'alpiniste est tombé dans une **crevasse**,* une fente profonde dans le glacier. *Il y a une **crevasse** dans ce vieux mur* (= lézarde).

crever v. 1er groupe. SENS 1. *Cédric a **crevé** son ballon contre une pierre pointue,* il y a fait un trou (= percer, déchirer). *Le pneu a **crevé**,* il a été percé. ●● *increvable.* SENS 2. Fam. *Cette longue marche nous a **crevés**,* elle nous a épuisés. SENS 3. *Ma plante a **crevé**,* elle

est morte. SENS 4. Fam. *Crever de faim,* c'est avoir très faim.
✳ Conj. no 9.

■ **crevant, ante** adj. [SENS 2] Fam. *Ce travail est **crevant**,* très fatigant (= épuisant, éreintant, exténuant).

■ **crevaison** n.f. [SENS 1] *La **crevaison** d'un pneu l'a retardé* (= éclatement).

crevette n.f. *À la mer, les enfants pêchent des **crevettes** avec un filet,* des petits crustacés. illustr.
p. 718

cri n.m. SENS 1. *J'ai entendu un grand **cri**,* un éclat de voix très fort. ●● *à cor et à cri.* SENS 2. *L'aboiement est le **cri** du chien, le miaulement est le **cri** du chat,* les sons émis par ces animaux.

■ **criant, ante** adj. *Il y a là une injustice **criante**,* qui fait protester.

■ **criard, arde** adj. [SENS 1] *Une voix **criarde** fait mal aux oreilles* (= aigu, perçant). ◆ *Des couleurs **criardes** sont trop voyantes,* elles jurent ensemble.

■ **criée** n.f. *Sur le port, on vend le poisson à la **criée**,* aux enchères. illustr.
p. 694

■ **crier** v. 1er groupe. [SENS 1 et 2] *Veux-tu arrêter de **crier** ?,* de pousser des cris (= hurler, fam. brailler). *Il m'a **crié** des injures,* il les a dites très fort.

crible n.m. SENS 1. *Un **crible** est un récipient percé de trous et servant à trier les grains, le sable* (= tamis). SENS 2. *Les déclarations du témoin ont été passées au **crible**,* elles ont été examinées avec grand soin. illustr.
p. 156

■ **cribler** v. 1er groupe. [SENS 1] *La couverture est **criblée** de trous,* il y en a beaucoup. ◆ *Être **criblé** de dettes,* c'est en avoir beaucoup.

cric n.m. *Un **cric** est un appareil qui sert à soulever de lourdes charges.* ✳ On prononce [krik] ou parfois [kri]. Ne pas confondre avec la **crique**. illustr.
p. 852,

69

criée, crier → *cri*

crime n.m. SENS 1. *L'accusé a commis un **crime**,* il a tué quelqu'un (= meurtre).

SENS 2. *Je suis en retard, ce n'est pas un* **crime***, une faute grave.*

■ **criminel, elle** n. et adj. [SENS 1] *La police a arrêté le* **criminel** *(= assassin). On pense qu'il s'agit d'un incendie* **criminel***, qui constitue un crime (≠ accidentel).*

■ **criminalité** n.f. [SENS 1] *On a observé une diminution de la* **criminalité***, du nombre de crimes commis dans une certaine période.*

illustr. p. 628 **crin** n.m. *Les* **crins** *sont les longs poils de la queue et de la crinière du cheval.*

illustr. p. 354 ■ **crinière** n.f. *Les chevaux, les lions ont une* **crinière***, des crins sur le cou.*

illustr. p. 220 **crinoline** n.f. *Autrefois, les femmes portaient des robes* **à crinoline***, à jupon très large.*

illustr. p. 719, 556 **crique** n.f. *Le bateau s'est arrêté dans une* **crique***, une petite baie (= anse).*
❋ Ne pas confondre avec le **cric**.

illustr. p. 277 **criquet** n.m. *Le* **criquet** *est un insecte des pays chauds, voisin de la sauterelle, vivant en grandes troupes et pouvant ravager les récoltes.*

crise n.f. SENS 1. *Jean a une* **crise** *de foie, il a très mal au foie. Anne a eu une* **crise** *cardiaque, un infarctus.* ◆ Fam. *Il a piqué une* **crise***, il s'est mis dans une violente colère.* SENS 2. *La* **crise** *économique s'est aggravée, les difficultés de l'économie.* ●● **critique (1)**

crisper v. 1er groupe. SENS 1. *David* **crispe** *les poings, il les serre fortement (= contracter).* SENS 2. *Sa paresse me* **crispe** *(= irriter, énerver).*

■ **crispation** n.f. [SENS 1] *La* **crispation** *de son visage exprimait sa douleur (= contraction).*

crisser v. 1er groupe. *Le gravier* **crisse** *sous ses pas, il fait un bruit grinçant.*

illustr. p. 616 **cristal** n.m. SENS 1. *Certaines roches sont formées de* **cristaux***, d'éléments*

aux formes géométriques. *Il y a des* **cristaux** *de glace sur les vitres, de la glace en forme d'étoile.* SENS 2. *Le* **cristal** *est un verre très transparent qui donne un son clair quand on le heurte.*
❋ Au pluriel, on dit des **cristaux**.
illustr. p. 895

■ **cristallerie** n.f. [SENS 2] *Une* **cristallerie** *est une fabrique d'objets en cristal.*

■ **cristallin, ine** adj. [SENS 1] *Le granite est une roche* **cristalline***, formée de cristaux.* [SENS 2] *Marie a une voix* **cristalline***, pure, limpide comme le cristal.*

■ **cristallin** n.m. *Le* **cristallin** *est la partie transparente de l'œil située derrière l'iris.*

■ **cristalliser** v. 1er groupe. [SENS 1] *Le sucre* **cristallisé** *est formé de petits cristaux.*

■ **cristallisation** n.f. [SENS 1] *Le quartz est produit par la* **cristallisation** *de la silice, par sa transformation en cristaux.*

critère n.m. *Sa conduite sera un* **critère** *de sa sincérité, ce qui permettra de la juger (= preuve).*

critérium n.m. *Un* **critérium** *cycliste est une épreuve sportive.*
❋ On prononce [kriterjɔm].

1. critique adj. *Jérôme est dans une situation* **critique***, alarmante, préoccupante.* ●● **crise**

2. critique n.f. SENS 1. *La* **critique** *est l'art de juger les œuvres littéraires ou artistiques.* SENS 2. *Il m'a fait de sévères* **critiques** *sur ma conduite (= reproche ; ≠ louange, compliment).*

■ **critique** n. [SENS 1] *M. Bertrand est un* **critique** *de cinéma, son métier est de juger les films.*

■ **critiquable** adj. [SENS 2] *Voilà une décision très* **critiquable** *(= discutable, contestable, blâmable).*

■ **critiquer** v. 1er groupe. [SENS 2] *L'opposition* **a critiqué** *le gouvernement (= blâmer ; ≠ approuver).*

croasser v. 1er groupe. *Les corbeaux croassent*, ils poussent leur cri.

✳ Ne pas confondre **croasser** et **coasser**.

■ **croassement** n.m. Le **croassement** est le cri du corbeau.

croc n.m. *Le chien montre ses crocs*, ses canines pointues.

✳ Le « c » final ne se prononce pas : [kro].

croc-en-jambe ou **croche-pied** n.m. *Pierre m'a fait un croche-pied*, il a accroché une de mes jambes pour me faire tomber.

✳ **Croc-en-jambe** se prononce [krɔkãʒãb]. Au pluriel, on écrit des **crocs-en-jambe**, des **croche-pieds**.

illustr. p. 628 **croche** n.f. Une **croche** est une note de musique qui porte un crochet et qui dure la moitié d'une noire.

croche-pied → *croc-en-jambe*

illustr. p. 156, 117, 228 **crochet** n.m. SENS 1. Un **crochet** est une pièce de métal ou de plastique recourbée servant à suspendre, à accrocher quelque chose. SENS 2. *Marie fait de la dentelle au crochet*, avec une sorte d'aiguille à tricoter recourbée. SENS 3. *Nous avons fait un crochet pour venir vous voir* (= détour). SENS 4. *On a mis un mot entre crochets*, des sortes de parenthèses : [...].

■ **crocheter** v. 1er groupe. [SENS 1] **Crocheter** une serrure, c'est l'ouvrir avec un crochet, un passe-partout.

■ **crochu, ue** adj. [SENS 1] *Les aigles ont le bec crochu* (= recourbé).

illustr. p. 983 **crocodile** n.m. Le **crocodile** est un grand reptile carnivore recouvert d'écailles et vivant dans les fleuves des pays chauds (= caïman, alligator).

illustr. p. 527 **crocus** n.m. *Les crocus fleurissent au printemps*, des fleurs à bulbe, de diverses couleurs.

✳ On prononce le « s » : [krɔkys].

croire v. 3e groupe. SENS 1. *Olivier m'a cru*, il a pensé que je disais la vérité. *Il a cru à mes paroles*, il a pensé qu'elles étaient vraies. ●● **crédule, incrédule, crédible**. SENS 2. *Je crois que Julien est parti*, je le pense, mais ce n'est pas sûr (= supposer). SENS 3. *Carole croit en Dieu*, elle est convaincue qu'il existe. SENS 4. *Jean se croit beau*, il pense qu'il l'est.

✳ Conj. no 74. Attention : *je crois qu'il vient* (indicatif), mais : *je ne crois pas qu'il vienne* (subjonctif). Ne pas confondre (je) **crois**, (il, elle) **croit** et (je) **croîs**, (il, elle) **croît** (de « croître »).

■ **croyable** adj. [SENS 1] *Cette histoire est à peine croyable*, c'est difficile d'y croire (≠ incroyable).

■ **croyant, ante** adj. et n. [SENS 3] *Marie est (une) croyante*, elle croit en Dieu (≠ incroyant).

■ **croyance** n.f. [SENS 3] *Il faut respecter les croyances des autres* (= conviction).

croisade n.f. Au Moyen Âge, les **croisades** furent des expéditions guerrières menées en Palestine par des chrétiens appelés « **croisés** » pour chasser les musulmans de la Terre sainte.

croiser v. 1er groupe. SENS 1. *Il a croisé les mains sur sa poitrine*, il les a mises l'une sur l'autre en croix. ●● **entrecroiser**. SENS 2. *J'ai croisé Paul dans l'escalier* (= rencontrer). SENS 3. *Ce chemin croise la grande route dans deux kilomètres* (= couper, rencontrer). SENS 4. *Le bateau croise au large des côtes de Bretagne* (= naviguer).

■ **croisée** n.f. [SENS 3] *La croisée des chemins*, c'est l'endroit où ils se croisent (= croisement, carrefour). ◆ Une **croisée** est une sorte de fenêtre.

■ **croisement** n.m. [SENS 3] *Il y a eu un accident au croisement*, à l'endroit où les deux routes se croisent (= carrefour). [SENS 2] *Deux voitures qui se croisent la nuit doivent se mettre en feux de croisement* (= code). *illustr. p. 852*

illustr.
p. 55
■ **croiseur** n.m. [SENS 4] *Un croiseur est un navire de guerre.*

■ **croisière** n.f. [SENS 4] *Les Durand ont fait une croisière aux Antilles,* un voyage touristique par bateau.

croissance, croissant → *croître*

croissant n.m. SENS 1. *Un croissant de lune brille dans le ciel,* la Lune, dont une petite partie seulement est visible, le premier ou le dernier quartier. SENS 2.
illustr.
p. 150
Pierre mange deux croissants à son petit déjeuner, des petits gâteaux en pâte feuilletée recourbés ou allongés.

croître v. 3ᵉ groupe. *Son insolence ne cesse de croître* (= augmenter, grandir ; ≠ décroître). ●● *accroître, crue*
✹ Conj. n° 66. Ne pas confondre (je) **croîs**, (il, elle) **croît** et (je) **crois**, (il, elle) **croit** (de « croire »).

■ **croissance** n.f. *La croissance cesse à la fin de l'adolescence,* on ne grandit plus. *L'économie est en pleine croissance* (= développement).

■ **croissant, ante** adj. *Nous observions le spectacle avec une curiosité croissante,* grandissante (≠ décroissant).

croix n.f. SENS 1. *Adrien fait des croix sur son cahier,* des figures faites de deux lignes qui se coupent au milieu. ●● *cruciforme.* SENS 2. *Jésus-Christ est*
illustr.
p. 821
mort sur une croix, un instrument de supplice fait d'un poteau et d'une traverse horizontale. ●● *crucifier.* SENS 3. *M. Lenoir a reçu la croix de guerre,* une décoration en forme de croix.

croquant → *croquer*

croque-monsieur n.m. inv. Un **croque-monsieur** est un sandwich au jambon et au fromage que l'on passe au four pour le manger chaud.
✹ Ce mot ne change pas au pluriel.

croque-mort n.m. Fam. *Les croque-morts transportent le cercueil,* les employés des pompes funèbres.
✹ Au pluriel, on écrit des **croque-morts**.

croquer v. 1ᵉʳ groupe. SENS 1. *Pierre croque des bonbons,* il les mange en les broyant avec ses dents. SENS 2. *Ce biscuit croque sous la dent,* il fait un bruit sec (= craquer).

■ **croquant, ante** adj. Une pomme croquante croque sous la dent.

croquet n.m. Le **croquet** est un jeu où l'on frappe une boule avec un long maillet pour la faire passer sous des arceaux.

croquette n.f. Une **croquette** est une boulette de viande, de poisson que l'on fait frire.

croquis n.m. *Paul a fait un croquis du paysage,* un dessin rapide (= esquisse).
illustr.
p. 51

cross n.m. *Mehdi a gagné le cross,* une course à pied à travers la campagne.
illustr.
p. 1002
✹ Ne pas confondre le **cross** et la **crosse**.

crosse n.f. SENS 1. La **crosse** d'une arme à feu est la partie opposée au canon par laquelle on la tient. SENS 2. La **crosse** d'un évêque est un long bâton recourbé qui est le symbole de son rang dans l'Église. SENS 3. *Au hockey, on pousse la balle ou le palet avec une*
illustr.
p. 894
crosse, un bâton recourbé.
✹ Ne pas confondre avec le **cross**.

crotale n.m. Le **crotale** est un serpent d'Amérique très venimeux, appelé aussi « serpent à sonnettes ».

crotte n.f. SENS 1. *Le chien a fait une crotte devant la porte* (= excrément, saleté). SENS 2. *Les crottes de chocolat sont des bonbons au chocolat de forme arrondie.*

■ **crotter** v. 1ᵉʳ groupe. [SENS 1] *Ton pantalon est tout crotté,* couvert de boue (≠ décrotter).

■ **crottin** n.m. [SENS 1] Le **crottin** est l'excrément du cheval.

crouler v. 1er groupe. *Saïd **croule** sous le poids de son sac,* le sac est tellement lourd que son dos se courbe pour le porter (= être accablé).

■ **croulant, ante** adj. *Un mur **croulant** est un mur qui est près de s'écrouler.*

croupe n.f. *La **croupe** d'un cheval,* c'est l'arrière de son corps.

■ **croupion** n.m. *Le **croupion** est la partie arrière du corps des oiseaux.*

croupir v. 2e groupe. SENS 1. *L'eau de cette mare est en train de **croupir**,* elle reste sans couler et devient mauvaise. SENS 2. *Cette famille **croupit** dans la misère,* elle y reste sans pouvoir en sortir.

croustiller v. 1er groupe. *La **croûte** de ce pain **croustille**,* elle croque agréablement sous la dent.

■ **croustillant, ante** adj. *Ces petits gâteaux sont **croustillants**,* ils croquent sous la dent.

croûte n.f. SENS 1. *La **croûte** de ce pain est croquante,* la partie extérieure qui est dorée (≠ mie). *J'ai donné la **croûte** du fromage au chien,* la partie extérieure, épaisse et dure. SENS 2. *Michaël a des **croûtes** sur les jambes,* des plaques sèches et brunâtres formées par le sang qui a séché sur des plaies.

■ **croûton** n.m. [SENS 1] *Un **croûton** est l'extrémité du pain qui contient surtout de la croûte.*

croyable, croyance, croyant → *croire*

1. cru, crue adj. SENS 1. *Pierre aime la viande **crue**,* que l'on n'a pas fait cuire (≠ cuit). SENS 2. *Une lumière **crue** est une lumière non tamisée (= violent ; ≠ doux). SENS 3. *Il a répondu en termes très **crus*** (= grossier, leste).
✳ Ne pas confondre (un légume) **cru** avec le **cru** (d'un vin), la **crue**, **cru** (de « croire ») et **crû** (de « croître »).

■ **crudités** n.f. pl. [SENS 1] *En entrée, il y avait des **crudités**,* des légumes crus.

2. cru n.m. *Ce vin est un grand **cru**,* il vient d'un terroir renommé.

cruauté → *cruel*

cruche n.f. SENS 1. *Mets une **cruche** d'eau sur la table !,* un récipient ayant un bec et une anse. SENS 2. Fam. *Cet homme est une **cruche**,* un sot.

crucial, ale, aux adj. *Un problème **crucial** est d'une très grande importance (= capital, essentiel). Le moment **crucial** est le moment décisif.*

crucifier v. 1er groupe. *Jésus-Christ a été **crucifié**,* ses membres ont été cloués sur une croix et il y est mort.

■ **crucifix** n.m. *Un **crucifix** est un objet de piété représentant le supplice de Jésus-Christ sur la croix.* *illustr. p. 821*

cruciforme adj. *Un tournevis **cruciforme** a sa tête en forme de croix pour agir sur les vis **cruciformes**.*

crudités → *cru (1)*

crue n.f. *La rivière est en **crue**,* ses eaux montent (≠ décrue). ●● *croître* *illustr. p. 845*
✳ Ne pas confondre avec un **cru**.

cruel, elle adj. SENS 1. *Ne sois pas **cruel** avec les animaux,* ne les fais pas souffrir (= méchant ; ≠ bon). SENS 2. *La mort d'Ivan a été pour la famille une perte **cruelle**,* elle a causé une très grande souffrance (= pénible, douloureux).

■ **cruellement** adv. [SENS 1] *On l'a traité **cruellement*** (= méchamment). [SENS 2] *L'argent nous fait **cruellement** défaut* (= terriblement).

■ **cruauté** n.f. [SENS 1] *Cet homme est d'une grande **cruauté**,* il aime faire du mal (= férocité ; ≠ humanité, bonté).

crustacé n.m. *Les crabes, les crevettes, les homards, les langoustes sont* *illustr. p. 718*

*illustr.
p. 583* des **crustacés**, des animaux à carapace qui vivent dans l'eau.

crypte n.f. *Il y a une **crypte** sous cette église*, une partie souterraine.

*illustr.
p. 431* **cube** n.m. SENS 1. *Un **cube** est un solide dont les six faces sont des carrés égaux.* SENS 2. *Le **cube** d'un nombre est le produit obtenu en multipliant ce nombre par lui-même deux fois de suite : 2 x 2 x 2 = 8, c'est le **cube** de 2.* → **carré**

■ **cubique** adj. [SENS 1] *Cette chambre est **cubique**, elle a la forme d'un cube.*

*illustr.
p. 216* **cubitus** n.m. *Le **cubitus** est l'un des deux os de l'avant-bras.*
✳ On prononce le « s » final.

cueillir v. 3ᵉ groupe. *Marie **a cueilli** des fleurs, elle les a choisies et ramassées en coupant la tige. Je vais au jardin **cueillir** des fraises* (= récolter).
✳ Conj. n° 24.

*illustr.
p. 427* ■ **cueillette** n.f. *La **cueillette** des pêches se fait en été* (= récolte).

*illustr.
p. 238* **cuillère** ou **cuiller** n.f. *On mange de la soupe, mets des **cuillères** sur la table*, un couvert formé d'un manche et d'une partie creuse.
✳ **Cuillère** et **cuiller** se prononcent de la même façon : [kyijɛr].

■ **cuillerée** n.f. *Donne-moi une **cuillerée** de sauce*, le contenu d'une cuillère.

*illustr.
p. 736* **cuir** n.m. SENS 1. *Élodie a une veste de **cuir**, faite avec la peau d'un animal.* SENS 2. *Pierre a une blessure au **cuir** chevelu*, à la peau du crâne.
✳ Ne pas confondre **cuir** et le verbe **cuire**.

cuirasse n.f. SENS 1. *Les guerriers grecs portaient une **cuirasse***, une armure qui leur couvrait la poitrine. SENS 2. *Les navires de guerre et les chars d'assaut sont recouverts d'une **cuirasse** métallique*, un revêtement de métal qui les protège (= blindage).

■ **cuirassé** n.m. [SENS 2] *Un **cuirassé** est un navire de guerre blindé.*

■ **cuirassier** n.m. [SENS 1] *Les **cuirassiers** étaient des soldats à cheval portant une cuirasse.*

cuire v. 3ᵉ groupe. SENS 1. *On **cuit** (on fait **cuire**) un gâteau en le mettant au four*, on le chauffe pour le rendre bon à manger. *La soupe **cuit** sur le fourneau*, elle chauffe pour devenir bonne à manger. SENS 2. *La potière enfourne ses poteries pour les **cuire***, pour les rendre dures. SENS 3. *Le dos me **cuit***, j'ai une sensation de brûlure (= brûler).
✳ Conj. n° 70. Ne pas confondre avec le **cuir**.

■ **cuisant, ante** adj. [SENS 3] *Ma joue est **cuisante** à l'endroit de la gifle*, elle me brûle. *Il a subi un **cuisant** échec* (= douloureux).

■ **cuisson** n.f. [SENS 1 et 2] *La **cuisson** du rôti est presque terminée*, la transformation par la chaleur en aliment bon à manger.

■ **cuit, cuite** adj. [SENS 1] *J'aime la viande bien **cuite*** (≠ cru).

cuisine n.f. SENS 1. *Nous mangeons dans la **cuisine***, dans la pièce où l'on prépare les repas. SENS 2. *Papa fait bien la **cuisine***, il sait préparer les aliments.   *illustr.
p. 238*

■ **cuisiner** v. 1ᵉʳ groupe. [SENS 2] *Ma grande sœur **cuisine** bien*, elle fait bien la cuisine.

■ **cuisinier, ère** n. [SENS 2] n. *Papa est un bon **cuisinier***, il fait bien la cuisine. [SENS 2] n.f. *Grand-mère a une **cuisinière** électrique*, un fourneau qui sert à faire la cuisine.   *illustr.
p. 1010,
238*

■ **culinaire** adj. [SENS 2] *L'art **culinaire***, c'est l'art de bien faire la cuisine.

cuisse n.f. *Nous avions de l'eau jusqu'aux **cuisses***, au-dessus du genou.   *illustr.
p. 217,
354*

cuisson, cuit → **cuire**

cuivre n.m. SENS 1. *Le fil électrique est en **cuivre***, en un métal rougeâtre. SENS 2.

237

LA CUISINE ET LA SALLE DE BAINS

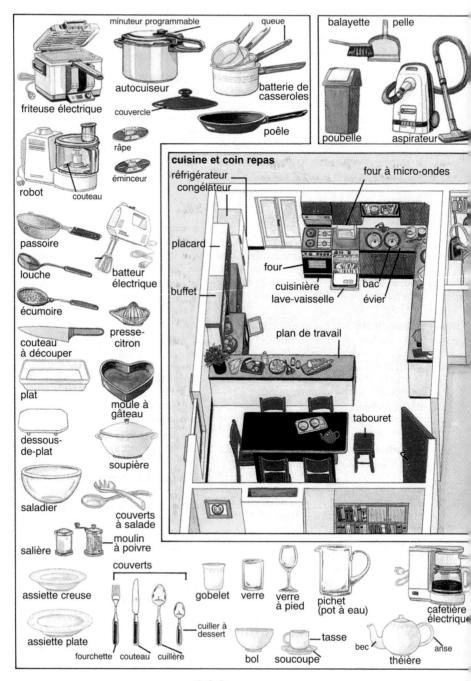

minuteur programmable

queue

balayette   pelle

autocuiseur

batterie de casseroles

friteuse électrique

couvercle

poêle

poubelle   aspirateur

râpe

éminceur

robot

couteau

cuisine et coin repas

réfrigérateur
congélateur

four à micro-ondes

passoire

placard

four

louche

batteur
électrique

buffet

cuisinière
lave-vaisselle

bac
évier

écumoire

presse-
citron

plan de travail

couteau
à découper

plat

moule à
gâteau

dessous-
de-plat

tabouret

soupière

saladier

couverts
à salade

salière

moulin
à poivre

couverts

assiette creuse

gobelet verre

verre
à pied

pichet
(pot à eau)

cafetière
électrique

cuiller à
dessert

assiette plate

fourchette couteau cuillère

bol

tasse

soucoupe

bec

théière

anse

C'est là que sont regroupés le plus grand nombre d'appareils et d'objets divers : des ustensiles, de la vaisselle, des couverts, des objets de toilette... Quel inventaire à faire !

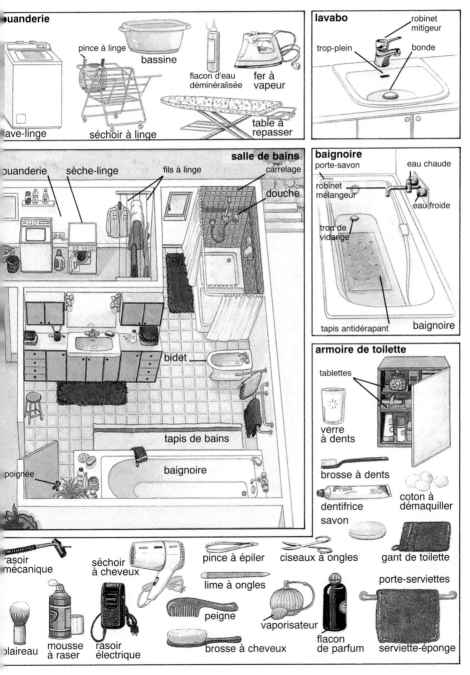

buanderie

pince à linge
bassine
flacon d'eau déminéralisée
fer à vapeur
table à repasser
lave-linge
séchoir à linge

lavabo
robinet mitigeur
trop-plein
bonde

salle de bains

buanderie
sèche-linge
fils à linge
carrelage
douche
bidet
tapis de bains
poignée
baignoire

baignoire
porte-savon
eau chaude
robinet mélangeur
eau froide
trou de vidange
tapis antidérapant
baignoire

armoire de toilette
tablettes
verre à dents
brosse à dents
dentifrice
savon
coton à démaquiller

rasoir mécanique
séchoir à cheveux
pince à épiler
ciseaux à ongles
gant de toilette
lime à ongles
porte-serviettes
peigne
vaporisateur
blaireau
mousse à raser
rasoir électrique
brosse à cheveux
flacon de parfum
serviette-éponge

*La trompette, le cor sont des **cuivres**,* des instruments de musique à vent en cuivre.

cul n.m. SENS 1. Très fam. *Il est resté le **cul** sur sa chaise,* les fesses (= derrière). SENS 2. Le **cul** d'une bouteille, c'est le fond d'une bouteille.
✱ On prononce [ky].

culbute n.f. *Les enfants font des **culbutes** sur le lit,* ils se roulent la tête en bas (= galipette, cabriole).
■ **culbuter** v. 1er groupe. *Il a été **culbuté** par une auto* (= renverser).

cul-de-jatte n. Un **cul-de-jatte** est une personne qui a été amputée des deux jambes.
✱ On prononce [kydʒat]. Au pluriel, on écrit des **culs-de-jatte**.

cul-de-sac n.m. *M. Bontand est sorti du **cul-de-sac** en marche arrière,* de la voie sans issue (= impasse).
✱ On prononce [kydsak]. Au pluriel, on écrit des **culs-de-sac**.

culinaire → *cuisine*

culminant, ante adj. *Le mont Blanc est le **point culminant** des Alpes,* le plus haut sommet.

culot n.m. Fam. *Tu as du **culot** de me dire ça* (= effronterie, aplomb, fam. toupet).
■ **culotté, ée** adj. Fam. *Il faut être **culotté** pour oser faire ça !* (= effronté, impudent).

illustr. p. 221 **culotte** n.f. SENS 1. *Les petits garçons portent des **culottes** courtes,* un vêtement masculin qui va de la taille aux genoux en enveloppant chaque jambe séparément. SENS 2. *Marie s'est acheté une **culotte**,* un sous-vêtement qui couvre le bas du tronc (= slip).

culpabilité n.f. *L'enquête a établi la **culpabilité** de l'accusé,* a prouvé que celui-ci était coupable (≠ innocence).
●● *coupable*

culte n.m. SENS 1. Le **culte** des saints, c'est l'hommage religieux qui leur est rendu. SENS 2. Le **culte** catholique, le **culte** protestant, ce sont les cérémonies que l'on fait dans chacune de ces religions pour rendre hommage à Dieu. SENS 3. *Pierre a le **culte** de la vérité,* il y est très attaché (= amour). *illustr. p. 821*

cultiver v. 1er groupe. SENS 1. *Les agriculteurs **cultivent** la terre,* ils la travaillent pour faire pousser les plantes. SENS 2. **Cultiver** du blé, c'est le semer puis le soigner pour qu'il pousse et le récolter. SENS 3. *Pierre lit beaucoup pour **se cultiver**,* pour acquérir des connaissances et enrichir son esprit.
■ **cultivable** adj. [SENS 1] *Ces terres arides ne sont pas **cultivables**,* on ne peut rien y faire pousser.
■ **cultivateur, trice** n. [SENS 1 et 2] Un **cultivateur** est une personne dont le métier est de cultiver la terre (= agriculteur). *illustr. p. 21*
■ **cultivé, ée** adj. [SENS 1] Une terre **cultivée** est une terre que l'on travaille pour faire pousser des plantes (≠ en jachère). ●● *inculte*. [SENS 3] Une personne **cultivée** est une personne instruite dans des domaines divers (≠ ignorant). ●● *inculte*
■ **culture** n.f. [SENS 1 et 2] *M. Dubois fait la **culture** du blé,* il le cultive. ◆ *Il y a de riches **cultures** dans cette région,* des terres cultivées. [SENS 3] La **culture** d'une personne, c'est l'ensemble des connaissances diverses que cette personne a acquises (≠ inculture). [On dit aussi **culture générale**.] La **culture** d'un peuple, d'une région, ce sont ses coutumes, sa façon de vivre, de penser. ◆ *Jean fait de la **culture physique** tous les matins,* des exercices pour fortifier son corps (= gymnastique). *illustr. p. 690*
■ **culturel, elle** adj. [SENS 3] *La municipalité développe les activités culturelles,* celles qui permettent aux gens

de se cultiver, comme la bibliothèque, le théâtre, le cinéma, les concerts.

cumuler v. 1ᵉʳ groupe. *M. Halidon* **cumule** *plusieurs fonctions,* il les exerce en même temps.

■ **cumul** n.m. *La loi interdit le* **cumul** *de certaines fonctions,* l'exercice de telle et telle fonction en même temps.

cumulus n.m. Les **cumulus** sont de gros nuages blancs de forme arrondie.
✱ On prononce le « s » : [kymylys].

illustr. **cunéiforme** adj. L'écriture **cunéiforme** *p. 502* était une écriture avec des signes en forme de clous des Assyriens, des Mèdes, des Perses.

cupide adj. Un homme **cupide** est un homme avide d'argent (= rapace).

■ **cupidité** n.f. *Sa* **cupidité** *est bien connue,* son désir de posséder beaucoup d'argent (= avidité, rapacité).

curare n.m. Le **curare** est un poison dont des Indiens d'Amérique du Sud enduisent leurs flèches.

1. cure ⟶ *curé*

2. cure n.f. *Tante Noémie fait une* **cure** *dans une station thermale,* elle y suit un traitement médical. ●● *incurable*

■ **curiste** n. Un **curiste** est une personne qui fait une cure.

curé n.m. Le **curé** est le prêtre catholique qui a la charge d'une paroisse.

■ **cure** n.f. La **cure** est la maison du curé (= presbytère).

curer v. 1ᵉʳ groupe. *Jean* **se cure** *les ongles,* il les nettoie.

■ **cure-dents** n.m. inv. Un **cure-dents** est une petite tige fine qui sert à se curer les dents.
✱ Ce mot ne change pas au pluriel.

curieux, euse adj. SENS 1. *Anne est très* **curieuse**, elle veut savoir ce qui ne

la regarde pas (= indiscret). SENS 2. *Je serais* **curieux** *de savoir où il est parti,* je voudrais le savoir. SENS 3. *Il m'est arrivé une* **curieuse** *aventure,* une aventure bizarre, étonnante.

■ **curieux, euse** n. [SENS 1 et 2] *L'accident attire des* **curieux**, *des gens venus regarder* (= badaud).

■ **curieusement** adv. [SENS 3] *Ce bibelot est* **curieusement** *décoré* (= bizarrement).

■ **curiosité** n.f. [SENS 1] *Ta* **curiosité** *te jouera des mauvais tours,* ton envie de savoir ce qui ne te regarde pas (= indiscrétion). [SENS 2] *La* **curiosité** *des savants est à l'origine de nombreuses découvertes,* leur envie de connaître des choses nouvelles. [SENS 3] *Ce monument est une* **curiosité**, *une chose intéressante, étonnante.*

curiste ⟶ *cure (2)*

curry n.m. Le **curry** est une poudre jaune, composée de plusieurs épices, qui est utilisée dans la cuisine indienne. *J'adore le poulet au* **curry**.

cuti-réaction n.f. La **cuti-réaction** est un test médical dans lequel on fait une très légère incision de la peau pour y verser un peu de liquide, afin de savoir si quelqu'un est immunisé contre la tuberculose.
✱ Au pluriel, on écrit des **cuti-réactions**. On dit aussi une **cuti**.

cutter n.m. Un **cutter** est un instrument *illustr.* très tranchant qui permet de découper *p. 122* du carton, du papier épais, etc.
✱ On prononce [kœtœr] ou [kytœr].

cuve n.f. SENS 1. Une **cuve** est un grand *illustr.* récipient dans lequel on fait fermenter le *p. 573* raisin. SENS 2. *La* **cuve** *à mazout est presque vide* (= réservoir).

■ **cuvée** n.f. [SENS 1] Une **cuvée** est la quantité de vin produite en une année par un vignoble.

cuvette n.f. SENS 1. *Pour laver son linge, Marie a mis de l'eau dans une* **cuvette,** un récipient peu profond (= bassine). SENS 2. Une **cuvette** est une région en creux par rapport à ce qui l'entoure (= dépression). → *bassin*

illustr. p. 617 **cyclamen** n.m. Le **cyclamen** est une plante qui fait des fleurs roses, blanches ou mauves.

cycle n.m. SENS 1. *Le cycle des saisons dure un an,* elles se succèdent pendant un an, puis cela recommence. SENS 2. Un marchand de **cycles** vend des véhicules à deux roues (bicyclettes, vélomoteurs, motos). ●● *bicyclette*

■ **cyclique** adj. [SENS 1] Une crise économique est **cyclique** quand elle se reproduit périodiquement.

■ **cyclable** adj. [SENS 2] Une piste **cyclable** est une voie réservée à la circulation des cyclistes.

■ **cyclisme** n.m. [SENS 2] *Le cyclisme est un sport très populaire en France,* le sport de la bicyclette.

illustr. p. 1002 ■ **cycliste** adj. et n. [SENS 2] *Le Tour de France est une course* **cycliste,** de bicyclettes. *Un* **cycliste** *a été renversé par une auto,* une personne à bicyclette.

■ **cyclo-cross** n.m. inv. [SENS 2] Une course de **cyclo-cross** est une course de bicyclettes en terrain difficile.

■ **cyclomoteur** n.m. [SENS 2] Un **cyclo-moteur** est un véhicule à deux roues muni d'un moteur moins puissant que celui du vélomoteur. → *vélomoteur*

cyclone n.m. *Cette région a été ravagée par un* **cyclone,** une tempête très violente. → *ouragan, tornade, typhon.* ●● *anticyclone*

cygne n.m. *Des cygnes nagent dans le bassin du jardin public,* de grands oiseaux blancs au cou très flexible.
✳ Ne pas confondre **cygne** et **signe.**

illustr. p. 431, 69 **cylindre** n.m. SENS 1. Un **cylindre** est un solide qui a la forme d'un rouleau. SENS 2. Les **cylindres** sont des pièces du moteur d'une voiture dans lesquelles glissent les pistons.

■ **cylindrique** adj. [SENS 1] *Cette boîte a une forme* **cylindrique,** la forme d'un cylindre.

■ **cylindrée** n.f. [SENS 2] La **cylindrée** d'une voiture, c'est le volume de ses cylindres.

illustr. p. 629 **cymbale** n.f. Les **cymbales** sont un instrument de musique fait de deux disques de métal qu'on fait résonner en les frappant l'un contre l'autre.

cynique adj. Une personne **cynique** est une personne sans scrupules, qui agit sans craindre de choquer les autres (= impudent).

■ **cynisme** n.m. *Son cynisme nous a indignés,* son caractère cynique (= impudence).

illustr. p. 691 **cyprès** n.m. *Le cimetière est entouré d'une rangée de* **cyprès,** des conifères terminés en pointe.

cytise n.m. Un **cytise** est un arbuste qui a des fleurs jaunes en grappes.

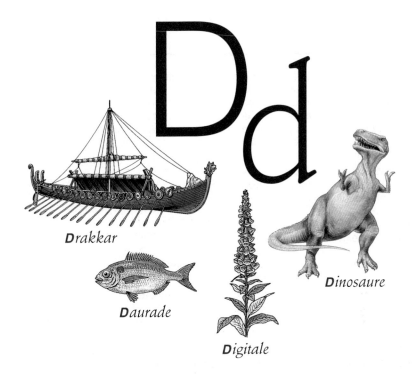

Dd

Drakkar

Daurade

Digitale

Dinosaure

dactylo n. Une **dactylo** est une personne dont le métier est de taper des textes à la machine.

■ **dactylographie** n.f. *Jacqueline a appris la **dactylographie**,* à taper à la machine.

■ **dactylographier** v. 1ᵉʳ groupe. *Il faut deux heures pour **dactylographier** toutes ces lettres* (= taper).

dada n.m. Fam. *Jacques nous a encore parlé de rugby, c'est son **dada**,* le sujet qu'il préfère (= marotte).

dadais n.m. *Comment s'appelle ce grand **dadais** ?,* ce jeune homme à l'air sot (= nigaud).

dague n.f. Une **dague** est une sorte de poignard.

illustr. p. 527 **dahlia** n.m. Les **dahlias** sont des plantes à tubercules cultivées pour leurs grosses fleurs de formes et de couleurs variées.

daigner v. 1ᵉʳ groupe. *Il n'a pas daigné nous dire bonjour,* il n'a pas voulu le faire, par dédain. ●● **dédaigner**

daim n.m. SENS 1. Un **daim** est un mammifère ruminant de la famille du cerf, dont le pelage brun est tacheté de blanc et dont les bois sont aplatis à l'extrémité. SENS 2. *Jean a une veste en **daim**,* faite avec la peau de cet animal ou avec un cuir très fin, velouté.

dais n.m. Un **dais** est une tenture placée au-dessus d'un autel, d'un trône, etc.

dalle n.f. *Le sol du musée est fait de **dalles**,* de plaques de pierre, de ciment, de céramique. *illustr. p. 573*

■ **dallage** n.m. *Le **dallage** du musée est en marbre,* les dalles (= carrelage). *illustr. p. 572,*

■ **daller** v. 1ᵉʳ groupe. *On a fait **daller** le hall,* on l'a fait recouvrir de dalles. *164*

damassé, ée adj. *Les rideaux du salon sont **damassés**,* leur tissage forme des motifs décoratifs.

243

dame n.f. SENS 1. *Qui est cette* **dame** *?,* cette femme. ●● **madame**. SENS 2. *Hugo a joué la* **dame** *de pique,* une des figures du jeu de cartes. SENS 3. *Tristan et Aïcha font une partie de* **dames,** un jeu qui se joue à deux avec des pions blancs et des pions noirs sur un damier.

illustr. p. 530

■ **damier** n.m. [SENS 3] *On joue aux dames sur un* **damier,** un tableau carré divisé en cent cases noires et blanches.

illustr. p. 530

damer v. 1ᵉʳ groupe. *La piste de ski est bien* **damée,** la neige est bien tassée.

damier → **dame**

damner v. 1ᵉʳ groupe. *Les chrétiens croient que les méchants* **seront damnés,** condamnés par Dieu à l'enfer.
✳ On prononce [dane].

■ **damnation** n.f. *Les chrétiens croient à la* **damnation,** à la condamnation à l'enfer.
✳ On prononce [danasjɔ̃].

dancing → **danser**

se **dandiner** v. 1ᵉʳ groupe. *Les canards avancent en* **se dandinant,** en balançant le corps d'un côté puis de l'autre.

danger n.m. *Le brouillard fait courir un grand* **danger** *aux automobilistes,* il expose à des accidents, il est une menace (= risque, péril).

■ **dangereux, euse** adj. *Les routes verglacées sont* **dangereuses,** elles font courir un risque (= périlleux ; ≠ sûr).

■ **dangereusement** adv. *Ce chauffard conduit* **dangereusement,** il risque de blesser d'autres gens. *Il est* **dangereusement** *blessé* (= gravement).

danois n.m. *Deux* **danois** *vivent en liberté dans le parc,* de très grands chiens d'une race originaire du Danemark.

dans prép. *Ce mot joue un rôle grammatical important dans des emplois di-* vers : *il est entré* **dans** *la maison* (lieu) [= à l'intérieur]. ●● **dedans**. *Il viendra* **dans** *huit jours,* huit jours après aujourd'hui (temps) ; *ça coûte* **dans** *les 1000 euros* (approximation) [= environ] ; *nous sommes* **dans** *la joie* (état).
✳ Ne pas confondre **dans** et la **dent**.

danse n.f. *Marie apprend des* **danses** *folkloriques,* des suites bien réglées de pas ou de mouvements sur des airs de musique.
✳ Ne pas confondre la **danse** et **dense**.

■ **danser** v. 1ᵉʳ groupe. *Pierre ne sait pas* **danser** *la valse,* faire les pas de cette danse dans le rythme de la musique.

■ **danseur, euse** n. *Un* **danseur** *est un artiste dont le métier est de danser un ballet. Les* **danseurs** *tournent sur la piste,* les personnes qui dansent.

■ **dancing** n.m. *Un* **dancing** *est un établissement public où l'on danse.*
✳ On prononce [dɑ̃siŋ].

dard n.m. *Les abeilles, les guêpes, les scorpions ont un* **dard,** un organe qui leur sert à piquer (= aiguillon).

illustr. p. 277

darder v. 1ᵉʳ groupe. *Le soleil* **darde** *ses rayons,* il les lance comme des flèches qui piquent la peau.

dartre n.f. *Certaines maladies provoquent des* **dartres,** des plaques rouges et rugueuses sur la peau.

date n.f. *Sa lettre porte la* **date** *du jeudi 15 mai 1997,* l'indication du jour, du mois et de l'année. ◆ *Une amitié* **de longue date** *est une amitié qui dure depuis longtemps* (= ancien). *Des événements* **de fraîche date** *sont des événements qui viennent de se produire* (= récent).
✳ Ne pas confondre avec **datte**.

■ **dater** v. 1ᵉʳ groupe. *N'oublie pas de* **dater** *ta lettre !,* d'indiquer le jour, le mois, l'année. ●● **antidater, postdater**. ◆ *Cette église* **date** *du Moyen Âge,* elle a été construite à cette époque (= remonter à).

Dauphin

datte n.f. *Myriam aime beaucoup les* **dattes**, un petit fruit brun et allongé, très sucré, qui pousse sur un palmier appelé un **dattier**.
✳ Ne pas confondre **datte** avec la **date** et certaines formes du verbe « dater ».

illustr. p. 277

daube n.f. *Du bœuf* **en daube** est de la viande de bœuf cuite à l'étouffée.

dauphin n.m. SENS 1. *On dit que les* **dauphins** *sont très intelligents,* de grands mammifères marins qui peuvent mesurer 2 mètres et qui vivent en bandes. SENS 2. (Avec majuscule.) *Le* **Dauphin** *était le fils aîné du roi de France.*

illustr. p. 1033

daurade ou **dorade** n.f. *Les* **daurades** sont des poissons à reflets dorés et à la chair appréciée.

illustr. p. 694

davantage adv. *J'en veux* **davantage**, en plus grande quantité (= plus). *Je ne resterai pas* **davantage**, pas plus longtemps.

de prép. Ce mot joue un rôle grammatical très important et a des sens variés : *elle vient* **de** *Paris* (origine) ; *le livre* **de** *Pierre* (appartenance) ; *je meurs* **de** *faim* (cause) ; *un tas* **de** *sable* (matière) ; *frapper* **du** *poing* (moyen), etc.
✳ Devant une voyelle ou un « h » muet, **de** devient **d'** : *le livre* **d'***Annie*. **De** devient **du** devant « le » : *il souffre* **du** *foie* ; il devient **des** devant « les » : *elle vient* « **des** *États-Unis* ».

dé n.m. SENS 1. *Pierre et Jean jouent aux* **dés**, avec des petits cubes marqués de points. SENS 2. *Mme Durand coud avec un* **dé**, un petit étui pour protéger son doigt qui pousse l'aiguille.

illustr. p. 530, 228

---

dé- préfixe. Placé au début d'un mot, **dé-** indique l'inverse ou la cessation, la suppression de quelque chose : *boucher /* **dé***boucher ; embarcadère /* **dé***barcadère.*

---

déambuler v. 1er groupe. *Des touristes* **déambulent** *dans la ville,* ils se promènent de divers côtés (= flâner).

débâcle n.f. *La retraite des soldats s'est transformée en* **débâcle**, en fuite désordonnée (= débandade, déroute).

déballer v. 1er groupe. *Aide-moi à* **déballer** *les marchandises,* à les sortir de leur emballage (≠ emballer).

■ **déballage** n.m. *Au* **déballage**, *il y a eu trois tasses cassées,* au moment où on déballait la vaisselle (≠ emballage).

débandade n.f. *Quand l'ennemi a attaqué, ce fut la* **débandade**, tout le monde s'est enfui (= déroute).

débaptiser v. 1er groupe. *On a* **débaptisé** *cette rue,* on a changé son nom.
●● *baptiser*
✳ On ne prononce pas le « p ».

débarbouiller v. 1er groupe. *Aussitôt levé, Guillaume va* **se débarbouiller**, se laver la figure (≠ barbouiller).

débarcadère → *débarquer*

débardeur n.m. SENS 1. *Un* **débardeur** *est un employé qui charge ou décharge les bateaux* (= docker). SENS 2. *Un* **débardeur** *est un tee-shirt sans manches.*

débarquer v. 1er groupe. *Des grues* **débarquent** *la cargaison du navire,* déposent à terre les caisses et les conteneurs qu'il transportait. *Les passagers* **ont débarqué**, ils ont quitté le bateau ou l'avion (≠ embarquer).

■ **débarquement** n.m. *Le* **débarquement** *des bagages va commencer,* le moment où on les fait sortir de la soute (≠ embarquement). *Le* **débarquement** *des Alliés a eu lieu en 1944,* le transport sur la côte des soldats et du matériel venus en bateau.

illustr. p. 75, 54

■ **débarcadère** ou **embarcadère** n.m. *Un* **débarcadère** *est un endroit aménagé sur un cours d'eau ou dans un*

illustr. p. 495

245

port pour débarquer ou embarquer les passagers et les marchandises.

débarrasser v. 1ᵉʳ groupe. **Débarrasse** *la table*, enlève ce qui est dessus. ●● **embarrasser**. *Il s'est débarrassé de vieux objets sans valeur,* il les a jetés ou donnés (= se défaire). ✱ Attention à l'orthographe : deux « r ». ■ **débarras** n.m. *Un débarras est une petite pièce où l'on met les objets dont on veut se débarrasser.* ◆ Fam. *Il est parti, bon débarras !,* on est bien soulagés !

débattre v. 3ᵉ groupe. SENS 1. *Le vendeur et l'acheteur ont débattu du prix de la maison* (= discuter). SENS 2. *Quand on l'a attrapé, il s'est débattu,* il a lutté pour se dégager. ✱ Conj. nᵒ 56. ■ **débat** n.m. [SENS 1] *Sur quoi porte le débat ?* (= discussion).

débauche n.f. *Vivre dans la débauche, c'est se conduire mal en se jetant sans retenue dans toutes sortes de plaisirs* (= vice). ■ **débauché, ée** n. et adj. *Il passait ses nuits avec une bande de débauchés,* des gens qui vivent dans la débauche.

débaucher v. 1ᵉʳ groupe. *Faute de commandes, l'usine a dû débaucher du personnel,* renvoyer des travailleurs (= licencier, congédier ; ≠ embaucher).

débile adj. *Cette émission de télé est débile,* elle ne présente aucun intérêt (= stupide, idiot ; ≠ génial). ◆ n. *Un débile* (mental) *est une personne dont l'intelligence ne s'est pas développée* (= arriéré).

débilitant, ante adj. *Ce climat est débilitant,* il affaiblit, amollit.

débiner v. 1ᵉʳ groupe. Fam. *C'est une mauvaise langue : il débine tous ses voisins,* il dit du mal d'eux (= dénigrer).

débit n.m. SENS 1. *Le débit du Rhône est plus important que celui de la Seine,* la quantité d'eau qui s'écoule en un temps donné. SENS 2. *Pierre parle avec un débit rapide,* la vitesse à laquelle il parle. SENS 3. *Un débit de tabac est un magasin où l'on vend du tabac.*

■ **débiter** v. 1ᵉʳ groupe. [SENS 1] *Ce robinet débite dix litres en une minute,* il les laisse s'écouler. [SENS 2] *Alban débite sa poésie d'une voix monotone,* il la dit. ◆ *Cette somme a été débitée de mon compte,* elle a été enlevée, retirée (≠ créditer).

débiteur, trice n. *J'ai prêté de l'argent à Marie, elle est ma débitrice,* elle me doit de l'argent (≠ créancier).

déblatérer v. 1ᵉʳ groupe. Fam. *Il n'arrête pas de déblatérer contre tout le monde,* de dire du mal de tout le monde. ✱ Conj. nᵒ 10.

déblayer v. 1ᵉʳ groupe. *Après l'avalanche, on a déblayé la route,* on a enlevé les matériaux qui l'obstruaient (≠ remblayer). ✱ Conj. nᵒ 4. ■ **déblais** n.m. pl. *Un camion est venu charger les déblais,* la terre, les débris. ●● **remblai**

débloquer v. 1ᵉʳ groupe. SENS 1. *Cette vis est rouillée, je ne peux pas la débloquer,* la faire tourner pour la sortir (= desserrer). SENS 2. *La mairie a débloqué des crédits,* elle les a rendus disponibles (≠ bloquer). ■ **déblocage** n.m. [SENS 2] *Le déblocage de cette somme permettrait à l'école d'acheter un magnétoscope,* la mise à disposition de cette somme.

déboires n.m. pl. *Luc a eu des déboires avec sa nouvelle console de jeux,* il n'a pas réussi à la faire bien marcher (= échec, déception, ennuis ; ≠ satisfaction, succès).

déboiser v. 1ᵉʳ groupe. *On a déboisé une partie de la forêt,* on a coupé des arbres (≠ reboiser). ●● **bois**

illustr. p. 855, 157, 333

■ **déboisement** n.m. *Un **déboisement** excessif risque de modifier le climat,* un abattage excessif des arbres.

déboîter v. 1er groupe. SENS 1. *Papa met son clignotant pour signaler qu'il va **déboîter**,* sortir de sa file de voitures. SENS 2. *En tombant, Malika **s'est déboîté** l'épaule,* l'os de son épaule est sorti de son articulation (= luxer, se démettre). ●● *emboîter*

■ **déboîtement** n.m. [SENS 2] *Le **déboîtement** de l'épaule est très douloureux,* le déplacement de l'os (= luxation).

débonnaire adj. *Un homme **débonnaire** est doux et bienveillant (≠ sévère).*

déborder v. 1er groupe. SENS 1. *L'eau **déborde**, l'évier **déborde**,* l'eau passe par-dessus le bord. ●● *bord*. SENS 2. *Je suis **débordée** de travail,* j'ai énormément de travail, j'en suis surchargée.

■ **débordement** n.m. [SENS 1] *Les pluies ont entraîné le **débordement** de la rivière* (= crue).

déboucher v. 1er groupe. SENS 1. *L'évier **est débouché**,* l'eau s'écoule à nouveau. ***Débouche** une bouteille,* ôte le bouchon. ●● *boucher*. SENS 2. *Cette rue **débouche** sur la place,* elle aboutit à la place (= mener, conduire).

■ **débouché** n.m. [SENS 1] *Le fabricant cherche de nouveaux **débouchés**,* des endroits pour vendre ses produits. [SENS 2] *Ces études offrent de nombreux **débouchés**,* des possibilités de trouver un métier.

débouler v. 1er groupe. Fam. *Karim a **déboulé** l'escalier,* il est descendu très vite (= fam. dégringoler).

débourser v. 1er groupe. *La machine est sous garantie, vous n'avez rien à **débourser**,* à payer (= dépenser).

debout adv. SENS 1. *Quand le président est entré, tout le monde s'est mis **de-bout**,* s'est levé (≠ assis, couché). SENS 2. *Il est 8 heures, tu devrais être **debout**,* hors de ton lit. SENS 3. *Cette explication ne **tient** pas **debout**,* elle n'est pas logique, acceptable.

débouter v. 1er groupe. *Le tribunal a **débouté** les accusateurs,* il a rejeté leurs accusations.

déboutonner v. 1er groupe. *J'ai **déboutonné** ma veste,* j'ai ôté les boutons des boutonnières (≠ boutonner). ●● *bouton*

débraillé, ée adj. *Tu ne peux pas sortir dans cette tenue **débraillée**,* avec ces vêtements en désordre.

débrancher v. 1er groupe. *Les jours d'orage, nous **débranchons** le téléviseur,* nous supprimons son raccordement au réseau en retirant la fiche de la prise électrique (≠ brancher).

débrayer v. 1er groupe. ***Débrayer**,* c'est supprimer la liaison entre le moteur et les roues d'un véhicule pour changer de vitesse ou se mettre au point mort (≠ embrayer). ✹ Conj. n° 4.

■ **débrayage** n.m. *La pédale de **débrayage** est celle qui permet de débrayer (≠ embrayage).*

débridé, ée adj. *Une imagination **débridée** est une imagination sans bornes, sans contrainte (= débordant, effréné).* ●● *bride*

débris n.m. pl. *Ramasse les **débris** de la bouteille,* les morceaux cassés.

débrouiller v. 1er groupe. SENS 1. *La police a réussi à **débrouiller** le mystère* (= démêler, éclaircir ; ≠ embrouiller). SENS 2. *Aziz **s'est débrouillé** pour arriver le premier,* il a agi habilement (= s'arranger).

■ **débrouillard, arde** adj. et n. [SENS 2] *Jean est **débrouillard*** (= adroit, habile, astucieux, dégourdi).

■ **débrouillardise** n.f. [SENS 2] *Colin compte sur sa débrouillardise pour se tirer d'affaire,* sa capacité à bien se débrouiller (= ingéniosité, astuce).

débroussailler v. 1ᵉʳ groupe. *On débroussaille les sous-bois pour éviter les incendies de forêt,* on enlève les broussailles. ●● *broussaille*

débuter v. 1ᵉʳ groupe. SENS 1. *L'année débute le 1ᵉʳ janvier* (= commencer ; ≠ finir). SENS 2. *Quand il a débuté, son salaire n'était pas gros,* quand il a commencé à travailler.

■ **début** n.m. [SENS 1] *Le début de ce livre n'est pas intéressant* (= commencement ; ≠ fin).

■ **débutant, ante** n. [SENS 2] *Il fait beaucoup d'erreurs, c'est un débutant,* une personne qui commence une activité (= novice).

illustr. p. 991

déca- préfixe. Placé devant un nom d'unité, **déca-** la multiplie par 10 : *un décagramme vaut 10 grammes ; un décalitre vaut 10 litres ; un décamètre vaut 10 mètres.* ●● *gramme, litre, mètre*

en **deçà de** prép. *Nous sommes restés en deçà de la rivière,* de ce côté-ci, nous n'avons pas traversé (≠ au-delà).

décacheter v. 1ᵉʳ groupe. **Décacheter** une lettre, c'est ouvrir l'enveloppe (≠ cacheter).
✳ Conj. n° 8.

décadence n.f. *Il dit que nous sommes dans un siècle de décadence,* où tout va de plus en plus mal (= déclin ; ≠ développement, essor).

décaféiné, ée adj. *Dans le café décaféiné,* on a enlevé les substances excitantes qui sont dans le café normal. ●● *café*

décagramme → *déca-*

décalcifier v. 1ᵉʳ groupe. *Une personne se décalcifie quand son organisme perd ou n'assimile pas le calcium qui lui est nécessaire.* ●● *calcium*

décalcomanie → *décalquer*

décaler v. 1ᵉʳ groupe. *Le début du travail a été décalé d'une demi-heure* (= déplacer).

■ **décalage** n.m. *Il y a un décalage horaire d'une heure entre Paris et Athènes,* on change d'heure (= écart, différence).

décalitre → *déca-*

décalquer v. 1ᵉʳ groupe. **Décalquer** un dessin, c'est le reproduire en suivant ses traits grâce à un papier transparent. ●● *calque*

■ **décalcomanie** n.f. *Une décalcomanie est une image faite pour être décollée d'un papier et appliquée sur un objet, sur une autre feuille de papier.*

■ **décalque** n.m. *Décalque est un autre mot pour « calque ».*

décamètre → *déca-*

décamper v. 1ᵉʳ groupe. *Les bandits ont décampé avant l'arrivée de la police,* ils se sont enfuis en vitesse (= déguerpir, détaler).

décanter v. 1ᵉʳ groupe. *Pour décanter un liquide, on laisse les impuretés se déposer au fond du récipient* (= purifier).

■ **décantation** n.f. *La décantation d'un liquide est sa purification.*

décaper v. 1ᵉʳ groupe. *On a décapé le parquet,* on l'a frotté pour le nettoyer.

décapiter v. 1ᵉʳ groupe. *Louis XVI a été décapité,* on lui a coupé la tête.

décapotable adj. et n.f. *Une (voiture) décapotable est une voiture munie d'une capote mobile.* ●● *capote*

illustr. p. 852

décapsuler v. 1er groupe. **Décapsuler** une bouteille, c'est l'ouvrir en ôtant la capsule qui la bouche. ●● *capsule*

▪ **décapsuleur** n.m. Un **décapsuleur** est un petit instrument qui sert à ôter les capsules de bouteilles.

se **décarcasser** v. 1er groupe. Fam. *Je me suis décarcassé pour trouver une solution*, je me suis donné beaucoup de peine.

décathlon n.m. Le **décathlon** est une épreuve d'athlétisme comportant dix compétitions.

décéder → *décès*

déceler v. 1er groupe. *On n'a pas réussi à déceler la cause de l'incendie* (= découvrir, détecter, trouver).
✱ Conj. n° 5.

▪ **décelable** adj. *La fissure est difficilement décelable*, on a du mal à repérer où elle se trouve.

illustr.
p. 132

décembre n.m. **Décembre** est le douzième mois de l'année.

décent, ente adj. *Ta tenue n'est pas décente*, elle choque les convenances, la pudeur (= convenable ; ≠ incorrect, indécent).

▪ **décence** n.f. *Cette affiche est contraire à la décence*, elle est inconvenante (≠ indécence).

▪ **décemment** adv. *Habille-toi décemment pour sortir*, de façon décente et convenable (= correctement).
✱ On prononce [desamã].

décentraliser v. 1er groupe. **Décentraliser** l'industrie, c'est l'implanter ailleurs que dans les grands centres ou les grandes villes. ●● *centre*

déception → *décevoir*

décerner v. 1er groupe. *On lui a décerné le premier prix*, on le lui a attribué (= accorder).

décès n.m. *On ne connaît pas les causes de son décès* (= mort).

▪ **décéder** v. 1er groupe. *M. Dupuis est décédé depuis deux ans* (= mourir).
✱ Conj. n° 10.

décevoir v. 3e groupe. *Adeline m'a déçu quand elle n'a pas tenu sa promesse*, elle n'a pas fait ce que j'espérais (≠ satisfaire).
✱ Conj. n° 34.

▪ **décevant, ante** adj. *Ce livre est décevant*, il ne correspond pas à ce qui était annoncé (≠ satisfaisant).

▪ **déception** n.f. *Son échec lui a causé une grande déception*, une grande tristesse parce qu'elle espérait réussir (= désillusion ; ≠ satisfaction).

déchaîner v. 1er groupe. *Cette remarque insolente a déchaîné sa colère*, elle l'a fait éclater avec violence.

▪ **déchaînement** n.m. *Cet attentat a provoqué un déchaînement de violence* (= explosion).

déchanter v. 1er groupe. *On comptait sur lui, mais il a fallu déchanter*, cesser d'espérer.

décharger v. 1er groupe. SENS 1. *On a déchargé la voiture*, on l'a vidée de son chargement (≠ charger). SENS 2. *Elle m'a déchargé de ce travail*, elle a fait une grande partie du travail à ma place. SENS 3. **Décharger** son revolver, c'est en retirer les balles ou lâcher la charge en tirant. ●● *chargeur*
✱ Conj. n° 2.

▪ **décharge** n.f. [SENS 1] *Il y avait ici autrefois une décharge publique*, un endroit où l'on pouvait se débarrasser des ordures, des détritus. [SENS 3] *Il a reçu une décharge de plomb*, un coup tiré avec une arme à feu. ◆ *Un témoin à décharge* est une personne qui apporte un témoignage favorable à l'accusé.

▪ **déchargement** n.m. [SENS 1] *Le déchargement de l'autocar a pris des* *heures,* l'opération consistant à sortir les bagages. ●● *chargement*

décharné, ée adj. Un visage **décharné** est un visage très maigre. ●● *chair*

se **déchausser** v. 1er groupe. *Déchausse-toi avant d'entrer, enlève tes chaussures* (≠ chausser).

déchéance → *déchoir*

déchet n.m. *Va jeter tous ces déchets à la poubelle !,* ces morceaux sans valeur (= reste, ordure, résidu).

déchiffrer v. 1er groupe. SENS 1. *Champollion a déchiffré l'écriture égyptienne,* il a réussi à en comprendre les signes. ●● *chiffre.* SENS 2. *Déchiffrer une partition musicale,* c'est lire les notes et les interpréter.

déchiqueter v. 1er groupe. *Le chien a déchiqueté un coussin,* il l'a déchiré en petits morceaux.
✳ Conj. n° 8.

déchirer v. 1er groupe. SENS 1. *J'ai déchiré ces vieux papiers avant de les jeter,* je les ai mis en morceaux. *Fanny a déchiré sa jupe,* elle y a fait un accroc. SENS 2. *La nouvelle de sa mort m'a déchiré le cœur,* elle m'a causé beaucoup de chagrin.

■ **déchirant, ante** adj. [SENS 2] *Le blessé poussait des cris déchirants* (= douloureux). *La vue des réfugiés est un spectacle déchirant* (= bouleversant, émouvant).

■ **déchirement** n.m. [SENS 2] *Son départ m'a causé un véritable déchirement,* une grande peine.

■ **déchirure** n.f. [SENS 1] *Marie a fait une déchirure à sa robe,* elle a déchiré le tissu (= accroc).

déchoir v. 3e groupe. *Il avait l'impression de déchoir en acceptant ce travail modeste,* de faire quelque chose qui le rabaisse (= s'abaisser).
✳ Conj. n° 49.

■ **déchéance** n.f. *L'alcoolisme entraîne une déchéance physique et morale* (= abaissement, dégradation).

déci- préfixe. Placé devant un nom d'unité, **déci-** la divise par 10 : *un décigramme est un dixième de gramme ; un décilitre est un dixième de litre ; un décimètre est un dixième de mètre.* ●● *gramme, litre, mètre*   *illustr. p. 991*

décibel n.m. *Le décibel est une unité de mesure de l'intensité des sons.*

décidément adv. *Il a encore eu un accident ? Décidément, il n'a pas de chance !,* cela se confirme (= vraiment).

décider v. 1er groupe. SENS 1. *Nous avons décidé de partir demain,* nous avons pris cette résolution (= choisir, résoudre ; ≠ hésiter). SENS 2. *Il hésitait, mais je l'ai décidé à finir ce travail* (= convaincre, pousser).

■ **décidé, ée** adj. [SENS 1] *Jean est un garçon décidé,* il n'hésite pas avant d'agir (= hardi ; ≠ indécis).

■ **décisif, ive** adj. [SENS 1] *Le moment décisif est venu,* le moment où il faut choisir (= déterminant, crucial).

■ **décision** n.f. [SENS 1] *Quelle décision as-tu prise ?,* qu'as-tu décidé ? (= résolution, choix). *Il a montré beaucoup de décision* (= fermeté ; ≠ hésitation). ●● *indécision*

décigramme, décilitre → *déci-*

décimal, ale, aux adj. SENS 1. *Dans le système décimal,* chaque unité vaut dix fois l'unité inférieure. SENS 2. *Un nombre décimal est un nombre qui comporte une virgule suivie de chiffres* (≠ entier).   *illustr. p. 991*

■ **décimale** n.f. *4,75 est un nombre à deux décimales,* à deux chiffres après la virgule.

décimer v. 1er groupe. *La guerre a décimé la population de ce village,* elle a fait beaucoup de morts.

décimètre → *déci-*

décisif, décision → *décider*

déclamer v. 1ᵉʳ groupe. *L'actrice dé-clama sa tirade,* elle la récita avec beaucoup de solennité.

■ **déclamatoire** adj. *Il parle d'un ton déclamatoire,* comme s'il déclamait (= pompeux, emphatique).

déclarer v. 1ᵉʳ groupe. SENS 1. *M. Paoli a déclaré qu'il partait demain,* il nous l'a fait savoir (= annoncer). SENS 2. *Tous les ans, on déclare ses revenus au percep-teur,* on les fait connaître officiellement. SENS 3. *Une épidémie de grippe s'est déclarée,* elle a commencé (= éclater).

■ **déclaration** n.f. [SENS 1] *As-tu en-tendu les déclarations du ministre ?,* ce qu'il a dit. *Elle lui a fait une déclaration d'amour,* elle lui a avoué qu'elle l'aimait. [SENS 2] *M. Dupont a fait sa déclaration de revenus,* il a rempli une feuille décla-rant ce qu'il a gagné.

déclasser v. 1ᵉʳ groupe. *Quelqu'un a déclassé mes papiers,* les a mis en désordre (= déranger ; ≠ classer).

déclencher v. 1ᵉʳ groupe. SENS 1. *Cette touche déclenche la sonnerie,* elle la met en marche, la fait fonctionner. SENS 2. *Son discours a déclenché les protestations des auditeurs* (= causer, provoquer).

■ **déclenchement** n.m. [SENS 2] *Cet attentat marque le déclenchement de la lutte armée* (= début).

déclic n.m. SENS 1. *Pour ouvrir la boîte, appuie sur le déclic,* la pièce qui déclen-che le mécanisme. SENS 2. *La porte s'est fermée avec un déclic,* un petit bruit sec.

décliner v. 1ᵉʳ groupe. SENS 1. *Le jour décline,* il approche de sa fin (= baisser, tomber). SENS 2. *Jacques a décliné mon invitation* (= refuser). SENS 3. *Décliner un nom, en latin ou en allemand par exem-*

ple, c'est donner la liste des différentes formes qu'il peut avoir selon sa fonction grammaticale. ◆ *Elle a décliné tous ses diplômes,* elle les a énumérés.

■ **déclin** n.m. [SENS 1] *Le soleil est dans son déclin,* il va disparaître à l'horizon. *C'est le déclin de sa célébrité* (= baisse, chute).

■ **déclinaison** n.f. [SENS 3] *La déclinai-son d'un nom, en latin,* c'est la manière de le décliner.

déclivité n.f. *Après le virage, il y a une forte déclivité,* une inclinaison très forte du terrain (= pente).

déclouer v. 1ᵉʳ groupe. *Pour ouvrir cette caisse, il faut déclouer le couver-cle,* enlever les clous qui le fixent (≠ clouer). ●● *clou*

décocher v. 1ᵉʳ groupe. *Décocher une flèche,* c'est la lancer.

décoder v. 1ᵉʳ groupe. *Décoder un message chiffré,* c'est le mettre en lan-gage clair (= déchiffrer ; ≠ chiffrer). ●● *code*

décoiffer v. 1ᵉʳ groupe. *Le vent t'a décoiffée,* il a mis tes cheveux en désor-dre (≠ coiffer).

1. décoller v. 1ᵉʳ groupe. *Fatou a décollé le timbre pour sa collection,* elle l'a ôté de la surface sur laquelle il était collé (≠ coller).

2. décoller v. 1ᵉʳ groupe. *L'avion décolle à 10 heures,* il quitte le sol (= s'envoler ; ≠ atterrir).   illustr. p. 74

■ **décollage** n.m. *Il est interdit de fumer pendant le décollage,* pendant que l'avion décolle (≠ atterrissage).   illustr. p. 202

décolleté, ée adj. *Une robe décolle-tée* est une robe qui découvre le cou et les épaules. ●● *col*

décoloniser v. 1ᵉʳ groupe. *L'Afrique est aujourd'hui décolonisée,* ses pays ne sont plus des colonies, ils sont indé-pendants (≠ coloniser). ●● *colonie*

■ **décolonisation** n.f. *La décolonisa-tion est un événement majeur du XXe siè-cle,* l'accession des anciennes colonies à l'indépendance.

décolorer v. 1er groupe. *Le soleil a décoloré les rideaux,* il leur a fait perdre leurs couleurs (≠ colorer). ●● *couleur*

décombres n.m. pl. *Après l'incendie, on a recherché les blessés dans les décombres fumants,* les restes de la construction (= ruines).
✹ Attention, ce mot est masculin.

décommander v. 1er groupe. SENS 1. *Son père est tombé malade et a dé-commandé la voiture,* il a annulé sa commande d'une nouvelle voiture (≠ commander). SENS 2. *Peggy s'est décommandée,* elle a prévenu qu'elle ne viendrait pas.

décomposer v. 1er groupe. SENS 1. *Décomposer* quelque chose, c'est sépa-rer les parties qui le forment (≠ compo-ser). SENS 2. *La viande se décompose au soleil,* elle se gâte (= pourrir).

■ **décomposition** n.f. [SENS 2] *Les fruits tombés sous l'arbre sont en dé-composition,* ils sont en train de pourrir (= putréfaction).

se **déconcentrer** v. 1er groupe. *Il a perdu la partie parce qu'il s'est décon-centré,* il a relâché son attention et sa volonté (≠ concentrer).

déconcerter v. 1er groupe. *Sa réponse nous a déconcertés,* elle nous a beau-coup surpris (= dérouter, embarrasser, désarçonner).

■ **déconcertant, ante** adj. *Pierre est d'une insouciance déconcertante* (= in-compréhensible, déroutant).

déconfit, e adj. *Jean était tout déconfit d'avoir perdu,* très déçu (= dépité ; ≠ triomphant).

■ **déconfiture** n.f. *Notre équipe a perdu 10 à 0 : quelle déconfiture !,* quelle cuisante défaite (= échec).

déconnecter v. 1er groupe. *N'oublie pas de déconnecter l'ordinateur avant de quitter la pièce,* de le débrancher (≠ connecter).

déconseiller v. 1er groupe. *On m'a déconseillé d'acheter ce type de clas-seur,* on m'a conseillé de ne pas l'acheter (≠ conseiller).

déconsidérer v. 1er groupe. *Sa gros-sièreté l'a déconsidéré auprès de toute la classe,* elle lui a fait perdre l'estime, la considération des autres enfants. ●● *considérer*
✹ Conj. n° 10.

décontenancer v. 1er groupe. *Le rire de Benoît a décontenancé Anissa,* il l'a beaucoup surprise et lui a fait perdre contenance (= déconcerter). ●● *conte-nance*
✹ Conj. n° 1.

décontracter v. 1er groupe. SENS 1. *Un bain chaud va te décontracter,* il va faire cesser ta fatigue et ta tension. SENS 2. *Son visage s'est décontracté,* il s'est détendu. *Elle avait l'air décontracté* (= détendu, fam. relax ; ≠ contracté).

■ **décontraction** n.f. *Les massages aident à la décontraction des muscles* (= relaxation).

déconvenue n.f. *Malgré sa déconve-nue, il a gardé le sourire* (= déception, désillusion).

décorer v. 1er groupe. SENS 1. *Pour Noël, on a décoré la salle à manger,* on y a mis des objets pour l'embellir (= or-ner). SENS 2. *M. Dupont est décoré de la Légion d'honneur,* il a reçu cette distinc-tion honorifique.

■ **décor** n.m. [SENS 1] *Au deuxième acte de la pièce, les décors changent,* les accessoires qui représentent le lieu de

illustr.
p. 952

l'action. ◆ *Depuis vingt ans, elle vit dans le même décor, dans le même cadre de vie.*

■ **décorateur, trice** n. [SENS 1] Le métier du **décorateur** consiste à décorer les appartements ou à faire des décors de théâtre.

■ **décoratif, ive** adj. [SENS 1] *Ce lustre est très décoratif, il fait un bel effet.*

■ **décoration** n.f. [SENS 1] *Que faut-il acheter pour la décoration de la salle ?* (= ornement). [SENS 2] *La Légion d'honneur, la croix de guerre sont des décorations*, des insignes que l'on remet aux personnes que l'on veut honorer (= médaille).

décortiquer v. 1er groupe. **Décortiquer** des noix, des noisettes, c'est extraire de la coquille la partie qui se mange.

décorum n.m. *La cérémonie a eu lieu avec un certain décorum* (= éclat, solennité).
✳ On prononce [dekɔrɔm].

découdre v. 3e groupe. *Il faut découdre ce pli* (= défaire la couture ; ≠ coudre).
✳ Conj. no 59.

découler v. 1er groupe. *Son échec découle d'un manque de travail,* il en est la conséquence (= provenir, résulter).

découper v. 1er groupe. SENS 1. *Paul découpe une image,* il la coupe en suivant les contours. ●● *couper*. SENS 2. *Le clocher se découpe sur le ciel,* ses contours apparaissent nettement.

■ **découpage** n.m. [SENS 1] *Les enfants font des découpages,* ils découpent des images ou des formes dessinées.

découplé, ée adj. *Yannick est un garçon bien découplé,* bien bâti, vigoureux.

décourager v. 1er groupe. *Ne vous laissez pas décourager par les difficultés,* enlever votre courage (= démoraliser ; ≠ encourager, stimuler). ●● *courage*
✳ Conj. no 2.

■ **découragement** n.m. *Après un moment de découragement, il s'est ressaisi* (= abattement).

découvrir v. 3e groupe. SENS 1. *Je suis allé découvrir mon petit frère parce qu'il faisait trop chaud,* enlever ce qui le couvrait. SENS 2. *Il fait froid, ne te découvre pas,* n'ôte pas tes vêtements. *Papa s'est découvert pour saluer notre voisin,* il a ôté son chapeau (≠ découvrir). SENS 3. *Le ciel se découvre,* les nuages s'en vont. SENS 4. *Christophe Colomb a découvert l'Amérique,* il a été le premier à en révéler l'existence. *Louis Pasteur a découvert le vaccin contre la rage* (= trouver).
✳ Conj. no 16.

■ **découverte** n.f. [SENS 4] *La découverte des antibiotiques a fait faire de grands progrès à la médecine* (= invention). *Maman a fait une découverte chez un brocanteur* (= trouvaille). *Mon petit frère veut partir à la découverte d'un trésor* (= recherche).

décrasser v. 1er groupe. *Il faut décrasser la cheminée,* en enlever la crasse (= nettoyer ; ≠ encrasser). ●● *crasse*

décret n.m. *Un décret a changé les programmes scolaires,* une décision du gouvernement.

■ **décréter** v. 1er groupe. *Il a décrété qu'il partirait demain* (= décider).
✳ Conj. no 10.

décrier v. 1er groupe. *Certains peintres aujourd'hui à l'honneur étaient décriés de leur vivant,* ils étaient critiqués, méprisés (= dénigrer).

décrire v. 3e groupe. SENS 1. *Peux-tu me décrire ta maison ?,* me dire comment elle est (= dépeindre). ●● *description, indescriptible*. SENS 2. *Le soleil décrit une courbe dans le ciel,* il la suit (= tracer).
✳ Conj. no 71.

décrocher v. 1er groupe. SENS 1. *Décroche la carte murale,* ôte-la de son crochet (≠ accrocher). SENS 2. *Décroche le téléphone avant de composer le numéro,* enlève le combiné de son support (≠ raccrocher).

décroître v. 3ᵉ groupe. *À la fin de juin, les jours commencent à décroître,* à diminuer (≠ croître).
✳ Conj. n° 66.

■ **décroissant, ante** adj. *Des chiffres classés en ordre décroissant sont classés en allant du plus grand au plus petit.*

décrotter v. 1ᵉʳ groupe. *Décrotter des chaussures,* c'est enlever la boue qui les couvre (≠ crotter).

décrue n.f. *La rivière a amorcé sa décrue,* l'eau a commencé à baisser (≠ crue).

déçu, ue adj. *Aurélie était déçue de ne pas être première,* elle était triste parce qu'elle espérait être première (= désappointé). ●● *décevoir*

décupler v. 1ᵉʳ groupe. *Le prix du café a décuplé,* il a été multiplié par dix.

dédaigner v. 1ᵉʳ groupe. *Il ne faut pas dédaigner ces détails, ils sont importants,* il ne faut pas les laisser de côté (= ignorer, mépriser, négliger). ●● *daigner*

■ **dédain** n.m. *Pierre a répondu avec dédain* (= arrogance, mépris ; ≠ respect).

■ **dédaigneux, euse** adj. *Pourquoi prends-tu cet air dédaigneux ?* (= fier, hautain, méprisant).

■ **dédaigneusement** adv. *Il a rejeté dédaigneusement ma proposition,* avec dédain.

dédale n.m. *Un dédale de rues,* c'est un ensemble compliqué de rues où l'on peut se perdre (= labyrinthe).

dedans SENS 1. adv. *Regarde dans l'armoire, j'ai mis tes affaires dedans,* à l'intérieur (≠ dehors). ●● *dans.* SENS 2. n.m. *On a repeint le dedans du tiroir* (= intérieur ; ≠ extérieur).

dédicacer v. 1ᵉʳ groupe. *Le poète m'a dédicacé son livre,* il a écrit quelques mots pour moi sur la première page.
✳ Conj. n° 1.

■ **dédicace** n.f. *Le chanteur a écrit une dédicace sur mon programme,* quelques mots pour moi.

dédier v. 1ᵉʳ groupe. SENS 1. *Ce romancier a dédié son premier livre à sa femme,* il a fait imprimer « À ma femme » sur la première page. SENS 2. *Je dédie cette chanson à tous les enfants du monde,* je la leur destine (= offrir).

se **dédire** v. 3ᵉ groupe. *Tu m'as donné ta parole, tu ne peux pas te dédire,* revenir sur ce que tu as dit, ne pas tenir ta promesse (= se rétracter). ●● *dire*
✳ Conj. n° 72 sauf au participe passé (**dédit, dédite**).

dédommager v. 1ᵉʳ groupe. *Après le cambriolage, l'assurance nous a dédommagés,* elle a versé de l'argent pour réparer les dégâts (= indemniser). ●● *dommage*
✳ Conj. n° 2.

■ **dédommagement** n.m. *Vous avez droit à un dédommagement* (= indemnisation, compensation).

dédoubler v. 1ᵉʳ groupe. *La classe a été dédoublée,* on l'a divisée en deux en répartissant les élèves dans deux nouvelles classes. ●● *doubler*

déduire v. 3ᵉ groupe. SENS 1. *Comme il n'a pas répondu à ma proposition, j'en déduis que cela ne l'intéressait pas,* j'en tire cette conséquence logique (= conclure). SENS 2. *Quand on déduit 7 de 15, on trouve 8* (= soustraire).
✳ Conj. n° 70.

■ **déductible** adj. [SENS 2] *Certaines dépenses d'entretien sont déductibles des revenus à déclarer,* on peut les déduire.

■ **déduction** n.f. [SENS 1] *Tes déductions ne sont pas justes* (= raisonnement, conclusion). [SENS 2] *Il faut faire la* **déduction** *des acomptes déjà versés* (= soustraction).

déesse n.f. *Les anciens Grecs adoraient des dieux et des* **déesses**, *des divinités de sexe féminin.* ●● *dieu*

défaillance n.f. *À la fin de l'étape, le coureur a eu une* **défaillance**, *il n'avait plus de force* (= faiblesse).
▪ **défaillir** v. 3ᵉ groupe. *Il a défailli, quand on lui a annoncé la nouvelle*, il a eu un malaise (= s'évanouir).
✳ Conj. n° 23.
▪ **défaillant, ante** adj. SENS 1. *Ma mémoire est* **défaillante** *sur ce point,* je ne m'en souviens plus. SENS 2. *Trois candidats sont* **défaillants**, *ils ne se sont pas présentés à l'examen.*

défaire v. 3ᵉ groupe. SENS 1. *Dès l'arrivée on a défait les bagages,* on a vidé les valises (= déballer ; ≠ faire). *Je n'arrive pas à* **défaire** *ce nœud*, à le dénouer. SENS 2. *Il faudrait te défaire de cette mauvaise habitude* (= se débarrasser).
✳ Conj. n° 76.

défaite n.f. *Le match s'est terminé par la* **défaite** *de notre équipe*, notre équipe a perdu (≠ victoire).
▪ **défaitisme** n.m. *Il faut lutter contre le* **défaitisme**, *la tendance à croire qu'on va perdre.*
▪ **défaitiste** adj. et n. *Ne sois pas* **défaitiste**, *on a des chances de gagner !,* crois en la victoire (= pessimiste).

défalquer v. 1ᵉʳ groupe. *Il faut* **défalquer** *de la somme à payer les acomptes déjà versés*, les ôter, les soustraire (= déduire).

défaut n.m. SENS 1. *La médisance est un vilain* **défaut**, *c'est mal* (≠ qualité). SENS 2. *Ce tissu a des* **défauts**, *il est mal fait* (= imperfection). SENS 3. *Les forces lui* **ont fait défaut**, *lui ont manqué.* SENS 4. *À défaut d'orangeade,* je boirai de la limonade, puisqu'il n'y a pas d'orangeade (= faute de).

▪ **défectueux, euse** adj. [SENS 2] *Cet appareil est* **défectueux**, *il a des défauts, des imperfections.*

défavorable adj. *Le juge a été* **défavorable** *à cette demande,* il s'y est opposé (≠ favorable). *Le temps est* **défavorable** *pour cette excursion,* il ne nous permet pas de la faire.
▪ **défavoriser** v. 1ᵉʳ groupe. *Albane est* **défavorisée** *par sa timidité,* c'est pour elle un inconvénient (= désavantager ; ≠ favoriser). ●● *faveur*

défection n.f. *Il nous a promis son aide, puis il a fait* **défection**, *il nous a abandonnés.*

défectueux → *défaut*

défendre v. 3ᵉ groupe. SENS 1. *Si on t'attaque, je te* **défendrai**, *je viendrai à ton secours* (= secourir, protéger). *Alex* **défend** *son projet avec ténacité,* il le met en valeur et répond aux critiques (= soutenir ; ≠ attaquer). SENS 2. *Le médecin lui* **a défendu** *de sortir* (= interdire ; ≠ autoriser, permettre).
✳ Conj. n° 50.

▪ **défendable** adj. [SENS 1] *Votre interprétation est* **défendable**, *on peut la soutenir* (≠ indéfendable).
▪ **défense** n.f. [SENS 1] *Jérémy a pris ma* **défense**, *il m'a défendu.* ●● *autodéfense.* [SENS 2] **Défense** *de marcher sur les pelouses !,* il ne faut pas marcher (= interdiction). ◆ *Les* **défenses** *de l'éléphant peuvent atteindre 3 mètres de long,* des sortes de dents très longues. *illustr. p. 1032*
▪ **défenseur** n.m. [SENS 1] *Les* **défenseurs** *ont repoussé les assaillants,* ceux qui assuraient la défense.
▪ **défensif, ive** adj. [SENS 1] *Une arme* **défensive** *sert à se défendre* (≠ offensif).
▪ **défensive** n.f. [SENS 1] *L'ennemi est resté sur la* **défensive**, *il est prêt à se défendre* (≠ offensive).

déférence n.f. *Julie parle au directeur avec **déférence**,* avec beaucoup de politesse et de considération (= respect ; ≠ insolence).

■ **déférent, ente** adj. *Un salut **déférent** exprime le respect.*

déférer v. 1ᵉʳ groupe. *La police **a déféré** le malfaiteur à la justice,* elle l'a remis aux juges (= traduire).
✳ Conj. n° 10.

déferler v. 1ᵉʳ groupe. *Les vagues **déferlent** sur la plage,* elles retombent en roulant avec force (= se briser).

■ **déferlant, ante** adj. *Le voilier a été renversé par une vague **déferlante**,* une vague qui déferle.

défi, défiance → *défier*

déficience n.f. *Il y a chez lui une **déficience** de la volonté* (= faiblesse, manque).

■ **déficient, ente** adj. *Ses forces sont **déficientes**,* elles sont insuffisantes.

déficit n.m. *Ce commerçant a fait un **déficit** de 1 000 euros,* cette somme lui manque, il l'a perdue (≠ bénéfice).
✳ On prononce le « t » final : [defisit].

■ **déficitaire** adj. *Notre budget est **déficitaire**,* il y a plus de dépenses que de recettes, il n'y a pas de bénéfices. *La récolte est **déficitaire**,* elle est insuffisante (≠ excédentaire).

défier v. 1ᵉʳ groupe. SENS 1. *Simon m'a **défié** de courir aussi vite que lui,* il m'a dit que j'en étais incapable. SENS 2. *Je me **défie** de Jacques,* je n'ai pas confiance en lui (= se méfier ; ≠ se fier).

■ **défi** n.m. [SENS 1] *Fabien m'a lancé un **défi**,* il m'a défié. *Je te mets au **défi** de prouver ce que tu dis,* j'affirme que tu en es incapable. *Qui osera relever le **défi** ?,* accepter la lutte.

■ **défiance** n.f. [SENS 2] *Les paroles de Catherine ont éveillé ma **défiance*** (= méfiance ; ≠ confiance).

défigurer v. 1ᵉʳ groupe. *Cette blessure l'**a défiguré**,* elle lui a enlaidi le visage.
●● *figure*

défilé n.m. SENS 1. *Nous avons assisté au **défilé** du 14-Juillet,* à la marche des soldats en rangs. SENS 2. *La rivière traverse la montagne par un **défilé**,* un passage étroit (= gorge). *illustr. p. 220*

■ **défiler** v. 1ᵉʳ groupe. [SENS 1] *Les manifestants **défilent** sur les boulevards,* ils marchent en rangs. *Des images **défilent** devant mes yeux,* elles se succèdent sans interruption et de manière régulière.

définir v. 2ᵉ groupe. *Pierre n'arrivait pas à **définir** ce qu'il ressentait,* à le dire avec précision (= expliquer). *Dans un dictionnaire, on **définit** les mots,* on indique leur signification.

■ **défini, ie** adj. *Ce travail n'est pas bien **défini*** (= précis, déterminé). ●● **indéfinissable**. ◆ *« Le » est un article **défini**,* il se rapporte à une chose ou à une personne précise (≠ indéfini).

■ **définition** n.f. *« Poil qui pousse sur la tête de l'homme » est la **définition** de « cheveu »,* l'explication de son sens.

définitif, ive adj. *Mon refus est **définitif**,* il ne changera pas (= irrévocable ; ≠ provisoire).

■ **en définitive** adv. *J'ai hésité long-temps et, **en définitive**, je suis partie* (= finalement, en fin de compte, tout compte fait).

■ **définitivement** adv. *Il est parti **définitivement**, pour toujours.*

définition → *définir*

déflagration n.f. *Tout le quartier a entendu la **déflagration**,* l'explosion violente.

défoncer v. 1ᵉʳ groupe. *Les cambrioleurs **ont défoncé** la porte,* ils l'ont cassée en l'enfonçant.
✳ Conj. n° 1.

déformer v. 1ᵉʳ groupe. *Le choc* ***a*** ***déformé*** *le châssis de la voiture,* il a changé sa forme en plus mal. *Vous* ***déformez*** *ma pensée,* vous modifiez le sens de ce que je pense (= dénaturer). ●● ***forme (1)***

■ **déformation** n.f. *Il a une* ***déformation*** *de la colonne vertébrale,* une modification de la forme normale (= déviation).

se **défouler** v. 1ᵉʳ groupe. Fam. *Il ne pouvait plus se taire, il* ***s'est défoulé*** *en me racontant tout,* il s'est soulagé, détendu.

■ **défoulement** n.m. *Cette promenade en forêt est un* ***défoulement*** (= détente).

défraîchi, ie adj. *Cette robe est dé-fraîchie,* elle a perdu son aspect neuf, sa fraîcheur (= usagé). ●● ***frais (1)***

défrayer v. 1ᵉʳ groupe. SENS 1. *Nous* ***avons été défrayés*** *de tout,* on nous a remboursé toutes nos dépenses (= dédommager). ●● ***frais (2)***. SENS 2. *Ce scandale* ***défraie la chronique,*** tout le monde en parle.
✳ Conj. nº 4.

défricher v. 1ᵉʳ groupe. ***Défricher*** *un terrain inculte,* c'est arracher tout ce qui a poussé dessus pour pouvoir le cultiver. ●● ***friche***

■ **défrichement** n.m. *Il faut des grosses machines pour le* ***défrichement,*** pour enlever les arbustes et les broussailles.

défriper v. 1ᵉʳ groupe. *Mets ta jupe bien à plat pour la* ***défriper,*** pour faire disparaître les faux plis (= défroisser ; ≠ friper).

défriser v. 1ᵉʳ groupe. *La pluie* ***a*** ***défrisé*** *mes cheveux,* elle a défait leurs boucles et les a rendus plats (≠ friser).

défroisser v. 1ᵉʳ groupe. *Maman* ***a*** ***défroissé*** *mon pantalon,* elle a enlevé les faux plis (≠ froisser).

défroque n.f. *Il avait mis une vieille* ***défroque*** *pour se déguiser,* des vêtements usés.

défunt, e adj. et n. *Nous avons récité la prière pour les* ***défunts,*** les personnes qui sont mortes. *Il pense à son ami* ***défunt.***

dégager v. 1ᵉʳ groupe. SENS 1. *Il me serrait si fort que je n'arrivais plus à* ***me dégager,*** à me libérer. SENS 2. *Voulez-vous* ***dégager*** *le passage ?,* cesser de l'encombrer. SENS 3. *La voiture* ***dégage*** *une épaisse fumée,* elle la laisse échapper. SENS 4. *Le ciel* ***s'est dégagé,*** les nuages sont partis. SENS 5. *Le gardien de but* ***a dégagé,*** il a envoyé le ballon au loin. ●● ***engager***
✳ Conj. nº 2.

■ **dégagé, ée** adj. *Il m'a annoncé son échec d'un ton très* ***dégagé,*** comme si ça lui était égal (= naturel, aisé ; ≠ embarrassé).

■ **dégagement** n.m. [SENS 2] *Tous les voisins ont aidé au* ***dégagement*** *de la rue,* à enlever ce qui l'encombrait. [SENS 5] *Le joueur a fait un long* ***dégagement*** *vers l'avant,* il a dégagé.

dégaine n.f. Fam. *Il a une drôle de* ***dégaine,*** une façon de marcher, de se tenir (= allure).

dégainer v. 1ᵉʳ groupe. *Le mousquetaire* ***dégaina*** *son épée,* il la tira hors du fourreau. ●● ***gaine***

dégarnir v. 2ᵉ groupe. *On a* ***dégarni*** *l'arbre de Noël,* on a ôté tout ce qui le décorait (≠ garnir). *Sa tête* ***se dégarnit,*** il perd ses cheveux.

dégât n.m. *L'incendie a fait des* ***dégâts*** *importants* (= destruction, dommage).

dégeler v. 1ᵉʳ groupe. ***Dégeler*** *de la glace,* c'est la faire fondre en la chauffant.
✳ Conj. nº 5.

■ **dégel** n.m. *Le* ***dégel*** *commence,* la neige et la glace fondent. ●● ***gel***

dégénérer v. 1ᵉʳ groupe. *Sa grippe* ***a*** ***dégénéré*** *en bronchite,* elle s'est trans-

formée en quelque chose de pire. *La dispute **a dégénéré**, elle s'est envenimée.*
✻ Conj. nº 10.

dégivrer v. 1er groupe. *Il faut **dégivrer** le pare-brise,* ôter le givre qui s'y est formé. ●● ***givre***

■ **dégivrage** n.m. *Le **dégivrage** du réfrigérateur se fait automatiquement,* la fonte du givre qui s'y dépose.

■ **dégivreur** n.m. *Un **dégivreur** est un dispositif pour dégivrer.*

déglutir v. 2e groupe. *Le malade a de la peine à **déglutir**,* à avaler les aliments, sa salive.

dégonfler v. 1er groupe. SENS 1. *Il faut **dégonfler** la chambre à air pour démonter le pneu,* en faire sortir l'air (≠ gonfler). *Le ballon **s'est dégonflé**,* il a laissé échapper l'air qui le gonflait. SENS 2. Fam. *Au moment de tenter le coup, il **s'est dégonflé**,* il n'a pas osé.

dégouliner v. 1er groupe. *La pluie **dégouline** sur le mur,* elle coule dessus.

■ **dégoulinade** n.f. *Tu as fait des **dégoulinades** de peinture,* des traînées.

dégourdir v. 2e groupe. *Je vais marcher un peu pour me **dégourdir** les jambes,* pour faire cesser l'engourdissement dû à l'immobilité (= dérouiller ; ≠ engourdir). ●● ***gourd***

■ **dégourdi, ie** adj. et n. *Amélie est très **dégourdie**,* elle est habile et sait bien se débrouiller (= malin). *Les plus **dégourdis** ont eu les meilleures places,* les plus habiles, les plus adroits.

dégoût n.m. *Pierre a un véritable **dégoût** pour les huîtres,* il les déteste (= aversion, répugnance).

■ **dégoûtant, ante** adj. *Va te laver les mains, elles sont **dégoûtantes** !,* très sales.

■ **dégoûter** v. 1er groupe. *Ces fruits sont presque tous pourris, ça me **dégoûte*** (= écœurer).

dégrader v. 1er groupe. SENS 1. *Le gel **a dégradé** la route,* il l'a abîmée (= détériorer). SENS 2. *Il **s'est dégradé** en mentant ainsi,* il a perdu sa dignité (= se déshonorer). SENS 3. ***Dégrader** un officier,* c'est lui retirer son grade. SENS 4. *Jean a peint un paysage en **dégradant** les couleurs,* en les affaiblissant peu à peu.

■ **dégradant, ante** adj. [SENS 2] *On lui a fait jouer un rôle **dégradant*** (= humiliant, avilissant).

■ **dégradation** n.f. [SENS 1] *Ce monument a subi des **dégradations*** (= dégât).

■ **dégradé** n.m. [SENS 4] *Ce **dégradé** de couleurs est très joli,* ce passage du plus foncé au plus clair.

dégrafer v. 1er groupe. ***Dégrafe** ton manteau,* détache les agrafes (= ouvrir ; ≠ agrafer). ●● ***agrafe***

dégraisser v. 1er groupe. ***Dégraisser** un vêtement,* c'est en ôter les taches de graisse (= nettoyer, détacher).

degré n.m. *Sa maladie a atteint un **degré** alarmant* (= point, niveau). SENS 2. *Un **degré** est une unité qui sert à mesurer la température : l'eau bout à 100 **degrés** ;* à mesurer le pourcentage d'alcool contenu dans un liquide : *ce vin fait 12 **degrés** ;* à mesurer les angles : *un angle droit a 90 **degrés**.*

dégressif, ive adj. *Si vous achetez plus de 100 kilos, vous aurez un tarif **dégressif**,* qui ira en diminuant.

dégringoler v. 1er groupe. SENS 1. Fam. *Alex **a** (ou **est**) **dégringolé** du haut de l'échelle,* il est tombé. SENS 2. *Pierre **a dégringolé** l'escalier,* il l'a descendu très vite (= dévaler, fam. débouler).

■ **dégringolade** n.f. Fam. *Quelle **dégringolade** quand la branche a cassé !* (= chute).

dégriser v. 1er groupe. *Le grand air l'**a dégrisé**,* il a fait cesser son ivresse (≠ griser). ●● ***gris (2)***

dégrossir v. 2ᵉ groupe. *Le sculpteur a dégrossi le bloc de marbre,* il l'a taillé grossièrement, sans exécuter les détails de la sculpture (≠ finir, fignoler). ●● **gros**

déguenillé adj. *Une personne déguenillée est vêtue de vieux vêtements déchirés.* ●● **guenilles**

déguerpir v. 2ᵉ groupe. *Quand ils ont entendu du bruit, les bandits ont déguerpi,* ils se sont sauvés très vite (= détaler, décamper, fam. filer).

déguiser v. 1ᵉʳ groupe. SENS 1. *Pour le Mardi gras, Cécile s'est déguisée en Bécassine,* elle a mis des vêtements qui la font ressembler à Bécassine (= se travestir). SENS 2. *Sabrina cherche à déguiser sa pensée,* à la modifier, à la cacher (= voiler, masquer).

■ **déguisement** n.m. [SENS 1] *Pour Noël, il a eu un déguisement de Zorro,* des habits et des accessoires pour se déguiser en Zorro.

déguster v. 1ᵉʳ groupe. *Papa déguste lentement son café,* il le boit avec plaisir (= savourer).

■ **dégustation** n.f. *Le marchand nous a offert une dégustation gratuite,* quelques produits pour que nous les goûtions.

se déhancher v. 1ᵉʳ groupe. *La vieille femme marche en se déhanchant,* en balançant les hanches. ●● **hanche**

■ **déhanchement** n.m. *Son déhanchement s'accentue avec l'âge,* sa façon de marcher en se déhanchant.

dehors SENS 1. adv. *Entrez, ne restez pas dehors,* à l'extérieur (≠ dedans). SENS 2. n.m. pl. *Sous des dehors sévères, M. Dupont est bienveillant* (= apparence).

déjà adv. SENS 1. *Tu as déjà fini ?,* dès maintenant (≠ pas encore). SENS 2. *Je t'ai déjà dit mon opinion* (= auparavant ; ≠ jamais).

déjeuner n.m. SENS 1. *Nous avons fait un bon déjeuner au restaurant,* un repas de midi. SENS 2. *Au petit déjeuner, Pierre prend du café au lait,* au premier repas, le matin.

■ **déjeuner** v. 1ᵉʳ groupe. [SENS 1] *M. Durand m'a invité à déjeuner,* à prendre le repas de midi avec lui. [SENS 2] *Pierre déjeune à 8 heures,* il prend son petit déjeuner.

déjouer v. 1ᵉʳ groupe. *Stéphane a pu déjouer les plans de son adversaire,* les faire échouer.

delà → **au-delà, par-delà**

se délabrer v. 1ᵉʳ groupe. *Sa maison se délabre, faute d'entretien,* elle s'abîme (= se dégrader).

■ **délabré, ée** adj. *Ce vieux château est bien délabré,* en très mauvais état (= abîmé).

■ **délabrement** n.m. *L'alcoolisme entraîne un délabrement de la santé* (= dégradation).

délacer v. 1ᵉʳ groupe. *Délacer ses chaussures,* c'est en dénouer les lacets (≠ lacer). ✳ Conj. n° 1. Ne pas confondre avec (se) **délasser**.

délai n.m. *Vous avez un délai de huit jours pour payer,* un temps, une durée pour le faire.

délaisser v. 1ᵉʳ groupe. *M. Durand délaisse son travail et ses amis,* il ne s'en occupe plus (= abandonner, négliger).

se délasser v. 1ᵉʳ groupe. *Prends donc un bain pour te délasser,* pour faire disparaître la fatigue (≠ lasser). ●● **las** ✳ Ne pas confondre avec **délacer**.

■ **délassement** n.m. *La lecture est un délassement,* une manière de se délasser (= distraction, détente).

délation n.f. *On pratique la délation, lorsqu'on dénonce des gens pour les faire punir* (= dénonciation).

▪ **délateur, trice** n. Un **délateur** est une personne qui dénonce les autres.

délavé, ée adj. *Martin a un pantalon bleu **délavé***, décoloré par les lavages.

délayer v. 1ᵉʳ groupe. *Mme Durand **délaye** la farine dans de l'eau pour faire la pâte*, elle la mélange de façon bien régulière.
❋ Conj. n° 4.
▪ **délayage** n.m. SENS 1. *Le **délayage** de la farine doit être fait soigneusement*, le mélange. SENS 2. *Son discours n'est qu'un long **délayage***, il y a beaucoup de mots et peu d'idées.

se **délecter** v. 1ᵉʳ groupe. *Je **me suis délecté** en lisant ce livre*, j'ai éprouvé un grand plaisir (= se régaler).

▪ **délectation** n.f. *Il écoute avec **délectation** sa musique préférée*, un très grand plaisir (= ravissement).

déléguer v. 1ᵉʳ groupe. *À ce congrès scientifique, M. Varny **était délégué** par la France*, envoyé pour la représenter.
❋ Conj. n° 10.
▪ **délégué, ée** n. *La classe a élu ses **délégués***, les élèves qui la représentent (= représentant).
▪ **délégation** n.f. *Une **délégation** des employés a été reçue par le patron*, un groupe de délégués.

délester v. 1ᵉʳ groupe. **Délester** un navire, c'est le rendre plus léger en ôtant son chargement (= alléger ; ≠ lester).
●● *lest*

délibéré, ée adj. *Elle a dit ça avec la volonté **délibérée** de nous faire de la peine*, elle a bien réfléchi à ce qu'elle allait dire, elle a prémédité de nous faire de la peine (= intentionnel).
▪ **délibérément** adv. *Il a **délibérément** évité de me regarder*, il l'a fait exprès (= intentionnellement, résolument).

délibérer v. 1ᵉʳ groupe. *L'assemblée a **délibéré** deux heures avant de prendre une décision*, chacun a donné son avis (= discuter).
❋ Conj. n° 10.
▪ **délibération** n.f. *La **délibération** a été très animée* (= débat, discussion).

délicat, e adj. SENS 1. *La violette a un parfum **délicat***, agréable et fin (≠ violent). SENS 2. *Marie est de santé **délicate*** (= fragile ; ≠ robuste). SENS 3. *Nous abordons un problème **délicat*** (= difficile, embarrassant). SENS 4. *Pierre est un garçon **délicat***, il est poli, prévenant (≠ grossier).
▪ **délicatement** adv. [SENS 1] *Pose ce vase **délicatement*** (= doucement).
▪ **délicatesse** n.f [SENS 4] *Pierre a beaucoup de **délicatesse*** (= gentillesse, tact).

délice n.m. *Ce gâteau, quel **délice** !* (= régal). *Je respire ce parfum avec **délice***, avec un plaisir particulier.
▪ **délicieux, euse** adj. *Nous avons fait un repas **délicieux***, très bon (= exquis ; ≠ infect).

délier v. 1ᵉʳ groupe. SENS 1. *La ficelle **s'est déliée***, le nœud s'est défait (= dénouer, détacher ; ≠ lier). SENS 2. *Je me considère comme **délié** de ma promesse*, je ne suis plus obligé de tenir ma promesse (= dégager, libérer).

délimiter v. 1ᵉʳ groupe. **Délimiter** un terrain, c'est en fixer, en établir les limites.
●● *limite*

délinquance, délinquant → *délit*

délire n.m. SENS 1. *Colin a une forte fièvre accompagnée de **délire***, il dit des choses incompréhensibles et un peu folles. SENS 2. *À la nouvelle de la victoire, ce fut du **délire***, un enthousiasme très grand.
▪ **délirer** v. 1ᵉʳ groupe. [SENS 1] *Le malade **délire***, il a le délire.
▪ **délirant, ante** adj. [SENS 2] *La foule manifeste une joie **délirante*** (= frénéti-

que). ◆ Fam. *Ce projet est **délirant**, il est totalement déraisonnable* (= insensé, fou).

délit n.m. SENS 1. *Ce **délit** est puni de deux ans de prison,* cette faute contre la loi (= infraction). SENS 2. *Le voleur a été pris en **flagrant délit**,* en train de voler (= sur le fait).

■ **délinquant, ante** n. *Le **délinquant** a été traduit devant le tribunal,* l'auteur du délit (= coupable).

■ **délinquance** n.f. *Dans ce quartier la **délinquance** a diminué,* l'ensemble des délits commis.

délivrer v. 1er groupe. SENS 1. *Les prisonniers **ont été délivrés**,* ils ont été remis en liberté (= libérer ; ≠ emprisonner). SENS 2. *Si tu paies la facture, fais-toi **délivrer** un reçu,* fais-toi donner un reçu (= remettre).

■ **délivrance** n.f. [SENS 1] *Après l'examen, Alix a éprouvé un sentiment de **délivrance*** (= libération, soulagement).

délocaliser v. 1er groupe. *Délocaliser une entreprise, une usine,* c'est l'installer ailleurs. ●● **local**

déloger v. 1er groupe. *Les troupes d'assaut **ont délogé** la garnison ennemie,* ils l'ont fait sortir du lieu qu'elle occupait (= chasser). ●● **loger**
❋ Conj. n° 2.

déloyal, ale, aux adj. *Tricher au jeu, c'est **déloyal**,* c'est malhonnête (≠ loyal).

illustr. p. 557 **delta** n.m. *Le Rhône se jette dans la mer par un **delta**,* une embouchure à plusieurs bras.

illustr. p. 531 **deltaplane** n.m. *Un **deltaplane** est un planeur très léger sous lequel on se suspend pour faire du vol plané.*

déluge n.m. SENS 1. *Quand l'orage a éclaté, ce fut un vrai **déluge**,* une très forte pluie. SENS 2. *Cette décision a* provoqué un **déluge** de protestations, une grande quantité (= avalanche).

déluré, ée adj. *Pierre est un garçon **déluré**,* vif et adroit (= dégourdi ; ≠ empoté).

démagogie n.f. *Il y a beaucoup de **démagogie** dans ce programme électoral,* de promesses faites seulement pour se rendre populaire.

■ **démagogique** adj. *Ce député fait des discours **démagogiques**,* destinés à flatter les gens.

■ **démagogue** n. *Ce député est un **démagogue**,* il fait des promesses qu'il ne tiendra pas.

demain adv. *Nous sommes lundi, je vous verrai **demain** mardi,* le jour qui suit aujourd'hui. ●● *après-demain, lendemain, surlendemain* *illustr. p. 132*

démancher v. 1er groupe. *Le marteau s'est **démanché**,* la tête n'est plus fixée au manche. ●● **manche (2)**

demander v. 1er groupe. SENS 1. *Babeth m'**a demandé** de lui prêter ce livre,* elle m'a dit qu'elle le souhaitait (= prier). SENS 2. *Rachid m'**a demandé** si je venais au cinéma,* il m'a interrogé (≠ répondre). SENS 3. *Je me **demande** ce que je vais faire,* je ne le sais pas. SENS 4. *On **demande** Mme Raipon à la caisse,* on la prie de se présenter. SENS 5. *Ce travail m'**a demandé** deux heures,* j'ai eu besoin de deux heures pour le faire.

■ **demande** n.f. [SENS 1] *Sa **demande** n'a pas été acceptée* (= prière, requête, réclamation).

■ **demandeur, euse** n. [SENS 1] *Le nombre des **demandeurs** d'emploi a encore augmenté,* les personnes qui cherchent un travail.

démanger v. 1er groupe. *Le dos me **démange**,* j'ai envie de me gratter.
❋ Conj. n° 2.

■ **démangeaison** n.f. *L'urticaire donne des démangeaisons,* des picotements que l'on voudrait gratter.

démanteler v. 1er groupe. **Démanteler** une forteresse, c'est démolir ses remparts.
✹ Conj. n° 5.

démantibuler v. 1er groupe. Fam. *Qui a démantibulé cet appareil ?* (= casser, démolir, disloquer).

illustr. p. 239 se **démaquiller** v. 1er groupe. *Marion se démaquille avant de se coucher,* elle enlève son maquillage (≠ maquiller).

■ **démaquillant** n.m. Un **démaquillant** est un produit pour se démaquiller.

démarcation n.f. Une ligne de **démarcation** est une ligne qui sépare deux régions, deux zones.

démarche n.f. SENS 1. *Mon grand-père a une démarche lente,* une manière de marcher (= allure). SENS 2. *Pour se faire rembourser, Mme Servaux a fait une démarche à la mairie,* elle s'est adressée à cet organisme.

■ **démarchage** n.m. *M. Durand fait du démarchage,* il cherche à vendre une marchandise en visitant les gens chez eux (= porte-à-porte).

■ **démarcheur, euse** n. *M. Durand est démarcheur en encyclopédies,* il fait du démarchage.

démarquer v. 1er groupe. SENS 1. **Démarquer** un vêtement, c'est enlever sa marque, son étiquette pour le vendre moins cher. ●● *marquer.* SENS 2. *J'ai tenu à me démarquer de lui,* à bien marquer ma différence pour éviter d'être confondu avec lui (= se différencier, se distinguer).

démarrer v. 1er groupe. *M. Delmas n'arrive pas à faire démarrer le moteur,* à le mettre en marche.

■ **démarrage** n.m. *La voiture a calé au démarrage,* au moment où on la faisait démarrer.

■ **démarreur** n.m. Le **démarreur** d'une voiture est le dispositif qui sert à démarrer.

démasquer v. 1er groupe. *Le coupable a été démasqué,* on l'a découvert malgré le soin qu'il mettait à se cacher.

démêler v. 1er groupe. SENS 1. **Démêler** des fils, des cheveux, c'est les séparer et les remettre en ordre (≠ emmêler). ●● *mêler.* SENS 2. *Cette affaire est difficile à démêler,* à débrouiller, à résoudre (= éclaircir).

■ **démêlé** n.m. *Il a eu des démêlés avec tous ses voisins,* il s'est souvent opposé à eux (= dispute, querelle).

démembrer v. 1er groupe. *Cette propriété a été démembrée,* elle a été divisée en plusieurs parties (= morceler). ●● *membre*

déménager v. 1er groupe. SENS 1. *J'ai déménagé, voilà ma nouvelle adresse,* j'ai quitté mon logement pour aller habiter ailleurs (≠ emménager). SENS 2. *Peux-tu m'aider à déménager ces meubles ?,* à les transporter ailleurs.
✹ Conj. n° 2.

■ **déménagement** n.m. [SENS 2] *Quel travail ce déménagement !,* le transport des meubles et des affaires (≠ emménagement).

■ **déménageur** n.m. [SENS 2] *Les déménageurs ont vidé l'appartement,* les gens qui effectuent le déménagement.

démence n.f *La démence est une maladie mentale (= folie).*

■ **dément, ente** n. Les **déments** sont hospitalisés dans les hôpitaux psychiatriques (= fou).

■ **démentiel, elle** adj. *Ce projet est démentiel* (= déraisonnable, insensé, délirant).
✹ On prononce [demɑ̃sjɛl].

se **démener** v. 1ᵉʳ groupe. *Quand la police est venue l'arrêter, il **s'est démené** de toutes ses forces,* il a fait des gestes dans tous les sens pour s'échapper (= s'agiter, se débattre).
✳ Conj. nº 9.

dément, démentiel → *démence*

démentir v. 3ᵉ groupe. *La nouvelle de sa mort **a été démentie**,* elle a été déclarée fausse (≠ confirmer).
✳ Conj. nº 19.

■ **démenti** n.m. *Les journaux ont publié un **démenti**,* une déclaration disant que l'information est inexacte (= désaveu).

démériter v. 1ᵉʳ groupe. *Ce garçon garde toute ma sympathie : il **n'a** jamais **démérité**,* il ne s'est jamais mal conduit.

démesure n.f. *Il a choqué tout le monde par la **démesure** de ses paroles,* par le manque de modération de ses paroles (= excès, outrance ; ≠ mesure).

■ **démesuré, ée** adj. *Ce potiron est d'une grosseur **démesurée**,* il est beaucoup plus gros que la normale (= énorme, gigantesque). *Il a montré un orgueil **démesuré**,* très grand (= excessif, immense).

■ **démesurément** adv. *Ce film m'a paru **démesurément** long* (= excessivement, exagérément).

démettre v. 3ᵉ groupe. SENS 1. *Alex **s'est démis** l'épaule,* il s'est déplacé l'articulation (= déboîter). SENS 2. *Le préfet **a été démis** de ses fonctions,* on les lui a retirées (= destituer, renvoyer). *Le maire **s'est démis** de son mandat,* il y a renoncé.
✳ Conj. nº 57.

■ **démission** n.f. [SENS 2] *Le directeur a donné sa **démission**,* il s'est démis de ses fonctions.

■ **démissionnaire** adj. [SENS 2] *Le ministre est **démissionnaire**,* il donne sa démission.

■ **démissionner** v. 1ᵉʳ groupe. [SENS 2] *Il **a démissionné** pour raison de santé,* il a renoncé à ses fonctions.

demeurer v. 1ᵉʳ groupe. SENS 1. *Où **demeurez**-vous ?* (= habiter). SENS 2. *Il ne peut pas **demeurer** tranquille cinq minutes* (= rester).

■ **demeure** n.f. [SENS 1] *Ils habitent dans une vieille **demeure**,* une maison ancienne. [SENS 2] *Il s'est installé **à demeure** à la campagne,* il y reste. ◆ *On l'**a mis en demeure** de payer ses impôts,* on lui en a donné l'ordre.

demi- préfixe. Placé devant un nom, **demi-** indique une moitié ou une plus petite quantité : *un **demi-**cercle est la moitié d'un cercle ; une **demi-**douzaine est la moitié d'une douzaine ; un **demi-**mal, c'est un inconvénient moins grave que ce qu'on craignait.*
✳ **Demi-** est invariable.

illustr.
p. 431

demi, demie n. *Veux-tu un pamplemousse ? Non, un **demi**,* une moitié. *Il est 8 h 25, je dois partir à la **demie**,* à la fin de la demi-heure.

illustr.
p. 642,
643

■ **à demi** adv. *Pierre est **à demi** satisfait,* à moitié (≠ complètement).

■ **et demi** adj. *Jean est resté une journée **et demie**,* et la moitié d'une journée.

demi-finale n.f. *Notre équipe a été battue en **demi-finale**,* au match qui a précédé la finale. ●● *fin (1)*
✳ Au pluriel, on écrit des **demi-finales**.

demi-frère, demi-sœur n. *Un **demi-**frère, une **demi-sœur**,* c'est un frère, une sœur nés du même père ou de la même mère seulement. ●● *frère, sœur*
✳ Au pluriel, on écrit des **demi-frères**, des **demi-sœurs**.

demi-mesure n.f. *Ces **demi-mesures** ne règlent rien,* ces mesures insuffisantes et peu efficaces. ●● *mesure*
✳ Au pluriel, on écrit des **demi-mesures**.

déminer v. 1er groupe. *Le port est déminé*, il est débarrassé des mines qui y avaient été placées (≠ *miner*).

■ **déminage** n.m. *Les opérations de déminage sont en cours,* on retire les mines. ●● *mine (3)*

demi-pension n.f. SENS 1. *Nous sommes en demi-pension à l'hôtel*, nous n'y prenons qu'un repas par jour. SENS 2. *Au collège, Carole est inscrite à la demi-pension,* elle déjeune au collège. ●● *pension*
✳ Au pluriel, on écrit des **demi-pensions**.

■ **demi-pensionnaire** n. Les demi-pensionnaires prennent leur déjeuner à l'école.
✳ Au pluriel, on écrit des **demi-pensionnaires**.

demi-saison n.f. Un manteau de demi-saison se porte au printemps ou en automne.
✳ Au pluriel, on écrit des **demi-saisons**.

demi-sœur → *demi-frère*

démission, démissionner → *démettre*

demi-teinte n.f. *Ce tableau est tout en demi-teintes,* les couleurs y sont délicates et nuancées. ●● *teindre*
✳ Au pluriel, on écrit des **demi-teintes**.

demi-ton n.m. En musique, un demi-ton est égal à la moitié d'un ton.
✳ Au pluriel, on écrit des **demi-tons**.

demi-tour n.m. Faire **demi-tour**, c'est se retourner pour repartir en sens inverse. ●● *tour (2)*
✳ Au pluriel, on écrit des **demi-tours**.

démobiliser v. 1er groupe. *À la fin de la guerre, les soldats sont démobilisés,* ils quittent l'armée et reviennent à la vie civile (≠ *mobiliser*).

■ **démobilisation** n.f. *Les soldats attendent leur démobilisation,* d'être démobilisés.

démocratie n.f. *Ce pays est une démocratie,* le peuple y exerce le pouvoir par l'intermédiaire de députés élus au suffrage universel (≠ *dictature*).
✳ On prononce [demɔkrasi].

■ **démocrate** adj. et n. *M. Durand est (un) démocrate,* il est partisan de la démocratie.

■ **démocratique** adj. Un régime **démocratique** est un régime conforme à la démocratie (≠ *totalitaire*). Des élections **démocratiques** sont des élections où on peut choisir librement son candidat.

■ **démocratiser** v. 1er groupe. **Démocratiser** l'enseignement, c'est l'ouvrir également à toutes les catégories sociales, sans distinction.

démoder v. 1er groupe. *Cette robe est démodée,* elle n'est plus à la mode. ●● *mode (1)*. *Les vêtements classiques ne se démodent pas,* ils restent toujours à la mode.

démographie n.f. La **démographie**, c'est l'étude de la population humaine du point de vue de son nombre et de sa répartition géographique.

demoiselle n.f. *Sophie a quatorze ans, c'est déjà une demoiselle* (= jeune fille). ●● *mademoiselle*

démolir v. 2e groupe. *On a démoli ces maisons pour construire une route* (= abattre, détruire ; ≠ *bâtir*).

■ **démolisseur** n.m. *Les démolisseurs ont utilisé des bulldozers,* les personnes chargées de démolir.

■ **démolition** n.f. *On a commencé la démolition de ces vieux immeubles* (= destruction ; ≠ construction).

démon n.m. SENS 1. Le **démon**, c'est le diable. SENS 2. *Ce gamin est insupportable, c'est un vrai démon,* il est turbulent et agaçant (= diable).

■ **démoniaque** adj. *Il a réussi grâce à*

des ruses **démoniaques**, dignes d'un démon (= diabolique).

démonstrateur, démonstratif, démonstration → *démontrer*

démonter v. 1er groupe. **SENS 1.** *Guillaume a démonté sa voiture électrique,* il en a séparé les pièces (≠ monter). ●● *remonter*. **SENS 2.** *Claire ne s'est pas laissé démonter,* elle ne s'est pas troublée (= désarçonner, décontenancer). **SENS 3.** *La mer est démontée,* elle est très agitée.

■ **démontable** adj. Un meuble **démontable** est conçu pour être démonté et remonté.

■ **démontage** n.m. *Le démontage du moteur m'a pris deux heures,* la séparation des pièces.

démontrer v. 1er groupe. *Je lui ai démontré son erreur,* je lui ai prouvé son erreur. ●● *montrer*

■ **démonstrateur, trice** n. *La démonstratrice nous a expliqué le fonctionnement de l'appareil,* la personne qui fait la présentation.

■ **démonstratif, ive** adj. Les pronoms et adjectifs **démonstratifs** servent à désigner, à montrer des êtres ou des choses. ◆ *Cet enfant est très démonstratif,* il manifeste ouvertement ses sentiments et ses émotions.

■ **démonstration** n.f. *Sa démonstration est très convaincante,* les preuves qu'il donne (= argumentation, raisonnement). ◆ *Ils nous ont accueillis avec des démonstrations de joie,* ils ont montré très visiblement leur joie (= manifestation).

démoraliser v. 1er groupe. *Il est démoralisé par son échec,* il a perdu le moral, il est découragé, abattu (≠ réconforter). ●● *moral*

■ **démoralisant, ante** adj. *C'est démoralisant de devoir tout recommencer,* ça nous fait perdre courage (= déprimant).

démordre v. 3e groupe. *Il est accroché à cette idée et ne veut pas en démordre,* il ne veut pas renoncer à cette idée. ✳ Conj. n° 52.

démouler v. 1er groupe. *Maman a démoulé le gâteau,* elle l'a retiré du moule. ●● *moule (2)*

démultiplier v. 1er groupe. *Quand une petite roue entraîne une grande roue, la vitesse est démultipliée,* la grande roue tourne moins vite. ●● *multiplier*

démunir v. 2e groupe. **Être démuni** d'argent, c'est ne pas en avoir. *Vous ne devez pas vous démunir du bon de garantie,* vous devez toujours le garder (= se séparer, se défaire, se dessaisir ; ≠ munir).

dénaturer v. 1er groupe. *Des gens malveillants ont dénaturé mes paroles,* ils les ont répétées en changeant leur sens (= fausser). ●● *nature*

dénégation n.f. *Pierre faisait de grands gestes de dénégation,* il disait « non » par gestes.

déneiger v. 1er groupe. *Le chasse-neige a déneigé la route,* il en a ôté la neige. ●● *neige* ✳ Conj. n° 2.

dénicher v. 1er groupe. *Des gamins ont déniché des œufs de merle,* ils les ont retirés du nid. ●● *nid* ◆ Fam. *J'ai déniché cette boîte à musique chez un brocanteur,* je l'y ai trouvée (= découvrir).

denier n.m. Le **denier** est une monnaie ancienne de faible valeur. ◆ Les **deniers publics,** c'est l'argent de l'État versé par les citoyens. ◆ Payer **de ses deniers,** c'est payer avec son argent (= de sa poche).

dénier v. 1er groupe. *On ne peut pas lui dénier un certain courage,* refuser de dire qu'il est courageux (= contester). ●● *nier*

dénigrer v. 1er groupe. *C'est un homme médisant, toujours prêt à dénigrer ce qu'on fait,* à en dire du mal (= déprécier ; ≠ vanter).

■ **dénigrement** n.m. *Estelle agit par esprit de dénigrement* (= médisance).

dénivelé, ée adj. *La route est dénivelée par rapport à la voie ferrée,* elle n'est pas au même niveau. ●● *niveau*

■ **dénivellation** n.f. *Dans un paysage, les plaines et les collines forment des dénivellations,* des différences de niveau.

dénombrer v. 1er groupe. *J'ai essayé de dénombrer les spectateurs dans la salle,* d'en évaluer le nombre (= compter). ●● *nombre*

■ **dénombrement** n.m. *Le dénombrement de la population d'un pays se fait périodiquement,* le compte du nombre de personnes (= recensement).

dénominateur n.m. SENS 1. Dans une fraction, le **dénominateur** est le nombre placé sous la barre (ou à droite de la barre) et qui indique en combien de parties l'unité a été divisée. → *numérateur.* SENS 2. *Le dénominateur commun à ces deux auteurs est leur humour,* c'est l'élément qu'ils possèdent tous les deux (= point commun).

dénommer v. 1er groupe. *Isée a dénommé son chat « Taquin »,* elle lui a donné ce nom (= appeler). ●● *nom. Comment se dénomme cette plante ?* (= se nommer).

■ **dénommé, ée** adj. *J'ai rencontré au gymnase un dénommé Valton,* quelqu'un qui s'appelle Valton.

dénoncer v. 1er groupe. *Le voleur a dénoncé ses complices à la police,* il les a désignés comme coupables (= livrer). ✳ Conj. n° 1.

■ **dénonciation** n.f. *La police a reçu une lettre de dénonciation* (= délation).

dénoter v. 1er groupe. *Ses paroles dénotent beaucoup de bon sens,* elles indiquent qu'elle est pleine de bon sens (= montrer, témoigner de).

dénouer v. 1er groupe. SENS 1. *On dénoue ses lacets pour enlever ses chaussures,* on défait les nœuds. ●● *nœud.* SENS 2. **Dénouer** un problème, une difficulté, c'est en trouver la solution.

■ **dénouement** n.m. [SENS 2] *Cette affaire a eu un heureux dénouement,* elle s'est terminée de façon heureuse (= fin, résultat).

dénoyauter v. 1er groupe. **Dénoyauter** des cerises, des olives, c'est enlever leur noyau. ●● *noyau*

denrée n.f. *Le pain, la viande, les légumes sont des denrées de consommation courante,* des produits comestibles (= aliment).

dense adj. SENS 1. *Dans le métro, la foule était très dense, resserrée dans un petit espace* (= nombreux, serré, compact ; ≠ rare, clairsemé). SENS 2. *Le plomb est plus dense que le fer,* à volume égal, il pèse plus lourd.
✳ Ne pas confondre avec la **danse**.

■ **densité** n.f. [SENS 1] *La densité du brouillard empêche la circulation* (= épaisseur). La **densité** de la population, c'est le nombre d'habitants au kilomètre carré. [SENS 2] *La densité de l'aluminium est plus faible que celle du fer* (= poids).

dent n.f. SENS 1. *Jean se brosse les dents tous les matins et tous les soirs,* les petits organes blancs, très durs, plantés dans les mâchoires et qui servent à mordre et à mastiquer. ●● *édenté.*
◆ Fam. **Avoir une dent contre** quelqu'un, c'est avoir de la rancune contre lui, lui vouloir du mal. SENS 2. *Attention, ne te blesse pas avec les dents de la scie !,* les parties pointues.
✳ Ne pas confondre avec **dans**.

illustr. p. 217 216,

384

■ **dentaire** adj. [SENS 1] Les soins **den-taires** sont les soins des dents.

■ **denté, ée** adj. [SENS 2] *La chaîne d'une bicyclette passe sur deux roues **dentées**,* qui ont des saillies de forme pointue.

■ **dentelé, ée** adj. [SENS 2] *La côte de Bretagne est **dentelée**,* elle présente des pointes et des creux (≠ rectiligne).

■ **dentier** n.m. [SENS 1] *Mon grand-père porte un **dentier**,* de fausses dents (= prothèse dentaire).

illustr. p. 239 ■ **dentifrice** n.m. [SENS 1] *Jean met du **dentifrice** sur sa brosse à dents,* une pâte pour nettoyer les dents.

illustr. p. 868 ■ **dentiste** n. [SENS 1] *Quand on a mal aux dents, on va chez le **dentiste**,* le médecin qui soigne les dents.

■ **dentition** n.f. [SENS 1] *Marie a une belle **dentition**,* de belles dents.

illustr. p. 228 **dentelle** n.f. La **dentelle** est un tissu très léger et très ajouré réalisé avec un fil, à l'aide d'un crochet ou d'aiguilles.

■ **dentellière** n.f. Une **dentellière** fabrique de la dentelle.

dentier, dentifrice, dentiste, dentition → *dent*

dénuder v. 1ᵉʳ groupe. SENS 1. *Sur la plage, on se **dénude**,* on se met presque nu. ●● *nu*. SENS 2. Dénuder du fil électrique, c'est enlever la gaine isolante qui le recouvre.

dénué, ée adj. *Cet incident est **dénué** d'importance,* il n'en a pas (= dépourvu).

dénuement n.m. *Cette famille vit dans le **dénuement**,* dans une grande pauvreté (= misère).

déodorant n.m. Un **déodorant** est un produit qui sert à chasser les odeurs de transpiration. ●● *odeur*

dépanner v. 1ᵉʳ groupe. *Le mécanicien a **dépanné** la voiture,* il l'a remise en état de fonctionner (= réparer). ●● *panne*

■ **dépannage** n.m. *Cette station-service fait aussi du **dépannage**,* de la réparation de voitures en panne.

■ **dépanneur** n.m. Un **dépanneur** est une personne dont le métier est de dépanner les véhicules ou les machines.

■ **dépanneuse** n.f. *Le garagiste est arrivé avec la **dépanneuse**,* une grosse voiture qui peut remorquer un véhicule en panne. *illustr. p. 733*

dépaqueter v. 1ᵉʳ groupe. *Il faudrait **dépaqueter** ces livres,* défaire le paquet qui les contient (= déballer ; ≠ empaqueter). ●● *paquet*
✹ Conj. n° 8.

dépareillé, ée adj. *Jean a des gants **dépareillés**,* ils ne sont pas assortis, pas pareils, ils ne forment pas une paire.

déparer v. 1ᵉʳ groupe. *Le château d'eau **dépare** le paysage,* il détruit sa beauté (= enlaidir). ●● *parer*

départ n.m. *Le **départ** de l'avion aura lieu dans une heure,* l'avion décollera dans une heure (≠ arrivée). ●● *partir*. *illustr. p. 202*
◆ *Au **départ**, Alice voulait venir,* au commencement (≠ début).

départager v. 1ᵉʳ groupe. *On a rejoué une partie pour **départager** les deux équipes,* pour désigner l'équipe victorieuse, car elles étaient à égalité.
✹ Conj. n° 2.

département n.m. Un **département** est une partie du territoire français administrée par un préfet. *illustr. p. 358*

■ **départemental, ale, aux** adj. Une route **départementale** dépend du département. → *national* *illustr. p. 852*

se **départir** v. 2ᵉ groupe. *Arielle a écouté ces reproches sans **se départir** de son calme,* sans perdre son calme.

dépasser v. 1ᵉʳ groupe. SENS 1. *M. Durand a dépassé un camion, il est passé devant* (= doubler). SENS 2. *Jacques dépasse Pierre de dix centimètres,* il est plus grand. SENS 3. *Il a dépassé les limites autorisées,* il est allé au-delà (= outrepasser). SENS 4. *Ce problème me dépasse,* il est trop compliqué pour moi.

■ **dépassement** n.m. [SENS 1] *Attention dépassement interdit aux camions,* les camions ne peuvent pas dépasser les autres véhicules.

dépayser v. 1ᵉʳ groupe. *Quand John est arrivé en France, il a été très dépaysé,* mal à l'aise ou surpris à cause du changement.

■ **dépaysement** n.m. *John a ressenti un grand dépaysement,* l'impression que l'on ressent quand on arrive dans un pays inconnu.

dépecer v. 1ᵉʳ groupe. *Le boucher dépèce un bœuf,* il le coupe en morceaux.
※ Conj. nº 1 et nº 9.

dépêche n.f. SENS 1. *La nouvelle a été connue par une dépêche d'agence,* une information communiquée en urgence. SENS 2. Autrefois, on appelait parfois un télégramme une « **dépêche** ».

se **dépêcher** v. 1ᵉʳ groupe. *Dépêche-toi, nous sommes en retard !,* fais vite (= se presser, se hâter ; ≠ traîner).

dépeigner v. 1ᵉʳ groupe. *Le vent m'a dépeigné,* il a dérangé ma coiffure (= décoiffer ; ≠ peigner). ●● **peigne**

dépeindre v. 3ᵉ groupe. *Il nous a dépeint la situation,* il nous en a fait une description (= décrire).
※ Conj. nº 55.

dépendre v. 3ᵉ groupe. SENS 1. *Autrefois, les pays d'Afrique du Nord dépen-daient de la France,* ils étaient sous son autorité. ●● **indépendance, interdépendance**. SENS 2. *La solution de ce problème ne dépend pas de moi,* je ne suis pas maître d'en décider. SENS 3. *Viendras-tu demain ? Ça dépend* (= peut-être). SENS 4. *On a dépendu le lustre du salon* (= décrocher ; ≠ pendre).
※ Conj. nº 50.

■ **dépendance** n.f. [SENS 1] *Les colonies étaient sous la dépendance de la métropole* (= autorité, domination). ◆ (Au plur.) *Le château possède de vastes dépendances,* des bâtiments annexes.

dépens n.m. pl. *M. Granville abuse de la bonne cuisine aux dépens de sa santé,* en nuisant à sa santé (= au détriment de). ◆ **Rire aux dépens de** quelqu'un, c'est se moquer de lui.

dépenser v. 1ᵉʳ groupe. SENS 1. *Les Thibault dépensent 1 000 euros par mois pour la nourriture,* ils déboursent cette somme pour payer la nourriture. SENS 2. *Cette voiture dépense trop d'essence* (= consommer). SENS 3. *Jean aime se dépenser,* faire des efforts, du sport.

■ **dépense** n.f. [SENS 1] *Il faut diminuer nos dépenses,* les sommes que nous dépensons (≠ gain, revenu). [SENS 2] *Ce travail demande une grande dépense de temps,* qu'on y consacre beaucoup de temps.

■ **dépensier, ière** adj. [SENS 1] *Marie est trop dépensière,* elle dépense trop d'argent.

déperdition n.f. *On a posé un double vitrage pour éviter une déperdition de chaleur,* de perdre la chaleur produite dans la maison (= perte). ●● **perdre**

dépérir v. 2ᵉ groupe. *On n'a pas arrosé les fleurs, elles ont dépéri,* elles se sont affaiblies, fanées (≠ s'épanouir).

■ **dépérissement** n.m. *On observe un dépérissement de la prospérité de cette entreprise* (= déclin, baisse).

se **dépêtrer** v. 1er groupe. *Aurélie a eu du mal à se dépêtrer des hautes herbes,* à se dégager (≠ s'empêtrer). ◆ **Se dépêtrer** d'une situation difficile, c'est réussir à la résoudre au mieux.

dépeupler v. 1er groupe. *Les campagnes se dépeuplent,* leur population diminue. ●● ***peuple, repeupler, souspeuplé, surpeuplé***

■ **dépeuplement** n.m. *Cette région souffre d'un grave dépeuplement,* d'une diminution de sa population.

dépister v. 1er groupe. *La police a dépisté le cambrioleur,* elle l'a retrouvé en suivant sa trace. ●● ***piste***. SENS 2. *Les services de santé dépistent les cas d'hépatite,* ils en recherchent les signes dans la population.

dépit n.m. SENS 1. *L'échec de ses projets lui a causé du dépit,* du chagrin mêlé de colère (= contrariété, déception). SENS 2. *Il a réussi en dépit des difficultés* (= malgré).

■ **dépiter** v. 1er groupe. [SENS 1] *Il a l'air un peu dépité* (= déçu, désappointé).

déplacer v. 1er groupe. *Cette armoire est difficile à déplacer,* à changer de place. ●● ***place***. *Il se déplace souvent pour ses affaires,* il va d'un endroit à un autre, il voyage. ✹ Conj. n° 1.

■ **déplacé, ée** adj. *Des paroles, des plaisanteries déplacées ne conviennent pas à la situation,* sont de mauvais goût (= inconvenant, choquant).

■ **déplacement** n.m. *Mon oncle est en déplacement à l'étranger,* il est en voyage pour son travail.

déplaire v. 3e groupe. *Sa réflexion m'a déplu,* elle m'a été désagréable (≠ plaire). *Je me déplais dans ce quartier,* je n'aime pas y habiter (≠ se plaire). ✹ Conj. n° 77.

■ **déplaisant, ante** adj. *Ce garçon a un caractère déplaisant,* il est antipathique (= désagréable).

déplier v. 1er groupe. *Maman déplie la carte routière,* elle ouvre les plis de la carte et l'étale (≠ plier).

■ **dépliant** n.m. *Un dépliant publicitaire est une feuille imprimée de publicité pliée plusieurs fois.*

déploiement → *déployer*

déplorer v. 1er groupe. *Je déplore d'être arrivé en retard,* je le regrette beaucoup (≠ se réjouir).

■ **déplorable** adj. *Victor a fait une erreur déplorable,* que l'on peut blâmer (= regrettable). *Le jardin était dans un état déplorable,* triste à voir (= affligeant, lamentable).

déployer v. 1er groupe. SENS 1. *Mamie déploie son journal,* elle le déplie et l'étale devant elle (= ouvrir). SENS 2. *Fernando a déployé une grande activité dans son travail* (= montrer, manifester). ✹ Conj. n° 3.

■ **déploiement** n.m. [SENS 1 et 2] *Il y a un déploiement impressionnant de forces de police,* un grand nombre de policiers.

dépoli, ie adj. *Du verre dépoli est du verre qui laisse passer la lumière mais ne permet pas de voir au travers* (= translucide ; ≠ transparent). ●● ***poli***

déporter v. 1er groupe. SENS 1. *Pendant la guerre, des millions d'hommes et de femmes ont été déportés par les nazis,* ils ont été envoyés dans des camps de concentration. SENS 2. *Le vent a déporté le bateau vers le nord,* il l'a fait dévier de sa direction.

■ **déportation** n.f. [SENS 1] *Beaucoup de Juifs sont morts en déportation,* pendant qu'ils étaient détenus dans un camp de concentration.

déposer v. 1ᵉʳ groupe. SENS 1. *Hortense a déposé sa valise dans l'entrée,* elle l'a posée dans l'entrée. SENS 2. *M. Vernier a déposé de l'argent à la banque,* il l'a confié à la banque (= mettre, verser). SENS 3. *La poussière se dépose sur les meubles,* elle tombe dessus et y forme une couche. SENS 4. *Le témoin a déposé en faveur de l'accusé,* il a fait une déposition (= témoigner). SENS 5. *Déposer un souverain,* c'est le destituer (= renverser).

■ **dépositaire** n. [SENS 2] *Jean est dépositaire d'un secret,* on le lui a confié.

■ **déposition** n.f. [SENS 4] *La police a recueilli les dépositions,* les déclarations des témoins (= témoignage).

illustr. p. 741
■ **dépôt** n.m. [SENS 1] *Ce bâtiment est un dépôt de marchandises,* un lieu où on les dépose (= entrepôt). [SENS 2] *Les dépôts à la Caisse d'épargne ont augmenté,* l'argent déposé (= versement). [SENS 3] *Il y a un dépôt au fond de la bouteille,* des matières qui se sont déposées.

déposséder v. 1ᵉʳ groupe. *Ils ont été dépossédés de tous leurs biens,* on les leur a pris (= priver, dépouiller).
●● *posséder*
✳ Conj. n° 10.

dépôt → *déposer*

dépotoir n.m. *Cette cabane sert de dépotoir,* on y met tout ce dont on veut se débarrasser.

dépouiller v. 1ᵉʳ groupe. SENS 1. *Le cuisinier dépouille un lapin,* il lui enlève la peau. SENS 2. *Des voleurs l'ont dépouillé,* ils lui ont pris son argent, ses biens. SENS 3. *La directrice dépouille son courrier,* elle l'ouvre et le lit.

■ **dépouille** n.f. [SENS 1] *La dépouille mortelle de quelqu'un,* c'est son cadavre. [SENS 2] (Au plur.) *Les dépouilles d'un vaincu,* c'est ce que le vainqueur lui a pris.

■ **dépouillement** n.m. [SENS 3] *Le dépouillement des votes a commencé,* on ouvre les enveloppes et on compte les bulletins (= examen).

dépourvu, ue adj. *Ce livre est dépourvu d'intérêt,* il n'a aucun intérêt.
●● *pourvoir*

■ **au dépourvu** adv. *Antoine m'a pris au dépourvu,* alors que je ne m'y attendais pas (= à l'improviste, par surprise).

dépravé, ée adj. *Une personne dépravée est une personne sans moralité* (= corrompu, débauché).

■ **dépravation** n.f. *Ce truand a sombré dans la dépravation* (= avilissement, débauche).

déprécier v. 1ᵉʳ groupe. SENS 1. *La monnaie s'est dépréciée,* elle a perdu de la valeur (= se dévaluer). SENS 2. *Renaud déprécie toujours le travail des autres,* il en dit du mal (= décrier, critiquer ; ≠ apprécier, vanter).

déprédation n.f. *Certains groupes ont commis des déprédations,* des vols, des dégâts (= dégradation).

dépression n.f. SENS 1. *Notre voisin a eu une dépression nerveuse,* une maladie dans laquelle on perd toute énergie (= fam. déprime). SENS 2. *Le village est dans une dépression,* un creux du terrain (= cuvette, bassin).

■ **dépressif, ive** adj. *Une personne dépressive a tendance à être triste, fatiguée, déprimée.*

■ **déprimant, ante** adj. *Cette malchance persistante est déprimante,* elle me rend triste (= décourageant, démoralisant).

■ **déprime** n.f. Fam. *Faire une déprime,* c'est faire une dépression nerveuse.

■ **déprimer** v. 1ᵉʳ groupe. [SENS 1] *Ses échecs l'ont déprimé* (= abattre, décourager, démoraliser).

depuis SENS 1. prép. *Il fait beau depuis un mois,* il y a un mois que le beau temps

illustr. p. 945

dure. SENS 2. conj. *Depuis qu'il est parti, je suis triste,* à partir de son départ, j'ai commencé à être triste.

illustr. p. 358 **député, ée** n. *Anne Sandoz est députée de la Savoie,* les habitants de la Savoie l'ont élue à l'Assemblée nationale.

déraciner v. 1ᵉʳ groupe. SENS 1. *La tempête a déraciné des arbres,* elle les a arrachés de terre. ●● *racine*. SENS 2. *Depuis qu'elle a quitté son pays, elle se sent déracinée,* arrachée à son milieu habituel et dépaysée.

dérailler v. 1ᵉʳ groupe. SENS 1. *Le train a déraillé,* il est sorti des rails accidentellement. ●● *rail*. SENS 2. Fam.*Tu es trop fatigué, tu dérailles,* tu parles à tort et à travers (= divaguer).

■ **déraillement** n.m. [SENS 1] *La circulation des trains a été interrompue à cause du déraillement,* de l'accident où le train a déraillé.

illustr. 1002 ■ **dérailleur** n.m. Le **dérailleur** d'un vélo est un dispositif qui fait passer la chaîne d'une roue dentée sur une autre pour changer de vitesse.

déraisonner v. 1ᵉʳ groupe. *Son idée est absurde, il déraisonne,* il dit des choses insensées (= divaguer). ●● *raison*

■ **déraisonnable** adj. *C'était déraisonnable de vouloir courir plus vite que le champion de France,* c'était absurde (= insensé, extravagant).

déranger v. 1ᵉʳ groupe. SENS 1. *Qui a dérangé mes affaires ?,* qui les a changées de place et mises en désordre (≠ ranger). SENS 2. *Si je vous dérange, je reviendrai demain,* si je vous gêne dans vos occupations. SENS 3. *Le médecin s'est dérangé pour l'ausculter,* il s'est déplacé.
✳ Conj. n° 2.

■ **dérangement** n.m. [SENS 2] *Excusez-moi pour le dérangement,* pour la gêne que je vous ai causée. ◆ *Le téléphone est en dérangement,* il ne fonctionne plus.

déraper v. 1ᵉʳ groupe. *La voiture a dérapé sur le verglas* (= glisser).

■ **dérapage** n.m. *L'accident est dû à un dérapage,* à un glissement du véhicule sur le sol.

dératé, ée n. Fam. *Courir comme un dératé,* c'est courir très vite.

dérégler v. 1ᵉʳ groupe. *La panne d'électricité a déréglé la pendule de la gare,* elle a changé le réglage, elle a fait que la pendule n'est plus bien réglée (≠ régler).
✳ Conj. n° 10.

dérider v. 1ᵉʳ groupe. *Sa plaisanterie nous a déridés,* elle nous a fait perdre notre air soucieux et nous a fait rire (= égayer ; ≠ attrister). ●● *ride*

dérision n.f. *Il a eu un sourire de dérision* (= moquerie, raillerie). *Tu as tort de tourner en dérision des coutumes respectables,* de ne pas les respecter (= ridiculiser).

dérisoire adj. *Un prix dérisoire* est un prix ridiculement bas, insignifiant.

dériver v. 1ᵉʳ groupe. SENS 1. *Le bateau a dérivé à cause d'une panne de moteur,* il s'est écarté de sa route (= dévier). SENS 2. *« Théâtral » dérive de « théâtre »,* il en vient. SENS 3. **Dériver** une rivière, c'est en changer le cours.

■ **dérivatif** n.m. *Va au cinéma, ce sera un dérivatif,* cela te changera les idées (= distraction).

■ **dérivation** n.f. [SENS 3] *On a construit un barrage pour la dérivation de la rivière,* pour faire passer son cours ailleurs.

■ **dérive** n.f. [SENS 1] *Une dérive* est une sorte de gouvernail placée sous un bateau ou à l'arrière d'un avion pour limiter sa tendance à dériver. ◆ *Le bateau s'en va à la dérive,* il n'est plus gouverné. *illustr. p. 54, 531, 75*

■ **dérivé** n.m. [SENS 2] *Un dérivé* est un mot qui vient d'un autre mot. *Le nom*

*« dérapage » est un **dérivé** du verbe « **déraper** ».*

illustr. p. 718, 531 ■ **dériveur** n.m. [SENS 1] Un **dériveur** est un bateau à voiles muni d'une dérive.

dermatologie n.f. La **dermatologie** est la spécialité médicale qui permet de soigner les maladies de la peau.

■ **dermatologue** n. Un **dermatologue** est un médecin spécialisé en dermatologie.

illustr. p. 132 **dernier, ère** SENS 1. adj. et n. *Le 31 décembre est le **dernier** jour de l'année* (= ultime ; ≠ premier). *Ce club s'est classé **dernier** au championnat, il a été le plus mauvais.* ●● ***avant-dernier***. SENS 2. adj. *Marie est habillée à la **dernière** mode, la plus récente* (≠ prochain). *L'année **dernière**, c'est l'année qui a précédé celle où nous sommes* (≠ prochain).

illustr. p. 945 ■ **dernièrement** adv. [SENS 2] *Cet événement a eu lieu **dernièrement*** (= récemment).

dérobé, ée adj. *Un escalier **dérobé** est un escalier dont l'accès n'est pas apparent* (= caché, secret).

■ à la **dérobée** adv. *Je l'ai observé **à la dérobée**, sans en avoir l'air, sans me faire remarquer* (= furtivement, en cachette ; ≠ ouvertement).

dérober v. 1er groupe. SENS 1. *Il a voulu **se dérober** à ses obligations, ne pas les accomplir* (= échapper, se soustraire). SENS 2. *On l'accuse d'**avoir dérobé** des cassettes* (= voler).

■ **dérobade** n.f. [SENS 1] *Votre réponse n'est qu'une **dérobade**, elle ne correspond pas vraiment à la question* (= échappatoire).

déroger v. 1er groupe. *Il n'a jamais **dérogé** à la règle, il n'y a jamais manqué* (= enfreindre, transgresser ; ≠ respecter). ✴ Conj. n° 2.

■ **dérogation** n.f. *C'est en principe interdit, mais j'ai obtenu une **dérogation**, une autorisation spéciale de ne pas respecter le règlement.*

dérouiller v. 1er groupe. SENS 1. *Avec de la toile émeri, on peut **dérouiller** des ciseaux, en ôter la rouille.* ●● ***rouille***. SENS 2. Fam. *Je vais me promener pour **me dérouiller** les jambes, pour leur redonner de la souplesse* (= dégourdir ; ≠ engourdir).

dérouler v. 1er groupe. SENS 1. *Le chat a **déroulé** la pelote de laine, il a défait le fil qui était enroulé.* ●● ***rouler***. *La cassette **se déroule** dans l'appareil* (≠ s'enrouler). SENS 2. *La scène **se déroule** au bord de la mer, elle a lieu au bord de la mer* (= se passer).

■ **déroulement** n.m. [SENS 2] *J'ai assisté à tout le **déroulement** des événements, la façon dont ils se sont succédé* (= enchaînement).

déroutant → *dérouter*

déroute n.f. *Les attaquants ont été mis en **déroute**, ils ont fui en désordre* (= débâcle, débandade).

dérouter v. 1er groupe. SENS 1. *En raison du mauvais temps, l'avion **a été dérouté** vers un autre aéroport, on a changé sa route.* SENS 2. *La question de l'examinateur **a dérouté** Sandra, elle l'a rendue incapable de répondre* (= déconcerter).

■ **déroutant, ante** adj. [SENS 2] *Ses brusques changements d'avis sont **déroutants**, on comprend mal sa conduite* (= déconcertant).

derrick n.m. *Les **derricks** sont des tours métalliques au-dessus des puits de pétrole.* *illustr p. 97 277, 333*

derrière SENS 1. prép. *Le jardin est **derrière** la maison, en arrière de* (≠ devant). SENS 2. adv. *Je monte devant, toi, monte* **derrière**, à l'arrière. SENS 3. n.m. Fam. *Jean est tombé sur le* **derrière** (= fesses).

des SENS 1. **Des** est la contraction de la préposition « de » et de l'article défini « les » : *Fiona est originaire* **des** *Pays-Bas* (de + les Pays-Bas). SENS 2. **Des** est le pluriel de l'article indéfini « un », « une » : *j'ai acheté* **des** *disques.* SENS 3. **Des** est le pluriel de l'article partitif « du », « de la » : *je mange* **des** *rillettes,* **des** *épinards.*

dès SENS 1. prép. *Je commencerai* **dès** *demain* (= à partir de). SENS 2. conj. **Dès** **que** *tu pourras, viens me voir* (= aussitôt que).

désabusé, ée adj. *Il m'a regardé d'un air* **désabusé,** qui montrait qu'il n'avait plus d'illusions (= désenchanté).

désaccord n.m. **Être en désaccord avec** quelqu'un, c'est avoir des idées qui s'opposent aux siennes, qui sont divergentes. ●● *accorder. Il y a souvent des* **désaccords** *entre eux,* des oppositions (= divergence, différend).

désaccordé, ée adj. *Le piano est* **désaccordé,** il ne joue plus juste. ●● *accorder*

désaffecté adj. *La colonie de vacances est installée dans une caserne* **désaffectée,** qui n'est plus utilisée par les soldats. ●● *affecter*
✴ Ne pas confondre **désaffecté** et **désinfecté.**

désagréable adj. *Ce temps brumeux est* **désagréable,** il n'est pas agréable (= déplaisant, pénible ; ≠ agréable). *Il m'a dit des choses* **désagréables,** qui ne m'ont pas plu, m'ont fait de la peine (= blessant, vexant).

■ **désagréablement** adv. *Le refus d'Héloïse m'a* **désagréablement** *surprise,* m'a fait une impression désagréable, pénible (≠ agréablement).

■ **désagrément** n.m. Un **désagrément** est une chose qui est pénible à supporter, qui ennuie (= contrariété, souci). ●● *agrément*

désagréger v. 1er groupe. *Le gel* **désagrège** *les roches,* elle en sépare les parties et les détruit.
✴ Conj. n° 2 et n° 10.

désagrément → *désagréable*

désaltérer v. 1er groupe. Une boisson qui **désaltère** est une boisson qui apaise, étanche la soif (≠ altérer). *Je bois de l'eau pour* **me désaltérer,** pour ne plus avoir soif.
✴ Conj. n° 10.

désamorcer v. 1er groupe. **Désamorcer** une bombe, c'est en retirer l'amorce, le détonateur pour l'empêcher d'exploser. ●● *amorce*
✴ Conj. n° 1.

désappointé, ée adj. *Thomas est très* **désappointé** *par son échec* (= déçu, dépité).

■ **désappointement** n.m. *Il essaie de cacher son* **désappointement** (= déception, dépit ; ≠ satisfaction).

désapprouver v. 1er groupe. *Je vous* **désapprouve** *d'avoir agi ainsi,* je ne suis pas d'accord avec vous (= critiquer, blâmer ; ≠ approuver).

■ **désapprobateur, trice** adj. Un regard **désapprobateur** est un regard qui montre qu'on désapprouve (≠ approbateur).

■ **désapprobation** n.f. *Je lui ai écrit pour lui faire part de ma* **désapprobation** (= désaccord, mécontentement ; ≠ approbation).

désarçonner v. 1er groupe. SENS 1. *Le cheval a* **désarçonné** *son cavalier,* il l'a jeté à terre. SENS 2. *Ma question l'a* **désarçonné,** elle l'a surpris au point de l'empêcher de répondre (= déconcerter, dérouter).

désargenté, ée adj. SENS **1**. *Un plat* **désargenté** *est un plat qui a perdu la couche de métal d'argent qui le couvrait.* ●● **argent**. SENS **2**. *Fam. La mairie aide les familles* **désargentées**, *qui manquent d'argent, qui sont démunies.*

désarmer v. 1er groupe. SENS **1**. *Les policiers* **ont désarmé** *le malfaiteur, ils lui ont enlevé son arme* (≠ armer). ●● **arme**. SENS **2**. **Désarmer** *un navire, c'est retirer son équipement et son matériel* (≠ armer 2). SENS **3**. *Sa naïveté me* **désarme**, *elle fait cesser mes reproches, ma mauvaise humeur contre lui.*

■ **désarmant, ante** adj. *Le sourire de Mathilde est* **désarmant**, *il fait cesser la colère et pousse à l'indulgence.*

■ **désarmement** n.m. [SENS **1**] *La conférence a discuté du* **désarmement**, *de la réduction ou de la suppression des armes.* [SENS **2**] *On a effectué le* **désarmement** *de plusieurs navires,* la suppression de leur équipement.

désarroi n.m. *La mort de son père l'a jeté dans un grand* **désarroi**, *il est tellement troublé qu'il ne sait plus quoi faire* (= détresse, angoisse).

désarticuler v. 1er groupe. *Le choc a* **désarticulé** *la marionnette, l'a séparée en plusieurs morceaux* (= disloquer). ●● **articuler**

désastre n.m. *Cette sécheresse est un* **désastre** *pour les paysans,* un grand malheur (= catastrophe).

■ **désastreux, euse** adj. *La récolte a été* **désastreuse**, *très mauvaise* (= catastrophique).

désavantage n.m. *Sa blessure est un* **désavantage** *pour disputer ce match,* quelque chose qui lui fait du tort, qui abaisse son niveau (= inconvénient, handicap ; ≠ avantage).

■ **désavantager** v. 1er groupe. *Notre équipe a été* **désavantagée** *par le vent,* elle a été mise en état d'infériorité (= handicaper, léser, défavoriser ; ≠ avantager). ✳ Conj. n° 2.

■ **désavantageux, euse** adj. *Le partage est* **désavantageux** *pour nous, il nous fait du tort* (= défavorable ; ≠ avantageux).

désavouer v. 1er groupe. *Le directeur* **a désavoué** *l'action de son associé, il a dit qu'il n'était pas d'accord avec lui* (≠ approuver).

■ **désaveu** n.m. *La réponse du directeur est un* **désaveu** *de notre action* (= désapprobation). ✳ Au pluriel, on écrit des **désaveux**.

desceller v. 1er groupe. *Le maçon a* **descellé** *les gonds du portail, il a arraché les gonds qui étaient fixés dans le mur* (≠ sceller). ✳ Ne pas confondre avec **desseller**.

descendre v. 3e groupe. SENS **1**. *Pour* **descendre**, *vous pouvez prendre l'ascenseur, pour aller en bas. Pierre* **est descendu** *par l'escalier* (≠ monter). *Pierre* **a descendu** *l'escalier en courant, il l'a parcouru de haut en bas.* SENS **2**. *Peux-tu* **descendre** *la poubelle ?,* la porter en bas. ●● **redescendre**. SENS **3**. *Le sentier* **descend** *vers la rivière, il mène en pente jusqu'à la rivière.* SENS **4**. *La température* **est descendue** *au-dessous de zéro, elle a baissé.* SENS **5**. *Jacques dit qu'il* **descend** *de Jules Verne, que Jules Verne était un de ses ancêtres.* ✳ Conj. n° 50. **Descendre** *se conjugue tantôt avec* **être** : *elle* **est** *descendue à la cave,* tantôt avec **avoir** : *elle* **a** *descendu les valises à la cave.*

■ **descendance** n.f. [SENS **5**] *Mon grand-père a une nombreuse* **descendance**, *des enfants et des petits-enfants.*

■ **descendant, ante** adj. [SENS **4**] *À marée* **descendante**, *on ira pêcher sur la plage, quand la mer descendra* (≠ montant).

■ **descendant, ante** n. [SENS **5**] *Les* **descendants** *de M. Barbier se sont*

illustr. ■ **descente** n.f. [SENS 1] *L'avion a com-*
p. 29, *mencé sa descente,* à descendre
(≠ montée). [SENS 3] *Il y a une descente*
après le virage, une portion de route qui
863 descend (= pente ; ≠ montée). ◆ *Une*
descente de lit est un petit tapis placé le
long d'un lit.

description n.f. *Faites la description*
de votre maison, racontez comment elle
est. ●● *décrire*

désemparé, ée adj. *Depuis son*
échec à l'examen, il est désemparé, il
ne sait plus quoi faire (= décontenancé,
dérouté)

sans **désemparer** adv. *Malgré la pluie,*
ils ont continué sans désemparer, sans
s'arrêter.

désenchanté, ée adj. *Nicolas regar-*
dait d'un air désenchanté les débris
de son planeur, d'un air déçu, désappointé (= désespéré ; ≠ enchanté).
●● *enchanter*

■ **désenchantement** n.m. On éprouve
du **désenchantement** lorsqu'on se rend
compte que des espoirs ne se réaliseront
pas (= déception, désillusion ; ≠ ravissement, enchantement).

déséquilibre n.m. *Un léger déséqui-*
libre fait pencher le bateau, un manque
d'équilibre (≠ équilibre).

■ **déséquilibrer** v. 1er groupe. *Ne me*
pousse pas, tu vas me déséquilibrer, me
faire perdre l'équilibre.

■ **déséquilibré, ée** n. et adj. *Il gesti-*
culait comme un déséquilibré, comme
quelqu'un qui n'a plus son équilibre
mental (= fou). *Il est un peu déséquilibré*
(= instable).

désert, e adj. SENS 1. *Les régions*
polaires sont désertes, il n'y a pas
d'habitants (= inhabité). SENS 2. *Paris est*
désert au mois d'août, les gens ne sont
pas là (= dépeuplé).

■ **désert** n.m. [SENS 1] *Le Sahara est le* *illustr.*
plus grand désert du monde, une région *p. 277*
aride faite de sable et de pierre.

■ **désertique** adj. [SENS 1] *Le Sahara*
est une région désertique, une région
sans végétation et sans habitants.

déserter v. 1er groupe. SENS 1. *Des*
soldats ont déserté, ils ont quitté l'armée
sans permission. SENS 2. *Les derniers*
habitants ont déserté le village, ils l'ont
quitté (= abandonner).

■ **déserteur** n.m. *Les gendarmes re-*
cherchent les déserteurs, les soldats qui
ont déserté.

■ **désertion** n.f. *Ils ont été condamnés*
pour désertion, pour avoir quitté l'armée
sans y être autorisés.

désertique → *désert*

désescalade n.f. *Les discussions ont*
abouti à une désescalade, à une diminution de la tension et de la menace de
guerre (= apaisement ; ≠ escalade).

désespérer v. 1er groupe. SENS 1.
Maman dit qu'elle désespère de m'ap-
prendre à ranger ma chambre, qu'elle
n'a plus d'espoir d'y arriver (≠ espérer).
Il ne faut jamais désespérer (= se
décourager). SENS 2. *Jules se désespère*
parce que son hamster ne mange plus,
il est envahi par un immense chagrin
(= se tourmenter).
✳ Conj. n° 10.

■ **désespérément** adv. *Albane re-*
grette désespérément son ancienne
école, avec des regrets qui la remplissent
de désespoir.

■ **désespoir** n.m. [SENS 1] Le **déses-**
poir, c'est le sentiment de grande tristesse que l'on ressent lorsqu'on n'a plus
d'espoir (= découragement, détresse ;
≠ espoir). ◆ *En désespoir de cause, il*
est allé voir un guérisseur, parce qu'il
pensait qu'il n'y avait pas d'autre moyen,
comme dernière ressource.

déshabiller v. 1er groupe. *Marie-*
Carmen déshabille sa poupée, elle lui

enlève ses vêtements. *Luc se déshabille pour aller se coucher* (≠ habiller).

déshabituer v. 1er groupe. *Papa a eu du mal à se déshabituer de fumer,* à perdre l'habitude de fumer. ●● *habitude*

désherber v. 1er groupe. *Il faut désherber les allées du jardin,* enlever les mauvaises herbes qui y ont poussé (= sarcler). ●● *herbe*

■ **désherbant** n.m. Un **désherbant** est un produit chimique qui sert à tuer les mauvaises herbes (= herbicide).

déshérité, ée n. *Des œuvres charitables portent secours aux déshérités,* les personnes pauvres qui n'ont rien.

déshériter v. 1er groupe. *Il veut déshériter sa fille,* ne pas lui laisser d'héritage. ●● *hériter*

déshonneur n.m. *Il n'y a aucun déshonneur à reconnaître qu'on s'est trompé,* il n'y a aucune raison d'avoir honte (≠ honneur).

■ **déshonorer** v. 1er groupe. *Sa conduite ignoble le déshonore,* elle lui fait perdre sa bonne réputation (= discréditer ; ≠ honorer).

■ **déshonorant, ante** adj. *Son attitude est déshonorante,* elle le déshonore et nous fait honte (= honteux).
✳ **Déshonneur** s'écrit avec deux « n » mais les mots de sa famille n'en prennent qu'un (**déshonorer, déshonorant**).

déshydrater v. 1er groupe. Des légumes **déshydratés** sont des légumes dont on a éliminé l'eau pour les conserver (≠ hydrater). *Il fait très chaud, le bébé risque de se déshydrater,* de perdre l'eau qui est dans son organisme. ◆ *Je suis complètement déshydraté,* j'ai extrêmement soif.

désigner v. 1er groupe. SENS 1. *Pouvez-vous me désigner Brest sur la carte ?,* me montrer exactement où cette ville se situe (= indiquer, pointer). SENS 2. *Pierre a été désigné pour représenter ses camarades* (= choisir, nommer).

■ **désignation** n.f. [SENS 2] *On annonce la désignation de M. Dupont comme directeur de l'entreprise* (= nomination).

désillusion n.f. *Son échec lui a causé une grande désillusion,* il a été extrêmement déçu et a perdu ses illusions (= déception, déconvenue ; ≠ illusion).

■ **désillusionner** v. 1er groupe. **Désillusionner** quelqu'un, c'est lui faire perdre ses illusions (= décevoir, désenchanter).

désinfecter v. 1er groupe. *On a désinfecté la coupure de son doigt,* on a détruit les microbes qui y étaient (≠ infecter).
✳ Ne pas confondre **désinfecter** et **désaffecter**.

■ **désinfectant** n.m. Un **désinfectant** est un produit que l'on utilise pour désinfecter. *illustr. p. 868*

■ **désinfection** n.f. *La chambre d'hôpital est en cours de désinfection,* on est en train de la désinfecter.

désintégrer v. 1er groupe. SENS 1. *L'explosion a désintégré la maison,* elle l'a détruite complètement (= désagréger, anéantir). SENS 2. *Les disputes ont fini par désintégrer l'équipe,* les membres de l'équipe se sont séparés (= détruire, disloquer).
✳ Conj. n° 10.

■ **désintégration** n.f. *La désintégration des atomes produit l'énergie atomique,* leur fragmentation.

désintéressé, ée adj. *Une personne désintéressée* est quelqu'un qui ne recherche pas d'avantages pour lui-même (= généreux ; ≠ cupide, égoïste, intéressé). ●● *intérêt*

■ **désintéressement** n.m. *Il nous a aidés avec un désintéressement total,* sans chercher à en tirer un bénéfice (= générosité, abnégation).

se **désintéresser** v. 1er groupe. *Se désintéresser de quelque chose,* c'est

LE DÉSERT

éolienne
ale
ompe

caravane dans le Sahara
ballots
chamelier

oasis
camion
piste
dune

troupeau
tente
campement de Touaregs

fleur
cactus
dattes
régime de dattes
dattier
cierge du Mexique

torchère
derrick
réservoir
oléoduc
puits de pétrole

criquet migrateur
vipère des sables
bosses
dard
scorpion
oryx
fennec
dromadaire
chameau

ne plus s'y intéresser (= négliger, délaisser). ●● **intérêt**

■ **désintérêt** n.m. *Il n'a plus que du **désintérêt** pour le football,* il a perdu l'intérêt qu'il y prenait, il ne s'y intéresse plus (= indifférence ; ≠ intérêt).

désintoxiquer v. 1ᵉʳ groupe. **Désintoxiquer** quelqu'un, c'est le guérir d'une intoxication par l'alcool ou par la drogue. ●● **toxique, intoxiquer**

■ **désintoxication** n.f. Une cure de **désintoxication** est un traitement suivi par un alcoolique ou un drogué pour se désintoxiquer.

désinvolte adj. *La maîtresse n'a pas admis sa réponse **désinvolte***, qui manifeste une certaine insouciance proche de l'insolence (= impertinent, inconvenant).

■ **désinvolture** n.f. *Il a agi avec **désinvolture***, une familiarité proche de l'inconvenance (= sans-gêne).

désirer v. 1ᵉʳ groupe. SENS 1. *Grand-père **désire** te parler,* il en a envie (= vouloir, souhaiter). SENS 2. *Ton devoir **laisse à désirer***, il est médiocre et pourrait être meilleur.

■ **désirable** adj. [SENS 1] *Cet article présente toutes les qualités **désirables*** (= souhaitable, requis ; ≠ indésirable).

■ **désir** n.m. [SENS 1] *Sa mère satisfait tous ses **désirs*** (= souhait, vœu, envie).

■ **désireux, euse** adj. [SENS 1] *Cette dame est **désireuse** de vous voir,* elle le désire.

se **désister** v. 1ᵉʳ groupe. *Ce candidat aux élections **s'est désisté***, il a déclaré qu'il cessait d'être candidat.

■ **désistement** n.m. *Ce candidat a annoncé son **désistement***, qu'il se désistait (= abandon).

désobéir v. 2ᵉ groupe. *On lui avait défendu de sortir, mais il **a désobéi***, il n'a pas fait ce qu'on lui avait demandé (≠ obéir).

■ **désobéissance** n.f. *Notre maîtresse ne tolère pas la **désobéissance***, que l'on désobéisse (= indocilité, indiscipline ; ≠ obéissance).

■ **désobéissant, ante** adj. *Un enfant **désobéissant** est un enfant qui désobéit (= indiscipliné, indocile ; ≠ obéissant).

désobliger v. 1ᵉʳ groupe. **Désobliger** quelqu'un c'est lui causer une contrariété ou de la peine (= contrarier, fâcher, vexer). ●● **obliger**
✳ Conj. nᵒ 2.

■ **désobligeant, ante** adj. *Des réflexions **désobligeantes** sont blessantes ou injurieuses (= vexant, déplaisant).

désodorisant n.m. *On a mis un **désodorisant** dans les toilettes,* un produit qui chasse les mauvaises odeurs. ●● **odeur**

désœuvré, ée adj. *Dans les grandes cités, les jeunes sont souvent **désœuvrés***, ils n'ont rien à faire, ne savent pas quoi faire (= oisif ; ≠ occupé). ●● **œuvre**

■ **désœuvrement** n.m. *Il tapait dans un ballon par **désœuvrement***, par manque d'occupation (= oisiveté, inaction ; ≠ activité).

désoler v. 1ᵉʳ groupe. *Je **suis désolé** de ne pas pouvoir vous renseigner,* je le regrette vivement (= navrer, contrarier ; ≠ se réjouir).

■ **désolant, ante** adj. *Je regrette cet incident **désolant***, qui me cause du chagrin (= lamentable, affligeant, consternant).

■ **désolation** n.f. *Cet accident a plongé le village dans la **désolation***, dans une grande peine (= affliction).

se **désolidariser** v. 1ᵉʳ groupe. *Anne **s'est désolidarisée** de ses camarades,* elle n'est plus solidaire avec eux, elle ne les soutient plus. ●● **solidaire**

désopilant, ante adj. *Une histoire **désopilante** est une histoire extrêmement drôle (= hilarant).

désordre n.m. *La maison est en désordre,* elle n'est pas en ordre, les affaires ne sont pas rangées (≠ ordre).

■ **désordonné, ée** adj. *Amélie est très désordonnée,* elle ne range pas ses affaires, elle fait du désordre (≠ ordonné).

désorganiser v. 1ᵉʳ groupe. *Cet incident a désorganisé la fête de l'école,* il en a détruit l'organisation (= déranger, bouleverser). ●● *organiser*

désorienter v. 1ᵉʳ groupe. *Un détail bizarre a désorienté les enquêteurs,* il les a rendus incertains sur la piste à suivre (= dérouter, orienter). *Je suis désorientée par ses déclarations,* je suis décontenancée (= déconcerter).

désormais adv. *Désormais on se lèvera une heure plus tôt,* à partir de maintenant (= dorénavant).

désosser v. 1ᵉʳ groupe. *Le boucher désosse un quartier de bœuf,* il sépare les os de la viande, il retire les os. ●● *os*

despote n.m. *Ce pays est gouverné par un despote sanguinaire,* un souverain injuste (= tyran).

■ **despotique** adj. *Ce patron exerce une autorité despotique* (= tyrannique).

■ **despotisme** n.m. *Les gens se sont révoltés contre le despotisme,* contre le régime politique autoritaire. → *absolutisme, dictature*

desquels, desquelles → *lequel*

se **dessaisir** v. 2ᵉ groupe. *Je me suis dessaisi de ce document,* je l'ai cédé, je ne l'ai plus (= se séparer, se démunir, se défaire ; ≠ saisir).

dessaler v. 1ᵉʳ groupe. *Pour dessaler la morue, on la fait tremper dans l'eau,* pour en éliminer le sel (≠ saler). ●● *sel*

dessécher v. 1ᵉʳ groupe. *Le soleil a desséché la terre,* il lui a fait perdre son humidité, il l'a rendue sèche. ●● *sec* ✳ Conj. n° 10.

■ **dessèchement** n.m. *Maman met une crème contre le dessèchement de la peau,* qui évite que la peau ne se dessèche.

dessein n.m. SENS 1. *Dans quel dessein as-tu fait cela ?* (= but, intention). *Il a de vastes desseins* (= projet). SENS 2. *Faire quelque chose à dessein,* c'est le faire exprès (= intentionnellement). ✳ Ne pas confondre avec **dessin**.

desseller v. 1ᵉʳ groupe. *Desseller un cheval,* c'est lui ôter sa selle. ●● *selle* ✳ Ne pas confondre avec **desceller**.

desserrer v. 1ᵉʳ groupe. SENS 1. *Je n'arrive pas à desserrer cet écrou,* à faire qu'il soit moins serré, à le libérer (≠ serrer). SENS 2. **Ne pas desserrer les dents,** c'est ne pas dire un mot, se taire.

dessert n.m. *Comme dessert, il y avait une tarte,* comme plat à la fin du repas.

desservir v. 3ᵉ groupe. SENS 1. *Après le repas, on dessert la table,* on enlève ce qui a servi à manger (= débarrasser). ●● *servir.* SENS 2. *Son agressivité le dessert,* elle lui cause du tort (= nuire). SENS 3. *Le village est desservi par un car,* un car y passe régulièrement. ✳ Conj. n° 20.

■ **desserte** n.f. [SENS 1] *Une desserte est une petite table utilisée pour desservir.* [SENS 3] *Ce car assure la desserte des hameaux,* il y passe régulièrement, il les dessert.

dessiner v. 1ᵉʳ groupe. SENS 1. *Prenez un papier et un crayon et dessinez un cheval,* représentez-le en traçant des traits. SENS 2. *La route dessine plusieurs virages* (= former, tracer). SENS 3. *Une solution commence à se dessiner,* à apparaître (= se préciser).

illustr. ■ **dessin** n.m. [SENS 1] *Pierre a fait un*
p. 311 **dessin** *très ressemblant de la maison,* une représentation par des traits. *Ludivine aime les **dessins animés**,* les films faits de dessins.

✳ Ne pas confondre avec **dessein**.

illustr. ■ **dessinateur, trice** n. [SENS 1] *Mme*
p. 51 *Martin est **dessinatrice** dans un journal,* elle y fait des dessins.

dessouder v. 1er groupe. *Le choc a **dessoudé** le tuyau,* il a défait la soudure (≠ souder).

dessous SENS 1. adv. *La gomme n'est plus sur la table, regarde **dessous**,* sous la table (≠ dessus). SENS 2. prép. *Le grenier est **au-dessous du** toit. Passe **par-dessous** la barrière.* SENS 3. n.m. *Le **dessous** de mes chaussures est usé,* la partie inférieure. ◆ *Jean **a eu le dessous** dans la bagarre,* il a perdu.

illustr. **dessous-de-plat** n.m. inv. Un
p. 238 **dessous-de-plat** est un support sur lequel on pose les plats chauds pour protéger la nappe.

✳ Au pluriel, ce mot ne change pas.

dessus SENS 1. adv. *Le dessin représente un arbre avec des oiseaux **dessus**,* sur lui (≠ dessous). SENS 2. prép. *Le commandant est **au-dessus du** capitaine,* supérieur à lui. *Saute **par-dessus** la barrière.* SENS 3. n.m. *Les voisins du **dessus** sont très gentils,* ceux de l'étage supérieur. ◆ *Notre équipe **a eu le dessus**,* elle a gagné.

dessus-de-lit n.m. inv. Un **dessus-de-lit** est une pièce de tissu avec laquelle on recouvre un lit (= couvre-lit).

✳ Ce mot ne change pas au pluriel.

déstabiliser v. 1er groupe. *Les terroristes s'efforcent de **déstabiliser** le gouvernement,* de provoquer sa chute (= ébranler). ●● *stable*

destin n.m. ou **destinée** n.f. *Quel sera mon **destin** ?,* l'ensemble des événements de ma vie (= sort). *Les hasards de la **destinée** l'ont conduit dans de nombreux pays,* les hasards de l'existence, de la vie.

destiner v. 1er groupe. SENS 1. *Seydou **se destine** à la profession de médecin,* il a décidé qu'il fera cela dans la vie et il s'y prépare. SENS 2. *Cette lettre **est destinée** à Amélie,* elle est pour elle.

■ **destination** n.f. [SENS 2] *Quelle est la **destination** de ce train ?,* l'endroit où il va.

■ **destinataire** n. [SENS 2] *Écris lisiblement le nom du **destinataire**,* de la personne à qui est adressée ta lettre (≠ expéditeur).

destituer v. 1er groupe. *Le directeur **a été destitué**,* il a été chassé de son poste (= révoquer, licencier).

■ **destitution** n.f. *Le gouvernement a décidé la **destitution** du préfet* (= révocation).

destruction, destructeur
→ *détruire*

désuet, ète adj. *« Choir » est un mot **désuet**,* on ne l'emploie plus (= vieilli, suranné ; ≠ usité).

■ **désuétude** n.f. *Cet usage **est tombé en désuétude**,* on ne le suit plus.

désunir v. 2e groupe. *Une brouille les **a désunis**,* elle a mis fin à leur bonne entente (= séparer, brouiller ; ≠ unir).

■ **désunion** n.f. *Il voudrait empêcher la **désunion** dans la famille,* la mauvaise entente entre ses membres (= désaccord, mésentente ; ≠ union).

1. détacher v. 1er groupe. SENS 1. *Le chien hurle, il faut le **détacher**,* défaire ses attaches, le délier (≠ attacher). *Vania **détache** ses lacets de chaussures,* il défait les nœuds (= dénouer ; ≠ nouer). SENS 2. *Prisca **se détache** de nous,* elle a moins d'amitié et d'affection pour nous. SENS 3. *Les arbres **se détachent** sur le* *soleil couchant,* ils apparaissent nette-ment (= se découper). SENS 4. *Ce fonc-tionnaire* **a été détaché** *en province,* ses supérieurs l'y ont envoyé (= muter).

■ **détachable** adj. [SENS 1] *Mon cahier à dessins a des feuilles* **détachables**, que l'on peut détacher une à une.

■ **détaché, ée** adj. [SENS 1] *Des pièces* **détachées** *sont des pièces que l'on vend séparément pour remplacer des pièces hors d'usage.* [SENS 2] *Il regardait la scène d'un air* **détaché**, *d'un air indiffé-rent.*

■ **détachement** n.m. [SENS 2] *Violaine m'a parlé avec* **détachement** *de sa mauvaise note en maths,* comme si elle n'y attachait pas d'importance (= indiffé-rence). [SENS 4] *L'officier a envoyé un* **détachement** *en reconnaissance,* un petit groupe de soldats.

2. détacher v. 1er groupe. *J'ai porté ma robe à* **détacher** *chez le teinturier,* pour qu'on enlève les taches (= nettoyer, dégraisser). ●● *tache*

■ **détachant** n.m. *Un* **détachant** *est un produit qui sert à enlever les taches.*

détail n.m. SENS 1. *Connais-tu les dé-tails de cette histoire ?,* les points précis de son déroulement. *On a examiné le tableau* **en détail** (= minutieusement). SENS 2. *Ce commerçant ne vend pas* **au détail**, en petites quantités (≠ en gros).

■ **détaillant, ante** n. [SENS 2] *Cet épi-cier est un* **détaillant** (≠ grossiste).

■ **détailler** v. 1er groupe. [SENS 1] *Jean nous a fait un récit* **détaillé** *de ses vacances,* en donnant beaucoup de détails. [SENS 2] *Un grossiste ne peut pas* **détailler** *la marchandise,* la vendre au détail.

détaler v. 1er groupe. *Les lièvres* **dé-talent** *au moindre bruit,* ils s'enfuient à toute vitesse (= fam. déguerpir, filer).

détartrer v. 1er groupe. *Le dentiste m'a* **détartré** *les dents,* il a enlevé le tartre qui s'y était formé (≠ entartrer). ●● *tartre*

■ **détartrant, ante** n.m. et adj. *On a mis du* **détartrant** *dans la cuvette des W.-C.,* un produit qui enlève le tartre.

détaxer v. 1er groupe. *À l'aéroport, on peut acheter des produits* **détaxés**, ven-dus sans être taxés. ●● *taxe*

détecter v. 1er groupe. *Détecter une fuite,* c'est la découvrir, la déceler par une recherche minutieuse.

■ **détection** n.f. *Ces soldats sont spé-cialisés dans la* **détection** *des mines,* ils savent découvrir où elles ont été ca-chées.

■ **détecteur** n.m. *Un* **détecteur** *de mines est un appareil qui sert à déceler la présence de mines quelque part.*

détective n.m. *Un* **détective** *a retrouvé la trace du gangster,* un homme qui fait des enquêtes policières.

déteindre v. 3e groupe. SENS 1. *Cette chemise* **déteint** *au lavage,* elle perd sa couleur (= se décolorer, passer). ●● *teindre.* SENS 2. *Le pull bleu* **a déteint** *sur le chemisier,* il lui a commu-niqué un peu de sa couleur. ✳ Conj. n° 55.

dételer v. 1er groupe. *Dételer un che-val,* c'est le détacher de la voiture qu'il tirait (≠ atteler). ✳ Conj. n° 6.

détendre v. 3e groupe. SENS 1. *Déten-dre un câble,* c'est le rendre plus mou, moins tendu (≠ tendre). SENS 2. *Ce bain m'a* **détendue**, il m'a permis de me délasser, de me reposer (= décontracter). ✳ Conj. n° 50.

■ **détente** n.f. [SENS 2] *J'ai besoin d'un moment de* **détente**, de me reposer un moment (= délassement, relaxation). ◆ *Il y a une certaine* **détente** *dans les relations internationales,* elles sont moins tendues, il y a moins d'hostilité. ◆ *Le chasseur a appuyé sur la* **détente**, sur la pièce qui fait partir le coup d'une arme à feu. ●● *tension*

détenir v. 3ᵉ groupe. *Ce sportif **détient** le record du monde de saut en hauteur, il l'a acquis* (= avoir).
✸ Conj. n° 22.

■ **détention** n.f. *Il a été condamné pour **détention** d'armes prohibées,* parce qu'il avait ces armes en sa possession.

■ **détenteur, trice** n. *Son frère est le **détenteur** d'un record d'athlétisme,* celui qui le détient (= possesseur).

détente → *détendre*

détention → *détenir, détenu*

détenu, ue n. *Les **détenus** peuvent recevoir des visites le samedi,* les personnes gardées en prison (= prisonnier).

■ **détention** n.f. *Le tribunal l'a condamné à la **détention** perpétuelle* (= emprisonnement).

détergent n.m. *On utilise les **détergents** pour le lavage et le nettoyage,* les produits qui nettoient (= lessive).

détériorer v. 1ᵉʳ groupe. *L'humidité **détériore** les murs,* elle les met en mauvais état (= abîmer ; ≠ réparer). *Sa santé **se détériore*** (= dégrader).

■ **détérioration** n.f. *Le chômage crée une **détérioration** de la situation,* elle devient moins bonne (= aggravation).

déterminer v. 1ᵉʳ groupe. SENS 1. *On n'a pas **déterminé** les causes de l'accident,* on ne les a pas établies exactement (= préciser). ●● *indéterminé.* SENS 2. *La pluie l'a **déterminé** à rester* (= décider, pousser). ●● *autodétermination.* SENS 3. *Il s'est enfin **déterminé** à agir,* il s'est décidé, résolu.

■ **déterminant, ante** adj. [SENS 2] *Il a joué dans cette affaire un rôle **déterminant**,* très important (= décisif).

■ **déterminant** n.m. *Les articles, les adjectifs démonstratifs et possessifs*

sont des **déterminants**, ils accompagnent le nom et s'accordent avec lui.

■ **détermination** n.f. [SENS 2] *Jean a agi avec **détermination**,* sans hésiter il a fait ce qu'il avait décidé de faire (= décision, résolution).

déterrer v. 1ᵉʳ groupe. *Au cours des fouilles, on **a déterré** des vases antiques,* on les a sortis de terre (= exhumer). ●● *terre*

détester v. 1ᵉʳ groupe. *Pierre **déteste** les épinards,* il ne les aime pas du tout (= exécrer ; ≠ adorer, raffoler de).

■ **détestable** adj. *Ce vin est **détestable**,* il est très mauvais (= exécrable).

détonation n.f. *As-tu entendu la **détonation** ?,* le bruit d'explosion.

■ **détonateur** n.m. *Un **détonateur** est un dispositif qui provoque l'explosion d'une bombe, d'un obus.*

détourner v. 1ᵉʳ groupe. SENS 1. *On a **détourné** la circulation à cause d'un accident,* on a changé sa direction (= dévier). SENS 2. *Rien ne peut la **détourner** de son travail,* lui faire faire autre chose (= éloigner ; ≠ pousser, inciter). SENS 3. *Il **s'est détourné** pour ne pas me saluer,* il a regardé ailleurs. ●● *tourner.* SENS 4. *Le caissier a été arrêté pour avoir **détourné** des sommes importantes,* pour les avoir volées.

■ **détour** n.m. [SENS 1] *La route fait un **détour**,* elle ne va pas droit au but. *On a fait un **détour** par le château* (= crochet). ◆ *Je lui ai dit **sans détour** ce que je pensais de lui,* franchement.

■ **détourné, ée** adj. *Elle a atteint son but par des moyens **détournés**,* d'une façon indirecte.

■ **détournement** n.m. [SENS 4] *Le caissier a été arrêté pour **détournement** de fonds* (= vol).

détracteur, trice n. *Il a riposté à tous ses **détracteurs**,* ceux qui le critiquaient.

détraquer v. 1er groupe. *Ma montre est détraquée, il faut la faire réparer, elle ne marche plus* (= dérégler).

détremper v. 1er groupe. *La terre est détrempée par la pluie, elle est complètement imbibée d'eau.* ●● *tremper*

détresse n.f. SENS 1. *Les réfugiés sont dans une situation de détresse, de grande misère* (= malheur). SENS 2. *L'avion est en détresse, dans une situation dangereuse* (= en danger).

détriment n.m. *Il a fait une erreur au détriment de Paul, au désavantage de Paul* (≠ avantage).

détritus n.m. pl. *Défense de jeter des détritus à cet endroit, des résidus, des épluchures, etc.* (= ordures).
　❋ On prononce [detritys] ou [detrity].

illustr.
p. 556　**détroit** n.m. *Le détroit de Gibraltar relie l'Atlantique et la Méditerranée, une partie de mer entre deux terres rapprochées.*

détromper v. 1er groupe. *Il croyait que j'allais céder mais je l'ai détrompé, je lui ai montré qu'il se trompait.* ●● *tromper*. *Détrompe-toi, je n'ai rien à voir avec cette histoire, cesse de croire ça.*

détrôner v. 1er groupe. SENS 1. *Les révolutionnaires ont détrôné le roi, ils lui ont fait perdre son titre de roi en le chassant* (= renverser). ●● *trône*. SENS 2. *L'avion a détrôné le paquebot pour franchir les océans, il l'a remplacé* (= supplanter).

détrousser v. 1er groupe. *Autrefois, les brigands détroussaient les voyageurs, ils les attaquaient sur la route pour les voler.*

détruire v. 3e groupe. SENS 1. *Un tremblement de terre a détruit la ville, il l'a réduite en ruine* (= anéantir, démolir ; ≠ construire). ●● *indestructible*. SENS 2. *Ce produit détruit les insectes, il les fait périr* (= tuer, exterminer).
　❋ Conj. no 70.

■ **destructeur, trice** adj. [SENS 1] *Les bombes sont des engins destructeurs, qui détruisent, anéantissent.*

■ **destruction** n.f. [SENS 1 et 2] *Les bombes ont causé de graves destructions* (= dégâts). *La mairie a ordonné la destruction des vieux immeubles* (= démolition ; ≠ construction).

dette n.f. *M. Dupont a des dettes, il doit de l'argent.* ●● *s'endetter, débiteur*

deuil n.m. *Jean est en deuil, il déplore la mort de quelqu'un de sa famille, de ses proches.* ●● *endeuiller*

deux adj. numéral *Nous avons deux yeux, un plus un. 1 + 1 = 2.*　*illustr. p. 642*

■ **deuxième** adj. et n. *J'habite maintenant au deuxième étage. Quentin est le deuxième en français* (= second).　*illustr. p. 642*

deux-pièces n.m. inv. *Corinne a un deux-pièces rouge, un maillot de bain formé de deux éléments séparés, un slip et un soutien-gorge.*

deux-roues n.m. inv. *Les vélos, les cyclomoteurs, les motos sont des deux-roues, des véhicules à deux roues.*

dévaler v. 1er groupe. *Pierre a dévalé l'escalier, il l'a descendu très vite* (= dégringoler). *Les skieurs dévalent les pentes, ils descendent à toute vitesse.*

dévaliser v. 1er groupe. *Des inconnus ont dévalisé l'appartement, ils ont volé ce qu'il y avait dedans* (= cambrioler).

dévaloriser v. 1er groupe. *La perte de cette pièce dévalorise sa collection, elle lui fait perdre de sa valeur* (= déprécier ; ≠ valoriser). ●● *valoir*. *La monnaie de ce pays s'est dévalorisée, elle vaut moins qu'auparavant.*

dévaluer v. 1er groupe. *Dévaluer une monnaie, c'est diminuer légalement sa*

283

valeur par rapport aux monnaies étrangères. ●● *valoir*

■ **dévaluation** n.f. La **dévaluation** d'une monnaie, c'est la diminution de sa valeur par rapport aux autres monnaies.

devancer v. 1ᵉʳ groupe. *Ce cheval a devancé tous les autres,* il est arrivé avant eux (= distancer). *Vous avez devancé nos désirs,* vous les avez exaucés avant même que nous les exprimions (= prévenir).
✷ Conj. n° 1.

devant SENS 1. prép. *Ne reste pas devant la porte* (= en face de ; ≠ derrière). *Il est venu au-devant de moi,* à ma rencontre. SENS 2. adv. *Pierre est devant,* plus loin en avant. SENS 3. n.m. *Le devant de ta chemise est taché,* la partie placée en avant (≠ derrière, arrière). SENS 4. (Au plur.) *Je n'ai pas attendu ses critiques, j'ai pris les devants,* j'ai agi avant pour les éviter.

devanture n.f. *Le libraire a changé sa devanture,* le contenu de sa vitrine.

dévaster v. 1ᵉʳ groupe. *Une tempête a dévasté cette région,* elle a causé de grands dégâts (= ravager).

■ **dévastateur, trice** adj. *La tempête a eu des effets dévastateurs,* qui causent beaucoup de dégâts.

■ **dévastation** n.f. *L'incendie a causé la dévastation de l'usine* (= ruine, ravage).

déveine n.f. Fam. *J'ai encore perdu, quelle déveine !,* manque de chance (= malchance ; ≠ chance, veine).

développer v. 1ᵉʳ groupe. SENS 1. *La gymnastique développe les muscles,* elle les rend plus forts. *Le tourisme se développe dans ce pays,* il devient plus important (= croître, s'accroître). ●● *sous-développé.* SENS 2. *Pierre a développé ses arguments,* il les a exposés en détail. SENS 3. *Le photographe développe les pellicules,* il les soumet à un traitement qui y fait apparaître l'image.

■ **développement** n.m. [SENS 1] *Ce pays a connu un très grand développement économique* (= essor, croissance). [SENS 2] *Il y a dans ce livre des développements ennuyeux,* de longs passages. ◆ Le **développement** d'un vélo, c'est la distance parcourue pour un tour de pédalier.

devenir v. 3ᵉ groupe. *M. Sernal devient vieux,* il commence à l'être. *Le bouton est devenu une fleur,* il s'est transformé en fleur.
✷ Conj. n° 22. Ce verbe se conjugue avec l'auxiliaire « être ».

dévergondé, ée adj. *Une vie dévergondée est une vie de débauche.*

devers → *par-devers*

se **déverser** v. 1ᵉʳ groupe. *Cette rivière se déverse dans la Seine* (= se jeter).

dévêtir v. 3ᵉ groupe. *On avait dévêtu l'enfant pour le coucher,* on avait retiré ses habits (= déshabiller ; ≠ habiller). ●● *vêtement*
✷ Conj. n° 27.

dévider v. 1ᵉʳ groupe. *Le pêcheur dévide le fil de son moulinet,* il le déroule.

■ **dévidoir** n.m. Le **dévidoir** sert à dérouler du fil, un tuyau, un ruban, etc.
illustr. p. 737, 122

dévier v. 1ᵉʳ groupe. *La circulation est déviée à cause d'un accident* (= détourner).

■ **déviation** n.f. *Vous devez prendre la déviation,* la route déviée.
illustr. p. 852

deviner v. 1ᵉʳ groupe. *Devine ce que j'ai reçu à Noël,* découvre-le par supposition ou par intuition (= trouver). ●● *divination*

■ **devin, devineresse** n. *J'ignore ce qui va se passer, je ne suis pas devin,* je ne prétends pas deviner l'avenir.

■ **devinette** n.f. *Marie m'a posé une devinette,* une question dont il faut deviner la réponse.

284

devis n.m. *Avant de faire réparer sa voiture, il a demandé un **devis**,* une estimation du prix des travaux.

dévisager v. 1er groupe. *Pourquoi me **dévisages**-tu ainsi ?,* me regardes-tu avec insistance (= fixer).
✱ Conj. n° 2.

devise n.f. SENS 1. *L'euro, le dollar, le rouble, le yen sont des **devises**,* des monnaies considérées par rapport à leur taux de change. SENS 2. *« La liberté avant tout », telle est sa **devise**,* les mots qui expriment son idéal.

deviser v. 1er groupe. *Nous **devisions** paisiblement en marchant,* nous échangions des idées (= causer, bavarder, converser).
✱ Ce verbe s'emploie surtout à l'écrit.

dévisser v. 1er groupe. SENS 1. *Il a dû **dévisser** la serrure,* enlever les vis qui la fixent (≠ visser). ●● **vis**. *Le bouchon du tube se **dévisse**,* on l'ouvre en tournant (≠ se visser). SENS 2. *L'alpiniste risquait de **dévisser**,* de lâcher prise et de faire une chute.

dévoiler v. 1er groupe. SENS 1. *On a **dévoilé** la statue,* on a enlevé le voile qui la couvrait (≠ voiler). ●● **voile (1)**. SENS 2. *Il n'a pas voulu **dévoiler** ses projets,* les faire connaître (= révéler).

devoir v. 3e groupe. SENS 1. *Pierre me **doit** vingt euros,* il a cette somme à me payer. ●● **dette, débiteur, redevable**. SENS 2. *Il est 8 heures, nous **devons** partir,* nous sommes dans l'obligation de partir (= falloir). SENS 3. *Il **doit** être parti,* il est probablement parti.
✱ Conj. n° 35. Ne pas confondre (il, elle) doit et le doigt.

■ **devoir** n.m. [SENS 2] *En lui portant secours, j'ai fait mon **devoir**,* ce que je devais faire. ◆ *As-tu fini tes **devoirs** ?,* tes exercices scolaires.

■ **dû** n.m. [SENS 1] *Je n'ai pas eu mon **dû**,* ce qu'on me devait. ●● **indu**

dévolu, ue adj. *C'est une grande responsabilité qui lui est **dévolue**,* qui lui est attribuée.

dévorer v. 1er groupe. SENS 1. *Le chien a **dévoré** sa pâtée,* il l'a mangée. SENS 2. *Je suis **dévoré** par l'impatience,* tourmenté par ce sentiment.

■ **dévorant, ante** adj. [SENS 2] *J'étais poussé par une curiosité **dévorante**,* qui envahissait totalement mon esprit.

dévot, ote adj. et n. *Une personne **dévote** est très attachée à la religion (= pieux).*

■ **dévotion** n.f. *Mme Durand est pleine de **dévotion**,* d'attachement à la religion (= piété).

se **dévouer** v. 1er groupe. *Se **dévouer**, c'est accepter de faire quelque chose de désagréable ou de pénible pour rendre service (= se sacrifier).*

■ **dévoué, ée** adj. *Il est agréable d'avoir des amis aussi **dévoués**,* toujours prêts à aider (= serviable, empressé, zélé).

■ **dévouement** n.m. *Quand j'étais malade, il m'a soigné avec **dévouement** (= zèle ; ≠ égoïsme).*

dextérité n.f. *Le chirurgien opère avec une grande **dextérité**,* une grande habileté manuelle (= adresse ; ≠ maladresse).

diabète n.m. *M. Dupuis a du **diabète**, le sucre lui est interdit,* une maladie causée par la présence importante de sucre dans le sang.

■ **diabétique** adj. et n. *Les (personnes) **diabétiques** ont souvent très soif,* les personnes qui ont du diabète.

diable n.m. SENS 1. *Pour les chrétiens, le **diable** est l'esprit du mal et s'oppose à Dieu (= démon). SENS 2. *Cet enfant est un vrai petit **diable**,* il est espiègle, remuant, turbulent. ●● **endiablé**. SENS 3. *Ayez pitié de ce **pauvre diable** (= malheureux). SENS 4. *Véronique habite *au diable*, très loin. *Paul est paresseux en diable*, très paresseux. SENS 5. **Tirer le diable par la queue**, c'est vivre pauvrement avec des ressources insuffisantes.

■ **diable** interj. Ce mot exprime la surprise. *Pourquoi diable as-tu dit ça ?*

■ **diablement** adv. [SENS 4] Fam. *La route est diablement mauvaise* (= très).

■ **diablerie** n.f. [SENS 2] *Ne commence pas tes diableries !* (= espièglerie).

■ **diablotin** n.m. [SENS 1 et 2] Un diablotin est un petit diable.

■ **diabolique** adj. [SENS 1] *On l'a attirée dans ce piège par une ruse diabolique*, qui fait penser au diable (= infernal, démoniaque).

diacre n.m. Un **diacre** est un auxiliaire officiel du clergé catholique ou du ministère protestant.

diadème n.m. *La reine portait un diadème*, un ornement en arc de cercle que l'on porte sur la tête comme un bijou.

diagnostic n.m. *Quel est le diagnostic du médecin ?*, quelle maladie a-t-il trouvée ?
✳ On prononce [djagnɔstik].

■ **diagnostiquer** v. 1er groupe. *Il a diagnostiqué une bronchite.*

illustr. p. 431

diagonale n.f. *Les diagonales d'un carré se coupent au centre de ce carré*, les lignes qui joignent les sommets opposés. *Le chemin coupe la route en diagonale*, en biais (= obliquement).

dialecte n.m. *Dans cette région, les paysans parlent un dialecte*, une langue particulière. → *patois*

dialogue n.m. *M. Durand et M. Dupont ont eu un long dialogue*, ils ont parlé tous les deux (= conversation, entretien).

■ **dialoguer** v. 1er groupe. *J'ai longuement dialogué avec lui*, discuté (= converser).

■ **dialoguiste** n. Un **dialoguiste** est l'auteur des dialogues d'un film.

diamant n.m. *Sa maman a une bague avec un diamant*, une pierre précieuse très brillante.
illustr. p. 983

■ **diamantaire** n.m. Un **diamantaire** est une personne qui travaille ou qui vend des diamants.

diamètre n.m. Le **diamètre** d'un cercle est une droite qui passe par le centre et qui est limitée par la circonférence.
illustr. p. 431

■ **diamétralement** adv. *Leurs opinions sont diamétralement opposées*, tout à fait (= radicalement).

diapason n.m. Un **diapason** est un petit instrument qui donne la note « la » pour accorder les instruments de musique.
illustr. p. 628

diaphane adj. *La porcelaine est diaphane*, elle laisse passer la lumière sans être transparente (= translucide).

diaphragme n.m. SENS 1. Le **diaphragme** est le muscle large qui sépare la poitrine de l'abdomen. SENS 2. Le **diaphragme** d'un appareil photo est l'ouverture réglable par où passe la lumière.
illustr. p. 216

diapositive n.f. *Jean nous a montré des diapositives en couleurs*, des photos qu'on projette sur un écran.

diarrhée n.f. *Pierre a la diarrhée*, des selles liquides et fréquentes (= colique).

dictateur n.m. *Dans ce pays, un dictateur a pris le pouvoir*, un homme qui gouverne seul de façon autoritaire. → *despote, tyran*

■ **dictature** n.f. *Les démocrates se sont révoltés contre la dictature*, le pouvoir absolu. → *absolutisme*

■ **dictatorial, ale, aux** adj. *Ce pays vit sous un régime dictatorial.* → *totalitaire*

dicter v. 1er groupe. SENS 1. *Prenez un stylo, je vais vous dicter une poésie*, vous la lire pour que vous l'écriviez.

SENS 2. *Le vainqueur a dicté ses conditions au vaincu* (= imposer).

■ **dictée** n.f. [SENS 1] *Ta dictée est pleine de fautes d'orthographe,* l'exercice d'orthographe qui consiste à écrire ce que quelqu'un dicte.

diction n.f. *Sa diction n'est pas claire,* sa façon de prononcer les mots (= articulation, prononciation).

illustr. p. 122 **dictionnaire** n.m. Un **dictionnaire** est un livre qui présente les mots rangés en ordre alphabétique avec leur définition.

dicton n.m. « *Qui dort dîne* » est un **dicton** (= proverbe, sentence).

illustr. p. 628 **dièse** n.m. Le **dièse** est un signe qu'on met devant une note de musique pour indiquer qu'il faut l'élever d'un demi-ton.

illustr. p. 425 **Diesel** n.m. Un moteur **Diesel** est un moteur qui fonctionne au gazole.
✳ **Diesel** est un nom de marque, il prend une majuscule dans les textes imprimés.

diète n.f. *Le médecin l'a mis à la diète,* il lui a ordonné de manger très peu et seulement certains aliments.

■ **diététique** n.f. La **diététique** est l'étude de ce qu'il faut manger pour rester en bonne santé.

dieu n.m. SENS 1. (Avec majuscule.) *Mme Dupont croit en Dieu,* en un être suprême, éternel et tout-puissant. ●● *divin.* SENS 2. *Poséidon était un dieu grec,* un être supérieur à l'homme et doté de pouvoirs surnaturels (= divinité). ●● *déesse*

diffamer v. 1er groupe. *Diffamer* quelqu'un, c'est dire ou écrire des choses qui nuisent gravement à la réputation de cette personne (= calomnier).

■ **diffamation** n.f. La **diffamation** est punie par la loi, les paroles ou les écrits qui nuisent à la bonne réputation de quelqu'un (= calomnie).

différer v. 1er groupe. SENS 1. *Nos opinions diffèrent beaucoup,* elles ne se ressemblent pas (= s'opposer, diverger ; ≠ se confondre). SENS 2. *Jean a différé son départ,* le remettre à plus tard (= retarder, ajourner ; ≠ avancer). ✳ Conj. n° 10.

■ **différé** n.m. *Le concert a été transmis en différé,* il avait été enregistré et on l'a diffusé plus tard (≠ en direct).

■ **différemment** adv. [SENS 1] *Depuis notre dernière conversation, je pense différemment* (= autrement). ✳ On prononce [diferamã].

■ **différence** n.f. [SENS 1] *Quelle est la différence d'âge entre Pierre et Paul ?* (= écart). *Il y a beaucoup de différences entre ces deux régions* (= contraste ; ≠ ressemblance).

■ **différencier** v. 1er groupe. [SENS 1] *Ces deux espèces se différencient par la forme des feuilles* (= distinguer).

■ **différend** n.m. [SENS 1] *Ils ont eu un différend à propos de politique,* une différence d'opinion (= désaccord).

■ **différent, ente** adj. [SENS 1] *Jeanne et Marie sont sœurs, mais elles sont très différentes* (≠ semblable, pareil). ◆ Au plur. *M. Dubois a différentes occupations* (= plusieurs, divers). ✳ Ne pas confondre avec un **différend** et avec **différant** (participe présent de « différer »).

difficile adj. SENS 1. *Ce problème d'arithmétique est très difficile,* on a du mal à le faire (= ardu ; ≠ facile). *Son nom est difficile à prononcer* (= malaisé). SENS 2. *Jean a un caractère difficile* (= exigeant ; ≠ agréable).

■ **difficilement** adv. [SENS 1] *Nous avons trouvé difficilement notre chemin* (= péniblement).

■ **difficulté** n.f. [SENS 1] *Depuis son accident, il marche avec difficulté* (≠ facilité). *M. Dupont a des difficultés financières* (= embarras, problème).

difforme adj. *Les bossus ont le corps* **difforme**, mal formé (= contrefait ; ≠ normal).

■ **difformité** n.f. *Une bosse dans le dos est une* **difformité** (= malformation).

diffus, use adj. Une lumière **diffuse** est une lumière répandue uniformément et plus ou moins voilée.

diffuser v. 1er groupe. *Les journaux ont* **diffusé** *le discours du président,* ils l'ont répandu dans le public.

■ **diffusion** n.f. *La* **diffusion** *de cette émission aura lieu demain* (= retransmission).

digérer v. 1er groupe. *Fabrice a du mal à* **digérer** *le chocolat,* son appareil digestif le supporte mal (= assimiler). ✹ Conj. n° 10.

■ **digeste** adj. *Les carottes cuites à l'eau sont très* **digestes**, elles se digèrent facilement (≠ indigeste).

illustr. p. 216
■ **digestif, ive** adj. *L'œsophage, l'estomac, l'intestin constituent l'***appareil digestif**, l'ensemble des organes qui servent à la digestion. ◆ n.m. *Après le repas, M. Durand a pris un* **digestif**, une liqueur alcoolisée.

■ **digestion** n.f. *La* **digestion** *des aliments dure plusieurs heures,* leur transformation par l'appareil digestif.
●● *indigestion*

digital, ale, aux adj. *Les enquêteurs ont relevé des empreintes* **digitales**, des empreintes des doigts.

illustr. p. 402
digitale n.f. La **digitale** est une plante champêtre dont la tige élevée porte une suite de fleurs en forme de doigts de gant, le plus souvent de couleur violette.

digne adj. SENS 1. *Le président s'est avancé d'un air* **digne**, d'un air plein de gravité qui inspire le respect (= sérieux, respectable, solennel). SENS 2. *Alban est* **digne de** *passer dans la classe supérieure,* il le mérite (≠ indigne). SENS 3.

Cette attitude n'est pas **digne de** *toi,* conforme à ton caractère.

■ **dignement** adv. [SENS 1] *Il gardait* **dignement** *le silence,* avec un air digne.
●● *indignement*

■ **dignité** n.f. [SENS 1] *Il a gardé son calme et sa* **dignité**, son attitude fière et grave qui inspire le respect. ◆ *M. Masson a été élevé à la* **dignité** *d'ambassadeur,* à cette haute fonction.

illustr. p. 845
digue n.f. *Les vagues viennent se briser sur la* **digue**, la construction qui protège le port. *Une* **digue** *retient les eaux du barrage,* une sorte de grand mur.
●● *endiguer*

dilapider v. 1er groupe. **Dilapider** son argent, c'est le dépenser à tort et à travers (= gaspiller).

dilater v. 1er groupe. *La chaleur* **dilate** *les gaz,* elle fait augmenter leur volume (≠ comprimer, contracter).

■ **dilatation** n.f. *La chaleur provoque la* **dilatation** *des métaux,* l'augmentation de leur volume.

dilatoire adj. *Des manœuvres* **dilatoires** sont des manœuvres qui cherchent à faire traîner les choses, à gagner du temps.

dilettante n. *Loïc fait son travail en* **dilettante**, il ne le fait pas sérieusement (= amateur, fantaisiste).

illustr. p. 970
1. diligence n.f. *Autrefois, on voyageait dans des* **diligences**, des grandes voitures tirées par des chevaux.

2. diligence n.f. *Je vous félicite pour votre* **diligence**, la rapidité avec laquelle vous avez exécuté votre travail (= zèle, empressement). ◆ *Il faut* **faire diligence**, se hâter.

diluer v. 1er groupe. *Ce sirop ne se boit pas pur, il faut le* **diluer** *dans de l'eau,* y ajouter de l'eau.

illustr. p. 132

dimanche n.m. Le **dimanche** est le dernier jour de la semaine et un jour de repos pour la majorité des gens.
●● *endimanché, dominical*

dîme n.f. Autrefois, la **dîme** était un impôt que les paysans payaient au clergé ou à la noblesse.

dimension n.f. *Quelles sont les dimensions de cette salle ?*, la longueur, la largeur et la hauteur (= mesure).

diminuer v. 1er groupe. *Il faut diminuer nos dépenses,* les rendre plus faibles (= réduire ; ≠ augmenter). *La température a diminué,* elle est moins élevée (= baisser).

■ **diminution** n.f. *Il y a eu une diminution du nombre des accidents* (= abaissement, réduction, baisse ; ≠ hausse, élévation).

■ **diminutif** n.m. *« Maisonnette » est un diminutif de « maison »,* un dérivé exprimant la petitesse.

dinde n.f. *À Noël nous avons mangé une dinde aux marrons,* une grosse volaille.

illustr. p. 384

■ **dindon** n.m. Le **dindon** est le mâle de la dinde.

dîner n.m. Le **dîner** est le repas du soir.

■ **dîner** v. 1er groupe. *Nous dînons vers 8 heures du soir,* nous prenons notre repas du soir.

■ **dînette** n.f. *Les enfants jouent à la dînette,* ils font un petit repas pour jouer.
◆ *Julie a une dînette,* des assiettes, des verres, des couverts pour jouer.

dinosaure n.m. Les **dinosaures** étaient des animaux préhistoriques pour la plupart de très grande taille.

diocèse n.m. Un **diocèse** est le territoire administré par un évêque ou un archevêque.

diphtérie n.f. La **diphtérie** est une maladie contagieuse grave due à un bacille.

diplodocus n.m. Les **diplodocus** étaient d'énormes reptiles de la famille des dinosaures. *illustr. p. 758*
✳ On prononce le « s » : [diplɔdɔkys].

diplomate SENS 1. n.m. Les **diplomates** sont des personnes chargées officiellement de représenter leur pays à l'étranger. SENS 2. adj. *Luc n'est pas très diplomate,* il n'est ni habile ni modéré dans la discussion.

■ **diplomatie** n.f. [SENS 1] *M. Duval est entré dans la diplomatie,* il est diplomate. [SENS 2] *Il a fallu beaucoup de diplomatie pour régler cette affaire,* il a fallu être habile et prudent (= tact).
✳ On prononce [diplɔmasi].

■ **diplomatique** adj. [SENS 1] *Ces deux pays ont rompu leurs relations diplomatiques,* les relations entre États assurées par des diplomates.

diplôme n.m. *Éric a un diplôme d'ingénieur,* un document qui atteste que l'on a fait des études pour être ingénieur.

dire v. 3e groupe. SENS 1. *Jean nous a dit qu'il viendrait demain* (= annoncer, affirmer). ●● *se dédire, redire.* SENS 2. *Je lui ai dit de ne pas faire de bruit* (= ordonner). SENS 3. *On dirait qu'il va pleuvoir,* il semble. SENS 4. *Ça ne me dit rien d'aller là-bas,* ça ne me tente pas.
✳ Conj. no 72, sauf au présent (vous **dites**) et au participe (**dit**).

direct, e adj. SENS 1. *Le chemin est direct pour aller au village,* il y a en ligne droite. *Ce train est direct pour Lyon,* il ne s'arrête pas entre ici et Lyon (≠ omnibus). SENS 2. *Pierre est en contact direct avec moi,* sans intermédiaire (= immédiat ; ≠ indirect). SENS 3. *Un complément direct est rattaché au verbe sans préposition* (≠ indirect).

■ **directement** adv. [SENS 1] *Je suis venu directement ici,* sans détour (≠ indirectement). [SENS 2] *Adresse-toi directement à lui,* sans passer par un intermédiaire.

diriger v. 1er groupe. SENS 1. *M. Dupont* ***dirige*** *une importante entreprise,* il en est le chef. SENS 2. *Il **s'est dirigé** vers la porte,* il a pris cette direction. SENS 3. *Paul **a** **dirigé** ses regards vers moi* (= tourner). ✴ Conj. n° 2.

■ **directeur, trice** n. [SENS 1] *Si vous n'êtes pas content, adressez-vous au **directeur**,* à celui qui dirige (= patron).

■ **direction** n.f. [SENS 1] *La **direction** d'un lycée est assurée par un proviseur,* c'est lui qui assure la fonction de directeur. [SENS 2] *Dans quelle **direction** est-il parti ?,* vers où (= sens).

■ **directives** n.f. pl. [SENS 1] *Le patron a donné des **directives*** (= ordres).

■ **directorial, ale, aux** adj. [SENS 1] Le bureau **directorial** est le bureau du directeur.

illustr. p. 971 ■ **dirigeable** n.m. *Un **dirigeable** fait de la publicité au-dessus de la ville,* un ballon muni d'une hélice et d'un système de direction.

■ **dirigeant, ante** n. [SENS 1] *Les **dirigeants** du parti se sont réunis* (= chef).

discerner v. 1er groupe. SENS 1. *Avec ce brouillard, on **discerne** à peine les objets,* on arrive à peine à être sûr de ce qu'on voit (= distinguer). SENS 2. *L'esprit critique permet de **discerner** le vrai du faux,* de juger ce qui est vrai (= démêler).

■ **discernement** n.m. [SENS 2] *Dans cette affaire, tu as manqué de **discernement**,* tu n'as pas fait preuve de bon sens (= jugement).

disciple n. *Ce philosophe a eu de nombreux **disciples**,* des gens qui suivaient sa doctrine. ●● *condisciple*

discipline n.f. SENS 1. *Les élèves doivent se soumettre à la **discipline** de l'école,* au règlement destiné à faire régner l'ordre (≠ indiscipline). SENS 2. *La physique et la chimie sont des **disciplines** scientifiques,* des matières enseignées à l'école.

■ **discipliné, ée** adj. [SENS 1] *Ces élèves sont calmes et **disciplinés**,* ils respectent le règlement (= obéissant ; ≠ indiscipliné).

discontinu, e adj. *Une ligne **discontinue** est une ligne qui présente des interruptions* (≠ continu). ●● *continuer*

■ **discontinuer** v. 1er groupe. *Elle a travaillé toute la journée **sans discontinuer**,* sans s'arrêter (= continuellement).

disconvenir v. 3e groupe. *Vous avez raison, je **n'en disconviens** pas,* je ne dis pas le contraire (= nier, contester ; ≠ convenir). ✴ Conj. n° 22.

discorde n.f. *Il est venu mettre la **discorde** dans notre groupe,* les gens ne s'entendent plus et se disputent (= mésentente, désaccord, zizanie ; ≠ entente, concorde). ●● *concorde*

■ **discordant, ante** adj. *Ils ont des avis **discordants** sur ce sujet,* des avis opposés (= divergent ; ≠ concordant).

discothèque n.f. SENS 1. *Papa a une belle **discothèque**,* une collection de disques. SENS 2. *Une **discothèque** est un établissement où l'on peut écouter de la musique, danser et boire des consommations* (= fam. boîte).

discours n.m. *As-tu écouté le **discours** du maire ?,* ce qu'il a dit en public (= exposé, conférence, allocution).

■ **discourir** v. 3e groupe. *Au lieu de tant **discourir**, vous feriez mieux d'agir,* au lieu de dire des choses inutiles et peu intéressantes (= causer, bavarder). ✴ Conj. n° 29.

discréditer v. 1er groupe. *Ce mensonge l'**a discrédité**,* on n'a plus confiance en lui.

■ **discrédit** n.m. *Une série d'accidents a jeté le **discrédit** sur cette marque,* elle lui a ôté la confiance du public.

discret, ète adj. SENS 1. *Karim ne se mêle pas de mes affaires, il est discret,* il ne se mêle pas de ce qui ne le regarde pas (≠ indiscret, curieux, sans-gêne). SENS 2. *Marie est assez discrète pour qu'on lui parle de cela,* elle sait garder un secret (≠ bavard). SENS 3. *Jeanne porte une robe discrète,* qui n'attire pas l'attention (≠ voyant).

■ **discrètement** adv. [SENS 1 et 3] *Il s'est discrètement retiré à l'écart,* pour ne pas gêner (≠ indiscrètement).

■ **discrétion** n.f. [SENS 2] *Je vous demande à ce sujet une grande discrétion,* de ne rien répéter (≠ indiscrétion).

discrimination n.f. *Tout le monde est admis sans discrimination,* sans que l'un soit traité plus mal que l'autre, sans distinction.

disculper v. 1er groupe. *L'accusé a essayé de se disculper,* de prouver son innocence.

discuter v. 1er groupe. SENS 1. *Ils ont discuté de la situation économique* (= parler, causer, débattre). SENS 2. *Quand il donne un ordre, il n'aime pas qu'on discute* (= protester, contester).

■ **discutable** adj. [SENS 2] *Votre explication est très discutable,* on peut trouver des critiques à faire (= contestable ; ≠ indiscutable).

■ **discussion** n.f. [SENS 1] *Nous avons eu une longue discussion,* un débat où tout le monde a dit ce qu'il pensait (= entretien). [SENS 2] *Avancez, et pas de discussion !,* que personne ne proteste (= contestation).

disette n.f. *En période de disette, on doit réduire sa consommation,* quand la nourriture manque (= pénurie ; ≠ abondance).

disgracieux, euse adj. *Une démarche disgracieuse est une démarche sans élégance* (≠ gracieux). ●● **grâce**
✳ Attention : pas d'accent circonflexe sur le « a », contrairement à « grâce ».

disjoindre v. 3e groupe. SENS 1. *Le ciment s'est effrité, les pierres du mur sont disjointes,* elles ne sont plus soudées ensemble (= séparer, écarter ; ≠ unir, assembler, joindre). SENS 2. *Ces deux cas sont différents, il faut les disjoindre,* les traiter à part (= séparer, dissocier ; ≠ réunir).
✳ Conj. n° 82.

disjoncteur n.m. *Un disjoncteur est un interrupteur automatique de courant électrique.*

disloquer v. 1er groupe. *Le choc a disloqué la voiture,* il en a séparé les parties (= casser, démolir).

disparaître v. 3e groupe. SENS 1. *Le soleil a disparu à l'horizon,* il a cessé d'être visible (≠ apparaître, se montrer). SENS 2. *Il a disparu sans laisser d'adresse,* il est parti. SENS 3. *Ma montre a disparu,* je l'ai perdue ou on me l'a volée. SENS 4. *Ces animaux préhistoriques ont disparu,* ils n'existent plus. *C'est un grand savant qui vient de disparaître* (= mourir).
✳ Conj. n° 64.

■ **disparition** n.f. [SENS 2] *Les journaux annoncent la disparition d'un enfant,* son absence inexplicable. [SENS 4] *Ce médicament entraîne la disparition des maux de tête* (= fin).

■ **disparu, ue** n. [SENS 4] *On évoque le souvenir des disparus,* des morts.

disparate adj. *Son mobilier est disparate,* ses meubles ne vont pas bien ensemble (= hétéroclite ; ≠ harmonieux, assorti).

disparition → *disparaître*

dispensaire n.m. *Un dispensaire est un établissement médical où l'on peut recevoir des soins médicaux à un faible prix.*

dispenser v. 1er groupe. SENS 1. *Adrien est dispensé de gymnastique,* il n'est pas obligé d'en faire (= exempter). ●● **indispensable**. SENS 2. *L'infirmière* **dispense** *ses soins aux malades,* elle leur donne des soins (= distribuer, accorder).

■ **dispense** n.f. [SENS 1] *On lui a accordé une* **dispense,** *une autorisation spéciale qui permet de ne pas respecter un règlement.*

disperser v. 1er groupe. *Le vent a* **dispersé** *les feuilles mortes,* il les a répandues çà et là (= éparpiller ; ≠ rassembler).

■ **dispersion** n.f. *Les dirigeants ont demandé la* **dispersion** *des manifestants,* que chacun parte de son côté (≠ rassemblement, réunion).

disponibilité, disponible
→ **disposer**

dispos, e adj. *Pierre est frais et* **dispos,** *en forme.*

disposer v. 1er groupe. SENS 1. *On a* **disposé** *les chaises en rond,* on les a placées de cette manière (= arranger). SENS 2. *La directrice* **est disposée à** *nous recevoir,* elle veut bien nous recevoir (= décider). SENS 3. *Il* **se dispose à** *partir,* il est sur le point de le faire (= se préparer). SENS 4. *Je ne* **dispose** *pas de cet argent,* je ne l'ai pas en ma possession ou je ne peux pas l'utiliser. SENS 5. *Jean* **est** *mal* **disposé** *à mon égard,* il a des sentiments hostiles. ●● **prédisposé**. SENS 6. *Vous pouvez* **disposer,** vous pouvez partir, on n'a plus besoin de vous.

■ **disponibilité** n.f. [SENS 2] *Papa travaille beaucoup et manque de* **disponibilité,** de temps pour s'occuper de nous. [SENS 6] *Un fonctionnaire* **en disponibilité** est momentanément déchargé de ses fonctions.

■ **disponible** adj. [SENS 2] *Papa est toujours* **disponible** *pour nous,* il arrête ce qu'il fait pour s'occuper de nous.

[SENS 4] *Cette somme n'est pas* **disponible,** on ne peut pas l'utiliser (≠ indisponible).

■ **dispositif** n.m. [SENS 1] *Un* **dispositif** est un ensemble de pièces qui constituent un mécanisme, un appareil.

■ **disposition** n.f. [SENS 1] *La* **disposition** *des pièces de cet appartement est pratique* (= répartition). [SENS 4] *Une salle de réunion est mise à notre* **disposition,** nous pouvons l'utiliser. ◆ (Au plur.) *Avant de venir, il a pris ses* **dispositions,** il s'est préparé (= précautions).

disproportion n.f. *Il y a une* **disproportion** *entre la faute et la punition,* une trop grande différence, un écart excessif. ●● **proportion**

■ **disproportionné, ée** adj. *Il a des bras* **disproportionnés,** trop grands par rapport à son corps.

disputer v. 1er groupe. SENS 1. *Les deux équipes* **ont disputé** *un match,* elles l'ont joué, chacune cherchant à le gagner. SENS 2. *Arrêtez de* **vous disputer** *parce que vous n'êtes pas d'accord !* (= se quereller). SENS 3. Fam. *Jean s'est fait* **disputer** *pour avoir menti* (= gronder, réprimander, attraper).

■ **dispute** n.f. [SENS 2] *Quel est le sujet de votre* **dispute** *?* (= querelle, bagarre).

disqualifier v. 1er groupe. *Le coureur a été* **disqualifié,** il n'a plus le droit de continuer la compétition parce qu'il n'a pas respecté le règlement (= éliminer ; ≠ qualifier).

■ **disqualification** n.f. *Cette faute entraîne la* **disqualification** *du footballeur.*

disque n.m. SENS 1. *L'athlète a lancé le* **disque** *à 75 mètres,* un plateau circulaire. SENS 2. *Stéphane est très fier de sa collection de* **disques** *de rock,* des supports ronds et plats sur lesquels sont enregistrés des sons. *On enregistre aussi des images sur des* **disques.**

illustr. p. 912, 41, 502

illustr.
p. 862,
502

■ **disque compact** n.m. [SENS 2] Un **disque compact** se lit grâce à un rayon laser.
* On dit souvent un « CD ».

illustr.
p. 504,
123

■ **disquette** n.f. [SENS 2] En informatique, une **disquette** est un petit disque souple que l'on met dans l'ordinateur pour lire et enregistrer des informations.

■ **disquaire** n. [SENS 2] Un **disquaire** est un commerçant qui vend des disques.

dissection → *disséquer*

disséminer v. 1er groupe. *Le vent dissémine les graines du pissenlit* (= éparpiller, disperser ; ≠ concentrer).

dissension n.f. *Des dissensions agitent le groupe,* de vives oppositions (= conflit, désaccord, discorde).

disséquer v. 1er groupe. *On a disséqué le cadavre pour trouver la cause du décès,* on l'a ouvert pour l'étudier.
* Conj. n° 10.

■ **dissection** n.f. *En sciences naturelles, on fait des dissections,* on découpe des animaux pour les étudier.

dissidence n.f. *Des dissidences sont apparues dans ce parti,* certains se sont séparés du groupe (= division, scission).

■ **dissident, ente** n. *Les dissidents ont fondé un nouveau parti,* ceux qui n'étaient plus en accord avec le groupe.

dissimuler v. 1er groupe. *On a accroché un tableau pour dissimuler une tache sur le mur,* pour la cacher adroitement. *Parlez franchement, ne cherchez pas à dissimuler la vérité* (= masquer, cacher ; ≠ montrer).

■ **dissimulation** n.f. *Je lui reproche d'avoir agi avec dissimulation* (= hypocrisie ; ≠ franchise).

dissiper v. 1er groupe. SENS 1. *Le brouillard s'est dissipé,* il a disparu (= se disperser). SENS 2. *Nicolas dissipe ses camarades,* il les empêche d'être atten-

tifs en classe. *Cet élève est moins dissipé que l'année dernière* (= indiscipliné, turbulent). SENS 3. *M. Duval a dissipé sa fortune* (= gaspiller).

■ **dissipation** n.f. [SENS 1] *Après dissipation des brouillards matinaux, le soleil brillera.* [SENS 2] *Cet élève a été puni pour sa dissipation* (= indiscipline).

dissocier v. 1er groupe. *Ces deux questions sont liées, on ne peut pas les dissocier,* les séparer (= disjoindre ; ≠ associer). ●● *indissociable*

■ **dissociation** n.f. *Les disputes ont entraîné la dissociation du groupe* (= séparation).

dissoudre v. 3e groupe. SENS 1. *Le sucre se dissout dans l'eau,* il fond et se mélange (= se désagréger). SENS 2. *Le président a dissous l'Assemblée,* il a mis fin à l'existence de l'Assemblée.
* Conj. n° 60.

■ **dissolution** n.f. [SENS 2] *Un divorce est la dissolution d'un mariage* (= rupture). ●● *indissoluble*

■ **dissolvant** n.m. [SENS 1] *Marie a cassé son flacon de dissolvant,* un produit pour dissoudre le vernis à ongles.

dissuader v. 1er groupe. *On l'a dissuadé de partir,* on l'a convaincu de ne pas le faire (= détourner ; ≠ persuader).

■ **dissuasion** n.f. *L'armée est une force de dissuasion pour l'adversaire.*

dissymétrique adj. On dit qu'un visage est **dissymétrique** quand la partie droite et la partie gauche ne sont pas semblables (= asymétrique ; ≠ symétrique). ●● *symétrie*

distance n.f. *Quelle est la distance entre Paris et Lyon ?* (= éloignement).

■ **distancer** v. 1er groupe. *Le coureur a distancé tous les concurrents,* il les a dépassés en les laissant à une certaine distance (= devancer).
* Conj. n° 1.

■ **distant, ante** adj. *Ces deux villes sont distantes de 50 kilomètres* (= éloigné). ●● ***équidistant***

distendre v. 3ᵉ groupe. *Le ressort s'est distendu,* il a perdu de sa tension, il est relâché.
✳ Conj. nº 50.

distiller v. 1ᵉʳ groupe. *Cet alcool s'obtient en distillant du vin,* en le faisant bouillir dans un appareil appelé « alambic ».

■ **distillation** n.f. *La distillation clandestine est interdite,* la fabrication d'alcool.

■ **distillerie** n.f. *Les distilleries sont sérieusement contrôlées par l'État,* les fabriques d'alcool.
✳ Dans tous les mots de cette famille, on prononce [distil].

distinguer v. 1ᵉʳ groupe. SENS 1. *Avec ce brouillard, on distingue mal la côte* (= voir, discerner). SENS 2. *Jean ne sait pas distinguer une panthère d'un jaguar* (= différencier). SENS 3. *Cet officier s'est distingué pendant la Résistance,* il s'est fait remarquer (= s'illustrer).

■ **distingué, ée** adj. [SENS 3] *Mme Lavoie est une femme distinguée,* bien élevée, élégante (≠ vulgaire, commun).

■ **distinct, e** adj. [SENS 1] *Ce bruit est à peine distinct* (= perceptible, net ; ≠ indistinct). [SENS 2] *Ces deux questions sont distinctes* (= différent).

■ **distinctement** adv. [SENS 1] *Plus fort, je n'entends pas distinctement* (= clairement).

■ **distinctif, ive** adj. [SENS 2] *Un signe distinctif sert à distinguer deux choses.*

■ **distinction** n.f. [SENS 2] *Tout le monde a été puni sans distinction,* sans qu'on fasse de différence (= indistinctement) [SENS 3] *Vanessa est pleine de distinction,* elle est distinguée. *M. Delcour a obtenu des distinctions honorifiques,* des marques d'honneur.

distraire v. 3ᵉ groupe. [SENS 1] *Si nous allions au cinéma pour nous distraire ?,* nous occuper agréablement.
✳ Conj. nº 79.

■ **distraction** n.f. SENS 1. *La lecture et le cinéma sont mes distractions préférées* (= passe-temps). SENS 2. *Je ne vous avais pas vu, excusez ma distraction* (= étourderie, inattention).

illustr. p. 531

■ **distrait, e** adj. [SENS 2] *Luc est très distrait* (= étourdi, rêveur ; ≠ attentif).

distribuer v. 1ᵉʳ groupe. *C'est à Pierre de distribuer les cartes,* de les répartir entre les joueurs (= donner, partager).

■ **distributeur** n.m. *À la gare, il y a un distributeur de tickets,* un appareil qui en distribue.

■ **distribution** n.f. *La distribution du courrier dans les boîtes aux lettres est faite par le facteur.* ◆ *La distribution d'un film,* c'est la répartition des rôles entre les acteurs.

district n.m. *Le district de Paris comprend plusieurs départements* (= région).

diurne adj. *Les travaux diurnes sont ceux qui se font le jour* (≠ nocturne).

divaguer v. 1ᵉʳ groupe. *Qu'est-ce que tu racontes là ? Tu divagues !,* tu dis des bêtises (= dérailler).

■ **divagation** n.f. *Ne faites pas attention à ses divagations* (= extravagance, élucubration).

divan n.m. *Assieds-toi sur le divan,* un canapé sans bras ni dossier pouvant servir de lit.

diverger v. 1ᵉʳ groupe. *Les deux routes divergent ici,* elles s'éloignent l'une de l'autre (≠ converger).
✳ Conj. nº 2.

■ **divergent, ente** adj. *Ils ont des opinions divergentes,* qui s'opposent (= éloigné, contraire, discordant ; ≠ convergent, semblable).

■ **divergence** n.f. *Nous nous entendons bien, malgré nos **divergences** d'opinions* (= opposition ; ≠ convergence).

divers, e adj. *Nous avons parlé des sujets les plus **divers*** (= varié, différent ; ≠ semblable).

■ **diversifier** v. 1er groupe. *Essayons de **diversifier** les jeux* (= varier).

■ **diversité** n.f. *La France offre une grande **diversité** de paysages,* des paysages très divers (= variété ; ≠ uniformité). *Ils s'entendent bien malgré la **diversité** de leurs goûts* (= différence ; ≠ ressemblance).

diversion n.f. *Ils étaient prêts à se battre ; pour **faire diversion**, j'ai parlé d'autre chose,* pour détourner l'attention.

divertir v. 2e groupe. *Ce livre m'a beaucoup **diverti**,* il m'a fait passer le temps agréablement (= amuser, délasser, distraire).

■ **divertissement** n.m. *La pêche est mon **divertissement** favori* (= distraction, passe-temps).

dividende → *diviser*

divin, ine adj. SENS 1. *Amélie croit en la justice **divine**,* la justice de Dieu. ●● *dieu.* SENS 2. *Ce gâteau est **divin**,* très bon (= merveilleux).

■ **divinement** adv. [SENS 2] *Mélissa chante **divinement**,* très bien.

■ **divinité** n.f. *Jupiter était une **divinité** romaine,* un dieu.

divination n.f. *La **divination** est le pouvoir de connaître l'avenir,* que les devins prétendent avoir. ●● *deviner*

diviser v. 1er groupe. SENS 1. *On a divisé la tarte en quatre,* on a fait quatre parts (= partager). SENS 2. *Si on **divise** 8 par 2, on obtient 4* [8 : 2 = 4] (≠ multiplier). SENS 3. *L'Assemblée est **divisée***

sur cette question, il y a des opinions différentes.

■ **divisible** adj. [SENS 2] *Les nombres pairs sont **divisibles** par deux.*

■ **division** n.f. [SENS 1] *La **division** du travail permet de le faire plus vite* (= répartition). ●● *indivisible. Le centimètre et le décimètre sont des **divisions** du mètre,* des parties plus petites. ●● *sub-division.* [SENS 2] *La **division** est une opération consistant à diviser un nombre appelé « dividende » par un autre appelé « diviseur »* (≠ multiplication). [SENS 3] *Cette question a introduit la **division** dans la famille* (= désaccord). ◆ *Une **division** d'infanterie est composée de plusieurs régiments.* ◆ *Cette équipe joue en deuxième **division**,* parmi un groupe d'équipes. *illustr. p. 440*

■ **dividende** n.m. Le **dividende** est le nombre que l'on divise.

■ **diviseur** n.m. Le **diviseur** est le nombre par lequel on divise le dividende.

divorce n.m. *Mme Perrin a demandé le **divorce**,* la rupture de son mariage.

■ **divorcer** v. 1er groupe. *M. et Mme Perrin **ont divorcé**,* ils se sont officiellement séparés.
✱ Conj. no 1.

divulguer v. 1er groupe. *Les journaux **ont divulgué** la nouvelle,* ils l'ont rendue publique (= révéler, dévoiler, ébruiter, répandre ; ≠ cacher).

dix adj. numéral *Il y a **dix** décimètres dans un mètre. 5 + 5 = 10.* *illustr. p. 642*

■ **dixième** adj. et n. *Le décimètre est la **dixième** partie du mètre. J'habite dans le **dixième** arrondissement.* *illustr. p. 642*

■ **dizaine** n.f. *Cinquante, c'est cinq **dizaines**,* cinq fois dix unités. ◆ *Il y a une **dizaine** de personnes dans la salle,* environ dix. *illustr. p. 642*

do n.m. *Do est la première note de la gamme.*
✱ Ne pas confondre avec le **dos**. On dit aussi, plus rarement, **ut**.

docile adj. *Ce chien est vraiment très docile*, il obéit facilement (= discipliné ; ≠ indocile).

■ **docilement** adv. *Le chien suit docilement son maître.*

■ **docilité** n.f. *Il fait ce qu'on lui dit avec docilité*, en obéissant.

illustr.
p. 741

docks n.m. pl. Les **docks** d'un port sont les hangars où l'on stocke les marchandises.

■ **docker** n.m. Les **dockers** sont les ouvriers qui chargent et déchargent les bateaux (= débardeur).
✻ On prononce [dɔkɛr].

docteur n.m. SENS 1. *J'ai de la fièvre, appelle le docteur !*, la personne dont le métier est de soigner les malades (= médecin). SENS 2. *M. Dubois est docteur en géographie*, il a un titre universitaire qui lui permet d'enseigner à l'université.

■ **docte** adj. [SENS 2] Ce mot se disait autrefois pour « savant ».

■ **doctoral, ale, aux** adj. [SENS 2] *Il parle d'un ton doctoral*, comme s'il faisait un cours (= pédant).

■ **doctorat** n.m. [SENS 2] Le **doctorat** est un grade universitaire.

doctrine n.f. *Quelle est la doctrine politique de ce parti ?*, les grandes idées qui guident son action. ●● *endoctriner*

■ **doctrinal, ale, aux** adj. *Il y a une opposition doctrinale entre ces deux partis*, une opposition entre leurs doctrines respectives.

document n.m. *Pour écrire son livre, l'auteur a consulté beaucoup de documents*, des écrits qui l'ont renseigné.

■ **documentaire** adj. et n.m. *Nous avons vu un (film) documentaire sur les fourmis*, un film destiné à instruire.

■ **documentaliste** n. *La documentaliste vous fournira les informations nécessaires*, la personne chargée de classer et de conserver les documents.

■ **documentation** n.f. *Les historiens rassemblent une documentation abondante*, des documents.

■ **documenter** v. 1er groupe. *T'es-tu documenté sur ce sujet ?* (= se renseigner, s'informer).

dodeliner v. 1er groupe. *Francis dodeline de la tête*, il la balance doucement.

dodo n.m. Dans le langage enfantin, **faire dodo**, c'est dormir ; **aller au dodo**, c'est aller au lit.

dodu, ue adj. *Ce poulet est bien dodu* (= gras).

dogme n.m. Les **dogmes** d'une religion d'une doctrine, c'est ce qu'il faut croire.

■ **dogmatique** adj. *M. Durand est dogmatique*, il affirme sans prouver.

dogue n.m. Les **dogues** sont de bons chiens de garde.

doigt n.m. L'homme a cinq **doigts** à chaque main : le pouce, l'index, le majeur, l'annulaire et l'auriculaire.
→ *digital*. ◆ *Il a été à deux doigts de se noyer*, très près.
✻ On prononce [dwa].

illustr.
p. 217

doigté n.m. *Pour réussir cette affaire, il faut du doigté* (= adresse, habileté).
✻ On prononce [dwate].

dollar n.m. Le **dollar** est l'unité monétaire des États-Unis et du Canada.

dolmen n.m. *Les dolmens ont été élevés par les hommes préhistoriques*, des monuments en forme de grandes tables de pierre. → *menhir*
✻ On prononce [dɔlmɛn].

illustr.
p. 758

domaine n.m. SENS 1. Un **domaine** est une propriété à la campagne. SENS 2. Le **domaine public**, c'est tout ce qui appartient à l'État, à tout le monde. SENS 3. *La chimie, ce n'est pas mon domaine*, la matière dont je m'occupe (= spécialité).

■ **domanial, ale, aux** adj. [SENS 2] Les forêts **domaniales** font partie du domaine public.

dôme n.m. *L'église des Invalides est recouverte d'un **dôme**, un toit plus ou moins en demi-sphère* (= coupole).

domestique SENS 1. adj. *Le repassage, la vaisselle, le ménage sont des travaux* **domestiques** (= ménager). SENS 2. adj. *Le chien est un animal **domestique**,* qui vit près de l'homme (≠ sauvage). SENS 3. n. *Autrefois, les nobles avaient de nombreux **domestiques**, des gens pour les servir.*

■ **domestiquer** v. 1er groupe. [SENS 2] *Certains animaux ne peuvent pas **être domestiqués*** (= apprivoiser).

domicile n.m. *Je me suis rendu à son* **domicile**, *là où il habite* (= adresse).

■ **domicilier** v. 1er groupe. *M. Durand **est domicilié** à Paris,* il y habite.

dominer v. 1er groupe. SENS 1. *Le coureur **a dominé** tous les concurrents,* il a été le plus fort (= surpasser). SENS 2. *Il n'a pu **dominer** sa colère* (= contrôler, surmonter). SENS 3. *Un château **domine** le village,* il est placé plus haut. SENS 4. *Dans ce tableau, le rouge **domine**,* c'est la couleur la plus importante (= l'emporter). ●● ***prédominer***

■ **dominateur, trice** adj. [SENS 1] *M. Louvin parle d'un ton **dominateur*** (= autoritaire).

■ **domination** n.f. [SENS 1] *L'Inde était sous la **domination** de la Grande-Bretagne* (= autorité).

dominical, ale, aux adj. *Le repos* **dominical** est le repos du dimanche.

illustr.
p. 530

domino n.m. *On joue aux **dominos** avec des rectangles marqués de points qu'il faut assembler d'une certaine façon.*

dommage n.m. SENS 1. *Tu ne peux pas venir ? C'est **dommage** !* (= regrettable,

fâcheux). SENS 2. *L'incendie a causé **de graves dommages*** (= dégât, perte). ●● ***dédommager, endommager***

dompter v. 1er groupe. *On n'arrive pas à **dompter** ce cheval,* à le soumettre en le dominant (= dresser, maîtriser). ●● ***indomptable***

■ **dompteur, euse** n. *Au cirque, le* **dompteur** *a fait un numéro avec des lions et des tigres.*

illustr.
p. 177

✳ *Dans les mots de cette famille, le « p » ne se prononce pas.*

don, donateur → ***donner***

donc conj. *Ce mot sert à conclure, à indiquer une conséquence : il était absent, **donc** il ne peut pas être responsable ;* Il sert aussi à renforcer un mot ou une phrase : *où **donc** habitez-vous ?*

donjon n.m. *Le **donjon** d'un château fort était la tour la plus haute et la mieux protégée.*

illustr.
p. 165

donner v. 1er groupe. SENS 1. *Frédéric **a donné** un cadeau à Marie* (= remettre, offrir ; ≠ recevoir). SENS 2. *Ce pommier **donne** beaucoup de fruits* (= produire, fournir). SENS 3. **Donner l'ordre,** c'est ordonner ; **donner une réponse,** c'est répondre ; **donner des explications,** c'est expliquer ; **donner soif,** c'est assoiffer. SENS 4. *La chambre **donne** sur la rue,* elle est du côté de la rue.

■ **don** n.m. [SENS 1] *Par testament, M. Delveau a fait **don** de sa fortune à un orphelinat,* il l'a donnée. ◆ *Fabienne a des **dons** pour la musique,* elle est douée (= talent).

✳ *Ne pas confondre **don** et **dont**.*

■ **donateur, trice** n. [SENS 1] *Un **donateur** est quelqu'un qui fait un don.*

■ **donné, ée** adj. *Il faut faire ce travail en un temps **donné*** (= déterminé, précisé). ◆ ***Étant donné qu'**il pleut,* on ne sort pas, à cause de la pluie.

■ **donnée** n.f. *Un ordinateur peut stocker et traiter un grand nombre de **données**,* d'informations.

▪ **donneur, euse** n. [SENS 1] *M. Dupont est donneur de sang*, il donne son sang aux malades qui en ont besoin.

dont pron. rel. Ce mot remplace un nom complément précédé de **de** : *c'est un homme dont je me souviens* (je me souviens de lui).
🟊 On prononce [dɔ̃]. Ne pas confondre avec un **don**.

doper v. 1er groupe. *Le coureur est accusé de s'être dopé*, d'avoir pris des drogues pour être plus fort.
▪ **dopage** n.m. *Le dopage est interdit par les règlements.*

dorade → *daurade*

dorénavant adv. *Dorénavant, essaie d'arriver à l'heure*, à partir de maintenant (= désormais, à l'avenir).

dorer v. 1er groupe. *Le ciel est doré au coucher du soleil*, d'une couleur qui rappelle celle de l'or.
▪ **dorure** n.f. *Dans ce château, il y a des dorures partout*, des ornements dorés.

dorloter v. 1er groupe. *Dorloter un enfant*, c'est s'occuper de lui avec des gestes très affectueux (= cajoler, choyer).

dormir v. 3e groupe. *Cette nuit, j'ai dormi huit heures*, je suis resté dans le sommeil (≠ veiller). ●● *endormir, rendormir*
🟊 Conj. n° 18.
▪ **dormant, ante** adj. Une eau *dormante* est une eau immobile.
▪ **dormeur, euse** n. *Attention à ne pas réveiller les dormeurs !*, ceux qui dorment.
▪ **dortoir** n.m. *À la colonie, on couchait dans des dortoirs*, des grandes salles contenant des lits pour plusieurs personnes.

dorsal → *dos*

dortoir → *dormir*

dorure → *dorer*

doryphore n.m. *Les doryphores nuisent aux pommes de terre*, des insectes coléoptères ressemblant à de grosses coccinelles au dos rayé.

dos n.m. SENS 1. *Pierre a mal au dos ; il s'est allongé sur le dos* (≠ ventre). ●● *adosser, endosser*. SENS 2. *Écris au dos de la page*, sur l'autre côté (= verso ; ≠ face).   *illustr. p. 217*
▪ **dorsal, ale, aux** adj. [SENS 1] *Pierre a des douleurs dorsales*, au dos.
▪ **dos-d'âne** n.m. inv. [SENS 1] *Ce panneau annonce un dos-d'âne*, une bosse que fait la route. → *cassis (2)*
▪ **dossard** n.m. [SENS 1] *Ce coureur porte le dossard numéro 10*, un carré de tissu sur son dos.   *illustr. p. 1002*
▪ **dossier** n.m. [SENS 1] *Le dossier du fauteuil est rembourré*, la partie où on appuie le dos.   *illustr. p. 862*

dose n.f. *À forte dose, ce médicament est mortel*, si on en prend d'un seul coup une forte quantité.
▪ **doser** v. 1er groupe. *Il faut soigneusement doser ce médicament*, mesurer la dose à prendre.
▪ **dosage** n.m. *Il faut être très attentif au dosage de ce médicament.*

dossard → *dos*

1. dossier → *dos*

2. dossier n.m. *L'avocat étudie le dossier de son client*, l'ensemble des documents qui le concernent.

doter v. 1er groupe. SENS 1. *Claire est dotée d'un solide bon sens*, elle l'a. SENS 2. *Autrefois, les parents dotaient leurs filles*, ils leur fournissaient une dot.
▪ **dot** n.f. [SENS 2] *Les filles riches avaient une grosse dot*, de l'argent, des biens qu'elles apportaient en se mariant.
🟊 On prononce le « t » final : [dɔt].

douane n.f. La **douane** est un poste qui surveille les frontières.

■ **douanier, ère** SENS 1. n. *Les douaniers ont fouillé nos valises,* les employés de la douane. SENS 2. adj. *Les contrôles douaniers ont été renforcés,* de la douane.

doubler v. 1ᵉʳ groupe. SENS 1. *Il est interdit de doubler en haut d'une côte,* de dépasser une autre voiture. SENS 2. *Depuis cinq ans, les prix ont doublé,* ils ont été multipliés par deux. ●● *dédoubler, redoubler.* SENS 3. *Ce manteau est doublé en fourrure,* on lui a mis une doublure. SENS 4. *Ce film américain est doublé en français,* les acteurs semblent parler français. *L'acteur a été doublé par un cascadeur dans les scènes dangereuses,* il a été remplacé.

■ **doublage** n.m. [SENS 4] *Le doublage de ce film est mauvais.*

■ **double** adj. [SENS 2] *Cette rue est à double sens* (≠ unique).

illustr. p. 642
■ **double** n.m. [SENS 2] *8 est le double de 4. As-tu un double de ce document ?,* un deuxième exemplaire (= copie, duplicata).

illustr. p. 642
■ **doublement** adv. [SENS 2] *Je suis doublement content,* pour deux raisons.

■ **doublure** n.f. [SENS 3] *La doublure de cette veste est en soie,* le tissu intérieur. [SENS 4] *Cet acteur est la doublure de la vedette,* il la remplace dans certaines scènes.

douceâtre, doucement, douceureux, douceur → *doux*

douche n.f. *Tous les matins, je prends une douche,* je m'asperge d'eau pour me laver. *Notre chambre d'hôtel avait une douche,* une installation pour se doucher.
illustr. p. 239

■ se **doucher** v. 1ᵉʳ groupe. *Hélène est dans la salle de bains en train de se doucher.*

illustr. p. 1011
doudoune n.f. *Une doudoune est une grosse veste avec du duvet.*

doué, ée adj. SENS 1. *Marie est douée pour les maths,* elle réussit bien dans cette matière (= fort). SENS 2. *Linda est douée d'une excellente mémoire,* elle la possède. → *doter*

douille n.f. SENS 1. *Une douille est un cylindre creux qui contient la poudre d'une cartouche.* SENS 2. *Une ampoule électrique se fixe dans une douille,* une pièce pour la recevoir.
illustr. p. 55

douillet, ette adj. SENS 1. *Jérémy est trop douillet,* trop sensible à la douleur. SENS 2. *Aline s'est couchée dans son lit douillet* (= doux, confortable).

douleur n.f. SENS 1. *Je sens une douleur au cou,* j'ai mal. ●● *endolori, indolore.* SENS 2. *Il a eu la douleur de perdre son père,* il a souffert (= chagrin, peine ; ≠ bonheur).

■ **douloureux, euse** adj. [SENS 1] *Ma jambe est douloureuse,* elle me fait mal.

douter v. 1ᵉʳ groupe. SENS 1. *Il m'a promis de venir, mais je doute de sa parole,* je n'ai pas confiance (= se défier). SENS 2. *Je doute qu'il fasse beau demain,* je n'en suis pas certain, je ne le crois pas. SENS 3. *Je me doute bien que vous n'avez pas agi sans raison,* cela me paraît probable (= supposer, penser, imaginer). *Elle ne se doute pas de la surprise qui l'attend* (= soupçonner, deviner).

■ **doute** n.m. [SENS 2] *J'ai des doutes sur son honnêteté,* je n'en suis pas certain (= soupçon). ◆ *Viendras-tu demain ? Sans aucun doute !* (= certainement). ◆ *Il n'est pas venu, il a sans doute oublié* (= probablement, sûrement, peut-être).

■ **douteux, euse** adj. [SENS 2] *Le succès est douteux,* il n'est pas sûr (= hypothétique ; ≠ certain). ●● *indubitable*

douve n.f. *Les douves d'un château, ce sont les fossés remplis d'eau qui l'entourent* (= fossé).
illustr. p. 165

doux, douce adj. SENS **1**. *Un tissu de soie est* **doux** *au toucher,* il donne une sensation agréable (= délicat ; ≠ rugueux). *L'hiver a été* **doux** *(≠ rude, dur).* SENS **2**. *La saveur des bananes est* **douce**, elle est agréable au goût (≠ amer, acide, piquant). *L'eau* **douce**, c'est l'eau des rivières, des lacs, etc., par opposition à l'eau de mer, qui est salée. SENS **3**. *Il faut faire cuire cette sauce à feu* **doux** (= faible, modéré ; ≠ fort). SENS **4**. *Mme Arnaud est* **douce** *avec les enfants* (= gentil, affectueux, tendre ; ≠ dur, sévère, brutal). ●● *adoucir, radoucir*

■ **doux** adv. SENS **1**. *Il* **fait doux** *aujourd'hui,* la température extérieure est agréable. ◆ *Fam. Devant cette menace, il* **a filé doux**, il a obéi sans protester.

■ **douceâtre** adj. [SENS 2] *Cette orange est* **douceâtre**, trop douce (= fade).

■ **doucement** adv. [SENS 3] *La voiture roule* **doucement**, à faible allure (≠ vite). *Parle plus* **doucement** (≠ fort).

■ **doucereux, euse** adj. [SENS 4] *Cyril m'a répondu d'un ton* **doucereux**, trop doux, un peu sournois (= mielleux).

■ **douceur** n.f. [SENS 1] *Cette région est connue pour la* **douceur** *de son climat* (= agrément). [SENS 2] *(Au plur.) Jean m'a offert des* **douceurs**, des choses sucrées, des friandises. [SENS 3] *La voiture a démarré* **en douceur** (= doucement). [SENS 4] *J'aime la* **douceur** *de Mme Arnaud* (= gentillesse, bonté).

illustr. p. 642 **douze** adj. numéral *Il y a* **douze** *mois dans l'année. 6 + 6 = 12.*

illustr. p. 642 ■ **douzième** adj. et n. *Laurence est la* **douzième** *de la classe. Ils habitent dans le* **douzième** *arrondissement, au* **douzième** *étage.*

illustr. p. 642 ■ **douzaine** n.f. *Une* **douzaine** *d'œufs, c'est douze œufs.* ◆ *François a une* **douzaine** *d'années,* environ douze ans.

doyen, enne n. *Ce député est le* **doyen** *de l'Assemblée,* le député le plus âgé.

draconien, enne adj. *Votre règlement est* **draconien**, extrêmement sévère.

dragée n.f. *On offre souvent des* **dragées** *lors d'un baptême, d'un mariage, etc.,* des bonbons faits d'amandes recouvertes de sucre.

dragon n.m. SENS **1**. *On représente les* **dragons** *avec des ailes, des griffes et une queue pointue,* des animaux imaginaires et effrayants. SENS **2**. *Les* **dragons** étaient des soldats à cheval.

dragonne n.f. *Le bâton de ski se termine par une* **dragonne**, une courroie formant une boucle qu'on passe à son poignet. *illustr. p. 895*

draguer v. 1er groupe. **Draguer** *une rivière,* c'est enlever la boue et le sable accumulés au fond, en particulier avec une machine appelée « drague ». *illustr. p. 741*

■ **dragueur** n.m. *Un* **dragueur** *de mines est un bateau aménagé pour retirer les mines de l'eau.*

drainer v. 1er groupe. **Drainer** *un sol trop humide,* c'est en faire partir l'eau pour l'assainir.

■ **drainage** n.m. *Les canaux de* **drainage** *servent à évacuer l'eau des sols.*

drakkar n.m. *Les* **drakkars** *étaient les bateaux des pirates vikings.* *illustr. p. 970*

drame n.m. SENS **1**. *Cet accident a été un* **drame** *affreux,* un événement violent, grave (= tragédie, catastrophe). SENS **2**. *On a vu à la télé un* **drame** *de Victor Hugo,* une pièce de théâtre dont l'action est violente. ●● *mélodrame*

■ **dramatique** adj. [SENS 1] *La situation de ces réfugiés est* **dramatique** (= angoissant, tragique ; ≠ comique). ◆ *Victor Hugo est un* **auteur dramatique**, il a écrit des pièces de théâtre.

■ **dramatiquement** adv. [SENS 1] *La randonnée s'est terminée* **dramatiquement**.

■ **dramatiser** v. 1er groupe. [SENS 1] *Restons calmes, ne **dramatisons** pas,* n'exagérons pas la gravité de la situation.

illustr. **drap** n.m. *Les **draps** sont les grands*
p. 863 morceaux de tissu qui garnissent le lit entre le matelas et la couverture.
✳ *Le « p » ne se prononce pas : [dra].*

illustr. **drapeau** n.m. *Un **drapeau** est un mor-*
p. 425, ceau d'étoffe fixé à un manche ou à un
719 mât, avec des couleurs ou des signes distinctifs et qui sert d'emblème à un pays, une organisation, etc. → **hampe**

draper v. 1er groupe. *Il **s'est drapé** dans son manteau,* il s'est enveloppé dedans.

draperie n.f. *Des **draperies** ornent les murs de la salle des fêtes,* des étoffes formant des plis.

dresser v. 1er groupe. SENS 1. *Le chien a **dressé** les oreilles,* il les a mises droites, verticales (≠ baisser). SENS 2. *Les campeurs **ont dressé** leurs tentes* (= monter, planter ; ≠ démonter, plier). SENS 3. *L'instituteur a **dressé** une liste*
illustr. *des absents* (= établir). SENS 4. *Ce chien*
p. 177 *est bien **dressé**,* on l'a habitué à obéir.

■ **dressage** n.m. [SENS 4] *Le **dressage** des animaux féroces est le travail du dompteur.*

dribbler v. 1er groupe. *Le footballeur a **dribblé** son adversaire,* il est passé devant lui en poussant le ballon à petits coups de pied.

drisse n.f. *Hissez la voile avec la **drisse** !,* un cordage.

drogue n.f. SENS 1. *L'opium, la cocaïne sont des **drogues**,* des produits toxiques qui détruisent la volonté (= stupéfiant). SENS 2. *Tu ne devrais pas prendre toutes ces **drogues** pour dormir,* tous ces médicaments dont l'effet risque de ne pas être bienfaisant.

■ **droguer** v. 1er groupe. [SENS 1] *Les personnes qui **se droguent** mettent en*
très grand danger leur état physique et mental.

■ **drogué, ée** n. [SENS 1] *Cet hôpital accueille et soigne les **drogués**,* les personnes qui consomment de la drogue et ne peuvent plus s'en passer (= toxicomane). → **désintoxication**

droguiste n. *Les **droguistes** vendent* *illustr.*
des produits de toilette et d'entretien. *p. 583*

■ **droguerie** n.f. *Va à la **droguerie** acheter du savon et de la lessive.*

1. droit n.m. SENS 1. *Vous n'avez pas le **droit** d'entrer ici, c'est privé* (= autorisation, permission). ◆ *Je suis **dans mon droit**,* je suis en règle, on ne peut rien me reprocher. ◆ *Vous protestez **à bon droit**,* avec raison. SENS 2. *Jacques est étudiant en **droit**,* il étudie les lois qui gouvernent la société. → **juridique**. SENS 3. *Pour importer ce produit, il faut payer des **droits** de douane,* donner de l'argent à l'État (= taxe).

2. droit, e adj. SENS 1. *La ligne **droite*** *illustr.*
ne dévie pas, c'est le plus court chemin *p. 217,*
d'un point à un autre (= direct ; ≠ courbe, arqué). SENS 2. *Ce mur n'est pas **droit**,* il penche, il est incliné (= vertical).
●● **redresser**. SENS 3. *M. Lemieux est un homme **droit*** (= honnête, juste, loyal ; ≠ faux, fourbe). SENS 4. *Pierre écrit de la* *216,*
*main **droite*** (≠ gauche). SENS 5. *Le joueur de tennis a fait un **coup droit**,* il a envoyé la balle par un coup de droite à gauche [s'il est droitier] (≠ revers).
SENS 6. *On trace un **angle droit** avec une* *431*
équerre, un angle de 90° (≠ aigu, obtus).

■ **droit** adv. [SENS 1] *Cet ivrogne ne marche pas **droit**,* en ligne droite.

■ **droite** n.f. [SENS 1] *Tracez une **droite*** *illustr.*
sur votre cahier, une ligne droite (≠ cour- *p. 431*
be). [SENS 4] *Il est parti vers la **droite**,* le côté droit (≠ gauche). ◆ *M. Valmar est de **droite**,* ses opinions politiques sont conservatrices (≠ gauche).

■ **droitement** adv. [SENS 3] *Il a toujours agi **droitement** avec moi* (= loyalement, honnêtement).

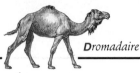
■ **droitier, ière** adj. et n. [SENS 4] *Éric est (un) droitier, il écrit de la main droite (≠ gaucher).*

■ **droiture** n.f. [SENS 3] *Luc agit avec droiture* (= honnêteté, franchise, loyauté).

drôle adj. SENS 1. *On a vu un film très drôle* (= comique, amusant ; ≠ triste). SENS 2. *Il y a une drôle d'odeur dans la cuisine,* une odeur bizarre (= étrange ; ≠ normal). SENS 3. Fam. *Fabrice a une drôle de chance,* beaucoup de chance.

■ **drôlement** adv. [SENS 2] *Il m'a regardé drôlement.* [SENS 3] Fam. *Il fait drôlement chaud* (= très).

■ **drôlerie** n.f. [SENS 1] *La drôlerie de ses grimaces la faisait éclater de rire.*

illustr. p. 277 **dromadaire** n.m. *Les Touaregs du Sahara se déplacent sur des dromadaires,* des mammifères proches des chameaux mais à une seule bosse.

dru, drue adj. *M. Dupont a une barbe drue* (= serré, épais).

drugstore n.m. *Un drugstore est un établissement commercial comprenant un bar et des magasins divers.*
✳ On prononce [drœgstɔr].

illustr. p. 427 **druide** n.m. *Les druides étaient les prêtres des Gaulois.*

1. du art. défini. **Du** résulte de la contraction de la préposition **de** et de l'article **le** : *j'aime le goût du pain.*

2. du, de la, des art. partitifs. Ces articles s'emploient devant des mots qui désignent des choses qu'on ne peut pas compter : *je bois du lait, de la limonade ; je mange des rillettes.*

dû, due, dus, dues → *devoir*

duc, duchesse n. *Un duc a le titre de noblesse le plus élevé.*

■ **ducal, ale, aux** adj. *Un palais ducal est le palais d'un duc.*

■ **duché** n.m. *La Bretagne était un duché,* un territoire gouverné par un duc ou une duchesse.

duel n.m. *Autrefois, les nobles se battaient en duel pour se venger d'une injure,* un contre un.

duffel-coat n.m. *Il fait froid, mettez vos duffel-coats !,* des manteaux courts en tissu de laine imperméable. *illustr. p. 101*
✳ On prononce [dœfœlkot]. Au pluriel, on écrit des **duffel-coats**.

dune n.f. *Près de cette plage, il y a des dunes,* des collines de sable. *illustr. p. 277 557*

dunette n.f. *La dunette d'un navire est la partie surélevée qui se trouve à l'arrière.*

duo n.m. *Jeanne et Marie ont chanté un duo,* une chanson à deux.

dupe adj. *Il veut me tromper, mais je ne suis pas dupe,* je ne me laisse pas tromper.

■ **duper** v. 1er groupe. *Je ne me suis pas laissé duper par ses promesses* (= tromper).

■ **duperie** n.f. *Quel naïf, il s'est laissé prendre à cette duperie !* (= tromperie, escroquerie).

duplex n.m. SENS 1. *L'émission télévisée a lieu en duplex,* les personnes qui dialoguent et qu'ont voit ne sont pas au même endroit. SENS 2. *Philippe habite dans un duplex,* un appartement qui s'étend sur deux niveaux réunis par un escalier intérieur.

duplicata n.m. *Veuillez joindre au dossier un duplicata de la facture,* une reproduction (= double).

duplicité n.f. *Nos adversaires ont fait preuve de duplicité dans ce débat,* de manque de franchise (= fourberie, hypo-crisie, mauvaise foi ; ≠ loyauté).

duquel → **lequel**

dur, dure adj. SENS 1. *Cette viande est dure*, difficile à mâcher (= résistant ; ≠ tendre, mou). *Le quartz est une pierre dure. L'hiver a été dur* (= rigoureux ; ≠ doux). SENS 2. *Voilà un problème trop dur, je ne sais pas le résoudre* (= difficile ; ≠ facile, aisé). SENS 3. *M. Durand est un homme dur* (= sévère, insensible ; ≠ doux, bon). ●● **endurcir**. SENS 4. Avoir la **tête dure**, c'est être très têtu ou peu intelligent.

■ **dur** adv. *Elle a travaillé dur pour réussir* (= beaucoup, péniblement).

■ **durcir** v. 2e groupe. [SENS 1] *Ce pain est vieux, il a durci* (≠ ramollir). [SENS 3] *Sa voix s'est durcie*, elle est devenue plus sévère (≠ s'attendrir).

■ **durcissement** n.m. [SENS 1] *Le durcissement de ce ciment est très rapide.*

■ **durement** adv. [SENS 3] *Il m'a répondu durement*, sans bonté (≠ doucement, gentiment).

■ **dureté** n.f. [SENS 1] *Ce bois a la dureté de la pierre* (= résistance, solidité). [SENS 3] *Le prisonnier a été traité avec dureté* (= brutalité ; ≠ douceur).

■ **durillon** n.m. [SENS 1] *Jean a un durillon à un orteil*, un endroit où la peau a durci (= cor).

durant prép. *Ce mot donne une indication de temps : cela s'est passé durant la nuit* (quand il faisait nuit).

durer v. 1er groupe. SENS 1. *Le film dure deux heures*, deux heures s'écoulent entre le début et la fin du film. SENS 2. *Le beau temps dure depuis huit jours*, il continue à faire beau (= se prolonger).

■ **durable** adj. [SENS 2] *Cette douleur ne sera pas durable*, elle ne durera pas longtemps (= long ; ≠ bref, court).

durée n.f. [SENS 1] *Quelle est la durée de ce film ?*, combien de temps dure-t-il ? (= longueur).

dureté, durillon → **dur**

duvet n.m. SENS 1. *Cet oreiller est plein de duvet*, de petites plumes légères et chaudes. SENS 2. *Les campeurs couchent dans leur duvet*, un sac de couchage épais, léger et chaud. SENS 3. *Les pêches sont recouvertes de duvet*, de petits poils doux. *illustr. p. 753*

■ **duveté, ée** ou **duveteux, euse** adj. *Les pêches sont duvetées (duveteuses)*, leur peau a un duvet.

dynamique adj. *Jean est un garçon dynamique*, il agit avec énergie et entrain (= actif, énergique ; ≠ mou).

■ **dynamisme** n.m. *Julie est pleine de dynamisme* (= vitalité).

dynamite n.f. *Les soldats ont fait sauter le pont à la dynamite*, un explosif puissant.

■ **dynamiter** v. 1er groupe. *Le pont a été dynamité*, détruit par un explosif.

dynamo n.f. *La dynamo de la voiture est en panne*, l'appareil qui produit le courant électrique.

dynastie n.f. *Louis XIV appartenait à la dynastie des Bourbons*, à la famille de rois portant ce nom.

■ **dynastique** adj. *Des querelles dynastiques opposent les membres de la famille royale.*

dysenterie n.f. *Le choléra provoque la dysenterie*, une colique grave et douloureuse.

dyslexie n.f. *La dyslexie est un trouble de lecture qui consiste à intervertir les lettres.*

■ **dyslexique** adj. et n. *Cet enfant est (un) dyslexique.*

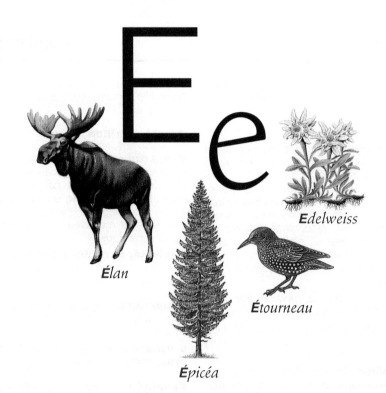

E e

Élan

Épicéa

Étourneau

Edelweiss

illustr.
*p. 557***eau** n.f. SENS 1. *L'eau pure est incolore, inodore et sans saveur.* → **hydrater, aquatique**. ◆ *Comme il ne pouvait rien obtenir, il **a mis de l'eau dans son vin,** il est devenu moins exigeant.* ◆ *Ce plat **me met l'eau à la bouche,** il est très appétissant.* ◆ Fam. *Son projet **est tombé à l'eau,** il n'a pas abouti.* SENS 2. *L'eau de* Javel sert à nettoyer, *l'eau de* Cologne sert à se parfumer. SENS 3. (Au plur.) *Les eaux territoriales d'un pays,* c'est la zone de mer qui borde les côtes de ce pays, par opposition aux **eaux internationales,** le reste des mers.

eau-de-vie n.f. *Dans cette région, on fabrique des eaux-de-vie de prune et de poire,* de l'alcool de prune et de poire.
✳ Au pluriel, on écrit des **eaux-de-vie**.

ébahir v. 2ᵉ groupe. *La nouvelle de son départ nous a ébahis,* beaucoup étonnés (= stupéfier, sidérer). *Quelle surprise, j'en suis tout ébahi !* (= stupéfait, éberlué).
■ **ébahissement** n.m. *Il écarquille les yeux d'ébahissement* (= stupéfaction).

s'ébattre v. 3ᵉ groupe. *Les chatons s'ébattent sur le tapis,* ils courent, sautent et jouent (= folâtrer).
✳ Conj. nº 56.

■ **ébats** n.m. pl. *Les ébats des chatons sont amusants,* leurs mouvements vifs.

ébaucher v. 1ᵉʳ groupe. *Le romancier a ébauché le plan de son livre,* il lui a donné une première forme (= esquisser ; ≠ achever). *Le projet commence à s'ébaucher,* à prendre forme.

■ **ébauche** n.f. *Ce dessin n'est qu'une ébauche, mais il te donne une idée de ce que je veux faire* (= esquisse).

ébène n.f. *Ce coffret à bijoux est en ébène,* un bois noir et très dur.
✳ Ce mot est du genre féminin.

ébéniste n. M. *Dupuis est ébéniste,* il fabrique de beaux meubles.

■ **ébénisterie** n.f. *L'acajou, l'ébène, le citronnier sont des bois d'ébénisterie,* utilisés par l'ébéniste.

304

éberlué, ée adj. *Pierre m'a regardé avec des yeux **éberlués**, très étonnés* (= ébahi, stupéfait).

éblouir v. 2e groupe. SENS 1. *L'automobiliste **a été ébloui** par les phares de la voiture d'en face* (= aveugler). SENS 2. *Ce pianiste nous **a éblouis**, il nous a remplis d'admiration* (= émerveiller).

■ **éblouissant, ante** adj. [SENS 1] *Ces phares mal réglés sont trop **éblouissants**.* [SENS 2] *Ce pianiste a un jeu **éblouissant*** (= brillant, merveilleux).

■ **éblouissement** n.m. [SENS 1] *Si on regarde le soleil en face, on a des **éblouissements**.*

éborgner v. 1er groupe. *Fais attention, tu risques d'**éborgner** quelqu'un avec ta baguette,* de lui crever un œil, de le rendre borgne. ●● ***borgne***

illustr. p. 855 **éboueur** n.m. *Le matin, les **éboueurs** vident les poubelles dans leur camion,* les employés chargés de ramasser les ordures. ●● ***boue***

ébouillanter v. 1er groupe. *Pour **ébouillanter** les légumes, on les plonge quelques instants dans l'eau bouillante. Alexis **s'est ébouillanté** la main,* il s'est brûlé avec un liquide bouillant. ●● ***bouillir***

s'**ébouler** v. 1er groupe. *Tout un pan de la falaise **s'est éboulé**,* il s'est détaché et est tombé en morceaux (= s'écrouler).

■ **éboulement** n.m. *La route a été coupée par un **éboulement**,* une chute de rochers, de terre.

illustr. 617, 557 ■ **éboulis** n.m. *Le pied de la montagne est couvert d'**éboulis**,* de cailloux qui viennent d'en haut.

ébouriffer v. 1er groupe. *Le vent m'a **ébouriffé** les cheveux,* il les a mis en désordre.
✳ Attention à l'orthographe : un « r » et deux « f ».

ébranler v. 1er groupe. SENS 1. *La procession **s'est ébranlée**,* elle s'est

mise en marche (≠ s'arrêter). SENS 2. *L'explosion **a ébranlé** les murs,* elle les a fait trembler (= secouer). SENS 3. *Nos arguments ne l'**ont** pas **ébranlé**,* ils ne l'ont pas fait douter ni fait changer d'avis. ●● ***inébranlable***

■ **ébranlement** n.m. [SENS 1] *Dès l'**ébranlement** du train, il s'est endormi* (= départ). [SENS 2] *L'explosion a causé un **ébranlement** aux murs* (= secousse).

ébrécher v. 1er groupe. *J'ai ébréché un verre en le lavant,* j'ai cassé un petit morceau sur le bord. ●● ***brèche***
✳ Conj. no 10.

ébriété n.f. *Il a été condamné pour conduite en état d'**ébriété**,* il était soûl (= ivresse).

s'**ébrouer** v. 1er groupe. *Le chien **s'est ébroué**,* il a secoué son corps.

ébruiter v. 1er groupe. *N'**ébruitez** pas la nouvelle,* ne la faites pas connaître (= répandre, divulguer). ●● ***bruit***

ébullition n.f. SENS 1. *Dix minutes d'**ébullition** suffisent,* il suffit de faire bouillir dix minutes. ●● ***bouillir***. SENS 2. *Cet incident **a mis** tout le quartier **en ébullition**,* il a provoqué une vive émotion (= effervescence, émoi).

écaille n.f. SENS 1. *Certains poissons et reptiles ont le corps recouvert d'**écailles**,* de petites plaques dures. SENS 2. *Jean a des lunettes d'**écaille**,* en carapace de tortue.

■ **écailler** v. 1er groupe. [SENS 1] *Le poissonnier **écaille** un poisson,* il enlève les écailles. *La peinture **s'est écaillée**,* de petites plaques se sont détachées.

écarlate adj. *Tout honteux de sa maladresse, il est devenu **écarlate**,* très rouge (= cramoisi).

écarquiller v. 1er groupe. *Écarquiller les yeux, c'est les ouvrir très grands.*

Échalote

écart n.m. SENS 1. *Ils habitent à l'écart de la route,* à une certaine distance. SENS 2. *Entre ces deux articles, il y a un grand écart de prix* (= différence). SENS 3. *Le cheval a fait un écart,* un mouvement brusque vers le côté. SENS 4. *La danseuse fait le grand écart, ses jambes sont écartées au maximum de façon à toucher le sol sur toute leur longueur, l'une à l'avant, l'autre à l'arrière.*

■ **écartement** n.m. [SENS 1] *L'écartement des roues est de 1,40 mètre,* la distance qui les sépare.

■ **écarter** v. 1er groupe. [SENS 1] *Écartez les bras du corps !,* mettez-les à une certaine distance du corps (≠ rapprocher).

écarteler v. 1er groupe. SENS 1. *Autrefois, certains condamnés étaient écartelés,* leurs quatre membres étaient tirés en sens opposés jusqu'à l'arrachement. SENS 2. *Je suis écartelé entre ces deux désirs* (= tirailler).
✳ Conj. n° 5.

ecchymose n.f. *Sa chute ne lui a causé que des ecchymoses,* des traces bleuâtres sur la peau (= bleu, hématome).
✳ On prononce [ekimoz].

ecclésiastique n.m. *Les prêtres, les moines, les évêques sont des ecclésiastiques,* des membres du clergé.

écervelé, ée adj. et n. *Un garçon écervelé agit sans réfléchir suffisamment. Quel écervelé, il a oublié son cartable !* (= étourdi). ●● *cerveau*

échafaud n.m. *Louis XVI est mort sur l'échafaud,* sur une estrade où on lui a coupé la tête.

illustr. p. 157 **échafaudage** n.m. *Les maçons ont installé un échafaudage,* une construction provisoire en bois ou en métal pour faire des travaux.

■ **échafauder** v. 1er groupe. *On a échafaudé des plans très compliqués* (= combiner, bâtir).

échalas n.m. *Les échalas sont des perches servant à soutenir les pieds de vigne.*

échalote n.f. *L'échalote est une plante proche de l'oignon utilisée comme assaisonnement.* *illustr. p. 746*

échancré, ée adj. *Marie a un corsage échancré,* largement ouvert au col.

■ **échancrure** n.f. *L'échancrure d'un col, c'est son ouverture.*

échanger v. 1er groupe. *Clément a échangé des timbres contre des billes,* il a donné des timbres et reçu des billes en compensation (= troquer). ●● *changer*
✳ Conj. n° 2.

■ **échange** n.m. *Clément et Nicolas ont fait un échange de timbres,* ils se sont donné l'un à l'autre des timbres.

■ **échangeur** n.m. *Les voitures peuvent passer d'une autoroute à une autre grâce à l'échangeur,* un carrefour à plusieurs niveaux. *illustr. p. 853*

échantillon n.m. *Je voudrais un échantillon de ce tissu,* un petit morceau comme spécimen.

■ **échantillonnage** n.m. *Le sondage a été opéré sur un échantillonnage représentatif de la population,* sur un petit nombre de personnes.

échapper v. 1er groupe. SENS 1. *Le chien s'est échappé, il faut le rattraper* (= s'enfuir, se sauver). SENS 2. *M. Dupont a échappé à l'accident,* il l'a évité. ●● *réchapper.* ◆ *Tout s'est bien passé mais nous l'avons échappé belle,* nous avons évité de peu le danger. SENS 3. *La pile d'assiettes lui a échappé des mains,* il l'a lâchée (= glisser). SENS 4. *Son nom m'échappe,* je n'arrive pas à m'en souvenir.

■ **échappatoire** n.f. [SENS 1] *On ne lui a laissé aucune échappatoire,* aucun moyen de se tirer d'embarras, d'échapper à une situation difficile (= issue).
✳ Ce mot est du genre féminin.

■ **échappée** n.f. [SENS 1] *Le coureur a gagné l'étape après une longue* **échappée**, *après s'être échappé du peloton.*

illustr. p. 69 ■ **échappement** n.m. *Les gaz du moteur sortent par le pot d'***échappement**.

écharde n.f. *Mario a une* **écharde** *dans le doigt,* un petit morceau de bois pointu qui a pénétré sous la peau.

illustr. p. 1011 **écharpe** n.f. SENS 1. *Il fait froid, mets ton* **écharpe** *autour du cou !,* une bande d'étoffe en laine ou en coton (= cachenez). SENS 2. *Le maire a mis son* **écharpe** *tricolore pour célébrer le mariage,* une bande de tissu qui est l'insigne de sa fonction. SENS 3. *Marc a le bras* **en écharpe**, soutenu par une bande de tissu qui passe derrière le cou.

écharper v. 1er groupe. *Le criminel a failli se faire* **écharper** *par la foule* (= tuer, massacrer, lyncher).

échasse n.f. *Les* **échasses** *sont de longs bâtons servant à marcher en ayant les pieds au-dessus du sol.*

■ **échassier** n.m. *Les* **échassiers** *sont des oiseaux à longues pattes comme la cigogne et le héron.*

échauder v. 1er groupe. SENS 1. *Le jet de vapeur l'***a** *un peu* **échaudé**, *lui a causé une vive chaleur* (= brûler). ●● **chaud**. SENS 2. *Ce magasin vend de la camelote : j'***ai été échaudé** *mais on ne m'y reprendra pas,* j'ai subi une mésaventure qui m'a servi de leçon.

échauffer v. 1er groupe. SENS 1. *Cette course m'***a échauffé**, elle m'a donné chaud. ●● **chaud**. SENS 2. *Les joueurs* **s'échauffent** *avant le match,* ils exercent leurs muscles.

■ **échauffement** n.m. [SENS 2] *Le cours de gymnastique commence par des exercices d'***échauffement**, des mouvements qui exercent les muscles.

échauffourée n.f. *Il a eu le bras cassé dans une* **échauffourée**, une courte bagarre.

illustr. p. 165 **échauguette** n.f. *Il y a des* **échauguettes** *aux angles des remparts,* des petites guérites de pierre pour le guet.

échéance n.f. SENS 1. *M. Dupont a payé avant l'***échéance**, avant le moment où il était obligé de payer. SENS 2. *Faire des projets à* **longue échéance, à brève échéance**, c'est les faire pour un avenir lointain ou rapproché.

échéant adj. m. *Le cas échéant, je viendrai* (= éventuellement).

illustr. p. 530 **échec** n.m. SENS 1. *Éric a subi un* **échec** *à l'examen,* il n'a pas réussi (≠ succès). SENS 2. (Au plur.) *Paul m'a battu aux* **échecs**, un jeu qui consiste à déplacer diverses pièces sur un plateau selon des règles précises.

illustr. p. 530 ■ **échiquier** n.m. [SENS 2] *L'***échiquier** *est formé de 64 cases noires et blanches,* le plateau pour jouer aux échecs.

■ **échouer** v. 1er groupe. [SENS 1] *Son plan* **a échoué**, il n'a pas réussi (= rater). ◆ *Le navire* **s'est échoué**, il a touché le fond par accident.

illustr. p. 737, 157, 29, **échelle** n.f. SENS 1. *Une* **échelle** *est faite de deux montants reliés par des barreaux transversaux sur lesquels on pose les pieds pour monter ou descendre.* SENS 2. *M. Gonzalez s'est élevé dans l'***échelle** *sociale,* la succession de niveaux que constitue la société. SENS 3. *L'***échelle** *de* *51* *ce dessin est de 1/100,* ce qui est dessiné est 100 fois plus petit que l'objet réel. *Il a fraudé le fisc* **sur une grande échelle**, dans de grandes proportions. SENS 4. *L'***échelle** *de Richter permet de mesurer l'amplitude d'un séisme,* un ensemble de degrés permettant de mesurer une vitesse, une intensité. ◆ *Il m'***a fait la courte échelle** *pour sauter la clôture,* il m'a fait grimper sur lui.

illustr. p. 157 ■ **échelon** n.m. [SENS 1] *Attention, le deuxième* **échelon** *de l'échelle est cassé !* (= barreau). [SENS 2] *Ce professeur est au troisième* **échelon**, au troisième niveau de sa carrière.

■ **échelonner** v. 1ᵉʳ groupe. [SENS 2] *Ce paiement **est échelonné** sur un an,* il est réparti régulièrement sur un an.

■ **échelonnement** n.m. [SENS 2] *Il a demandé un **échelonnement** de ses paiements,* une répartition (= étalement).

illustr. **écheveau** n.m. *Marie a embrouillé son* *p. 228* **écheveau** *de laine,* un fil de laine replié beaucoup de fois.
❋ Au pluriel, on écrit des **écheveaux**.

échevelé, ée adj. *Sonia a couru, elle est tout **échevelée**,* ses cheveux sont en désordre (= décoiffé, ébouriffé).
●● *cheveu*

échevin n.m. *Un **échevin** est un ma-* gistrat adjoint au bourgmestre, en Belgique.

échine n.f. *J'ai acheté un rôti de porc dans l'**échine**,* prélevé dans le dos du porc. ◆ **Courber l'échine, avoir l'échine souple,** c'est se plier très facilement à la volonté des autres.

s'**échiner** v. 1ᵉʳ groupe. Fam. *Je **me suis échiné** à porter ce tas de bois,* je me suis fatigué, éreinté.

échiquier → *échec*

écho n.m. SENS 1. *Il y a de l'**écho** dans cette salle,* le son est renvoyé par les murs. SENS 2. *Il m'a donné quelques **échos** de la réunion,* il m'a dit ce qui s'y est passé (= nouvelle, information). *Je me fais l'**écho** de ce que j'ai entendu,* je le répète.
❋ On prononce [eko]. Ne pas confondre avec **écot.**

illustr. **échographie** n.f. *L'**échographie** est un* *p. 868* examen grâce auquel le médecin voit sur un écran ce qui se passe à l'intérieur d'une partie du corps.
❋ On prononce [ekografi].

échoppe n.f. *Le cordonnier travaille dans son **échoppe**,* sa petite boutique.

échouer → *échec*

éclabousser v. 1ᵉʳ groupe. *En passant dans la flaque d'eau, la voiture nous **a éclaboussés**,* elle a projeté de l'eau sur nous (= asperger, arroser).

■ **éclaboussure** n.f. *Attention aux **éclaboussures** !,* aux gouttes de liquide projeté.

éclair n.m. SENS 1. *L'**éclair** dans le ciel* *illustr.* *a été suivi d'un coup de tonnerre, la* *p. 21,* lumière de l'orage (= foudre). SENS 2. *Ses yeux ont eu un **éclair** de joie,* un bref moment. SENS 3. *Un **éclair** au chocolat* *150* est un gâteau allongé fourré à la crème. SENS 4. *La serrure a été ouverte **en un éclair**,* très rapidement.

■ **éclair** adj. inv. [SENS 4] *Une guerre **éclair** dure très peu de temps.*

éclaircir v. 2ᵉ groupe. SENS 1. *Il faut ajouter du blanc pour **éclaircir** la couleur,* pour la rendre plus claire (≠ foncer).
●● *clair*. *Cette grande baie **éclaircit** la pièce* (≠ assombrir, obscurcir). *Le ciel s'**éclaircit**,* il devient plus lumineux. SENS 2. *Nous allons essayer d'**éclaircir** le problème,* le rendre plus compréhensible (= élucider).

■ **éclaircissement** n.m. [SENS 2] *Comme elle ne comprenait pas, elle a demandé des **éclaircissements**,* des explications.

■ **éclaircie** n.f. [SENS 1] *Une **éclaircie** est le moment où le ciel s'éclaircit et où la pluie cesse.

éclairer v. 1ᵉʳ groupe. SENS 1. *Cette lampe n'**éclaire** pas bien,* elle ne donne pas assez de lumière. *Les lampadaires **éclairent** la rue.* SENS 2. *Je n'ai pas bien compris mais vous allez m'**éclairer**,* me donner des explications. *Maintenant, tout s'**éclaire**,* tout devient clair, compréhensible. ●● *clair*

■ **éclairage** n.m. [SENS 1] *Les fusibles* *illustr.* *ont sauté, nous avons une panne* *p. 503* *d'**éclairage**,* de lumière.

éclaireur, euse n. *Le capitaine a envoyé des **éclaireurs** pour observer l'ennemi,* des soldats qui précèdent les autres.

éclater v. 1er groupe. SENS **1**. *Si tu souffles trop, tu vas faire **éclater** le ballon,* il va se briser violemment (= exploser). SENS **2**. *Une guerre **a éclaté** en Orient,* elle a commencé brusquement. SENS **3**. *Félix **a éclaté de rire**, Marc **a éclaté en sanglots**,* ils se sont mis soudain à rire, à pleurer bruyamment.

■ **éclat** n.m. [SENS **1**] *Il a été blessé par des **éclats** de verre,* des morceaux de verre brisé. [SENS **3**] *J'ai entendu des **éclats** de voix,* des bruits violents. ◆ *L'**éclat** du soleil est aveuglant,* sa lumière très vive (= scintillement). ◆ *La cérémonie s'est déroulée avec **éclat*** (= richesse, luxe).

■ **éclatant, ante** adj. *Ces couleurs sont **éclatantes**,* très vives (= violent ; ≠ terne). *Il a remporté un succès **éclatant*** (= triomphal).

■ **éclatement** n.m. [SENS **1**] *L'accident est dû à l'**éclatement** d'un pneu.*

éclipse n.f. SENS **1**. *On a une **éclipse** de Soleil quand le Soleil est caché par la Lune et une **éclipse** de Lune quand la Lune est cachée par l'ombre de la Terre.* SENS **2**. *Il est revenu au pouvoir après une **éclipse**,* une période où il était à l'écart.

■ **éclipser** v. 1er groupe. [SENS **1**] *Par sa beauté, Marie **éclipse** ses rivales,* elle est si belle qu'on ne voit plus qu'elle. ◆ *Jean **s'est éclipsé**,* il est parti discrètement.

éclopé, ée n. *Les **éclopés** avaient du mal à suivre les autres,* ceux qui marchaient difficilement par suite de blessures légères.

éclore v. 3e groupe. SENS **1**. *Les poussins **éclosent** au bout de vingt jours d'incubation,* ils sortent de l'œuf. SENS **2**. *Les fleurs **éclosent** au printemps,* elles s'ouvrent, fleurissent.
✳ Conj. n° 81.

■ **éclosion** n.f. [SENS **1**] *L'**éclosion** des œufs aura lieu bientôt,* ils vont bientôt éclore. [SENS **2**] *Ces fleurs sont proches de l'**éclosion**.*

écluse n.f. *Pour remonter le canal, on utilise des **écluses**,* des sortes de barrages où l'on peut changer la hauteur de l'eau, ce qui permet aux bateaux de passer d'un niveau à l'autre. *illustr. p. 1016*

■ **éclusier, ère** n. *Un **éclusier** est une personne qui est chargée de manœuvrer une écluse.*

écœurer v. 1er groupe. *Cette odeur m'**écœure**,* elle me fait mal au cœur, me donne la nausée (= dégoûter). ●● **cœur**

■ **écœurant, ante** adj. *Cette odeur est **écœurante*** (= répugnant).

■ **écœurement** n.m. *On éprouve de l'**écœurement** devant une telle ingratitude* (= dégoût).

école n.f. *Jean va à l'**école**,* dans un établissement d'enseignement (= en classe). → **scolaire** *illustr. p. 310*

■ **écolier, ère** n. *Les **écoliers** sont les jeunes élèves de l'école primaire.*

écologie n.f. SENS **1**. *L'**écologie** est la science qui étudie le milieu naturel des êtres vivants.* SENS **2**. *Par souci d'**écologie**, il faut éviter la pollution des cours d'eau,* pour préserver la nature.

■ **écologique** adj. [SENS **2**] *Le mouvement **écologique** veut défendre notre environnement.*

■ **écologiste** n. [SENS **2**] *Les **écologistes** veulent protéger la nature.*

éconduire v. 3e groupe. *Quand on l'**a éconduit**, il a protesté,* quand on l'a renvoyé sans lui donner satisfaction.
✳ Conj. n° 70.

économie n.f. SENS **1**. *En passant par ici, tu feras une **économie** de temps,* tu mettras moins longtemps (= gain ; ≠ perte). SENS **2**. *Par **économie**, ils ne*

L'ÉCOLE

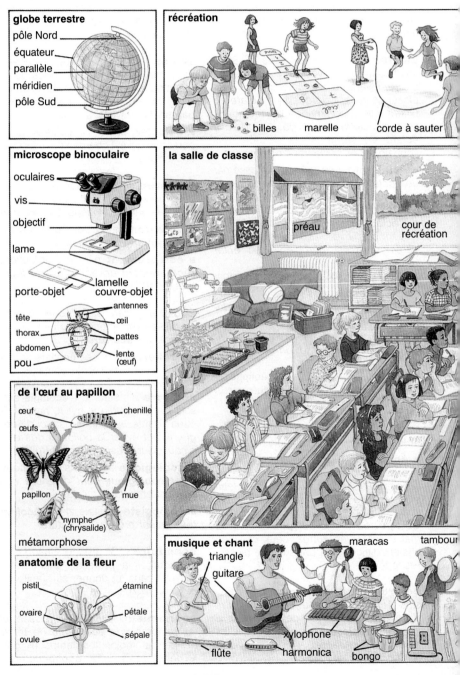

globe terrestre
- pôle Nord
- équateur
- parallèle
- méridien
- pôle Sud

récréation
- billes
- marelle
- corde à sauter

microscope binoculaire
- oculaires
- vis
- objectif
- lame
- porte-objet
- lamelle couvre-objet
- tête
- thorax
- abdomen
- pou
- antennes
- œil
- pattes
- lente (œuf)

la salle de classe
- préau
- cour de récréation

de l'œuf au papillon
- œuf
- œufs
- chenille
- papillon
- mue
- nymphe (chrysalide)
- métamorphose

anatomie de la fleur
- pistil
- ovaire
- ovule
- étamine
- pétale
- sépale

musique et chant
- triangle
- guitare
- maracas
- tambour
- xylophone
- flûte
- harmonica
- bongo

310

À l'école, on peut avoir plein d'activités, comme dans la vie :
lire, dessiner, exercer son corps, faire de la musique,
observer comment un œuf devient un papillon... et même jouer !

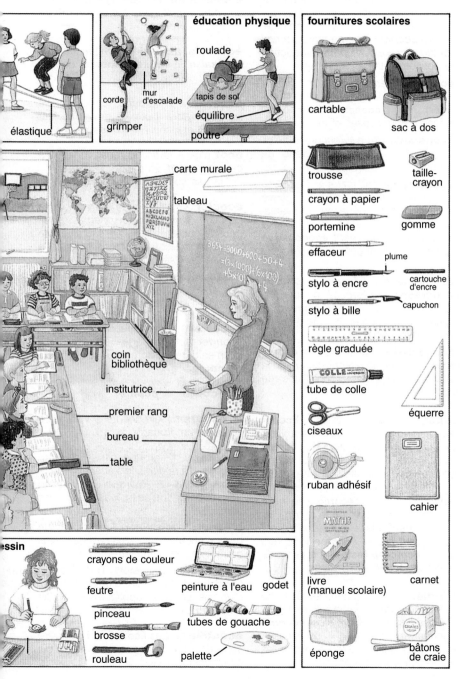

éducation physique

roulade

corde | mur d'escalade | tapis de sol

équilibre

poutre

élastique

grimper

fournitures scolaires

cartable

sac à dos

trousse

taille-crayon

crayon à papier

portemine

gomme

effaceur

plume

stylo à encre

cartouche d'encre

stylo à bille

capuchon

règle graduée

tube de colle

équerre

ciseaux

ruban adhésif

cahier

livre (manuel scolaire)

carnet

éponge

bâtons de craie

carte murale

tableau

coin bibliothèque

institutrice

premier rang

bureau

table

ssin

crayons de couleur

feutre

peinture à l'eau

godet

pinceau

tubes de gouache

brosse

rouleau

palette

partent pas en vacances, pour dépenser moins d'argent. *Mme Ribour fait des économies,* elle met de l'argent de côté. SENS 3. *L'économie de ce pays connaît un grand développement,* la production et la consommation des produits.

▪ **économe** [SENS 2] adj. *Mme Ribour est économe,* elle dépense peu (≠ dépensier). ◆ n. *L'économe d'un hôpital s'occupe des dépenses et des recettes.*

▪ **économat** n.m. *Le livreur présente sa facture à l'économat,* au bureau de l'économe.

▪ **économique** adj. [SENS 2] *Cette voiture est économique,* elle ne cause pas beaucoup de dépense (= avantageux ; ≠ coûteux). [SENS 3] *La crise a bloqué le développement économique du pays,* le développement de l'économie.

▪ **économiser** v. 1er groupe. [SENS 1] *Économisons nos forces !,* ne les gaspillons pas. [SENS 2] *J'ai économisé 50 euros,* je les ai mis de côté (= épargner ; ≠ dépenser).

▪ **économiste** n. [SENS 3] *Les économistes prévoient un ralentissement de la hausse des prix,* les spécialistes de l'économie.

écoper v. 1er groupe. SENS 1. *Écoper l'eau du fond d'une barque,* c'est vider l'eau avec une pelle appelée **écope**. SENS 2. Fam. *L'automobiliste a écopé d'une amende,* elle lui a été infligée.

écorce n.f. SENS 1. *L'écorce d'un arbre est la couche qui enveloppe le tronc et les branches. Dans la confiture d'oranges, on peut laisser l'écorce* (= peau). *illustr. p. 949* SENS 2. *L'écorce terrestre est la partie de la Terre qui forme sa surface.*

écorcher v. 1er groupe. SENS 1. *Le cuisinier écorche un lapin,* il le dépouille de sa peau. SENS 2. *Pierre s'est écorché le genou en tombant* (= se blesser, s'égratigner). SENS 3. *John écorche les mots français,* il les prononce mal.

▪ **écorchure** n.f. [SENS 2] *Il faut mettre un pansement sur cette écorchure* (= égratignure).

écossais, aise adj. *Jeanne a une jupe écossaise,* à rayures croisées de plusieurs couleurs.

écosser v. 1er groupe. *Pierre écosse les petits pois,* il ôte les grains de leur cosse (= éplucher). ●● **cosse**

écot n.m. *À la fin du repas, chacun a payé son écot,* sa part.
✳ Ne pas confondre avec **écho**.

écouler v. 1er groupe. SENS 1. *Une semaine s'est écoulée depuis notre départ* (= passer). SENS 2. *L'eau s'écoule par ce trou* (= couler). SENS 3. *L'épicier a écoulé toute sa marchandise* (= vendre).

▪ **écoulement** n.m. [SENS 2] *La gouttière est bouchée, l'écoulement ne se fait plus,* l'eau ne coule plus. *illustr. p. 557*

écourter v. 1er groupe. *Nous avons dû écourter notre voyage,* le rendre plus court en durée (= abréger ; ≠ prolonger). ●● **court**

1. écoute → **écouter**

2. écoute n.f. *On oriente la voile avec l'écoute,* un cordage. *illustr. p. 740*

écouter v. 1er groupe. SENS 1. *Écoute ce que j'ai à te dire !,* fais attention, prête l'oreille. SENS 2. *Pourquoi ne m'as-tu pas écouté ?,* n'as-tu pas suivi mes conseils.

▪ **écoute** n.f. [SENS 1] *Les heures de grande écoute sont celles où il y a le plus grand nombre d'auditeurs.*

▪ **écouteur** n.m. [SENS 1] *Passe-moi l'écouteur !,* la partie d'un téléphone, d'un casque qu'on applique sur l'oreille pour écouter. *illustr. p. 940 502*

écoutille n.f. *Les écoutilles d'un navire sont des ouvertures sur le pont qui communiquent avec la cale.*

écrabouiller v. 1er groupe. Fam. *Une limace **a été écrabouillée** par la voiture,* elle a été réduite en bouillie (= écraser).

illustr.
. 952,
123,
502,
940,
504

écran n.m. SENS 1. L'**écran** d'un cinéma est la surface sur laquelle on projette des images. L'**écran** d'une télévision, d'un ordinateur est la partie sur laquelle apparaissent images, textes, etc. ◆ *Le président est apparu sur le **petit écran**,* à la télévision. SENS 2. *Les arbres nous font un **écran** contre le vent* (= obstacle, protection).

écraser v. 1er groupe. SENS 1. *On **écrase** le raisin pour faire le vin* (= presser, comprimer). SENS 2. *Le chien s'est fait **écraser** par une voiture, il est mort* (= renverser, heurter). *L'avion **s'est écrasé** au sol,* il s'est totalement brisé. SENS 3. *Je **suis écrasé de travail**,* j'en ai beaucoup (= surcharger). SENS 4. *Notre équipe **a été écrasée** par 8 buts à 0,* elle a subi une très lourde défaite (= vaincre).

■ **écrasant, ante** adj. [SENS 3] *Il fait une chaleur **écrasante**,* très forte.

■ **écrasement** n.m. [SENS 4] *Ils poursuivent la guerre jusqu'à l'**écrasement** de l'ennemi.*

illustr.
. 354

écrémer v. 1er groupe. **Écrémer** du lait, c'est en éliminer la crème. ●● ***crème*** ✳ Conj. n° 10.

illustr.
. 354

■ **écrémeuse** n.f. *Une **écrémeuse** est un appareil qui sert à extraire la crème du lait.*

écrevisse n.f. *Une **écrevisse** est un crustacé d'eau douce qui a deux pinces et qui se déplace à reculons.* ◆ *Eva **est rouge comme une écrevisse**,* elle est très rouge, comme une écrevisse cuite.

s'**écrier** v. 1er groupe. *Ah ! Ah ! **s'écria-t-il**,* dit-il très fort.

écrin n.m. *L'**écrin** d'une bague, d'un collier est une petite boîte qui sert à ranger un bijou en le mettant en valeur.*

écrire v. 3e groupe. SENS 1. Apprendre à **écrire**, c'est apprendre à tracer des mots, des chiffres. ***Écris** la date sur ton cahier* (= marquer, noter, inscrire). SENS 2. *As-tu **écrit** à ta grand-mère ?,* lui as-tu envoyé une lettre ? SENS 3. *Victor Hugo **a écrit** de nombreux poèmes,* il les a faits, rédigés. ●● ***réécrire*** ✳ Conj. n° 71.

■ **écrit** n.m. [SENS 1] *Jean a été reçu à l'**écrit** de son examen* (≠ oral). *Il m'a donné ses instructions **par écrit*** (≠ oralement). [SENS 3] *Connais-tu les **écrits** de ce poète ?* (= œuvre).

■ **écriteau** n.m. [SENS 1] *Un **écriteau** signale une maison à vendre,* un panneau portant une inscription (= pancarte). ✳ Au pluriel, on écrit des **écriteaux**.

■ **écriture** n.f. [SENS 1] *Jean a une belle **écriture**,* il trace bien ses lettres. *Les anciens Égyptiens avaient une **écriture** particulière,* une façon de noter les sons de leur langue par des signes.

illustr.
p. 502

■ **écrivain** n.m. [SENS 3] *Victor Hugo est un grand **écrivain*** (= auteur).

écrou n.m. *Un **écrou** est une pièce qui se visse sur un boulon.*

illustr.
p. 117

écrouer v. 1er groupe. *Le malfaiteur **a été écroué**,* il a été mis en prison.

s'**écrouler** v. 1er groupe. *Le mur du jardin **s'est écroulé**,* il est tombé (= s'effondrer).

■ **écroulement** n.m. *L'**écroulement** du pont est dû à un tremblement de terre* (= destruction, effondrement).

écru, ue adj. *Marie a un pull en laine **écrue**,* en laine naturelle, qui n'a subi aucune préparation.

écu n.m. SENS 1. *L'**écu** est une ancienne monnaie.* SENS 2. *Au Moyen Âge, les combattants avaient un **écu**,* une sorte de bouclier.

illustr.
p. 165

écueil n.m. SENS 1. *Le bateau s'est brisé sur les **écueils**,* les rochers à fleur d'eau

illustr.
p. 556

(= récif, brisant). SENS 2. *Il y a un écueil à leur réconciliation* (= obstacle).

✹ Attention à l'orthographe : le « u » est avant le « e » pour donner un son dur au « c ».

illustr. p. 573 **écuelle** n.f. *Le chien mange dans une écuelle*, un petit plat rond et creux.

éculé, ée adj. SENS 1. *Tes souliers sont éculés*, très usés. SENS 2. *Cette plaisanterie est éculée*, on l'a souvent faite (≠ original).

écumer v. 1ᵉʳ groupe. SENS 1. *Mme Durand écume le pot-au-feu*, elle enlève l'écume qui se forme à la surface pendant la cuisson. SENS 2. *Autrefois, les pirates écumaient les mers*, ils les parcouraient pour piller les bateaux. SENS 3. *Le vaincu écumait de rage*, il était dans une rage extrême.

illustr. p. 719 ■ **écume** n.f. [SENS 1] *Les vagues projettent de l'écume*, de la mousse.

■ **écumeur** n.m. [SENS 2] *Les écumeurs des mers* étaient des pirates.

illustr. p. 238 ■ **écumoire** n.f. [SENS 1] *Une écumoire est une sorte de passoire qui sert à écumer.*

illustr. p. 402 **écureuil** n.m. *Un écureuil est un petit mammifère rongeur roux ou gris, très agile, à longue queue en panache, qui se nourrit de graines et de fruits secs.*

illustr. p. 384, 354 **écurie** n.f. *Les chevaux sont rentrés à l'écurie*, le bâtiment où ils logent.

écusson n.m. *Les militaires, les scouts portent un écusson sur la manche de leur uniforme*, un insigne.

1. écuyer n.m. *Au Moyen Âge, les chevaliers étaient suivis de leur écuyer*, un jeune homme à leur service.

illustr. p. 177 **2. écuyer, ère** n. *Laure est bonne écuyère*, elle monte bien à cheval.

eczéma n.m. *L'eczéma est une maladie de peau causant des rougeurs et des démangeaisons.*

✹ On prononce [ɛgzema].

édam n.m. *L'édam est un fromage de Hollande en forme de boule.*

✹ On prononce [edam].

edelweiss n.m. *On trouve des edelweiss sur les pentes des montagnes*, des fleurs blanches duveteuses. *illustr. p. 617*

✹ On prononce [edɛlvɛs] ou [edɛlvajs].

éden n.m. *Ce jardin est un éden*, un lieu très agréable (= paradis).

✹ On prononce [edɛn].

édenté, ée adj. *Une bouche édentée est une bouche sans dents.* ●● *dent*

édicter v. 1ᵉʳ groupe. *Des règles sévères ont été édictées*, elles ont été décidées, décrétées.

édicule n.m. *Un kiosque est un édicule*, une petite construction.

édifier v. 1ᵉʳ groupe. SENS 1. *Cette église a été édifiée au Moyen Âge*, elle a été bâtie, construite. SENS 2. *Sa belle conduite aurait pu édifier ses camarades*, leur montrer l'exemple (≠ scandaliser). SENS 3. *Je l'ai vu à l'œuvre, je suis édifié !*, je n'ai plus d'illusions sur son compte.

■ **édifiant, ante** adj. [SENS 2] *Voilà un spectacle édifiant !* (= exemplaire).

■ **édification** n.f. [SENS 1] *L'édification de cette église remonte au XVᵉ siècle* (= construction). [SENS 2] *Cet ouvrage visait à l'édification de la jeunesse*, à lui montrer l'exemple.

■ **édifice** n.m. [SENS 1] *Un édifice est un bâtiment de taille importante.*

édit n.m. *Un édit était autrefois une loi ou une ordonnance publiée par un roi, un gouverneur.*

éditer v. 1ᵉʳ groupe. **Éditer** un livre, c'est le faire écrire, le faire imprimer et le mettre en vente (= publier). ●● *inédit, rééditer*

■ **édition** n.f. *Dans quelle maison d'édition est publié ce livre ? Ce roman en est à sa troisième édition,* c'est la troisième série d'exemplaires de ce livre qui est publiée. ●● *réédition*

■ **éditeur, trice** n. *L'éditeur a accepté le manuscrit de Mme Lumir,* le directeur de la maison d'édition.

illustr. ?. 503
éditorial n.m. *L'éditorial d'un journal* est un article important situé généralement en première page.
✳ Au pluriel, on dit des **éditoriaux**.

■ **éditorialiste** n. *L'éditorialiste* est la personne qui écrit l'éditorial.

édredon n.m. *En hiver, je dors bien au chaud sous mon édredon,* une grande enveloppe de tissu garnie de duvet.

éducation n.f. SENS 1. *Le ministère de l'Éducation s'occupe de ce qui concerne l'instruction et la formation des jeunes.* → *pédagogie.* SENS 2. *M. Duval est un homme sans éducation,* il est mal élevé (= politesse ; ≠ grossièreté).

■ **éducateur, trice** n. [SENS 1] *Cette revue est destinée aux éducateurs,* à ceux qui sont chargés de l'éducation : instituteurs, professeurs, etc.

■ **éducatif, ive** adj. [SENS 1] *Un jeu éducatif* instruit en même temps qu'il amuse (= pédagogique).

■ **éduquer** v. 1er groupe. [SENS 1] *Éduquer un enfant,* c'est développer ses qualités et accroître ses connaissances. ●● *rééduquer.* [SENS 2] *Laurent est mal éduqué,* mal élevé.

édulcorer v. 1er groupe. *Édulcorer un texte,* c'est en atténuer les termes, le rendre moins mordant, moins violent.

effacer v. 1er groupe. SENS 1. *Voilà un chiffon pour effacer le tableau,* pour faire disparaître ce qui y est écrit. SENS 2. *Mes souvenirs de cette histoire se sont ef-*

facés, ils sont devenus confus ou ont disparu (= s'estomper). ●● *ineffaçable.* SENS 3. *Jean s'est effacé pour me laisser passer,* il s'est mis de côté.
✳ Conj. n° 1.

■ **effacé, ée** adj. [SENS 3] *Alain est un garçon effacé,* qui ne cherche pas à se faire remarquer (= discret, timide).

■ **effacement** n.m. [SENS 2] *L'effacement des souvenirs est progressif.* [SENS 3] *Son effacement est dû à sa timidité.*

■ **effaceur** n.m. [SENS 1] *L'effaceur* est une sorte de feutre qui efface l'encre.
illustr. p. 311

effarer v. 1er groupe. *Cette nouvelle a effaré tout le monde,* elle a beaucoup surpris (= affoler, stupéfier, sidérer).

■ **effarant, ante** adj. *Ici les terrains atteignent des prix effarants,* des prix extraordinaires (= affolant, exorbitant, stupéfiant).

■ **effarement** n.m. *Il regarde l'incendie avec effarement* (= stupeur).

effaroucher v. 1er groupe. *Si tu fais du bruit, tu vas effaroucher les oiseaux,* les effrayer et les faire fuir. ●● *farouche*

1. effectif n.m. *L'effectif du lycée est de 2 000 élèves,* le nombre des élèves.

2. effectif, ive adj. *Alex m'a apporté une aide effective,* une aide réelle, concrète.

■ **effectivement** adv. *Tout cela est effectivement arrivé* (= réellement).

effectuer v. 1er groupe. *Le plombier a effectué ce travail en trois heures* (= faire, exécuter, accomplir).

efféminé, ée adj. *Ce garçon est un peu efféminé,* il a un peu l'air d'une fille ou d'une femme. ●● *femme*

effervescence n.f. *Un crime affreux a mis la ville en effervescence,* l'a rendue très agitée (= ébullition, émoi ; ≠ calme).

■ **effervescent, ente** adj. *Une foule effervescente* est agitée, tumultueuse.

illustr.
p. 869
◆ Un comprimé **effervescent** fond, se dissout dans l'eau, en faisant des bulles.

effet n.m. SENS 1. *Quel est l'effet de ce médicament ?* (= action, résultat). SENS 2. *Tes paroles ont fait un mauvais effet sur l'assemblée* (= impression). SENS 3. (Au plur.) *Les baigneurs laissent leurs effets dans la cabine,* leurs vêtements.

■ en **effet** adv. *Ce mot sert à expliquer. Jean est absent ; en effet, il est malade* (= car).

effeuiller v. 1ᵉʳ groupe. SENS 1. *Les arbres s'effeuillent en automne,* ils perdent leurs feuilles. ●● *feuille.* SENS 2. *Effeuiller une marguerite,* c'est arracher ses pétales un à un.

efficace adj. *Ce médicament est très efficace contre la grippe* (= actif ; ≠ inefficace).

■ **efficacement** adv. *Anne a protesté efficacement auprès du directeur,* avec succès.

■ **efficacité** n.f. *Il est d'une grande efficacité,* il agit d'une manière efficace (≠ inefficacité).

effigie n.f. *Cette pièce ancienne porte l'effigie de Louis XIV* (= image, portrait).

effilé, ée adj. *Des doigts effilés sont des doigts longs et minces.* ●● *fil*

s'**effilocher** v. 1ᵉʳ groupe. *Le bord du tapis s'effiloche,* les fils se défont. ●● *fil*

efflanqué, ée adj. *Ce cheval est efflanqué,* il est très maigre.

effleurer v. 1ᵉʳ groupe. SENS 1. *Elle effleure des doigts sa robe de soie,* elle la touche légèrement (= caresser). *La balle lui a effleuré le bras* (= frôler). SENS 2. *Cette idée m'a effleuré l'esprit,* j'y ai pensé un instant, sans m'y arrêter.

effluve n.m. *Les effluves du lilas embaument le jardin,* le parfum, l'odeur.
꙳ *Ce mot est du genre masculin.*

s'**effondrer** v. 1ᵉʳ groupe. SENS 1. *Ce vieux pont s'est effondré sous le poids du camion,* il s'est démoli et est tombé (= s'écrouler, crouler). SENS 2. *Il paraissait effondré par cette nouvelle* (= abattu, anéanti).

■ **effondrement** n.m. *L'effondrement du toit a blessé les occupants de la maison* (= chute, écroulement).

effort n.m. *Le coureur a fait de gros efforts pour terminer l'étape,* il a employé toutes ses forces.

■ s'**efforcer** v. 1ᵉʳ groupe. *Efforce-toi de ne pas te mettre en colère !* (= essayer, tâcher ; ≠ renoncer).
꙳ Conj. nº 1.

effraction n.f. *Un vol avec effraction a été commis,* les voleurs ont cassé la serrure ou la porte, la fenêtre, etc.

effrayer v. 1ᵉʳ groupe. *L'explosion a effrayé les voisins,* elle leur a causé de la frayeur (= terrifier, épouvanter). ●● *frayeur*
꙳ Conj. nº 4.

■ **effrayant, ante** adj. *Il nous a fait un récit effrayant de la catastrophe* (= terrifiant).

effréné, ée adj. *Une course effrénée est une course déchaînée, folle.*

s'**effriter** v. 1ᵉʳ groupe. *Cette roche s'effrite facilement,* elle tombe en miettes.

■ **effritement** n.m. *Le sable provient de l'effritement des roches* (= désagrégation).

effroi n.m. *Après le bombardement, les regards des enfants étaient remplis d'effroi,* une très grande frayeur (= terreur, épouvante). ●● *frayeur*

■ **effroyable** adj. *Il y a dans ce pays une misère effroyable* (= terrible, terrifiant, épouvantable).

■ **effroyablement** adv. *Nous étions* ***effroyablement*** *inquiets* (= terriblement, horriblement).

effronté, ée adj. et n. *Max est un (enfant)* ***effronté*** (= insolent, impoli).

■ **effrontément** adv. *Il nous a menti* ***effrontément***, *avec impudence, sans aucune honte* (= sans vergogne).

■ **effronterie** n.f. *Aurez-vous l'****effronterie*** *de nier l'évidence ?* (= audace).

effroyable, effroyablement
→ **effroi**

effusion n.f. SENS 1. *La bagarre s'est terminée sans* ***effusion de sang***, *sans que le sang soit répandu.* SENS 2. *Quelles* ***effusions*** *quand ils se sont retrouvés !,* quelles manifestations de joie, d'affection ! (= embrassades).

égal, ale, aux SENS 1. adj. *Coupe le gâteau en parts* ***égales****!,* de même dimension (= identique ; ≠ différent, inégal). SENS 2. adj. *M. Buyssens a toujours une humeur* ***égale****,* elle ne change pas (= régulier, constant). SENS 3. adj. *Ça m'est* ***égal****!* (= indifférent). SENS 4. n. *La femme est l'****égale*** *de l'homme,* elle a les mêmes droits.

■ **également** adv. [SENS 1] *Le partage a été fait* ***également*** (= équitablement ; ≠ inégalement). ◆ *Alex vient, et Max* ***également*** (= aussi).

■ **égaler** v. 1ᵉʳ groupe. [SENS 1] *La recette* ***égale*** *la dépense,* elle est égale en quantité. *Ce record n'a jamais été* ***égalé*** (= atteindre).

■ **égaliser** v. 1ᵉʳ groupe. [SENS 1] *L'équipe adverse a* ***égalisé****,* elle a obtenu le même nombre de points. [SENS 2] *On a* ***égalisé*** *le sol du jardin,* on l'a rendu régulier (= aplanir).

■ **égalisation** n.f. [SENS 1] *Ce but a permis à notre équipe l'****égalisation****,* d'égaliser, d'obtenir autant de points que l'adversaire.

■ **égalité** n.f. [SENS 1] *Les deux équipes sont à* ***égalité****.* [SENS 4] *Liberté,* ***égalité****,* *fraternité !,* tous les hommes sont égaux devant la loi.

■ **égalitaire** adj. [SENS 4] *Un régime* ***égalitaire*** *donne les mêmes droits à tous.*

égard n.m. SENS 1. *M. Muller a été gentil* *à l'****égard de*** *Pierre* (= avec, envers). SENS 2. (Au plur.) *Il nous a reçus avec des* ***égards****,* des marques de respect, de considération (= politesse). SENS 3. *Cette solution est la meilleure* ***à tous égards****,* à tous les points de vue.

égarer v. 1ᵉʳ groupe. SENS 1. *J'ai* ***égaré*** *ce document,* je n'arrive plus à le retrouver. *Nous* ***nous sommes égarés*** *dans la forêt* (= se perdre). SENS 2. *Il s'est laissé* ***égarer*** *par la colère,* il a perdu le contrôle de ses actes (= tromper, aveugler).

■ **égarement** n.m. [SENS 2] *Dans son* ***égarement****, il ne sait plus ce qu'il fait,* son esprit est troublé (= affolement).

égayer v. 1ᵉʳ groupe. *Ses plaisanteries* ***ont égayé*** *la réunion,* elles y ont mis de la gaieté. *Ce papier* ***égaie*** *les murs,* il les rend plus agréables à regarder. ●● **gai** ✱ Conj. nº 4.

égide n.f. *L'exposition est organisée* ***sous l'égide du*** *ministère de la Culture,* avec son aide et sous sa direction (= sous les auspices, sous le patronage de, avec l'appui de).

églantine n.f. *L'****églantine*** *est une rose sauvage produite par l'****églantier***.
illustr. p. 753

église n.f. SENS 1. *Dans cette ville, il y a de belles* ***églises****,* des bâtiments servant au culte catholique. SENS 2. (Avec majuscule.) *Le pape est le chef de l'****Église*** *catholique,* de l'ensemble des catholiques.
illustr. p. 1017

égoïne n.f. *Une (scie)* ***égoïne*** *est une* scie à lame large et à poignée.
illustr. p. 117

égoïste adj. et n. *Quel* ***égoïste*** *! Il ne pense qu'à lui. Ne sois pas* ***égoïste****, prête-lui ton ballon* (≠ généreux).

■ **égoïsme** n.m. *Il a refusé de nous aider par* **égoïsme** (≠ générosité, altruisme).

■ **égoïstement** adv. *Il a* **égoïstement** *pris pour lui la meilleure part, sans se préoccuper des autres.*

égorger v. 1ᵉʳ groupe. *Le boucher a* **égorgé** *le mouton,* il l'a tué en lui coupant la gorge. ●● *gorge*
✳ Conj. n° 2.

s'**égosiller** v. 1ᵉʳ groupe. *Les supporters* **s'égosillent** *sur les gradins du stade,* ils crient à plein gosier (= s'époumoner). ●● *gosier*

illustr. p. 855 **égout** n.m. *Les* **égouts** *sont des canalisations servant à évacuer les eaux sales.* ●● *tout-à-l'égout*

■ **égoutier** n.m. *Les* **égoutiers** *sont les employés qui entretiennent les égouts.*

égoutter v. 1ᵉʳ groupe. **Égoutter** *la salade,* c'est éliminer l'eau après l'avoir lavée. *Le linge* **s'égoutte** *sur le fil,* il perd son eau goutte à goutte. ●● *goutte*

■ **égouttoir** n.m. *Mets la vaisselle sur l'*égouttoir, le support sur lequel elle sèche en s'égouttant.

égratigner v. 1ᵉʳ groupe. *Les ronces m'*ont **égratigné** *les jambes,* écorché légèrement (= griffer, érafler).

■ **égratignure** n.f. *Tu saignes ? Ce n'est qu'une* **égratignure,** *une petite blessure* (= éraflure, griffure).

égrener v. 1ᵉʳ groupe. SENS 1. **Égrener** *un épis de maïs,* c'est le dégarnir de ses grains. ●● *grain.* SENS 2. **Égrener** *un chapelet,* c'est faire passer entre ses doigts chaque grain du chapelet en priant. SENS 3. *La pendule* **égrène** *les heures,* elle les sonne successivement.
✳ Conj. n° 9.

eh ! interj. *Ce mot sert à attirer l'attention :* **Eh !** *viens voir ici !*

éhonté, ée adj. *C'est un menteur* **éhonté,** *il n'a pas honte de mentir.* ●● *honte*

éjecter v. 1ᵉʳ groupe. *La voiture a heurté un arbre, et le conducteur* **a été éjecté,** *il a été projeté au-dehors.*

■ **éjectable** adj. *Le* **siège éjectable** *d'un avion permet au pilote d'être éjecté en cas de catastrophe.* *illustr. p. 54*

élaborer v. 1ᵉʳ groupe. *Ils* **ont** *longuement* **élaboré** *leur plan,* ils l'ont préparé soigneusement (= combiner).

■ **élaboration** n.f. *L'*élaboration *du plan a été longue* (= préparation, mise au point).

élaguer v. 1ᵉʳ groupe. SENS 1. *On a* **élagué** *les arbres de l'avenue,* on a coupé les branches inutiles. SENS 2. *Ton devoir est trop long, il faut l'*élaguer, ôter les passages superflus (= raccourcir, abréger).

1. élan n.m. SENS 1. *Youssef a pris son* **élan** *pour sauter,* il a fait un mouvement rapide en avant. SENS 2. *Il a eu un* **élan** *de générosité* (= mouvement, impulsion, envolée).

■ s'**élancer** v. 1ᵉʳ groupe. *Les policiers* **se sont élancés** *à la poursuite des malfaiteurs* (= se précipiter).
✳ Conj. n° 1.

2. élan n.m. *L'*élan *vit dans les pays froids,* un mammifère proche du cerf. *illustr. p. 495*

élancé, ée adj. *Marie a un corps* **élancé,** *mince et allongé.*

s'**élancer** ⟶ *élan (1)*

élargir v. 2ᵉ groupe. *Si tu continues à grossir, il faudra* **élargir** *tes jupes,* leur donner plus de largeur, d'ampleur (≠ rétrécir). ●● *large. La route* **s'élargit** *après le croisement,* elle devient plus large.

■ **élargissement** n.m. *Les ouvriers travaillent à l'*élargissement *de la chaussée,* à l'élargir (≠ rétrécissement).

élastique SENS 1. adj. *Le caoutchouc est un corps* **élastique**, *qui peut se déformer et reprendre sa forme* (= extensible ; ≠ rigide). SENS 2. n.m. *Il a fermé la boîte avec un* **élastique**, *une bande ou un fil de caoutchouc.*

■ **élasticité** n.f. *Ce caoutchouc a perdu son* **élasticité**, *il n'est plus élastique.*

électeur, élection, électoral, électorat → **élire**

électricité n.f. *L'*électricité *est une forme d'énergie qui permet de s'éclairer, de se chauffer, de faire fonctionner divers appareils.*

Illustr.
p. 994

■ **électricien, enne** n. *L'*électricien *est venu faire le branchement électrique, le spécialiste des installations électriques.*

■ **électrifier** v. 1er groupe. *Cette ligne de chemin de fer* **est électrifiée**, *elle fonctionne à l'électricité.*

Illustr.
p. 333

■ **électrique** adj. *Une cuisinière* **électrique** *est un appareil qui fonctionne à l'électricité.*

■ **électriser** v. 1er groupe. *L'orateur a* **électrisé** *la foule, il l'a excitée* (= galvaniser).

■ s'**électrocuter** v. 1er groupe. *Si on touchait ce fil, on risquerait de s'*électrocuter, *de mourir en recevant une décharge électrique.*

■ **électroménager, ère** adj. *Les aspirateurs, les machines à laver, les ventilateurs sont des* **appareils électroménagers**.

■ **électrophone** n.m. *Un* **électrophone** *est un tourne-disque qui fonctionne à l'électricité.*

électron n.m. *Les* **électrons** *sont des particules qui constituent les atomes.*

■ **électronique** adj. *Une calculatrice* **électronique** *utilise les propriétés des électrons.* ◆ n.f. *Pierre est un ingénieur en* **électronique**, *la science qui étudie les électrons et leurs applications.*

■ **électronicien, enne** n. *Pierre est* **électronicien**, *spécialiste en électronique.*

élégant, ante adj. SENS 1. *Avec sa nouvelle robe, Marie est* **élégante**, *elle est habillée avec goût* (= chic, distingué ; ≠ négligé). SENS 2. *J'ai trouvé un moyen* **élégant** *de me débarrasser de lui* (= poli, courtois, habile ; ≠ inélégant).

■ **élégance** n.f. [SENS 1] *Marie s'habille toujours avec* **élégance** (= goût). [SENS 2] *Il a eu l'*élégance *de s'excuser* (= délicatesse ; ≠ grossièreté).

élément n.m. SENS 1. *Ce meuble est vendu par* **éléments**, *par morceaux que l'on doit assembler* (= partie ; ≠ ensemble). SENS 2. (Au plur.) *Jean n'a étudié que les premiers* **éléments** *des mathématiques, les notions les plus simples* (= principes, rudiments). SENS 3. *Gilles est mal à l'aise, il n'est pas dans son* **élément**, *dans un milieu qu'il connaît bien.* SENS 4. (Au plur.) *Pendant la tempête, le bateau luttait contre les* **éléments**, *contre le vent et les vagues déchaînées.*

■ **élémentaire** adj. [SENS 2] *Une multiplication par 2 est une opération* **élémentaire**, *très simple* (≠ compliqué).

éléphant n.m. *L'*éléphant *est un gros mammifère herbivore d'Afrique et d'Asie du Sud ; il a le nez allongé en trompe et des défenses.*

illustr.
p. 983,
177,
1032

élève n. *Il y a 35* **élèves** *dans la classe, des enfants ou adolescents qui vont à l'école* (= écolier, collégien, lycéen).

illustr.
p. 310

élever v. 1er groupe. SENS 1. *On a* **élevé** *un mur au fond du jardin* (= dresser, construire ; ≠ abattre). ●● **surélever**. SENS 2. *En été, la température s'*élève (= monter ; ≠ baisser). SENS 3. *Les recettes s'*élèvent *à 1 000 euros, elles atteignent cette somme* (= se monter). SENS 4. *Le capitaine Jos* **a été élevé** *au grade de commandant, il est passé à un*

grade supérieur. SENS 5. *Jean **a été élevé
à la campagne**, il y a passé sa jeunesse.*
SENS 6. *La fermière **élève des poulets**,
elle les nourrit et les soigne.*
✳ Conj. n° 9.

▪ **élevage** n.m. [SENS 6] *La Normandie
est une région d'**élevage**, on y élève des
animaux.*

▪ **élévation** n.f. [SENS 2] *On note une
élévation de la température* (= augmentation ; ≠ baisse).

▪ **élevé, ée** adj. [SENS 2] *Les prix sont
trop **élevés*** (= haut). [SENS 5] *Loïc est
bien élevé, Renaud est **mal élevé**, Loïc
est poli, Renaud est impoli.*

▪ **éleveur, euse** n. [SENS 6] *Un **éleveur**
de bétail est un paysan qui fait de
l'élevage.*

éligible → *élire*

élimé, ée adj. *Ta veste est **élimée** au
coude, elle est usée, râpée.*

éliminer v. 1ᵉʳ groupe. *La moitié des
concurrents **ont été éliminés**, ils ont été
laissés de côté* (= écarter, rejeter ; ≠ admettre). ◆ *Elle fait une cure d'eau minérale pour **éliminer**, pour rejeter de son
organisme les éléments nuisibles.*

▪ **élimination** n.f. *La défaite de cette
équipe entraîne son **élimination** de la
Coupe du monde, sa mise à l'écart de la
compétition.*

▪ **éliminatoire** adj. *Une épreuve **éliminatoire** sert à éliminer un certain nombre
de candidats pour ne retenir que les
meilleurs.*

élire v. 3ᵉ groupe. *M. Mahé **a été élu**
député, on l'a choisi par un vote.*
●● *réélire*
✳ Conj. n° 73.

▪ **électeur, trice** n. *Sophie a dix-huit
ans, elle devient **électrice**, elle peut
voter.*

▪ **élection** n.f. *Mme Mercier s'est présentée aux **élections** municipales, pour
être élue conseillère municipale. On lui a*

annoncé son **élection**, qu'elle était élue.*
●● *réélection*

▪ **électoral, ale, aux** adj. *La campagne **électorale** a commencé, la campagne de préparation des élections. La loi
électorale fixe les conditions des élections.*

▪ **électorat** n.m. *Il y a eu des abstentions dans l'**électorat** de la majorité,
dans l'ensemble de ses électeurs.*

▪ **éligible** adj. *Pour être **éligible**, il faut
être électeur, pour pouvoir être élu*
(≠ inéligible).

élision n.f. *Dans « l'art », il y a eu **élision**
du « e » de l'article, le « e » n'est pas
prononcé et il est remplacé à l'écrit par
une apostrophe* (= suppression).

élite n.f. SENS 1. *Ces gens se considè-
rent comme l'**élite** de la nation, les
membres les plus remarquables, les
meilleurs.* SENS 2. *M. Legendre est un
cavalier **d'élite**, un excellent cavalier.*

élixir n.m. *Autrefois, les sorciers recherchaient l'**élixir** de longue vie, un médicament liquide magique.*

elle, elles → *il*

ellipse n.f. SENS 1. *Une **ellipse** est une
figure géométrique qui représente un
cercle aplati.* SENS 2. *Quand on dit « Il
habite un trois pièces » pour « un appartement de trois pièces », on fait une
ellipse, on n'exprime pas certains mots.* *illustr
p. 43*

▪ **elliptique** adj. [SENS 1] *Le satellite est
sur une orbite **elliptique**, en forme d'ellipse.* [SENS 2] *Cette phrase est **elliptique**, certains mots ne sont pas exprimés.*

élocution n.f. *Paul a des difficultés
d'**élocution**, il parle difficilement.*

éloge n.m. *L'instituteur a fait l'**éloge** de
Myriam, il a dit du bien d'elle* (= compliment, louange ; ≠ critique).

▪ **élogieux, euse** adj. *Il a prononcé
des paroles **élogieuses*** (= flatteur, laudatif ; ≠ défavorable).

éloigner v. 1er groupe. *Éloigne cette lampe qui m'éblouit,* mets-la plus loin (= écarter ; ≠ rapprocher). ●● *loin. Ne vous éloignez pas de moi,* restez près de moi (= partir, s'écarter).

■ **éloigné, ée** adj. *J'habite un quartier éloigné,* qui est loin du centre de la ville (= reculé). *Cela arrivera peut-être dans un avenir éloigné* (= lointain).

■ **éloignement** n.m. *À l'étranger, il a souffert de l'éloignement,* d'être éloigné de son pays, des siens.

éloquent, ente adj. SENS 1. *Ce député est un orateur éloquent,* il parle bien. SENS 2. *La comparaison est éloquente,* elle est très claire, elle en dit plus qu'un discours.

■ **éloquence** n.f. [SENS 1] *Son éloquence a convaincu l'assemblée.*

■ **éloquemment** adv. [SENS 1] *L'avocat a plaidé éloquemment,* avec éloquence. ✳ On prononce [elɔkamɑ̃].

élu → *élire*

élucider v. 1er groupe. *On n'a pas pu élucider ce mystère,* l'éclaircir, l'expliquer.

élucubrations n.f. pl. *Je n'ai pas pris au sérieux ses élucubrations,* ses idées bizarres.

éluder v. 1er groupe. *On ne peut pas éluder ce problème,* le laisser de côté.

élytre n.m. *Les élytres d'un hanneton sont les ailes dures qui recouvrent les ailes transparentes.*

émacié, ée adj. *Mon grand-père a un visage émacié,* très maigre.

illustr. p. 216, 217

émail n.m. SENS 1. *Ces assiettes sont recouvertes d'émail,* d'un vernis dur et brillant. SENS 2. *L'émail des dents est une couche très dure qui les protège.* SENS 3. (Au plur.) *Ce musée possède une collection d'émaux,* d'objets d'art, de bijoux émaillés.

■ **émailler** v. 1er groupe. [SENS 1] *Ce fourneau est en fonte émaillée,* recouverte d'émail. ◆ *La réunion a été émaillée d'incidents,* il y en a eu plusieurs.

émanation → *émaner*

émanciper v. 1er groupe. *Les anciennes colonies se sont émancipées,* elles se sont rendues indépendantes (= se libérer, s'affranchir ; ≠ se soumettre).

■ **émancipation** n.f. *Dans de nombreux pays, les femmes luttent encore pour leur émancipation,* pour ne plus être subordonnées aux hommes.

émaner v. 1er groupe. *Dans une démocratie, le pouvoir émane du peuple,* il en vient.

■ **émanation** n.f. *Le pouvoir est une émanation du peuple,* il vient de lui. ◆ (Surtout au plur.) *On sent des émanations de gaz,* des odeurs de gaz.

émarger v. 1er groupe. *Émarger un document,* c'est mettre sa signature dans la marge. ●● *marge* ✳ Conj. n° 2.

emballer v. 1er groupe. SENS 1. *Avant le déménagement, on a emballé la vaisselle dans des caisses* (= envelopper, empaqueter ; ≠ déballer). ●● *remballer.* SENS 2. Fam. *Ce film m'a emballé,* il m'a beaucoup plu (= enthousiasmer). SENS 3. *Le cheval s'est emballé,* il est parti à toute vitesse (= s'emporter).

■ **emballage** n.m. [SENS 1] *Pour l'emballage, on se sert de caisses, de cartons, etc.* (≠ déballage).

illustr. p. 583

■ **emballement** n.m. [SENS 2] Fam. *Jean a cédé à un emballement soudain,* à un enthousiasme irréfléchi (= coup de tête).

embarcadère → *débarcadère*

embarcation → *embarquer*

embardée n.f. *La voiture a fait une embardée*, un changement de direction brusque et dangereuse.

embargo n.m. *Le gouvernement a mis l'embargo sur les livraisons d'armes dans ces pays*, il a interdit qu'on les exporte.

embarquer v. 1er groupe. SENS 1. *On a embarqué tout le matériel*, on l'a mis dans le véhicule. SENS 2. *Pour aller en Angleterre, on peut embarquer à Calais*, monter dans un bateau ou dans un avion (≠ débarquer). SENS 3. Fam. *Il s'est embarqué dans des explications interminables* (= se lancer, partir).

illustr.
p. 740,
845

■ **embarcation** n.f. *Les barques, les canots, etc., sont des embarcations*, des petits bateaux.

■ **embarquement** n.m. [SENS 1 et 2] *À destination de New York, embarquement immédiat !* (≠ débarquement).

embarrasser v. 1er groupe. SENS 1. *Enlève tes affaires qui embarrassent ma table !* (= encombrer, gêner). ●● *débarrasser.* SENS 2. *Cette question m'embarrasse beaucoup*, je ne sais pas quoi répondre (= troubler, déconcerter).

■ **embarras** n.m. [SENS 2] (Au plur.) *M. Durand a des embarras d'argent*, il en manque (= difficultés). *Jean ne pouvait cacher son embarras* (= trouble, malaise). ◆ *Tu as l'embarras du choix*, le choix est difficile.

■ **embarrassant, ante** adj. [SENS 1] *Ces bagages sont embarrassants*, ils encombrent (= encombrant). [SENS 2] *Votre question est embarrassante*, je ne sais pas quoi répondre (= gênant).

embaucher v. 1er groupe. *Cette entreprise embauche des employés* (= engager, recruter ; ≠ licencier, renvoyer, débaucher).

■ **embauche** n.f. *Il n'y a pas d'embauche dans cette entreprise*, on n'engage pas de personnel (= recrutement).

embaumer v. 1er groupe. SENS 1. *Les fleurs embaument la pièce*, elles la remplissent d'une odeur agréable (= parfumer). SENS 2. *Embaumer un cadavre*, c'est le traiter pour le conserver.

embellir v. 2e groupe. SENS 1. *Le papier peint embellit la pièce*, il la rend plus belle. SENS 2. *Marie embellit de jour en jour*, elle devient plus belle (≠ enlaidir). ●● *beau*

embêter v. 1er groupe. Fam. *N'embête pas ta sœur !* (= agacer, ennuyer). *On s'embête ici* (= s'ennuyer).

■ **embêtant, ante** adj. Fam. *Jean est embêtant avec ses histoires* (= ennuyeux).

■ **embêtement** n.m. Fam. *M. Dubois a beaucoup d'embêtements* (= ennui, soucis, tracas).

d'**emblée** adv. *Il a accepté d'emblée ma proposition* (= tout de suite).

emblème n.m. *Le drapeau est l'emblème de la patrie*, c'est un objet qui représente cette idée, qui la symbolise.

embobiner v. 1er groupe. SENS 1. *Embobiner du fil*, c'est l'enrouler sur une bobine. ●● *bobine.* SENS 2. Fam. *Tu t'es laissé embobiner*, séduire par de belles paroles (= duper).

emboîter v. 1er groupe. SENS 1. *Ces tuyaux s'emboîtent l'un dans l'autre*, ils s'ajustent exactement. ●● *déboîter.* SENS 2. *Jean m'a emboîté le pas*, il s'est mis à marcher juste derrière moi.

embolie n.f. *Notre voisin est mort subitement d'une embolie*, un caillot de sang a bouché une de ses artères.

embonpoint n.m. *Il mange trop, il prend de l'embonpoint*, il grossit. ✻ Attention à l'orthographe : un « n » avant le « p ».

embouché, ée adj. *Être mal embouché*, c'est être hargneux et grossier.

illustr.
p. 557,

628

embouchure n.f. SENS 1. *L'embouchure de la Seine est près du Havre,* l'endroit où elle se jette dans la mer. SENS 2. *L'embouchure d'un instrument à vent,* c'est la partie qu'on met à sa bouche.

embourber v. 1ᵉʳ groupe. *Dans un chemin forestier, la voiture s'est embourbée,* elle s'est enfoncée dans la boue. ●● *bourbier*

s'**embourgeoiser** v. 1ᵉʳ groupe. *Étant jeune, il était assez bohème, mais maintenant il est embourgeoisé,* il vit dans l'aisance et a pris des habitudes de confort. ●● *bourgeois*

embout n.m. *Mon parapluie a perdu son embout,* la garniture qui se place au bout.

embouteiller v. 1ᵉʳ groupe. *La rue est embouteillée,* les voitures se sont accumulées et ne peuvent plus avancer.

illustr.
p. 852

■ **embouteillage** n.m. *Un accident a provoqué un embouteillage de plusieurs kilomètres* (= encombrement, bouchon).

emboutir v. 2ᵉ groupe. Fam. *Un camion a embouti l'arrière de la voiture,* il l'a enfoncé en le heurtant.

embranchement n.m. *Un embranchement est un endroit où une voie de circulation se sépare en plusieurs voies* (= bifurcation). ●● *branche*

embraser v. 1ᵉʳ groupe. *Une allumette peut suffire à embraser toute une forêt,* à y mettre le feu (= incendier, enflammer, brûler).

embrasser v. 1ᵉʳ groupe. SENS 1. *Aurélien a embrassé ses parents avant de partir,* il leur a donné des baisers. SENS 2. *De la montagne, on embrasse tous les alentours,* on les voit d'un seul regard. SENS 3. *Embrasser une carrière,* c'est la choisir.

■ **embrassade** n.f. [SENS 1] *Ils se sont retrouvés avec des embrassades,* en s'embrassant.

embrasure n.f. *Entre ! ne reste pas dans l'embrasure de la porte !,* l'ouverture du mur où se trouve la porte.

embrayer v. 1ᵉʳ groupe. *Après avoir changé de vitesse, il faut embrayer,* remettre le moteur en communication avec les roues (≠ débrayer). ✳ Conj. n° 4.

illustr.
p. 69

■ **embrayage** n.m. *Dans cette voiture, l'embrayage est automatique,* le mécanisme qui sert à embrayer (≠ débrayage).

embrigader v. 1ᵉʳ groupe. *Je n'ai pas voulu me laisser embrigader dans le parti,* me laisser enrôler, en acceptant des contraintes.

embrocher v. 1ᵉʳ groupe. *Embrocher une volaille,* c'est la transpercer d'une broche pour la rôtir.

embrouiller v. 1ᵉʳ groupe. SENS 1. *Marie a embrouillé la laine de son tricot,* elle l'a emmêlée, elle en a fait un tas confus. SENS 2. *Vous embrouillez le problème avec vos remarques* (= compliquer ; ≠ débrouiller). SENS 3. *Il s'est embrouillé dans ses explications,* il a donné des explications confuses dans lesquelles il se perdait lui-même.

embruns n.m. pl. *Sur le pont du bateau, on reçoit des embruns,* des gouttelettes apportées par le vent.

embryon n.m. *Un embryon est un être vivant qui commence à se développer dans un œuf ou dans le ventre de sa mère.* → **fœtus**

■ **embryonnaire** adj. *Ce projet est encore à l'état embryonnaire,* il est juste conçu, mais pas encore au point.

embûches n.f. pl. *Elle a su éviter toutes les embûches,* les pièges, les obstacles qui risquaient de la faire échouer.

embuscade n.f. *Les soldats sont tombés dans une embuscade, l'ennemi s'était caché pour les attendre* (= guet-apens).

■ s'**embusquer** v. 1er groupe. *L'ennemi s'était embusqué derrière une maison* (= se cacher).

éméché, ée adj. Fam. *Il est sorti de table passablement éméché, un peu ivre* (= fam. gris).

illustr. **émeraude** SENS 1. n.f. *L'émeraude est p. 949* une pierre précieuse verte.* SENS 2. adj. inv. *Sa cravate est vert émeraude.*

émerger v. 1er groupe. *À marée basse, ces rochers émergent, ils apparaissent à la surface* (≠ être immergé). ✻ Conj. n° 2.

émeri n.m. *On ôte la rouille avec de la toile émeri, un tissu recouvert de grains qui grattent.* ◆ Fam. *Il est bouché à l'émeri, il ne comprend rien.*

émérite adj. *Paul est un chirurgien émérite, très compétent* (= éminent).

émerveiller v. 1er groupe. *Les enfants étaient émerveillés par le spectacle, ils l'admiraient beaucoup* (= ébloui). *Elle s'émerveille chaque jour des progrès de son bébé, elle est pleine d'admiration.* ●● *merveille*

■ **émerveillement** n.m. *Cécile a regardé tous les jouets du magasin avec émerveillement* (= admiration).

émettre v. 3e groupe. SENS 1. *Cette station de radio émet sur 317 mètres, elle utilise cette longueur d'onde* (= diffuser). SENS 2. *La lampe émet une faible lumière* (= produire, répandre). SENS 3. *La Banque de France a émis de nouveaux billets, elle les a mis en circulation.* ✻ Conj. n° 57.

illustr. ■ **émetteur, trice** adj. [SENS 1] *Un p. 503* poste émetteur sert à envoyer des messages radio.* ◆ n.m. [SENS 1] *Un émetteur*

de télévision, de radio envoie des images, des sons* (≠ récepteur).

■ **émission** n.f. [SENS 1] *L'émission sur les animaux était intéressante, le programme de radio ou de télévision.*

émeute n.f. *Il y a eu des émeutes dans le pays, des mouvements de révolte populaire* (= soulèvement).

■ **émeutier, ère** n. *La police s'oppose aux émeutiers* (= révolté).

émietter v. 1er groupe. *Maman émiette des biscottes pour faire de la chapelure, elle les réduit en miettes.* ●● *miette*

émigrer v. 1er groupe. *Émigrer, c'est quitter son pays pour s'établir dans un autre pays* (= s'expatrier). ●● *immigrer*

■ **émigrant, ante** n. *De nombreux* *illustr.* *émigrants sont partis pour l'Amérique* *p. 970* *au XIXe s., des gens qui émigraient.*

■ **émigration** n.f. *L'émigration est souvent causée par le manque de travail dans le pays d'origine.* ●● *migration, immigration*

■ **émigré, ée** n. *Ces émigrés fuient leur pays en guerre. Les émigrés d'un pays sont des immigrés dans le pays où ils s'établissent.* ●● *immigré*

éminence n.f. SENS 1. *Nous sommes montés sur une éminence pour voir le coucher du soleil* (= hauteur, butte, colline ; ≠ creux). SENS 2. *Éminence est le titre qu'on donne à un cardinal.*

■ **éminent, ente** adj. [SENS 1] *Il occupe un poste éminent dans l'entreprise, un poste élevé, important.* ✻ Ne pas confondre avec **imminent.**

■ **éminemment** adv. *Votre participation est éminemment souhaitable* (= extrêmement, hautement). ✻ On prononce [eminamã].

émir n.m. *Dans certains pays arabes, l'émir est le prince qui gouverne.*

■ **émirat** n.m. *Un émirat est un État gouverné par un émir.*

émissaire n.m. *Le roi a envoyé un* *émissaire* à l'étranger, quelqu'un chargé d'une mission.

émission → *émettre*

emmagasiner v. 1ᵉʳ groupe. *Elle **a** emmagasiné des conserves dans sa cave,* elle les a accumulées en réserve. ●● *magasin*

emmailloter v. 1ᵉʳ groupe. *Autrefois, on **emmaillotait** un bébé,* on l'enveloppait d'un maillot, d'un lange.

emmancher v. 1ᵉʳ groupe. **Emmancher** un marteau, une pioche, c'est leur mettre un manche. ●● *manche (2)*

■ **emmanchure** n.f. *L'**emmanchure** d'une veste,* c'est l'endroit où est fixée une manche. ●● *manche (1)*

emmêler v. 1ᵉʳ groupe. SENS 1. *Les pêcheurs **ont emmêlé** leurs lignes,* ils ont mis les fils en désordre (= embrouiller ; ≠ démêler). ●● *mêler*. SENS 2. *Les idées **s'emmêlent** dans sa tête,* il a des idées confuses.

emménager v. 1ᵉʳ groupe. *Nous avons **emménagé** dans un nouvel appartement,* nous nous y sommes installés avec notre mobilier (≠ déménager). ✳ Conj. nº 2.

■ **emménagement** n.m. *Notre **emménagement** a duré trois jours,* notre installation (≠ déménagement).

emmener v. 1ᵉʳ groupe. *Mme Lebrun **emmène** ses enfants à l'école* (= accompagner, conduire). ✳ Conj. nº 9.

emmitoufler v. 1ᵉʳ groupe. *Joël **s'est** emmitouflé dans son manteau,* il s'est enveloppé dedans bien au chaud.

emmurer v. 1ᵉʳ groupe. *Les mineurs **ont été emmurés** par un éboulement,* ils ont été bloqués, enfermés. ●● *mur*

émoi n.m. *L'incendie a mis tout le quartier en **émoi**,* il a causé une vive agitation mêlée d'inquiétude. ●● *émouvoir*

émoluments n.m. pl. *Ses **émoluments** ne lui permettent pas une telle dépense,* l'argent qu'il gagne (= appointements, salaire).

émonder v. 1ᵉʳ groupe. **Émonder** un arbre, c'est le tailler (= élaguer).

émotif, émotion → *émouvoir*

émoulu, ue adj. *Ce jeune docteur est frais **émoulu** de l'université,* il en est sorti récemment.

émousser v. 1ᵉʳ groupe. SENS 1. *La pointe du couteau **est émoussée**,* elle n'est plus pointue (≠ aiguiser). SENS 2. *La douleur **s'émousse** avec le temps* (= s'affaiblir, s'atténuer).

émoustiller v. 1ᵉʳ groupe. *Le champagne les **a émoustillés**,* les a rendus gais.

émouvoir v. 3ᵉ groupe. *À l'enterrement de M. Dupont, tout le monde **était ému*** (= impressionner, toucher, bouleverser). ✳ Conj. nº 36.

■ **émouvant, ante** adj. *Le récit de ces réfugiés est très **émouvant*** (= touchant, bouleversant).

■ **émotif, ive** adj. *Marie est une fillette* **émotive** (= sensible, impressionnable).

■ **émotion** n.f. *Il a eu une vive **émotion** en découvrant sa maison cambriolée* (= choc, coup). *Elle a retrouvé avec **émotion** sa première poupée,* elle était émue, attendrie (= attendrissement).

empailler v. 1ᵉʳ groupe. **Empailler** un animal mort, c'est bourrer sa peau de paille, de laine de verre, etc., et lui faire subir un traitement pour le conserver (= naturaliser). ●● *paille* *illustr. p. 42*

empaqueter v. 1er groupe. *Le vendeur a empaqueté tous mes achats,* il en a fait un paquet (= emballer). ●● *paquet* ✴ Conj. n° 8.

s'**emparer** v. 1er groupe. *Le goal s'est emparé du ballon,* il l'a pris vivement.

s'**empâter** v. 1er groupe. *M. Muller ne fait pas assez d'exercice, il commence à s'empâter,* à grossir.

empêcher v. 1er groupe. SENS 1. *La grippe m'a empêché de venir,* elle ne l'a pas permis (= interdit). SENS 2. *Il n'a pas pu s'empêcher de riposter* (= se retenir).

■ **empêchement** n.m. [SENS 1] *Je ne peux pas venir, j'ai un empêchement* (= obstacle, difficulté).

empereur → *empire*

empeser v. 1er groupe. *Autrefois, les hommes portaient des chemises au col empesé,* raidi avec de l'amidon.

empester v. 1er groupe. *Ce tas d'ordures empeste,* il répand une odeur infecte.

s'**empêtrer** v. 1er groupe. *Il s'est empêtré dans ses mensonges,* il s'y est engagé et n'arrive plus à en sortir (= s'embrouiller, s'embarrasser ; ≠ se dépêtrer).

emphase n.f. *M. Dupont parle avec emphase,* d'un ton solennel et pompeux (= grandiloquence).

■ **emphatique** adj. *Il m'a répondu d'un ton emphatique* (= doctoral, prétentieux, déclamatoire, grandiloquent ; ≠ simple).

empierrer v. 1er groupe. *Empierrer un chemin,* c'est le revêtir d'une couche de pierres. ●● *pierre*

empiéter v. 1er groupe. SENS 1. *En faisant sa clôture, le voisin a empiété sur notre terrain,* il a étendu son terrain sur une partie du nôtre (= déborder). SENS 2.

Vous empiétez sur mes droits, vous faites des choses que moi seul j'ai le droit de faire. ✴ Conj. n° 10.

■ **empiétement** n.m. [SENS 1 et 2] *Je proteste contre ces empiétements sur mon terrain, sur mes droits* (= usurpation).

s'**empiffrer** v. 1er groupe. Fam. *Arrête de t'empiffrer de gâteaux !,* de manger goulûment (= se bourrer, se gaver, se goinfrer).

empiler v. 1er groupe. *Empiler des livres, des revues,* c'est les mettre en pile ou en tas. ●● *pile*

empire n.m. SENS 1. *Napoléon avait constitué un vaste empire,* un ensemble de pays soumis à son autorité. ●● *impérial, impérialiste.* SENS 2. *Il m'a insulté sous l'empire de la colère,* il était dominé par la colère (= influence).

■ **empereur** n.m. [SENS 1] *Napoléon a été sacré empereur en 1804,* chef d'un empire. ●● *impératrice*

empirer v. 1er groupe. *L'état du malade a empiré,* il est devenu pire (= s'aggraver ; ≠ s'améliorer). ●● *pire*

empirique adj. *Il a trouvé la solution par des moyens empiriques,* en tâtonnant par des essais répétés (≠ scientifique).

emplacement n.m. *J'ai trouvé un emplacement pour garer ma voiture,* une place. ●● *place*

emplâtre n.m. *On a mis un emplâtre sur sa blessure,* un morceau de tissu enduit d'une pommade.

emplette n.f. *Nous avons fait l'emplette d'un parapluie* (= achat). *M. Duverger est allé faire quelques emplettes* (= commissions, courses).

emplir v. 2e groupe. *À cette nouvelle, ses yeux se sont emplis de larmes* (= remplir).

employer v. 1ᵉʳ groupe. [SENS 1] *Mme Da Silva **emploie** sa voiture uniquement pour aller en vacances*, elle s'en sert (= utiliser). [SENS 2] *Il **s'est employé** à me rendre service*, il y a consacré son temps. [SENS 3] *Cette usine **emploie** cent ouvriers*, elle les fait travailler en échange d'un salaire.
❋ Conj. nº 3.

■ **emploi** n.m. SENS 1. *Il a fait un mauvais **emploi** de son argent*, il l'a mal utilisé (= usage). *Lis le **mode d'emploi** de l'appareil*, la notice expliquant la façon de l'employer. SENS 2. *Quel est ton **emploi du temps**, aujourd'hui ?*, qu'est-ce que tu dois faire ? (= programme). SENS 3. *M. Bertois a perdu son **emploi*** (= travail, place).

■ **employé, ée** n. [SENS 3] *Mme Guérin est **employée** de banque*, elle travaille dans une banque.

■ **employeur, euse** n. [SENS 3] *Son **employeur** l'a augmenté*, celui qui l'emploie (= patron).

empocher v. 1ᵉʳ groupe. *Il **a empoché** une belle somme en revendant ce terrain*, il a reçu cette somme (= toucher, percevoir). ●● *poche*

empoigner v. 1ᵉʳ groupe. SENS 1. *Il **empoigne** la rampe et grimpe lentement*, il saisit fermement la rampe. ●● *poignée*. SENS 2. *Les deux adversaires **se sont empoignés**,* ils se sont battus ou querellés vivement.

■ **empoignade** n.f. [SENS 2] *La discussion a failli finir en **empoignade*** (= bagarre).

empoisonner v. 1ᵉʳ groupe. SENS 1. *On peut **s'empoisonner** avec certains champignons*, se rendre malade ou mourir sous l'effet du poison qu'ils contiennent (= intoxiquer). ●● *poison*. SENS 2. ***Empoisonner** l'atmosphère*, c'est répandre une très mauvaise odeur. SENS 3. *Il nous **empoisonne** avec ses histoires*, il nous ennuie (= assommer).

■ **empoisonnement** n.m. *On le soigne pour un **empoisonnement** à l'arsenic* (= intoxication).

■ **empoisonneur, euse** n. *Le tribunal a jugé les crimes d'un **empoisonneur**,* d'un meurtrier qui utilise le poison pour tuer.

emporte-pièce n.m. SENS 1. *À l'atelier, la tôle est découpée à l'**emporte-pièce**,* une machine qui découpe des pièces d'un seul coup dans des plaques. SENS 2. *Une réponse **à l'emporte-pièce*** est une réponse sans nuances, brutale.
❋ Au pluriel, on écrit des **emporte-pièces** ou des **emporte-pièce**.

emporter v. 1ᵉʳ groupe. SENS 1. *Les déménageurs **ont emporté** les meubles*, ils les ont pris et portés ailleurs (≠ apporter). ●● *remporter*. SENS 2. *Éric **l'a emporté** sur Brice*, il a été victorieux. SENS 3. *Mme Guérin **s'est emportée** contre son fils*, elle s'est mise en colère.

■ **emportement** n.m. [SENS 3] *Yves a parlé avec **emportement*** (= colère, véhémence ; ≠ calme).

empoté, ée adj. et n. Fam. *Jean est un garçon **empoté**. Quel **empoté** !* (= maladroit ; ≠ dégourdi).

s'**empourprer** v. 1ᵉʳ groupe. *S'**empourprer** de colère*, c'est devenir rouge vif sous l'effet de la colère. ●● *pourpre*

empreint, einte adj. *Son visage est **empreint** de tristesse*, il exprime la tristesse (= marqué).
❋ Ne pas confondre **empreint** et un **emprunt**.

■ **empreinte** n.f. *Il y a des **empreintes** de pas sur la neige* (= trace, marque). *Chacun a des **empreintes digitales** différentes*, les lignes au bout des doigts.

s'**empresser** v. 1ᵉʳ groupe. *Paul **s'est empressé** de finir son travail*, il s'est dépêché, hâté.

■ **empressement** n.m. *Gilles m'a aidé avec empressement* (= ardeur, zèle, hâte).

emprise n.f. *Il a failli tout casser sous l'emprise de la colère,* sous l'effet de la colère (= empire).

emprisonner v. 1er groupe. SENS 1. *Le meurtrier a été emprisonné,* il a été mis en prison (= incarcérer ; ≠ libérer). → **prison**. SENS 2. *Son corset lui emprisonnait le buste* (= serrer, enserrer).

■ **emprisonnement** n.m. *Il a été condamné à cinq ans d'emprisonnement* (= réclusion, détention).

emprunter v. 1er groupe. SENS 1. *Jean m'a emprunté douze euros,* je les lui ai prêtés. SENS 2. *On est prié d'emprunter le passage souterrain,* de le prendre.

■ **emprunt** n.m. [SENS 1] *Il a dû faire un emprunt pour payer sa voiture,* se faire prêter de l'argent. → **prêt**. [SENS 2] *Cet écrivain écrit sous un nom d'emprunt,* ce n'est pas son vrai nom (= pseudonyme). ✳ Ne pas confondre avec l'adjectif **empreint**.

■ **emprunteur, euse** n. [SENS 1] *L'emprunteur n'a pas pu rembourser ses dettes* (≠ prêteur).

émule n. *Son succès lui crée des émules,* des gens qui rivalisent avec lui.

■ **émulation** n.f. *Il y a de l'émulation entre Vincent et Paul,* chacun cherche à faire mieux que l'autre.

émulsion n.f. Une **émulsion** est un mélange formé d'un liquide et d'un produit huileux qui se répartit en très fines gouttelettes.

1. en prép. et adv. Préposition, ce mot donne différentes indications : *je suis en France* (lieu) ; *nous sommes en décembre* (temps) ; *il s'est mis en colère* (état) ; *une table en bois* (matière). Comme adverbe, il indique l'origine : *J'en viens* (c'est-à-dire : *je viens de là).*

2. en pron. pers. Ce mot remplace un nom complément : *as-tu reçu des livres ? – Oui, j'en ai reçu.*

encablure n.f. *La barque était à une encablure du quai,* à une distance d'environ 200 mètres.

encadrer v. 1er groupe. SENS 1. *Encadrer un tableau,* c'est le mettre dans un cadre. ●● **cadre**. SENS 2. *Les moniteurs encadrent les enfants à la colonie,* ils les surveillent, les prennent en charge, s'en occupent.

■ **encadrement** n.m. [SENS 1] *L'encadrement d'une photo,* c'est son cadre. [SENS 2] *L'encadrement d'une entreprise,* c'est l'ensemble des cadres de cette entreprise.

encaissé, ée adj. *À cet endroit, la route est encaissée,* resserrée entre des parois rocheuses.

encaisser v. 1er groupe. SENS 1. *La boulangère encaisse l'argent du pain,* elle le met dans la caisse. ●● **caisse**. *J'ai encaissé un chèque,* j'ai touché son montant. SENS 2. Fam. *Chacun des boxeurs a encaissé de rudes coups* (= recevoir, subir).

encastrer v. 1er groupe. *On a encastré le tuyau dans le mur,* on l'a mis dans un creux du mur fait juste à sa taille.

encaustique n.f. *On fait briller le parquet avec de l'encaustique,* une sorte de cire.

■ **encaustiquer** v. 1er groupe. *Le parquet brille, il a été encaustiqué* (= cirer).

1. enceinte n.f. SENS 1. *Cette ville est entourée d'une enceinte fortifiée,* d'une muraille qui en fait le tour. SENS 2. *Une enceinte (acoustique)* est un élément d'une chaîne haute-fidélité contenant les haut-parleurs (= baffle).

illustr. p. 165 862

2. enceinte adj.f. *Mme Dupont est enceinte,* elle porte un bébé dans son ventre, elle attend un enfant.

encens n.m. *Jean aime l'odeur de l'encens, une sorte de résine qui répand un parfum en brûlant.*
✱ On ne prononce pas le « s » : [ãsã].

■ **encenser** v. 1ᵉʳ groupe. SENS 1. *Le prêtre encense l'autel, il fait brûler de l'encens devant l'autel en signe de vénération.* SENS 2. *Les critiques ont encensé ce film, ils l'ont couvert d'éloges.*

■ **encensoir** n.m. *On fait brûler de l'encens dans un encensoir, un petit récipient métallique suspendu à des chaînettes.*

encercler v. 1ᵉʳ groupe. *Les soldats ont été encerclés par l'ennemi, ils ont été entourés de toutes parts* (= cerner). ●● *cercle*

■ **encerclement** n.m. *Nos troupes ont évité de justesse l'encerclement, d'être encerclées.*

enchaîner v. 1ᵉʳ groupe. SENS 1. *On a enchaîné le chien, on l'a attaché avec une chaîne.* ●● *chaîne.* SENS 2. *Dans son raisonnement, les idées s'enchaînent logiquement, elles se succèdent en découlant les unes des autres.*

■ **enchaînement** n.m. [SENS 2] *Ce résultat désastreux est dû à un enchaînement de circonstances malheureuses* (= suite, succession).

enchanter v. 1ᵉʳ groupe. SENS 1. *On disait autrefois que les magiciens enchantaient les gens, qu'ils les ensorcelaient, les envoûtaient.* SENS 2. *Ce film m'a enchanté, il m'a beaucoup plu* (= ravir). ●● *désenchanté*

■ **enchantement** n.m. [SENS 1] *L'orage s'est arrêté soudain, comme par enchantement* (= magie). [SENS 2] *Ce spectacle est un enchantement, il est très beau* (= merveille, ravissement).

■ **enchanteur, eresse** n. et adj. [SENS 1] *Connais-tu l'histoire de l'enchanteur Merlin ?* (= magicien). [SENS 2] *Marie a une voix enchanteresse,* merveilleuse.

enchâsser v. 1ᵉʳ groupe. *Des émeraudes sont enchâssées dans le bracelet, elles sont fixées dans l'épaisseur du métal* (= sertir).

enchère n.f. *La maison a été vendue aux enchères, on l'a vendue en public, à la personne qui offrait le prix le plus élevé.* ●● *surenchère*

■ **enchérir** v. 2ᵉ groupe. *Un deuxième acheteur a enchéri sur le premier, il a offert un prix plus élevé.* ●● *surenchérir*

enchevêtrer v. 1ᵉʳ groupe. *Dans la jungle, les lianes sont enchevêtrées, elles sont extrêmement emmêlées. Les idées s'enchevêtrent dans ma tête* (= se mélanger, s'embrouiller).

■ **enchevêtrement** n.m. *De la maison bombardée, il ne restait qu'un enchevêtrement de poutres et de gravats.*

enclave n.f. *Son jardin est une enclave dans mon terrain, un morceau contenu dans mon terrain.*

enclencher v. 1ᵉʳ groupe. *Enclencher un mécanisme, c'est le mettre en état de fonctionner. Enclencher une affaire, c'est la mettre en train.*

enclin, ine adj. *Je suis enclin à te donner raison, je penche vers cela* (= porté à). ●● *incliner*

enclore v. 3ᵉ groupe. *Enclore un champ, c'est l'entourer d'une clôture.* ●● *clore*
✱ Conj. n° 81.

■ **enclos** n.m. *Les cochons sont dans l'enclos, le terrain entouré d'une clôture.*   *illustr. p. 354*

enclume n.f. *Le forgeron pose le fer rouge sur son enclume pour le forger,* une masse de métal.   *illustr. p. 995, 427*

encoche n.f. *Jean taille des encoches sur un bâton,* des petites entailles.

encoignure n.f. *Une encoignure est un coin étroit dans l'angle intérieur de deux murs.* ●● *coin*
✱ On prononce [ãkɔɲyr] ou [ãkwaɲyr].

329

encoller v. 1ᵉʳ groupe. **Encoller** du papier, c'est l'enduire de colle. ●● *colle*

illustr. p. 354 **encolure** n.f. SENS 1. L'**encolure** d'un cheval, c'est le cou de l'animal jusqu'au poitrail. SENS 2. *L'encolure de ce pull est arrondie*, la partie du vêtement par où passe le cou.

encombrer v. 1ᵉʳ groupe. *Le couloir est encombré par des colis*, le passage est difficile ou impossible (= embarrasser).

■ **encombrant, ante** adj. *Ces paquets sont encombrants*, ils encombrent (= embarrassant).

■ **encombrement** n.m. *Un encombrement a bloqué la circulation* (= embouteillage, bouchon).

■ sans **encombre** adv. *Le voyage s'est terminé sans encombre*, sans ennui sans problème.

à l'**encontre de** prép. *Son projet va à l'encontre de mes habitudes* (= à l'opposé de, contre).

s'**encorder** v. 1ᵉʳ groupe. *Les alpinistes s'encordent avant de partir*, ils s'attachent les uns aux autres au moyen d'une corde pour former une **cordée**. ●● *corde*

encore adv. SENS 1. *J'ai encore faim*, ma faim continue. SENS 2. *J'ai encore perdu* (= de nouveau). SENS 3. *Tu es têtu, mais il est encore plus têtu que toi*, bien plus têtu.

encourager v. 1ᵉʳ groupe. *Ce premier succès nous encourage à persévérer*, il nous invite à avoir le courage de le faire (= inciter ; ≠ décourager). ✳ Conj. n° 2.

■ **encourageant, ante** adj. *Ces résultats sont encourageants*, ils incitent à continuer (= prometteur).

■ **encouragement** n.m. *Les encouragements des supporters soutiennent le moral des joueurs*, les paroles, les cris qui encouragent.

encourir v. 3ᵉ groupe. *En stationnant ici, vous encourez une amende*, vous vous y exposez (= risquer). ✳ Conj. n° 29.

encrasser v. 1ᵉʳ groupe. *Une encre de mauvaise qualité encrasse les stylos*, elle y laisse un dépôt de saleté (≠ décrasser).

encre n.f. *Il n'y a plus d'encre dans mon stylo !*, un liquide qui sert à écrire. ✳ Ne pas confondre avec **ancre**.

■ **encrier** n.m. Un **encrier** est un récipient destiné à contenir de l'encre.

■ **encreur** adj.m. Un **tampon encreur** est une petite plaque rembourrée imprégnée d'encre. *illustr. p. 123*

encyclique n.f. Une **encyclique** est une lettre adressée par le pape aux évêques et aux fidèles.

encyclopédie n.f. *M. Durand a acheté une encyclopédie en 20 volumes*, un ouvrage qui donne des informations sur toutes sortes de sujets.

■ **encyclopédique** adj. *Mme Rousseau a des connaissances encyclopédiques*, très étendues dans tous les domaines.

s'**endetter** v. 1ᵉʳ groupe. *J'ai dû m'endetter pour acheter ma maison*, j'ai dû emprunter de l'argent. ●● *dette*

■ **endettement** n.m. L'**endettement** d'une personne, c'est l'ensemble de ses dettes.

endeuiller v. 1ᵉʳ groupe. *Cet accident a endeuillé notre village*, il l'a plongé dans le chagrin, le deuil. ●● *deuil*

endiablé, ée adj. Un rythme **endiablé** est un rythme extrêmement vif, extrêmement rapide (= effréné, enragé). ●● *diable*

endiguer v. 1ᵉʳ groupe. SENS 1. **Endiguer** un fleuve, c'est construire des digues pour l'empêcher de déborder. ●● *digue*. SENS 2. **Endiguer** des protestations, des manifestations, c'est les contenir dans une certaine limite.

endimanché, ée adj. *Elle avait l'air endimanché avec cette robe,* l'air peu naturel, mal à l'aise de quelqu'un qui porte des vêtements plus beaux et plus soignés que d'habitude. ●● *dimanche*

illustr. p. 746 **endive** n.f. L'**endive** est une plante aux feuilles allongées et serrées qu'on fait pousser dans l'obscurité pour la faire blanchir et qu'on mange en salade ou cuite comme légume.

endoctriner v. 1er groupe. *Des militants ont essayé de nous endoctriner,* de nous faire adopter leurs idées politiques. ●● *doctrine*

endolori, ie adj. *Cette longue marche nous a laissé les pieds endoloris* (= douloureux). ●● *douleur*

endommager v. 1er groupe. *La voiture a été endommagée dans l'accident,* elle a été abîmée, elle a subi des dégâts. ●● *dommage*
✱ Conj. n° 2.

endormir v. 3e groupe. SENS 1. *La maman endort son bébé en le berçant,* elle l'amène à dormir. ●● *dormir*. *Je me suis endormie aussitôt couchée,* j'ai été saisie par le sommeil (≠ se réveiller, s'éveiller). SENS 2. *On endort un malade avant de l'opérer* (= anesthésier). SENS 3. Fam. *Il espère endormir les naïfs avec ses promesses,* les bercer d'illusions, les tromper.
✱ Conj. n° 18.

endosser v. 1er groupe. SENS 1. **Endosser** un pardessus, c'est le mettre sur son dos (= revêtir, enfiler). SENS 2. **Endosser** une responsabilité, c'est l'accepter (= assumer). SENS 3. **Endosser** un chèque, c'est mettre sa signature au dos d'un chèque qu'on a reçu avant de le présenter à la banque. ●● *dos*

endroit n.m. SENS 1. *À quel endroit as-tu mis mon stylo ?* (= lieu, place, emplacement). *J'habite dans un endroit calme* (= région, localité, quartier). SENS 2. *L'endroit de ce tissu est brillant,* la face destinée à être vue (≠ envers). *Remets tes chaussettes à l'endroit !,* dans le bon sens, du bon côté (≠ à l'envers).

enduire v. 3e groupe. *Pour bronzer sans danger, Marie s'est enduit la peau de crème* (= recouvrir).
✱ Conj. n° 70.

■ **enduit** n.m. *Le mur est protégé de l'humidité par un enduit,* un produit (ciment, plâtre, etc.) appliqué dessus.

endurance n.f. *Son endurance nous a étonnés,* sa capacité à résister à la fatigue (= résistance). *illustr. p. 1002*

■ **endurant, ante** adj. *Ce coureur est très endurant* (≠ fragile, délicat).

■ **endurer** v. 1er groupe. *Il a enduré beaucoup de malheurs,* il les a subis, supportés.

endurcir v. 2e groupe. *Les malheurs l'ont endurcie,* l'ont rendue plus dure, moins sensible. ●● *dur*. *Il s'est endurci à la fatigue,* il a acquis de la résistance (= s'aguerrir).

endurer → *endurance*

énergie n.f. SENS 1. *Jean fait le ménage avec énergie,* en s'activant beaucoup (= force, vigueur ; ≠ mollesse, indolence). SENS 2. *Le charbon, le pétrole sont des sources d'énergie,* ils servent à faire fonctionner les machines. *La bonne isolation d'une maison permet de faire des économies d'énergie.* *illustr. p. 333*

■ **énergique** adj. [SENS 1] *Mme Morel est une femme énergique,* active, décidée.

■ **énergiquement** adv. [SENS 1] *Il a protesté énergiquement* (= fermement, vigoureusement).

■ **énergétique** adj. Les aliments **énergétiques**, comme les pâtes, fournissent beaucoup d'énergie au corps.

énergumène n.m. *Qui est cet **énergumène** ?*, cet individu bizarre.

énerver v. 1er groupe. *Arrête de t'agiter, tu m'**énerves** !*, tu m'agaces. *Ça m'**énerve** de ne pas comprendre*, ça me cause du dépit, de l'irritation. *Ne **vous** énervez pas*, restez patient. ●● **nerf**

■ **énervant, ante** adj. *Ce petit bruit est énervant* (= agaçant, irritant).

■ **énervement** n.m. *Des tics manifestaient son **énervement*** (= agacement, impatience). ●● **nervosité**

enfant n. SENS 1. *Arthur est encore un **enfant***, il a moins de quatorze ans environ (≠ adulte). ●● **infantile**. *Marine est une **enfant** charmante.* → **adolescent**. SENS 2. *Alice **attend un enfant***, elle est enceinte. *M. et Mme Laroche ont trois enfants*, ils sont parents de trois fils ou filles. ◆ *Il m'a souri d'un air **bon enfant*** (= aimable, gentil, conciliant).

■ **enfance** n.f. [SENS 1] *M. Ribour a passé son **enfance** à Paris*, les premières années de sa vie.

■ **enfantillage** n.m. [SENS 1] *Tu as dépassé l'âge des **enfantillages***, de te conduire comme un enfant (= niaiserie, puérilité).

■ **enfantin, ine** adj. [SENS 1] *Ce livre est un chef-d'œuvre de la littérature **enfantine***, la littérature pour les enfants. *Ce problème est **enfantin***, il est très facile à résoudre (= élémentaire). → **puéril**

enfer n.m. SENS 1. *L'**enfer** est, selon la religion chrétienne, un lieu de souffrance éternelle pour les âmes des grands pécheurs (≠ paradis). SENS 2. *Depuis qu'il est malade, sa vie est devenue un **enfer*** (= supplice). ●● **infernal**

enfermer v. 1er groupe. SENS 1. *En-ferme le chien, sinon il va se sauver*,

mets-le dans un endroit bien fermé. ●● **fermer**. SENS 2. *Il s'est **enfermé** dans son silence*, il reste obstinément silencieux.

s'**enferrer** v. 1er groupe. *Au lieu de reconnaître son erreur, il **s'est enferré** dans ses mensonges*, il s'est embrouillé de plus en plus (= s'empêtrer).

enfilade n.f. *Les pièces de l'appartement sont en **enfilade***, les unes à la suite des autres. ●● **file**

enfiler v. 1er groupe. SENS 1. *Marianne **enfile** des perles*, elle passe un fil dans le trou des perles. ●● **fil**. SENS 2. *Thomas **enfile** son pull*, il le met à la hâte.

enfin adv. Ce mot exprime un aboutissement attendu : *le travail est **enfin** terminé. Tu as **enfin** compris !* Ou la fin d'une énumération : *j'ai revu mon oncle, ma tante, mes cousins et, **enfin**, un camarade de vacances.*

enflammer v. 1er groupe. SENS 1. *On frotte une allumette pour l'**enflammer***, pour y produire une flamme (= allumer). ●● **flamme, inflammable**. SENS 2. *Son discours a **enflammé** l'auditoire*, il l'a enthousiasmé, rempli d'ardeur, de passion. SENS 3. *La plaie **s'est enflammée***, elle est devenue rouge et douloureuse. ●● **inflammation**

enfler v. 1er groupe. *Pierre s'est fait une entorse, sa cheville **a enflé***, elle a augmenté de volume (= grossir, gonfler).

■ **enflure** n.f. *On lui a mis de la pommade pour faire diminuer l'**enflure*** (= gonflement).

enfoncer v. 1er groupe. SENS 1. *On **enfonce** les clous avec un marteau*, on les fait pénétrer (= planter). *On **s'enfonce** dans la neige molle*, on y pénètre. SENS 2. *On avait perdu la clé, on **a enfoncé** la porte* (= briser, défoncer).
✳ Conj. n° 1.

LES ÉNERGIES D'AUJOURD'HUI

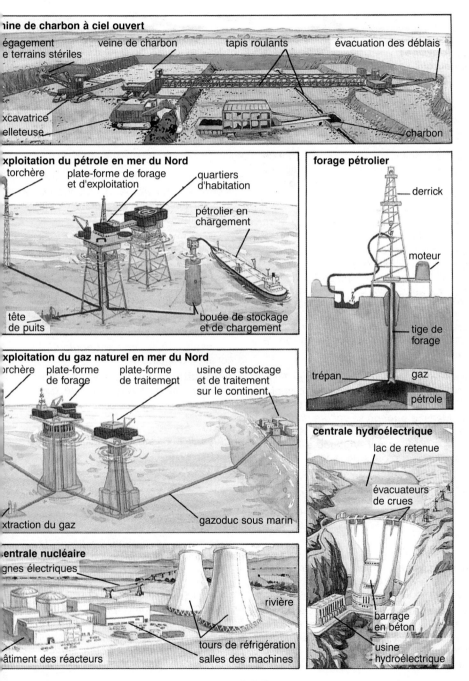

mine de charbon à ciel ouvert

dégagement de terrains stériles

veine de charbon

tapis roulants

évacuation des déblais

excavatrice pelleteuse

charbon

exploitation du pétrole en mer du Nord

torchère

plate-forme de forage et d'exploitation

quartiers d'habitation

pétrolier en chargement

tête de puits

bouée de stockage et de chargement

forage pétrolier

derrick

moteur

tige de forage

trépan

gaz

pétrole

exploitation du gaz naturel en mer du Nord

torchère

plate-forme de forage

plate-forme de traitement

usine de stockage et de traitement sur le continent

extraction du gaz

gazoduc sous marin

centrale hydroélectrique

lac de retenue

évacuateurs de crues

barrage en béton

usine hydroélectrique

centrale nucléaire

lignes électriques

rivière

tours de réfrigération

salles des machines

bâtiment des réacteurs

333

enfouir v. 2ᵉ groupe. *Le chien **a enfoui** son os dans la terre,* il l'a caché dans la terre.

enfourcher v. 1ᵉʳ groupe. *Le cavalier **enfourche** son cheval,* il monte dessus à califourchon.

enfourner v. 1ᵉʳ groupe. *Le boulanger **enfourne** la pâte,* il la met dans le four. ●● *four*

enfreindre v. 3ᵉ groupe. **Enfreindre** un règlement, une loi, c'est ne pas les respecter (= violer). ●● *infraction*
✳ Conj. nº 55.

s'enfuir v. 3ᵉ groupe. *Les voleurs **se sont enfuis**,* ils sont partis en vitesse (= se sauver, déguerpir, détaler, décamper, fam. filer). ●● *fuir*
✳ Conj. nº 17.

enfumer v. 1ᵉʳ groupe. *Le poêle **enfume** la pièce,* il la remplit de fumée. *On **enfume** les abeilles pour récolter le miel,* on les rend inoffensives avec de la fumée. ●● *fumer*

engager v. 1ᵉʳ groupe. SENS 1. *M. Fourgeaud **a engagé** un secrétaire,* il l'a pris à son service (= embaucher). SENS 2. *M. Martin **a engagé** sa voiture dans une impasse,* il y a fait entrer (≠ dégager). SENS 3. *Fanny **s'est engagée** à faire ce travail,* elle a promis de le faire. SENS 4. *Henri **s'est engagé** dans l'armée,* il est devenu soldat. ●● *se rengager*. SENS 5. *Il m'**a engagé** à accepter,* il m'a poussé à le faire. SENS 6. *M. Darmon **a engagé** un procès contre son voisin,* il l'a entamé, commencé.
✳ Conj. nº 2.

■ **engageant, ante** adj. *L'aubergiste n'avait pas un air **engageant**,* un air sympathique, agréable, qui attire.

■ **engagement** n.m. [SENS 3] *Daniel n'a pas tenu ses **engagements*** (= promesse). [SENS 4] *Lors de son **engagement** dans l'armée, Henri avait dix-huit ans,* quand il s'est engagé. [SENS 6]

*L'**engagement** marque le début d'un match* (= coup d'envoi).

engeance n.f. *Quelle sale **engeance** !,* quelles personnes désagréables.

engelure n.f. *Le froid peut causer des **engelures** aux mains et aux pieds,* une vive inflammation. ●● *geler*

engendrer v. 1ᵉʳ groupe. *Ce paysage lugubre **engendre** la tristesse,* il la fait naître (= causer, provoquer, susciter).

engin n.m. *Les canons, les chars sont des **engins** de guerre ; les hameçons, les filets sont des **engins** de pêche* (= appareil, instrument). *illustr. p. 974*

englober v. 1ᵉʳ groupe. *Un département **englobe** plusieurs communes,* il les réunit en un ensemble (= comprendre, inclure).

engloutir v. 2ᵉ groupe. SENS 1. *Le chien **a englouti** toute la viande,* il l'a avalée voracement (= dévorer, engouffrer, ingurgiter). SENS 2. *Un navire **s'est englouti**,* il a coulé (= disparaître).

■ **engloutissement** n.m. [SENS 2] *L'**engloutissement** du navire n'a duré que quelques minutes.*

englué, ée adj. *Sylvain a les doigts **englués** de confiture,* ses doigts en sont couverts. ●● *glu*

engoncer v. 1ᵉʳ groupe. *Jean **est engoncé** dans son manteau,* il est serré, mal à l'aise.
✳ Conj. nº 1.

engorger v. 1ᵉʳ groupe. *Le tuyau de l'évier **est engorgé**,* il est bouché, obstrué.
✳ Conj. nº 2.

s'engouer v. 1ᵉʳ groupe. *Le public **s'est engoué** de cette chanson,* il l'a soudain beaucoup aimée (= s'enticher, se toquer).

■ **engouement** n.m. *Je ne comprends pas ton **engouement** pour cette actrice,* ton admiration exagérée.

engouffrer v. 1ᵉʳ groupe. SENS 1. *Pierre* **engouffre** *des gâteaux,* il les avale rapidement (= engloutir). SENS 2. *Le vent* s'**engouffre** *par la fenêtre,* il pénètre brutalement dans la pièce.

engourdir v. 2ᵉ groupe. SENS 1. *Le froid m'a* **engourdi** *les mains,* il les a rendues raides et insensibles, gourdes (≠ dégourdir). ●● **gourd**. SENS 2. *La chaleur de la pièce nous* **engourdissait,** elle nous ôtait toute envie de bouger et nous portait à un demi-sommeil (= assoupir).

■ **engourdissement** n.m. [SENS 2] *Nous sentions l'*engourdissement *nous gagner* (= torpeur, somnolence).

engrais n.m. *L'utilisation des* **engrais** *permet d'avoir de meilleures récoltes,* de produits qui fertilisent le sol.

engraisser v. 1ᵉʳ groupe. SENS 1. *Le fermier* **engraisse** *ses porcs,* il les nourrit beaucoup pour les faire devenir gras. SENS 2. *M. Ripois a* **engraissé** *avec l'âge,* il a grossi (≠ maigrir). ●● **graisse**

engrenage n.m. *Un* **engrenage** *est un mécanisme qui transmet un mouvement d'une roue dentée à une autre.*

s'**enhardir** v. 2ᵉ groupe. *Guillaume* s'**est enhardi** *à contredire l'orateur,* il a eu le courage, la hardiesse de le faire, il a osé le faire. ●● **hardi**
✳ On prononce [ãardir].

énigme n.f. *On n'a pas réussi à résoudre cette* **énigme,** *cette question incompréhensible* (= mystère).

■ **énigmatique** adj. *Il m'a répondu par une phrase* **énigmatique,** *difficile à comprendre* (= mystérieux ; ≠ clair).

enivrer v. 1ᵉʳ groupe. SENS 1. *Ce vin vous* **enivre** *facilement,* il vous rend ivre (= soûler). *Il ne s'*enivre *jamais.* ●● **ivre**. SENS 2. *Ses succès l'*ont enivré, *ils l'ont mis dans un état de grande excitation,* ils lui ont tourné la tête (= griser).
✳ On prononce [ãnivre].

■ **enivrant, ante** adj. *Il a connu un succès* **enivrant,** *susceptible de lui faire perdre la tête* (= grisant).
✳ On prononce [ãnivrã].

enjambée n.f. *Marcher à grandes* **enjambées,** *c'est marcher à grands pas.* ●● **jambe**

■ **enjamber** v. 1ᵉʳ groupe. *On peut facilement* **enjamber** *ce fossé,* le franchir sans sauter, juste en faisant un grand pas.

enjeu n.m. SENS 1. *Les* **enjeux** *d'un pari, d'une course, etc., sont les sommes que les joueurs ont risquées et qui reviennent au gagnant à la fin* (= mise). ●● **jouer**. SENS 2. *L'*enjeu *d'une bataille, c'est ce que l'on peut y perdre ou y gagner.*

enjoindre v. 3ᵉ groupe. *Ils n'ont rien dit car on leur* **avait enjoint** *de se taire,* on le leur avait ordonné fermement. ●● **injonction**
✳ Conj. nᵒ 55.

enjôler v. 1ᵉʳ groupe. *Jean cherche à* **enjôler** *sa grand-mère,* à obtenir ce qu'il désire en la cajolant.

■ **enjôleur, euse** adj. et n. *Lucie a un sourire* **enjôleur** (= charmeur). *Quelle* **enjôleuse,** *cette Lucie !*

enjoliver v. 1ᵉʳ groupe. *Elle avait ajouté quelques détails pour* **enjoliver** *son histoire,* pour la rendre plus jolie (= embellir, orner). ●● **joli**

enjoliveur n.m. *M. Legendre astique les* **enjoliveurs** *de sa voiture,* les plaques rondes qui cachent le centre des roues. *illustr. p. 69*

enjoué, ée adj. *Raphaëlle est une fillette* **enjouée,** *elle est pleine de bonne humeur* (= aimable, gai ; ≠ renfrogné).

■ **enjouement** n.m. *Elle a répondu sur un ton plein d'*enjouement (≠ gravité, sérieux).

enlacer v. 1er groupe. *Les amoureux s'enlacent*, ils se serrent dans les bras l'un de l'autre.
✶ Conj. n° 1.

enlaidir v. 2e groupe. SENS 1. *Ces usines enlaidissent le paysage*, elles le rendent laid (= défigurer). SENS 2. *Avec l'âge, il enlaidit*, il devient laid (≠ embellir). ●● *laid*

■ **enlaidissement** n.m. *Nous protestons contre l'enlaidissement de notre quartier.*

enlever v. 1er groupe. SENS 1. *Voulez-vous enlever votre manteau ?* (= ôter, retirer ; ≠ mettre). SENS 2. *Il y a une tache sur la moquette, il faudrait l'enlever* (= supprimer ; ≠ laisser). SENS 3. *Des gangsters ont enlevé un enfant*, ils l'ont pris, emmené de force (= kidnapper ; ≠ rendre).
✶ Conj. n° 9.

■ **enlèvement** n.m. [SENS 1] *Une taxe est perçue pour l'enlèvement des ordures ménagères.* [SENS 3] *Les auteurs de l'enlèvement ont demandé une rançon* (= rapt).

s'**enliser** v. 1er groupe. SENS 1. *La voiture s'est enlisée dans la boue* (= s'enfoncer, s'embourber). SENS 2. *La discussion s'enlise*, elle devient confuse.

■ **enlisement** n.m. *On risque l'enlisement dans ces sables mouvants.*

illustr. p. 502   **enluminure** n.f. *Ce manuscrit du Moyen Âge est orné d'enluminures*, de belles illustrations peintes à la main.

enneigé, ée adj. *Les toits sont enneigés*, ils sont couverts de neige. ●● *neige*

■ **enneigement** n.m. *L'enneigement des pistes est insuffisant pour skier*, la hauteur de neige.

ennemi, ie adj. et n. SENS 1. *Par ses déclarations violentes, il s'est fait des ennemis*, des gens qui le détestent et lui veulent du mal (≠ ami). SENS 2. *Je suis ennemi de ces procédés malhonnêtes*, j'y suis vivement opposé. SENS 3. *L'ennemi a attaqué nos troupes*, le pays contre lequel on est en guerre (≠ allié).

ennoblir v. 2e groupe. *On dit que l'art ennoblit l'homme*, qu'il le rend plus noble moralement (= grandir). ●● *noble*
✶ Ne pas confondre avec **anoblir**.

ennuyer v. 1er groupe. SENS 1. *Cela m'ennuie de partir demain*, cela m'est désagréable (= contrarier). *Il y a un détail qui m'ennuie* (= tracasser). SENS 2. *Quand je n'ai rien à faire, je m'ennuie*, je trouve le temps long (= fam. s'embêter ; ≠ se distraire).
✶ Conj. n° 3.

■ **ennui** n.m. [SENS 1] *Mme Legendre a des ennuis d'argent* (= souci, tracas). [SENS 2] *Ce livre est à mourir d'ennui*, il est très ennuyeux.

■ **ennuyeux, euse** adj. [SENS 1] *Voilà un incident très ennuyeux*, très contrariant (= fâcheux). [SENS 2] *La journée d'hier a été ennuyeuse*, on s'est ennuyé (≠ amusant).

énoncer v. 1er groupe. **É**noncer *une règle de grammaire*, c'est l'exprimer nettement (= formuler).
✶ Conj. n° 1.

■ **énoncé** n.m. *Lis attentivement l'énoncé du problème*, le texte qui donne des informations et qui pose des questions.

s'**enorgueillir** v. 2e groupe. *Cette ville s'enorgueillit d'être la patrie d'un homme célèbre*, elle en est fière, elle s'en fait un titre de gloire. ●● *orgueil*
✶ On prononce [ãnɔrgœjir].

énorme adj. *M. Martin pèse 120 kilos, et mesure près de 2 mètres, il est énorme*, très grand et très gros (= gigantesque ; ≠ minuscule). *Nous avons eu d'énormes difficultés pendant le voyage* (= immense).

■ **énormément** adv. *Je m'ennuie énormément,* vraiment beaucoup.

■ **énormité** n.f. *L'énormité de ce crime fait horreur,* la gravité exceptionnelle. ◆ *Marie a dit des énormités,* de grosses sottises, des choses extravagantes.

s'**enquérir** v. 3ᵉ groupe. *Va t'enquérir de l'heure des trains,* te renseigner, t'informer.
✹ Conj. nᵒ 21.

illustr. p. 733 **enquête** n.f. SENS 1. *L'enquête a abouti : le criminel est arrêté,* les recherches de la police. SENS 2. *On a fait une enquête sur les intentions des électeurs,* on leur a posé des questions pour avoir leur avis (= sondage).

■ **enquêter** v. 1ᵉʳ groupe. [SENS 1] *La police enquête,* elle mène une enquête.

■ **enquêteur, euse** n. *Les enquêteurs ont interrogé les témoins.*
✹ Au féminin, on dit aussi une **enquêtrice**.

enraciner v. 1ᵉʳ groupe. SENS 1. *Les arbres s'enracinent difficilement sur ces rochers,* ils développent difficilement leurs racines. ●● *racine.* SENS 2. *Cette croyance est profondément enracinée dans son esprit* (= implanter, ancrer).

enrager v. 1ᵉʳ groupe. *Arrête de faire enrager ta sœur !,* de la mettre en colère (= agacer, irriter). ●● *rage*
✹ Conj. nᵒ 2.

■ **enragé, ée** adj. *Un chien enragé* est un chien malade de la rage. ◆ *Un joueur enragé* est un joueur acharné, passionné.

enrayer v. 1ᵉʳ groupe. SENS 1. *Le fusil s'est enrayé,* la balle n'est pas partie (= se bloquer). SENS 2. *On cherchait à enrayer la montée du chômage* (= freiner, arrêter).
✹ Conj. nᵒ 4.

enregistrer v. 1ᵉʳ groupe. SENS 1. *Luc a enregistré la voix de Delphine avec son magnétophone,* il l'a fixée et il peut

la reproduire. SENS 2. *J'ai enregistré votre nom et votre adresse,* je les ai notés, relevés. *Tu as bien enregistré ce que je t'ai dit ?,* fixé dans ta mémoire. SENS 3. *Un acte officiel doit être enregistré pour être légal,* écrit sur un registre public. SENS 4. *On a fait enregistrer les bagages,* on les a confiés au service chargé d'assurer leur transport.

■ **enregistrement** n.m. [SENS 1] *Ce disque est l'enregistrement d'une symphonie.* [SENS 4] *Il est recommandé d'arriver à l'aéroport une demi-heure avant l'enregistrement des bagages.*
illustr. p. 503, 74

■ **enregistreur, euse** adj. [SENS 2] *Une caisse enregistreuse inscrit le détail des prix.*

s'**enrhumer** v. 1ᵉʳ groupe. *Couvre-toi bien, sinon tu risques de t'enrhumer,* d'attraper un rhume. ●● *rhume*

enrichir v. 2ᵉ groupe. SENS 1. *Le pétrole a enrichi ces pays,* il leur a procuré de la richesse, il les a rendus riches (≠ s'appauvrir). ●● *riche. M. Legendre s'est enrichi dans le commerce,* il a gagné beaucoup d'argent. SENS 2. *Cette visite au musée l'a enrichi,* elle lui a appris beaucoup de choses.

■ **enrichissement** n.m. [SENS 1] *C'est un homme très honnête, qui ne doit son enrichissement qu'à son travail* (= prospérité ; ≠ appauvrissement). ●● *richesse.* [SENS 2] *Les remarques apportent un enrichissement au texte.*

enrober v. 1ᵉʳ groupe. *Ces bonbons sont enrobés de chocolat,* ils en sont recouverts.

enrôler v. 1ᵉʳ groupe. *Il s'est enrôlé dans l'armée,* il y est entré (= s'engager).

enrouer v. 1ᵉʳ groupe. *Jean tousse, il est enroué,* sa voix n'est pas claire.

■ **enrouement** n.m. *Son enrouement est dû à la grippe.*

enrouler v. 1ᵉʳ groupe. *Après l'arrosage, on enroule le tuyau sur un dévi-*

doir, on le dispose en rond (≠ dérouler). ●● *rouler*. *Elle s'est enroulée dans une cape*, elle l'a mise tout autour d'elle.

ensabler v. 1ᵉʳ groupe. SENS 1. *L'entrée du port est ensablée*, du sable s'y est accumulé. SENS 2. *Le bateau s'est ensablé près de la côte*, il a été immobilisé par le sable. ●● *sable*

ensanglanté, ée adj. *Le blessé a le visage tout ensanglanté*, plein de sang. ●● *sang*

illustr. p. 150, 855

1. enseigne n.f. *Les cinémas ont des enseignes lumineuses*, des panneaux portant leur nom.

illustr. p. 440

2. enseigne n.m. *Un enseigne de vaisseau est un officier de marine.*

enseigner v. 1ᵉʳ groupe. SENS 1. *M. Vandamme enseigne les maths,* il est professeur de maths. SENS 2. *Cette aventure nous enseigne qu'il faut être prudent* (= indiquer, montrer, apprendre).

■ **enseignant, ante** adj. et n. [SENS 1] *Les instituteurs et les professeurs sont des enseignants*, ils font partie du **corps enseignant**.

■ **enseignement** n.m. [SENS 1] *M. Vandamme est dans l'enseignement,* il fait la classe. [SENS 2] *Il faut tirer des enseignements de cette affaire* (= leçon).

ensemble adv. *Jean et Yasmina sont partis ensemble,* l'un avec l'autre, en même temps (≠ séparément).

■ **ensemble** n.m. *Un orchestre est un ensemble de musiciens*, un groupe (≠ élément). ◆ *Elle porte un ensemble beige*, des vêtements assortis : veste et jupe ou veste et pantalon. ◆ *Pierre habite un grand ensemble*, dans un groupe d'immeubles. ◆ *Dans l'ensemble, les résultats sont satisfaisants*, d'une manière générale.

illustr. p. 1016

ensemencer v. 1ᵉʳ groupe. *Le cultivateur ensemence le champ*, il y met des graines, de la semence. ●● *semer*
✳ Conj. n° 1.

enserrer v. 1ᵉʳ groupe. *Les montagnes enserrent la ville*, elles l'entourent en lui laissant peu de place. ●● *serrer*

ensevelir v. 2ᵉ groupe. *L'avalanche a enseveli plusieurs skieurs*, elle les a fait disparaître (= recouvrir, engloutir).

ensiler v. 1ᵉʳ groupe. *Ensiler du blé*, c'est le mettre dans un silo. → *silo*

ensoleillé, ée adj. *La pièce est ensoleillée*, le soleil y pénètre. ●● *soleil*

ensommeillé, ée adj. *Les voyageurs sont ensommeillés*, ils sont alourdis sous l'effet du sommeil, à moitié endormis. ●● *sommeil*

ensorceler v. 1ᵉʳ groupe. *Ensorceler quelqu'un*, c'est exercer sur lui une influence magique, un charme irrésistible. ●● *sort*
✳ Conj. n° 6.

■ **ensorcellement** n.m. *Le prince était victime d'un ensorcellement* (= envoûtement, sortilège).

ensuite adv. *Nous sommes allés au restaurant et ensuite au cinéma* (= puis, après ; ≠ d'abord).

illustr. p. 945

s'ensuivre v. 3ᵉ groupe. SENS 1. *De tous ces témoignages, il s'ensuit que l'accusé ne peut pas être le coupable*, c'est la conséquence qu'on peut en tirer (= découler). ●● *suivre*. SENS 2. *On m'a demandé mon nom, mon âge, ma profession et tout ce qui s'ensuit*, et une série d'autres choses qui y font suite.
✳ Conj. n° 62.

entaille n.f. *Jean s'est fait une entaille au pouce avec son couteau*, une coupure profonde.

■ **entailler** v. 1ᵉʳ groupe. *Jean s'est entaillé le pouce*.

entamer v. 1ᵉʳ groupe. SENS 1. *Qui a entamé le gâteau ?*, qui a coupé le premier morceau ? SENS 2. *J'ai entamé un travail long et difficile,* je l'ai commencé, entrepris.

entartrer v. 1er groupe. *L'eau calcaire* **a entartré** *la bouilloire,* elle y a déposé du tartre (≠ détartrer). ●● *tartre*

entasser v. 1er groupe. SENS 1. *À force d'entasser des livres sur ton bureau, tu ne vas plus avoir de place,* de les mettre en tas (= accumuler, amonceler). ●● *tas.* SENS 2. *Aux heures d'affluence, les gens* **s'entassent** *dans les transports en commun,* ils y sont nombreux et serrés les uns contre les autres (= se presser).

■ **entassement** n.m. [SENS 1] *Son bureau est surchargé d'un* **entassement** *de livres* (= amoncellement). ●● *tas*

entendre v. 3e groupe. SENS 1. *Mon grand-père n'entend presque plus,* il est presque sourd. → *audition, acoustique.* SENS 2. *As-tu entendu ce que je viens de dire ?* (= écouter). SENS 3. *Paul et Élise* **s'entendent** *bien,* ils ne se disputent jamais, ils sont d'accord. SENS 4. *Le directeur* **entend** *qu'on lui obéisse* (= vouloir). SENS 5. *Jean n'entend rien aux mathématiques* (= comprendre).
✷ Conj. n° 50.

■ **entendu, ue** adj. [SENS 3] *Rendez-vous demain ? – C'est* **entendu,** *d'accord. Tu crois que j'ai raison ? –* **Bien entendu** (= bien sûr, naturellement). [SENS 5] *Il a pris un air* **entendu** *pour me répondre,* l'air d'une personne qui a compris.

■ **entendement** n.m. [SENS 5] *Ces explications dépassent son* **entendement,** sa capacité de comprendre (= intelligence).

■ **entente** n.f. [SENS 3] *Il y a entre eux une* **entente** *parfaite* (= accord ; ≠ conflit, mésentente).

enterrer v. 1er groupe. SENS 1. *Le voleur* **avait enterré** *les bijoux dans son jardin,* il les avait enfouis dans la terre

(≠ déterrer). ●● *terre.* SENS 2. *Enterrer un mort,* c'est le mettre en terre. *Mon grand-père* **est enterré** *au cimetière de son village* (= ensevelir, inhumer ; ≠ exhumer).

■ **enterrement** n.m. [SENS 2] *Il y avait beaucoup de monde à l'***enterrement** *de mon grand-père,* à la cérémonie au cours de laquelle on l'a enterré (= inhumation).

en-tête n.m. *La facture est établie sur du papier à* **en-tête,** du papier qui porte en haut le nom et l'adresse imprimés de l'expéditeur.
✷ Au pluriel, on écrit des **en-têtes.**

illustr. p. 122

s'entêter v. 1er groupe. *Inutile de* **t'entêter,** *ce que tu demandes est impossible,* d'insister de manière déraisonnable (= s'obstiner).

■ **entêté, ée** adj. et n. *Loïc est (un)* **entêté,** il est têtu, obstiné, tenace. ●● *têtu*

■ **entêtement** n.m. *Il refusait d'obéir avec* **entêtement** (= obstination, ténacité).

enthousiasme n.m. *Ivan a accepté avec* **enthousiasme** *de venir avec nous en vacances,* il était très joyeux et très excité.

■ **enthousiasmer** v. 1er groupe. *Ce film nous* **a enthousiasmés,** il nous a beaucoup plu (= passionner).

■ **enthousiaste** adj. *Les spectateurs* **enthousiastes** *applaudissent,* pleins d'enthousiasme (= exalté ; ≠ indifférent, froid).

s'enticher v. 1er groupe. *Marie s'est* **entichée de** *ce chanteur,* elle éprouve soudain un attachement excessif pour lui (= s'engouer).

entier, ère adj. SENS 1. *Qui a entamé le fromage ? Il était* **entier** (= intact). SENS 2. *Il est resté absent un mois* **entier,** tout un mois. SENS 3. *J'ai en lui une* **entière** *confiance,* une confiance totale, complète (= plein, absolu ; ≠ partiel, limité). *J'ai lu ce livre* **en entier,** complètement. SENS 4. *Jean a un caractère* *entier* (= têtu, obstiné ; ≠ souple). ◆ *97 est un **nombre entier**, un nombre qui ne contient pas de virgule (≠ décimal).*

∎ **entièrement** adv. [SENS 3] *Je suis **entièrement** satisfait* (= totalement, absolument).

entomologie n.f. L'**entomologie** est la science qui étudie les insectes.

entonner v. 1er groupe. *Les assistants **ont entonné** un chant de Noël,* ils se sont mis à le chanter.

entonnoir n.m. *On verse le vin dans les bouteilles avec un **entonnoir**,* un ustensile fait d'un tube et d'une partie évasée.

entorse n.f. *Fabien s'est fait une **entorse**,* il s'est foulé la cheville. ◆ *Faire une **entorse** au règlement,* c'est ne pas le respecter.

entortiller v. 1er groupe. *Les bonbons **sont entortillés** dans du papier,* ils sont enveloppés dans du papier que l'on a tordu aux deux bouts. ●● *tortiller*

entourer v. 1er groupe. SENS 1. *Un mur **entoure** le jardin,* il est disposé tout autour. SENS 2. ***Entoure** le paquet avec de la ficelle !,* mets-la autour. SENS 3. *Sur la photo, Jean **est entouré** de ses amis,* ils sont autour de lui.

∎ **entourage** n.m. [SENS 3] *Je n'aime pas l'**entourage** de M. Vilmorin,* les gens qu'il fréquente.

entournure n.f. Fam. **Être gêné aux entournures**, c'est être dans une situation embarrassante.

entracte n.m. *À l'**entracte**, on a acheté des glaces au chocolat,* pendant l'interruption du spectacle.

s'**entraider** v. 1er groupe. *Entre voisins, il faut s'**entraider**,* s'aider les uns les autres. ●● *aider*

∎ **entraide** n.f. *Un comité d'**entraide** pour les victimes des inondations a été créé,* d'assistance mutuelle (= secours).

entrailles n.f. pl. *Les fauves se disputent les **entrailles** de leur proie,* les boyaux, les intestins.

entrain n.m. *Marie travaille avec **entrain*** (= ardeur, enthousiasme).

entraîner v. 1er groupe. SENS 1. *L'avalanche **a** tout **entraîné** sur son passage* (= emmener, emporter). SENS 2. *Joël m'**a entraîné** au cinéma,* il m'a décidé à aller avec lui. SENS 3. *Le déménagement **a entraîné** de grosses dépenses* (= causer, provoquer). SENS 4. *Le champion **s'entraîne** en vue du match* (= se préparer, s'exercer).

∎ **entraînant, ante** adj. [SENS 2] *La fanfare joue un air **entraînant**,* un air vif, qui incite à bouger, à danser.

∎ **entraînement** n.m. [SENS 4] *Le coureur a repris son **entraînement**,* les exercices pour s'entraîner.

∎ **entraîneur, euse** n. [SENS 4] *La patineuse est arrivée avec son **entraîneuse**,* celle qui la prépare aux compétitions.

entraver v. 1er groupe. *Des obstacles **ont entravé** la réussite de mon plan* (= gêner, empêcher).

∎ **entrave** n.f. *Il a eu un procès-verbal pour **entrave** à la circulation,* parce qu'il gênait la circulation. *Je ne mettrai aucune **entrave** à ce projet* (= obstacle).

entre prép. Ce mot indique un intervalle : *Jean est assis **entre** nous deux* (lieu) ; *je viendrai **entre** midi et deux heures* (temps). Il peut aussi être synonyme de « parmi » : *j'ai à choisir **entre** plusieurs solutions.*

entre- préfixe. Placé au début d'un mot, **entre-** indique une réciprocité : *entraide.* Il peut aussi indiquer un intervalle : ***entre**côte.*

entrebâiller v. 1er groupe. *Jean **a entrebâillé** la porte,* il l'a ouverte un petit peu (= entrouvrir).

■ **entrebâillement** n.m. *Serge a passé la tête dans l'**entrebâillement** de la porte,* par l'ouverture de la porte légèrement entrouverte.

entrechoquer v. 1ᵉʳ groupe. *Ils **ont entrechoqué** leurs verres en se souhaitant « bonne année ! »,* ils les ont heurtés l'un contre l'autre. *Les bidons **s'entrechoquent** dans la camionnette.* ●● *choc*

entrecôte n.f. *Une **entrecôte** est une tranche de viande située entre les côtes.* ●● *côte*

entrecouper v. 1ᵉʳ groupe. *Son discours **était entrecoupé** d'applaudissements,* il était interrompu par moments. ●● *couper*

entrecroiser v. 1ᵉʳ groupe. *Les fils de ce tissu **sont entrecroisés**,* ils se croisent à plusieurs reprises (= entrelacer, entremêler). ●● *croiser*

entrée → *entrer*

entrefaites n.f. pl. *Nous allions sortir ; **sur ces entrefaites**, il s'est mis à pleuvoir,* à ce moment-là.

entrefilet n.m. *Un **entrefilet** est un court article de journal.*

entrelacer v. 1ᵉʳ groupe. *J'**entrelace** des fleurs pour faire une guirlande,* je les mêle les unes aux autres (= entremêler, entrecroiser).
✳ Conj. n° 1.

■ **entrelacs** n.m. *Un **entrelacs** est un ornement fait de lignes entrelacées.*
✳ On ne prononce pas le « c » : [ɑ̃trəla].

entrelarder v. 1ᵉʳ groupe. *Le rôti est **entrelardé**,* on y a piqué du lard.

entremêler v. 1ᵉʳ groupe. *Les dates **s'entremêlent** dans ma tête,* elles sont mélangées, en désordre. ●● *mêler*

entremets n.m. *Les crèmes, les compotes, les glaces sont des **entremets**,* des plats sucrés servis après le fromage et avant les fruits.

s'entremettre v. 3ᵉ groupe. *J'ai essayé de **m'entremettre** pour qu'ils tombent d'accord,* d'établir un lien entre eux.
✳ Conj. n° 57.

■ **entremise** n.f. *J'ai su cela **par l'entremise de** mon voisin,* par son intermédiaire, grâce à lui.

entrepont n.m. *L'**entrepont** est l'espace compris entre deux ponts d'un bateau.* ●● *pont*

entreposer v. 1ᵉʳ groupe. *On **a entreposé** des meubles dans le grenier,* on les y a mis momentanément.

■ **entrepôt** n.m. *Ces bâtiments sont des **entrepôts** de marchandises,* des locaux où on les entrepose (= dépôt, dock).

entreprise n.f. SENS 1. *M. Dupont s'est lancé dans une **entreprise** difficile* (= action, affaire, travail). SENS 2. *Les employés de l'**entreprise** se sont mis en grève,* de l'usine ou de la société commerciale.

■ **entreprenant, ante** adj. [SENS 1] *Francis est un garçon **entreprenant*** (= actif, dynamique ; ≠ hésitant).

■ **entreprendre** v. 3ᵉ groupe. [SENS 1] *M. Delcour **a entrepris** un travail difficile,* il a commencé à le faire.
✳ Conj. n° 54.

■ **entrepreneur** n.m. [SENS 2] *M. Sandoz est **entrepreneur** de peinture,* il dirige une entreprise de peinture.

entrer v. 1ᵉʳ groupe. SENS 1. *Je **suis entré** dans un cinéma,* je suis allé à l'intérieur (= pénétrer ; ≠ sortir). SENS 2. *M. Durand **est entré** dans l'enseignement,* il est devenu professeur. SENS 3. *Quand il a su cela, il **est entré** dans une grande colère,* il s'est mis en colère. SENS 4. *Ce travail **entre** dans vos attributions,* il en fait partie.
✳ **Entrer** se conjugue avec l'auxiliaire « être ».

illustr.
p. 1033,
177

■ **entrée** n.f. [SENS 1] *Attends-moi à l'entrée de la maison !*, à l'endroit par où on entre (≠ *sortie*). *On lui a interdit l'entrée de la salle*, le droit d'entrer (= accès). [SENS 2] *Jean a passé un concours d'entrée à une grande école*, qui permet d'être admis dans cette école. ◆ *Il y avait une entrée avant le rôti*, un plat au début du repas.

entresol n.m. *Dans certains immeubles, il y a un entresol*, un appartement situé entre le rez-de-chaussée et le 1er étage.

entre-temps adv. *Appelez-moi la semaine prochaine, entre-temps j'aurai fait le nécessaire* (= d'ici-là).

entretenir v. 3e groupe. SENS 1. *M. Morin entretient bien sa voiture*, il la maintient en bon état. SENS 2. *Avec son salaire, M. Bertin a du mal à entretenir sa famille*, à la faire vivre (= nourrir). SENS 3. *Le président s'est entretenu avec le Premier ministre*, ils ont parlé ensemble. ✱ Conj. n° 22.

■ **entretien** n.m. [SENS 1] *Les Ponts et Chaussées sont chargés de l'entretien des routes et des ponts*. [SENS 3] *Il a demandé un entretien au directeur*, à parler avec lui (= entrevue, conversation).

s'**entretuer** v. 1er groupe. *Pendant la guerre civile, des voisins s'entretuaient*, se tuaient les uns les autres. ●● *tuer*

entrevoir v. 3e groupe. SENS 1. *Je l'ai entrevu à la réunion*, je l'ai vu peu de temps (= apercevoir). SENS 2. *On commence à entrevoir la solution du problème* (= pressentir). ●● *voir* ✱ Conj. n° 41.

entrevue n.f. *Les deux chefs d'État ont eu une entrevue*, ils se sont rencontrés pour discuter (= entretien, rendez-vous).

entrouvrir v. 3e groupe. *Entrouvrir une porte, une fenêtre*, c'est l'ouvrir un petit peu (= entrebâiller). ●● *ouvrir* ✱ Conj. n° 16.

énumérer v. 1er groupe. *Énumérer les chiffres de 1 à 10 !* c'est les dire l'un après l'autre (= citer). ✱ Conj. n° 10.

■ **énumération** n.f. *Il nous a fait une longue énumération des cadeaux qu'il a eus* (= liste).

envahir v. 2e groupe. SENS 1. *En 1940, les Allemands ont envahi la France*, ils l'ont occupée par la force. ●● *invasion*. SENS 2. *Le port est envahi par le sable*, entièrement rempli. SENS 3. *Une terreur l'avait envahi*, elle s'était emparée de lui.

■ **envahissant, ante** adj. [SENS 2] *Ces herbes sont envahissantes*, elles poussent partout.

■ **envahissement** n.m. [SENS 2] *Dès le mois de juin, il se produit un envahissement de la côte par les vacanciers* (= invasion).

■ **envahisseur** n.m. [SENS 1] *Les envahisseurs ont été repoussés*, les ennemis qui ont envahi le territoire.

envaser v. 1er groupe. *Le port est envasé*, la vase s'y est accumulée. SENS 2. *Le bateau s'est envasé*, il s'est immobilisé dans la vase. ●● *vase (2)*

enveloppe n.f. *As-tu collé un timbre sur l'enveloppe?*, sur la pochette qui contient ta lettre. *Le coussin est recouvert d'une enveloppe de tissu.*

illustr.
p. 122

■ **envelopper** v. 1er groupe. *Le colis est enveloppé dans du papier*, recouvert de papier pour le protéger (= entourer).

envenimer v. 1er groupe. SENS 1. *La blessure s'est envenimée*, elle s'est infectée. SENS 2. *La discussion s'est envenimée et ils se sont disputés*, elle a dégénéré.

envergure n.f. SENS 1. *L'envergure d'un oiseau*, c'est sa largeur, ailes déployées. SENS 2. *M. Bouvier est un homme de grande envergure*, un homme important, qui a de grandes capacités.

1. envers prép. Ce mot indique le destinataire d'une action, d'un sentiment : *j'ai une dette envers lui* (à l'égard de, vis-à-vis de).

2. envers n.m. *Tu as mis ton pull à l'envers,* du mauvais côté (≠ à l'endroit). *L'étiquette est cousue sur l'envers du tissu,* la face qui n'est pas destinée à être vue (≠ endroit).

envie n.f. SENS 1. *C'est par envie que certains disent du mal de lui* (= jalousie). SENS 2. *J'ai envie de partir en vacances,* je le désire beaucoup. *Qu'est-ce qui te fait envie ?,* qu'est-ce qui te tente ? SENS 3. *J'ai envie de dormir,* j'ai sommeil.

■ **enviable** adj. [SENS 2] *Son sort n'est pas enviable* (= souhaitable, tentant).

■ **envier** v. 1ᵉʳ groupe. [SENS 1] *Il m'envie mon beau pull-over,* il voudrait bien l'avoir.

■ **envieux, euse** adj. et n. [SENS 1] *Maxime est envieux. Sa réussite a fait des envieux* (= jaloux).

environ adv. *Il y a environ cent personnes dans la salle* (= approximativement, à peu près, autour de ; ≠ exactement, précisément).

■ **environs** n.m. pl. *Natacha habite dans les environs de Paris,* dans le voisinage, aux alentours.

■ **environner** v. 1ᵉʳ groupe. *Il est environné de gens désagréables,* ils sont autour de lui (= entourer).

■ **environnement** n.m. *Il se sent bien dans son environnement* (= milieu). *Il faut protéger l'environnement,* ce qui nous entoure (= nature).

envisager v. 1ᵉʳ groupe. SENS 1. *Nous envisageons de déménager,* nous en avons l'intention (= projeter). SENS 2. *Il faut envisager la suite,* y penser, s'en soucier.
✳ Conj. n° 2.

■ **envisageable** adj. *Cette solution est envisageable* (= concevable, possible).

envoi → *envoyer*

s'**envoler** v. 1ᵉʳ groupe. *Quand je me suis approché, les oiseaux se sont envolés,* ils sont partis en volant.

■ **envol** n.m. *L'avion se dirige vers la piste d'envol,* la piste d'où il s'envolera.

■ **envolée** n.f. *L'orateur a terminé son discours par une belle envolée,* un mouvement d'éloquence (= élan).

illustr. p. 75, 971,

envoûter v. 1ᵉʳ groupe. SENS 1. *On pensait que les sorciers envoûtaient les gens,* les dominaient par la magie (= ensorceler). SENS 2. *Il semblait envoûté par la musique* (= charmer, captiver).

■ **envoûtement** n.m. [SENS 1] *Il prétendait avoir été victime d'un envoûtement* (= sortilège). [SENS 2] *Nous étions sous l'envoûtement de cette musique* (= charme, ensorcellement).

envoyer v. 1ᵉʳ groupe. SENS 1. *Sa mère l'a envoyé chercher du pain,* elle lui a dit d'y aller. SENS 2. *Jean a envoyé une lettre à sa grand-mère,* il la lui a fait parvenir par la poste (= expédier, adresser ; ≠ recevoir). SENS 3. *Arrête d'envoyer des cailloux !* (= jeter, lancer).
✳ Conj. n° 11.

■ **envoi** n.m. [SENS 2] *As-tu reçu mon envoi ?,* la lettre ou le colis que je t'ai envoyé. [SENS 3] *Le coup d'envoi est le premier coup donné au ballon pour engager un match* (= engagement).

■ **envoyé, ée** n. [SENS 1] *Un envoyé spécial est un journaliste que son journal envoie à l'étranger à l'occasion d'un événement particulier.*

■ **envoyeur, euse** n. [SENS 2] *Cette lettre a été retournée à l'envoyeur* (= expéditeur).

éolienne n.f. *Une éolienne est une machine qui, grâce à une hélice ou à une roue à pales tournant sous l'action du vent, peut faire marcher une dynamo ou une pompe à eau.*

illustr. p. 277

épagneul n.m. *Les épagneuls sont des chiens de chasse aux oreilles pendantes.*

épais, épaisse adj. SENS 1. *Ce livre est* **épais** (= gros ; ≠ mince). SENS 2. *Cette planche est* **épaisse** *de 5 centimètres, elle a 5 centimètres de distance entre ses deux faces* (≠ long, large). SENS 3. *La sauce est trop* **épaisse**, *elle a une consistance trop ferme* (= pâteux ; ≠ fluide, liquide). SENS 4. *Le brouillard est* **épais**, *on n'y voit rien* (= abondant, dense ; ≠ léger).

■ **épaisseur** n.f. [SENS 1 et 2] *Ce mur a une* **épaisseur** *de 50 centimètres* (≠ longueur, largeur). [SENS 3] *L'*épaisseur *du brouillard a encore augmenté* (= densité).

■ **épaissir** v. 2ᵉ groupe. [SENS 3 et 4] *Pour* **épaissir** *la sauce, ajoute un peu de farine,* pour la rendre plus épaisse. *La sauce a* **épaissi**, *elle est devenue plus épaisse.*

s'**épancher** v. 1ᵉʳ groupe. *Pierre a besoin de s'***épancher***, de parler avec une personne de confiance* (= se confier).

■ **épanchement** n.m. *J'ai été le témoin de ses* **épanchements** (= confidence).

s'**épanouir** v. 2ᵉ groupe. SENS 1. *Cette fleur* **s'épanouit** *au mois de mai* (= s'ouvrir). SENS 2. *À cette bonne nouvelle, son visage* **s'est épanoui**, *il a souri* (= rayonner, s'éclairer). SENS 3. *Pour* **s'épanouir***, un enfant a besoin d'amour* (= se développer).

■ **épanouissement** n.m. [SENS 3] *L'***épanouissement** *d'une civilisation, c'est son apogée, son développement complet.*

épargner v. 1ᵉʳ groupe. SENS 1. *Dans l'accident d'avion, tout le monde a été* **épargné**, *est resté vivant* (= sauver). SENS 2. *Ils* **épargnent** *de l'argent pour s'acheter une maison, ils le mettent de côté* (= économiser ; ≠ dépenser, gaspiller). SENS 3. *Tu m'as* **épargné** *une corvée, je l'ai évitée grâce à toi.*

■ **épargnant, ante** n. [SENS 2] *De nombreux* **épargnants** *déposent leurs éco-* nomies à la banque, les personnes qui épargnent de l'argent.

■ **épargne** n.f. [SENS 2] *Ils mettent leurs économies à la* **caisse d'épargne**, *un organisme qui fait fructifier l'argent qu'on y dépose.*

éparpiller v. 1ᵉʳ groupe. *Le vent a* **éparpillé** *les feuilles mortes* (= disperser ; ≠ rassembler, grouper).

■ **éparpillement** n.m. *L'***éparpillement** *des efforts les rend peu efficaces* (= dispersion).

épars, éparse adj. *Les enquêteurs examinent les débris* **épars** *de l'avion* (= dispersé, éparpillé).

épatant, ante adj. Fam. *Marie est une fille* **épatante**, *très agréable* (= sympathique, formidable).

épaté, ée adj. *Le boxeur a le nez* **épaté** (= aplati).

épater v. 1ᵉʳ groupe. Fam. *Pierre cherche à nous* **épater**, *il veut qu'on l'admire* (= impressionner, surprendre, éblouir).

épaule n.f. SENS 1. *L'***épaule** *est la partie du corps où se situe l'articulation du bras et du thorax.* SENS 2. *Nous avons mangé une* **épaule** *de mouton,* le haut de la patte de devant. *illustr. p. 217*

■ **épauler** v. 1ᵉʳ groupe. [SENS 1] *Le chasseur* **épaule** *son fusil pour tirer,* il l'appuie contre son épaule. ◆ **Épauler** quelqu'un, *c'est lui apporter une aide* (= soutenir, aider).

■ **épaulette** n.f. [SENS 1] *Certaines vestes militaires portent des* **épaulettes**, *des bandes de tissu se boutonnant sur l'épaule.* ◆ *On met des* **épaulettes** *à un manteau pour avoir les épaules plus carrées, des rembourrages.* *illustr. p. 42*

épave n.f. SENS 1. *Une* **épave** *a été signalée sur la plage,* un bateau naufragé, échoué. SENS 2. Fam. *L'alcool a fait de cet homme une* **épave**, *une personne misérable.*

Épervier

illustr.
p. 42,
165
épée n.f. *Autrefois, on se battait à* l'**épée**, une arme d'acier faite d'une longue lame pointue et d'une poignée.

épeler v. 1er groupe. **Épeler** un mot, c'est en dire les lettres l'une après l'autre. ✹ Conj. n° 6.

éperdu, ue adj. *Olivier était **éperdu** de joie,* fou de joie.

■ **éperdument** adv. *Il est **éperdument** amoureux* (= follement). *Je m'en moque **éperdument*** (= complètement).

illustr.
p. 970
éperon n.m. SENS 1. *Les cavaliers portent des **éperons** à leurs talons,* des pièces de métal munies de pointes pour stimuler le cheval. SENS 2. *Les galères portaient un **éperon** pour éventrer la coque d'un ennemi,* une poutre fixée à l'avant de la coque.

■ **éperonner** v. 1er groupe. [SENS 1] *Il **éperonne** son cheval pour le faire aller plus vite,* il le pique avec les éperons. [SENS 2] *Le cuirassé **a éperonné** le navire,* il l'a heurté avec son éperon.

illustr.
p. 616
épervier n.m. *L'**épervier** a saisi un moineau dans ses serres,* un oiseau rapace.

éphémère adj. *Ce livre n'a connu qu'un succès **éphémère**,* très court (= passager, momentané ; ≠ durable).

illustr.
p. 122
éphéméride n.f. *Une **éphéméride** est un calendrier dont on retire chaque jour un feuillet.*

illustr.
p. 20
épi n.m. SENS 1. *Jean mange un **épi** de maïs,* le bout de la tige portant les grains. SENS 2. *Elle a vaporisé de la laque pour rabattre ses **épis**,* des mèches de cheveux rebelles. SENS 3. *Les voitures sont stationnées **en épi**,* parallèlement entre elles, mais obliquement par rapport au trottoir ou à une ligne centrale.

épice n.f. *Le poivre, le piment, le clou de girofle sont des **épices**,* des substances qui donnent plus de goût aux aliments. → *aromate, condiment*

■ **épicé, ée** adj. *Cette sauce est trop **épicée**,* assaisonnée d'épices (= piquant, pimenté, relevé ; ≠ fade).

épicéa n.m. *L'**épicéa** est un conifère.*
illustr.
p. 616

épicentre n.m. *L'**épicentre** d'un tremblement de terre est le lieu où les secousses sont le plus fortement ressenties,* son foyer.
illustr.
p. 949

épicerie n.f. *Dans une **épicerie**, on achète des produits alimentaires variés.*

■ **épicier, ière** n. *L'**épicier** est le commerçant qui tient une épicerie.*

épidémie n.f. *Cet hiver, il y a eu une **épidémie** de grippe,* beaucoup de gens ont eu cette maladie.

■ **épidémique** adj. *La peste est une maladie **épidémique**,* elle se propage par épidémies (= contagieux).

épiderme n.m. *L'égratignure n'a atteint que l'**épiderme**,* la partie superficielle de la peau.

épier v. 1er groupe. *Je n'aime pas qu'on **épie** ce que je fais,* qu'on m'espionne (= surveiller).

épieu n.m. *Autrefois, on chassait avec un **épieu**,* un gros bâton terminé par une pointe de fer.
✹ Au pluriel, on écrit des **épieux**.

épilatoire → *épiler*

épilepsie n.f. *M. Masson a des crises d'**épilepsie**,* d'une maladie nerveuse qui cause des convulsions.

■ **épileptique** adj. et n. *M. Masson est (un) **épileptique**.*

épiler v. 1er groupe. **Épiler**, c'est arracher les poils avec une pince ou les supprimer avec une crème.
illustr.
p. 239

▪ **épilation** n.f. *Elle s'est fait faire une* **épilation** *chez une esthéticienne.*

▪ **épilatoire** adj. *Une crème* **épilatoire** *est une crème qui sert à ôter les poils.*

épilogue n.m. *Quel est l'***épilogue** *de cette histoire ?* (= fin, conclusion, dénouement).

épiloguer v. 1er groupe. *Inutile d'***épiloguer** *sur cette affaire !,* d'en parler longuement.

illustr. p. 746 **épinards** n.m. pl. *Les* **épinards** *sont une plante potagère dont les feuilles vertes se mangent cuites.*

épine n.f. SENS 1. *La ronce a des* **épines***, des piquants.* SENS 2. *Je sens une douleur à l'***épine dorsale***,* la colonne vertébrale.

▪ **épineux, euse** adj. [SENS 1] *Les ronces sont des plantes* **épineuses***,* couvertes d'épines. ◆ *Ce problème est* **épineux** (= difficile, délicat).

▪ **épinière** adj.f. [SENS 2] *La* **moelle épinière** *est le cordon nerveux contenu dans la colonne vertébrale.*

illustr. p. 123, 228 **épingle** n.f. SENS 1. *La couturière s'est piquée avec une* **épingle***,* une fine tige d'acier munie d'une tête. SENS 2. *M. Martin est toujours* **tiré à quatre épingles***,* il est habillé très soigneusement. SENS 3. *Il* **a monté en épingle** *ce petit succès,* il l'a exagérément mis en valeur. SENS 4. *Certains ont su* **tirer leur épingle du jeu***,* se sortir habilement d'une situation délicate.

▪ **épingler** v. 1er groupe. [SENS 1] *Jean* **a épinglé** *des cartes postales au mur,* il les a fixées avec des épingles. ◆ Fam. *Les malfaiteurs se sont fait* **épingler***,* ils ont été arrêtés (= attraper, fam. pincer).

épinière → *épine*

Épiphanie n.f. (Avec majuscule.) *L'***Épiphanie** *est une fête de l'Église chrétienne qui rappelle la visite que les Rois mages* ont rendue à l'enfant Jésus dans la crèche de Bethléem (= jour des Rois, fête des Rois).

épique → *épopée*

épiscopal, ale, aux adj. *La bénédiction* **épiscopale** *est la bénédiction donnée par un évêque.*

▪ **épiscopat** n.m. *L'***épiscopat** *français s'est réuni,* l'ensemble des évêques. ●● *évêque*

épisode n.m. *Il nous a raconté un* **épisode** *de sa vie,* un moment particulier (= passage, circonstance, événement).

▪ **épisodique** adj. *Ma présence ici est* **épisodique***,* elle n'a lieu que de temps en temps (≠ habituel, régulier).

▪ **épisodiquement** adv. *Je le rencontre* **épisodiquement***,* de temps en temps.

épistolaire adj. *Des relations* **épistolaires** *ont lieu par des lettres, par correspondance.*

▪ **épître** n.f. *Une* **épître** *est une longue lettre.*
✴ *Ce mot s'emploie surtout dans la langue écrite.*

épitaphe n.f. *Une* **épitaphe** *est une inscription gravée sur une tombe.*

épithète n.f. SENS 1. *Dans l'expression « un travail facile », l'adjectif « facile » est l'***épithète** *du nom « travail »,* il lui est relié directement, sans l'intermédiaire d'un verbe. SENS 2. *Des* **épithètes** *injurieuses ou flatteuses sont des mots adressés à quelqu'un pour l'injurier ou le flatter.*
✴ *Ce mot est du genre féminin.*

épître → *épistolaire*

éploré, ée adj. *Son visage* **éploré** *faisait pitié,* son visage en larmes. ◆ *Une voix* **éplorée** *est une voix larmoyante.* ●● *pleurer*

éplucher v. 1er groupe. **Éplucher** *des fruits, des légumes,* c'est retirer leur peau avec un couteau (= peler).

■ **épluchage** n.m. *Aujourd'hui, tu es de corvée d'épluchage.*

■ **épluchure** n.f. *Jette ces épluchures à la poubelle !, ces morceaux de peau d'un légume ou d'un fruit épluché* (= déchet).

illustr. p. 311 **éponge** n.f. SENS 1. *Une éponge est un objet en matière souple qui absorbe les liquides. (Les éponges naturelles sont les squelettes d'animaux vivant au fond des mers.)* SENS 2. *Il a fait une bêtise, mais on a passé l'éponge, on lui a pardonné.* SENS 3. *Après avoir longtemps résisté, il a jeté l'éponge, il a abandonné.*

■ **éponger** v. 1er groupe. *Il s'est épongé la figure avec son mouchoir* (= essuyer).
✳ Conj. n° 2.

épopée n.f. *« L'Iliade » et « l'Odyssée » sont des épopées, de longs poèmes racontant des aventures héroïques.*

■ **épique** adj. *Un poème épique est une épopée.* ◆ *Il m'est arrivé une aventure épique* (= extraordinaire).

époque n.f. *À quelle époque a vécu Louis XIV ? – Au XVIIe siècle* (= moment, temps, période).

s'**époumoner** v. 1er groupe. *Tu es sourd ? Voilà cinq minutes qu'on s'époumone à t'appeler, qu'on t'appelle en criant très fort* (= s'égosiller). ●● *poumon*

épouser v. 1er groupe. SENS 1. *Jacques a épousé Anita, il s'est marié avec elle.* SENS 2. *Ce fauteuil épouse la forme du corps, il y est adapté exactement.*

■ **époux, épouse** n. [SENS 1] *Jacques est l'époux d'Anita* (= mari). *Anita est l'épouse de Jacques* (= femme).

épousseter v. 1er groupe. *Épousseter des meubles, c'est enlever leur poussière avec un plumeau, un chiffon, etc.*
✳ Conj. n° 8.

époustoufler v. 1er groupe. Fam. *Sa réponse m'a époustouflé, elle m'a beaucoup surpris* (= stupéfier, fam. épater, souffler).

épouvante n.f. *Les naufragés poussaient des hurlements d'épouvante, dus à une peur très grande.*

■ **épouvantable** adj. *L'accident était un spectacle épouvantable* (= terrifiant, effroyable, horrible).

■ **épouvantablement** adv. *Tout cela est épouvantablement compliqué* (= horriblement, extrêmement).

■ **épouvantail** n.m. *Un épouvantail est une sorte de mannequin qui sert à éloigner les oiseaux des cultures.* *illustr. p. 746*

■ **épouvanter** v. 1er groupe. *Antoine est épouvanté par les histoires de fantômes* (= effrayer, terroriser, terrifier).

époux, épouse → **épouser**

s'**éprendre** v. 3e groupe. *Jacques s'est épris de Geneviève et il l'a épousée, il s'est mis à l'aimer.*
✳ Conj. n° 54.

épreuve n.f. SENS 1. *Joël a échoué à l'épreuve de français, à cette partie de l'examen* (= examen). SENS 2. *Myriam a remporté l'épreuve de natation* (= compétition). SENS 3. *M. Chanot a connu bien des épreuves dans sa vie* (= malheur, souffrance). SENS 4. *Il a montré un courage à toute épreuve, capable de résister à tout.* SENS 5. *On l'a mis à l'épreuve, on a testé sa résistance.*

■ **éprouver** v. 1er groupe. [SENS 3] *Sa mort m'a beaucoup éprouvé, m'a fait souffrir* (= peiner). ◆ *J'éprouve une grande amitié pour Daniel, j'ai ce sentiment* (= ressentir).

■ **éprouvant, ante** adj. [SENS 3] *Ce voyage dans le désert a été très éprouvant* (= pénible).

■ **éprouvé, ée** adj. [SENS 5] *On utilise un matériel éprouvé, dont la fiabilité est reconnue.*

éprouvette n.f. *Le chimiste fait ses expériences dans des éprouvettes, des tubes de verre spéciaux.*

épuiser v. 1er groupe. SENS 1. *Jean est épuisé par cette longue marche, il est* très fatigué (= exténuer, harasser). **SENS 2.** *Ce livre* **est épuisé**, *tous les exemplaires ont été vendus.* ●● *inépuisable*

■ **épuisant, ante** adj. **[SENS 1]** *Ce travail continuel est* **épuisant** (= exténuant, éreintant, harassant).

■ **épuisement** n.m. **[SENS 1]** *Jean est dans un état d'*épuisement *total,* de grande fatigue. **[SENS 2]** *La vente continue jusqu'à l'*épuisement *des marchandises.*

épuisette n.f. *Le pêcheur prend le poisson dans son* **épuisette**, *un petit filet muni d'un manche.*

épurer v. 1ᵉʳ groupe. **Épurer** *un liquide, c'est en éliminer les impuretés, les éléments malsains* (= purifier). ●● *pur*

■ **épuration** n.f. *Une* **station d'épuration** *est une installation où l'on filtre les eaux des égouts ou d'un cours d'eau.*

équarrir v. 2ᵉ groupe. **SENS 1. Équarrir** *un tronc d'arbre, c'est lui donner un aspect à peu près carré.* **SENS 2. Équarrir** *un animal de boucherie, c'est le découper en grands morceaux.*

illustr. p. 310
équateur n.m. *Le bateau a franchi l'*équateur, *le cercle qui, sur une mappemonde, est à égale distance des pôles.* ✳ *On prononce* [ekwatœr].

illustr. p. 982
■ **équatorial, ale, aux** adj. *Il fait très chaud dans les régions* **équatoriales**, *situées près de l'équateur.*

illustr. p. 995, 311
équerre n.f. *Une* **équerre** *est un instrument qui sert à tracer des angles droits.*

équestre → *équitation*

> **équi-**, préfixe. *Placé au début d'un mot,* **équi-** *indique l'égalité.* ✳ *On prononce tantôt* [ekɥi-] : *équidistant ;* tantôt [eki-] : *équivaloir.*

équidistant, ante adj. *Ces deux villes sont* **équidistantes** *de Marseille, à la même distance.* ●● *distance*

équilatéral, ale, aux adj. *Un triangle* **équilatéral** *a trois côtés de même longueur et trois angles égaux.* ●● *latéral*

illustr. p. 431

équilibre n.m. **SENS 1.** *Ahmed a glissé, et il a perdu l'*équilibre, *la position verticale de stabilité.* **SENS 2.** *Les deux plateaux de la balance sont en* **équilibre**, *ils portent le même poids* (≠ déséquilibre). **SENS 3.** *Il faut rétablir l'*équilibre *entre ces deux concurrents,* un rapport juste.

■ **équilibrer** v. 1ᵉʳ groupe. **[SENS 2]** *Les deux poids* **s'équilibrent** (= se compenser).

■ **équilibré, ée** adj. *Pierre est un garçon* **équilibré** (= sage ; ≠ déséquilibré, instable).

■ **équilibriste** n. **[SENS 1]** *Les* **équilibristes** *peuvent marcher sur une corde sans tomber,* les artistes qui font des tours d'équilibre. → *funambule, acrobate*

équille n.f. *Une* **équille** *est un poisson long et mince qui s'enfouit dans le sable.*

équinoxe n.m. *Au moment des* **équinoxes**, *le jour et la nuit ont une durée égale,* le 20 ou le 21 mars et le 22 ou le 23 septembre dans l'hémisphère Nord.

équipage n.m. *L'*équipage *d'un bateau, d'un avion, c'est l'ensemble du personnel qui assure la manœuvre et le service.*

illustr. p. 971

équipe n.f. *Ludovic fait partie d'une* **équipe** *de football,* d'un groupe de joueurs.

■ **équipier, ère** n. *Il a passé la balle à son* **équipier**, *à un joueur de son équipe.* ✳ *On dit aussi* **coéquipier**.

équipée n.f. *Il m'a raconté son* **équipée**, *son aventure, son voyage riche en incidents.*

équiper v. 1ᵉʳ groupe. *Cette voiture* **est équipée** *des derniers perfectionnements,* elle en est pourvue.

■ **équipement** n.m. *Julien a acheté un* **équipement** *de ski,* ce qu'il faut pour faire du ski.

équipier → **équipe**

équitable → **équité**

illustr.
p. 531 ■ **équitation** n.f. *Marie fait de l'***équitation,** *elle monte à cheval.*

illustr.
p. 41 ■ **équestre** adj. *Une statue* **équestre** *représente un homme sur un cheval.*

■ **équité** n.f. *Il a jugé avec* **équité,** *de manière juste* (= justice, impartialité).

■ **équitable** adj. *Ce partage est* **équitable** (= juste ; ≠ partial).

■ **équitablement** adv. *Les frais d'entretien sont* **équitablement** *répartis entre les usagers,* avec justice.

■ **équivaloir** v. 3ᵉ groupe. *Le prix de cette voiture* **équivaut** *à dix mois de mon salaire,* il a une valeur égale à (= égaler, représenter). ●● **valoir**
✳ Conj. nº 40.

■ **équivalent, ente** adj. *Ces deux terrains ont une surface* **équivalente,** *égale.* ◆ n.m. *« Épouvantable » est un* **équivalent** *de « effroyable »,* il a à peu près le même sens (= synonyme). *Elle avait un travail très intéressant, elle n'a jamais retrouvé l'***équivalent,** *la même chose.*
✳ Ne pas confondre **équivalent** (adjectif) et **équivalant** (participe présent du verbe « équivaloir »).

■ **équivalence** n.f. *Il y a* **équivalence** *de surface entre ces deux terrains,* égalité de valeur.

■ **équivoque** SENS 1. adj. *Ta phrase est* **équivoque,** *elle peut avoir plusieurs sens.* SENS 2. n.f. *Il a dit sans* **équivoque** *qu'il était de mon avis,* il l'a dit clairement (= ambiguïté).

illustr.
p. 495 ■ **érable** n.m. *Au Canada, il y a des forêts d'***érables,** de grands arbres dont le fruit est muni d'une paire d'ailes.

érafler v. 1ᵉʳ groupe. *Marie* **s'est éraflé** *les bras dans les ronces* (= égratigner, écorcher). *La peinture de la carrosserie* **a été éraflée** (= rayer).

■ **éraflure** n.f. *Marie a des* **éraflures** *aux mains* (= égratignure, griffure).

éraillé, ée adj. *Un ivrogne chantait d'une voix* **éraillée,** d'une voix rauque, enrouée.

ère n.f. *Nous sommes au XXᵉ siècle de l'***ère** *chrétienne* (= époque). *En géologie, on distingue quatre époques successives : l'***ère primaire,** *l'***ère secondaire,** *l'***ère tertiaire** *et l'***ère quaternaire.**
✳ Ne pas confondre avec **air** et **aire.**

érection → **ériger**

éreinter v. 1ᵉʳ groupe. SENS 1. *Il* **s'est éreinté** *à finir ce travail,* il s'est épuisé. SENS 2. *Les journalistes* **ont éreinté** *son livre,* ils l'ont critiqué durement.

■ **éreintant, ante** adj. [SENS 1] *Ce travail est* **éreintant** (= épuisant, exténuant).

illustr.
p. 384 **ergot** n.m. *Un* **ergot** *est un ongle que certains animaux (coq, chien, etc.) ont derrière la patte.* ◆ *Pierre* **s'est dressé sur ses ergots** *pour protester,* il a pris une attitude menaçante.

ergoter v. 1ᵉʳ groupe. *Tu as beau* **ergoter,** *le résultat est là,* discuter sur des détails (= chicaner, fam. pinailler).

ériger v. 1ᵉʳ groupe. *On a* **érigé** *un monument devant la mairie,* on l'a mis en place (= dresser, élever).
✳ Conj. nº 2.

■ **érection** n.f. *On a procédé à l'***érection** *du monument,* on l'a dressé.

ermite n.m. *M. Bernard vit comme un* **ermite,** comme un moine qui s'est retiré dans un endroit désert.

■ **ermitage** n.m. *Les ermites vivaient dans des* **ermitages,** dans des endroits isolés, à l'écart du monde.

349

érosion n.f. *Le vent, la mer, les rivières provoquent l'**érosion**, l'usure de la surface de la Terre.*

érotique adj. *Un livre **érotique** provoque des émotions sexuelles.*

errer v. 1er groupe. *Nous **avons erré** toute la journée dans la campagne, nous avons marché sans but, au hasard.*

■ **errant, ante** adj. *Les chiens **errants** sont emmenés à la fourrière* (= vagabond).

erreur n.f. SENS 1. ***Il y a une erreur** dans ton calcul, tu t'es trompé* (= faute). *Nous avons pris ce chemin **par erreur**, par manque d'attention, par mégarde.* SENS 2. *Ce serait une **erreur** de croire que nous ne réagirons pas, on aurait tort de le croire.*

■ **erroné, ée** adj. [SENS 1] *Ton calcul est **erroné*** (= faux ; ≠ juste).

érudit, ite adj. et n. *M. Dupuis est très **érudit** sur le règne de Louis XIV, il sait beaucoup de choses sur ce sujet* (= savant). *Mon grand-père est un spécialiste des poètes grecs, c'est un **érudit**.*

■ **érudition** n.f. *C'est un homme d'une grande **érudition*** (= savoir).

illustr. p. 949, 983
éruption n.f. SENS 1. *L'**éruption** du volcan a fait beaucoup de morts, l'explosion et le jaillissement de la lave.* SENS 2. *Camille a une **éruption** de boutons sur la figure, des boutons qui sont apparus soudain.*
✳ Ne pas confondre **éruption** et **irruption**.

■ **éruptif, ive** adj. *Les roches **éruptives** proviennent d'éruptions volcaniques.*

esbroufe n.f. Fam. *Il fait de l'**esbroufe**, il se vante, il bluffe.*

illustr. p. 117
escabeau n.m. *Monte sur un **escabeau** pour décrocher les rideaux !, une petite échelle pliante.*

illustr. p. 55, 440
escadre n.f. *Une **escadre** a jeté l'ancre dans le port, un groupe de navires de guerre.*

■ **escadrille** n.f. *Une **escadrille** a bombardé la ville, un groupe d'avions de guerre.*

■ **escadron** n.m. *Un **escadron** est commandé par un capitaine, un groupe de soldats.*

illustr. p. 29
escalade n.f. SENS 1. *Les alpinistes ont fait l'**escalade** de la montagne, ils sont montés au sommet* (= ascension). SENS 2. *Les dernières manifestations marquent une **escalade** de la violence, une augmentation soudaine* (≠ désescalade).

■ **escalader** v. 1er groupe. [SENS 1] *Un voleur **a escaladé** le mur du jardin* (= franchir, gravir).

illustr. p. 151
Escalator n.m. *Un **Escalator** conduit au premier étage du magasin, un escalier mécanique.*
✳ **Escalator** est un nom de marque, il s'écrit avec une majuscule dans les textes imprimés.

escale n.f. *Le navire fera **escale** dans le port de Marseille, il s'arrêtera un certain temps.*

illustr. p. 573, 151, 863
escalier n.m. *Un **escalier** est une suite de marches qui permettent de monter et de descendre. Dans les grands magasins, il y a des **escaliers mécaniques**.*

escalope n.f. *Une **escalope** de veau, de dinde est une mince tranche de viande.*

escamoter v. 1er groupe. *Le prestidigitateur **a escamoté** un lapin, il l'a fait disparaître adroitement.*

■ **escamotable** adj. *Le train d'atterrissage des avions est **escamotable**, il se replie et cesse d'être apparent.*

escampette n.f. Fam. *Pierre **a pris la poudre d'escampette**, il s'est enfui très vite* (= décamper, déguerpir, filer).

Escargot

escapade n.f. *Il nous a raconté son escapade,* sa sortie pour se distraire, pour échapper à une contrainte.

escarcelle n.f. Autrefois, une **escarcelle** était une bourse suspendue à la ceinture.

escargot n.m. Un **escargot** est un mollusque à coquille en spirale.

escarmouche n.f. *Quelques soldats ont été tués dans une escarmouche,* un combat de faible importance.

escarpé, ée adj. *Le sentier est très escarpé,* il monte très rapidement (= raide, abrupt). Un sommet **escarpé** est difficile à atteindre.

■ **escarpement** n.m. *Le château est sur un escarpement rocheux,* un endroit escarpé.

escarpin n.m. Des **escarpins** sont des chaussures féminines légères et élégantes.

escient n.m. *Il a agi à bon escient,* comme il le fallait.

s'**esclaffer** v. 1er groupe. *Quand j'ai répondu, il s'est esclaffé,* il a éclaté de rire.

esclandre n.m. *M. Barbier a fait un esclandre,* il s'est mis à protester violemment (= scandale).

illustr. p. 41 **esclave** n. SENS 1. *Autrefois, les Noirs américains étaient des esclaves,* ils étaient privés de liberté sous la domination de maîtres auxquels ils appartenaient. SENS 2. *Éric est l'esclave de ses habitudes,* il est dominé par elles (= prisonnier).

■ **esclavage** n.m. [SENS 1] *Ce peuple vécut longtemps en esclavage,* dans la servitude.

escogriffe n.m. Fam. *Comment s'appelle ce grand escogriffe?,* cet homme grand et mal bâti.

escompte n.m. *Le vendeur m'a fait un escompte de 5 %,* il a diminué le prix, parce que je payais la totalité immédiatement (= remise, rabais).

escompter v. 1er groupe. *On escompte que l'assistance sera nombreuse,* on compte là-dessus (= espérer).

escorte n.f. *On l'a emmené en prison sous bonne escorte,* des policiers l'accompagnaient (= garde). *L'équipe victorieuse était entourée d'une escorte de supporters* (= troupe).

■ **escorter** v. 1er groupe. *Le président est escorté par des motards,* ils le précèdent et le suivent pour le protéger.

■ **escorteur** n.m. *Le convoi maritime est accompagné par des escorteurs,* des navires de protection. *illustr. p. 55*

escouade n.f. *Une escouade de policiers s'est lancée à la poursuite des gangsters,* une petite troupe.

escrime n.f. L'**escrime** est un sport qui consiste à se battre au fleuret, à l'épée ou au sabre. *illustr. p. 913*

■ **escrimeur, euse** n. Un **escrimeur** est un sportif qui pratique l'escrime.

s'**escrimer** v. 1er groupe. *L'accusé s'escrime à prouver son innocence,* il s'y applique en faisant de gros efforts (= s'évertuer).

escroc n.m. *Un escroc lui a vendu des faux tableaux,* un homme qui cherche à gagner de l'argent malhonnêtement. ✳ On ne prononce pas le « c » : [ɛskro].

■ **escroquer** v. 1er groupe. *Il s'est fait escroquer ses économies* (= voler).

■ **escroquerie** n.f. *Cet individu a été arrêté pour escroquerie.*

espace n.m. SENS 1. *La fusée a placé un satellite dans l'espace,* hors de l'atmosphère. ●● *spatial.* SENS 2. *Cet appartement est trop petit, on manque d'espace* (= place, volume). ●● *spacieux.* SENS 3. *illustr. p. 202*

Il y a un **espace** *de 8 mètres entre chaque arbre* (= distance). SENS 4. *En l'**espace** d'une heure, il avait fini son travail* (= durée).

▪ **espacer** v. 1er groupe. [SENS 3] *Espace davantage tes mots !* (= séparer). [SENS 4] *Ses visites **se sont espacées**,* il vient moins souvent.
✳ Conj. n° 1.

▪ **espacement** n.m. [SENS 3] *Augmente l'**espacement** entre les mots !* (= espace, intervalle).

espadon n.m. *Les **espadons** peuvent dépasser 4 mètres de long,* des poissons dont la tête est prolongée par un os long et pointu.

illustr. p. 1011 **espadrille** n.f. *L'été, je mets des **espadrilles**,* des chaussures de toile à semelle de corde tressée.

espagnolette n.f. *L'**espagnolette** de la fenêtre est bloquée,* la poignée pour l'ouvrir et la fermer.

illustr. p. 746 **espalier** n.m. *Les arbres fruitiers en **espalier** sont taillés et dirigés de façon à pousser contre un mur.

espèce n.f. SENS 1. *L'**espèce** humaine est l'ensemble de tous les hommes* (≠ individu). SENS 2. *Je n'aime pas les gens de son **espèce**,* qui lui ressemblent (= genre, catégorie). *Jean porte une **espèce** de chapeau* (= genre, sorte). SENS 3. (Au plur.) *M. Hassan a payé en **espèces**,* avec de l'argent (= en liquide).

espérer v. 1er groupe. *J'**espère** que tu seras reçu à ton examen,* je le prévois et je le souhaite (≠ désespérer). ▪▪ *inespéré*
✳ Conj. n° 10.

▪ **espérance** n.f. *Il a gardé l'**espérance** de réussir,* il l'espère.

▪ **espoir** n.m. SENS 1. *On a perdu l'**espoir** de les retrouver,* on n'espère plus (≠ désespoir). SENS 2. *Ce coureur est un* des **espoirs** *du cyclisme français,* on prévoit qu'il sera un champion.

espiègle adj. *David est très **espiègle**,* il aime faire des farces, mais sans méchanceté (= coquin).

▪ **espièglerie** n.f. *Ne te fâche pas pour cette **espièglerie*** (= farce).

espion, onne n. *Un **espion** est quelqu'un qui cherche à découvrir des secrets dans les domaines militaire, économique, politique pour les communiquer à un pays étranger ou à un concurrent.

▪ **espionner** v. 1er groupe. *Arrête un peu de m'**espionner** !* (= surveiller, guetter, épier).

▪ **espionnage** n.m. *On a arrêté le chef d'un réseau d'**espionnage**.* ▪▪ *contre-espionnage*

esplanade n.f. *Nous avons traversé l'**esplanade** des Invalides,* la grande place qui se trouve devant ce bâtiment.
illustr. p. 10

espoir → *espérer*

esprit n.m. SENS 1. *Qu'est-ce que tu as dans l'**esprit** ?,* à quoi penses-tu ? (= tête, pensée). → *mental*. SENS 2. *Dans quel état d'**esprit** est-il venu ?,* quelles étaient ses intentions, ses dispositions ? → *psychologie*. SENS 3. *Jean a l'**esprit** vif* (= intelligence). SENS 4. *Avoir l'**esprit** d'entreprise,* c'est être entreprenant ; *avoir l'**esprit** d'équipe,* c'est être solidaire de son équipe ; *avoir **mauvais esprit**,* c'est être malveillant. SENS 5. *Elsa est pleine d'**esprit**,* elle a beaucoup d'humour. ▪▪ *spirituel*. SENS 6. *Je ne suis pas un **pur esprit**,* un être sans corps comme Dieu, les anges, les fantômes. ▪▪ *spiritisme*

esquif n.m. *Ils se sont embarqués sur un frêle **esquif**,* un petit bateau.

1. Esquimau, aude n. (Avec majuscule.) *Les **Esquimaux** sont les habitants des régions polaires* (= Inuit).
illustr. p. 73(

illustr. p. 150
2. Esquimau n.m. *Au cinéma, j'ai acheté un **Esquimau**, une glace enrobée de chocolat, fixée sur un bâtonnet.*
✳ **Esquimau** est un nom de marque, il s'écrit avec une majuscule dans les textes imprimés.

esquinter v. 1er groupe. Fam. *Qui **a** esquinté mon stylo ?* (= abîmer).

esquisser v. 1er groupe. SENS 1. *Esquisser* un portrait, c'est le dessiner (= ébaucher). SENS 2. *Marie **a** esquissé un sourire,* elle l'a commencé (= amorcer).

■ **esquisse** n.f. [SENS 1] *Ce dessin n'est qu'une **esquisse**,* il n'est pas définitif (= ébauche).

esquiver v. 1er groupe. SENS 1. *Le boxeur **a** esquivé le coup,* il l'a évité adroitement. SENS 2. *Jean a cherché à s'esquiver,* à s'en aller sans se faire remarquer.

essai → *essayer*

essaim n.m. *Pour fonder une nouvelle ruche, les abeilles se groupent en **essaim**,* en très grand nombre.

■ **essaimer** v. 1er groupe. *Les abeilles essaiment au printemps,* elles forment des essaims. ◆ *Cette entreprise **a essaimé** en province,* elle a créé des succursales, des filiales.

essayer v. 1er groupe. SENS 1. *Papa **a** essayé une nouvelle voiture,* il l'a manœuvrée pour juger de ses qualités. *Essayer* un vêtement, c'est le mettre sur soi pour voir s'il va bien. SENS 2. *Essaie de ne pas arriver en retard !,* fais des efforts pour cela (= tâcher, tenter).
✳ Conj. n° 4.

■ **essai** n.m. [SENS 1] *J'ai fait l'**essai** d'une nouvelle lessive,* je l'ai essayée. [SENS 2] *Il a réussi au troisième **essai*** (= tentative). ◆ *Notre équipe a marqué un **essai**,* un but au rugby.

■ **essayage** n.m. [SENS 1] *Avant de finir la robe, un **essayage** sera nécessaire,* il faudra l'essayer.

essence n.f. SENS 1. L'**essence** est un liquide tiré du pétrole et utilisé en particulier comme carburant des moteurs. SENS 2. *Je ne connais pas cette **essence** d'arbres* (= sorte, espèce). SENS 3. *L'**essence** de lavande sent très bon,* l'extrait concentré de cette plante.
illustr. p. 1017

essentiel, elle adj. et n.m. *Voilà le passage **essentiel** de ce livre,* le plus important (= fondamental, capital ; ≠ secondaire, accessoire). *Tu as oublié l'**essentiel*** (= principal ; ≠ détail).
✳ On prononce [esɑ̃sjɛl].

■ **essentiellement** adv. *La Côte d'Azur est une région **essentiellement** touristique* (= principalement). *Je tiens **essentiellement** à être informé* (= absolument).

essieu n.m. *Un **essieu** du camion s'est cassé dans l'accident,* la barre qui relie les roues.

essor n.m. *L'**essor** de l'automobile date du début du XXe siècle* (= développement).

essorer v. 1er groupe. *Cette machine **essore** automatiquement le linge,* elle en fait sortir l'eau qui l'imprègne.

■ **essorage** n.m. *L'**essorage** permet au linge de sécher plus vite.*

essouffler v. *Je suis **essoufflée** d'avoir couru,* je respire difficilement. ●● *souffle*

■ **essoufflement** n.m. *En haute montagne, on peut éprouver une sensation d'**essoufflement**,* des difficultés respiratoires.

essuyer v. 1er groupe. SENS 1. *Marie **essuie** la table après le repas,* elle la frotte pour enlever les saletés et les liquides qui sont dessus. *Essuie-toi les mains avec cette serviette* (= sécher). SENS 2. *Essuyer* un échec, c'est le subir.
✳ Conj. n° 11.

■ **essuie-glace** n.m. [SENS 1] *Il pleut, mets les **essuie-glaces**,* l'appareil qui essuie le pare-brise ou la vitre arrière.
illustr. p. 69
✳ Au pluriel, on écrit des **essuie-glaces**.

353

L'ÉTABLE ET L'ÉCURIE

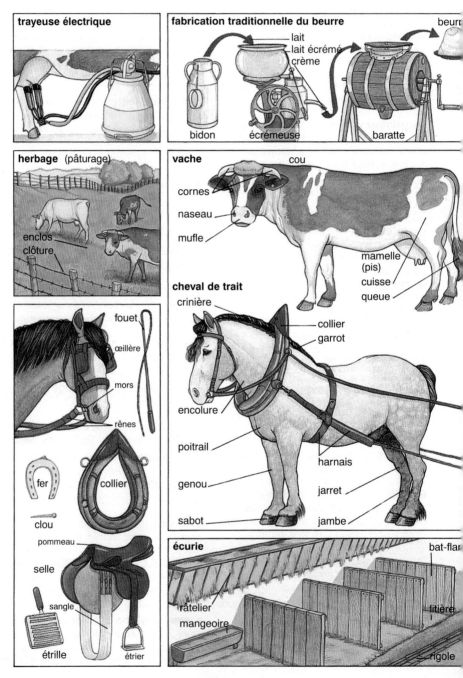

trayeuse électrique

fabrication traditionnelle du beurre

beurr

lait
lait écrémé
crème

bidon   écrémeuse   baratte

herbage (pâturage)

enclos
clôture

vache   cou

cornes

naseau

mufle

mamelle
(pis)
cuisse
queue

cheval de trait
crinière

collier
garrot

fouet
œillère

mors

rênes

encolure

poitrail

fer   collier

clou

genou

harnais

jarret

sabot   jambe

pommeau

selle

sangle

étrille   étrier

écurie   bat-flar

râtelier

mangeoire

litière

rigole

354

■ **essuie-mains** n.m. inv. [SENS 1] *L'essuie-mains est sale, il faut le changer,* la serviette avec laquelle on s'essuie les mains.
✻ Ce mot ne change pas au pluriel.

illustr. p. 694
est n.m. inv. et adj. inv. *Le soleil se lève à l'est* (= orient). *Strasbourg est sur la frontière est de la France* (≠ ouest). → *oriental*
✻ On prononce [ɛst].

estafilade n.f. *Une estafilade est une longue coupure au visage* (= balafre).

estampe n.f. *La bibliothèque contient de vieux livres illustrés d'estampes*, de gravures.

estampille n.f. *Ce bijou en or porte une estampille*, une marque d'authenticité (= poinçon, cachet).

■ **estampillé, ée** adj. *Son collier est estampillé*, marqué d'une estampille.

est-ce que adv. Ce mot sert à interroger : *est-ce que tu viens ?*

esthétique adj. *Ce tuyau sur la façade n'est pas très esthétique*, il n'est pas très beau (= décoratif ; ≠ inesthétique).

■ **esthétiquement** adv. *Ces fleurs sont disposées esthétiquement dans le vase*, avec art (= artistiquement).

■ **esthéticien, enne** n. *Sarah est esthéticienne*, spécialiste des soins de beauté.

estimer v. 1ᵉʳ groupe. SENS 1. *J'estime beaucoup M. Lamy*, j'ai une bonne opinion de lui (= apprécier ; ≠ mésestimer, mépriser). SENS 2. *Ce tableau est estimé à 50 000 euros*, on pense qu'il vaut ce prix. ●● ***surestimer, sous-estimer, inestimable***. SENS 3. *J'estime que tu as tort* (= croire, penser, trouver).

■ **estime** n.f. [SENS 1] *J'ai une grande estime pour M. Lamy* (= respect).

■ **estimable** adj. [SENS 1] *Thomas est un garçon estimable* (= honorable, recommandable).

■ **estimation** n.f. [SENS 2] *Un expert a fait l'estimation de ce tableau*, il a évalué son prix.

estival, estivant → *été*

illustr. p. 694, 216
estomac n.m. *Avant de passer dans l'intestin grêle, les aliments sont transformés en bouillie dans l'estomac*, un organe de la digestion en forme de poche. ●● ***stomacal*** → *gastrique*
✻ On ne prononce pas le « c » : [ɛstɔma].

estomaquer v. 1ᵉʳ groupe. Fam. *J'ai été estomaqué par son audace*, très étonné (= souffler, suffoquer).

s'**estomper** v. 1ᵉʳ groupe. *Sa silhouette s'estompe dans le lointain*, elle devient floue (≠ se détacher).

illustr. p. 629
estrade n.f. *Les comédiens ont joué sur une estrade*, sur un plancher surélevé.

illustr. p. 746
estragon n.m. *Marie met de l'estragon dans la salade*, une plante aromatique.

estropier v. 1ᵉʳ groupe. *Il s'est estropié en tombant d'un arbre*, il s'est cassé ou démis un membre. → *mutiler*

illustr. p. 557
estuaire n.m. *Bordeaux est sur l'estuaire de la Garonne*, à l'embouchure élargie de ce fleuve.

esturgeon n.m. *Un esturgeon peut peser plus de 200 kilos*, un poisson marin dont on consomme les œufs sous le nom de « caviar ».

et conj. Ce mot sert à relier les mots et les groupes de mots : *j'aime les fraises et les framboises* (lien entre deux groupes nominaux) ; *j'aime cueillir des fleurs et faire des bouquets* (lien entre deux groupes verbaux).

illustr. p. 354
étable n.f. *Les vaches sont rentrées à l'étable*, le bâtiment qui leur sert d'abri.

illustr.
p. 117 **établi** n.m. *Le menuisier travaille sur son établi, une grosse table.*

établir v. 2ᵉ groupe. SENS 1. *Il a établi son usine en province, il s'y est installé. Les Legras se sont établis à Lyon, ils y habitent.* SENS 2. *L'accusé cherche à établir son innocence, à la faire apparaître* (= prouver). SENS 3. *Les deux pays ont établi des relations, ils les ont fait instaurer* (= nouer). ●● *rétablir.* SENS 4. *As-tu établi la liste de nos invités ?* (= faire, dresser).

■ **établissement** n.m. [SENS 1] *Depuis leur établissement à Lyon, on ne les voit plus* (= installation). [SENS 4] *Le comptable se charge de l'établissement des feuilles de paie.* ◆ Un **établissement** est une maison, une institution ou une entreprise consacrées à une activité. Une usine est un **établissement industriel**. Un lycée est un **établissement scolaire**.

illustr.
p. 51,
855 **étage** n.m. SENS 1. *Nous habitons au premier étage, au-dessus du rez-de-chaussée.* SENS 2. *Ce gâteau a cinq étages, a cinq niveaux superposés.*

■ **étager** v. 1ᵉʳ groupe. [SENS 2] *Les maisons sont étagées sur la pente de la colline* (= échelonner).
✳ Conj. nº 2.

illustr.
p. 863 ■ **étagère** n.f. [SENS 2] *La confiture est sur l'étagère du haut, la planche horizontale servant de support.*

étai → *étayer*

étain n.m. *Autrefois, la vaisselle était en étain, un métal grisâtre très malléable.*

■ **étamer** v. 1ᵉʳ groupe. *On étame l'intérieur des casseroles de cuivre, on le recouvre d'une couche d'étain.*

étal, étalage, étalagiste → *étaler*

étale adj. *La mer est étale, son niveau est momentanément stationnaire, la marée n'est ni montante ni descendante.*

étaler v. 1ᵉʳ groupe. SENS 1. *Le poissonnier étale sa marchandise, il dispose les poissons sur une table.* SENS 2. *Jean étale du beurre sur son pain* (= tartiner, étendre). SENS 3. *Étaler ses connaissances, c'est les faire connaître d'un air satisfait, en faire parade.* SENS 4. Fam. *Pierre s'est étalé par terre, il est tombé à plat ventre.* SENS 5. *Les paiements s'étalent sur un an, ils sont répartis.*

■ **étal** n.m. [SENS 1] *Le boucher découpe la viande sur son étal, une table très épaisse.* *illustr.*
p. 582,
855
✳ Au pluriel, on dit des **étals**.

■ **étalage** n.m. [SENS 1] *Agnès regarde l'étalage du marchand de jouets, les* *illustr.*
p. 150 objets étalés dans la vitrine. [SENS 2] *Il fait étalage de ses connaissances, il les fait paraître de façon trop voyante.*

■ **étalagiste** n. [SENS 1] *L'étalagiste dispose les marchandises dans les vitrines, le décorateur.*

■ **étalement** n.m. [SENS 5] *L'étalement des vacances permet aux gens de ne pas partir tous en même temps, leur répartition dans le temps* (= échelonnement).

1. étalon n.m. Un **étalon** est un cheval mâle apte à la reproduction.

2. étalon n.m. *Le dollar sert d'étalon monétaire, de valeur retenue comme point de référence par rapport aux autres monnaies.*

étamer → *étain*

étamine n.f. Les **étamines** d'une fleur sont les petites tiges qui portent le pollen. *illustr.*
p. 310
→ *pistil*

étanche adj. *Ce récipient n'est pas étanche, il laisse passer l'eau.*

■ **étanchéité** n.f. *On a vérifié l'étanchéité du réservoir.*

étancher v. 1ᵉʳ groupe. **Étancher** sa soif, c'est se désaltérer.

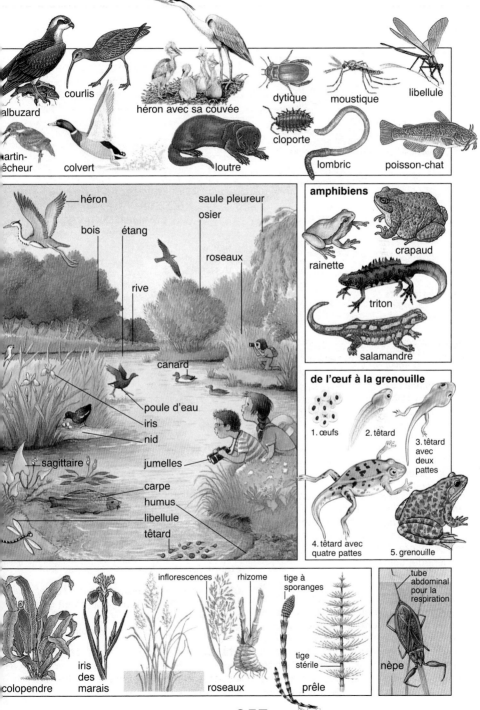

L'ÉTANG

courlis

héron avec sa couvée

dytique

moustique

libellule

albuzard

artin-
êcheur

colvert

loutre

cloporte

lombric

poisson-chat

héron

saule pleureur

osier

bois

étang

roseaux

rive

canard

poule d'eau

iris

nid

sagittaire

jumelles

carpe

humus

libellule

têtard

amphibiens

rainette

crapaud

triton

salamandre

de l'œuf à la grenouille

1. œufs

2. têtard

3. têtard
avec
deux
pattes

4. têtard avec
quatre pattes

5. grenouille

inflorescences

rhizome

tige à
sporanges

tige
stérile

tube
abdominal
pour la
respiration

colopendre

iris
des
marais

roseaux

prêle

nèpe

L'État en France

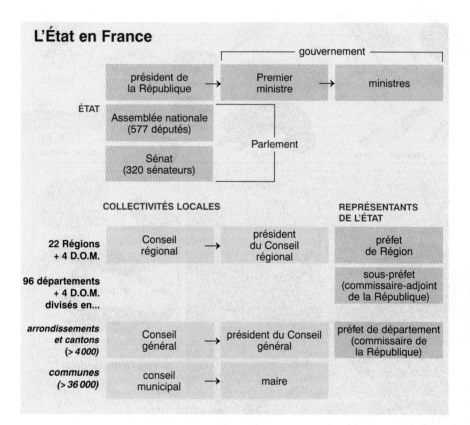

illustr. **étang** n.m. *Nous avons fait du canot sur*
p. 357 *l'étang*, un petit lac.
   ❋ On ne prononce pas le « g » : [etã].

illustr. **étape** n.f. SENS 1. *Notre prochaine*
étape sera Nice (= arrêt, halte). SENS 2.
illustr. *La dixième étape a été remportée par*
p. 1002 *Dupin, la course de la journée.* SENS 3. *Ce*
travail a été fait en plusieurs étapes
(= période, stade).

   1. état n.m. SENS 1. *Le tapis est en*
mauvais état, il est usé, abîmé. Une
maison **en bon état** n'a pas besoin de
réparations. *Son état de santé est bon*,
il est en bonne santé. SENS 2. *À leur*
naissance, on inscrit les enfants à
l'état civil, le service officiel de la mairie qui enregistre les naissances, les
mariages et les décès. SENS 3. *Il faut faire*

un **état** *de nos dépenses* (= liste, inventaire).

2. État n.m. (Avec majuscule.) Un **État** *illustr.*
est une nation organisée administrée par *p. 35*
un gouvernement (= pays, nation). ◆ Le
chef de l'État est la personne qui gouverne le pays.

état-major n.m. *Le général a réuni son*
état-major, les officiers qui le conseillent.

étau n.m. *Dans un **étau**, on serre l'objet* *illustr.*
qu'on veut travailler, un instrument fixé *p. 11*
sur un établi.
   ❋ Au pluriel, on écrit des **étaux**.

étayer v. 1ᵉʳ groupe. *On a dû **étayer** le* *illustr.*
mur, le soutenir par des poutres, appe- *p. 15*
lées des **étais** (= renforcer).
   ❋ Conj. n° 4.

etc. adv. *Le fleuriste a des roses, des iris, **etc.**, et encore d'autres fleurs.*
✴ On prononce [ɛtsetera].

été n.m. *Dans l'hémisphère Nord, l'**été** est la saison chaude de l'année, comprise entre le 21 ou le 22 juin et le 22 ou le 23 septembre.*
■ **estival, ale, aux** adj. *Il fait une température estivale, d'été.*

■ **estivant, ante** n. *Il y a beaucoup d'estivants dans ce petit port, de personnes venues passer leurs vacances d'été* (= vacancier).

éteindre v. 3ᵉ groupe. SENS 1. *Le feu s'est éteint, il a cessé de brûler.*
●● **extinction**. SENS 2. *Éteins le poste de radio !, cesse de le faire fonctionner* (≠ allumer).
✴ Conj. n° 55.

étendard n.m. *Les soldats portaient un étendard, un drapeau.*

étendre v. 3ᵉ groupe. SENS 1. *Colin s'est étendu pour dormir, il s'est couché, allongé.* SENS 2. *On a étendu des couvertures par terre* (= déplier, étaler). SENS 3. *La plaine s'étend sur des kilomètres, elle occupe une vaste surface* (= se déployer). SENS 4. *Ce sirop se boit étendu d'eau, en y ajoutant de l'eau* (= diluer). SENS 5. *Pierre a étendu ses connaissances en géographie* (= accroître, augmenter, développer ; ≠ limiter).
✴ Conj. n° 50.

■ **étendu, ue** adj. [SENS 3] *Ce lac est étendu* (= grand, vaste ; ≠ limité).

■ **étendue** n.f. [SENS 3] *Quelle est l'étendue de ce pays ?* (= surface, superficie). *Un lac est une étendue d'eau.*
◆ *On ne connaît pas encore l'étendue de la catastrophe* (= importance).
●● **extension**

éternel, elle adj. SENS 1. *Les chrétiens croient à la vie éternelle, qui n'aura pas de fin.* SENS 2. *Il m'a juré une reconnais-*sance **éternelle**, pour toujours (= indéfectible).

■ **éternellement** adv. [SENS 1 et 2] *Gilles est éternellement fatigué* (= toujours).

■ **s'éterniser** v. 1ᵉʳ groupe. [SENS 1 et 2] *On ne va pas s'éterniser ici !, rester longtemps.*

■ **éternité** n.f. [SENS 1 et 2] *Je t'ai attendu une éternité, très longtemps.*

éternuer v. 1ᵉʳ groupe. *Souvent, quand on a un rhume, on éternue, on expulse involontairement et bruyamment de l'air par la bouche et le nez à la suite d'une irritation.*
■ **éternuement** n.m. *« Atchoum ! » est le bruit de l'éternuement, le bruit qu'on fait quand on éternue.*

éther n.m. *L'éther sert à désinfecter les plaies, un liquide à odeur forte et qui s'évapore très vite.*
✴ On prononce [etɛr].

ethnie n.f. *Les ethnies africaines sont nombreuses, des populations ayant la même langue et une culture commune.*
■ **ethnique** adj. *« Français », « allemand », « russe » sont des noms et adjectifs ethniques, ils s'appliquent à des peuples, à des nations.*   *illustr. p. 454*

■ **ethnologie** n.f. *L'ethnologie est la science qui étudie la manière de vivre des ethnies, des peuples.*

■ **ethnologue** n. *Mme Delmas est ethnologue, spécialiste d'ethnologie.*

étincelle n.f. *Quand on remue le feu, il se produit des étincelles, des projections de minuscules braises.*   *illustr. p. 994*
■ **étinceler** v. 1ᵉʳ groupe. *La neige étincelle au soleil* (= briller, scintiller).
✴ Conj. n° 6.

■ **étincelant, ante** adj. *La table était couverte d'une argenterie étincelante.*

s'étioler v. 1ᵉʳ groupe. *Les plantes s'étiolent dans ce jardin sans soleil, elles dépérissent* (= végéter).

illustr.
p. 123
étiquette n.f. SENS 1. *Le prix du manteau est marqué sur l'*étiquette, *un petit carton.* SENS 2. *À la cour des rois, il fallait respecter l'*étiquette, *des règles précises de conduite, de maintien* (= cérémonial, protocole).

■ **étiqueter** v. 1er groupe. [SENS 1] *Dans ce magasin, les produits* **sont étiquetés,** ils ont une étiquette (= marquer).
✱ Conj. n° 8.

étirer v. 1er groupe. SENS 1. **Étirer** *du métal, du cuir, etc., c'est l'allonger en tirant dessus.* SENS 2. *Le chien* **s'étire** *en bâillant,* il allonge ses membres.

illustr.
p. 583
étoffe n.f. SENS 1. *En quelle* **étoffe** *est ce manteau ?* (= tissu). SENS 2. *Ce coureur* **a de l'étoffe,** il a de grandes capacités.

■ **étoffer** v. 1er groupe. *Il faut* **étoffer** *ce devoir,* l'allonger pour l'améliorer.

étoile n.f. SENS 1. *La nuit est claire, on voit les* **étoiles** *dans le ciel* (= astre). *Coucher* **à la belle étoile,** *c'est dormir en plein air.* SENS 2. *M. Gervais croit à son* **étoile,** *il croit qu'il a de la chance.* SENS 3. *Le drapeau américain porte 50* **étoiles,** *des dessins réguliers à plusieurs pointes.*
illustr.
p. 556
718
SENS 4. *Une* **étoile** *de cinéma est une vedette, une star.* SENS 5. *Sur cette plage, on trouve des* **étoiles de mer,** *des petits animaux en forme d'étoile à cinq branches.*

■ **étoilé, ée** adj. [SENS 1] *Le ciel est* **étoilé,** on voit les étoiles.

illustr.
p. 821
étole n.f. *Le prêtre porte l'*étole *autour du cou,* une large bande d'étoffe.

étonner v. 1er groupe. SENS 1. *Je* **suis** *très* **étonné** *d'apprendre cette nouvelle inattendue* (= surprendre, ébahir). SENS 2. *Je* **m'étonne** *de son silence,* j'en suis surpris.

■ **étonnant, ante** adj. *Cet immeuble est d'une hauteur* **étonnante** (= étrange, inattendu, surprenant, effarant).

■ **étonnamment** adv. *Il reste* **étonnamment** *alerte pour son âge.*

■ **étonnement** n.m. *Elle avait les yeux écarquillés d'*étonnement (= surprise, stupeur).

étouffer v. 1er groupe. SENS 1. *On* **étouffe** *dans cette pièce,* on est gêné pour respirer. *Il* **s'étouffait** *de colère,* il en perdait le souffle (= s'étrangler). SENS 2. *Le tapis* **étouffe** *le bruit de nos pas,* il les atténue (= amortir, assourdir).

■ **étouffant, ante** adj. [SENS 1] *Ce climat est* **étouffant** (= suffocant).

■ **à l'étouffée** adv. *On a servi des pommes de terre cuites* **à l'étouffée,** à la vapeur, dans un récipient bien clos (= à l'étuvée).

■ **étouffement** n.m. [SENS 1] *Il est mort d'*étouffement, il ne pouvait plus respirer.

étourdi, ie adj. et n. *Elsa est une fillette* **étourdie,** *elle agit sans réfléchir* (= distrait, écervelé ; ≠ attentif, réfléchi). *Colin est un petit* **étourdi.**

■ **étourdiment** adv. *Pierre a répondu* **étourdiment,** comme un étourdi.

■ **étourderie** n.f. *Il a agi par* **étourderie** (= inattention, distraction ; ≠ réflexion). *On lui pardonne ses* **étourderies.**

étourdir v. 2e groupe. SENS 1. *Le choc m'a* **étourdi,** *je me suis à moitié évanoui.* SENS 2. *Ce bruit nous* **étourdit,** *il nous casse les oreilles* (= fatiguer, abrutir).

■ **étourdissant, ante** adj. [SENS 2] *Le chien poussait des cris* **étourdissants** (= assourdissant).

■ **étourdissement** n.m. [SENS 1] *Sonia a eu un* **étourdissement** (= vertige).

étourneau n.m. *Les* **étourneaux** *volent souvent en bandes,* des oiseaux au plumage sombre taché de blanc (= sansonnet).
illustr.
p. 753

étrange adj. *J'ai entendu un bruit* **étrange** (= bizarre, étonnant, singulier, surprenant, insolite ; ≠ habituel, normal).

■ **étrangement** adv. *Il est* **étrangement** *habillé* (= curieusement, drôlement).

■ **étrangeté** n.f. *J'ai été surpris par l'étrangeté de son attitude* (= bizarrerie).

étranger, ère adj. SENS 1. *M. Morel connaît deux langues étrangères*, des langues d'autres pays que le sien. SENS 2. *Je suis étranger à cette affaire*, je n'y ai pas participé.

■ **étranger, ère** n. [SENS 1] *Beaucoup d'étrangers viennent à Paris en vacances*, des gens d'un autre pays. ◆ n.m. *M. Chatain est parti à l'étranger*, dans un pays étranger.

étrangeté → *étrange*

étrangler v. 1ᵉʳ groupe. SENS 1. *La victime a été étranglée*, on lui a serré le cou pour l'empêcher de respirer. SENS 2. *Jean s'étrangle à force de rire*, il perd la respiration (= s'étouffer).

■ **étranglement** n.m. [SENS 1] *La victime est morte par étranglement* (= strangulation). ◆ *Il y a un étranglement dans la rue*, une partie resserrée.

illustr. p. 970, 740

étrave n.f. *L'étrave est la pièce qui termine la coque d'un navire à l'avant.*

être v. SENS 1. *Fabien est grand, Marie est belle*, ils ont ces caractéristiques. SENS 2. *Nous sommes à Paris* (= se trouver). SENS 3. *Ce livre est à moi*, il m'appartient. SENS 4. *La table est en bois*, faite de bois. SENS 5. *La maison est à vendre*, doit être vendue. SENS 6. *C'est lui qui a tort*, il a tort. SENS 7. *Je pense, donc je suis*, j'existe.
✹ Conj. p. 1048. **Être** sert à former le passif (**je suis aimé**) et, pour quelques verbes, les temps composés de l'actif (**je suis parti**).

■ **être** n.m. [SENS 7] *Nous sommes des êtres humains*, des hommes, des femmes. *Il ne faut pas faire souffrir les êtres vivants* (= créature).

étreindre v. 3ᵉ groupe. *Sa mère l'a étreint*, elle l'a serré fort dans ses bras.
✹ Conj. n° 55.

■ **étreinte** n.f. *Le lutteur ne desserrait pas son étreinte* (= prise).

étrenner v. 1ᵉʳ groupe. *Nicolas étrenne ses chaussures neuves*, il s'en sert pour la première fois.

étrennes n.f. pl. *M. Arnaud a donné des étrennes au facteur*, une somme d'argent comme cadeau de fin d'année.

étrier n.m. *Le cavalier s'est dressé sur ses étriers*, des anneaux rattachés à la selle pour caler les pieds.

illustr. p. 354, 531

étrille n.f. SENS 1. *On panse les chevaux avec une étrille*, un instrument qui gratte le poil. SENS 2. *Une étrille est un petit crabe.*

illustr. p. 354, 718

■ **étriller** v. 1ᵉʳ groupe. [SENS 1] *Étriller un cheval*, c'est le frotter avec une étrille.

étriqué, ée adj. *Des vêtements étriqués sont des vêtements trop étroits* (≠ ample).

étroit, étroite adj. SENS 1. *La route est étroite*, elle n'est pas large. ●● *rétrécir*. SENS 2. *Paul a des idées étroites*, bornées (≠ large, tolérant). SENS 3. *Ils sont en étroites relations*, il sont très liés.

■ **à l'étroit** adv. [SENS 1] *Jean se sent à l'étroit dans son costume* (≠ au large).

■ **étroitement** adv. [SENS 3] *Ces deux questions sont étroitement liées*, elles sont inséparables.

■ **étroitesse** n.f. [SENS 1] *L'étroitesse de la rue provoque des embouteillages*, le manque de largeur. [SENS 2] *Son refus de tout changement est une marque d'étroitesse d'esprit* (= mesquinerie ; ≠ tolérance).

étude n.f. SENS 1. *L'étude des maths l'intéresse beaucoup*, le travail qu'il faut faire pour apprendre. SENS 2. (Au plur.) *Jacques a fini ses études*, il a cessé d'aller à l'école ou à l'université. SENS 3. *M. Dumont a écrit une étude sur les fourmis* (= livre, ouvrage). SENS 4. *L'étude*

d'un notaire est l'endroit où il travaille. **SENS 5.** *Après la classe, Thomas reste à l'étude, il va dans une salle surveillée de l'école pour faire son travail scolaire.*

■ **étudier** v. 1ᵉʳ groupe. **[SENS 1 et 2]** *Séverine étudie le piano* (= apprendre). ●● ***studieux***. *Il faut étudier cette affaire, l'examiner avec soin.*

■ **étudiant, ante** n. **[SENS 2]** *Caroline est étudiante en sciences,* elle fait des études à l'université.

étui n.m. *Remets les jumelles dans leur étui !,* la boîte faite spécialement pour les contenir.

étuve n.f. *Dans cette chambre, on transpire comme dans une étuve,* une pièce surchauffée.

■ **à l'étuvée** adv. *Ces légumes sont cuits à l'étuvée* (= à l'étouffée).

étymologie n.f. *L'étymologie du mot « étude » est le mot latin « studium »,* l'origine de ce mot.

■ **étymologique** adj. Un dictionnaire étymologique indique l'origine des mots.

illustr. p. 691 **eucalyptus** n.m. *L'eucalyptus est un arbre des régions chaudes,* dont les feuilles sentent très bon quand on les froisse ou qu'on les brûle.
✳ On prononce le « s » : [økaliptys].

illustr. p. 821 **eucharistie** n.f. *L'eucharistie est le sacrement de l'Église catholique par lequel Jésus-Christ devient présent dans le pain et le vin* (= communion).

euh ! → *heu !*

euphémisme n.m. *Quand on dit « il n'est pas génial » pour signifier « c'est un imbécile », on fait un euphémisme,* on adoucit l'expression.

euphorie n.f. *Jean est en pleine euphorie,* il est très content, il se sent bien (= béatitude).

■ **euphorique** adj. *Il a un air euphorique.*

euro n.m. *L'euro est la monnaie européenne.*

eux pron. pers. **Eux** est le pluriel de **lui** : *je vais avec eux.*

évacuer v. 1ᵉʳ groupe. *La police a fait évacuer la salle,* elle a fait sortir les gens qui s'y trouvaient.

■ **évacuation** n.f. *Les pompiers se sont chargés de l'évacuation des blessés,* de les transporter ailleurs.   *illustr. p. 737*

s'évader v. 1ᵉʳ groupe. *Le prisonnier a réussi à s'évader,* à s'échapper de sa prison (= s'enfuir).

■ **évasion** n.f. *Il a été rattrapé après son évasion* (= fuite).

évaluer v. 1ᵉʳ groupe. *Cette maison est évaluée (à) 150 000 euros,* c'est à peu près la valeur qu'on lui attribue. ●● ***surévaluer, sous-évaluer***

■ **évaluation** n.f. *Tu t'es trompé dans ton évaluation* (= estimation).

Évangile n.m. (Avec majuscule.) Les quatre **Évangiles** sont des textes contenant l'enseignement de Jésus-Christ ; cet enseignement est appelé lui aussi **Évangile**.

■ **évangéliser** v. 1ᵉʳ groupe. **Évangéliser** des personnes ou un peuple, c'est leur prêcher l'Évangile.

■ **évangéliste** n.m. Saint Matthieu, saint Marc, saint Luc et saint Jean sont les quatre **évangélistes**, les auteurs d'un Évangile.

s'évanouir v. 2ᵉ groupe. **SENS 1.** *Le blessé était si faible qu'il s'est évanoui,* il ne se rend plus compte de ce qui se passe autour de lui, il a perdu connaissance (≠ revenir à soi). **SENS 2.** *Ses espoirs se sont évanouis,* il n'espère plus (= disparaître).

■ **évanouissement** n.m. **[SENS 1]** *Son évanouissement a duré deux minutes,* sa perte de connaissance.

s'**évaporer** v. 1er groupe. *L'eau s'évapore au soleil,* elle se change en vapeur d'eau. ●● *vapeur*

illustr. p. 556
▪ **évaporation** n.f. L'eau liquide se transforme en vapeur d'eau par **évaporation**.

évasé, ée adj. *Ces poteries sont évasées,* leur ouverture va en s'élargissant.

évasif, ive adj. *Sa réponse a été évasive,* elle est restée vague, imprécise (≠ net, clair).

▪ **évasivement** adv. *Je ne suis pas plus renseigné car il m'a répondu évasivement* (= vaguement ; ≠ clairement).

évasion ⟶ *s'évader*

évêché ⟶ *évêque*

éveiller v. 1er groupe. SENS 1. *Fabrice s'est éveillé brusquement,* il est sorti du sommeil (= se réveiller ; ≠ s'endormir). SENS 2. *Sa réponse a éveillé les soupçons,* elle les a fait naître (= provoquer, susciter ; ≠ apaiser).

▪ **éveil** n.m. [SENS 1] *Le chien en aboyant a donné l'éveil,* il nous a alertés (= alarme). ◆ Avoir l'esprit **en éveil**, c'est être attentif, vigilant.

▪ **éveillé, ée** adj. *Pierre est un garçon éveillé,* dont l'esprit est en éveil (= vif, dégourdi ; ≠ amorphe, endormi).

événement ou **évènement** n.m. *Connais-tu la suite des événements ?,* ce qui s'est passé ensuite (= fait).

éventail ⟶ *éventer*

illustr. p. 583
éventaire n.m. *Il y a un éventaire devant la librairie,* une table portant des marchandises.
❋ Ne pas confondre **éventaire** et **inventaire**.

s'**éventer** v. 1er groupe. SENS 1. *M. Bernard s'évente avec son journal,* il l'agite pour se donner de l'air. SENS 2. *Le vin s'est éventé,* il a perdu son goût à l'air.

▪ **éventail** n.m. [SENS 1] Un **éventail** est un objet, souvent décoré, en tissu ou en papier, qu'on peut déployer ou replier, et qu'on agite pour s'éventer. ◆ *Ce magasin présente des articles avec un large éventail de prix,* avec une grande variété de prix (= gamme).
❋ Au pluriel, on écrit des **éventails**. *illustr. p. 42*

éventrer v. 1er groupe. *Le matelas a été éventré par un coup de couteau,* il a été crevé, déchiré.

éventuel, elle adj. *Il m'a parlé de son départ éventuel,* il m'a dit qu'il partirait peut-être (= possible ; ≠ certain, inévitable).

▪ **éventuellement** adv. *Je vous préviendrai éventuellement,* s'il y a lieu (≠ de toute façon).

▪ **éventualité** n.f. *On a examiné toutes les éventualités,* tout ce qui pourrait arriver (= possibilité).

évêque n.m. Un **évêque** est un prêtre qui dirige un diocèse. ●● *archevêque*
▪ **évêché** n.m. L'**évêché** est la résidence de l'évêque. ⟶ *épiscopal*

s'**évertuer** v. 1er groupe. *Le vendeur s'est évertué en vain à me convaincre,* il a employé tous ses efforts (= s'efforcer, s'escrimer).

éviction ⟶ *évincer*

évident, ente adj. *Il a apporté une preuve évidente de son innocence,* une preuve qui ne peut laisser aucun doute (= certain, incontestable, indubitable ; ≠ douteux).

▪ **évidence** n.f. *Tu as raison, c'est une évidence* (= certitude ; ≠ doute).

▪ **évidemment** adv. *Tu acceptes ? – Évidemment !* (= bien sûr, naturellement).
❋ On prononce [evidamã].

évider v. 1ᵉʳ groupe. **Évider** un tronc d'arbre, c'est le creuser.

illustr. p. 238   **évier** n.m. Un **évier** est un petit bassin qui reçoit l'eau d'un robinet et qui a un écoulement.

évincer v. 1ᵉʳ groupe. *Il se plaint d'avoir été **évincé**,* d'avoir été écarté.
✹ Conj. nº 1.

■ **éviction** n.f. *Il se plaint de son **éviction*** (= élimination).

éviter v. 1ᵉʳ groupe. SENS 1. *Le conducteur a pu **éviter** l'accident,* empêcher qu'il se produise (= échapper à). ●● *inévitable.* SENS 2. ***Évite** de fumer !,* ne fume pas ! (= s'abstenir). SENS 3. *Il m'a **évité** des ennuis,* je n'en ai pas eu grâce à lui (= épargner).

évocateur, évocation → *évoquer*

évoluer v. 1ᵉʳ groupe. *La mode **évolue** sans cesse,* elle change, se transforme.

■ **évolutif, ive** adj. Une situation **évolutive** se transforme progressivement.

illustr. p. 758   ■ **évolution** n.f. *L'**évolution** de sa maladie est inquiétante* (= développement, progression). ◆ *Au meeting aérien, on admirait les **évolutions** des avions,* leurs déplacements en divers sens (= mouvement, figure).

évoquer v. 1ᵉʳ groupe. *Il a **évoqué** son enfance,* il en a parlé (= rappeler).

■ **évocateur, trice** adj. Une image **évocatrice** permet de bien se représenter une situation.

■ **évocation** n.f. *L'orateur a commencé par une **évocation** des dernières élections,* par le rappel de ces événements.

ex- préfixe. Placé devant un nom de personne, **ex-** indique ce qu'elle a été : *un **ex-ministre*** (elle n'est plus ministre).

exacerber v. 1ᵉʳ groupe. **Exacerber** un sentiment, c'est le porter à un degré très élevé (= aviver).

exact, e adj. SENS 1. *Quelles sont les dimensions **exactes** de cette chambre ?,* les dimensions précises (≠ inexact, approximatif). SENS 2. *Romain est toujours **exact** à ses rendez-vous,* il arrive à l'heure (= ponctuel).
✹ On prononce [ɛgza] ou [ɛgzakt].

■ **exactement** adv. [SENS 1] *Il est **exactement** 7 heures* (= juste, précisément).

■ **exactitude** n.f. [SENS 1] *Il faut vérifier l'**exactitude** de ses réponses* (= justesse).

ex aequo adv. *Ils sont arrivés **ex aequo**,* à égalité.
✹ On prononce [ɛgzeko].

exagérer v. 1ᵉʳ groupe. SENS 1. *Tu **exagères** l'importance de cette affaire,* tu lui donnes trop d'importance (= grossir ; ≠ minimiser). SENS 2. *Tu es encore en retard, tu **exagères** !,* tu dépasses la limite (= abuser).
✹ Conj. nº 10.

■ **exagération** n.f. [SENS 1] *Il y a de l'**exagération** dans ses paroles* (= excès ; ≠ mesure, modération).

■ **exagérément** adv. [SENS 1] *Ses reproches sont **exagérément** sévères* (= beaucoup trop).

exalter v. 1ᵉʳ groupe. SENS 1. *La publicité **exalte** les qualités d'une nouvelle lessive,* elle les vante hautement (= louer, glorifier). SENS 2. *Cette musique nous **exalte**,* elle nous enthousiasme. *Il s'**exalte** dès qu'il parle de football* (= s'exciter).

■ **exaltant, ante** adj. [SENS 2] *Voilà un projet **exaltant*** (= enthousiasmant).

■ **exalté, ée** adj. et n. [SENS 2] *Il parlait d'un ton **exalté*** (= passionné). *Ces **exaltés** poussent les jeunes à la révolte* (= illuminé).

■ **exaltation** n.f. [SENS 2] *On a essayé de calmer son **exaltation*** (= surexcitation).

examen n.m. SENS 1. *Fabien a réussi son **examen** d'entrée,* une épreuve pour

voir s'il était capable. SENS 2. *Les enquêteurs ont fait un* **examen** *des lieux,* ils les
ont regardés attentivement.

■ **examiner** v. 1ᵉʳ groupe. [SENS 2] *J'ai
passé la journée à* **examiner** *ces papiers*
(= regarder, étudier).

■ **examinateur, trice** n. [SENS 1]
*L'***examinateur** *a interrogé les candidats,*
la personne qui fait passer l'examen.

exaspérer v. 1ᵉʳ groupe. *Ces reproches l'***ont exaspéré,** *ils l'ont beaucoup
énervé* (= irriter).
✳ Conj. nº 10.

■ **exaspération** n.f. *Il cachait son* **exaspération** (= colère, irritation).

exaucer v. 1ᵉʳ groupe. *Tous mes désirs
sont* **exaucés,** *ils sont satisfaits, comblés.*
✳ Conj. nº 1. Ne pas confondre avec
exhausser.

illustr. **excavation** n.f. *La bombe a creusé une*
». 157   **excavation,** *un trou dans le sol.*

illustr. ■ **excavatrice** n.f. *Une* **excavatrice** *est*
. 983,   un engin qui creuse et déplace de la
333   terre, des matériaux.

excéder v. 1ᵉʳ groupe. SENS 1. *Le prix
de cette voiture* **excède** *20 000 euros,* il
est plus élevé que cette somme (= dépasser). SENS 2. *Laurent* **est excédé** *par
ces reproches* (= exaspérer, irriter).
✳ Conj. nº 10.

■ **excédent** n.m. [SENS 1] *Il y a un*
excédent *de bagages,* il y en a trop
(= surplus).

■ **excédentaire** adj. [SENS 1] *La production de viande a été* **excédentaire**
cette année, on en a trop produit
(≠ déficitaire).

excellent, ente adj. *Ce vin est* **excellent,** *il est très bon* (= délicieux, supérieur ; ≠ exécrable). *Voilà une* **excellente**
idée (≠ mauvais).

■ **exceller** v. 1ᵉʳ groupe. *Pierre* **excelle**
au ping-pong, il y est très fort.

■ **excellence** n.f. *À l'école, Elsa a eu le
prix d'***excellence,** le premier prix. ◆ « Ex-

cellence » est le titre qu'on donne à un
ambassadeur, à un évêque, etc.

1. excentrique adj. *Un quartier* **excentrique** est éloigné du centre de la ville
(= périphérique ; ≠ central). ●● **centre**

2. excentrique adj. et n. *On peut
s'attendre à tout avec un garçon aussi*
excentrique, *qui n'est pas comme tout le
monde* (= bizarre, extravagant). *Martin
est un* **excentrique** *qu'on ne prend pas
au sérieux* (= original).

■ **excentricité** n.f. *Ses* **excentricités**
ont fini par le faire renvoyer du lycée
(= extravagance).

excepter v. 1ᵉʳ groupe. *Si l'on* **excepte**
cet incident, tout s'est bien passé, si on
les met à part (= ôter, retrancher).

■ **excepté** prép. *Tout le monde était là*
excepté *Julien* (= sauf, à part, hormis).

■ **exception** n.f. *Tout le monde a pu
rentrer sans* **exception** (= restriction). *Un
aussi beau temps est une* **exception** *en
cette saison,* ce n'est pas normal (≠ règle).

■ **exceptionnel, elle** adj. *Il a une
chance* **exceptionnelle,** *très rare* (= remarquable ; ≠ courant).

■ **exceptionnellement** adv. *Le travail
finira* **exceptionnellement** *à 5 heures,*
pour une fois.

excès n.m. SENS 1. *M. Arnaud a eu une
amende pour* **excès** *de vitesse,* pour
avoir dépassé la vitesse permise. SENS 2.
(Au plur.) *Il faut éviter les* **excès,** de trop
boire et de trop manger.

■ **excessif, ive** adj. [SENS 1] *Ces prix
sont* **excessifs,** *trop élevés* (= abusif,
exagéré ; ≠ normal).

■ **excessivement** adv. [SENS 1] *Marc
roule* **excessivement** *vite,* trop vite
(= exagérément). ◆ *Sur ces routes,
soyez* **excessivement** *prudent* (= extrêmement).

exciter v. 1ᵉʳ groupe. SENS 1. *Son
succès* **excite** *la jalousie,* il en est la

cause (= provoquer, entraîner, susciter). SENS 2. *Ne t'excite pas, reste calme !* (= s'énerver ; ≠ se calmer). ●● *surexciter*

■ **excitant, ante** adj. et n.m. [SENS 2] *Son projet est excitant,* il est extrêmement séduisant. *Si on en boit trop, le café est un excitant* (≠ calmant).

■ **excitation** n.f. [SENS 2] *On a essayé de calmer son excitation* (= énervement). ●● *surexcitation*

s'**exclamer** v. 1er groupe. *Enfin ! s'est-il exclamé,* a-t-il dit d'une voix forte (= s'écrier).

■ **exclamatif, ive** adj. *Une phrase exclamative finit par un point d'exclamation (!).* —➤ *interrogatif*

■ **exclamation** n.f. *« Que c'est beau ! » est une exclamation.* —➤ *interrogation*

exclure v. 3e groupe. SENS 1. *Un élève a été exclu du lycée,* il a été mis à la porte (= renvoyer). SENS 2. *Il a exclu la possibilité de venir demain,* il l'a écartée, éliminée (≠ inclure).
✱ Conj. n° 68.

■ **exclusif, ive** adj. [SENS 2] *La vente des cigarettes est un droit exclusif de l'État,* que personne d'autre n'a (= spécial, réservé).

■ **exclusivement** adv. [SENS 2] *Cet orchestre joue exclusivement de la musique ancienne* (= seulement, uniquement).

■ **exclusion** n.f. [SENS 1] *Cet élève risque l'exclusion* (= renvoi). [SENS 2] *Le magasin est ouvert tous les jours à l'exclusion du dimanche après-midi* (= sauf, à l'exception de).

■ **exclusivité** n.f. [SENS 2] *Ce film passe en exclusivité,* dans certains cinémas seulement.

excommunier v. 1er groupe. *Certains rois furent excommuniés par le pape,* ils furent rejetés de l'Église catholique. ●● *communion*

■ **excommunication** n.f. *Être frappé d'excommunication,* c'est être excommunié.

excrément n.m. *Après la digestion, notre corps rejette des excréments,* des matières solides qui sont les restes des aliments* (= selle, fam. caca, crotte).

excroissance n.f. *Une verrue est une petite excroissance sur la peau,* une petite grosseur à la surface de la peau (= protubérance).

excursion n.f. *Nous avons fait une excursion dans la forêt,* une longue promenade.

excuser v. 1er groupe. *M. Mercier nous a demandé de l'excuser,* de lui pardonner (≠ accuser, condamner). *Étant absent, il n'a pu s'excuser,* demander pardon.

■ **excusable** adj. *Cet oubli est excusable* (= pardonnable ; ≠ inexcusable).

■ **excuse** n.f. **Faire** ou **présenter ses excuses** à quelqu'un, c'est lui demander pardon de l'avoir dérangé ou blessé, ou de lui avoir causé du tort.

exécrer v. 1er groupe. *Pierre exècre les huîtres,* il les déteste.
✱ Conj. n° 10.

■ **exécrable** adj. *Ce vin est exécrable,* très mauvais (= détestable, infect).

exécuter v. 1er groupe. SENS 1. *Il a fallu un an pour exécuter ce travail,* pour le faire (= réaliser, accomplir). SENS 2. *Le condamné à mort a été exécuté,* il a été tué après décision d'une autorité. SENS 3. *L'orchestre a exécuté une symphonie,* il l'a jouée. SENS 4. *Il ne veut pas s'exécuter,* faire ce qui est demandé (= obéir).

■ **exécutant, ante** n. [SENS 1] *Il n'est qu'un simple exécutant,* il travaille sous les ordres de quelqu'un. [SENS 3] *Cet orchestre compte cinquante exécutants* (= musicien).

■ **exécutif, ive** adj. [SENS 1] *Le gouvernement est chargé du pouvoir* **exécutif**, *il fait appliquer les lois.* → ***législatif***

■ **exécution** n.f. [SENS 1] *À qui est confiée l'****exécution*** *de ce travail ?* (= réalisation). [SENS 2] *Un* **peloton d'exécution** *a fusillé le condamné,* un groupe de soldats chargés de l'exécuter.

1. exemplaire adj. *Il a montré un courage* **exemplaire**, *qu'on peut citer en exemple* (= parfait).

2. exemplaire n.m. *Ce dictionnaire a été vendu à plusieurs millions d'****exemplaires***, *d'ouvrages identiques.*

exemple n.m. SENS 1. *Sa conduite peut servir d'****exemple***, *elle mérite d'être imitée* (= modèle, règle). SENS 2. *On m'a cité plusieurs* **exemples** *de sa générosité, des faits qui la prouvent.* SENS 3. *Lise se doute bien qu'elle aura un cadeau d'anniversaire,* **par exemple** *une belle poupée,* entre autres cadeaux possibles.

exempt, e adj. *Ces revenus sont* **exempts** *d'impôts, ils ne sont pas soumis à l'impôt* (= exonéré). *Ce métier n'est pas* **exempt** *de risques, il n'est pas à l'abri des risques* (= dénué).

■ **exempter** v. 1er groupe. *Les nouveaux arrivés sont* **exemptés** *pour aujourd'hui de la corvée d'épluchage,* on ne les soumet pas à cette corvée (= dispenser).

■ **exemption** n.f. *M. Barbier bénéficie d'une* **exemption** *d'impôts* (= exonération, dispense).
✳ Attention à la prononciation des mots de cette famille : [εgzã], [εgzãte] mais [εgzãpsjɔ̃].

exercer v. 1er groupe. SENS 1. *Marie* **s'exerce** *tous les jours à jouer du piano,* elle l'apprend en faisant des exercices (= s'entraîner). SENS 2. *M. Martin* **exerce** *des fonctions importantes,* il les remplit. **Exercer** *la médecine, c'est la pratiquer.*
✳ Conj. n° 1.

■ **exercice** n.m. [SENS 1] *As-tu fait tes* **exercices** *de calcul ?* (= devoir). [SENS 2] *L'****exercice*** *de son métier lui prend beaucoup de temps* (= pratique). ◆ *Tu devrais faire un peu d'****exercice***, *de la gymnastique ou du sport.*

exergue n.m. *L'auteur a mis en* **exergue** *une citation de La Fontaine,* il a mis cette citation en tête de son ouvrage.

exhaler v. 1er groupe. *Ce produit* **exhale** *une odeur bizarre* (= répandre, dégager).

■ **exhalaison** n.f. *On sent les* **exhalaisons** *des égouts* (= odeur).

exhausser v. 1er groupe. *On a* **exhaussé** *la maison d'un étage,* on a augmenté sa hauteur (= hausser, rehausser, surélever).
✳ Ne pas confondre avec **exaucer**.

exhaustif, ive adj. *Une liste* **exhaustive** *ne laisse rien de côté, n'omet rien* (= complet).

exhiber v. 1er groupe. *L'agent lui a demandé d'****exhiber*** *ses papiers,* de les montrer, de les présenter.

■ **exhibition** n.f. *Faire une* **exhibition**, *c'est se donner en spectacle, attirer l'attention sur soi.*

exhorter v. 1er groupe. *Avant les grands départs en vacances, on* **exhorte** *les conducteurs à la prudence,* on leur recommande avec insistance d'être prudents (= inciter, inviter).

■ **exhortation** n.f. *Malgré mes* **exhortations**, *il est parti se baigner* (= conseil, recommandation).

exhumer v. 1er groupe. *Au cours des fouilles, on* **a exhumé** *plusieurs statues antiques,* on les a extraites de la terre (≠ inhumer).

exiger v. 1er groupe. SENS 1. *Il* **a exigé** *que nous venions demain,* il l'a réclamé

avec force (= ordonner). *Le baccalauréat est exigé pour cet emploi, il est indispensable* (= requérir). SENS 2. *Ce travail exige beaucoup d'application,* il en faut beaucoup (= demander, nécessiter).
❋ Conj. n° 2.

■ **exigeant, ante** adj. [SENS 1] *Le maître est très exigeant* (= sévère).

■ **exigence** n.f. [SENS 1] *Tes exigences sont exagérées* (= demande, volonté).

■ **exigible** adj. [SENS 1] *L'impôt est exigible le 15 septembre,* il doit être versé.

exigu, uë adj. *Cette chambre est exiguë,* elle est trop petite (= étroite ; ≠ vaste).
❋ Noter le tréma sur le « e » au féminin : **exiguë**.

■ **exiguïté** n.f. *L'exiguïté de la salle ne permet d'inviter que quelques personnes,* sa petitesse.

exiler v. 1er groupe. *Sous Louis XIV, de nombreux protestants français durent s'exiler,* ils quittèrent leur pays (= s'expatrier, émigrer).

■ **exil** n.m. *Il est revenu dans son pays après dix ans d'exil,* de séjour forcé hors de son pays.

exister v. 1er groupe. SENS 1. *Il y a deux cents ans, nous n'existions pas* (= vivre). SENS 2. *Il existe une seule route pour aller dans ce village* (= il y a). ●● *coexister, préexister*

■ **existant, ante** adj. [SENS 2] *Il faut tenir compte de la situation existante,* présente. ●● *inexistant*

■ **existence** n.f. [SENS 1] *Il a eu des malheurs dans son existence* (= vie).

exode n.m. *L'avance de l'ennemi a provoqué l'exode des populations,* la fuite massive.

exonérer v. 1er groupe. *Être exonéré d'impôts, c'est être dispensé d'en payer.*
❋ Conj. n° 10.

■ **exonération** n.f. *M. Duval bénéficie d'une exonération d'impôts* (= exemption).

exorbitant, ante adj. *Ce prix est exorbitant,* il est excessif, abusif.

exorbité, ée adj. *Les enfants, stupéfaits, regardaient avec des yeux exorbités,* des yeux grands ouverts comme s'ils allaient sortir de leur orbite. ●● *orbite*

exotique adj. *Les bananes, les ananas sont des fruits exotiques,* ils viennent de pays lointains.

■ **exotisme** n.m. *Des cocotiers mettent une note d'exotisme dans le tableau,* ils évoquent les paysages, les coutumes des pays lointains.

expansif, ive adj. *Mme Ferreira est une femme expansive,* elle dit ce qu'elle pense, ce qu'elle ressent (= ouvert, exubérant ; ≠ timide, renfermé).

expansion n.f. *Cette industrie est en pleine expansion,* elle se développe (= essor).

s'**expatrier** v. 1er groupe. *Les opposants politiques à ce régime dictatorial ont dû s'expatrier,* quitter leur pays (= émigrer, s'exiler). ●● *patrie*

expectative n.f. *Étant mal informés, nous restons dans l'expectative,* nous attendons prudemment.

expectorer v. 1er groupe. *Le malade tousse, mais n'expectore pas,* il ne crache pas de mucosités.

expédient n.m. *Il cherche un expédient pour se tirer d'affaire,* un moyen habile.

expédier v. 1er groupe. SENS 1. *Expédier une lettre, un paquet, c'est les envoyer à une adresse.* SENS 2. *Rémi a expédié son travail en une heure,* il l'a fait très vite (= bâcler).

■ **expéditeur, trice** n. [SENS 1] *Le nom de l'expéditeur doit être indiqué au dos de la lettre* (≠ destinataire).

■ **expéditif, ive** adj. [SENS 2] *Jean est un garçon expéditif, il travaille vite.*

■ **expédition** n.f. [SENS 1] *Ce service est chargé de l'expédition des colis* (= envoi). ◆ *Une expédition scientifique est partie pour le pôle Nord, un groupe de savants.*

■ **expéditionnaire** adj. *Un corps expéditionnaire, ce sont des troupes envoyées en opérations militaires hors du territoire national.*

expérience n.f. SENS 1. *Le maître a fait une expérience de chimie, un essai scientifique pour étudier un phénomène.* SENS 2. *M. Avril a de l'expérience, il connaît bien les gens et les choses* (≠ inexpérience).

■ **expérimental, ale, aux** adj. [SENS 1] *La méthode expérimentale est fondée sur l'expérience.*

■ **expérimenté, ée** adj. [SENS 2] *M. Martin est un médecin expérimenté, il a de l'expérience* (= habile, compétent, chevronné ; ≠ inexpérimenté, débutant).

■ **expérimenter** v. 1er groupe. [SENS 1] *On a expérimenté ce médicament avant de le mettre en vente* (= essayer, tester).

expert, e n. *Il a fait évaluer ses tableaux par un expert, un spécialiste.*

■ **expertise** n.f. *Ils ont fait faire une expertise de leurs tableaux, une étude par un expert.*

■ **expertiser** v. 1er groupe. *On a fait expertiser ce bijou, on a fait estimer sa valeur par un expert.*

expier v. 1er groupe. *Expier une faute, c'est subir la peine qu'elle entraîne.*

expirer v. 1er groupe. SENS 1. *Expirer, c'est rejeter l'air contenu dans les poumons* (= souffler ; ≠ inspirer). SENS 2. *Le délai expire à la fin de la semaine* (= il se

termine). SENS 3. *Il a prononcé ces mots avant d'expirer, de mourir.*

■ **expiration** n.f. [SENS 1] *Soufflez à fond pendant l'expiration !* (≠ inspiration). [SENS 2] *À l'expiration de son mandat, le député s'est représenté* (= fin, terme ; ≠ continuation).

explicable, explicatif, explication → **expliquer**

explicite adj. *Il m'a donné son accord explicite, exprimé très clairement* (≠ implicite).

■ **explicitement** adv. *Les conditions sont indiquées explicitement dans le contrat, en toutes lettres* (≠ implicitement).

expliquer v. 1er groupe. *Le professeur nous explique comment fonctionne un moteur, il nous le fait comprendre.* ●● *inexpliqué*

■ **explicable** adj. *Cet incident est facilement explicable* (≠ inexplicable).

■ **explicatif, ive** adj. *Une notice explicative est fournie avec l'appareil, elle en explique le fonctionnement.*

■ **explication** n.f. *Il m'a demandé l'explication de mon retard* (= cause, raison, motif).

exploit n.m. *Ce sportif a accompli un exploit, une action remarquable* (= performance).

exploiter v. 1er groupe. SENS 1. *Cette mine est exploitée depuis deux ans, on en extrait du minerai, on en tire profit.* SENS 2. *Franck n'a pas su exploiter son avantage, en tirer parti* (= profiter de). SENS 3. *Ces pauvres gens sont exploités, quelqu'un les fait travailler à son profit en les payant mal.*

■ **exploitant, ante** n. [SENS 1] *Les exploitants (agricoles) ont été touchés par la sécheresse, ceux qui exploitent une terre* (= cultivateur).

■ **exploitation** n.f. [SENS 1] *La forêt a été mise en exploitation, on l'exploite. M. Martin possède une exploitation agri-*

illustr. p. 983

cole, une terre qu'il exploite. [SENS 3] *Les ouvriers protestent contre l'exploitation, les abus de leurs employeurs.*

■ **exploiteur, euse** n. [SENS 3] *À bas les exploiteurs !* (= profiteur).

explorer v. 1er groupe. *Des savants ont exploré cette région inconnue, ils l'ont parcourue pour l'étudier.* ●● *inexploré*

■ **explorateur, trice** n. *Stanley et Livingstone furent de grands explorateurs.*

■ **exploration** n.f. *Les enquêteurs ont procédé à une exploration minutieuse des environs* (= inspection). *Thomas rêve d'explorations lointaines* (= découverte, expédition).

exploser v. 1er groupe. SENS 1. *La bombe a explosé, elle a éclaté violemment.* SENS 2. *Sa colère a explosé, elle s'est manifestée violemment.*

■ **explosif, ive** [SENS 1] n.m. *La poudre, le plastic, la dynamite sont des explosifs, des produits pouvant produire des explosions.* [SENS 2] adj. *La situation dans ce pays est explosive, elle est sujette à des accès de violence* (= instable).

illustr. p. 949 ■ **explosion** n.f. [SENS 1] *L'explosion de la bombe a fait plusieurs morts* (= éclatement, déflagration). [SENS 2] *La nouvelle a été accueillie par une explosion de joie* (= débordement).

exporter v. 1er groupe. *La France exporte du vin, elle en vend à l'étranger* (≠ importer).

■ **exportation** n.f. *Nos exportations ont augmenté l'année dernière, la quantité de nos produits exportés* (≠ importation).

■ **exportateur, trice** adj. et n. *L'O.P.E.P. est l'Organisation des pays exportateurs de pétrole. Le Brésil est un grand exportateur de café* (≠ importateur).

exposer v. 1er groupe. SENS 1. *Jean m'a exposé ses projets* (= expliquer, décrire). SENS 2. *Ce peintre a exposé ses tableaux, il les a montrés au public.* SENS 3.

La maison est exposée au sud, elle est tournée vers cette direction (= orienter). *Il est dangereux de s'exposer trop longtemps au soleil, de présenter son corps aux rayons du soleil.* SENS 4. *En fumant, on expose sa santé, on lui fait courir un risque. Si on ne prend pas de précautions, on s'expose à un accident, on risque d'en avoir un.*

■ **exposant, ante** n. [SENS 2] *Parmi les exposants du Salon, il y a des peintres célèbres, parmi ceux qui exposent.*

■ **exposé** n.m. [SENS 1] *Il nous a fait un exposé sur le pôle Nord, il nous en a parlé* (= cours, conférence, causerie).

■ **exposition** n.f. [SENS 2] *Nous avons visité l'exposition de peinture, la présentation de tableaux au public.* [SENS 3] *La maison a une bonne exposition* (= orientation).

exprès, esse SENS 1. adj. *Interdiction expresse de parler pendant l'examen !* (= absolu, formel). SENS 2. adj. inv. *Lucie m'a envoyé une lettre exprès, qui va plus vite que les lettres ordinaires.* SENS 3. adv. *Loïc est en retard, mais il ne l'a pas fait exprès* (= intentionnellement, volontairement).

✳ **Exprès** se prononce [ɛksprɛs] aux sens 1 et 2 et [ɛksprɛ] au sens 3.

■ **express** adj. inv. et n.m. inv [SENS 2] *Un (train) express va plus vite que les autres trains* (≠ omnibus).

✳ Ce mot ne change pas au pluriel.

■ **expressément** adv. [SENS 1] *Il m'a demandé expressément de venir, il a insisté* (= absolument).

exprimer v. 1er groupe. SENS 1. *Son visage exprime une grande joie, il la laisse voir* (= manifester). SENS 2. *John commence à s'exprimer en français, à se faire comprendre, communiquer* (= parler). ●● *inexprimable*. SENS 3. *On fait une orangeade en exprimant le jus d'une orange, en pressant l'orange.*

■ **expressif, ive** adj. [SENS 1] *Marie a un visage expressif, qui exprime ses sentiments* (≠ figé, neutre, inexpressif).

■ **expression** n.f. [SENS 1] *Pourquoi as-tu cette* **expression** *de surprise ?* (= air). [SENS 2] *Stéphane emploie des* **expressions** *grossières, il parle grossièrement* (= mot, locution).

exproprier v. 1er groupe. *On a* **exproprié** *plusieurs personnes pour construire la route, on leur a pris leur propriété en leur donnant de l'argent en échange.* ●● *propriété*

expulser v. 1er groupe. *La police a* **expulsé** *les perturbateurs, elle les a mis dehors* (= chasser, exclure).

■ **expulsion** n.f. *Un décret d'***expulsion** *l'a chassé du pays.*

exquis, ise adj. *Ce repas est* **exquis***, très bon.*

exsangue adj. *Un blessé* **exsangue** *est un blessé qui a perdu beaucoup de sang.* ●● *sang*
✳ On prononce [ɛksɑ̃g].

extase n.f. *Antoine est en* **extase** *devant la vitrine du marchand de jouets, il la regarde avec une grande admiration* (= ravissement).

■ s'**extasier** v. 1er groupe. *On* **s'est extasié** *devant la beauté du paysage* (= s'enthousiasmer).

extensible adj. *Ce vêtement est en tissu* **extensible***, qui peut s'étendre, s'allonger* (= élastique).

extension n.f. SENS 1. *On signale une* **extension** *de la grève, que la grève s'étend.* ●● *étendre*. SENS 2. *L'***extension** *du bras, c'est le mouvement par lequel on étend le bras.*

exténuer v. 1er groupe. *Cette longue marche m'a* **exténué***, elle m'a beaucoup fatigué.*

■ **exténuant, ante** adj. *J'ai fait un travail* **exténuant** (= épuisant, éreintant, harassant).

extérieur, eure adj. *On va au premier étage par un escalier* **extérieur***, qui passe dehors* (≠ intérieur). *Le ministre des Affaires étrangères dirige la politique* **extérieure***, celle qui concerne les pays étrangers* (≠ intérieur).

■ **extérieur** n.m. *Ne reste pas à l'***extérieur***, entre dans la maison* (= dehors).

■ **extérieurement** adv. *Il est furieux, mais,* **extérieurement***, il reste très calme, en apparence* (≠ intérieurement).

exterminer v. 1er groupe. *M. Bondel a acheté un produit pour* **exterminer** *les fourmis, pour les tuer toutes* (= détruire).

■ **extermination** n.f. *Les nazis avaient créé des camps d'***extermination***, pour tuer des populations entières.*

externe SENS 1. adj. *La face* **externe** *du couvercle est bombée, la face extérieure* (≠ interne). *Un médicament à usage* **externe** *doit être appliqué sur le corps, mais non absorbé.* SENS 2. adj. et n. *Les (élèves)* **externes** *rentrent chez eux tous les soirs* (≠ interne, pensionnaire).

■ **externat** n.m. [SENS 2] *Un* **externat** *est un établissement scolaire qui ne reçoit que des élèves externes, ceux qui suivent les cours mais ne dorment pas dans l'établissement et ne déjeunent pas à la cantine* (≠ internat).

extinction n.f. SENS 1. *L'***extinction** *des lumières aura lieu à dix heures, elles seront éteintes* (≠ allumage). ●● *éteindre*. SENS 2. *Jean a une* **extinction de voix***, il ne peut plus parler.*

■ **extincteur** n.m. [SENS 1] *En cas d'incendie, décrochez l'***extincteur** *!, l'appareil qui sert à éteindre le feu.*   *illustr. p. 736*

extirper v. 1er groupe. SENS 1. *Extirper les mauvaises herbes, c'est les arracher.* SENS 2. *On a eu bien du mal à lui* **extirper** *une réponse, à obtenir de lui cette réponse* (= arracher).

extorquer v. 1er groupe. *L'escroc voulait lui* **extorquer** *de l'argent, l'obtenir malhonnêtement.*

extra adj. inv. *Ces fruits sont extra*, très bons.
🟎 Ce mot ne change pas au pluriel.

extra- préfixe. Placé au début d'un mot, **extra-** indique ce qui est à l'extérieur (***extra***terrestre) ou ce qui est à un degré élevé (***extra***fin).

extraction → *extraire*

extradition n.f. *Le gouvernement a procédé à l'**extradition** du criminel*, il l'a livré aux autorités de son pays qui le réclamaient.

extraire v. 3ᵉ groupe. SENS 1. *Dans cette mine, on **extrait** du charbon*, on le tire du sol. SENS 2. *On **extrait** l'alcool du vin*, on le fait avec le vin. SENS 3. *Le dentiste m'a **extrait** une dent* (= arracher).
🟎 Conj. nº 79.

■ **extraction** n.f. [SENS 3] *L'**extraction** de ma dent n'a pas été trop douloureuse*, quand on me l'a arrachée.

■ **extrait** n.m. [SENS 2] *Un **extrait** de lavande est un liquide obtenu à partir de la lavande.* ◆ *J'ai lu quelques **extraits** de ce roman* (= passage). ◆ *Un **extrait** de naissance est une copie de l'acte de naissance enregistré à la mairie.*

extraordinaire adj. SENS 1. *Une assemblée **extraordinaire** des copropriétaires a été convoquée*, une assemblée exceptionnelle (≠ habituel). ●● ***ordinaire***. SENS 2. *Mylène a une mémoire **extraordinaire***, une excellente mémoire (= remarquable, sensationnel).

■ **extraordinairement** adv. *Ce problème est **extraordinairement** compliqué* (= extrêmement, incroyablement, formidablement).

extraterrestre adj. et n. *Le film imagine une rencontre avec des (êtres)*

extraterrestres, des êtres venus d'une autre planète que la Terre. ●● ***terre***

extravagant, ante adj. *Des idées **extravagantes** sont des idées bizarres*, grotesques (≠ normal, raisonnable).

■ **extravagance** n.f. *Je n'ai pas écouté ses **extravagances***, ses paroles bizarres (= divagation).

extrême adj. SENS 1. *Il a montré un désir **extrême** de nous voir*, très grand (= intense ; ≠ faible). SENS 2. *M. Rivois est partisan des solutions **extrêmes***, des solutions radicales, excessives (≠ modéré). SENS 3. *Demain, c'est l'**extrême** limite pour payer vos impôts*, la dernière limite (= ultime).

■ **extrême** n.m. [SENS 2] *Il passe toujours d'un **extrême** à l'autre*, d'un excès à l'excès opposé.

■ **extrêmement** adv. [SENS 1] *Mme Nordin est **extrêmement** riche* (= très, immensément).

■ **extrémiste** adj. et n. [SENS 2] *M. Rivois est (un) **extrémiste***, il est partisan des solutions extrêmes, des mesures violentes (≠ modéré).

■ **extrémité** n.f. [SENS 3] *Le phare est à l'**extrémité** du cap* (= bout).

extrême-onction n.f. *On reçoit l'**extrême-onction** quand on risque de mourir*, un sacrement catholique.
🟎 Aujourd'hui, on parle plutôt du **sacrement des malades**.

exubérant, ante adj. *Jean a une imagination **exubérante***, très riche (= débordant).

exulter v. 1ᵉʳ groupe. *Quand il a su la bonne nouvelle, il **a exulté***, il a été très content.

ex-voto n.m. inv. *Dans une église, les **ex-voto** sont des objets, des plaques portant des inscriptions de remerciement.*

F f

Fougère

Figue

Faisan

Fusil

fa n.m. **Fa** est la quatrième note de la gamme.

fable n.f. Les **fables** sont des poésies qui comportent une morale.

■ **fabuliste** n.m. *La Fontaine est un fabuliste,* c'est un auteur de fables.

fabriquer v. 1er groupe. *Cet industriel fabrique des meubles,* il les exécute (= faire). ●● **préfabriqué**

■ **fabrique** n.f. Une **fabrique** est un endroit où l'on fabrique des objets.

■ **fabricant, ante** n. *Il est fabricant de parapluies.*
✳ Ne pas confondre un **fabricant** et **fabriquant** (participe présent du verbe « fabriquer »).

illustr.
p. 759
■ **fabrication** n.f. *Il y a un défaut de fabrication dans ces verres.*

fabulateur, trice adj. et n. Un (enfant) **fabulateur** a tendance à inventer des histoires en les présentant comme vraies (= mythomane).

fabuleux, euse adj. *Il a une fortune fabuleuse,* énorme, immense.

■ **fabuleusement** adv. *Ce banquier est fabuleusement riche* (= extrêmement, prodigieusement).

fabuliste → *fable*

façade n.f. SENS 1. *On a ravalé la façade de l'immeuble,* la partie où se trouve l'entrée principale. SENS 2. *Sa gentillesse n'est qu'une façade,* une apparence.

illustr.
p. 573

face n.f. SENS 1. *Sophie a mal aux muscles de la face* (= visage, figure). SENS 2. *Un dé est un cube à six faces,* six surfaces planes. SENS 3. La **face** d'une pièce de monnaie est le côté qui porte une figure gravée (≠ pile). SENS 4. *Cette photo a été prise de face,* le sujet photographié est vu de devant (≠ de dos). SENS 5. *Il y a un arbre en face de la maison,* devant. SENS 6. *Ces deux maisons sont face à face,* l'une en face de l'autre. SENS 7. *Il a fallu faire face*

illustr.
p. 431

373

aux difficultés, les accepter, y répondre (= affronter).

■ **facial, ale, aux** adj. [SENS 1] *Il a une paralysie **faciale**,* de la face.

■ **facette** n.f. [SENS 2] *Les **facettes** d'un diamant sont ses petites surfaces planes.*

■ **faciès** n.m. [SENS 1] *Ce bonhomme a un **faciès** étonnant,* un visage à l'aspect particulier.
⁕ On prononce le « s » : [fasjɛs].

facétie n.f. *On lui a fait une **facétie*** (= farce, blague).
⁕ On prononce [fasesi].

■ **facétieux, euse** adj. *Seydou est **facétieux**,* il aime faire des farces (= farceur).

facette → *face*

fâché, ée adj. *Je suis vraiment **fâché** des ennuis qui vous arrivent,* j'en suis désolé, contrarié.

■ **fâcheux, euse** adj. *C'est **fâcheux** que tu ne puisses pas venir,* je le regrette (= ennuyeux, regrettable).

se **fâcher** v. 1er groupe. SENS 1. *Attention, je vais **me fâcher** !,* me mettre en colère. SENS 2. *Catherine **s'est fâchée** (est fâchée) avec Pierre,* ils ne sont plus amis (= brouiller ; ≠ réconcilier).

fâcheux → *fâché*

facial, faciès → *face*

facile adj. SENS 1. *Cette question est **facile**,* on y répond sans difficulté (= simple ; ≠ difficile, ardu). *Voilà un travail **facile*** (= aisé). SENS 2. *Elle a un caractère **facile**,* accommodant (= souple).

■ **facilement** adv. [SENS 1] *Ce livre se lit **facilement*** (= aisément).

■ **facilité** n.f. [SENS 1] *Il a répondu à la question avec **facilité*** (≠ difficulté). ◆ (Au plur.) *On a obtenu des **facilités** de paiement,* des conditions plus faciles (= délai).

■ **faciliter** v. 1er groupe. [SENS 1] *En m'aidant, tu m'**as facilité** les choses,* tu me les as rendues plus faciles.

1. façon n.f. SENS 1. *Paul a une curieuse **façon** de s'habiller* (= manière). SENS 2. (Au plur.) *Je n'aime pas ses **façons**,* sa manière d'agir. SENS 3. *Le directeur m'a reçu chez lui **sans façon**,* en toute simplicité. SENS 4. *J'ai agi **de façon (à ce) que** chacun soit content,* pour que.

2. façon n.f. *J'ai fait faire un costume : comme j'avais le tissu, je n'ai eu que la **façon** à payer,* le travail de l'artisan (= main-d'œuvre). ●● ***malfaçon***

■ **façonner** v. 1er groupe. *Le potier **façonne** un vase,* il lui donne sa forme.

fac-similé n.m. *Ces gravures sont des **fac-similés** de tableaux célèbres,* des reproductions exactes.
⁕ Au pluriel, on écrit des **fac-similés**.

1. facteur, trice n. *Le **facteur** distribue le courrier,* l'employé de la poste (= préposé).

2. facteur n.m. SENS 1. *Le courage est un **facteur** de succès,* un élément qui a un rôle. SENS 2. Chacun des termes d'une multiplication est un **facteur**.

factice adj. *Sa gaieté est **factice**,* elle est fausse, forcée (≠ naturel, vrai).

1. faction n.f. *Être **de faction**,* c'est monter la garde.
⁕ On dit aussi **être en faction**.

2. faction n.f. *Plusieurs **factions** se disputaient le pouvoir,* plusieurs groupes luttant contre l'autorité.

■ **factieux, euse** n. et adj. *Le gouvernement a résisté aux **factieux*** (= insurgé, rebelle, révolté).

factotum n.m. *Un **factotum** est un employé chargé de toutes sortes de petits travaux.*
⁕ On prononce [faktɔtɔm].

facture n.f. *Le plombier m'a envoyé sa **facture**,* la note à payer.

374

■ **facturer** v. 1er groupe. *On ne vous a pas facturé le déplacement,* on ne l'a pas porté sur la facture (= compter).

facultatif, ive adj. *Le latin est une matière facultative en quatrième,* il n'est pas obligatoire.

faculté n.f. SENS 1. *Les animaux n'ont pas la faculté de parler,* la possibilité. SENS 2. *Certains vieillards ne jouissent plus de toutes leurs facultés,* ils n'ont plus toute leur raison. SENS 3. *Il est étudiant à la faculté de médecine,* la partie de l'université où l'on enseigne cette discipline.

fade adj. *Cet aliment est fade,* il manque de goût (≠ épicé, salé). ●● *s'affadir*

■ **fadeur** n.f. *Je n'aime pas ce plat à cause de sa fadeur.*

fagot n.m. *Mets un fagot dans la cheminée,* un faisceau de branches minces.

fagoté, ée adj. Fam. *Elle est vraiment mal fagotée,* mal habillée.

faible adj. SENS 1. *Paul va mieux, mais il est encore faible,* il n'a pas retrouvé ses forces (≠ robuste). SENS 2. *Jean est faible en orthographe* (= médiocre ; ≠ fort, doué, bon). SENS 3. *Il est trop faible avec ses enfants,* il leur cède trop facilement (≠ dur, sévère, exigeant). SENS 4. *J'entends un bruit faible,* un bruit léger (≠ fort). *On annonce de faibles chutes de neige* (= petit).

■ **faible** n.m. [SENS 3] *Il a un faible pour le chocolat aux noisettes,* une préférence.

■ **faiblement** adv. [SENS 4] *La lampe éclaire faiblement.*

■ **faiblesse** n.f. [SENS 1] *La faiblesse du malade inquiète le médecin,* son manque de vigueur. [SENS 3] *C'est par faiblesse que tu cèdes à tous ses caprices,* par manque d'énergie, d'autorité.

■ **faiblir** v. 2e groupe. [SENS 4] *Le bruit faiblit,* il est de moins en moins fort (= s'affaiblir, diminuer ; ≠ grossir).

faïence n.f. *Un plat en faïence est en terre cuite recouvert d'émail.*
✳ On prononce [fajɑ̃s].

faignant → *fainéant*

faille n.f. SENS 1. *Il y a une faille dans ton raisonnement,* quelque chose qui n'est pas cohérent. SENS 2. *En géologie, une faille est une cassure dans une couche de terrain.*   *illustr. p. 29, 949*

faillir v. 2e groupe. SENS 1. *J'ai failli tomber,* un peu plus, je tombais (= manquer). SENS 2. *Cet homme a failli à sa promesse,* il ne l'a pas tenue.
✳ Conj. n° 30.

faillite n.f. *Ce commerçant a fait faillite,* il ne peut plus payer ses dettes et doit fermer son magasin.

faim n.f. *J'ai faim,* je ressens le besoin de manger. ●● *affamé.* → *famine*
✳ On prononce [fɛ̃]. Ne pas confondre **faim**, **fin** et (il, elle) **feint** (du verbe « feindre »).

faine n.f. *La faine est le fruit du hêtre.*   *illustr. p. 402*

fainéant, ante adj. et n. *S'il était moins fainéant, il nous aurait donné un coup de main* (= paresseux ; ≠ travailleur).
✳ On dit familièrement **faignant** ou **feignant**.

■ **fainéantise** n.f. *Son échec est dû à sa fainéantise* (= paresse).

faire v. 3e groupe. SENS 1. *Le boulanger fait le pain,* il le fabrique. SENS 2. *Joël fait son lit tous les matins,* il le remet en ordre, en état (≠ défaire). ●● *refaire.* SENS 3. *Vous faites du tennis ?,* vous pratiquez ce sport ? SENS 4. *Comment as-tu fait pour nous trouver ?,* comment t'y es-tu pris ? *Tu as bien fait de venir,* tu as bien agi. SENS 5. *Il ne sait pas faire son*

problème, le résoudre. SENS 6. *Deux et deux* **font** *quatre,* égalent quatre. SENS 7. *Il va* **faire** *froid cette nuit,* la température va être basse. *Il* **fait** *nuit,* la nuit est tombée. SENS 8. *Il* **fait** *plus vieux que son âge,* il a l'air (= paraître). SENS 9. *Il* **s'est fait** *renverser par une voiture,* il a été renversé. SENS 10. *Je ne peux pas* **me faire à** *cette idée,* m'y habituer. SENS 11. *Il* **se fait** *vieux,* il devient vieux. *Il* **se fait** *tard,* il commence à être tard. *Sibylle* **se fait** *belle pour sortir,* elle s'arrange pour paraître belle. SENS 12. Fam. *Ne* **t'en fais** *pas, tout ira bien,* ne sois pas inquiet. SENS 13. *Il nous* **a fait part** *de son intention de partir à l'étranger,* il nous l'a annoncée.
✳ Conj. n° 76.

■ **faire-part** n.m. inv. [SENS 13] *Nous avons reçu leur* **faire-part** *de mariage,* une carte annonçant leur mariage.
✳ Ce mot composé ne change pas au pluriel.

■ **faisable** adj. [SENS 5] *L'opération est* **faisable** (= possible, réalisable ; ≠ infaisable).
✳ On prononce [fəzabl].

faisan n.m. *Un* **faisan** *est un gros oiseau à longue queue.*
✳ On prononce [fəzɑ̃].

faisandé, ée adj. *Du gibier* **faisandé** *est en décomposition.*
✳ On prononce [fəzɑ̃de].

faisceau n.m. SENS 1. *Un fagot est formé par un* **faisceau** *de petites branches,* un assemblage de branches attachées ensemble. SENS 2. *Les projecteurs émettent des* **faisceaux** *lumineux,* des bandes de lumière.
✳ Au pluriel, on écrit des **faisceaux**.

fait n.m. SENS 1. *Voilà un* **fait** *curieux !* (= événement, chose). SENS 2. *Le* **fait qu'il** *était absent prouve son innocence,* son absence. SENS 3. *Du* **fait de** *sa maladie, il a été longtemps absent,* à cause de sa maladie. SENS 4. *Le voleur a été pris* **sur**

le **fait,** pendant qu'il commettait son action. ◆ *Les* **faits et gestes** *de quelqu'un,* c'est tout ce qu'il fait. *Des* **hauts faits** *sont des actions d'éclat, des exploits.* SENS 5. *Au* **fait,** *tu viens demain ?,* puisque j'y pense, à propos. SENS 6. *J'ai cru l'apercevoir ;* **en fait,** *c'était son frère,* en réalité. SENS 7. *En* **fait** *de nourriture, il ne reste qu'un morceau de pain,* en guise de, comme.
✳ On prononce [fɛ] ou [fɛt]. Ne pas confondre **fait, faite** (participe passé de « faire »), avec le **faîte** et la **fête**.

■ **fait divers** ou **fait-divers** n.m. *Les accidents, les vols, etc., figurent dans la rubrique des* **faits divers** *d'un journal,* la rubrique réservée aux événements de la vie quotidienne.

faîte n.m. *Il est monté sur le* **faîte** *du toit,* l'endroit le plus élevé (= sommet).
✳ Ne pas confondre avec **faite** (participe passé de « faire ») et la **fête**.

illustr. p. 573

fait-tout n.m. inv. ou **faitout** n.m. *La soupe cuit dans le* **fait-tout,** *un récipient à anses et à couvercle.*

fakir n.m. *Au music-hall, il y avait un* **fakir,** *un artiste qui faisait des tours de magie et qui semblait insensible à la douleur.*

falaise n.f. *La* **falaise** *est très haute,* la paroi qui domine la mer.

illustr. p. 557

fallacieux, euse adj. *Le vendeur nous avait fait des promesses* **fallacieuses,** *destinées à tromper.*

falloir v. 3ᵉ groupe. SENS 1. *Il* **faut** *que tu partes,* tu dois partir, c'est nécessaire. SENS 2. *Il s'en est* **fallu** *de peu qu'elle tombe,* elle a failli tomber.
✳ Conj. n° 48. C'est un verbe impersonnel, il ne s'emploie qu'à la troisième personne du singulier avec « il » : **il faut**. Ne pas confondre il **faut** (du verbe « falloir ») et l'adjectif **faux**.

1. falot n.m. *Un* **falot** *est une lanterne portative.*

2. falot, ote adj. *Nous n'avions pas fait attention à ce personnage **falot*** (= insignifiant, effacé).

falsifier v. 1ᵉʳ groupe. **Falsifier** un document, c'est le modifier dans une intention malhonnête. → ***faux (2)***

■ **falsification** n.f. *La **falsification** des signatures est punie par la loi,* falsifier des signatures.

famélique adj. *Des chiens **faméliques** erraient dans le village,* des chiens très maigres par manque de nourriture.

fameux, euse adj. SENS 1. *Cette région est **fameuse** pour ses fromages,* très connue (= réputé, célèbre, renommé). SENS 2. Fam. *Ce vin est **fameux**,* très bon (= excellent).

■ **fameusement** adv. Fam. *Voilà un vin **fameusement** bon* (= très).

familial → ***famille***

familier, ère adj. SENS 1. *Nous aimons vivre dans ce paysage **familier**,* connu (≠ étranger). SENS 2. *Il a des façons trop **familières**,* qui manquent de respect (= libre ; ≠ réservé). SENS 3. *Quand on dit « bagnole » au lieu de « voiture », c'est **familier**,* cela s'emploie seulement dans une conversation entre camarades.

■ **familier** n.m. [SENS 1] *C'est un **familier** de la maison,* il vient souvent (= habitué).

■ **familièrement** adv. [SENS 3] *« Bistrot » s'emploie **familièrement** pour « café »*.

■ se **familiariser** v. 1ᵉʳ groupe. [SENS 1] *Je me **familiarise** avec eux,* je m'habitue à vivre avec eux.

■ **familiarité** n.f. [SENS 2] *Il m'a traitée avec une **familiarité** déplacée,* des façons trop familières (= désinvolture).

famille n.f. SENS 1. *J'ai de la **famille** en Amérique,* des parents (oncles, cousins, etc.) SENS 2. *La **famille** Sanchez est très*

sympathique, le père, la mère et les enfants. SENS 3. *Le chien et le loup appartiennent à la même **famille** d'animaux,* à un groupe d'animaux qui ont des traits communs. SENS 4. *« Jointure » « jonction » « rejoindre » sont des mots de la même **famille**,* ils sont formés à partir d'un même mot.

■ **familial, ale, aux** adj. [SENS 2] *La vie **familiale** est la vie de famille.*

famine n.f. *La **famine** est un manque total de nourriture qui fait que les gens meurent de faim* (= disette). → ***faim***

fan → ***fanatique***

fanal n.m. *Un **fanal** est un petit phare ou une lanterne de signalisation qu'on utilise à bord des bateaux.*   *illustr. p. 694*

✳ Au pluriel, on dit des **fanaux**.

fanatique adj. et n. SENS 1. *Un (militant) **fanatique** a assassiné le chef de l'État,* passionné à l'excès pour ses idées et qui ne recule devant rien pour les faire triompher. SENS 2. *C'est une **fanatique** de cinéma,* une admiratrice passionnée.

■ **fan** n. [SENS 2] Fam. *Les **fans** d'un chanteur sont ses admirateurs enthousiastes.*

✳ On prononce [fan].

■ **fanatisme** n.m. [SENS 1] *Le **fanatisme** peut être la cause d'actes de terrorisme* (≠ tolérance).

■ **fanatiser** v. 1ᵉʳ groupe. [SENS 1] *Les discours des chefs **ont fanatisé** les troupes,* ils les ont rendues fanatiques.

fane n.f. *On donne les **fanes** de carotte aux lapins,* la partie verte, la tige et les feuilles de ce légume.

faner v. 1ᵉʳ groupe. SENS 1. *Ces fleurs vont **se faner** si on ne change pas l'eau du vase,* se flétrir. SENS 2. *Les paysans sont en train de **faner** l'herbe,* de la retourner sur le pré pour la faire sécher.

fanfare n.f. *La **fanfare** défile en jouant un air de musique militaire,* l'orchestre

377

composé essentiellement de cuivres et de tambours.

fanfaron, onne n. et adj. *Ne fais pas le fanfaron !*, ne te vante pas ! (= crâneur, vantard ; ≠ modeste).

■ **fanfaronnade** n.f. *Jacques se prétend le plus fort, mais ce sont des fanfaronnades*, des paroles de fanfaron (= vantardise).

■ **fanfaronner** v. 1er groupe. *Quand le danger est apparu, il a cessé de fanfaronner*, de faire le fanfaron.

fange n.f. *Les porcs se roulaient dans la fange* (= boue).
✻ Ce mot s'emploie surtout dans la langue écrite.

illustr. p. 913 **fanion** n.m. Un **fanion** est un petit drapeau.

fantaisie n.f. SENS 1. *Sophie n'a aucune fantaisie*, elle manque totalement d'originalité, d'imagination. SENS 2. *Son père lui passe toutes ses fantaisies*, ses caprices, ses lubies.

■ **fantaisiste** [SENS 1] adj. et n. *Marie est (une) fantaisiste.* ◆ n. Un **fantaisiste** est un artiste de music-hall.

fantasmagorie n.f. *Ces milliers de flambeaux faisaient une véritable fantasmagorie*, un spectacle extraordinaire, merveilleux.

■ **fantasmagorique** adj. *Le décor de la pièce était fantasmagorique*, plein d'effets extraordinaires.

fantasque adj. *Elle a un caractère fantasque*, qui change souvent (= fantaisiste, bizarre).

illustr. p. 54 **fantassin** n.m. Les **fantassins** sont des soldats de l'infanterie, qui vont à pied.

fantastique adj. SENS 1. Les films **fantastiques** sont des films qui racontent des histoires irréelles, merveilleuses ou effrayantes. SENS 2. Fam. *Tu as eu une*

chance **fantastique**, très grande (= inouï, extraordinaire).

fantôme n.m. *On dit qu'un fantôme hante ce château*, un mort qui reviendrait sur terre (= spectre, revenant).

■ **fantomatique** adj. *Le clair de lune donnait aux rochers un aspect fantomatique*, mystérieux et un peu inquiétant.
✻ **Fantôme** s'écrit avec un accent circonflexe, mais **fantomatique** n'en prend pas.

faon n.m. Le **faon** est le petit de la biche.
✻ On prononce [fɑ̃].

faramineux, euse adj. Fam. *Certains tableaux se sont vendus à des prix faramineux*, énormes, fantastiques.

farandole n.f. *Faisons une farandole !*, une danse où l'on forme une longue file en se tenant par la main.

1. farce n.f. *Pour lui faire une farce, ses amis lui ont donné une cuillère qui fond dans la tasse*, pour lui jouer un tour (= blague, espièglerie).

■ **farceur, euse** n. *Quelle farceuse, elle a caché mon parapluie !*

2. farce n.f. *La cuisinière a mis de la farce dans les tomates*, de la viande hachée avec de la mie de pain et des aromates.

■ **farcir** v. 2e groupe. *Nous avons mangé des tomates farcies*, remplies de farce.

fard n.m. *Elle s'est mis du fard sur les joues*, un produit de maquillage. *illustr. p. 150*
✻ Ne pas confondre avec un **phare**.

■ **se farder** v. 1er groupe. *Cette jeune fille ne se farde pas* (= se maquiller).

fardeau n.m. *Ce sac de pommes de terre est un lourd fardeau*, une charge, un poids.

se **farder** → **fard**

378

farfelu, ue adj. et n. Fam. *Se baigner sous la pluie, c'est vraiment une idée* **farfelue** (= bizarre, drôle, saugrenu).

faribole n.f. Fam. *Je ne crois rien de toutes ces* **fariboles**, *ces histoires pas sérieuses* (= balivernes).

farine n.f. La **farine** de blé est la poudre des grains de blé moulus.

■ **farineux, euse** adj. Une poire **farineuse** a le goût fade, la consistance de la farine. ◆ n.m. *Les pommes de terre sont des* **farineux**, *des légumes qui contiennent de la fécule* (= féculent).

farouche adj. SENS 1. *Ce chat est* **farouche**, *il fuit quand on l'approche* (= sauvage ; ≠ apprivoisé). ●● ***effaroucher***. SENS 2. *Une haine* **farouche** *les oppose* (= violent, acharné).

■ **farouchement** adv. [SENS 2] *Il s'est* **farouchement** *opposé à cette proposition,* avec acharnement.

fart n.m. Le **fart** est un produit qu'on applique sous les skis pour qu'ils glissent mieux.
✳ Le « t » se prononce : [fart].

■ **farter** v. 1er groupe. *Jean* **farte** *ses skis,* il leur met du fart.

fascicule n.m. *Cette encyclopédie se vend par* **fascicules**, *sous forme de brochures séparées.*

fasciner v. 1er groupe. *Paul* **est fasciné** *par les jouets dans la vitrine,* il les regarde avec envie (= émerveiller, éblouir).

■ **fascinant, ante** adj. *Cette femme est* **fascinante**, *elle éblouit par sa beauté, son intelligence, etc.*

■ **fascination** n.f. *Quelle* **fascination** *cet orateur exerce sur ses auditeurs !* (= attrait, séduction).

fascisme n.m. Le **fascisme** est un système politique dictatorial, nationaliste,

dans lequel un parti unique exerce un pouvoir très autoritaire.
✳ On prononce [faʃism].

■ **fasciste** adj. et n. *Ce pays a un régime* **fasciste**. *Des* **fascistes** *ont matraqué des manifestants pacifistes,* des partisans du fascisme.
✳ On prononce [faʃist].

1. faste n.m. *Quel* **faste** *pour le mariage de la princesse !,* quel étalage de luxe ! (= pompe).

■ **fastueux, euse** adj. *Elle mène une vie* **fastueuse**, *luxueuse.*

2. faste adj. *C'est un jour* **faste**, *j'ai gagné à la loterie,* un jour de chance (≠ néfaste).

fastidieux, euse adj. *Cette énumération est* **fastidieuse**, *elle est ennuyeuse et monotone* (= lassant).

fastueux → *faste (1)*

fatal, ale, als adj. SENS 1. *Il dépensait trop, sa ruine était* **fatale**, *elle devait forcément se produire* (= prévisible, inévitable). SENS 2. *Cet accident leur a été* **fatal**, *ils en sont morts.* SENS 3. *La moindre erreur peut nous être* **fatale**, *avoir des effets catastrophiques* (= funeste).
✳ Au masculin pluriel, on dit **fatals**.

■ **fatalement** adv. [SENS 1] *Cela devait* **fatalement** *finir ainsi* (= forcément, inévitablement).

■ **fatalité** n.f. [SENS 1] *Il a échoué, c'était la* **fatalité**, *le destin.*

■ **fataliste** n. et adj. [SENS 1] *C'est un* **fataliste**, *il croit que tout ce qui arrive est inévitable et qu'on doit s'y résigner. Il est* **fataliste**.

■ **fatidique** adj. [SENS 1] *Le jour* **fatidique** *de l'examen approche,* marqué par le destin.

fatiguer v. 1er groupe. SENS 1. *La promenade a* **fatigué** *les enfants,* elle leur a causé de la fatigue (= lasser).

●● *infatigable*. SENS 2. *Noël n'aime pas se fatiguer*, faire des efforts (≠ se reposer). SENS 3. *Tu me fatigues avec tes questions* (= ennuyer, importuner). SENS 4. *On se fatigue vite des chansons à la mode*, on en a vite assez (= se lasser).

■ **fatigue** n.f. [SENS 1] *Les sauveteurs continuent leurs recherches malgré la fatigue*, la sensation de lassitude, d'abattement physique causée par l'effort.

■ **fatigant, ante** adj. [SENS 1] *J'ai eu une journée fatigante* (≠ reposant). [SENS 3] *Il est fatigant avec ses bavardages*, difficile à supporter (= lassant).
❋ Ne pas confondre **fatigant** et **fatiguant** (participe présent du verbe « fatiguer »).

fatras n.m. *Un fatras de vieux journaux* est un tas en désordre.

fatuité n.f. *Il est plein de fatuité*, de vanité, de prétention.

illustr. p. 1016 **faubourg** n.m. *Ils habitent dans les faubourgs de Lyon*, à l'extérieur, à la périphérie (≠ centre).

faucher v. 1er groupe. SENS 1. **Faucher** l'herbe, c'est la couper avec une faux ou une faucheuse. ●● *faux (1)*. SENS 2. *Ce piéton a été fauché par une voiture*, il a été renversé. SENS 3. Fam. *On lui a fauché sa montre*, on la lui a volée.

■ **fauche** n.f. [SENS 3] Fam. *Il y a de la fauche dans ce magasin*, des vols.

illustr. p. 20 ■ **faucheuse** n.f. [SENS 1] Une **faucheuse** est une machine agricole qui sert à faucher.

faucheux n.m. *Un faucheux* est une araignée qui a des pattes longues et fines, très fragiles.

faucille → *faux (1)*

faucon n.m. *Le faucon s'abat sur sa proie*, un rapace.

faufiler v. 1er groupe. SENS 1. *Je vais faufiler cet ourlet*, le coudre provisoire-ment à grands points (= bâtir). SENS 2. *Ils ont réussi à se faufiler dans la file d'attente*, à s'y glisser sans se faire remarquer.

faune n.f. *Il faut protéger la faune de cette région*, l'ensemble des animaux qui y vivent.

faussaire, faussement, fausser, fausseté → *faux (2)*

faute n.f. SENS 1. *En ne disant pas la vérité, tu as commis une faute*, tu as manqué à ton devoir, tu es coupable. *Si tu es en retard, c'est bien de ta faute*, c'est toi qui es responsable. SENS 2. *Chloé a fait trois fautes dans sa dictée*, trois erreurs d'orthographe. SENS 3. *Faute d'argent, nous n'avons pas pu partir en voyage*, par manque d'argent. SENS 4. *On vous attend sans faute à 8 heures*, de façon sûre. SENS 5. *Il ne s'est pas fait faute de critiquer le projet*, il ne s'en est pas privé.

■ **fautif, ive** n. et adj. [SENS 1] *C'est elle la fautive*, c'est elle qui a commis la faute (= coupable ; ≠ innocent). [SENS 2] *Cette liste de mots est fautive*, il y a des fautes.

fauteuil n.m. *Assieds-toi dans le fauteuil*, un siège à bras et à dossier. *illustr. p. 862, 952*

fauteur n.m. *Un fauteur de troubles*, c'est quelqu'un qui provoque des troubles.

fautif → *faute*

fauve SENS 1. adj. *Les poils du renard sont fauves*, d'une couleur proche du roux. SENS 2. n.m. et adj. Les **fauves** sont de grands animaux sauvages comme le lion, le tigre, la panthère, etc.

fauvette n.f. La **fauvette** est un petit oiseau au plumage fauve. *illustr. p. 753*

1. faux n.f. *Au bord du chemin, on a coupé les hautes herbes à la faux*, un instrument composé d'une grande lame *illustr. p. 384* courbe montée sur un manche à poignées. ●● *faucher*

illustr.
p. 384 ■ **faucille** n.f. Une **faucille** est une sorte de petite faux à lame en demi-cercle et à manche court.

2. faux, fausse adj. SENS 1. *Votre addition est* **fausse**, vous avez fait une faute (= inexact ; ≠ juste). SENS 2. *C'est* **faux**, *je n'ai jamais dit cela*, c'est un mensonge (≠ vrai). SENS 3. *Ce bijou est* **faux**, c'est une imitation (≠ vrai, authentique). SENS 4. *Paul a un air* **faux** (= hypocrite ; ≠ franc, sincère). SENS 5. *Elle a cassé un verre en faisant un* **faux mouvement**, un mouvement maladroit. *Il a fait un* **faux pas** *en montant l'escalier*, il a trébuché. Faire **fausse route**, c'est se tromper de chemin ou commettre une erreur de jugement.
✹ Ne pas confondre l'adjectif féminin **fausse** et la **fosse**.

■ **faux** n.m. [SENS 3] *Ce tableau est un* **faux**, une imitation frauduleuse.

■ **faux** adv. [SENS 1] *Marie chante* **faux** (≠ juste).

■ **faussaire** n. [SENS 3] Un **faussaire** est une personne qui fabrique de faux tableaux, de faux bijoux, etc.

■ **faussement** adv. [SENS 2] *On l'a* **faussement** *accusé* (= injustement).

■ **fausser** v. 1ᵉʳ groupe. [SENS 1] *Les résultats* **ont été faussés**, ils ont été rendus faux. ◆ *Le choc* **a faussé** *la roue* (= déformer).

■ **fausseté** n.f. [SENS 2] *L'avocat a démontré la* **fausseté** *de l'accusation* (≠ exactitude).

faux-fuyant n.m. *Paul trouve toujours des* **faux-fuyants** *pour échapper à ses obligations*, des prétextes.

faux-monnayeur n.m. Un **faux-monnayeur** est un fabricant de fausse monnaie. ●● *monnaie*

faux-sens n.m. *Cette traduction comporte quelques* **faux-sens**, quelques inexactitudes moins graves que des contresens. ●● *sens*

faveur n.f. SENS 1. *On lui a accordé une* **faveur** *en l'admettant*, un avantage particulier (= privilège). SENS 2. *Ce chanteur a gagné la* **faveur** *du public*, il est devenu populaire (= considération). ●● *défaveur*. SENS 3. *J'interviendrai* **en faveur de** *Pierre*, dans son intérêt, pour lui.

■ **favorable** adj. [SENS 1] *On a navigué par un vent* **favorable**, qui favorise (= propice ; ≠ défavorable).

■ **favorablement** adv. [SENS 2] *J'ai été* **favorablement** *impressionné par ses paroles* (= bien).

■ **favori, ite** adj. et n. [SENS 2] *C'est ma chanson* **favorite**, celle que je préfère. *Ce cheval est le* **favori** *de la course*, celui qui a le plus de chances de gagner.

■ **favoriser** v. 1ᵉʳ groupe. [SENS 1] *La nuit* **a favorisé** *les assaillants*, elle les a avantagés (≠ défavoriser).

■ **favoritisme** n.m. [SENS 1] *On lui donne toujours la plus grosse part, c'est du* **favoritisme** *!*, c'est injuste.

fax n.m. *Le document nous a été communiqué par* **fax**, par un système qui transmet des textes écrits ou des dessins en utilisant le réseau téléphonique (= télécopie). *Nous avons reçu un* **fax**, un message transmis ainsi. *illustr.*
p. 940

■ **faxer** v. 1ᵉʳ groupe. **Faxer** un texte, c'est le transmettre par fax.

fébrile adj. SENS 1. *Le malade est dans un état* **fébrile**, il a de la fièvre. SENS 2. *Il règne ici une activité* **fébrile**, très vive.

■ **fébrilement** adv. [SENS 2] *Il s'agite* **fébrilement**.

■ **fébrilité** n.f. [SENS 2] *Dans la* **fébrilité** *du départ, on a perdu un paquet* (= agitation, précipitation, fièvre).

fécond, e adj. SENS 1. *Les lapines sont très* **fécondes**, elles ont beaucoup de petits. SENS 2. *C'est une journée* **féconde en** *incidents*, il y en a beaucoup (= riche).

■ **féconder** v. 1ᵉʳ groupe. [SENS 1] *La femelle* **a été fécondée** *par le mâle*, elle va avoir des petits.

▪ **fécondation** n.f. [SENS 1] La **fécondation** est l'union de deux cellules reproductrices, mâle et femelle, pour donner naissance à un nouvel être vivant.

▪ **fécondité** n.f. [SENS 1] La **fécondité** est en baisse dans de nombreux pays, il naît moins d'enfants. [SENS 2] La **fécondité** de son imagination est prodigieuse (= richesse).

fécule n.f. La **fécule** de pomme de terre est utilisée en cuisine, une fine poudre blanche composée d'amidon.

▪ **féculent** n.m. Les pommes de terre, les lentilles sont des **féculents**, des légumes qui contiennent de la fécule.

fédération n.f. Une **fédération** est une association de pays, de partis, de clubs, etc. ●● **confédération**

▪ **fédéral, ale, aux** adj. La Suisse est une république **fédérale**, un État formé de plusieurs États.

fée n.f. Les contes de **fées** sont des récits où figurent des **fées**, des femmes qui ont des pouvoirs magiques.

▪ **féerie** n.f. Le feu d'artifice était une vraie **féerie**, un spectacle magnifique, presque surnaturel.
✷ On prononce [feeri] ou [feri].

▪ **féerique** adj. Ce paysage est **féerique**, il a l'air d'être sorti d'un conte de fées (= merveilleux).
✷ On prononce [feerik] ou [ferik].

feignant → **fainéant**

feindre v. 3ᵉ groupe. Elle **a feint** de ne pas me voir, elle a fait semblant. Ils **feignaient** l'indifférence (= affecter).
✷ Conj. n° 55.

▪ **feinte** n.f. Le footballeur a fait une **feinte**, une manœuvre pour tromper l'adversaire.

fêler v. 1ᵉʳ groupe. La tasse n'est pas cassée, elle **est** juste **fêlée**, fendue.

▪ **fêlure** n.f. La tasse a une **fêlure**, elle est fendue, fêlée.

félicité n.f. Si mon projet réussissait, je serais dans la **félicité**, le bonheur parfait (= béatitude).

féliciter v. 1ᵉʳ groupe. SENS 1. On **a félicité** Fanny pour son succès, on lui a fait des compliments (≠ blâmer). SENS 2. Je **me félicite** de ne pas l'avoir écouté, j'en suis heureux.

▪ **félicitations** n.f. pl. [SENS 1] Toutes mes **félicitations** pour votre succès !, mes compliments.

félin n.m. Les **félins** sont des mammifères carnivores aux molaires coupantes et aux canines développées, comme le chat, le tigre, le lion.

félon, onne adj. et n. Un (chevalier) **félon** est traître, déloyal.

fêlure → **fêler**

femelle n.f. La chatte est la **femelle** du chat, l'animal du sexe féminin (≠ mâle).

femme n.f. SENS 1. Ma mère est une **femme** remarquable, un être humain de sexe féminin. → **homme** ●● **efféminé**. SENS 2. Je vous présente ma **femme**, la personne avec qui je suis marié (= épouse). → **mari**   *illustr. p. 217, 679*

▪ **féminin, ine** adj. [SENS 1] La jupe est un vêtement **féminin**, propre à la femme (≠ masculin). ◆ adj. et n.m. « Joyeuse » est un adjectif **féminin**, du genre féminin. Le **féminin** de « un ami » est « une amie ».

▪ **féminité** n.f. La **féminité** est l'ensemble des caractères que l'on attribue généralement aux femmes. → **virilité**

▪ **féministe** adj. et n. Un mouvement **féministe** vise à améliorer la condition des femmes dans la société. Les **féministes** défendent les droits des femmes.

fémur n.m. Jean s'est cassé le **fémur**, l'os de la cuisse.   *illustr. p. 216*

fenaison n.f. La **fenaison** est la coupe de l'herbe et la récolte des foins. ●● **foin**

fendre v. 3ᵉ groupe. SENS 1. **Fendre** une bûche, c'est la partager dans le sens de la longueur, suivant les fibres du bois. SENS 2. *La planche s'est fendue,* elle a une fente (= se fêler). SENS 3. **Fendre** la foule, c'est se frayer un chemin à travers la foule.
✳ Conj. nᵒ 50.

■ **fendiller** v. 1ᵉʳ groupe. [SENS 2] *L'argile se fendille en séchant,* elle fait de petites fentes.

■ **fente** n.f. [SENS 2] *L'eau s'écoule par une fente du récipient,* une ouverture très étroite et allongée (= fissure).

*illustr.
p. 572,
424* **fenêtre** n.f. *Il fait froid, ferme la fenêtre,* l'ouverture, munie d'un panneau mobile vitré, faite dans un mur pour laisser passer la lumière et l'air.

*illustr.
p. 277* **fennec** n.m. Le **fennec** est un petit renard du Sahara à longues oreilles, appelé aussi **renard des sables**.

*illustr.
p. 690* **fenouil** n.m. Le **fenouil** est une plante aromatique au goût d'anis.

fente → *fendre*

féodal, ale, aux adj. *Au Moyen Âge, en France, on vivait dans une société féodale,* une société où il y avait des seigneurs et des vassaux.

■ **féodalité** n.f. La **féodalité** est l'ensemble des coutumes de la société féodale.

fer n.m. SENS 1. *La grille du jardin est en fer,* un métal gris et résistant très utilisé. *illustr.
p. 239,* SENS 2. *On repasse le linge avec un fer à repasser. On soude avec un fer à souder.* SENS 3. Un **fer à cheval** est un *354,
427* demi-cercle en fer qu'on met sous le sabot des chevaux.

■ **fer-blanc** n.m. Le **fer-blanc** est du fer recouvert d'étain.

*illustr.
p. 156* ■ **ferraille** n.f. [SENS 1] *Il y a un tas de ferraille devant la porte,* des débris d'objets en fer.

■ **ferrailleur** n.m. [SENS 1] Le **ferrailleur** a pour métier de ramasser la ferraille pour la revendre.

■ **ferrer** v. 1ᵉʳ groupe. [SENS 3] **Ferrer** un cheval, c'est lui mettre des fers.

■ **ferrugineux, euse** adj. [SENS 1] L'eau **ferrugineuse** contient des particules de fer.

■ **ferrure** n.f. [SENS 1] *L'antiquaire vend un coffre ancien avec des ferrures,* des garnitures de fer qui le consolident.

férié, ée adj. *Le dimanche est un jour férié,* un jour où l'on ne travaille pas.

1. ferme n.f. *Jean a passé ses vacances dans une ferme,* la maison d'habitation d'un agriculteur et ses bâtiments annexes. *illustr.
p. 384*

■ **fermier, ère** n. *La fermière trait ses vaches,* la personne qui tient la ferme. *illustr.
p. 384*

2. ferme adj. SENS 1. *Cette pâte est trop ferme* (= dur ; ≠ mou). SENS 2. *Il a parlé d'une voix ferme* (= assuré ; ≠ hésitant). ●● *affermir, raffermir.* SENS 3. *Il est ferme avec ses enfants,* il ne leur cède pas (≠ faible).

■ **ferme** adv. [SENS 2] *Il a fallu travailler ferme pour aboutir* (= énergiquement).

■ **fermement** adv. [SENS 2] *Il est fermement opposé à ce projet* (= vigoureusement).

■ **fermeté** n.f. [SENS 3] *Il a montré de la fermeté* (= autorité, énergie ; ≠ faiblesse).

ferment n.m. Un **ferment** est une substance qui produit la fermentation.

■ **fermentation** n.f. *Le vin est le produit de la fermentation du jus de raisin,* sa transformation sous l'action de microbes.

■ **fermenter** v. 1ᵉʳ groupe. *Le yaourt est du lait fermenté.*

fermer v. 1ᵉʳ groupe. SENS 1. *Ferme la porte, il fait froid dehors ! Ferme le*

LA FERME

pulvérisation d'insecticide

lance

outillage

meule

dents

manche

râteau

faucille

fléau

faux

fourche

houe

apiculture

abeilles

ruche

alvéoles

enfumoir

ponte et larves

poulie

porche

séchoir à maïs

grange

cour

puits

chat

pigeonnier

fermière

poulailler (basse-cour)

pigeon

animaux de basse-cour

dindon

oie

crête

poule

cane

patte palmée

canard

ergot

coq

pintade

lapin

384

Une ferme, c'est un ensemble de bâtiments
autour d'une grande cour : la grange, l'écurie, la porcherie,
le pigeonnier... Chacun a une fonction bien précise.

taillère
(ourgon à bestiaux)

carriole

brancards

charrette

joug bœufs timon

récolte des pommes

gaule

pommier

panier

fumier
porcherie
silos
tracteur
abreuvoir
mare
hangar à matériel
meule
volaille
échelle
écurie

chien de chasse (setter)

chatons

chatte

chien de garde (berger allemand)

guêpe

frelon

mouche

taon

hanneton

larve du hanneton

araignée

charançon

loir

furet

souriceaux

souris

chauve-souris

rat

385

robinet, la baignoire est pleine ! **Fermez vos livres et rangez-les !** (≠ ouvrir). ●● **enfermer**. SENS 2. *Ce magasin ferme le dimanche, il ne reçoit pas les clients* (≠ ouvrir).

illustr. ■ **fermeture** n.f. [SENS 1] *La fermeture*
p. 572, *du sac est cassée, ce qui permet de le*
228 fermer. [SENS 2] *Nous sommes arrivés après la fermeture du magasin, le moment où il ferme* (≠ ouverture).

illustr. ■ **fermoir** n.m. [SENS 1] *Le fermoir de*
p. 1011 *mon cartable est en cuivre* (= fermeture).

fermeté → *ferme (2)*

fermeture → *fermer*

fermier → *ferme (1)*

fermoir → *fermer*

féroce adj. *Le tigre est une bête féroce,* une bête sauvage et cruelle.
■ **férocement** adv. *Le chien l'a mordu férocement* (= cruellement).
■ **férocité** n.f. *Ils se sont battus avec férocité* (= sauvagerie).

ferraille, ferrailleur, ferrer → *fer*

ferroviaire adj. *La catastrophe ferroviaire a fait de nombreux morts,* l'accident de chemin de fer.

ferrugineux, ferrure → *fer*

illustr. **ferry-boat** ou **ferry** n.m. Les **ferry-**
p. 740 **boats** sont des navires qui transportent les trains et les voitures avec les passagers.
＊ On prononce [feribot], [feri]. Au pluriel, on écrit des **ferry-boats**, des **ferrys**.

fertile adj. SENS 1. *Un sol fertile est un sol qui produit beaucoup* (= riche, fécond). SENS 2. *Le voyage a été fertile en surprises,* il y en a eu beaucoup (= riche).
■ **fertiliser** v. 1er groupe. [SENS 1] *Les engrais fertilisent le sol,* ils le rendent plus fertile.

■ **fertilité** n.f. [SENS 1] *La fertilité de la terre est améliorée par les engrais.*

féru, ue adj. *Linda est férue de musique,* elle est passionnée de musique et elle s'y connaît.

fervent, ente adj. et n. SENS 1. *Il a adressé au ciel une prière fervente,* une prière très vive (= ardent). SENS 2. *C'est un fervent du tennis,* un passionné.
■ **ferveur** n.f. [SENS 1] *Marie prie avec ferveur* (= ardeur, dévotion).

fesse n.f. *Ce bébé a les fesses rouges,* *illustr.*
les deux parties charnues de son der- *p. 21*
rière.
■ **fessée** n.f. *Il a reçu une fessée,* une série de coups sur les fesses.

festin n.m. *Un festin est un repas de fête copieux.*
■ **festoyer** v. 1er groupe. *Festoyer, c'est faire un bon repas.*
＊ Conj. n° 3.

festival n.m. *Ce film a eu le premier prix du festival,* de la série de représentations spéciales.
＊ Au pluriel, on dit des **festivals**.

festivités → *fête*

feston n.m. *Un feston est une broderie formant des arcs de cercle autour d'une étoffe.*

festoyer → *festin*

fête n.f. SENS 1. *Le 14 juillet est le jour* *illustr.*
de la fête nationale en France, un jour où *p. 53*
l'on se réunit à l'occasion ou au souvenir d'un événement. SENS 2. *Demain, c'est la fête de Laurent,* le jour où l'Église catholique célèbre saint Laurent et où l'on fait honneur à tous ceux qui portent son nom. SENS 3. *On va organiser une grande fête pour son anniversaire,* une réception. SENS 4. *Mon chien m'a fait fête,* il m'a accueilli joyeusement (= fêter).

SENS 5. *Ils* **se font une fête** *de partir en croisière,* ils s'en réjouissent d'avance.

■ **fêter** v. 1ᵉʳ groupe. **[SENS 1]** *On* **fête** *Noël le 25 décembre,* on célèbre cette fête. **[SENS 4]** *On* **a fêté** *le vainqueur,* on lui a fait fête.

■ **festivités** n.f. pl. Des **festivités** sont des fêtes officielles.

fétiche n.m. *Cette poupée est mon* **fétiche,** mon porte-bonheur.

fétide adj. Une odeur **fétide** est une très mauvaise odeur (= infect, nauséabond).

fétu n.m. Un **fétu** est un brin de paille.

illustr.
p. 983,
736,

855

feu n.m. **SENS 1.** Faire du **feu,** c'est faire brûler du bois, du papier, etc. **SENS 2.** *Au* **feu** *! Il faut appeler les pompiers,* il y a un incendie. **SENS 3.** Un fusil, un revolver sont des **armes à feu. Faire feu,** c'est tirer avec une arme à feu. **SENS 4.** *Les piétons traversent quand le* **feu** *est rouge,* le signal lumineux. **SENS 5.** Un **feu de paille,** c'est une ardeur passagère. **SENS 6.** *Ça* **n'a pas fait long feu,** ça n'a pas duré longtemps, ça n'a pas traîné. **SENS 7.** *Il n'y a pas de fumée sans feu,* toute rumeur a une part de vérité.
✳ Au pluriel, on écrit des **feux.**

illustr.
p. 403,

311

feuille n.f. **SENS 1.** Les **feuilles** sont les parties, en général vertes et aplaties, qui assurent la respiration des plantes. ●● ***effeuiller.*** **SENS 2.** *Écrivez sur une* **feuille** *de papier,* un morceau très mince.

■ **feuillage** n.m. **[SENS 1]** *Le* **feuillage** *des arbres jaunit en automne,* l'ensemble de leurs feuilles.

■ **feuillet** n.m. **[SENS 2]** *Il manque un* **feuillet** *à mon carnet,* une feuille (= page).

■ **feuilleter** v. 1ᵉʳ groupe. **[SENS 2]** **Feuilleter** un livre, c'est en tourner les pages en les regardant rapidement. La pâte **feuilletée** forme des feuilles à la cuisson.
✳ Conj. n° 8.

■ **feuillu, ue** adj. **[SENS 1]** Une branche **feuillue** est garnie de feuilles. ◆ n.m. Un **feuillu** est un arbre qui porte des feuilles et non des aiguilles. → ***conifère***

feuilleton n.m. *On a regardé le* **feuilleton** *télévisé,* une histoire découpée en épisodes.

feuillu → *feuille*

feutre n.m. **SENS 1.** Le **feutre** est une étoffe de laine ou de poils écrasés. *Le mousquetaire portait un large* **feutre,** un chapeau en feutre. **SENS 2.** *Jean écrit avec un* **feutre,** un crayon à encre à pointe de feutre.

illustr.
p. 221,

311,
122

■ **feutré, ée** adj. **[SENS 1]** *Pierre marche à pas feutrés,* sans bruit.

■ **feutrine** n.f. *Les élèves font des collages en* **feutrine,** un tissu de feutre léger.

fève n.f. **SENS 1.** La **fève** est une graine proche du haricot. **SENS 2.** *C'est Anne qui a eu la* **fève,** une petite figurine cachée dans la galette des Rois.

illustr.
p. 982

février n.m. **Février** est le deuxième mois de l'année.

illustr.
p. 132

fi interj. *M. Clermont* **fait fi de** *l'argent,* il n'en tient pas compte, il le méprise.

fiabilité, fiable → *se* ***fier***

se **fiancer** v. 1ᵉʳ groupe. *Alban et Marie* **se sont fiancés,** ils se sont engagés à s'épouser.
✳ Conj. n° 1.

■ **fiancé, ée** n. *Il nous a présenté sa* **fiancée,** sa future femme.

■ **fiançailles** n.f. pl. *Ils ont rompu leurs* **fiançailles,** leur promesse de mariage.

fiasco n.m. *Ce film est un* **fiasco,** un échec total.

fibre n.f. **SENS 1.** *Les muscles sont formés de* **fibres,** de filaments allongés.

illustr.
p. 583

SENS 2. *La **fibre** de bois sert à l'emballage, la **fibre** de verre est un isolant,* des filaments de bois, de verre fabriqués industriellement.

■ **fibreux, euse** adj. [SENS 1] *Cette viande est **fibreuse**,* pleine de fibres.

ficelle n.f. SENS 1. *On a attaché le paquet avec de la **ficelle**,* de la corde mince. SENS 2. *Une **ficelle** est une baguette de pain courte et mince.*

illustr.
p. 150

■ **ficeler** v. 1er groupe. [SENS 1] *Le boucher **a ficelé** le rôti,* il l'a entouré de ficelle. ✱ Conj. n° 6.

fiche n.f. SENS 1. *Le bibliothécaire inscrit les titres sur des **fiches**,* des feuilles de carton mince d'un format défini. SENS 2. *Enfonce la **fiche** dans la prise électrique,* la pièce qui sert à établir le contact.

illustr.
p. 122,
994

■ **fichier** n.m. [SENS 1] *Un **fichier** est un ensemble de fiches, ou une boîte où l'on range des fiches.*

illustr.
p. 122

ficher ou **fiche** v. 1er groupe. Fam. SENS 1. ***Fiche-moi la paix** !,* laisse-moi tranquille ! SENS 2. *J'ai perdu, mais je **m'en fiche**,* ça m'est égal. SENS 3. *J'ai **fichu en l'air** la boîte,* je l'ai jetée. ✱ Attention au participe passé : **fichu.**

fichier → **fiche**

1. fichu, ue adj. SENS 1. Fam. *Ma montre est **fichue*** (= inutilisable, cassé). SENS 2. *Joël est **mal fichu**,* il est malade.

illustr.
p. 220

2. fichu n.m. *Maria porte un **fichu** sur la tête,* une sorte de foulard.

fictif, ive adj. *Une fée est un personnage **fictif**,* inventé (= imaginaire ; ≠ réel).

■ **fiction** n.f. *Cette histoire est une **fiction**,* un produit de l'imagination (≠ réalité). ●● **science-fiction**

fidèle adj. SENS 1. *Paul est un ami **fidèle**,* il reste constant dans ses sentiments d'attachement (= dévoué, loyal ; ≠ infidèle). SENS 2. *Elle a été **fidèle** à sa* promesse, elle l'a tenue, respectée. SENS 3. *Ils nous ont fait un récit **fidèle**,* conforme à la vérité (= exact, précis ; ≠ mensonger).

■ **fidèle** n. *Le prêtre s'adresse aux **fidèles**,* à ceux qui pratiquent la religion.

illustr.
p. 821

■ **fidèlement** adv. [SENS 1] *Son chien le suit **fidèlement**.* [SENS 3] *Il a traduit **fidèlement** le texte* (= exactement).

■ **fidélité** n.f. [SENS 1] *Il a fait un serment de **fidélité**.* → **haute-fidélité**

fief n.m. *À l'époque féodale, un **fief** était un domaine qu'un seigneur laissait à la disposition de son vassal contre certains services.*

fieffé, ée adj. *C'est un **fieffé** menteur !,* il est très menteur.

fiel n.m. SENS 1. *Le **fiel** d'une volaille est amer,* la bile. SENS 2. *Sa réponse était pleine de **fiel**,* de méchanceté, de haine.

■ **fielleux, euse** adj. [SENS 2] *Il m'a fait une réponse **fielleuse**,* pleine de méchanceté.

fiente n.f. *Les **fientes** des oiseaux sont leurs excréments.*

fier, fière adj. SENS 1. *Noémie est trop **fière** pour demander de l'aide,* elle a une trop haute idée d'elle-même (= orgueilleux ; ≠ simple). SENS 2. *Fabrice est **fier** d'avoir été reçu,* très satisfait (≠ honteux). ✱ Au masculin, on prononce [fjɛr].

■ **fièrement** adv. [SENS 1] *Il a **fièrement** refusé toute assistance,* avec hauteur.

■ **fierté** n.f. [SENS 1] *Alix a refusé avec **fierté**,* avec orgueil. [SENS 2] *Frédéric tire une certaine **fierté** de son succès,* de la satisfaction, du contentement.

se fier v. 1er groupe. *Je **me fie** à Éric,* j'ai confiance en lui (≠ se méfier, se défier).

■ **fiable** adj. *Cet appareil est maintenant bien au point : il est très **fiable**,* on peut se fier à lui.

■ **fiabilité** n.f. *Cette série d'incidents fait douter de la* **fiabilité** *de la machine.*

fièvre n.f. SENS 1. *Lucie est malade, elle a de la* **fièvre**, *la température de son corps est trop élevée.* SENS 2. *Dans la* **fièvre** *du départ, on a oublié une valise,* la grande agitation (= fébrilité, excitation).

■ **fiévreux, euse** adj. [SENS 1] *Lucie est* **fiévreuse**, *elle a de la fièvre.* [SENS 2] *À la veille de Noël, une agitation* **fiévreuse** *régnait dans le magasin* (= fébrile).

■ **fiévreusement** adv. *On préparait* **fiévreusement** *le départ* (= fébrilement).

fifre n.m. Un **fifre** est une petite flûte au son aigu.

figer v. 1er groupe. SENS 1. *La sauce a* **figé**, *elle s'est solidifiée, elle ne coule plus.* SENS 2. *Il* **était figé** *de peur,* immobile, paralysé.
✳ Conj. n° 2.

fignoler v. 1er groupe. Fam. *Antoine* **fignole** *son dessin,* il le finit avec un soin minutieux (≠ bâcler).

■ **fignolage** n.m. *Le* **fignolage** *du travail a pris beaucoup de temps,* la finition des détails.

illustr. p. 690 **figue** n.f. *La* **figue** *est un fruit à la peau verte ou violette et à la chair rouge savoureuse produit par le* **figuier**.

figurant, ante n. *Les* **figurants** *sont des acteurs qui ont un tout petit rôle,* généralement muet.

■ **figuration** n.f. *Faire de la* **figuration**, *c'est être figurant.*

figure n.f. SENS 1. *Va te laver la* **figure** *!,* le visage. ●● **défigurer**. SENS 2. *Les carrés, les cercles, les triangles sont des* **figures géométriques**, *des formes obtenues par le dessin.* SENS 3. *Le patineur fait des* **figures**, *des pas et des mouvements artistiques.*

■ **figurer** v. 1er groupe. [SENS 2] *La colombe* **figure** *la paix* (= représenter,

symboliser). ◆ *Il* **se figure** *que c'est facile* (= croire, s'imaginer). ◆ *Ce nom ne* **figure** *pas sur ma liste,* il ne s'y trouve pas.

■ **figuré, ée** adj. *Dans « j'ai soif de vengeance », « soif » a un* **sens figuré**, un sens imagé (≠ sens propre).

■ **figurine** n.f. *Une* **figurine** *est une statuette de petite dimension.*

fil n.m. SENS 1. *Ces boutons sont cousus avec un* **fil** *solide,* un brin long et mince d'une matière textile. *Le* **fil** *du téléphone est tout entortillé. L'électricien a réparé le* **fil** *de la lampe.* ●● **s'effilocher**. SENS 2. *De* **fil** *en aiguille, on en est venu à parler des vacances,* en passant d'un sujet à un autre. SENS 3. *Le maçon utilise un* **fil** *à plomb,* une cordelette au bout de laquelle pend un poids qui indique la verticale. SENS 4. *Le* **fil de fer** *est du fer étiré. Les* **fils télégraphiques** *sont des fils métalliques par où passe un courant.* SENS 5. *J'ai perdu le* **fil** *de mes idées,* la suite (= enchaînement). SENS 6. *Le* **fil** *d'un rasoir, c'est la partie tranchante de la lame.* SENS 7. *Marie donne un* **coup de fil**, un coup de téléphone.
✳ On prononce [fil]. Ne pas confondre des **fils** [fil] et un **fils** [fis].

illustr. p. 228, 994

156,

503

■ **filament** n.m. [SENS 1] *Un* **filament** *est un fil très mince.*

■ **filiforme** adj. [SENS 1] *Inès est* **filiforme**, *elle est mince comme un fil.*

filandreux, euse adj. SENS 1. *Cette viande est* **filandreuse**, *elle est pleine de fibres longues et dures.* SENS 2. *Son discours était bien* **filandreux**, *il était confus, embarrassé.*

filature → **filer**

file n.f. SENS 1. *Il y a une* **file** *d'attente devant le cinéma,* une suite de personnes placées les unes derrière les autres. ●● **enfilade**. SENS 2. *Pierre a bu trois grands verres d'eau* **à la file**, *l'un après l'autre, coup sur coup.*

illustr. p. 1016

filer v. 1er groupe. SENS 1. **Filer** *la laine, c'est la transformer en fil.* SENS 2. *Le*

389

policier **file** le voleur, il le suit sans se faire voir. SENS 3. Fam. Je suis en retard, je **file**, je pars vite. SENS 4. Mme Guérin **a filé** son collant, elle a accroché une maille qui s'est défaite sur toute la longueur.

■ **filature** n.f. [SENS 1] Une **filature** est une usine où l'on file les matières textiles. [SENS 2] La police a pris le bandit en **filature**, elle le suit discrètement pour le surveiller sans qu'il s'en aperçoive.

illustr.
p. 912
583 **filet** n.m. SENS 1. Un **filet** est un ensemble de mailles de ficelle, de corde ou de Nylon. SENS 2. Un **filet** de poisson est un morceau allongé, situé de chaque côté de l'arête. J'ai acheté un bifteck dans le **filet**, un morceau de viande, tendre, situé dans le dos. SENS 3. Un **filet** d'eau est un écoulement très mince d'eau.

filetage n.m. Cette vis ne vaut plus rien, le **filetage** est usé, la rainure creusée sur la vis.

■ **fileté, ée** adj. Une tige **filetée** a un filetage.

filial, ale, aux adj. L'amour **filial** est l'amour des enfants pour leurs parents.

■ **filiale** n.f. Une **filiale** est une société qui dépend d'une société plus importante, dite « société mère ».

filière n.f. Suivre une **filière**, c'est passer par une série d'étapes pour arriver à un résultat.

filiforme → **fil**

filigrane n.m. Sur ce billet de banque, on voit un dessin **en filigrane**, par transparence.

illustr.
p. 694,
733 **filin** n.m. Un **filin** est un cordage de bateau.

illustr.
p. 679 **fille** n.f. SENS 1. M. et Mme Vilard ont eu une **fille**, un enfant de sexe féminin (≠ fils). SENS 2. Marion est une **fille**, Mathieu est un garçon. SENS 3. Ma tante

est restée **vieille fille**, elle ne s'est pas mariée (= célibataire).

■ **fillette** n.f. [SENS 2] Lara est une **fillette** de huit ans, une fille très jeune (≠ garçonnet).

filleul, e n. Marie est la **filleule** de Gilles, Gilles est son parrain.

film n.m. SENS 1. Mettez un **film** dans la caméra, une bande où on enregistre les images (= pellicule). SENS 2. J'ai vu un très bon **film**, une œuvre cinématographique.

■ **filmer** v. 1er groupe. M. Dupont **a filmé** ses enfants, il les a enregistrés avec une caméra.

filon n.m. SENS 1. Un **filon** est une couche de minerai dans le sol. SENS 2. Fam. J'ai trouvé un bon **filon**, un moyen, une situation avantageuse.

filou n.m. Un **filou** est une personne malhonnête et rusée.

fils n.m. M. et Mme Duval ont deux **fils**, deux enfants de sexe masculin (= garçon ; ≠ fille).
✳ On prononce [fis]. Ne pas confondre avec des **fils** [fil].

illustr.
p. 679

filtre n.m. Un **filtre** à café ne laisse passer que le liquide et retient les grains moulus.
✳ Ne pas confondre **filtre** et **philtre**.

■ **filtrer** v. 1er groupe. **Filtrer** du thé, c'est le passer dans un filtre. ◆ La police **filtre** les arrivants, elle les contrôle attentivement. ◆ L'eau **filtre** par les fissures, elle pénètre lentement. ◆ De rares nouvelles **ont filtré** jusqu'à nous, elles nous sont parvenues malgré les obstacles.

■ **filtrage** n.m. Les policiers opèrent un **filtrage** sévère des individus suspects, un contrôle minutieux.

1. fin n.f. SENS 1. Je n'ai pas vu ce film jusqu'à la **fin**, jusqu'à son dernier moment (= bout ; ≠ commencement, début). Une averse **a mis fin** à la fête, elle l'a fait cesser. ●● *infini*. SENS 2. *Il est arrivé à ses fins*, au but qu'il se proposait. *La fin justifie les moyens, dit-on parfois*, le but recherché.

■ **final, ale** adj. [SENS 1] Les accords **finals** d'un air de musique y mettent fin (= dernier).
✱ Au masculin pluriel, on dit **finals** ou **finaux**.

■ **finale** n.f. [SENS 1] *Cette équipe a joué la* **finale** *de la Coupe de France de football*, le dernier des matchs de cette compétition. ●● *demi-finale*

■ **finalement** adv. [SENS 1] *Finalement, il a accepté*, pour finir (= en fin de compte).

■ **finaliste** adj. et n. [SENS 1] *Ils sont finalistes*, qualifiés pour la finale.

■ **finalité** n.f. [SENS 2] *La* **finalité** *d'une action, c'est ce à quoi elle tend* (= but).

■ **finir** v. 2ᵉ groupe. [SENS 1] *Tu as déjà fini ton travail ?* (= terminer, achever ; ≠ commencer). *Il faut en finir*, faire cesser cela. ◆ *Je finirai bien par trouver la solution*, j'y arriverai.

■ **finition** n.f. [SENS 1] *Cette voiture manque de finition*, les détails en sont peu soignés.

2. fin, fine adj. SENS 1. *Du sable* **fin** *est formé de grains très petits* (≠ gros). *Marie a la taille* **fine** (= mince ; ≠ épais). ●● *affiner*. SENS 2. *Cette plaisanterie n'est pas très* **fine** (= subtil, spirituel, léger). *Luc se croit plus* **fin** *que les autres* (= rusé, astucieux). SENS 3. *J'ai enfin appris le* **fin mot** *de l'histoire*, le détail caché qui explique tout. SENS 4. *De l'épicerie* **fine**, *c'est de l'épicerie de la meilleure qualité* (≠ ordinaire).
✱ Ne pas confondre avec **faim** et **feint** (participe passé de « feindre »).

■ **finaud, e** adj. [SENS 2] *Il a pris un air* **finaud** *pour me répondre* (= rusé).

■ **finement** adv. [SENS 1] *Voilà de la dentelle* **finement** *travaillée*, d'une façon délicate.

■ **finesse** n.f. [SENS 1] *Regarde la* **finesse** *de cette dentelle* (= délicatesse). [SENS 2] *Il a fait une remarque pleine de* **finesse** (= astuce, intelligence).

finance n.f. SENS 1. (Au plur.) *On a examiné les* **finances** *de la société*, l'argent qu'elle a et la façon dont elle le gère (= fonds). SENS 2. *M. Muller appartient au monde de la* **finance**, des affaires d'argent, de la banque.

■ **financer** v. 1ᵉʳ groupe. [SENS 1] *L'État a* **financé** *les travaux*, il a fourni l'argent.
✱ Conj. nᵒ 1.

■ **financement** n.m. [SENS 1] *L'État a assuré le* **financement** *des travaux*.

■ **financier, ère** [SENS 1] adj. Un directeur **financier** s'occupe des finances d'une entreprise. [SENS 2] n.m. Un **financier** est un spécialiste de la finance.

■ **financièrement** adv. [SENS 1] *L'opération est* **financièrement** *réalisable*, on peut la payer.

finaud, finement, finesse → *fin (2)*

finir → *fin (1)*

finish n.m. inv. *Le coureur a gagné au* **finish**, en fournissant un effort maximum à la fin de l'épreuve.
✱ On prononce [finiʃ].

finition → *fin (1)*

fiole n.f. Une **fiole** est un petit flacon.

fioritures n.f. pl. *Ce dessin est plein de* **fioritures**, des ornements compliqués.

fioul n.m. *La chaudière marche au* **fioul**, au mazout.
✱ **Fioul** est la forme française de l'anglais **fuel** [fjul].

firmament n.m. *Regarde les étoiles au* **firmament** (= ciel).

firme n.f. *M. Dupont travaille dans une grosse* **firme**, une entreprise industrielle ou commerciale.

fisc n.m. *On doit déclarer ses revenus au fisc*, à l'administration des impôts.

■ **fiscal, ale, aux** adj. *Ils ont eu un contrôle fiscal*, un contrôle effectué par les agents du fisc.

■ **fiscalité** n.f. *Les entreprises trouvent que la fiscalité est trop lourde*, l'ensemble des impôts, des charges fiscales.

illustr. p. 29 **fissure** n.f. *Il y a une fissure dans le plafond*, une petite fente (= lézarde).

■ se **fissurer** v. 1er groupe. *Le plâtre se fissure* (= se fendiller).

fixe adj. SENS 1. *Ces sièges sont fixes*, on ne peut pas les déplacer (≠ mobile). SENS 2. *Il a le regard fixe*, immobile. ◆ *Le baromètre est au beau fixe*, il indique un beau temps durable. *Claire réclame sans cesse un chat, c'est une idée fixe*, elle y pense tout le temps (= marotte, obsession). SENS 3. *Donne-moi une date fixe* (= précis, ferme ; ≠ vague).

■ **fixement** adv. [SENS 2] *Il me regarde fixement*, avec insistance.

■ **fixer** v. 1er groupe. [SENS 1] *On a fixé des volets qui battaient* (= immobiliser). [SENS 2] *Pourquoi me fixe-t-il ?*, me regarde-t-il fixement. [SENS 3] *À quelle heure est fixé le rendez-vous ?* (= décider).

illustr. p. 895 ■ **fixation** n.f. [SENS 1] *La fixation est-elle solide ?*, ce qui sert à fixer.

■ **fixité** n.f. [SENS 2] *La fixité de son regard était impressionnante*, son regard immobile.

illustr. p. 557 **fjord** n.m. *Un fjord est une ancienne vallée envahie par la mer.*
❋ On prononce [fjɔrd].

illustr. p. 239, 869 **flacon** n.m. *Anaïs a reçu en cadeau un flacon de parfum*, une petite bouteille.

flageoler v. 1er groupe. *Elle flageole sur ses jambes*, elle n'est pas stable (= vaciller, chanceler).

flageolet n.m. SENS 1. *Le flageolet est une variété de haricot.* SENS 2. *Pierre joue du flageolet*, une petite flûte à bec qui a six trous (= pipeau).

flagorner v. 1er groupe. *Yves est un arriviste qui flagorne le directeur*, qui le flatte bassement.

■ **flagorneur, euse** n. *Yves est un flagorneur*, il flatte bassement.

flagrant, ante adj. *Son erreur est flagrante*, elle est évidente (= manifeste).

flair n.m. SENS 1. *Ce chien a du flair*, il a l'odorat sensible. SENS 2. *J'ai eu du flair dans cette affaire*, je me suis douté de quelque chose (= intuition).

■ **flairer** v. 1er groupe. [SENS 1] *Le chien a flairé le gibier*, il l'a senti. [SENS 2] *Le bandit flairait le piège*, il s'en doutait, il le pressentait.

flamant n.m. *En Camargue, il y a beaucoup de flamants roses*, des oiseaux échassiers à long cou. *illustr. p. 691*

flambant adv. *La voiture est flambant neuve*, elle est neuve et a tout l'éclat du neuf.

flamber v. 1er groupe. *Le papier flambe vite*, il brûle avec une flamme. *On plume un poulet et on le flambe*, on le passe sur une flamme. *Flamber un gâteau, c'est l'arroser d'alcool et faire flamber cet alcool.* → **flamme**

■ **flambeau** n.m. *Un flambeau est une sorte de torche.*
❋ Au pluriel on écrit des **flambeaux**.

■ **flambée** n.f. SENS 1. *On a fait une flambée dans la cheminée*, un feu vif. SENS 2. *On a observé une flambée des prix*, une augmentation brusque, une montée soudaine.

flamboyer v. 1er groupe. *Ses yeux flamboient de colère*, ils brillent d'un vif éclat (= étinceler).
❋ Conj. n° 3.

■ **flamboyant, ante** adj. *Ses yeux étaient flamboyants de colère* (= étincelant).

392

■ **flamboiement** n.m. *On aperçoit au loin le* **flamboiement** *de l'incendie,* la vive lumière.

illustr.
p. 737
flamme n.f. SENS 1. *Il s'est brûlé à la* **flamme** *de son briquet.* Une **flamme**, c'est du gaz qui brûle. ●● **enflammer, inflammable**. SENS 2. *Paul parle de son projet avec* **flamme**, avec ardeur et enthousiasme.

■ **flammèche** n.f. [SENS 1] Une **flammèche** est une petite flamme.

illustr.
p. 150
flan n.m. Un **flan** est une sorte de crème cuite à base d'œufs.
❋ Ne pas confondre avec **flanc**.

flanc n.m. SENS 1. *Le cheval s'est couché sur le* **flanc**, le côté. SENS 2. *La maison est construite* **à flanc de** *coteau,* sur la pente du coteau.
❋ Ne pas confondre avec **flan**.

flancher v. 1er groupe. Fam. *Ce n'est pas le moment de* **flancher**, de faiblir (= lâcher ; ≠ tenir).

flanelle n.f. *Mon grand-père porte un gilet de* **flanelle**, un tissu léger.

flâner v. 1er groupe. *Le dimanche, les gens* **flânent** *dans la rue,* ils se promènent sans se presser (= musarder, déambuler ; ≠ se dépêcher).

■ **flânerie** n.f. *Il perd son temps en* **flâneries**.

■ **flâneur, euse** n. *Les* **flâneurs** *descendent le boulevard.*

flanqué, ée adj. *Le président est* **flanqué** *de ses gardes du corps,* il est accompagné par eux. *Le château est* **flanqué** *de deux tours,* il a une tour de chaque côté.

flanquer v. 1er groupe. Fam. SENS 1. *Il m'a* **flanqué** *une gifle,* il me l'a donnée avec force. SENS 2. *On l'a* **flanqué** *dehors* (= jeter).

flaque n.f. *J'ai marché dans une* **flaque** *d'eau,* une petite mare.

flash n.m. SENS 1. *Ces photos ont été prises avec un* **flash**, avec un dispositif qui produit un éclair de lumière vive. SENS 2. *L'émission a été interrompue par un* **flash** *d'information,* un bref bulletin d'information.
❋ Au pluriel, on écrit des **flashs** ou des **flashes**.

flash-back n.m. inv. *Dans le film, des* **flash-back** *rappellent l'enfance du héros,* des retours en arrière.
❋ Ce mot ne change pas au pluriel.

flasque adj. *M. Bouteiller est un gros homme à la chair* **flasque**, molle (≠ ferme).

flatter v. 1er groupe. SENS 1. *Il* **flatte** *son directeur,* il cherche à lui plaire par des compliments exagérés. SENS 2. *Cette photo la* **flatte**, elle la montre plus jolie qu'elle n'est (= avantager). SENS 3. *Je suis* **flatté** *d'être invité,* j'en suis fier. *Je me* **flatte** *d'avoir dit cela le premier,* j'en suis fier.

■ **flatterie** n.f. [SENS 1] *Paul est sensible à la* **flatterie**, aux louanges exagérées et intéressées.

■ **flatteur, euse** n. et adj. [SENS 1] *Méfiez-vous des* **flatteurs** *!* (= hypocrite). [SENS 2] *On m'a parlé de toi en termes* **flatteurs** (= élogieux ; ≠ désobligeant).

illustr.
p. 384,
583
fléau n.m. SENS 1. Un **fléau** était un instrument fait de deux bâtons reliés par une pièce de cuir, qui servait autrefois à battre le blé. SENS 2. *Le* **fléau** *d'une balance est la tige horizontale aux bouts de laquelle sont suspendus ou fixés les plateaux.* SENS 3. *Cette sécheresse est un* **fléau**, un grand malheur qui s'abat sur une région ou sur un peuple (= calamité, catastrophe).
❋ Au pluriel, on écrit des **fléaux**.

illustr.
p. 165
flèche n.f. SENS 1. *Avec son arc, Paul tire des* **flèches**, des projectiles faits d'une tige de bois ou de plastique. SENS 2. *Une* **flèche** (→) *indique la direction à suivre,*

le dessin d'une flèche. SENS 3. *Il y a un coq sur la* **flèche** *du clocher,* la partie supérieure terminée en pointe.

■ **flécher** v. 1er groupe. [SENS 2] Flécher *un parcours,* c'est l'indiquer par des flèches.

✴ Conj. n° 10.

■ **fléchette** n.f. [SENS 1] Une **fléchette** est une petite flèche qu'on lance à la main contre une cible comme jeu d'adresse.

fléchir v. 2e groupe. SENS 1. *On* **fléchit** *les genoux pour ramasser un objet au sol* (= plier, ployer). SENS 2. *Il a réussi à* **fléchir** *ses juges,* à les faire céder (= toucher, ébranler). ●● **inflexible**. SENS 3. *Les prix ont* **fléchi** (= baisser, diminuer ; ≠ monter).

■ **fléchissement** n.m. [SENS 1] *Le* **fléchissement** *des genoux lui est pénible* (= flexion). [SENS 3] *On assiste à un* **fléchissement** *de la natalité* (= baisse ; ≠ hausse).

■ **flexion** n.f. [SENS 1] *Son plâtre lui interdit la* **flexion** *du bras,* de plier le bras (≠ extension).

■ **flexible** adj. [SENS 1] *Le roseau est* **flexible**, il peut se plier (= élastique, souple).

flegme n.m. *Noël a un* **flegme** *imperturbable,* il conserve toujours son calme (= sang-froid, impassibilité).

■ **flegmatique** adj. *Paul a un tempérament* **flegmatique**, très calme (≠ coléreux, emporté).

flemme n.f. Fam. *Aujourd'hui, je n'ai rien fait : j'avais la* **flemme**, je n'avais pas envie de travailler.

■ **flemmard, arde** adj. et n. Fam. *Loïc est (un)* **flemmard** (= paresseux).

flétrir v. 2e groupe. SENS 1. *Les fleurs se* **flétrissent** *vite quand il fait chaud,* elles perdent leur fraîcheur (= se faner). SENS 2. *Toutes ces calomnies ont* **flétri** *sa réputation,* elles lui ont fait une mauvaise réputation (= ternir).

fleur n.f. SENS 1. La **fleur** est la partie de la plante, souvent colorée et parfumée, qui sert à la reproduction. *Anaïs a fait un joli bouquet de* **fleurs**. *Les cerisiers sont* **en fleur(s)**, ils fleurissent. SENS 2. Des rochers **à fleur d'eau** sont des rochers qui atteignent presque la surface de l'eau. ●● **affleurer, effleurer**. ◆ *Elsa a une sensibilité* **à fleur de peau**, très vive.

■ **fleurir** v. 2e groupe. [SENS 1] *Ces rosiers* **fleurissent** *en été,* ils se couvrent de fleurs. *On* **a fleuri** *sa tombe,* on l'a ornée de fleurs.

✴ Conj. n° 14.

■ **fleuriste** n. [SENS 1] Le **fleuriste** vend des fleurs. *illustr. p. 151*

■ **fleuron** n.m. [SENS 1] Un **fleuron** est un ornement en forme de fleur. ◆ *Le plus beau* **fleuron** *de sa collection, c'est ce tableau,* la plus belle pièce.

■ **floraison** n.f. [SENS 1] La **floraison** des roses, c'est l'époque où elles s'épanouissent.

■ **floral, ale, aux** adj. [SENS 1] *On a visité l'exposition* **florale**, l'exposition de fleurs.

fleurer v. 1er groupe. *Ces sentiers* **fleurent bon** *le chèvrefeuille,* ils sentent bon.

fleuret n.m. Un **fleuret** est une épée d'escrime. *illustr. p. 42, 913*

fleurir, fleuriste, fleuron → **fleur**

fleuve n.m. *L'Amazone, la Seine, le Saint-Laurent sont des* **fleuves**, *des cours d'eau qui se jettent dans la mer.* → **rivière** *illustr. p. 557*

■ **fluvial, ale, aux** adj. La navigation **fluviale** se fait sur les fleuves.

flexible, flexion → **fléchir**

flibustier n.m. Un **flibustier** était un pirate de la mer des Antilles.

flipper n.m. Un **flipper** est un billard électrique. *illustr. p. 530*

✴ On prononce [flipœr].

394

flirt n.m. *David a un flirt avec Carole, ils sont amoureux.*
✸ On prononce [flœrt].

■ **flirter** v. 1ᵉʳ groupe. *David flirte avec Carole, il a une relation amoureuse avec elle.*
✸ On prononce [flœrte].

*illustr.
p. 894*
flocon n.m. SENS 1. *La neige tombe en flocons, en petits amas qui voltigent.* SENS 2. *Pierre mange des flocons d'avoine, de fines lamelles.*

■ **floconneux, euse** adj. [SENS 1] *Des nuages floconneux passent dans le ciel, des nuages formant des masses arrondies.*

flonflons n.m. pl. *Au loin, on entend les flonflons de la fête, la musique populaire.*

floraison, floral → *fleur*

flore n.f. *La flore d'une région, c'est l'ensemble des végétaux qui y poussent.*

florissant, ante adj. *Le commerce de ce pays est florissant, il est très actif, très riche* (= prospère).

flot n.m. SENS 1. *(Au plur.) Le navire vogue sur les flots, sur l'eau, la mer.* SENS 2. *Quel flot de paroles !, quelle quantité !* (= avalanche, déluge). SENS 3. *On a mis le bateau à flot, sur l'eau pour qu'il flotte.*

flottage → *flotter*

flotte n.f. SENS 1. *L'amiral commande la flotte, l'ensemble des bateaux. La flotte aérienne, c'est l'ensemble des avions d'un pays.* SENS 2. Fam. *J'ai bu un grand verre de flotte, d'eau.*

■ **flottille** n.f. [SENS 1] *Une flottille est une petite flotte.*

flotter v. 1ᵉʳ groupe. SENS 1. *La bouée flotte à la surface de l'eau, elle est portée par l'eau* (= surnager ; ≠ couler). SENS 2. *Le drapeau flotte au vent* (= onduler).

SENS 3. *Je flotte dans cette robe, elle est trop large.* SENS 4. Fam. *Il s'est mis à flotter, à pleuvoir.*

■ **flottage** n.m. [SENS 1] *Au Canada, on transporte le bois par flottage, en le faisant flotter sur l'eau.*

■ **flottement** n.m. *Il y a eu un certain flottement dans l'assemblée, un moment d'hésitation* (= incertitude).

■ **flotteur** n.m. [SENS 1] *Un flotteur est un objet destiné à flotter ou à faire flotter un appareil.*
*illustr.
p. 940*

flottille → *flotte*

flou, floue adj. *Cette photo est floue, elle est brouillée, trouble* (≠ net, précis). *Mes souvenirs sont très flous* (= confus, vague).

fluctuations n.f. pl. *M. Dupont surveille les fluctuations de la Bourse, les hauts et les bas* (= changement).

■ **fluctuant, ante** adj. *Les cours de la Bourse sont fluctuants ces temps-ci, ils sont sujets à des variations.*

fluet, ette adj. *Marie a des jambes fluettes, très minces et d'apparence fragile* (= grêle ; ≠ épais).

fluide SENS 1. adj. *La pâte à crêpes est fluide, elle coule facilement, elle n'est pas trop épaisse.* ◆ *La circulation routière est fluide, le flot des voitures s'écoule bien, sans embouteillages.* SENS 2. n.m. *Les liquides et les gaz sont des fluides, des corps qui peuvent couler* (≠ solide).

■ **fluidité** n.f. *Cette huile garde une bonne fluidité à basse température* (≠ viscosité).

fluor n.m. *Pour éviter d'avoir des caries, le dentiste m'a conseillé du dentifrice au fluor, une substance chimique.*

fluorescent, ente adj. *Une couleur fluorescente émet une lumière particulière. La cuisine est éclairée par un tube*

fluorescent, un tube contenant un gaz qui devient lumineux sous l'effet de l'électricité.

illustr.
p. 310,
628
flûte n.f. SENS 1. Une **flûte** est un instrument de musique en forme de tube, percé de trous, dans lequel on souffle. Dans la **flûte traversière**, on souffle par un trou sur le côté, dans la **flûte à bec**, le trou est situé à une extrémité. La **flûte de Pan** est composée de plusieurs tuyaux de longueur inégale dans lesquels on souffle. SENS 2. Une **flûte** à champagne est un verre à pied haut et étroit. → *coupe*

■ **flûtiste** n. [SENS 1] *Marie est flûtiste*, elle joue de la flûte.

fluvial → *fleuve*

flux n.m. Le **flux** est la marée montante (≠ reflux).
✳ On prononce [fly].

foc n.m. Un **foc** est une petite voile triangulaire à l'avant d'un voilier.

fœtus n.m. Le **fœtus** est l'enfant incomplètement formé qui est dans le ventre de sa mère depuis au moins trois mois.
→ *embryon*
✳ On prononce le « s » : [fetys].

foi n.f. SENS 1. Avoir la **foi**, c'est croire en Dieu. SENS 2. Un témoin **digne de foi** mérite qu'on le croie. SENS 3. *Il a prouvé sa bonne foi*, ses intentions honnêtes (= sincérité, honnêteté ; ≠ mauvaise foi). SENS 4. *Envoyez vos lettres avant minuit, le cachet de la poste fera foi*, il en sera une preuve.
✳ Ne pas confondre avec le **foie** et une **fois**.

illustr.
p. 216
foie n.m. Le **foie** est un organe contenu dans l'abdomen, qui sécrète la bile.
→ *hépatique*
✳ Ne pas confondre avec la **foi** et une **fois**.

illustr.
p. 21
foin n.m. *On rentre les bottes de foin dans la grange*, de l'herbe fauchée et séchée. ●● *fenaison*. Faire les foins, c'est faucher l'herbe, la faire sécher, puis rentrer le foin. → *faner*

illustr.
p. 397
foire n.f. SENS 1. *Les paysans vendent leurs produits à la foire*, au grand marché agricole. SENS 2. La **Foire** de Paris, la **Foire** de Francfort sont d'importantes manifestations commerciales. SENS 3. *À la foire, les enfants ont fait un tour de manège*, à la fête en plein air.

illustr.
p. 530,
531
■ **forain, aine** [SENS 1] n. *Les forains déballent leur marchandise*, les marchands qui vendent à la foire, dans les marchés. [SENS 3] adj. *Nous sommes allés à la fête foraine*, à la fête en plein air où se trouvent des manèges.

fois n.f. SENS 1. *Karim est venu ici deux fois*, à deux reprises. SENS 2. *Deux fois trois font six*, trois multiplié par deux. SENS 3. *On ne peut faire deux choses à la fois*, en même temps (= ensemble ; ≠ séparément). SENS 4. *Il était une fois une méchante fée*, il y avait un jour, à une époque passée. *Une fois qu'on a compris, c'est facile*, quand on a compris.
✳ Ne pas confondre avec la **foi** et le **foie**.

foison n.f. *Il y a des moustiques à foison ici*, en grande quantité (= en abondance).

■ **foisonner** v. 1er groupe. *Les bonnes idées foisonnent*, elles abondent.

■ **foisonnement** n.m. *Il y a eu un foisonnement d'idées dans ce débat*.

folâtrer v. 1er groupe. *Les enfants folâtrent dans le pré*, ils s'ébattent gaiement.

folichon, onne adj. Fam. *Le programme de la journée n'est pas folichon*, il n'est pas gai, agréable.

folie → *fou (1)*

folio n.m. Un **folio** est un feuillet d'un registre ou d'un livre.

LA FOIRE AGRICOLE

porcins

porc (cochon)

truie

porcelet (goret)

équidés

âne

cheval

mulet

champ de foire

MACHINES AGRICOLES

maquignon

chevaux

machines agricoles

agriculteur

bestiaux

bovins

bœuf

vache

veau

taureau

ovins et caprins

bélier

bouc

chèvre

brebis

agneau

mouton

pesage

bascule

397

folklore n.m. *Je connais une chanson du folklore breton,* qui fait partie des traditions anciennes de cette région.

■ **folklorique** adj. *On a vu un spectacle de danses folkloriques,* traditionnelles.

folle, follement → *fou (1)*

follet adj.m. Un **feu follet** est une flamme légère qui apparaît parfois spontanément sur certains terrains.

fomenter v. 1er groupe. **Fomenter** une révolte, c'est la préparer.

1. foncer v. 1er groupe. *Tes cheveux* **ont foncé,** ils sont devenus plus sombres (≠ éclaircir).
✳ Conj. n° 1.

■ **foncé, ée** adj. *Elle porte une chemise bleu* **foncé** (= sombre ; ≠ clair).

2. foncer v. 1er groupe. *Quand il m'a vu, il* **a foncé** *sur moi,* il s'est précipité.
✳ Conj. n° 1.

foncier, ère adj. SENS 1. *Alice est d'une honnêteté* **foncière,** innée, profonde, naturelle. SENS 2. *Des revenus* **fonciers** sont produits par l'exploitation de la terre.

■ **foncièrement** adv. [SENS 1] *Il est* **foncièrement** *honnête,* par nature.

fonction n.f. SENS 1. *Yves exerce la* **fonction** *d'enseignant,* le métier (= profession). SENS 2. *Voici quelles seront vos* **fonctions** *dans cette entreprise,* votre travail (= activité). SENS 3. *Il est paralysé, ses jambes ne remplissent plus leur* **fonction,** leur rôle. SENS 4. *Quelle est la* **fonction** *de ce mot dans la phrase ?,* sa relation grammaticale avec les autres mots (sujet, complément, épithète, etc.)

■ **fonctionnaire** n. [SENS 1] *Les instituteurs et les professeurs des établissements publics, les postiers, les policiers sont des* **fonctionnaires,** ils ont une fonction dans l'Administration.

■ **fonctionnel, elle** adj. [SENS 3] Des troubles **fonctionnels** sont des troubles du fonctionnement de certains organes.

Une architecture **fonctionnelle** est bien adaptée à la fonction d'un bâtiment.

■ **fonctionner** v. 1er groupe. [SENS 3] *Cette machine ne* **fonctionne** *plus* (= marcher).

■ **fonctionnement** n.m. [SENS 3] *Explique-moi le* **fonctionnement** *de cet appareil,* comment il marche.

fond n.m. SENS 1. *Le* **fond** *du pot est percé,* la partie la plus basse d'un objet creux. SENS 2. *Ma chambre est au* **fond** *du couloir,* dans la partie la plus éloignée de l'entrée (= bout). SENS 3. *Elle a une robe imprimée sur* **fond** *bleu,* sur la surface bleue sur laquelle se détachent des motifs. SENS 4. *C'est là le* **fond** *du problème,* l'essentiel. SENS 5. Une **course de fond** est une course sur un long parcours. Le **ski de fond** se pratique sur une longue distance, en terrain peu accidenté. SENS 6. *Serre la vis* **à fond,** complètement. SENS 7. **Au fond** (**dans le fond**), *tu as raison,* en réalité (= tout compte fait).
✳ Ne pas confondre avec **fonds** et **fonts**.

fondamental, fondamentalement → *fonder*

fondant → *fondre*

fonder v. 1er groupe. SENS 1. **Fonder** un club, c'est le créer. SENS 2. *Sur quoi te* **fondes-tu** *pour l'accuser ?,* quels sont tes arguments, tes preuves ? (= s'appuyer).

■ **fondé, ée** adj. [SENS 2] *Cette critique n'est pas* **fondée,** elle n'est pas justifiée (= légitime).

■ **fondateur, trice** n. [SENS 1] La **fondatrice** de l'hôpital est celle qui l'a fondé.

■ **fondation** n.f. [SENS 1] *La* **fondation** *du collège remonte à un siècle* (= création). ◆ (Au plur.) *On a fait les* **fondations** *de la maison,* la maçonnerie dans le sol qui la soutient.

■ **fondement** n.m. [SENS 2] *Cette rumeur est sans* **fondement,** elle ne repose sur aucun argument (= preuve).

■ **fondamental, ale, aux** adj. [SENS 2] Les principes **fondamentaux** d'une théorie, ce sont ses principes de base (= essentiel ; ≠ accessoire).

■ **fondamentalement** adv. [SENS 2] *Ce projet n'est pas **fondamentalement** différent du précédent* (= radicalement).

fondre v. 3ᵉ groupe. SENS 1. *Le beurre **fond** au soleil,* il devient liquide. ●● *fusion*. SENS 2. *Fondre un métal,* c'est le chauffer jusqu'à ce qu'il soit liquide. SENS 3. *Le sel **fond** dans l'eau,* il se dissout. SENS 4. *Les deux sociétés **ont été fondues** en une seule,* elles ont été réunies. ●● *fusionner*. SENS 5. *À cette nouvelle, Alban **a fondu en larmes**,* il s'est brusquement mis à pleurer abondamment. SENS 6. *L'aigle **fond sur** sa proie,* il s'abat sur elle.
✳ Conj. nº 51.

■ **fondant, ante** adj. [SENS 1] *Cette poire est **fondante**,* elle a une chair si fine qu'elle semble fondre dans la bouche.

■ **fonderie** n.f. [SENS 2] Une **fonderie** est une usine où l'on fond les métaux pour les liquéfier.

■ **fonte** n.f. [SENS 1] *Avril est l'époque de la **fonte** des neiges,* où les neiges fondent. [SENS 2] *Nos radiateurs sont en **fonte**,* un alliage de fer et de carbone.

fondrière n.f. Une **fondrière** est une crevasse ou un creux dans le sol qui est souvent boueux.

fonds n.m. SENS 1. *Ils ont acheté un **fonds** de commerce,* un établissement commercial. SENS 2. (Au plur.) *On a trouvé des **fonds** pour construire la maison,* de l'argent (= capitaux).
✳ Ne pas confondre avec **fond** et **fonts**.

fondue n.f. La **fondue** savoyarde, la **fondue** bourguignonne sont des plats régionaux, où chacun trempe une bouchée de pain dans du fromage fondu, de viande dans de l'huile bouillante.

illustr.
p. 583 **fontaine** n.f. Une **fontaine** est une source d'eau vive aménagée avec un

bassin ou une petite installation qui débite de l'eau potable.

fonte → *fondre*

fonts n.m. pl. Les **fonts baptismaux** sont le bassin contenant l'eau qui sert à baptiser, dans une église.   *illustr. p. 821*
✳ Ne pas confondre avec **fond** et **fonds**.

football n.m. Le **football** est un sport d'équipe qui se joue avec un ballon rond.   *illustr. p. 912*
✳ On prononce [futbol], [fut]. Familièrement, on dit **foot**.

■ **footballeur, euse** n. *Une équipe de foot comprend onze **footballeurs**,* onze joueurs de football.   *illustr. p. 913*
✳ On prononce [futbolœr].

footing n.m. Faire du **footing**, c'est faire une marche sportive, où alternent course sur un rythme régulier et marche à pied.
✳ On prononce [futiŋ].

for n.m. *En mon **for intérieur**, j'ai pensé qu'il avait raison,* au fond de moi-même, sans rien dire.
✳ Ne pas confondre avec l'adjectif **fort**.

forage → *forer*

forain → *foire*

forban n.m. *Ce vendeur est un vrai **forban**,* un individu sans scrupule qui exploite les gens (= bandit).

forçat → *forcé*

force n.f. SENS 1. *Luc a de la **force** dans les bras,* il est fort (= vigueur, résistance ; ≠ faiblesse). ●● *fort*. SENS 2. *Il va falloir employer la **force**, s'ils ne veulent pas obéir* (= contrainte, violence ; ≠ douceur). SENS 3. *Ces élèves ne sont pas de la même **force** en anglais,* du même niveau. *Joël a une grande **force** de caractère,* une capacité à faire face aux difficultés. SENS 4. (Au plur.) *Le malade a repris des **forces**,* de l'énergie. SENS 5.

***À force de** crier, Pierre n'a plus de voix,* parce qu'il a beaucoup crié.

■ **forcer** v. 1er groupe. [SENS 1] *On **a forcé** la porte,* on l'a ouverte par la force. [SENS 2] *On l'**a forcé** à partir,* on l'a obligé (= contraindre).
✱ Conj. nº 1.

forcé, ée adj. SENS 1. *Autrefois, les condamnés aux **travaux forcés** étaient envoyés en Guyane* (= bagne). SENS 2. *Si tu ne travailles pas, tu échoueras, c'est **forcé*** (= inévitable). SENS 3. Un sourire **forcé** est un sourire qui manque de naturel (= contraint).

■ **forçat** n.m. [SENS 1] *M. Masson travaille comme un **forçat*** (= bagnard).

■ **forcément** adv. [SENS 2] *Les débuts sont **forcément** lents* (= inévitablement, obligatoirement).

forcené, ée n. *On a maîtrisé le **forcené**,* le fou en proie à une crise violente.

forcer ⟶ ***force***

forcing n.m. Faire du **forcing**, c'est s'efforcer par un redoublement d'efforts d'être victorieux.
✱ On prononce [fɔrsiŋ].

forcir v. 2e groupe. *Depuis qu'il a pris sa retraite, il **a** un peu **forci**,* il a pris de l'embonpoint (= grossir).

forer v. 1er groupe. **Forer** un puits, c'est creuser le sol pour faire ce puits.

illustr. p. 974, 333 ■ **forage** n.m. *Une société a entrepris le **forage** de plusieurs puits de pétrole,* de les forer.

illustr. p. 117 ■ **foret** n.m. Un **foret** est un outil destiné à percer des trous dans le bois, le métal, etc. (= mèche).
✱ Ne pas confondre avec la **forêt**.

illustr. p. 557, 402 **forêt** n.f. Une **forêt** est un grand terrain couvert d'arbres (= bois). ⟶ ***sylviculture***
✱ Ne pas confondre avec le **foret**.

■ **forestier, ère** adj. Un garde **forestier** est chargé de surveiller une forêt. illustr. p. 983

forfait n.m. SENS 1. *Ce menuisier travaille **à forfait**,* pour un prix convenu d'avance. SENS 2. *Notre équipe **a déclaré forfait**,* elle a renoncé à la compétition (= abandonner). SENS 3. Un **forfait** est un grand crime.

■ **forfaitaire** adj. [SENS 1] *Chaque réparation est facturée selon un prix **forfaitaire**,* convenu d'avance, quelles que soient les circonstances particulières.

forfanterie n.f. *Je déclare, sans **forfanterie,** que je suis capable de faire cela,* sans me vanter (= fanfaronnade, vantardise).

forger v. 1er groupe. SENS 1. *La grille est en fer **forgé**,* travaillé au feu et à coups de marteau. SENS 2. *Son histoire **est forgée** de toutes pièces,* elle n'est pas vraie (= inventer).
✱ Conj. nº 2.

■ **forge** n.f. [SENS 1] *Un maréchal-ferrant travaille dans une **forge**,* un atelier où l'on travaille les métaux. illustr. p. 99

■ **forgeron** n.m. [SENS 1] *Le **forgeron** bat le fer rouge sur son enclume,* celui dont le métier est de travailler les métaux dans une forge. illustr. p. 42 995

se **formaliser, formalisme, formaliste, formalité** ⟶ ***forme (2)***

format n.m. *Jean a acheté un livre en **format** de poche,* un livre qui peut tenir dans une poche.

formateur, formation ⟶ ***former***

1. forme n.f. SENS 1. *Son visage a une **forme** ovale* (= aspect, contour). ●● ***former, déformer, informe***. SENS 2. *Je prends ce médicament **sous forme de** comprimés,* présenté en comprimés. SENS 3. *Le projet commence à **prendre forme**,* à se préciser, à se dessiner. SENS 4. Fam. *Tu as l'air en pleine **forme** !,* en parfaite santé physique et morale.

2. forme n.f. *Je lui ai demandé son avis* **pour la forme**, pour respecter les usages. *La demande a été faite* **dans les formes**, selon les règles établies. *Vous pouvez refuser mais en y* **mettant les formes**, avec des précautions de bienséance.

■ **formel, elle** adj. *Sa protestation est purement* **formelle**, pour la forme. ◆ *Il a opposé un refus* **formel** (= net, catégorique).

■ **formellement** adv. *Je m'oppose* **formellement** *à ce projet* (= catégoriquement).

■ **formalisme** n.m. *Il exige cette démarche par* **formalisme**, pour respecter les règles administratives, les usages.

■ **formaliste** adj. *Nous sommes entre amis, ne soyez pas si* **formaliste**, si attaché aux principes.

■ se **formaliser** v. 1er groupe. *Il m'a tutoyé tout de suite, mais je ne* **m**'en **formalise** *pas*, cela ne me choque pas.

■ **formalité** n.f. *On doit lui demander son accord, même si ce n'est qu'une simple* **formalité**, quelque chose qu'on fait pour respecter les usages mais qui n'a pas vraiment d'importance. ◆ (Au plur.) *Quand on se marie, il y a des* **formalités** *à accomplir*, des actes administratifs obligatoires.

former v. 1er groupe. SENS 1. *Le fleuve* **forme** *un coude ici*, il a la forme d'un coude. SENS 2. *Le ministre* **a formé** *son équipe*, il l'a constituée. SENS 3. *Dans cette école, on* **forme** *des secrétaires*, on leur apprend leur métier (= instruire).

■ **formation** n.f. [SENS 2] *L'entraîneur s'est chargé de la* **formation** *de l'équipe*, de sa constitution. [SENS 3] *Jacques suit des cours de* **formation** *professionnelle*, de préparation à sa profession.

■ **formateur, trice** adj. [SENS 3] *Ce stage en entreprise est très* **formateur** (= instructif, profitable).

formidable adj. SENS 1. *Léo a un appétit* **formidable** *!*, extraordinaire.

SENS 2. Fam. *Vanessa est une fille* **formidable**, elle est extrêmement sympathique et a des qualités remarquables.

formulaire n.m. *Remplissez le* **formulaire**, l'imprimé où sont posées des questions d'ordre administratif.

formule n.f. SENS 1. « *S'il vous plaît* » *est une* **formule** *de politesse*, une expression toute faite qu'on emploie dans des circonstances précises. SENS 2. *La* **formule** *chimique de l'eau est* H_2O, l'expression qui, sous forme de chiffres et de lettres, indique sa composition. SENS 3. *Nous avons adopté la* **formule** *du paiement mensuel de l'impôt*, la manière, le mode.

■ **formuler** v. 1er groupe. [SENS 1] ***Formulez** votre demande en termes précis*, exprimez-la.

forsythia n.m. *Le* **forsythia** *est un arbrisseau dont les fleurs jaunes apparaissent avant les feuilles.*
✳ On prononce [fɔrsisja].

fort, forte adj. SENS 1. *Pour porter ce meuble, il faut des hommes* **forts**, qui ont de la force (= robuste ; ≠ faible). ●● **force**. SENS 2. *Martin est* **fort** *en anglais*, il réussit bien (= fam. calé). SENS 3. *L'as est la carte la plus* **forte**, il vaut plus que les autres cartes. SENS 4. *Cette liqueur est* **forte**, elle est alcoolisée (≠ doux). *J'aime le thé* **fort**, concentré (≠ léger). SENS 5. *M. Rossi parle d'une voix* **forte** (= sonore, puissant ; ≠ faible). SENS 6. *Une* **place forte** *était un lieu protégé par des fortifications* (= fortifié). SENS 7. Fam. *C'est trop* **fort** *!*, c'est exagéré ou c'est surprenant. SENS 8. *Elles* **se font fort** *de faire le travail en deux jours*, elles se déclarent sûres de pouvoir le faire. SENS 9. *Il faut qu'il bavarde en classe*, **c'est plus fort que lui**, il ne peut pas s'en empêcher.

■ **fort** adv. [SENS 1] *Ne tape pas si* **fort** *!*, avec autant de force. [SENS 5] *Parlez plus* **fort** (= haut ; ≠ bas). ◆ *Ce gâteau est* **fort** *bon* (= très).

LA FORÊT

gland

faine

châtaignes

chêne

hêtre

frêne

châtaignier

orme

mammifères

biche

cerf

chevreuil

sanglier

laie

marcassins

écureuil

lièvre

blaireau

belette

futaie

fourche

branche

taillis

bouleau

fourrés

humus

digitale

chemin
forestier

tige

champignons comestibles

morille

chanterelle (girolle)

clavaire dorée

bolet bai

Dans la forêt, les grands arbres composent la futaie.

Les arbustes et les arbrisseaux forment le taillis.

Et là où il n'y a que de l'herbe et des fleurs, c'est la clairière.

pomme

pomme

aiguilles

pin

sapin

noisetier

nervures

chaton

feuille

noisettes

tronçonneuse

bûches

coin

rondin

cognée

masse

sous-bois

bûcheron

oiseaux

pivert

geai

chouette

buse

fougères

champignons vénéneux

anneau

volve

amanite
tue-mouches

amanite
panthère

amanite
phalloïde

amanite
printanière

bruyère

fougère

■ **fort** n.m. [SENS 2] *Le latin n'est pas son fort, ce en quoi il réussit le mieux.* [SENS 6] *Le fort se trouve sur la colline, le bâtiment fortifié.*

■ **fortement** adv. [SENS 1] *Appuyez fortement sur le bouton !* (= vigoureusement, fort).

■ **forteresse** n.f. [SENS 6] *Ils n'ont pas pu prendre la forteresse, le grand fort.*

■ **fortifier** v. 1er groupe. [SENS 1] *La vie au grand air va te fortifier, te rendre plus fort* (≠ affaiblir). [SENS 6] *Cette partie de la ville est fortifiée, protégée par des fortifications.*

■ **fortifiant** n.m. [SENS 1] *Depuis sa maladie, Marie prend des fortifiants, des médicaments qui fortifient.*

illustr.
p. 427
■ **fortification** n.f. [SENS 6] *La vieille ville est entourée de fortifications, de constructions destinées à la protéger.*

■ **fortin** n.m. [SENS 6] *Un fortin est un petit fort.*

fortuit, e adj. *J'ai fait une rencontre fortuite, qui a eu lieu par hasard* (= inattendu, imprévu ; ≠ prévisible).

■ **fortuitement** adv. *Je l'ai rencontré fortuitement* (= par hasard, accidentellement).

fortune n.f. SENS 1. *Il a une grosse fortune, il a énormément de biens, d'argent* (= richesse). *M. Lamy a fait fortune, il s'est enrichi.* SENS 2. *La bonne fortune, c'est la chance, la mauvaise fortune, c'est la malchance.* SENS 3. *On se débrouille avec des moyens de fortune, les moyens offerts par le hasard* (= improvisé).

■ **fortuné, ée** adj. [SENS 1] *La famille Morel est fortunée* (= riche).

forum n.m. *J'ai participé à un forum sur l'éducation, une réunion avec débat.* ✳ On prononce [fɔʀɔm].

illustr.
p. 949,
1033
fosse n.f. SENS 1. *Pour enterrer les morts, on creuse une fosse, un grand trou dans le sol.* SENS 2. *Une fosse* **sous-marine** *est une partie très profonde du sol sous-marin.* SENS 3. *La* **fosse d'orchestre** *est l'endroit aménagé pour l'orchestre en bas de la scène.* SENS 4. *Les* **fosses nasales** *sont les parties creuses du nez.*
illustr.
p. 95

✳ Ne pas confondre avec **fausse** (féminin de « faux »).

■ **fossé** n.m. [SENS 1] *La voiture est allée dans le fossé, la fosse creusée le long de la route.*
illustr.
p. 16
753

■ **fossoyeur** n.m. [SENS 1] *Les fossoyeurs ont rebouché la fosse, les employés du cimetière.*

fossette n.f. *Claire a une fossette au menton, un petit creux.*

fossile adj. et n.m. *Jean collectionne les (coquillages) fossiles, des cailloux formés par des squelettes d'animaux ou présentant des empreintes de plantes.*
illustr.
p. 75

fossoyeur → **fosse**

1. fou, folle adj. et n. SENS 1. *Elle est folle, elle a perdu la raison. C'est un fou !* (= aliéné, malade mental). SENS 2. *Ne faites pas les fous !, soyez raisonnables, ne vous agitez pas.* SENS 3. *Pierre est (un) fou de cinéma* (= passionné, fanatique). SENS 4. adj. *J'ai un travail fou, beaucoup de travail* (= énorme). ◆ *Un fou rire est un rire qu'on ne peut pas arrêter.*

✳ L'adjectif **fou** devient **fol** devant une voyelle ou un « h » muet : un **fol** espoir, un **fol** humour.

■ **folie** n.f. [SENS 1] *M. Duval a des accès de folie, son cerveau est dérangé* (= démence). [SENS 2] *Tu as fait des folies !, une dépense exagérée, déraisonnable.*

■ **follement** adv. [SENS 4] *Je suis follement inquiet* (= très).

2. fou n.m. SENS 1. *Un fou était un bouffon chargé d'amuser un prince.* SENS 2. *Le fou est une pièce du jeu d'échecs.*

foudre n.f. SENS 1. *La foudre a frappé le clocher, une décharge électrique, lors*
illustr.
p. 21

d'un orage, produisant un éclair et le tonnerre. SENS 2. *Ça a été le **coup de foudre** entre eux,* la passion subite.

■ **foudroyer** v. 1ᵉʳ groupe. [SENS 1] *La vache **a été foudroyée** sous l'arbre,* elle a été tuée par la foudre.
✳ Conj. n° 3.

■ **foudroyant, ante** adj. [SENS 1] *Il a eu une attaque **foudroyante**,* rapide comme la foudre. *Ce film a eu un succès **foudroyant*** (= fulgurant).

Illustr.
354,
238

fouet n.m. SENS 1. *Le charretier fait claquer son **fouet**,* une lanière attachée à un manche et avec laquelle on peut cingler, fouetter. SENS 2. *On monte les blancs d'œufs en neige avec un **fouet**,* un ustensile ménager. SENS 3. *Ce premier succès lui a donné un **coup de fouet**,* il l'a stimulé. SENS 4. *Le projectile a atteint la maison **de plein fouet**,* directement, avec toute sa force.

■ **fouetter** v. 1ᵉʳ groupe. [SENS 1 et 2] **Fouetter**, c'est donner des coups de fouet ou battre avec un fouet. ◆ Fam. *J'ai d'autres chats à **fouetter**,* j'ai à m'occuper d'affaires plus importantes. ◆ Fam. *Il n'y a pas de quoi **fouetter un chat**,* ce n'est pas une faute grave.

Illustr.
p. 403

fougère n.f. *La **fougère** est une plante des bois à feuilles très découpées.*

fougue n.f. *Il s'exprime avec **fougue*** (= ardeur, véhémence, impétuosité ; ≠ calme).

■ **fougueux, euse** adj. *Une attaque **fougueuse** est une attaque très vive* (= violent, impétueux).

fouiller v. 1ᵉʳ groupe. *Les douaniers ont **fouillé** ma valise,* ils l'ont explorée minutieusement (= inspecter).

■ **fouille** n.f. *À la frontière, la **fouille** des bagages nous a retardés,* l'inspection. ◆ (Au plur.) *Les archéologues font des **fouilles**,* ils creusent la terre pour y chercher des objets anciens.

Illustr.
p. 41

fouillis n.m. *Quel **fouillis** sur cette table !,* quel désordre !

fouine n.f. *La **fouine** est un petit mammifère au museau pointu qui vit dans les bois.*

illustr.
p. 617

fouiner v. 1ᵉʳ groupe. Fam. *C'est un curieux qui **fouine** dans tous les recoins,* qui cherche attentivement (= fureter).

foulard n.m. *Maria a un **foulard** autour du cou,* un grand carré en tissu.

illustr.
p. 583

foule n.f. SENS 1. *La **foule** se déverse dans le stade,* un grand nombre de personnes. SENS 2. *François a une **foule** de projets,* une grande quantité (= masse, multitude).

foulée n.f. SENS 1. *Jean court à petites **foulées*** (= enjambée). SENS 2. *Mme Launay a fait repeindre son appartement et, **dans la foulée**, elle a changé la moquette,* du même coup, dans le même mouvement.

fouler v. 1ᵉʳ groupe. *Yann **s'est foulé** la cheville,* il s'est tordu l'articulation.

■ **foulure** n.f. *Une **foulure** est une légère entorse.*

four n.m. *Mme Durand fait cuire le rôti dans le **four** de sa cuisinière,* la partie fermée où la chaleur se concentre.
→ **haut-fourneau**

illustr.
p. 238

■ **fournée** n.f. *Le boulanger a fait trois **fournées** de pain,* trois fois le contenu de son four. ●● **enfourner**

■ **fourneau** n.m. *La soupe chauffe sur le **fourneau*** (= cuisinière).
✳ Au pluriel, on écrit des **fourneaux**.

fourbe n. et adj. *Méfie-toi de lui, c'est un **fourbe**,* un hypocrite, un homme perfide, sournois.

■ **fourberie** n.f. *J'ai été victime de sa **fourberie*** (= hypocrisie, perfidie).

fourbi n.m. Fam. *Ramasse-moi tout ce **fourbi**,* cet ensemble de choses diverses.

fourbu, ue adj. *Romain est rentré **fourbu** de sa marche,* très fatigué (= épuisé, harassé, éreinté).

illustr.
p. 384,
747
402

fourche n.f. SENS 1. *Les paysans chargent le foin avec une* **fourche**, *un instrument formé d'un manche terminé par des dents allongées.* SENS 2. *Héloïse était assise sur la* **fourche** *de l'arbre*, *l'endroit où l'arbre se divise en plusieurs branches.* SENS 3. *À la* **fourche**, *prenez la route de droite*, *la bifurcation.* SENS 4. *La* **fourche** *d'un vélo, ce sont les deux tiges sur lesquelles se fixent les axes des roues.*

1002

■ **fourchu, ue** adj. [SENS 2] *Les chèvres ont le pied* **fourchu**, *divisé en deux* (= *fendu*).

illustr.
p. 238

■ **fourchette** n.f. SENS 1. *On pique la viande dans l'assiette avec une* **fourchette**, *un couvert fait d'un manche et d'une partie à dents pointues.* SENS 2. *Les sondages lui accordent une* **fourchette** *de 43 à 45 % des voix*, *un nombre compris entre ces deux valeurs.*

illustr.
p. 385,
582,

fourgon n.m. *Le chien a voyagé dans le* **fourgon** *à bagages*, *une des voitures du train* (= *wagon*). *Le* **fourgon** *à bestiaux, le* **fourgon** *de marchandises sont des camions utilisés pour les transports.* *Un* **fourgon** **mortuaire** *est un corbillard.*

736,
737

Le **fourgon-pompe** *est le véhicule d'intervention des pompiers.*

illustr.
p. 733

■ **fourgonnette** n.f. *Le laitier fait ses livraisons avec sa* **fourgonnette** (= camionnette).

illustr.
p. 746

fourmi n.f. SENS 1. *Une* **fourmi** *est un petit insecte vivant en troupes nombreuses et organisées.* SENS 2. (*Au plur.*) *J'ai des* **fourmis** *dans les jambes*, *des picotements* (= *fourmillement*).

■ **fourmilière** n.f. [SENS 1] *Pierre a marché sur une* **fourmilière**, *un monticule construit par les fourmis.*

fourmiller v. 1er groupe. *Ta lettre* **fourmille** *de fautes*, *il y en a énormément* (= *abonder*).

■ **fourmillement** n.m. SENS 1. *Marie a des* **fourmillements** *dans le bras*, *des picotements* (= *fourmis*). SENS 2. *De la terrasse, on observe un* **fourmillement** *humain sur la place* (= *grouillement*).

fournaise n.f. *Cette pièce est une vraie* **fournaise**, *il y fait très chaud* (= *étuve*).

fourneau, fournée → *four*

fournir v. 2e groupe. SENS 1. *L'école* **fournit** *les livres aux élèves*, *elle les leur procure.* SENS 2. *M. Da Silva* **se fournit** *toujours chez le même commerçant*, *il y fait ses achats* (= *s'approvisionner*). SENS 3. *Ce coureur* **a fourni** *un gros effort* (= *accomplir, produire*).

■ **fournisseur** n.m. [SENS 1] *Le* **fournisseur** *n'a pas livré la commande*, *le commerçant ou le fabricant.*

illustr
p. 31

■ **fourniture** n.f. [SENS 2] (*Au plur.*) *Dans cette papeterie, on vend des* **fournitures** *scolaires*, *des objets dont les élèves doivent se fournir.*

fourrage n.m. *Le* **fourrage**, *ce sont les plantes qui servent de nourriture au bétail.*

illustr
p. 21

■ **fourrager, ère** adj. *L'herbe, la luzerne, le foin sont des plantes* **fourragères**, *qui constituent le fourrage.*

1. fourré n.m. *Le lièvre s'est caché dans un* **fourré**, *un endroit très touffu du bois* (= *broussaille*).

2. fourré, ée adj. SENS 1. *L'hiver, je mets des gants* **fourrés**, *garnis de fourrure ou de lainage.* SENS 2. *Ce gâteau est* **fourré** *à la crème*, *il est garni de crème à l'intérieur.*

illustr
p. 89

■ **fourrure** n.f. [SENS 1] *Mme Lamy n'aime pas les manteaux de* **fourrure**, *faits d'une peau d'animal garnie de ses poils.*

■ **fourreur** n.m. [SENS 1] *Le* **fourreur** *est celui qui traite les fourrures ou qui les vend.*

illustr
p. 42

fourreau n.m. *Le mousquetaire a sorti l'épée de son* **fourreau**, *de son étui.* ✳ *Au pluriel, on écrit des* **fourreaux**.

fourrer v. 1er groupe. Fam. *On l'a fourré en prison*, *on l'y a mis.*

fourreur → *fourré (2)*

fourrière n.f. La **fourrière** est l'endroit où l'on met les animaux abandonnés ou les voitures en infraction.

fourrure → *fourré (2)*

se **fourvoyer** v. 1ᵉʳ groupe. SENS 1. *Je m'étais fourvoyé dans un dédale de ruelles*, je m'étais égaré, perdu. SENS 2. *L'inspecteur s'est fourvoyé*, il n'est pas allé dans la bonne direction (= faire fausse route).
✳ Conj. n° 3.

Illustr. 995, 949

foyer n.m. SENS 1. Le **foyer** d'une cheminée est la partie dans laquelle le combustible brûle. SENS 2. *On signale de nombreux foyers d'incendie*, des endroits d'où part le feu (= centre). SENS 3. *Mme Dupont est femme au foyer*, elle n'a pas d'activité professionnelle mais s'occupe de sa maison et de sa famille. SENS 4. Le **foyer** des artistes est le local où les acteurs d'un théâtre peuvent se réunir. SENS 5. *Sonia loge dans un foyer d'étudiants*, un lieu d'hébergement pour étudiants.

fracas n.m. *L'arbre tombe avec fracas*, avec un bruit violent.

■ **fracasser** v. 1ᵉʳ groupe. *Les sauveteurs ont fracassé la porte d'un coup d'épaule*, ils l'ont brisée avec bruit.

■ **fracassant, ante** adj. *Ce film a eu un succès fracassant* (= éclatant, retentissant).

fraction n.f. SENS 1. *Une fraction de l'Assemblée a applaudi l'orateur*, une partie de l'Assemblée. SENS 2. *J'ai hésité une fraction de seconde*, pendant un temps très court. SENS 3. *Écrire $\frac{3}{4}$, c'est écrire une fraction*, une expression numérique constituée par un numérateur (3) et un dénominateur (4) séparés par un trait, appelé « la barre de **fraction** ».

Illustr. p. 643

■ **fractionner** v. 1ᵉʳ groupe. [SENS 1] *Le groupe s'est fractionné*, il s'est divisé en plusieurs parties.

fracture n.f. *Yann s'est fait une **fracture** du poignet*, il s'est cassé les os du poignet.

■ **fracturer** v. 1ᵉʳ groupe. *On a fracturé la serrure pour l'ouvrir*, on l'a cassée.

fragile adj. *Le verre est fragile*, il se casse facilement (≠ solide, résistant).

■ **fragilité** n.f. *Ce vase a la fragilité de la porcelaine* (≠ solidité).

fragment n.m. SENS 1. *Marine recolle les fragments du pot cassé*, les morceaux (= débris). SENS 2. *J'ai lu des fragments de ce roman*, des passages.

illustr. p. 41

■ **fragmentaire** adj. [SENS 2] *Elle a des connaissances fragmentaires en histoire* (= partiel ; ≠ complet).

■ **fragmenter** v. 1ᵉʳ groupe. [SENS 1] *Le gel a fragmenté la pierre*. [SENS 2] *Le roman a été fragmenté en épisodes* (= diviser).

1. frais, fraîche adj. SENS 1. *Joël a bu un verre d'eau fraîche*, un peu froide (≠ tiède). ●● *rafraîchir*. SENS 2. *Ces œufs sont frais*, ils sont pondus depuis peu et bons à manger (≠ avarié). *Des légumes frais* sont des légumes qui n'ont pas été traités pour être conservés. SENS 3. *Des nouvelles fraîches* sont des nouvelles récentes. ●● *défraîchir*

■ **frais** n.m. [SENS 1] *Je prends le frais sur le pas de la porte*, je profite de la fraîcheur de l'air.

■ **fraîchement** adv. [SENS 1] *Il s'est fait accueillir très fraîchement*, avec froideur (≠ chaleureusement). [SENS 2] *Ce banc est fraîchement repeint* (= depuis peu).

■ **fraîcheur** n.f. [SENS 1] *Attention à la fraîcheur de la nuit*, à la température fraîche. [SENS 2] *La date limite de fraîcheur des œufs est indiquée sur la boîte*, la date jusqu'à laquelle on peut les consommer.

■ **fraîchir** v. 2ᵉ groupe. [SENS 1] *Le temps fraîchit*, il devient plus frais.

2. frais n.m. pl. SENS 1. *Cette réparation a entraîné des frais*, des dépenses. *Nous* avons eu des **faux frais**, des dépenses supplémentaires imprévues. ●● **défrayer**. SENS 2. Qui va **faire les frais** de cette décision ?, en subir les inconvénients.

illustr. **fraise** n.f. SENS 1. Les **fraises** sont les fruits rouges produits par le **fraisier**, une plante basse et rampante. SENS 2. Le dentiste approche sa **fraise** de la dent cariée, un instrument tournant qui sert à creuser (= roulette). SENS 3. Autrefois, à la cour, on portait une **fraise** autour du cou, un grand col plissé.

p. 747,
868,
221

■ **fraiser** v. 1er groupe. [SENS 2] **Fraiser** un trou, c'est l'évaser avant d'y mettre une vis.

illustr. ■ **fraiseur** n.m. [SENS 2] Un **fraiseur** est un ouvrier qui travaille sur une machine à fraiser appelée **fraiseuse**.
p. 995

illustr. **framboise** n.f. Les **framboises** sont les petits fruits rouges produits par un **framboisier**.
p. 747

1. franc n.m. Le **franc** était l'unité monétaire de la France, de la Belgique, de la Suisse, du Luxembourg. Il a été remplacé par l'euro.

2. franc, franche adj. SENS 1. Marie est une fille **franche**, elle ne ment pas (= sincère ; ≠ hypocrite). SENS 2. Ce colis est **franc de port**, les frais d'envoi ont été payés par l'expéditeur. SENS 3. L'arbitre a sifflé un **coup franc**, au football, une pénalité qui impose à une équipe de subir un coup tiré librement par un joueur de l'équipe adverse.

■ **franchement** adv. [SENS 1] Je vais te parler **franchement**, ouvertement. ◆ Le temps est **franchement** mauvais (= très, nettement).

■ **franchise** n.f. [SENS 1] Parlons de cela en toute **franchise**, en toute sincérité. [SENS 2] Certaines lettres bénéficient de la **franchise** postale, on ne paie pas pour les expédier. ●● **affranchir**

■ **franco** adv. [SENS 2] Ce colis a été expédié **franco**, franc de port.

franchir v. 2e groupe. Il est interdit de **franchir** cette limite, d'aller au-delà. ●● **infranchissable**

■ **franchissement** n.m. Le **franchissement** de la frontière est contrôlé.

franchise → **franc (2)**

franc-maçon, onne n. Les **francs-maçons** sont les membres d'une société fondée sur la fraternité, appelée **franc-maçonnerie**.

franco → **franc (2)**

francophile adj. et n. Mme Ferreira est **francophile**, elle aime la France, les Français.

francophone adj. et n. Les Québécois sont majoritairement **francophones**, ils parlent le français.

■ **francophonie** n.f. La **francophonie** est l'ensemble des pays où l'on parle le français.

franc-parler n.m. Julie a son **franc-parler**, elle n'hésite pas à dire tout ce qu'elle pense, même si c'est désagréable pour son interlocuteur.

franc-tireur n.m. Des **francs-tireurs** sont des combattants n'appartenant pas à une armée régulière.

frange n.f. Un rideau à **franges** a une bordure de fils qui pendent. Marie a coupé sa **frange**, les cheveux qui lui couvraient le front. *illustr. p. 10*

frangipane n.f. La **frangipane** est une crème à base d'amandes ou de pralines utilisée en pâtisserie.

franquette n.f. On a fait un dîner entre amis **à la bonne franquette**, sans façons, très simplement.

frapper v. 1er groupe. SENS 1. **Frappez à la porte avant d'entrer !**, donnez des coups (= taper). SENS 2. *On ne doit pas* **frapper** *un animal* (= battre). SENS 3. *La balle l'a* **frappée** *en plein cœur* (= toucher, atteindre).* SENS 4. **Frapper** *une pièce de monnaie,* c'est lui donner une empreinte en relief. SENS 5. *Ce détail m'avait* **frappé,** il avait vivement attiré mon attention (= surprendre).

■ **frappant, ante** adj. Une ressemblance **frappante** se remarque tout de suite.

■ **frappe** n.f. [SENS 1] *Il y a des fautes de* **frappe** *dans ce document,* des fautes commises en tapant le texte à la machine, à l'ordinateur. [SENS 2] La **force de frappe** d'un pays est l'ensemble de son armement nucléaire.

fraternel, fraternellement, fraterniser, fraternité → **frère**

fraude n.f. Il y a une **fraude** quand on triche par rapport à un règlement.

■ **frauder** v. 1er groupe. *On* **fraude** *le fisc si on ne déclare pas légalement ses revenus* (= tromper).

■ **fraudeur, euse** n. *Les* **fraudeurs** *s'exposent à des sanctions,* ceux qui fraudent.

■ **frauduleux, euse** adj. Une déclaration de revenus **frauduleuse** est illégale et destinée à tromper (= malhonnête).

■ **frauduleusement** adv. *Il avait imité* **frauduleusement** *ma signature.*

frayer v. 1er groupe. SENS 1. *On va se* **frayer** *un chemin dans la foule,* se faire un passage (= se tracer). SENS 2. *Il* **frayait** *peu avec ses voisins,* il les fréquentait peu.
✳ Conj. n° 4.

frayeur n.f. *Paul a poussé un cri de* **frayeur,** *de grande peur* (= effroi, terreur, épouvante). ●● **effrayer**

fredonner v. 1er groupe. *Marie* **fredonne** *dans son bain,* elle chante à mi-voix (= chantonner).

freezer n.m. *On met les glaçons au* **freezer,** dans le compartiment le plus froid du réfrigérateur.
✳ On prononce [frizœr].

frégate n.f. Une **frégate** est un bateau de guerre utilisé comme bâtiment d'escorte. *illustr. p. 55*

frein n.m. SENS 1. *L'accident est dû à une rupture des* **freins,** du mécanisme qui permet de ralentir ou d'arrêter un véhicule. SENS 2. *Cet échec a mis un* **frein** *à son ambition,* il l'a arrêtée ou diminuée. SENS 3. *Je* **rongeais mon frein** *en attendant de pouvoir m'expliquer,* j'étais plein d'impatience (= bouillir). *illustr. p. 69, 1002*

■ **freiner** v. 1er groupe. [SENS 1] *Ce virage est dangereux,* **freine** *!,* actionne le frein pour ralentir. [SENS 2] *Rien ne peut* **freiner** *son ardeur,* la diminuer, l'atténuer.

■ **freinage** n.m. [SENS 1] *Il y a des traces de* **freinage** *sur la route.*

frelaté, ée adj. *Ce vin est* **frelaté,** on y a ajouté frauduleusement des produits (= trafiqué ; ≠ pur).

frêle adj. *Fatima est* **frêle** (= fragile ; ≠ robuste).

frelon n.m. Le **frelon** est une grosse guêpe dont la piqûre est très douloureuse. *illustr. p. 385*

freluquet n.m. Fam. *Ce n'est pas ce* **freluquet** *qui pourra déménager l'armoire !,* cet homme malingre, chétif (= gringalet).

frémir v. 2e groupe. *Dire que tu aurais pu être tué, j'en* **frémis** *!* (= trembler).

■ **frémissement** n.m. Un **frémissement** est un léger tremblement.

frêne n.m. Le **frêne** est un arbre au bois blanc jaunâtre. *illustr. p. 402*

frénésie n.f. *Le chanteur a été applaudi avec* **frénésie** *par toute la salle,* très vivement (= délire).

■ **frénétique** adj. *Des hurlements **frénétiques** se sont déchaînés* (= fou).

■ **frénétiquement** adv. *La foule applaudissait **frénétiquement**.*

fréquent, ente adj. *Ce carrefour est dangereux : les accidents y sont **fréquents**,* ils s'y produisent souvent (≠ rare).

■ **fréquence** n.f. *Quelle est la **fréquence** de ce mot dans la page ?,* le nombre de fois où il apparaît.

■ **fréquemment** adv. *Ces accidents arrivent **fréquemment*** (= souvent).
✳ On prononce [frekamã].

fréquenter v. 1ᵉʳ groupe. SENS 1. *Laure **fréquente** beaucoup les cinémas,* elle y va souvent. SENS 2. *L'accusé **fréquentait** de nombreux truands,* il les rencontrait souvent, il était en relation avec eux (= frayer avec).

■ **fréquentation** n.f. [SENS 1] *Le taux de **fréquentation** des cinémas baisse.* [SENS 2] *(Au plur.) David a de bonnes **fréquentations**,* il fréquente des gens recommandables (= relation, connaissance).

illustr.
p. 679
frère n.m. *Paul est le **frère** de Lise,* il a les mêmes parents qu'elle, elle est sa sœur. ●● ***beau-frère, demi-frère***
→ ***sœur***

■ **fraternel, elle** adj. *J'ai pour lui une affection **fraternelle**,* comme celle qui existe entre frères ou entre frères et sœurs.

■ **fraternellement** adv. *Dans l'équipe, on s'entraide **fraternellement**,* comme des frères.

■ **fraternité** n.f. *La **fraternité**,* ce sont les rapports fraternels qui existent entre des personnes.

■ **fraterniser** v. 1ᵉʳ groupe. *Ces deux hommes **ont** vite **fraternisé**,* ils se sont sentis comme frères.

fresque n.f. *Il y a de belles **fresques** dans cette église,* de grandes peintures exécutées directement sur les murs.

fret n.m. *Le **fret** d'un navire, d'un avion,* c'est leur cargaison, ou le prix du transport des marchandises.
✳ On prononce [frɛ] ou [frɛt]. Ne pas confondre avec l'adjectif **frais**.

fréter v. 1ᵉʳ groupe. *On **a frété** un car pour la colonie de vacances,* on l'a loué.
✳ Conj. n° 10.

frétiller v. 1ᵉʳ groupe. *Le chien a la queue qui **frétille**,* qui s'agite avec des mouvements vifs.

fretin n.m. SENS 1. *Un vrai pêcheur rejetterait à l'eau tout ce **fretin**,* ces petits poissons sans intérêt. SENS 2. *La police a emmené quelques suspects et relâché le **menu fretin**,* les personnes de peu d'intérêt pour elle.

friable adj. *La craie est une roche **friable**,* qui s'effrite facilement, se réduit en poudre.

friand, ande adj. *La chatte est **friande** de lait,* elle l'aime beaucoup (= gourmand).

■ **friandise** n.f. *Catherine adore les **friandises**,* les bonbons, les sucreries.   *illust p. 15*

fric n.m. Fam. *Il gagne beaucoup de **fric**,* d'argent.

fricassée n.f. *Une **fricassée** est un ragoût cuit à la casserole dans une sauce.*

friche n.f. *Ce champ est **en friche**,* il n'est pas cultivé (= inculte). ●● ***défricher***   *illust p. 20*

fricoter v. 1ᵉʳ groupe. Fam. *Qu'est-ce qu'ils **fricotent** ensemble, ces deux-là ?,* qu'est-ce qu'ils font de louche ? (= manigancer, trafiquer).

friction n.f. *Marie s'est fait une **friction** au gant de crin,* elle s'est frotté la peau.

■ **frictionner** v. 1ᵉʳ groupe. *Jean **s'est frictionné** pour se réchauffer.*

frigorifier v. 1ᵉʳ groupe. SENS 1. *Ce poisson **a été frigorifié**, il a été mis au froid pour être conservé. SENS 2. Fam. Je suis frigorifié,* j'ai très froid (= gelé).

illustr. p. 583 ■ **frigorifique** adj. [SENS 1] *Un réfrigérateur est un appareil **frigorifique**,* qui produit du froid.

■ **frigo** n.m. [SENS 1] Fam. *Remets le beurre au **frigo*** (= réfrigérateur).

frileux, euse adj. *Delphine est très **frileuse**,* très sensible au froid.

frimas n.m. *Le **frimas** est un brouillard givrant.*

frime n.f. Fam. *Elle ne pleure pas vraiment, c'est de la **frime**,* ce n'est pas sérieux (= comédie).

frimer v. 1ᵉʳ groupe. Fam. *Il **frime** beaucoup avec sa nouvelle montre,* il se donne de l'importance, il prend un air supérieur.

■ **frimeur, euse** adj. et n. Fam. *Luc est (un) **frimeur**, il ne parle que de ses exploits* (= prétentieux, vaniteux).

frimousse n.f. *Cette petite fille a une jolie **frimousse*** (= visage, figure, minois).

fringale n.f. Fam. *Quand est-ce qu'on mange ? J'ai une de ces **fringales** !* (= faim).

fringant, ante adj. *Un cheval **fringant** est un cheval très vif.* ◆ *Un jeune homme **fringant** est alerte et élégant.*

fringue n.f. Fam. *Elle s'est acheté de nouvelles **fringues*** (= vêtement).

fripé, ée adj. *Ma robe est **fripée**,* elle est chiffonnée, froissée.

■ **friper** v. 1ᵉʳ groupe. *Tu vas **friper** ta veste* (= chiffonner ; ≠ défriper).

fripier, ère n. *Un **fripier** est un marchand de vêtements usagés.*

fripon, onne n. et adj. *Tu es une (petite) **friponne** !,* coquine.

fripouille n.f. *Méfie-toi de lui, c'est une **fripouille**,* une personne malhonnête (= canaille, crapule).

frire v. 3ᵉ groupe. *Les pommes de terre sont en train de **frire**,* de cuire dans une matière grasse bouillante.

✷ Conj. nº 83. **Frire** s'emploie surtout à l'infinitif et au participe.

■ **frite** n.f. *J'ai mangé un biftteck avec des **frites**,* des pommes de terre frites généralement découpées en morceaux longs et étroits.

■ **friteuse** n.f. *Plongez vos beignets dans la **friteuse**,* l'ustensile de cuisine qui sert à faire frire.   *illustr. p. 238*

■ **friture** n.f. *On a mangé une **friture** de poissons,* des petits poissons frits.

frise n.f. *Une **frise** est un ornement d'architecture.*

friser v. 1ᵉʳ groupe. SENS 1. *Ses cheveux **frisent** naturellement,* ils forment des boucles serrées. *La pluie **a frisé** ses cheveux* (≠ défriser). SENS 2. *Il **frise** la quarantaine,* il approche de quarante ans.

■ **frisé, ée** adj. [SENS 1] *Aïcha a les cheveux **frisés**,* qui frisent.

■ **frisette** n.f. [SENS 1] *Ce bébé a des **frisettes**,* des petites boucles de cheveux frisés.

frisquet, ette adj. Fam. *Ce petit vent est **frisquet**,* il est très frais, plutôt froid.

frisson n.m. *Paul doit être malade, il a des **frissons**,* des tremblements.

■ **frissonner** v. 1ᵉʳ groupe. *J'ai froid, je **frissonne**,* je grelotte.

frite, friteuse, friture → *frire*

frivole adj. *Il pensait que lire des journaux de mode était une occupation un peu **frivole*** (= futile ; ≠ sérieux).

■ **frivolité** n.f. *La **frivolité** d'une conversation, c'est son caractère superficiel* (= légèreté ; ≠ gravité).

froid, froide adj. SENS 1. *La neige est froide* (≠ chaud). ●● **refroidir**. SENS 2. *Alexis a un regard froid* (= dur ; ≠ chaleureux).

■ **froid** adv. [SENS 1] *Il fait froid ce matin.* ◆ *Ce métal se travaille à froid*, sans qu'on le chauffe.

■ **froid** n.m. [SENS 1] *Marie craint le froid*, les températures froides (≠ chaleur). [SENS 2] *Sylvie et moi, nous sommes en froid*, nous sommes fâchés.

■ **froidement** adv. [SENS 2] *Il nous a accueillis froidement*, sans empressement (≠ chaleureusement).

■ **froideur** n.f. [SENS 2] *Il nous a reçus avec froideur* (= réserve ; ≠ chaleur).

froisser v. 1ᵉʳ groupe. SENS 1. *Les draps sont tout froissés* (= chiffonner). *La carrosserie a été froissée dans l'accident*, elle a été déformée, enfoncée (≠ défroisser). SENS 2. *Cet athlète s'est froissé un muscle*, il s'est fait un claquage. SENS 3. *C'est ma remarque qui t'a froissé ?* (= vexer).

■ **froissement** n.m. [SENS 1] *On a entendu un froissement de tôle*, un bruit produit par de la tôle froissée. [SENS 2] *Il a dû abandonner à la suite d'un froissement de muscle.*

frôler v. 1ᵉʳ groupe. SENS 1. *La balle lui a frôlé l'épaule*, elle est passée très près. (= effleurer). SENS 2. *Éric a frôlé la mort*, il a failli mourir.

■ **frôlement** n.m. [SENS 1] *Il a la peau si irritée que le moindre frôlement est douloureux*, le plus léger contact.

illustr. p. 582 **fromage** n.m. *Le camembert, le roquefort, le gruyère sont des fromages*, des aliments faits avec du lait caillé.

■ **fromager, ère** n. *Un fromager est un fabricant ou un marchand de fromage.*

1. fromager → *fromage*

2. fromager n.m. *Le fromager est un très grand arbre d'Afrique et des Antilles.*

froment n.m. *Le meunier vend de la farine de froment*, de blé.

froncer v. 1ᵉʳ groupe. SENS 1. *Quand Rémi fronce les sourcils, c'est qu'il est mécontent*, quand il plisse les sourcils en les rapprochant. SENS 2. *Froncer un tissu*, c'est y faire des plis. ✱ Conj. n° 1.

■ **froncement** n.m. [SENS 1] *Le froncement de ses sourcils lui donne l'air dur.*

■ **fronce** n.f. [SENS 2] *Elle a une jupe à fronces*, à plis ondulés. *illustr. p. 22*

frondaison n.f. *Les frondaisons, c'est le feuillage des arbres.* ✱ *Ce mot s'emploie surtout dans la langue écrite.*

fronde n.f. SENS 1. *Une fronde est un lance-pierres.* SENS 2. *Une fronde s'est manifestée dans l'assemblée*, un mouvement d'opposition à la direction.

■ **frondeur, euse** adj. [SENS 2] *Un esprit frondeur brave l'autorité* (= critique, moqueur).

front n.m. SENS 1. *Marie a une frange sur le front*, le haut du visage, au-dessus des sourcils. SENS 2. *Les soldats qui sont au front sont dans la zone de combat où les armées sont face à face.* SENS 3. *Que de difficultés auxquelles il va falloir faire front !*, faire face. ●● **affronter**. SENS 4. *Cet industriel mène de front plusieurs affaires*, en même temps. *illustr. p. 21*

frontière n.f. *À la frontière, les douaniers nous ont demandé nos passeports*, à la limite qui sépare deux pays.

■ **frontalier, ère** adj. et n. *La population frontalière est celle qui habite près d'une frontière.*

frontispice n.m. *Un frontispice est un titre orné de dessins à la première page d'un livre.*

fronton n.m. *Un fronton est un ornement architectural, généralement trian-*

gulaire, situé au-dessus de l'entrée principale d'un édifice.

frotter v. 1ᵉʳ groupe. SENS 1. *Il faut frotter le linge avec du savon,* passer plusieurs fois, en appuyant, le savon sur le linge. SENS 2. *La porte frotte sur le sol,* elle racle le sol.

■ **frottement** n.m. [SENS 2] *Le frottement a usé le bas de la porte,* le raclement sur le sol.

frousse n.f. Fam. *J'ai eu la frousse dans la nuit,* j'ai eu peur.

■ **froussard, arde** adj. et n. Fam. *Noël est (un) froussard* (= peureux).

fructifier, fructueux → *fruit*

frugal, ale, aux adj. *Je me contenterai d'un repas frugal* (= léger ; ≠ copieux).

■ **frugalité** n.f. *Excusez la frugalité de ce repas.*

fruit n.m. SENS 1. Le fruit est la partie de la plante qui contient les graines et qui provient de la fleur. *Le gland est le fruit du chêne.* SENS 2. Les pommes, les cerises, les pêches sont des **fruits** comestibles et sucrés. SENS 3. *Ce travail a porté ses fruits,* il a été utile, profitable. SENS 4. *Ce livre est le fruit de plusieurs années de travail* (= résultat). SENS 5. (Au plur.) *On a mangé des fruits de mer,* des crustacés, des coquillages. → *verger*

■ **fruité, ée** adj. [SENS 2] *Voilà un vin très fruité,* qui a un arôme de fruit bien marqué.

■ **fruitier, ère** adj. [SENS 2] *Le cerisier est un arbre fruitier,* qui produit des fruits comestibles.

■ **fructifier** v. 1ᵉʳ groupe. [SENS 3] *Il a de l'argent et il le fait fructifier,* il lui fait rapporter des intérêts.

■ **fructueux, euse** adj. [SENS 3] *Ta démarche a été fructueuse* (= utile ; ≠ infructueux).

frusques n.f. pl. Fam. *Des frusques sont de vieux vêtements.*

llustr. 582, 747

llustr. 746

fruste adj. *Il a des manières un peu frustes,* qui manquent de finesse (= grossier).

✳ Ne pas confondre avec **rustre**.

frustrer v. 1ᵉʳ groupe. *Loïc se sent frustré : il voulait manger des fraises, et il n'en reste plus,* il est déçu, parce qu'il est privé de ce qu'il attendait.

■ **frustration** n.f. *Ce refus lui a causé un sentiment de frustration* (= privation, déception).

fuchsia n.m. *Un fuchsia est un arbrisseau à fleurs décoratives en forme de clochettes.*

✳ On prononce [fuʃja].

fuel → *fioul*

fugace adj. *Une impression fugace est une impression qui ne dure pas, qui passe vite* (= passager, court, fugitif ; ≠ durable, tenace).

fugitif, fugue, fugueur → *fuir*

fuir v. 3ᵉ groupe. SENS 1. *Ne fais pas de bruit, tu vas faire fuir les oiseaux* (= se sauver, s'enfuir). SENS 2. *On dirait que Fabrice me fuit,* qu'il cherche à m'éviter. SENS 3. *Le robinet du lavabo fuit,* il laisse couler de l'eau.

✳ Conj. nᵒ 17.

■ **fuite** n.f. [SENS 1] *Le voleur a pris la fuite,* il a fui (= s'enfuir). [SENS 3] *Il y a une fuite de gaz,* du gaz s'échappe. ◆ (Au plur.) *Ce projet était secret, mais il y a eu des fuites,* des indiscrétions qui l'ont fait connaître.

■ **fugitif, ive** n. [SENS 1] *On a retrouvé les fugitifs,* ceux qui avaient pris la fuite (= fuyard). *Une sensation fugitive dure peu de temps* (= court, passager, fugace ; ≠ durable, tenace).

■ **fugue** n.f. [SENS 1] *Ce jeune garçon a fait une fugue,* il s'est enfui de son domicile. [SENS 2] *Une fugue est un morceau de musique dans lequel des phrases musicales semblent être à la poursuite l'une de l'autre.*

413

■ **fugueur, euse** adj. et n. [SENS 1] Un (adolescent) **fugueur** s'enfuit souvent de son domicile, et fait des fugues.

■ **fuyant, ante** adj. [SENS 2] *Loïc a un regard* **fuyant**, qui fuit celui des autres.

■ **fuyard, arde** n. [SENS 1] *La police a rattrapé les* **fuyards**, ceux qui avaient pris la fuite (= fugitif).

fulgurant, ante adj. *La douleur a été* **fulgurante**, très vive et très courte (= brutal, intense, aigu).

fulminer v. 1ᵉʳ groupe. *Ça ne sert à rien de* **fulminer** *contre lui*, de se mettre en colère.

fumé, ée adj. *Lise porte des lunettes à verres* **fumés** *pour protéger ses yeux de l'éclat du soleil*, de couleur sombre.

1. fumer v. 1ᵉʳ groupe. SENS 1. *La cheminée du salon tire mal, elle* **fume**, de la fumée s'en échappe et se répand dans la pièce. SENS 2. *Noël* **fume** *une cigarette*, il aspire puis rejette la fumée du tabac. SENS 3. *Du jambon* **fumé** *a été séché à la fumée d'un feu de bois*.

illustr.
p. 736,
971

■ **fumée** n.f. [SENS 1 et 2] *Une* **fumée** *grise sort de la cheminée*, un nuage de gaz qui se dégage des substances qui brûlent.

■ **fumeur, euse** n. [SENS 2] *Les* **fumeurs** *nuisent à leur santé*, ceux qui fument.

■ **fumigène** adj. [SENS 1] *Une grenade* **fumigène** *est destinée à produire de la fumée*.

2. fumer v. 1ᵉʳ groupe. **Fumer** *la terre*, c'est y mettre du fumier.

illustr.
p. 385

■ **fumier** n.m. *Dans la cour de la ferme, il y a un tas de* **fumier**, la matière formée par de la paille et les excréments des bestiaux et qui sert d'engrais.

fumet n.m. *Je sens d'ici le* **fumet** *du civet de lièvre*, l'odeur (= arôme).

fumeur → *fumer (1)*

fumeux, euse adj. *On a du mal à suivre un discours aussi* **fumeux** (= confus, obscur).

fumier → *fumer (2)*

fumigène → *fumer (1)*

fumiste n. SENS 1. Le **fumiste** a pour métier d'entretenir les cheminées et les appareils de chauffage. SENS 2. Fam. *Ne comptez pas sur eux, ce sont tous des* **fumistes** *!*, ils ne sont pas sérieux.

funambule n. Un **funambule** est un équilibriste qui marche sur une corde tendue au-dessus du sol.

illust.
p. 17

funèbre adj. *La cérémonie* **funèbre** *a eu lieu hier*, l'enterrement.

■ **funérailles** n.f. pl. *Les* **funérailles** *d'un chef d'État, c'est la cérémonie d'enterrement* (= obsèques).

■ **funéraire** adj. *Un monument* **funéraire** *est un monument élevé sur une tombe*.

funeste adj. *Son imprudence a eu des conséquences* **funestes** (= fatal).

funiculaire n.m. *Pour aller au sommet, on a pris le* **funiculaire**, le chemin de fer tiré par câble.

fur → *mesure*

furet n.m. Le **furet** est un petit mammifère ressemblant à une belette, qui s'introduit parfois dans les terriers de lapins.

illust.
p. 38

fureter v. 1ᵉʳ groupe. *Je ne sais pas ce qu'il cherche, il est toujours en train de* **fureter** (= fouiller, fouiner). ✳ Conj. nº 8.

fureur n.f. SENS 1. *Xavier est dans une* **fureur** *folle*, une grande colère. SENS 2. *Cette nouvelle mode* **fait fureur** *sur les plages*, elle est très en vogue.

■ **furibond, e** adj. [SENS 1] *Elle lui a jeté un regard* **furibond**, furieux.

■ **furie** n.f. *Les assaillants attaquaient avec* **furie** (= fureur, violence). *On ne pouvait pas la retenir, c'était une vraie* **furie**, *une femme furieuse.*

■ **furieux, euse** adj. *Julie est* **furieuse** *contre son frère*, très en colère. *Un combat* **furieux** *est un combat acharné.*

■ **furieusement** adv. *On s'est battu* **furieusement** *dans la ville.*

furoncle n.m. *Paul a un* **furoncle** *dans le dos*, un gros bouton avec du pus (= fam. clou).

furtif, ive adj. *Léa a jeté un regard* **furtif** *à sa montre*, sans se faire voir (= rapide, discret ; ≠ ostensible).

■ **furtivement** adv. *Léa a regardé* **furtivement** *sa montre* (= rapidement, discrètement).

fusain n.m. SENS 1. *L'allée est bordée de* **fusains**, *des arbrisseaux à feuilles luisantes.* SENS 2. *Il dessine au* **fusain**, avec une sorte de crayon fait de charbon de bois de fusain.

illustr. p. 42 **fuseau** n.m. SENS 1. *Autrefois, on filait la laine avec une quenouille et un* **fuseau**, un bâtonnet pointu aux deux bouts qu'on faisait tourner pour enrouler le fil en torsade. SENS 2. *La Terre est divisée en 24* **fuseaux** *horaires*, en zones à l'intérieur desquelles l'heure est la même. SENS 3. *Catherine a enfilé son* **fuseau** *pour skier*, un pantalon moulant, qui se termine par une bande de tissu qui passe sous le pied.
✳ Au pluriel, on écrit des **fuseaux**.

fusée n.f. SENS 1. *Au feu d'artifice, il y avait des* **fusées** *de toutes les couleurs*, des tubes qui éclatent en l'air en projetant des étincelles. SENS 2. *On a envoyé une* **fusée** *dans l'espace*, un engin qui se déplace en rejetant des gaz.

illustr. p. 75, 971 **fuselage** n.m. *Le* **fuselage** *d'un avion est la partie sur laquelle sont fixées les ailes.*

fuser v. 1er groupe. *Les rires* **fusent** *dans la salle*, ils jaillissent vivement.

fusible n.m. *Il n'y a plus d'électricité, il faut remplacer les* **fusibles**, les fils en alliage spécial ou en plomb qui fondent en cas de court-circuit.

fusil n.m. *J'ai entendu deux coups de* **fusil**, une arme à feu portative à canon long. *illustr. p. 55*
✳ On ne prononce pas le « l » : [fyzi].

■ **fusilier** n.m. *Un* **fusilier** *marin est un marin formé pour combattre à terre.*

■ **fusiller** v. 1er groupe. *On a* **fusillé** *l'espion*, on l'a tué à coups de fusil.

■ **fusillade** n.f. *Une* **fusillade** *a éclaté*, des coups de fusil.

fusion n.f. SENS 1. *Un métal en* **fusion** *coule sous l'action de la chaleur.* SENS 2. *La* **fusion** *des deux sociétés a été décidée* (= réunion). ●● **fondre**

■ **fusionner** v. 1er groupe. [SENS 2] *Les deux partis* **ont fusionné**, ils se sont réunis en un seul.

fustiger v. 1er groupe. *L'orateur a* **fustigé** *ses adversaires*, il les a vivement critiqués.
✳ Conj. n° 2.

fût n.m. SENS 1. *Le* **fût** *d'un arbre, c'est le tronc.* SENS 2. *On a mis le vin dans un* **fût** (= tonneau).

■ **futaie** n.f. [SENS 1] *Une* **futaie** *est une forêt aux arbres de grande dimension.* *illustr. p. 402*

■ **futaille** n.f. [SENS 2] *Une* **futaille** *est un grand tonneau.*

futé, ée adj. Fam. *Jean n'est pas très* **futé** *!* (= malin ; ≠ sot).

futile adj. *Leurs sujets de conversation sont* **futiles** *!*, sans intérêt, sans importance, frivole (≠ sérieux).

■ **futilité** n.f. *Quelle* **futilité** *d'esprit !* (= légèreté ; ≠ gravité). *Tu perds ton* *temps en* **futilités**, en occupations futiles, inutiles (= bagatelle).

futur, e adj. *Cela servira aux générations* **futures**, à venir (= ultérieur ; ≠ passé, présent).

illustr. p. 945 ■ **futur** n.m. *On ne peut connaître le* **futur** (= avenir). *Dans « je viendrai demain », « venir » est au* **futur**, *au temps du verbe qui présente une action à venir.*

■ **futuriste** adj. *Cet architecte a présenté un projet* **futuriste**, *qui semble en avance sur toutes les réalisations actuelles.*

fuyant, fuyard → *fuir*

Goélette

Groseille

Grillon

Guitare

gabardine n.f. SENS 1. *S'il pleut, je mettrai ma **gabardine**, un manteau de pluie en tissu de laine très serré.* SENS 2. *Yves porte un pantalon de **gabardine**, un tissu de laine ou de coton à fines côtes très serrées.*

gabarit n.m. *Ce camion de déménagement a un gros **gabarit**, il est haut et large* (= dimension).

gabegie n.f. *Il faut mettre fin à cette **gabegie**, sinon nous allons à la ruine,* ce désordre, cette mauvaise gestion (= gaspillage).
☀ On prononce [gabʒi].

gabelle n.f. *Autrefois, on payait la **gabelle**, un impôt sur le sel.*

gâcher v. 1ᵉʳ groupe. SENS 1. *Le mauvais temps **a gâché** nos vacances,* il les a rendues peu agréables. SENS 2. *Avant de réussir un dessin, il **gâche** dix feuilles de papier,* il les utilise sans résultat (= gaspiller). SENS 3. *Le maçon **gâche** du*

plâtre, il prépare un mélange de plâtre et d'eau.

■ **gâchis** n.m. [SENS 2] *Ton petit frère a fait un beau **gâchis** en jouant avec des tubes de peinture,* il a tout abîmé, sali (= dégât).

gâchette n.f. *Quand on appuie sur la **gâchette** du revolver, le coup de feu part* (= détente).

gâchis → **gâcher**

gadget n.m. *Sa voiture est pleine de **gadgets**,* de dispositifs, de petits objets amusants mais non indispensables.
☀ On prononce [gadʒɛt].

gadoue n.f. *Après cette pluie, on patauge dans la **gadoue*** (= boue).

gaffe n.f. SENS 1. *Le marin a repêché sa casquette avec une **gaffe**,* un long bâton muni d'un crochet. SENS 2. Fam. *Marie a fait une **gaffe** en oubliant de saluer le directeur* (= sottise, maladresse).

417

■ **gaffeur, euse** [SENS 2] adj. et n. *Jérôme est (un) gaffeur, il commet souvent des gaffes.*

gag n.m. *Ce film est une suite de gags, de courtes scènes comiques et inattendues.*

gage n.m. SENS 1. *Comme il ne pouvait pas payer, il a laissé sa carte d'identité en gage, elle lui sera rendue quand il paiera* (= garantie). SENS 2. *La règle de ce jeu dit que le perdant a un gage, il doit accomplir une sorte de punition amusante.* SENS 3. (Au plur.) *Un tueur à gages se fait payer pour tuer des gens.*

gageure n.f. *C'est une gageure de vouloir faire tout ce travail en un jour, cela paraît impossible.*
⁂ On prononce [gaʒyr].

gagner v. 1ᵉʳ groupe. SENS 1. *Il gagne beaucoup d'argent, on lui en donne beaucoup pour son travail.* SENS 2. *Je gagne du temps, j'en économise* (≠ perdre). ●● *regagner.* SENS 3. *J'ai gagné la course, je suis arrivé le premier* (= remporter ; ≠ perdre). SENS 4. *À la fin du film, j'ai gagné la sortie du cinéma, je me suis dirigé vers elle.* SENS 5. *L'incendie gagne la maison* (= atteindre).

■ **gagnant, ante** adj. et n. [SENS 3] *C'est Alice qui a le billet gagnant, celui qui fait gagner un lot. Et voici notre gagnante !, celle qui a gagné* (≠ perdant).

■ **gagne-pain** n.m. inv. [SENS 1] *La pêche côtière est le gagne-pain des gens de cette île, ce qui leur permet de gagner leur vie.*

■ **gain** n.m. [SENS 1] *Réaliser un gain, c'est gagner de l'argent.* [SENS 2] *L'ordinateur permet un gain de temps, de gagner du temps* (= économie).

gai, gaie adj. SENS 1. *C'est une femme très gaie, qui aime rire* (= joyeux). SENS 2. *Des couleurs gaies sont des couleurs claires et vives* (≠ terne, triste). *Une*

musique *gaie est une musique entraînante, alerte.* ●● *égayer*
⁂ Ne pas confondre avec **gué** et **guet**.

■ **gaiement** adv. [SENS 1] *Les enfants chantent gaiement, avec gaieté, avec entrain* (= joyeusement ; ≠ tristement).
⁂ Ne pas oublier le « e » avant le « m ».

■ **gaieté** n.f. *Le dîner a été d'une grande gaieté, très gai.*

1. gaillard, arde SENS 1. adj. *Il a l'air gaillard, frais et dispos* (= alerte, fringant ; ≠ fatigué, affaibli). ●● *ragaillardir.* SENS 2. n. *Jacques est un solide gaillard, un homme grand et fort.*

■ **gaillardement** adv. [SENS 1] *On a attaqué gaillardement la montée, avec entrain.*

2. gaillard n.m. *L'équipage du bateau logeait dans le gaillard d'avant, la partie surélevée du pont à l'avant* (≠ gaillard d'arrière).

illustr. p. 97

gain → *gagner*

gaine n.f. *Le poignard est dans sa gaine, son étui* (= fourreau). ●● *dégainer. Le fil électrique passe dans une gaine, un revêtement isolant.*

illustr. p. 16 994

■ **gainer** v. 1ᵉʳ groupe. *Ce coffret est gainé de cuir, recouvert de cuir.*

gala n.m. *Nous sommes allés à une soirée de gala, à une fête ou à un spectacle à caractère officiel, mondain.*

galant, ante adj. *Un homme galant est plein d'attentions envers les femmes* (≠ grossier, rustre).

■ **galamment** adv. *Il a galamment offert sa place à une dame.*

■ **galanterie** n.f. *Dans le train, un monsieur a cédé sa place assise à une dame par galanterie, par courtoisie envers elle.*

galantine n.f. *Comme hors-d'œuvre, on a servi de la galantine, un pâté entouré de gelée.*

galaxie n.f. *Les astronomes ont peu à peu découvert de nombreuses gala-xies, d'immenses groupements d'étoiles.* (Avec majuscule.) *La* **Galaxie** *est composée d'une centaine de milliards d'étoiles, dont le Soleil.*

galbe n.m. *Les jambes de Maria ont un galbe parfait, des courbes parfaites.*

■ **galbé, ée** adj. *Un meuble* **galbé** *a des contours courbes.*

gale n.f. *La* **gale** *est une maladie de peau contagieuse.*

■ **galeux, euse** adj. *Une chienne* **galeuse** *est malade de la gale.*

illustr. p. 970 **galère** n.f. SENS 1. *Les* **galères** *étaient des navires à rames et à voiles.* SENS 2. *Pendant deux ans, il a connu la* **galère**, *des conditions d'existence difficiles.*

■ **galérien** n.m. [SENS 1] *Autrefois, les* **galériens** *étaient condamnés à ramer sur les galères.*

illustr. p. 974 **galerie** n.f. SENS 1. *Les taupes creusent des* **galeries** *dans le sol, des longs couloirs souterrains* (= tunnel). SENS 2. *Une* **galerie** *est un passage couvert dans un bâtiment.* ◆ *Une* **galerie marchande** *est une galerie où des boutiques sont installées.* SENS 3. *Une* **galerie** *d'art est un magasin où l'on expose et vend des œuvres d'art.* SENS 4. *Les valises sont sur la* **galerie** *de la voiture, sur un porte-bagages métallique fixé au toit.* SENS 5. Fam. *Il a dit ça juste pour* **amuser la galerie**, *pour distraire les personnes qui l'écoutent* (= l'auditoire).

galérien → *galère*

illustr. p. 557, 759 **galet** n.m. *Dans les torrents, sur les plages, il y a des* **galets**, *des cailloux polis par les frottements dans l'eau.*

galette n.f. *Nous avons mangé une* **galette**, *un gâteau rond et plat. La* **galette** *des Rois, c'est le gâteau que l'on mange le jour de l'Épiphanie.*

galeux → *gale*

galimatias n.m. *Je ne comprends rien à ce* **galimatias**, *à ces paroles compliquées, embrouillées* (= charabia).
✳ On prononce [galimatja].

galion n.m. *L'Espagne possédait autrefois de nombreux* **galions**, *des grands navires armés pour transporter des marchandises précieuses.* *illustr. p. 971*

galipette n.f. *Les enfants font des* **galipettes** *sur la plage, des culbutes pour jouer.*

gallicisme n.m. *« Il y a », « il fait froid » sont des* **gallicismes**, *des façons de parler particulières au français.*

galoche n.f. SENS 1. *Les* **galoches** *sont des chaussures de cuir à semelles de bois.* SENS 2. *Un menton* **en galoche** *est relevé vers l'avant.*

galon n.m. SENS 1. *Le tissu des fauteuils est bordé d'un* **galon**, *d'un ruban épais.* SENS 2. *Sur les épaules de son uniforme sont cousus ses* **galons** *de lieutenant, des rubans qui indiquent son grade.*

galop n.m. *Le cheval part au* **galop**, *à l'allure la plus rapide.*

■ **galoper** v. 1er groupe. *Les enfants* **galopent** *dans le jardin, ils courent très vite.*

■ **galopade** n.f. *On entend une* **galopade** *dans l'escalier, des gens galoper.*

galopin n.m. *Des* **galopins** *ont décroché les écriteaux, des petits garçons effrontés* (= polisson, garnement).

galvaniser v. 1er groupe. SENS 1. *On* **galvanise** *le fil de fer pour qu'il ne rouille pas, on le recouvre d'une couche de zinc.* SENS 2. *Les paroles de l'orateur* **ont galvanisé** *la foule, elles lui ont donné envie de le suivre et de lui obéir* (= électriser, enthousiasmer).

galvauder v. 1ᵉʳ groupe. *Cet artiste galvaude son talent,* il le gâche en ne l'employant pas bien.

gambade n.f. *Les enfants font des gambades dans l'herbe,* des bonds joyeux.
■ **gambader** v. 1ᵉʳ groupe. *Les chèvres gambadent dans le pré.*

gamelle n.f. *L'ouvrier emporte sa gamelle,* un récipient en métal muni d'un couvercle, où se trouve le repas qu'il prendra sur son lieu de travail.

gamin, ine n. Fam. *Marie est une gamine,* une enfant.
■ **gaminerie** n.f. (Au plur.) *Arrête tes gamineries et sois un peu sérieux,* de te conduire comme un gamin (= enfantillages).

gamme n.f. SENS 1. *Les élèves chantent la gamme de « do »,* la suite de notes de musique qui part de do. SENS 2. *L'acheteur choisit la couleur de sa voiture dans la gamme qu'on lui propose,* la série de couleurs.

gang n.m. *Nickie faisait partie d'un gang,* d'une bande organisée de malfaiteurs.
❋ On prononce [gãg]. Ne pas confondre avec la **gangue**.
■ **gangster** n.m. *La police a arrêté les gangsters* (= bandit).
❋ On prononce [gãgstɛr].
■ **gangstérisme** n.m. *La police lutte contre le gangstérisme,* les activités des gangsters.

ganglion n.m. *À cause d'un abcès dentaire, les ganglions de son cou ont enflé,* des petites boules sous la peau.

gangrène n.f. *À la suite d'une blessure mal soignée, on peut attraper la gangrène,* une maladie qui provoque la pourriture des chairs.

■ se **gangrener** v. 1ᵉʳ groupe. *La plaie risque de se gangrener,* d'être infectée par la gangrène.
❋ Conj. n° 9.

gangster, gangstérisme → *gang*

gangue n.f. *On sépare le minerai de la gangue,* de la terre et des pierres qui y sont mêlées.
❋ Ne pas confondre avec un **gang**.

gant n.m. SENS 1. *On se protège les mains du froid avec des gants,* des vêtements qui couvrent la main et enveloppent chaque doigt séparément. SENS 2. *Prends le gant de toilette pour te laver la figure,* une poche en tissuéponge dans laquelle on enfile la main. SENS 3. *Cette robe te va comme un gant,* elle te va parfaitement. SENS 4. *Je n'ai pas pris de gants pour lui dire ce que je pensais de lui,* je le lui ai dit directement, sans ménagement. SENS 5. *La carte routière est dans la boîte à gants,* un petit casier de rangement placé à l'avant de la voiture, à droite du conducteur. *illustr. p. 495 895, 1011 239*
■ **ganté, ée** adj. *Une personne gantée porte des gants.*

garage n.m. SENS 1. *Il rentre sa voiture au garage,* dans un lieu couvert et fermé (= box). ●● *garer.* SENS 2. *La voiture est en réparation dans un garage,* un atelier de mécanique. *illustr. p. 573 69*
■ **garagiste** n. [SENS 2] *Le garagiste a dépanné la voiture,* celui qui tient un garage ou qui y travaille.

garantir v. 2ᵉ groupe. SENS 1. *Cette machine est garantie un an,* le vendeur la réparera gratuitement pendant un an en cas de mauvais fonctionnement. SENS 2. *Tout sera prêt, je vous le garantis* (= affirmer, certifier, assurer). SENS 3. *Ce chapeau te garantira du soleil* (= protéger).
■ **garantie** n.f. [SENS 1] *La voiture a une garantie de six mois,* elle est garantie six mois.

■ **garant, ante** adj. et n. [SENS 2] *Je me porte **garant** de son honnêteté,* je la garantis absolument.

■ **garçon** n.m. SENS 1. *M. et Mme Lucas ont une fille et un **garçon**,* un enfant de sexe masculin (= fils). SENS 2. *C'est un **garçon** sympathique.* → **fille.** SENS 3. *Mon oncle est resté **vieux garçon**,* il ne s'est pas marié (= célibataire). SENS 4. *Un **garçon** boucher est un jeune homme employé chez un boucher. Un **garçon** (de café)* est serveur dans un café.

illustr. p. 1010

■ **garçonnet** n.m. [SENS 2] *Mathieu est un **garçonnet** de cinq ans,* un petit garçon (≠ fillette).

■ **garde** → *garder*

■ **garde-à-vous** n.m. inv. *Le soldat est au **garde-à-vous**,* il se tient immobile, très droit, talons serrés.

■ **garder** v. 1er groupe. SENS 1. *Hervé **garde** ses petits frères* (= surveiller). *Le chien **garde** la maison,* il la défend contre les voleurs (= protéger). SENS 2. *Au congélateur, on peut **garder** la viande six mois,* elle se conserve pendant six mois. SENS 3. *Saïd **a gardé** sa montre pour se baigner,* il l'a laissée à son poignet. SENS 4. *Je t'**ai gardé** une part de gâteau,* je te l'ai réservée. SENS 5. *Je **garde** un bon souvenir de cette promenade,* il m'en reste un bon souvenir (= conserver). SENS 6. *Sa maladie l'a obligé à **garder** le lit,* à rester couché. SENS 7. *Je me **garderai** de le gronder,* j'éviterai de le gronder (= s'abstenir). SENS 8. ***Gardez-vous** des faux amis,* méfiez-vous, protégez-vous d'eux.

■ **garde** n.f. [SENS 1] *Mes voisins ont la **garde** de mon chien,* ils le gardent. *Le président est entouré de sa **garde** person-nelle,* des personnes chargées de veiller à sa sécurité. ●● **avant-garde, arrière-garde**. *Il y a toujours une pharmacie de **garde**,* ouverte le dimanche ou la nuit. *Le suspect a été mis en **garde à vue**,* il est gardé dans les locaux de la police pour une période limitée. [SENS 8] *On nous a **mis en garde** contre les risques d'avalanche,* on nous en a avertis pour que nous les évitions. (Au plur.) *Je **suis sur mes gardes**,* je me méfie. ◆ *La **garde** d'un poignard est située entre la lame et la poignée et sert à protéger la main.*

illustr. p. 165

■ **garde** n. [SENS 1] *Le prisonnier a échappé à ses **gardes*** (= gardien). *Le malade est surveillé la nuit par une **garde**,* une infirmière (= garde-malade).

✳ *Dans les mots composés pluriels com-mençant par **garde-**,* on met un « s » à **garde-** uniquement quand il désigne une personne ; pour le second élément, le « s » est facultatif : *des **gardes-barrière(s)**, des **gardes-chasse(s)**.*

■ **garde-barrière** n. [SENS 1] *Les **gardes-barrières** manœuvrent les bar-rières des passages à niveau.*

✳ *Au pluriel, on écrit des **gardes-barrières** ou des **gardes-barrière**.*

■ **garde-boue** n.m. inv. [SENS 8] *Une bicyclette de course n'a pas de **garde-boue**,* des bandes de métal placées au-dessus des roues pour empêcher les projections de boue.

illustr. p. 1002

✳ *Ce mot ne change pas au pluriel.*

■ **garde-chasse** n.m. [SENS 1] *Les **gardes-chasse** protègent le gibier contre les braconniers.*

✳ *Au pluriel, on écrit des **gardes-chasse** ou des **gardes-chasses**.*

■ **garde-fou** n.m. [SENS 8] *Les **garde-fous** d'un pont sont les barrières qui em-pêchent les passants de tomber du pont.*

illustr. p. 29, 157

✳ *Au pluriel, on écrit des **garde-fous**.*

■ **garde-manger** n.m. inv. [SENS 2] *Les fruits sont dans le **garde-manger**,* une petite armoire où l'on conserve des aliments.

✳ *Ce mot composé ne change pas au pluriel.*

■ **garde-robe** n.f. [SENS 2] *La **garde-robe** de quelqu'un est l'ensemble de ses vêtements.*

✳ *Au pluriel, on écrit des **garde-robes**.*

■ **garderie** n.f. [SENS 1] *Après l'école, les petits enfants dont les parents tra-*

421

vaillent restent à la **garderie**, dans un lieu où on les surveille.

*illustr.
p. 1010,
912* ■ **gardien, enne** n. [SENS 1] Le **gardien** d'un immeuble est celui qui le garde et qui assure divers services. *Jean est le* **gardien** *de but de notre équipe de foot* (= goal).

gardian n.m. Un **gardian** est un gardien de taureaux ou de chevaux en Camargue.

gardien → *garder*

gardon n.m. SENS 1. *Dans cet étang, on pêche le* **gardon**, un poisson blanc argenté. SENS 2. *Il se sent* **frais comme un gardon**, en pleine forme.

*illustr.
p. 424,
1016* **1. gare** n.f. *Le train entre en* **gare**, l'endroit où les trains s'arrêtent et d'où ils partent.

2. gare ! interj. *Gare à toi !*, fais attention à toi !

garenne n.f. SENS 1. *On chasse le lapin dans des* **garennes**, *des bois où il vit à l'état sauvage.* SENS 2. *J'ai vu un lièvre et deux* **garennes**, deux lapins sauvages.

garer v. 1er groupe. *J'ai garé ma voiture sur le parking*, je l'ai mise en stationnement (= ranger). ●● *garage*

se **gargariser** v. 1er groupe. *Je me* **gargarise** *avec de l'eau tiède*, je me rince la gorge.

■ **gargarisme** n.m. *Pour soigner son angine, Marie se fait des* **gargarismes**, elle se gargarise avec un médicament.

gargote n.f. *Ils ont mangé dans une* **gargote**, un restaurant bon marché où la cuisine est mauvaise.

gargouille n.f. Une **gargouille** est une sculpture en forme d'animal fantastique qui, par sa gueule ouverte, sert à évacuer l'eau d'un toit.

gargouiller v. 1er groupe. *Mon estomac* **gargouille**, fait entendre un bruit semblable à celui que font des bulles d'air traversant un liquide.

■ **gargouillement** ou **gargouillis** n.m. *J'ai des* **gargouillements** *dans les intestins.*

garnement n.m. *Cette mauvaise farce est l'œuvre de quelques* **garnements**, de jeunes garçons qui font des mauvais tours (= galopin, polisson).

garnir v. 2e groupe. SENS 1. *La fenêtre est* **garnie** *de barreaux*, elle en est munie, pourvue. *La bibliothèque est bien* **garnie**, elle contient beaucoup de livres (≠ dégarnir). ●● *regarnir*. SENS 2. *Sa robe est* **garnie** *de dentelle*, la dentelle la rend plus belle (= orner, décorer).

■ **garniture** n.f. [SENS 1] Les **garnitures** de frein sont les parties qui frottent sur les roues. [SENS 2] Pour orner un vêtement, un meuble, on y met des **garnitures**. ◆ La **garniture**, ce sont les légumes qui accompagnent un plat principal.

garnison n.f. Une ville de **garnison** est une ville où demeure en permanence une unité de l'armée.

garniture → *garnir*

garrigue n.f. *Dans les régions méditerranéennes, il y a des* **garrigues**, des zones de végétation pauvre : buissons, chênes verts, etc.

garrot n.m. SENS 1. *La hauteur d'un cheval se mesure au* **garrot**, à la partie de l'encolure qui se trouve au-dessus de l'épaule. SENS 2. *Pour arrêter l'hémorragie, on a mis un* **garrot** *au bras du blessé*, on a serré son bras avec un lien. *illustr
p. 35*

■ **garrotter** v. 1er groupe. [SENS 2] *Les bandits* **ont garrotté** *le gardien*, ils l'ont étroitement attaché, ficelé.

gars n.m. Fam. *Je me suis adressé à un* **gars** *du pays*, un homme, un garçon.
✳ On ne prononce ni le « r » ni le « s » : [gα].

gas-oil → *gazole*

gaspiller v. 1er groupe. *Tu gaspilles du papier, tu en uses inutilement* (= gâcher).
- **gaspillage** n.m. *Dans cette entreprise, il y a du gaspillage de matériel* (= gâchis).

gastéropode ou **gastropode** n.m. *Les gastéropodes sont des mollusques qui rampent sur un large pied, comme les limaces ou les escargots.*

gastrique adj. *Ce médicament calme les douleurs gastriques, de l'estomac.*

gastronome n. *M. Vallès est un gastronome, il apprécie la bonne cuisine* (= gourmet).
- **gastronomie** n.f. *La gastronomie est l'art d'apprécier la bonne cuisine.*
- **gastronomique** adj. *Au restaurant, il y avait un menu gastronomique, un menu fin aux plats abondants.*

gastropode → *gastéropode*

gâteau n.m. SENS 1. *Au dessert, nous mangeons un gâteau, une pâtisserie faite en général avec de la farine, des œufs, du sucre, du beurre, du lait, etc.* SENS 2. Fam. *Ça n'est pas du gâteau, ce n'est pas facile, ou pas agréable.*
✳ *Au pluriel, on écrit des gâteaux.*

gâter v. 1er groupe. SENS 1. *Le temps se gâte, il devient mauvais.* SENS 2. *Quel joli cadeau ! Tu me gâtes, tu me donnes trop* (= combler, choyer).
- **gâterie** n.f. [SENS 2] *Ils nous ont apporté des gâteries, des friandises, des cadeaux.*

gâteux, euse adj. et n. *Ce vieil homme est gâteux, son intelligence est diminuée par l'âge, la maladie.*
- **gâtisme** n.m. *Il est atteint de gâtisme, il est gâteux.*

gauche adj. SENS 1. *Levez le bras gauche !, celui qui est du côté du cœur*

(≠ droit). SENS 2. *Jean a des gestes gauches* (= maladroit, malhabile).
- **gauche** n.f. [SENS 1] *Prends le livre qui est à ta gauche, du côté gauche* (≠ droite). ◆ *Mme Lamy est de gauche, elle a des opinions politiques progressistes* (≠ droite).   *illustr. p. 217*
- **gauchement** adv. [SENS 2] *Tu tiens gauchement ton outil* (= maladroitement).
- **gaucher, ère** adj. et n. [SENS 1] *Ma sœur est (une) gauchère, elle est plus habile de sa main gauche* (≠ droitier).
- **gaucherie** n.f. [SENS 2] *Le bébé a des gestes pleins de gaucherie* (= maladresse).

se **gauchir** v. 2e groupe. *Sous l'effet de l'humidité, la porte s'est gauchie, elle s'est déformée.*
- **gauchissement** n.m. *Le gauchissement de la porte est dû à l'humidité.*

gaucho n.m. *Un gaucho est un gardien de troupeaux en Amérique du Sud.*
✳ *On prononce* [goʃo] *ou* [gawtʃo].

gaufre n.f. *À la foire, nous avons mangé des gaufres, des sortes de gâteaux.*
- **gaufrette** n.f. *Une gaufrette est un gâteau sec, léger et croustillant.*

gaufré, ée adj. *Le papier gaufré, le tissu gaufré sont pleins de reliefs ou de creux imprimés.*

gaufrette → *gaufre*

gaule n.f. SENS 1. *Une gaule est un bâton long et mince.* SENS 2. *Le pêcheur démonte sa gaule, sa canne à pêche.*   *illustr. p. 385, 845*
- **gauler** v. 1er groupe. [SENS 1] *On ramasse les noix en les gaulant, en les faisant tomber grâce à une gaule.*

gaulois, oise adj. SENS 1. *Vercingétorix était le chef des armées gauloises, de la Gaule.* SENS 2. *Une histoire gauloise est une histoire d'un comique peu raffiné avec des allusions sexuelles* (= grivois).   *illustr. p. 427*

LA GARE ET LE TRAIN

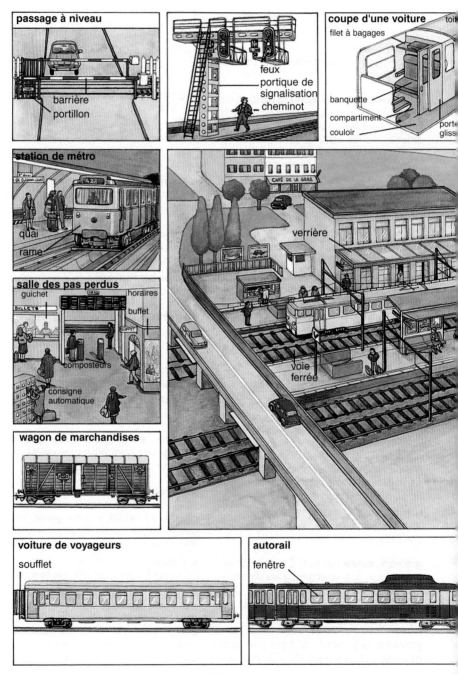

passage à niveau
barrière
portillon

feux
portique de signalisation
cheminot

coupe d'une voiture — toit
filet à bagages
banquette
compartiment
couloir
porte glissante

station de métro
quai
rame

verrière

salle des pas perdus
guichet
horaires
BILLETS
buffet
composteurs
consigne automatique

voie ferrée

wagon de marchandises

voiture de voyageurs
soufflet

autorail
fenêtre

CAFÉ DE LA GARE

424

Le nom «gare» est de la même famille que le verbe «garer» (sa voiture). C'est l'endroit où les trains stationnent le temps que les voyageurs montent et qu'on charge les marchandises.

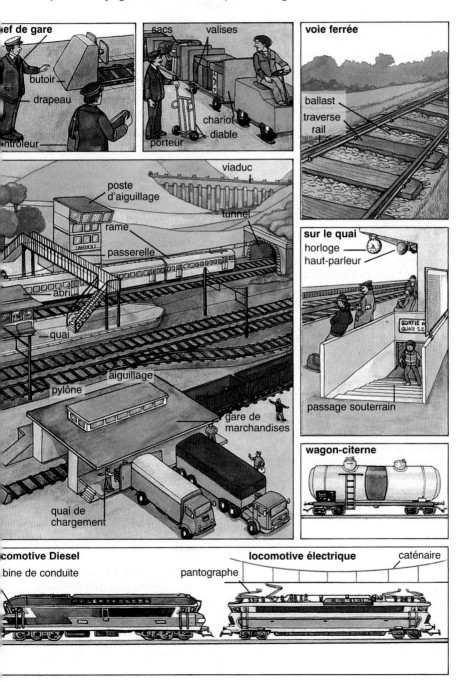

chef de gare
butoir
drapeau
contrôleur

sacs
valises
chariot
diable
porteur

voie ferrée
ballast
traverse
rail

viaduc
poste d'aiguillage
tunnel
rame
passerelle
abri
quai
aiguillage
pylône
gare de marchandises
quai de chargement

sur le quai
horloge
haut-parleur
SORTIE
QUAIS 1-2
passage souterrain

wagon-citerne

locomotive Diesel
cabine de conduite

locomotive électrique
caténaire
pantographe

425

■ **gauloiserie** n.f. [SENS 2] *Hugues raconte des **gauloiseries**, des plaisanteries grivoises.*

se **gausser** v. 1er groupe. **Se gausser** *de quelqu'un*, c'est se moquer de lui ouvertement (= railler).
❋ Ce verbe s'emploie surtout dans la langue écrite.

gaver v. 1er groupe. SENS 1. *Dans le Périgord, on **gave** les oies*, on les fait manger de force pour les engraisser. SENS 2. *Il se **gave** de bonbons*, il en mange trop.

gavial n.m. *Un **gavial** est un crocodile à museau long et fin.*
❋ Au pluriel, on écrit des **gavials**.

gavroche SENS 1. n.m. *Un **gavroche** est un gamin spirituel et sympathique qui a des manières populaires.* SENS 2. adj. *Un air **gavroche*** est un air effronté, gouailleur.

illustr.
p. 994,
333

gaz n.m. SENS 1. *L'air est un **gaz** composé de plusieurs **gaz**, des substances ni solides ni liquides.* SENS 2. *J'ai une cuisinière à **gaz***, qui fonctionne au moyen d'un gaz combustible. SENS 3. Fam. *Le chauffard roulait **pleins gaz** sur l'autoroute*, à toute vitesse.
❋ Ne pas confondre avec la **gaze**.

■ **gazeux, euse** adj. [SENS 1] *L'eau **gazeuse** pétille car elle contient un gaz dissous.*

illustr.
p. 333

■ **gazoduc** n.m. [SENS 2] *Un **gazoduc** est une canalisation qui permet le transport du gaz naturel sur une longue distance.*

illustr.
p. 868

gaze n.f. *On a mis une bande de **gaze** sur sa blessure*, de tissu très léger.
❋ Ne pas confondre avec le **gaz**.

illustr.
p. 983

gazelle n.f. *Une **gazelle** est une petite antilope qui vit en Afrique et en Asie, et qui fait des bonds très légers.*

gazer v. 1er groupe. Fam. *Ça **gaze***, ça va bien.

gazette n.f. *Certains journaux s'appellent des **gazettes**.*

gazeux → *gaz*

gazole n.m. *Le camion fait le plein de **gazole***, de carburant pour moteur Diesel.
❋ On prononce [gazɔl]. Ce mot est la forme française de l'anglais **gas-oil**.

gazon n.m. *La maison est entourée de **gazon***, d'herbe courte et fine.

illustr.
p. 573

gazouiller v. 1er groupe. *J'entends des oiseaux **gazouiller***, faire entendre de petits cris. *Le bébé **gazouille** dans son berceau*, il fait entendre des sons (= babiller).

■ **gazouillement** ou **gazouillis** n.m. *J'écoute le **gazouillement** du ruisseau*, son bruit (= murmure). *Les **gazouillis** du bébé font une jolie musique.*

geai n.m. *Le **geai** est un oiseau assez gros, à plumage noir, blanc et bleu.*
❋ On prononce [ʒɛ]. Ne pas confondre avec **jais** et **jet**.

illustr.
p. 403

géant, ante SENS 1. n. *Cet homme est un **géant***, il est très grand (= colosse ; ≠ nain). ◆ *Marcher à pas de **géant***, c'est marcher en faisant de très grands pas. SENS 2. adj. *New York est une ville **géante*** (= énorme). ●● **gigantesque**

geindre v. 3e groupe. *Le malade **geint***, il émet des sons plaintifs (= gémir).
❋ Conj. n° 55.

■ **geignard, arde** adj. *Jacques parle d'un ton **geignard*** (= plaintif, pleurard).

gel → *geler*

gélatine n.f. *En faisant bouillir des os de veau, on obtient de la **gélatine***, une substance molle, élastique et transparente.

■ **gélatineux, euse** adj. *La mer a laissé sur la plage des méduses **gélatineuses***, qui ont une consistance molle rappelant la gélatine.

LES GAULOIS

inventions celtiques

cruchon de cervoise (bière)

tonneau

roue

braies

charrette

moissonneuse

village gaulois silo à grains

hutte

tonneau

serpette

haume

charpente

charrette

hache

bouclier

baquet

forgeron

enclume

fer

tenailles

cueillette du gui

branche

gui

gui

druide

oppidum

fortifications (remparts)

butte

monuments gallo-romains

théâtre d'Orange

gradins

arènes d'Arles

aqueduc (pont du Gard)

villa gallo-romaine

tuiles romanes

geler v. 1ᵉʳ groupe. SENS 1. *L'eau a gelé,* elle s'est transformée en glace (≠ dégeler). ●● ***congeler, surgeler, engelure.*** SENS 2. *Il a gelé,* il a fait si froid que l'eau est devenue de la glace. SENS 3. *Je suis gelé,* j'ai très froid.

✸ Conj. n° 5. Au sens 2, c'est un verbe impersonnel : il ne s'emploie qu'à la troisième personne du singulier avec « il » : *il gèle.*

■ **gelée** n.f. [SENS 2] *On annonce de la gelée,* qu'il va geler. ●● ***antigel.*** ◆ La **gelée** de fruits est une sorte de confiture faite avec le jus des fruits.

■ **gel** n.m. [SENS 2] *Les légumes ont été abîmés par le gel,* parce qu'il a gelé (= gelée). ◆ Un **gel** est une crème qui a la consistance de la gélatine.

illustr. p. 868

illustr. p. 869 **gélule** n.f. Une **gélule** est un petit cylindre de gélatine durcie contenant un médicament en poudre.

gémir v. 2ᵉ groupe. *Le malade gémit,* il pousse de petits cris de douleur (= geindre).

■ **gémissement** n.m. *On entend un gémissement,* un faible cri plaintif exprimant la douleur.

gênant → *gêne*

illustr. p. 217 **gencive** n.f. *En me brossant les dents, j'ai fait saigner mes gencives,* la chair qui est à la base des dents.

illustr. p. 733 **gendarme** n.m. Les **gendarmes** sont des militaires chargés de veiller à la sécurité des gens.

■ **gendarmerie** n.f. *Il a porté plainte pour vol à la gendarmerie,* au bureau des gendarmes.

illustr. p. 733

■ se **gendarmer** v. 1ᵉʳ groupe. *J'ai dû me gendarmer pour faire obéir mon fils,* me fâcher, hausser le ton.

illustr. p. 679 **gendre** n.m. *Le mari de notre fille est notre gendre* (= beau-fils).

gêne n.f. SENS 1. Éprouver une **gêne,** c'est ne pas être à l'aise. ●● ***sans-gêne.***

SENS 2. *Il se trouve dans la gêne,* il manque d'argent pour vivre (= besoin).

■ **gêner** v. 1ᵉʳ groupe. [SENS 1] *Ma chaussure me gêne,* je ne suis pas bien dedans. *Elle se sent gênée,* mal à l'aise (= embarrasser). [SENS 2] *Je suis gêné en ce moment,* je manque d'argent.

■ **gênant, ante** adj. [SENS 1] *Ce meuble est gênant* (= encombrant). *Il faut toujours qu'il pose des questions gênantes* (= embarrassant).

■ **gêneur, euse** n. [SENS 1] *Il faut nous débarrasser de ce gêneur.*

généalogie n.f. La **généalogie** d'une famille est la liste de ses ancêtres.

■ **généalogique** adj. Un tableau ou un arbre **généalogique** représente tous les liens de parenté d'une famille.

illustr. p. 679

gêner → *gêne*

1. général, ale, aux adj. SENS 1. *La loi de la pesanteur est une loi générale,* elle s'applique à tous les êtres et objets (≠ particulier). SENS 2. *Une grève générale* est une grève de tous les travailleurs (≠ partiel). SENS 3. *En général, je me lève à 8 heures,* d'habitude (= généralement).

■ **généralement** adv. [SENS 3] *Les orages éclatent généralement en été,* le plus souvent (= ordinairement, habituellement, en général).

■ **généraliser** v. 1ᵉʳ groupe. [SENS 1 et 2] *On a généralisé la vaccination,* on l'a étendue à tout le monde. *L'usage de l'informatique se généralise dans les entreprises,* il se répand très largement.

■ **généralités** n.f. pl. *Il dit des généralités,* des choses que tout le monde connaît (= banalités).

2. général, ale n. Le grade de **général** est le grade le plus élevé. La **générale** est la femme du général.

✸ Au masculin pluriel, on écrit des **généraux.**

illustr. p. 440

générateur, trice SENS 1. adj. *La tyrannie est génératrice de crimes,* elle en produit. SENS 2. n.m. Un **générateur** (d'électricité) est un appareil qui produit un courant électrique à partir d'une autre source d'énergie.

génération n.f. *Les grands-parents, les parents, les enfants représentent trois* **générations**, des groupes de gens nés à peu près à la même époque.

généreux, euse adj. SENS 1. *C'est un homme* **généreux**, il donne beaucoup aux autres (≠ avare). SENS 2. *Il a donné un pourboire* **généreux** (= gros, large).

■ **généreusement** adv. [SENS 2] *Des récompenses ont été* **généreusement** *distribuées* (= largement, copieusement).

■ **générosité** n.f. [SENS 1] *Sa* **générosité** *est grande*, il est très généreux.

générique SENS 1. n.m. *Un film commence ou se termine par le* **générique**, la liste des noms de ceux qui y ont collaboré. SENS 2. adj. *« Plante » est un nom* **générique** *qui désigne les arbres, les herbes, les fleurs, etc.*, un nom qui s'applique à tout cet ensemble.

générosité → *généreux*

genèse n.f. *La* **genèse** *d'un roman, ce sont les étapes de sa création* (= élaboration).

genêt n.m. *Les* **genêts** *sont des arbrisseaux à fleurs jaunes.*

génétique adj. *Les lois* **génétiques** *sont les lois de l'hérédité.*

gêneur → *gêne*

genévrier n.m. *Un* **genévrier** *est un arbuste à aiguilles courtes dont les fruits, les* **genièvres** *ou* **baies de genièvre**, *sont de petits grains ronds violets.*

génie n.m. SENS 1. *Ce musicien a du* **génie**, il est exceptionnellement doué. *Une idée de* **génie**, c'est une idée très ingénieuse. SENS 2. *Mozart, Victor Hugo, Shakespeare furent des* **génies**, des êtres qui avaient du génie, des dons exceptionnels. SENS 3. *Les* **génies** *des contes de fées sont doués de pouvoirs magiques*, des êtres imaginaires. SENS 4. *Le* **génie** *civil est l'ensemble des services chargés de construire les routes, les ponts, etc.*

■ **génial, ale, aux** adj. [SENS 1 et 2] *C'est un inventeur* **génial**, il a du génie. *J'ai lu un roman* **génial** (= remarquable, sensationnel).

genièvre → *genévrier*

génisse n.f. *Une* **génisse** *est une jeune vache.*

génital, ale, aux adj. *Les organes* **génitaux** *sont les organes qui servent à la reproduction* (= sexuel). ●● **congénital**

génocide n.m. *Commettre un* **génocide**, c'est exterminer systématiquement les personnes appartenant à une population, à une religion ou à un pays.

genou n.m. SENS 1. *En tombant, il s'est écorché un* **genou**, la face avant de l'articulation de la cuisse et de la jambe. *Il s'est mis* **à genoux** *pour prier*, il a posé les genoux sur le sol. ●● **s'agenouiller**. SENS 2. Fam. *Nous sommes arrivés* **sur les genoux**, épuisés. ✳ Au pluriel, on écrit des **genoux**.

illustr. p. 217, 354

■ **génuflexion** n.f. *Faire une* **génuflexion**, c'est poser un genou, ou les deux sur le sol en signe de respect, de soumission.

genre n.m. SENS 1. *Le* **genre** *humain est l'ensemble des êtres humains.* SENS 2. *Aimez-vous ce* **genre** *de chaussures ?* (= sorte, espèce, type). SENS 3. *Yann a un drôle de* **genre**, de drôles de manières, une drôle d'allure. SENS 4. *En français, le masculin et le féminin sont les deux* **genres**, des catégories grammaticales. *« La* table » est du **genre** féminin, « le crayon » est du **genre** masculin.

gens n.m. pl. SENS 1. *Des* **gens** *montent dans l'autobus,* des personnes. *Ne vous occupez pas de ce que diront les* **gens***,* de ce qu'on dira. SENS 2. Les **vieilles gens** sont les personnes âgées. Les **jeunes gens** sont des jeunes, filles ou garçons.
✳ **Jeunes gens** est aussi le pluriel de **jeune homme**. Lorsque l'adjectif épithète précède **gens**, il se met au féminin : *les petites gens.*

illustr. p. 617 **gentiane** n.f. La **gentiane** est une plante des montagnes à fleurs jaunes, bleues ou violettes.
✳ On prononce [ʒɑ̃sjan].

gentil, ille adj. SENS 1. *Elle a un* **gentil** *visage,* un visage assez joli (= agréable, plaisant). SENS 2. *Elle est* **gentille** *avec les enfants,* elle est douce avec eux (≠ méchant, désagréable). SENS 3. *Vous êtes bien* **gentil** *de m'aider* (= aimable). SENS 4. *Soyez bien* **gentils***, les enfants,* soyez sages et obéissants.
✳ Au masculin, on ne prononce pas le « l » : [ʒɑ̃ti].
■ **gentillesse** n.f. [SENS 2 et 3] *Elle est d'une grande* **gentillesse***,* elle est très gentille.
■ **gentiment** adv. [SENS 2 et 3] *Yasmina m'a répondu* **gentiment** (= aimablement ; ≠ méchamment).

gentilhomme n.m. Jadis, les nobles étaient appelés des **gentilshommes**.
✳ Au singulier, on prononce [ʒɑ̃tijɔm] et, au pluriel [ʒɑ̃tizɔm]. Au pluriel, on écrit des **gentilshommes**.

gentillesse, gentiment → *gentil*

gentleman n.m. *M. Delcour est un parfait* **gentleman***,* il est d'une éducation irréprochable.
✳ On prononce [dʒɛntləman]. Au pluriel, on écrit des **gentlemans** [dʒɛntləman] ou des **gentlemen** [dʒɛntləmɛn].

génuflexion → *genou*

géographie n.f. La **géographie** est la science qui étudie la surface de la Terre, ses peuples, l'économie des pays.
■ **géographe** n. Un **géographe** est un spécialiste de géographie.
■ **géographique** adj. *Une carte* **géographique** *est accrochée au mur de la classe.* *illustr. p. 311*

geôle n.f. Autrefois, on appelait une prison une **geôle**.
✳ On prononce [ʒol].
■ **geôlier, ère** n. Un **geôlier** était un gardien de prison.
✳ On prononce [ʒolje].

géologie n.f. La **géologie** est la science qui étudie le sous-sol de la Terre.
■ **géologue** n. *Des* **géologues** *ont fait des forages pour trouver du pétrole,* des spécialistes de géologie.
■ **géologique** adj. Une carte **géologique** représente les roches du sous-sol.

géométrie n.f. La **géométrie** est la science qui étudie les lignes, les angles, les surfaces, les volumes. *illustr. p. 431*
■ **géométrique** adj. *Le carré, le cercle, le triangle, le losange sont des figures* **géométriques***,* des figures qu'on étudie en géométrie.
■ **géomètre** n. Le **géomètre** a pour métier de mesurer des terrains, d'en faire les plans. *illustr. p. 51*

gérance → *gérer*

géranium n.m. *Mme Lopez a des* **géraniums** *sur son balcon,* des plantes à fleurs rouges, roses ou blanches.
✳ On prononce [ʒeranjɔm].

gérant → *gérer*

gerbe n.f. SENS 1. *Le blé est coupé et lié en* **gerbes***,* en bottes dont tous les épis sont du même côté. SENS 2. *On lui a offert une* **gerbe** *de glaïeuls pour son anniversaire,* un gros bouquet de fleurs coupées à longues tiges.

La géométrie

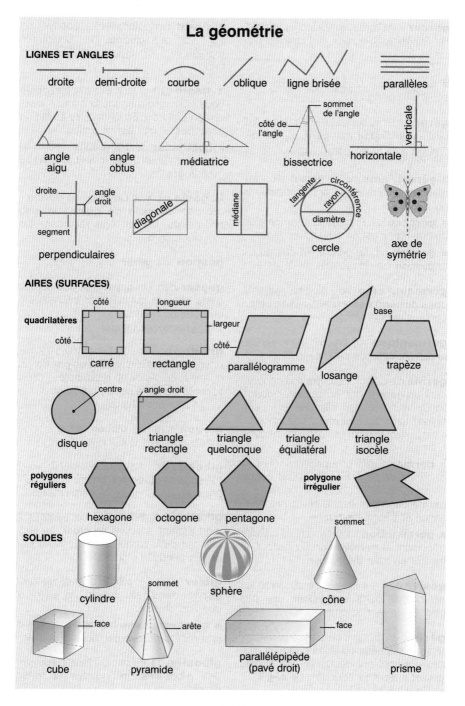

LIGNES ET ANGLES

droite   demi-droite   courbe   oblique   ligne brisée   parallèles

angle aigu   angle obtus   médiatrice   sommet de l'angle   côté de l'angle   bissectrice   horizontale   verticale

droite   angle droit   segment   perpendiculaires   diagonale   médiane   tangente   circonférence   rayon   diamètre   cercle   axe de symétrie

AIRES (SURFACES)

quadrilatères

côté   côté   carré

longueur   largeur   rectangle

côté   parallélogramme

losange

base   trapèze

centre   disque

angle droit   triangle rectangle

triangle quelconque

triangle équilatéral

triangle isocèle

polygones réguliers

hexagone   octogone   pentagone

polygone irrégulier

SOLIDES

cylindre

sommet   sphère

sommet   cône

face   cube

sommet   arête   pyramide

face   parallélépipède (pavé droit)

prisme

gercer v. 1er groupe. *Quand il fait froid, j'ai les lèvres **gercées**, fendues en plusieurs endroits* (= crevasser).
✳ Conj. n° 1.

■ **gerçure** n.f. *Mes **gerçures** me font souffrir* (= crevasse).

gérer v. 1er groupe. *Le magasin a fait faillite, car il **était** mal **géré**, mal dirigé, mal administré.*
✳ Conj. n° 10.

■ **gérant, ante** n. *Le **gérant** d'un immeuble est payé par les propriétaires pour le gérer.*

■ **gérance** n.f. *Prendre la **gérance** d'un commerce, c'est en devenir le gérant.*

■ **gestion** n.f. *Le gérant est chargé de la **gestion** de l'immeuble, de le gérer.*

germain, aine adj. *Noémie est ma **cousine germaine**, elle est la fille de mon oncle et de ma tante.*

germanique adj. *La civilisation **germanique** est celle de l'Allemagne.*

germe n.m. SENS 1. *Les graines contiennent un **germe**, qui, en se développant, va donner une nouvelle plante* (= embryon). SENS 2. *Le **germe** d'une maladie, c'est le microbe qui est la cause de cette maladie.*

■ **germer** v. 1er groupe. [SENS 1] *Les pommes de terre **germent**, leur germe se développe.* ◆ *Une idée nouvelle **a germé** dans son esprit,* elle a pris naissance et s'est développée.

■ **germination** n.f. [SENS 1] *Les enfants observent la **germination** du haricot,* le haricot en train de germer.

gésier n.m. *La nourriture des oiseaux est broyée dans leur **gésier**,* une des poches de leur estomac.

gésir v. 3e groupe. *Le blessé **gisait** sur le sol,* il était étendu et ne bougeait pas. *Les policiers ont découvert un homme **gisant** à terre* (= couché). ●● **ci-gît**
✳ Conj. n° 32.

■ **gisant** n.m. *Dans cette abbaye, on peut voir des **gisants**,* des sculptures représentant un mort couché sur son tombeau.

1. geste n.m. SENS 1. *Elle a fait un **geste** de la main,* elle a bougé la main (= mouvement). SENS 2. *En l'aidant, tu as fait un beau **geste**,* une bonne action.

■ **gesticuler** v. 1er groupe. [SENS 1] *L'homme, furieux, **gesticulait**,* il faisait de grands gestes.

2. geste n.f. *« La Chanson de Roland » est une **chanson de geste**,* un long poème du Moyen Âge racontant les exploits d'un héros.

gestion → *gérer*

geyser n.m. *Un **geyser** est une source d'eau chaude qui jaillit par intervalles à une grande hauteur.* *illustr. p. 495*
✳ On prononce [ʒɛzɛr].

ghetto n.m. *Dans certaines villes d'Amérique, les Noirs vivent dans un **ghetto**,* un quartier où ils sont rassemblés, donc séparés du reste de la population.
✳ On prononce [geto].

gibbon n.m. *Le **gibbon** est un singe d'Asie aux bras très longs.* *illustr. p. 103*

gibecière n.f. *Le chasseur met le gibier tué dans sa **gibecière**,* un grand sac qu'il porte en bandoulière (= carnassière).

gibet n.m. *Autrefois, les condamnés à mort étaient envoyés au **gibet**,* un support fait de poutres assemblées auquel on les pendait (= potence).

gibier n.m. *Le **gibier** a pratiquement disparu dans cette région,* les animaux que l'on chasse. *illustr. p. 582*

■ **giboyeux, euse** adj. *La Sologne est une région **giboyeuse**,* riche en gibier.

giboulée n.f. *En mars, il tombe souvent des **giboulées**,* de courtes et fortes averses.

Giroflée

giboyeux → *gibier*

gicler v. 1ᵉʳ groupe. *Quand la voiture a roulé dans la flaque, l'eau a giclé, elle a été projetée avec force.*

■ **gicleur** n.m. *Le gicleur de la voiture est bouché*, une petite pièce par laquelle l'essence arrive dans le carburateur.

gifle n.f. *Il a reçu une gifle*, un coup donné sur la joue avec la main ouverte.

■ **gifler** v. 1ᵉʳ groupe. *Pierre m'a giflé*, il m'a donné une gifle.

gigantesque adj. *Cet arbre est gigantesque* (= immense). ●● *géant*

gigogne adj. *Des tables gigognes sont des tables qu'on peut glisser les unes sous les autres. Des poupées gigognes s'emboîtent les unes dans les autres.*

gigot n.m. *Nous avons mangé un gigot d'agneau*, une cuisse d'agneau.

gigoter v. 1ᵉʳ groupe. Fam. *Le bébé gigote dans son bain*, il agite bras et jambes (= gesticuler).

illustr. p. 220,
gilet n.m. SENS 1. *Sous la veste de son costume, il porte un gilet*, un vêtement court, sans manches, boutonné sur le devant. SENS 2. *Elle a mis un gilet de laine sous son manteau*, une petite veste.
719 SENS 3. *Pour faire du bateau, il faut mettre un gilet de sauvetage*, une sorte de veste sans manches en Nylon, qui, gonflée, permet de flotter sur l'eau.

gingembre n.m. *Le gingembre est une plante dont la racine est utilisée comme condiment.*

illustr. p. 982,
girafe n.f. *Les girafes courent dans la brousse*, des mammifères d'Afrique à
1032 très grand cou.

giratoire adj. *Des flèches courbes sur un panneau indiquent le sens giratoire*, le sens que les voitures doivent suivre pour faire le tour de la place.

girofle n.m. *Pour parfumer ma sauce, j'y ai mis des clous de girofle*, des boutons desséchés des fleurs du giroflier.

giroflée n.f. *Regarde ce massif de giroflées*, des fleurs jaunes ou orange.

girolle n.f. *Les girolles sont des petits champignons jaunes et comestibles qui poussent dans les bois.*
illustr. p. 402

giron n.m. *L'enfant est blotti dans le giron de sa mère*, sur les genoux et contre la poitrine de sa mère.

girouette n.f. *En haut du clocher de l'église, il y a une girouette en forme de coq*, un coq de métal qui tourne, indiquant la direction du vent.
illustr. p. 573

gisait, gisant → *gésir*

gisement n.m. *On a découvert un gisement de pétrole*, une masse de pétrole dans le sol.

gitan, ane n. *Un groupe de gitans campe à l'entrée de la ville*, des nomades d'Espagne et du sud de la France.

1. gîte n.m. SENS 1. *Les voyageurs cherchent un gîte pour la nuit*, un endroit où ils pourront coucher. SENS 2. *Le gîte du lièvre est le creux du sol où il vit.*

■ **gîter** v. 1ᵉʳ groupe. [SENS 2] *Le lièvre gîte souvent dans les sillons*, il s'y abrite.

2. gîte n.f. *Le bateau prend de la gîte*, il se couche sur le côté sous l'effet du vent, d'une avarie, etc.

givre n.m. *Ce matin, les toits sont blancs de givre*, de rosée gelée.

■ **givrer** v. 1ᵉʳ groupe. *Les arbres sont givrés*, ils sont couverts de givre (≠ dégivrer).

glabre adj. *Un visage glabre est un visage sans barbe ni moustache* (= imberbe).

illustr.
p. 557,
730,

862,

150

glace n.f. SENS 1. *Le lac est couvert de* **glace**, l'eau a gelé. SENS 2. *M. Nivel a un visage* **de glace**, qui n'exprime aucun sentiment (= impassible, immobile). SENS 3. *Je me regarde dans la* **glace**, dans le miroir. SENS 4. *Baisse les* **glaces** *de la voiture*, les vitres. SENS 5. *Au dessert, j'ai mangé une bonne* **glace**, une crème glacée.

■ **glacer** v. 1er groupe. [SENS 1] *Le vent me* **glace** *le visage*, j'ai une vive sensation de froid. [SENS 2] *L'examinateur* **glace** *les candidats*, il les paralyse de peur. ◆ **Glacer** un gâteau, c'est le recouvrir d'une croûte lisse de sucre fondu. ✳ Conj. n° 1.

■ **glacé, ée** adj. [SENS 1] *J'ai bu de l'eau* **glacée**, très froide. [SENS 2] *Il m'a lancé un regard* **glacé**, froid et hostile.

■ **glaciaire** adj. [SENS 1] La période **glaciaire** est la période de l'histoire de la Terre marquée par le développement des glaciers.

■ **glacial, ale** adj. [SENS 1] *Le temps est* **glacial**, très froid. [SENS 2] *Il m'a fait un accueil* **glacial** (≠ chaleureux). ✳ Au pluriel, on dit **glacials** ou **glaciaux**.

illustr.
p. 29,
150

■ **glacier** n.m. [SENS 1] *Les alpinistes ont traversé le* **glacier**, un amas de glace en montagne. [SENS 5] *Le* **glacier** *fabrique ou vend des glaces*.

■ **glacière** n.f. [SENS 1] *Les boissons sont au frais dans la* **glacière**, une boîte aux parois épaisses contenant de la glace.

■ **glaçon** n.m. [SENS 1] *Voulez-vous un* **glaçon** *dans votre verre ?*, un petit morceau de glace.

glacis n.m. *Les* **glacis** *d'un fort sont les talus en pente douce qui l'entourent*. ✳ On ne prononce pas le « s » : [glasi].

glaçon → **glace**

gladiateur n.m. *Un des spectacles favoris des Romains, c'était les combats de* **gladiateurs**, *des hommes dont le métier était de se battre à mort contre*

d'autres hommes ou contre des bêtes féroces.

glaïeul n.m. *Les* **glaïeuls** *sont des plantes à très longues tiges et à fleurs disposées en épi*. ✳ On prononce [glajœl].

glaire n.f. *La respiration du malade est gênée par des* **glaires**, *des mucosités*.

■ **glaireux, euse** adj. *Il a des crachats* **glaireux**, *faits de glaires*.

glaise n.f. *Les poteries, les briques, les tuiles sont faites de (terre)* **glaise**, *une terre grasse et imperméable*.

glaive n.m. *Les soldats romains étaient armés de* **glaives**, *d'épées courtes à double tranchant*.

gland n.m. *Les cochons mangent des* **glands**, *les fruits du chêne*.

illustr.
p. 402

glande n.f. *Une* **glande** *est un organe, comme le foie, qui produit des substances nécessaires au fonctionnement du corps*.

illustr.
p. 217

glaner v. 1er groupe. SENS 1. *Après la moisson, les enfants vont* **glaner**, *ils vont ramasser les épis de blé oubliés*. SENS 2. *Je vais tâcher de* **glaner** *des renseignements*, d'en recueillir çà et là (= grappiller).

glapir v. 2e groupe. *Le renard* **glapit**, il pousse des petits cris brefs et aigus.

■ **glapissement** n.m. *Le* **glapissement** *est le cri du renard, du lapin et de la grue*.

glas n.m. *Les cloches sonnent le* **glas** *pour annoncer la mort de quelqu'un, elles tintent à coups espacés et graves*. ✳ On ne prononce pas le « s » : [gla].

glauque adj. *Aujourd'hui, la mer a une teinte* **glauque**, vert bleuâtre.

glisser v. 1er groupe. SENS 1. *Les patineurs* **glissent** *sur la glace*, ils se déplacent d'un mouvement continu sur la surface lisse de la glace. *Les roues avant* **ont glissé** *sur le verglas* (= déraper). SENS 2. *Le verre m'a glissé des mains,* il m'a échappé. SENS 3. **Glissons** *sur les détails de cette aventure !,* n'insistons pas. SENS 4. *Le facteur* **a glissé** *une lettre sous la porte,* il l'a fait passer.

■ **glissant, ante** adj. [SENS 1] *Attention ! le verglas rend la route* **glissante**, lisse et dangereuse.

■ **glissade** n.f. [SENS 1] *Les enfants font des* **glissades** *sur la neige durcie,* ils glissent exprès.

■ **glisse** n.f. [SENS 1] *Ces skis ont une bonne* **glisse**, ils glissent bien.

■ **glissement** n.m. [SENS 1] *Les pluies ont provoqué un* **glissement** *de terrain,* une couche de terrain a glissé le long d'une pente.

illustr. p. 424, 733, 853

■ **glissière** n.f. [SENS 1] Une porte à **glissière** est une porte qui glisse le long de rails métalliques. ◆ *Une* **glissière de sécurité** *est une bande métallique disposée comme protection au bord d'une route ou d'une autoroute.*

global, ale, aux adj. *Vous me devez la somme* **globale** *de mille euros,* vous me devez en tout mille euros (= total).

■ **globalement** adv. *Les résultats sont* **globalement** *bons,* en considérant l'ensemble.

illustr. p.949

globe n.m. SENS 1. *La pièce est éclairée par un* **globe** *lumineux,* une boule (= sphère). SENS 2. *Ils ont fait le tour du* **globe**, de la Terre.

■ **globe-trotter** n.m. [SENS 2] *Les reporters sont souvent des* **globe-trotters**, des personnes qui parcourent le monde. ✳ On prononce [glɔbtrɔtœr]. Au pluriel, on écrit des **globe-trotters**.

globule n.m. *Le sang contient des* **globules** *blancs et des* **globules** *rouges,* des éléments microscopiques. ✳ **Globule** est un mot du genre masculin.

globuleux, euse adj. *Des yeux* **globuleux** *sont des yeux qui dépassent de l'orbite, qui ressortent.*

gloire n.f. *Cet artiste connaît la* **gloire**, il est connu et admiré de beaucoup de monde (= célébrité, renommée). ◆ **Rendre gloire** à quelqu'un, c'est lui rendre hommage, lui témoigner son admiration, vanter ses mérites (= célébrer).

■ **glorieux, euse** adj. *Les sauveteurs ont accompli une action* **glorieuse**, qui procure de la gloire.

■ **glorieusement** adv. *Notre équipe a* **glorieusement** *disputé ce match.*

■ **glorifier** v. 1er groupe. **Glorifier** les vainqueurs, c'est leur rendre gloire (= célébrer, exalter). ◆ *Il* **se glorifie** *d'avoir réussi,* il s'en vante.

■ **glorification** n.f. *Ce livre contribue à la* **glorification** *de nos grands hommes,* à leur rendre gloire.

■ **gloriole** n.f. *Il a agi par* **gloriole**, par vanité.

glossaire n.m. Un **glossaire** est un répertoire donnant le sens des mots anciens ou rares d'un texte.

glousser v. 1er groupe. SENS 1. *La poule* **glousse**, elle pousse son cri. SENS 2. *J'ai entendu mon voisin qui* **gloussait**, qui riait d'un rire étouffé.

■ **gloussement** n.m. [SENS 1] Le **gloussement** est le cri de la poule. [SENS 2] *L'erreur de l'institutrice a provoqué des* **gloussements** *dans la classe,* des rires étouffés.

glouton, onne adj. et n. *Paul est un (enfant)* **glouton**, il mange très vite et beaucoup à la fois (= goinfre, goulu).

■ **gloutonnerie** n.f. *Sa* **gloutonnerie** *lui a valu une indigestion* (= goinfrerie, voracité).

glu n.f. La **glu** est une matière épaisse et très collante. ●● *englué*

■ **gluant, ante** adj. *La limace a laissé une trace* **gluante**, collante, visqueuse.

glucide n.m. Les **glucides** sont les sucres et les féculents, qui jouent un rôle énergétique dans l'organisme.
→ **lipide, protéine**

glycérine n.f. La **glycérine** est un liquide gras utilisé parfois en pharmacie.

illustr. **glycine** n.f. Une **glycine** est une plante
p. 527 grimpante à fleurs odorantes en grappes pendantes mauves, blanches ou roses.

gnome n.m. Un **gnome** est un petit homme difforme.
✷ On prononce [gnom].

goal n.m. *Il est le goal de l'équipe de football,* le gardien de but.
✷ On prononce [gol].

illustr. **gobelet** n.m. *Le bébé boit dans son*
p. 238, **gobelet**, dans un verre sans pied et sans
868 anse (= timbale).

gober v. 1er groupe. SENS 1. **Gober** une huître, c'est l'avaler sans la mâcher. SENS 2. Fam. *On lui fait gober tout ce qu'on veut,* on le lui fait croire.

godasse n.f. **Godasse** est un équivalent très familier de « chaussure ».

illustr. **godet** n.m. *Les élèves du cours de*
p. 311 *dessin remplissent d'eau leur godet,* un petit récipient.

godiche adj. et n.f. Fam. *Alain a un air* **godiche**, niais et maladroit.

godille n.f. SENS 1. *Le pêcheur fait avancer sa barque à la godille,* au moyen d'un aviron placé à l'arrière. SENS 2. *Le skieur descend la piste en godille,* en enchaînant des virages très rapprochés.
■ **godiller** v. 1er groupe. [SENS 1] *Le marin* **godille**, il donne à l'aviron un mouvement en huit qui fait avancer son canot.

godillot n.m. Fam. Des **godillots** sont de grosses chaussures de marche.

goéland n.m. *Le bateau de pêche est* *illustr.*
entouré de goélands, de gros oiseaux *p. 718*
de mer blanc et gris.

goélette n.f. *Dans le port est amarrée une goélette,* un navire à deux mâts et à voiles triangulaires.

goémon n.m. *La plage est couverte de* *illustr.*
goémon, d'algues rejetées par la mer *p. 719*
(= varech).

à gogo adv. Fam. *À l'anniversaire de Julie, il y avait des gâteaux à gogo,* en abondance, à volonté.

goguenard, arde adj. *Il m'a regardé d'un air* **goguenard** (= moqueur, narquois, railleur ; ≠ sérieux).

goinfre n.m. et adj. *Tu manges comme un* **goinfre**, beaucoup et salement (= glouton, goulu).
■ **goinfrerie** n.f. *Il avale son repas avec une* **goinfrerie** dégoûtante (= gloutonnerie).
■ se **goinfrer** v. 1er groupe. Fam. *Il s'est goinfré de gâteaux au buffet,* il en a mangé comme un goinfre.

goitre n.m. Un **goitre** est une grosseur au niveau de la gorge.

golf n.m. Le **golf** est un sport qui *illustr.*
consiste à envoyer une balle dans les *p. 530*
18 trous successifs dispersés sur un vaste terrain en la frappant avec une canne spéciale appelée « club ».
✷ Ne pas confondre avec un **golfe**.
■ **golfeur, euse** n. *Sophie est une bonne* **golfeuse**, elle joue bien au golf.

golfe n.m. Un **golfe** est une large *illustr.*
avancée de la mer dans les terres. *p. 556*
✷ Ne pas confondre avec le **golf**.

gomme n.f. SENS 1. *On peut effacer le* *illustr.*
crayon ou l'encre à l'aide d'une gomme, *p. 122,*
d'un petit bloc de caoutchouc. SENS 2. *311*
Lorsqu'on incise l'écorce de certains

arbres, il coule de la **gomme**, *une substance visqueuse.*

■ **gommer** v. 1ᵉʳ groupe. [SENS 1] *Marie a gommé son dessin,* elle l'a effacé avec une gomme.

■ **gommé, ée** adj. [SENS 2] *Le papier* **gommé** *est un papier collant qu'on mouille pour qu'il colle.*

■ **gommette** n.f. *La maîtresse a collé des* **gommettes** *sur nos cahiers,* des petits morceaux de papier gommé.

gond n.m. SENS 1. *Quand on l'ouvre, une porte pivote sur ses* **gonds**, *sur les pièces métalliques qui la tiennent* (= charnière). SENS 2. Fam. *Cette réponse injurieuse l'a fait* **sortir de ses gonds**, *se mettre en colère.*

gondole n.f. *Nous nous promenions sur les canaux de Venise en* **gondole**, *dans un long bateau plat aux extrémités recourbées.*

■ **gondolier** n.m. *Le* **gondolier** *manœuvre une gondole.*

gondoler v. 1ᵉʳ groupe. *Le parquet a* **gondolé** (*ou* **s'est gondolé**) *sous l'action de l'humidité,* il s'est bombé (= se déformer).

gondolier → **gondole**

gonfler v. 1ᵉʳ groupe. SENS 1. *Pierre a* **gonflé** *les pneus de son vélo,* il y a envoyé de l'air (≠ dégonfler). ●● **regonfler**. SENS 2. *L'éponge* **gonfle** *dans l'eau,* elle grossit (= enfler). *Les voiles du bateau* **se gonflent** *au vent.*

■ **gonflage** n.m. [SENS 1] *Avant le départ, on a vérifié le* **gonflage** *des pneus* (= pression).

■ **gonflement** n.m. [SENS 2] *Le* **gonflement** *de son genou a diminué* (= enflure).

■ **gonfleur** n.m. [SENS 1] *N'oublie pas le* **gonfleur** *du matelas pneumatique,* l'appareil pour le gonfler.

gong n.m. *Un* **gong** *est un disque de métal suspendu qu'on fait sonner en le frappant.*

goret n.m. *La truie est suivie de ses* **gorets**, *ses petits* (= porcelet). *illustr. p. 397*

gorge n.f. SENS 1. *J'ai mal à la* **gorge**, *au fond de la bouche.* ◆ **Rire à gorge déployée**, *c'est rire très fort, bruyamment.* SENS 2. *Il saisit son adversaire à la* **gorge**, *par la partie avant du cou.* ●● **égorger**. SENS 3. *La rivière coule au fond d'une* **gorge**, *d'une vallée étroite et profonde* (= défilé).

■ **gorgée** n.f. [SENS 1] *Bois une* **gorgée** *d'eau,* ce qu'on peut avaler en une fois.

■ **gorger** v. 1ᵉʳ groupe. *Après les pluies, la terre* **est gorgée** *d'eau,* elle ne peut plus en absorber davantage (= saturer). ◆ *Il* **se gorge** *de nourriture,* il en avale à l'excès. ✱ Conj. n° 2.

gorille n.m. *Un* **gorille** *peut peser plus de 200 kilos,* le plus grand et le plus fort de tous les singes, qui vit en Afrique et se nourrit de fruits. *illustr. p. 982*

gosier n.m. *J'ai le* **gosier** *sec,* le fond de la bouche (= gorge). ●● **s'égosiller**

gosse n. Fam. *Elsa est encore une* **gosse**, *une enfant.*

gothique adj. *L'***art gothique** *en architecture s'est développé entre le XIIᵉ et le XVIᵉ siècle ; il se caractérise par la présence de voûtes en ogive et de grandes fenêtres.* → **roman (1)**

gouache n.f. *Marie peint avec de la* **gouache**, *une peinture à l'eau de consistance pâteuse.* *illustr. p. 311*

gouailleur, euse adj. *Hugues parle d'un ton* **gouailleur**, *moqueur et vulgaire.*

goudron n.m. *La route est recouverte de* **goudron**, *d'une pâte noire qui durcit en refroidissant* (= bitume, macadam).

■ **goudronner** v. 1er groupe. *On a goudronné la route,* on l'a recouverte de goudron.

■ **goudronnage** n.m. Le **goudronnage** de la route est effectué à l'aide d'une machine, la **goudronneuse**.

gouffre n.m. *Le spéléologue est descendu au fond d'un gouffre,* d'un trou très profond dans le sol (= abîme).

goujat n.m. *Il s'est conduit comme un goujat,* grossièrement, sans savoir-vivre (= mufle, malotru).

illustr. p. 845 **goujon** n.m. Le **goujon** est un petit poisson d'eau douce qu'on mange en friture.

goulache ou **goulasch** n.m. Le **goulache** est un ragoût de bœuf à la sauce bien relevée.

illustr. p. 556 **goulet** n.m. *Le port communique avec la mer par un goulet,* un passage étroit (= chenal).

illustr. p. 691 **goulot** n.m. *J'enfonce le bouchon dans le goulot de la bouteille,* dans sa partie étroite située en haut.

goulu, ue adj. et n. *Mon chien est goulu,* il mange très vite et beaucoup à la fois (= glouton, goinfre). *Quelle goulue ! Elle a avalé trois parts de gâteau.*

■ **goulûment** adv. *Ne mange pas aussi goulûment !,* trop, trop vite (= voracement).

goupille n.f. *Les roues sont maintenues sur l'essieu par une goupille,* une petite tige métallique.

goupiller v. 1er groupe. Fam. *Tu as bien goupillé ton affaire* (= organiser, combiner).

illustr. p. 821 **goupillon** n.m. SENS 1. *On nettoie l'intérieur des bouteilles vides avec un goupillon,* une brosse cylindrique à long manche. SENS 2. *Le prêtre asperge la* foule d'eau bénite avec un **goupillon**, une tige terminée par une boule creuse.

gourd, e adj. *J'ai les doigts gourds,* rendus raides et insensibles par le froid. ●● **engourdir, dégourdir**

1. **gourde** n.f. *Il a emporté de quoi boire dans une gourde,* un récipient portatif en métal ou en matière plastique. *illustr. p. 29*

2. **gourde** n.f. Fam. *Léo s'est trompé d'adresse : quelle gourde !* (= maladroit, idiot, fam. empoté).

gourdin n.m. *Nos adversaires nous menaçaient avec des gourdins,* de gros bâtons (= trique).

gourmand, ande adj. et n. *C'est un enfant gourmand,* il aime manger beaucoup de bonnes choses. *Chloé est une petite gourmande.*

■ **gourmandise** n.f. *Il a eu une indigestion à cause de sa gourmandise,* parce qu'il a été gourmand.

gourmet n.m. Un **gourmet** aime la cuisine raffinée (= gastronome, connaisseur).

gourmette n.f. *Céline porte une gourmette,* un bracelet formé de maillons. *illustr. p. 150*

gourou n.m. *La police a interrogé le gourou de la secte,* le maître jouissant d'une grande autorité.

gousse n.f. *Après avoir écossé les petits pois, on jette les gousses,* les enveloppes qui les contenaient (= cosse). Une **gousse d'ail** est chacune des parties du bulbe de l'ail.

gousset n.m. Un **gousset** est une petite poche de gilet.

goût n.m. SENS 1. Le **goût** est celui des cinq sens qui permet de connaître la saveur des aliments. SENS 2. *Ce fruit n'a pas de goût* (= saveur). ●● **arrière-**

goût, avant-goût. SENS 3. *Elle a décoré sa maison avec goût*, en montrant qu'elle savait distinguer le beau du laid. Une plaisanterie **de mauvais goût** est inconvenante, choquante. *Angélique s'habille toujours avec **bon goût**,* avec une élégance sobre. SENS 4. *Alban a du goût pour la lecture*, il l'aime. *Nous avons les mêmes goûts*, nous aimons les mêmes choses. *Son appartement est décoré **au goût du jour**,* d'une façon qui plaît actuellement (= à la mode).

■ **goûter** v. 1er groupe. [SENS 1] *Goûte cette sauce !*, manges-en un peu pour savoir si elle est bonne. [SENS 4] *J'ai goûté ce livre*, je l'ai aimé. ◆ *C'est l'heure de goûter*, de manger son goûter.
✳ Ne pas confondre avec **goutter**.

■ **goûter** n.m. *Elle emporte du pain et du chocolat pour son goûter*, pour son repas du milieu de l'après-midi.

goutte n.f. SENS 1. *Il tombe des gouttes d'eau*, des petites boules d'eau. SENS 2. *Papa m'a mis des gouttes dans l'oreille*, de très petites quantités de médicament liquide. SENS 3. *L'eau tombe goutte à goutte de la gouttière*, une goutte après l'autre. SENS 4. *Ces jumeaux se ressemblent **comme deux gouttes d'eau**,* énormément. SENS 5. *Bois une goutte de café*, un petit peu de café.

■ **goutte-à-goutte** n.m. inv. Le **goutte-à-goutte** est l'appareil médical qui sert à régler le débit d'une perfusion.

■ **gouttelette** n.f. [SENS 1] *De fines gouttelettes de buée se forment sur la vitre*, de très petites gouttes.

■ **goutter** v. 1er groupe. [SENS 1] *Le robinet goutte*, il fuit et l'eau tombe goutte à goutte. ●● *égoutter*
✳ Ne pas confondre avec **goûter**.

illustr. p. 573 ■ **gouttière** n.f. [SENS 1] *Les toits des maisons sont bordés de gouttières*, de conduits qui recueillent l'eau de pluie.

gouverner v. 1er groupe. SENS 1. *Gouverner un pays*, c'est le diriger. SENS 2. *Gouverner un bateau*, c'est le faire aller dans la direction voulue (= manœuvrer).

■ **gouvernail** n.m. [SENS 2] *Le pilote manœuvre le **gouvernail** du bateau*, l'appareil servant à le diriger. *illustr. p. 740, 971*
✳ Au pluriel, on écrit des **gouvernails**.

■ **gouvernant** n.m. [SENS 1] Un **gouvernant** est un membre du gouvernement.

■ **gouvernante** n.f. *Dans certaines familles, les enfants ont une **gouvernante***, une personne chargée de s'occuper d'eux.

■ **gouvernement** n.m. [SENS 1] Le **gouvernement** est l'ensemble des personnes qui gouvernent un pays. *illustr. p. 358*

■ **gouvernemental, ale, aux** adj. [SENS 1] *Le ministre a défendu la politique **gouvernementale**,* celle du gouvernement.

■ **gouverneur** n.m. [SENS 1] Un **gouverneur militaire** est un officier qui commande une place forte.

goyave n.f. La **goyave** est un fruit tropical très sucré qui se mange cru ou confit.

grabat n.m. *Ce pauvre vieillard était couché sur un grabat*, un lit misérable.

■ **grabataire** n. Un **grabataire** est un malade qui ne peut pas quitter le lit.

grabuge n.m. Fam. *La foule est excitée, il risque d'y avoir du grabuge*, du désordre, de la bagarre.

1. grâce n.f. SENS 1. *Cette danseuse a de la grâce*, ses mouvements et son maintien sont harmonieux. SENS 2. *Le condamné a demandé sa grâce*, à ne pas subir sa peine. SENS 3. *Elle a accepté **de bonne grâce*** (= volontiers, sans se faire prier ; ≠ de mauvaise grâce, à contre-cœur). *De grâce, n'insistez pas*, je vous en prie. *Je vous **fais grâce** des détails*, je vous les épargne, je n'en parle pas.
✳ **Grâce** s'écrit avec un accent circonflexe, mais les mots de sa famille n'en prennent pas.

■ **gracier** v. 1er groupe. [SENS 2] *Le condamné a été gracié*, sa peine a été supprimée ou réduite.

Les grades militaires

	Armée de terre/Armée de l'air	Marine nationale
officiers	général d'armée général de corps d'armée général de division général de brigade colonel lieutenant-colonel commandant capitaine lieutenant sous-lieutenant aspirant	amiral vice-amiral d'escadre vice-amiral contre-amiral capitaine de vaisseau capitaine de frégate capitaine de corvette lieutenant de vaisseau enseigne de 1re classe enseigne de 2e classe aspirant
sous-officiers	major adjudant-chef adjudant sergent-chef (ou maréchal des logis-chef) sergent (ou maréchal des logis)	major maître principal premier maître maître seconds maîtres de 1re et 2e classes
hommes du rang (ou marins)	caporal-chef (ou brigadier-chef) caporal (ou brigadier) soldat de 1re classe	quartier-maître de 1re classe quartier-maître de 2e classe matelot breveté

▪ **gracieux, euse** adj. [SENS 1] *La biche est gracieuse,* elle a de la grâce (≠ disgracieux). ◆ *J'ai reçu ce livre à titre gracieux,* gratuitement.

▪ **gracieusement** adv. [SENS 1] *L'artiste a salué gracieusement les spectateurs.* ◆ *Cet exemplaire vous est remis gracieusement* (= gratuitement).

2. grâce à prép. *J'ai retrouvé mon chemin grâce à la carte,* avec l'aide de la carte.

gracile adj. *Cet enfant a un corps gracile,* mince et gracieux.
✳ *Ce mot s'emploie surtout dans la langue écrite.*

gradation n.f. *Le passage du jour à la nuit se fait par une gradation insensible,* par degrés (= progression).
✳ *Ne pas confondre* **gradation** *et* **graduation**.

grade n.m. *Un* **grade** *est un degré dans la hiérarchie, spécialement dans l'armée.* *illustr. p. 733*

▪ **gradé, ée** n. et adj. *Les* **gradés** *sont les militaires d'un grade inférieur à celui d'officier.*

gradin n.m. *Au cirque, les spectateurs sont assis sur des* **gradins**, *des bancs disposés en escalier.* *illustr. p. 913*

graduer v. 1er groupe. SENS 1. *Un thermomètre* **est gradué**, *il est marqué d'un petit trait à chaque degré.* SENS 2. *Les exercices de mathématiques* **ont été gradués**, *ils deviennent de plus en plus difficiles.*

▪ **graduation** n.f. [SENS 1] *Les* **graduations** *d'une règle sont les traits marquant les divisions.*
✳ *Ne pas confondre* **graduation** *et* **gradation**.

■ **graduel, elle** adj. [SENS 2] *L'amélioration du temps est **graduelle**,* elle se fait petit à petit (= progressif ; ≠ subit).

■ **graduellement** adv. [SENS 2] *Le temps s'améliore **graduellement*** (= peu à peu, progressivement).

graffiti n.m. *Le mur est couvert de **graffitis**,* d'inscriptions et de dessins griffonnés.
✴ Au pluriel on écrit des **graffitis** ou des **graffiti**.

graillon n.m. *De la cuisine du restaurant sort une odeur de **graillon**,* une mauvaise odeur de graisse.

illustr. p. 20 **grain** n.m. SENS 1. *Le **grain** est le fruit et la semence des céréales.* ●● ***égrener**.* SENS 2. *Je mange un **grain** de raisin,* un des fruits ronds qui constituent la grappe. SENS 3. *J'ai un **grain** de sable dans l'œil,* un petit morceau. SENS 4. *Cécile a un **grain de beauté** sur la joue,* une petite tache ronde et brune. SENS 5. *Le **grain** d'un cuir est l'ensemble des inégalités qui font que sa surface n'est pas lisse.* ●● ***grenu**.* SENS 6. *Les marins redoutent les **grains**,* les averses violentes accompagnées de vent fort. SENS 7. **Veiller au grain**, *c'est être sur ses gardes, être attentif à ce qui peut arriver.* SENS 8. Fam. *Paul ne peut pas s'empêcher d'intervenir dans la conversation, il faut qu'il **mette son grain de sel** !,* qu'il se mêle de ce qui ne le regarde pas.

■ **granulé** n.m. [SENS 3] *Ce médicament est en **granulés**,* en petits grains.

■ **granuleux, euse** adj. [SENS 5] *Une surface **granuleuse** semble recouverte de petits grains* (≠ lisse).

graine n.f. SENS 1. *Les fruits contiennent des **graines** qui peuvent germer et donner de nouvelles plantes. Les pépins sont des **graines*** (= semence). SENS 2. Fam. *Ton frère réussit bien parce qu'il est sérieux : tu pourrais **en prendre de la graine**,* suivre son exemple.

■ **grainetier, ère** n. [SENS 1] *Le grainetier est un marchand de graines.*

graisse n.f. SENS 1. *Elle suit un régime pour faire diminuer ses bourrelets de **graisse**,* de matière grasse qui se forme sous la peau. ●● ***engraisser**.* SENS 2. *Du pétrole, on extrait des **graisses**,* des produits gras.

■ **graisser** v. 1er groupe. [SENS 2] *Graisser une machine, c'est mettre de la graisse sur ses parties mobiles* (= lubrifier, huiler ; ≠ dégraisser).

■ **graissage** n.m. [SENS 2] *Le garagiste a fait le **graissage** de la voiture.*

■ **graisseux, euse** adj. *Des papiers **graisseux** sont des papiers tachés de graisse.*

graminées n.f. pl. *En botanique, on classe les céréales et les herbes des prairies dans la famille des **graminées**,* des plantes à fleurs et à graines en épis.

grammaire n.f. *En classe, on étudie la **grammaire**,* la façon dont les phrases de la langue sont construites.

■ **grammatical, ale, aux** adj. *Un exercice **grammatical** est un exercice de grammaire.*

gramme n.m. *Le **gramme** est l'unité avec laquelle on mesure la masse des objets. Il y a 10 **décigrammes**, 100 **centigrammes**, 1 000 **milligrammes** dans un gramme. Il faut 10 **grammes** pour faire un **décagramme**, 100 **grammes** pour faire un **hectogramme**, 1 000 **grammes** pour faire un **kilogramme**.*
✴ On écrit en abrégé **g** sans point à la suite.

illustr. p. 991

grand, grande adj. SENS 1. *Cet homme est **grand**,* il est de haute taille. SENS 2. *C'est un **grand** immeuble,* il est haut et large (= vaste, important ; ≠ petit). ●● ***agrandir**.* SENS 3. *La voiture se déplace à **grande** vitesse,* très vite (= élevé ; ≠ faible). SENS 4. *C'est un **grand** peintre,* un peintre qui a beaucoup de talent, de célébrité (= éminent). *C'est une **grande** âme,* une personne qui a l'âme très noble. SENS 5. *Je vous* *annonce une grande nouvelle,* une nouvelle très importante. SENS 6. *Votre fils est grand maintenant,* ce n'est plus un petit enfant. Une **grande** personne, c'est un adulte. SENS 7. *Cet hôpital est spécialisé dans les soins aux grands brûlés,* à ceux qui sont gravement brûlés.

■ **grand, grande** n. [SENS 6] La classe des **grands** est celle des élèves les plus âgés. [SENS 4] Autrefois, les **grands** étaient les hauts personnages de la noblesse.

■ **grandement** adv. [SENS 3] *C'est grandement suffisant* (= très, amplement).

illustr. ■ **grandeur** n.f. [SENS 1 et 2] *Ces deux ta-*
p. 643 *bleaux sont de la même grandeur,* aussi grands l'un que l'autre (= taille). [SENS 4] *Nous leur avons pardonné par grandeur d'âme,* par noblesse de sentiments (= magnanimité, générosité ; ≠ mesquinerie).

■ **grandiose** adj. [SENS 1 et 2] *Les montagnes sont grandioses,* elles impressionnent par leur grandeur.

■ **grandir** v. 2ᵉ groupe. [SENS 1] *Les enfants grandissent,* ils deviennent grands (= pousser, se développer). ◆ *Ce geste généreux le grandit,* lui donne plus de noblesse morale.

grand-chose pron. indéf. *Tu n'as pas mangé grand-chose,* tu n'as presque rien mangé.

grandiloquent, ente adj. Un discours **grandiloquent** est plein de phrases et de mots prétentieux (= ronflant, pompeux, emphatique).

■ **grandiloquence** n.f. *L'avocat a plaidé avec grandiloquence* (= emphase).

grandiose, grandir → **grand**

illustr. **grand-mère, grand-père, grands-**
p. 679 **parents** n. *J'ai deux grands-pères,* le père de ma mère et celui de mon père. *Ma grand-mère maternelle est très âgée,* la mère de ma mère. *Jean est allé chez ses grands-parents.*
✳ Au pluriel, on écrit des **grand-mères** ou des **grands-mères,** des **grands-pères.**

grange n.f. *Les fermiers ont rentré le foin dans la grange,* dans un bâtiment où l'on entrepose les récoltes.
illustr.
p. 384

granit ou **granite** n.m. *Cette chapelle est construite en granit,* une roche très dure.
illustr.
p. 949

■ **granitique** adj. *La côte bretonne est granitique,* constituée de granit.

granulé, granuleux → **grain**

graphique SENS 1. adj. *Chaque lettre de l'alphabet est un signe graphique,* un signe de l'écriture. SENS 2. n.m. *Les élèves ont fait un graphique des variations de la température,* ils les ont représentées par une ligne reliant les points qui correspondent aux températures et aux jours.

■ **graphisme** n.m. *Le graphisme* est l'art ou la technique de l'écriture, des dessins, schémas, etc.

■ **graphologie** n.f. [SENS 1] La **graphologie** est l'étude de l'écriture des gens pour y découvrir leur caractère.

■ **graphologique** adj. [SENS 1] *Le juge a ordonné une expertise graphologique.*

■ **graphologue** n. [SENS 1] Un **graphologue** est un spécialiste de graphologie.

grappe n.f. *Les grains de raisin, les groseilles, les fleurs de lilas sont disposés en grappes,* les fruits ou les fleurs sont rassemblés sur une tige commune.
illustr.
p. 690

grappiller v. 1ᵉʳ groupe. **Grappiller** des fruits, c'est en ramasser par-ci par-là. **Grappiller** des informations, c'est en recueillir çà et là (= glaner).

grappin n.m. Un **grappin** est une sorte d'ancre légère à plusieurs pattes qu'on lance au bout d'un cordage pour s'accrocher.

gras, grasse adj. SENS 1. *Le beurre, les huiles sont des produits gras,* formés de graisse ou qui en contiennent. SENS 2. Un papier **gras** est un papier taché de graisse. SENS 3. *Ce chien est trop* **gras**, *il a trop de graisse* (= gros). SENS 4. *Les cactus sont des plantes* **grasses**, *des plantes à feuilles épaisses.* SENS 5. *Certains mots de ce dictionnaire sont en caractères* **gras**, en caractères d'imprimerie épais. SENS 6. *De* **grasses** *récoltes sont des récoltes abondantes.* SENS 7. *Faire la* **grasse matinée**, c'est rester longtemps au lit le matin.

■ **gras** n.m. [SENS 1] *Ma côtelette de mouton est pleine de* **gras**, de morceaux de graisse. [SENS 5] *Grassement est écrit ici en* **gras**, en caractères gras.

■ **grassement** adv. [SENS 6] *Ce travail est* **grassement** *payé*, très bien payé (= largement).

■ **grassouillet, ette** adj. [SENS 3] *Ce bébé est* **grassouillet**, un peu gras (= potelé, replet, rebondi).

gratifier v. 1er groupe. *Le client satisfait a* **gratifié** *le livreur d'un bon pourboire*, il lui a donné un bon pourboire en récompense.

■ **gratifiant, ante** adj. Une occupation **gratifiante** est une occupation qui procure des satisfactions (≠ ingrat).

■ **gratification** n.f. *En fin d'année, certains employés reçoivent une* **gratification**, un supplément de salaire (= prime).

gratin n.m. *Des nouilles au* **gratin** *sont saupoudrées de chapelure et de gruyère râpé, et dorées au four.*

■ **gratiner** v. 1er groupe. *Sophie a fait* **gratiner** *des pommes de terre*, elle les a fait cuire au gratin.

gratis adv. Fam. *Dans cette exposition, on entre* **gratis** (= gratuitement).
✷ On prononce le « s » : [gratis].

gratitude n.f. *Je lui ai dit ma* **gratitude** *pour sa complaisance* (= reconnaissance ; ≠ ingratitude).

gratte-ciel n.m. inv. *New York est une ville célèbre pour ses* **gratte-ciel**, ses immeubles très hauts. *illustr. p. 494*
✷ Ce mot composé ne prend jamais de « s » au pluriel.

gratter v. 1er groupe. SENS 1. *Alexis* **gratte** *les carottes*, il les frotte avec un couteau pour enlever la peau (= racler). *Ne* **gratte** *pas tes boutons*, tu vas t'écorcher. SENS 2. *Le chien se* **gratte** *le cou*, il se frotte pour calmer une démangeaison. *Ça me* **gratte** *dans la gorge*, j'ai une démangeaison, une irritation.

■ **grattement** n.m. *J'ai entendu un* **grattement** *à la porte*, le bruit de quelqu'un ou de quelque chose qui gratte.

■ **grattoir** n.m. [SENS 1] Un **grattoir** est un outil pour gratter. *illustr. p. 117*

gratuit, e adj. *L'entrée du musée est* **gratuite**, on ne paie pas pour y entrer (≠ payant).

■ **gratuitement** adv. *J'ai eu ce livre* **gratuitement**, sans payer (= gratis).

■ **gratuité** n.f. *Il a droit à la* **gratuité** *des transports en train*, il ne paie pas.

gravats n.m. pl. *Après avoir démoli la maison, les ouvriers ont enlevé les* **gravats**, les morceaux de plâtre, de brique ou de pierre. *illustr. p. 157*

grave adj. SENS 1. *Christophe a un visage* **grave** (= sérieux). SENS 2. *Marie a une* **grave** *maladie*, une maladie inquiétante (≠ bénin). *Tu as fait une tache, mais ce n'est pas* **grave**, cela n'entraîne pas d'ennuis importants. ●● **aggraver**. SENS 3. En musique, un son **grave** correspond à une voix de basse (≠ aigu). SENS 4. *Il y a un* **accent grave** *sur le « è » de « crème ».*

■ **gravement** adv. [SENS 1] *Tous écoutaient* **gravement**, d'un air sérieux. [SENS 2] *Marie est* **gravement** *malade* (≠ légèrement).

■ **gravité** n.f. [SENS 1] *Il me regardait d'un air plein de* **gravité** (= sérieux).

[SENS 2] *Cette écorchure est sans gra-vité,* elle est bénigne.

graver v. 1er groupe. SENS 1. *Mon prénom est gravé sur mon bracelet,* il est écrit en creux sur le métal du bracelet. SENS 2. *Ce souvenir est gravé dans ma mémoire,* il est fixé profondément.

■ **gravure** n.f. [SENS 1] *Il fait de la gravure sur cuivre,* il grave des dessins ou des inscriptions. ◆ *Ma chambre est ornée de gravures,* de reproductions de dessins (= estampe).

■ **graveur** n.m. [SENS 1] Un **graveur** est un artiste qui fait de la gravure.

gravier n.m. *Les allées du jardin sont couvertes de gravier,* de petits cailloux.

illustr. ■ **gravillon** n.m. *Le motocycliste a dé-*
p. 974 *rapé sur les gravillons,* les petits graviers qu'on met sur les routes.

gravir v. 2e groupe. *Les alpinistes gra-vissent la montagne,* ils grimpent dessus lentement et avec effort (= escalader).

1. gravité → *grave*

2. gravité n.f. *La gravité est la force d'attraction que la Terre exerce sur les objets (= pesanteur).

■ **graviter** v. 1er groupe. *La Lune gra-vite autour de la Terre,* elle tourne autour de la Terre qui l'attire.

gravure → *graver*

gré n.m. *Vous pouvez aller et venir à votre gré,* comme vous le désirez, à votre convenance (= guise). SENS 2. *Je lui sais gré de sa discrétion,* je lui en suis reconnaissant. SENS 3. *Il est venu ici de son plein gré,* volontairement. SENS 4. *Bon gré mal gré, tu dois faire ce travail,* que tu le veuilles ou non. *Nous l'amène-rons de gré ou de force,* même s'il faut employer la force.

gredin, ine n. *Cet homme est un gredin,* un individu malhonnête (= ca-naille, crapule).

gréer v. 1er groupe. *On grée le voilier,* on met en place les voiles et les cordages.

■ **gréement** n.m. *Le gréement d'un voilier comprend les voiles, les poulies et les cordages.
✳ On prononce [gremã].

1. greffe n.m. *Le greffe du tribunal est le lieu où l'on garde les dossiers.

■ **greffier, ère** n. *Le greffier est l'em-ployé qui s'occupe des dossiers du greffe.

2. greffe n.f. SENS 1. *Le chirurgien a fait une greffe du cœur,* une opération qui consiste à remplacer un cœur malade par un cœur sain (= transplantation). SENS 2. *Le jardinier a fait une greffe (mis un greffon) sur son pommier,* il y a fixé une branche venant d'un autre arbre.

■ **greffer** v. 1er groupe. [SENS 1 et 2] *Le chirurgien a greffé un cœur au malade* (= transplanter). *Greffer un prunier, c'est y mettre une greffe. ◆ De nouvelles difficultés se sont greffées sur celles qui existaient déjà,* elles s'y sont ajoutées.

greffier → *greffe (1)*

grégaire adj. *Les fourmis ont l'instinct grégaire,* leur instinct les pousse à vivre en groupes.

grège adj. *J'ai un imperméable grège,* entre le gris et le beige.

1. grêle n.f. SENS 1. *Une averse de grêle a abîmé les récoltes,* de petits glaçons. SENS 2. *Il a reçu une grêle de coups,* un grand nombre de coups.

■ **grêler** v. 1er groupe. [SENS 1] *Il grêle,* il tombe de la grêle.
✳ C'est un verbe impersonnel, il ne s'emploie qu'à la 3e personne du singu-lier, avec « il ».

■ **grêlon** n.m. [SENS 1] *Il est tombé des grêlons énormes,* des glaçons ronds.

2. grêle adj. SENS 1. *Paul a les jambes grêles,* longues et maigres (= fluet).

SENS 2. *Jeanne a une voix* **grêle**, *aiguë et faible.* **SENS 3.** L'**intestin grêle** est la partie la plus longue et la plus mince de l'intestin.

grelot n.m. *Mon chien porte un* **grelot** *à son collier,* une petite boule de métal contenant une petite bille qui le fait résonner quand il s'agite.

grelotter v. 1er groupe. *Il* **grelottait** *de froid,* il tremblait très fort.

illustr. **grenade** n.f. **SENS 1.** *Les* **grenades** *p. 55* *poussent dans les pays méditerranéens, des fruits gros comme des oranges, rouges à l'intérieur et contenant de nombreux pépins.* **SENS 2.** *Les militaires s'entraînent à lancer des* **grenades**, *des engins explosifs.*

■ **grenadier** n.m. **[SENS 1]** Le **grenadier** est l'arbre sur lequel poussent les grenades. **[SENS 2]** Les **grenadiers** étaient des soldats d'élite.

grenadine n.f. La **grenadine** est un sirop de couleur rouge.

grenat adj. inv. Un velours **grenat** est de couleur rouge sombre.
✳ **Grenat** ne change pas au pluriel.

illustr. **grenier** n.m. *Les vieux meubles sont au* *p. 983* **grenier**, *dans la partie de la maison située juste sous le toit* (= combles).

illustr. **grenouille** n.f. *Les têtards de la mare* *p. 357* *se sont transformés en* **grenouilles**, *de petits animaux de la classe des amphibiens vivant au bord de l'eau et dans l'eau.*

grenu, ue adj. *Ce sac est en cuir* **grenu**, couvert de petits grains (≠ lisse).
●● **grain**

illustr. **grès** n.m. Le **grès** est une roche utilisée *p. 949* en poterie et formée de grains de sable liés par un ciment naturel.

grésil n.m. *Il tombe une averse de* **grésil**, de petits grêlons blancs.

grésiller v. 1er groupe. *L'huile* **grésille** *dans la poêle chaude,* elle fait entendre de petits crépitements.

1. grève n.f. *Les vagues ont jeté un* *illustr.* *bateau sur la* **grève**, *sur la plage* (= rivage). *p. 556*

2. grève n.f. *Les ouvriers de l'usine sont en* **grève**, *ils ont cessé le travail pour obtenir quelque chose.*

■ **gréviste** n. et adj. *Il y a de nombreux* **grévistes**, *des salariés qui font grève.*

grever v. 1er groupe. *Ce propriétaire se plaint d'être* **grevé** *d'impôts* (= accablé).
●● **dégrèvement**
✳ Conj. n° 9.

gréviste ⟶ **grève (2)**

gribouiller v. 1er groupe. *Le petit enfant* **gribouille** *sur son cahier,* il trace des lignes qui ne représentent rien (= griffonner).

■ **gribouillage** ou **gribouillis** n.m. *Son cahier est plein de* **gribouillages**.

grief n.m. *J'ai des* **griefs** *contre Paul,* des choses à lui reprocher.

grièvement adv. *Il est* **grièvement** *blessé,* gravement (≠ légèrement).

griffe n.f. **SENS 1.** *Le chat sort ses* **griffes**, *ses ongles crochus et pointus.* **SENS 2.** *Cette robe porte la* **griffe** *du fabricant* (= marque).

■ **griffer** v. 1er groupe. **[SENS 1]** *Le chat m'a griffé,* il m'a égratigné avec ses griffes.

■ **griffure** n.f. **[SENS 1]** *J'ai joué avec le chat et j'ai des* **griffures** *sur les bras* (= égratignure, éraflure).

griffonner v. 1er groupe. *Il* **a griffonné** *son adresse sur un bout de papier,* il l'a écrite très vite et mal.

■ **griffonnage** n.m. *Je ne comprends rien à ce* **griffonnage** (= gribouillage).

grignoter v. 1er groupe. *Les souris* **ont grignoté** *le fromage,* elles l'ont mangé petit à petit.

grigou n.m. Fam. *Ce vieux grigou ne sait pas faire un cadeau* (= avare).

gri-gri ou **grigri** n.m. *Un gri-gri est un petit objet porte-bonheur.*

gril, grillade → *griller*

illustr. p. 572, 583

grille n.f. SENS 1. *Le jardin est entouré d'une grille*, d'une clôture formée de barreaux. SENS 2. *Les platanes du boulevard ont le bas du tronc entouré d'une grille*, d'un assemblage de barreaux en métal. SENS 3. *Une grille de mots croisés est un carré quadrillé.* SENS 4. *La grille des programmes de radio, de télévision est le tableau sur lequel figure le plan d'ensemble de ces programmes.*

■ **grillage** n.m. [SENS 1 et 2] *Le poulailler est entouré de grillage*, d'une clôture en fils de métal qui se croisent.

■ **grillager** v. 1er groupe. [SENS 1 et 2] *La fenêtre est grillagée*, elle est protégée par un grillage.
✳ Conj. n° 2.

griller v. 1er groupe. SENS 1. *Au dîner, on a mangé des côtelettes grillées*, rôties sur un gril. SENS 2. Fam. **Griller** *une cigarette, c'est la fumer.* SENS 3. *Le gel a grillé les bourgeons*, il les a desséchés et racornis. SENS 4. *Je grille d'envie de vous raconter mon aventure*, j'en suis très impatient (= brûler).

■ **gril** n.m. [SENS 1] *Nous cuisons des saucisses sur le gril*, sur une grille de métal placée au-dessus de la braise.

■ **grillade** n.f. [SENS 1] *Je ne mange que des grillades*, des viandes grillées.

■ **grille-pain** n.m. inv. [SENS 1] *Un grille-pain électrique est un appareil qui sert à griller des tranches de pain.*
✳ *Ce mot composé ne change pas au pluriel.*

illustr. p. 753

grillon n.m. *Dans les prés, on entend le cri strident des grillons*, un insecte sauteur tout noir qui creuse de petites galeries dans le sol.

grimace n.f. SENS 1. *Le clown fait des grimaces pour faire rire les spectateurs*, il déforme son visage d'une façon amusante. SENS 2. *Quand on lui a interdit de sortir, il a fait la grimace*, il a montré qu'il n'était pas content.

■ **grimacer** v. 1er groupe. [SENS 1] *Le malade grimace de douleur*, la douleur lui fait faire des grimaces.
✳ Conj. n° 1.

■ **grimaçant, ante** adj. [SENS 1] *Les gargouilles ont des têtes grimaçantes.*

grimer v. 1er groupe. *Veux-tu que je te grime en clown ?* (= maquiller).

grimoire n.m. *On a retrouvé de vieux grimoires*, de vieux livres de magie, de sorcellerie contenant des textes mystérieux ou difficiles à déchiffrer.

grimper v. 1er groupe. SENS 1. **Grimper** *à un arbre, c'est y monter en s'aidant des pieds et des mains* (= escalader). SENS 2. *Le cycliste grimpe la côte*, il la monte.

■ **grimpant, ante** adj. [SENS 1] *Le lierre est une plante grimpante*, qui s'élève en s'accrochant à des supports.

■ **grimpeur, euse** n. [SENS 2] *Ce cycliste est un bon grimpeur*, il monte bien les pentes raides.

illustr. p. 29

grincer v. 1er groupe. *En s'ouvrant, la porte grince*, elle fait un bruit de frottement désagréable.
✳ Conj. n° 1.

■ **grincement** n.m. *On entend le grincement d'une porte.*

grincheux, euse adj. et n. *C'est une (personne) grincheuse*, elle est sans cesse de mauvaise humeur (= grognon, bougon).

gringalet n.m. *Cet homme est un gringalet*, il est petit et chétif.

grippe n.f. SENS 1. *Cet hiver, beaucoup de gens ont eu la grippe*, une maladie contagieuse due à un virus. SENS 2. *Il a* *pris son voisin* **en grippe**, il s'est mis à le détester.

■ **grippé, ée** adj. [SENS 1] *Benjamin est* **grippé**, il a la grippe.

gripper v. 1ᵉʳ groupe. *Cette vis* **est** **grippée**, on ne peut plus la faire tourner (= bloquer).

grippe-sou n.m. Fam. Un **grippe-sou** est un avare.
✳ Au pluriel, on écrit des **grippe-sous** ou des **grippe-sou**.

1. gris, grise adj. SENS 1. *J'ai un pantalon* **gris**, d'une couleur intermédiaire entre le blanc et le noir. SENS 2. *Le ciel est* **gris**, couvert de nuages.

■ **gris** n.m. [SENS 1] *Le mur est peint en* **gris**, avec de la peinture grise.

■ **grisaille** n.f. [SENS 2] *Par temps de brume, le paysage est dans la* **grisaille**, tout paraît gris.

■ **grisâtre** adj. [SENS 1] *Le plafond a pris une teinte* **grisâtre**, tirant sur le gris.

■ **grisonner** v. 1ᵉʳ groupe. [SENS 1] *Ses cheveux* **grisonnent**, ils commencent à devenir gris.

■ **grisonnant, ante** adj. *C'est un homme d'une cinquantaine d'années, un peu* **grisonnant**, qui commence à avoir des cheveux gris.

2. gris, grise adj. Fam. *Au deuxième verre, il était déjà* **gris**, un peu ivre (= éméché).

■ **griser** v. 1ᵉʳ groupe. *Le vin l'a* **grisé**, il l'a légèrement enivré (= étourdir). *Il s'est laissé* **griser** *par le succès*, le succès lui a tourné la tête (≠ dégriser).

■ **grisant, ante** adj. *Ce chanteur a connu un succès* **grisant** (= enivrant).

■ **griserie** n.f. *Il sentait la* **griserie** *de la victoire*, la victoire le grisait (= ivresse).

grisonner → **gris (1)**

grisou n.m. *Dans les mines de charbon, il se dégage parfois du* **grisou**, un gaz qui peut causer des explosions (**coups de grisou**) provoquant des accidents graves.

grive n.f. La **grive** est un oiseau migrateur au plumage brun tacheté.

grivois, oise adj. *Il m'a raconté une histoire* **grivoise**, avec des allusions sexuelles (= gaulois, osé).

grizzli ou **grizzly** n.m. Le **grizzli** est un très grand ours des montagnes de l'Amérique du Nord.

grog n.m. *Pour me réchauffer, j'ai bu un* **grog**, une boisson faite avec de l'eau chaude sucrée et du rhum.

groggy adj. inv. *Le coup sur la tête l'a laissé* **groggy**, assommé, étourdi.
✳ On prononce [grɔgi]. **Groggy** ne change pas au pluriel.

grogner v. 1ᵉʳ groupe. SENS 1. *Le cochon* **grogne**, il pousse son cri. *Le chien* **grogne**, il gronde d'un air menaçant. SENS 2. *L'ouvrier* **grogne** *d'avoir tout à recommencer*, il montre son mécontentement en protestant (= bougonner, fam. ronchonner).

■ **grognement** n.m. [SENS 1] Le **grognement** est le cri du cochon, du sanglier, de l'ours. [SENS 2] *On entend les* **grognements** *des enfants*, des murmures de mécontentement.

■ **grognon, onne** adj. et n. [SENS 2] *Anne est* **grognon**, de mauvaise humeur. *Quel* **grognon** !
✳ Le féminin **grognonne** est rare.

groin n.m. Le **groin** est le museau du cochon et du sanglier.

grommeler v. 1ᵉʳ groupe. *Il a* **grommelé** *quelques mots*, il les a dits sourdement entre ses dents (= marmonner).
✳ Conj. n° 6.

gronder v. 1ᵉʳ groupe. SENS 1. *L'orage* **gronde**, on entend son bruit sourd et menaçant. SENS 2. *Jean s'est fait gron-der, on lui a fait des reproches* (= répri-mander, attraper).

■ **grondement** n.m. [SENS 1] *On entend le grondement du tonnerre,* un bruit sourd.

groom n.m. *Un groom est un jeune employé en uniforme, dans certains grands hôtels.*

❋ On prononce [grum].

gros, grosse adj. SENS 1. *J'ai reçu un gros colis,* un colis de grande taille (= volumineux ; ≠ petit). SENS 2. *M. Ber-trand est un gros homme* (= gras, corpulent ; ≠ maigre, mince). SENS 3. *Il y a de gros défauts dans ce plan,* des défauts importants et très visibles. SENS 4. *Cet enfant a de gros traits* (= épais). SENS 5. *Ces grosses plaisanteries ne me font pas rire* (= vulgaire, lourd ; ≠ fin). *Il a dit un gros mot,* un mot grossier. SENS 6. *Sa maman l'a grondé en lui faisant les gros yeux,* en le regardant d'un air sévère. SENS 7. *Nous avions le cœur gros en nous séparant,* nous étions tristes.

■ **gros, grosse** n. [SENS 2] *Paul est un gros,* une personne grosse.

■ **gros** n.m. [SENS 3] *Le plus gros du travail est fait,* la plus grande partie.

●● *dégrossir*

■ en **gros** adv. [SENS 3] *Ce commerçant achète des fruits en gros,* par grandes quantités (≠ au détail). ◆ *Il y avait en gros mille personnes,* environ (= grosso modo, environ).

■ **gros** adv. [SENS 1] *J'écris gros,* en faisant de grandes lettres.

■ **grossesse** n.f. *La grossesse de la femme dure neuf mois,* le temps pendant lequel elle est enceinte.

■ **grosseur** n.f. [SENS 1] *Le prix des œufs varie selon leur grosseur,* leur taille. ◆ *Tu as une grosseur sur le nez,* une enflure.

■ **grossir** v. 2ᵉ groupe. [SENS 1] *La fonte des neiges grossit les torrents,* elle les

rend plus gros. *La loupe grossit les objets,* elle les fait paraître plus gros. [SENS 2] *Tu grossis,* tu deviens plus gros.

■ **grossissement** n.m. [SENS 1] *Cette loupe a un fort grossissement.*

■ **grossiste** n.m. [SENS 3] *Les dé-taillants achètent leur marchandise chez un grossiste,* un marchand qui vend en gros.

groseille n.f. *La groseille est un petit fruit rond, rouge ou blanc, au goût acide, qui pousse en grappes sur un groseillier.* *illustr. p. 747*

grossesse, grosseur → *gros*

grossier, ère adj. SENS 1. *Un tissu grossier est rude* (≠ fin). SENS 2. *Tu as fait une erreur grossière,* une erreur lourde très visible. SENS 3. *Un mot gros-sier est un mot qui peut choquer celui qui l'entend* (= vulgaire).

■ **grossièrement** adv. [SENS 1] *Le pa-quet est grossièrement emballé,* de façon rudimentaire (= sommairement). [SENS 3] *Il m'a répondu grossièrement,* avec des mots grossiers.

■ **grossièreté** n.f. [SENS 3] *Cet homme est d'une grande grossièreté,* il est très mal élevé. *Il dit des grossièretés,* des mots grossiers.

grossir, grossissement, grossiste → *gros*

grosso modo adv. *Raconte-moi l'his-toire grosso modo,* sans entrer dans les détails (= en gros, sommairement).

grotesque adj. *Le clown est habillé d'une façon grotesque,* qui provoque le rire (= ridicule, burlesque, cocasse).

grotte n.f. *Certains hommes préhisto-riques vivaient dans des grottes,* des creux naturels dans les roches ou le sol (= caverne). *illustr. p. 55*

1. grouiller v. 1ᵉʳ groupe. *Le lapin mort grouillait de vers,* il était plein de vers qui remuaient en tous sens (= fourmiller).

■ **grouillant, ante** adj. *La place est remplie d'une foule grouillante*, qui s'agite dans tous les sens.

■ **grouillement** n.m. *On peut voir du balcon le grouillement de la foule.*

2. se **grouiller** v. 1ᵉʳ groupe. Fam. Quand on surveille sa façon de parler, on ne dit pas « **grouille-toi** ! », mais « **dépêche-toi** ! ».

groupe n.m. SENS 1. *Le guide du musée est entouré d'un groupe de touristes,* d'un ensemble de touristes rassemblés. *Une dizaine d'amis ont créé un groupe folklorique.* SENS 2. *Un groupe de maisons forme un hameau,* plusieurs maisons. *Une phrase est le plus souvent constituée par le groupe nominal et le groupe verbal.* SENS 3. *Voilà le groupe scolaire du quartier,* les bâtiments de l'école. SENS 4. *Pour être transfusé, il est important de connaître son groupe sanguin,* la catégorie dans laquelle est classé un individu selon la composition de son sang.

■ **grouper** v. 1ᵉʳ groupe. [SENS 1] *Les élèves se groupent autour du maître,* ils se rassemblent (≠ disperser). ●● **regrouper**. [SENS 2] *J'ai groupé plusieurs colis pour les envoyer ensemble* (= réunir ; ≠ séparer).

■ **groupement** n.m. [SENS 1] *Un groupement politique est un rassemblement de gens ayant les mêmes opinions* (= association).

■ **groupuscule** n.m. [SENS 1] *L'agitation était entretenue par des groupuscules,* de tout petits groupes politiques.

gruau n.m. *J'ai acheté du pain de gruau,* du pain fait avec une farine très fine.
❋ Au pluriel, on écrit des **gruaux**.

1. grue n.f. SENS 1. *La grue est un grand oiseau échassier migrateur.* SENS 2. *Il était en retard au rendez-vous : j'ai dû faire le pied de grue, pendant une demi-heure,* attendre debout.

2. grue n.f. *Sur le chantier, on a installé une grue,* un engin dont le long bras pivotant sert à soulever et à déplacer de lourdes charges. *illustr. p. 156, 741*

■ **grutier** n.m. *Le grutier manœuvre une grue.* *illustr. p. 156*

gruger v. 1ᵉʳ groupe. *Il s'est laissé gruger dans cette affaire* (= tromper, duper).
❋ Conj. n° 2.

grumeau n.m. *Je n'ai pas réussi ma crème, elle est pleine de grumeaux,* de petites boules gluantes.
❋ Au pluriel, on écrit des **grumeaux**.

grutier → *grue (2)*

gruyère n.m. *Le gruyère est un fromage de lait de vache cuit dont la pâte est percée de trous.*
❋ On prononce [gryjɛr] ou [grɥijɛr].

gué n.m. *Passer une rivière à gué,* c'est la traverser à pied à un endroit où elle est très peu profonde. *illustr. p. 845*
❋ Ne pas confondre avec **gai** et **guet**.

guenilles n.f. pl. *Le mendiant était en guenilles,* il avait des vêtements sales et déchirés (= loque, haillons). ●● **déguenillé**

guenon n.f. *La guenon est la femelle du singe.*

guépard n.m. *Le guépard est un animal d'Afrique et d'Asie à la peau tachetée, le plus rapide de tous les animaux terrestres.* *illustr. p. 1032*

guêpe n.f. *En mangeant un fruit, j'ai été piqué par une guêpe,* un insecte au dard venimeux. → *frelon* *illustr. p. 385*

■ **guêpier** n.m. *Un guêpier est un nid de guêpes.* ◆ *Il aura du mal à sortir de ce guêpier,* de cette situation difficile.

guère adv. *Je n'aime guère la viande,* je ne l'aime pas beaucoup. *Ces résultats*

449

*ne sont **guère** encourageants,* ils ne sont pas très encourageants.
* Ne pas confondre avec la **guerre**.

guéridon n.m. *Le vase est posé sur un **guéridon**,* une petite table ronde avec un pied central.

guérilla n.f. *Les révolutionnaires avaient mené une **guérilla**,* une guerre faite d'embuscades et de petites attaques répétées.
* On prononce [gerija].

■ **guérillero** n.m. *Les **guérilleros** sont les combattants qui font la guérilla.*
* On prononce [gerijero].

guérir v. 2e groupe. SENS 1. *Ce médicament **a guéri** mon frère de sa grippe,* il l'en a débarrassé. SENS 2. *Il **guérira** vite,* il sera vite rétabli. SENS 3. *On **guérit** certains cancers,* on a trouvé le traitement qui les fait disparaître.

■ **guérison** n.f. *Sa **guérison** a été lente,* il a mis longtemps à guérir.

■ **guérisseur, euse** n. *M. Dupré est allé voir un **guérisseur**,* un homme qui prétend guérir les maladies par des moyens que la médecine officielle ne reconnaît pas.

guérite n.f. *La sentinelle monte la garde devant sa **guérite**,* une petite baraque en bois.

guerre n.f. SENS 1. *Ces deux pays se font la **guerre**,* leurs soldats se battent avec des armes. SENS 2. *Faire la **guerre** à l'alcoolisme,* c'est lutter contre l'alcoolisme. SENS 3. *De **guerre** lasse, il a fini par accepter,* parce qu'il était fatigué de résister. SENS 4. *Ici, on manque un peu de confort, mais **à la guerre comme à la guerre**,* il faut se débrouiller avec ce qu'on a.
* Ne pas confondre avec l'adverbe **guère**.

■ **guerrier, ère** adj. et n.m. [SENS 1] *Une peuplade **guerrière** a du goût pour la guerre* (= belliqueux). *Les **guerriers** gaulois se battaient le torse nu* (= combattant).

■ **guerroyer** v. 1er groupe. [SENS 1] *Au Moyen Âge, beaucoup de seigneurs **guerroyaient** contre leurs voisins,* ils faisaient la guerre.
* Conj. no 3.

guet, guet-apens → **guetter**

guêtre n.f. *Le chasseur a mis ses **guêtres**,* il a entouré le bas de ses jambes d'une bande de cuir ou de tissu.

guetter v. 1er groupe. SENS 1. *Le chat **guette** la souris,* il la surveille pour la surprendre (= épier). SENS 2. *Je **guette** l'arrivée du courrier,* je l'attends avec impatience. SENS 3. *La folie le **guette**,* il risque de devenir fou (= menacer).

■ **guet** n.m. [SENS 1] *Pendant le cambriolage, un des malfaiteurs faisait le **guet**,* il surveillait les alentours pour voir si personne ne venait. illustr. p. 16:
* Ne pas confondre avec **gai** et **gué**.

■ **guet-apens** n.m. [SENS 1] *Ses ennemis l'ont attiré dans un **guet-apens**,* à un endroit où ils l'attendaient (= piège, embuscade).
* On prononce [gɛtapã] ; au pluriel, on écrit des **guets-apens**.

■ **guetteur** n.m. [SENS 1] *Les **guetteurs** ont signalé l'approche d'un ennemi,* les personnes qui guettent.

gueule n.f. *Le chien ouvre la **gueule**,* sa bouche.

■ **gueuler** v. 1er groupe. Très fam. *Ce n'est pas la peine de **gueuler** comme ça !,* de crier très fort (= vociférer).

gueux, gueuse n. *Ce mot se disait autrefois pour « mendiant », « miséreux ».*

gui n.m. *Au Nouvel An, on décore la maison d'une touffe de **gui**,* une plante parasite à boules blanches qui pousse sur certains arbres. illustr. p. 42

illustr.
p. 424

guichet n.m. *Les clients attendent devant les **guichets** de la poste, les ouvertures derrière lesquelles se tiennent les employés, appelés « guichetiers ».*

illustr.
p. 970,
29,

guide n. SENS 1. *Pour escalader la montagne, nous prenons un **guide**, une personne qui nous montre le chemin.* SENS 2. *Pour organiser notre voyage en*

151

*Italie, nous avons consulté un **guide**, un livre qui donne des renseignements sur ce pays.* SENS 3. n.f. *Claire est **guide**, elle fait partie d'une association de scoutisme.*

■ **guide** n.f. (Surtout au plur.) *Je tiens les **guides** du cheval,* les lanières de cuir qui servent à le guider (= rênes).

■ **guider** v. 1er groupe. [SENS 1] *Marie nous **a guidés** à travers Paris,* elle nous a accompagnés pour nous conduire (= diriger, piloter). ●● *téléguider*

illustr.
p. 1002

guidon n.m. *Le cycliste tient le **guidon** de sa bicyclette,* la partie servant à diriger la bicyclette.

guigner v. 1er groupe. *Il **guigne** cet emploi,* il voudrait bien l'avoir (= convoiter, lorgner).

guignol n.m. *Les enfants ont ri aux éclats pendant la séance de **guignol**,* un spectacle de marionnettes.

guillemets n.m. pl. *Le mot « dictionnaire » est écrit ici entre **guillemets**,* des signes qu'on met avant et après un ou plusieurs mots qu'on cite ou qu'on met en relief.

guilleret, ette adj. *Michèle est toute **guillerette** ce matin,* elle est vive et gaie (≠ morose).

guillotine n.f. *Dans la cour des prisons, autrefois, on dressait une **guillotine**,* la machine qui servait à couper la tête des condamnés à mort.

■ **guillotiner** v. 1er groupe. *Louis XVI **a été guillotiné**,* on lui a coupé la tête.

guimauve n.f. SENS 1. *La **guimauve** est une plante des prés à fleurs roses.* SENS 2. *La **pâte de guimauve** est une confiserie molle et sucrée.*

guimbarde n.f. SENS 1. Fam. *Une **guimbarde** est une vieille voiture.* SENS 2. *On a dansé au son de la **guimbarde**,* un petit instrument de musique à languette vibrante, qu'on tient entre les dents.

guindé, ée adj. *Il est passé devant nous d'un air **guindé**,* d'un air digne et froid (= compassé ; ≠ naturel).

de **guingois** adv. Fam. *Il a les dents plantées **de guingois**,* de travers.

guinguette n.f. *Le bal avait lieu dans une **guinguette**,* un cabaret populaire à la campagne.

guirlande n.f. *La salle était décorée de **guirlandes**,* de longues chaînes de fleurs, de papiers découpés, etc.

guise n.f. *Chacun agit **à sa guise**,* comme il lui plaît (= à son gré).

■ en **guise de** prép. *J'ai mangé un sandwich **en guise de** repas,* à la place d'un repas, comme repas.

guitare n.f. *Le chanteur s'accompagne à la **guitare**,* un instrument de musique à cordes.

illustr.
p. 310,
629

■ **guitariste** n. *Un **guitariste** joue de la guitare.*

illustr.
p. 629

guttural, ale, aux adj. *Une voix **gutturale** est une voix qui vient du fond de la gorge* (= rauque).

gymnastique n.f. *Jean fait de la **gymnastique** tous les matins,* des exercices pour assouplir le corps et fortifier les muscles (= culture physique, éducation physique).

illustr.
p. 913

■ **gymnase** n.m. *Les séances de gym-nastique ont lieu dans un **gymnase**,* une grande salle aménagée pour cette activité.

illustr.
p. 913 ■ **gymnaste** n. *Anne est une bonne **gymnaste**,* elle est forte en gymnastique.

gynécologie n.f. La **gynécologie** est la spécialité médicale qui est consacrée aux organes génitaux des femmes.

■ **gynécologue** n. *Julie a consulté une **gynécologue**,* une spécialiste de gynécologie.

gypse n.m. Le **gypse** est une roche à partir de laquelle on fait du plâtre.

gyrophare n.m. *La voiture de police se signale par son **gyrophare** bleu,* un phare tournant placé sur le toit.

illustr.
p. 869,
737

H h

Hippopotame

Hareng

Houblon

h n.m. L'heure **H**, c'est l'heure fixée.

*ha ! interj. Ce mot exprime la surprise ou sert à transcrire le rire : *Ha ! ha ! ha ! Elle est bien bonne !*

habile adj. *Max est habile,* il réussit bien ce qu'il fait (= adroit, capable ; ≠ malhabile).
- **habilement** adv. *Il a habilement évité le piège* (= adroitement).
- **habileté** n.f. *Il est doué d'une grande habileté manuelle,* il est très habile de ses mains (= adresse).

habiliter v. 1er groupe. *Je ne suis pas habilité à prendre cette décision,* je n'en ai pas le droit (= autoriser).

habiller v. 1er groupe. SENS 1. *Maman habille ma petite sœur,* elle lui met ses vêtements. *Ma petite sœur ne sait pas s'habiller toute seule* (= se vêtir ; ≠ déshabiller). ●● ***rhabiller.*** SENS 2. *Grand-père s'habille toujours dans ce magasin,* il y achète ses vêtements.

- **habillé, ée** adj. Une robe **habillée** est élégante (= chic).
- **habillement** n.m. *M. Leblanc travaille dans un magasin d'habillement,* qui vend des habits.

habit n.m. SENS 1. *Range tes habits,* tes vêtements. SENS 2. *À ce mariage, les hommes portaient l'habit,* un vêtement de cérémonie. *illustr. p. 221*

habiter v. 1er groupe. *J'habite (à) Paris,* j'y vis habituellement (= demeurer, résider, loger). ●● ***cohabiter, inhabité***
- **habitant, ante** n. *Ce village a mille habitants,* mille personnes y habitent. *illustr. p. 454*
- **habitable** adj. *Le grenier de la maison est habitable,* on peut y loger (≠ inhabitable).
- **habitat** n.m. *L'habitat urbain est différent de l'habitat rural,* la manière de se loger. *La jungle est l'habitat du tigre,* le lieu où il vit. ◆ *Le Parlement a voté une loi pour l'amélioration de l'habitat,* des conditions de logement.

453

Les habitants de pays, de villes et de régions

Tous ces mots sont à la fois des adjectifs et des noms. Quand ils sont des noms désignant une personne, ils s'écrivent avec une majuscule. Ceux qui sont précédés d'un astérisque (*) désignent également une langue : _les Allemands parlent l'allemand._

Afghanistan	*afghan, ane
Afrique	africain, aine
Afrique du Nord	nord-africain, aine
Alger	algérois, oise
Algérie	algérien, enne
Allemagne	*allemand, ande
Alsace	alsacien, enne
Amérique	américain, aine
Amérique du Nord	nord-américain, aine
Andorre	andorran, ane
Angleterre	*anglais, aise
Anjou	angevin, ine
Antilles	antillais, aise
Aquitaine	aquitain, aine
Arabie	*arabe
Ardenne	ardennais, aise
Argentine	argentin, ine
Arménie	*arménien, enne
Artois	artésien, enne
Asie	asiatique
Athènes	athénien, enne
Australie	australien, enne
Autriche	autrichien, enne
Auvergne	auvergnat, ate
Basque (pays)	*basque, basquaise
Béarn	béarnais, aise
Beauce	beauceron, onne
Belgique	belge
Bénin	béninois, oise
Berlin	berlinois, oise
Berry	berrichon, onne
Biélorussie	*biélorusse
Bordeaux	bordelais, aise
Bosnie-Herzégovine	bosniaque
Bourgogne	bourguignon, onne
Brabant	brabançon, onne
Brésil	brésilien, enne
Bresse	bressan, ane
Bretagne	*breton, onne
Brie	briard, e
Bruxelles	bruxellois, oise
Bulgarie	*bulgare
Burkina	burkinabé ou burkinais, aise
Camargue	camarguais, aise
Cambodge	cambodgien, enne
Cameroun	camerounais, aise
Canada	canadien, enne
Catalogne	*catalan, ane
Cévennes	cévenol, ole

Champagne	champenois, oise
Charente	charentais, aise
Chine	*chinois, oise
Comores	comorien, enne
Congo	congolais, aise
Corée	*coréen, enne
Corse	corse
Côte d'Ivoire	ivoirien, enne
Croatie	croate
Cuba	cubain, aine
Dalmatie	dalmate
Danemark	*danois, oise
Dauphiné	dauphinois, oise
Djibouti	djiboutien, enne
Égypte	égyptien, enne
Espagne	*espagnol, ole
Europe	européen, enne
Finlande	finlandais, aise
Flandres	*flamand, ande
France	*français, aise
Franche-Comté	franc-comtois, oise
Gabon	gabonais, aise
Gascogne	gascon, onne
Gaule	gaulois, oise
Genève	genevois, oise
Grande-Bretagne	britannique
Grèce	*grec, grecque
Guadeloupe	guadeloupéen, enne
Guinée	guinéen, enne
Guyane	guyanais, aise
Hainaut	hainuyer ou hennuyer, ère
Haïti	haïtien, enne
Hollande	hollandais, aise
Hongrie	*hongrois, oise
Île-de-France	francilien, enne
Inde	indien, enne
Indonésie	*indonésien, enne
Irak ou Iraq	irakien ou iraqien, enne
Iran	*iranien, enne
Irlande	*irlandais, aise
Islande	*islandais, aise
Israël	israélien, enne
Italie	*italien, enne
Jamaïque	jamaïquain, aine
Japon	*japonais, aise

Jordanie	jordanien, enne	Poitou	poitevin, ine
Jura	jurassien, enne	Pologne	*polonais, aise
		Polynésie	*polynésien, enne
Kabylie	*kabyle	Portugal	*portugais, aise
Koweït	koweïtien, enne	Provence	*provençal, ale
Landes	landais, aise	Québec	québécois, oise
Languedoc	languedocien, enne		
Laos	laotien, enne	République	
Laponie	lapon, one ou -onne	centrafricaine	centrafricain, aine
Liban	libanais, aise	Réunion	réunionnais, aise
Libye	libyen, enne	Rome	romain, aine
Lille	lillois, oise	Roumanie	*roumain, aine
Limousin	limousin, ine	Russie	*russe
Londres	londonien, enne	Rwanda	rwandais, aise
Lorraine	lorrain, aine		
Louisiane	louisianais, aise	Saint-Étienne	stéphanois, oise
Luxembourg	luxembourgeois, oise	Sardaigne	sarde
Lyon	lyonnais, aise	Savoie	savoyard, arde
		Scandinavie	scandinave
Madagascar	*malgache	Sénégal	sénégalais, aise
Madrid	madrilène	Seychelles	seychellois, oise
Maghreb	maghrébin, ine	Sicile	sicilien, enne
Mali	malien, enne	Slovaquie	*slovaque
Maroc	marocain, aine	Slovénie	*slovène
Marseille	marseillais, aise	Strasbourg	strasbourgeois, oise
Martinique	martiniquais, aise	Suède	*suédois, oise
Maurice (île)	mauricien, enne	Suisse	suisse ou helvétique
Mauritanie	mauritanien, enne	Syrie	syrien, enne
Mexique	mexicain, aine		
Moldavie	moldave	Tahiti	tahitien, enne
Monaco	monégasque	Taïwan	taïwanais, aise
Mongolie	*mongol, ole	Tchad	tchadien, enne
Moravie	morave	Tchèque	
Morvan	morvandiau, delle	(République)	*tchèque
Moscou	moscovite	Thaïlande	thaïlandais, aise
Moselle	mosellan, ane	Tibet	*tibétain, aine
		Togo	togolais, aise
New York	new-yorkais, aise	Touraine	tourangeau, elle
Niger	nigérien, enne	Tunisie	
Nigeria	nigérian, ane	et Tunis	tunisien, enne
Normandie	normand, ande	Turquie	*turc, turque
Norvège	*norvégien, enne		
Nouvelle-Calédonie	néo-calédonien, enne	Ukraine	*ukrainien, enne
Nouvelle-Zélande	néo-zélandais, aise	Uruguay	uruguayen, enne
Océanie	océanien, enne	Valais	valaisan, anne
Ouganda	ougandais, aise	Vaud	vaudois, oise
		Vendée	vendéen, enne
Pakistan	pakistanais, aise	Viêt Nam	*vietnamien, enne
Palestine	palestinien, enne		
Paris	parisien, enne	Wallonie	*wallon, onne
Pays-Bas	*néerlandais, aise		
Pékin	pékinois, oise	Yougoslavie	yougoslave
Périgord	périgourdin, ine		
Pérou	péruvien, enne	Zaïre	zaïrois, oise
Picardie	picard, arde	Zambie	zambien, enne

455

■ **habitation** n.f. *M. Martin a changé d'habitation* (= domicile, résidence).

habitude n.f. SENS 1. *J'ai l'habitude de me coucher tôt, je le fais ordinairement. Ce retard est contraire à ses habitudes,* à sa façon ordinaire d'agir. SENS 2. *D'habitude, tout se passe bien* (= habituellement, d'ordinaire, en général). SENS 3. *Je n'ai pas l'habitude de cette voiture,* je ne la connais pas très bien, je ne suis pas familiarisé avec.

■ **habituer** v. 1er groupe. *J'habitue mon chien à être propre,* je lui apprends à l'être toujours (= accoutumer). *Je m'habitue à ce nouveau travail,* je le supporte de mieux en mieux (= se faire, s'adapter). ●● *réhabituer*

■ **habitué, ée** n. *Au restaurant, il y avait les habitués du samedi soir,* ceux qui y viennent habituellement.

■ **habituel, elle** adj. *On nous a servi le menu habituel,* celui qu'on sert le plus souvent (= courant, ordinaire ; ≠ inhabituel).

■ **habituellement** adv. *Habituellement, Paul vient nous voir le jeudi,* il vient en principe tous les jeudis (= d'habitude, d'ordinaire).

hâbleur, euse n. et adj. *Bernard fait toujours l'important : c'est un hâbleur* (= vantard).
✹ Ce mot s'emploie surtout dans la langue écrite.

*illustr.
p. 427,
759* **hache** n.f. *Il fend des bûches avec une hache,* un outil tranchant au bout d'un manche.

■ **hachette** n.f. *Les campeurs ont emporté une hachette dans leur sac,* une petite hache.

hacher v. 1er groupe. *La viande est hachée,* elle est coupée en tout petits morceaux.

■ **haché, ée** adj. *Cet orateur a un débit haché* (= heurté, saccadé).

■ **hachis** n.m. *On fait cette farce avec du hachis de volaille,* de la viande hachée.

■ **hachoir** n.m. *Un hachoir est un appareil qui sert à hacher les aliments.

hachette → *hache*

hachure n.f. *Sur certaines cartes, les reliefs sont indiqués par des hachures,* des traits parallèles ou croisés.

■ **hachurer** v. 1er groupe. *Laure a hachuré une partie de son dessin,* elle a tracé des hachures, des petits traits.

haddock n.m. *Le haddock est un poisson qui se mange fumé.

hagard, arde adj. *Le prisonnier avait l'air hagard,* il semblait avoir l'esprit fortement troublé (= égaré).

haie n.f. SENS 1. *Le pré est entouré d'une haie,* d'une clôture d'arbustes. SENS 2. *Le coureur passe entre deux haies de spectateurs* (= rangée). SENS 3. *Franck a gagné la course de haies,* une course où il faut sauter par-dessus des barrières. *illustr.
p. 527*
912

haillons n.m. pl. *Le clochard était vêtu de haillons,* de vêtements vieux et déchirés (= guenilles, loques).
✹ Ne pas confondre avec un **hayon**.

haïr v. 2e groupe. *Je hais le mensonge et les menteurs,* je les déteste (≠ aimer).
✹ Conj. n° 13.

■ **haine** n.f. *Il éprouve de la haine pour l'injustice,* il la déteste (= répugnance, aversion). *Ce crime est inspiré par la haine* (≠ amour, amitié).

■ **haineux, euse** adj. *Il me jeta un regard haineux,* plein de haine (= hostile ; ≠ amical).

■ **haineusement** adv. *Il m'a répondu haineusement,* très méchamment.

■ **haïssable** adj. *Le mensonge est haïssable* (= détestable).

Dans les mots précédés de *, le « h » est aspiré :
il ne peut y avoir d'élision ou de liaison.

456

*halage → *haler*

*hâle n.m. *Au hâle de son visage, on voit qu'il revient de vacances*, à sa couleur brune.
■ ***hâler** v. 1er groupe. *Il est revenu hâlé de la montagne*, bronzé (= brunir).
❋ Ne pas confondre avec **haler**.

haleine n.f. SENS 1. *Loïc a mauvaise haleine*, l'air qu'il expire sent mauvais. SENS 2. *Il est hors d'haleine*, très essoufflé. *Courir, rire, crier à perdre haleine*, c'est le faire jusqu'à l'essoufflement. SENS 3. *Cette autoroute est une œuvre de longue haleine*, elle a demandé beaucoup de temps et d'efforts. SENS 4. *Le film nous a tenus en haleine*, il nous a intéressés jusqu'au bout (= captiver).

*haler v. 1er groupe. *Les pêcheurs halent le bateau sur la plage*, ils le tirent avec une corde.
❋ Ne pas confondre avec **hâler**.
illustr. ■ ***halage** n.m. *Le long du fleuve, il y a*
p. 970 *un chemin de halage*, un chemin qui permettait de haler les péniches.

*hâler → *hâle*

*haleter v. 1er groupe. *Le chien halète*, il respire très vite.
❋ Conj. n° 7.
■ ***haletant, ante** adj. *Après avoir couru longtemps, je suis arrivé tout haletant* (= essoufflé).
■ ***halètement** n.m. *Le halètement d'un chien, c'est sa respiration saccadée.*

*hall n.m. *Le hall d'un bâtiment*, c'est la grande salle qui sert d'entrée.
❋ On prononce [ol]. Ne pas confondre avec une **halle**.

illustr. ***halle** n.f. SENS 1. *Dans ce port, il y a une*
p. 582 *halle aux poissons*, un bâtiment où les pêcheurs viennent vendre leur pêche. SENS 2. (Au plur.) *Les commerçants se*

fournissent aux **halles**, des grands bâtiments où l'on vend des aliments en gros.
❋ Ne pas confondre avec un **hall**.

*hallebarde n.f. *Une hallebarde* était une arme faite d'un fer pointu et tranchant fixé au bout d'une pique.

hallucination n.f. *J'ai eu des hallucinations*, j'ai eu la sensation de voir des choses qui n'existent pas.
■ **halluciné, ée** adj. et n. *Il a un regard halluciné*, le regard d'une personne hagarde. *C'est une hallucinée* (= illuminé).
■ **hallucinant, ante** adj. *La ressemblance est hallucinante* (= saisissant, frappant).

*halo n.m. *La lune est entourée d'un halo*, d'un cercle légèrement lumineux.

halogène adj. et n.m. *L'éclairage d'une*   *illustr.*
lampe halogène ressemble à la lumière   *p. 862*
du jour, une lampe dont l'ampoule contient une substance spéciale.

*halte n.f. *On a fait une halte pour déjeuner*, on s'est arrêté. *Halte-là !*, arrêtez-vous !

haltère n.m. *Un haltère* est une barre   *illustr.*
munie de deux boules de fer ou de deux   *p. 912*
disques aux extrémités, servant à faire des exercices.
❋ Ce mot est du genre masculin.
■ **haltérophile** n.m. *L'haltérophile soulève un haltère de cent kilos*, le sportif qui pratique un sport appelé **haltérophilie**.

*hamac n.m. *Jean dort dans son hamac*, une couchette de toile ou de filet suspendue à ses deux extrémités.

*hamburger n.m. *Un hamburger* est un bifteck haché servi grillé entre deux tranches de pain chaud.
❋ On prononce [ãburgœr] ou bien [ãbœrgœr].

     Dans les mots précédés de *, le « h » est aspiré : il ne peut y avoir d'élision ou de liaison.

illustr.
p. 1017
*hameau n.m. *La commune compte plusieurs **hameaux**, des groupes de maisons situées en dehors du village.*
❋ Au pluriel, on écrit des **hameaux**.

hameçon n.m. *Le pêcheur accroche un ver à l'**hameçon**, au crochet pointu fixé au bout de la ligne.*

*hampe n.f. *La **hampe** du drapeau est le manche de bois auquel il est fixé.*

*hamster n.m. *Le **hamster** est un petit mammifère rongeur.*
❋ On prononce [amstɛr].

illustr.
p. 217
*hanche n.f. *Mon pantalon est serré aux **hanches**, à la partie du corps située juste sous la taille.* ●● *se **déhancher***

illustr.
p. 913
*handball n.m. *Le **handball** est un sport d'équipe qui se joue avec un ballon que l'on lance avec les mains.*
❋ On prononce [ãdbal].

■ ***handballeur, euse** n. *Un **handballeur** est un joueur de handball.*

*handicap n.m. *Sa mauvaise vue est un **handicap** pour son métier, elle le gêne* (= désavantage).

■ ***handicaper** v. 1er groupe. *Il **est handicapé** par sa blessure, elle l'empêche de faire ce qu'il veut.*

■ ***handicapé, ée** n. *C'est une **handicapée physique**, une personne diminuée physiquement* (= infirme).

illustr.
p. 75,
385, 1017
*hangar n.m. *On a rentré les avions dans leur **hangar**, un grand abri.*

illustr.
p. 385
*hanneton n.m. *Le **hanneton** est un gros insecte roux, dont la larve, appelée « ver blanc », se développe dans la terre.*

*hanter v. 1er groupe. SENS 1. *Cette idée me **hante**, elle ne me quitte pas* (= obséder). SENS 2. *On dit que cette maison **est hantée**, qu'il y a des fantômes dedans.*

■ ***hantise** n.f. [SENS 1] *Il a la **hantise** de l'accident, il ne peut s'ôter cette crainte de l'esprit* (= obsession).

*happer v. 1er groupe. *Le chien **happe** la croûte de fromage qu'on lui lance, il l'attrape brusquement avec la gueule* (= saisir).

*hara-kiri n.m. *Pendant la guerre, certains Japonais se sont fait **hara-kiri**, ils se sont suicidés en s'ouvrant le ventre.*
❋ Au pluriel, on écrit des **hara-kiris**.

*haranguer v. 1er groupe. *L'orateur **a harangué** la foule, il lui a parlé avec force pour la convaincre.*

■ ***harangue** n.f. *Le général a prononcé une **harangue** devant ses troupes* (= discours).

*haras n.m. *Les **haras** sont des lieux spécialement aménagés pour l'élevage des chevaux.*

*harasser v. 1er groupe. *Je **suis harassé**, je suis extrêmement fatigué* (= épuiser, exténuer, éreinter).

■ ***harassant, ante** adj. *Les sauveteurs faisaient un travail **harassant*** (= épuisant, exténuant).

*harceler v. 1er groupe. *Les moustiques nous **harcèlent**, ils nous attaquent sans arrêt.*
❋ Conj. n° 5.

■ ***harcèlement** n.m. *Les assiégés subissaient des tirs de **harcèlement** de l'artillerie, des tirs fréquemment répétés.*

*harde n.f. *Une **harde** de cerfs est un troupeau de cerfs.*

*hardes n.f. pl. *Des **hardes**, ce sont de vieux vêtements* (= nippes).

*hardi, ie adj. *Ce navigateur est **hardi**, il n'a pas peur* (= courageux, intrépide ; ≠ peureux). ●● *s'**enhardir***

Dans les mots précédés de *, le « h » est aspiré :
il ne peut y avoir d'élision ou de liaison.

458

■ ***hardiment*** adv. *L'enfant s'approcha* **hardiment** *du chien* (= bravement).

■ ***hardiesse*** n.f. *Il manque de* ***hardiesse****,* il n'est pas assez hardi (= audace).

harem n.m. *Les femmes du sultan vivent dans le* **harem***,* un endroit du palais qui, chez les musulmans, leur est réservé.
✹ On prononce [arɛm].

illustr. ***hareng*** n.m. *Les pêcheurs ont ramené*
p. 694 *des* **harengs** *dans leurs filets,* des poissons de mer vivant en troupes très nombreuses.
✹ On ne prononce pas le « g » : [arɑ̃].

hargne n.f. *L'employé que j'ai dérangé m'a répondu avec* **hargne***,* avec des paroles désagréables (= agressivité, colère).

■ ***hargneux, euse*** adj. *Ma chienne est* **hargneuse***,* elle grogne tout le temps.

illustr. ***haricot*** n.m. Le **haricot** est un légume
p. 747 dont on peut manger la gousse sous le nom de « **haricot vert** » ou le grain, appelé « **haricot blanc** » ou flageolet.

illustr. **harmonica** n.m. Un **harmonica** est un
p. 310 petit instrument de musique en forme de barrette dans lequel on souffle et on aspire pour produire des sons.

harmonie n.f. *Ces couleurs sont en* **harmonie***,* elles vont bien ensemble (= accord).

■ **harmonieux, euse** adj. *Une voix* **harmonieuse** est agréable à écouter (= mélodieux). *On est parvenu à une répartition* **harmonieuse** (= équilibré).

■ **harmonieusement** adv. *Ces couleurs sont* **harmonieusement** *assemblées,* de façon harmonieuse.

■ **harmoniser** v. 1er groupe. *Nadia sait* **harmoniser** *les couleurs,* les assembler avec harmonie. ◆ **Harmoniser** une chanson, c'est en composer l'accompagnement.

■ **harmonisation** n.f. *On est parvenu à une* **harmonisation** *des salaires,* à une répartition harmonieuse. SENS 2. *L'***harmonisation** *de cette chanson est originale* (= accompagnement).

harmonium n.m. Un **harmonium** est un petit orgue.
✹ On prononce [armɔnjɔm].

harnais n.m. SENS 1. Le **harnais** d'un *illustr.* cheval est l'ensemble des pièces com- *p. 354,* posant son équipement. SENS 2. Le **har-** *54* **nais** d'un parachutiste est un système de sangles qui lui maintiennent le buste.

■ ***harnacher*** v. 1er groupe. [SENS 1] **Harnacher** un cheval, c'est lui mettre le harnais. [SENS 2] *Les parachutistes* ***étaient harnachés****,* munis de leur équipement encombrant.

■ ***harnachement*** n.m. [SENS 1] Le **harnachement** d'un cheval est constitué de la selle, des rênes, des sangles, des étriers, etc. [SENS 2] *Le soldat est parti avec son* **harnachement** *sur le dos,* son équipement lourd.

harpe n.f. La **harpe** est un grand *illustr.* instrument de musique triangulaire à *p. 629* cordes que l'on pince des deux mains.

■ ***harpiste*** n. Une **harpiste** est une joueuse de harpe.

harpie n.f. *Cette femme est une* ***harpie****,* elle est très méchante et coléreuse.

harpiste → ***harpe***

harpon n.m. *Les baleines sont chas-* *illustr.* *sées au* **harpon***,* avec une tige de métal *p. 730,* munie de dents, qu'on lance du bateau *759* auquel elle est reliée par une corde.

■ ***harponner*** v. 1er groupe. *Les pê-cheurs* ***ont harponné*** *un gros poisson,* ils l'ont attrapé au harpon.

hasard n.m. SENS 1. *Aïcha a profité d'un* **hasard** *heureux,* d'un événement inattendu (= occasion, circonstance). SENS 2. *La loterie est un jeu de* **hasard***,*

459

où l'on ne peut pas prévoir qui gagnera. SENS 3. *Nous nous sommes rencontrés par hasard*, sans l'avoir cherché (= accidentellement, fortuitement). SENS 4. *J'allais au hasard*, sans but précis, n'importe où. SENS 5. *Je suis passé à tout hasard voir s'il était là*, en étant dans l'incertitude, en tentant ma chance.

■ ***hasarder** v. 1ᵉʳ groupe. *Il hasarda une réponse*, il fit une réponse qui risquait de ne pas être la bonne. *Malgré la pluie, je me suis hasardé dehors*, j'ai osé y aller (= s'aventurer, se risquer).

■ ***hasardeux, euse** adj. *Un sauvetage hasardeux leur a fait courir des risques inutiles* (= dangereux, risqué ; ≠ sûr).

*haschisch n.m. *Fumer du haschisch est interdit par la loi*, une drogue dangereuse pour la santé, qui est extraite d'une plante appelée « chanvre indien ».

*hâte n.f. *J'ai hâte de connaître le résultat*, je suis pressé, impatient. *Il s'habille à la hâte*, à toute vitesse (≠ lentement).

■ ***hâter** v. 1ᵉʳ groupe. *J'ai hâté mon départ pour arriver à l'heure*, je suis parti plus tôt (= avancer ; ≠ retarder). *Hâtez-vous, vous êtes en retard* (= se dépêcher).

■ ***hâtif, ive** adj. *Un départ hâtif est précipité.*

■ ***hâtivement** adv. *L'incendie a fait partir hâtivement les habitants* (= précipitamment).

illustr. p. 740, 971 ***hauban** n.m. *Le mât d'un voilier est tenu droit par des haubans*, des câbles.

*haubert n.m. *Au Moyen Âge, le haubert était une tunique de mailles d'acier et faisait partie de l'armure.*

illustr. p. 753 ***haut, haute** adj. SENS 1. *L'immeuble est haut*, il est élevé. *L'oiseau s'est posé sur les hautes branches de l'arbre*, au sommet (≠ bas). SENS 2. *Les chalutiers vont en haute mer*, loin des côtes. SENS 3. *J'ai une montre de haute préci-*

sion, très précise. SENS 4. *Jean a parlé à voix haute* (= fort ; ≠ bas). SENS 5. *Cette note est trop haute pour ma voix*, trop aiguë. SENS 6. *Ce plat résiste aux hautes températures*, à une forte chaleur.

■ ***haut** n.m. [SENS 1] *Le haut du placard est sa partie supérieure.* ◆ *Le mur fait un mètre de haut*, dans le sens vertical (= hauteur). ◆ *Comment va sa santé ? Oh, elle connaît des hauts et des bas !*, des bonnes périodes auxquelles succèdent de mauvaises, et ainsi de suite.

■ ***haut** adv. [SENS 1] *L'avion vole haut*, à une grande altitude (≠ bas).

■ **en *haut** adv. [SENS 1] *Sa chambre est en haut*, à l'étage supérieur (= là-haut).

■ **en *haut de** prép. [SENS 1] *Un oiseau chante en haut de l'arbre*, à son sommet.

■ ***hautement** adv. [SENS 3] *Ce travail délicat exige un ouvrier hautement qualifié* (= très).

■ ***hausser** v. 1ᵉʳ groupe. [SENS 1] *On a haussé la maison d'un étage* (= élever, surélever). ●● *rehausser. Il se hausse sur la pointe des pieds pour voir par-dessus le mur* (= se dresser). *Léo a haussé les épaules*, il les a levées en signe d'agacement. [SENS 4] *Ne hausse pas le ton !*, ne parle pas plus fort !

■ ***hausse** n.f. [SENS 6] *La hausse des prix, c'est leur augmentation. La température est en hausse*, elle monte (≠ baisse).

■ ***hauteur** n.f. [SENS 1] *Quelle est la hauteur de la pièce ?*, sa dimension dans le sens vertical (≠ largeur et longueur). *La hauteur d'un triangle est la perpendiculaire qui joint la base au sommet opposé. L'avion prend de la hauteur* (= altitude). ◆ *L'observateur monta sur une hauteur*, un lieu élevé (= colline). ◆ *Il n'a pas réussi, il n'est pas à la hauteur*, il n'en est pas capable. ◆ *Elle a répondu avec hauteur*, avec un air de supériorité (= dédain).

*hautain, aine adj. *Un air hautain est méprisant* (= dédaigneux, arrogant).

*hautbois n.m. *Le hautbois est un instrument de musique à vent.* *illustr p. 62*

Dans les mots précédés de *, le « h » est aspiré : il ne peut y avoir d'élision ou de liaison.

460

illustr.
p. 221

*haut-de-chausses ou ***haut-de-chausse** n.m. *Autrefois, les hommes portaient des **hauts-de-chausses**, des culottes, bouffantes ou non.*
✳ Au pluriel, on écrit des **hauts-de-chausses** ou des **hauts-de-chausse**.

illustr.
p. 220

*haut-de-forme n.m. *Pour la cérémonie, les hommes portaient des **hauts-de-forme**, des chapeaux hauts, cylindriques et à bords.*
✳ Au pluriel, on écrit des **hauts-de-forme**.

illustr.
p. 862

*haute-fidélité ou ***hi-fi** adj. inv. et n.f. *Une chaîne **haute-fidélité** assure une très bonne reproduction des sons.*
→ **chaîne**

*hautement, *hauteur → **haut**

*haut-fond n.m. *Le bateau s'est échoué sur des **hauts-fonds**, là où la mer ou la rivière sont peu profondes* (≠ bas-fond).

*haut-fourneau n.m. *On fabrique la fonte dans un **haut-fourneau**, un grand four où l'on fond le minerai de fer.*
✳ Au pluriel, on écrit des **hauts-fourneaux**.

*haut-le-cœur n.m. inv. *Cette odeur me donne des **haut-le-cœur**, elle me donne envie de vomir.*
✳ Ce mot composé ne prend jamais de « s » au pluriel.

*haut-le-corps n.m. inv. *Il était si surpris qu'il en eut un **haut-le-corps**, un mouvement brusque du corps.*
✳ Ce mot composé ne change pas au pluriel.

illustr.
p. 425,
940,
1017

*haut-parleur n.m. *Le discours était diffusé par des **haut-parleurs**, des appareils qui diffusent les sons en les amplifiant.*
✳ Au pluriel, on écrit des **haut-parleurs**.

*haut-relief n.m. *Les **hauts-reliefs** sont des sculptures qui se détachent nettement sur un fond uni.* ●● ***bas-relief***

*hayon n.m. *Le **hayon** est une porte qui s'ouvre de bas en haut à l'arrière d'une voiture.*
✳ On prononce [ajɔ̃]. Ne pas confondre avec des **haillons**.

illustr.
p. 869

*hé ! interj. *Ce mot sert à interpeller quelqu'un : « **Hé !** vous, là-bas ! »*

*heaume n.m. *Au Moyen Âge, les soldats portaient le **heaume**, un casque couvrant une partie du visage.*

illustr.
p. 165

hebdomadaire adj. et n.m. *M. Dumont a acheté un (journal) **hebdomadaire**, une publication qui paraît toutes les semaines* (≠ quotidien, mensuel).

héberger v. 1er groupe. *Nous **hébergeons** nos amis pendant trois jours, nous les logeons chez nous* (= recevoir).
✳ Conj. no 2.

▪ **hébergement** n.m. *Les randonneurs cherchent un lieu d'**hébergement** pour la nuit,* un endroit où loger.

hébété, ée adj. *Le boxeur paraissait **hébété**, son expression montrait qu'il avait perdu ses capacités intellectuelles* (= ahuri, abruti).

▪ **hébétement** n.m. *Le boxeur était dans un état d'**hébétement** complet.*

hébreu adj.m. et n. *Dans l'Antiquité, le peuple **hébreu** (ou les **Hébreux**), c'était le peuple juif.*
✳ Au pluriel, on écrit **hébreux**. Pour l'adjectif, on emploie **hébraïque** au féminin.

illustr.
p. 820

hécatombe n.f. *Les chasseurs ont fait une **hécatombe** de lapins,* ils en ont tué un grand nombre (= tuerie, carnage).

hectare n.m. *L'**hectare** est une unité de mesure de terrain qui vaut 100 ares ou 10 000 mètres carrés.* ●● ***are***
✳ En abrégé, on écrit **ha** sans point à la suite.

illustr.
p. 991

461

hecto- préfixe. Placé devant une unité de mesure, **hecto-** la multiplie par 100 : un **hecto**gramme (100 grammes) ; un **hecto**litre (100 litres) ; un **hecto**mètre (100 mètres).

hégémonie n.f. L'**hégémonie** d'un État sur un autre, c'est sa domination, sa suprématie.

*hein ! interj. Fam. Ce mot sert à renforcer une interrogation ou à demander que quelque chose soit répété : Il fait beau **hein** ?, n'est-ce pas ? **Hein** ? qu'est-ce que tu dis ? (= quoi, comment).

*hélas ! interj. Ce mot exprime le regret : j'ai perdu **hélas** !, j'en suis malheureux.

*héler v. 1er groupe. **Héler** un taxi, c'est l'appeler de loin.
✳ Conj. n° 10.

illustr. p. 740, 971 **hélice** n.f. Les bateaux à moteur avancent grâce à leur **hélice**, une pièce de métal faite de pales, qui tourne.

illustr. p. 29, 54, 733 **hélicoptère** n.m. L'**hélicoptère** est un appareil d'aviation se déplaçant grâce à des pales horizontales qui tournent.
■ **héliport** n.m. Un **héliport** est un aéroport pour hélicoptères.

hellène ou **hellénique** adj. Les cités **hellènes** sont les cités de la Grèce antique.

helvétique adj. Le peuple **helvétique**, c'est le peuple suisse.

*hem ! interj. Ce mot sert à attirer l'attention de quelqu'un ou à exprimer le doute : **Hem** ! hem ! je n'en suis pas sûr.

hématome n.m. Un **hématome** est un amas de sang sous la peau (= bleu, ecchymose).

hémicycle n.m. Les députés étaient nombreux dans l'**hémicycle**, la salle en demi-cercle avec des gradins.

hémisphère n.m. La France se trouve dans l'**hémisphère** Nord, dans la partie nord de la Terre. ●● **sphère**
✳ Ce mot est du genre masculin.

hémorragie n.f. Le blessé a une **hémorragie**, il perd beaucoup de sang.

*hennin n.m. Au Moyen Âge, certaines femmes portaient des **hennins**, des coiffures hautes en forme de cône.
illustr. p. 220

*hennir v. 2e groupe. Le cheval **hennit**, il pousse son cri.
■ ***hennissement** n.m. Le **hennissement** du cheval est son cri.

*hep ! interj. Ce mot sert à appeler quelqu'un : **Hep** ! taxi !

hépatique adj. Ce malade souffre de douleurs **hépatiques**, du foie.
■ **hépatite** n.f. Une **hépatite** est une maladie de foie (= jaunisse).

*héraut n.m. Dans l'Antiquité et au Moyen Âge, un **héraut** était un homme chargé de faire des proclamations officielles.
✳ Ne pas confondre avec un **héros**.

herbe n.f. SENS 1. Les vaches broutent l'**herbe** du pré, un ensemble de plantes à tige verte qui meurent chaque année. ●● **désherber**. SENS 2. Le persil, la ciboulette sont des **fines herbes**, des herbes utilisées en cuisine. SENS 3. Les **mauvaises herbes** sont les herbes qui poussent toutes seules et qui empêchent les plantes cultivées de pousser. SENS 4. Un musicien **en herbe** est un jeune enfant qui a toutes les qualités pour devenir musicien.
illustr. p. 20, 753
■ **herbage** n.m. [SENS 1] Les vaches sont dans les **herbages**, des prairies naturelles.
illustr. p. 20, 354

Dans les mots précédés de *, le « h » est aspiré : il ne peut y avoir d'élision ou de liaison.

462

■ **herbeux, euse** adj. [SENS 1] *Les troupeaux paissent sur les pentes her-beuses,* couvertes d'herbe.

■ **herbicide** adj. et n.m. [SENS 3] Un (produit) **herbicide** est un désherbant.

■ **herbier** n.m. [SENS 1] *Sophie ramasse des plantes pour faire un **herbier**,* une collection de plantes desséchées entre des feuilles de papier.

■ **herbivore** adj. et n.m. [SENS 1] *Les bœufs sont (des) **herbivores**,* ils se nourrissent d'herbe.

■ **herboriser** v. 1er groupe. [SENS 1] *Nous partons **herboriser**,* recueillir des plantes pour les étudier, pour faire un herbier.

■ **herboriste** n. [SENS 1] Un **herboriste** est un commerçant qui vend des plantes qui servent de remède à certaines maladies.

hercule n.m. *Cet homme est un her-cule,* il est très musclé et très fort.

■ **herculéen, enne** adj. *Il a une force **herculéenne*** (= énorme, colossal).

*hère n.m. Un **pauvre hère** est un homme misérable.
✳ Ce mot s'emploie surtout dans la langue écrite.

hérédité n.f. *Les lois de l'**hérédité** expliquent la façon dont se transmettent les caractères des parents aux enfants.

■ **héréditaire** adj. *La couleur des yeux est un caractère **héréditaire**,* les parents la transmettent à leurs enfants.

hérésie n.f. *La théorie de ce physicien est une **hérésie** scientifique,* elle est contraire à la doctrine admise par l'ensemble des savants et considérée comme la seule vraie.

■ **hérétique** adj. *La doctrine de Luther fut déclarée **hérétique**,* contraire à celle de l'Église catholique.

*hérisser v. 1er groupe. SENS 1. *Le chat en colère **hérisse** les poils de son dos,*

il les dresse. SENS 2. *Ce problème **est hérissé** de difficultés,* il est rempli de difficultés.

■ ***hérisson** n.m. [SENS 1] Le **hérisson** est un petit mammifère au corps hérissé de piquants, qui, en cas de danger, se roule en boule.   *illustr. p. 753*

hériter v. 1er groupe. SENS 1. *Jules **hérite** de son oncle,* son oncle étant mort, Jules reçoit ce qu'il possédait. *Pierre **a hérité** de son oncle une maison,* son oncle lui a laissé une maison après sa mort. ●● **déshériter**. SENS 2. *En explorant le grenier avec grand-mère, j'ai **hérité** de sa poupée,* je l'ai récupérée. SENS 3. *Il **a hérité** des yeux de sa mère,* il a les mêmes yeux qu'elle.

■ **héritage** n.m. [SENS 1] *Jules a reçu un **héritage** important,* il a hérité.

■ **héritier, ère** n. [SENS 1] *Elle est l'**héritière** de ses parents,* elle hérite de ses parents.

hermaphrodite adj. et n. *Les escargots sont (des) **hermaphrodites**,* ils ont des organes reproducteurs des deux sexes à la fois.

hermétique adj. SENS 1. *Une fermeture **hermétique** ne laisse rien passer* (= étanche). SENS 2. *Des paroles **hermétiques** n'ont pas un sens immédiatement compréhensible* (= énigmatique, sibyllin).

■ **hermétiquement** adv. [SENS 1] *Le flacon est **hermétiquement** bouché,* de façon étanche.

hermine n.f. *L'**hermine** est un petit mammifère carnivore au pelage fauve en été et blanc en hiver.*   *illustr. p. 617*

*hernie n.f. *Ce sac est trop lourd pour toi, tu vas te faire une **hernie**,* une grosseur causée par la sortie d'un organe (par exemple une partie de l'intestin) hors de sa cavité naturelle.

1. héroïne → *héros*

2. héroïne n.f. *Ce drogué est mort d'une piqûre d'héroïne*, une piqûre d'une drogue très dangereuse pour la santé.

héroïque, héroïquement, héroïsme → **héros**

illustr.
p. 357
*héron n.m. *Le héron a un long bec et de longues pattes*, un grand oiseau échassier qui vit au bord des marécages ou des étangs.

*héros, héroïne n. SENS 1. *Le héros de ce roman est sympathique*, le personnage principal. *L'héroïne du film est une mère de famille.* SENS 2. *Ce pompier s'est conduit en héros*, il a montré un courage exceptionnel.
❋ Ne pas confondre avec **héraut**.

■ **héroïsme** n.m. [SENS 2] *Les sauveteurs ont fait preuve d'héroïsme*, ils se sont conduits en héros.

■ **héroïque** adj. [SENS 2] *On l'a décoré pour son acte héroïque*, très courageux.

■ **héroïquement** adv. [SENS 2] *Les soldats ont lutté héroïquement*, avec héroïsme, avec un très grand courage.

illustr.
p. 20,
164
*herse n.f. SENS 1. *Le fermier passe la herse dans son champ*, un instrument en forme de grand râteau servant à égaliser le sol après les labours. SENS 2. *Au Moyen Âge, la porte du château fort était fermée par une herse*, une grille garnie de pointes.

hésiter v. 1er groupe. SENS 1. *Jean hésite à plonger*, il n'arrive pas à se décider. SENS 2. *L'élève hésite en récitant sa leçon*, il s'arrête parfois, car il ne la sait pas bien.

■ **hésitation** n.f. [SENS 1] *Il a accepté sans hésitation*, sans hésiter, tout de suite.

hétéroclite adj. *La boutique du brocanteur est pleine d'objets hétéroclites*, d'objets de toutes sortes, bizarrement mélangés.

hétérogène adj. *Une classe hétérogène est composée d'élèves de niveaux, de caractères très différents* (≠ homogène).

*hêtre n.m. *Le hêtre est un grand arbre à l'écorce lisse dont le fruit est la faine.*
illustr.
p. 402

*heu ! ou **euh !** interj. *Ce mot exprime l'embarras, le doute, l'hésitation : Heu ! je ne sais pas.*

heure n.f. SENS 1. *Un jour dure 24 heures et une heure dure 60 minutes.* ●● **horaire**. SENS 2. *Le matin, la classe commence à 9 heures*, à ce moment de la journée. SENS 3. *C'est l'heure de dormir*, le moment.
illustr.
p. 991

■ à la **bonne heure** adv. *S'il est content comme ça*, **à la bonne heure !**, voilà qui est bien, tant mieux.

■ de **bonne heure** adv. *Jean se lève de bonne heure*, tôt.

■ tout à l'**heure** adv. [SENS 1] *Je vais sortir tout à l'heure*, dans un moment. [SENS 2] *Je suis sorti tout à l'heure*, il y a un moment.

heureux, euse adj. SENS 1. *Sophie a réussi, elle est heureuse* (= content ; ≠ triste, malheureux). ●● **bienheureux**. SENS 2. *Ce remède a eu un effet heureux* (= bon, favorable ; ≠ fâcheux). SENS 3. *Je te souhaite un heureux anniversaire*, rempli de bonheur.

■ **heureusement** adv. [SENS 2] *Il ne pleut pas, heureusement*, par bonheur (≠ malheureusement). *L'affaire a été heureusement conclue* (= avantageusement, favorablement).

*heurter v. 1er groupe. SENS 1. *La voiture a heurté un arbre*, elle l'a touché avec violence (= percuter). SENS 2. *Vos paroles l'ont heurté*, elles l'ont choqué. SENS 3. *Il s'est heurté à un refus*, on lui a dit non.

■ ***heurt** n.m. [SENS 1] *Le heurt a été violent* (= choc). [SENS 2] *Ces deux*

Dans les mots précédés de *, le « h » est aspiré : il ne peut y avoir d'élision ou de liaison.

464

*personnes ont des **heurts**, elles se disputent souvent (= conflit).*
❈ On ne prononce pas le « t » : [œr].

■ ***heurté, ée*** adj. [SENS 2] *Ces tableaux choquent par leurs couleurs
heurtées, qui offrent de violents contras-
tes.*

hévéa n.m. *L'**hévéa** est un arbre des
pays chauds dont on tire du caoutchouc.*

*illustr.
p. 431*
hexagone n.m. SENS 1. *Un **hexagone**
est une figure géométrique formée de six
angles et de six côtés.* SENS 2. *(Avec
majuscule.) Il n'a jamais franchi les frontières de l'**Hexagone**, de la France (la
carte de France rentre à peu près dans
un hexagone).*

hiberner v. 1ᵉʳ groupe. *Les ours **hiber-
nent**, ils passent l'hiver à dormir.* → ***hiver***
❈ Ne pas confondre avec **hiverner**.

■ **hibernation** n.f. *L'**hibernation** des
marmottes se termine au printemps.*
❈ Ne pas confondre avec **hivernage**.

*illustr.
p. 616*
hibou n.m. *Les **hiboux** sont des oiseaux
rapaces nocturnes.* → ***chat-huant,
chouette***
❈ Au pluriel, on écrit des **hiboux**.

hic n.m. Fam. *Voilà le **hic** !, la difficulté,
le problème.*

hideux, euse adj. *Il a un visage
hideux, d'une laideur repoussante (= affreux).*

*illustr.
p. 132*
hier adv. SENS 1. *Il faisait beau **hier**, le
jour précédant aujourd'hui.* ●● ***avant-
hier**.* SENS 2. *Cette situation **ne date pas
d'hier**, elle est déjà ancienne.*

hiérarchie n.f. *Il a monté tous les
degrés de la **hiérarchie**, il a occupé
successivement des emplois de plus en
plus importants.*

■ ***hiérarchique*** adj. *Mon supérieur
hiérarchique est la personne qui a un
grade supérieur au mien et dont je
dépends.*

■ ***hiérarchiquement*** adv. *Il est **hiérarchiquement** mon supérieur.*

hiéroglyphe n.m. *Les anciens Égyptiens écrivaient en **hiéroglyphes**, au
moyen de dessins, de signes qui repré-
sentaient aussi des sons.*
*illustr.
p. 502*

hi-fi → ***haute-fidélité***

hilare adj. *Les spectateurs sont **hilares**,
ils ont l'air réjoui.*

■ **hilarant, ante** adj. *Pierre nous a
raconté une histoire **hilarante**, très drôle
(= désopilant).*

■ **hilarité** n.f. *L'**hilarité** est générale,
tout le monde rit.*

hindou, oue adj. et n. *La religion **hindoue** (ou **hindouisme**) est celle de la
majorité des habitants de l'Inde.*

hippique adj. *Le sport **hippique**, ce
sont les activités sportives à cheval.*

■ **hippisme** n.m. *L'**hippisme**, c'est le
sport à cheval (= équitation).*

■ **hippodrome** n.m. *Un **hippodrome**
est un terrain aménagé pour les courses
de chevaux.*

hippocampe n.m. *L'**hippocampe** est
un petit poisson de mer qu'on appelle
parfois, à cause de la forme de sa tête,
« cheval de mer ».*
*illustr.
p. 556*

hippodrome → ***hippique***

hippopotame n.m. *Un **hippopotame**
est un très gros mammifère qui vit dans
les grands fleuves d'Afrique.*
*illustr.
p. 1032*

hirondelle n.f. *Au printemps, les **hirondelles** reviennent des pays chauds, des
oiseaux migrateurs aux longues ailes et
à la queue fourchue.*
*illustr.
p. 691*

hirsute adj. *Alain a les cheveux **hirsu-
tes**, mal peignés (= hérissé, ébouriffé).*

hisser v. 1ᵉʳ groupe. *On **a hissé** le
colis sur le toit de la voiture, on l'a monté*

*Dans les mots précédés de *, le « h » est aspiré :
il ne peut y avoir d'élision ou de liaison.*

en faisant de grands efforts. *Il s'est hissé en haut du rocher* (= grimper).

histoire n.f. SENS 1. *Jacques s'intéresse à l'histoire de France, au récit des événements qui se sont passés en France au cours des siècles.* ●● **préhistoire**. SENS 2. *Raconte-nous une histoire !*, un récit imaginé (= conte). SENS 3. *Je ne veux pas avoir d'histoires avec lui* (= ennui).

■ **historien, enne** n. [SENS 1] Un **historien** est un spécialiste de l'histoire.

■ **historiette** n.f. [SENS 2] Une **historiette** est une courte histoire.

■ **historique** adj [SENS 1] *Cette église est un monument historique*, elle représente un intérêt pour l'histoire. *Napoléon est un personnage historique*, il a réellement existé. ◆ n.m. *Faire l'historique d'un événement*, c'est le raconter en suivant son déroulement dans le temps.

hiver n.m. *L'hiver est la saison la plus froide de l'année, dans l'hémisphère Nord* ; il va du 21 ou 22 décembre au 20 ou 21 mars.

■ **hivernal, ale, aux** adj. *Il fait un froid hivernal*, d'hiver.

■ **hiverner** v. 1er groupe. *Le bétail hiverne*, il est à l'abri pour l'hiver.
✳ Ne pas confondre avec **hiberner**.

■ **hivernage** n.m. *Mon bateau est en hivernage*, il hiverne.
✳ Ne pas confondre avec **hibernation**.

H. L. M. n.m. ou n.f. *Je loge dans un (une) H. L. M.*, un immeuble où on paie des loyers peu élevés.

*ho ! interj. Ce mot sert à appeler, à exprimer la surprise, l'indignation, etc. *Ho ! quelle horreur !*

*hocher v. 1er groupe. *Mon interlocuteur a hoché la tête*, il l'a remuée de haut en bas (pour approuver) ou d'un côté à l'autre (pour refuser).

■ ***hochement** n.m. *Il approuve d'un hochement de tête* (= signe).

*hochet n.m. *Bébé agite son hochet*, un jouet fait d'une boule creuse contenant des grains qui font du bruit.

*hockey n.m. Le **hockey** est un jeu d'équipe où l'on pousse une balle ou un palet avec une crosse.   *illustr. p. 894*
✳ Ne pas confondre avec un **hoquet**.

*holà ! interj. Ce mot s'emploie pour appeler quelqu'un ou pour lui demander de s'arrêter : *Holà ! viens voir ! Holà ! ça suffit !*

■ ***holà** n.m. *J'ai mis le holà à ses dépenses*, je lui ai interdit de les continuer (= mettre fin).

*hold-up n.m. inv. *La banque a été victime d'un hold-up*, d'une attaque à main armée.
✳ On prononce [ɔldœp]. Ce mot composé ne change pas au pluriel.

holocauste n.m. (Avec majuscule.) *L'Holocauste* est l'extermination des Juifs par les nazis pendant la Seconde Guerre mondiale (entre 1939 et 1945).

*homard n.m. Le **homard** est un crustacé au corps bleu et à grosses pinces qui devient rouge à la cuisson.   *illustr. p. 719*

*home n.m. *Un home d'enfants* est un centre qui accueille des enfants en vacances.
✳ C'est un mot anglais qui signifie « maison, foyer ».

homélie n.f. *Une homélie* est un sermon.

homéopathie n.f. *Je me soigne par l'homéopathie*, en absorbant à toutes petites doses certains remèdes appelés remèdes **homéopathiques**.

homérique adj. *Il a éclaté d'un rire homérique*, d'un rire énorme.

homicide n.m. *L'accusé a commis un homicide*, il a tué quelqu'un (= meurtre, assassinat).

hommage n.m. SENS 1. *Je rends hommage à votre franchise, je vous en félicite.* SENS 2. *(Au plur.) Jean a présenté ses hommages à la maîtresse de maison,* il lui a témoigné son respect.

illustr. p. 217, 759
homme n.m. SENS 1. *Les hommes parlent des langues très diverses,* les êtres humains (hommes et femmes). ●● *humain → femme.* SENS 2. *C'est le vestiaire pour hommes,* pour les êtres humains de sexe masculin (≠ femme). SENS 3. *Les hommes ont de la barbe,* les adultes de sexe masculin. SENS 4. *Un curé est un homme d'Église, un avocat est un homme de loi.* SENS 5. *Ils ont tous été d'accord comme un seul homme,* à l'unanimité. SENS 6. *Je vous parle d'homme à homme,* en toute franchise, sans façons.

■ **homme-grenouille** n.m. [SENS 3] Les **hommes-grenouilles** sont des plongeurs munis d'un appareil pour respirer sous l'eau.

homogène adj. *Notre équipe est homogène,* ses membres vont bien ensemble (≠ hétérogène).

homologation → *homologuer*

homologue n. *Le ministre des Relations extérieures a rencontré son homologue allemand,* le ministre allemand qui a les mêmes fonctions.

homologuer v. 1er groupe. *Ce record est homologué,* il a été officiellement reconnu valable.

■ **homologation** n.f. *La fédération sportive a refusé l'homologation de ce record,* l'enregistrement officiel.

homonyme n.m. *« Un tour »* et *« une tour »* sont des **homonymes**, *de même que « un sceau » et « un saut »,* ils se prononcent de la même façon. ☀ Ne pas confondre avec **paronyme** et **synonyme**.

homosexuel, elle adj. et n. Une personne **homosexuelle** est celle qui éprouve une attirance sexuelle pour les personnes du même sexe qu'elle. ●● *sexe*

honnête adj. SENS 1. *C'est un homme honnête,* il ne voudrait pas voler ou tromper les autres (≠ malhonnête). SENS 2. *Ce travail est honnête,* de qualité moyenne (= correct, convenable, passable).

■ **honnêtement** adv. [SENS 1] *Il agit toujours honnêtement,* avec honnêteté.

■ **honnêteté** n.f. [SENS 1] *Je connais ton honnêteté,* je sais que tu es honnête (= probité, loyauté ; ≠ malhonnêteté).

honneur n.m. SENS 1. *Autrefois, les duels avaient lieu lorsqu'un homme voulait défendre son honneur,* le sentiment qu'il avait de sa dignité. ◆ *Il met un point d'honneur à être toujours ponctuel,* il tient beaucoup à avoir cette réputation (≠ déshonneur). SENS 2. *Ce qu'il a fait est tout à son honneur,* il mérite des éloges. SENS 3. *On a fait une fête en l'honneur du champion,* spécialement pour lui. SENS 4. *Ce bâtiment fait honneur à l'architecte,* c'est un sujet de fierté pour lui. *Il fait honneur à mon gâteau,* il en mange beaucoup. SENS 5. *(Au plur.) Cette nouvelle a les honneurs de la première page du journal,* elle est assez importante pour y être placée. ☀ **Honneur** s'écrit avec deux « n », mais les mots de sa famille n'en prennent qu'un (**honorer, honorable,** etc.).

■ **honorer** v. 1er groupe. [SENS 2 et 3] *On a donné à Mme Clermont une décoration pour l'honorer,* pour montrer qu'on reconnaît son mérite (≠ déshonorer).

■ **honorable** adj. [SENS 2] *Un homme honorable mérite le respect. Ce résultat est honorable* (= convenable, honnête).

■ **honorabilité** n.f. [SENS 2] *Je peux vous garantir la parfaite honorabilité de cette personne,* que c'est quelqu'un de très honorable.

Dans les mots précédés de *, le « h » est aspiré : il ne peut y avoir d'élision ou de liaison.

■ **honorablement** adv. [SENS 2] *Il s'est tiré **honorablement** de cette situation difficile.*

■ **honorifique** adj. [SENS 2 et 3] *Une décoration est une distinction **honorifique**, qui honore.*

honoraire adj. *M. Leroux est président **honoraire**, il a le titre de président mais n'en exerce pas la fonction.*

honoraires n.m. pl. *Le médecin a reçu ses **honoraires**, la somme d'argent qu'on lui remet en paiement de son travail.*

honorer, honorifique → *honneur*

***honte** n.f. SENS 1. *Paul a **honte** d'avoir aussi mal agi, il sait qu'il a mal fait et le regrette. ●● **éhonté**. SENS 2. *C'est une **honte** d'exploiter ainsi des malheureux, c'est une action scandaleuse, déshonorante (= infamie).*

■ ***honteux, euse** adj. [SENS 1] *Je suis **honteux**, j'ai honte (= confus). [SENS 2] *Ce que tu as fait est **honteux**, tu devrais en avoir honte (= odieux).*

■ ***honteusement** adv. [SENS 1 et 2] *Il a fui **honteusement** (≠ dignement).*

***hop !** interj. *Ce mot accompagne un mouvement brusque ou qui incite à aller plus vite : Allez, **hop** ! et que ça saute !*

hôpital → *hospitalier*

***hoquet** n.m. *Antoine a le **hoquet**, des secousses involontaires soulèvent sa poitrine en produisant un petit bruit.*
☀ *Ne pas confondre avec le **hockey**.*

illustr.
p. 74 **horaire** adj. *Le salaire **horaire** est celui qu'on touche pour une heure de travail. ●● **heure**. ◆ n.m. *Regarde l'**horaire** des trains*, le tableau des heures de départ et d'arrivée. *Mes **horaires** ne me permettent pas d'être chez moi avant 19 heures*, mes heures de travail (= emploi du temps).

***horde** n.f. *Autrefois, les voyageurs étaient parfois attaqués par des **hordes**

de brigands*, des troupes de brigands prêts à toutes les violences (= bande).

horizon n.m. *Le soleil disparaît derrière l'**horizon**, la ligne qui sépare le ciel de la terre.* *illustr. p. 557*

■ **horizontal, ale, aux** SENS 1. adj. *Le plancher est **horizontal**, il n'est pas en pente (≠ vertical). SENS 2. n.f. *La voile du bateau se couche presque à l'**horizontale** (= horizontalement).* *illustr. p. 431*

■ **horizontalement** adv. *Le livre est posé **horizontalement** sur l'étagère (= à plat ; ≠ verticalement).*

horloge n.f. *L'**horloge** de la gare indique 8 heures*, la grosse pendule. *illustr. p. 150, 425*

■ **horloger, ère** n. *L'**horloger** répare et vend des pendules et des montres.*

■ **horlogerie** n.f. *Marie est entrée dans une **horlogerie**, une boutique d'horloger.* *illustr. p. 150*

***hormis** prép. *Ce mot se dit quelquefois à la place de « excepté », « sauf ».*

hormone n.f. *L'**hormone** est une substance produite par des glandes et qui intervient dans le fonctionnement de l'organisme.*

horoscope n.m. *Certains journaux publient des **horoscopes**, les prévisions que font les astrologues sur l'avenir des gens.* → *zodiaque*

horreur n.f. SENS 1. *Un spectacle d'**horreur** provoque l'épouvante et le dégoût. SENS 2. *Elle a **horreur** du tabac*, elle le déteste. SENS 3. *Ce dessin est une **horreur**, il est très laid. SENS 4. *Ils ont dit des **horreurs** sur leurs voisins*, des choses horribles, très désagréables.

■ **horrible** adj. [SENS 1] *Il s'est produit un accident **horrible** (= épouvantable). [SENS 3] *M. Dupré a une cravate **horrible**, très laide. *Le temps est **horrible**, très mauvais (= affreux).*

■ **horriblement** adv. [SENS 2] *C'est **horriblement** cher*, extrêmement cher.

■ **horrifier** v. 1er groupe. [SENS 1] *Je suis horrifié par ce spectacle*, très effrayé (= épouvanter, terrifier).

horripiler v. 1er groupe. *Ce garçon m'horripile*, il m'énerve (= exaspérer).

■ **horripilant, ante** adj. *Ce bruit est horripilant* (= exaspérant).

illustr. p. 718

*hors-bord n.m. inv. *Quand il fait du ski nautique, il est tiré par un hors-bord*, un bateau rapide à moteur extérieur.
✳ Ce mot ne change pas au pluriel.

*hors de prép. Ce mot indique que quelque chose est à l'extérieur, à part ou non compris dans un ensemble : *le nageur a la tête hors de l'eau* (à l'extérieur de l'eau) ; *cet outil est hors d'usage* (en dehors des possibilités d'utilisation) ; *les truffes sont hors de prix* (extrêmement chères) ; *il est hors de lui* (il ne se contient plus, il est furieux).

*hors-d'œuvre n.m. inv. *Comme hors-d'œuvre, nous avons des crudités ou de la charcuterie*, comme plat servi avant le plat principal du repas.
✳ Ce mot ne change pas au pluriel.

*hors-jeu n.m. inv. *L'arbitre a sifflé un hors-jeu*, une faute de placement au football ou au rugby.
✳ Ce mot ne change pas au pluriel.

*hors-la-loi n.m. inv. *La police recherche deux dangereux hors-la-loi* (= malfaiteur, bandit, gangster).
✳ Ce mot ne change pas au pluriel.

illustr. p. 527

hortensia n.m. *M. Lamy a des hortensias dans son jardin*, des arbustes à fleurs blanches, roses ou bleues, disposées en boules.

horticulture n.f. *L'horticulture est la culture des légumes, des arbres fruitiers, des fleurs.

■ **horticulteur, trice** n. *Mme Leduc est horticultrice*, son métier est l'horticulture.

■ **horticole** adj. *Les produits horticoles sont ceux des jardins.

hospice n.m. *Son grand-père était dans un hospice de vieillards*, une maison où l'on accueille des vieillards pauvres.

hospitalier, ère adj. SENS 1. *Paola est hospitalière*, elle accueille volontiers des gens chez elle (≠ inhospitalier). SENS 2. *Les cliniques et les hôpitaux sont des établissements hospitaliers*, on y donne des soins aux malades.

■ **hôpital** n.m. [SENS 2] *Julien est à l'hôpital*, dans un établissement où l'on soigne les malades, les blessés.
✳ Au pluriel, on dit des **hôpitaux**.

illustr. p. 869

■ **hospitaliser** v. 1er groupe. [SENS 2] *Le blessé a été hospitalisé*, on l'a fait entrer à l'hôpital.

■ **hospitalité** n.f. [SENS 1] *Je vous remercie de votre hospitalité*, de m'avoir accueilli.

hostie n.f. *Le prêtre consacre les hosties pendant la messe*, des rondelles de pain sans levain qui servent à la communion.

illustr. p. 821

hostile adj. SENS 1. *Mon adversaire m'a jeté un regard hostile*, qui montre qu'il me veut du mal (= malveillant ; ≠ amical). SENS 2. *Je suis hostile à votre projet*, contre ce projet (= opposé ; ≠ favorable).

■ **hostilité** n.f. [SENS 1 et 2] *Le chien accueille le visiteur avec hostilité*, d'une manière hostile. ◆ (Au plur.) *Les hostilités ont commencé à la frontière*, les combats entre ennemis.

*hot dog n.m. *Les hot dogs sont des petits pains contenant une saucisse chaude.
✳ Au pluriel, on écrit des **hot dogs**.

hôte, hôtesse SENS 1. n. *J'ai été bien reçu par mes hôtes*, par ceux qui m'ont accueilli chez eux. *Avant de partir, les invités remercient l'hôtesse* (= maîtresse de maison). SENS 2. n.m. *Vous êtes mon*

Dans les mots précédés de *, le « h » est aspiré : il ne peut y avoir d'élision ou de liaison.

hôte, mon invité. SENS 3. n.f. *À l'entrée de l'exposition, je me suis renseigné auprès d'une **hôtesse**, une jeune femme char-* illustr. p. 74 *gée d'accueillir les visiteurs. Les **hôtesses de l'air** s'occupent des voyageurs dans les avions.*

illustr. p. 1016 **hôtel** n.m. SENS 1. *Nous avons couché à l'**hôtel**, dans un établissement qui loue des chambres.* SENS 2. *Notre **hôtel de ville** date du Moyen Âge* (= mairie). SENS 3. *Ce riche industriel a acheté un **hôtel particulier**, une maison de luxe, en ville.*
✳ Ne pas confondre avec **autel**.

■ **hôtelier, ère** n. et adj. [SENS 1] Un **hôtelier** est une personne qui tient un hôtel. *Dans une école **hôtelière**, on apprend le métier d'hôtelier.*

■ **hôtellerie** n.f. [SENS 1] L'**hôtellerie** est le métier d'hôtelier. *Nous déjeunons dans une **hôtellerie**, un hôtel d'allure élégante* (= auberge).

hôtesse → **hôte**

illustr. p. 690, 995 *****hotte** n.f. SENS 1. *Une **hotte** est un grand panier qui se fixe sur le dos par des bretelles.* SENS 2. *Le fermier fume des jambons dans la **hotte** de la cheminée, la partie évasée située au-dessus du foyer.* SENS 3. *Au-dessus de la cuisinière, on a installé une **hotte**, un appareil qui aspire les fumées de cuisson.*

*****hou !** interj. *Ce mot s'emploie pour faire peur à quelqu'un ou pour se moquer de quelqu'un : **Hou** ! le menteur.*

*****houblon** n.m. *Le **houblon** est une plante grimpante qui sert à aromatiser la bière.*

illustr. p. 384 *****houe** n.f. *Le jardinier travaille avec une **houe**, une pioche à fer large et plat.*
✳ Ne pas confondre avec le **houx**.

illustr. p. 949 *****houille** n.f. SENS 1. *De cette mine, on extrait de la **houille**, du charbon.* SENS 2. *Les barrages produisent de la **houille blanche**, de l'électricité.*

■ *****houiller, ère** adj. [SENS 1] Un *bassin houiller* est une région dont le sous-sol contient de la houille.

*****houle** n.f. *Le bateau tangue à cause de la **houle**, des ondulations de la mer.*

■ *****houleux, euse** adj. *La mer est **houleuse**, elle est agitée par la houle.*
◆ *La séance est **houleuse**, les gens sont très agités, il y a des remous* (= orageux).

*****houlette** n.f. *Les écoliers étudiaient **sous la houlette** de leur institutrice, sous sa conduite.*

*****houppe** n.f. *Une **houppe** de cheveux est une touffe qui se dresse sur la tête.*

■ *****houppette** n.f. *Marion met de la poudre sur son visage avec une **houppette**, un petit tampon rond fait de brins de laine, de duvet.*

*****hourra** interj. *Ce mot s'emploie pour exprimer sa joie par une acclamation : **Hourra** ! nous avons gagné !*

*****houspiller** v. 1er groupe. *Le fautif s'est fait **houspiller**, il s'est fait réprimander* (= gronder).

*****housse** n.f. *Les sièges de la voiture sont recouverts d'une **housse**, d'une enveloppe protectrice.*

*****houx** n.m. *Le **houx** est un arbuste à feuilles vertes et piquantes, dont les fruits sont des petites boules rouges.*
✳ Ne pas confondre avec une **houe**.

*****hublot** n.m. *Les bateaux, les avions ont des **hublots**, des petites fenêtres arrondies à fermeture étanche.* illustr. p. 971, 74

*****huche** n.f. *Une **huche** est un coffre à pain.*

*****hue !** interj. *Ce mot s'emploie pour faire avancer un cheval : Allez, **hue** !*

*****huer** v. 1er groupe. *Cette pièce de théâtre **a été huée**, les spectateurs ne*

Dans les mots précédés de * , le « h » est aspiré : il ne peut y avoir d'élision ou de liaison.

470

l'ont pas aimée et ont crié (= siffler, conspuer ; ≠ acclamer).

▪ ***huées** n.f. pl. *L'orateur quitte la salle sous les huées du public,* sous ses cris hostiles.

huile n.f. SENS 1. L'**huile** (d'arachide, d'olive, de maïs, etc.) est un liquide gras utilisé pour faire la cuisine. SENS 2. *On utilise une huile minérale pour graisser les moteurs de voiture.*

▪ **huiler** v. 1er groupe. *M. Delmas a huilé la serrure,* il y a mis de l'huile.

▪ **huileux, euse** adj. Un liquide **huileux** a l'aspect de l'huile.

à **huis clos** adv. *Le tribunal a rendu son jugement à huis clos,* sans admettre le public dans la salle.
⁂ On prononce [ɥi]. L'**huis** signifiait « la porte » en ancien français.

huissier n.m. SENS 1. Les **huissiers** d'un ministère sont les employés qui accueillent les visiteurs. SENS 2. *Le mobilier de cette personne a été saisi par l'**huissier**,* celui qui fait exécuter les décisions de la justice.

illustr. p. 642 ***huit** adj. numéral. *Sylvie a été malade pendant huit jours. 2 x 4 = 8.*
⁂ On prononce [ɥit] mais [ɥi] devant une consonne.

illustr. p. 132 ▪ ***huitaine** n.f. *Il est resté absent une huitaine de jours,* environ huit jours.

▪ ***huitante** adj. *En Suisse, on dit huitante pour quatre-vingts.*

illustr. p. 642 ▪ ***huitième** adj. et n. *Je suis huitième.* Le **huitième** d'une tarte, c'est un des morceaux de la tarte coupée en huit.

illustr. p. 694 **huître** n.f. Les **huîtres** sont des coquillages qui vivent fixés aux rochers. On élève les huîtres dans des parcs. → *ostréiculture*

*hululement, *hululer → *ululer*

*hum ! interj. Ce mot exprime le doute, l'hésitation : *Hum ! ce n'est pas clair.*

humain, aine adj. SENS 1. *En classe, nous avons étudié le corps humain,* celui des hommes et des femmes. ●● *homme, surhumain.* SENS 2. *Ce juge est humain* (= compréhensif, bon ; ≠ inhumain). *illustr. p. 217*

▪ **humains** n.m. pl. [SENS 1] *L'ensemble des humains forme l'humanité,* l'ensemble des hommes.

▪ **humanité** n.f. [SENS 1] *Ce savant est un bienfaiteur de l'humanité,* de l'ensemble des hommes. *On a traité le prisonnier avec humanité,* avec bienveillance.

▪ **humanitaire** adj. [SENS 2] *Il se consacre à des œuvres humanitaires,* à des œuvres charitables.

▪ **s'humaniser** v. 1er groupe. [SENS 2] *Il commence à s'humaniser,* à devenir moins sauvage, plus humain, plus compréhensif.

humble adj. SENS 1. *M. Bouvier est un humble employé,* il accomplit des petites tâches (= modeste, obscur). SENS 2. *M. Martin se fait humble devant son patron,* il s'abaisse devant lui (= soumis ; ≠ orgueilleux).

▪ **humblement** adv. [SENS 2] *Le chien regarde son maître humblement,* d'un air soumis.

▪ **humilier** v. 1er groupe. [SENS 2] *Son échec l'a humilié,* l'a rendu honteux (= vexer). *Je refuse de m'humilier devant lui,* de me faire humble (= s'abaisser).

▪ **humiliant, ante** adj. [SENS 2] *Notre équipe a subi une défaite humiliante* (= déshonorant).

▪ **humiliation** n.f. [SENS 2] *Pierre a rougi d'humiliation* (= honte, confusion).

▪ **humilité** n.f. [SENS 2] *Marie baissait les yeux avec humilité,* humblement.

humecter v. 1er groupe. *On humecte certains timbres-poste pour les coller,* on les mouille légèrement.

*humer v. 1er groupe. *Je hume l'odeur du café,* je la respire avec plaisir (= sentir).

Dans les mots précédés de ***, le « h » est aspiré : il ne peut y avoir d'élision ou de liaison.

illustr.
p. 216 **humérus** n.m. L'**humérus** est l'os du bras qui va de l'épaule au coude.
✷ On prononce le « s » : [ymerys].

humeur n.f. SENS 1. *Jacques est d'humeur batailleuse, il a envie de se battre* (= caractère, tempérament). SENS 2. *Sophie est de **bonne humeur**, elle est gaie. Yannick est de **mauvaise humeur**, il est mécontent.*

humide adj. *La route est **humide**,* légèrement mouillée (≠ sec).

■ **humidité** n.f. *Le fer rouille à l'**humidité**, quand il est dans un lieu humide.*

■ **humidifier** v. 1ᵉʳ groupe. *On **humidifie** l'air d'une chambre trop chauffée,* on le rend humide.

humiliant, humiliation, humilier, humilité → *humble*

humour n.m. *Ce livre est plein d'**humour**, il fait sourire en présentant des situations d'une façon plaisante, avec détachement.*

■ **humoriste** n. *Le spectacle a été égayé par un **humoriste**,* quelqu'un qui se moque des choses et des gens tout en gardant un air sérieux.

■ **humoristique** adj. *Ce livre contient des dessins **humoristiques*** (= amusant, drôle).

illustr.
p. 357,
402 **humus** n.m. *Le sol de la forêt est couvert d'**humus**,* d'une terre produite par les débris de plantes pourries (= terreau).
✷ On prononce le « s » : [ymys].

illustr.
p. 971 ***hune** n.f. La **hune** est la plate-forme* fixée sur certains mâts de bateaux.

illustr.
p. 753 ***huppe** n.f. Fam. *Le paon a une **huppe** sur la tête,* une touffe de plumes.

***huppé, ée** adj. Fam. *Ses patrons étaient des gens **huppés**,* riches ou nobles.

***hure** n.f. *La **hure** du sanglier, c'est sa* tête.

***hurler** v. 1ᵉʳ groupe. SENS 1. *Le bébé **hurle**, il crie très fort de colère ou de* peur. SENS 2. *La sirène **hurle**, elle émet un bruit fort et prolongé.*

■ ***hurlement** n.m. [SENS 1 et 2] *Il poussa un **hurlement** de douleur,* un cri très fort.

***hurluberlu, ue** n. Fam. *Fernand est un **hurluberlu**,* il agit sans réfléchir (= étourdi, farfelu).

***hussard** n.m. *Un **hussard** est un soldat* d'un corps de cavalerie.

illustr.
p. 427 ***hutte** n.f. *Les enfants ont construit une **hutte**,* une petite cabane de branchages.

hybride n.m. et adj. *Le mulet est un **hybride**,* il est né de deux animaux d'espèce différente : la jument et l'âne. *Certaines plantes sont **hybrides**.*

hydrater v. 1ᵉʳ groupe. *Cette crème **hydrate** la peau,* elle la rend plus souple en lui ajoutant de l'eau (≠ déshydrater).

illustr.
p. 69 **hydraulique** adj. *Les machines **hydrauliques** fonctionnent à l'aide d'un* liquide.

hydravion n.m. *Un **hydravion** est un* avion qui peut se poser sur l'eau.

hydrocarbure n.m. *Le pétrole est un **hydrocarbure**,* un mélange de carbone et d'hydrogène.

hydrocution n.f. *L'eau était froide et le baigneur est mort par **hydrocution**,* une syncope qui fait que le baigneur perd connaissance et coule à pic.

illustr.
p. 333 **hydroélectrique** adj. *L'énergie **hydroélectrique** est l'énergie électrique fournie* par les barrages.

hydrogène n.m. *L'**hydrogène** est le* plus léger de tous les gaz.

hydroglisseur n.m. *Un **hydroglisseur*** est un bateau à fond plat qui avance grâce à une hélice ou à un réacteur.

Dans les mots précédés de *, le « h » est aspiré :
il ne peut y avoir d'élision ou de liaison.

472

Hyène

hydrographie n.f. SENS 1. L'**hydrographie** est l'étude des cours d'eau et des mers du globe terrestre. SENS 2. L'**hydrographie** d'un pays est l'ensemble de ses cours d'eau.

hydromel n.m. *Les Gaulois buvaient, dit-on, de l'**hydromel**, une boisson faite d'eau et de miel.*

illustr. p. 868 **hydrophile** adj. Le coton **hydrophile** est un coton qui absorbe facilement les liquides.

illustr. p. 983 **hyène** n.f. L'**hyène** est un animal sauvage d'Afrique et d'Asie qui se nourrit surtout d'animaux morts.

hygiène n.f. *Se laver, surveiller son alimentation font partie des principes de l'**hygiène**, des soins par lesquels on reste en bonne santé.*

■ **hygiénique** adj. *Il fait tous les matins une promenade **hygiénique**, pour se maintenir en bonne santé.*

hymne n.m. *« La Marseillaise » est l'**hymne** national français,* c'est le chant qu'on exécute au cours des cérémonies officielles.

hyper- préfixe. Placé au début d'un mot, **hyper-** indique un degré extrême : *être **hyper**sensible,* c'est être très sensible *; un **hyper**marché est un très grand magasin.*

hypermétrope adj. *Ma petite sœur et mon grand frère sont **hypermétropes**,* ils ne voient pas nettement de près.

hypnose n.f. L'**hypnose** est un sommeil provoqué artificiellement.

■ **hypnotique** adj. *Il est dans un état **hypnotique**,* un état d'hypnose.

■ **hypnotiser** v. 1er groupe. *Il **a été hypnotisé**,* quelqu'un l'a endormi en l'influençant par sa seule volonté.

hypocrite adj. *Paul est **hypocrite**,* il cache ce qu'il pense (≠ sincère, franc).

■ **hypocrisie** n.f. *Son sourire est plein d'**hypocrisie*** (= fourberie).

hypoténuse n.f. L'**hypoténuse** d'un triangle rectangle est le côté opposé à l'angle droit.

hypothèque n.f. *J'ai une **hypothèque** de dix mille euros sur sa maison,* s'il ne peut pas me payer ce qu'il me doit, j'ai droit à dix mille euros sur la vente de sa maison.

■ **hypothéquer** v. 1er groupe. *Il **a hypothéqué** sa maison,* il a accepté qu'on prenne une hypothèque sur sa maison, qui sert de garantie.
✳ Conj. nº 10.

hypothèse n.f. *On émet l'**hypothèse** que l'accident s'est produit ainsi,* on fait cette supposition.

■ **hypothétique** adj. *Mon succès à l'examen est **hypothétique**,* il n'est pas certain (= douteux).

hystérie n.f. *Cette femme est en proie à l'**hystérie**,* elle est si excitée qu'elle paraît folle.

■ **hystérique** adj. et n. *Une foule **hystérique** ne contrôle plus ses actes.*

Dans les mots précédés de *, le « h » est aspiré : il ne peut y avoir d'élision ou de liaison.

I i

Iguane

If

Ibis

Iris

illustr.
p. 1033 **ibis** n.m. *Les **ibis** se tiennent souvent debout sur une patte,* de grands oiseaux échassiers des pays chauds.
☀ On prononce le « s » final : [ibis].

illustr.
p. 730 **iceberg** n.m. *Le navire a coulé après avoir heurté un **iceberg**,* une masse de glace flottante.
☀ On prononce [isbɛrg] ou [ajsbɛrg].

ici adv. SENS 1. *Florian est **ici**,* où je suis (≠ *là-bas*). SENS 2. *Regarde **ici**,* à cet endroit qui est proche. SENS 3. *Je reviendrai **d'ici** peu,* dans peu de temps.

icône n.f. *Une **icône** est une peinture à sujet religieux de l'Église orthodoxe.*

idéal, ale SENS 1. adj. et n.m. *Tu as trouvé la solution **idéale**,* la meilleure (= *parfait, rêvé*). *L'**idéal** serait de partir maintenant,* la solution la meilleure. SENS 2. n.m. *L'action humanitaire est un **idéal** noble,* un projet, un objectif qui pousse à agir.
☀ Au pluriel, on dit **idéals** ou **idéaux**.

■ **idéaliser** v. 1er groupe. [SENS 1] *L'orateur a **idéalisé** la situation,* il l'a présentée plus belle qu'elle n'est.

■ **idéalisme** n.m. [SENS 2] *Il agit non par intérêt personnel, mais par **idéalisme**,* par fidélité à un idéal.

■ **idéaliste** n. et adj. [SENS 2] *M. Chardin est un **idéaliste*** (≠ réaliste).

idée n.f. SENS 1. *Jean a perdu le fil de ses **idées*** (= pensée). SENS 2. *Qu'est-ce qui t'est venu à l'**idée** ?,* à quoi as-tu pensé ? (= esprit). *J'ai une **idée** pour sortir de là,* il me vient à l'esprit un moyen. SENS 3. *M. Dumond et M. Bouvier n'ont pas les mêmes **idées** politiques* (= opinion). SENS 4. *Ces photos te donneront une **idée** de notre voyage,* elles te permettront de les imaginer (= notion, aperçu). SENS 5. *Si tu crois qu'il va t'écouter, tu te fais des **idées**,* tu t'illusionnes.

identité n.f. SENS 1. *Nous avons une **identité** d'intérêts dans cette affaire,* les mêmes intérêts (= similitude). SENS 2. *On* *ne connaît pas l'identité des voleurs,* leur nom.

■ **identifier** v. 1ᵉʳ groupe. [SENS 2] *La police a identifié les voleurs,* elle a découvert qui ils étaient.

■ **identification** n.f. [SENS 2] *L'enquête a permis l'identification des malfaiteurs,* elle a permis de connaître leur identité.

■ **identique** adj. [SENS 1] *Ces deux dessins sont identiques,* il n'y a aucune différence entre eux (= semblable, pareil ; ≠ différent).

idéologie n.f. *Le racisme est une idéologie sans justification,* une doctrine qui inspire les actes de certaines personnes.

■ **idéologique** adj. *Ils se sont livrés à des querelles idéologiques,* des querelles d'opinions, d'idées.

idiot, e adj. et n. *Arrête de faire des réflexions idiotes !* (= bête, stupide ; ≠ intelligent). *Ne fais pas l'idiot !* (= imbécile).

■ **idiotie** n.f. *Pierre a encore fait une idiotie* (= bêtise).
✳ On prononce [idjɔsi].

idole n.f. SENS 1. *Une idole est un objet représentant une divinité et qui est adoré comme s'il était réellement cette divinité.* SENS 2. *Le public est déchaîné à l'arrivée de son idole,* de la vedette de la chanson ou du spectacle qui l'enthousiasme.

■ **idolâtrer** v. 1ᵉʳ groupe. [SENS 2] *Ses parents l'idolâtrent* (= adorer).

■ **idolâtrie** n.f. [SENS 2] *Ils l'aiment jusqu'à l'idolâtrie* (= adoration).

idylle n.f. *Il y a une idylle entre Colin et Elsa,* une histoire d'amour.

■ **idyllique** adj. *Ils s'aiment d'un amour idyllique,* tendre et naïf. *Elle rêvait d'une vie idyllique,* d'une vie de bonheur idéal.

if n.m. *On plante souvent des ifs dans les cimetières,* des conifères à feuillage toujours vert et à petites baies rouges.

igloo n.m. *Les Esquimaux construisent des igloos,* des abris faits de blocs de neige.   *illustr. p. 730*
✳ On prononce [iglu].

igname n.f. *Les ignames sont des plantes des pays chauds dont les longs tubercules sont très nourrissants.*   *illustr. p. 982*

ignare adj. *Ces gens-là n'ont jamais rien appris, ils sont ignares,* extrêmement ignorants (= inculte).

ignifugé, ée adj. *Les vêtements des pompiers sont ignifugés,* ils ne peuvent pas prendre feu.

ignoble adj. SENS 1. *M. Duval est un ignoble individu,* il est très méchant (= infâme). SENS 2. *Cette nourriture est ignoble,* elle est très mauvaise (= infect, dégoûtant, répugnant ; ≠ délicieux).

ignominie n.f. *Cet individu a commis les pires ignominies,* des actions déshonorantes (= infamie, turpitude).

ignorer v. 1ᵉʳ groupe. *J'ignore qui est venu,* je ne le sais pas.

■ **ignorance** n.f. *Il m'a laissé dans l'ignorance,* je ne sais rien.

■ **ignorant, ante** adj. et n. *Jacques est (un) ignorant,* il ne sait rien (= ignare, illettré ; ≠ instruit, savant).

iguane n.m. *Un iguane est un reptile d'Amérique tropicale qui ressemble à un grand lézard.*   *illustr. p. 1033*
✳ On prononce [igwan].

il- → *in-*

il, elle, ils, elles pron. personnels. *Ces mots s'emploient pour représenter des personnes ou des choses dont on parle : il vient ; elles sont là.*

île n.f. *La Corse, la Martinique sont des îles,* des terres entourées d'eau.   *illustr. p. 556, 690*
●● *presqu'île.* → *insulaire*

475

illustr.
p. 556

■ îlot n.m. *Le navire a jeté l'ancre devant un îlot,* une petite île.

illégal, ale, aux adj. Des actes **illégaux** sont des actes contraires à la loi (≠ légal). ●● *loi*

■ illégalement adv. *Ils ont été condamnés pour avoir agi illégalement,* de façon illégale.

■ illégalité n.f. *En conduisant une voiture sans permis, il s'est mis dans l'illégalité,* dans une situation illégale (≠ légalité).

illégitime adj. *Il est dans son tort, sa protestation est illégitime,* elle n'est pas justifiée (≠ légitime).

illettré, ée adj. et n. Une personne illettrée est quelqu'un qui ne sait ni lire ni écrire (= analphabète). ●● *lettre*

illicite adj. Un trafic **illicite** est un trafic défendu (= interdit, illégal ; ≠ licite).

illico adv. Fam. *On leur a dit de partir illico,* à l'instant même (= sur-le-champ, aussitôt).

illimité, ée adj. *J'ai une confiance illimitée en lui,* une confiance sans limites (= total, absolu ; ≠ limité). ●● *limite*

illisible adj. SENS 1. *Cette écriture est illisible,* on ne peut pas la lire (= indéchiffrable ; ≠ lisible). ●● *lire.* SENS 2. *J'abandonne ce roman, il est illisible,* il est trop difficile ou trop ennuyeux à lire.

illogique adj. *Ses arguments sont illogiques,* ils manquent de logique (= incohérent ; ≠ logique).

illumination n.f. SENS 1. *Nous sommes allés voir les illuminations du 14 Juillet,* les nombreuses lumières éclairant la ville. SENS 2. *J'ai eu soudain une illumination,* une inspiration, une révélation.

■ illuminer v. 1er groupe. [SENS 1] *La rue est illuminée,* brillamment éclairée.

■ illuminé, ée n. [SENS 2] *Ne vous fiez pas à ce garçon, c'est un illuminé,* il croit avoir la révélation de la vérité, mais il est un peu fou (= exalté).

illusion n.f. SENS 1. *Les mirages sont des illusions d'optique,* des visions fausses (≠ réalité). SENS 2. *Il croit qu'il gagnera, mais il se fait des illusions,* des idées fausses, il se trompe (≠ désillusion).

■ s'illusionner v. 1er groupe. [SENS 2] *Il ne faut pas s'illusionner,* se faire des illusions (= se tromper, s'abuser).

■ illusionniste n. [SENS 1] *L'illusionniste a fait sortir un lapin de son chapeau* (= prestidigitateur).

■ illusoire adj. [SENS 2] *Il est illusoire d'espérer le faire changer d'avis* (= vain ; ≠ raisonnable).

illustre adj. Un homme **illustre** est un homme célèbre.

■ illustrer v. 1er groupe. *Pasteur s'est illustré par la découverte du vaccin contre la rage,* il s'est rendu célèbre.

1. illustrer → *illustre*

2. illustrer v. 1er groupe. *Ce livre est illustré de dessins et de photos* (= orner).

■ illustration n.f. *Ce livre a de belles illustrations,* des dessins, des photos (= image).

■ illustré, ée adj. et n.m. *Renaud lit des (journaux) illustrés,* contenant surtout des images.

îlot → *île*

il y a → *avoir*

im- → *in-*

image n.f. SENS 1. *Sonia regarde les images de son livre,* les dessins, les photos (= illustration). SENS 2. *Jean regarde son image dans la glace,* la reproduction de sa personne (= reflet).

SENS 3. *Tu te fais une **image** fausse de la situation* (= idée, représentation). SENS 4. *Il s'exprime par **images**,* en employant des comparaisons avec des objets concrets (= métaphore). SENS 5. *Cet homme politique tient à soigner son **image de marque**,* à donner une bonne opinion de lui.

■ **imagé, ée** adj. [SENS 4] *Il parle d'une manière **imagée**,* avec des comparaisons, des mots qui créent des images.

imaginer v. 1er groupe. SENS 1. *Essaie d'**imaginer** son étonnement quand il saura cela !,* de le représenter dans ton esprit. *Il **a imaginé** une histoire pour expliquer son retard* (= inventer). SENS 2. *Stéphane **s'imagine** qu'on n'a pas compris son manège,* il le croit.

■ **imaginable** adj. [SENS 1] *On a essayé par tous les moyens **imaginables*** (≠ inimaginable).

■ **imaginaire** adj. [SENS 1] *La licorne est un animal **imaginaire**,* qui n'existe que dans l'esprit (= fantastique ; ≠ réel, vrai).

■ **imagination** n.f. [SENS 1] *Romain a beaucoup d'**imagination**,* il peut imaginer, inventer toutes sortes de choses.

■ **imaginatif, ive** adj. *Paul a un esprit **imaginatif**,* capable d'inventer facilement (= inventif).

illustr. **imam** n.m. *L'**imam** est un chef religieux*
p. 820 *musulman.*
✲ On prononce [imam].

imbattable adj. *Il se croyait **imbattable** à la course jusqu'au jour où il a été battu,* il croyait qu'on ne pouvait pas le battre. ●● ***battre***

imbécile n. *Celui qui a inventé ça n'est pas un **imbécile**,* une personne sans intelligence (= idiot).

■ **imbécillité** n.f. *Arrête de dire des **imbécillités** !* (= sottise, bêtise).
✲ Imbécile s'écrit avec un « l », « imbécillité » avec deux « l ».

imberbe adj. *Être **imberbe**,* c'est ne pas avoir de barbe (= glabre). ●● ***barbe***

imbiber v. 1er groupe. *L'éponge **est imbibée** d'eau,* elle est mouillée, pénétrée d'eau (= imprégner).

s'imbriquer v. 1er groupe. *Ces questions **s'imbriquent** les unes dans les autres,* elles s'enchevêtrent, s'entremêlent.

imbroglio n.m. *Je ne comprends rien à cet **imbroglio**,* à cette situation embrouillée (= désordre, méli-mélo).
✲ On prononce [ɛ̃brɔljo] ou [ɛ̃brɔglijo].

imbu, ue adj. *Marc est **imbu** de sa supériorité,* il en est pénétré (= infatué).

imbuvable adj. SENS 1. *Son vin est **imbuvable**,* on ne peut pas le boire tellement il est mauvais (= exécrable, infect). ●● ***boire***. SENS 2. Fam. *Nos voisins sont **imbuvables**,* ils sont très désagréables (= invivable).

imiter v. 1er groupe. SENS 1. *Arnaud sait **imiter** l'aboiement du chien* (= reproduire). ●● ***inimitable***. SENS 2. *Paul cherche à **imiter** son père,* il le prend pour modèle, il s'efforce de lui ressembler.

■ **imitation** n.f. [SENS 1] *Ce tableau est une **imitation*** (= copie, reproduction).

■ **imitateur, trice** n. [SENS 1] *Julie est une bonne **imitatrice**,* elle imite bien.

immaculé, ée adj. *Une chemise **immaculée** est une chemise sans tache.* ●● ***maculer***

immangeable adj. *Ce gâteau brûlé est **immangeable**,* on ne peut pas le manger (≠ mangeable). ●● ***manger***
✲ On prononce [ɛ̃mɑ̃ʒabl].

immanquable adj. *Voici un moyen **immanquable** de réussir,* un moyen grâce auquel on ne peut pas manquer de réussir (= certain, assuré, infaillible). ●● ***manquer***
✲ On prononce [ɛ̃mɑ̃kabl].

immatriculer v. 1er groupe. *Cette voiture **est immatriculée** à Paris,* elle est inscrite sur les registres officiels.

illustr.
p. 69

■ **immatriculation** n.f. La **plaque d'immatriculation** d'une voiture porte son **numéro d'immatriculation**, le numéro sous lequel elle est enregistrée.

immédiat, e adj. SENS 1. *Les Chéron sont nos voisins **immédiats**,* les plus proches. SENS 2. *Le résultat a été **immédiat**,* il s'est produit aussitôt (= instantané). SENS 3. n.m. ***Dans l'immédiat**, tout se passe bien,* pour le moment.

■ **immédiatement** adv. [SENS 2] *Jérôme et Nathalie, venez ici **immédiatement** !,* tout de suite.

immémorial, ale, aux adj. Une coutume **immémoriale** est une coutume si ancienne qu'on ne peut pas se rappeler son origine. ●● *mémoire*

immense adj. *L'Australie est un pays **immense**,* très grand (≠ minuscule). *Ce jeune chanteur a un **immense** succès* (= énorme, extraordinaire).

■ **immensément** adv. *Jean est immensément riche* (= extrêmement).

■ **immensité** n.f. *Le bateau s'est éloigné dans l'**immensité** de la mer,* l'étendue immense.

immerger v. 1ᵉʳ groupe. *Ces rochers sont **immergés** à marée haute,* ils sont sous l'eau (≠ émerger).
✴ Conj. nᵒ 2.

■ **immersion** n.f. *On a procédé à l'**immersion** d'un câble sous-marin,* on l'a plongé dans l'eau.

immérité, ée adj. *Il a reçu des reproches **immérités**,* des reproches qu'il ne méritait pas (= injustifié). ●● *mériter*

immersion → *immerger*

immettable adj. *Tu peux jeter ce pull-over, il est **immettable*** (≠ mettable).
●● *mettre*
✴ On prononce [ɛ̃mɛtabl].

immeuble n.m. *Ils habitent un appartement dans un **immeuble** neuf,* un bâtiment à plusieurs étages.

illustr.
p. 737,
1016

immigrer v. 1ᵉʳ groupe. *Les étrangers qui **immigrent** en France sont ceux qui viennent s'y établir.* ●● *émigrer*

■ **immigration** n.f. *L'**immigration** est soumise au contrôle de l'État,* l'installation durable d'étrangers. ●● *émigration, migration*

■ **immigré, ée** adj. et n. *Dans ces banlieues, il y a de nombreux (travailleurs) **immigrés**.* ●● *émigré*

imminent, ente adj. *Le danger est **imminent**,* très proche.
✴ Ne pas confondre **imminent** et **éminent**.

■ **imminence** n.f. *L'**imminence** du danger a fait cesser leur dispute* (= proximité).

s'**immiscer** v. 1ᵉʳ groupe. *Je n'aime pas qu'on vienne s'**immiscer** dans mes affaires !* (= se mêler de, s'ingérer).

immobile adj. *Tâchez de rester dix secondes **immobiles** pour la photo,* sans bouger (≠ mobile).

■ **immobiliser** v. 1ᵉʳ groupe. *La voiture a été **immobilisée** par une panne* (= arrêter).

■ **immobilisation** n.f. *Son accident lui a valu un mois d'**immobilisation**,* d'arrêt.

■ **immobilisme** n.m. *Le gouvernement est accusé d'**immobilisme**,* d'opposition à tout changement.

■ **immobilité** n.f. *Son mal le réduit à l'**immobilité**,* à ne pas se déplacer.

immobilier, ère adj. *M. Le Masson a des biens **immobiliers**,* des terres, des maisons. ●● *mobilier.* Une société **immobilière** s'occupe de vendre, d'acheter, de construire des maisons, des immeubles.

immobilisation, immobiliser, immobilisme, immobilité
→ *immobile*

immodéré, ée adj. *Il a gaspillé ses économies en dépenses* **immodérées,** excessives, exagérées (≠ modéré).

immoler v. 1ᵉʳ groupe. *Dans l'Antiquité, on* **immolait** *des animaux,* on les tuait pour les offrir en sacrifice aux dieux (= sacrifier).

immonde adj. *Cette famille habite un taudis* **immonde,** très sale (= dégoûtant, répugnant).

■ **immondices** n.f. pl. *Il y a un tas d'immondices devant la porte* (= ordures).

immoral, ale, aux adj. *Les bandits ont gardé leur butin : la fin de l'histoire est* **immorale,** elle est contraire à la morale (≠ moral).

■ **immoralité** n.f. *On a reproché à cette politique son* **immoralité,** son manque de morale.

immortel, elle adj. SENS 1. *Selon les grandes religions, l'âme est* **immortelle,** elle ne meurt pas (≠ mortel). ●● **mort.** SENS 2. *Ses chefs-d'œuvre l'ont rendu* **immortel,** on ne l'oublie pas après sa mort.

■ **immortalité** n.f. [SENS 1 et 2] *Ils croient à l'immortalité de l'âme. Cet artiste aspire à l'immortalité.*

■ **immortaliser** v. 1ᵉʳ groupe. [SENS 2] *Ce livre l'a* **immortalisé,** il l'a rendu célèbre pour toujours. ●● **mourir**

immuable adj. *Il reste* **immuable** *dans ses opinions,* il n'en change pas (= constant ; ≠ variable).

immuniser v. 1ᵉʳ groupe. *Les vaccins nous* **immunisent** *contre les maladies,* ils nous mettent à l'abri (= préserver).

■ **immunité** n.f. *Les députés jouissent de l'immunité parlementaire,* ils sont à l'abri de certaines poursuites pénales.

impact n.m. SENS 1. *Le point d'impact* d'une balle est l'endroit où elle frappe. SENS 2. *Cette publicité a eu un grand* **impact** *sur la clientèle* (= influence).

1. impair, e adj. *3, 7, 11 sont des nombres* **impairs,** ils ne sont pas divisibles par 2 en nombres entiers (≠ pair).

2. impair n.m. *Elle a commis un* **impair** *en n'invitant pas sa marraine,* une maladresse, une gaffe.

impalpable adj. *Une poussière* **impalpable** *est une poussière si fine qu'on ne peut pas la saisir entre les doigts.* ●● **palper**

imparable adj. *Un tir* **imparable** *est un tir impossible à parer, à éviter.* ●● **parer**

impardonnable adj. *Je suis confus, cet oubli est* **impardonnable,** il ne mérite pas le pardon (= inexcusable ; ≠ pardonnable, excusable). ●● **pardon**

1. imparfait, aite adj. *Jacques a une connaissance* **imparfaite** *de l'italien,* il ne le connaît pas très bien (≠ parfait).

■ **imparfaitement** adv. *Jacques parle* **imparfaitement** *l'italien* (= médiocrement ; ≠ parfaitement).

■ **imperfection** n.f. *Il y a des* **imperfections** *dans ce travail,* il est imparfait (= défaut).

2. imparfait n.m. *Dans la phrase « je venais », le verbe est à l'imparfait,* un temps du passé qui exprime le plus souvent la répétition ou la durée.

impartial, ale, aux adj. *Un compte rendu* **impartial** *n'a pas de parti pris favorable* (= objectif, neutre ; ≠ partial). ✳ On prononce [ɛ̃parsjal].

■ **impartialité** n.f. *Le juge doit prononcer sa sentence en toute* **impartialité,** sans être influencé par ses préférences, sans parti pris (= objectivité). ✳ On prononce [ɛ̃parsjalite].

impasse n.f. SENS 1. *Cette rue est une* **impasse,** elle n'a pas d'issue (= cul-de-sac). SENS 2. *Les discussions sont dans l'impasse,* elles ne progressent plus, elles sont bloquées.

illustr. p. 855

impassible adj. *M. Lebrun a un visage impassible* (= calme, impénétrable).
- **impassibilité** n.f. *Il a été le seul à garder son impassibilité* (= flegme).

impatient, ente adj. *Benoît est impatient de savoir s'il est reçu, il supporte mal d'attendre, il a hâte de savoir* (≠ patient).
* On prononce [ɛ̃pasjɑ̃].
- **impatience** n.f. *Ses gestes nerveux trahissent son impatience* (= hâte ; ≠ patience).
* On prononce [ɛ̃pasjɑ̃s].
- **impatiemment** adv. *Nous attendons impatiemment le jour des vacances* (≠ patiemment).
* On prononce [ɛ̃pasjamɑ̃].
- **s'impatienter** v. 1ᵉʳ groupe. *Loïc, dépêche-toi, je commence à m'impatienter, à perdre patience.*
* On prononce [sɛ̃pasjɑ̃te].

impayable adj. Fam. *Il nous a raconté une histoire impayable, très drôle.*

impayé, ée adj. *Plusieurs factures sont restées impayées, elles n'ont pas été payées.* ●● *payer*

impeccable adj. *Un travail impeccable est irréprochable.*
- **impeccablement** adv. *Il était impeccablement habillé, parfaitement.*

impénétrable adj. SENS 1. *Un fourré impénétrable est un fourré où l'on ne peut pas pénétrer.* SENS 2. *Marie avait un sourire impénétrable, qui ne permettait pas de deviner ses pensées* (= énigmatique). ●● *pénétrer*

impénitent, ente adj. *Arthur est un farceur impénitent, il persiste dans cette mauvaise habitude* (= incorrigible). ●● *pénitence*

impensable adj. *Il est impensable que tous les experts se soient trompés à ce point, c'est inimaginable, inconcevable.* ●● *penser*

impératif, ive SENS 1. adj. *Il m'a parlé d'un ton impératif* (= autoritaire, impérieux). *La patience est une condition impérative du succès de cette affaire* (= absolu). SENS 2. n.m. *« Va » est l'impératif de « aller »,* le mode du verbe qui exprime l'ordre. *Il faut respecter les impératifs de l'horaire* (= contrainte, nécessité).

impératrice n.f. *Une impératrice est la femme d'un empereur ou la souveraine d'un empire.* ●● *empire*

imperceptible adj. *Il y a une différence imperceptible entre ces deux couleurs, une différence si petite qu'elle est très difficile à percevoir* (= insensible, minime, infime ; ≠ perceptible, net). ●● *percevoir*
- **imperceptiblement** adv. *La fissure s'est élargie imperceptiblement, un tout petit peu.*

imperfection → *imparfait*

impérial, ale, aux adj. *La famille impériale est la famille d'un empereur.* ●● *empire*

impériale n.f. *Autrefois, les voyageurs montaient dans l'impériale de la diligence, l'étage supérieur.* *illustr. p. 971*

impérialiste adj. *Un pays impérialiste cherche à conquérir d'autres pays.* ●● *empire*

impérieux, euse adj. SENS 1. *Il m'a répondu d'une voix impérieuse* (= autoritaire). SENS 2. *Ce pays a un impérieux besoin de pétrole* (= pressant).
- **impérieusement** adv. [SENS 1 et 2] *On nous a demandé impérieusement de venir, de façon impérieuse, ferme.*

impérissable adj. *Cet écrivain a laissé une œuvre impérissable, dont le souvenir ne peut pas disparaître* (= inoubliable, immortel). ●● *périr*

imperméable SENS 1. adj. *La toile cirée est un tissu imperméable, qui ne se laisse pas traverser par l'eau (≠ perméable).* SENS 2. n.m. *Il pleut, prends ton imperméable, ton manteau de pluie.*

■ **imperméabiliser** v. 1er groupe. [SENS 2] *Je ne crains pas la pluie, mon blouson est imperméabilisé, il a été rendu imperméable par un traitement spécial.*

impersonnel, elle adj. SENS 1. *Un style impersonnel manque d'originalité (= banal, plat ; ≠ personnel). Une voix impersonnelle est unie, sans inflexions, inexpressive (= neutre).* ●● *personne.* SENS 2. *L'infinitif est un mode impersonnel, il n'exprime pas la personne grammaticale. « Pleuvoir » est un verbe impersonnel, il ne s'emploie qu'à la 3e personne du singulier et à l'infinitif.*

impertinent, ente adj. *Ce garçon m'a interpellé d'un ton impertinent (= insolent, effronté ; ≠ poli).*

■ **impertinence** n.f. *On l'a puni pour son impertinence (= impolitesse, insolence, effronterie).*

imperturbable adj. *Devant toutes ces critiques, il est resté imperturbable, il ne s'est pas troublé (= calme, serein, impassible).* ●● *perturber*

■ **imperturbablement** adv. *Il a poursuivi imperturbablement son discours malgré les protestations (= calmement, sereinement).*

impétueux, euse adj. *Fabrice a un caractère impétueux (= vif, violent, fougueux).*

■ **impétueusement** adv. *L'orateur a attaqué impétueusement ses adversaires, avec véhémence (= violemment).*

■ **impétuosité** n.f. *Les défenseurs ont reculé sous l'impétuosité de l'attaque (= violence, fougue).*

impie adj. *Des paroles impies sont des paroles qui manquent de respect envers une croyance religieuse (= blasphématoire, sacrilège).* ●● *pieux*

■ **impiété** n.f. *Ce livre a scandalisé beaucoup de gens par son impiété, son caractère sacrilège.*

impitoyable adj. *Le jury a été impitoyable : il a condamné l'accusé à la peine maximale, il n'a eu aucune pitié (= implacable, intraitable).* ●● *pitié*

■ **impitoyablement** adv. *Les demandes qui arrivent trop tard sont impitoyablement rejetées (= inexorablement).*

implacable adj. *Cet homme nous porte une haine implacable, que rien ne peut apaiser (= acharné, terrible).*

■ **implacablement** adv. *Il poursuit implacablement sa vengeance (= impitoyablement).*

implanter v. 1er groupe. *Beaucoup d'Italiens se sont implantés aux États-Unis, ils se sont fixés dans ce pays (= s'installer, s'établir).*

■ **implantation** n.f. *L'implantation d'une usine dans la région a été décidée (= établissement).*

implication → **impliquer**

implicite adj. *Puisqu'il n'a pas protesté, c'est qu'il nous donne son accord implicite, un accord qu'il n'exprime pas mais qui va de soi (≠ explicite).*

■ **implicitement** adv. *Il est implicitement d'accord, sans le dire.*

impliquer v. 1er groupe. SENS 1. *Il a été impliqué dans un meurtre (= mêler à).* SENS 2. *Si tu veux arriver à l'heure, cela implique que tu partes tout de suite (= nécessiter, entraîner).*

■ **implication** n.f. *Cette décision a des implications très diverses (= conséquence, effet).*

implorer v. 1er groupe. *Le coupable implore votre pardon, il le demande en suppliant.*

Illustr. 1010

impoli, ie adj. *Ce brusque départ de nos invités est **impoli**,* il manque de politesse (= incorrect, inconvenant, mal élevé, malpoli ; ≠ poli).

■ **impoliment** adv. *Il a refusé **impoliment**.*

■ **impolitesse** n.f. *C'est une **impolitesse** d'arriver en retard sans s'excuser,* un manque de savoir-vivre, de correction (≠ politesse).

impondérable adj. et n.m. *Notre succès dépend d'éléments **impondérables**,* impossibles à évaluer. *Ce changement est dû à une accumulation d'**impondérables**,* de menus détails imprévisibles.

impopulaire adj. *Ce nouvel impôt est très **impopulaire**,* il ne plaît pas à la majorité de la population (≠ populaire). ●● *peuple*

■ **impopularité** n.f. *En augmentant les impôts, le gouvernement savait qu'il s'exposait à l'**impopularité*** (≠ popularité).

1. importer v. 1ᵉʳ groupe. *Ce qui **importe**, c'est de préserver la santé,* ce qui a de l'importance, de l'intérêt (= compter). ✳ C'est un verbe impersonnel, il ne s'emploie qu'à la 3ᵉ personne du singulier et à l'infinitif.

■ n'**importe** adv. Cette expression indique l'indifférence : *N'**importe** qui peut faire cela* (= tout le monde). *Il travaille **n'importe** comment, **n'importe** où, **n'importe** quand.*

■ **importance** n.f. *L'éducation a une grande **importance**,* elle joue un grand rôle (= utilité, intérêt). *Ces détails sont sans **importance**,* on peut les négliger.

■ **important, ante** adj. *Il a joué un rôle **important** dans cette affaire,* un rôle qui compte (= influent, majeur ; ≠ accessoire, secondaire, mineur).

2. importer v. 1ᵉʳ groupe. *La France **importe** beaucoup de pétrole,* elle le fait venir de l'étranger (≠ exporter).

■ **importation** n.f. *L'**importation** de certains produits est soumise à des droits de douane* (≠ exportation).

■ **importateur, trice** adj. et n. *La France est **importatrice** de pétrole* (≠ exportateur).

importuner v. 1ᵉʳ groupe. *J'ai été **importuné** toute la matinée par des coups de téléphone,* j'ai été dérangé, agacé.

■ **importun, une** adj. et n. *Je vous laisse, je ne veux pas être (un) **importun*** (= gêneur).

imposer v. 1ᵉʳ groupe. SENS 1. *On m'a **imposé** de finir ce travail,* on m'y a obligé (= forcer ; ≠ dispenser). SENS 2. *Les gens sont **imposés** d'après leurs revenus,* ils paient des impôts (= taxer). SENS 3. *Son courage **en impose**,* il provoque le respect. SENS 4. *Il **s'est imposé** par son intelligence,* il s'est fait connaître et respecter.

■ **imposable** adj. [SENS 2] *Les revenus trop bas ne sont pas **imposables**,* ils ne sont pas soumis à l'impôt.

■ **imposant, ante** adj. [SENS 3] *Les juges sont entrés dans le tribunal d'un air **imposant**,* qui en impose (= solennel). *Il y a un rassemblement **imposant** sur la place* (= impressionnant, important).

■ **impôt** n.m. [SENS 2] *L'**impôt** direct,* c'est l'argent que les citoyens versent à l'État pour participer à son fonctionnement. *Quand on achète un produit, on paie un **impôt** indirect,* une partie du prix est reversée à l'État (= taxe). → *fisc*

impossible adj. SENS 1. *Il est **impossible** de vivre sans respirer,* ce n'est pas possible. *L'accident était **impossible** à prévoir,* on ne pouvait pas le prévoir, il était imprévisible (≠ possible). SENS 2. *Cet enfant est **impossible**,* il nous rend la vie difficile (= insupportable). *J'ai dû me lever à une heure **impossible**,* à une heure très anormale, pénible. ◆ n.m. *On fera l'**impossible** pour vous aider,* on fera le maximum de ce qui est possible.

■ **impossibilité** n.f. *Je suis dans l'impossibilité de vous renseigner,* cela m'est impossible (= incapacité).

imposture n.f. *L'imposture a été découverte* (= mensonge, tromperie).

■ **imposteur** n.m. *L'imposteur a été démasqué* (= menteur).

impôt → *imposer*

impotent, ente adj. *Ma grand-mère est impotente,* elle ne peut plus marcher (= infirme, invalide).

impraticable adj. *En raison des inondations, cette route est impraticable,* on ne peut y circuler (≠ praticable). ●● *pratique*

imprécis, ise adj. *Je n'ai que des souvenirs imprécis de cette journée,* des souvenirs vagues, incertains, confus (≠ précis).

■ **imprécision** n.f. *L'imprécision des témoignages ne permet pas d'identifier le coupable* (≠ précision).

imprégner v. 1ᵉʳ groupe. *L'éponge est imprégnée d'eau* (= tremper, imbiber). ✳ Conj. nº 10.

imprenable adj. SENS 1. *On avait voulu bâtir ici une citadelle imprenable,* impossible à prendre. ●● ***prendre***. SENS 2. *Du balcon, on a une vue imprenable sur la mer,* une vue qu'aucune construction ne peut venir cacher.

imprésario n.m. *La chanteuse était accompagnée de son imprésario,* de celui qui s'occupe de ses intérêts.

1. impression → *imprimer*

2. impression n.f. SENS 1. *Son arrivée a produit une grosse impression,* on l'a remarquée (= effet, sensation). SENS 2. *J'ai l'impression que nous sommes en avance,* je le pense (= sentiment).

■ **impressionner** v. 1ᵉʳ groupe. [SENS 1] *Il a voulu nous impressionner par des menaces* (= émouvoir, influencer, intimider).

■ **impressionnable** adj. [SENS 1] *Ce spectacle est trop violent pour un enfant impressionnable* (= émotif, sensible).

■ **impressionnant, ante** adj. [SENS 1] *C'était un spectacle impressionnant* (= imposant, grandiose).

■ **impressionniste** adj. et n. *Auguste Renoir, Claude Monet, Édouard Manet sont des (peintres) impressionnistes,* des peintres du XIXᵉ siècle qui expriment par de petites touches de couleurs l'impression ressentie.

imprévisible adj. *L'accident était imprévisible,* on ne pouvait pas le prévoir (≠ prévisible). ●● *prévoir*

■ **imprévu, ue** adj. *Nous avons eu une visite imprévue,* une visite que nous n'attendions pas (= inattendu).

■ **imprévoyant, ante** adj. *Marie a été imprévoyante en dépensant tout son argent,* elle n'a pas été prévoyante (= imprudent ; ≠ prévoyant).

■ **imprévoyance** n.f. *La panne d'essence est due à son imprévoyance* (≠ prévoyance).

imprimer v. 1ᵉʳ groupe. On **imprime** un livre en reportant sur du papier des caractères portés par des formes enduites d'encre. ●● *réimprimer*

■ **impression** n.f. *Dans ce journal, il y a beaucoup de fautes d'impression,* faites en imprimant.

■ **imprimante** n.f. *Les résultats du calcul sortent sur l'imprimante de l'ordinateur,* une machine qui imprime sur papier. *illustr. p. 123, 504*

■ **imprimé** n.m. *Les livres, les journaux, les revues sont des imprimés.*

■ **imprimerie** n.f. *Gutenberg a inventé l'imprimerie,* la technique pour imprimer les livres. ◆ *M. Mercier travaille dans une imprimerie,* un atelier, une entreprise où l'on imprime des textes. *illustr. p. 502, 994*

illustr.
p. 994,
502

■ **imprimeur** n.m. Un **imprimeur** dirige une imprimerie ou y travaille comme ouvrier ou technicien.

improbable adj. Une victoire **improbable** est une victoire qui a peu de chances de se produire (= douteux ; ≠ probable).

improductif, ive adj. *Les marécages sont des régions improductives,* qui ne produisent rien (= stérile ; ≠ productif). ●● *produire*

impromptu, ue adj. *Jean m'a rendu une visite impromptue,* sans me prévenir (= inattendu).

imprononçable adj. *Certains noms étrangers nous paraissent imprononçables,* impossibles ou très difficiles à prononcer. ●● *prononcer*

impropre adj. SENS 1. Un mot **impropre** est un mot qui ne convient pas à ce qu'on veut exprimer (≠ propre). SENS 2. *Ces conserves sont périmées : elles sont impropres à la consommation,* il ne faut pas les consommer (≠ propre).

improviser v. 1er groupe. *L'orateur a improvisé son discours,* il l'a fait sans l'avoir préparé.

■ **improvisation** n.f. *Le pianiste a joué une improvisation,* un morceau improvisé.

■ **improvisateur, trice** n. *Il a un vrai talent d'improvisateur,* il sait faire des choses sans les préparer.

à l'**improviste** adv. *Il est arrivé à l'improviste,* sans avoir prévenu.

imprudent, ente adj. *La tempête de neige a surpris des alpinistes imprudents,* qui avaient manqué de prudence (≠ prudent).

■ **imprudemment** adv. *Il a doublé imprudemment dans un virage* (≠ prudemment).
✳ On prononce [ɛ̃prydamɑ̃].

■ **imprudence** n.f. *Beaucoup d'accidents sont dus à l'imprudence* (≠ prudence).
✳ Ne pas confondre **imprudence** et **impudence**.

impudent, ente adj. *Voilà un mensonge impudent !* (= insolent, effronté).

■ **impudence** n.f. *Il m'a répondu avec impudence* (= cynisme, insolence).
✳ Ne pas confondre **impudence** et **imprudence**.

impuissant, ante adj. *Les pompiers étaient impuissants devant l'ampleur de l'incendie,* ils ne pouvaient rien faire (= désarmé).

■ **impuissance** n.f. *Les sauveteurs étaient réduits à l'impuissance,* à l'impossibilité d'agir. ●● *puissance*

impulsion n.f. SENS 1. *Une légère impulsion suffit pour faire pivoter la porte,* une légère poussée. SENS 2. *Loïc obéit à ses impulsions,* à ce qui lui passe par la tête (= instinct, penchant).

■ **impulsif, ive** adj. [SENS 2] *Loïc est un garçon impulsif* (= irréfléchi ; ≠ calme, réfléchi).

impuni, ie adj. *Le crime est resté impuni,* le coupable n'a pas été puni. ●● *punir*

■ **impunité** n.f. *Il croyait pouvoir frauder le fisc en toute impunité,* sans risquer d'être puni.

■ **impunément** adv. *On ne peut pas violer la loi impunément,* sans être puni.

impur, ure adj. *L'eau de cette mare est impure,* elle contient des éléments mauvais (= pollué ; ≠ pur).

■ **impureté** n.f. *Le filtrage débarrasse l'eau de ses impuretés* (= saleté ; ≠ pureté).

imputer v. 1er groupe. *La responsabilité de l'échec lui a été imputée* (= attribuer).

■ **imputable** adj. *Cette faute ne m'est pas imputable,* on ne peut pas m'en rendre responsable.

imputrescible adj. *Les matières plastiques sont* **imputrescibles,** *elles ne pourrissent pas.* ●● **putréfier**

in- préfixe. Placé au début d'un mot, in- peut indiquer la privation, la négation : *informe* (sans forme) ; *inutile* (pas utile).
✻ Ce préfixe peut prendre les formes **il-, im-, ir-** : *il*légal, *im*prudent, *ir*régulier.

inabordable adj. *Dans cette région, les terrains sont* **inabordables,** *ils atteignent des prix exagérément élevés, prohibitifs* (≠ abordable, raisonnable).

inacceptable adj. *Vos conditions sont* **inacceptables,** *on ne peut pas les accepter* (≠ acceptable). ●● **accepter**

inaccessible adj. *Un sommet* **inaccessible** *est un sommet qu'on ne peut pas atteindre* (≠ accessible). ●● **accès.** *Il est* **inaccessible** *à la pitié* (= insensible).

inaccoutumé, ée adj. *Cette année, le feu d'artifice a eu un éclat* **inaccoutumé,** inhabituel, exceptionnel. ●● **coutume**

inachevé, ée adj. *Cet écrivain est mort en laissant un roman* **inachevé,** *un roman qu'il n'a pas terminé* (≠ achevé). ●● **achever**

inactif, ive adj. *Adrien est un garçon dynamique qui n'aime pas rester* **inactif,** *sans rien faire* (= désœuvré, oisif ; ≠ actif). ●● **agir**

■ **inactivité** n.f. *Sa maladie lui impose des semaines d'*inactivité,* sans activité.*

■ **inaction** n.f. *L'*inaction *est insupportable,* l'absence d'occupation (= oisiveté, désœuvrement ; ≠ action).

inadapté, ée adj. SENS 1. *Cette décision est* **inadaptée** *à la situation,* elle ne convient pas. SENS 2. *Un enfant* **inadapté** *est un enfant qui a des difficultés à* s'adapter à un milieu, à suivre les rythmes scolaires. ●● **adapter**

■ **inadaptation** n.f. *Anne a souffert de son* **inadaptation** *à l'école.* ●● **adaptation**

inadmissible adj. *Une chose* **inadmissible** *est une chose que l'on ne peut admettre* (= inacceptable, intolérable ; ≠ admissible). ●● **admettre**

par **inadvertance** adv. *Nous nous sommes trompés de chemin* **par inadvertance,** *parce qu'on ne faisait pas attention* (= par mégarde ; ≠ exprès).

inaltérable adj. *Un métal* **inaltérable** *est un métal qui ne rouille pas, ne se ternit pas.* ●● **altérer**

inamical, ale, aux adj. *Sa dénonciation est une démarche* **inamicale** (= hostile ; ≠ amical). ●● **ami**

inamovible adj. *Certains juges sont* **inamovibles,** *on ne peut pas les obliger à partir ailleurs, les révoquer* (≠ amovible).

inanimé, ée adj. *Après sa chute, Elsa est restée* **inanimée** *sur le sol* (= évanoui, inerte). ●● **animer**

inanition n.f. *Les naufragés sont morts d'*inanition,* d'épuisement dû au manque de nourriture.*

inaperçu, ue adj. *Ce détail est passé* **inaperçu,** *on ne l'a pas remarqué* (= caché). ●● **apercevoir**

inapplicable adj. *Cette décision est* **inapplicable,** *on ne peut pas l'appliquer* (≠ applicable). ●● **appliquer**

inappréciable adj. *Vous nous avez rendu un service* **inappréciable,** *si grand qu'on ne peut l'évaluer* (= inestimable, précieux). ●● **apprécier**

inapte adj. *Léo est encore un enfant, il est* **inapte** *aux travaux de force,* il est incapable de les faire (≠ apte).

■ **inaptitude** n.f. *Il a fait la preuve de son* ***inaptitude*** *à cet emploi*, de son incapacité (≠ aptitude).

inarticulé, ée adj. *Des mots* **inarticulés** sont des mots mal prononcés, peu compréhensibles. ●● *articuler*

inattaquable adj. *Sa réputation est* ***inattaquable***, on ne peut pas la critiquer (= irréprochable). ●● *attaquer*

inattendu, ue adj. *Un événement* **inattendu** est imprévu (= inopiné). ●● *attendre*

inattentif, ive adj. *Ce détail m'a échappé parce que j'étais* ***inattentif*** *à ce moment-là*, je ne faisais pas attention (= distrait ; ≠ attentif).
■ **inattention** n.f. *Une seconde d'*****inattention*** *suffit à provoquer un accident* (= distraction ; ≠ attention).

inaudible adj. *À cette distance, l'émission est* ***inaudible***, on ne peut pas l'entendre (≠ audible). ●● *audition*

inaugurer v. 1er groupe. SENS 1. *Le préfet* ***a inauguré*** *le nouvel hôpital*, il a présidé la cérémonie d'inauguration. SENS 2. *Cet événement* ***inaugura*** *une nouvelle ère*, il en marqua le début.
■ **inauguration** n.f. [SENS 1] *L'*****inauguration*** *d'une nouvelle construction est une cérémonie qui précède sa mise en service*.
■ **inaugural, ale, aux** adj. [SENS 1] *Le président a prononcé le discours* ***inaugural***, le discours qui marque le début de la séance, de la cérémonie, etc.

inavouable adj. *Un acte* **inavouable** est un acte malhonnête (≠ avouable). ●● *avouer*

incalculable adj. *Cette décision est d'une portée* ***incalculable***, difficile à prévoir (= imprévisible). ●● *calcul*

incandescent, ente adj. *Il y a des braises* ***incandescentes*** *au fond du fourneau*, chauffées au rouge. *illustr. p. 995*
■ **incandescence** n.f. *Avec son chalumeau, le soudeur porte le fer à l'*****incandescence***, au rouge.

incapable SENS 1. adj. *Je suis* ***incapable*** *de résoudre ce problème*, je ne peux pas le faire (≠ capable). SENS 2. n. et adj. *Cet homme est (un)* ***incapable***, il n'est pas en mesure de faire correctement quoi que ce soit (= bon à rien).
■ **incapacité** n.f. [SENS 1] *Je suis dans l'*****incapacité*** *de vous répondre* (= impossibilité). [SENS 2] *Il a fait la preuve de son* ***incapacité*** (= incompétence). ●● *capacité*

incarcérer v. 1er groupe. *L'escroc* ***a été incarcéré***, il a été mis en prison. ✳ Conj. no 10.
■ **incarcération** n.f. *Le juge a ordonné l'*****incarcération***, l'emprisonnement.

incarnat, e adj. et n.m. *Un rouge* **incarnat** est un rouge vif.

incarnation n.f. *Cet homme est l'*****incarnation*** *de la générosité*, c'est l'image vivante de la générosité.

incarné, ée adj. *Un ongle* **incarné** pénètre dans la chair sur les côtés du doigt de pied.

incarner v. 1er groupe. *Dans ce film, le rôle principal* ***est incarné*** *par un acteur américain*, il est tenu par cet acteur (= représenter, jouer).

incartade n.f. *Il a été puni pour une* ***incartade***, une petite faute (= bêtise).

incassable adj. *Du verre* **incassable** est du verre très résistant. ●● *casser*

incendie n.m. *Les pompiers ont réussi à éteindre l'*****incendie***, le feu dévastateur. *illustr. p. 73*
■ **incendiaire** adj. et n. *Une bombe* ***incendiaire*** *a détruit la maison. La police*

a arrêté l'**incendiaire**, celui qui a mis volontairement le feu. —> **pyromane**

■ **incendier** v. 1ᵉʳ groupe. La forêt a été **incendiée**, elle a été détruite par le feu.

incertain, aine adj. SENS 1. Un résultat **incertain** est un résultat dont on n'est pas sûr (= douteux, hasardeux, aléatoire). SENS 2. Les experts eux-mêmes sont **incertains**, ils hésitent, ils ne sont pas sûrs (≠ certain).

■ **incertitude** n.f. Je suis dans l'**incertitude** la plus complète (= indécision ; ≠ certitude).

incessamment adv. Le train va arriver **incessamment**, dans très peu de temps, tout de suite.

incessant, ante adj. Il y a des allées et venues **incessantes** dans ce couloir, des allées et venues continuelles. ●● **cesser**

inceste n.m. L'**inceste** est interdit par la loi, les relations sexuelles entre très proches parents.

inchangé, ée adj. La situation est **inchangée**, elle n'a pas changé (= identique, stable). ●● **changer**

incidemment adv. Je vous rappelle **incidemment** votre promesse, en passant (= entre parenthèses).
✸ On prononce [ɛ̃sidamɑ̃].

incidence n.f. Le mauvais temps a une **incidence** sur le prix des fruits (= répercussion, effet).

incident n.m. Tout s'est passé sans **incident**, sans problème imprévu.
✸ Ne pas confondre **incident** et **accident**.

incinérer v. 1ᵉʳ groupe. On a **incinéré** les ordures, on les a réduites en cendres, brûlées.
✸ Conj. n° 10.

incise adj. et n.f. Dans « Viens, dit-il », « dit-il » est une proposition **incise**, une courte proposition que l'on insère.

inciser v. 1ᵉʳ groupe. Il a fallu **inciser** la peau (= entailler, fendre).

■ **incision** n.f. Le médecin a fait une **incision** dans la peau pour extraire l'éclat de verre (= entaille, coupure).

incisif, ive adj. Jean m'a répondu d'un ton **incisif** (= dur, tranchant).

■ **incisive** n.f. L'homme possède huit **incisives**, des dents larges, plates et coupantes sur le devant.   *illustr. p. 217*

inciter v. 1ᵉʳ groupe. Anne m'a **incité à** accepter cette proposition (= pousser, encourager ; ≠ empêcher, détourner).

■ **incitation** n.f. Ce journal a été condamné pour **incitation** au racisme (= appel).

incliner v. 1ᵉʳ groupe. SENS 1. Le vent **incline** les arbres, il les fait pencher. Le chanteur salua en s'**inclinant** (= se pencher). SENS 2. J'**incline à** penser que tu as tort, j'ai cette tendance. —> **enclin**

■ **inclinaison** n.f. [SENS 1] L'**inclinaison** du toit est très raide (= pente).

■ **inclination** n.f. [SENS 2] Jean suit ses **inclinations** (= penchant, tendance).

inclure v. 3ᵉ groupe. Il faut **inclure** cette somme dans le total de nos dépenses, l'y mettre (= comprendre ; ≠ exclure).
✸ Conj. n° 68.

■ **inclus, use** adj. Le texte cité va de la page 35 à la page 37 **incluse**, la page 37 faisant partie de cet ensemble (= compris).

incognito adv. et n.m. Le président voyage **incognito**, sans se faire reconnaître (= secrètement). Il veut conserver l'**incognito** (= anonymat).

incohérent, ente adj. Des paroles **incohérentes** sont des paroles qui n'ont pas de lien entre elles (≠ cohérent).

■ **incohérence** n.f. Son programme comporte des **incohérences**, des points sans lien logique (≠ cohérence).

487

incollable adj. *Du riz* **incollable** *ne colle pas à la cuisson.* ●● **colle**. *Fam. Ce candidat est* **incollable***, il sait répondre à toutes les questions.*

incolore adj. *L'eau pure est* **incolore***, elle n'a pas de couleur* (≠ teinté). ●● **couleur**

incomber v. 1er groupe. *Cette dépense lui* **incombe***, c'est lui qui doit la faire* (= revenir).

incombustible adj. *Une matière* **incombustible** *est une matière qui ne brûle pas* (≠ combustible).

incommensurable adj. *Laurent est d'un orgueil* **incommensurable** (= immense, extrême).

incommode ou **malcommode** adj. *J'étais dans une position* **incommode** *pour travailler* (= inconfortable). *Cet outil est* **malcommode***, il n'est pas pratique* (≠ commode).

■ **incommodité** n.f. *Il a fallu changer de salle à cause de l'***incommodité** *de la pièce où nous étions.*

■ **incommoder** v. 1er groupe. *J'***étais** **incommodé** *par la chaleur*, j'étais mal à l'aise (= gêner).

incommodité → **incommode**

incomparable adj. *Ces deux métiers sont* **incomparables***, ils sont très différents* (≠ comparable). *Nos produits sont d'une qualité* **incomparable***, ils sont supérieurs à tous les autres* (= inégalable, exceptionnel). ●● **comparer**

■ **incomparablement** adv. *Cette région est* **incomparablement** *plus belle en automne qu'au printemps* (= beaucoup, infiniment).

incompatible adj. *Des idées* **incompatibles** *sont des idées qui ne peuvent pas s'accorder* (= inconciliable, contraire, opposé ; ≠ compatible).

incompétent, ente adj. *Carole est* **incompétente** *en musique, elle n'y connaît rien* (≠ compétent).

■ **incompétence** n.f. *Il a été renvoyé pour* **incompétence** (= incapacité).

incomplet, ète adj. *Le compte rendu est* **incomplet***, il en manque une partie* (≠ complet).

■ **incomplètement** adv. *Vous avez répondu* **incomplètement** *à ma question, vous n'avez pas répondu à toute la question* (≠ complètement).

incompréhensible adj. *Il bredouille des mots* **incompréhensibles***, impossibles à comprendre* (= inintelligible ; ≠ compréhensible). ●● **comprendre**

■ **incompréhension** n.f. *Leur dispute est née d'une* **incompréhension***, du fait qu'ils ne se sont pas compris* (= malentendu). ◆ *Cet artiste a souffert de l'***incompréhension** *de ses contemporains* (≠ compréhension).

■ **incompris, ise** adj. *Ce devoir est mauvais : l'énoncé est* **incompris***, il n'est pas compris.* ◆ *Ce peintre a été* **incompris** *de son vivant, il n'a pas été apprécié à sa valeur.*

incompressible adj. *Nos dépenses sont* **incompressibles***, on ne peut pas les réduire* (≠ compressible). ●● **comprimer**

inconcevable adj. *Vous avez agi avec une légèreté* **inconcevable***, une légèreté qu'on a peine à imaginer* (= incroyable). ●● **concevoir**

inconciliable adj. *Étudier les sciences et croire que les bébés sont apportés par les cigognes sont deux états d'esprit* **inconciliables***, qui ne peuvent pas aller ensemble* (= incompatible, opposé).

inconditionnel, elle adj. *Ils m'ont assuré de leur appui* **inconditionnel***, qui ne dépend d'aucune condition* (= absolu). ●● **condition**

■ **inconditionnellement** adv. *Je refuse de m'engager **inconditionnellement** dans cette voie* (= sans réserve).

inconduite n.f. *Son **inconduite** a fait scandale,* sa mauvaise conduite (= immoralité). ●● *conduire*

inconfortable adj. *Cette vieille maison est **inconfortable**,* elle manque de confort (= malcommode ; ≠ confortable). ●● *confort*

incongru, ue adj. *Paul m'a fait une remarque **incongrue**,* contraire aux bienséances (= impoli, déplacé).
■ **incongruité** n.f. *Cesse de dire des **incongruités** !,* des choses inconvenantes (= grossièreté, incorrection).

inconnu, ue adj. et n. SENS 1. *Ce mot m'est **inconnu**,* je ne le connais pas (≠ connu). ●● *connaître.* SENS 2. *Un **inconnu** m'a abordé dans la rue,* un homme que je ne connais pas.

inconscient, e adj. SENS 1. *Le malade était **inconscient**,* sans connaissance, évanoui (≠ conscient). SENS 2. *Il faut être **inconscient** pour prendre de tels risques,* ne pas imaginer les conséquences de ses actes (= déraisonnable).
■ **inconsciemment** adv. [SENS 1] *En dormant, il a **inconsciemment** crié,* sans s'en rendre compte (≠ consciemment). ✷ On prononce [ɛ̃kɔ̃sjamɑ̃].
■ **inconscience** n.f. [SENS 2] *Conduire à cette vitesse, c'est de l'**inconscience** !,* c'est agir sans réflexion (= folie ; ≠ conscience).

inconséquent, ente adj. *Dans cette affaire, il a eu une conduite **inconséquente**,* il a agi à la légère (= irréfléchi, déraisonnable ; ≠ conséquent).

inconsidéré, ée adj. *Il a eu tort de se lancer dans des dépenses **inconsidérées*** (= déraisonnable, excessif).
■ **inconsidérément** adv. *Vous avez agi **inconsidérément** en ne la prévenant*

pas, sans réfléchir (= étourdiment ; ≠ sagement).

inconsistant, ante adj. *Son programme est **inconsistant**,* il ne contient à peu près rien (≠ consistant).

inconsolable adj. *Depuis la mort de son mari, elle est **inconsolable**,* rien ne peut la consoler. ●● *consoler*

inconstant, ante adj. *Julien est un ami **inconstant**,* il n'a pas toujours les mêmes sentiments (= changeant, lunatique, versatile ; ≠ constant, fidèle).
■ **inconstance** n.f. *Sa réaction est imprévisible, étant donné l'**inconstance** de son humeur. On lui reproche l'**inconstance** de ses opinions* (= versatilité ; ≠ constance).

incontestable adj. *Un fait **incontestable** est un fait bien établi* (= indiscutable, indéniable, certain ; ≠ contestable). ●● *contester*
■ **incontestablement** adv. *La vie est **incontestablement** plus calme à la campagne qu'à la ville* (= indiscutablement, indubitablement).

incontournable adj. *La faim dans le monde est un problème **incontournable**,* qu'on ne peut pas ignorer, dont il faut tenir compte. ●● *contourner*

incontrôlable adj. *Son témoignage est **incontrôlable**,* on ne peut pas le contrôler, le vérifier. ●● *contrôler*
■ **incontrôlé, ée** adj. *Des pillages ont été commis par des éléments **incontrôlés**,* des gens échappant à l'autorité.

inconvenant, ante adj. *Des mots **inconvenants** sont des mots contraires aux convenances, aux bienséances* (= déplacé ; ≠ convenable). ●● *convenir*

inconvénient n.m. *Cette maison a l'**inconvénient** d'être humide* (= défaut ; ≠ avantage, qualité).

489

incorporer v. 1ᵉʳ groupe. SENS 1. *Il faut incorporer les œufs à la farine,* les mélanger pour qu'ils ne fassent plus qu'une seule masse. SENS 2. **Incorporer** des soldats, c'est les faire entrer dans un corps de troupe. ●● *corps*

■ **incorporation** n.f. [SENS 2] *Les soldats ont reçu leur tenue dès leur incorporation.*

incorrect, e adj. SENS 1. *Cette phrase est incorrecte,* elle contient des fautes. SENS 2. *Ce garçon a été incorrect,* il s'est mal conduit (= malpoli, mal élevé ; ≠ correct).

■ **incorrection** n.f. [SENS 1] *Il y a beaucoup d'incorrections dans ce devoir* (= faute).

incorrigible adj. *Marie est d'une gourmandise incorrigible,* elle ne peut pas s'en corriger (= incurable). ●● *corriger*

incorruptible adj. *Les ministres doivent être incorruptibles,* on ne doit pas pouvoir les corrompre (= intègre). ●● *corrompre*

incrédule adj. *Il m'a regardé avec un sourire incrédule,* un sourire qui indiquait qu'il ne me croyait pas (= sceptique). ●● *croire*

■ **incrédulité** n.f. *Son sourire exprimait son incrédulité* (= scepticisme).

increvable adj. SENS 1. *Un pneu increvable* est conçu pour résister aux crevaisons. SENS 2. Fam. *Cet homme est increvable,* il a une résistance extraordinaire à la fatigue. ●● *crever*

incriminer v. 1ᵉʳ groupe. *Tu l'incrimines sans preuves* (= accuser).

incroyable adj. *Cette histoire est incroyable,* elle est difficile ou impossible à croire (= invraisemblable, extraordinaire). ●● *croire*

■ **incroyablement** adv. *C'était une affaire incroyablement compliquée* (= extraordinaire).

incroyant, ante n. Les **incroyants** sont les personnes qui ne croient pas en Dieu (= athée ; ≠ croyant).

incruster v. 1ᵉʳ groupe. SENS 1. *Ce meuble est incrusté d'ivoire,* il y a des morceaux d'ivoire fixés dans le bois. SENS 2. Fam. *On l'invite à dîner et il reste tout le week-end ! c'est quelqu'un qui s'incruste !,* qui s'installe chez les autres avec sans-gêne.

■ **incrustation** n.f. [SENS 1] *Ce meuble est orné d'incrustations d'ivoire.*

incubation n.f. SENS 1. *L'incubation des œufs de poule dure 21 jours,* le temps où ils sont couvés, avant qu'ils n'éclosent. SENS 2. *La durée d'incubation des oreillons est de 18 à 21 jours,* le temps qui s'écoule entre le contact du microbe avec le corps et l'apparition des signes de la maladie.

inculpation n.f. *Il a été arrêté sous l'inculpation d'escroquerie* (= accusation).

■ **inculper** v. 1ᵉʳ groupe. *Le juge a inculpé ces gangsters d'homicide et de vol à main armée,* il les a officiellement accusés de ces crimes.
✳ Aujourd'hui on dit « mettre en examen ».

■ **inculpé, ée** n. *L'inculpé a été laissé en liberté provisoire* (= accusé).

inculquer v. 1ᵉʳ groupe. *Nous lui avons inculqué les règles de la politesse,* on les a bien fait pénétrer dans son esprit et ses habitudes (= enseigner).

inculte adj. SENS 1. *Une terre inculte* est une terre qui n'est pas cultivée. SENS 2. *Une personne inculte* est quelqu'un qui n'a pas de culture intellectuelle (= ignorant, ignare). ●● *cultiver*

■ **inculture** n.f. [SENS 2] *Aurélien est incapable de répondre à des questions aussi simples : cela prouve son inculture* (= ignorance ; ≠ culture).

incurable adj. *Une maladie incurable* est une maladie qu'on ne peut pas guérir. ●● *cure (2)*

incursion n.f. *L'incursion des enfants dans son bureau l'a mis en colère,* le fait qu'ils soient entrés sans prévenir (= irruption).

incurver v. 1er groupe. *On chauffe la barre de fer pour l'incurver,* la rendre courbe (= courber, tordre).

indécent, ente adj. *L'étalage de richesses devant des pauvres est indécent,* contraire à la décence (= inconvenant, déplacé, scandaleux ; ≠ décent).

■ **indécence** n.f. *Elle a scandalisé tout le monde par l'indécence de sa tenue,* le manque de pudeur (≠ décence).

indéchiffrable adj. *Une écriture indéchiffrable est une écriture impossible ou très difficile à déchiffrer* (= illisible). ●● *chiffre*

indécis, ise adj. SENS 1. *Il m'est difficile de choisir, je reste indécis,* je ne peux pas me décider (= hésitant, perplexe ; ≠ décidé). ●● *décider.* SENS 2. *Le succès de l'expérience est encore indécis,* il n'est pas net (= incertain, douteux).

■ **indécision** n.f. [SENS 1] *Ce dernier argument a mis fin à mon indécision* (= hésitation, irrésolution). ●● *décision*

indéfectible adj. *Michaël a toujours été d'une fidélité indéfectible,* constante, à toute épreuve.

indéfendable adj. *Sa façon d'agir est indéfendable,* on ne peut pas la justifier (= inexcusable, inadmissible ; ≠ défendable). ●● *défendre*

indéfini, ie adj. SENS 1. *Son écharpe est d'une couleur indéfinie,* d'une couleur qui n'est pas nettement définie, précise. ●● *définir.* SENS 2. *Ces travaux risquent de durer un temps indéfini,* un temps très long. SENS 3. *« Un » est un article indéfini,* il se rapporte à une personne ou à une chose indéterminée (≠ défini).

indéfinissable adj. [SENS 1] *Une odeur indéfinissable flottait dans la pièce,* une odeur difficile à définir (= vague, imprécis).

indéformable adj. *Une armature indéformable résiste aux déformations.* ●● *forme (1)*

indélébile adj. *Cette encre est indélébile,* impossible à effacer.

indémaillable adj. *Cette robe est en tissu indémaillable,* les mailles ne peuvent pas se défaire. ●● *maille*

indemne adj. *Il est sorti indemne de son accident de voiture,* sans blessure, sain et sauf.

indemnité n.f. *M. Chéron touche une indemnité de déplacement,* de l'argent pour le rembourser de ses frais.

■ **indemniser** v. 1er groupe. *Après l'incendie, l'assurance nous a indemnisés* (= dédommager).

■ **indemnisation** n.f. *L'assurance se charge de l'indemnisation des dégâts* (= dédommagement).

indéniable adj. *Il n'a pas respecté la priorité, sa responsabilité est indéniable,* on ne peut pas la nier (= incontestable, indiscutable ; ≠ discutable). ●● *nier*

■ **indéniablement** adv. *Il est indéniablement responsable,* de toute évidence (= incontestablement, indiscutablement).

indépendant, ante adj. SENS 1. *Un État indépendant est un État qui n'est pas soumis à l'autorité d'un autre* (= libre, souverain). ●● *dépendre. Catherine a toujours été très indépendante,* elle a tenu à conserver sa liberté, à décider toute seule. SENS 2. *Cet incident est indépendant de ma volonté,* cela ne dépend pas de moi, je n'y suis pour rien. SENS 3. *Ces deux chambres sont indépendantes,* on n'est pas obligé de passer dans l'une pour aller dans l'autre.

■ **indépendamment** adv. *Indépendamment de son prix, cette voiture est trop grande pour moi,* sans tenir compte de son prix.

■ **indépendance** n.f. *Les pays d'Afrique ont conquis leur indépendance* (= liberté).

indéracinable adj. *Une erreur indéracinable est tellement répandue qu'on n'arrive pas à la déraciner, à l'extirper, à la faire disparaître.* ●● *racine*

indescriptible adj. *La pièce est dans un désordre indescriptible,* impossible à décrire, extraordinaire. ●● *décrire*

indésirable adj. *J'ai fermé ma porte à des voisins indésirables,* des voisins que je ne désire pas fréquenter. ●● *désirer*

indestructible adj. *Ces remparts ont longtemps paru indestructibles,* impossibles à détruire. *Notre amitié est indestructible* (= impérissable, à toute épreuve). ●● *détruire*

indéterminé, ée adj. *Les causes de l'accident sont encore indéterminées,* elles ne sont pas exactement déterminées, définies. ●● *déterminer*

illustr. **1. index** n.m. *Jean tient son stylo entre p. 217 le pouce et l'index,* un des doigts de la main, le plus près du pouce.

2. index n.m. *À la fin du livre, il y a un index des illustrations,* une liste des mots et l'indication des pages permettant de les retrouver facilement.

indexer v. 1er groupe. *Les salaires étaient indexés sur la hausse des prix,* ils variaient dans les mêmes proportions.

indicateur, indicatif, indication → *indiquer*

indice n.m. SENS 1. *Il rougit : c'est un indice de timidité* (= signe, preuve, marque). *L'enquête piétine, faute d'indices,*

d'éléments significatifs. SENS 2. *Chaque mois, on publie l'indice de la hausse des prix,* le chiffre moyen.

indicible adj. *Cette nouvelle me cause une joie indicible* (= extraordinaire, inexprimable). ●● *dire*

indien, enne n. et adj. SENS 1. *Les* Indiens *sont les premiers habitants de l'Amérique du Nord.* SENS 2. *Ils avançaient en file indienne dans la forêt,* en colonne l'un derrière l'autre (= à la queue leu leu). *illustr. p. 495, 970*

indifférent, ente adj. SENS 1. *M. Dupont m'est indifférent,* il ne m'intéresse pas. SENS 2. *M. Dubois est un homme indifférent,* il ne s'intéresse pas aux autres (= froid).

■ **indifféremment** adv. [SENS 1] *Vous pouvez prendre indifféremment l'un ou l'autre des deux chemins,* aussi bien l'un que l'autre, sans préférence.
✳ On prononce [ɛ̃diferamɑ̃].

■ **indifférence** n.f. [SENS 2] *Il m'a regardé avec indifférence,* sans s'intéresser à moi (= froideur).

indigence → *indigent*

indigène adj. et n. *L'explorateur discute avec la population indigène,* qui est originaire du pays qu'elle habite.

indigent, ente n. *Cette organisation porte secours aux indigents,* aux personnes très pauvres (= nécessiteux).

■ **indigence** n.f. *Ces réfugiés vivent dans une extrême indigence* (= misère, dénuement).
✳ Ces mots s'emploient surtout dans la langue écrite.

indigeste adj. *Un aliment indigeste est un aliment difficile à digérer* (= lourd ; ≠ digeste). ●● *digérer*

■ **indigestion** n.f. *Il a tellement mangé de frites qu'il en a eu une indigestion,* des troubles digestifs, un embarras gastrique ou intestinal.

indigne adj. SENS 1. *Sa conduite a été* **indigne,** *elle a manqué de dignité au point de le déshonorer* (= méprisable). SENS 2. *Il s'est montré* **indigne** *de notre confiance, il ne la mérite pas* (≠ digne). SENS 3. *Cet emploi lui paraissait* **indigne** *de lui, il ne le trouvait pas assez bien pour lui.*

■ **indignement** adv. [SENS 3] *Stéphane se plaint d'avoir été* **indignement** *traité* (= sans égards, honteusement).

indigner v. 1er groupe. *Cette erreur judiciaire nous* **a indignés,** *elle nous a remplis de colère* (= révolter).

■ **indignation** n.f. *Laurent a protesté avec* **indignation** *contre ces accusations* (= colère, révolte).

illustr. p. 845
indigo adj. inv. et n.m. *Marie a une robe* **indigo,** *bleu foncé violacé.*

indiqué, ée adj. *Un séjour à la montagne est tout* **indiqué** *pour fortifier cet enfant, il convient tout à fait* (= recommandé ; ≠ contre-indiqué).

indiquer v. 1er groupe. SENS 1. *Pouvez-vous m'***indiquer** *le chemin de la gare ?,* me l'expliquer (= montrer). SENS 2. *La pendule* **indique** *3 heures* (= marquer).
●● *contre-indiqué*

illustr. p. 853
■ **indicateur, trice** adj. et n.m. [SENS 1 et 2] *Le panneau* **indicateur** *porte le nom de la prochaine ville.* L'**indicateur** des chemins de fer est une brochure qui indique les heures des trains. [SENS 2] n. *La police a arrêté le coupable grâce à un* **indicateur,** *une personne qui lui communique secrètement des informations* (= informateur).

■ **indicatif** [SENS 2] n.m. *Écoute ! c'est l'***indicatif** *de l'émission sportive,* l'air qui en indique le début. ◆ *« Je suis » est la* 1re *personne du singulier de l'***indicatif** *présent du verbe « être »,* un mode du verbe qui exprime la réalisation d'une action, l'existence d'un fait. ◆ adj. [SENS 1] *Voici,* **à titre indicatif,** *les dates des prochains concerts,* pour vous informer, pour vous renseigner.

■ **indication** n.f. [SENS 1] *Il n'a pas suivi* *illustr.*
mes **indications** (= avis, conseil).   *p. 853*

indirect, e adj. SENS 1. *On peut prendre la route directe ou un chemin* **indirect,** *un chemin qui fait des détours.* SENS 2. *Un éclairage* **indirect** *est une lumière réfléchie sur une surface.* SENS 3. *Un complément* **indirect** *est rattaché au verbe par une préposition* (≠ direct).

■ **indirectement** adv. [SENS 1] *J'ai appris la nouvelle* **indirectement** *par un de ses voisins* (≠ directement).

indiscipline n.f. *Il a été puni pour* **indiscipline,** *pour une faute contre le règlement* (≠ discipline).

■ **indiscipliné, ée** adj. *Il n'y a pas beaucoup d'élèves* **indisciplinés** *dans la classe,* d'élèves qui sont rebelles à la discipline (= désobéissant ; ≠ discipliné).

indiscret, ète adj. *Lise a jeté un regard* **indiscret** *dans la pièce,* un regard provoqué par la curiosité (≠ discret). Un bavardage **indiscret** révèle des choses qui auraient dû rester secrètes.

■ **indiscrètement** adv. *Anne m'interrogeait* **indiscrètement** (≠ discrètement).

■ **indiscrétion** n.f. *Excusez mon* **indiscrétion,** *quel âge avez-vous ?* ◆ *Il vaut mieux ne pas parler de cela à personne, par crainte des* **indiscrétions,** *des bavardages indiscrets.*

indiscutable adj. *L'amélioration de sa santé est* **indiscutable,** *on ne peut pas la contester* (= incontestable, indéniable, évident ; ≠ discutable). ●● *discuter*

indispensable adj. *Je n'ai emporté que les objets* **indispensables,** *les objets de première nécessité. Il est* **indispensable** *de se faire inscrire un mois à l'avance* (= obligatoire). ●● *dispenser*

indisponible adj. *Ce local est actuellement* **indisponible,** *on ne peut pas l'utiliser* (≠ disponible). ●● *disposer*

L'AMÉRIQUE DU NORD

castor

loup

lynx

puma

coyote

pécari

bison

lancement d'une navette spatiale

réservoir

navette

tuyères

tour de lancement

plateau

chutes

viaduc

gratte-ciel (buildings)

autoroute

chemin de fer transcanadien

pont suspendu

voitures

locomotive

Les Indiens étaient les premiers occupants du territoire américain. Peu à peu, leurs tribus ont été repoussées par les Européens qui ont détruit leur civilisation.

gerboise

ours

opossum

élan

loutre

alligator

Indien

piton

cañon

geyser

silos à grains

lac

conifères

embarcadère

panneau publicitaire

Far West

ranch

cow-boy

bœufs

fleurs

fruit

coton

soja

maïs

feuille emprisonnant un insecte

ase-ball

alle

batte

gant

sucre d'érable

érablière

chalumeau

cabane à sucre

feuille d'érable

dionée

séquoia

495

indisposer v. 1er groupe. SENS 1. *Essaie de ne pas indisposer les voisins !,* de ne pas les mécontenter (= gêner, ennuyer). SENS 2. *Cette odeur de moisi m'indispose,* elle me rend un peu malade (= incommoder).

■ **indisposition** n.f. [SENS 2] *Par suite d'une indisposition, elle n'a pas pu venir travailler,* un petit ennui de santé.

indissociable adj. *Ces deux questions sont indissociables,* on ne peut pas les dissocier (= inséparable). ●● *dissocier*

indissoluble adj. *Une union indissoluble* est une union que rien ne peut dissoudre, c'est-à-dire faire cesser (= indéfectible). ●● *dissoudre*

■ **indissolublement** adv. *Ces deux questions sont indissolublement liées,* il est impossible de les séparer.

■ **indissolubilité** n.f. *L'Église catholique proclame l'indissolubilité du mariage.*

indistinct, e adj. *Mes souvenirs à ce sujet sont indistincts* (= vague, confus, imprécis ; ≠ distinct). ●● *distinguer*

■ **indistinctement** adv. *Je m'adresse à vous tous indistinctement* (= sans distinction).

individu n.m. SENS 1. *Une société humaine est un ensemble organisé d'individus,* de personnes (≠ collectivité, groupe). SENS 2. *Comment s'appelle cet individu ?,* cet homme peu recommandable (= fam. type).

■ **individuel, elle** adj. [SENS 1] *Chacun des enfants a une chambre individuelle* (= personnel, particulier ; ≠ commun, collectif).

■ **individuellement** adv. [SENS 1] *On nous a reçus individuellement,* l'un après l'autre (= séparément ; ≠ ensemble).

■ **individualiste** adj. et n. [SENS 1] *M. Durand est (un) individualiste,* il aime être indépendant des autres.

■ **individualisme** n.m. [SENS 1] *Par individualisme, il a toujours refusé de partir en voyage en groupe,* par esprit d'indépendance.

indivisible adj. *La République française est indivisible,* elle forme un tout qu'on ne peut pas séparer. ●● *diviser*

indocile adj. *La maîtresse a su gagner la sympathie de cet enfant indocile,* qui n'accepte pas facilement d'obéir (= difficile, rebelle ; ≠ docile).

indolent, ente adj. *Alex est un élève indolent,* il est mou, nonchalant (≠ actif, énergique).

■ **indolence** n.f. *Il entrouvrit les yeux avec indolence* (= nonchalance ; ≠ vivacité).

indolore adj. *Ne crains rien, cette piqûre est indolore,* elle ne fait pas mal, elle n'est pas douloureuse. ●● *douleur*

indomptable adj. *Elle a fait preuve d'un courage indomptable,* que rien n'a pu briser ou affaiblir (= inflexible, farouche). ●● *dompter*
✳ On ne prononce pas le « p » : [ɛ̃dɔ̃tabl].

indu, ue adj. *Il est encore rentré à une heure indue,* plus tard qu'il n'aurait dû. ●● *devoir*

■ **indûment** adv. *Il faut restituer cette somme perçue indûment,* alors qu'elle n'était pas due (= à tort). ●● *devoir*
✳ Attention à l'accent circonflexe.

indubitable adj. *On ne peut pas l'accuser : son honnêteté est indubitable,* elle ne fait aucun doute (= certain, assuré, incontestable, indéniable ; ≠ douteux). ●● *douter*

■ **indubitablement** adv. *Il est indubitablement honnête* (= incontestablement).

induire v. 3e groupe. *Tristan m'a induit en erreur,* il m'a amené à commettre une erreur.
✳ Conj. n° 70.

indulgent, ente adj. *Soyez **indulgent** avec lui : c'est un débutant,* pardonnez-lui ses fautes et ses erreurs (= patient, compréhensif ; ≠ sévère, exigeant).

▪ **indulgence** n.f. *L'accusé a demandé l'**indulgence** des juges* (= clémence, compréhension ; ≠ sévérité, dureté).

indûment → *indu*

industrie n.f. SENS 1. *L'**industrie** transforme les matières premières et fournit des produits fabriqués.* SENS 2. *Il dirige une petite **industrie**,* une entreprise qui fabrique des produits.

illustr. p. 1016 ▪ **industriel, elle** adj. *Cette région est une région **industrielle**,* où il y a beaucoup d'usines.

▪ **industriel** n.m. *M. Morel est un **industriel**,* il possède ou dirige une usine.

▪ **industriellement** adv. *Cet article est fabriqué **industriellement**,* par grandes quantités.

▪ s'**industrialiser** v. 1er groupe. *Le pays **s'est industrialisé**,* on a construit des usines.

inébranlable adj. *J'ai une confiance **inébranlable** en ce garçon,* une confiance que rien ne peut ébranler (= ferme, absolu, total).

inédit, ite adj. SENS 1. *Ses poèmes sont encore **inédits**,* ils ne sont pas édités. ●● *éditer.* SENS 2. *Voilà un spectacle **inédit**,* très nouveau (= original).

ineffable adj. *Une joie **ineffable** est une joie si intense qu'on ne peut pas l'exprimer par des mots* (= indicible, inexprimable).

ineffaçable adj. *Je garde un souvenir **ineffaçable** de cette journée,* un souvenir qui ne s'effacera pas de ma mémoire (= vivace, impérissable). ●● *effacer*

inefficace adj. *Le remède s'est révélé **inefficace**,* sans effet (≠ efficace).

▪ **inefficacité** n.f. *La fièvre persiste, ce qui prouve l'**inefficacité** du traitement* (≠ efficacité).

inégal, ale, aux adj. SENS 1. *Le partage a été **inégal**,* certaines parts étaient plus importantes que d'autres (= injuste ; ≠ égal). SENS 2. *Il travaille de façon **inégale**,* plus ou moins bien selon les moments. SENS 3. *Le combat était **inégal**,* un des adversaires était avantagé par rapport à l'autre. SENS 4. *Le sol est **inégal**,* il n'est pas uni (= irrégulier).

▪ **inégalement** adv. [SENS 1] *Les ressources du sous-sol sont **inégalement** réparties* (≠ également). [SENS 2] *Il réussit **inégalement** selon les jours.*

▪ **inégalité** n.f. [SENS 1] *Les grévistes protestent contre l'**inégalité** des salaires. La nouvelle loi tend à réduire les **inégalités*** (= injustice). [SENS 4] *Les **inégalités** du terrain rendent la marche difficile* (= accident).

inégalable adj. *Ces nouveaux produits sont d'une qualité **inégalable**,* d'une qualité sans égale (= incomparable).

inélégant, ante adj. *Son refus brutal est un procédé **inélégant**,* contraire aux bons usages (= grossier ; ≠ élégant).

inéligible adj. *Sa condamnation pénale le rend **inéligible**,* on ne peut pas l'élire (≠ éligible). ●● *élire*

inéluctable adj. *La mort est **inéluctable**,* on ne peut pas y échapper (= inévitable).

inénarrable adj. *Il m'est arrivé une aventure **inénarrable**,* si drôle ou si extraordinaire que je ne peux pas la raconter. ●● *narrer*

inepte adj. *J'ai trouvé ce film complètement **inepte*** (= idiot, stupide, absurde).

▪ **ineptie** n.f. *Ce projet est une **ineptie*** (= idiotie).

✳ On prononce [inɛpsi].

inépuisable adj. SENS 1. *Les réserves paraissaient* **inépuisables**, *impossibles à épuiser* (= infini, intarissable). ●● *épuiser*. SENS 2. *Adrien a fait preuve d'une patience* **inépuisable**, *d'une patience à toute épreuve* (= inlassable).

inerte adj. *Le blessé était* **inerte**, *sans mouvement* (= immobile).

■ **inertie** n.f. *Rien ne peut le faire sortir de son* **inertie**, *son manque d'énergie* (= indolence, passivité, inaction).
✳ On prononce [inɛrsi].

inespéré, ée adj. *Un succès* **inespéré** *est un succès qu'on n'espérait pas* (= inattendu). ●● *espérer*

inesthétique adj. *Ce poteau électrique devant la façade du château est* **inesthétique**, *il n'est pas beau, il gâche le paysage* (= laid ; ≠ esthétique).

inestimable adj. *Une œuvre d'art* **inestimable** *est une œuvre dont la valeur est si grande qu'on ne peut pas l'évaluer.* ●● *estimer*

inévitable adj. *À une vitesse pareille, sur le verglas, l'accident était* **inévitable**, *on ne pouvait pas l'éviter, il devait forcément arriver* (= fatal). ●● *éviter*

■ **inévitablement** adv. *Si tu ne pars pas tout de suite, tu seras* **inévitablement** *en retard* (= fatalement).

inexact, e adj. *Plusieurs détails de ce récit sont* **inexacts**, *ils ne sont pas conformes à la vérité* (= faux). *Le résultat est* **inexact** (= erroné ; ≠ exact).
✳ On prononce [inɛgza] ou [inɛgzakt].

■ **inexactitude** n.f. *Il y a plusieurs* **inexactitudes** *dans ce récit* (= erreur).

inexcusable adj. *Cette négligence est* **inexcusable**, *aucune excuse ne peut la justifier* (= impardonnable ; ≠ excusable). ●● *excuser*

inexistant, ante adj. *Les preuves contre lui sont* **inexistantes**, *il n'y en a pas* (= nul). ●● *exister*

inexorable adj. *On l'a supplié, mais il est resté* **inexorable**, *il ne s'est pas laissé fléchir* (= inflexible, impitoyable).

■ **inexorablement** adv. *La sécheresse se poursuit* **inexorablement** (= implacablement).

inexpérience n.f. *L'accident est dû à l'*inexpérience* du conducteur, à son manque d'expérience* (≠ expérience).

■ **inexpérimenté, ée** adj. *On ne peut pas confier ce travail à un garçon* **inexpérimenté**, *sans expérience* (= novice ; ≠ expérimenté).

inexplicable adj. *Les raisons de l'accident sont* **inexplicables**, *on ne peut pas les expliquer* (= incompréhensible, mystérieux ; ≠ explicable). ●● *expliquer*

■ **inexpliqué, ée** adj. *Le mobile du crime reste* **inexpliqué**, *on ne lui a toujours pas donné d'explication.*

inexploré, ée adj. *Il reste des régions* **inexplorées** *sur la Terre, qui n'ont pas été explorées* (= inconnu). ●● *explorer*

inexpressif, ive adj. *Un regard* **inexpressif** *est un regard qui n'exprime aucun sentiment* (= neutre, impassible ; ≠ expressif). ●● *exprimer*

inexprimable adj. *J'éprouve une joie* **inexprimable**, *si intense qu'il est difficile de l'exprimer* (= indicible, ineffable). ●● *exprimer*

inexpugnable adj. *Cette citadelle était* **inexpugnable**, *il était impossible de la prendre d'assaut.*

in extenso adv. *Lire un texte* **in extenso**, *c'est le lire d'un bout à l'autre.*

inextinguible adj. *J'ai une soif* **inextinguible**, *impossible à faire cesser* (= insatiable).

in extremis adv. *Les pompiers sont arrivés in extremis pour le sauver,* au tout dernier moment.
✳ On prononce le « s » : [inɛkstremis].

inextricable adj. *Cette affaire présente des complications inextricables,* très embrouillées.

infaillible adj. SENS 1. *Y a-t-il un remède infaillible contre la grippe ?,* un remède qui réussit toujours. SENS 2. *Personne n'est infaillible,* incapable de se tromper.

■ **infailliblement** adv. [SENS 1] *Cette politique mène infailliblement à l'échec,* à coup sûr.

infaisable adj. *Un travail infaisable est un travail qu'il n'est pas possible de faire* (≠ faisable). ●● *faire*
✳ On prononce [ɛ̃fəzabl].

infâme adj. *Voilà un crime infâme !* (= horrible, ignoble).

■ **infamant, ante** adj. *Cette condamnation n'a rien d'infamant,* de déshonorant.

■ **infamie** n.f. *Il est capable de commettre des infamies* (= crime).
✳ Dans cette famille de mots, seul **infâme** prend un accent circonflexe.

infanterie n.f. *Mon grand-père avait fait la guerre dans l'infanterie,* les troupes qui combattent à pied, les fantassins.

infanticide n.m. *Un infanticide est un meurtre d'enfant.* ●● *enfant*

infantile adj. SENS 1. *Les maladies infantiles sont celles des enfants.* ●● *enfant*. SENS 2. *Régis a un esprit infantile,* il se conduit comme s'il était encore un enfant (= enfantin, puéril).

■ **infantilisme** n.m. [SENS 2] *Croire que ce chien comprend tes explications, c'est de l'infantilisme* (= puérilité).

infarctus n.m. *M. Mangin a fait un infarctus,* une soudaine maladie de cœur due à une artère qui se bouche (= crise cardiaque).
✳ On prononce le « s » final : [ɛ̃farktys].

infatigable adj. *C'est un marcheur infatigable,* qui ne se fatigue pas vite. ●● *fatiguer*

■ **infatigablement** adv. *Les enquêteurs poursuivent infatigablement leurs recherches* (= inlassablement).

infatué, ée adj. *M. Delcour est infatué de lui-même,* il est prétentieux.

infect, e adj. SENS 1. *Je ne vous recommande pas ce restaurant, la viande y est infecte,* elle est très mauvaise (= détestable). SENS 2. *Ces gens-là sont infects,* ils sont ignobles.

infecter v. 1er groupe. *Il faut nettoyer la plaie pour qu'elle ne s'infecte pas,* qu'elle ne soit pas contaminée par des microbes (≠ désinfecter). ●● *désinfectant*
✳ Ne pas confondre **infecter** et **infester**.

■ **infectieux, euse** adj. *La bronchite est une maladie infectieuse,* due à des microbes.

■ **infection** n.f. *Le manque de propreté peut provoquer une infection,* un développement des microbes.

inférieur, eure adj. SENS 1. *Pierre habite à l'étage inférieur,* au-dessous, plus bas. SENS 2. *6 est inférieur à 9,* plus petit (≠ supérieur). SENS 3. n. et adj. *Il me traite comme si j'étais un inférieur* (= subalterne). *Il occupe un poste inférieur* (≠ supérieur). *illustr. p. 1016*

■ **infériorité** n.f. [SENS 3] *Aurélien a un sentiment d'infériorité,* il a l'impression d'être inférieur aux autres (≠ supériorité).

infernal, ale, aux adj. *Il fait ici une chaleur infernale* (= terrible, insupportable). ●● *enfer*

infester v. 1ᵉʳ groupe. *Cette région est infestée de moustiques,* il y en a beaucoup (= envahir).
✳ Ne pas confondre **infester** et **infecter.**

infidèle adj. SENS 1. *Un mari infidèle est un homme qui trompe sa femme, qui a une liaison avec une autre femme* (= volage ; ≠ fidèle). SENS 2. *Un récit infidèle ne respecte pas la vérité, il déforme les faits. Ma mémoire est infidèle* (= imprécis, défaillant).

▪ **infidélité** n.f. [SENS 1] *Mme Legendre n'a jamais fait d'infidélité à son mari,* elle ne l'a jamais trompé. [SENS 2] *Le malentendu est né d'une infidélité de traduction* (= inexactitude).

s'infiltrer v. 1ᵉʳ groupe. *L'eau s'infiltre dans le sol,* elle y pénètre peu à peu.

▪ **infiltration** n.f. *Il y a des infiltrations d'eau dans la cave.*

infime adj. *Il y a une infime différence entre ces deux dessins,* une très petite différence (= minime, minuscule ; ≠ énorme).

infini, ie adj. SENS 1. *L'espace céleste est infini,* il n'a pas de limites (= illimité ; ≠ fini). ●● **fin (1).** SENS 2. *Il écoute tout le monde avec une patience infinie,* sans bornes (= inlassable). SENS 3. n.m. *On peut discuter à l'infini sur cette question,* sans fin.

▪ **infiniment** adv. *Je vous suis infiniment reconnaissant de votre aide* (= extrêmement).

▪ **infinité** n.f. *Il y a une infinité de façons de résoudre le problème,* un très grand nombre de façons.

infinitésimal, ale, aux adj. *Une quantité infinitésimale est extrêmement petite.*

infinitif n.m. *« Aimer », « sortir » sont à l'infinitif,* un mode du verbe qui ne se conjugue pas.

infirme adj. et n. *Depuis son accident, il est resté infirme,* il n'a plus le plein usage de tout son corps (= paralysé). *Les sourds, les aveugles, les paralytiques sont des infirmes* (= handicapé).

▪ **infirmité** n.f. *La cécité, la surdité, la paralysie sont des infirmités.*

infirmier, ère n. *Une infirmière est venue me faire une piqûre,* une personne qualifiée qui s'occupe des malades. *illustr. p. 868 869*

▪ **infirmerie** n.f. *On a transporté Léo à l'infirmerie de l'école,* l'endroit où l'on soigne les blessures sans gravité.

infirmité → *infirme*

inflammable adj. *L'alcool est un produit inflammable,* il s'enflamme facilement (≠ ininflammable). ●● **flamme, enflammer**

inflammation n.f. *Une angine est une inflammation de la gorge,* une irritation avec rougeur. ●● **enflammer**

inflation n.f. *Les salariés souffrent de l'inflation,* de la hausse des prix.

inflexible adj. *Le directeur s'est montré inflexible dans sa décision,* rien n'a pu l'amener à la modifier (= inébranlable, intransigeant, intraitable ; ≠ accommodant). ●● **fléchir**

inflexion n.f. *Il parlait avec de tendres inflexions,* des modifications du ton de la voix.

infliger v. 1ᵉʳ groupe. *Le tribunal lui a infligé une amende pour excès de vitesse,* il l'a puni d'une amende (= appliquer).
✳ Conj. nᵒ 2.

influence n.f. SENS 1. *La mer exerce une influence sur le climat* (= action, effet). SENS 2. *Mme Favier a beaucoup d'influence sur ses amis,* ils l'écoutent (= autorité, pouvoir).

▪ **influencer** v. 1ᵉʳ groupe. [SENS 2] *Léo cherche à t'influencer,* à t'amener à faire ce qu'il veut.
✳ Conj. nᵒ 1.

■ **influençable** adj. [SENS 2] *Alexis est influençable, il se laisse facilement influencer.*

■ **influent, ente** adj. [SENS 2] *Ce ministre est très influent, il a beaucoup de pouvoir.*

■ **influer** v. 1ᵉʳ groupe. [SENS 1] *Les pluies influent sur les récoltes, elles ont une influence.*

informaticien → *informatique*

illustr.   **information** n.f. *De qui tiens-tu cette*
p. 502   *information ?* (= renseignement, nouvelle). ◆ (Au plur.) *As-tu écouté les informations à la radio ?*, les nouvelles de la journée.

■ **informer** v. 1ᵉʳ groupe. *Les journaux nous ont informés des événements,* ils nous les ont appris (= avertir, renseigner). *T'es-tu informé de sa santé ?*, as-tu pris de ses nouvelles ?

■ **informateur, trice** n. *Un informateur a mis les policiers sur la piste des coupables,* une personne chargée de recueillir des informations (= indicateur).

llustr.   **informatique** n.f. *L'informatique est la*
p. 504   science et la technique des ordinateurs.

■ **informaticien, enne** n. *Un informaticien* est un spécialiste d'informatique.

informe adj. *Il n'y avait sur la feuille que des gribouillis informes,* où on ne pouvait reconnaître aucune forme connue. ●● *forme (1)*

informer → *information*

infortuné, ée adj. *On plaignait les infortunés prisonniers* (= malheureux).

infraction n.f. *Dépasser dans un virage sans visibilité est une infraction au Code de la route,* une faute contre le Code. ●● *enfreindre*

infranchissable adj. *À cette époque, ces montagnes étaient une barrière in-*

franchissable, impossible à traverser. ●● *franchir*

infrarouge adj. et n.m. *Les (rayons) infrarouges sont des rayons invisibles émis par les corps chauds : ils sont utilisés pour le chauffage ou pour détecter des personnes, des animaux ou toute source de chaleur.*

infructueux, euse adj. *Tous les efforts des sauveteurs sont restés infructueux,* sans résultat (= vain, inefficace ; ≠ fructueux). ●● *fruit*

infuser v. 1ᵉʳ groupe. *On laisse le thé infuser quelques minutes,* on le laisse tremper dans l'eau bouillante pour qu'il dégage son arôme.

■ **infusion** n.f. *Tous les soirs, il boit une infusion de tilleul* (= tisane).

s'**ingénier** v. 1ᵉʳ groupe. *Il s'est ingénié à résoudre cette difficulté,* il a fait tous ses efforts pour cela (= s'évertuer).

ingénieur n.m. *Elle est ingénieur dans*   *illustr.*
une usine chimique, elle dirige les   *p. 504*
travaux et participe à des recherches.

ingénieux, euse adj. *Delphine est ingénieuse,* elle a beaucoup d'idées, d'imagination pour résoudre des problèmes (= intelligent, astucieux).

■ **ingénieusement** adv. *Cet appareil est très ingénieusement conçu* (= astucieusement).

■ **ingéniosité** n.f. *Résoudre ce problème demande de l'ingéniosité,* de la finesse d'esprit.

ingénu, ue adj. et n. *Elle a un air ingénu* (= naïf, innocent). *C'est une ingénue.*

■ **ingénuité** n.f. *Amélie me pose des questions pleines d'ingénuité* (= naïveté, candeur).

1. ingérer v. 1ᵉʳ groupe. **Ingérer** un aliment, c'est l'avaler.
✳ Conj. n° 10.

L'INFORMATION À TRAVERS LES ÂGES

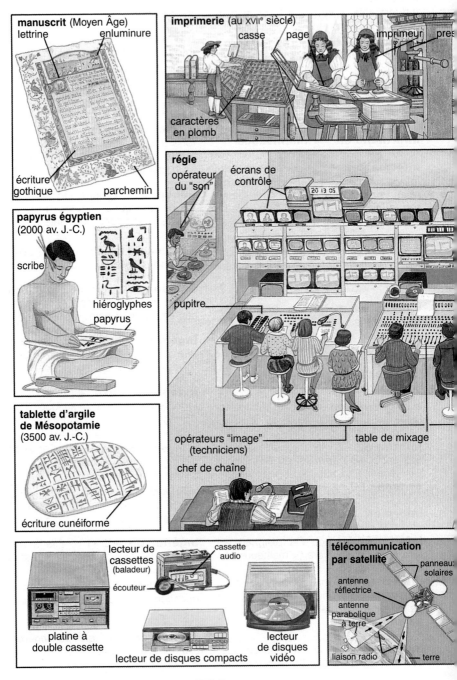

manuscrit (Moyen Âge)
lettrine   enluminure

écriture gothique   parchemin

papyrus égyptien
(2000 av. J.-C.)

scribe

hiéroglyphes
papyrus

**tablette d'argile
de Mésopotamie**
(3500 av. J.-C.)

écriture cunéiforme

imprimerie (au XVIIᵉ siècle)
casse   page   imprimeur   pres

caractères
en plomb

régie
opérateur
du "son"   écrans de
contrôle

pupitre

opérateurs "image"
(techniciens)   table de mixage

chef de chaîne

lecteur de
cassettes   cassette
(baladeur)   audio

écouteur

platine à
double cassette

lecteur de disques compacts

lecteur
de disques
vidéo

**télécommunication
par satellite**   panneau
solaires

antenne
réflectrice

antenne
parabolique
à terre

liaison radio   terre

Depuis l'invention de l'écriture, les moyens de communiquer n'ont pas cessé de se développer. Aujourd'hui, les informations peuvent être transmises par satellites (voir aussi p. 203).

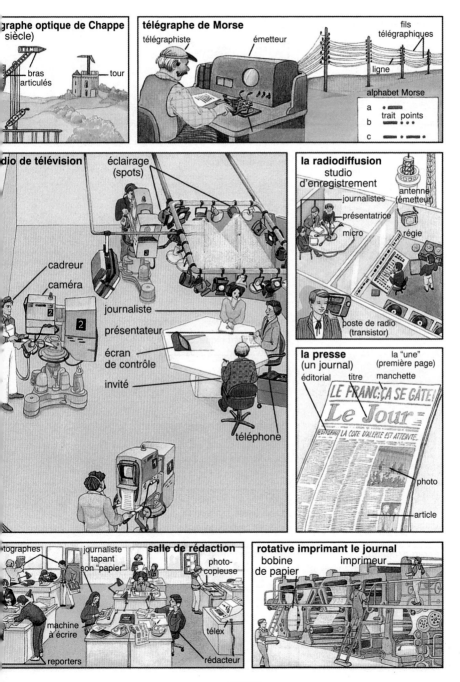

graphe optique de Chappe (siècle)
bras articulés — tour

télégraphe de Morse
télégraphiste — émetteur — fils télégraphiques
ligne
alphabet Morse
a ⋅ ▬
b ▬ ⋅ ⋅ ⋅
trait points
c ▬ ⋅ ▬ ⋅

dio de télévision
éclairage (spots)
cadreur
caméra
journaliste
présentateur
écran de contrôle
invité
téléphone

la radiodiffusion
studio d'enregistrement
journalistes
présentatrice
micro
antenne (émetteur)
régie
poste de radio (transistor)

la presse (un journal)
éditorial titre manchette
la "une" (première page)
LE FRANC;ÇA SE GÂTE!
Le Jour
ÉDITORIAL LA COTE D'ALERTE EST ATTEINTE.
photo
article

tographes journaliste tapant son "papier"
salle de rédaction
photocopieuse
machine à écrire
télex
reporters
rédacteur

rotative imprimant le journal
bobine de papier imprimeur

503

L'INFORMATIQUE

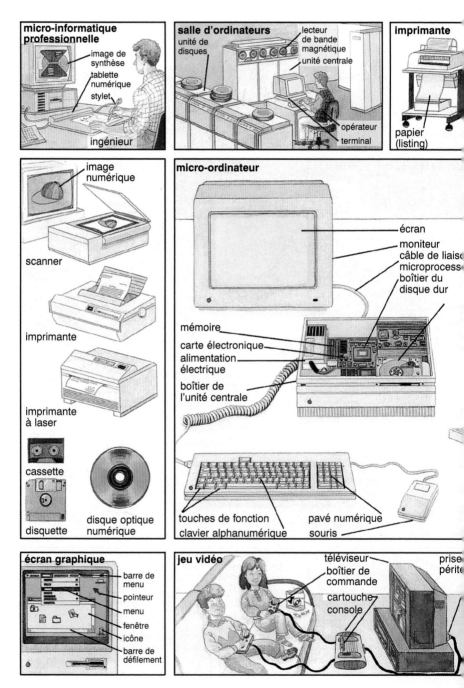

micro-informatique professionnelle
- image de synthèse
- tablette numérique
- stylet
- ingénieur

salle d'ordinateurs
- unité de disques
- lecteur de bande magnétique
- unité centrale
- opérateur
- terminal

imprimante
- papier (listing)

image numérique
- scanner
- imprimante
- imprimante à laser
- cassette
- disquette
- disque optique numérique

micro-ordinateur
- écran
- moniteur
- câble de liaiso
- microprocess
- boîtier du disque dur
- mémoire
- carte électronique
- alimentation électrique
- boîtier de l'unité centrale
- touches de fonction
- clavier alphanumérique
- pavé numérique
- souris

écran graphique
- barre de menu
- pointeur
- menu
- fenêtre
- icône
- barre de défilement

jeu vidéo
- téléviseur
- boîtier de commande
- cartouche
- console
- prise périte

504

■ **ingestion** n.f. *Quand a eu lieu l'in-gestion de cette pilule ?*

2. s'**ingérer** v. 1er groupe. *Il a voulu s'ingérer dans mes affaires,* s'en mêler sans en avoir le droit (= s'immiscer). ✸ Conj. n° 10.

■ **ingérence** n.f. *Pour des motifs hu-manitaires, on a parlé d'un droit d'ingé-rence,* d'un droit d'intervenir dans les affaires intérieures d'un pays étranger.

ingrat, e SENS 1. n. et adj. *Quel (homme) ingrat ! il a oublié ce que j'ai fait pour lui,* il n'a pas de reconnaissance. SENS 2. adj. *Faire le ménage est un travail ingrat,* qui procure peu de satisfactions (= inintéressant, désagréable ; ≠ plai-sant, gratifiant). SENS 3. adj. *Il a un visage ingrat,* peu agréable à regarder (= dis-gracieux, laid).

■ **ingratitude** n.f. [SENS 1] *Je lui ai reproché son ingratitude,* d'être ingrat (≠ gratitude).

ingrédient n.m. *Pour faire cette sauce, il faut de nombreux ingrédients,* des produits qui la composeront.

ingurgiter v. 1er groupe. *En une mi-nute, il a ingurgité trois gâteaux,* il les a avalés avidement (= engloutir).

inhabitable adj. *Cette vieille maison restera inhabitable si on n'y fait pas de gros travaux,* on ne pourra pas y habiter (≠ habitable). ●● *habiter*

■ **inhabité, ée** adj. *Les déserts sont des régions inhabitées,* sans habitants (≠ peuplé).

inhabituel, elle adj. *La neige en mai est un phénomène inhabituel dans notre région,* c'est rare (= inaccoutumé, exceptionnel ; ≠ habituel). ●● *habitude*

inhaler v. 1er groupe. *Inhaler un gaz,* c'est l'aspirer par le nez et la gorge.

■ **inhalation** n.f. *L'inhalation de ce produit est dangereuse.* ◆ *Le médecin lui a prescrit des inhalations pour soi-gner son angine,* de respirer la vapeur d'un remède mélangé à de l'eau chaude.

inhérent, ente adj. *De nombreux avantages sont inhérents à cette fonc-tion,* y sont liés (= attaché).

inhospitalier, ère adj. *Ces régions désertiques sont inhospitalières,* elles ne sont pas accueillantes (≠ hospitalier).

inhumain, aine adj. *Il est inhumain de laisser les blessés sans soins,* c'est contraire aux sentiments d'humanité (= barbare, cruel ; ≠ humain). ●● *homme*

inhumer v. 1er groupe. **Inhumer** quel-qu'un, c'est l'enterrer (≠ exhumer).

■ **inhumation** n.f. *L'inhumation a eu lieu hier* (= enterrement).

inimaginable adj. *La vente aux en-chères a atteint des prix inimaginables, qu'on n'aurait pas imaginés* (= incroya-ble, extraordinaire). ●● *imaginer*

inimitable adj. *Son récit était d'une drôlerie inimitable,* impossible à imiter (= impayable). ●● *imiter*

inimitié n.f. *Son refus de nous aider est une marque d'inimitié* (= hostilité ; ≠ ami-tié). ✸ Ce mot s'emploie surtout dans la langue écrite.

ininflammable adj. *Les murs sont recouverts de tissu ininflammable,* qui ne peut pas s'enflammer (≠ inflammable). ●● *flamme*

inintelligible adj. *Un texte inintelli-gible est un texte impossible à compren-dre* (= incompréhensible ; ≠ intelligible). ●● *intelligence*

inintéressant, ante adj. *Ce travail monotone est inintéressant,* sans intérêt (= ennuyeux ; ≠ intéressant). ●● *intérêt*

ininterrompu, ue adj. *Certains jours, il y a ici un afflux **ininterrompu** de touristes* (= continuel, incessant). ●● *interrompre*

inique adj. *Ce jugement est **inique**, il est très injuste* (≠ juste, équitable). ✳ Ce mot s'emploie surtout dans la langue écrite.

initial, ale, aux adj. *Joël a renoncé à son projet **initial**, celui qu'il avait au début* (= premier ; ≠ final). ✳ On prononce [inisjal].
▪ **initiale** n.f. *« J. D. » sont les **initiales** de Julie Delar, la première lettre de son prénom et la première lettre de son nom.*
▪ **initialement** adv. *Initialement, je voulais partir demain*, au début, dans un premier temps.

initiation → *initier*

initiative n.f. SENS 1. *Frédéric a pris l'**initiative** d'organiser une randonnée*, il a pris cette décision de lui-même, avant que d'autres l'aient fait. SENS 2. *Inès a l'esprit d'**initiative***, elle aime entreprendre d'elle-même des actions.

initier v. 1ᵉʳ groupe. *Mon grand-père m'a **initié** aux échecs*, il m'a appris à y jouer.
▪ **initiation** n.f. *Ce livre est une bonne **initiation** aux mathématiques*, un début pour les apprendre (= apprentissage).

injecter v. 1ᵉʳ groupe. *Il faudra **injecter** ce médicament au malade*, lui faire une piqûre.
▪ **injection** n.f. *On fait les **injections** avec une seringue et une aiguille* (= piqûre).
✳ Ne pas confondre avec **injonction**.

injonction n.f. *Sébastien a refusé de se plier aux **injonctions** du directeur* (= ordre). ●● *enjoindre*
✳ Ne pas confondre avec **injection**.

injure n.f. SENS 1. *Le malfaiteur criait des **injures** aux policiers qui l'ont arrêté*, des mots blessants, offensants (= insulte,

invectives ; ≠ compliment). SENS 2. *Ce serait lui **faire injure** de mettre en doute son honnêteté*, ce serait agir de façon blessante à son égard.
▪ **injurier** v. 1ᵉʳ groupe. *Il m'a **injurié**, en me traitant d'imbécile* (= insulter).
▪ **injurieux, euse** adj. *Il m'a parlé en termes **injurieux*** (= offensant ; ≠ respectueux).

injuste adj. *Une punition **injuste** est une punition qui n'est pas équitable* (≠ juste).
▪ **injustement** adv. *Je vous présente mes excuses, je vous avais **injustement** accusé* (= à tort).
▪ **injustice** n.f. *Pour un même travail, elle est moins payée qu'Yves : c'est une **injustice**, un acte injuste.*

injustifié, ée adj. *L'appareil est en parfait état, votre réclamation est donc **injustifiée***, elle n'a pas de raison d'être, elle est sans fondement. ●● *justifier*

inlassable adj. *L'instituteur a repris ses explications avec une patience **inlassable**, qui ne se lasse pas* (= infatigable). ●● *las*
▪ **inlassablement** adv. *On répète **inlassablement** aux automobilistes des conseils de prudence* (= sans arrêt).

inné, ée adj. *Gilles a un goût **inné** pour la musique*, un goût spontané, naturel (≠ acquis).

innocent, ente adj. et n. SENS 1. *L'accusé répétait qu'il était **innocent**, qu'il n'avait rien fait de mal* (≠ coupable). *On ne condamne pas un **innocent**.* SENS 2. *Jean a pris un air **innocent** pour me répondre*, un peu bête (= naïf ; ≠ malin). *Ne fais pas l'**innocente**, tu sais parfaitement de quoi je parle !* (= sot, idiot).
▪ **innocemment** adv. [SENS 2] *Il est tombé **innocemment** dans le piège* (= naïvement, sottement).
✳ On prononce [inɔsamɑ̃].
▪ **innocence** n.f. [SENS 1] *Son **innocence** a été reconnue* (≠ culpabilité).

■ **innocenter** v. 1er groupe. [SENS 1] *Le tribunal l'a innocenté,* il l'a déclaré innocent (= disculper ; ≠ condamner).

innombrable adj. *Les étoiles sont innombrables,* elles sont si nombreuses qu'on ne parvient pas à les compter. ●● *nombre. Une foule innombrable l'acclamait* (= immense).
＊ On prononce [inɔ̃brabl].

innommable adj. *Après la bagarre, ses vêtements étaient dans un état innommable* (= répugnant, repoussant).
＊ On prononce [inɔmabl].

innover v. 1er groupe. *Ce fabricant a innové en lançant un modèle original,* il a créé quelque chose de nouveau.
■ **innovation** n.f. *Le directeur a introduit des innovations dans le travail* (= changement, nouveauté).

inoccupé, ée adj. SENS 1. *Une personne inoccupée est une personne qui ne fait rien* (= oisif, désœuvré ; ≠ occupé). ●● *occuper.* SENS 2. *Les locataires sont en vacances, leur appartement est donc inoccupé,* il n'y a personne dedans (= vide).

inoculer v. 1er groupe. *La morsure du chien lui a inoculé la rage,* elle l'a introduite dans son corps.

inodore adj. *L'eau pure est inodore,* elle est sans aucune odeur (≠ odorant). ●● *odeur*

inoffensif, ive adj. *N'aie pas peur du chien, il aboie, mais il est inoffensif,* il ne fait pas de mal. *Une piqûre inoffensive est une piqûre sans danger* (≠ nocif). ●● *offensif*

inonder v. 1er groupe. *Le fleuve en crue a inondé les champs,* il les a recouverts d'eau.
■ **inondation** n.f. *L'inondation a été causée par de fortes pluies.*

inopérant, ante adj. *Tous les remèdes sont restés inopérants,* sans effet (= inefficace). ●● *opérer*

inopiné, ée adj. *Ce succès inopiné lui a rendu l'espoir* (= imprévu, inattendu).
■ **inopinément** adv. *Il est entré inopinément dans la pièce,* à l'improviste.

■ **inopportun, une** adj. *Ton arrivée a été inopportune* (= malencontreux, fâcheux ; ≠ opportun).

inoubliable adj. *Nous avons vécu une aventure inoubliable,* que nous n'oublierons pas (= mémorable). ●● *oublier*

inouï, e adj. *Je viens d'apprendre une chose inouïe* (= incroyable). *Elle a eu une chance inouïe* (= extraordinaire).

inoxydable adj. *L'acier inoxydable est un acier spécial qui ne rouille pas.* ●● *oxyde*

■ **Inox** n.m. inv. *Le plat à gâteaux est en Inox,* en acier inoxydable.
＊ **Inox** est un nom de marque, il s'écrit avec une majuscule dans les textes imprimés.

inqualifiable adj. *Tous ont condamné sa brutalité inqualifiable,* si scandaleuse qu'il n'y a pas de mots assez durs pour la qualifier. ●● *qualifier*

inquiet, ète adj. *Je suis inquiet de ne pas la voir revenir,* je me fais du souci (= soucieux, anxieux ; ≠ tranquille).
■ **inquiétant, ante** adj. *La situation est très inquiétante* (= alarmant, menaçant ; ≠ rassurant).
■ **inquiéter** v. 1er groupe. *Ta santé inquiète ta mère. Ne t'inquiète pas, je ne cours aucun danger* (= se tracasser ; ≠ se rassurer).
＊ Conj. n° 10.
■ **inquiétude** n.f. *Pars sans inquiétude, je m'occupe de tout* (= souci).

inquisition n.f. *Que de questions ! C'est une véritable inquisition !,* une enquête approfondie et indiscrète.

■ **inquisiteur, trice** adj. *Le policier jeta un regard inquisiteur sur le prévenu.*

insaisissable adj. *On se battait contre un ennemi insaisissable, impossible à attraper.* ●● *saisir*

insalubre adj. *La région est insalubre à cause des moustiques, elle est mauvaise pour la santé* (= malsain ; ≠ salubre).

■ **insalubrité** n.f. *Ces habitations ont été démolies à cause de leur insalubrité.*

insanité n.f. *Comment voudrais-tu qu'on te croie, tu ne dis que des insanités, des sottises, des bêtises.*

insatiable adj. *Il a un appétit insatiable, difficile à rassasier.* ●● *satiété. Une curiosité insatiable n'est jamais satisfaite.*
✴ On prononce [ɛ̃sasjabl].

insatisfait, aite adj. *Un client insatisfait a présenté une réclamation* (= mécontent ; ≠ satisfait). ●● *satisfaire*

■ **insatisfaction** n.f. *Un client a exprimé son insatisfaction* (= mécontentement).

inscrire v. 3e groupe. SENS 1. *Qu'est-ce que tu inscris sur ce panneau ?* (= marquer, écrire). SENS 2. *Julie s'est inscrite à l'association sportive, elle a fait enregistrer son nom, elle en fait partie.*
✴ Conj. n° 71.

■ **inscription** n.f. [SENS 1] *Les murs sont recouverts d'inscriptions, de mots écrits.* [SENS 2] *L'inscription dans ce club coûte cher.*

insecte n.m. *Les insectes sont de petits animaux sans squelette, avec ou sans ailes, et qui ont des pattes articulées. Les mouches, les abeilles, les fourmis sont des insectes.*

illustr. p. 384 ■ **insecticide** adj. et n.m. *On a répandu un (produit) insecticide sur les cultures,* un produit pour tuer les insectes.

■ **insectivore** adj. et n.m. *Les moineaux, les hirondelles sont (des) insectivores, ils se nourrissent d'insectes.*

insécurité n.f. *Tous les habitants du quartier se plaignent de son insécurité, des risques d'agressions ou des dangers* (≠ sécurité). ●● *sûr*

insensé, ée adj. *Ce projet est insensé, il est contraire au bon sens* (= déraisonnable, fou, absurde). ●● *sens*

insensible adj. SENS 1. *Le patron avait la réputation d'être un homme insensible, dur, sans cœur* (≠ sensible, compatissant). *Je ne suis pas insensible à vos problèmes* (= indifférent). SENS 2. *La piqûre a fait son effet, la dent est insensible, elle ne ressent pas la douleur.* SENS 3. *Ses progrès sont insensibles, ils sont très petits* (= imperceptible).

■ **insensiblement** adv. [SENS 3] *L'ombre s'est insensiblement déplacée, sans qu'on le remarque* (= imperceptiblement).

■ **insensibilité** n.f. [SENS 1] *Il est peu aimé à cause de son insensibilité* (= dureté, froideur). [SENS 2] *Son insensibilité au froid est impressionnante* (= résistance).

■ **insensibiliser** v. 1er groupe. [SENS 2] *Le dentiste fait une piqûre pour insensibiliser la gencive,* pour la rendre insensible à la douleur.

inséparable adj. *Ces deux amis sont inséparables, ils sont toujours ensemble.* ●● *séparer*

insérer v. 1er groupe. *Elle avait inséré une photo entre les pages de son livre, elle l'y avait introduite, glissée. Le nouvel arrivant s'est bien inséré dans le groupe* (= s'intégrer, s'assimiler). ●● *réinsérer*
✴ Conj. n° 10.

■ **insertion** n.f. *J'ai payé cher l'insertion de cette annonce,* son introduction, sa publication.

insidieux, euse adj. SENS 1. *Son adversaire lui a posé des questions **insidieuses**,* des questions habiles pour le faire tomber dans un piège (= rusé, fallacieux). SENS 2. *Une maladie **insidieuse** est une maladie qui, au début, ne semble pas grave.

*ustr.
▶ 74,
733 **insigne** n.m. *Les soldats portent des **insignes** sur leur uniforme,* des signes distinctifs.

insignifiant, ante adj. *Il s'est fâché pour un détail **insignifiant**,* très peu important (= minime ; ≠ considérable).

insinuer v. 1ᵉʳ groupe. SENS 1. *Vous **insinuez** que nous n'avions pas pris toutes les précautions ?,* vous le laissez entendre sans le dire franchement (= suggérer). SENS 2. *Éric essaie de **s'insinuer** dans ce groupe,* de s'y introduire habilement.

■ **insinuation** n.f. [SENS 1] *Pas d'**insinuations**, parle franchement !,* pas d'accusations détournées (= sous-entendu).

insipide adj. SENS 1. *Ce thé est **insipide**,* sans goût (= fade). SENS 2. *À la télé, il y avait un film **insipide*** (= ennuyeux).

insister v. 1ᵉʳ groupe. SENS 1. *Fabien **a insisté** pour que je vienne,* il l'a demandé plusieurs fois. SENS 2. *J'**insiste** sur l'importance capitale de cette découverte,* je la souligne avec force.

■ **insistance** n.f. [SENS 1] *Il a réclamé son dû avec **insistance*** (= obstination).

insolation n.f. *Si tu restes au soleil, tu vas avoir une **insolation**,* un malaise grave qui trouble tout l'organisme.

insolent, ente SENS 1. adj. et n. *Paul est (un) **insolent*** (= impoli, effronté). SENS 2. adj. *Il a haussé les épaules avec un ricanement **insolent**,* impoli et provocant (= impertinent).

■ **insolemment** adv. *Pourquoi réponds-tu **insolemment** ?* avec insolence.
✳ On prononce [ɛ̃sɔlamɑ̃].

■ **insolence** n.f. *On l'a puni pour son **insolence*** (= impertinence, impudence).

insolite adj. *Mon attention a été attirée par un bruit **insolite*** (= bizarre, étrange ; ≠ normal).

insoluble adj. SENS 1. *La résine est **insoluble** dans l'eau,* elle ne s'y dissout pas (≠ soluble). SENS 2. *Un problème **insoluble** est un problème qu'on ne peut pas résoudre. ●● solution*

insolvable adj. *Un débiteur, un client **insolvable** est quelqu'un qui n'a pas de quoi payer ses dettes* (≠ solvable).

insomnie n.f. *Les soucis me causent souvent des **insomnies**,* ils m'empêchent de dormir la nuit pendant de longs moments. ●● sommeil*

insondable adj. SENS 1. *Un gouffre **insondable** est un gouffre dont on peut difficilement mesurer la profondeur. ●● sonder. SENS 2. C'est un mystère **insondable**,* trop profond pour être expliqué, impénétrable.

insonoriser v. 1ᵉʳ groupe. *Cet appartement est très bien **insonorisé**,* il est conçu de telle sorte que les bruits soient très atténués par les murs. ●● son (2)*

insouciant, ante adj. *Un enfant **insouciant** est un enfant qui vit sans se faire de souci. ●● souci (2)*

■ **insouciance** n.f. *Il est d'une **insouciance** qui va parfois jusqu'à l'imprévoyance.*

insoupçonné, ée adj. *Ce garçon chétif a montré une force **insoupçonnée**,* une force qu'on n'attendait pas de sa part. ●● soupçon*

insoutenable adj. SENS 1. *Le spectacle de ces personnes massacrées est **insoutenable**,* d'une horreur insupportable. SENS 2. *Une opinion **insoutenable** ne peut pas être valablement soutenue, défendue (= indéfendable). ●● *soutenir*

inspecter v. 1er groupe. *L'architecte inspecte les travaux,* il contrôle si tout est normal (= surveiller).

■ **inspecteur, trice** n. *Une inspectrice est venue dans la classe,* une personne qui contrôle la bonne marche de l'enseignement. *Un* **inspecteur** *de police est un fonctionnaire de police chargé des enquêtes.*

■ **inspection** n.f. *Les douaniers ont fait une tournée d'inspection* (= examen).

inspirer v. 1er groupe. SENS 1. *Fabien m'inspire confiance,* j'ai confiance en lui (= donner). SENS 2. *Ce poète est inspiré par la campagne,* la campagne fait naître en lui des idées et des sentiments. SENS 3. *Ce film s'est inspiré d'un roman,* il en a repris le sujet en l'adaptant. SENS 4. **Inspirer,** c'est faire entrer de l'air dans ses poumons (≠ expirer).

■ **inspiration** n.f. [SENS 2] *Marie a eu soudain une inspiration,* une idée lui est venue à l'esprit. [SENS 4] *Pendant l'inspiration l'air pénètre dans les poumons* (≠ expiration).

instable adj. SENS 1. *Le vase est en équilibre instable,* il est posé de telle façon qu'il bouge facilement et risque de tomber. SENS 2. *Le temps est instable,* il change souvent (= variable). SENS 3. *Alexis est un garçon instable,* il change souvent d'idées, de sentiments (≠ posé, équilibré).

installer v. 1er groupe. SENS 1. *On a fait installer le téléphone,* mettre en place (= poser). SENS 2. *Les Sampiero se sont installés à Marseille,* ils y habitent (= s'établir). SENS 3. *Yves s'est installé dans un fauteuil,* il s'y est assis confortablement.

■ **installateur, trice** n. [SENS 1] *Si l'appareil fonctionne mal, adressez-vous à l'installateur,* la personne dont le métier est d'installer des appareils.

■ **installation** n.f. [SENS 1] *L'installation de la maison est terminée* (= aménagement). *L'installation électrique fonctionne mal,* l'ensemble des fils, des interrupteurs, des appareils installés. [SENS 2] *Leur installation à Marseille date du mois dernier* (= établissement).

1. instance n.f. SENS 1. *Le train est en instance de départ,* il est prêt à partir. SENS 2. *Les plus hautes instances internationales, ce sont les autorités internationales, les chefs d'État.*

2. instance → *instant (1)*

1. instant, ante adj. *Il a refusé de me recevoir malgré mes demandes instantes,* mes demandes répétées avec insistance (= pressant).

■ **instamment** adv. *Il m'a prié instamment de venir* (= vivement).

■ **instances** n.f. pl. *Devant ses instances, j'ai accepté,* ses demandes pressantes (= prière, sollicitation).

2. instant n.m. SENS 1. *Attendez un instant !,* un petit moment (= minute, seconde). SENS 2. *Il était là à l'instant,* il y a très peu de temps. SENS 3. *Dès l'instant que tu es d'accord, tout va bien* (= du moment que, puisque).

■ **instantané, ée** adj. [SENS 1] *Sous le choc, la mort a été instantanée* (= immédiat, brusque, soudain).

■ **instantanément** adv. [SENS 1] *Il a répondu instantanément* (= aussitôt, tout de suite, immédiatement).

instaurer v. 1er groupe. *La Révolution a instauré la république,* elle l'a établie, instituée.

instigation n.f. *Il a agi à l'instigation de son frère,* poussé par lui.

■ **instigateur, trice** n. *Marie est l'instigatrice de cette surprise,* c'est elle qui a eu l'idée de la faire.

instinct n.m. SENS 1. *Les animaux sont guidés par leur instinct,* une force intérieure qui les fait agir naturellement. **SENS 2.** *D'instinct, je me suis méfié de lui,* sans réfléchir, spontanément, par intuition.

✱ On prononce [ɛ̃stɛ̃].

■ **instinctif, ive** adj. *Julien a fait un geste* **instinctif** *de défense* (= involontaire, machinal ; ≠ réfléchi).

■ **instinctivement** adv. *Je me suis jeté de côté* **instinctivement**, *par réflexe.*

instituer v. 1er groupe. *Cette loi a* **institué** *de nouveaux règlements* (= établir, créer, instaurer ; ≠ abolir).

institut n.m. **SENS 1.** *De nombreux savants travaillent dans cet* **institut**, cet établissement de recherche, scientifique le plus souvent. **SENS 2.** *Un* **institut de beauté** est un établissement où l'on donne des soins de beauté.

illustr.
p. 311
instituteur, trice n. Un **instituteur** est une personne qui enseigne dans les écoles primaires (= maître d'école). *Anaïs a une nouvelle* **institutrice**.

✱ On dit aussi « professeur des écoles ».

institution n.f. **SENS 1.** (Au plur.) *Un référendum a modifié les* **institutions**, *les lois fondamentales d'un pays* (= régime). **SENS 2.** *Il est professeur dans une* **institution** *religieuse*, un établissement d'enseignement.

instruire v. 3e groupe. **SENS 1.** *On va à l'école pour* **s'instruire**, *pour acquérir des connaissances* (= apprendre, étudier). **SENS 2.** *On m'a* **instruit** *des difficultés de ce travail*, on m'a mis au courant (= renseigner). **SENS 3.** *Le juge* **instruit** *le procès*, il rassemble toutes les informations et les témoignages.

✱ Conj. n° 70.

■ **instructeur** adj. m. et n.m. **[SENS 1]** Un (officier) **instructeur** est chargé d'instruire les jeunes soldats.

■ **instructif, ive** adj. **[SENS 1]** *Ce livre est* **instructif**, il fait apprendre beaucoup de choses (= éducatif).

■ **instruction** n.f. **[SENS 1]** *Franck a de l'*instruction*, il a des connaissances étendues. **[SENS 2]** (Au plur.) *Il m'a donné des* **instructions** *précises*, il m'a dit ce qu'il fallait faire (= ordre, directive, consigne). **[SENS 3]** *Le juge d'*instruction *a interrogé les témoins*, celui qui dirige l'enquête.

instrument n.m. **SENS 1.** Un **instrument** est un objet qui sert à réaliser un travail et certaines opérations. Le râteau est un **instrument** de jardinage (= outil) ; le chronomètre est un **instrument** de mesure. **SENS 2.** Les **instruments** de musique sont des objets qui servent à faire de la musique. Le violon, la guitare sont des **instruments** à cordes ; la trompette, la flûte sont des **instruments** à vent.

illustr.
p. 628,
629

■ **instrumental, ale, aux** adj. **[SENS 2]** *J'ai assisté à un concert de musique* **instrumentale**, *faite avec des instruments.*

■ **instrumentiste** n. **[SENS 2]** Un **instrumentiste** est quelqu'un qui joue d'un instrument de musique (= musicien).

insubmersible adj. Un canot **insubmersible** est un canot qui ne peut pas être submergé, qui ne peut pas couler. ●● **submerger**

insubordination n.f. *Ces soldats ont été sévèrement punis pour* **insubordination**, *pour refus d'obéissance* (= indiscipline). ●● **subordonner**

insuccès n.m. *Sa maladie peut expliquer son* **insuccès** *à l'examen*, son échec (≠ succès, réussite).

à l'insu de prép. *Il est sorti* **à l'insu de** *son père*, sans que celui-ci le sache.

insuffisant, ante adj. *La récolte est* **insuffisante** *pour nourrir la population*, elle ne suffit pas (≠ suffisant). *Vos notes sont* **insuffisantes**, elles sont trop faibles. ●● **suffire**

■ **insuffisamment** adv. *L'affaire a échoué parce qu'elle avait été* **insuffi-**

samment *préparée*, elle n'avait pas été assez préparée (≠ suffisamment).

▪ **insuffisance** n.f. *L'insuffisance des récoltes causait autrefois de grandes famines. Cet élève a des insuffisances graves en histoire*, des lacunes. ◆ *Ce médicament soigne les insuffisances circulatoires*, le mauvais fonctionnement du système circulatoire (= déficience).

insuffler v. 1er groupe. *Vos encouragements m'ont insufflé une ardeur nouvelle*, ils me l'ont donnée (= inspirer).

insulaire adj. et n. *Les peuples insulaires sont ceux qui vivent dans des îles. Les Anglais sont des insulaires*, ils habitent une île. ●● *île*

insulter v. 1er groupe. *Ce n'est pas en criant et en insultant les gens qu'on prouve qu'on a raison*, en leur adressant des mots blessants (= injurier).

▪ **insultant, ante** adj. *Il a prononcé des paroles insultantes* (= injurieux).

▪ **insulte** n.f. *« Imbécile », « crétin », « idiot » sont des insultes* (= injure). ◆ *C'est une insulte de refuser un cadeau que l'on t'offre* (= injure, offense).

insupportable adj. SENS 1. *Cette maladie cause des douleurs insupportables*, très difficiles à supporter (= intolérable ; ≠ supportable). ●● *supporter*. SENS 2. *Ces gamins sont insupportables*, ils sont très fatigants, bruyants, désobéissants, agités.

s'**insurger** v. 1er groupe. SENS 1. *Le peuple s'est insurgé contre le dictateur*, il s'est révolté, soulevé. SENS 2. *Je m'insurge contre cette interprétation de mes paroles*, je proteste vivement.
✳ Conj. n° 2.

▪ **insurrection** n.f. [SENS 1] *Une insurrection a éclaté dans ce pays* (= révolte).

insurmontable adj. *Les difficultés paraissaient insurmontables*, impossibles à surmonter. ●● *surmonter*

insurrection → *s'insurger*

intact, e adj. *Malgré la tempête, le bateau est intact*, il est resté en bon état (≠ abîmé, endommagé).

intangible adj. *Est-ce que le règlement est intangible ?*, est-ce qu'on ne peut rien y changer ? (= sacré).

intarissable adj. *Quand il raconte ses souvenirs d'enfance, il est intarissable*, il parle sans jamais s'arrêter. ●● *tarir*

intégral, ale, aux adj. *L'assurance a effectué le remboursement intégral des dégâts* (= complet, total ; ≠ partiel).

▪ **intégralement** adv. *Il m'a remboursé intégralement*, en totalité.

▪ **intégralité** n.f. *J'ai été remboursé de l'intégralité de mes frais* (= totalité).
✳ Ne pas confondre avec **intégrité**.

intégrant → *intégrer*

intègre adj. *M. Morin est un homme intègre*, parfaitement honnête (= probité ; ≠ corrompu, vénal).

▪ **intégrité** n.f. *Son intégrité lui vaut le respect général* (= honnêteté).
✳ Ne pas confondre avec **intégralité**.

intégrer v. 1er groupe. SENS 1. *On a intégré un nouveau chapitre dans la nouvelle édition de ce livre*, on l'y a fait entrer (= ajouter, incorporer). SENS 2. *Loïc s'est mal intégré dans sa nouvelle école*, il s'y est mal assimilé.
✳ Conj. n° 10.

▪ **intégrant, ante** adj. *L'étang fait partie intégrante de la propriété*, il y est totalement compris.

intégrité → *intègre*

intelligence n.f. SENS 1. *En agissant ainsi, tu as fait preuve d'intelligence*, tu as montré que tu comprenais ce qu'il fallait faire (= réflexion, jugement, clairvoyance ; ≠ bêtise, stupidité). SENS 2.

M. Durand vit en bonne intelligence avec ses voisins, en bons termes (= entente, accord).

■ **intellectuel, elle** adj. et n. [SENS 1] *Ce travail demande un effort intellectuel,* un effort de l'intelligence (= cérébral ; ≠ manuel). *Les savants, les professeurs sont des intellectuels,* leur métier comporte une activité de l'esprit et ils ne travaillent pas de leurs mains.

■ **intellectuellement** adv. [SENS 1] *Ce candidat est intellectuellement supérieur aux autres,* par son intelligence.

■ **intelligent, ente** adj. [SENS 1] *Noël est un enfant très intelligent,* il comprend vite (= éveillé, astucieux ; ≠ bête, sot, idiot).

■ **intelligemment** adv. [SENS 1] *Marie a répondu intelligemment* (≠ bêtement). ✳ On prononce [ɛ̃teliʒamɑ̃].

■ **intelligible** adj. [SENS 1] *Ce que tu racontes n'est pas intelligible* (= compréhensible, clair ; ≠ inintelligible).

■ **intelligiblement** adv. [SENS 1] *Parle plus intelligiblement !* (= clairement).

intempérance n.f. *Il s'est ruiné la santé par son intempérance,* ses excès (≠ tempérance).

intempéries n.f. pl. *Le match a été reporté en raison des intempéries,* du mauvais temps.

intempestif, ive adj. *La séance a été troublée par une manifestation intempestive,* mal à propos (= déplacé, inconvenant ; ≠ opportun).

intenable adj. *La chaleur est intenable,* si pénible qu'on ne peut pas la supporter (= insupportable). ●● *tenir*

intendant, ante n. *L'intendant* du lycée est responsable des recettes, des dépenses et de la surveillance du matériel.

■ **intendance** n.f. *À l'armée, l'intendance* est le service du ravitaillement des troupes.

intense adj. *Anaïs écoute de la musique avec un plaisir intense,* très grand (= vif ; ≠ faible). *La circulation est intense aux abords des villes,* elle est très abondante, dense.

■ **intensément** adv. *Tous les regards fixaient intensément la pendule.*

■ **intensif, ive** adj. *Cet examen demande une préparation intensive,* il faut faire des efforts intenses.

■ **intensifier** v. 1er groupe. *Il faut intensifier tes efforts* (= augmenter).

■ **intensification** n.f. *On signale une intensification des combats.*

■ **intensité** n.f. *L'intensité de ce bruit est difficile à supporter* (= force).

intenter v. 1er groupe. *M. Mouret a intenté un procès à son voisin,* il l'a poursuivi en justice.

intention n.f. *J'ai l'intention d'y aller,* je veux le faire (= projet, dessein).

■ **intentionné, ée** adj. *Paul est mal intentionné à mon égard,* ses intentions sont mauvaises (= malveillant ; ≠ bienveillant). ✳ Mal intentionné peut aussi s'écrire en un seul mot : **malintentionné.**

■ **intentionnel, elle** adj. *Si je t'ai fait mal, ce n'était pas intentionnel* (= voulu).

■ **intentionnellement** adv. *J'ai fermé la porte intentionnellement,* exprès.

inter- préfixe. Placé au début d'un mot, **inter-** indique une relation ou une situation entre plusieurs choses : *intercontinental, interligne.*

intercaler v. 1er groupe. *J'ai intercalé des fiches de couleurs parmi les blanches,* je les ai insérées. *Une voiture est venue s'intercaler entre nous et la voiture de devant,* se mettre dans la place vide.

■ **intercalaire** n.m. ou adj. *Un intercalaire* (ou une feuille **intercalaire**) est une *illustr. p. 122* feuille de papier ou de carton qui permet de séparer d'autres feuilles dans un classeur.

intercéder v. 1ᵉʳ groupe. *J'ai intercédé en ta faveur,* je suis intervenu pour te soutenir.
🟎 Conj. nº 10.

intercepter v. 1ᵉʳ groupe. *Le joueur a réussi à* **intercepter** *la balle,* à la prendre au passage. *Les services d'espionnage* **ont intercepté** *un message de l'ennemi,* ils l'ont capté pendant sa transmission.
■ **interception** n.f. *Une escadrille de chasse a été chargée d'une mission d'***interception***,* chargée de couper la route à des avions adverses.

interchangeable adj. *J'ai deux paires de lunettes* **interchangeables,** je peux utiliser l'une ou l'autre. ●● ***changer***

interclasse n.m. ou n.f. *Pendant l'***interclasse** *les professeurs échangent quelques mots,* l'intervalle qui sépare deux cours. ●● ***classe***

interdépendant, ante adj. *Des questions* **interdépendantes** *sont des questions liées entre elles de telle sorte que chacune dépend de l'autre.*

interdire v. 3ᵉ groupe. *Il* **est interdit** *de marcher sur les pelouses,* ce n'est pas permis (= défendre ; ≠ permettre, autoriser).
🟎 Conj. nº 72.
■ **interdiction** n.f. *Il est sorti malgré mon* **interdiction** (= défense ; ≠ permission).

interdit, ite adj. *Cette réponse inattendue l'a laissé* **interdit,** très étonné (= ébahi, perplexe).

intérêt n.m. SENS 1. *Un récit qui présente de l'***intérêt** *est un récit qui n'est pas ennuyeux, qui ne laisse pas indifférent. Ce détail a éveillé l'***intérêt** *des enquêteurs* (= attention, curiosité ; ≠ indifférence,

désintérêt). SENS 2. *Agir par* **intérêt,** c'est agir en recherchant un avantage pour soi-même. *Je vous dis cela dans votre* **intérêt,** pour vous être utile. SENS 3. *Les* **intérêts** *d'un prêt,* c'est une certaine somme qu'il faut verser au prêteur. *Si j'emprunte 10 000 euros à 3 % d'***intérêt***, je devrai verser chaque année 300 euros d'***intérêt** *à mon créancier.*

■ **intéressant, ante** adj. [SENS 1] *Ce cours était très* **intéressant** (= passionnant, captivant ; ≠ inintéressant, ennuyeux). [SENS 2] *Cette voiture est en très bon état, on a fait un achat* **intéressant** (= avantageux).

■ **intéressé, ée** adj. [SENS 1] *Il s'est montré* **intéressé** *par cette proposition* (≠ indifférent). [SENS 2] *Une personne* **intéressée** *agit dans son seul intérêt* (= cupide ; ≠ désintéressé, généreux).

■ **intéresser** v. 1ᵉʳ groupe. [SENS 1] **S'intéresser** *à quelque chose, c'est y prendre de l'intérêt.* ●● ***désintéresser***. *La musique l'***intéresse***,* il aime la musique (= plaire ; ≠ ennuyer). ◆ *Cette loi* **intéresse** *les agriculteurs,* elle a de l'importance pour eux (= concerner).

intérieur, e adj. SENS 1. *Je mets mon argent dans la poche* **intérieure** *de ma veste,* celle qui est dedans (≠ extérieur). SENS 2. *Le président a parlé de la politique* **intérieure,** de ce qui se passe dans le pays (≠ extérieur, étranger).
■ **intérieur** n.m. [SENS 1] *Regarde à l'***intérieur** *du tiroir,* dans le tiroir. [SENS 2] *Le ministre de l'***Intérieur** *est chargé de l'administration et de la police du pays.*
■ **intérieurement** adv. [SENS 1] *Intérieurement, la maison est en mauvais état* (≠ extérieurement).

intérim n.m. *M. Dubois exerce cette fonction par* **intérim,** il remplace quelqu'un provisoirement.
🟎 On prononce [ēterim].

■ **intérimaire** adj. *Il a des fonctions* **intérimaires** (= provisoire, temporaire).
◆ n. *L'entreprise a engagé un* **intéri-**

514

maire, une personne pour un travail temporaire.

interjection n.f. Une **interjection** est un mot invariable comme « allo ! », « oh ! », « hélas ! » que l'on emploie pour exprimer la surprise, l'admiration, la déception, etc.

interligne n.m. *Le texte est écrit avec de grands interlignes,* de grands espaces entre les lignes. ●● *ligne*
☀ Ce mot est du genre masculin.

interlocuteur, trice n. *N'interromps pas sans arrêt ton interlocuteur !,* la personne avec laquelle tu parles.

interloquer v. 1ᵉʳ groupe. *Cette réplique brutale l'a interloqué,* elle l'a beaucoup surpris, elle l'a laissé interdit (= décontenancer).

intermédiaire n. SENS 1. *Il a servi d'intermédiaire pour les réconcilier,* de lien entre eux. SENS 2. *J'ai eu ce livre par l'intermédiaire de Jules,* grâce à lui.
■ **intermédiaire** adj. [SENS 1] *L'orangé est une couleur intermédiaire entre le jaune et le rouge,* entre les deux.

interminable adj. *Un discours interminable est un discours trop long, qui n'en finit pas.* ●● *terminer*

intermittent, ente adj. *Qu'est-ce que c'est que ce bruit intermittent ?,* qui s'arrête puis recommence (≠ continu).
■ **intermittence** n.f. *Ce signal s'allume par intermittence,* irrégulièrement, par moments.

international, ale, aux adj. SENS 1. *Des championnats internationaux ont lieu entre des joueurs de plusieurs pays. L'O.N.U. est une organisation internationale,* où se rencontrent les nations du monde. SENS 2. *La politique internationale est celle qui concerne les rapports entre les nations, les États* (= étranger). ●● *nation*

interne SENS 1. adj. *Le cœur est un organe interne,* situé à l'intérieur du corps (≠ externe). SENS 2. adj. et n. *Les (élèves) internes mangent et couchent dans le lycée* (= pensionnaire ; ≠ externe). SENS 3. n. *Un interne des hôpitaux est un étudiant qui a réussi l'internat et qui seconde le chef de service.*
■ **internat** n.m. [SENS 2] *Paul est élève dans un internat* (= pensionnat ; ≠ externat). [SENS 3] *L'internat est un concours pour devenir médecin dans les hôpitaux.*

interner v. 1ᵉʳ groupe. *Interner un malade mental, c'est l'enfermer dans un hôpital psychiatrique.*
■ **internement** n.m. *Sa crise de démence a nécessité un internement.*

Internet n.m. *Internet est un réseau mondial de télécommunications.*
☀ On dit aussi « l'Internet ».

interpeller v. 1ᵉʳ groupe. SENS 1. *Rémi m'a rencontré dans la rue et il m'a interpellé,* appelé brusquement (= apostropher). SENS 2. *La police a interpellé un suspect,* elle l'a arrêté.
☀ On prononce [ɛ̃tɛrpəle].
■ **interpellation** n.f. *La police a effectué plusieurs interpellations* (= arrestation).

Interphone n.m. *Pour monter dans l'appartement de Florence, il faut s'annoncer par l'Interphone,* une sorte de téléphone intérieur.
☀ **Interphone** est un nom de marque, il s'écrit avec une majuscule dans les textes imprimés.

interplanétaire adj. *Des voyages interplanétaires sont des voyages effectués dans l'espace entre des planètes.* ●● *planète*

s'interposer v. 1ᵉʳ groupe. SENS 1. *M. Lavoie s'est interposé dans la dis-*

pute, il est intervenu pour y mettre fin. SENS 2. *Ils ont réglé cette affaire **par personne interposée**,* par l'intermédiaire de quelqu'un.

interpréter v. 1er groupe. SENS 1. *Je ne sais comment **interpréter** ses paroles,* comment il faut les comprendre (= expliquer, entendre). SENS 2. *L'orchestre **a interprété** une symphonie* (= exécuter). *Quel est l'acteur qui **interprétait** le rôle principal ?* (= jouer).
✹ Conj. n° 10.

▪ **interprétation** n.f. [SENS 1] *Chacun avait son **interprétation** de l'accident* (= explication). [SENS 2] *Cet acteur a obtenu le prix pour son **interprétation** dans ce film,* pour sa façon de jouer.

▪ **interprète** n. [SENS 2] *Les **interprètes** de la pièce ont été applaudis* (= acteur). ◆ *M. Muller ne parle que le français, il a besoin d'un **interprète**,* de quelqu'un qui traduit oralement ses paroles dans une autre langue. → ***traducteur***

interroger v. 1er groupe. *M. Legendre m'**a interrogé** sur ce que je voulais faire,* il m'a posé des questions.
✹ Conj. n° 2.

▪ **interrogateur, trice** adj. *Il m'a regardé d'un air **interrogateur**,* comme s'il voulait m'interroger.

▪ **interrogatif, ive** adj. *« Est-ce qu'il vient ? » est une phrase **interrogative**,* une phrase qui contient une question.
→ ***exclamatif***

▪ **interrogation** n.f. *Une phrase interrogative finit par un point d'**interrogation** (?).* → ***exclamation***. ◆ *Nous avons eu en classe une **interrogation** écrite,* un ensemble de questions auxquelles il fallait répondre par écrit.

▪ **interrogatoire** n.m. *La police lui a fait subir un **interrogatoire**,* elle lui a posé de nombreuses questions.

interrompre v. 3e groupe. SENS 1. *Mme Bouvet **a interrompu** son voyage après s'être cassé la jambe* (= arrêter ;

≠ continuer). SENS 2. *Ayez la politesse de ne pas m'**interrompre**,* de ne pas me couper la parole. *Le conférencier **s'est interrompu** un instant pour boire un verre d'eau,* il a cessé de parler.
✹ Conj. n° 53.

▪ **interrupteur** n.m. [SENS 1] *Un **interrupteur** est un petit appareil qui sert à couper ou à rétablir le courant électrique.*   *illustr. p. 994*

▪ **interruption** n.f. *Il a parlé sans **interruption** pendant une heure* (= arrêt, coupure).

intersection n.f. *La boulangerie se trouve à l'**intersection** des deux rues,* là où elles se croisent (= croisement).

intersidéral, ale, aux adj. *La tête de la fusée poursuit son vol **intersidéral**,* son vol dans l'espace entre les astres.

interstellaire adj. *L'espace **interstellaire** est l'espace situé entre les étoiles d'une galaxie.*

interstice n.m. *La pluie pénètre par des **interstices** du toit,* des petites fentes, des petits trous.
✹ Ce mot est du genre masculin.

intervalle n.m. SENS 1. *Laisse plus d'**intervalle** entre tes mots* (= espace, place, distance). SENS 2. *Il y a un **intervalle** d'une heure entre l'arrivée du car et le départ du train,* il s'écoule une heure (= durée).

intervenir v. 3e groupe. SENS 1. *La police **est intervenue** dès le début de la bagarre,* elle est arrivée pour s'en occuper. *Plusieurs témoins **sont intervenus** en faveur de l'accusé,* ils ont agi pour l'aider. SENS 2. *Un accord **est** enfin **intervenu** entre les grévistes et la direction,* un accord s'est établi.
✹ Conj. n° 23. **Intervenir** se conjugue avec l'auxiliaire « être ».

▪ **intervention** n.f. [SENS 1] *Je te remercie de ton **intervention*** (= action).   *illustr. p. 73*
◆ *Pierre a subi une **intervention** chirurgicale,* on l'a opéré.

intervertir v. 2ᵉ groupe. *Tu as interverti deux mots dans ta phrase,* tu as mis l'un à la place de l'autre (= inverser).
■ **interversion** n.f. *Tu fais souvent des interversions de mots.*

interview n.f. *Le ministre a accordé une interview à un journaliste,* un entretien destiné à être rendu public.
✳ On prononce [ɛ̃tɛrvju].
■ **interviewer** v. 1ᵉʳ groupe. *Le journaliste a interviewé le ministre,* il lui a posé des questions.
✳ Conj. nᵒ 22. On prononce [ɛ̃tɛrvjuve].

illustr. **intestin** n.m. *En sortant de l'estomac,*
p. 216 *les aliments passent d'abord dans l'intestin grêle, puis dans le gros intestin,* l'un des organes de la digestion, en forme de tube contenu dans le ventre.
■ **intestinal, ale, aux** adj. *J'ai des douleurs intestinales,* dans l'intestin.

intime adj. SENS 1. *Sa vie intime ne nous regarde pas,* sa façon de vivre quand il est seul ou avec des personnes très proches de lui par les sentiments (= personnel, privé). SENS 2. *Marco est mon ami intime,* très cher, très proche. SENS 3. *J'ai le sentiment intime qu'il se trompe,* un sentiment qui est au plus profond de moi.
■ **intimement** adv. [SENS 2] *Je le connais intimement,* très bien. [SENS 3] *J'en suis intimement convaincu* (= profondément).
■ **intimité** n.f. [SENS 2] *Il y a une grande intimité entre ces personnes,* elles sont très amies. *Nous avons fêté cet anniversaire dans l'intimité,* entre proches parents et amis intimes.

intimer v. 1ᵉʳ groupe. *Il m'a intimé l'ordre de sortir,* il m'en a donné l'ordre très fermement.

intimider v. 1ᵉʳ groupe. *Ses menaces ne m'intimident pas,* elles ne me font pas perdre mon assurance (= impressionner). ●● *timide*

intimité → *intime*

intituler v. 1ᵉʳ groupe. **Intituler** un livre, un film, c'est lui donner un titre. *Comment s'intitule ce dictionnaire ?* quel titre porte-t-il ? ●● *titre*

intolérable adj. Une douleur **intolérable** est une douleur qu'on ne peut pas supporter (= insupportable). *Une telle négligence est intolérable* (= inadmissible ; ≠ tolérable).

intolérant, ante adj. Une personne **intolérante** est quelqu'un qui supporte mal que les autres aient des idées différentes des siennes (≠ tolérant). ●● *tolérer*
■ **intolérance** n.f. *L'intolérance est la source de nombreux conflits* (≠ tolérance).

intonation n.f. *À son intonation, j'ai senti qu'il était en colère,* au ton de sa voix.

intoxiquer v. 1ᵉʳ groupe. *Toute la famille a été intoxiquée par une boîte de conserves avariée,* elle a été empoisonnée. ●● *toxique, désintoxiquer*
■ **intoxication** n.f. *L'intoxication a été causée par un champignon vénéneux* (= empoisonnement).

intra- préfixe. Placé au début d'un mot, **intra-** indique ce qui est à l'intérieur : *intramusculaire,* **intra**veineux.

intraduisible adj. *Beaucoup de jeux de mots sont intraduisibles d'une langue dans une autre,* on ne peut pas les traduire. ●● *traduire*

intraitable adj. *Le directeur est intraitable sur l'honnêteté du personnel,* il est d'une extrême rigueur (= impitoyable, intransigeant). ●● *traiter*

intramusculaire adj. Une piqûre **intramusculaire** est une piqûre qu'on fait dans un muscle. ●● *muscle* → *intra-veineux, sous-cutané*

intransigeant, ante adj. *Laure est intransigeante sur les principes, elle n'admet pas le moindre écart, la moindre concession* (= strict, inflexible, intraitable ; ≠ souple, accommodant). ●● *transiger*

■ **intransigeance** n.f. *Le directeur fait preuve d'une grande intransigeance* (≠ souplesse).

intransitif, ive adj. *Dans la phrase « le soleil brille », le verbe est intransitif, il ne peut pas avoir de complément d'objet* (≠ transitif).

intraveineux, euse adj. *Une piqûre intraveineuse est une piqûre qu'on fait dans une veine.* ●● *veine* → *intramusculaire, sous-cutané*

intrépide adj. *Il faut être intrépide pour faire de telles escalades en solitaire, il ne faut pas craindre le danger* (= courageux, brave, téméraire ; ≠ peureux, craintif, timoré).

■ **intrépidité** n.f. *J'admire ton intrépidité* (= hardiesse ; ≠ lâcheté).

intrigue n.f. SENS 1. *L'intrigue de ce film est compliquée, le déroulement des événements* (= action). SENS 2. *Ce député a mené des intrigues pour devenir ministre, des manœuvres secrètes* (= machination, combine).

■ **intriguer** v. 1er groupe. [SENS 2] *Il a intrigué pour se faire nommer à ce poste* (= manœuvrer). ◆ *Ces bruits étranges intriguaient les voisins, ils attiraient leur attention en leur causant une surprise un peu inquiète.*

■ **intrigant, ante** n. [SENS 2] *Denis est un intrigant* (= arriviste, fam. combinard). ✱ *Ne pas confondre avec* **intriguant** (participe présent de « intriguer »).

introduire v. 3e groupe. SENS 1. *On l'accuse d'avoir introduit de la drogue*

en France, de l'y avoir fait pénétrer. *Un voleur s'est introduit dans la maison,* il y est entré (= pénétrer). SENS 2. *Pour ouvrir la porte, on introduit la clé dans la serrure,* on l'y fait entrer (= enfoncer). ✱ Conj. n° 70.

■ **introduction** n.f. [SENS 1] *Il a apporté une lettre d'introduction, pour se faire admettre.* ◆ *L'introduction de ton devoir est trop longue, les premières lignes dans lequelles on annonce le sujet* (= début ; ≠ conclusion).

introuvable adj. *Ce vieux disque est introuvable dans le commerce, il est impossible de le trouver. La clef est restée introuvable,* on n'a pas pu la retrouver. ●● *trouver*

intrus, use n. *Tout le monde l'a regardé comme un intrus, quelqu'un qui est là sans en avoir le droit.*

■ **intrusion** n.f. *Pardonnez mon intrusion dans votre réunion, mon arrivée soudaine et non attendue.*

intuition n.f. *J'ai l'intuition que tu réussiras,* je le pense sans pouvoir le prouver (= pressentiment).

■ **intuitif, ive** adj. *Elle a tout deviné, elle est très intuitive, elle a de l'intuition.*

■ **intuitivement** adv. *Je me méfie intuitivement de lui* (= instinctivement).

Inuit, e n. (Avec majuscule.) *Les Inuits sont les habitants des régions polaires arctiques* (= Esquimau). *illustr. p. 730* ✱ On prononce le « t » final : [inɥit].

inusable adj. *Le marchand m'a garanti que ces semelles sont inusables, que je n'arriverais pas à les user.* ●● *user (1)*

inusité, ée adj. *Le terme « cinématographe » est à peu près inusité aujourd'hui,* on ne l'emploie presque plus (≠ usité). ●● *user (2)*

inutile adj. *Vos explications sont inutiles, elles ne servent à rien* (= vain ; ≠ utile).

■ **inutilement** adv. *J'ai essayé inutilement de convaincre cet entêté, sans résultat, en vain.*

■ **inutilité** n.f. *Je me suis rendu compte de l'inutilité de mes paroles* (≠ utilité).

inutilisable adj. *Ma voiture a été accidentée, elle est inutilisable, on ne peut pas l'utiliser* (= hors d'usage ; ≠ utilisable). ●● *utile*

■ **inutilisé, ée** adj. *Dans ce pays lointain, le sous-sol renferme des ressources encore inutilisées* (= inexploité).

invaincu, ue adj. *Cette équipe est jusqu'à présent invaincue, elle n'a jamais perdu.* ●● *vaincre*

invalide adj. et n. *Il est resté invalide à la suite de son accident, hors d'état de mener une vie normale, de travailler* (= infirme, paralysé, handicapé). *Mon grand-père était un invalide de guerre.* ●● *valide (1)*

■ **invalidité** n.f. *Il touche une pension d'invalidité, parce qu'il a un handicap.*

invalider v. 1er groupe. *L'élection a été invalidée, elle a été déclarée non valable* (= annuler). ●● *valide (2)*

invariable adj. *Les adverbes et les prépositions sont des mots invariables, ils ne changent pas de forme* (≠ variable). *Sa réponse à cette question est invariable, c'est toujours la même.* ●● *varier*

■ **invariablement** adv. *Laure est invariablement en retard* (= toujours, régulièrement, systématiquement).

invasion n.f. *Les troupes n'ont pas pu résister à l'invasion, à l'entrée massive des ennemis dans le pays.* ●● *envahir. Il y a ici une invasion de touristes chaque été,* une arrivée soudaine et massive.

invectives n.f. pl. *Les deux adversaires se lançaient des invectives, des injures.*

■ **invectiver** v. 1er groupe. *L'ivrogne invectivait les passants* (= injurier).

invendable adj. *Ces fruits commencent à se gâter : ils sont invendables, on ne peut plus les vendre.* ●● *vendre*

inventaire n.m. *Le commerçant a fait l'inventaire de ce qui lui restait en stock,* la liste précise.
✳ Ne pas confondre **inventaire** et **éventaire**.

■ **inventorier** v. 1er groupe. *On a inventorié tous les moyens de résoudre le problème,* on les a passés en revue.

inventer v. 1er groupe. SENS 1. *Denis Papin a inventé la machine à vapeur,* il l'a créée (= trouver, découvrir). SENS 2. *Régis a inventé cette histoire pour me rassurer* (= imaginer).

■ **inventeur, trice** n. [SENS 1] *Gutenberg est l'inventeur de l'imprimerie.*

■ **inventif, ive** adj. [SENS 1 et 2] *Hélène a un esprit inventif* (= ingénieux).

■ **invention** n.f. [SENS 1] *L'électricité est une belle invention* (= découverte). [SENS 2] *Cette histoire de maladie est une pure invention pour éviter d'aller à l'école,* une histoire imaginaire (= mensonge).

illustr. p. 427

inventorier → *inventaire*

inverse adj. et n.m. *J'étais ébloui par les phares d'une voiture qui venait en sens inverse,* dans le sens opposé au mien. *Tu t'es trompé, il fallait faire l'inverse,* le contraire.

■ **inversement** adv. *Julie m'aide pour les mathématiques et, inversement, je l'aide pour le français* (= réciproquement).

■ **inverser** v. 1er groupe. *Inversons nos rôles : tu feras mon travail et je ferai le tien* (= changer, échanger, intervertir).

■ **inversion** n.f. *Dans « viendra-t-il ? », il y a une inversion du sujet,* le sujet « il », qui est d'habitude avant le verbe, est placé après.

invertébré n.m. Les **invertébrés** sont des animaux qui n'ont pas de colonne vertébrale, comme les insectes, les vers, les crustacés. ●● *vertèbre*

investigation n.f. *Les* **investigations** *de la police ont été sans résultat,* les recherches minutieuses.

investir v. 2ᵉ groupe. SENS 1. *M. Revel* *a* **investi** *de l'argent dans cette entre-prise,* il l'a placé pour qu'il rapporte. SENS 2. *L'ennemi* *a* **investi** *la ville,* il en fait le siège (= assiéger). SENS 3. *Le nouveau président* *a été* **investi** *de ses fonctions,* on les lui a confiées officiellement.

■ **investissement** n.m. [SENS 1] *Son banquier lui a conseillé un bon* **investis-sement,** un bon placement d'argent.

■ **investiture** n.f. [SENS 3] *Le gouver-nement a obtenu l'***investiture** *de l'As-semblée* (= confiance, approbation).

invétéré, ée adj. *Plusieurs maladies guettent les fumeurs* **invétérés,** les fu-meurs chez qui cette habitude est enra-cinée (= endurci).

invincible adj. SENS 1. *Ce boxeur se croyait* **invincible,** *il croyait que per-sonne ne pouvait le vaincre* (= imbatta-ble). ●● *vaincre.* SENS 2. *Stéphane est d'une timidité* **invincible** (= insurmonta-ble, incurable).

■ **invinciblement** adv. [SENS 2] *Il se sentait* **invinciblement** *attiré par le vide* (= irrésistiblement).

invisible adj. *Les microbes sont* **invi-sibles** *à l'œil nu,* on ne peut pas les voir. ●● *voir*

inviter v. 1ᵉʳ groupe. *Aurélien* *a* **invité** *ses amis pour son anniversaire,* il les a priés de venir chez lui.

■ **invitation** n.f. *Nous avons accepté leur* **invitation** *avec plaisir,* leur proposi-tion de venir chez eux. ◆ *As-tu reçu une* **invitation** *pour aller à son mariage ?,* une carte d'invitation.

■ **invité, ée** n. *Mme Valdois reçoit des* **invités** (= convive).

invivable adj. SENS 1. *Cette région est devenue* **invivable,** *il est très pénible d'y vivre* (≠ vivable). SENS 2. *Nos voisins sont des gens* **invivables,** *il n'est pas possible de s'entendre avec eux* (= insupportable, fam. imbuvable). ●● *vie*

invocation → *invoquer*

involontaire adj. *Il a cassé un vase par un mouvement* **involontaire,** fait sans le vouloir (≠ intentionnel). ●● *vouloir*

■ **involontairement** adv. *Je l'ai invo-lontairement blessée par mes paroles,* sans le faire exprès.

invoquer v. 1ᵉʳ groupe. SENS 1. *Invo-quer une divinité,* c'est l'appeler à son aide. SENS 2. *Il* *a* **invoqué** *sa fatigue pour ne pas venir,* il a donné cela comme explication (= alléguer).

■ **invocation** n.f. [SENS 1] *Cette prière est une* **invocation** *à la Vierge.*

invraisemblable adj. *Cette histoire est* **invraisemblable,** elle n'a aucune apparence de vérité (= incroyable ; ≠ vraisemblable). ●● *vrai*

■ **invraisemblance** n.f. *On relève de nombreuses* **invraisemblances** *dans son récit,* des détails invraisemblables (≠ vraisemblance).

invulnérable adj. *Il s'est cru* **invulné-rable,** *mais il a perdu son procès,* à l'abri de tous les coups, de toutes les attaques (≠ vulnérable).

iode n.m. SENS 1. *L'eau de mer contient de l'***iode,** une matière qui a une action antiseptique sur l'organisme humain. SENS 2. *On met de la* **teinture d'iode** *sur les blessures pour les désinfecter,* un produit antiseptique.

irascible adj. *Une personne* **irascible** est une personne qui se met facilement en colère (= irritable, coléreux, emporté).

iris n.m. SENS 1. Les **iris** sont des fleurs décoratives à longue tige, le plus souvent violettes ou jaunes. SENS 2. *La pupille de l'œil est située au centre de l'***iris**, du rond coloré au milieu de l'œil.
✴ On prononce le « s » : [iris].

illustr.
p. 527,
357,
217

irisé, ée adj. *Ce verre a des reflets* **irisés**, qui ont toutes les couleurs de l'arc-en-ciel.

ironie n.f. L'**ironie** est une façon de se moquer en disant des choses qui doivent être comprises dans un sens différent du sens habituel (= moquerie, raillerie). *Je vous dis cela sans la moindre* **ironie**, *très sérieusement.*

■ **ironique** adj. *Il m'a regardé d'un air* **ironique** (= narquois, moqueur ; ≠ sérieux).

■ **ironiquement** adv. *Quelqu'un a dit* **ironiquement** *que ça devait être bien fatigant de regarder les autres travailler*, avec ironie.

■ **ironiser** v. 1ᵉʳ groupe. *L'orateur a* **ironisé** *sur l'attitude de son adversaire*, il s'en est moqué, il a fait des plaisanteries à ce sujet.

irradier v. 1ᵉʳ groupe. *Plusieurs personnes* **ont été irradiées** *après l'accident dans la centrale nucléaire*, elles ont reçu des rayons radioactifs très dangereux. ●● *radiation*

irraisonné, ée adj. *Elle a une frayeur* **irraisonnée** *des araignées*, une frayeur que la raison ne justifie pas. ●● *raison*

irréalisable adj. *Ce projet est* **irréalisable** *dans les conditions actuelles*, il est impossible à réaliser (= utopique ; ≠ réalisable). ●● *réaliser*

irrécupérable adj. *Cette voiture accidentée est* **irrécupérable**, on ne peut pas la récupérer pour l'utiliser. ●● *récupérer*

irrécusable adj. *Il a apporté des preuves* **irrécusables** *de son innocence*, des

preuves qu'il est impossible de rejeter (= irréfutable, incontestable ; ≠ douteux, contestable). ●● *récuser*

irréductible adj. *Son opposition à ce projet est* **irréductible**, impossible à faire céder (= total, absolu). ●● *réduire*

irréel, elle adj. *Dans le brouillard, le paysage avait un aspect* **irréel**, étranger à la réalité (≠ réel).

irréfléchi, ie adj. *Elle regretta aussitôt sa réponse* **irréfléchie**, dite spontanément, sans avoir réfléchi (= impulsif). ●● *réfléchir*

irréfutable adj. *Une preuve* **irréfutable** est une preuve qui s'impose, que rien ne peut ruiner, anéantir (= irrécusable, inattaquable, incontestable). ●● *réfuter*

irrégulier, ère adj. SENS 1. *« Œil » a un pluriel* **irrégulier**, qui ne suit pas la règle générale. SENS 2. *Certains immigrés sont en situation* **irrégulière**, non conforme à la loi, aux règlements (≠ régulier). SENS 3. *Ses résultats sont* **irréguliers**, ils sont tantôt meilleurs, tantôt moins bons (= variable). *Le sol est* **irrégulier**, il n'est pas uni, plat (= inégal).

■ **irrégularité** n.f. [SENS 2] *L'élection a été annulée en raison de plusieurs* **irrégularités**, plusieurs infractions aux règles.

irréligieux, euse adj. *Une attitude* **irréligieuse** est une attitude ouvertement hostile à la religion. ●● *religion*

irrémédiable adj. *L'inondation a causé des dégâts* **irrémédiables**, auxquels on ne peut remédier (= irréparable). ●● *remède*

■ **irrémédiablement** adv. *La bibliothèque a été* **irrémédiablement** *détruite par l'incendie* (= définitivement).

irremplaçable adj. *Le directeur a un peu tendance à se croire* **irremplaçable**, à croire que personne ne peut le remplacer. ●● *remplacer*

irréparable adj. SENS 1. *Nicolas a démonté son réveil, l'horloger dit qu'il est irréparable, qu'on ne peut pas le réparer* (≠ réparable). ●● *réparer*. SENS 2. *La disparition de ce savant est une perte irréparable, une perte que rien ne peut compenser* (= irrémédiable).

irréprochable adj. *Une conduite irréprochable est une conduite à laquelle on ne peut rien reprocher* (= parfait, impeccable). ●● *reproche*

irrésistible adj. SENS 1. *Le courant nous entraînait avec une force irrésistible, une force contre laquelle il était impossible de lutter.* ●● *résister*. SENS 2. *Ce film est d'un comique irrésistible, on ne peut pas s'empêcher de rire quand on le voit.*

■ **irrésistiblement** adv. [SENS 1] *Nous étions irrésistiblement entraînés au large par le courant.*

irrésolu, ue adj. *Une personne irrésolue est quelqu'un qui n'arrive pas à se décider* (= indécis, hésitant ; ≠ résolu). ●● *résoudre*

■ **irrésolution** n.f. *Cette situation confuse résulte de l'irrésolution du directeur* (= indécision).

irrespirable adj. *Les gaz d'échappement des voitures rendent l'air irrespirable, très désagréable à respirer* (= suffocant, étouffant). ●● *respirer*

irresponsable adj. et n. *C'est être irresponsable que de prendre une décision de cette importance sur un coup de tête, c'est agir sans réfléchir aux conséquences de ses actes* (≠ responsable).

irréversible adj. *L'évolution de cette maladie est irréversible, on ne peut pas revenir dans le même état qu'auparavant* (≠ réversible).

irrévocable adj. *Une décision irrévocable est une décision qu'on ne veut modifier en aucun cas* (= définitif). ●● *révoquer*

irriguer v. 1er groupe. *Ces champs sont irrigués, ils sont arrosés par un système de canaux, de tuyaux.*

■ **irrigation** n.f. *Sans irrigation, cette région serait un désert* (= arrosage).

irriter v. 1er groupe. SENS 1. *Mes remarques l'ont irrité, elles l'ont mis en colère* (= contrarier, impatienter, exaspérer). SENS 2. *Cette fumée m'irrite les yeux, elle me pique.*

■ **irritable** adj. [SENS 1] *M. Roclan est très irritable, il se met facilement en colère* (= coléreux, irascible).

■ **irritation** n.f. [SENS 1] *On a essayé de calmer son irritation* (= colère). [SENS 2] *Jean se plaint d'une irritation de la gorge* (= inflammation).

irruption n.f. *Joël a fait irruption dans la chambre, il est entré brusquement.* ✳ Ne pas confondre **irruption** et **éruption**.

isard n.m. *L'isard est un chamois des Pyrénées.*

islam n.m. *L'islam est la religion musulmane, fondée par Mahomet.*

■ **islamique** adj. *Ali est de religion islamique, il croit en un seul dieu, Allah* (= musulman).

isocèle adj. *Un triangle isocèle a deux côtés égaux.* *illustr. p. 43f*

isoler v. 1er groupe. SENS 1. *Quand elle veut travailler, Amélie s'isole dans sa chambre, elle se met à l'écart des autres.* SENS 2. *Les murs épais de l'appartement nous isolent du bruit de la rue* (= séparer). *Isoler un fil électrique, c'est l'entourer d'une gaine, d'un ruban qui évite tout contact avec ce fil.*

■ **isolant** n.m. [SENS 2] *Le liège est un bon isolant.*

■ **isolation** n.f. [SENS 2] *On a fait des travaux pour améliorer l'isolation de la maison contre le froid.*

■ **isolé, ée** adj. [SENS 1] *Ils habitent dans une maison isolée,* à l'écart des autres maisons.

■ **isolement** n.m. [SENS 1] *Luc se plaint de son isolement,* d'être tout seul.

■ **isolément** adv. [SENS 1] *Ils ont travaillé isolément,* chacun de son côté.

■ **isoloir** n.m. [SENS 1] *On passe dans l'isoloir avant de voter,* une cabine où l'on est tout seul pour mettre dans une enveloppe le bulletin que l'on choisit.

isotherme adj. *On emporte les produits surgelés dans un sac isotherme,* un sac isolant qui conserve les produits à la même température pendant un certain temps.

israélite adj. et n. *La religion israélite est la religion juive. Les israélites se rendent à la synagogue pour prier* (= juif). ✳ Ne pas confondre **israélite** et **Israélien** (habitant de l'État d'Israël).

issu, ue adj. *M. Morin est issu d'une famille pauvre,* il en vient, ce sont ses origines (= né, originaire).

issue n.f. SENS 1. *Les issues de la maison sont surveillées par la police,* les portes et les fenêtres (= sortie). SENS 2. *La situation est sans issue,* sans solution.

La discussion a eu une issue heureuse (= résultat).

isthme n.m. *L'isthme de Panama est traversé par le canal de Panama,* la bande de terre qui s'étend entre deux mers et relie deux terres. ✳ On prononce [ism]. *illustr. p. 556*

italique n.m. *Ce passage est en italique,* en lettres d'imprimerie légèrement penchées sur la droite. → **romain** *illustr. p. 994*

itinéraire n.m. *Pour venir, on a choisi l'itinéraire le plus court* (= chemin, trajet).

ivoire n.m. SENS 1. *Les défenses de l'éléphant sont en ivoire,* une matière blanche et dure utilisé pour fabriquer des bijoux. SENS 2. *L'ivoire est la partie dure des dents de l'homme et des mammifères, qui est recouverte d'émail.* *illustr. p. 217*

ivraie n.f. *L'ivraie est une herbe qui gêne la croissance des céréales.*

ivre adj. SENS 1. *À moitié ivre, il s'est mis à chanter,* il avait l'esprit troublé par l'alcool (= soûl). ●● *enivrer.* SENS 2. *Claire était ivre de joie,* très joyeuse (= fou).

■ **ivresse** n.f. [SENS 1] *Conduire en état d'ivresse est très dangereux* (= ébriété).

■ **ivrogne** n. [SENS 1] *M. Duval est un ivrogne,* il a l'habitude de boire exagérément de l'alcool.

■ **ivrognerie** n.f. [SENS 1] *Il a sombré dans l'ivrognerie* (= alcoolisme).

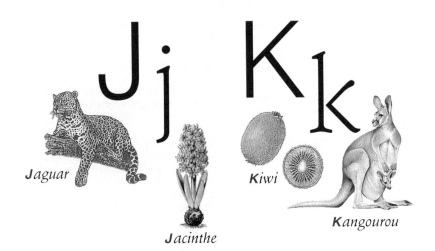

J j K k

Jaguar

Jacinthe

Kiwi

Kangourou

j n.m. Le jour **J**, c'est le jour précis prévu pour quelque chose d'important.

j' → **je**

jabot n.m. *Les oiseaux gardent leur nourriture dans le **jabot**, avant qu'elle ne passe dans l'estomac,* la poche qu'ils ont à la base du cou.

jacasser v. 1ᵉʳ groupe. SENS 1. *La pie jacasse,* elle pousse son cri. SENS 2. Fam. *Marie et Catherine **jacassent**,* elles parlent sans s'arrêter et bruyamment.

illustr.
p. 20
jachère n.f. Une terre en **jachère** est une terre qu'on laisse sans culture pour la laisser reposer pendant un temps ou pour limiter la production.

illustr.
p. 753
jacinthe n.f. La **jacinthe** est une fleur odorante bleue, rose ou blanche qui pousse en grappe sur un oignon.

jade n.m. Le **jade** est une pierre de couleur verte avec laquelle on fait des bijoux, des statuettes, etc.

jadis adv. ***Jadis**, on voyageait en diligence,* autrefois, dans le temps.
✳ On prononce le « s » : [ʒadis].

illustr.
p. 945

jaguar n.m. Le **jaguar** est une bête fauve d'Amérique du Sud semblable à une grosse panthère et dont le pelage a des taches noires.
✳ On prononce [ʒagwar].

jaillir v. 2ᵉ groupe. *L'eau **jaillit** du tuyau,* elle sort avec force (= gicler).

■ **jaillissement** n.m. *Du feu d'artifice est parti un **jaillissement** d'étincelles,* des étincelles ont jailli.

jais n.m. Le **jais** est une pierre noire dont on fait des bijoux. ◆ *Maria a des cheveux de jais,* d'un noir très foncé.
✳ On prononce [ʒɛ]. Ne pas confondre avec **geai** et **jet**.

jalon n.m. SENS 1. *Pour tracer une route, on plante d'abord des **jalons**,* des piquets servant de repères. SENS 2. *J'espère être nommé à ce poste, j'**ai** déjà*

illustr.
p. 853

524

posé *des jalons*, fait des démarches pour réussir (= préparer le terrain).

■ **jalonner** v. 1ᵉʳ groupe. [SENS 1] *Ce parcours est jalonné d'obstacles,* des obstacles sont placés de distance en distance.

jaloux, ouse adj. et n. SENS 1. *Paul a une femme très jalouse,* elle craint que son mari ne lui soit pas fidèle. *Daniel est un jaloux.* SENS 2. *Marie est jalouse du succès de sa sœur auprès des garçons,* elle lui en veut de son succès, elle l'envie (= envieux).

■ **jalousement** adv. [SENS 1] *Le secret a été jalousement gardé,* avec la plus grande attention.

■ **jalouser** v. 1ᵉʳ groupe. [SENS 2] *Yannick jalouse son frère,* il est jaloux de lui (= envier).

■ **jalousie** n.f. [SENS 1] *Quand il a su que sa femme avait vu son meilleur ami, il a fait une crise de jalousie.* [SENS 2] *Son succès a excité la jalousie des autres,* leur envie.

jamais adv. SENS 1. *Je ne triche jamais,* à aucun moment (≠ toujours). *Je ne suis jamais allée en Chine* (≠ déjà). SENS 2. *Il est parti à tout jamais,* pour toujours. SENS 3. *Si jamais il apprend la chose, il sera furieux,* s'il arrive qu'il l'apprenne. SENS 4. *L'inviter chez moi ? Jamais de la vie !,* certainement pas.

jambage n.m. *La lettre « n » a deux jambages,* deux traits verticaux.

illustr.
p. 217,
354,
1010
jambe n.f. SENS 1. *Pierre boite : il a mal à une jambe,* l'un des deux membres inférieurs du corps humain. ●● **enjamber, unijambiste**. SENS 2. Une **jambe** de pantalon est une partie du pantalon qui recouvre une jambe. SENS 3. *Quand le taureau a eu l'air de foncer sur lui, Paul a pris ses jambes à son cou,* il est parti *à toutes jambes,* il s'est mis à courir très vite (= détaler). SENS 4. *C'est du travail fait par-dessus la jambe,* avec peu de soin.

jambon n.m. *Avec un cochon, le charcutier fait quatre jambons,* les cuisses et les épaules du porc, préparées pour pouvoir les conserver.
illustr.
p. 582

■ **jambonneau** n.m. Un **jambonneau** est un petit jambon cuit et moulé en forme de cône, fait avec le jarret du porc.
✴ Au pluriel, on écrit des **jambonneaux**.

jante n.f. La **jante** d'une roue de vélo est le cercle sur lequel le pneu est monté.
illustr.
p. 1002

janvier n.m. **Janvier** est le premier mois de l'année. *Le 1ᵉʳ janvier,* on se souhaite la bonne année.
illustr.
p. 132

japper v. 1ᵉʳ groupe. Quand un jeune chien aboie, on dit qu'il **jappe**.

■ **jappement** n.m. *Tu entends les jappements des chiots ?,* les petits cris brefs et aigus.

jaquette n.f. SENS 1. *Pour le mariage de sa fille, M. Delcour était en jaquette,* une veste de cérémonie descendant derrière jusqu'au milieu de la jambe. SENS 2. *Certains livres ont une jaquette,* une chemise de papier, souvent illustrée, qui protège la couverture.

jardin n.m. SENS 1. *Il y a un jardin devant la maison,* un terrain où l'on cultive des fleurs ou des légumes. SENS 2. Un **jardin public** est un terrain avec des pelouses, des bancs, des fleurs, des arbres, aménagé dans une ville et ouvert à tous. SENS 3. *Marie a 4 ans, elle va au jardin d'enfants,* à l'école maternelle d'une école privée.
illustr.
p. 527,
1017

■ **jardiner** v. 1ᵉʳ groupe. [SENS 1] *Le dimanche, M. Rousseau jardine,* il s'occupe de son jardin.

■ **jardinage** n.m. [SENS 1] *M. Rousseau fait du jardinage,* il jardine. → **horticulture**

■ **jardinier, ère** n. [SENS 1 et 2] *Le jardinier ratisse les allées,* celui dont le métier est de s'occuper des jardins.
illustr.
p. 747

Jasmin

■ **jardinière** n.f. [SENS 1] Une **jardinière** de légumes est un plat de légumes coupés en petits morceaux. [SENS 2] Une **jardinière** de fleurs est un bac où on les cultive.

illustr. p. 573

jargon n.m. *Je ne comprends rien au jargon de ces savants,* à leur langage obscur, difficile à comprendre (= charabia).

jarre n.f. Une **jarre** est un grand vase de grès ou de céramique.
❋ Ne pas confondre avec un **jars**.

illustr. p. 217, 354

jarret n.m. SENS 1. Le **jarret** est la partie arrière du genou humain. SENS 2. Chez les quadrupèdes, le **jarret** est l'endroit où se plie la jambe de derrière.

jars n.m. Le **jars** est le mâle de l'oie.
❋ Ne pas confondre avec une **jarre**.

jaser v. 1er groupe. *Marie reçoit beaucoup d'amis, ça fait **jaser** les voisins,* parler pour critiquer.

illustr. p. 691

jasmin n.m. Le **jasmin** est un arbuste à fleurs odorantes utilisées en parfumerie.

illustr. p. 573

jatte n.f. *Le chat boit son lait dans une jatte,* une sorte d'écuelle ronde.

jauge n.f. SENS 1. La **jauge** est la tige métallique graduée servant à mesurer le niveau d'huile d'un moteur de voiture. SENS 2. La **jauge** d'un bateau, c'est le volume qu'il peut contenir.

■ **jauger** v. 1er groupe. [SENS 1] **Jauger** un réservoir, c'est mesurer la quantité de liquide qui s'y trouve. ◆ *Du premier coup d'œil, il a jaugé le candidat,* il a jugé sa valeur. [SENS 2] *Ce navire jauge 1 000 tonneaux,* c'est sa capacité.
❋ Conj. n° 2.

illustr. p. 845

jaune SENS 1. adj. et n.m. La couleur **jaune** est celle du soleil, du citron, des cœurs des marguerites, etc. *Les Asiatiques ont la peau **jaune**. Les murs de la chambre sont peints en **jaune**.* SENS 2. n.m. *Pour faire la mayonnaise, on sépare les blancs des **jaunes**,* de la partie jaune des œufs. SENS 3. adv. Rire **jaune**, c'est avoir un rire forcé.

■ **jaunâtre** adj. [SENS 1] *Ce tissu blanc est devenu **jaunâtre**,* d'une couleur tirant sur le jaune.

■ **jaunir** v. 2e groupe. [SENS 1] *Les feuilles d'arbres **jaunissent** en automne,* elles deviennent jaunes.

■ **jaunisse** n.f. [SENS 1] Une **jaunisse** est une maladie du foie qui donne un teint jaune. → **hépatite**

javelliser v. 1er groupe. *L'eau de la piscine est javellisée,* on y a ajouté de l'eau de Javel pour la désinfecter.

javelot n.m. *L'athlète a lancé le **javelot** à 90 mètres,* une sorte de lance.

illustr. p. 41

jazz n.m. Le **jazz** est une musique rythmée créée par les Noirs du sud des États-Unis.
❋ On prononce [dʒaz].

illustr. p. 628

je pron. pers. Ce mot s'emploie pour représenter la personne qui parle quand elle est sujet du verbe : *je suis ici.*
❋ **Je** devient **j'** devant une voyelle ou un « h » muet.

jean ou **blue-jean** n.m. SENS 1. Le **jean** est une toile rude et très solide dont on fait des vêtements d'usage courant, des sacs, etc. SENS 2. *Marie a déchiré son **jean** à la jambe gauche,* son pantalon fait en toile de jean.
❋ **Jean** se prononce [dʒin], **blue-jean** se prononce [bludʒin]. On dit aussi un **jeans** [dʒins] ou un **blue-jeans** [bludʒins].

illustr. p. 1010

Jeep n.f. *Pour traverser ce terrain boueux, il faudrait une **Jeep**,* une automobile tout terrain.
❋ On prononce [dʒip]. **Jeep** est un nom de marque, il s'écrit avec une majuscule dans les textes imprimés.

jérémiades n.f. pl. *Arrête tes **jérémiades** !,* tes plaintes continuelles (= lamentations).

526

LE JARDIN D'AGRÉMENT

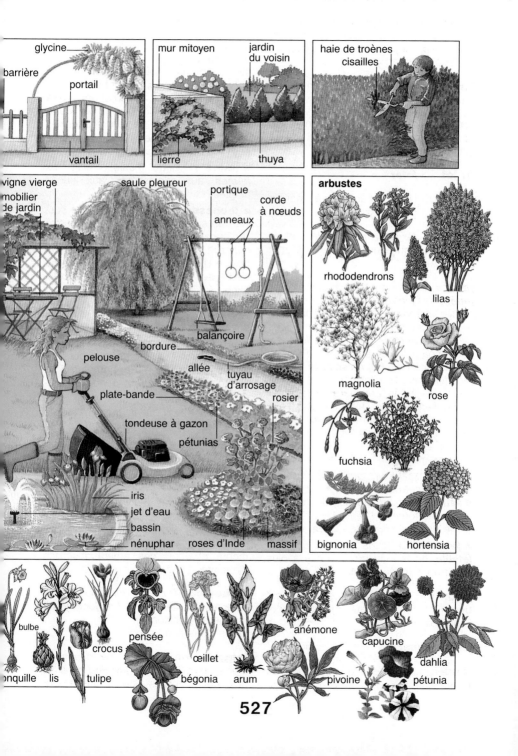

glycine
barrière
portail
vantail

mur mitoyen
jardin du voisin
lierre
thuya

haie de troènes
cisailles

vigne vierge
mobilier de jardin
saule pleureur
portique
anneaux
corde à nœuds
balançoire
bordure
pelouse
allée
tuyau d'arrosage
plate-bande
rosier
tondeuse à gazon
pétunias
iris
jet d'eau
bassin
nénuphar
roses d'Inde
massif

arbustes
rhododendrons
lilas
magnolia
rose
fuchsia
bignonia
hortensia

bulbe
crocus
pensée
œillet
anémone
capucine
dahlia
onquille
lis
tulipe
bégonia
arum
pivoine
pétunia

jerrican ou **jerrycan** n.m. *J'ai demandé au pompiste de remplir d'essence le jerrican, un gros bidon à poignée.*
✳ On prononce [ʒerikan].

jersey n.m. *Marie a une jupe en jersey, en tissu tricoté.*

jésuite n.m. Un **jésuite** est un prêtre appartenant à l'ordre religieux de la Compagnie de Jésus.

1. jet → *jeter*

2. jet n.m. Un **jet** est un avion à réaction.
✳ On prononce [dʒɛt].

illustr. **jetée** n.f. *La jetée protège le port,* le
p. 741 grand mur qui s'avance dans la mer (= digue).

jeter v. 1ᵉʳ groupe. SENS 1. *Les enfants jettent des pierres dans l'eau* (= lancer). SENS 2. *J'ai jeté tous les vieux journaux, je m'en suis débarrassé.* SENS 3. *Les alliés se sont jetés dans la bataille,* ils s'y sont engagés avec ardeur (= se lancer, se précipiter). *Le Rhône se jette dans la Méditerranée,* il s'y déverse. SENS 4. **Jeter** une idée sur le papier, c'est la noter rapidement par écrit. **Jeter** un coup d'œil, c'est regarder rapidement. **Jeter** le trouble dans l'assistance, c'est le faire naître subitement.
✳ Conj. nº 8.

illustr. ■ **jet** n.m. [SENS 1] *L'athlète a réussi un*
p. 527 **jet** *de 90 mètres au javelot.* ◆ *Il y a un jet* **d'eau** *au milieu du bassin,* de l'eau qui jaillit avec force.
✳ Ne pas confondre avec **geai** et **jais**.

■ **jetable** adj. [SENS 2] *C'est un stylo* **jetable**, on le jette quand il n'y a plus d'encre (≠ rechargeable).

jeton n.m. Un **jeton** de téléphone est une pièce ronde et plate, qui fait marcher l'appareil.

jeu → *jouer*

illustr. **jeudi** n.m. **Jeudi** est le quatrième jour de
p. 132 la semaine.

à **jeun** → *jeûner*

jeune adj. SENS 1. *Éric a 10 ans, il est plus* **jeune** *que Nicolas, qui en a 15, moins âgé* (≠ vieux). SENS 2. *Leurs enfants sont* **jeunes**, ils n'ont pas un âge très avancé. SENS 3. *Aude est une* **jeune** **fille** *de 15 ans, Christophe un* **jeune** **homme** *de 19 ans, ce sont des* **jeunes** **gens**, des personnes qui ne sont plus des enfants mais pas encore des adultes.

■ **jeune** n. *Cette musique plaît aux* **jeunes**, aux adolescents, aux jeunes adultes.

■ **jeunesse** n.f. *Grand-mère parle souvent de sa* **jeunesse**, de l'époque entre l'enfance et l'âge mûr (≠ vieillesse). *Une auberge de* **jeunesse** *accueille les jeunes.* ◆ *Une émission pour la* **jeunesse** *s'adresse aux enfants et aux adolescents.*

jeûner v. 1ᵉʳ groupe. **Jeûner**, c'est se priver de manger.

■ **jeûne** n.m. *Autrefois, l'Église catholique prescrivait de nombreux jours de* **jeûne**, de privation de nourriture. *Le Coran prescrit le* **jeûne** *pendant le ramadan.*

■ à **jeun** adv. *Pour la prise de sang, vous serez* à **jeun**, vous n'aurez rien mangé.
✳ On prononce [aʒœ̃].

jeunesse → *jeune*

joaillerie n.f. *La* **joaillerie** *est l'art de fabriquer des bijoux en montant des pierres précieuses* (= bijouterie).

■ **joaillier, ère** n. *Le* **joaillier** *taille, monte et vend des émeraudes, des diamants, des saphirs, etc.* (= bijoutier).

jockey n.m. *Pour la course, ce cheval sera monté par un célèbre* **jockey**, un cavalier professionnel.
✳ On prononce [ʒɔkɛ].

jogging n.m. SENS 1. *Le dimanche matin, nous faisons du* **jogging** *dans les bois,* nous courons à petite vitesse pour

Jonquille

faire un peu d'exercice. SENS 2. *Elle a acheté un **jogging** bleu*, un survêtement.
✹ On prononce [dʒɔgiŋ].

joie n.f. *À son retour, toute la famille ressentit une grande **joie*** (= bonheur, félicité). *C'est avec **joie** que j'accepte votre invitation*, j'en suis heureux (= plaisir, enthousiasme ; ≠ tristesse).

■ **joyeux, euse** adj. *Cette fête était très **joyeuse***, pleine de joie (= gai ; ≠ triste).

■ **joyeusement** adv. *On a fêté **joyeusement** son anniversaire* (= gaiement).

joindre v. 3ᵉ groupe. SENS 1. *C'est en **joignant** leurs efforts qu'ils ont réussi*, en les réunissant (= associer ; ≠ dissocier, séparer, disjoindre). SENS 2. *Je **joins** le chèque à ma lettre*, je le mets avec (= ajouter). SENS 3. *Impossible de te **joindre** au téléphone !*, de parvenir à entrer en communication avec toi (= toucher, contacter).
✹ Conj. nᵒ 82.

■ **joint, e** adj. [SENS 1] *Mettez-vous debout, les pieds **joints*** (= réuni ; ≠ écarté). [SENS 2] *Ci-joint un chèque de 20 euros*, joint à mon envoi.
✹ Ci-joint s'accorde avec le nom qui le précède : *la lettre **ci-jointe**, mais non avec celui qui le suit : **ci-joint** la lettre*.

■ **joint** n.m. [SENS 1] *L'eau du tuyau fuit par le **joint***, la rondelle intercalée entre deux éléments pour réaliser une bonne étanchéité de l'ensemble.

■ **jointure** n.f. [SENS 1] *Quand je me baisse, j'ai des douleurs aux **jointures***, aux endroits où les os se joignent (= articulation).

■ **jonction** n.f. [SENS 1] *L'accident s'est produit à la **jonction** des deux routes*, là où elles se joignent (= croisement).

joker n.m. *À certains jeux de cartes, un **joker** est une carte qui procure un avantage à celui qui la possède car elle remplace n'importe quelle autre carte*.
✹ On prononce le « r » : [ʒɔkɛr].

joli, ie adj. *Marie est **jolie***, elle est agréable à regarder. *Le film raconte une jolie histoire* (= beau ; ≠ laid). ●● **enjoliver**

■ **joliment** adv. *Ta chambre est **joliment** installée*, agréablement.

jonc n.m. *Il y a des **joncs** au bord de la rivière*, une sorte d'herbe à grandes tiges minces.
✹ On ne prononce pas le « c » : [ʒɔ̃].

joncher v. 1ᵉʳ groupe. *Le sol **est jonché** de feuilles d'arbres*, il en est recouvert.

jonction → **joindre**

jongler v. 1ᵉʳ groupe. *Le clown **jongle** avec les balles*, il en lance en l'air plusieurs en même temps et les rattrape adroitement pour les relancer aussitôt.

■ **jongleur, euse** n. *Un **jongleur** est un artiste de cirque qui jongle*.

illustr. p. 177

jonque n.f. *En Extrême-Orient, une **jonque** est un bateau à voiles à fond plat*.

jonquille n.f. *Les **jonquilles** sont des fleurs jaunes qui poussent au printemps dans les bois et les prés ou qu'on cultive dans les jardins*.

illustr. p. 527

joue n.f. *On s'est embrassés sur les deux **joues***, chacun des deux côtés du visage.
✹ Ne pas confondre avec un **joug**.

illustr. p. 217

■ **joufflu, ue** adj. *Ce bébé est **joufflu***, il a de grosses joues.

jouer v. 1ᵉʳ groupe. SENS 1. *Les enfants, allez **jouer** dehors !*, vous amuser. *On **joue** au basket*, on pratique ce sport. SENS 2. *M. Bertin **joue** au tiercé*, il risque de l'argent en misant sur des chevaux. SENS 3. *Marie **joue** du piano*, elle fait de la musique avec cet instrument. SENS 4. *De grands acteurs **jouent** dans ce film*, ils y ont un rôle. *Il a voulu **jouer** au grand savant*, faire comme s'il était un grand savant. SENS 5. *Xavier a voulu me **jouer** un tour en se cachant, mais je l'ai vu !*, me faire une farce. SENS 6. *La porte **joue**,*

LES JEUX ET LES LOISIRS

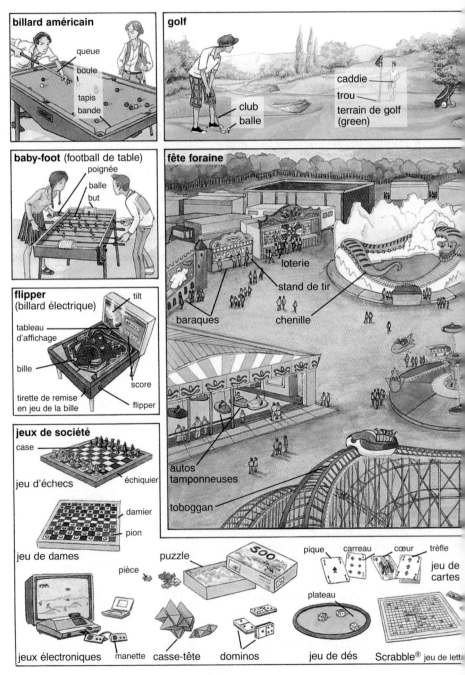

billard américain
- queue
- boule
- tapis
- bande

golf
- caddie
- trou
- terrain de golf (green)
- club
- balle

baby-foot (football de table)
- poignée
- balle
- but

flipper (billard électrique)
- tilt
- tableau d'affichage
- bille
- score
- tirette de remise en jeu de la bille
- flipper

fête foraine
- loterie
- stand de tir
- baraques
- chenille
- autos tamponneuses
- toboggan

jeux de société
- case
- échiquier
- jeu d'échecs
- damier
- pion
- jeu de dames

- pièce
- puzzle

- pique
- carreau
- cœur
- trèfle
- jeu de cartes

- plateau

- jeux électroniques
- manette
- casse-tête
- dominos
- jeu de dés
- Scrabble® jeu de lett

Il existe beaucoup de façons d'occuper son temps
quand on ne travaille pas : faire du sport, jouer à un jeu de société,
visiter une fête foraine... et même bricoler (voir p.117).

elle ne ferme pas bien. SENS 7. *Les circonstances jouent contre nous*, elles nous sont défavorables. *Vous pouvez faire jouer l'assurance* (= agir).

illustr. p. 530,

■ **jeu** n.m. [SENS 1] *Qu'est-ce que c'est que ce nouveau jeu ?*, cette façon de jouer selon certaines règles. *Tu as un jeu de cartes ?*, des cartes pour jouer. *J'ai eu un jeu d'échecs pour Noël et mon frère,*

504

un jeu vidéo. [SENS 2] *Il a perdu beaucoup d'argent au jeu*, à des distractions où les gains dépendent du hasard. ●● **enjeu**. *C'est mon honneur qui est en jeu*, en question. [SENS 4] *Les critiques ont admiré le jeu des acteurs*, leur façon de jouer. [SENS 6] *Il y a du jeu dans la porte*, un trop grand intervalle qui fait qu'elle ferme mal. ◆ *Un jeu de clés* est une série de clés. ◆ *Pierre fait souvent des jeux de mots*, des plaisanteries utilisant la ressemblance des mots (= calembour). ◆ **Cacher son jeu**, c'est dissimuler ses intentions.

■ **jouet** n.m. [SENS 1] *Qu'est-ce que tu as eu comme jouets à Noël ?*, comme objets servant à jouer.

illustr. p. 913

■ **joueur, euse** n. [SENS 1] *Les joueurs de cartes font une partie de tarot*, ceux qui pratiquent les jeux de cartes. *Une joueuse de l'équipe de basket a été blessée.*

■ **joujou** n.m. [SENS 1] *Oh ! bébé, regarde les beaux joujoux !*, les beaux jouets, dans le langage enfantin. ✳ Au pluriel, on écrit des **joujoux**.

joufflu → *joue*

illustr. p. 385

joug n.m. *On met un joug sur la tête des bœufs pour les atteler*, une pièce de bois. ✳ On ne prononce pas le « g » : [ʒu]. Ne pas confondre avec une **joue**.

jouir v. 2ᵉ groupe. *M. Duval jouit de sa victoire*, il en profite, il en tire de l'agrément. *Cette région jouit d'un climat très agréable*, elle a la chance d'avoir ce climat.

■ **jouissance** n.f. *Les locataires ont la jouissance du jardin*, ils peuvent en profiter.

joujou → *jouer*

jour n.m. SENS 1. *Je prends ce médicament deux fois par jour*, dans une période de 24 heures, de minuit à minuit. → *journée*. ◆ *Quel jour sommes-nous ? – Lundi.* SENS 2. *De nos jours*, on voyage beaucoup, à notre époque. SENS 3. *Marie vit au jour le jour*, sans se soucier du lendemain. SENS 4. *Il fait jour de bonne heure en été*, il fait clair (≠ nuit). *Vous verrez mieux la couleur de cette jupe au jour*, à la lumière du soleil. ●● **contre-jour**. → *diurne*. SENS 5. *Au cours des fouilles, on a mis au jour plusieurs statues anciennes* (= découvrir). SENS 6. *Il faut mettre à jour vos connaissances*, vous mettre au courant des nouveautés (= actualiser). SENS 7. *Mme Lopez brode des draps à jours*, qui sont ornés de trous brodés. SENS 8. *Ces deux sœurs ne se ressemblent pas, c'est le jour et la nuit*, elles sont très différentes.

illustr. p. 132 991,

228

■ **journalier, ère** adj. [SENS 1] *La cuisine fait partie des occupations journalières*, de chaque jour (= quotidien).

■ **journellement** adv. [SENS 1] *Ce sont des choses qui arrivent journellement*, chaque jour (= quotidiennement).

journal n.m. SENS 1. *Tu serais au courant de ce qui se passe, si tu lisais les journaux*, les feuilles imprimées paraissant chaque jour ou périodiquement et donnant des informations. *Un journal qui paraît chaque jour est un quotidien, un journal qui paraît chaque semaine est un hebdomadaire.* SENS 2. *Tu as écouté le journal ?*, les informations à la radio ou à la télévision. SENS 3. *Tu tiens un journal, toi ?*, un cahier où l'on écrit chaque jour ses réflexions et ce qui nous est arrivé dans la journée. ✳ Au pluriel, on dit des **journaux**.

illustr. p. 151, 503, 855

■ **journaliste** n. [SENS 1 et 2] *Les journalistes écrivent dans les journaux, ou*

illustr. p. 221

illustr.
p. 503 donnent des informations pour la radio ou la télévision. ➝ *reporter (2)*

■ **journalisme** n.m. [SENS 1 et 2] Le journalisme est le métier du journaliste.

journalier ➝ *jour*

journée n.f. *La journée a été chaude,* l'espace de temps entre le matin et le soir (≠ soir, soirée, nuit).

journellement ➝ *jour*

joute n.f. Une *joute* est une lutte entre deux adversaires.

jovial, ale adj. *Ce gros bonhomme a un air jovial,* gai et sympathique (= enjoué ; ≠ maussade).
✷ Au masculin pluriel, on dit **jovials** ou **joviaux**.

joyau n.m. SENS 1. *Au musée, on a vu les joyaux de la reine,* des bijoux de grande valeur. SENS 2. *Cette cathédrale est un joyau de l'architecture gothique,* un chef-d'œuvre, un modèle précieux.
✷ Au pluriel, on écrit des **joyaux**.

joyeusement, joyeux ➝ *joie*

jubiler v. 1er groupe. *Quand je pense aux vacances, je jubile !,* j'éprouve une grande joie (= exulter).

jucher v. 1er groupe. *Le chat s'est juché sur le toit,* il s'y est perché.

judaïsme n.m. Le *judaïsme* est la religion des Juifs, c'est-à-dire des descendants du peuple hébreu, qui croient en un seul dieu et attendent la venue du Messie.

■ **judaïque** adj. La loi *judaïque* est la loi religieuse des Juifs.

illustr.
p. 820 ■ **juif, juive** adj. et n. *Sarah est juive,* elle est d'une famille qui a pour religion le judaïsme (= israélite).

judas n.m. *N'ouvre pas la porte, regarde d'abord par le judas,* le petit dispositif dans la porte qui permet de voir sans être vu.

judiciaire adj. *L'enquête judiciaire n'avance pas,* l'enquête de la justice.

judicieux, euse adj. *Ta remarque est judicieuse,* elle résulte d'un bon jugement (= pertinent, sensé ; ≠ absurde).

judo n.m. *Paul fait du judo,* un sport de combat d'origine japonaise, où la souplesse et la rapidité jouent un rôle très important. *illustr. p. 912*

■ **judoka** n. *Le malfaiteur a été maîtrisé par un judoka,* quelqu'un qui pratique le judo. *illustr. p. 912*

juger v. 1er groupe. SENS 1. *L'accusé sera jugé,* il passera devant les juges qui diront s'il est coupable ou non. SENS 2. *Le chirurgien n'a pas jugé utile d'opérer le malade,* il n'a pas pensé que c'était utile (= estimer). ●● *préjuger*
✷ Conj. n° 2.

■ **juge** n. [SENS 1] *Les juges ont condamné l'accusé,* ceux qui sont chargés de rendre la justice (= magistrat).

■ **jugement** n.m. [SENS 1] *Le jugement du tribunal a été sévère,* sa décision (= sentence). [SENS 2] *Je me fie au jugement de Catherine,* à la façon dont elle juge les choses (= avis, appréciation). ➝ *judicieux*

■ **jugeote** n.f. Fam. [SENS 2] *Tu n'aurais pas fait cette bêtise si tu avais eu plus de jugeote,* de bon sens.

jugulaire n.f. *La jugulaire du casque passe sous le menton,* la courroie qui le maintient.

juguler v. 1er groupe. *Le gouvernement s'efforce de juguler la hausse des prix,* de l'arrêter (= maîtriser).

juif ➝ *judaïsme*

illustr.
p. 132 **juillet** n.m. Le mois de **juillet** est le 7ᵉ mois de l'année.

illustr.
p. 132 **juin** n.m. Le mois de **juin** est le 6ᵉ mois de l'année.

juke-box n.m. Un **juke-box** est un électrophone automatique qu'on met en marche avec une pièce de monnaie pour écouter un disque qu'on a choisi.
✻ On prononce [dʒukbɔks]. Au pluriel, on écrit des **juke-box** (inv.) ou des **juke-boxes**.

jumeau, jumelle SENS 1. adj. et n. *Comme ils se ressemblent ! Ce sont des (frères) jumeaux ?*, des frères nés en même temps. *Chloé a une sœur jumelle.* SENS 2. adj. *Des lits jumeaux* sont deux lits semblables placés côte à côte.
✻ Au masculin pluriel, on écrit **jumeaux**.

jumeler v. 1ᵉʳ groupe. *Ces deux villes sont jumelées*, on les a associées pour favoriser des échanges culturels, des rencontres.
✻ Conj. n° 6.

■ **jumelage** n.m. *On a fêté le jumelage de ces deux villes*, leur association.

illustr.
p. 29,
357 **jumelles** n.f. pl. *Prends des jumelles, tu verras mieux le bateau*, une lunette double pour voir loin.

jument n.f. La **jument** est la femelle adulte du cheval. **→ pouliche**

jungle n.f. *Le tigre vit dans la jungle*, la forêt tropicale de l'Inde, à la végétation très épaisse, très dense.

junior SENS 1. adj. et n. Un **junior** est un jeune sportif âgé de 17 à 21 ans. **→ senior**. SENS 2. adj. *Verdier junior*, c'est le plus jeune des deux Verdier.

illustr.
p. 1010 **jupe** n.f. *Marie a mis sa jupe plissée*, un vêtement féminin qui entoure la taille et descend sur les jambes. ●● **minijupe**

illustr.
p. 1010 ■ **jupon** n.m. Un **jupon** se porte sous une jupe.

juré → jury

jurer v. 1ᵉʳ groupe. SENS 1. *Je te jure que c'est vrai !*, je t'en fais le serment (= promettre). SENS 2. *Nom de Dieu, qu'est-ce que c'est que ça ! – Oh ! ne jure pas comme ça !*, ne prononce pas de jurons (= blasphémer). SENS 3. *Le rouge et l'orange jurent ensemble*, ces couleurs sont mal assorties.

■ **juron** n.m. [SENS 2] Un **juron** est une exclamation grossière ou qui choque les sentiments religieux.

juridique adj. *Des études juridiques* sont des études de droit.

juron → jurer

jury n.m. *Vous êtes reçu avec les félicitations du jury*, de l'ensemble des personnes chargées de juger.

■ **juré** n.m. Les **jurés** sont les membres d'un jury.

jus n.m. SENS 1. *J'ai bu du jus d'orange*, le liquide extrait du fruit. SENS 2. Le **jus** de viande est le liquide rendu par la viande et les matières grasses pendant la cuisson.

■ **juteux, euse** adj. *Cette poire est juteuse*, elle a du jus.

jusque prép. Ce mot permet d'indiquer la limite : *reste là jusqu'à ce que je revienne* (temps) ; *la plaine s'étend jusqu'à la mer* (lieu). *illustr.*
p. 945

justaucorps n.m. SENS 1. Un **justaucorps** était une sorte de veste longue portée au XVIIᵉ et au XVIIIᵉ s. SENS 2. *Au cours de danse, on met des justaucorps*, des sortes de maillots à manches courtes ou longues. *illustr.*
p. 221

juste adj. SENS 1. *Ces calculs sont justes*, sans erreur (= exact, correct ; ≠ faux). SENS 2. *Mes chaussures sont un peu justes*, serrées (= étroit). SENS 3. *9 heures et demie, ce sera juste pour* être à la gare à 10 heures, à peine suffisant. SENS 4. *Paul a eu un cadeau et pas moi, ce n'est pas* **juste** *!* (= équitable ; ≠ injuste).

■ **juste** adv. [SENS 1] *C'est* **juste** *ce que je voulais,* exactement (= précisément, justement). ◆ *Tu chantes* **juste**, sans fausses notes (≠ faux).

■ **justement** adv. [SENS 1] *Te voilà ! Je pensais* **justement** *à toi !,* précisément.

■ **justesse** n.f. [SENS 1] *Le succès dépendra de la* **justesse** *des calculs* (= exactitude). [SENS 3] *J'ai évité la voiture de* **justesse**, *de peu.*

■ **justice** n.f. [SENS 4] *Il n'y a pas de* **justice**, *j'aurais dû gagner !,* ce n'est pas juste, j'aurais dû avoir ce à quoi j'avais droit (= équité ; ≠ injustice). ◆ *La* **justice** *rendra son verdict,* les juges. → **judiciaire**

justifier v. 1ᵉʳ groupe. *Les événements* **justifient** *mes craintes,* ils montrent que j'avais raison d'être inquiet (= vérifier, confirmer). ●● *injustifié*

■ **justification** n.f. *Il nous faut une* **justification** *de votre paiement,* une preuve.

jute n.m. *On emballe les pommes de terre dans des sacs de* **jute**, *faits avec la fibre d'une plante cultivée en Inde.*

juteux → *jus*

juvénile adj. *Ce vieil acteur a encore une silhouette* **juvénile**, jeune (≠ sénile).

juxtaposer v. 1ᵉʳ groupe. *Ne* **juxtapose** *pas ce vert et ce rouge, ça ne va pas,* ne les mets pas côte à côte.

K

1. kaki adj. inv. *Des uniformes* **kaki** sont de couleur brun jaunâtre.

2. kaki n.m. *Le* **kaki** est un fruit du Japon de couleur orangée.

kaléidoscope n.m. *Un* **kaléidoscope** est un tube à l'intérieur duquel on peut voir des images changeantes de verres colorés grâce à un jeu de miroirs.

kangourou n.m. *La mère* **kangourou** *porte ses petits dans la poche qu'elle a sur le ventre,* un mammifère d'Australie qui avance en sautant. *illustr. p. 1032*

kapok n.m. *Le* **kapok** est une fibre végétale très légère servant à rembourrer des coussins.

karaté n.m. *Le* **karaté** est un sport de combat d'origine japonaise.

■ **karatéka** n. *Un* **karatéka** est quelqu'un qui pratique le karaté.

kart n.m. *Un* **kart** est un petit véhicule à moteur très bas et très rapide, sans carrosserie ni suspension. ✳ On prononce le « t » : [kart].

■ **karting** n.m. *Paul aime faire du* **karting**, piloter un kart. ✳ On prononce [kartiŋ].

kayak n.m. *Ils ont descendu la rivière en* **kayak**, en canoë de toile qu'on manœuvre avec une pagaie à deux pales. *illustr. p. 845*

képi n.m. *Certains militaires portent un* **képi**, une casquette à visière. *illustr. p. 733*

kermesse n.f. *Le curé a organisé une* **kermesse**, une fête de charité en plein air avec des jeux, une buvette, des stands où sont vendues des marchandises.

kérosène n.m. *Le* **kérosène** est un carburant pour avions.

ketchup n.m. *Le* **ketchup** est une sauce tomate épicée, au goût légèrement sucré. ✳ On prononce [kɛtʃœp].

kibboutz n.m. *Un* **kibboutz** est une ferme collective en Israël.

kidnapper v. 1ᵉʳ groupe. *Une rançon de 5 millions est exigée des bandits qui ont* **kidnappé** *l'enfant,* qui l'ont enlevé. ✳ On prononce [kidnape].

■ **kidnapping** n.m. *Un* **kidnapping** est un rapt. ✳ On prononce [kidnapiŋ].

kif-kif adj. inv. Fam. *C'est kif-kif,* c'est pareil.

illustr.
p. 991
kilo n.m. Kilo est l'abréviation de **kilo**gramme.

illustr.
p. 991
kilo- préfixe. Placé devant une unité de mesure, **kilo-** la multiplie par 1 000 : **kilo**mètre, **kilo**gramme, **kilo**watt.

illustr.
p. 991
kilogramme n.m. Le **kilogramme** est une unité de mesure des masses valant 1 000 grammes. ●● *gramme*
★ On écrit en abrégé **kg** sans point à la suite.

illustr.
p. 991
kilomètre n.m. Le **kilomètre** est une unité de mesure des distances qui vaut 1 000 mètres. ●● *mètre*
★ On écrit en abrégé **km** sans point à la suite.

■ **kilométrage** n.m. *Cette voiture a un kilométrage important,* elle a parcouru beaucoup de kilomètres depuis sa mise en circulation.

■ **kilométrique** adj. Les bornes **kilométriques** sont les bornes placées à chaque kilomètre le long des routes.

kilt n.m. Le **kilt** est la jupe plissée du costume national des Écossais.
★ On prononce le « t » : [kilt].

illustr.
p. 912
kimono n.m. Le **kimono** est une tunique japonaise à larges manches.

kinésithérapie n.f. *Après son accident, on lui a fait des séances de kinésithérapie,* des soins consistant à faire faire certains mouvements et à pratiquer des massages.

■ **kinésithérapeute** n. Un **kinésithérapeute** est spécialisé dans la pratique de la kinésithérapie. → *masseur*

illustr.
p. 855,
1017
kiosque n.m. SENS 1. *Le kiosque à journaux de ma rue est fermé le dimanche,* la petite boutique où l'on vend des journaux. SENS 2. *L'orchestre donne un concert sous le kiosque à musique,* un abri ouvert de tous côtés.

illustr.
p. 820
kippa n.f. La **kippa** est une petite calotte ronde que les juifs pratiquants portent sur le sommet du crâne.

kirsch n.m. *On met du kirsch dans la salade de fruits,* de l'eau-de-vie de cerise.

kit n.m. *M. Ribour s'est acheté des meubles de cuisine en kit,* en éléments à monter soi-même.
★ On prononce le « t » : [kit].

kiwi n.m. SENS 1. Le **kiwi** est un fruit exotique à la peau recouverte de poils soyeux et à la chair verte très parfumée. SENS 2. Le **kiwi** est un oiseau de Nouvelle-Zélande à long bec et aux ailes très courtes.

Klaxon n.m. *L'automobiliste a donné un coup de Klaxon au croisement pour avertir du danger* (= avertisseur).
★ On prononce [klaksɔn]. **Klaxon** est un nom de marque ; il s'écrit avec une majuscule dans les textes imprimés.

■ **klaxonner** v. 1er groupe. *On n'a pas le droit de klaxonner dans les villes,* d'utiliser le Klaxon.

K.-O. adj. et n.m. inv. *Le boxeur a mis K.-O. son adversaire,* il l'a mis hors de combat.
★ C'est l'abréviation de l'anglais **knockout** [nɔkaut].

illustr.
p. 103
koala n.m. Un **koala** est un petit mammifère d'Australie aux mouvements très lents, qui vit dans les arbres.

kung-fu n.m. Le **kung-fu** est un sport de combat d'origine chinoise.
★ On prononce [kuŋfu].

kyrielle n.f. *On nous a posé une kyrielle de questions,* un très grand nombre.

kyste n.m. Un **kyste** est un renflement anormal qui se forme sous la peau, à la racine d'une dent, etc.

Loup

Lampe

Lierre

Lézard

l', la → *le (1)* et *(2)*

la n.m. **La** est la sixième note de la gamme.

là adv. SENS 1. *Viens **là** !,* à cet endroit. SENS 2. *Cette fille-**là**, c'est Marie,* celle dont je parle. SENS 3. *Regarde **là-bas**, il y a quelqu'un qui vient,* au loin. SENS 4. *Il va falloir grimper **là-haut**,* à cet endroit élevé.

label n.m. Un **label** est une garantie d'origine et de qualité indiquée sur un produit.

labeur n.m. Ce mot se disait autrefois au sens de « travail intense ».

laboratoire n.m. Un **laboratoire** est un endroit où l'on fait des recherches scientifiques.

laborieux, euse adj. *La recherche a été **laborieuse**,* difficile et longue.

■ **laborieusement** adv. *Le programme a été **laborieusement** mis au point,* au prix de grands efforts (= péniblement).

labourer v. 1er groupe. *Assis sur son tracteur, le fermier **laboure** son champ,* il en retourne la terre avec la charrue.

■ **labour** n.m. *C'est la saison des **labours**,* du labourage. ◆ (Au plur.) *Les chasseurs marchent dans les **labours**,* les terres labourées.

■ **labourable** adj. *Dans ces régions montagneuses, les terres **labourables** sont rares* (= cultivable).

■ **labourage** n.m. *Aujourd'hui, les bœufs sont remplacés par le tracteur pour le **labourage** de la terre* (= labour).

■ **laboureur** n.m. Ce mot se disait autrefois pour « cultivateur ».

labyrinthe n.m. Un **labyrinthe** est un ensemble de couloirs ou de rues dans lesquels on a du mal à trouver son chemin.

537

lac n.m. SENS 1. *On a fait du bateau sur le **lac**,* une grande étendue d'eau douce. SENS 2. *Tous ces projets **sont dans le lac**,* ils ont été abandonnés. → **étang, mare**

■ **lacustre** adj. Les cités **lacustres** étaient des villages sur pilotis au bord ou au-dessus d'un lac.

lacer → **lacet**

lacérer v. 1er groupe. *À coups de couteau, il **a lacéré** le coussin,* il l'a mis en lambeaux. *Il est interdit de **lacérer** les affiches électorales* (= déchirer).
∗ Conj. n° 10.

lacet n.m. SENS 1. *J'ai cassé mon **lacet** de chaussure,* le cordon qui sert à
l'attacher. SENS 2. *Cette route est pleine de **lacets**,* de virages.

■ **lacer** v. 1er groupe. [SENS 1] *Paul, veux-tu **lacer** tes chaussures !,* les attacher avec les lacets (≠ délacer).
∗ Conj. n° 1. Ne pas confondre avec **lasser**.

lâche adj. SENS 1. *C'est **lâche** de s'attaquer à plus faible que soi,* ce n'est pas courageux. SENS 2. *La corde est trop **lâche**,* elle n'est pas assez tendue.

■ **lâche** n. [SENS 1] *Quel **lâche**, il a fui !,* quel poltron ! (= peureux ; ≠ brave).

■ **lâchement** adv. [SENS 1] *Ce malheureux vieillard a été **lâchement** attaqué.*

■ **lâcheté** n.f. [SENS 1] *En attaquant par-derrière, il a montré sa **lâcheté**,* son manque de courage (= poltronnerie ; ≠ bravoure, vaillance). *S'enfuir serait une **lâcheté**,* une action lâche.

lâcher v. 1er groupe. SENS 1. *Ne **lâche** pas le ballon, il va s'envoler !,* ne cesse pas de le tenir. SENS 2. *La corde qui retenait le bateau **a lâché**,* elle a cédé (= casser). SENS 3. Fam. *Tu ne vas pas nous **lâcher** maintenant ?,* nous quitter (= abandonner).

■ **lâcher** n.m. [SENS 1] *À la kermesse, il y a eu un **lâcher** de ballons,* on en a lâché beaucoup à la fois dans l'air.

■ **lâcheur, euse** n. [SENS 3] Fam. *Quelle **lâcheuse**, elle s'en va !*

lâcheté → **lâche**

lacis n.m. *J'ai failli me perdre dans ce **lacis** de ruelles* (= dédale, labyrinthe).
∗ Le « s » ne se prononce pas : [lasi].

laconique adj. *Une réponse **laconique** est une réponse brève* (= succinct, concis ; ≠ long).

■ **laconiquement** adv. *Il a répondu **laconiquement** : non,* sans rien ajouter.

lacrymogène adj. *Les grenades **lacrymogènes** contiennent des gaz qui font pleurer.*

lacté → **lait**

lacune n.f. *Il y a des **lacunes** dans son récit,* il manque des éléments (= trou, omission, oubli).

lacustre → **lac**

lad n.m. *Un **lad** est un jeune garçon qui soigne les chevaux de course.*
∗ On prononce le « d » : [lad].

ladre adj. et n. *Un (individu) **ladre** est avare.*

■ **ladrerie** n.f. *Par **ladrerie**, il vit le soir dans l'obscurité* (= avarice).
∗ Les mots de cette famille s'emploient surtout dans la langue écrite.

lagon n.m. *Un **lagon** est une étendue d'eau fermée vers le large par un récif de corail.*

lagune n.f. *Une **lagune** est une étendue d'eau salée séparée de la mer par une bande de terre.*

laïc, laïcité → **laïque**

laid, laide adj. *Je ne voudrais pas avoir chez moi des tableaux aussi **laids**,*

désagréables à voir (≠ beau, joli).
●● ***enlaidir***
❋ Ne pas confondre avec une **laie** et du **lait**.

■ **laideur** n.f. *La bonté de Quasimodo fait oublier sa* **laideur** (≠ beauté).

illustr. **laie** n.f. *La* **laie** *est la femelle du sanglier.*
p. 402 ❋ On prononce [lɛ]. Ne pas confondre avec l'adjectif **laid** et du **lait**.

illustr. **laine** n.f. *Maman me tricote un pull de*
p. 228 **laine**, *fait avec du poil de mouton.*

■ **lainage** n.m. *Prends un* **lainage**, *il fait froid,* un vêtement en laine tricotée (= tricot, pull).

■ **laineux, euse** adj. *Un tissu* **laineux** *contient beaucoup de fils de laine.*

■ **lainier, ère** adj. *L'industrie* **lainière** *est celle de la laine.*

laïque adj. *L'école publique est* **laïque**, *elle est indépendante de toute religion* (≠ religieux, confessionnel).

■ **laïc, laïque** n. *À la messe, la quête est faite par des* **laïcs**, *des chrétiens qui ne sont pas des membres du clergé.*

■ **laïcité** n.f. *La* **laïcité** *est l'absence d'engagement religieux.*

laisse n.f. *Mets sa* **laisse** *au chien,* la lanière que l'on attache à son collier pour le retenir.

laisser v. 1ᵉʳ groupe. SENS 1. *Je te* **laisse** *!,* je ne t'emmène pas (= quitter). SENS 2. *Tu* **as laissé** *ton parapluie chez Pierre* (= oublier ; ≠ prendre). SENS 3. *Le jardin* **a été laissé** *à l'abandon,* il a été abandonné. ***Laissez-moi*** *tranquille,* ne vous occupez pas de moi. SENS 4. ***Laisse-moi*** *du gâteau,* ne prends pas tout (= garder). SENS 5. *J'***ai laissé*** *les clefs à la concierge,* je les lui ai confiées. *Son oncle lui* **a laissé** *une fortune importante en héritage* (= léguer). SENS 6. *Le camelot m'***a laissé*** *le foulard pour 7 euros,* il me l'a cédé. SENS 7. ***Laisse-moi*** *partir, je vais être en retard,* ne m'en empêche

pas. SENS 8. *Tu mets ton poulet au four et tu le* **laisses** *cuire une heure,* tu le fais cuire sans y toucher. SENS 9. *J'***ai laissé*** *tomber une assiette !,* je l'ai fait tomber sans le faire exprès. SENS 10. *Depuis sa maladie, Pierre* **s'est laissé** *aller,* il est découragé, il ne fait plus rien. SENS 11. *Il veut t'obliger à partir, mais j'espère que tu ne vas pas* **te laisser faire**, céder sans opposer de résistance.

■ **laisser-aller** n.m. inv. [SENS 10] *Alors, on arrive en retard, maintenant ? Quel* **laisser-aller** *!,* quel relâchement !, quelle négligence !
❋ Ce mot ne change pas au pluriel.

■ **laissez-passer** n.m. inv. [SENS 7] *Pour entrer au ministère, il fallait un* **laissez-passer**, *une permission écrite de passer.*
❋ Ce mot ne change pas au pluriel.

lait n.m. SENS 1. *Le veau tète le* **lait** *de* *illustr.*
la vache, le liquide blanc qui sort des *p. 354,*
mamelles. ●● ***allaiter***. SENS 2. *Un lait de* *150*
toilette est un produit liquide pour les soins de la peau.
❋ Ne pas confondre avec l'adjectif **laid** et une **laie**.

■ **lacté, ée** adj. *Les produits* **lactés** contiennent du lait. ◆ *La* **Voie lactée** *est un amas d'étoiles qui a l'aspect d'une grande bande blanche.*

■ **laitage** n.m. *Je n'aime pas les* **laitages**, *les aliments à base de lait tels que la crème, les yaourts, le fromage blanc.*

■ **laiteux, euse** adj. *Un blanc* **laiteux** a la teinte du lait.

■ **laitier, ère** [SENS 1] adj. *Les fromages sont des produits* **laitiers**, fabriqués avec du lait. ◆ n. *Le* **laitier** *passe tous les matins,* la personne qui livre ou ramasse le lait.

■ **laiterie** n.f. *Une* **laiterie** *est une usine où l'on fabrique des produits laitiers.*

laiton n.m. *Le* **laiton** *est un alliage de cuivre et de zinc, de couleur jaune.*

laitue n.f. *Une* **laitue** *est une variété de* *illustr.*
salade. *p. 746*

laïus n.m. Fam. *Assez de laïus, il faut agir, assez de discours.*
✳ On prononce le « s » : [lajys].

1. lama n.m. *Un lama est un moine bouddhiste.*

illustr. p. 1033 **2. lama** n.m. *Dans les Andes, il y a des lamas, des mammifères ressemblant à des petits chameaux sans bosse au pelage roux.*

lambeau n.m. *Pourquoi ta chemise est-elle en lambeaux ?, déchirée en morceaux.*
✳ Au pluriel, on écrit des **lambeaux**.

lambin, e adj. et n. Fam. *Que tu es lambine, dépêche-toi !, tu ne sais pas agir vite* (= lent ; ≠ rapide, vif).
■ **lambiner** v. 1ᵉʳ groupe. Fam. *Ne lambine pas, on est pressés* (= traîner).

lambris n.m. *Un lambris est un revête-ment en bois ou en marbre qui décore les murs ou le plafond d'une salle.*
■ **lambrissé, ée** adj. *Un plafond lam-brissé est revêtu de lambris.*

illustr. p. 117, 310, 239, 974 **lame** n.f. SENS 1. *Une lame de métal, de verre est un morceau plat, mince et allongé.* SENS 2. *Il faut aiguiser la lame du couteau, la partie coupante.* ◆ *Une lame de rasoir est un petit rectangle d'acier tranchant.* SENS 3. *Une lame de fond a fait chavirer le bateau, une très grosse vague.*

illustr. p. 310 ■ **lamelle** n.f. [SENS 1] *On place ce que l'on veut examiner au microscope sur une lamelle de verre, une lame très mince.*

■ **laminer** v. 1ᵉʳ groupe. [SENS 1] *Lami-ner du métal, c'est le réduire en lames, en feuilles.*

■ **laminoir** n.m. [SENS 1] *Le laminoir est une machine qui sert à laminer des métaux.*

lamentable adj. SENS 1. *Le sort de ces malheureux réfugiés est lamentable*

(= pitoyable, navrant). SENS 2. *Il a obtenu des notes lamentables à l'examen, très mauvaises* (= minable ; ≠ brillant).
■ **lamentablement** adv. [SENS 1] *La tentative a échoué lamentablement* (= piteusement).

se **lamenter** v. 1ᵉʳ groupe. *Marie se lamente sur son sort à longueur de journée, elle se plaint* (≠ se réjouir).
■ **lamentations** n.f. pl. *Arrête tes la-mentations !, tes plaintes* (= jérémiades).

laminer, laminoir → *lame*

illustr. p. 42, 863, 868 **lampe** n.f. *Une lampe est un appareil qui sert à éclairer. Autrefois on utilisait des lampes à huile, aujourd'hui on s'éclaire avec des lampes électriques.*

illustr. p. 862 ■ **lampadaire** n.m. *Un lampadaire est une lampe avec un grand pied.*

■ **lampion** n.m. *C'est la fête, les lam-pions sont allumés, des lampes en papier.*

illustr. p. 165, 736 **lance** n.f. SENS 1. *La lance était autrefois une arme faite d'un long manche terminé par un bout de fer pointu.* SENS 2. *Les pompiers éteignent le feu avec la lance à incendie, le tube en métal monté au bout d'un tuyau pour envoyer de l'eau.*

■ **lancier** n.m. [SENS 1] *Un lancier était autrefois un soldat armé d'une lance.*

lancer v. 1ᵉʳ groupe. SENS 1. *Lance-moi donc le ballon !, envoie-le-moi* (= jeter).
●● *relancer.* SENS 2. *On a lancé beaucoup d'invitations pour la fête. Le bateau a lancé des signaux de détresse* (= envoyer, émettre). SENS 3. *As-tu vu la publicité pour lancer ce nouveau par-fum ?, le faire connaître.* SENS 4. *Un policier s'est lancé à la poursuite du malfaiteur* (= s'élancer, se précipiter). SENS 5. *Il faut toujours qu'il se lance dans de longues explications !, qu'il s'y en-gage* (= entrer).
✳ Conj. n° 1.
■ **lancer** n.m. [SENS 1] *Ce sportif s'exerce au lancer du javelot, un exer-cice d'athlétisme.*

■ **lancée** n.f. [SENS 5] *Il parlait toujours et, **sur sa lancée**, il nous a raconté toute sa vie*, dans son élan.

illustr. p. 494, 202, 912

■ **lancement** n.m. [SENS 1] *On a vu le **lancement** de la fusée à la télévision*. [SENS 3] *Le **lancement** d'un nouveau produit se fait par la publicité*.

■ **lanceur, euse** n. [SENS 1] *Paul est **lanceur** de javelot*.

■ **lanceur** n.m. [SENS 1] *L'armée est équipée de **lanceurs** d'engins*, d'appareils pour lancer des engins. Un **lanceur** spatial est une fusée capable d'envoyer un satellite dans l'espace.

■ **lance-pierre** ou **lance-pierres** n.m. [SENS 1] *Il est imprudent de jouer avec un **lance-pierre***, un instrument qui sert à lancer des pierres.
✳ Au pluriel, on écrit des **lance-pierres**.

lancier → *lance*

lanciner v. 1er groupe. *La crainte d'un accident le **lancinait***, le tourmentait.

■ **lancinant, ante** adj. *Une douleur **lancinante** est une douleur vive et répétée*.

landau n.m. *On promène les bébés dans des **landaus***, des voitures d'enfant avec une capote.
✳ Au pluriel, on écrit des **landaus**.

lande n.f. *La **lande** est un terrain inculte couvert de bruyères et d'ajoncs*.

langage → *langue*

lange n.m. *Autrefois, on emmaillotait les bébés dans des **langes***, des rectangles de tissu en coton ou en laine.

■ **langer** v. 1er groupe. *La maman **lange** son bébé*, elle l'enveloppe dans un lange ou lui met une couche.
✳ Conj. n° 2.

langoureux → *languir*

Illustr. . 719

langouste n.f. *La **langouste** est un crustacé marin voisin du homard mais sans pinces*.

■ **langoustine** n.f. *La **langoustine** est un crustacé marin à pinces, plus petit qu'un homard mais plus grand qu'une crevette*.

langue n.f. SENS 1. *La **langue** est un organe charnu situé dans la bouche qui a un rôle essentiel dans la parole et le sens du goût*. SENS 2. *« Bouquin » est un mot de la **langue** familière* (= langage, vocabulaire). SENS 3. *Les Français et les Anglais ne parlent pas la même **langue**, ils n'ont pas le même système d'expression par la parole*. → **linguistique, polyglotte**. *Le latin est une **langue** morte, l'anglais est une **langue** vivante*, le latin ne se parle plus, l'anglais est parlé de nos jours.

illustr. p. 217

■ **langage** n.m. [SENS 2] *Les savants ont un **langage** parfois difficile à comprendre*, une façon de parler (= langue).

■ **languette** n.f. [SENS 1] *Tire la **languette** de tes chaussures !*, un petit morceau de cuir qui rappelle la forme d'une langue.

languir v. 2e groupe. SENS 1. *Je commençais à **languir** en vous attendant*, à m'ennuyer, à me sentir déprimée (= se morfondre). SENS 2. *Comme la conversation **languissait**, on est parti*, elle s'arrêtait presque (= traîner ; ≠ s'animer).
✳ Ce verbe s'emploie surtout à l'écrit.

■ **languissant, ante** adj. [SENS 2] *La conversation était **languissante**, elle traînait* (= morne ; ≠ vivant).

■ **langueur** n.f. [SENS 1] *La **langueur**, c'est un manque d'énergie, de dynamisme ou une tendance à la rêverie* (= abattement, mélancolie).

■ **langoureux, euse** adj. [SENS 1] *Ils dansaient sur un rythme **langoureux**, qui exprime la langueur amoureuse* (= lent ; ≠ vif).

lanière n.f. *Une **lanière** est une bande étroite et souple de cuir, de tissu*.

illustr. p. 29

lanterne n.f. SENS 1. *Le veilleur de nuit fait sa ronde, une **lanterne** à la main*, avec une sorte de boîte transparente

illustr. p. 573

contenant une lumière. SENS 2. *Ce cycliste est la lanterne rouge de la course, il est le dernier.*

lapalissade n.f. *Tu me dis qu'un grand verre contient plus qu'un petit verre : c'est une lapalissade, une réflexion évidente, d'une banalité niaise.*

laper v. 1ᵉʳ groupe. *Le chat lape son lait, il le boit à petits coups de langue.*

lapereau → *lapin*

1. lapidaire adj. *Il a mis fin à la conversation d'une formule lapidaire, brève et expressive.*

2. lapidaire n.m. *Un lapidaire est un artisan qui taille les pierres précieuses autres que le diamant.*

lapider v. 1ᵉʳ groupe. *L'assassin faillit être lapidé par la foule, être tué à coups de pierres.*

illustr. p. 384,

582

lapin n.m. SENS 1. Le **lapin** est un petit mammifère rongeur à longues oreilles, sauvage (**lapin de garenne**) ou domestique (**lapin d'élevage**). SENS 2. *J'ai mangé du lapin en civet,* de la viande de lapin.

■ **lapine** n.f. *La lapine est la femelle du lapin.*

■ **lapereau** n.m. *Un lapereau est un jeune lapin.*

✳ *Au pluriel, on écrit des lapereaux.*

laps n.m. *Un laps de temps est un espace de temps, une durée.*

✳ *On prononce le « s » : [laps].*

lapsus n.m. *Tu as dit « je reviendrai la semaine dernière » au lieu de « la semaine prochaine », c'est un lapsus, une erreur commise en parlant.*

✳ *On prononce le « s » final : [lapsys].*

illustr. p. 970

laquais n.m. *Un laquais était autrefois un valet habillé d'une livrée.*

laque n.f. SENS 1. *On a verni le bureau avec de la laque,* un enduit transparent.

SENS 2. *La coiffeuse a vaporisé de la laque sur mes cheveux,* un produit qui sert à les maintenir en place.

■ **laquer** v. 1ᵉʳ groupe. [SENS 1] *On a laqué le bureau,* on l'a enduit de laque. [SENS 2] *Marie se laque les cheveux.*

laquelle → *lequel*

larcin n.m. *Un larcin est un vol de peu d'importance.*

lard n.m. *Va chez le charcutier acheter du lard,* de la graisse de porc.

■ **larder** v. 1ᵉʳ groupe. *Larder un rôti, c'est y piquer des lardons.*

■ **lardon** n.m. *Un lardon est un petit morceau de lard.*

large adj. SENS 1. *La route est large ici, tu peux doubler,* elle est étendue dans le sens opposé à la longueur (≠ étroit). ●● *élargir.* SENS 2. *Cette veste est trop large pour moi,* elle n'est pas assez près du corps (= ample ; ≠ serré). SENS 3. *Il est large avec ses enfants* (= généreux ; ≠ avare, regardant). SENS 4. *Il y a une large part de mensonge dans ce récit* (= grand, important ; ≠ petit). SENS 5. *Vous ne me choquez pas, j'ai l'esprit large* (= tolérant).

■ **large** n.m. [SENS 1] *La rue a 5 mètres de large,* de largeur (≠ long). [SENS 2] *Ici au moins, on est au large,* on a de la place (≠ à l'étroit). ◆ *Les marins sont allés pêcher au large,* loin des côtes (= en pleine mer). ◆ *Le voleur a pris le large,* il a pris la fuite.

illustr p. 55

■ **largement** adv. [SENS 3] *Encore du poulet ? – Non, merci, j'ai été largement servi,* avec abondance (= amplement ; ≠ peu).

■ **largesses** n.f. pl. [SENS 3] *Faire des largesses,* c'est se montrer généreux.

■ **largeur** n.f. [SENS 1] *J'ai mesuré la largeur de la table : elle est de 60 centimètres,* l'espace compris entre les deux côtés les plus rapprochés (≠ longueur, hauteur). [SENS 5] *On s'entend facile-*

illustr p. 43

ment avec lui, car il a une grande **largeur d'esprit** (= tolérance ; ≠ étroitesse d'esprit).

larguer v. 1er groupe. *Larguez les amarres !*, détachez-les. **Larguer** des bombes, c'est les lâcher d'un avion.

larme n.f. SENS 1. *En nous quittant, Marie avait les larmes aux yeux, elle pleurait.* SENS 2. *Tu veux du vin ? – Oui, une larme,* un tout petit peu (= goutte).

■ **larmoyer** v. 1er groupe. [SENS 1] *Ses yeux larmoient,* ils sont pleins de larmes. ✳ Conj. n° 3.

illustr. 384, 385

larve n.f. Une **larve** est une forme du développement de certains insectes et des amphibiens avant l'état adulte. *La chenille est une larve qui devient ensuite un papillon ; les têtards sont des larves de grenouille.*

larvé, ée adj. Une révolte **larvée** est une révolte qui ne s'exprime pas pleinement (= latent).

larynx n.m. Le **larynx** est la partie du cou où se trouvent les cordes vocales qui permettent de parler.

las, lasse adj. SENS 1. *Oh ! que je suis lasse après cette journée !*, fatiguée. SENS 2. *Je suis las de répéter tous les jours la même chose,* j'en ai assez. ✳ Au masculin, on ne prononce pas le « s » : [lɑ].

■ **lasser** v. 1er groupe. [SENS 2] *Tu te lasseras vite de cette couleur,* tu en auras vite assez (= se fatiguer ; ≠ se délasser). ●● *inlassable* ✳ Ne pas confondre avec **lacer**.

■ **lassant, ante** adj. [SENS 2] *Pierre raconte toujours les mêmes histoires, c'est lassant à la fin !,* c'est fatigant (= ennuyeux).

■ **lassitude** n.f. [SENS 1 et 2] *Il refait chaque jour le même travail sans lassitude,* sans fatigue, sans ennui.

lascar n.m. Fam. *Ce type-là, c'est un drôle de lascar,* un homme débrouillard ou rusé.

laser n.m. Un **laser** est une source de rayons très intenses que l'on utilise dans de multiples techniques, entre autres pour la lecture des disques compacts. ✳ On prononce [lazɛr].

illustr. p. 504

lassant, lassitude → *las*

lasso n.m. *Les cow-boys capturent les chevaux avec un lasso,* une corde terminée par un nœud coulant.

latent, ente adj. *La révolte est latente,* elle va bientôt éclater (= caché, larvé ; ≠ apparent).

latéral, ale, aux adj. *Ne passez pas par l'allée centrale mais par les allées latérales,* celles qui sont sur le côté. ●● *bilatéral, équilatéral, unilatéral*

latin, ine adj. et n.m. *Jacques apprend le latin,* la langue parlée autrefois par les Romains. ◆ L'Amérique **latine,** c'est l'Amérique centrale et l'Amérique du Sud, où l'on parle l'espagnol ou le portugais, qui sont des langues issues du latin.

■ **latiniste** n. *Jeanne est une bonne latiniste,* elle connaît bien le latin.

■ **latinité** n.f. La **latinité,** c'est la civilisation des peuples latins.

latitude n.f. SENS 1. *Paris est à 48° de latitude nord,* à cette distance de l'équateur (≠ longitude). SENS 2. *Vous aurez toute latitude pour faire ce travail,* toute liberté d'action.

latrines n.f. pl. *Des latrines sont des waters en plein air.*

latte n.f. *Les tuiles du toit sont soutenues par des lattes de bois,* des baguettes ou des planches étroites.

illustr. p. 572

laudatif, ive adj. *J'ai été très flatté de cet article laudatif, qui contient des louanges* (= élogieux).

lauréat, e n. *Aïcha est une des lauréates du concours, une de celles qui ont remporté un prix.*

illustr. p. 690 **laurier** n.m. SENS 1. *Jeanne parfume la sauce avec deux feuilles de laurier, un arbuste à feuilles persistantes.* SENS 2. *Ne te repose pas sur tes lauriers !, sur tes succès passés.*

lavable, lavabo, lavage → *laver*

lavallière n.f. *Au XIXᵉ s., certains artistes peintres portaient un large chapeau et une lavallière, une cravate faite d'un gros nœud de soie flottant.*

illustr. p. 691 **lavande** n.f. *Maman parfume le linge de l'armoire avec des sachets de lavande, d'une plante à petites fleurs bleues très odorantes.*

illustr. p. 949, 983 **lave** n.f. *Une coulée de lave s'échappe de la bouche du volcan, une coulée de matière minérale visqueuse dont la température est d'environ 1 000 °C.*

lavement n.m. *Le médecin a ordonné des lavements, des injections de liquide dans l'intestin.*

laver v. 1ᵉʳ groupe. SENS 1. *Cette chemise est sale, il faut la laver, la nettoyer avec de l'eau.* SENS 2. *Va te laver !, va faire ta toilette* (= se débarbouiller).

■ **lavable** adj. [SENS 1] *Les murs de la cuisine sont recouverts d'une peinture lavable, que l'on peut laver facilement.*

illustr. p. 852 ■ **lavage** n.m. [SENS 1] *Mon pantalon a rétréci au lavage, quand il a été lavé.*

illustr. p. 239, 869 ■ **lavabo** n.m. [SENS 2] *Un lavabo est un appareil sanitaire fixé au mur, muni de robinets et d'un système d'écoulement, qui sert à la toilette.* ◆ *(Au plur.) Les lavabos du restaurant sont au sous-sol,* les toilettes (= waters).

■ **laverie** n.f. [SENS 1] *Une laverie est un établissement où on lave soi-même son linge à la machine.*

■ **lavette** n.f. [SENS 1] *Une lavette est un carré de tissu-éponge pour laver, essuyer une table.*

■ **laveur, euse** n. [SENS 1] *M. Désormes est laveur de carreaux, son métier est de laver les carreaux.*

■ **lavoir** n.m. [SENS 1] *Dans ce village, il y a un lavoir, un bassin où on pouvait autrefois laver le linge.*

illustr p. 23 ■ **lave-linge** n.m. inv. [SENS 1] *Un lave-linge est une machine à laver le linge.* ✱ Ce mot ne change pas au pluriel.

illustr p. 23 ■ **lave-vaisselle** n.m. inv. [SENS 1] *Mets les assiettes sales dans le lave-vaisselle,* la machine à laver la vaisselle. ✱ Ce mot ne change pas au pluriel.

lavis n.m. *L'architecte a fait un dessin au lavis, un dessin colorié avec de l'encre de Chine ou une couleur délayée avec de l'eau.* ✱ On ne prononce pas le « s » : [lavi].

laxatif, ive adj. et n.m. *Une tisane laxative combat la constipation. Le jus de pruneau est un laxatif.*

layette n.f. *Maman tricote la layette de bébé, ses vêtements.*

1. le, la, les art. définis. Ces articles indiquent que le nom qui suit est déterminé. *C'est la fille de Francis.* ✱ Le, la s'écrivent l' devant une voyelle ou un « h » muet : *tu as vu l'homme ? j'aime l'eau.*

2. le, la, les pron. personnels. Ces pronoms remplacent des groupes du nom. *Dans « ma leçon, je la sais », la* remplace *« ma leçon ».* ✱ Le, la s'écrivent l' devant une voyelle ou un « h » muet : *lui, je ne l'ai jamais vu.*

leader n.m. *Un leader est une personne qui est à la tête d'un parti, d'un mouvement* (= chef de file, meneur). ✱ On prononce [lidœr].

lèche n.f. Fam. *Il fait de la lèche à son professeur,* il le flatte bassement.

lécher v. 1er groupe. *Le chat lèche sa patte,* il passe sa langue dessus.
✳ Conj. n° 10.

leçon n.f. SENS 1. *Sophie prend des leçons de conduite,* elle apprend à conduire (= cours). SENS 2. *Mehdi, viens me réciter ta leçon,* le texte que tu dois apprendre. SENS 3. *Tu t'es fait mal ? Que ça te serve de leçon !,* que cette expérience t'apprenne à ne plus recommencer !

lecture n.f. SENS 1. *Pascal apprend la lecture,* il apprend à lire. SENS 2. *Je vais te faire la lecture de ce texte,* te le lire à haute voix. SENS 3. *J'aime la lecture,* lire des livres. *Quelles sont tes lectures préférées ?,* tes livres préférés.

■ **lecteur, trice** n. [SENS 3] *Beaucoup de lectrices du journal nous ont écrit,* de femmes qui le lisent.

illustr.
. 862,
502,
504
■ **lecteur** n.m. On appelle **lecteurs** des appareils qui servent à reproduire des sons (**lecteur de cassettes, de CD**) ou à lire des informations (**lecteur de disquettes**).

légal, ale, aux adj. Ce qui est **légal** est conforme à la loi (≠ illégal).

■ **légalement** adv. *Légalement, vous n'avez pas le droit d'agir ainsi,* selon la loi (≠ illégalement).

■ **légalité** n.f. *Il faut rester dans la légalité,* dans le cadre de la loi (≠ illégalité).

■ **légaliser** v. 1er groupe. **Légaliser** une situation, c'est la rendre conforme à la loi.

légat n.m. *Un légat du pape est son représentant.*

légataire → *léguer*

légende n.f. SENS 1. *Ma grand-mère me raconte souvent de vieilles légendes*
bretonnes, des histoires imaginaires (= conte). SENS 2. *Elle représente quoi, cette photo ? – Tu n'as qu'à lire la légende pour le savoir,* le texte qui est écrit dessous.

■ **légendaire** adj. [SENS 1] *Ulysse est un héros légendaire,* un héros de légende. ◆ *Ses gaffes sont légendaires,* elles sont connues de tous (= proverbial).

léger, ère adj. SENS 1. *Ma valise est légère,* elle est presque vide, son poids est peu important (≠ lourd, pesant). ●● *alléger.* SENS 2. *L'été, papa met des vestes légères,* en tissu fin (≠ épais). SENS 3. *Dans l'avion, on nous a servi un repas léger,* un repas peu abondant (= frugal ; ≠ copieux). SENS 4. *Je voudrais un café léger* (≠ fort). SENS 5. *Paul s'est montré un peu léger dans cette affaire,* il a manqué de sérieux (= insouciant, superficiel, frivole). SENS 6. *Heureusement, Fabien n'a eu que des blessures légères,* des blessures peu importantes (= superficiel, bénin ; ≠ grave). *Il y a une légère différence de couleur entre ces deux tissus* (= faible). SENS 7. *Un rien me réveille, j'ai le sommeil léger* (≠ profond, lourd).

■ **à la légère** adv. [SENS 5] *Il ne faut pas prendre cette maladie à la légère,* c'est grave, avec insouciance.

■ **légèrement** adv. [SENS 2] *Tu es habillé trop légèrement* (≠ chaudement). [SENS 3] *Je déjeunerai légèrement* (≠ copieusement). [SENS 6] *Il n'est que légèrement blessé* (≠ gravement). ◆ *Tourne-toi légèrement vers moi,* un petit peu.

■ **légèreté** n.f. [SENS 1] *Le liège flotte à cause de sa légèreté.* [SENS 5] *Il a pris cette décision avec trop de légèreté* (= insouciance).

légion n.f. SENS 1. *Dans l'Antiquité, une légion était un corps de troupes de l'armée romaine.* SENS 2. *La Légion étrangère est une troupe composée de volontaires,* surtout étrangers. SENS 3. *M. Dubois a eu la Légion d'honneur,* une décoration.

▪ **légionnaire** n.m. [SENS 2] Un **légionnaire** est aujourd'hui un militaire de la Légion étrangère.

législatif, ive adj. Une assemblée **législative** est chargée de faire les lois. Les élections **législatives** sont celles où l'on élit les députés. → *exécutif*

▪ **législation** n.f. La **législation** est l'ensemble des lois.

légiste adj. Le **médecin légiste** est chargé de faire des expertises dans des affaires criminelles.

légitime adj. SENS 1. *Sa protestation est* **légitime**, *il a raison de protester* (= justifié, fondé ; ≠ illégitime). SENS 2. On est dans un cas de **légitime défense** quand on agit avec violence pour se protéger ou pour protéger quelqu'un contre une agression.

▪ **légitimement** adv. *Il proteste* **légitimement** *contre cet abus* (= à juste titre).

▪ **légitimer** v. 1er groupe. *Il s'est efforcé de* **légitimer** *sa conduite* (= justifier).

léguer v. 1er groupe. *Il* **a légué** *toute sa fortune à son neveu,* il la lui a donnée par testament.
✹ Conj. no 10.

▪ **légataire** n. *Mes neveux seront mes* **légataires**, *ils bénéficieront de mon testament.*

illustr.
p. 582,
747

légume n.m. Un **légume** est une plante dont on mange les feuilles, les tiges, les racines ou les graines (= plante potagère). Les carottes, les haricots, les asperges sont des **légumes verts**. Les lentilles sont des **légumes secs**. → *potager*

leitmotiv n.m. *Il prêche l'union : c'est le* **leitmotiv** *de ses discours,* ce qu'il répète sans cesse.
✹ On prononce [lɛtmɔtiv] ou [lajtmɔtif].

illustr.
p. 132

lendemain n.m. SENS 1. *Je l'attendais dimanche, mais il n'est arrivé que le*
lendemain, *lundi,* le jour suivant (≠ veille). ●● *demain.* SENS 2. *C'est un homme inconstant, qui prend des résolutions* **sans lendemain**, *qui ne durent pas.* SENS 3. **Au lendemain des** *jeux Olympiques, les athlètes sont rentrés dans leur pays,* aussitôt après. SENS 4. *Le pays risque de connaître* **des lendemains** *difficiles après ces années de prospérité,* une période difficile.

lent, lente adj. *Le vieillard marchait d'un pas* **lent** (≠ rapide). *Que tu es* **lente** *! Dépêche-toi, on est en retard !,* tu ne vas pas assez vite (≠ vif). *Il a l'esprit un peu* **lent**, *il ne comprend pas très vite.*
●● *ralentir*

▪ **lentement** adv. *Marie mange* **lentement** (≠ vite).

▪ **lenteur** n.f. *La* **lenteur** *de ses progrès est décourageante* (≠ rapidité).

lente n.f. La **lente** est l'œuf du pou.

illustr.
p. 31

lentille n.f. SENS 1. *Au menu, il y avait du porc aux* **lentilles**, *des petites graines rondes et aplaties, vertes ou brunes, que l'on mange comme légume sec.* SENS 2. Une **lentille** est un disque de verre utilisé dans les instruments d'optique pour grossir ou réduire l'image des objets. SENS 3. *Marie porte des* **lentilles** *(de contact),* des disques en matière plastique appliqués sur le globe de l'œil pour remplacer des lunettes (= verre de contact).

léopard n.m. Le **léopard** est une panthère d'Afrique à fourrure tachetée de jaune et de noir.

lèpre n.f. La **lèpre** est une maladie contagieuse dans laquelle la peau se couvre de plaies.

▪ **lépreux, euse** n. et adj. Un **lépreux** est une personne atteinte de la lèpre.

▪ **léproserie** n.f. Une **léproserie** est un hôpital où l'on soigne les lépreux.

lequel, laquelle, lesquels, lesquelles pron. relatifs et interrogatifs.

SENS 1. *Voici les amis avec **lesquels** je fais de la musique,* je fais de la musique avec ces amis. SENS 2. *J'hésite entre ces deux robes ; **laquelle** préfères-tu ?,* quelle robe ?
＊ **Lequel** forme avec **à** et **de** les pronoms : **auquel, auxquels, duquel, desquels.**

les → *le (1)* et *(2)*

lèse-majesté n.f. inv. *Un crime de **lèse-majesté** est une grave faute envers un roi ou une reine,* un grave manque de respect envers quelqu'un.

léser v. 1er groupe. *Paul n'a pas eu la même part d'héritage que les autres : il **a été lésé**,* il a été défavorisé (= désavantager).
＊ Conj. n° 10.

lésiner v. 1er groupe. *Pierre ne **lésine** pas,* il n'est pas avare (≠ gaspiller).

lésion n.f. *Un coup, une blessure, une inflammation sont des **lésions**,* des détériorations d'une partie du corps.

illustr. p. 583 **lessive** n.f. SENS 1. *Pascal, va m'acheter un paquet de **lessive** !,* du produit pour laver le linge. → ***détergent**.* SENS 2. *Marie fait la **lessive**,* elle lave le linge.

■ **lessiver** v. 1er groupe. [SENS 2] *Le carrelage de la cuisine est sale, il faut le **lessiver**,* le nettoyer (= laver).

■ **lessivage** n.m. [SENS 2] *On a fait le **lessivage** des murs avant de les repeindre* (= nettoyage).

■ **lessiveuse** n.f. [SENS 2] *Autrefois, on faisait bouillir le linge dans une **lessiveuse**,* un grand récipient.

lest n.m. *On lâche du **lest** pour que le ballon s'élève plus haut,* de lourds sacs de sable.
＊ Ne pas confondre avec l'adjectif **leste**.

■ **lester** v. 1er groupe. ***Lester** un bateau,* c'est le garnir de matières lourdes pour qu'il soit stable (≠ délester).

leste adj. *Ce gamin est **leste** comme un singe,* agile dans ses mouvements (= alerte). *Elle marche d'un pas **leste*** (= vif, rapide, alerte ; ≠ lourd).
＊ Ne pas confondre avec le **lest**.

lester → *lest*

léthargie n.f. *La marmotte passe l'hiver en état de **léthargie**,* de sommeil profond (= engourdissement).

■ **léthargique** adj. *La chaleur moite nous mettait dans un état **léthargique**,* un état de torpeur.

lettre n.f. SENS 1. *L'alphabet français comprend 26 **lettres**,* des caractères d'écriture. SENS 2. *J'ai reçu une **lettre** de Bruno,* il m'a écrit (= missive). → ***épistolaire**.* SENS 3. *(Au plur.) Sékou fait des études de **lettres**,* de langue et de littérature. → ***littéraire**.* SENS 4. *Ils ont suivi vos instructions **à la lettre**,* exactement (= ponctuellement, rigoureusement). → ***littéral***   *illustr. p. 122*

■ **lettré, ée** n. et adj. [SENS 3] *Mon grand-père a beaucoup lu, c'est un **lettré**,* un homme cultivé (= érudit).
●● *illettré*

■ **lettrine** n.f. [SENS 1] *Sur les manuscrits anciens, le chapitre ou le paragraphe commençait par une **lettrine**,* une grande lettre ornée.   *illustr. p. 502*

leucémie n.f. *La **leucémie** est une très grave maladie du sang.*

1. leur pron. pers. ***Leur** s'emploie pour représenter les personnes dont on parle. J'ai rencontré d'autres randonneurs et je **leur** ai parlé,* j'ai parlé à ces randonneurs, à eux.
＊ Ne pas confondre avec un **leurre**. **Leur** est le pluriel de **lui**.

2. leur, leurs adj. et pron. possessifs. *Ce sont **leurs** affaires, elles sont à eux. Notre voiture est mieux que **la leur**,* que celle qui leur appartient.
＊ Ne pas confondre avec un **leurre**.

leurre n.m. SENS 1. *On peut pêcher le brochet avec un **leurre**, un appât artificiel.* SENS 2. *Ce qu'on te propose n'est qu'un **leurre**, quelque chose qui fait naître un faux espoir* (= illusion, tromperie).
✹ Ne pas confondre avec **leur**.

■ se **leurrer** v. 1ᵉʳ groupe. [SENS 2] *Si tu crois que Pierre va t'aider, tu **te leurres**, tu te fais des illusions* (= se tromper).

lever v. 1ᵉʳ groupe. SENS 1. ***Levez** le bras droit !*, bougez-le vers le haut (≠ baisser). SENS 2. *La séance **est levée** !*, elle est terminée (≠ ouvrir, clore). *L'interdiction de circuler dans cette rue **a été levée**, elle a cessé. SENS 3. *Le facteur **lève** le courrier à 15 heures,* il le prend dans la boîte aux lettres pour le porter à la poste. SENS 4. *Le chasseur **a levé** un lièvre,* il l'a fait partir de son gîte. SENS 5. *Le blé commence à **lever**,* à sortir de terre (= pousser). SENS 6. *La fermentation fait **lever** la pâte,* elle la fait se gonfler. SENS 7. *Pascal, **lève-toi**, il est 8 heures,* sors du lit (≠ se coucher). SENS 8. *En été, le soleil **se lève** tôt,* il apparaît dans le ciel (≠ se coucher). SENS 9. *Le vent **se lève**,* il commence à souffler.
✹ Conj. n° 9.

■ **lever** n.m. [SENS 1] *On est arrivé au théâtre juste avant le **lever** du rideau,* le moment où on le lève. [SENS 8] *Dès le **lever** du jour, les chasseurs se mettent en route,* le moment où le jour commence.

■ **levage** n.m. [SENS 1] *Une grue est un appareil de **levage**,* qui sert à soulever des charges.

■ **levain** n.m. [SENS 6] *Le **levain** est une substance contenant des ferments qui fait lever la pâte.*

■ **levant** n.m. [SENS 8] *Il faut s'orienter vers le **levant**, la direction où le soleil se lève* (= est, orient ; ≠ couchant, ouest).

■ **levée** n.f. [SENS 2] *La **levée** de la séance a eu lieu à 16 heures,* la fin. *La **levée** des punitions a été décidée* (= suppression). [SENS 3] *Les heures des **levées** sont indiquées sur la boîte aux lettres,* les heures où le courrier est ramassé. ◆ *Aux cartes, faire une **levée**,* c'est ramasser les cartes des autres après avoir gagné un coup* (= pli).

■ **levure** n.f. [SENS 6] *Maman a oublié de mettre de la **levure** dans son gâteau,* un produit qui fait lever la pâte.

levier n.m. SENS 1. *Un **levier** est une barre que l'on fait jouer sur un point d'appui et qui permet de déplacer, de soulever des choses très lourdes.* SENS 2. *Le **levier** du changement de vitesse est la tige qui commande le changement de vitesse.*   *illustr. p. 157, 995, 69*

lèvre n.f. *Maman se met du rouge sur les **lèvres**,* les parties charnues qui entourent la bouche.   *illustr. p. 217*

lévrier n.m. *Les **lévriers** courent très vite,* des grands chiens très maigres.

levure → **lever**

lexique n.m. SENS 1. *Un **lexique** français-anglais est un petit dictionnaire.* SENS 2. *Le **lexique** du français est l'ensemble des mots français* (= vocabulaire).

■ **lexicographie** n.f. *La **lexicographie** est la rédaction des dictionnaires.*

■ **lexicographe** n. *Un **lexicographe** est un rédacteur de dictionnaire.*

lézard n.m. SENS 1. *Un **lézard** est un petit reptile à quatre pattes et à longue queue.* SENS 2. *Un sac à main en **lézard** est fait avec la peau de certains grands lézards.*   *illustr. p. 75?*

lézarde n.f. *Il y a des **lézardes** dans le mur,* des fentes (= crevasse, fissure).

■ se **lézarder** v. 1ᵉʳ groupe. *Le plafond **s'est lézardé**,* il s'est fissuré.

liaison n.f. SENS 1. *Il y a un manque de **liaison** entre ces deux paragraphes,* on ne voit pas bien le rapport qu'il y a entre

eux (= lien, enchaînement). ●● **lier**.
SENS 2. *Monsieur Martin a eu une **liaison***
illustr. *avec sa secrétaire, ils ont eu une relation*
p.502, *amoureuse.* **SENS 3.** *La **liaison** a été*
940 *rétablie entre l'avion et la tour de*
contrôle, le contact par radio. **SENS 4.** *Ce*
*bateau assure la **liaison** entre la France*
et l'Angleterre, il fait ce trajet pour
transporter des personnes et des mar-
chandises (= communication). ◆ *Faire*
*une **liaison**, c'est prononcer la consonne*
qui termine un mot quand le mot qui suit
commence par une voyelle ou un « h »
muet, comme dans je vais à l'école
[ʒəvɛzaleklɔl], *les hommes* [lezɔm].

illustr. **liane** n.f. *Dans la jungle, Tarzan s'élan-*
p. 982 *çait d'une **liane** à l'autre, de l'une à*
l'autre des plantes grimpantes dont les
longues tiges souples s'accrochent aux
arbres.

liant, ante adj. *Cette personne est très*
***liante**, elle établit aisément des relations*
amicales avec les autres (= sociable).
●● **lier**

liasse n.f. Une **liasse** de billets de
banque est un paquet de billets attachés
ensemble.

libations n.f. pl. *Après ces copieuses*
***libations**, il était très gai, après avoir bien*
bu du vin, de l'alcool.

libeller v. 1er groupe. **Libeller** un télégramme, c'est le rédiger.

■ **libellé** n.m. Le **libellé** d'un texte, ce
sont les mots exacts avec lesquels il est
rédigé.

illustr. **libellule** n.f. Une **libellule** est un insecte
p. 357 aux quatre longues ailes transparentes
qui vit près de l'eau.

libéral, ale, aux adj. **SENS 1.** *Joël a*
*des idées **libérales**, il est partisan de la*
plus grande liberté pour tous (= tolérant). **SENS 2.** *Être avocat, médecin, c'est*
*avoir une **profession libérale**,* une profession où l'on est son propre patron et

où l'on ne touche pas un salaire mais des
honoraires.

libéralité n.f. (Surtout plur.) *Il a long-*
*temps profité des **libéralités** de ses*
parents, de leurs dons généreux (= lar-
gesse).

**libérateur, libération, libérer,
liberté** → **libre**

librairie n.f. Une **librairie** est un maga- *illustr.*
sin où l'on vend des livres. *p. 151*

■ **libraire** n. La **libraire** est la commerçante qui tient une librairie.

libre adj. **SENS 1.** *Après un an de prison,*
*cet homme est **libre**, il n'est plus empri-*
sonné (≠ détenu). *Un pays **libre** n'est*
sous la dépendance d'aucun autre (= indépendant). **SENS 2.** *Tu es **libre** de partir,*
rien ne t'en empêche. **SENS 3.** *Ce soir, je*
*suis **libre**, je peux dîner avec toi* (≠ occupé, pris). *Ma profession me laisse*
*beaucoup de temps **libre**, de loisirs.*
SENS 4. *La voie est **libre**, on peut passer.*

■ **librement** adv. **[SENS 1 et 2]** *Ici, on*
*peut aller et venir **librement**, sans inter-*
diction ni restriction.

■ **libérer** v. 1er groupe. **[SENS 1]** *Le*
*prisonnier **a été libéré**, on lui a rendu la*
liberté (= élargir). *La France **a été libérée***
de l'occupation allemande en 1945, elle
a été délivrée. **[SENS 3]** *J'ai une réunion*
*jusqu'à midi, mais j'essaierai de **me***
***libérer** un peu avant, de me rendre libre.*
✳ Conj. n° 10.

■ **libérateur, trice** adj. et n. **[SENS 1]**
*Les soldats alliés sont entrés en **libéra-***
***teurs** dans la ville occupée, des person-*
nes qui libèrent d'un envahisseur.

■ **libération** n.f. **[SENS 1]** *Le prisonnier*
*attend sa **libération**, sa mise en liberté*
(≠ emprisonnement).

■ **liberté** n.f. **[SENS 1]** *Le prisonnier a*
*retrouvé la **liberté**, il est libre. Ces ani-*
*maux vivent en **liberté**, ils peuvent aller*
où ils veulent (≠ captivité). **[SENS 2]** *Tu*
*peux parler en toute **liberté**, tu as le droit*
de dire ce que tu veux.

■ **libre-service** n.m. [SENS 2] Un libre-service est un magasin où l'on se sert soi-même.

licence n.f. SENS 1. *Patrick s'est fait faire une **licence** de football,* une carte émanant d'une fédération sportive qui donne le droit de jouer. SENS 2. *Marie prépare une **licence** de lettres,* un diplôme universitaire.

■ **licencié, ée** n. et adj. [SENS 1] *Dans notre club sportif, il n'y a que des **licenciés**,* des sportifs ayant une licence. [SENS 2] *Pierre est **licencié** en lettres,* il a obtenu la licence.

licencier v. 1ᵉʳ groupe. *L'usine **a licencié** des ouvriers,* elle les a renvoyés (= congédier ; ≠ embaucher).

■ **licenciement** n.m. *On a protesté contre le **licenciement** d'un employé* (= renvoi).

lichen n.m. *Les **lichens** sont des végétaux qui poussent sur les arbres et les pierres.*
✳ On prononce [likɛn].

licite adj. *Ce qui est **licite** est permis par la loi* (= légal ; ≠ illicite).

lie n.f. *La **lie** du vin est le dépôt qui se forme au fond de la bouteille ou du tonneau.*
✳ Ne pas confondre avec le **lit**.

lied n.m. *Un **lied** est un poème chanté, dans la musique allemande.*
✳ On prononce [lid]. Au pluriel, on écrit des **lieds** ou des **lieder**.

liège n.m. *Le **liège** est l'écorce d'un arbre appelé le **chêne-liège** et sert à faire en particulier des bouchons de bouteille.*

lier v. 1ᵉʳ groupe. SENS 1. *Le prisonnier avait les mains **liées** derrière le dos,* attachées (≠ délier). SENS 2. *Les Da Silva et nous **sommes** très **liés**,* nous sommes amis (= unir). ●● **liaison**. *Émilie **se lie** facilement,* elle établit des relations amicales. ●● **liant**. SENS 3. *Ces deux affaires de meurtre **sont liées**,* elles sont en rapport l'une avec l'autre.

■ **lien** n.m. [SENS 1] *Une corde, une ficelle sont des **liens**,* des choses qui servent à lier. ●● **délier**. [SENS 2] *Nous n'avons aucun **lien** de parenté avec ces gens,* nous ne sommes pas liés par la parenté. [SENS 3] *Il y a un **lien** entre ces deux crimes,* un rapport.

lierre n.m. *Le **lierre** est une plante grimpante aux feuilles toujours vertes.*   *illustr. p. 527*

liesse n.f. *Une foule en **liesse** est une foule qui manifeste une très grande joie.*

1. lieu n.m. SENS 1. *On a retrouvé un couteau sur le **lieu** du crime,* à l'endroit où il s'est produit. → **local**. SENS 2. *Il ne dit que des **lieux** communs,* des banalités. SENS 3. *L'examen **aura lieu** le 26 juin,* il se produira. SENS 4. *Cet avis **tient lieu** de faire-part,* il remplace un faire-part. SENS 5. *Il n'y **a pas lieu** d'être inquiet,* il n'y a aucune raison pour cela. SENS 6. *Le défilé **a donné lieu** à quelques bagarres,* il en a donné l'occasion. SENS 7. *C'est Paul qui est venu **au lieu de** Pierre,* à sa place. SENS 8. *En premier **lieu**, occupez-vous de cette affaire,* premièrement (= d'abord). *En second **lieu** nous nous occuperons du reste* (= ensuite). SENS 9. *Je me plaindrai **en haut lieu**,* auprès de gens influents, de la direction.
✳ Au pluriel, on écrit des **lieux**. Ne pas confondre avec une **lieue**.

2. lieu n.m. *Lieu est un autre nom du colin.*
✳ Au pluriel, on écrit des **lieus**.

lieue n.f. SENS 1. *La **lieue** est une ancienne mesure de longueur correspondant à peu près à 4 kilomètres.* SENS 2. *J'**étais à cent lieues** d'imaginer cela,* je n'aurais jamais pu l'imaginer.
✳ Ne pas confondre avec un **lieu**.

illustr.
p. 440
lieutenant n.m. Un **lieutenant** est l'officier au-dessous du capitaine.

illustr.
p. 440
■ **lieutenant-colonel** n.m. Un lieutenant-colonel est l'adjoint du colonel.

illustr.
p. 402
lièvre n.m. *Le chasseur a tué un lièvre*, une sorte de lapin sauvage.

lifté, ée adj. Au tennis, une balle **liftée** est une balle qu'on fait tournoyer pour la faire rebondir plus haut ou d'une façon inattendue.

ligament n.m. *À la suite d'une entorse, j'ai des douleurs aux **ligaments**,* aux fibres qui rattachent entre eux les os des articulations.

ligature n.f. *L'arbuste est fixé à son tuteur par une **ligature**,* une attache (= lien).

■ **ligaturer** v. 1er groupe. *L'accoucheur a ligaturé le cordon ombilical,* il l'a serré avec un lien fait pour cela.

illustr.
431,
852,

333,
503,

845
ligne n.f. SENS 1. *Trace une **ligne** droite avec ta règle,* un trait. SENS 2. *Lis la première **ligne** en haut de la page,* la suite de mots les uns à côté des autres. ●● *interligne.* SENS 3. *Les enfants, mettez-vous en **ligne**,* les uns à côté des autres (= rang, file). ●● *aligner.* SENS 4. *Quelle **ligne** de métro prends-tu ?,* quel trajet fais-tu ? SENS 5. *Allô !... Ah ! la **ligne** est coupée !,* la liaison téléphonique (= communication). SENS 6. *Le pêcheur a cassé sa **ligne**,* le fil attaché au bout d'une canne à pêche. SENS 7. *Il a toujours suivi la même **ligne** de conduite,* les mêmes principes (= règle). SENS 8. *Marie mange peu pour **garder la ligne**,* rester mince. SENS 9. *Il descend **en droite ligne** des Bourbons,* de la suite des descendants des Bourbons. ◆ Savoir **lire entre les lignes**, c'est deviner ce qui n'est pas exprimé, mais sous-entendu. ◆ *J'avais raison **sur toute la ligne**,* complètement (= totalement).

■ **lignée** n.f. [SENS 9] Une **lignée** est l'ensemble des descendants d'une personne.

■ **linéaire** adj. [SENS 1] Un dessin **linéaire** est fait de simples lignes.

ligneux, euse adj. Une tige **ligneuse** est une tige qui a des fibres dures comme celles du bois.

ligoter v. 1er groupe. **Ligoter** quelqu'un, c'est l'attacher de façon à l'immobiliser.

ligue n.f. Une **ligue** est une association de militants qui luttent au nom d'un idéal moral, humanitaire ou politique.

■ se **liguer** v. 1er groupe. *Ils **se sont** tous **ligués** contre moi,* ils se sont unis. (= se coaliser).

lilas n.m. Le **lilas** est un arbuste à fleurs en grappes violettes ou blanches, parfumées.

illustr.
p. 746
limace n.f. *Des **limaces** ont mangé les fraises du jardin,* des mollusques sans coquille.

limaille → **lime**

illustr.
p. 694
limande n.f. La **limande** est un poisson de mer plat.

illustr.
p. 239,
117
lime n.f. *Tu n'aurais pas une **lime** à ongles ?,* un instrument qui sert à raccourcir les ongles en les usant.

■ **limer** v. 1er groupe. *Le prisonnier **avait limé** les barreaux de sa cellule,* il les avait frottés avec une lime pour les couper.

■ **limaille** n.f. La **limaille** de fer, c'est des parcelles de fer obtenues en limant ce métal.

limier n.m. SENS 1. Un **limier** est un grand chien utilisé dans la chasse à courre. SENS 2. *Les enquêteurs sont de **fins limiers**,* ils suivent très habilement la piste du coupable.

limite n.f. SENS 1. *Le ballon est sorti des **limites** du terrain,* des lignes qui déterminent son étendue. ●● *délimiter, illimité.* SENS 2. *C'est aujourd'hui la* *dernière **limite** pour s'inscrire,* le dernier moment où c'est possible.

■ **limiter** v. 1er groupe. [SENS 2] *La vitesse est limitée à 130 kilomètres à l'heure sur l'autoroute,* il n'est pas permis d'aller plus vite.

■ **limitation** n.f. [SENS 2] *Un panneau de* **limitation** *de vitesse indique la vitesse à ne pas dépasser.*

■ **limitrophe** adj. [SENS 1] *L'Espagne est un pays **limitrophe** de la France,* qui a une frontière commune avec la France (= voisin).

limoger v. 1er groupe. *Ce général a été **limogé**,* il a été privé de son emploi, renvoyé.
✳ Conj. n° 2.

limon n.m. Le **limon** est une bonne terre, légère et fertile, déposée par les fleuves sur leurs rives.

limonade n.f. *J'ai bu un verre de **limonade**,* une boisson gazeuse à base de sucre et d'essence de citron.

limpide adj. *Une eau **limpide** est une eau très claire* (≠ trouble).

■ **limpidité** n.f. *Quelle **limpidité** dans son explication !* (= clarté ; ≠ confusion).

lin n.m. Le **lin** est une plante à fleurs bleues dont on utilise les tiges pour faire un tissu et les graines pour faire de l'huile.

linceul n.m. *On enveloppe les morts dans un **linceul**,* une sorte de drap.

linéaire → *ligne*

illustr. **linge** n.m. *On va laver le **linge** sale,* les
p. 239 pièces de tissu dont on se sert dans une maison (draps, serviettes, torchons, etc.) ou les vêtements en tissu léger.

illustr. ■ **lingerie** n.f. SENS 1. *La **lingerie**,* c'est
p. 863, l'ensemble des sous-vêtements et des
869 vêtements de nuit des femmes. SENS 2. *Les draps sont dans la **lingerie**,* dans la pièce où l'on range et où l'on entretient le linge.

lingot n.m. *Un **lingot** est une masse d'un métal précieux moulée pour avoir une forme et un poids très précis.*

linguistique n.f. *La **linguistique** est l'étude des langues, du langage.* ◆ adj. *Ma sœur a fait un séjour **linguistique** en Angleterre,* un séjour pour apprendre la langue anglaise.
✳ On prononce [lɛ̃gɥistik].

linoléum ou **lino** n.m. *On a recouvert le plancher de **linoléum**,* une toile épaisse revêtue d'un produit imperméable.
✳ On prononce [linɔleɔm].

linotte n.f. SENS 1. *La **linotte** est un petit passereau chanteur à plumage brun et rouge.* SENS 2. Fam. *Quelle **tête de linotte**, il a encore oublié le pain !,* quel étourdi !

linteau n.m. Le **linteau** d'une porte ou d'une fenêtre est la pièce horizontale de bois, de pierre, etc., qui soutient la maçonnerie au-dessus de l'ouverture.
✳ Au pluriel, on écrit des **linteaux**.

lion n.m. *Au cirque, le dompteur dresse*   *illustr.*
*les **lions**,* de grands animaux carnivores   *p. 983*
au pelage fauve.   *1032*

■ **lionne** n.f. *La **lionne** est la femelle du*   *illustr.*
lion.   *p. 983*

■ **lionceau** n.m. *Les **lionceaux** sont les petits du lion.*
✳ Au pluriel, on écrit des **lionceaux**.

lipide n.m. *Les **lipides** sont des corps gras, d'origine animale ou végétale, qui jouent un rôle important dans notre organisme en raison de leur très grande valeur énergétique.* → ***glucide, protéine***

liquéfier → *liquide*

liqueur n.f. *Après le dîner, papa a pris un verre de **liqueur**,* une boisson alcoolisée sucrée (= digestif).

liquidation → *liquider*

liquide adj. SENS 1. *Ta sauce est trop liquide, ajoute de la farine,* elle n'est pas assez épaisse (= clair, fluide). SENS 2. *J'ai payé en argent liquide,* en billets, en pièces de monnaie et non par chèque ou par carte bancaire.

■ **liquide** n.m. [SENS 1] *L'eau, le lait, l'essence sont des liquides,* des substances qui coulent et n'ont pas de forme, mais prennent celle du récipient qui les contient. → *gaz, solide.* [SENS 2] *(Au sing.) Je n'ai plus de liquide,* d'argent liquide.

■ **liquéfier** v. 1er groupe. [SENS 1] *La cire se liquéfie à la chaleur,* elle devient liquide.

liquider v. 1er groupe. SENS 1. *Cette affaire est liquidée,* elle est terminée (= régler). SENS 2. *Avant sa fermeture définitive, le magasin liquide tout son stock,* il le vend à bas prix. SENS 3. Fam. *Les bandits ont liquidé le gardien,* ils se sont débarrassés de lui en le tuant (= assassiner, éliminer).

■ **liquidation** n.f. [SENS 1] *Il faut attendre la liquidation du procès,* qu'il soit terminé. [SENS 2] *La liquidation des marchandises a été rapide,* la vente à bas prix.

1. lire n.f. *La lire était l'unité monétaire de l'Italie.* Elle a été remplacée par l'euro.

2. lire v. 3e groupe. SENS 1. *Maria apprend à lire,* à comprendre ce qui est écrit. SENS 2. *Lis-moi la lettre de Chantal,* dis-moi tout haut ce qui y est écrit. SENS 3. *J'ai lu ce livre,* j'ai pris connaissance de ce qui y est écrit. ●● *relire*
✳ Conj. n° 73. Ne pas confondre (il, elle) **lit** et (il, elle) **lie,** du verbe « lier ».

■ **lisible** adj. [SENS 1] *Que tu écris mal, c'est à peine lisible !,* on peut à peine te lire, te déchiffrer (≠ illisible).

■ **lisiblement** adv. [SENS 1] *Écris plus lisiblement,* de façon plus lisible.

■ **lisibilité** n.f. [SENS 1] *Il faut espacer les lignes pour améliorer la lisibilité,* pour rendre le texte plus lisible.

lis ou **lys** n.m. *Les lis sont des plantes à bulbes dont l'espèce la plus connue a des fleurs blanches très odorantes.* ✳ On prononce [lis]. Ne pas confondre avec l'adjectif **lisse.**   *illustr. p. 527*

liseré ou **liséré** n.m. *Maman a cousu un liseré au bas de ma robe,* un ruban étroit.

liseron n.m. *Le liseron est une plante grimpante dont les fleurs sont en forme d'entonnoir.*   *illustr. p. 753*

lisibilité, lisible, lisiblement
→ *lire*

lisière n.f. *Sa maison est à la lisière de la forêt,* au bord (= limite, orée).

lisse adj. *Bébé a la peau lisse,* unie et douce (≠ rugueux, granuleux). ✳ Ne pas confondre avec un **lis.**

■ **lisser** v. 1er groupe. *Lisser ses cheveux, c'est les rendre lisses.*

liste n.f. *Dupont ?... Non, vous n'êtes pas sur la liste,* la suite de noms écrits les uns au-dessous des autres.

lit n.m. SENS 1. *Un lit est un meuble sur lequel on se couche pour se reposer, pour dormir.* ●● *s'aliter.* SENS 2. *Le lit d'un cours d'eau est le creux dans lequel il coule.*   *illustr. p. 41, 863*
✳ Ne pas confondre avec (il, elle) **lit** (de « lire »), (je) **lie** (de « lier ») et la **lie.**

■ **literie** n.f. [SENS 1] *La literie est composée du sommier, du matelas, des oreillers, des draps, des couvertures.*

litanie n.f. *Il a repris la litanie de ses réclamations,* la longue énumération ennuyeuse qu'il répète sans cesse.

lithographie ou **litho** n.f. *Papa s'est acheté une lithographie chez un antiquaire,* une reproduction d'un dessin.

illustr.
p. 354
litière n.f. SENS 1. La **litière** des vaches est la paille sur laquelle elles se couchent. SENS 2. *Vanessa change la litière de son chat,* le mélange de petits grains d'une sorte de pierre absorbante dans lequel il fait ses besoins.

litige n.m. *Ce litige peut se régler facilement,* ce petit conflit (= différend).
■ **litigieux, euse** adj. *Quels sont les points litigieux ?,* ceux qui font l'objet du litige (= contesté).

illustr.
p. 991
litre n.m. SENS 1. Le **litre** est l'unité de mesure des liquides ; dans un **litre** il y a 10 **décilitres**, 100 **centilitres**, 1 000 **millilitres** ; il faut 10 **litres** pour faire un **décalitre** et 100 **litres** pour faire un **hectolitre**. SENS 2. *Rebouche le litre de vin,* la bouteille contenant 1 litre.
☀ En abrégé, on écrit **l** sans point à la suite.

littéraire → *littérature*

littéral, ale, aux adj. *Au sens littéral,* « *mille façons* » *signifie dix fois cent façons, au sens large, cela signifie de nombreuses façons* (= propre, rigoureux, strict ; ≠ figuré).
■ **littéralement** adv. *J'ai été littéralement stupéfait,* absolument (= totalement, complètement).

littérature n.f. *Ce roman est un des chefs-d'œuvre de la littérature,* de l'ensemble des livres écrits par des écrivains.
■ **littéraire** adj. SENS 1. *Une émission littéraire* est une émission qui concerne la littérature, les livres. SENS 2. *Quand on écrit* « *madré* » *à la place de* « *rusé* », *on utilise un mot littéraire,* un mot de la langue qu'emploient les écrivains et qu'on n'emploie pas souvent dans la langue parlée (≠ familier).

illustr.
p. 556
littoral n.m. Le **littoral** est le bord de mer (= côte).
☀ Au pluriel, on dit des **littoraux**.

liturgie n.f. La **liturgie** est la façon dont est réglé le déroulement des cérémonies religieuses.
■ **liturgique** adj. *Une cérémonie liturgique* est conforme à la liturgie.

livide adj. *Tu as froid ? Tu es livide,* très pâle (= blême).

living ou **living-room** n.m. *Les invités sont dans le living,* la salle de séjour.
☀ On prononce [livin] ou [livinrum]. Au pluriel, on écrit des **livings**, des **living-rooms**.

livraison → *livrer*

1. livre n.m. *Papa a beaucoup de livres dans sa bibliothèque,* des sortes de cahiers imprimés et reliés (= volume, ouvrage, fam. bouquin). → *libraire, édition* *illustr. p. 15, 311*
■ **livret** n.m. *Un livret* est un livre mince où l'on inscrit quelque chose (= carnet).
◆ Le **livret** d'un opéra, c'est le texte mis en musique, les paroles.

2. livre n.f. SENS 1. La **livre** est l'unité monétaire de la Grande-Bretagne et de l'Irlande du Nord. SENS 2. *Donnez-moi une livre de beurre,* la moitié d'un kilo ou 500 grammes. *illustr. p. 99*

livrée n.f. *Une livrée* est un costume spécial porté autrefois par certains domestiques, aujourd'hui par le personnel de certains hôtels.

livrer v. 1er groupe. SENS 1. *Le coupable a été livré à la police,* il lui a été remis. SENS 2. *Le meuble que tu as commandé te sera livré samedi,* il te sera apporté à domicile. SENS 3. *Livrer bataille,* c'est engager le combat. SENS 4. *Ils se sont livrés au pillage,* ils se sont mis à piller.
■ **livraison** n.f. [SENS 2] *J'attends une livraison,* qu'on me livre ce que j'ai acheté. *C'est demain que je prends livraison de ma nouvelle voiture,* que je vais la recevoir.

■ **livreur, euse** n. [SENS 2] *Pascal, donne un pourboire au livreur !*, à la personne qui livre.

livret → *livre (1)*

lob n.m. Au tennis ou au football **faire un lob**, c'est faire passer la balle au-dessus du joueur adverse.
✳ Ne pas confondre avec **lobe**.

illustr. p. 217 **lobe** n.m. Le **lobe** de l'oreille est la partie arrondie du bas de l'oreille.
✳ Ne pas confondre avec **lob**.

illustr. p. 358 **local, ale, aux** adj. SENS 1. Le journal **local**, c'est celui de la région (≠ national). ●● *délocaliser*. SENS 2. Une anesthésie **locale** s'applique à une partie du corps seulement (≠ général).

■ **local** n.m. *Vous voulez visiter les nouveaux locaux ?*, les bâtiments ou parties de bâtiments (= salle).
✳ Au pluriel, on dit des **locaux**.

■ **localement** adv. [SENS 1 et 2] *Le temps sera localement pluvieux*, par endroits.

■ **localiser** v. 1er groupe. [SENS 2] *La douleur est localisée dans le dos*, elle est limitée à cet endroit.

■ **localité** n.f. [SENS 1] Une **localité** est une petite ville (= agglomération).

locataire n. Le **locataire** est la personne qui loue un logement en payant un loyer (≠ propriétaire). ●● *louer*

■ **locatif, ive** adj. La valeur **locative** d'une maison, c'est le prix auquel on peut la louer.

■ **location** n.f. SENS 1. *Quel est le prix de location de cette maison ?*, le prix à payer pour la louer. ●● *loyer*. SENS 2. La **location** d'une place de théâtre, c'est sa réservation.

locomotion n.f. *La voiture, le train, l'avion sont des moyens de locomotion*, des moyens de transport qui permettent d'aller d'un lieu à un autre.

locomotive n.f. La **locomotive** est la machine qui tire les wagons sur une voie ferrée.
illustr. p. 425, 494, 970

locution n.f. SENS 1. « *Au-dessous de* » est une **locution**, un groupe de mots qui a le sens d'un seul mot. SENS 2. Une **locution** est un groupe de mots employés toujours ensemble et qui a un sens fixé par la tradition, comme « faire des pieds et des mains » (= expression).

loge n.f. SENS 1. *La loge du concierge est près de l'entrée de l'immeuble*, l'endroit où il habite. SENS 2. La **loge** d'un artiste est la pièce où il s'habille et se maquille. SENS 3. *J'ai loué une loge au théâtre*, un compartiment contenant plusieurs sièges. ◆ *De notre balcon, on est aux premières loges pour voir le défilé*, on est très bien placé.
illustr. p. 952

loger v. 1er groupe. SENS 1. *Pour l'instant, je loge à l'hôtel*, j'y habite. ●● *déloger*. SENS 2. *Cet appartement est trop petit, nous sommes mal logés*, nous sommes mal installés. SENS 3. *La balle s'est logée dans le mur*, elle a pénétré dedans (= se mettre).
✳ Conj. n° 2.

■ **logement** n.m. [SENS 1] *Je cherche un logement*, un endroit où habiter (= habitation, appartement).
illustr. p. 974

■ **logeur, euse** n. [SENS 1] *Ma logeuse est très aimable*, la personne qui me loue un logement meublé.

■ **logis** n.m. [SENS 1] *Chaque soir, il rentre au logis*, chez lui (= habitation, demeure, maison).
✳ Ce mot s'emploie surtout à l'écrit.

loggia n.f. Une **loggia** est un balcon fermé sur les côtés.
✳ On prononce [lɔdʒja].

logiciel n.m. Un **logiciel** est un programme pour un ordinateur.

logique adj. *Ton explication est logique*, elle est cohérente, raisonnable (≠ absurde, illogique).

LE LITTORAL

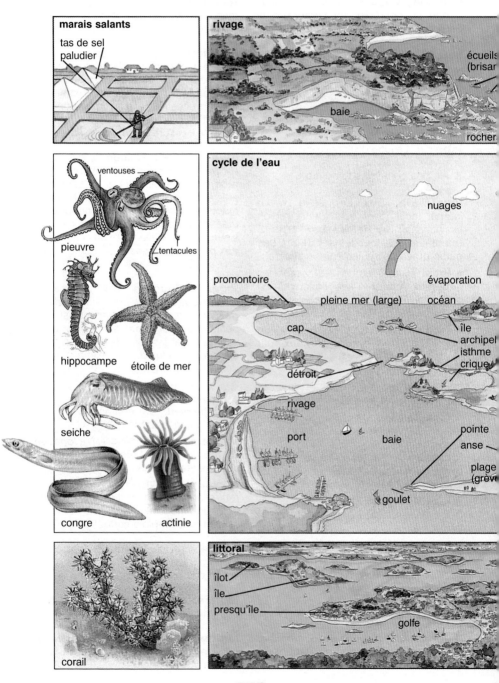

marais salants

tas de sel
paludier

rivage

écueils
(brisar
baie
rocher

ventouses

pieuvre

tentacules

hippocampe

étoile de mer

seiche

congre

actinie

cycle de l'eau

nuages

promontoire

évaporation

pleine mer (large)

océan

cap

île
archipel
isthme
crique

détroit

rivage

port

baie

pointe
anse

plage
(grève

goulet

littoral

îlot
île
presqu'île

golfe

corail

556

Au bord de la mer, chaque lieu porte un nom précis : baie, crique, golfe, presqu'île, pointe, cap... Quand un cours d'eau se jette dans la mer, il forme une embouchure, un estuaire ou un delta.

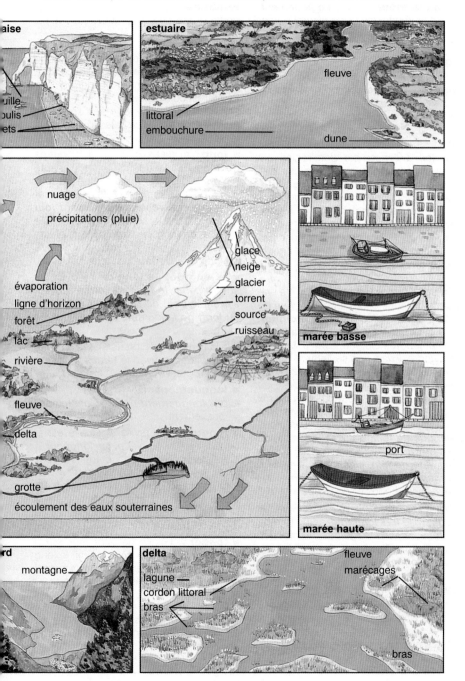

aise

uille
oulis
ets

estuaire

fleuve

littoral
embouchure

dune

nuage

précipitations (pluie)

évaporation
ligne d'horizon
forêt
lac
rivière

fleuve

delta

grotte

écoulement des eaux souterraines

glace
neige
glacier
torrent
source
ruisseau

marée basse

port

marée haute

rd

montagne

delta

lagune
cordon littoral
bras

fleuve
marécages

bras

▪ **logiquement** adv. *Logiquement, votre assurance devrait vous rembourser les dégâts* (= normalement).

logis → *loger*

illustr. **logo** n.m. Un **logo** est la représentation
p. 122 graphique d'une marque, d'une entreprise.

loi n.f. SENS 1. *Les citoyens doivent obéir à la* **loi**, à l'ensemble des règles qui indiquent les droits et les devoirs des gens. ●● **légal, illégal, législatif.** SENS 2. *Le Parlement a voté une nouvelle* **loi**, *un nouveau règlement.* ●● **légaliser.** SENS 3. *La chute des objets obéit aux* **lois** *de la physique*, aux principes selon lesquels se produisent les phénomènes physiques.

loin adv. SENS 1. *Tu habites* **loin** *?,* à une grande distance d'ici. *L'école est* **loin** *de chez moi* (≠ près de). ●● **éloigner.** SENS 2. *On entend le tonnerre* **au loin**, dans un endroit éloigné. SENS 3. **Loin de** *se plaindre, il riait*, non seulement il ne se plaignait pas, mais en plus il riait. *Il n'est pas malheureux,* **loin de là**, bien au contraire. SENS 4. *Il n'est pas* **loin** *de dix heures*, il est bientôt dix heures. SENS 5. *Tout va bien, maintenant, mais nous* **revenons de loin**, nous avons échappé à un grave danger. SENS 6. *Leur désaccord date* **de loin**, il est ancien. SENS 7. *Elle vient nous voir* **de loin en loin**, à des intervalles espacés (= de temps à autre).

▪ **lointain, aine** [SENS 1] adj. *Bombay est une ville très* **lointaine**, à une grande distance de nous (= éloigné ; ≠ proche). [SENS 2] n.m. *On aperçoit les montagnes dans le* **lointain**, au loin (= à l'horizon).

illustr. **loir** n.m. Le **loir** est un petit mammifère
p. 385 rongeur, à la queue touffue, qui dort tout l'hiver.

illustr. **loisirs** n.m. pl. *Papa travaille beaucoup,*
p. 530 il a peu de **loisirs**, de moments libres pour se distraire.

lombaire adj. La région **lombaire** est la partie du corps située autour des reins.

long, longue adj. SENS 1. *Ta robe est trop* **longue**, elle a une trop grande longueur (≠ court). ●● **allonger.** SENS 2. *Le buffet est* **long** *de 2 mètres*, il a 2 mètres de longueur (≠ large, haut). SENS 3. *En été, les journées sont plus* **longues** *qu'en hiver*, elles durent plus longtemps (≠ bref).

▪ **long** n.m. [SENS 2] *Le mur a 10 mètres* **de long**, de longueur (≠ large, haut). ◆ *Yves a glissé et il est tombé* **de tout son long**, tout son corps était étendu par terre. ◆ *J'ai parcouru le boulevard* **du long**, dans toute sa longueur. ◆ *Elle marche* **de long en large** *dans la pièce*, en tous sens. ◆ *Il m'a raconté l'histoire* **en long et en large**, avec tous les détails.

▪ **le long de, au long de** prép. *On va se promener* **le long de** *la rivière ?,* en suivant le bord de la rivière. *Il a plu tout* **au long de** *la journée*, pendant toute la journée.

▪ **à la longue** adv. [SENS 3] **À la longue**, *tu t'habitueras*, avec le temps (= petit à petit, progressivement).

▪ **longuement** adv. [SENS 3] *Nous avons* **longuement** *parlé* (= longtemps ; ≠ brièvement).

▪ **longueur** n.f. [SENS 2] *Quelle est la*   *illustr*
dimension de la pièce en **longueur** *?,*   *p. 99*
dans l'espace compris entre les deux   *431*
côtés les plus éloignés (= long ; ≠ largeur, hauteur). [SENS 3] *La réunion a été d'une* **longueur** *!,* elle a duré longtemps (≠ brièveté). *Marie chante* **à longueur de** *journée*, toute la journée.

▪ **longer** v. 1er groupe. *Si on* **longeait** *la côte en bateau ?,* si on naviguait le long de la côte ? *Le chemin* **longe** *la mer*, il suit le bord de la mer.
✳ Conj. n° 2.

longe n.f. *On dresse un cheval avec une* **longe**, une grande courroie pour le conduire.

longer → *long*

longévité n.f. *Il a cent ans, quelle* *longévité !,* quelle longue durée de vie !

longitude n.f. *Le bateau est à 60 de-* *grés de longitude ouest,* à 60 degrés à l'ouest du méridien de Greenwich (≠ la- titude).

longitudinal, ale, aux adj. Faire une coupe **longitudinale** d'une branche, c'est la couper dans le sens de la longueur (≠ transversal).

Illustr. **longtemps** adv. *Il y a longtemps que* *945* *je n'ai pas vu Chantal,* un long espace de temps.

longue, longuement, longueur → *long*

longue-vue n.f. Une **longue-vue** est une lunette pour voir très loin.

looping n.m. *L'avion a fait un looping,* une acrobatie qui consiste à faire une boucle dans le plan vertical.
❋ On prononce [lupiŋ].

lopin n.m. *M. Valrey cultive un lopin de* *terre,* un petit morceau de terrain.

loquace adj. *Dès qu'il est question* *d'automobile, il devient très loquace,* il parle beaucoup (= bavard ; ≠ taciturne).

loque n.f. *Tu t'es battu ? Ta veste est en* *loques,* elle est toute déchirée (= lam- beau, haillons).

Illustr. **loquet** n.m. *Pour ouvrir la porte, il suffit* *572* *de lever le loquet,* la petite barre qui sert de fermeture.

lorgner v. 1er groupe. *C'est le jeu* *électronique que tu lorgnes ?,* que tu regardes avec envie (= convoiter, gui- gner).

■ **lorgnette** n.f. SENS 1. *Le capitaine* *aperçut un navire ennemi avec sa lor-* *gnette,* sa longue-vue. SENS 2. *Voir par le* *petit bout de la lorgnette,* c'est accorder

trop d'importance à des détails secon- daires.

■ **lorgnon** n.m. *Sur cette photo, la* *vieille dame porte un lorgnon,* des lu- nettes qui tiennent sur le nez grâce à un ressort (= binocle).   *illustr.* *p. 42*

lors adv. SENS 1. *Je l'ai vu l'année* *dernière, mais, depuis lors, pas de nou-* *velles,* depuis ce moment-là. SENS 2. *Il* *était absent ce jour-là ; dès lors, on ne* *peut pas l'accuser,* dans ces conditions, par conséquent.

■ **lors de** prép. *Ça se passait lors de* *notre voyage en Italie,* au moment de notre voyage.

lorsque conj. *Lorsque tu seras à Paris,* *téléphone-moi,* quand tu y seras.

losange n.m. Un **losange** est une figure géométrique à quatre côtés égaux, mais dont les angles ne sont pas droits.   *illustr.* *p. 431*

lot n.m. SENS 1. *Ce terrain a été vendu* *en plusieurs lots,* en parts séparées (= parcelle). SENS 2. *J'espère qu'on va* *gagner le gros lot à la loterie,* l'argent ou les choses auxquels on a droit quand on a le billet gagnant. SENS 3. *À vendre, tout* *un lot de casseroles,* plusieurs casserο- les (= ensemble, série).

■ **loterie** n.f. [SENS 2] *J'ai acheté un* *billet de loterie,* d'un jeu où l'on tire au sort les numéros des billets gagnants.   *illustr.* *p. 530*

■ **lotir** v. 2e groupe. [SENS 1] **Lotir** un terrain, c'est le diviser en lots. ◆ Être **mal** **loti,** c'est être défavorisé par le sort.

■ **lotissement** n.m. [SENS 1] Un **lotis-** **sement** est un grand terrain divisé en lots sur lesquels on construit des maisons individuelles.

lotion n.f. *Frictionnez-vous avec cette* *lotion,* une eau de toilette pour les soins de la peau, des cheveux.

lotir, lotissement → *lot*

loto n.m. SENS 1. *Veux-tu faire une partie* *de loto ?,* un jeu où l'on tire des pions numérotés, que l'on doit poser sur les cases correspondantes d'un carton. SENS 2. (Avec majuscule.) *Papa joue au* **Loto** *chaque semaine,* une loterie organisée par l'État où les numéros gagnants rapportent de l'argent.

lotte n.f. *La* **lotte** *est un gros poisson d'eau douce à chair ferme.*

lotus n.m. *Le* **lotus** *est une sorte de nénuphar.*
🟊 On prononce le « s » : [lɔtys].

louable → *louer (2)*

louage → *louer (1)*

louange → *louer (2)*

1. louche adj. *Il ne veut pas dire où il va, c'est* **louche**, *il faut se méfier* (= suspect, bizarre ; ≠ clair).

illustr. **2. louche** n.f. *On sert le potage avec*
p. 238 *une* **louche**, *une grande cuillère.*

loucher v. 1er groupe. SENS 1. *Jacques* **louche**, *ses deux yeux ne regardent pas dans la même direction.* → *strabisme*. SENS 2. Fam. *Marie* **louche** *sur les chocolats,* elle les regarde avec envie (= convoiter, lorgner, guigner).

1. louer v. 1er groupe. SENS 1. *Chaque été, on* **loue** *une villa un mois au bord de la mer,* on y habite un mois, en payant une somme au propriétaire. ●● *loca-taire, loyer*. *Mon propriétaire me* **loue** *l'appartement 450 euros par mois*, il me permet d'y habiter moyennant cette somme. ●● *sous-louer*. SENS 2. *J'ai loué trois places de théâtre,* je les ai payées à l'avance (= retenir, réserver).

■ **louage** n.m. [SENS 1] *Une voiture de* **louage** *est louée pour un temps.*

■ **loueur, euse** n. [SENS 1] *Le* **loueur** *de voitures a pour métier de louer des voitures aux autres.* ●● *location*

2. louer v. 1er groupe. *Il faut le* **louer** *de cette initiative,* le féliciter (≠ blâmer).

→ *laudatif*. *Je n'ai qu'à* **me louer** *de toi,* je suis très satisfait (= se féliciter).

■ **louable** adj. *Son attitude est tout à fait* **louable**, *elle mérite d'être louée, elle est digne de louanges* (≠ blâmable).

■ **louange** n.f. *Quelles* **louanges** *j'ai entendues à ton sujet !* (= compliment, éloge ; ≠ blâme, critique).

louis n.m. *Un* **louis** *d'or est une pièce d'or ancienne.*

loukoum n.m. *Un* **loukoum** *est une confiserie faite d'une pâte à base de miel et recouverte de sucre fin.*

loup n.m. SENS 1. *Le* **loup** *est un animal* *illustr.* *sauvage qui ressemble à un grand chien.* *p. 49* SENS 2. *Au menu, il y a du* **loup** *au fenouil,* un poisson qu'on appelle aussi « bar ». SENS 3. *Au bal masqué, il portait un* **loup**, un masque noir qui couvre les yeux. SENS 4. *Un* **vieux loup de mer** *est un marin qui a beaucoup navigué.*

■ **louve** n.f. [SENS 1] *La* **louve** *est la femelle du loup.*

■ **louveteau** n.m. [SENS 1] *Les* **louve-teaux** *sont les petits du loup.* ◆ *Un* **louveteau** *est un jeune scout de moins de 12 ans.*
🟊 Au pluriel, on écrit des **louveteaux**.

■ **loup-garou** n.m. [SENS 1] *Les* **loups-garous** *étaient des sorciers qui, croyait-on, se changeaient en loups la nuit.*

loupe n.f. *Une* **loupe** *est un morceau de* *illust* *verre bombé qui fait paraître les objets* *p. 12* *plus gros.*

louper v. 1er groupe. Fam. *Zut ! j'ai* **loupé** *mon autobus !,* je l'ai manqué (= rater).

loup-garou → *loup*

lourd, e adj. SENS 1. *Laisse-moi porter cette valise, elle est trop* **lourde** *pour toi,* d'un trop grand poids (= pesant ; ≠ léger). ●● *alourdir*. *Les impôts sont* **lourds**, *ils sont difficiles à supporter* parce qu'ils sont élevés. SENS 2. *Cet oiseau a un vol **lourd**,* lent et sans souplesse. SENS 3. *Ta plaisanterie est plutôt **lourde** !,* elle manque de finesse (= grossier, maladroit ; ≠ fin). *C'est une **lourde** erreur,* une erreur grossière. SENS 4. *Tu n'as rien entendu ? Eh bien, tu as le sommeil **lourd** !* (= profond ; ≠ léger). SENS 5. Avoir la tête **lourde**, les yeux **lourds**, les jambes **lourdes**, c'est éprouver une sensation de pesanteur due à la fatigue, au sommeil. SENS 6. *J'avais demandé 1 kilo, la marchande a mis 1,3 kg, elle **a eu la main lourde**,* elle a mis une trop grande quantité sur la balance. SENS 7. *Ce repas est **lourd**,* il est difficile à digérer (= indigeste). SENS 8. *Il fait un temps **lourd**,* chaud et orageux.

■ **lourd** adv. [SENS 1] *Ça pèse **lourd**,* ça a un grand poids.

■ **lourdaud, e** adj. et n. [SENS 2 et 3] Une personne **lourdaude** est gauche, maladroite ou lente à comprendre.

■ **lourdement** adv. [SENS 2] *Ce gros bonhomme marche **lourdement*** (= pesamment). [SENS 3] *Tu te trompes **lourdement*** (= grossièrement).

■ **lourdeur** n.f. [SENS 3] *Elle est d'une **lourdeur**,* cette plaisanterie ! (≠ finesse). [SENS 5] (Au plur.) Avoir des **lourdeurs** d'estomac, c'est avoir du mal à digérer.

loustic n.m. Fam. *C'est un drôle de **loustic**,* un garçon malin, qui aime plaisanter.

illustr. **loutre** n.f. La **loutre** est un petit mam-
357, mifère qui se nourrit de poissons et que
495 l'on chasse pour sa fourrure.

louve, louveteau → *loup*

louvoyer v. 1er groupe. Faire **louvoyer** un voilier, c'est le faire avancer contre le vent, en faisant des zigzags.
✴ Conj. n° 3.

se **lover** v. 1er groupe. *Le serpent **se love**,* il s'enroule sur lui-même.

loyal, ale, aux adj. *Nos adversaires se sont montrés très **loyaux**,* ils ont été fidèles à leurs engagements et respectueux de la règle (= honnête ; ≠ déloyal).

■ **loyalement** adv. *Ce boxeur ne se bat pas **loyalement**,* en respectant les règles (= régulièrement).

■ **loyauté** n.f. *Il s'est conduit avec **loyauté**,* il a été loyal (= honnêteté, droiture ; ≠ déloyauté).

loyer n.m. *Je paie 650 euros de **loyer** par mois,* je verse cette somme à ma propriétaire pour louer mon logement.
●● *louer (1)*

lubie n.f. *Pierre a une nouvelle **lubie** : il veut s'acheter une voiture de course,* une envie un peu folle (= fantaisie, toquade).

lubrifier v. 1er groupe. **Lubrifier** une pièce de machine, c'est y mettre de l'huile ou de la graisse pour diminuer les frottements.

■ **lubrifiant** n.m. Un **lubrifiant** est un produit pour graisser les machines et les moteurs.

lucarne n.f. Une **lucarne** est un panneau vitré dans un toit. *illustr. p. 573*

lucide adj. *Marc a tellement de fièvre qu'il n'est plus très **lucide**,* il n'a pas les idées très claires (= conscient).

■ **lucidement** adv. *Il faut examiner **lucidement** la situation,* en cherchant à y voir clair.

■ **lucidité** n.f. *La blessée a toute sa **lucidité**,* elle est capable de comprendre ce qui se passe et de raisonner (≠ inconscience).

lucratif, ive adj. Une affaire **lucrative** est une affaire qui rapporte de l'argent.

lueur n.f. SENS 1. *On aperçoit des **lueurs** au loin,* des lumières faibles. SENS 2. *Il reste une **lueur** d'espoir,* un faible espoir.

luge n.f. *Didier fait de la **luge**,* il glisse sur la neige avec un petit traîneau. *illustr. p. 895*

lugubre adj. *Il fait sombre ici, c'est lugubre*, ça inspire de la tristesse et un peu d'angoisse (= sinistre ; ≠ gai).

lui pron. pers. Dans « *j'ai vu Yves, je lui ai dit bonjour* », **lui** désigne Yves, la personne dont il est question. *Si tu vois Delphine, dis-lui de venir*, dis à Delphine, à elle.
✳ Ne pas confondre avec [le soleil] **luit** (de « luire »).

luire v. 3ᵉ groupe. *Le soleil luit, il brille*.
●● *reluire*
✳ Conj. nᵒ 69. Ne pas confondre certaines formes de ce verbe avec le pronom **lui**.

■ **luisant, ante** adj. *Tu as la peau luisante*, brillante. *Un ver luisant* est un insecte dont l'abdomen émet la nuit une lueur d'un vert pâle.

lumbago n.m. *Papa marche courbé, il a un lumbago*, il a mal aux reins.
✳ On prononce [lɔ̃bago].

lumière n.f. SENS 1. *La lumière est le rayonnement qui provient du soleil ou d'une ampoule électrique et qui nous permet de voir les choses qui nous entourent. Il y a beaucoup de lumière dans cette pièce*, elle est très éclairée (= clarté). SENS 2. *En partant, éteins les lumières*, les lampes allumées (= électricité, éclairage). ◆ *Nous ferons toute la lumière sur cette affaire mystérieuse*, nous trouverons l'explication de ce mystère. ◆ *L'orateur a mis en lumière les progrès réalisés*, il les a soulignés, il les a mis en valeur.

■ **lumignon** n.m. [SENS 2] *Ce bout de chandelle n'est qu'un lumignon*, une lumière qui éclaire mal.

■ **luminaire** n.m. [SENS 2] *Dans un magasin de luminaires*, on vend des appareils d'éclairage.

■ **lumineux, euse** adj. [SENS 1] *Ma montre a un cadran lumineux*, qui émet de la lumière dans l'obscurité. ◆ *Ton explication est lumineuse*, très claire (= limpide ; ≠ confus).

■ **lumineusement** adv. *Elle nous a lumineusement expliqué la situation*, d'une manière lumineuse, évidente (= clairement).

lunaire → *lune*

lunatique → *luné*

lunch n.m. *Après le mariage, il y a eu un lunch*, un repas froid.
✳ On prononce [lœ̃ʃ] ou [lœ̃tʃ]. Au pluriel, on écrit des **lunchs** ou des **lunches**.

lundi n.m. *Le lundi est le lendemain du dimanche et le premier jour de la semaine.*   *illustr. p. 13.*

lune n.f. SENS 1. (Avec majuscule.) *C'est le 21 juillet 1969 que les hommes ont marché pour la première fois sur la Lune*, le satellite naturel de la Terre. ●● *alunir*. SENS 2. *Le clair de lune*, c'est la lumière que la Lune reçoit du Soleil et qu'elle renvoie, la nuit, sur la Terre. ◆ *Être dans la lune*, c'est être distrait, rêveur. ◆ *Demander, promettre la lune*, c'est demander, promettre des choses impossibles.   *illustr. p. 20. 203*

■ **lunaire** adj. [SENS 1] *Le sol lunaire est celui de la Lune.*

■ **lunaison** n.f. *La lunaison est l'intervalle de temps qui s'écoule entre deux nouvelles lunes consécutives, c'est-à-dire le temps que met la Lune pour tourner autour de la Terre.*

luné, ée adj. Fam. *Jean est mal luné aujourd'hui, il était bien luné hier,* il est de mauvaise humeur, il était de bonne humeur hier.

■ **lunatique** adj. *Ce matin, tu étais de bonne humeur et, cet après-midi, tu boudes : comme tu es lunatique !*, d'humeur changeante (= fantasque, imprévisible, versatile).

lunette n.f. SENS 1. (Au plur.) *Mamie porte des lunettes*, une paire de verres maintenus par une monture pour mieux   *illustr. p. 99 29* voir ou pour se protéger les yeux. SENS 2. Une **lunette** d'approche est un tube avec des lentilles pour voir au loin (= longue-vue). SENS 3. La **lunette arrière** d'une voiture est sa vitre arrière.

illustr. p. 69

lupin n.m. Le **lupin** est une plante à fleurs en épi.

lurette n.f. Fam. *Il y a belle lurette que je ne l'ai pas vu,* il y a longtemps.

luron, onne n. *C'est une bande de joyeux lurons,* de personnes gaies et insouciantes qui aiment rire.

1. lustre n.m. *Dans le salon, il y a un lustre en cristal,* un appareil d'éclairage à plusieurs lampes, suspendu au plafond.

illustr. p. 42

2. lustre n.m. *La présence du ministre a donné du lustre à la cérémonie,* elle lui a donné un caractère fastueux (= éclat, solennité).

lustré, ée adj. *Ton costume est lustré,* il a un aspect brillant, dû à l'usure.

luth n.m. Le **luth** est un instrument de musique ancien à cordes.

illustr. p. 629

■ **luthier** n.m. Le **luthier** fabrique ou répare des instruments à cordes : des violons, des guitares, etc.

lutin n.m. Dans les contes de fées, les **lutins** sont des petits bonshommes surnaturels (= génie).

lutrin n.m. *Le livre de chants religieux est posé sur le lutrin,* un support oblique sur lequel on peut poser un livre ouvert (= pupitre).

illustr. p. 164

lutte n.f. SENS 1. La **lutte** est un sport de combat où chacun des deux adversaires cherche à mettre l'autre à terre. SENS 2. La **lutte** contre le cancer, c'est la recherche des moyens de le vaincre.

■ **lutter** v. 1ᵉʳ groupe. [SENS 1 et 2] *La petite chèvre a lutté toute la nuit contre*

le méchant loup, elle s'est battue. *Ils luttent contre la faim dans le monde,* ils font des efforts pour la faire disparaître (= combattre).

■ **lutteur, euse** n. [SENS 1] Un **lutteur** est un sportif qui pratique la lutte.

illustr. p. 41

luxation → **luxer**

luxe n.m. SENS 1. *Il y a un grand luxe dans cet appartement,* des choses chères qui ne sont pas indispensables. SENS 2. *Le caviar est un produit de luxe,* un produit très cher. SENS 3. *Son récit contient un luxe de détails,* une grande abondance (= profusion).

■ **luxueux, euse** adj. [SENS 1] *Ils habitent une maison luxueuse,* une très belle maison pleine d'objets de luxe (= somptueux, fastueux ; ≠ simple). [SENS 2] Un produit **luxueux** est un produit raffiné, somptueux et qui coûte cher.

■ **luxueusement** adv. [SENS 1] *Son appartement est luxueusement décoré,* il n'y a que des objets et des meubles magnifiques et coûteux.

■ **luxuriant, ante** adj. [SENS 3] Une végétation **luxuriante** pousse abondamment (= surabondant, touffu ; ≠ clairsemé).

se luxer v. 1ᵉʳ groupe. *En tombant, je me suis luxé une épaule,* je me suis démis une articulation (= se déboîter).

■ **luxation** n.f. *Depuis sa luxation du genou, il porte un bandage,* depuis le déplacement de l'os de son genou (= déboîtement).

luxueusement, luxueux, luxuriant → **luxe**

luzerne n.f. La **luzerne** est une herbe qui sert à nourrir les lapins, les vaches.

illustr. p. 21

lycée n.m. Un **lycée** est un établissement d'enseignement secondaire qui va de la seconde à la terminale.

■ **lycéen, enne** n. *Sarah est encore lycéenne,* élève d'un lycée.

lymphatique adj. Une personne **lymphatique** est peu énergique (= mou, nonchalant, indolent ; ≠ actif, vif).

lymphe n.f. La **lymphe** est un liquide incolore du corps.

lyncher v. 1er groupe. *L'assassin a failli se faire **lyncher** par la foule,* se faire tuer (= écharper).

illustr. p. 494 **lynx** n.m. Le **lynx** est un mammifère carnivore qui ressemble à un grand chat sauvage.

lyre n.f. La **lyre** est un instrument de musique à cordes utilisé depuis l'Antiquité.

lyrique adj. SENS 1. Un style **lyrique** est plein de poésie, d'émotion, de passion. SENS 2. Un artiste **lyrique** est un chanteur d'opéra.

■ **lyrisme** n.m. [SENS 1] *Jean et Martine m'ont décrit leur voyage au Mexique avec **lyrisme**,* de manière lyrique (= enthousiasme).

lys → *lis*

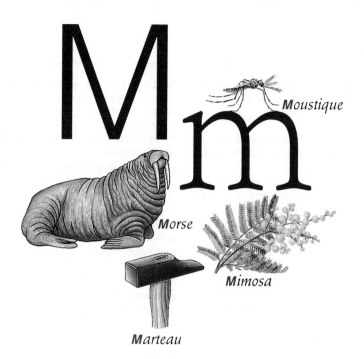

M m

Moustique

Morse

Mimosa

Marteau

m' → **me**

ma → **mon**

macabre adj. *Il m'a raconté une histoire macabre*, une histoire qui parle de la mort (= sinistre).

macadam n.m. *Les pas résonnent sur le macadam*, le revêtement de chaussée, constitué de pierres et de sable tassés par un rouleau compresseur (= bitume, asphalte).
✳ On prononce [makadam].

Illustr. 1033 **macaque** n.m. Le **macaque** est un singe d'Asie au corps trapu.

macaron n.m. SENS 1. *À la pâtisserie, on a acheté des macarons*, des petits gâteaux ronds faits de pâte d'amande et de sucre. SENS 2. *La voiture du ministre a un macaron sur le pare-brise*, un insigne tricolore rond (= cocarde).

macaroni n.m. *Nous avons mangé des macaronis à la sauce tomate*, des pâtes en forme de tube.
✳ Au pluriel, on écrit des **macaronis** ou des **macaroni**.

macédoine n.f. La **macédoine** est un mélange de légumes ou de fruits coupés en petits morceaux.

macérer v. 1er groupe. *On fait macérer des piments dans de l'huile*, on les laisse tremper pour qu'ils s'en imprègnent et qu'ils se conservent.
✳ Conj. n° 10.

mach n.m. *Cet avion vole à mach 2*, à deux fois la vitesse du son.
✳ On prononce [mak].

machaon n.m. Un **machaon** est un papillon aux grandes ailes jaune vif, terminées par des sortes de queues. *illustr. p. 753*
✳ On prononce [makaɔ̃].

mâche n.f. La **mâche** est une salade à petites feuilles vert foncé. *illustr. p. 746*

565

mâchefer n.m. Le **mâchefer** est un résidu de charbon qu'on répand sur les routes et les voies ferrées.

mâcher v. 1er groupe. *Mâche bien ta viande avant de l'avaler !*, écrase-la avec tes dents (= mastiquer).

illustr. ■ **mâchoire** n.f. Les **mâchoires** sont les
p. 216, deux os courbes de la bouche ; les dents
217 y sont plantées. ●● *maxillaire*

■ **mâchonner** v. 1er groupe. *Pierre mâchonne le bout de son crayon,* il le mord machinalement (= mordiller).

machette n.f. Une **machette** est une sorte de très grand couteau, utilisé surtout dans les régions tropicales pour débroussailler.

machiavélique adj. *Attention ! c'est un homme **machiavélique***, rusé et perfide (= diabolique).
✳ On prononce [makjavelik].

■ **machiavélisme** n.m. *Il s'est conduit avec **machiavélisme***, il a utilisé la ruse et la perfidie (= dissimulation ; ≠ franchise).
✳ On prononce [makjavelism].

illustr. **mâchicoulis** n.m. Au Moyen Âge, les
p. 164 **mâchicoulis** étaient des ouvertures dans la partie supérieure d'une tour d'un château fort par lesquelles on pouvait lancer des projectiles sur des assaillants.

machin n.m. Fam. *Où as-tu trouvé ce machin ?*, cet objet dont je ne sais pas le nom (= fam. truc, fam. bidule).

machinal, machinalement
→ *machine*

machination n.f. *J'ai pu déjouer ses machinations*, ce qu'il préparait en secret (= manœuvre, intrigue).

illustr. **machine** n.f. SENS 1. Une **machine** est
p. 503, un appareil qui permet d'effectuer aisé-
228, ment ou rapidement certains travaux.
397 Une **machine à laver** lave le linge automatiquement (= lave-linge). Une **machine**

à **calculer** réalise toutes sortes de calculs à très grande vitesse (= calculette). SENS 2. *Le chef de gare se place devant la machine pour agiter son drapeau.*
◆ *Pierre écrit une lettre à la machine* *illustr.*
(≠ à la main).   *p. 123*

■ **machinal, ale, aux** adj. *Marie a fait un geste **machinal***, sans s'en rendre compte, un peu comme une machine (= mécanique, instinctif ; ≠ intentionnel, volontaire).

■ **machinalement** adv. *Julien a freiné **machinalement***, par réflexe, sans réfléchir (= mécaniquement, automatiquement ; ≠ volontairement).

■ **machinerie** n.f. Une **machinerie** est un ensemble de machines réunies dans un même endroit pour effectuer un travail particulier.

■ **machinisme** n.m. *Le **machinisme** s'est développé depuis un siècle*, l'emploi généralisé des machines, l'emploi des machines dans l'industrie.

■ **machiniste** n. *Le **machiniste** met en* *illustr.*
place et démonte les décors de théâtre, *p. 952*
de cinéma, l'ouvrier chargé de cette fonction et qui fait fonctionner la **machinerie**. *Pour demander l'arrêt de l'autobus, faire signe au **machiniste**,* au conducteur.

macho n.m. et adj. *Le chef de service est un **macho***, il se conduit comme un homme persuadé de sa supériorité par rapport aux femmes.
✳ On prononce [matʃo].

mâchoire, mâchonner → *mâcher*

maçon n.m. *Les **maçons** ont com-* *illustr*
mencé la construction de la maison, des *p. 15.*
ouvriers dont le métier est de construire.

■ **maçonnerie** n.f. *Un mur de **maçonnerie** est fait de pierres ou de briques assemblées avec du ciment ou du plâtre.

maculer v. 1er groupe. *Ton pantalon est **maculé** de cambouis*, il est taché, sali. ●● *immaculé*

madame n.f. **Madame** est le nom donné à une femme qui est ou qui a été mariée. *Bonjour, mesdames !* ●● *dame* ✳ Au pluriel, on dit **mesdames**. En abrégé, on écrit **Mme** pour **madame** et **Mmes** pour **mesdames**.

madeleine n.f. Une **madeleine** est un petit gâteau léger de forme arrondie.

mademoiselle n.f. **Mademoiselle** est le nom que l'on donne à une jeune fille ou à une femme qui n'est pas mariée. *Bonjour, mesdemoiselles !* ●● *demoiselle* ✳ Au pluriel, on dit **mesdemoiselles**. En abrégé, on écrit **Mlle** pour **mademoiselle** et **Mlles** pour **mesdemoiselles**.

madone n.f. *Marie a un visage de* **madone**, un visage qui ressemble à celui des Vierges des tableaux.

madras n.m. *Aux Antilles, les femmes portent des jupes et des foulards en* **madras**, un tissu aux couleurs vives. ✳ On prononce le « s » : [madras].

madré, ée adj. Une personne **madrée** est une personne rusée et peu scrupuleuse (= matois). ✳ Ce mot s'emploie dans la langue écrite.

madrier n.m. *Le mur est renforcé par des* **madriers**, des planches épaisses.

madrigal n.m. Un **madrigal** est un petit poème tendre. ✳ Au pluriel, on dit des **madrigaux**.

maestria n.f. *Aliocha joue du violon avec* **maestria**, il joue très bien (= brio, virtuosité). ✳ On prononce [maɛstrija].

mafia ou **maffia** n.f. *La police a arrêté un des chefs de la* **mafia**, d'une association de bandits.

magasin n.m. SENS 1. *Mme Diallo est allée dans les* **magasins** *faire des cour-*

ses, un local où l'on vend des marchandises (= boutique, commerce). ●● *em-* *magasiner*. SENS 2. Le **magasin** d'un théâtre est l'endroit où l'on range les décors, les costumes, etc.

■ **magasinier** n.m. [SENS 2] Le **magasinier** est la personne chargée de s'occuper des objets se trouvant dans un magasin, une entreprise.

magazine n.m. SENS 1. *Patrick a acheté un* **magazine** *sportif,* un journal périodique illustré (= revue). SENS 2. *Le* **magazine** *sportif de la télé est à 8 heures,* une émission régulière sur un sujet déterminé. *illustr. p. 151*

magie n.f. *D'un coup de baguette, la fée a transformé la sorcière en citrouille, c'est de la* **magie** *!,* l'art de faire des choses qui semblent surnaturelles au moyen d'actes et de mots mystérieux (= sorcellerie). → *occultisme*

■ **mage** n.m. Les **mages** de l'Antiquité étaient à la fois des prêtres et des magiciens. ◆ *Les* **Rois mages** *s'appellent Melchior, Gaspard et Balthazar,* les personnages qui, selon la tradition, vinrent, guidés par une étoile, adorer Jésus à Bethléem.

■ **magicien, enne** n. *Les sorciers, les prestidigitateurs sont des* **magiciens**, des personnes qui font de la magie (= illusionniste).

■ **magique** adj. *Il a prononcé une formule* **magique**, destinée à avoir un effet extraordinaire, surnaturel.

magistral, ale, aux adj. *Cédric a réussi un coup* **magistral**, un coup de maître, d'une qualité exceptionnelle (= magnifique).

■ **magistralement** adv. *Sabrina a* **magistralement** *réussi son soufflé au chocolat,* elle l'a exceptionnellement bien fait (= parfaitement, magnifiquement).

magistrat n.m. SENS 1. Un **magistrat** est un fonctionnaire chargé de rendre la justice, comme un juge ou un procureur.

SENS 2. *Les préfets, les maires sont des* **magistrats**, *ils possèdent une autorité publique.*

■ **magistrature** n.f. [SENS 1] *Le père de Jean est dans la* **magistrature**, *il est magistrat.* [SENS 2] *En France, la plus haute* **magistrature** *est la présidence de la République, le degré le plus élevé dans la hiérarchie des magistrats.*

illustr. p. 949 **magma** n.m. SENS 1. Le **magma** est la substance pâteuse formée sous l'écorce terrestre par des roches en fusion et qui remonte à la surface lors d'une éruption volcanique. SENS 2. *Cet exposé n'est qu'un* **magma** *d'idées*, un mélange confus.

magnanime adj. *Les vainqueurs se sont montrés* **magnanimes**, généreux envers les vaincus (= clément).

■ **magnanimité** n.f. *Il a pardonné avec* **magnanimité**, il a fait preuve de clémence (= générosité, grandeur d'âme).

magnésium n.m. Le **magnésium** est un métal blanc argenté qui brûle avec une flamme éblouissante.
✳ On prononce [maɲezjɔm].

magnétique adj. SENS 1. Des **bandes magnétiques** sont des rubans servant à enregistrer les sons avec un magnétophone ou les sons et les images avec un magnétoscope. SENS 2. *L'aimant a des propriétés* **magnétiques**, il attire le fer. SENS 3. *Aïcha a un regard* **magnétique**, très attirant et mystérieux, qui ensorcelle.

■ **magnétiser** v. 1er groupe. [SENS 3] **Magnétiser** quelqu'un, c'est exercer sur lui une attirance très grande (= hypnotiser, fasciner).

■ **magnétisme** n.m. [SENS 2] Le **magnétisme** est l'ensemble des propriétés des aimants. [SENS 3] *Il exerce sur son entourage un véritable* **magnétisme**, une attirance puissante et mystérieuse (= fascination).

■ **magnétophone** n.m. [SENS 1] *On a écouté une cassette sur le* **magnéto-**phone, un appareil qui enregistre et reproduit les sons.

■ **magnétoscope** n.m. [SENS 1] *On s'est passé un film au* **magnétoscope**, un appareil qui enregistre et reproduit les sons et les images sur un écran de télévision.
illustr. p. 862

magnifique adj. *Ce paysage est* **magnifique**, il est très beau (= splendide, superbe, admirable ; ≠ affreux).

■ **magnifiquement** adv. *Il a* **magnifiquement** *réussi*, très bien (= magistralement).

■ **magnificence** n.f. *On a admiré la* **magnificence** *du spectacle*, la beauté pleine de grandeur (= splendeur).

magnolia n.m. Le **magnolia** est un arbre à grandes fleurs parfumées.
illustr. p. 527

magnum n.m. Un **magnum** de champagne est une grande bouteille équivalant à deux bouteilles normales.
✳ On prononce [magnɔm].

magot n.m. Fam. *L'avare avait caché son* **magot** *dans la cave*, l'argent qu'il avait accumulé (= trésor).

magouille n.f. Fam. *On l'a accusé de* **magouilles** *électorales*, de combines louches (= manœuvre).
✳ On dit aussi un **magouillage**.

■ **magouiller** v. 1er groupe. Fam. *C'est un homme honnête, qui a toujours refusé de* **magouiller**, de faire des manœuvres malhonnêtes.

maharadjah n.m. Maharadjah est le titre des rois, des grands princes de l'Inde.

mai n.m. Mai est le cinquième mois de l'année.
✳ Ne pas confondre avec la conjonction **mais**, avec le possessif **mes**, ou encore avec un **mets** et (je) **mets** ou (il, elle) **met** (de « mettre »).
illustr. p. 13

maigre adj. SENS 1. *Seydou ne mange pas assez, il est très maigre*, son corps n'a pas de graisse (= mince ; ≠ gros, gras). ●● *amaigrir*. SENS 2. *Du fromage* **maigre** *est du fromage qui contient peu de matières grasses* (= allégé). SENS 3. *L'enquête n'a donné que de maigres résultats*, des résultats peu importants (= médiocre).

■ **maigrement** adv. [SENS 3] *C'est un travail maigrement payé* (= peu).

■ **maigreur** n.f. [SENS 1] *Seydou est d'une extrême maigreur*, son corps est très maigre.

■ **maigrichon, onne** adj. [SENS 1] *Marie est maigrichonne*, un peu trop maigre.

■ **maigrir** v. 2ᵉ groupe. [SENS 1] *Depuis un an, tu as beaucoup maigri*, tu es devenu maigre. *Cette robe te maigrit*, elle te fait paraître maigre (= amincir).

llustr.
. 228
1. maille n.f. SENS 1. *Marie compte les mailles de son tricot*, les boucles de laine qui le forment. ●● *indémaillable*. SENS 2. *Ce filet de pêche a de larges mailles*, des trous formés par chaque boucle.

■ **maillon** n.m. [SENS 1] *Un maillon de la chaîne est cassé*, une des boucles qui la constituent (= chaînon).

2. maille n.f. *Pierre a eu maille à partir avec Paul*, il s'est disputé avec lui.

llustr.
. 995
maillet n.m. *Un maillet est un marteau en bois dont se servent les menuisiers, les sculpteurs et aussi les campeurs pour enfoncer les piquets de leur tente.*

maillon → *maille (1)*

llustr.
. 719
maillot n.m. SENS 1. *Les danseuses portent un maillot*, un vêtement collant qui leur couvre tout le corps. SENS 2. *Adrien a mis un maillot de corps*, un vêtement qui couvre le buste (= tee-shirt). SENS 3. *Si tu vas à la piscine, n'oublie pas ton maillot (de bain)*, ton vêtement de bain. SENS 4. *Autrefois, on enveloppait les bébés dans un maillot*, un tissu qui entourait les jambes et le buste. ●● *emmailloter*

main n.f. SENS 1. *Pierre écrit de la main droite et Marie de la main gauche*, la partie du corps qui est au bout du bras et qui sert à prendre, à toucher. ●● *manuel*. SENS 2. *Il a la haute main sur ce projet*, il le dirige. SENS 3. *Les voleurs ont fait main basse sur le magot*, ils s'en sont emparés. SENS 4. *Il a préparé cela de longue main*, depuis longtemps. SENS 5. *Alex m'a forcé la main*, il m'a forcé à accepter. SENS 6. *Paul et Jean en sont venus aux mains*, ils se sont battus. SENS 7. *Cette maison a changé de mains*, de propriétaire. SENS 8. *Il a pris ce travail en main*, il s'en est chargé. SENS 9. *Avez-vous eu ces renseignements de première main ou de seconde main ?*, directement ou par un intermédiaire. SENS 10. *J'ai mis la dernière main à mon travail*, j'en ai soigné tous les détails (= parachever). SENS 11. *Je suis fatigué, il est temps que je passe la main*, que je confie mon travail à quelqu'un d'autre. SENS 12. *Je n'ai pas sous la main tous les documents que vous demandez*, je n'en dispose pas immédiatement. SENS 13. *Il a gagné haut la main*, sans difficulté.

illustr.
p. 217,
216

main-d'œuvre n.f. *Cette usine emploie de la main-d'œuvre étrangère*, des ouvriers.

main-forte n.f. sing. *Antonio nous a prêté main-forte*, il nous a aidés.

maint, e adj. *Maint s'emploie dans la langue écrite pour dire « beaucoup de ». J'ai remarqué cela en maintes occasions* (= nombreux).

maintenant adv. *Maintenant, je m'en vais*, à présent (= tout de suite, en ce moment).

illustr.
p. 945

maintenir v. 3ᵉ groupe. SENS 1. *Plusieurs câbles maintiennent le mât*, ils l'empêchent de bouger, de tomber

(= soutenir). SENS 2. *Les agents **mainte-naient** la foule,* ils l'empêchaient d'avancer (= retenir). SENS 3. *Il faut **maintenir** la paix,* la faire durer. ***Maintenez** votre effort,* continuez-le. SENS 4. *Je **maintiens** que j'ai raison,* je le dis encore une fois (= soutenir).
✳ Conj. n° 22.

■ **maintien** n.m. [SENS 3] *La police veille au **maintien** de l'ordre,* à ce que l'ordre règne. ◆ *Le **maintien** d'une personne,* c'est son attitude, sa manière de se tenir.

illustr. p. 358 **maire** n.m. *M. Weber est le **maire** d'une petite commune de banlieue,* il a été élu pour l'administrer avec l'aide du conseil municipal.
✳ Ne pas confondre avec une **mère** et la **mer**.

illustr. p. 1016 ■ **mairie** n.f. *La **mairie** est sur la place du village,* la maison où se trouve l'administration de la commune.

mais conj. Ce mot marque une opposition à ce qui précède : *c'est difficile, **mais** nous devons réussir* (cependant) ; *le soleil brille, **mais** il fait froid* (pourtant).

illustr. p. 495, 20 **maïs** n.m. *Le **maïs** est une céréale à haute tige portant de gros épis de grains jaunes qui sont comestibles.

illustr. p. 572 **maison** n.f. SENS 1. *Les Jannot habitent dans une belle **maison**,* un bâtiment qui sert d'habitation. *Un pavillon, une villa, un chalet sont des **maisons**.* SENS 2. *Viens à la **maison**,* chez moi (= domicile). SENS 3. *Éric est un ami de la **maison**,* de tous ceux qui vivent dans cette maison (= famille). SENS 4. *Un casino est une **maison** de jeu, une prison est une **maison** d'arrêt, une entreprise commerciale est une **maison de** commerce,* des bâtiments qui servent à un usage particulier. SENS 5. adj. inv. *Grand-mère a ouvert une boîte de pâté **maison**,* fait à la maison selon une recette traditionnelle.

■ **maisonnée** n.f. [SENS 3] *Toute la **maisonnée** est réunie pour le repas,* tous les gens qui vivent ensemble dans la même maison (= famille).

■ **maisonnette** n.f. [SENS 1] *Il y a une **maisonnette** au fond du jardin,* une petite maison.

maître, esse n SENS 1. *M. Durand est habitué à parler en **maître**,* comme celui qui détient l'autorité (= chef). *Les invités ont remercié la **maîtresse** de maison,* la dame qui habite ici et dirige la maison. SENS 2. *Ce chien a perdu son **maître**,* celui auquel il appartient. SENS 3. *La* illustr. p. 311 ***maîtresse** a posé avec nous pour la photo de classe,* l'institutrice. *Les écoliers aiment bien leur **maître**,* leur instituteur. SENS 4. *Je suis resté **maître de moi**,* j'ai gardé mon sang-froid, je me suis dominé. SENS 5. *Je ne suis pas **maître de** refuser,* je n'en ai pas le pouvoir (= libre). SENS 6. *Les attaquants **se sont rendus maîtres de** la ville,* ils s'en sont emparés. SENS 7. (Au masc. seulement.) *Pour ce qui est de dessiner, c'est un **maître**,* il le fait très bien. *Un **coup de maître** est un coup très bien réussi.* ●● **magistral**. SENS 8. *J'ai écrit à **maître** Dubois,* le notaire ou l'avocat. SENS 9. *À la piscine,* 1016, 719 *nous prenons des leçons avec le **maître nageur**,* le professeur de natation. SENS 10. (Au fém. seulement.) *Jeanne est la **maîtresse** de M. Durand,* elle a des relations sexuelles avec M. Durand sans être mariée avec lui.

■ **maîtrise** n.f. [SENS 1] *Un **agent de maîtrise** est un employé qui surveille le travail des ouvriers ou des employés (= contremaître). [SENS 4] *Jean a conservé sa **maîtrise** devant le danger,* il était maître de lui (= sang-froid, calme). [SENS 7] *Ce travail a été exécuté avec **maîtrise*** (= habileté).

■ **maîtriser** v. 1er groupe. [SENS 4] *Luc était en colère et il n'a pas réussi à **se maîtriser**,* à garder son calme (= se contrôler, se dominer). [SENS 6] *Les pompiers **ont maîtrisé** le feu,* ils s'en sont rendus maîtres (= arrêter, éteindre).

majesté n.f. SENS 1. *Le visage de ce vieillard est plein de **majesté**,* de noblesse et de dignité. SENS 2. *Autrefois, on* appelait *les rois « **Votre Majesté** », c'est le titre qu'on leur donnait.* → *sire*

■ **majestueux, euse** adj. [SENS 1] *Il marchait d'un pas majestueux, d'un pas lent et digne, avec solennité.*

majeur, eure adj. SENS 1. *Leur souci **majeur** est de trouver un logement,* le plus important (≠ mineur). SENS 2. *La **majeure partie** des élèves est malade,* le plus grand nombre (= majorité). SENS 3. *Jacques sera **majeur** dans un mois,* il aura dix-huit ans, l'âge de la majorité légale (≠ mineur).

illustr. p. 217
■ **majeur** n.m. *Le **majeur** est le doigt du milieu de la main, plus grand que les autres* (= médius).

■ **majorité** n.f. [SENS 2] *Le candidat n'a pas eu la **majorité** des voix,* plus de la moitié (≠ minorité). [SENS 3] *Pierre a atteint sa **majorité**,* l'âge où il a les mêmes droits et les mêmes devoirs qu'un adulte.

■ **majoritaire** adj. [SENS 2] *Ce parti est **majoritaire** dans le pays,* il est soutenu par la majorité des citoyens (≠ minoritaire).

illustr. p. 440
major n.m. SENS 1. *Le grade de **major** est le grade le plus élevé des sous-officiers.* SENS 2. *Un **major** était, autrefois, un médecin militaire.* SENS 3. *Mon grand frère a été reçu **major** à ce concours,* il a été reçu premier.

majoration → *majorer*

majordome n.m. *Chez des gens très riches, un **majordome** commande les autres domestiques.*

majorer v. 1ᵉʳ groupe. *Papa voudrait que son salaire soit **majoré**,* qu'on le porte à un niveau plus élevé (= augmenter, relever, hausser ; ≠ réduire, diminuer).

■ **majoration** n.f. *On annonce une **majoration** du prix des transports,* une hausse (= augmentation).

majorette n.f. *À la fête, des **majorettes** marchaient en tête du défilé,* des jeunes filles en uniforme.

majoritaire, majorité → *majeur*

majuscule n.f. *Les noms propres commencent par une **majuscule**,* une lettre plus grande et qui a une forme particulière (≠ minuscule).
illustr. p. 994

mal n.m. SENS 1. *On pense que les animaux ne distinguent pas le bien du **mal**,* de ce qui est contraire à la morale. *Qui t'a dit du **mal** de moi ?,* des choses désagréables et méchantes (≠ bien). SENS 2. *Pierre se donne du **mal** pour réussir,* il fait des efforts (= peine). SENS 3. *Maria a **mal** à la tête, sa tête lui fait **mal**,* elle souffre de la tête (= souffrance). SENS 4. *Jean a des **maux** de dents* (= douleur, maladie). SENS 5. *La guerre est un des pires **maux** de l'humanité, ce qui cause de grands ravages* (= malheur, fléau).

✵ Le pluriel de **mal** est **maux**, mais n'est employé qu'aux sens 4 et 5. Ne pas confondre **mal** avec un **mâle** et une **malle**. Ne pas confondre **maux** avec un **mot**.

■ **mal** adj. inv. [SENS 1] *Il a menti, c'est **mal**,* c'est contraire à la morale (≠ bien).

■ **mal** adv. [SENS 1] *Il écrit **mal**,* d'une manière qui n'est pas correcte ou d'une écriture difficilement déchiffrable (≠ bien). ◆ *Il y a **pas mal** de gens dans les rues,* il y a beaucoup de gens.

> **mal-** préfixe. Employé comme préfixe, **mal-** sert à former de nombreux mots où il exprime l'idée d'un contraire : *maladroit, malchanceux ;* l'idée de quelque chose de condamnable : *malfaiteur, maltraiter ;* l'idée de quelque chose qui ne convient pas : *malentendu, malodorant.*

malade adj. et n. *Adeline est **malade** depuis deux jours,* elle n'est plus en bonne santé (≠ bien portant). *Ne réveillez pas le **malade** !,* la personne malade.
illustr. p. 868

LA MAISON

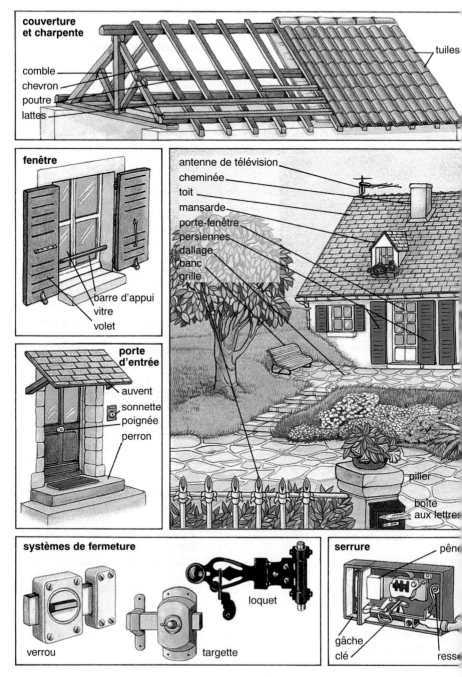

couverture et charpente

comble
chevron
poutre
lattes

tuiles

fenêtre

barre d'appui
vitre
volet

antenne de télévision
cheminée
toit
mansarde
porte-fenêtre
persiennes
dallage
banc
grille

porte d'entrée

auvent
sonnette
poignée
perron

pilier

boîte aux lettres

systèmes de fermeture

loquet

verrou

targette

serrure

pêne

gâche
clé

ressort

Pour construire une maison, il faut : un maçon et un plâtrier,
un charpentier et un couvreur, un menuisier, un plombier,
un carreleur, un électricien... Quel chantier ! (Voir aussi p.156.)

toit
ardoises
gouttière

cadran solaire
ombre
tige
chiffres romains

girouette
faîte
pignon
lucarne
œil-de-bœuf
jardinière
store
lanterne
rambarde
terrasse
poteau
porche
garage
pelouse
(gazon)

façade
soupirail
dalles

porte-fenêtre
balcon
balustrade

escalier
rampe
palier
contremarche
marche

chaudière
canalisation
(tuyauterie)
thermomètre
brûleur
cuve de fuel

niche
jatte
(écuelle)
chien
chaîne

573

▪ **maladie** n.f. *La maladie de Pierre n'est pas grave,* ce qui altère sa santé (= mal, affection). → **pathologie**

▪ **maladif, ive** adj. *Marie est une enfant maladive,* souvent malade.

maladroit, e adj. et n. SENS 1. Une personne **maladroite** a des gestes qui manquent d'habileté et d'adresse, et casse souvent des choses (= malhabile ; ≠ adroit). *Sophie est une maladroite,* elle manque d'adresse. SENS 2. *Tu as dit des paroles maladroites,* qui manquaient de délicatesse ou qui étaient mal exprimées.

▪ **maladroitement** adv. *Ce vase a été maladroitement recollé,* la réparation est mal faite (= gauchement ; ≠ habilement, adroitement).

▪ **maladresse** n.f. [SENS 1] *Tu as encore cassé une assiette, quelle maladresse !,* quel manque de précision et d'assurance dans les gestes (≠ habileté, adresse). [SENS 2] *La négociation a échoué à cause d'une maladresse,* d'une parole, d'une action maladroites (= bévue, fam. gaffe ; ≠ savoir-faire, tact).

malaise n.m. SENS 1. Avoir un **malaise,** c'est éprouver la sensation pénible que l'on ne va pas bien et que l'on peut s'évanouir (= indisposition). SENS 2. *Son arrivée a provoqué un malaise,* un sentiment de gêne.

malaisé, ée adj. *En raison du brouillard, les recherches sont malaisées,* on ne peut les mener facilement (= difficile ; ≠ facile). ●● **aisé**

▪ **malaisément** adv. *On retrouve malaisément son chemin dans l'obscurité,* avec beaucoup de difficultés (= difficilement ; ≠ facilement).

malaria n.f. Ce mot se disait autrefois pour « paludisme ».

malaxer v. 1ᵉʳ groupe. *Le pâtissier malaxe du beurre, de la farine et des œufs,* il les mélange pour en faire une pâte homogène (= pétrir).

malchance n.f. *Nicolas a eu la malchance d'être interrogé sur la question qu'il connaissait le moins bien,* le manque de chance (= malheur, fam. déveine ; ≠ chance).

▪ **malchanceux, euse** adj. *Ce joueur malchanceux a perdu beaucoup d'argent au jeu,* ce joueur qui n'a pas de chance (≠ chanceux, fam. veinard).

malcommode adj. *Le nouvel horaire des trains est malcommode pour les banlieusards,* il n'est pas pratique (= incommode ; ≠ commode).

maldonne n.f. *Il faut recommencer la distribution des cartes, il y a maldonne,* il y a une erreur. ●● **donner**

mâle n.m. et adj. *Le coq est le mâle de la poule, le taureau est le mâle de la vache,* l'animal de sexe masculin (≠ femelle). *Marion a une perruche mâle et une perruche femelle.*

malédiction n.f. *Une malédiction s'acharne sur eux,* un malheur persistant auquel on ne peut échapper (= fatalité ; ≠ bénédiction). ●● **maudire**

maléfice n.m. *Paul est superstitieux, il croit aux maléfices,* aux opérations magiques faites pour porter malheur (= mauvais sort, sortilège). → **sorcellerie**

▪ **maléfique** adj. *Une action maléfique* est entreprise pour faire du mal à quelqu'un, pour provoquer des conséquences funestes (= néfaste, nuisible).

malencontreux, euse adj. *Marianne a eu des paroles malencontreuses,* dites mal à propos (= fâcheux). *Cette panne est bien malencontreuse,* elle survient à un mauvais moment.

▪ **malencontreusement** adv. *J'étais malencontreusement sorti quand vous êtes arrivé,* par malchance.

malentendu n.m. *On s'est disputé, mais ce n'était qu'un malentendu,* on s'était mal compris (= erreur, méprise, quiproquo).

malfaçon n.f. *Il y a une malfaçon dans cet appareil, veuillez me l'échanger,* un vice de fabrication (= imperfection, défaut). ●● *façon (2)*

malfaisant, ante adj. *Ces films trop violents ont une influence malfaisante,* ils ont un effet nuisible (= néfaste, pernicieux ; ≠ bienfaisant, salutaire). ✻ On prononce [malfəzã].

malfaiteur n.m. *La police a arrêté les malfaiteurs,* les personnes qui ont commis les méfaits (= bandit, gangster).

malfamé, ée adj. *Ce quartier est malfamé,* il a mauvaise réputation parce qu'on y rencontre des malfaiteurs.

malformation n.f. *Cette petite fille a une malformation de la hanche,* un défaut qui existe depuis sa naissance.

malgré prép. Ce mot indique que quelqu'un ou quelque chose s'oppose à l'action : *je suis venu malgré la pluie* (= en dépit de).

malhabile adj. *Tes gestes sont trop malhabiles pour réussir,* tu manques d'adresse, d'habileté (= maladroit ; ≠ habile).

malheur n.m. SENS 1. *Ils font preuve de courage dans leur malheur,* la période pénible, douloureuse qu'ils vivent (= adversité, détresse ; ≠ bonheur). SENS 2. *Il ne lui arrive que des malheurs,* des ennuis, des difficultés plus ou moins graves (= catastrophe, épreuve, fam. coup dur). *Si, par malheur, il arrivait en retard, voici qui prévenir* (= par malchance).

■ **malheureux, euse** adj. et n. [SENS 1] *Ce sont des gens malheureux,* ils vivent dans le chagrin ou la douleur (≠ heureux). *Il faut aider les malheureux,* les personnes qui sont misérables ou malchanceuses. [SENS 2] *Un mot malheureux l'a mis en colère,* une parole qui manquait de délicatesse ou qui a été dite à un mauvais moment (= malencontreux, regrettable).

■ **malheureusement** adv. [SENS 2] *Je voulais voir Sidonie, malheureusement, elle est partie,* par malchance (≠ heureusement).

malhonnête adj. *Son père a été victime d'un associé malhonnête,* qui ne respectait pas les règles de l'honnêteté (≠ intègre, probe, honnête).

■ **malhonnêtement** adv. *Il s'est conduit malhonnêtement,* en trichant et en trompant (≠ honnêtement).

■ **malhonnêteté** n.f. *Il a eu la malhonnêteté de laisser accuser quelqu'un d'autre à sa place,* le manque de probité et de droiture (≠ intégrité, honnêteté).

malice n.f. *Ses paroles étaient pleines de malice,* de moquerie, mais sans méchanceté (= raillerie).

■ **malicieux, euse** adj. *Marie a fait une réflexion malicieuse,* pleine de malice (= espiègle, ironique, railleur).

malin, igne adj. et n. SENS 1. *Denis est malin comme un singe,* il est très rusé (= astucieux, débrouillard). *Chloé est une maligne,* elle est fine et dégourdie (= déluré ; ≠ fam. empoté). ◆ Fam. *Ce n'est pas malin d'avoir laissé passer cette occasion,* ce n'est pas intelligent, raisonnable. SENS 2. *Il éprouve un malin plaisir à agacer sa sœur,* il prend plaisir à faire des méchancetés (= méchant). SENS 3. *Une tumeur maligne* est une tumeur grave, dangereuse (≠ bénin).

malingre adj. *Jean est un enfant malingre,* il ne paraît pas en bonne santé (= chétif, fragile ; ≠ robuste, résistant).

malintentionné, ée adj. *Une personne malintentionnée* a l'intention de faire du mal, de nuire. ●● *intention* ✻ On peut aussi écrire **mal intentionné**.

malle n.f. *Une malle* est un grand coffre dans lequel on met les affaires que l'on emporte en voyage. ✻ Ne pas confondre avec le **mal** et un **mâle**. *illustr. p. 970*

■ **mallette** n.f. Une **mallette** est une petite valise.

malléable adj. *La cire, le plomb sont* **malléables**, faciles à modeler, à déformer, à étirer (= souple ; ≠ cassant).

illustr. **malle-poste** n.f. *Autrefois, la* **malle-** *p. 970* **poste** *acheminait le courrier,* une voiture tirée par des chevaux.
🞽 Au pluriel, on écrit des **malles-poste**.

mallette → *malle*

malmener v. 1ᵉʳ groupe. *Les villageois en colère* **ont malmené** *l'escroc,* ils l'ont traité avec rudesse et brutalité (= brutaliser, maltraiter).
🞽 Conj. n° 9.

malnutrition n.f. La **malnutrition** est une alimentation trop pauvre en éléments indispensables à l'organisme.
→ *sous-alimentation*

malodorant, ante adj. *Ces poubelles sont* **malodorantes**, elles sentent mauvais (= fétide, nauséabond). ●● *odeur*

malotru, ue n. *En voilà un* **malotru** *!,* un personnage mal élevé, grossier (= goujat, mufle ; ≠ gentleman).

malpoli, ie adj. *Il est* **malpoli** *de couper la parole aux gens,* c'est contraire aux règles de la politesse (= impoli, grossier ; ≠ courtois, poli).

malpropre adj. *Les chambres de cet hôtel sont* **malpropres**, elles sont mal nettoyées (= sale ; ≠ propre).

■ **malpropreté** n.f. *La* **malpropreté** *de ses cheveux est répugnante,* leur manque de propreté (= saleté).

malsain, aine adj. *Certaines villes atteignent un taux de pollution qui est* **malsain**, qui est mauvais pour la santé (= insalubre ; ≠ sain).

malséant, ante adj. *Il insiste de façon* **malséante**, d'une façon contraire à la bienséance (= inconvenant, déplacé ; ≠ bienséant).

malt n.m. *Le* **malt** *sert à faire de la bière,* l'orge germée et préparée spécialement.

maltraiter v. 1ᵉʳ groupe. *Le prisonnier se plaint d'*avoir été **maltraité**, d'avoir subi des violences (= brutaliser, malmener). ●● *traiter*

malus n.m. *Si vous êtes responsable d'un accident de voiture, vous aurez un* **malus**, une majoration de la prime d'assurance.
🞽 On prononce le « s » : [malys].

malveillant, ante adj. *Ses voisins parlent d'elle en termes* **malveillants**, avec des mots qui sont pleins d'hostilité (= méchant, malintentionné, désobligeant ; ≠ bienveillant).

■ **malveillance** n.f. *Cette panne est due à la* **malveillance**, c'est l'action de quelqu'un qui voulait faire du mal (= hostilité ; ≠ bienveillance, sympathie).

malversation n.f. *Le caissier a été accusé de* **malversations**, d'avoir détourné de l'argent à son profit (= malhonnêteté).

maman n.f. **Maman** est le nom affectueux que l'on donne à sa mère. *Bonjour* **maman** *!* → *papa*

mamelle n.f. Les **mamelles** sont les *illustr.* organes des mammifères femelles qui *p. 35* sécrètent le lait. → *pis (1), sein*
🞽 Attention : un seul « m » au milieu.

■ **mamelon** n.m. SENS 1. Le **mamelon** est le bout de la mamelle ou du sein. SENS 2. *La maison est située sur un* **mamelon**, une petite colline arrondie (= butte).

■ **mammifère** n.m. Les **mammifères** *illustr.* sont des animaux vertébrés, dotés d'un *p. 40* cerveau assez développé et dont les femelles ont des mamelles pour allaiter

les petits. *L'homme, le chien, la baleine, la panthère sont des* **mammifères**.
★ Attention aux deux « m ».

mamie ou **mamy** n.f. Mamie est le nom affectueux que l'on donne à sa grand-mère. *Merci* **mamie** ! → **papi**

illustr. **mammouth** n.m. Les **mammouths**
p. 758 étaient d'énormes éléphants de l'époque préhistorique.
★ On prononce le « th » : [mamut].

manager n.m. *Le boxeur monte sur le ring suivi de son* **manager**, *de la personne qui l'entraîne et qui organise ses combats.*
★ On prononce [manadʒœr].

manant n.m. Ce mot s'emploie pour désigner un paysan d'avant la Révolution. → **serf, vilain**

illustr. **1. manche** n.f. SENS 1. Les **manches**
p. 1010, d'un vêtement sont les parties qui recouvrent les bras totalement (**manches longues**) ou partiellement (**manches courtes**). ●● **emmanchure**. SENS 2. *Pierre a perdu la première* **manche**, *mais il a gagné la revanche et la belle,* la
1017 première partie du jeu. SENS 3. *Sur un terrain d'aviation, la* **manche à air** *indique la direction du vent,* un cylindre de tissu fixé en haut d'un mât et dans lequel l'air s'engouffre.

■ **manchette** n.f. [SENS 1] Des **boutons de manchettes** servent à fermer les
illustr. manches de certaines chemises. ◆ Dans
p. 503 un journal, une **manchette** est un titre en grosses lettres en première page. ◆ *Les catcheurs ont échangé quelques* **manchettes**, *des coups portés avec l'avant-bras.*

illustr. ■ **manchon** n.m. [SENS 1] Un **manchon**
p. 220 est un rouleau de fourrure dans lequel on mettait les mains pour les protéger du froid.

illustr. **2. manche** n.m. SENS 1. *Prends le*
p. 384, *couteau par le* **manche**, *et non par la*
29 *lame,* la partie qui sert à le tenir. ●● **dé-**

mancher, emmancher. SENS 2. *Le pilote actionne le* **manche à balai**, *le levier de commande manuelle de l'avion.*

1. manchot, ote n. Un **manchot** est une personne qui a perdu un bras, ou les deux.

2. manchot n.m. Le **manchot** est un oi-
illustr. seau marin à ailes très courtes vivant dans
p. 730 les régions du pôle Sud. → **pingouin**

mandarine n.f. La **mandarine** est un fruit qui ressemble à une petite orange.

mandat n.m. SENS 1. *Pierre a rempli le* **mandat** *qu'on lui avait confié,* il a fait ce qu'on l'avait chargé de faire (= mission). SENS 2. *Ma grand-mère m'a envoyé un* **mandat** *de 75 euros,* elle m'a envoyé de l'argent par la poste.

■ **mandataire** n. [SENS 1] *En mon absence, vous serez mon* **mandataire**, je vous charge d'agir à ma place.

■ **mandater** v. 1er groupe. [SENS 1] *Je ne* **suis** *pas* **mandaté** *pour prendre cette décision,* cela ne fait pas partie de ma mission.

mandibule n.f. SENS 1. *Les criquets coupent les tiges d'herbe avec leurs* **mandibules**, les pinces de leur bouche. SENS 2. Fam. On appelle aussi **mandibules** les mâchoires de l'homme.

mandoline n.f. La **mandoline** est une *illustr.*
sorte de guitare bombée. *p. 629*

manège n.m. SENS 1. Un **manège** est un endroit où l'on apprend à monter à cheval. SENS 2. *Stéphanie a fait un tour de* *illustr.*
manège *à la fête,* elle est montée sur un *p. 531*
appareil tournant dont la plate-forme porte des animaux, des véhicules sur lesquels on s'assoit. SENS 3. *J'ai compris ton* **manège**, *ce que tu préparais pour me tromper* (= manœuvre).

manette n.f. *Appuie sur cette* **manette** *illustr.*
pour mettre l'appareil en route, cette *p. 530*
poignée ou ce levier.

manger v. 1er groupe. **Manger** un aliment, c'est le mâcher puis l'avaler (= ingérer). *Pierre* **mange** *trop.* ✳ Conj. n° 2.

■ **mangeable** adj. *Cette viande n'est pas* **mangeable,** *elle n'est pas bonne à manger* (≠ immangeable).

illustr. ■ **mangeoire** n.f. *Une* **mangeoire** *est*
p. 354 un récipient où mangent les animaux.

■ **mangeur, euse** n. Un gros **mangeur,** c'est quelqu'un qui mange beaucoup.

mangouste n.f. Une **mangouste** est un petit mammifère d'Asie et d'Afrique qui ressemble à la belette et qui tue les serpents.

mangue n.f. La **mangue** est un fruit tropical à la pulpe jaune, parfumée et savoureuse.

maniable → *manier*

maniaque adj. et n. SENS 1. *M. Duval est un vieux garçon* **maniaque,** *il est très attaché à ses petites habitudes.* SENS 2. *La police a arrêté un dangereux* **maniaque,** *un malade mental* (= fou).

■ **manie** n.f. [SENS 1] *Il a la* **manie** *de se gratter l'oreille,* l'habitude bizarre (= tic).

manier v. 1er groupe. SENS 1. *Il faut* **manier** *ce vase avec précaution,* le prendre dans ses mains pour le déplacer (= manipuler). SENS 2. *Cette voiture est difficile à* **manier** (= manœuvrer, conduire). SENS 3. *Savoir* **manier** *les idées,* c'est savoir les exprimer de façon cohérente et habile. ●● *remanier*

■ **maniable** adj. [SENS 2] *Cet outil est peu* **maniable,** *il est difficile à utiliser.*

■ **maniement** n.m. [SENS 2] *Connais-tu le* **maniement** *de cet appareil ?,* la manière de s'en servir.

manière n.f. SENS 1. *Je n'aime pas sa* **manière** *de conduire,* la façon dont il le fait. SENS 2. *Il s'est levé tôt* **de manière à** *ne pas rater le train* (= pour, afin de). SENS 3. (Au plur.) *Je n'aime pas ses*

manières, la façon dont il agit (= attitude, comportement). SENS 4. *Jacques* **fait des manières,** il manque de simplicité (= embarras).

■ **maniéré, ée** adj. [SENS 4] *Hugo est* **maniéré,** il manque de simplicité et de naturel (= poseur ; ≠ simple).

manifester v. 1er groupe. SENS 1. *Héloïse a* **manifesté** *son intention de partir,* elle l'a fait connaître clairement (= exprimer, montrer). ◆ *Sa joie* **s'est manifestée** *sur son visage,* elle est apparue nettement. SENS 2. *Les ouvriers* **ont manifesté** *le 1er mai,* ils ont défilé dans la rue pour montrer ce qu'ils pensent.

■ **manifestant, ante** n. [SENS 2] *Les* **manifestants** *ont défilé pendant trois heures,* les personnes qui participent à une manifestation.

■ **manifestation** n.f. [SENS 1] *Son arrivée est accueillie par des* **manifestations** *de joie* (= démonstration). [SENS 2] *La* **manifestation** *a été interdite par les autorités,* le rassemblement et le défilé.

■ **manifeste** adj. [SENS 1] *Sa joie est* **manifeste,** elle apparaît clairement (= évident).

■ **manifeste** n.m. [SENS 1] Un **manifeste** est une déclaration par laquelle on fait connaître son opinion.

■ **manifestement** adv. [SENS 1] *La nouvelle était* **manifestement** *inexacte,* cela apparaissait clairement (= évidemment).

manigancer v. 1er groupe. *C'est lui qui* **a manigancé** *l'affaire,* qui l'a préparée en secret (= combiner). *Qu'est-ce que tu* **manigances** *?* (= comploter). ✳ Conj. n° 1.

■ **manigance** n.f. *Je n'aime pas ses* **manigances,** ses manœuvres secrètes (= fam. magouille).

manille n.f. *Pedro joue à la* **manille** *avec ses amis,* un jeu de cartes où le dix et l'as sont les cartes les plus fortes.

manioc n.m. *On fait le tapioca avec la racine du* **manioc,** une plante tropicale.

manipuler v. 1er groupe. *Cesse de manipuler mon baladeur, il est fragile* (= toucher, tripoter).

■ **manipulation** n.f. *La manipulation des explosifs est dangereuse,* leur transport et leur maniement.

manitou n.m. Fam. *M. Talipon est un grand manitou,* un personnage haut placé et puissant (= patron, chef).

illustr. **manivelle** n.f. Une **manivelle** est une
p. 852 tige coudée qui sert à faire tourner un mécanisme, un appareil, un moteur.

manne n.f. La **manne** est une nourriture miraculeuse que Dieu envoya du ciel aux Hébreux, selon la Bible.

illustr. **mannequin** n.m. SENS 1. *Les robes sont*
p. 220, *exposées sur des mannequins,* des sor-
228 tes de statues aux dimensions humaines. SENS 2. Les **mannequins** sont des personnes qui présentent les nouveaux modèles de vêtements lors de défilés de mode.

1. manœuvre n.f. SENS 1. *La manœuvre de cet appareil est difficile,* les gestes à accomplir pour le faire marcher (= fonctionnement, manipulation). *L'accident est dû à une fausse manœuvre du conducteur du train,* une manœuvre inverse de celle qui devait être faite ou une manœuvre mal exécutée. SENS 2. *Les soldats font la manœuvre dans la cour de la caserne,* ils font des exercices pour s'entraîner. SENS 3. *Il a été victime des manœuvres de ses adversaires,* des moyens plus ou moins honnêtes qu'ils ont utilisés pour le faire échouer (= combinaison, machination).

■ **manœuvrer** v. 1er groupe. [SENS 1] *Je ne sais pas manœuvrer cette grue,* la faire fonctionner (= conduire). [SENS 3] *Il a habilement manœuvré pour réussir,* il a employé des moyens adroits pour atteindre son but.

illustr. **2. manœuvre** n.m. Un **manœuvre** est
p. 157 un ouvrier qui fait un travail manuel simple mais souvent pénible.

manoir n.m. Un **manoir** est un petit château.

manomètre n.m. Un **manomètre** sert à mesurer la pression d'un liquide ou d'un gaz dans un appareil, un circuit.

manquer v. 1er groupe. SENS 1. *En cette période de sécheresse, l'eau manque,* il n'y en a pas suffisamment. *Jean manque de patience,* il n'en a pas assez. SENS 2. *Aujourd'hui, il manque deux élèves,* ils ne sont pas là, ils sont absents. SENS 3. *Il te manque un bouton,* tu as un bouton en moins. SENS 4. *Pierre a manqué la classe,* il n'est pas venu. SENS 5. *Le gardien de but a manqué la balle,* il ne l'a pas attrapée (= rater). **Manquer** son train, c'est ne pas arriver assez tôt pour le prendre.
●● *immanquable.* SENS 6. *Pierre a manqué de se faire écraser,* il en a été très près (= faillir). SENS 7. *Si tu pars, ne manque pas de m'avertir,* fais-le absolument. SENS 8. *Il me l'avait promis, mais il a manqué à sa parole,* il ne l'a pas tenue.

■ **manquant, ante** adj. [SENS 2 et 3] *Il y a deux élèves manquants,* qui ne sont pas là (= absent).

■ **manque** n.m. [SENS 2] *Cette région souffre du manque d'eau* (= pénurie).

■ **manquement** n.m. [SENS 2] *Tout manquement à la discipline sera puni,* toute faute contre la discipline (= infraction, inobservation).

mansarde n.f. *Il habite dans une man-* *illustr.*
sarde, une chambre située sous le toit. *p. 572*
→ *soupente*

■ **mansardé, ée** adj. *Dans le grenier, on a fait une chambre mansardée,* dont une partie du plafond est en pente.

mansuétude n.f. *Le juge a fait preuve de mansuétude envers l'accusé,* d'indulgence. → *bienveillance*
✻ Ce mot s'emploie surtout dans la langue écrite.

mante n.f. La **mante religieuse** est un insecte des régions chaudes dont la

femelle dévore parfois le mâle après l'accouplement.

🌸 Ne pas confondre avec la **menthe**.

illustr. **manteau** n.m. SENS 1. *Il fait froid, mets*
p. 220, *ton* **manteau***, le vêtement d'extérieur*
1011 qu'on porte par-dessus les autres.
●● *portemanteau*. SENS 2. Le **manteau** de la cheminée est la partie de la cheminée située au-dessus du feu.
🌸 Au pluriel, on écrit des **manteaux**.

mantille n.f. *Mme Lopez porte une* ***man-*** *tille sur la tête,* une écharpe de dentelle.

manucure n. Une **manucure** soigne les mains et surtout fait les ongles.

1. manuel, elle adj. *Pierre aime le travail* **manuel***, le travail qu'on fait avec ses mains (≠ intellectuel). ●● **main***

illustr. **2. manuel** n.m. *Prenez votre* **manuel**
p. 311 *de français,* votre livre de classe.

manufacture n.f. SENS 1. Autrefois, on disait **manufacture** pour désigner une usine. SENS 2. Aujourd'hui, une **manufacture** est une usine où travaillent des ouvriers extrêmement qualifiés, par exemple, une **manufacture** de porcelaines, de tapisseries.

■ **manufacturé, ée** adj. Des produits **manufacturés** ont été fabriqués en usine.

manuscrit, ite adj. Une lettre **manuscrite** est écrite à la main (≠ imprimé, dactylographié).

illustr. ■ **manuscrit** n.m. SENS 1. *Au Moyen*
p. 502 *Âge, les moines copiaient des histoires sur les* **manuscrits***, des livres écrits à la main, avant l'invention de l'imprimerie.*
994 SENS 2. *L'auteur a envoyé son* **manuscrit** *à l'éditeur,* le texte qu'il a écrit à la main ou qu'il a dactylographié.

manutention n.f. *Une équipe importante est chargée de la* **manutention***,* de manipuler, d'emballer les marchandises.

■ **manutentionnaire** n. *M. Martin a été embauché comme* **manutentionnaire***,*

comme employé chargé de la manutention.

mappemonde n.f. Une **mappemonde** est une carte ou une sphère représentant l'ensemble du globe terrestre.

maquereau n.m. Le **maquereau** est un *illustr.* poisson de mer au dos vert et bleu. *p. 694*
🌸 Au pluriel, on écrit des **maquereaux**.

maquette n.f. *Rémy fait des* **maquet-** *illustr.* *tes* *d'avions,* des modèles réduits. *p. 51*

maquignon n.m. Un **maquignon** est un *illustr.* marchand de chevaux. *p. 397*

maquiller v. 1er groupe. *Veux-tu que je te* **maquille** *en clown ?,* que je te mette des produits de beauté, des fards sur le visage (= farder, grimer ; ≠ démaquiller).

■ **maquillage** n.m. *Son* **maquillage** *la change beaucoup,* l'ensemble des produits de beauté qu'elle utilise pour son visage (= fard). → **cosmétique**

maquis n.m. SENS 1. *Les* **maquis** *de Corse sont très touffus,* des terrains couverts de broussailles. SENS 2. *Pendant la guerre, les résistants formaient des* **maquis** *contre les occupants,* des groupes de combattants clandestins qui se réunissaient dans des endroits secrets.

■ **maquisard** n.m. [SENS 2] *Des* **maqui-** *sards ont attaqué un poste ennemi,* des combattants d'un maquis (= partisan).

marabout n.m. Un **marabout** est un grand oiseau d'Asie et d'Afrique, au bec énorme et au cou enfoncé entre les ailes.

maraca n.f. *Marie suit le rythme de la* *illustr.* *musique en agitant une paire de* **mara-** *p. 310,* *cas,* un instrument de musique de l'Amé- *628* rique du Sud fait d'une boule qui contient des grains durs et qui est munie d'un manche.

maraîcher, ère SENS 1. adj. *Cette région est connue pour ses* **cultures**

maraîchères, ses cultures de légumes et de primeurs. SENS 2. n. Le **maraîcher** cultive des légumes pour les vendre.

marais n.m. *Beaucoup de marais ont été asséchés*, des étendues couvertes d'eau stagnante (= marécage).

marasme n.m. *L'économie est dans le marasme*, dans une situation difficile (= crise, stagnation).

marathon n.m. *Il faut beaucoup d'endurance pour courir le marathon*, une course à pied d'environ 42 kilomètres.

marâtre n.f. Une **marâtre** est une mauvaise mère.

marauder v. 1er groupe. *Des soldats maraudaient dans les villages*, ils volaient des volailles, des fruits, des objets dans les maisons, etc.

■ **maraudage** n.m. Le **maraudage** est le vol de fruits et de légumes dans les jardins.

■ **maraudeur, euse** n. *Le maraudeur a été surpris par le fermier* (= voleur).

illustr. p. 156, 949 **marbre** n.m. *Le dallage de la terrasse est en marbre*, une pierre dure aux couleurs variées, qui se polit bien.

■ **marbré, ée** adj. Un papier **marbré** présente des taches semblables à celles du marbre (= veiné).

■ **marbrure** n.f. *Elle a si froid qu'elle a des marbrures rouges sur la figure* (= tache).

marc n.m. SENS 1. Le **marc** de raisin est ce qui reste du raisin pressé. SENS 2. *Après le repas, ils ont bu un marc*, un alcool de raisin. SENS 3. Le **marc** de café est la poudre de café imbibée d'eau qui reste quand on a fait passer l'eau.
✳ On prononce [mar]. Ne pas confondre avec une **mare**.

illustr. p. 402 **marcassin** n.m. Le **marcassin** est le petit du sanglier.

marchand, marchandage, marchander, marchandise
→ *marché*

marche n.f. SENS 1. *La marche est un exercice sain*, l'action de marcher. *Pierre a une marche rapide*, une façon de marcher. SENS 2. *Appuie sur le bouton pour mettre la télévision en marche*, pour la faire fonctionner. SENS 3. *La voiture a fait 50 m en marche arrière*, en se déplaçant dans le sens contraire au sens habituel (≠ marche avant). SENS 4. *Il m'a indiqué la marche à suivre*, comment il fallait faire (= méthode). SENS 5. *Elle a déposé ses chaussures sur la première marche de l'escalier*, la surface plane sur laquelle on pose le pied quand on monte ou qu'on descend. SENS 6. *Les soldats défilent au son d'une marche militaire*, d'un air de musique.

illustr. p. 573

■ **marcher** v. 1er groupe. [SENS 1] *Nous avons marché tout l'après-midi*, nous nous sommes déplacés à pied. [SENS 2] *Ma montre ne marche plus*, elle est en panne ou arrêtée (= fonctionner). ◆ Fam. *Je voulais partir avec lui, mais il n'a pas marché* (= accepter).
✳ Ne pas confondre (il/elle a) **marché** et le **marché**.

■ **marchepied** n.m. [SENS 5] Le **marchepied** d'un train, ce sont les quelques marches qui permettent d'y monter.

■ **marcheur, euse** n. [SENS 1] *Marie est bonne marcheuse*, elle peut marcher longtemps.

marché n.m. SENS 1. *Tous les samedis, il y a un marché sur cette place*, un lieu public où des marchands se rassemblent pour proposer leurs marchandises. *Maman fait toujours son marché le samedi*, elle va acheter des produits alimentaires (= faire des courses). ●● **hypermarché, supermarché**. SENS 2. *J'ai conclu un marché avec mon voisin*, nous avons discuté et nous sommes mis d'accord sur un échange de services ou d'objets (= affaire, contrat,

illustr. p. 582

LE MARCHÉ

boucher

carcasses
rôtis
étal

charcutier

jambons   saucissons   saucisses

abats   pâtés

balance électronique

plateau
tick
clavier
affichag

fruits et légumes

Laitue
Poire
Pêche

marché couvert (halles)

poissonnerie
fourgon
LÉGUMES
place du marché
bâche
clients
marchands de fruits et légumes

panier   poussette

sac

cabas

fromager-crémier

œufs   étiquette   fromages

motte de beurre   fromages frais

volailler

lapin   volaille

gibier

Dans la plupart des agglomérations, un marché se tient régulièrement.
Les marchands installent leur éventaire dans la rue.
Quelquefois, c'est dans un grand bâtiment : le marché couvert.

mballages

cageot   caissette   sac en fibres

'net   emballage
papier   en plastique   caisse

poissonnier

crustacés   filets de poissons

coquillages

camelot   parasol

cravates   foulards

objets de
pacotille

badauds

marchand de couleurs
(droguiste)

plumeaux   balais

brosses
lessives   savons

glacier
marchand
ambulant
marchande des
quatre-saisons
banc public
grille
fontaine
éventaire
camion
frigorifique

alance Roberval
fléau
plateau

poids

marchand de tissus (mercier)

pièces d'étoffe
rouleaux de tissu
carte de boutons
tréteau
coupons   bobines de fil

583

convention). SENS 3. *Le marché de l'or est très actif,* l'ensemble des achats et des ventes de ce produit. SENS 4. *Il arrive en retard et, par-dessus le marché, il se plaint* (= en plus, en outre). SENS 5. *En ce moment, les fruits sont bon marché,* leur prix est bas (≠ cher, coûteux, onéreux). ✳ Ne pas confondre avec **marché** (participe passé de « marcher »).

illustr.
p. 582
▪ **marchand, ande** n. [SENS 1] *M. Paoli est marchand de chaussures,* il en vend (= commerçant).

illustr.
p. 740
▪ **marchand, ande** adj. [SENS 1] *La marine marchande transporte les marchandises,* celle qui sert au commerce.

▪ **marchandise** n.f. [SENS 1] *Le navire est plein de marchandises,* de produits destinés à être vendus ou achetés.
→ *article, denrée*

▪ **marchandage** n.m. [SENS 5] *Le marchandage a duré une heure,* la discussion pour faire baisser le prix.

▪ **marchander** v. 1er groupe. [SENS 5] *Mme Durand marchande le prix des légumes,* elle discute pour les obtenir moins cher.

marchepied, marcher, marcheur
→ *marche*

illustr.
p. 132
mardi n.m. Le **mardi** est le deuxième jour de la semaine.

mare n.f. *Des canards barbotent dans la mare,* une petite étendue d'eau stagnante.
✳ Ne pas confondre avec le **marc.**

illustr.
p. 557
marécage n.m. *Nous pataugions dans les marécages,* les terrains détrempés, imbibés d'eau (= marais).

▪ **marécageux, euse** adj. *Ce terrain marécageux a été asséché,* couvert de marécages.

illustr.
p. 440
maréchal n.m. Le grade de **maréchal** est le plus haut dans l'armée.
✳ Au pluriel, on dit des **maréchaux.**

maréchal-ferrant n.m. Le métier du **maréchal-ferrant** consiste essentiellement à ferrer les chevaux.
✳ Au pluriel, on dit des **maréchaux-ferrants.**

maréchaussée n.f Fam. La **maréchaussée,** c'est l'ensemble des gendarmes, la gendarmerie.

marée n.f. SENS 1. La **marée** est le mouvement des eaux de la mer qui, tous les jours, montent et descendent.
→ *flux, reflux.* ✦ Une **marée noire** est une immense nappe de pétrole échappé accidentellement d'un pétrolier, qui pollue les côtes et cause de graves dommages à la flore et à la faune du littoral. SENS 2. *Une marée humaine arrive sur la place,* beaucoup de gens (= flot).

illustr.
p. 557

marelle n.f. *Yasmina joue à la marelle,* elle pousse un palet dans des cases dessinées sur le sol en sautant sur un pied.

illustr.
p. 31C

margarine n.f. La **margarine** est une graisse végétale comestible que l'on peut utiliser comme le beurre.

marge n.f. SENS 1. *Laissez une marge à gauche de la page,* un espace blanc. SENS 2. *Il est 8 heures, cela nous laisse une marge de 5 minutes,* un espace de temps (= délai). SENS 3. *Vivre en marge de la société,* c'est ne pas s'intégrer à la société, rester en dehors.

▪ **marginal, ale, aux** [SENS 1] adj. Une note **marginale** est faite dans la marge d'un texte. [SENS 3] adj. Une activité **marginale** est accessoire, secondaire par rapport à une activité principale. [SENS 3] adj. et n. Les **marginaux** sont les personnes qui vivent en marge de la société.

margelle n.f. La **margelle** d'un puits, c'est la rangée de pierres qui en forme le rebord.

marginal → *marge*

584

illustr. **marguerite** n.f. Les **marguerites** sont
p. 753 des fleurs à pétales blancs et à cœur
jaune.

illustr. **mari** n.m. *Connais-tu le **mari** de*
p. 679 *Mme Vernier ?*, l'homme avec qui elle est
unie par le mariage (= époux ; ≠ épouse).
→ *femme*

■ **marier** v. 1er groupe. *Pierre et Jeanne*
se marient demain, ils deviennent mari et
femme. ●● *remarier*

illustr. ■ **mariage** n.m. *Ils nous ont invités à*
p. 821 *leur **mariage***, la cérémonie au cours de
laquelle ils ont solennellement déclaré
vouloir être mari et femme (= noce).
→ *matrimonial*

illustr. ■ **marié, ée** n. et adj. *On a bu à la santé*
p. 821 *des jeunes **mariés***, à ceux qui viennent
de se marier, aux époux.

illustr. **marin** n.m. *M. Cloarec est **marin***, son
p. 694 métier est de naviguer en mer.

■ **marin, ine** adj. Les courants **marins**,
ce sont les courants de la mer. ●● *mer,*
sous-marin

illustr. ■ **marine** n.f. *M. Cloarec est dans la*
p. 55, ***marine***, il est marin. *La **marine** des*
440 *États-Unis est la première du monde*,
l'ensemble des bateaux (= flotte). ◆ adj.
inv. *Il a mis des chaussettes **bleu ma-**
rine, bleu foncé.

mariner v. 1er groupe. *On a mis les*
*harengs saurs à **mariner***, à tremper dans
de l'huile aromatisée avec des oignons et
des herbes.

■ **marinade** n.f. La **marinade** est le
liquide plus ou moins aromatisé dans
lequel on fait mariner un aliment.

marinier n.m. Les **mariniers** sont les
personnes qui naviguent sur les fleuves
et les canaux sur des péniches (= batelier).

illustr. **marionnette** n.f. *Marie aime les spec-*
p. 952 *tacles de **marionnettes***, de poupées que
l'on anime avec les mains ou au moyen
de fils.

■ **marionnettiste** n. Le **marionnettiste** *illustr.*
est la personne qui manipule les marion- *p. 952*
nettes.

maritime adj. *Le Havre est un port*
maritime, un port au bord de la mer. Le
commerce **maritime** est le commerce qui
se fait par la mer. ●● *mer*

marjolaine n.f. La **marjolaine** est une
plante odorante que l'on utilise comme
aromate.

mark n.m. Le **mark** était l'unité monétaire de l'Allemagne. Il a été remplacé par
l'euro.

marketing n.m. Le **marketing** est l'ensemble des moyens utilisés pour mieux
vendre un produit commercial.
✳ On prononce [marketiŋ].

marmaille → *marmot*

marmelade n.f. La **marmelade** est une
sorte de compote faite de fruits écrasés
et cuits avec du sucre. → *confiture*

marmite n.f. *L'eau bout dans la **mar-***
mite, un grand ustensile de cuisine à
couvercle muni de deux poignées (= fait-
tout, cocotte).

marmiton n.m. Un **marmiton** est un
apprenti cuisinier dans un restaurant.

marmonner ou **marmotter** v. 1er
groupe. *Qu'est-ce que tu **marmonnes***
entre tes dents ? (= murmurer).

marmot n.m. Fam. *Une bande de*
***marmots** courait dans le parc*, de jeunes
enfants (= fam. gamin, gosse).

■ **marmaille** n.f. Fam. La **marmaille** est
un groupe de jeunes enfants.

marmotte n.f. La **marmotte** est un petit *illustr.*
mammifère rongeur des montagnes, qui *p. 617*
dort tout l'hiver.

marmotter → *marmonner*

maroquinier, ère n. Un maroquinier est une personne qui fabrique ou vend des objets de cuir.

■ **maroquinerie** n.f. *J'ai acheté ce portefeuille dans une maroquinerie,* un magasin où l'on vend des objets en cuir.

■ **maroquin** n.m. Un sac en **maroquin** est fait en peau de chèvre.

✳ Ne pas confondre avec l'adjectif **marocain** (du Maroc).

marotte n.f. *Sa dernière marotte, c'est l'élevage des vers de terre,* c'est son grand plaisir et son idée fixe (= dada).

marquer v. 1ᵉʳ groupe. SENS 1. *La maîtresse marque les fautes à l'encre rouge,* elle les indique par un signe particulier (= signaler). *Pierre marque toutes ses dépenses,* il les note par écrit (= inscrire). SENS 2. *L'horloge marque 5 heures* (= indiquer). SENS 3. *Son enfance l'a beaucoup marqué,* elle lui a laissé des souvenirs et des impressions durables. SENS 4. *L'été a été marqué par une grande sécheresse,* celle-ci a été un événement important (= caractériser). SENS 5. *Pierre a marqué un but,* il l'a réussi. SENS 6. Au football, **marquer** un joueur, c'est le surveiller de près pour gêner son action. ●● **démarquer**

■ **marquant, ante** adj. [SENS 3] *Quels sont les faits marquants de la semaine ?,* ceux dont on se souvient.

■ **marque** n.f. [SENS 1] *Il y a des marques de pas sur la neige,* des signes laissés par quelqu'un qui a marché (= trace, empreinte). *Il m'a donné des marques de confiance,* un geste ou une parole qui prouvaient sa confiance (= signe, témoignage, preuve). ◆ *De quelle marque est cette voiture ?,* quel est le nom du fabricant ? *Cette veste soldée ne porte plus la marque du fabricant* (= griffe). ●● **démarquer**

*illustr.
p. 122* ■ **marqueur** n.m. [SENS 1] Un **marqueur** est un gros crayon feutre.

marquis, ise n. Un **marquis** a un titre de noblesse d'un rang supérieur à celui de comte.

marraine n.f. La **marraine** d'un enfant, est celle qui, le jour de son baptême, s'est engagée à veiller sur lui et à l'aider dans la vie. → **filleul, parrain**

*illustr.
p. 821*

marre adv. Fam. **En avoir marre** de quelque chose, c'est ne plus pouvoir le supporter (= être excédé, fam. en avoir assez).

✳ On n'emploie pas cette expression quand on surveille sa façon de parler.

se **marrer** v. 1ᵉʳ groupe. Fam. **Se marrer,** c'est s'amuser ou rire beaucoup.

■ **marrant, ante** adj. *Elle est vraiment marrante,* elle nous fait rire (= amusant, drôle).

marron n.m. SENS 1. *Pierre aime bien les marrons grillés,* les fruits comestibles du châtaignier (= châtaigne). *On m'a offert des marrons glacés,* des marrons confits dans du sucre. SENS 2. Le **marron d'Inde** est le fruit non comestible du **marronnier.**

■ **marron** adj. inv. et n.m. La couleur **marron** est celle des marrons et des châtaignes (= brun). *Elle porte des chaussures marron.*

✳ Au pluriel et au féminin, l'adjectif ne change pas.

mars n.m. **Mars** est le troisième mois de l'année, qui voit le début du printemps.

*illustr.
p. 132*

marsouin n.m. Le **marsouin** est un mammifère marin proche du dauphin.

marsupial n.m. Les **marsupiaux** sont des mammifères dont la femelle a une poche sur le ventre, qui renferme les mamelles et sert à abriter les petits à leur naissance. *Le kangourou, le koala sont des marsupiaux.*

*illustr.
p. 758*

✳ Au pluriel, on dit des **marsupiaux.**

marte → **martre**

illustr.
p. 117,
995,
29,
855,
156

marteau n.m. SENS 1. *On enfonce les clous avec un marteau*, un outil fait d'une tête en métal montée sur un manche. SENS 2. *Un marteau piqueur fonctionne à l'air comprimé et sert à défoncer le sol.*
✳ Au pluriel, on écrit des **marteaux**.

■ **marteler** v. 1er groupe. [SENS 1] *Le forgeron est en train de marteler une barre de fer*, de frapper dessus à coups de marteau.
✳ Conj. n° 5.

■ **martèlement** n.m. [SENS 1] *On entend le martèlement des gros souliers sur le plancher*, un bruit cadencé qui fait penser à des coups de marteau.

martel n.m. *Ne vous mettez pas martel en tête pour cette affaire*, ne vous faites pas de souci (= se tracasser).

martial, ale, aux adj. *Alexis marche d'un pas martial*, d'un pas ferme et décidé qui évoque celui d'un soldat.
✳ On prononce [marsjal].

martien, enne n. *Les Martiens sont les habitants imaginaires de la planète Mars.*
✳ On prononce [marsjɛ̃].

martinet n.m. SENS 1. *Autrefois, on menaçait les enfants du martinet*, un fouet à plusieurs lanières de cuir. SENS 2. *Le martinet est un oiseau migrateur qui ressemble à l'hirondelle.*

martingale n.f. *La martingale d'un manteau*, c'est la demi-ceinture placée dans le dos.

illustr.
p. 357

martin-pêcheur n.m. *Un martin-pêcheur est un petit oiseau qui vit près des cours d'eau dans lesquels il plonge pour attraper des poissons.*

martre ou **marte** n.f. *La martre est un petit mammifère carnivore, voisin de la fouine, dont la fourrure est appréciée.*

martyr, e n. et adj. SENS 1. *Un martyr est une personne qui souffre pour dé-* fendre sa foi, son idéal. SENS 2. *Il y a malheureusement encore des enfants martyrs*, des enfants cruellement maltraités.
✳ Ne pas confondre avec le **martyre**.

■ **martyre** n.m. [SENS 1 et 2] *Sa maladie a été un long martyre*, une longue période de souffrance (= calvaire, supplice).
✳ Ne pas confondre avec un **martyr**.

■ **martyriser** v. 1er groupe. [SENS 2] *Arrête de martyriser ce chien !*, de le maltraiter (= torturer).

marxisme n.m. *Le marxisme est une philosophie qui propose une nouvelle organisation de la société et de l'économie.*

■ **marxiste** n. et adj. *Les marxistes combattent le capitalisme.*

mas n.m. *En Provence, un mas est une ferme, une maison à la campagne.*
✳ On prononce [ma] ou [mas]. Ne pas confondre avec le possessif **ma** et un **mât**.

illustr.
p. 690

mascarade n.f. *Ce procès n'a été qu'une mascarade*, une démonstration hypocrite prenant faussement les apparences de la justice (= simulacre).

mascaret n.m. *Le mascaret est une grande vague qui se forme parfois à l'embouchure d'un grand fleuve.*

mascotte n.f. *Ce chien est la mascotte du régiment*, le porte-bonheur. → **talisman, fétiche**

masculin, ine SENS 1. adj. *Colin est du sexe masculin*, c'est un garçon (≠ féminin). SENS 2. adj. et n.m. *« Bateau » est un nom masculin*, du genre masculin (≠ féminin). *« Chien » est le masculin de « chienne ».*

masque n.m. SENS 1. *Pour le Mardi gras, on se déguise, on met des masques*, des objets qui cachent le visage. → **loup**. SENS 2. *Pour faire de l'escrime,*

illustr.
p. 736,
913

il faut porter un **masque**, un objet qui protège le visage. Un **masque** de plongée permet de respirer sous l'eau.

■ **masquer** v. 1ᵉʳ groupe. [SENS 1] *Des bandits* **masqués** *ont attaqué la banque*, qui portaient un masque ou un foulard sur le visage pour ne pas être reconnus. ●● **démasquer**. ◆ *Cette maison* **masque** *le paysage*, elle empêche de le voir (= cacher, boucher).

massacre n.m. SENS 1. *La bataille a été un* **massacre**, beaucoup de gens ont été tués (= tuerie, carnage). SENS 2. Un **jeu de massacre** consiste à renverser des pantins avec des balles en chiffon.

■ **massacrer** v. 1ᵉʳ groupe. [SENS 1] *Beaucoup d'éléphants* **ont été massacrés** (= tuer). ◆ *Un mauvais orchestre peut* **massacrer** *la plus belle symphonie*, l'exécuter affreusement mal (= abîmer, défigurer).

■ **massacrant, ante** adj. *Jean est d'une* **humeur massacrante**, de très mauvaise humeur.

massage n.m. Le **massage** consiste à pétrir les muscles quand ils sont raides, fatigués ou douloureux.

■ **masser** v. 1ᵉʳ groupe. *Pierre a une entorse, il doit se faire* **masser** *la cheville*, la faire frictionner.

■ **masseur, euse** n. *M. Hernandez est le* **masseur** *de l'équipe de football,* la personne chargée de faire des massages aux joueurs. → **kinésithérapeute**

masse n.f. SENS 1. *Les montagnes forment une* **masse** *à l'horizon*, un gros bloc compact. SENS 2. *Pierre a des* **masses** *de livres*, un très grand nombre (= quantité). *Les électeurs ont voté* **en masse**, en très grand nombre. *Les syndicats ont appelé à une manifestation* **de masse** (= massif). SENS 3. *Les* **masses** *illustr.*
p. 156,
995,
403 populaires, c'est l'ensemble des gens du peuple. SENS 4. *Une* **masse** *est un gros marteau que l'on doit manier à deux mains*. SENS 5. On emploie le mot **masse** pour traduire plus rigoureusement la

notion de poids. *Le kilogramme est l'unité de mesure de* **masse**. *Pour faire des pesées, on utilise des* **masses** *marquées* (= poids). *illustr.*
p. 99

■ **se masser** v. 1ᵉʳ groupe. [SENS 2] *Les gens* **s'étaient massés** *près de la sortie*, rassemblés en grand nombre (= se regrouper).

■ **massif, ive** adj. [SENS 1] *Ce bijou est en or* **massif**, entièrement en or. → **plaquer**. [SENS 2] *Il a pris une dose* **massive** *de médicaments*, il en a pris en grande quantité (≠ léger).

■ **massif** n.m. [SENS 1] *Un* **massif** *de fleurs est un ensemble compact de fleurs*. *Un* **massif** *montagneux est un bloc de montagnes*. *illustr.*
p. 527
736

■ **massivement** adv. [SENS 2] *Demain, les gens partiront* **massivement** *en vacances*, en très grand nombre (= en masse).

masser → **massage, masse**

masseur → **massage**

massif, massivement → **masse**

massue n.f. *Une* **massue** *est un gros bâton à tête renflée qui peut servir d'arme*. → **gourdin, trique** *illustr.*
p. 17

mastic n.m. *Le* **mastic** *est une pâte qui sert à boucher les trous, à fixer les vitres et qui durcit à l'air*.

■ **mastiquer** v. 1ᵉʳ groupe. *Il faudrait* **mastiquer** *les fentes*, les boucher avec du mastic.

1. mastiquer → **mastic**

2. mastiquer v. 1ᵉʳ groupe. *Il faut* **mastiquer** *les aliments avant de les avaler*, les broyer avec les dents (= mâcher).

■ **mastication** n.f. *La* **mastication** *est importante pour que la digestion se fasse bien*, le broyage des aliments avec les dents.

illustr. **mastodonte** n.m. SENS 1. Un masto-
p. 759 donte est un mammifère fossile voisin de
l'éléphant. SENS 2. Fam. Un **mastodonte**
est un individu ou une chose énormes.

masure n.f. Une **masure** est une maison misérable, délabrée. → **baraque,
bicoque**

1. mat, mate adj. SENS 1. *Le zinc a un
aspect plus **mat** que l'or,* moins brillant
(= terne ; ≠ luisant). SENS 2. *La balle a
rebondi avec un bruit **mat**,* qui ne résonne pas (= sourd ; ≠ sonore).
✷ On prononce le « t » : [mat]. Ne pas
confondre avec les **math**.

2. mat adj.m. inv. Aux échecs, le roi est
mat quand il ne peut plus se déplacer
sans être pris.
✷ On prononce le « t » : [mat]. Ne pas
confondre avec les **math**.

illustr. **mât** n.m. SENS 1. *Un coup de vent a
p. 740,* cassé le **mât** du bateau,* le poteau qui
970, porte les voiles. SENS 2. *La tente est
971, soutenue par un **mât**,* une pièce de bois
177 ou de métal verticale plantée en terre.
✷ On prononce [ma]. Ne pas confondre
avec un **mas**.

matamore n.m. Un **matamore** est quelqu'un qui n'est courageux qu'en paroles
(= fanfaron). → **vantard**

illustr. **match** n.m. Un **match** est une rencontre
p. 912 sportive entre deux équipes concurren-
tes.
✷ Au pluriel, on écrit des **matchs** ou des
matches.

illustr. **matelas** n.m. Un **matelas** est une sorte
p. 863 de gros coussin rectangulaire sur lequel
on dort. → **literie**

illustr. **matelot** n.m. *Les **matelots** lavent le
p. 55 pont du navire,* les hommes d'équipage
chargés des manœuvres (= marin).

mater v. 1er groupe. *Il voulait résister,
mais on l'**a maté**,* on l'a obligé à obéir par
la force (= dompter).

se **matérialiser, matérialisme,
matériau, matériel** → **matière**

maternel, elle adj. SENS 1. L'amour
maternel est l'amour de la mère pour ses
enfants. ●● **mère.** → **paternel**. SENS 2.
L'**école maternelle** est l'école où l'on
entre vers 2 ans et que l'on quitte vers
6 ans pour entrer à l'école élémentaire.
SENS 3. *Le français est ma **langue maternelle**,* celle que je parle depuis que je
suis tout petit et que l'on parle dans le
pays où je suis né.

■ **maternité** n.f. [SENS 1] *La **maternité**
l'a rendue heureuse,* le fait de devenir
mère. [SENS 2] *Les femmes accouchent
dans une **maternité**,* un établissement
spécialisé dans les accouchements.

mathématiques n.f. pl. *L'arithmétique, l'algèbre, la géométrie font partie
des **mathématiques**,* de la science des
nombres et des grandeurs.

■ **math** ou **maths** n.f. pl. **Math** est
l'abréviation de « mathématiques ».
✷ On prononce [mat]. Ne pas confondre avec l'adjectif **mat**.

■ **mathématique** adj. *Il est arrivé avec
une précision **mathématique**,* très rigoureuse.

■ **mathématicien, enne** n. *Blaise Pascal fut un grand **mathématicien**,* un
savant en mathématiques.

matière n.f. SENS 1. La **matière**, c'est la
substance qui constitue tout ce qui existe
dans l'univers et que l'on peut voir, sentir,
toucher et peser (≠ esprit). *La **matière**
peut se présenter à l'état solide, liquide
ou gazeux.* SENS 2. *La craie est une
matière friable,* une substance qui a une
caractéristique particulière (= corps).
◆ Les **matières premières** sont les substances telles qu'elles existent dans la
nature avant que l'homme ne les transforme pour les utiliser. *Le bois, le pétrole, le
cacao, le lin sont des **matières premières**.* SENS 3. *Nicolas est brillant dans les
matières scientifiques mais faible dans
les **matières** littéraires,* ce qu'il étudie en
classe (= sujet, discipline, domaine).

■ **matériel, elle** adj. [SENS 2] *L'accident a fait des dégâts matériels*, des dégâts qui ont atteint les objets et non les personnes (≠ corporel).

illustr. ■ **matériel** n.m. [SENS 2] Le **matériel**
p. 29 agricole, ce sont tous les objets et les machines utilisés dans l'agriculture.

■ **matériau** n.m. [SENS 2] *La pierre, le ciment, le bois, le fer sont des matériaux*, des matières que l'on utilise pour construire des maisons ou fabriquer des objets.
✹ Au pluriel, on écrit des **matériaux**.

■ se **matérialiser** v. 1er groupe. [SENS 1] *Son rêve s'est matérialisé*, il est devenu réalité (= se réaliser, se concrétiser).

■ **matérialiste** adj. [SENS 1] *Il ne s'intéresse pas aux livres, il n'aime que les bons repas : il a des goûts plutôt matérialistes*, attachés aux jouissances physiques.

matin n.m. *Tous les matins, Mathilde donne à manger à son chat,* au début de la journée (≠ après-midi, soir).

■ **matinal, ale, aux** adj. *Quentin est matinal,* il se lève tôt.

■ **matinée** n.f. *Il a travaillé toute la matinée,* entre le lever du jour et midi.

matois, oise adj. Une personne **matoise** est une personne rusée, un peu sournoise (= finaud, madré).
✹ Ce mot s'emploie dans la langue écrite.

matou n.m. Un **matou** est un gros chat.

matraque n.f. *Il a reçu un coup de matraque sur la tête,* d'un bâton destiné à frapper les gens. → **gourdin, trique**

■ **matraquage** n.m. *Les téléspectateurs sont soumis à un matraquage publicitaire,* à une fréquente répétition des mêmes spots publicitaires.

■ **matraquer** v. 1er groupe. *La police a matraqué les manifestants* (= brutaliser).

matricule n.m. Le **matricule** d'un soldat, d'un prisonnier, c'est son numéro d'inscription sur un registre.

matrimonial, ale, aux adj. Une agence **matrimoniale** s'occupe de faire se rencontrer les gens qui désirent se marier. → **conjugal, mariage**

matrone n.f. Une **matrone** est une grosse femme parfois vulgaire.

maturité n.f. SENS 1. *Les cerises sont arrivées à maturité,* elles sont mûres. ●● *mûr.* SENS 2. *Laurence a beaucoup de maturité pour son âge,* elle est sérieuse et réfléchie comme une adulte (= sagesse).

maudire v. 3e groupe. *Il maudissait sa malchance,* il en était furieux, exaspéré (= détester ; ≠ bénir). ●● *malédiction*
✹ C'est un verbe du 3e groupe, mais qui se conjugue comme un verbe du 2e groupe, sauf au participe passé : **maudit**.

■ **maudit, ite** adj. *Quel maudit temps !,* extrêmement désagréable (= détestable, exécrable).

maugréer v. 1er groupe. *Qu'as-tu à maugréer entre tes dents ?,* à murmurer des paroles de mécontentement (= grogner, ronchonner, marmonner).

mausolée n.m. Un **mausolée** est un tombeau monumental.

maussade adj. SENS 1. *Pierre est d'humeur maussade,* il est grognon, morose. SENS 2. *Le temps est maussade,* il est triste, gris, couvert.

mauvais, aise adj. SENS 1. *Cette viande est mauvaise,* elle a un goût désagréable (= exécrable ; ≠ bon). *Ta note est plus mauvaise que la mienne* (= pire). *J'ai une mauvaise nouvelle à vous apprendre,* une nouvelle fâcheuse (= triste, pénible). *Nous avons fait une mauvaise affaire en achetant cette voi-*

ture d'occasion, une affaire désavanta-geuse. SENS 2. *Jean est **mauvais** en mathématiques,* il ne réussit pas bien (= faible, nul). *6 sur 20, c'est une **mauvaise** note,* une note faible (= insuf-fisant, médiocre). SENS 3. *Quand il se met en colère, il devient **mauvais*** (= mé-chant).

■ **mauvais** adv. [SENS 1] *Beurk ! ça sent **mauvais** ici !,* il y a une odeur infecte. *Il a **fait** très **mauvais** hier,* il y a eu de la pluie, du vent (≠ beau).

mauve adj. et n.m. Le **mauve** est la couleur des violettes mais en plus clair, plus pâle.

mauviette n.f. *Alexis est une **mau-viette**,* il est faible et peureux.

maxillaire n.m. *Les dents sont implan-tées dans les **maxillaires**,* les deux os qui constituent la mâchoire. → ***mandibule***

maximal → ***maximum***

maxime n.f. *« Qui vivra verra » est une **maxime**,* une phrase courte qui exprime une vérité générale (= proverbe, dicton). → ***sentence***

maximum n.m. et adj. *Il a voulu mettre le **maximum** de chances de son côté,* le plus grand nombre (≠ minimum). *Ne dépassez pas la vitesse **maximum** auto-risée* (= maximal).
✻ On prononce [maksimɔm]. Au pluriel, on dit des **maximums** ou, plus rarement, des **maxima**.

■ **maximal, ale, aux** adj. *Les tempé-ratures **maximales** ne dépasseront pas 10 °C,* les plus élevées (= maximum ; ≠ minimal).

mayonnaise n.f. La **mayonnaise** est une sauce froide, onctueuse, faite de jaune d'œuf, d'huile et de moutarde mélangés.

mazout n.m. *Notre chauffage fonc-tionne au **mazout**,* un liquide tiré du pétrole (= fuel).

me pron. pers. **Me** est le pronom de la première personne du singulier quand il est complément d'objet : *il **me** voit.*
✻ **Me** devient **m'** devant une voyelle ou un « h » muet : *il **m'a** parlé.*

mea culpa n.m. inv. **Faire son mea culpa,** c'est reconnaître qu'on est cou-pable.
✻ On prononce [meakylpa] ou [meakulpa].

méandre n.m. *La Seine fait de nom-breux **méandres**,* elle ne coule pas en ligne droite (= boucle).

mécanique adj. SENS 1. *Un jouet **mé-canique*** fonctionne grâce à un méca-nisme. SENS 2. *Cette voiture a eu un incident **mécanique**,* un incident de fonctionnement. SENS 3. *Pierre a fait un geste **mécanique**,* sans y penser (= ma-chinal).   *illustr. p. 20*

■ **mécanique** n.f. [SENS 1 et 2] *Monsieur Dulac travaille dans la **mécanique**,* dans les machines, les moteurs. [SENS 1 et 2] *Cette montre est une **mécanique** com-pliquée* (= machine).

■ **mécaniquement** adv. [SENS 3] *Il a répondu **mécaniquement**,* sans réfléchir (= machinalement).

■ **mécaniser** v. 1ᵉʳ groupe. [SENS 1 et 2] *Les agriculteurs **se mécanisent** de plus en plus,* ils utilisent des machines pour travailler.

■ **mécanisme** n.m. [SENS 1 et 2] Le **mécanisme** d'un appareil est l'ensemble de ses rouages, des pièces qui lui permettent de fonctionner.

■ **mécanicien, enne** n. [SENS 1 et 2] Un **mécanicien** entretient et répare les ma-chines et les moteurs. (On dit familière-ment « mécano ». ◆ n.m. *La catastrophe ferroviaire a causé la mort du **mécani-cien**,* du conducteur du train.   *illustr. p. 69, 1010, 995, 970*

mécène n.m. Un **mécène** est un homme riche ou une entreprise qui aide financièrement les artistes et les écri-vains (= sponsor).

■ **mécénat** n.m. *Autrefois, de nombreux artistes vivaient grâce au mécénat,* grâce à la protection de personnes riches.

méchant, ante adj. et n. *Attention, ce chien est méchant, il attaque les gens. Dans ce film, les méchants sont punis* (≠ bon, gentil).

■ **méchamment** adv. *Il a ri méchamment quand je suis tombé* (≠ gentiment).

■ **méchanceté** n.f *Il a griffé son frère dans un geste de méchanceté* (= cruauté ; ≠ bonté). *Ces petites critiques sont faites sans méchanceté* (= hostilité). *Pourquoi me dis-tu des méchancetés ?,* des paroles méchantes.

illustr. p. 42, 117 **mèche** n.f. SENS 1. *La mèche d'une bougie,* c'est le cordon qui dépasse et qu'on allume. SENS 2. *Tiens ! tu as une mèche qui dépasse,* une touffe de cheveux. SENS 3. *L'ouvrier met une mèche à sa perceuse,* une tige d'acier pour faire des trous (= foret). SENS 4. Fam. *Le gardien était de mèche avec les gangsters,* il était d'accord avec eux. SENS 5. *Un des conspirateurs a vendu la mèche,* a révélé le complot.

méchoui n.m. *La fête s'est terminée par un méchoui,* un mouton entier rôti à la broche, puis mangé en commun.

méconnaître v. 3e groupe. *Je ne méconnais pas ton courage,* je le reconnais (= mésestimer). ✳ Conj. n° 64. Ce verbe s'emploie surtout dans la langue écrite.

■ **méconnaissable** adj. *Marie est méconnaissable avec ses nouvelles lunettes,* on a de la peine à la reconnaître.

■ **méconnaissance** n.f. *Le projet a échoué à cause de la méconnaissance de cette règle,* le fait qu'on l'ignorait ou qu'on n'en a pas tenu compte.

■ **méconnu, ue** adj. *Cet auteur est méconnu,* il n'est pas apprécié à sa juste valeur. ●● *connu*

mécontent, ente adj. *Bruno est un paresseux : la maîtresse est mécontente de son travail,* elle n'est pas contente (≠ content, satisfait). *Je ne suis pas mécontent de lui avoir dit ce que je pensais de lui,* ça m'a fait plaisir (= fâché).

■ **mécontenter** v. 1er groupe. *Les nouveaux horaires ont mécontenté le personnel,* ils leur ont déplu (≠ contenter).

■ **mécontentement** n.m. *Le gouvernement doit faire face au mécontentement du pays* (≠ contentement, satisfaction).

mécréant, ante n. *Un mécréant est une personne qui n'a pas de religion* (≠ croyant).

médaille n.f. SENS 1. *Anne porte une médaille,* un petit bijou rond et plat. SENS 2. *Il a obtenu deux médailles aux jeux Olympiques,* deux récompenses sous forme de pièces de métal.

■ **médaillé, ée** n. et adj. [SENS 2] *Les médaillés sont sur le podium,* ceux qui ont été décorés d'une médaille.

■ **médaillon** n.m. [SENS 1] *Un médaillon est un bijou plat et rond ou ovale qui peut contenir un portrait, un souvenir.*

médecine n.f. *La médecine est la science qui a pour but de soigner ou de prévenir les maladies.* *illustr. p. 868*

■ **médecin** n.m. *David est malade, il faut appeler le médecin* (= docteur). *illustr. p. 101* ✳ Pour une femme, on dit un **médecin** ou une **femme médecin**.

■ **médical, ale, aux** adj. *À l'école, nous avons passé la visite médicale,* le médecin nous a examinés.

■ **médicament** n.m. *Carole est allée à la pharmacie acheter des médicaments,* des produits qui soignent les maladies (= remède). *illustr. p. 869*

■ **médicinal, ale, aux** adj. *Les plantes médicinales sont des plantes qu'on utilise comme médicaments.* *illustr. p. 868*

média n.m. *La radio, la télévision, la presse sont des médias,* des moyens de diffusion de l'information.

■ **médiatique** adj. Une personnalité très **médiatique** est une personnalité qui est populaire car elle intervient souvent dans les médias.

illustr.
p. 431 **médian, ane** adj. Une ligne **médiane** est située au milieu. ◆ n.f. La **médiane** d'un quadrilatère est le segment de droite qui joint les milieux des deux côtés opposés.

médiateur, trice n. *Un notaire a servi de* **médiateur** *entre les deux familles,* il est intervenu pour régler un désaccord (= arbitre).

médiatique → *média*

médical, médicament, médicinal → *médecine*

médiéval, ale, aux adj. La littérature **médiévale** est celle du Moyen Âge.

médiocre adj. *M. Brunet a un salaire* **médiocre***,* au-dessous de la moyenne (= faible, insuffisant).

■ **médiocrement** adv. *Paul travaille* **médiocrement***,* plutôt mal.

■ **médiocrité** n.f. *Pierre est d'une grande* **médiocrité** *en mathématiques* (= insuffisance).

médire v. 3e groupe. **Médire** de quelqu'un, c'est dire du mal de lui pour lui faire du tort.
✳ Conj. n° 72, sauf au participe passé : **médit**.

■ **médisance** n.f. *Ne le croyez pas, ce sont des* **médisances** (= calomnie, ragot).

■ **médisant, ante** adj. et n. *Ce sont des paroles* **médisantes***,* malveillantes. *Des* **médisants** *l'ont accusé de vol.*

méditer v. 1er groupe. *Il faudrait* **méditer** *ce projet plus longuement,* y réfléchir. ●● *préméditer*

■ **méditation** n.f. *Il semble plongé dans ses* **méditations** (= pensée, réflexion).

méditerranéen, enne adj. Les pays **méditerranéens** sont situés près de la Méditerranée. Le climat **méditerranéen** est chaud l'été et doux l'hiver.
illustr. p. 691

médius n.m. Le **médius** de la main est le doigt du milieu (= majeur).
✳ On prononce le « s » : [medjys].
illustr. p. 217

méduse n.f. *Ce nageur s'est fait piquer par une* **méduse***,* un animal marin au corps transparent et mou bordé de tentacules en forme de filaments.
illustr. p. 719

méduser v. 1er groupe. *Pierre était* **médusé** *par le spectacle,* il était très étonné (= fasciner, stupéfier).

meeting n.m. *Le* **meeting** *électoral a été très animé,* la réunion publique. Un **meeting** aérien, un **meeting** d'athlétisme sont des manifestations sportives.
✳ On prononce [mitiŋ].

méfait n.m. *Le vase est cassé : quel est l'auteur du* **méfait** *?,* de la faute, de la mauvaise action. Les **méfaits** du tabac, ce sont ses conséquences nuisibles.

se **méfier** v. 1er groupe. *Il faut se méfier de lui, c'est un sournois,* ne pas lui faire confiance (= se défier ; ≠ se fier à).

■ **méfiance** n.f. *J'éprouve envers lui une grande* **méfiance** (= défiance ; ≠ confiance).

■ **méfiant, ante** adj. *Max est très* **méfiant** (= soupçonneux).

mégalomane n. et adj. *C'est un architecte* **mégalomane***,* il se prend pour le plus grand architecte du monde, il a des projets d'une ambition folle.
✳ On dit, familièrement, **mégalo**.

mégaphone n.m. Un **mégaphone** est un porte-voix à amplification électrique.

par **mégarde** adv. *Par mégarde, il a pris une mauvaise route,* sans le vouloir (= par inadvertance).

593

mégère n.f. Une **mégère** est une femme méchante, toujours mécontente.

mégot n.m. *Écrase ton **mégot** dans le cendrier,* le bout qui reste de la cigarette fumée.

meilleur, eure adj. et n. *Ce vin est bon, mais celui-là est **meilleur*** (≠ pire). *Pierre est mon **meilleur** ami. Que le **meilleur** gagne !* ●● **améliorer**
✱ **Meilleur** est le comparatif et **le meilleur** le superlatif de « bon ». (On ne dit pas « plus bon », « le plus bon ».)

mélancolie n.f. *Il pense avec **mélancolie** que les vacances sont finies,* avec une tristesse vague.

■ **mélancolique** adj. *Pourquoi es-tu si **mélancolique** ?* (= triste, sombre).

■ **mélancoliquement** adv. *Nous regardions **mélancoliquement** tomber la pluie.*

mélanger v. 1er groupe. SENS 1. *Maman a **mélangé** du sucre, des œufs et de la farine pour faire un gâteau,* elle a mis le tout ensemble (≠ séparer). SENS 2. *Qui a **mélangé** mes papiers ?,* les a mis en désordre (= mêler, emmêler).
✱ Conj. n° 2.

■ **mélange** n.m. [SENS 1] *J'ai bu un **mélange** de sirop et d'eau,* une boisson faite d'eau additionnée de sirop.

illustr.
p. 239   ■ **mélangeur** n.m. [SENS 1] *Le lavabo a un **mélangeur**,* un robinet permettant de mélanger l'eau froide et l'eau chaude.

mélasse n.f. La **mélasse** est une sorte de sirop épais qui reste après la fabrication du sucre.

Melba adj. inv. *Une pêche **Melba*** est une pêche cuite dans un sirop et servie avec de la glace à la vanille.
✱ C'est le nom d'une cantatrice, il s'écrit avec une majuscule.

mêler v. 1er groupe. SENS 1. *Le chat a **mêlé** les fils du tricot,* il les a mis en désordre (= emmêler, embrouiller, mélanger). ●● **entremêler, pêle-mêle, démêler**. SENS 2. *Colin s'est **mêlé** à notre groupe,* il s'y est joint. SENS 3. *De quoi te **mêles-tu** ?,* de quoi viens-tu t'occuper sans en être prié ? ***Mêle-toi de tes affaires,*** ne t'occupe pas de ce qui ne te regarde pas.

■ **mêlée** n.f. [SENS 1] Une **mêlée** est un combat désordonné. Au rugby, il y a une **mêlée** lorsque les joueurs s'arc-boutent pour récupérer le ballon.   *illustr.*
p. 913

■ **méli-mélo** n.m. [SENS 1] Fam. *Quel **méli-mélo** sur ce bureau !,* quel mélange confus (= fouillis).

mélèze n.m. Le **mélèze** est un conifère proche du sapin mais à aiguilles caduques.   *illustr.*
p. 616

méli-mélo → **mêler**

mélodie n.f. *Marion chante une **mélodie**,* un air de musique.

■ **mélodieux, euse** adj. *Une voix **mélodieuse*** est une voix agréable à entendre (= musical).

mélodrame n.m. Un **mélodrame** est une pièce de théâtre qui cherche à émouvoir les spectateurs par des situations pathétiques souvent invraisemblables. ●● **drame**

■ **mélodramatique** adj. *Le journaliste a fait un compte rendu **mélodramatique** des événements,* un compte rendu qui exagère le côté dramatique. ●● **dramatique**

mélomane n. et adj. *Un **mélomane*** est un amateur de musique.

melon n.m. SENS 1. *Le **melon** est un gros fruit sphérique à la chair sucrée d'une couleur jaune ou orangée.* SENS 2. *Nos grands-pères portaient des chapeaux **melons**,* des chapeaux ronds et bombés.   *illustr.*
p. 690,
220

mélopée n.f. Une **mélopée** est un chant mélancolique.

membrane n.f. *Les poumons sont enveloppés par une* **membrane**, *une peau très mince.*

membre n.m. SENS 1. *Un* **membre** *est chacune des parties du corps rattachées au tronc. Les bras sont les* **membres** *supérieurs, les jambes les* **membres** *inférieurs.* SENS 2. *Léo est* **membre** *d'un club sportif, il en fait partie* (= adhérent). ●● *démembrer*

1. même SENS 1. adj. *Ils ont des cheveux de la* **même** *couleur* (= semblable, identique, pareil ; ≠ différent). SENS 2. adj. *M. Mahé est la bonté* **même**, *il est très bon* (= en personne). SENS 3. pron. indéfini. *Tu as un beau stylo, je voudrais bien* **le même** (≠ autre).
✳ *L'adjectif* **même** *se place avec un trait d'union derrière* **moi, toi, lui, soi, nous, vous, eux** *pour renforcer le sens de ces pronoms personnels : Nous avons fait cela* **nous-mêmes**, *tout seuls.*

2. même adv. SENS 1. *Tout le monde est coupable,* **même** *moi, moi aussi.* **Même** *s'il me le jurait, je ne le croirais pas, dans ce cas-là aussi.* SENS 2. *Il pleuvait, mais il est parti* **quand même** *(ou* **tout de même**), *malgré la pluie.* SENS 3. *Jean est parti, Pierre a fait* **de même**, *de la même façon, pareillement.* SENS 4. *Tu n'es pas* **à même de** *juger* (= capable). SENS 5. *Il a bu* **à même** *la bouteille,* directement à la bouteille.

mémoire n.f. SENS 1. *Gilles a une bonne* **mémoire**, *il se rappelle bien les choses.* ●● *se remémorer, immémorial.* SENS 2. *On a élevé un monument* **en mémoire de** *la victoire, pour qu'on s'en souvienne* (= souvenir). SENS 3. *Dans un ordinateur, la* **mémoire** *est le système qui sert à enregistrer et à stocker les informations.*

illustr. p.504

■ **mémoire** n.m. [SENS 1] *Il a publié un* **mémoire** *sur cette maladie,* un texte résultant d'une série d'études. [SENS 2] *(Avec majuscule.) Le général a écrit ses* **Mémoires**, *ses souvenirs.*

■ **mémorable** adj. *Il a prononcé des paroles* **mémorables**, *des paroles dont on se souviendra* (= inoubliable).

■ **mémorial** n.m. *Un* **mémorial** *est un monument élevé en mémoire d'un événement.*
✳ *Au pluriel, on dit des* **mémoriaux**.

menacer v. 1er groupe. SENS 1. *Son voisin l'a* **menacé** *d'un procès, il le lui a fait craindre.* SENS 2. *La pluie* **menace** *de tomber,* on craint qu'elle ne tombe.
✳ Conj. n° 1.

■ **menaçant, ante** adj. [SENS 1] *Il a pris un air* **menaçant** (≠ rassurant).

■ **menace** n.f. [SENS 1] *Ses* **menaces** *ne me font pas peur,* ses gestes ou ses paroles annonçant l'intention de faire du mal. [SENS 2] *On parle de* **menaces** *de guerre* (= risque).

ménage n.m. SENS 1. *M. et Mme Dupré forment un* **ménage** *uni,* un couple. SENS 2. *Mme Delmas* **fait le ménage**, *elle nettoie le logement.* SENS 3. *Mme Gervais fait des* **ménages**, *elle gagne sa vie en faisant le ménage chez les autres.* SENS 4. *Notre chien et nos chats* **font bon ménage**, *ils s'entendent bien* (≠ faire mauvais ménage).

■ **ménager, ère** adj. [SENS 2] *M. Delmas s'occupe des travaux* **ménagers**, *des travaux qui concernent l'entretien, la propreté de la maison* (= domestique).

■ **ménagère** n.f. [SENS 2] *Mme Delmas est une bonne* **ménagère**, *elle s'occupe bien de sa maison.*

1. ménager v. 1er groupe. SENS 1. *On lui a dit de* **ménager** *sa santé, de se* **ménager**, *de ne pas faire d'efforts excessifs.* SENS 2. *Par cette sécheresse, il faut* **ménager** *l'eau,* l'utiliser avec modération (= économiser). SENS 3. *Pierre lui a* **ménagé** *une surprise, il la lui a préparée, réservée.* SENS 4. *Le boxeur* **ménageait** *son adversaire,* il le traitait avec modération (= épargner ; ≠ accabler).
✳ Conj. n° 2.

■ **ménagement** n.m. [SENS 4] *On l'a traité avec* **ménagement**, *avec des égards.*

2. ménager → *ménage*

illustr. **ménagerie** n.f. *Nous avons visité la*
p. 177 **ménagerie** *du cirque, l'endroit où se trouvent les animaux du cirque.*

mendier v. 1ᵉʳ groupe. *Un vieil homme* **mendie**, *il demande la charité.*

■ **mendiant, ante** n. *Pierre a donné une pièce à une* **mendiante**, *à une personne qui mendie.*

■ **mendicité** n.f. *La* **mendicité** *est interdite ici, on n'a pas le droit de mendier.*

menées n.f. pl. *On les a accusés de* **menées** *révolutionnaires, de manœuvres secrètes (= agissements, machinations).*

mener v. 1ᵉʳ groupe. SENS 1. *Cette route* **mène** *à la mer, elle y va (= conduire).* SENS 2. *Il* **mène** *son entreprise à la baguette, il la dirige, la conduit.* SENS 3. *La police* **mène** *l'enquête, elle s'en occupe, elle assure son déroulement.* SENS 4. *Il* **mène** *une vie heureuse, il vit heureux (= passer).* SENS 5. *Notre équipe* **mène** *par 2 buts à 1, elle est en tête.*
✳ Conj. n° 9.

■ **meneur, euse** n. [SENS 2] *La police a arrêté les* **meneurs**, *ceux qui dirigeaient, entraînaient les autres.*

ménestrel n.m. *Au Moyen Âge, un* **ménestrel** *était un joueur d'instrument de musique.* → *troubadour*

illustr. **menhir** n.m. *Un* **menhir** *est une grande*
p. 758 *pierre dressée par les hommes préhistoriques.* → *dolmen*
✳ On prononce [mɛnir].

méninges n.f. pl. *Les* **méninges** *sont les membranes qui entourent le cerveau et la moelle épinière.* ◆ Fam. *Se fatiguer, se creuser les* **méninges**, *c'est réfléchir intensément.*

■ **méningite** n.f. *La* **méningite** *est une grave maladie du cerveau.*

menotte n.f. SENS 1. *La* **menotte** *d'un bébé, c'est sa petite main.* SENS 2. (Au plur.) *Le bandit a été conduit en prison* **menottes** *aux poignets, les poignets attachés par des bracelets d'acier.*

mensonge, mensonger → *mentir*

mensuel adj. et n.m. *J'ai acheté un (magazine)* **mensuel**, *qui paraît tous les mois (≠ hebdomadaire, quotidien).*
●● *bimensuel, mois*

■ **mensuellement** adv. *M. Dupré est payé* **mensuellement**, *tous les mois.*

■ **mensualiser** v. 1ᵉʳ groupe. *Les ouvriers étaient payés à l'heure, on les a* **mensualisés**, *on les a fait passer à un système de paiement au mois.*

■ **mensualité** n.f. *M. Godet paie son appartement par* **mensualités**, *il paie une somme chaque mois.*

mensurations n.f. pl. *Quelles sont tes* **mensurations** ? *60 cm de tour de taille, 90 cm de tour de hanches et 90 cm de tour de poitrine (= mesures).*

mental, ale, aux adj. SENS 1. *Le calcul* **mental** *se fait de tête.* SENS 2. *Un malade* **mental** *est une personne à l'esprit dérangé (= fou, aliéné).*

■ **mentalement** adv. *Il a fait ce calcul* **mentalement**, *dans son esprit, sans l'écrire (= de tête).*

■ **mentalité** n.f. *Ces gens ont une* **mentalité** *différente de la nôtre, un état d'esprit.*

menteur → *mentir*

menthe n.f. *La* **menthe** *est une plante*   *illustr.*
très odorante dont on fait des tisanes,   *p. 868*
des sirops, des bonbons.
✳ Ne pas confondre avec **mante**.

mention n.f. SENS 1. *Remplissez le questionnaire et barrez les* **mentions**

inutiles, les indications. *Ce journal fait* **mention** *d'un incendie,* il le signale. SENS 2. *Martin a obtenu une* **mention** *à son examen,* une appréciation favorable.

■ **mentionner** v. 1er groupe. [SENS 1] *N'oubliez pas de* **mentionner** *votre adresse* (= indiquer, signaler).

mentir v. 3e groupe. *Tout cela est faux, le témoin* **a menti,** il n'a pas dit la vérité.
●● *démentir*
✳ Conj. n° 19.

■ **mensonge** n.m. *Chaque candidat accuse son adversaire de raconter des* **mensonges,** de mentir.

■ **mensonger, ère** adj. *Il nous a fait un récit* **mensonger** *de son aventure* (= faux ; ≠ vrai).

■ **menteur, euse** n. et adj. *Julien est un* **menteur.** *On aimerait bien la croire, mais elle est si* **menteuse** *qu'on se méfie toujours,* elle ment si souvent.

illustr. p. 217 **menton** n.m. SENS 1. *Mon grand frère commence à avoir de la barbe au* **menton,** à la base du visage. SENS 2. *Une de mes tantes a un* **double menton,** elle a un repli de chair sous le **menton.**

1. menu, ue adj. SENS 1. *Elsa est une fillette* **menue,** elle est petite et mince (≠ fort, corpulent, gras). SENS 2. *Il nous ennuie avec de* **menus** *détails,* des détails sans importance.

illustr. p.504 **2. menu** n.m. SENS 1. *Le garçon nous a apporté le* **menu,** la liste des plats. SENS 2. *Le* **menu** *s'affiche sur l'écran de l'ordinateur,* la liste des opérations que l'on peut faire.

menuet n.m. Le **menuet** est une ancienne danse lente et gracieuse.

illustr. p. 995 **menuisier** n.m. Un **menuisier** travaille le bois et fabrique des meubles.

■ **menuiserie** n.f. *M. Legrand travaille dans une* **menuiserie,** un atelier de menuisier. *Il fait de la* **menuiserie,** un travail de menuisier.

se **méprendre** v. 3e groupe. *Je* **me** *suis mépris sur le sens de cette phrase,* je me suis trompé.
✳ Conj. n° 54.

■ **méprise** n.f. *Veuillez excuser ma* **méprise** *!* (= erreur, confusion).
✳ Ne pas confondre avec le **mépris.**

mépriser v. 1er groupe. SENS 1. *Être riche n'autorise pas à* **mépriser** *les gens peu fortunés,* à ne faire aucun cas d'eux (= dédaigner ; ≠ admirer). SENS 2. *Pierre* **méprise** *le danger,* il n'en a pas peur (≠ craindre). *Vous auriez tort de* **mépriser** *ses conseils* (= négliger).

■ **mépris** n.m. [SENS 1] *Nous n'avons que du* **mépris** *pour des gens aussi lâches* (= dédain ; ≠ estime, respect).
✳ Ne pas confondre avec une **méprise.**

■ **méprisable** adj. [SENS 1] *Les gens les plus méprisants sont bien souvent* **méprisables** *eux-mêmes,* ils méritent qu'on les méprise (≠ respectable).

■ **méprisant, ante** adj. [SENS 1] *Il s'est détourné d'un air* **méprisant** (= dédaigneux, hautain, arrogant).

mer n.f. SENS 1. *Une* **mer** *est une étendue d'eau salée plus petite qu'un océan.* ●● *marin, maritime, amerrir, outre-mer.* SENS 2. *Nous avons passé nos vacances à la* **mer,** *près d'une mer ou d'un océan* (= au bord de la mer).
✳ Ne pas confondre avec une **mère** et un **maire.** *illustr. p. 556, 694, 719*

mercantile adj. *M. Lebras a l'esprit* **mercantile,** il ne pense qu'à faire du gain ou du profit par tous les moyens (= cupide ; ≠ désintéressé).

mercenaire n.m. Un **mercenaire** est un soldat qu'un gouvernement étranger paie pour combattre à son profit.

mercerie n.f. *Dans une* **mercerie,** on *peut acheter du fil, des boutons, des rubans,* le magasin du mercier.

illustr. ■ **mercier, ère** n. La **mercière** vend
p. 583 des aiguilles, du fil, des boutons, de la
laine, etc.

1. merci n.f. SENS 1. *Le combat a été
sans merci, sans pitié.* SENS 2. *Il est à la
merci d'un accident,* il y est exposé.

2. merci n.m. et interj. *Je vous dois un
grand merci,* de la reconnaissance.
Merci de vos vœux !, je vous en suis
reconnaissant. ●● *remercier*

mercier → *mercerie*

illustr. **mercredi** n.m. Le **mercredi** est le
p. 132 troisième jour de la semaine.

illustr. **mercure** n.m. Le **mercure** est un métal
p. 869 liquide et brillant très lourd.

illustr. **mère** n.f. SENS 1. *Gilles aime beaucoup
p. 679* sa mère,* celle qui l'a mis au monde
(= maman). ●● *maternel.* SENS 2. *Les
petits chats tètent leur mère,* l'animal
femelle qui les a mis au monde.
✳ Ne pas confondre avec la **mer** et le
maire.

merguez n.f. *Nous avons mangé du
couscous avec des merguez,* des petites saucisses pimentées.

illustr. **méridien** n.m. *On calcule l'heure à
p. 310* partir du méridien de Greenwich,* d'une
ligne imaginaire qui va d'un pôle à l'autre
à la surface de la Terre. → *parallèle*

méridional, ale, aux adj. et n. *L'Italie
méridionale* est l'Italie du Sud (≠ septentrional). *Les Méridionaux ont l'accent
du Midi,* les gens du sud de la France.

meringue n.f. *Les meringues sont des
gâteaux légers à base de blancs d'œufs
battus et sucrés.*

merise n.f. *La merise est une cerise
sauvage au goût amer produite par un
merisier.*

mériter v. 1er groupe. SENS 1. *Tu as été
sage, tu mérites une récompense,* tu en

es digne. ●● *immérité.* SENS 2. *Cette
nouvelle mérite d'être vérifiée,* il faut la
vérifier (= nécessiter).

■ **méritant, ante** adj. [SENS 1] *Ce sont
des gens méritants,* qui ont du mérite.

■ **mérite** n.m. [SENS 1] *M. Marty a
beaucoup de mérite,* il est digne d'être
félicité, récompensé.

■ **méritoire** adj. [SENS 1] *Voilà un travail
méritoire* (= louable).

merlan n.m. *Le merlan est un poisson
de mer vivant en bandes.* *illustr. p. 694*

merle n.m. *Un merle siffle devant ma
fenêtre,* un oiseau noir à bec jaune.

mérou n.m. *Un mérou est un gros
poisson des mers chaudes.* *illustr. p. 691*

merveille n.f. SENS 1. *Regarde ce bijou
ciselé, c'est une merveille,* une chose
très belle. ●● *émerveiller.* SENS 2. *Pierre
et Jean s'entendent à merveille,* très
bien (= parfaitement).

■ **merveilleux, euse** adj. [SENS 1 et 2]
*Ce paysage de montagnes est mer-
veilleux* (= magnifique, admirable).

■ **merveilleusement** adv. [SENS 2]
Jean se porte merveilleusement, très
bien (= admirablement).

mes → *mon*

mésange n.f. *Il y a une mésange bleue
sur le poirier,* un petit oiseau aux teintes
vives.

mésaventure n.f. *Il nous est arrivé une
mésaventure : nous sommes tombés en
panne en pleine nuit,* une aventure
désagréable. ●● *aventure*

mesdames → *madame*

mesdemoiselles → *mademoiselle*

mésentente n.f. *Leur mésentente est
due au mauvais caractère de chacun,* le

fait qu'ils ne s'entendent pas (= brouille, désaccord ; ≠ entente). ●● ***entendre***

mésestimer v. 1er groupe. *Plusieurs peintres, dont les tableaux sont aujourd'hui célèbres,* **ont été mésestimés** *de leur vivant, on n'a pas apprécié leur talent à sa valeur* (= méconnaître ; ≠ estimer).

mesquin, ine adj. *Il faudrait être **mesquin** pour lui reprocher ce petit défaut,* avoir l'esprit étroit.
■ **mesquinerie** n.f. *Pierre a agi avec **mesquinerie*** (= étroitesse d'esprit).

mess n.m. *Le colonel Mercier déjeune au **mess** des officiers,* dans la salle qui leur est réservée.
✳ Ne pas confondre avec la **messe.**

illustr. **message** n.m. *On m'a chargé de vous*
p. 940 *transmettre un **message**, une lettre, une information.*
■ **messager, ère** n. *Un **messager** est une personne chargée d'un message.*

messageries n.f. pl. *Les **messageries** sont un organisme de transport de marchandises.*

illustr. **messe** n.f. *Nous allons à la **messe** tous*
p. 821 *les dimanches,* à l'église, pour assister à la cérémonie essentielle du culte catholique.
✳ Ne pas confondre avec le **mess.**

Messie n.m. (Avec majuscule.) SENS 1. *Les juifs attendent le **Messie**,* l'envoyé de Dieu. SENS 2. *Chez les chrétiens, le Messie, c'est le Christ.* SENS 3. *Il est très populaire, on l'attend comme le **Messie**,* comme s'il était envoyé par Dieu (= sauveur).

messieurs → *monsieur*

messire n.m. *Autrefois, on disait « messire » à un personnage important, au lieu de « monsieur ».* ●● ***sire***

illustr. **mesure** n.f. SENS 1. *Prendre les **mesu-***
p. 991 ***res** d'une pièce, c'est voir quelle est sa* longueur, sa largeur, sa hauteur. *La couturière a pris mes **mesures*** (= mensurations). *L'heure est l'unité de **mesure** du temps,* celle qui sert à évaluer une durée. SENS 2. *Tu ne joues pas en **mesure**,* en suivant le rythme de la musique. *Dans ce morceau, le flûtiste ne commence qu'à la quinzième **mesure**,* la quinzième unité de durée. SENS 3. *Pierre mange trop, il n'a pas le sens de la **mesure**,* il agit sans modération (≠ démesure). SENS 4. *On a longtemps parlé de prendre des **mesures** énergiques contre le chômage,* d'agir énergiquement (= décision). ●● ***demi-mesure.***
SENS 5. *Je ne suis pas **en mesure de** te répondre,* je n'en suis pas capable. SENS 6. *Il faut économiser **dans la mesure du** possible,* en proportion des possibilités. SENS 7. *Il dépense son argent (**au fur et) à mesure** qu'il le gagne,* en même temps.

■ **mesurer** v. 1er groupe. [SENS 1] *Le mètre sert à **mesurer** les longueurs, le mètre carré les surfaces, le mètre cube les volumes.* [SENS 3] *Pierre ne **mesure** pas ses efforts,* il les fait sans se modérer.
◆ **Se mesurer avec** quelqu'un, c'est se battre contre lui.

■ **mesuré, ée** adj. [SENS 3] *Il parle d'un ton **mesuré**,* avec modération (≠ démesuré).

métairie → *métayer*

métal n.m. *Le fer est le **métal** le plus courant ; l'or et l'argent sont des **métaux** précieux ; le cuivre, l'aluminium, le zinc sont des **métaux** courants.*
✳ Au pluriel, on dit des **métaux.**

■ **métallique** adj. *Il a acheté des meubles **métalliques**,* en fer ou en acier.

■ **métallisé, ée** adj. *Sa voiture est gris **métallisé**,* une couleur qui rappelle l'éclat du métal.

■ **métallurgie** n.f. *La **métallurgie** est l'industrie qui produit les métaux.*

■ **métallurgique** adj. *Le concert a été donné dans une ancienne usine **métallurgique**,* où l'on fabriquait des métaux.

■ **métallurgiste** adj. et n.m. *Son père était ouvrier* **métallurgiste**, *ouvrier dans la métallurgie.*

❊ On dit familièrement un **métallo**.

illustr. p. 310 **métamorphose** n.f. SENS 1. *Le papillon est le résultat de la* **métamorphose** *de la chenille, de sa transformation complète.* SENS 2. *Ces derniers mois, Romain a beaucoup grandi et s'est assagi, quelle* **métamorphose** *!,* quel grand changement.

■ **métamorphoser** v. 1er groupe. [SENS 1] *Les têtards* **se métamorphosent** *en grenouilles* (= se changer, se transformer). [SENS 2] *Sa nouvelle coupe de cheveux l'a* **métamorphosé**, *elle l'a beaucoup changé.*

métaphore n.f. Quand on dit « un torrent d'injures » pour « une grande abondance d'injures », on emploie une **métaphore**, c'est-à-dire une comparaison (= image).

■ **métaphorique** adj. Le mot « brûler » dans « brûler de désir » est pris dans un sens **métaphorique** (= imagé).

métayer n.m. Un **métayer** loue une exploitation agricole et s'engage à donner une partie de ses récoltes au propriétaire.

■ **métairie** n.f. La **métairie** est l'exploitation agricole du métayer.

météo → **météorologie**

météore n.m. *Les étoiles filantes sont des* **météores**, *des phénomènes lumineux qui se produisent dans le ciel.*

■ **météorite** n.m. ou n.f. Les **météorites** sont des cailloux venus de l'espace et tombés sur la Terre.

météorologie n.f. La **météorologie** est la science qui étudie les phénomènes atmosphériques pour prévoir les changements de temps.

❊ On dit familièrement la **météo**.

■ **météorologique** adj. *Voici les prévisions* **météorologiques** *pour demain,* concernant le temps qu'il fera. *illustr. p. 730*

méthode n.f. SENS 1. *Jean agit avec* **méthode**, *en suivant un ordre logique et raisonné.* SENS 2. *Voulez-vous m'indiquer la* **méthode** *à employer* (= moyen, procédé).

■ **méthodique** adj. [SENS 1] *Jean est un garçon* **méthodique** (= réfléchi, organisé ; ≠ désordonné).

■ **méthodiquement** adv. [SENS 1] *Jean travaille* **méthodiquement**, *avec méthode.*

méticuleux, euse adj. *Mme Morel est une femme* **méticuleuse**, *elle fait attention à chaque détail* (= minutieux ; ≠ négligent).

■ **méticuleusement** adv. *Il enlevait* **méticuleusement** *la moindre poussière* (= soigneusement).

métier n.m. SENS 1. Un **métier** est le travail que l'on fait pour gagner sa vie (= profession). SENS 2. Un **métier** (à tisser) est une machine servant à fabriquer des tissus.

métis, isse n. Un **métis** est une personne dont les parents sont de races différentes.

❊ On prononce le « s » : [metis].

mètre n.m. SENS 1. Le **mètre** est la principale unité de mesure des longueurs. Il y a 10 **décimètres**, 100 **centimètres**, 1 000 **millimètres** dans un **mètre**. Il faut 10 mètres pour faire un **décamètre**, 100 mètres pour faire un **hectomètre**, 1 000 mètres pour faire un **kilomètre**. SENS 2. *La couturière mesure son tissu avec un* **mètre**, *un ruban de la longueur d'un mètre.* *illustr. p. 991* *228, 117*

❊ Ne pas confondre avec un **maître**. On écrit en abrégé **m** sans point à la suite.

■ **métrage** n.m. [SENS 1] Le **métrage** d'un tissu ou d'un film, c'est sa longueur en mètres. ●● **kilométrage**

■ **métrique** adj. [SENS 1] Le **système métrique** est le système des poids et mesures qui a pour base le mètre.
●● *millimétrique, kilométrique*

illustr. *p. 855,* *424*   **métro** n.m. Le **métro** est un train, souvent souterrain, qui sert à se déplacer dans les grandes villes.
☀ **Métro** est l'abréviation de « chemin de fer métropolitain ».

illustr. *p. 628*   **métronome** n.m. Un **métronome** est un instrument qui indique la mesure pour l'exécution d'un morceau de musique.

métropole n.f. SENS 1. *Paris est la* **métropole** *de la France,* la plus grande ville. *Toulouse est une* **métropole** *régionale.* SENS 2. La **métropole** est le pays auquel se rattache un département ou un territoire d'outre-mer.

■ **métropolitain, aine** n. et adj. [SENS 2] *La Guadeloupe, la Martinique, la Réunion accueillent les touristes* **métropolitains**, de la métropole.

mets n.m. *Le caviar est un* **mets** *apprécié,* un aliment cuisiné (= plat).
☀ Ce mot s'écrit toujours avec un « s ».

mettre v. 3ᵉ groupe. SENS 1. *Mets ce livre sur la table* (= placer, poser ; ≠ enlever). ●● *remettre.* SENS 2. *Pierre s'est mis à côté de moi* (= s'installer). SENS 3. *Jean* **a mis** *un pantalon bleu,* il s'est habillé avec. ●● *mise.* SENS 4. *J'ai mis du sucre dans le café,* je l'y ai ajouté et mélangé. SENS 5. *Il* **a mis** *deux heures à venir,* il lui a fallu ce temps-là. SENS 6. *Pierre* **s'est mis** *à chanter,* il a commencé à le faire. *Il a eu tort de* **se mettre en colère**, d'entrer en état de colère (= s'emporter). SENS 7. *Ce livre vient d'* **être mis en** *vente,* sa vente vient de commencer. SENS 8. **Mettre** un poème **en musique**, c'est le transformer en chanson.
☀ Conj. n° 57.

■ **mettable** adj. [SENS 3] *Je ne jette pas ce manteau, il est encore* **mettable**, on peut encore le mettre (≠ immettable).

■ **metteur** n.m. Le **metteur en scène** d'un film est celui qui en dirige la réalisation. *illustr. p. 952*

1. meuble n.m. Un **meuble** est un objet qui sert à l'aménagement, à la décoration d'un local. Une chaise, une armoire, un lit sont des **meubles**. ●● *mobilier, ameublement*

■ **meubler** v. 1ᵉʳ groupe. *Gilles et Anne sont en train de* **meubler** *leur appartement,* d'y installer des meubles.

2. meuble adj. *Cette terre est* **meuble**, elle est facile à labourer (≠ compact).
●● *ameublir*

meugler v. 1ᵉʳ groupe. *La vache* **meugle**, elle pousse son cri (= beugler, mugir).

■ **meuglement** n.m. *On entend le* **meuglement** *des vaches à l'étable,* ses cris (= beuglement, mugissement).

meule n.f. SENS 1. Une **meule** est une grosse pierre plate et ronde qui sert à moudre le grain dans les anciens moulins. SENS 2. *J'ai aiguisé mon couteau sur la* **meule**, un disque de pierre ou d'une matière minérale qui affûte les outils en tournant. SENS 3. *Il y a une* **meule** *de foin dans ce champ,* un gros tas. *illustr. p. 385, 758, 21*

meulière n.f. La **meulière** est une pierre utilisée en construction.
☀ On dit aussi une **pierre meulière**.

meunier, ère n. Un **meunier** est une personne qui fait fonctionner un moulin.

meurtre n.m. *Un* **meurtre** *a été commis hier,* quelqu'un a été assassiné (= crime, homicide).

■ **meurtrier, ère** n. et adj. *La police a arrêté le* **meurtrier** (= assassin). *Des combats* **meurtriers** *ont eu lieu,* qui ont causé des morts (= sanglant).

meurtrière n.f. Une **meurtrière** est une étroite ouverture dans une fortification. *illustr. p. 165*

meurtrir v. 2ᵉ groupe. *Il est tout meurtri de sa chute de vélo,* il a des traces de coups, de chocs.

■ **meurtrissure** n.f. *Pierre a des meurtrissures sur les genoux et les coudes* (= bleu, ecchymose, contusion).

meute n.f. SENS 1. Une **meute** est une troupe de chiens de chasse ou une bande de loups. SENS 2. *Il courait, poursuivi par une* **meute** *de gens,* un grand nombre (= bande).

mévente n.f. *La crise de l'immobilier se manifeste dans la* **mévente** *des appartements,* des difficultés pour les vendre, par manque d'acheteurs. ●● *vente*

mi n.m. **Mi** est la troisième note de la gamme.
☀ Ne pas confondre avec la **mie**.

mi- préfixe. Placé devant un nom, **mi-** signifie « à moitié », « à demi » : *s'arrêter à* **mi**-*côte, à* **mi**-*chemin.*

miasme n.m. *Cette ruelle est empestée par les* **miasmes** *des égouts,* des odeurs malsaines.

miauler v. 1ᵉʳ groupe. *Le chat* **miaule,** *il doit avoir faim,* il pousse son cri.

■ **miaulement** n.m. Le **miaulement** est le cri du chat.

illustr.
p. 616 **mica** n.m. Le **mica** est un minéral brillant et transparent.

mi-carême n.f. *Le jeudi de la* **mi-carême,** *les enfants se sont déguisés,* une fête qui a lieu au milieu du carême. ●● *carême*

miche n.f. Une **miche** est un gros pain rond.

micmac n.m. Fam. *Qu'est-ce que c'est que ce* **micmac** *?,* cette affaire louche et embrouillée.

1. micro → *micro-ordinateur*

2. micro ou **microphone** n.m. *Parle devant le* **micro,** l'appareil qui amplifie la voix.

illustr.
p. 503,
629

micro- préfixe. Placé au début d'un mot, **micro-** signifie « tout petit » : *un* **micro**film *est une photographie de tout petit format.*

microbe n.m. Les **microbes** sont des êtres vivants microscopiques qui sont les causes de certaines maladies.

■ **microbien, enne** adj. *La tuberculose est une maladie* **microbienne,** causée par un microbe.

microfilm → *micro-*

micro-ondes n.m. inv. Un **micro-ondes** (ou four à **micro-ondes**) réchauffe très rapidement les aliments (surgelés ou non).
☀ Ce mot ne change pas au pluriel.

illustr.
p. 238

micro-ordinateur ou **micro** n.m. Un **micro-ordinateur** est un petit ordinateur.
☀ Au pluriel, on écrit des **micro-ordinateurs**.

illustr.
p. 123,
504

microphone → *micro (2)*

microscope n.m. *Pierre a un* **microscope** *qui grossit cent fois,* un appareil qui permet de voir les objets invisibles à l'œil nu.

illustr.
p. 310

■ **microscopique** adj. *Les globules du sang sont* **microscopiques,** visibles seulement au microscope tellement ils sont petits.

midi n.m. SENS 1. *Nous déjeunons à* **midi,** *à* 12 *heures.* ●● *après-midi.* SENS 2. *Cette maison est exposée au* **midi,** *au sud.* SENS 3. *Nous avons passé nos vacances dans le* **Midi,** *dans le sud de la France.* ●● *méridional*

illustr.
p. 150 **mie** n.f. La **mie** est la partie intérieure et tendre du pain.

✴ Ne pas confondre avec **mi**.

miel n.m. SENS 1. Le **miel** est un liquide sirupeux fabriqué par les abeilles avec le suc des fleurs. SENS 2. *Loïc s'est montré **tout miel**,* trop poli.

■ **mielleux, euse** adj. [SENS 2] *Loïc parle d'une voix **mielleuse**,* douce et hypocrite (= doucereux).

mien, mienne SENS 1. pron. poss. *Cette robe n'est pas à toi, c'est **la mienne**,* elle est à moi. SENS 2. n.m. pl. *J'aime **les miens**,* mes parents.

miette n.f. SENS 1. *Marie a jeté des **miettes** de pain aux oiseaux,* de petites parcelles. ●● *émietter*. SENS 2. *Le vase est tombé et il est en **miettes**,* en mille morceaux.

mieux SENS 1. adv. *Jean travaille **mieux** que Pierre,* d'une manière meilleure. *Tu **ferais mieux** de te taire,* ce serait préférable. SENS 2. adj. *Marie est **mieux** que sa sœur,* plus belle ou plus gentille. SENS 3. n.m. *Il a fait **de son mieux**,* aussi bien qu'il a pu. *Paul a fait **pour le mieux**,* de la meilleure façon possible. *Il y a un léger **mieux** dans son état de santé,* une amélioration.

✴ **Mieux** est le comparatif et **le mieux** le superlatif de « bien ».

mièvre adj. *Il a prononcé des paroles **mièvres**,* gentilles mais fades, banales.

mignon, onne adj. *Marie est très **mignonne**,* charmante et gentille. *Ce bébé est **mignon**,* joli.

migraine n.f. *Gilles a la **migraine**,* il a très mal à la tête.

migration n.f. *Il se produit une **migration** quand des personnes quittent leur pays pour aller vivre dans un autre.* ●● *émigration, immigration*

illustr.
p. 277 ■ **migrateur, trice** adj. *L'hirondelle est un oiseau **migrateur**,* elle change de région selon les saisons pour trouver de meilleures conditions de vie.

mijaurée n.f. *Marie fait la **mijaurée**,* elle a une attitude prétentieuse.

mijoter v. 1er groupe. *Je fais **mijoter** un ragoût,* je le fais cuire doucement (= mitonner).

mil → *millet*

milan n.m. Le **milan** est un oiseau rapace diurne qui ressemble au faucon.

mildiou n.m. Le **mildiou** est une maladie de la vigne.

milice n.f. Une **milice** est une troupe de volontaires qui renforcent l'armée régulière.

■ **milicien** n.m. Une milice est composée de **miliciens**.

milieu n.m. SENS 1. *Il y a une table au **milieu** de la pièce,* à l'endroit qui est à égale distance des bords ou du tour (= centre). SENS 2. *Pierre est né au **milieu** du XXe siècle,* en 1950 (≠ début, fin). SENS 3. *Il vit dans un **milieu** bourgeois,* les gens qui l'entourent sont des bourgeois (= environnement).

✴ Au sens 3, on écrit des **milieux**.

militaire adj. et n. *Nous avons croisé un convoi de camions **militaires**,* de camions de l'armée. *M. Dupuis est militaire* (= soldat). ●● *antimilitariste* *illustr.*
p. 440,
54

militer v. 1er groupe. *Mme Mollet **milite** dans un syndicat,* elle y joue un rôle actif.

■ **militant, ante** n. et adj. *Mme Mollet est une **militante** syndicale,* un membre actif.

mille adj. numéral inv. SENS 1. *Deux billets de cinq cents euros, cela fait **mille** euros. 10 x 100 = 1 000.* SENS 2. *Je t'ai dit cela **mille** fois,* de très nombreuses fois. *illustr.*
p. 642

■ **mille** n.m. Le **mille marin** est une unité de distance valant 1 852 mètres.

▪ **millénaire** n.m. [SENS 1] *Il s'est écoulé un **millénaire** depuis le Xe siècle,* mille ans.

illustr. p. 642 ▪ **millième** adj. et n.m. [SENS 1] *10 est la **millième** partie (ou le **millième**) de 10 000.*

illustr. p. 642 ▪ **millier** n.m. [SENS 1] *Il y avait un **millier** de personnes sur la place,* environ mille.

illustr. p. 150 ▪ **mille-feuille** n.m. [SENS 2] *Un **mille-feuille** est un gâteau formé de nombreuses couches de pâte et de crème.*
✹ Au pluriel, on écrit des **mille-feuilles**.

▪ **mille-pattes** n.m. inv. [SENS 2] *Le **mille-pattes** est un insecte qui a beaucoup de pattes.*
✹ Ce mot ne change pas au pluriel.

millésime n.m. *Cette bouteille porte le **millésime** de 1996,* cette date.

millet ou **mil** n.m. *Le **millet** (ou **mil**) est une céréale à grains très petits qui est cultivée dans les régions tropicales.*

illustr. p. 991 **milli-** préfixe. Placé devant une unité, **milli-** la divise par 1 000 : *un **milli**gramme est un millième de gramme, un **milli**mètre est un millième de mètre.* ●● **gramme, mètre**

illustr. p. 642 **milliard** n.m. *Un **milliard**, c'est mille millions.*

▪ **milliardaire** n. *Cet industriel est **milliardaire**,* sa fortune se compte en milliards.

millième, millier → **mille**

milligramme → **milli-**

millimètre → **milli-**

millimétré, ée ou **millimétrique** adj. *Le papier **millimétré** est quadrillé par des carrés de 1 millimètre de côté.* ●● **mètre**

illustr. p. 642 **million** n.m. *Un **million** d'euros, c'est mille fois mille euros (1 000 000).*

▪ **millionnaire** n. *M. Dumont est **millionnaire**,* sa fortune se compte en millions, il est très riche.

mime n. *Un **mime** est un acteur qui joue en s'exprimant par gestes, sans parler.* ●● **pantomime**

▪ **mimer** v. 1er groupe. *Léo s'amuse à **mimer** son professeur,* à l'imiter.

▪ **mimique** n.f. *Julie a fait une **mimique** de dégoût* (= expression, geste).

mimétisme n.m. SENS 1. *Par **mimétisme**, certains papillons prennent la couleur de l'objet sur lequel ils se posent,* par imitation. SENS 2. *À force de vivre avec sa tante, il a fini par lui ressembler, c'est du **mimétisme** !,* une ressemblance due à une imitation inconsciente des gestes, des attitudes, etc.

mimolette n.f. *La **mimolette** est un fromage de Hollande en forme de boule, recouvert de paraffine colorée en orange.*

mimosa n.m. *Le **mimosa** est un arbuste dont les fleurs sont des petites boules jaunes et parfumées.* *illustr. p. 691*

minable adj. Fam. *Ce devoir est **minable**,* très médiocre (≠ excellent).

minaret n.m. *Le **minaret** d'une mosquée est la tour du haut de laquelle on appelle les fidèles à la prière.* *illustr. p. 820*

minauder → **mine (1)**

mince adj. SENS 1. *Le papier de ce livre est très **mince*** (= fin ; ≠ épais). ●● **amincir**. SENS 2. *Entre ces deux textes, il n'y a qu'une **mince** différence* (= insignifiant, faible, infime).

▪ **minceur** n.f. [SENS 1] *Sa taille est d'une **minceur** extrême* (= sveltesse). [SENS 2] *L'avocat a souligné la **minceur** des preuves de l'accusation* (= insuffisance).

1. mine n.f. SENS 1. *Julien a mauvaise **mine**,* son visage indique une mauvaise santé. SENS 2. *Il ne faut pas juger les gens sur leur **mine**,* leur aspect extérieur (= physionomie). *Ces fruits **ne paient pas de mine**, mais ils sont excellents,* ils n'ont pas très bel aspect. SENS 3. *Alex a fait **mine** de partir,* il a fait semblant. SENS 4. (Au plur.) *Marie fait **des mines**,* elle a une attitude affectée (= manières).

■ **minauder** v. 1ᵉʳ groupe. [SENS 4] *Marie **minaude**,* elle fait des mines.

■ **minois** n.m. [SENS 1] *Marie a un joli **minois**,* un visage frais et éveillé (= fri-mousse).

illustr. p. 333, 983 **2. mine** n.f. *Il y a des **mines** de diamants en Afrique du Sud,* des exploitations souterraines.

■ **minerai** n.m. *Le **minerai** de cuivre est extrait dans les mines de cuivre,* la roche qui contient ce métal.

■ **mineur** n.m. *Les **mineurs** font un travail pénible,* les ouvriers des mines.

■ **minier, ère** adj. *Les ressources **minières** sont très inégales selon les lieux,* les ressources que peuvent fournir des mines.

3. mine n.f. *Le navire a sauté sur une **mine**,* sur un engin explosif.

■ **miner** v. 1ᵉʳ groupe. *Les soldats **ont miné** le pont,* ils y ont placé une mine (≠ déminer). ◆ *Il **est miné** par les soucis,* il est affaibli, démoralisé (= ronger).

illustr. p. 122 **4. mine** n.f. *J'ai cassé la **mine** de mon crayon,* la partie centrale qui sert à écrire.

minerai → ***mine (2)***

illustr. p. 616, 949 **minéral** n.m. *Les **minéraux** sont les éléments dont sont formées les roches.* ✸ Au pluriel, on dit des **minéraux**.

■ **minéral, ale, aux** adj. *Les roches et les métaux sont des matières **minérales**,* ni animales ni végétales. *L'eau **minérale** contient des minéraux en dissolution.*

■ **minéralogie** n.f. *La **minéralogie** est la science qui étudie les minéraux.*

minet, ette n. Fam. *Un **minet** est un chat.*

1. mineur → ***mine (2)***

2. mineur, eure SENS 1. adj. *Ceci est un problème **mineur**,* peu important (= secondaire ; ≠ majeur). SENS 2. adj. et n.m. *Julie est **mineure**,* elle n'a pas dix-huit ans, l'âge de la majorité. *Les **mineurs** n'ont pas le droit de vote* (≠ majeur).

■ **minorité** n.f. [SENS 2] *La **minorité** finit à dix-huit ans.* ◆ *Le gouvernement a été mis **en minorité**,* moins de la moitié des députés l'ont approuvé (≠ majorité).

■ **minoritaire** adj. *Ce projet de loi est **minoritaire**,* il n'est soutenu que par une minorité de députés (≠ majoritaire).

mini- préfixe. *Placé au début d'un mot, **mini-** indique la petitesse : un **mini**bus (ou **mini**car) est un car de dimensions réduites.*

miniature n.f. SENS 1. *Ce peintre fait des **miniatures**,* des tableaux tout petits. SENS 2. *Adrien joue avec des autos **(en) miniature**,* des modèles réduits d'autos.

■ **miniaturiser** v. 1ᵉʳ groupe. [SENS 2] *L'électronique a permis de **miniaturiser** de très nombreux appareils,* de leur donner de très petites dimensions.

minibus, minicar → ***mini-***

minier → ***mine (2)***

minijupe n.f. *Ma sœur a mis sa **minijupe**,* sa jupe très courte. *illustr. p. 1011*

minime adj. *J'ai payé cela une somme **minime**,* très petite (≠ important).

■ **minimum** n.m. et adj. *Il veut faire le **minimum** de dépenses,* le moins possible. *10 est la note **minimum** pour réussir cet examen,* la note la plus basse (≠ maximum).

✸ On prononce [minimɔm]. Au pluriel, on dit des **minimums** ou des **minima**.

■ **minimal, ale, aux** adj. *Les températures **minimales** seront stationnaires,* les températures les plus faibles (= minimum ; ≠ maximal).

■ **minimiser** v. 1er groupe. *On aurait tort de **minimiser** les conséquences de cet incident,* de diminuer leur importance (= réduire, sous-estimer ; ≠ exagérer).

illustr.
p. 358 **ministre** n. SENS 1. Les **ministres** constituent le gouvernement sous la direction du Premier **ministre**. SENS 2. n.m. *Un prêtre est un **ministre** du culte,* il accomplit des actes religieux.

■ **ministère** n.m. [SENS 1] *Le **ministère** s'est réuni,* l'ensemble des ministres (= gouvernement). *Son **ministère** a duré six mois,* ses fonctions de ministre. *Où se trouve le **ministère** des Finances ?,* les bâtiments, les bureaux. [SENS 2] *Ce prêtre a exercé son **ministère** dans notre paroisse,* son activité de prêtre.

■ **ministériel, elle** adj. [SENS 1] Une crise **ministérielle** est un changement de gouvernement.

illustr.
p. 122,
940 **Minitel** n.m. Le **Minitel** est un terminal d'ordinateur branché sur le téléphone, qui permet de consulter l'annuaire téléphonique et d'obtenir divers renseignements.
　❋ **Minitel** est un nom de marque, il s'écrit avec une majuscule dans les textes imprimés.

minium n.m. *Le **minium** sert à protéger les métaux de la rouille,* une peinture rouge.
　❋ On prononce [minjɔm].

minois → *mine (1)*

minoritaire, minorité
→ *mineur (2)*

minoterie n.f. Une **minoterie** est une usine où l'on moud le grain pour faire de la farine.

minuit n.m. *Pierre s'est couché à **minuit**,* à 24 heures ou 0 heure.

minus n.m. Fam. *Il est nul, laisse-le tomber, c'est un **minus**,* une personne minable, incapable, bonne à rien.
　❋ On prononce le « s » : [minys].

minuscule SENS 1. adj. *Charlotte a une écriture **minuscule**,* très petite (≠ énorme). SENS 2. n.f. *La plupart des noms communs s'écrivent avec une **minuscule**,* une petite lettre (≠ majuscule).   *illustr. p. 994*

minute n.f. *Il y a 60 **minutes** dans une heure et 60 secondes dans une **minute**.*   *illustr. p. 991*

■ **minuter** v. 1er groupe. *Mon emploi du temps est **minuté**,* il est compté à la minute près.

■ **minuterie** n.f. Une **minuterie** est une lumière électrique qui s'éteint automatiquement après quelques minutes.

■ **minuteur** n.m. Un **minuteur** est un appareil qui sonne lorsque le temps sélectionné est écoulé.   *illustr. p. 238*

minutie n.f. *Elle travaille toujours avec **minutie**,* un très grand soin.
　❋ On prononce [minysi].

■ **minutieux, euse** adj. *Lise est très **minutieuse**,* elle fait attention à chaque détail dans son travail (≠ négligent).

■ **minutieusement** adv. *Elle a noté **minutieusement** tout ce que je lui ai dit,* avec minutie.

mioche n. Fam. *Mme Duval promène ses **mioches**,* ses enfants.

mirabelle n.f. *Marie aime la confiture de **mirabelles**,* de petites prunes rondes et jaunes.

miracle n.m. SENS 1. *Dans l'Évangile, on raconte l'un des **miracles** du Christ qui change l'eau en vin,* un événement qu'on ne peut pas expliquer avec notre raison et qui nous paraît surnaturel. SENS 2. *Il a échappé à la mort par **miracle**,* de façon heureuse et très inattendue.

■ **miraculeux, euse** adj. [SENS 1] *Les Apôtres firent une pêche **miraculeuse**,* qui tenait du miracle. [SENS 2] *Il a une chance* **miraculeuse** (= extraordinaire).

■ **miraculeusement** adv. [SENS 2] *Il a* **miraculeusement** *échappé à un attentat* (= par miracle).

mirador n.m. *Une sentinelle est postée sur le* **mirador** *de la prison,* le poste d'observation surélevé.

mirage n.m. SENS 1. *Dans les déserts, on voit quelquefois des* **mirages**, *des paysages qui n'existent pas là où l'on croit les voir, dus à des couches d'air surchauffé par le soleil.* SENS 2. *Son plan pour faire fortune rapidement n'était qu'un* **mirage**, *une illusion.*

illustr.
p. 51

mire n.f. SENS 1. *Le* **cran de mire** *d'un fusil, c'est ce qui sert à viser. La* **ligne de mire** *est la ligne droite qui va de l'œil de l'observateur à l'objet visé.* SENS 2. *Nadia est le* **point de mire** *de tous les regards,* tout le monde la regarde.
✳ Ne pas confondre avec la **myrrhe**.

se **mirer** v. 1er groupe. *Le clocher* **se mire** *dans le lac,* il s'y reflète.
✳ Ce mot s'emploie surtout dans la langue écrite.

mirifique ou **mirobolant, ante** adj. *Il nous a fait des promesses* **mirifiques** (ou **mirobolantes**), trop belles pour être vraies (= extraordinaire).

illustr.
p. 42,
863

miroir n.m. *Sonia aime se regarder dans son* **miroir** (= glace).

■ **miroiter** v. 1er groupe. *L'eau de la rivière* **miroite** *au soleil,* le soleil s'y réfléchit (= briller, scintiller).

■ **miroitement** n.m. *Je contemple le* **miroitement** *du lac,* les reflets (= scintillement).

■ **miroitier** n.m. *Un* **miroitier** *est un fabricant ou un marchand de miroirs.*

illustr.
971

misaine n.f. *Le* **mât de misaine** *d'un bateau à voiles,* c'est le mât de l'avant.

misanthrope adj. et n. *Mon grand-père est (un)* **misanthrope**, *il n'aime pas la compagnie des autres gens.*

mise n.f. SENS 1. *M. Chéron a doublé sa* **mise**, *l'argent qu'il avait mis en jeu au départ* (= enjeu). ●● **mettre**. SENS 2. *Marie soigne sa* **mise**, *sa manière de s'habiller.* SENS 3. *La* **mise en scène** *de ce film est très réussie,* la réalisation.

■ **miser** v. 1er groupe. *M. Chéron* **a misé** *15 euros sur un cheval,* il a mis cette somme comme enjeu (= parier).

misère n.f. SENS 1. *Ces gens vivent dans la* **misère**, *ils sont très pauvres.* SENS 2. *Il est toujours à se plaindre de ses* **misères**, de ses malheurs, de ses souffrances.

■ **misérable** adj. [SENS 1] *Ces gens vivent dans des conditions* **misérables**, dans la misère (= pitoyable). ◆ *Ils se sont battus pour une* **misérable** *question d'argent* (= insignifiant).

■ **misérablement** adv. [SENS 1] *Cette famille vit* **misérablement**, très pauvrement.

■ **miséreux, euse** adj. et n. [SENS 1] *On voit des taudis dans ces quartiers* **miséreux**, très pauvres (= misérable). *Un* **miséreux** *demandait l'aumône.*

miséricorde n.f. *Les pénitents imploraient la* **miséricorde** *divine,* le pardon de leurs fautes.

■ **miséricordieux, euse** adj. *Un regard* **miséricordieux** *exprime la pitié.*

misogyne n. et adj. *Un (homme)* **misogyne** *est quelqu'un qui a une hostilité particulière envers les femmes.*

missel n.m. *Un* **missel** *est un livre qui contient les prières et les chants de la messe.*

missile n.m. *Un* **missile** *est une fusée transportant une bombe.*

illustr.
p. 55

mission n.f. SENS 1. *Marie a reçu la* **mission** *d'accueillir les invités,* on l'a chargée de le faire (= tâche). SENS 2. *Une* *mission scientifique est partie étudier le pôle Sud,* un groupe de savants chargés de cette étude. SENS 3. Une **mission** est un établissement où vivent des missionnaires.

▪ **missionnaire** n. et adj. [SENS 3] *Cette paroisse d'Afrique avait été créée par des* **missionnaires,** des religieux, des religieuses ou des pasteurs qui vont dans des pays lointains pour faire connaître Dieu.

missive n.f. *Pierre m'a écrit une longue* **missive,** *une lettre.*
✴ Ce mot s'emploie surtout dans la langue écrite.

mistral n.m. Le **mistral** est un vent violent et froid qui souffle dans le sud-est de la France, venant du nord.

mitaine n.f. Des **mitaines** sont des gants qui ne couvrent pas le bout des doigts.

mite n.f. *Cette couverture a été mangée par les* **mites,** *des petits insectes.*
●● *antimite*

▪ **mité, ée** adj. *La couverture est* **mitée,** *trouée par les mites.*

1. mi-temps n.f. inv. *Le but a été marqué pendant la seconde* **mi-temps,** *la seconde période du match.* ◆ *L'arbitre a sifflé la* **mi-temps,** *la pause entre les deux périodes du match.* ●● *temps*
✴ Ce mot ne change pas au pluriel.

2. mi-temps n.m. inv. *Il a trouvé un travail* **à mi-temps,** *un travail qui dure la moitié du temps plein.*
✴ Ce mot ne change pas au pluriel.

miteux, euse adj. Un appartement **miteux** est un appartement de pauvre apparence et sale.

mitigé, ée adj. *Les journalistes ont fait des éloges* **mitigés** *de ce livre,* des éloges avec des réserves, mêlés de critiques.

mitonner v. 1er groupe. *Mme Rouget a* **mitonné** *un bon pot-au-feu,* elle l'a préparé avec soin (= mijoter).

mitoyen, enne adj. Un mur **mitoyen** est un mur qui marque la limite de deux propriétés. *illust p. 5?*

mitrailler v. 1er groupe. *Les avions ennemis* **mitraillaient** *la ville,* ils tiraient dessus par rafales.

▪ **mitraille** n.f. *Les soldats fuyaient sous la* **mitraille,** *sous les balles, les obus, etc.*

▪ **mitraillette** n.f. La **mitraillette** est une arme à feu portative qui tire très vite.

▪ **mitrailleur** adj. m. *L'acteur brandissait son* **pistolet mitrailleur** (= mitraillette).

▪ **mitrailleuse** n.f. La **mitrailleuse** est une arme à feu automatique qu'on pose à terre et qui tire très vite un grand nombre de balles. *illust p. 54*

mitre n.f. Une **mitre** est une coiffure haute et pointue que les évêques portent dans certaines cérémonies.

mitron n.m. Un **mitron** est un apprenti boulanger ou pâtissier.

à mi-voix adv. *Elle chantonne* **à mi-voix,** *d'une voix faible.*

mixeur n.m. Un **mixeur** est un appareil qui sert à broyer et à mélanger les aliments.

mixte adj. *Claire va dans une école* **mixte,** *une école où il y a des filles et des garçons.*

mixture n.f. *Je n'ai pas pu avaler cette* **mixture,** *ce mélange au goût désagréable.*

mobile SENS 1. adj. *Notre mâchoire inférieure est* **mobile,** *elle peut bouger* (≠ immobile). *Les parachutistes sont des soldats très* **mobiles,** *ils peuvent se* *illust p. 8?*

déplacer rapidement. ◆ *Pâques est une fête mobile, elle ne tombe pas à la même date chaque année* (≠ fixe). SENS 2. n.m. *On a suspendu un mobile au-dessus du lit du bébé*, un objet dont les éléments bougent sous l'effet du moindre souffle d'air.

■ **mobile** n.m. *Je ne comprends pas le mobile de ton action*, ce qui t'a poussé à agir (= raison, motif).

■ **mobilité** n.f. [SENS 1] *Une douleur à l'épaule diminue la mobilité de mon bras*, la possibilité de le déplacer. *La mobilité est une caractéristique des parachutistes en action.*

illustr. p. 527 **mobilier** SENS 1. n.m. *On a changé le mobilier du salon*, l'ensemble des meubles. → *meuble*. SENS 2. adj. *M. Mercier possède des biens mobiliers*, des marchandises, des meubles, des autos, des rentes, etc. ●● *immobilier*

mobiliser v. 1er groupe. *En temps de guerre, les hommes valides sont mobilisés*, ils sont appelés à l'armée (≠ démobiliser). *On a mobilisé tout le village pour secourir les sinistrés*, on a fait appel à la participation de tous.

■ **mobilisation** n.f. *M. Leroux a reçu sa feuille de mobilisation*, la lettre qui le mobilise, l'appelle à l'armée.

mobilité → *mobile*

Mobylette n.f. *Mon frère va au lycée en Mobylette*, en cyclomoteur.
✳ **Mobylette** est un nom de marque, il s'écrit avec une majuscule dans les textes imprimés. On dit, familièrement, une **mob**.

illustr. 1011 **mocassin** n.m. *Des mocassins sont des chaussures basses très souples sans lacets.*

moche adj. Fam. *Qu'est-ce qu'elle est moche, cette chemise !* (= laid).

modalité n.f. *Un texte précise les modalités de remboursement de cet emprunt*, les conditions dans lesquelles il sera remboursé.

1. mode n.f. *Laure est habillée à la dernière mode, ses vêtements sont au goût du jour.* ●● *démoder* *illustr. p. 221*

2. mode n.m. SENS 1. *Nous avons changé notre mode de vie*, la manière dont nous vivons (= genre). SENS 2. *Le mode d'emploi d'un appareil indique la manière de s'en servir.* SENS 3. *L'indicatif, le subjonctif, le conditionnel, l'impératif, l'infinitif et le participe sont les six modes du verbe*, les manières d'exprimer l'action.

modelage → *modeler*

modèle n.m. SENS 1. *Pierre dessine d'après un modèle*, un objet ou un autre dessin qu'il doit imiter. SENS 2. *Gilles fait des modèles réduits d'avions*, des petits avions qui imitent exactement les vrais (= maquette). SENS 3. *Paul est un modèle d'honnêteté*, il est digne d'être imité (= exemple). SENS 4. *Cette voiture est un nouveau modèle* (= type, sorte). *illustr. p. 531*

■ **modélisme** n.m. [SENS 2] *Le modélisme occupe tous ses loisirs*, l'activité qui consiste à faire des modèles réduits.

■ **modéliste** n. [SENS 2] *Les modélistes se retrouvent au club*, ceux qui font des modèles réduits. ◆ *Elle est modéliste dans une maison de haute couture*, elle crée des modèles de vêtements.

modeler v. 1er groupe. *Le sculpteur modèle de l'argile pour faire une statue*, il la pétrit et lui donne une forme.
✳ Conj. n° 5.

■ **modelage** n.m. *Pierre fait du modelage*, des objets en pâte à modeler.

modélisme, modéliste → *modèle*

modéré, ée adj. SENS 1. *Laurent est modéré dans ses prétentions*, elles ne sont pas trop grandes (≠ excessif). *Les prix de ce restaurant sont modérés* (= raisonnable ; ≠ exagéré, immodéré).

SENS 2. adj. et n. En politique, un **modéré** n'est ni de droite ni de gauche (= centriste).

■ **modérément** adv. [SENS 1] *Il mange modérément, sans excès* (≠ trop).

■ **modérateur, trice** adj. [SENS 1] *Julie a une influence modératrice sur son frère, elle l'empêche de faire des excès.*

■ **modération** n.f. [SENS 1] *Il mange et boit avec modération, en quantité raisonnable* (= mesure ; ≠ excès).

■ **modérer** v. 1er groupe. [SENS 1] *Jean a de la peine à modérer sa colère, à en diminuer la violence* (= retenir, calmer). ✳ Conj. n° 10.

moderne adj. *La vie moderne est celle de l'époque actuelle.*

■ **moderniser** v. 1er groupe. *Cette usine s'est modernisée, elle a adopté des techniques modernes.*

■ **modernisation** n.f. *La modernisation de l'usine permet une meilleure production* (= rénovation).

■ **modernisme** n.m. *Le modernisme est le goût de ce qui est moderne.*

modeste adj. SENS 1. *Malgré sa réussite, ce chanteur est resté modeste* (= simple ; ≠ orgueilleux, prétentieux, vaniteux). SENS 2. *Ils habitent un logement modeste, sans luxe* (= médiocre). *Ses gains sont modestes, il ne gagne pas beaucoup d'argent.*

■ **modestement** adv. [SENS 1] *Elle a refusé modestement ces honneurs.* [SENS 2] *C'est un travail modestement rémunéré* (= médiocrement).

■ **modestie** n.f. [SENS 1] *M. Mahé agit toujours avec modestie* (= humilité ; ≠ prétention, vanité).

modicité → *modique*

modifier v. 1er groupe. *La pluie nous a obligés à modifier le programme de la journée, à y apporter des changements. La situation s'est modifiée, elle a changé, évolué.*

■ **modification** n.f. *Ce projet a subi de nombreuses modifications* (= transformation, changement).

modique adj. *Dans un camping, on peut passer ses vacances pour une somme modique* (= faible ; ≠ important).

■ **modicité** n.f. *Il se plaint de la modicité de son salaire* (= médiocrité).

modiste n.f. *Une modiste confectionne ou vend des chapeaux de femmes.* → *chapelier*

moduler v. 1er groupe. SENS 1. *Moduler un air de musique, c'est le chanter d'une voix changeante.* SENS 2. *Les tarifs de l'électricité peuvent être modulés en fonction des heures d'utilisation et de la puissance, ils peuvent être adaptés, changés.*

■ **modulation** n.f. *Il y a des modulations dans sa voix, elle est tantôt haute, tantôt basse.* ◆ *La modulation de fréquence est un procédé d'émission radiophonique qui permet des auditions de très bonne qualité.*

moelle n.f. *La moelle des os est la substance molle et grasse qui se trouve dedans. La moelle du sureau est une substance blanche et légère qui est dans les branches.* ✳ On prononce [mwal].

moelleux, euse adj. *Cette couverture est moelleuse, elle est très douce au toucher.* ✳ On prononce [mwalø].

moellon n.m. *Le mur du jardin des voisins est en moellons, en pierres de grosseur moyenne.* ✳ On prononce [mwalɔ̃]. *illustr p. 15*

moeurs n.f. pl. *Les moeurs changent avec les époques et les pays, la manière de vivre* (= coutume, habitude). ✳ On prononce [mœrs] ou [mœr] comme (je) **meurs** (de « mourir »).

mohair n.m. *Marie s'est tricoté un pull en mohair,* avec une laine très douce faite de poils de chèvre longs et soyeux.

moi pron. pers. Ce mot peut s'employer pour renforcer le sujet « je » ou après « c'est » : *moi, je pars ; c'est moi le chef.* Il s'emploie aussi comme complément après une préposition : *il est parti sans moi.*
✴ Ne pas confondre **moi** et le **mois**.

moignon n.m. *Le médecin a posé une prothèse sur le moignon,* ce qui reste d'un membre coupé.

moindre adj. *La nuit, le moindre bruit me réveille,* le plus petit, le plus faible.
●● *amoindrir*

moine n.m. Les **moines** sont des religieux qui vivent dans un monastère.
■ **monacal, ale, aux** adj. *Il mène une vie monacale,* qui ressemble à celle des moines.
■ **monastère** n.m. Un **monastère** est un bâtiment habité par des moines ou des religieuses (= abbaye, couvent).
■ **monastique** adj. *Il a pris l'habit monastique,* celui de moine.

moineau n.m. Les **moineaux** sont des petits oiseaux bruns très nombreux, en particulier dans les villes.
✴ Au pluriel, on écrit des **moineaux**.

moins adv. SENS 1. *Colin travaille peu, mais Gilles travaille encore moins. L'aluminium est moins lourd que le plomb* (≠ plus). SENS 2. *Sept moins trois font quatre* (7 − 3 = 4). SENS 3. *Il y a au moins une heure que je suis là,* une heure sinon plus (= au minimum). *Vous pourriez au moins vous excuser,* ce serait la moindre des choses. SENS 4. *Son attitude est pour le moins surprenante,* c'est le moins qu'on puisse dire (= très). SENS 5. *Il est venu, du moins il le dit* (= en tout cas). SENS 6. *Je vais me promener, à moins qu'il ne pleuve,* seulement s'il ne pleut pas (= sauf si).

moire n.f. La **moire** est un tissu à reflets changeants.
■ **moiré, ée** adj. *Un bateau glisse sur l'eau moirée du lac,* l'eau qui a des reflets variés.

mois n.m. SENS 1. *Janvier est le premier des 12 mois de l'année.* SENS 2. *Entre le 12 mars et le 12 avril, il s'est écoulé un mois,* une durée d'environ 30 jours. ●● *mensuel, bimensuel.* SENS 3. *M. Durand vient de toucher son mois,* son salaire pour le travail d'un mois.
✴ Ne pas confondre avec **moi** (pronom).
illustr. p. 132

moisir v. 2ᵉ groupe. SENS 1. *Il faisait trop humide, le pain a moisi,* il a commencé à se gâter. SENS 2. Fam. *Je ne vais pas moisir ici toute la journée,* y rester sans rien faire.
■ **moisi** n.m. [SENS 1] *Ça sent le moisi ici,* l'odeur aigre de ce qui a moisi.
■ **moisissure** n.f. [SENS 1] *Le fromage est couvert de moisissures vertes,* de taches formées par de petits champignons.

moisson n.f. *En juillet, les paysans font la moisson,* ils récoltent les céréales.
■ **moissonner** v. 1ᵉʳ groupe. *On a mis deux heures à moissonner ce champ de blé,* à le couper.
■ **moissonneur** n.m. *Le soir, les moissonneurs sont fatigués,* ceux qui font la moisson.
■ **moissonneuse-batteuse** n.f. Une **moissonneuse-batteuse** est une machine qui coupe et bat automatiquement le blé.
illustr. p. 21

moite adj. *Son visage était moite de sueur,* un peu humide.
■ **moiteur** n.f. *La moiteur de ses mains était la marque de son émotion,* la sueur.

moitié n.f. SENS 1. *Dix est la moitié de vingt.* 10 + 10 = 20 (≠ double). SENS 2. *Son verre est à moitié vide* (= à demi ; ≠ complètement).
illustr. p. 643

moka n.m. SENS 1. Le **moka** est un café très parfumé. SENS 2. *Au dessert, on a servi un moka,* un gâteau au café avec de la crème au beurre.

illustr. p. 217 **molaire** n.f. *Julien a mal à une molaire,* une grosse dent du fond de la bouche qui sert à broyer les aliments. ●● *prémolaire*

illustr. p. 740 **môle** n.m. *Les passagers se dirigent vers le môle d'embarquement,* l'endroit où est amarré le navire (= jetée).

molécule n.f. Une **molécule** est un ensemble d'atomes qui constitue la plus petite partie d'un corps.

■ **moléculaire** adj. Le poids **moléculaire** d'un corps est celui d'une molécule de ce corps.

molester v. 1er groupe. *Martin a été molesté par des voyous* (= brutaliser, malmener).

molette n.f. SENS 1. La **molette** d'un briquet, c'est la roulette dentée que l'on *illustr.* actionne avec le doigt. SENS 2. *Serre p. 117 l'écrou avec la clé à molette,* un outil dont on peut écarter ou rapprocher les branches en tournant une roulette.

molle → *mou*

mollesse n.f. *Sa mollesse est exaspérante* (= lenteur, paresse). ●● *mou*

■ **mollir** v. 2e groupe. *Il a senti son courage mollir* (= faiblir). ●● *amollir*

■ **mollement** adv. *Pierre travaille mollement* (= lentement).

■ **mollet** adj. m. Des œufs **mollets** sont des œufs cuits, mais dont le jaune reste liquide.

1. mollet → *mollesse*

illustr. p. 217 **2. mollet** n.m. *Paul a eu le mollet mordu par un chien,* le muscle entre la cheville et le genou.

molleton n.m. Le **molleton** est une étoffe épaisse de laine ou de coton.

■ **molletonné, ée** adj. *J'ai une robe de chambre molletonnée,* garnie de molleton.

mollir → *mollesse*

mollusque n.m. *Les huîtres, les moules, les escargots, les pieuvres, les calamars sont des mollusques,* des animaux au corps mou car ils n'ont pas de squelette. *illustr. p. 718*

molosse n.m. Un **molosse** est un gros chien de garde.

môme n. Fam. *Ces mômes sont trop bruyants,* ces enfants.

moment n.m. SENS 1. *On nous a dit d'attendre un moment,* un espace de temps (= instant). SENS 2. *Ce sera bientôt le moment de partir,* il faudra le faire bientôt. SENS 3. *L'orage a éclaté au moment où nous partions* (= quand, lorsque). SENS 4. *Du moment que tu le dis, je te crois* (= puisque, si). SENS 5. *Pour le moment, tout va bien,* actuellement (mais cela peut changer). SENS 6. *En ce moment, il fait beau,* maintenant, au moment où je parle. *Il devrait arriver d'un moment à l'autre,* sans tarder (= bientôt, incessamment).

■ **momentané, ée** adj. [SENS 1] *Son absence a été momentanée,* elle n'a duré qu'un moment (= temporaire, bref).

■ **momentanément** adv. [SENS 1] *Il est parti momentanément* (= temporairement, provisoirement).

momie n.f. *Gilles a vu au musée des momies égyptiennes,* des cadavres conservés et embaumés.

mon, ma, mes adj. possessifs. Ces mots indiquent ce qui est à moi, ce qui me concerne : *mon père, ma mère, mes parents, mes livres, ma montre.*
☀ On emploie **mon** au lieu de **ma** devant un nom féminin commençant par une voyelle ou un « h » muet : **mon** oreille, **mon** habitude.

monacal → *moine*

monarchie n.f. *Autrefois, la France était une **monarchie**,* un régime politique dans lequel c'est un roi (ou une reine) qui gouverne. *Dans la **monarchie** absolue,* le roi détient tous les pouvoirs.

■ **monarchique** adj. *Le pouvoir **monarchique** est celui du monarque.*

■ **monarchiste** n. *Les **monarchistes** sont des partisans de la monarchie.*

■ **monarque** n.m. *De François Ier à Louis XVI, les rois de France étaient des **monarques** absolus* (= souverain).

monastère, monastique → *moine*

monceau n.m. *Il y a un **monceau** d'ordures devant la porte,* un gros tas. ●● *amonceler*
✸ Au pluriel, on écrit des **monceaux**.

monde n.m. SENS 1. *On croyait autrefois que la Terre était au centre du **monde*** (= univers). SENS 2. *Cet écrivain est connu dans le **monde** entier,* sur toute la Terre. SENS 3. *Mettre **au monde** un enfant,* c'est le faire venir à la vie ; **venir au monde,** c'est naître ; **être seul au monde,** c'est être seul dans la vie. SENS 4. *Cette nouvelle a bouleversé le **monde** des affaires,* l'ensemble des gens d'affaires (= milieu). SENS 5. *M. Barbier est un homme du **monde**,* il fait partie de la haute société. SENS 6. *Il y avait beaucoup de **monde** à la réunion,* beaucoup de gens. SENS 7. ***Tout le monde** est parti,* tous les gens. SENS 8. ***Pour rien au monde** je ne voudrais déménager,* je ne voudrais absolument pas (= en aucun cas).

■ **mondial, ale, aux** adj. [SENS 2] *Une guerre **mondiale** concerne le monde entier* (= international). *Ce livre a connu un succès **mondial*** (= universel).

■ **mondialement** adv. [SENS 2] *Cet artiste est **mondialement** connu* (= universellement).

■ **mondain, aine** adj. [SENS 5] *M. Barbier aime la vie **mondaine**,* celle de la haute société.

■ **mondanités** n.f. pl. [SENS 5] *Pour fuir les **mondanités**, il se retire à la campagne,* les manières de la haute société.

monétaire → *monnaie*

mongolien, enne adj. et n. *Un (enfant) **mongolien** est un enfant qui est atteint d'une maladie congénitale qui provoque un handicap intellectuel et des malformations du corps.*
✸ On dit aussi « trisomique ».

moniteur, trice n. SENS 1. *Sylvie est **monitrice** de ski,* elle enseigne le ski. SENS 2. *Les **moniteurs** de la colonie de vacances sont très gentils,* les personnes chargées de s'occuper des enfants.

monnaie n.f. SENS 1. *La **monnaie** française est le franc, la **monnaie** italienne, la lire, les pièces et les billets. Le nom de la **monnaie** européenne a été longtemps l'objet de débats* (= devise). ●● *faux-monnayeur.* SENS 2. *Peux-tu me faire la **monnaie** de ce billet de vingt euros ?,* me l'échanger contre des pièces ou des billets de plus faible valeur. ●● *porte-monnaie*   *illustr. p. 151*

■ **monétaire** adj. [SENS 1] *Le dollar est l'unité **monétaire** des États-Unis d'Amérique et du Canada,* l'unité de monnaie.

■ **monnayer** v. 1er groupe. [SENS 1] *Il a **monnayé** ses services un bon prix,* il les a vendus pour de l'argent.
✸ Conj. n° 4.

mono- préfixe. *Placé au début d'un mot, **mono-** signifie « seul » : faire du **mono**ski, c'est skier sur un seul ski.*

monocle n.m. *La photo représente un vieil officier de cavalerie avec un **monocle**,* un verre de lunette pour un seul œil.

monocorde adj. *Une voix **monocorde** est une voix ennuyeuse par son uniformité.*

monogamie n.f. *La loi française impose la **monogamie**,* le fait d'avoir une seule épouse à la fois. ●● *bigamie, polygamie*

monogramme n.m. *Son mono-gramme est brodé sur sa chemise, ses initiales entrelacées.*

monolithe n.m. *Un dolmen, un menhir, un obélisque sont des monolithes, des monuments faits d'un seul bloc de pierre.*
■ **monolithique** adj. *Une statue mono-lithique est taillée dans un seul bloc.*

monologue n.m. *Julien continue son monologue, il parle tout seul.*
■ **monologuer** v. 1er groupe. *Il mono-loguait à mi-voix en marchant, il parlait tout seul.*

monopole n.m. *L'État a le monopole de la vente du tabac, il est le seul à en vendre.*
■ **monopoliser** v. 1er groupe. *Pierre monopolise le téléphone, il l'utilise sans cesse, il le garde pour lui tout seul* (= accaparer).

monoski → *mono-*

monosyllabe n.m. *« Sol » est un mo-nosyllabe, un mot d'une seule syllabe.*

monotone adj. *Nous menons une vie monotone, où il ne se passe rien* (= ba-nal, plat, ennuyeux ; ≠ varié).
■ **monotonie** n.f. *Il se plaint de la monotonie de son travail* (≠ variété).

monseigneur n.m. *Monseigneur est le titre donné aux évêques et aux princes.* ✳ *On écrit parfois en abrégé* **Mgr**. *Au pluriel, on dit* **messeigneurs**.

monsieur n.m. *Le père de Marion s'appelle monsieur Rouget. Bonjour, messieurs.* ✳ *On prononce* [məsjø]. *Au pluriel, on dit* **messieurs** : [mesjø]. *On écrit en abrégé* **M.** *pour* **monsieur** *et* **MM.** *pour* **messieurs**.

monstre n.m. SENS 1. *Un veau né avec deux têtes est un monstre, un être qui est né avec une grave malformation.* SENS 2. *Les chimères, les centaures sont des monstres, des êtres imaginaires.* SENS 3. *Le chef des pillards était un monstre, il était très cruel.* SENS 4. *Colin est un monstre d'égoïsme, il est très égoïste.* SENS 5. *Un monstre sacré est un comédien très célèbre.*
■ **monstre** adj. [SENS 4] Fam. *Ce film a eu un succès monstre, très grand* (= énorme, prodigieux).
■ **monstrueux, euse** adj. [SENS 1] *Il est d'une laideur monstrueuse* (= épouvan-table, horrible).
■ **monstrueusement** adv. [SENS 4] *Ce garçon est monstrueusement égoïste* (= extrêmement).
■ **monstruosité** n.f. [SENS 3] *Il a com-mis des monstruosités, des actes hor-ribles* (= atrocité, horreur).

mont → *montagne*

montage → *monter*

montagne n.f. *Le sommet de cette montagne dépasse 4 000 mètres, une région élevée.*
■ **mont** n.m. *Suivi d'un nom propre,* **mont** *désigne une montagne (le mont Blanc) ou une colline (le mont Saint-Michel).* ◆ *On nous avait promis monts et merveilles, on nous avait fait des promesses exagérées, mirobolantes.*
■ **montagnard, arde** n. *Les monta-gnards sont les habitants des monta-gnes.*
■ **montagneux, euse** adj. *Les Alpes sont une région montagneuse, où il y a des montagnes.*

illustr. p. 29, 616

monter v. 1er groupe. SENS 1. *Arnaud est monté sur la colline, il est allé au sommet* (= grimper, gravir). *Pierre est monté par l'ascenseur* (≠ descendre). *Claire a monté l'escalier.* ●● *remonter, remonte-pente.* SENS 2. *Peux-tu monter*

la valise au cinquième étage, la porter en haut. SENS 3. *Renaud sait **monter** à cheval* (= aller). *Jean **monte** un cheval blanc,* il est dessus. SENS 4. *M. Bouvier est **monté** en grade,* il a eu de l'avancement (= progresser). SENS 5. *Les prix ne cessent de **monter**,* de devenir plus élevés (= augmenter ; ≠ baisser). *Mes achats **se montent** à 75,54 euros* (= s'élever). SENS 6. *Les campeurs **montent** leur tente,* ils en assemblent les éléments (≠ démonter). ●● **remonter**. SENS 7. *M. Martin **a monté** un magasin de sport,* il l'a créé et organisé. SENS 8. *C'est Pierre qui **t'a monté** contre moi,* qui t'a mis en colère (= exciter).

✴ **Monter** se conjugue tantôt avec « être » : *il **est monté** au grenier,* tantôt avec « avoir » : *elle **a monté** la malle au grenier.*

illustr.
994,
995

■ **montage** n.m. [SENS 6] *Le **montage** de cet appareil n'est pas difficile* (= assemblage).

■ **montant, ante** adj. [SENS 1] *C'est l'heure de la marée **montante**,* la mer monte vers le rivage (≠ descendant).

■ **montant** n.m. [SENS 5] *Quel est le **montant** de tes dépenses ?,* à quelle somme se montent-elles ? (= chiffre, total). ◆ Les **montants** d'une échelle, ce sont les deux pièces verticales dans lesquelles s'encastrent les échelons.

illustr.
157,
863

■ **montée** n.f. [SENS 1] *La **montée** au sommet nous a fatigués* (= ascension). *La voiture a ralenti dans la **montée*** (= côte ; ≠ descente). [SENS 5] *La radio annonce une **montée** de la température* (= augmentation, élévation).

■ **monteur, euse** n. [SENS 6] Au cinéma, un **monteur** est un technicien qui assemble les différentes séquences d'un film.

■ **monture** n.f. [SENS 3] *Le cavalier est descendu de sa **monture**,* de la bête sur laquelle il était monté. [SENS 6] *La **monture** d'une paire de lunettes,* c'est l'armature sur laquelle les verres sont montés.

■ **monte-charge** n.m. [SENS 2] Un **monte-charge** est une sorte d'ascenseur qui sert à monter de lourds fardeaux.

✴ Au pluriel, on écrit des **monte-charges** ou des **monte-charge**.

illustr.
p. 157

montgolfière n.f. Une **montgolfière** est un grand ballon muni d'une nacelle, qui s'élève grâce à de l'air chaud.

monticule n.m. Un **monticule** est une petite colline ou un tas de terre, de pierres, etc.

montre n.f. *Ma **montre** est arrêtée, le petit appareil portatif qui indique l'heure.*

illustr.
p. 150,
42

montrer v. 1er groupe. SENS 1. *Il a fallu **montrer** aux gendarmes mon permis de conduire,* le faire voir (= présenter, exhiber ; ≠ cacher). ***Montre**-moi ce village sur la carte,* désigne-le (= indiquer). SENS 2. *Martin n'a pas **montré** son émotion,* il ne l'a pas laissé paraître (= manifester). SENS 3. *Je lui **ai montré** qu'il avait tort,* je le lui ai expliqué (= prouver). ●● **démontrer**. SENS 4. *Il **s'est montré** intéressé par ce projet,* il a paru intéressé, il a manifesté son intérêt.

monture → **monter**

monument n.m. SENS 1. *Adrien nous a **montré** les plus beaux **monuments** de Paris,* les églises, les palais, les théâtres, etc. SENS 2. Un **monument aux morts** est une statue ou une construction qui rappelle le souvenir de ceux qui sont morts à la guerre.

illustr.
p. 427,
1016

■ **monumental, ale, aux** adj. [SENS 1] *Il y a sur la place une statue **monumentale*** (= énorme). *C'est là un contresens **monumental*** (= colossal).

se **moquer** v. 1er groupe. SENS 1. *Fabien **se moque de** sa sœur,* il l'ennuie en la tournant en ridicule. SENS 2. *Jean **se moque de** mes conseils,* il n'en tient aucun compte.

■ **moquerie** n.f. [SENS 1] *Sandra ne supporte pas les **moqueries**,* les plaisanteries à son sujet (= raillerie). → ***dérision***

LA MONTAGNE

myrtille

rameau fleuri

baie

rapaces

épervier

hibou

vautour

mélèze   épicéa

neiges éternelles

crête

sommet

arête

versant

plateau

falaise

grotte

stalactites

stalagmites

troupeau

ubac

chèvre

chalet

alpage

minéraux   schiste

malachite

améthyste

cristaux de quartz

soufre   mica   granite

Au fur et à mesure qu'on grimpe dans la montagne, le paysage change et la température baisse. Peu à peu, la végétation disparaît : c'est le domaine des neiges éternelles.

aigle
bec
rémiges
aile
eue
plumes
serres

bouquetin
corne

aiguille
glacier
dôme
col
route en lacets
téléphérique
lac
barrage
adret
vallée
tentes
torrent
tunnel
éboulis

ours brun

chamois

hermine

marmotte
fouine

eurs de montagne

edelweiss
gentiane
cyclamen
campanule
clochette
chardon

617

∎ **moqueur, euse** adj. [SENS 1] *David m'a regardé d'un air* **moqueur** (= railleur, ironique).

illustr. **moquette** n.f. *Il y a une tache sur la*
p. 862 **moquette** *du salon*, le tapis fixé au sol qui recouvre toute la surface.

moqueur → *moquer*

moraine n.f. *La* **moraine** *d'un glacier*, c'est l'accumulation de roches et de terre qu'il entraîne en avançant.

moral, ale, aux adj. SENS 1. *Notre conscience* **morale** *nous fait distinguer le bien du mal.* *Un acte* **moral** *est un acte conforme à la morale* (≠ immoral). SENS 2. *M. Bertrand a une grande force* **morale**, *une grande force de caractère* (≠ physique). ●● *démoraliser*

∎ **moral** n.m. [SENS 2] *Adrien n'a pas le* **moral**, il est découragé.

∎ **morale** n.f. [SENS 1] *Il a agi selon la* **morale**, *selon ce que l'on considère comme étant bien.* ◆ *La* **morale** *d'une fable, d'une histoire*, c'est la conclusion morale qu'on peut en tirer (= moralité).

∎ **moralement** adv. [SENS 1] *Je ne peux pas* **moralement** *t'approuver* (= honnêtement, en conscience).

∎ **moraliser** v. 1er groupe. [SENS 1] **Moraliser** *la vie politique*, c'est essayer d'y faire respecter davantage des principes moraux.

∎ **moralisateur, trice** adj. [SENS 1] *Il me parlait d'un ton* **moralisateur**, *comme pour m'apprendre ce qui est bien ou mal.*

∎ **moralité** n.f. [SENS 1] *C'est un homme sans* **moralité**, *il se conduit mal. Quelle est la* **moralité** *de cette histoire ?*, la conclusion morale (= morale, leçon).

moraliste n.m. *Un* **moraliste** *est un écrivain qui décrit les mœurs*, c'est-à-dire les caractères et la conduite des gens.

morbide adj. *Joël a un goût* **morbide** *pour les histoires de meurtre*, un goût anormal, malsain.

morceau n.m. SENS 1. *Donne-moi un* **morceau** *de pain* (= bout). SENS 2. *Le vase est cassé, il faut ramasser les* **morceaux**, les différentes parties (= fragment). SENS 3. *Un recueil de* **morceaux choisis** rassemble des extraits de textes d'auteurs différents.
✳ Au pluriel, on écrit des **morceaux**.

∎ **morceler** v. 1er groupe. [SENS 2] *La propriété* **a été morcelée**, *elle a été divisée en plusieurs parties.*
✳ Conj. n° 6.

∎ **morcellement** n.m. [SENS 2] *Les héritages successifs ont abouti au* **morcellement** *du domaine* (≠ regroupement).

mordre v. 3e groupe. SENS 1. *Le chien m'a* **mordu**, il m'a blessé avec ses dents. SENS 2. *Alex* **mord** *dans un morceau de pain*, il y enfonce ses dents. SENS 3. *L'acide* **mord** *le métal*, il l'attaque, le ronge. SENS 4. *Le poisson* **a mordu** *à l'hameçon*, il a attrapé l'appât. SENS 5. Fam. *Arnaud ne* **mord** *pas aux mathématiques*, il ne s'y intéresse pas.
✳ Conj. n° 52.

∎ **mordant, ante** adj. [SENS 1] *Il m'a parlé avec une ironie* **mordante**, blessante.

∎ **mordiller** v. 1er groupe. [SENS 1 et 2] *Anaïs* **mordille** *son crayon*, elle le mord légèrement.

∎ **morsure** n.f. [SENS 1] *La* **morsure** *de la vipère peut être mortelle*, la plaie faite en mordant.

mordu, ue n. Fam. *Noël est un* **mordu** *de rugby*, il s'y intéresse beaucoup, c'est sa passion.

se **morfondre** v. 3e groupe. *Enfin, te voilà ! Je* **me morfonds** *depuis trois heures*, je m'ennuie en t'attendant.
✳ Conj. n° 51.

1. morgue n.f. *M. Barbier est plein de* **morgue** *envers ses employés*, il les traite avec mépris (= arrogance).

2. morgue n.f. La **morgue** est l'endroit où l'on dépose provisoirement les cadavres.

moribond, e adj. et n. *Le blessé est* **moribond,** mourant. ●● *mourir*

morille n.f. *Pierre a trouvé des* **morilles** *dans la forêt,* une variété de champignon comestible au chapeau qui ressemble à une éponge.

morne adj. *Nous avons passé une journée* **morne,** une journée triste, ennuyeuse (≠ gai).

morose adj. Avoir un air **morose,** c'est avoir un air sombre, grognon.

morphologie n.f. SENS 1. *Cet homme a la* **morphologie** *d'un athlète,* la forme de corps (= physique). SENS 2. La **morphologie** est l'étude de la forme des mots.

illustr. p. 354 **mors** n.m. *Les brides du harnais sont attachées au* **mors,** à une barre de métal placée dans la bouche du cheval.
✳ On ne prononce pas le « s ». Ne pas confondre avec la **mort.**

illustr. p. 730 **1. morse** n.m. Un **morse** est un grand mammifère des mers polaires qui est pourvu de deux longues défenses.

illustr. p. 503 **2. morse** n.m. Le **morse** est un code qui sert à envoyer des messages télégraphiques.

morsure → *mordre*

mort, morte adj. SENS 1. *On l'a trouvé* **mort** *dans sa voiture,* sans vie. SENS 2. *Les feuilles* **mortes** *tombent à l'automne.* SENS 3. *Le latin est une langue* **morte,** une langue qui n'est plus parlée.
■ **mort, e** n. [SENS 1] *L'accident a fait deux* **morts,** deux personnes décédées.
✳ Ne pas confondre avec le **mors.**
■ **mort** n.f. [SENS 1] *La* **mort** *de son père lui a causé un grand chagrin* (= décès).

■ **mortel, elle** adj. [SENS 1] *Tous les hommes sont* **mortels,** ils meurent tous (≠ immortel). ●● *mourir. Ce liquide est un poison* **mortel,** il cause la mort. ◆ *Ce travail est* **mortel,** il est très ennuyeux.
■ **mortellement** adv. [SENS 1] *Il a été* **mortellement** *blessé,* sa blessure a entraîné la mort. ◆ *Ce livre est* **mortellement** *ennuyeux* (= très, horriblement).
■ **mortalité** n.f. [SENS 1] *La* **mortalité** *infantile a beaucoup diminué,* le nombre des enfants qui meurent.
■ **mort-né, mort-née** adj. [SENS 1] *Un enfant* **mort-né** *est mort en venant au monde.* ◆ *Des projets* **mort-nés** *sont des projets abandonnés avant même d'être réalisés.*
✳ Dans ce mot composé, **mort-** ne change pas au pluriel.
■ **mortuaire** adj. [SENS 1] *Avant l'enterrement, on s'est réuni à la maison* **mortuaire,** à la maison où était le mort.

mortadelle n.f. La **mortadelle** est une sorte de très gros saucisson.

illustr. p. 995 **mortaise** n.f. *Le tenon de la pièce doit s'enfoncer dans la* **mortaise,** l'entaille prévue pour le recevoir.

mortalité → *mort*

mort-aux-rats n.f. inv. La **mort-aux-rats** est un produit destiné à empoisonner les rats et les autres rongeurs.
✳ Au pluriel, ce mot ne change pas.

mortel, mortellement → *mort*

morte-saison n.f. La **morte-saison** est la période où il y a moins de travail qu'à l'ordinaire.

illustr. p. 156 **1. mortier** n.m. *Le maçon prépare du* **mortier** *pour construire son mur,* un mélange de chaux ou de ciment, de sable et d'eau qui durcira peu à peu.

2. mortier n.m. Un **mortier** est un gros bol dans lequel on broie des aliments, des ingrédients.

illustr.
p. 55
3. mortier n.m. Un **mortier** est un canon à tir courbe.

mortifier v. 1ᵉʳ groupe. *Alex **était** mortifié par mes critiques*, il était très vexé (= humilier).

▪ **mortification** n.f. *Il a subi des **mortifications** de toutes sortes*, des blessures d'amour-propre.

mort-né, mortuaire → *mort*

illustr.
p. 694
morue n.f. **Morue** est le nom donné au cabillaud séché ou salé.

morve n.f. *Essuie ta **morve** avec ton mouchoir*, le liquide qui coule de ton nez.

▪ **morveux, euse** adj. et n. *Il est sale et **morveux***, il a de la morve au nez.

illustr.
p. 41
mosaïque n.f. *La salle de bains a un sol en **mosaïque***, fait de petits carreaux de céramique assemblés de manière décorative.

mosquée n.f. *Les musulmans vont prier à la **mosquée***, un bâtiment réservé au culte islamique.

mot n.m. SENS 1. *La phrase : « Les oiseaux chantent dans les bois » contient six **mots***. ◆ *Je lui ai écrit un **mot** d'excuse*, un message bref. SENS 2. *Ils **ont eu des mots***, ils se sont disputés. SENS 3. *Il est mal élevé, il dit des **gros mots***, des mots grossiers. SENS 4. *Pierre a dit un **bon mot***, une plaisanterie. SENS 5. *Ils ont obéi à un **mot d'ordre*** (= consigne). *On s'**était** tous **donné le mot** pour lui faire la surprise*, on s'était secrètement mis d'accord. SENS 6. *Quand on discute, il veut toujours **avoir le dernier mot***, il veut avoir raison. SENS 7. *Répète-moi **mot à mot** ce qu'il a dit*, en employant exactement les mêmes mots (= textuellement). SENS 8. *Cela va coûter 1 500 euros **au bas mot***, au moins. SENS 9. *Papa aime faire des **mots croisés***, un jeu qui consiste à trouver des mots d'après leurs définitions et à les écrire dans les cases d'une grille.

motard → *moto*

illustr.
p. 69,
852
motel n.m. *Nous avons couché dans un **motel***, un hôtel dans lequel les automobilistes peuvent garer leur véhicule devant leur chambre.

illustr.
p. 971,
69,
202,
1002
moteur, trice SENS 1. n.m. *Nous avons eu une panne de **moteur***, du mécanisme qui fait avancer la voiture. ●● **bimoteur, quadrimoteur**. SENS 2. adj. *Cette auto a quatre roues **motrices***, qui transmettent le mouvement.

▪ **motoriser** v. 1ᵉʳ groupe. [SENS 1] Les troupes **motorisées** utilisent des moyens de transport automobiles.

illustr.
p. 971
▪ **motrice** n.f. [SENS 1] La **motrice** d'un train est la voiture à moteur qui le tire.

1. motif n.m. *Pour quel **motif** es-tu parti si vite ?*, quelle raison t'a poussé à le faire ?

▪ **motiver** v. 1ᵉʳ groupe. *Son départ **était motivé** par la fatigue* (= causer).

▪ **motivation** n.f. *On comprend mal ses **motivations***, l'ensemble des raisons qui le font agir.

illustr.
p. 228
2. motif n.m. *Les deux tableaux représentent le même **motif*** (= sujet).

motion n.f. *L'Assemblée a voté une **motion***, un texte proposé par l'un de ses membres.

motivation, motiver → *motif*

illustr.
p. 85,
1002
moto ou **motocyclette** n.f. *Une **moto** nous a doublés*, un véhicule à deux roues ayant un moteur puissant.

illustr.
p. 73,
1011
▪ **motocycliste** n. *Les **motocyclistes** doivent porter un casque*, les personnes qui font de la moto.

▪ **motocross** n.m. Le **motocross** est une course de motos sur un terrain accidenté.

illustr.
p. 10,
1011
▪ **motard** n.m. Fam. *Un **motard** nous a fait un signe de remerciement sur l'autoroute* (= motocycliste). ◆ *Un **motard***

nous a arrêtés sur l'autoroute pour excès de vitesse, un gendarme à moto.

illustr. p. 747 **motoculteur** n.m. *M. Chéron a un motoculteur pour cultiver son jardin*, un engin à moteur. ●● *moteur*

motoriser, motrice → *moteur*

illustr. p. 20, 354, 582 **motte** n.f. SENS 1. *Le jardinier casse une motte de terre avec sa bêche*, une petite masse. SENS 2. *Le beurre se vend parfois en motte*, en masse arrondie.

motus ! interj. Fam. Ce mot s'emploie pour demander à quelqu'un de ne rien dire : *motus et bouche cousue !*
✳ On prononce le « s » : [mɔtys].

1. mou, molle adj. SENS 1. *Mets le beurre dans le réfrigérateur, il est tout mou* (≠ dur). ●● *amollir, ramollir*. SENS 2. *C'est une grande fille molle*, lente, nonchalante (≠ énergique).
■ **mou, molle** n. [SENS 2] *Ces garçons sont des mous*, des garçons sans énergie. ●● *mollir*. ◆ n.m. *Il faut donner du mou à cette corde*, la laisser se détendre.
✳ L'adjectif **mou** devient **mol** devant une voyelle où un « h » muet : *un mol oreiller*. Ne pas confondre **mou**, la **moue** et le **moût**.

2. mou n.m. *Mme Godet a acheté du mou de bœuf pour le chat*, du poumon.

mouchard, arde n. Fam. *La police a exploité les renseignements donnés par un mouchard*, quelqu'un qui avait dénoncé les coupables. *Max est un mouchard* (= rapporteur).
■ **moucharder** v. 1ᵉʳ groupe. Fam. *Il moucharde encore !* (= rapporter).

llustr. . 385 **mouche** n.f. SENS 1. *Des mouches se sont posées sur le pain, puis se sont envolées*, des insectes ailés très répandus. SENS 2. *Pierre a pris la mouche*, il s'est brusquement mis en colère. *Quelle mouche te pique ?*, pourquoi te fâches-

tu soudain ? SENS 3. **Faire la mouche du coche**, c'est s'agiter beaucoup sans rendre réellement service. SENS 4. *Il a tiré et a fait mouche*, il a touché le but.
■ **moucheron** n.m. [SENS 1] *Un moucheron est une petite mouche.*

moucher v. 1ᵉʳ groupe. *Paul est enrhumé, il ne cesse de se moucher*, de débarrasser son nez de ce qui l'encombre. *Mouche ton nez !*
■ **mouchoir** n.m. *Aurélie s'essuie les yeux avec son mouchoir*, un carré de tissu.

moucheron → *mouche*

moucheté, ée adj. *Ce cheval est noir moucheté de blanc*, avec des petites taches blanches.

mouchoir → *moucher*

moudre v. 3ᵉ groupe. *On moud le blé pour faire de la farine*, on réduit les grains en poudre en les écrasant. *J'ai acheté un paquet de café moulu*. ●● *mouture*
✳ Conj. n° 58.
■ **moulin** n.m. *Les moulins à vent et les moulins à eau servaient à moudre le grain. Un moulin à poivre sert à moudre le poivre.* *illustr. p. 845, 238*
■ **moulinet** n.m. *Un moulinet permet d'enrouler et de dérouler le fil d'une canne à pêche.* ◆ (Au plur.) *Faire des moulinets avec un bâton*, c'est le faire tournoyer.

moue n.f. *Il a fait la moue quand je lui ai demandé de l'argent* (= grimace).
✳ Ne pas confondre avec l'adjectif **mou** et le **moût**.

mouette n.f. *Des mouettes volent au-dessus du port*, des oiseaux de mer aux pattes palmées. *illustr. p. 718*

moufle n.f. *Des moufles sont des gants dont le pouce seul est séparé des autres doigts.* *illustr. p. 730*

mouflon n.m. Le **mouflon** est un mouton sauvage des montagnes.

mouiller v. 1er groupe. SENS 1. *Le linge a été mouillé par la pluie,* il a été rendu humide (= tremper). SENS 2. *Le bateau mouille dans la baie,* il s'y est arrêté (= jeter l'ancre).

■ **mouillage** n.m. [SENS 2] *Cette rade abritée est un bon mouillage pour les voiliers,* un endroit pour s'arrêter.

■ **mouillette** n.f. [SENS 1] *Pierre trempe des mouillettes dans son œuf à la coque,* des morceaux de pain.

moulage, moulant → *moule (2)*

illustr. p. 718, 694

1. moule n.f. Les **moules** sont des coquillages allongés d'un noir bleuté qui vivent fixés sur les rochers.

illustr. p. 238

2. moule n.m. *Quand on veut reproduire un objet, on verse une pâte durcissante dans un moule,* un récipient qui a en creux la forme de l'objet. *On fait cuire une tarte dans un moule à tarte.*

■ **mouler** v. 1er groupe. **Mouler** une statue, c'est en prendre l'empreinte avec une pâte qui, une fois durcie, servira de moule pour la reproduire. ●● *démouler.* ◆ *Sa robe lui moule le corps,* elle est très étroite.

■ **moulage** n.m. *On a fait un moulage de cette statue* (= reproduction).

■ **moulant, ante** adj. *Elle porte une robe moulante,* très serrée (≠ large, ample).

moulin, moulinet → *moudre*

moulu, ue adj. Fam. *Après cette longue marche, nous étions tous moulus,* très fatigués, épuisés.
✳ Voir aussi **moudre.**

moulure n.f. *Il y a des moulures au plafond du salon,* des ornements en creux ou en relief.

mourir v. 3e groupe. SENS 1. *Il est mort après une longue maladie,* il a cessé de vivre (= décéder). ●● *moribond, mort.* SENS 2. *Je meurs de faim et de soif,* j'ai très faim et très soif. *C'est une histoire à mourir de rire,* extrêmement drôle.
✳ Conj. n° 25. **Mourir** se conjugue avec l'auxiliaire « être ».

■ **mourant, ante** adj. et n. [SENS 1] *Le blessé est mourant,* il va mourir.

mouron n.m. Le **mouron** est une plante des prés et des chemins à petites fleurs.

mousquet n.m. Un **mousquet** est un fusil qu'on utilisait au XVIe et au XVIIe siècle.

■ **mousquetaire** n.m. Les **mousquetaires** étaient des soldats qui gardaient le roi et qui étaient armés d'un mousquet.

mousqueton n.m. SENS 1. Un **mousqueton** est un fusil court. SENS 2. *La corde de l'alpiniste passe dans un mousqueton,* une sorte de crochet à ressort qui forme une boucle.

illustr. p. 29

1. mousse n.m. Un **mousse** est un apprenti marin.

2. mousse n.f. SENS 1. *Le champagne fait de la mousse quand on le débouche,* des bulles qui forment une sorte d'écume. SENS 2. *Comme dessert, il y avait une mousse au chocolat,* du chocolat mélangé à des blancs d'œufs fouettés. SENS 3. *Il y a de la mousse au pied de cet arbre,* une petite plante verte formant une sorte de tapis.

illustr. p. 239

753

■ **mousser** v. 1er groupe. [SENS 1] *Ce shampooing mousse beaucoup,* il fait de la mousse.

■ **mousseux, euse** adj. et n.m. [SENS 1] Le (vin) **mousseux** est un vin qui pétille.

■ **moussu, ue** adj. [SENS 3] *Ce chêne a un tronc moussu,* recouvert de mousse.

mousseline n.f. *Sonia a un foulard en mousseline,* en tissu léger et transparent.

mousser, mousseux → *mousse*

mousseron n.m. Le **mousseron** est un petit champignon comestible.

mousson n.f. La **mousson** est un vent qui souffle en Inde et qui apporte la pluie l'été, quand il souffle de la mer vers la terre.

moussu → *mousse*

moustache n.f. *M. Marlin a laissé pousser sa* **moustache** *(ses* **moustaches***)*, les poils de sa lèvre supérieure. ◆ (Au plur.) *Le chat n'aime pas qu'on lui tire les* **moustaches**, les longs poils du museau qui lui servent d'organes du toucher.

■ **moustachu, ue** adj. et n. *M. Marlin est* **moustachu**, il a de la moustache.

illustr. p. 357 **moustique** n.m. *J'ai été piquée par un* **moustique**, un insecte volant au corps très mince qui vit dans les lieux humides.

■ **moustiquaire** n.f. Une **moustiquaire** est un tissu léger sous lequel on dort pour se protéger des moustiques.

moût n.m. Le **moût** est le jus de raisin qui sort du pressoir. ✹ Ne pas confondre avec l'adjectif **mou** et une **moue**.

moutarde n.f. SENS 1. *Pierre aime le rosbif avec de la* **moutarde**, un condiment au goût piquant. SENS 2. Fam. *Quand* **la moutarde** *lui* **monte au nez***, il peut être violent*, il commence à se mettre en colère.

illustr. p. 397, 20 **mouton** n.m. SENS 1. *Le berger conduit ses* **moutons** *au pâturage*, des mammifères domestiques ruminants qui fournissent de la laine et de la viande. *La femelle du* **mouton** *est la brebis, et son petit, l'agneau.* → **ovin**. SENS 2. *Il y a du vent, on voit des* **moutons** *sur la mer*, des vagues qui font une écume blanche.

■ **moutonner** v. 1er groupe. [SENS 2] *La mer* **moutonne**, elle fait des moutons.

■ **moutonneux, euse** adj. [SENS 2] *Le ciel est* **moutonneux**, les nuages blancs font penser à des moutons.

■ **moutonnier, ère** adj. [SENS 1] *Fabien est* **moutonnier**, *il suit aveuglément les autres, comme le font les moutons.*

mouture n.f. *Le café sera plus fort si la* **mouture** *est très fine*, la poudre qu'on obtient après l'avoir moulu. ●● *moudre*

mouvement n.m. SENS 1. *Les vagues sont des* **mouvements** *de la mer, les vents, des* **mouvements** *de l'air* (= déplacement). SENS 2. *Pierre a fait un* **mouvement** *du bras pour regarder l'heure*, il a bougé le bras (= geste). SENS 3. *Jean a eu un* **mouvement** *de colère*, il s'est mis en colère (= impulsion). SENS 4. *Il a agi de son propre* **mouvement**, *de lui-même* (= inspiration, initiative). SENS 5. *M. Leclerc appartient à un* **mouvement** *politique*, à une organisation. SENS 6. *Cette symphonie comporte trois* **mouvements**, trois parties. SENS 7. Fam. *Il a fait ce travail* **en deux temps trois mouvements**, très rapidement.

■ **mouvementé, ée** adj. [SENS 1] *Nous avons une vie* **mouvementée**, agitée (≠ calme, paisible).

■ **mouvoir** v. 3e groupe. [SENS 2] *Alex ne peut plus* **mouvoir** *le bras*, le mettre en mouvement (= bouger). ✹ Conj. n° 36.

■ **mouvant, ante** adj. *Attention ! sur cette plage, il y a des* **sables mouvants**, des sables dans lesquels on s'enfonce.

1. moyen, enne adj. SENS 1. *Colin est de taille* **moyenne**, *il n'est ni grand ni petit, entre les deux*. SENS 2. *Léo est* **moyen** *en mathématiques*, *il n'est ni bon ni mauvais* (= passable). SENS 3. *M. Durand est un Français* **moyen** (= ordinaire). SENS 4. *On calcule la vitesse* **moyenne** *d'une auto en divisant le nombre de kilomètres parcourus par le temps mis à les parcourir.*

■ **moyenne** n.f. [SENS 2] *Jean n'a pas eu la* **moyenne** *en français*, *il n'a pas eu 10 sur 20*. [SENS 4] *Nous avons fait 320 kilomètres en quatre heures, c'est-à-dire que nous avons fait du 80 de* **moyenne**.

■ **moyennement** adv. [SENS 2] *Il travaille moyennement*, ni bien ni mal.

2. moyen n.m. SENS 1. *Par quel moyen es-tu entré dans cette maison ?*, comment es-tu arrivé à le faire ? (= procédé). SENS 2. *Il est monté sur le toit au moyen d'une échelle* (= avec, grâce à, à l'aide de). SENS 3. (Au plur.) *Je n'ai pas les moyens de partir en vacances*, pas assez d'argent pour le faire. SENS 4. *Quand il est fatigué, il perd ses moyens* (= capacités).

illustr. p. 164, 502

Moyen Âge n.m. Le **Moyen Âge** est la période historique qui se situe entre l'Antiquité et l'époque moderne (du Ve au XVe siècle).

■ **moyenâgeux, euse** adj. *Nous avons visité un château moyenâgeux*, du Moyen Âge (= médiéval).
✳ On prononce [mwajɛnaʒø]. **Moyen Âge** s'écrit en deux mots, avec des majuscules, **moyenâgeux** en un seul mot.

moyennant prép. *Il a accepté de venir moyennant une forte somme*, à condition qu'on la lui donne (= pour, en échange de).

moyenne, moyennement
→ *moyen (1)*

moyeu n.m. Le **moyeu** d'une roue est sa partie centrale.
✳ On prononce [mwajø].

mucosité → *muqueuse*

muer v. 1er groupe. SENS 1. *Les serpents muent tous les ans*, ils changent de peau. SENS 2. *Pierre a 12 ans, sa voix mue*, elle devient plus grave.

illustr. p. 310

■ **mue** n.f. [SENS 1 et 2] La **mue** est l'action de muer.

muet, muette adj. SENS 1. *Cet enfant est sourd et muet de naissance*, il ne peut pas parler. *Au début du cinéma, les films étaient muets*, ils n'étaient pas

sonorisés (≠ parlant). SENS 2. *Quand on l'a interrogé, il est resté muet*, il n'a pas voulu (ou pu) parler (= silencieux ; ≠ bavard). ●● **mutisme**. SENS 3. *Dans « carte », le « e » est muet*, on ne le prononce pas. *« Homme » commence par un « h » muet*, qui n'empêche pas la liaison (≠ aspiré).

muezzin n.m. Dans la religion musulmane, le **muezzin** est celui qui appelle à la prière.
✳ On prononce [mɥɛdzin].

illustr. p. 820

1. mufle n.m. Le **mufle** de la vache, du chien, c'est le bout de leur museau.

illustr. p. 354

2. mufle n.m. *M. Duval s'est conduit comme un mufle*, très grossièrement (= goujat).

■ **muflerie** n.f. *Sa muflerie dépasse les bornes* (= grossièreté).

mugir v. 2e groupe. *Les vaches mugissent dans l'étable*, elles poussent leur cri (= meugler, beugler).

■ **mugissement** n.m. Le **mugissement** est le cri de la vache et du taureau (= beuglement, meuglement).

muguet n.m. *Le 1er mai, Pierre a offert un bouquet de muguet à sa mère*, de fleurs à clochettes blanches parfumées.

mulâtre n. *Beaucoup d'Antillais sont des mulâtres*, l'un de leurs parents est noir et l'autre blanc.
✳ Au féminin, on dit parfois **mulâtresse**.

1. mule → *mulet (1)*

2. mule n.f. Une **mule** est une sorte de pantoufle qui laisse le talon libre.

1. mulet n.m. Le **mulet** est un mammifère né d'un âne et d'une jument, plus petit que le cheval et plus grand que l'âne.

illustr. p. 39?

■ **mule** n.f. La **mule** est un mulet femelle, née d'un âne et d'une jument.

■ **muletier, ère** adj. Un chemin **muletier** est un chemin étroit et escarpé qu'aucun autre animal qu'une mule ou un mulet ne peut gravir. ◆ n.m. Un **muletier** est un conducteur de mulets.

2. mulet n.m. *Martin a pêché un **mulet**,* un grand poisson de mer.

mulot n.m. Le **mulot** est un petit rongeur qu'on appelle aussi « rat des champs ».

multi- préfixe. Placé au début d'un mot, **multi-** a le sens de « plusieurs : *un **multi**millionnaire est riche de plusieurs millions.*

multicolore adj. *Adrien a une jolie chemise **multicolore**,* de plusieurs couleurs. ●● *couleur*

multimillionnaire → *multi-*

illustr. p. 643
multiple SENS 1. adj. *Cet accident a des causes **multiples*** (= nombreux, varié ; ≠ unique). SENS 2. n.m. *20 est un **multiple** de 2, de 4, de 5 et de 10,* tous ces nombres sont contenus plusieurs fois exactement dans 20 (4 x 5 et 10 x 2 = 20).

■ **multiplier** v. 1ᵉʳ groupe. [SENS 1] *Joël a **multiplié** les erreurs,* il en a fait beaucoup. *Les incidents **se multiplient** dans ce quartier,* ils se répètent (= s'accroître, augmenter). ●● *démultiplier.* [SENS 2] *Si on **multiplie** 3 par 6, on obtient 18 (3 x 6 = 18).*

■ **multiplicateur** n.m. [SENS 2] *Dans la multiplication 3 x 4 = 12, 4 est le **multiplicateur**.*

■ **multiplicande** n.m. [SENS 2] *Dans la multiplication 3 x 4 = 12, 3 est le **multiplicande**.*

■ **multiplication** n.f. [SENS 1] La **multiplication** des incidents devient inquiétante (= accroissement, augmentation). [SENS 2] *La **multiplication** de 3 par 6 donne 18* (≠ division).

multiracial, ale, aux adj. Dans une société **multiraciale**, des gens de plusieurs races vivent ensemble.

multitude n.f. *Il y avait une **multitude** de gens dans les rues,* un très grand nombre (= foule, masse).

illustr. p. 358
municipal, ale, aux adj. *Le conseil **municipal** s'est réuni,* l'assemblée élue pour administrer la commune sous la présidence du maire.

■ **municipalité** n.f. Une **municipalité** est une division du territoire administrée par le maire et ses conseillers (= commune).

munir v. 2ᵉ groupe. *Il pleut, n'oublie pas de te **munir** d'un parapluie,* de le prendre avec toi. *La porte d'entrée est **munie** d'un système d'alarme,* elle en a un (= doter, pourvoir ; ≠ démunir).

munitions n.f. pl. *Les soldats n'avaient plus de **munitions**,* de quoi charger leurs armes.

muqueuse n.f. *Le nez, la bouche, l'estomac sont tapissés par des **muqueuses**,* de la peau très fine.

■ **mucosité** n.f. Une **mucosité** est un liquide visqueux qui s'écoule d'une muqueuse, en particulier du nez.

illustr. p. 527, 157
mur n.m. SENS 1. *La propriété est entourée d'un **mur** de pierre,* d'une construction verticale qui sert de clôture. SENS 2. *Les **murs** de la pièce sont tapissés de papier peint* (= cloison).
❋ Ne pas confondre avec l'adjectif **mûr** et avec la **mûre**.

illustr. p. 122, 311
■ **mural, ale, aux** adj. [SENS 2] *Une carte **murale** est au fond de la classe,* une carte accrochée au mur.

■ **murer** v. 1ᵉʳ groupe. [SENS 1] *On a **muré** la deuxième porte de cette chambre,* on a bouché le passage en construisant un mur à la place. ●● *emmurer*

illustr. p. 164, 165
■ **muraille** n.f. [SENS 1] *Cette ville est entourée de **murailles**,* des murs épais et hauts.

■ **muret** n.m. [SENS 1] *Dans cette région, les champs sont séparés par des **murets**,* des petits murs.

mûr, mûre adj. SENS 1. *Les cerises sont rouges, elles sont mûres, elles peuvent être cueillies et mangées.* SENS 2. *Bertrand est un homme mûr,* il a fini de se développer, c'est un adulte.
☀ Ne pas confondre avec le **mur** et la **mûre**.

■ **mûrement** adv. [SENS 2] *J'ai mûrement réfléchi à la question,* longtemps et en examinant tout.

■ **mûrir** v. 2ᵉ groupe. [SENS 1] *Le raisin mûrit en septembre,* devient mûr.
●● **maturité**. [SENS 2] *Cette idée a mûri lentement dans sa tête,* elle s'est développée.

muraille, mural → *mur*

mûre n.f. *Mme Chenu fait de la confiture de mûres,* avec les fruits noirs des ronces.
☀ Ne pas confondre avec le **mur** et avec l'adjectif **mûr**.

mûrement → *mûr*

murer, muret → *mur*

mûrier n.m. *Le mûrier blanc est un arbre du Midi qui est cultivé pour l'élevage des vers à soie.*

mûrir → *mûr*

murmure n.m. SENS 1. *On entend un murmure derrière la cloison,* un faible bruit de voix. SENS 2. *Il a obéi sans murmure,* sans protestation.

■ **murmurer** v. 1ᵉʳ groupe. [SENS 1] *Jean m'a murmuré quelque chose à l'oreille,* il l'a dit tout bas (= chuchoter). [SENS 2] *Il a accepté de partir sans murmurer,* sans protester.

musaraigne n.f. *La musaraigne est un petit mammifère au museau pointu qui ressemble à une souris et qui se nourrit de vers et d'insectes.*

musarder v. 1ᵉʳ groupe. *Anne a passé son après-midi à musarder,* à ne rien faire, à perdre son temps (= flâner, paresser).

musc n.m. *Le musc est une substance odorante d'origine animale qui sert à fabriquer des parfums.*

muscade n.f. *La (noix de) muscade est une graine utilisée comme aromate.*

muscadet n.m. *Le muscadet est un vin blanc de la Loire.*

muscat n.m. *Le muscat est une sorte de raisin dont on fait un vin parfumé appelé aussi « muscat ».*

muscle n.m. *Les muscles sont les organes formés de fibres, rattachés aux os par les tendons, qui constituent la chair des vertébrés et qui, en se contractant, permettent d'effectuer des mouvements. Michel fait de la gymnastique pour développer ses muscles.*

■ **musclé, ée** adj. *Basile a des bras musclés,* il a de gros muscles.

■ **musculaire** adj. *La force musculaire est la force de nos muscles.* ●● ***intramusculaire***

■ **musculature** n.f. *La musculature d'une personne est l'ensemble de ses muscles.*

muse n.f. (Avec majuscule.) *Les Muses étaient neuf déesses grecques qui protégeaient les artistes et les poètes, et les inspiraient.*

museau n.m. *Le chien a avancé son museau et m'a léché la main,* la partie avant de sa tête.
☀ Au pluriel, on écrit des **museaux**.

■ **museler** v. 1ᵉʳ groupe. *Il faut museler ce chien pour l'empêcher de mordre,* lui mettre une muselière.
☀ Conj. nᵒ 6.

■ **muselière** n.f. *Une muselière sert à emprisonner le museau d'un animal.*

musée n.m. *On a visité un musée de la préhistoire,* un bâtiment où sont rassem- *illustr. p. 101.*

blés et exposés des objets préhistoriques.

■ **muséum** n.m. Un **muséum** est un musée consacré aux sciences naturelles.
✳ On prononce [myzeɔm].

museler, muselière → *museau*

musette n.f. SENS 1. *Le pêcheur porte une* **musette** *en bandoulière,* un sac de toile. SENS 2. Un **bal musette** est un bal populaire, où l'on danse au son de l'accordéon.

muséum → *musée*

illustr. **musique** n.f. *Hugo apprend la* **musi-**
p. 628, **que,** l'art d'assembler harmonieusement
629 les sons, de jouer d'un instrument.
◆ *J'aime la* **musique** *de cette chanson* (= air).

■ **musical, ale, aux** adj. *Il y avait à la télé une émission* **musicale,** de musique.

■ **musicien, enne** n. *M. Dupuis est* **musicien** *dans un orchestre de jazz,* il joue de la musique.

■ **music-hall** n.m. *On va au* **music-hall** *pour écouter des chanteurs, des acteurs comiques.*
✳ On prononce [myzikɔl]. Au pluriel, on écrit des **music-halls.**

illustr. **musulman, e** adj. et n. *La religion*
p. 820 **musulmane** *est la religion fondée par Mahomet. Les* **musulmans** *croient en un seul dieu, Allah.* ●● *islam*

mutation n.f. SENS 1. *M. Verlot a demandé sa* **mutation,** *qu'on le change de lieu de travail.* SENS 2. *Une industrie en* **mutation** *est une industrie qui subit des changements profonds, une importante transformation.*

■ **muter** v. 1er groupe. *On l'a muté à Lyon,* on l'a nommé à un nouveau poste situé à Lyon.

mutiler v. 1er groupe. SENS 1. *Après son accident, il* **a été mutilé** *des deux jambes,* il a été grièvement blessé et a perdu

l'usage de ses jambes. → *estropier, amputer.* SENS 2. *Mutiler un texte,* c'est en retrancher certaines parties essentielles.

■ **mutilation** n.f. [SENS 1] *Le corps de la victime portait des traces de* **mutilation** (= blessure). [SENS 2] *Ce texte a subi des* **mutilations** *qui le dénaturent* (= coupure).

■ **mutilé, ée** n. [SENS 1] *Les* **mutilés** *de guerre touchent une pension,* ceux qui ont perdu un membre à la guerre.

mutin n.m. *Les* **mutins** *se sont emparés de la prison,* les prisonniers révoltés (= rebelle).

■ se **mutiner** v. 1er groupe. *Les marins* **se sont mutinés** (= se révolter, se rebeller).

■ **mutinerie** n.f. *La* **mutinerie** *a été durement réprimée* (= révolte, rébellion).

mutisme n.m. *Gilles est resté enfermé dans son* **mutisme,** *son refus de parler* (= silence). ●● *muet*

mutuel, elle SENS 1. adj. *Jean et Pierre se portent une amitié* **mutuelle,** *qui est ressentie par l'un et par l'autre* (= partagé, réciproque). SENS 2. n.f. *Une* **mutuelle** *est une association d'entraide qui offre un système d'assurances moyennant le paiement d'une cotisation.*

■ **mutuellement** adv. [SENS 1] *Claire et Jeanne s'aident* **mutuellement** *à travailler,* elles s'aident l'une l'autre (= réciproquement).

■ **mutualiste** n. [SENS 2] *Un* **mutualiste** *est une personne qui est membre d'une mutuelle.*

mycologie n.f. *La* **mycologie** *est l'étude des champignons.*

mygale n.f. *La* **mygale** *est une grosse araignée dont la piqûre est très dangereuse.*

myope adj. *Pierre est* **myope,** *il voit mal les objets éloignés.* → *presbyte*

LA MUSIQUE

instruments à vent

flûte traversière
clarinette
hautbois — clefs — anche — saxophone — tuba
pavillon — pistons
cor d'harmonie
embouchure
accordéon — touches — soufflet

instruments à percussion

triangle — marac
cloche
castagnettes

solfège

bémol
clef de sol — noire — blanche — ronde
dièse — bécarre
clef de fa — croches — portée

diapason
métronome

violon

chevalet
ouïe
chevilles
manche
table d'harmonie
cordes
mentonnière
archet — baguette (fût)
pointe — crin — vis

orchestre de chambre
(quatuor à cordes)

violons
alto
violoncelle

disposition d'un orchestre symphonique

timbales
flûtes
cors
trompettes
clarinettes
violons
1er violon
chef d'orchestre

orchestre de jazz

batterie
trombone à coulisse
piano à queue
clarinette
contrebasse
trompette
saxophone
banjo

628

Il existe une très grande variété d'instruments de musique :
des instruments à percussion pour bien marquer le rythme,
des instruments à vent comme la flûte, à cordes comme la guitare...

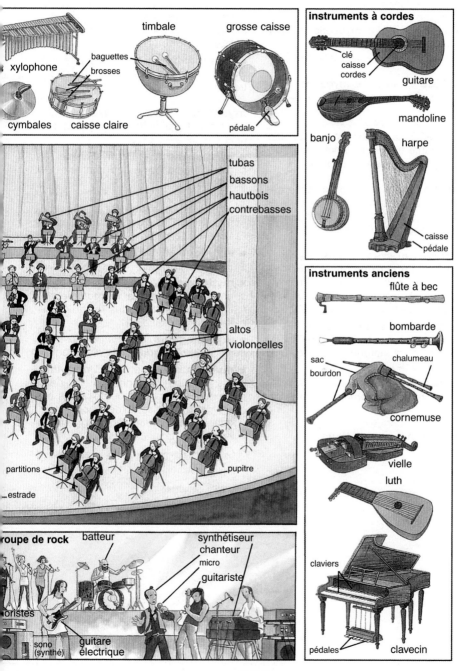

instruments à cordes

xylophone

timbale

grosse caisse

baguettes
brosses

cymbales

caisse claire

pédale

clé
caisse
cordes

guitare

mandoline

banjo

harpe

caisse
pédale

tubas
bassons
hautbois
contrebasses

altos
violoncelles

partitions

pupitre

estrade

instruments anciens

flûte à bec

bombarde

sac
bourdon

chalumeau

cornemuse

vielle

luth

claviers

groupe de rock

batteur

synthétiseur
chanteur
micro
guitariste

choristes

sono
(synthé)

guitare
électrique

pédales

clavecin

629

■ **myopie** n.f. *Sa myopie a augmenté,* il lui faut des lunettes plus fortes.

myosotis n.m. Le **myosotis** est une plante à petites fleurs bleues.
✻ On prononce le « s » : [mjɔzɔtis].

myriade n.f. *Il y a des myriades d'étoiles dans le ciel,* des quantités innombrables.

myrrhe n.f. La **myrrhe** est une substance odorante tirée d'un arbre d'Arabie.
✻ Ne pas confondre avec **mire.**

illustr. **myrtille** n.f. *Nous avons ramassé des*
p. 616 *myrtilles dans la forêt,* de petits fruits bleu-noir qui poussent en montagne sur des arbrisseaux sauvages.

mystère n.m. SENS 1. *On n'a pas réussi à éclaircir ce mystère,* cette chose impossible à comprendre (= énigme). SENS 2. Au Moyen Âge, un **mystère** était une pièce de théâtre à sujet religieux.

■ **mystérieux, euse** adj. [SENS 1] *Cette disparition est mystérieuse,* elle est impossible à comprendre, à expliquer (= inexplicable).

■ **mystérieusement** adv. [SENS 1] *Il a disparu mystérieusement,* on ne sait comment.

mysticisme → *mystique*

mystifier v. 1er groupe. *Il a mystifié tout le monde en racontant cette histoire de jours de vacances supplémentaires,* il a réussi à faire croire une histoire invraisemblable (= tromper, berner, duper).

■ **mystification** n.f. *Nous avons été victimes d'une mystification* (= farce, tromperie, duperie).

mystique n. et adj. Les **mystiques** sont des croyants qui recherchent la communion directe avec Dieu.

■ **mysticisme** n.m. Le **mysticisme** recherche l'union intime de l'homme et de la divinité.

mythe n.m. Un **mythe** est un récit qui met en scène des personnages imaginaires (= légende).

■ **mythique** adj. *Ce récit est mythique,* il raconte un mythe (= légendaire).

■ **mythologie** n.f. *Jupiter, Mars, Vénus sont des dieux de la mythologie romaine,* de l'ensemble des récits légendaires des Romains.

■ **mythologique** adj. *Hercule est un héros mythologique,* de la mythologie.

■ **mythomane** n. et adj. Un **mythomane** est une personne qui ne peut s'empêcher d'imaginer des histoires ou des situations fausses et de les présenter comme vraies, en finissant par y croire elle-même (= fabulateur).

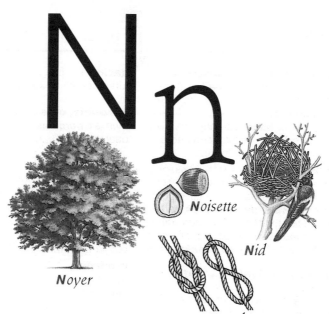

N n

Noisette

Nid

Noyer

Nœud

n' → *ne*

nabot, ote n. Un **nabot** est une personne de très petite taille (= nain).

nacelle n.f. *On aperçoit deux passagers dans la* **nacelle** *du ballon aérien*, le panier suspendu à ce ballon. *Claire s'assoit dans la* **nacelle** *de la balançoire*, la coque.

illustr. p. 531

nacre n.f. *Marie a des boutons de* **nacre** *à son corsage*, faits d'une matière brillante d'un blanc rosé et irisé qui recouvre l'intérieur de certains coquillages.

illustr. p. 228

nager v. 1er groupe. *Marie apprend à* **nager**, *à se soutenir et à avancer dans* l'eau. ●● *natation*
☀ Conj. nº 2.

■ **nage** n.f. *Le crawl est la* **nage** *la plus rapide*, la manière de nager. ◆ *Jean a couru, il est* **en nage** (= en sueur).

■ **nageoire** n.f. *Les* **nageoires** *des poissons sont les organes plats qui leur permettent de se déplacer dans l'eau.*

illustr. p. 694

■ **nageur, euse** n. *Jeanne est une bonne* **nageuse**, *elle nage bien.*

naguère adv. **Naguère** *est un équivalent rare de « récemment ».*

naïf, naïve adj. et n. *Marie est* **naïve**, *elle croit tout ce qu'on lui dit* (= crédule).

■ **naïvement** adv. *Denis a souri* **naïvement**, *avec une sincérité un peu ingénue* (= innocemment).

■ **naïveté** n.f. *On s'est moqué de sa* **naïveté**, *de la facilité avec laquelle elle croit tout ce qu'on lui dit* (= crédulité, ingénuité).

nain, naine n. Un **nain** est une personne dont la taille est nettement plus petite que la taille habituelle des gens de cet âge (≠ géant).

naître v. 3e groupe. SENS 1. *Mon petit frère* **est né** *le 1er janvier*, *il est venu au monde* (≠ mourir). ●● *nouveau-né, natal, natif.* SENS 2. *Une grande amitié* **est née** *entre Jeanne et Marie*, *elle a*

631

Narcisse

commencé (≠ finir). ●● **renaître**. SENS 3. *Le récit des réfugiés a fait **naître** chez les enfants un sentiment de solidarité* (= provoquer, causer).
✷ Conj. n° 65. **Naître** se conjugue avec l'auxiliaire « être ». Ne pas confondre (il est) **né**, (il, elle) **naît** et le **nez**.

■ **naissance** n.f. [SENS 1] La **naissance**, c'est le moment où le bébé sort du ventre de sa mère, c'est la venue au monde. *Écrivez votre lieu de **naissance**, le lieu où vous êtes né.* [SENS 2] *Ils sont partis à la **naissance** du jour,* au moment où le soleil se lève (= début). ●● **renaissance**

naïvement, naïveté → **naïf**

naja n.m. Le **naja** est un serpent très dangereux d'Asie et d'Afrique, appelé aussi « serpent à lunettes » (= cobra).

nantir v. 2ᵉ groupe. **Nantir** est un équivalent rare de « munir, doter ».

naphtaline n.f. *On met de la **naphtaline** dans les tissus pour les protéger des mites,* un produit blanc à odeur forte.

illustr. p. 862 **nappe** n.f. SENS 1. *La **nappe** sert à protéger la table sur laquelle on mange,* une pièce de tissu. SENS 2. *Un étang, un lac, une mer sont des **nappes** d'eau,* des couches de liquide très étendues.
■ **napper** v. 1ᵉʳ groupe. [SENS 2] *Un gâteau **nappé** de chocolat* est recouvert d'une couche de chocolat liquide.
■ **napperon** n.m. [SENS 1] *Mets un **napperon** sous le vase de fleurs,* une petite nappe.

narcisse n.m. Le **narcisse** est une plante à bulbe à fleurs jaunes ou blanches odorantes.

narcotique n.m. **Narcotique** est un équivalent savant de « somnifère ».

narguer v. 1ᵉʳ groupe. *Le malfaiteur **nargue** la police par ses coups de téléphone,* il se moque d'elle avec insolence (= braver, défier).

narine n.f. Les **narines** sont les ouvertures du nez. → **naseau**   *illustr. p. 217*

narquois, oise adj. *Marie me regardait d'un air **narquois**,* elle semblait se moquer de moi (= ironique, railleur).

narration n.f. *Le professeur nous a demandé de faire une **narration** sur nos vacances,* de les raconter par écrit (= rédaction). *Le témoin a fait une **narration** fidèle de l'accident* (= récit).
■ **narrateur, trice** n. *N'interrompez pas la **narratrice** !,* celle qui raconte.
■ **narrer** v. 1ᵉʳ groupe. **Narrer** se disait autrefois pour « raconter ». ●● **inénarrable**

nasal, ale, aux adj. Les fosses **nasales** sont les cavités à l'intérieur du nez dans lesquelles passe l'air qui entre par les narines. ●● **nez**
■ **naseau** n.m. Les **naseaux** sont les narines de grands animaux comme le cheval, le bœuf ou le cerf.   *illustr. p. 354*
✷ Au pluriel, on écrit des **naseaux**.
■ **nasiller** v. 1ᵉʳ groupe. *Émilie est enrhumée, elle **nasille**,* elle parle du nez.
■ **nasillard, arde** adj. *Ce monsieur a une voix **nasillarde**,* qui vient de son nez.

nasse n.f. *Les poissons viennent se prendre dans la **nasse**,* une sorte de panier servant de piège à poissons.

natal, ale, als adj. *Il est retourné dans son pays **natal**,* le pays où il est né. ●● **naître**
✷ Attention au masculin pluriel : **natals**.
■ **natalité** n.f. *Ce pays a une très forte **natalité**,* le nombre de naissances y est très grand comparé au nombre total d'habitants.

natation n.f. *Pierre va à la piscine faire de la **natation**,* le sport qui consiste à nager. ●● **nager**
■ **natatoire** adj. La **vessie natatoire** est une poche pleine d'air qui se trouve dans

le corps de certains poissons et qui leur permet de garder leur équilibre.

natif, ive adj. *Maman est **native** de Montréal, elle y est née.* ●● ***naître***

nation n.f. *La **nation** française, c'est à la fois le peuple français, son territoire et son gouvernement.* → **État**

illustr. ■ **national, ale, aux** adj. *L'Assemblée*
p. 358, **nationale** *regroupe les élus du peuple, de la nation. En France, le 14 Juillet est la fête **nationale**, la fête de la nation, du*
853 *pays. Une route **nationale** parcourt une grande partie du pays (≠ départemental, local).* ●● ***international***

■ **nationalité** n.f. *Pierre est de **nationalité** française, il est français.*

■ **nationaliser** v. 1ᵉʳ groupe. *Certaines entreprises **sont nationalisées**, elles appartiennent à l'État, à la nation (≠ privatiser).*

■ **nationalisation** n.f. *La **nationalisation** des chemins de fer français date de 1937, le moment où l'État en est devenu propriétaire (≠ privatisation).*

■ **nationalisme** n.m. *Le **nationalisme** est la doctrine de ceux qui placent leur nation au-dessus des autres nations.*

■ **nationaliste** n. et adj. *Les **nationalistes** veulent une nation puissante, les partisans du nationalisme.*

natte n.f. SENS 1. *Jeanne a de belles **nattes** blondes, une coiffure faite en entrelaçant trois mèches de cheveux (= tresse).* SENS 2. *Les Japonais dorment sur des **nattes**, sur des tapis de paille tressée.*

naturaliser v. 1ᵉʳ groupe. SENS 1. *M. Pallon veut se faire **naturaliser** anglais, il veut devenir citoyen anglais.* SENS 2. **Naturaliser** *un animal, c'est lui faire subir, quand il est mort, une préparation qui lui conserve l'aspect d'un animal vivant (= empailler).*

■ **naturalisation** n.f. [SENS 1] *Elle a attendu trois ans sa **naturalisation**, le*

moment où elle a obtenu sa nouvelle nationalité.

nature n.f. SENS 1. *La **nature**, c'est l'ensemble de tout ce qui existe dans le monde en dehors de l'intervention des hommes (≠ civilisation).* SENS 2. *Nous nous sommes promenés dans la **nature** (= campagne).* SENS 3. *La **nature** humaine est différente de la **nature** animale, les caractères propres à l'homme ou à l'animal. Quelle est la **nature** de cette roche ?, ses propriétés particulières qui permettent de la classer (= caractéristique).* ●● ***dénaturer***. SENS 4. *Pierre a menti ? Ce n'est pas dans sa **nature** (= caractère, tempérament).* SENS 5. *Ces promesses extraordinaires sont **de nature à** tromper les gens, elles sont susceptibles de tromper.* SENS 6. *Cet objet est dessiné **grandeur nature**, aussi grand que le modèle.* SENS 7. *Une **nature morte** est un tableau représentant des objets ou des animaux sans vie.*

■ **naturel, elle** adj. [SENS 1] *Les sciences **naturelles** étudient les choses de la nature (les êtres vivants, les plantes, les roches). Ce corsage est en soie **naturelle**, en une fibre qui n'a pas été fabriquée par l'homme (≠ artificiel, synthétique).* [SENS 3] *Une mort **naturelle** est causée par l'âge ou la maladie (≠ accidentel).* ●● ***surnaturel***. ◆ *Ne me remercie pas, ce que j'ai fait est tout **naturel** (= normal).*

■ **naturel** n.m. [SENS 4] *Paul est d'un **naturel** honnête (= caractère).* ◆ *Jean s'exprime avec **naturel**, sans faire de manières (= spontanéité, simplicité).*

■ **naturellement** adv. [SENS 4] *Marie est **naturellement** gaie, c'est sa nature.* ◆ *Tu connais Quentin ? – **Naturellement** (= bien sûr, évidemment).*

■ **naturaliste** n. [SENS 1] *Un **naturaliste** est un savant qui étudie les sciences naturelles.*

naufrage n.m. *Le navire a fait **naufrage** à cause de la tempête, il a coulé ou s'est échoué.*

■ **naufragé, ée** n. *Les **naufragés** ont été recueillis par un bateau de pêche,* les passagers du bateau qui a fait naufrage.

nausée n.f. *Cette odeur me donne la **nausée**,* envie de vomir.

■ **nauséabond, e** adj. *Le dépôt d'ordures répand une odeur **nauséabonde**,* très désagréable (= dégoûtant, écœurant, fétide).

illustr. p. 718 **nautique** adj. *Le canotage, la planche à voile, le ski **nautique** sont des sports **nautiques**,* des sports qui se pratiquent sur l'eau.

■ **nautisme** n.m. *Le **nautisme**,* c'est l'ensemble des sports nautiques.

illustr. p. 740, 759 **naval, ale, als** adj. *Les chantiers **navals** sont des entreprises qui fabriquent des navires.*
✳ Attention au masculin pluriel : **navals**.

navet n.m. **SENS 1.** *Adrien n'aime pas les **navets**,* un légume blanc dont on mange la racine. **SENS 2.** Fam. *Ce film est un **navet**,* il est sans valeur, sans intérêt.

navette n.f. **SENS 1.** *Une **navette** est la pièce du métier à tisser qui contient le fil et fait un mouvement de va-et-vient pour entrecroiser les fils.* **SENS 2.** *M. Seignol **fait la navette** entre Paris et Lyon,* il voyage régulièrement entre ces villes. *illustr. p. 494, 202* **SENS 3.** *Une **navette spatiale** est un véhicule conçu pour aller dans l'espace et revenir sur terre.* → **fusée**

naviguer v. 1er groupe. *Nous **avons navigué** pendant huit jours sur l'océan,* nous avons voyagé sur l'eau.

■ **navigable** adj. *Cette rivière n'est pas **navigable**,* on ne peut pas y naviguer.

illustr. p. 74 ■ **navigant, ante** adj. *Le pilote, les hôtesses de l'air font partie du **personnel navigant**,* de l'équipage de l'avion.
✳ Ne pas confondre **navigant** et **naviguant** (participe présent de « naviguer »).

■ **navigateur, trice** n. *Christophe Colomb fut un grand **navigateur**,* il a fait de grands voyages sur mer (= marin). *Le **navigateur** seconde le commandant de bord d'un avion en déterminant la route à suivre.*

■ **navigation** n.f. *La **navigation** maritime, c'est le transport par bateaux ; la **navigation** aérienne, c'est le transport par avions.*

navire n.m. *Les cargos, les paquebots, les pétroliers sont des **navires**,* de grands bateaux qui naviguent sur la mer. *illustr. p. 741*

navrer v. 1er groupe. *Je **suis navré** de vous déranger,* très ennuyé (= désoler).

■ **navrant, ante** adj. *Cet échec est vraiment **navrant**,* il nous attriste (= désolant, affligeant).

nazisme n.m. *Le **nazisme** est une doctrine nationaliste, raciste et guerrière fondée en Allemagne par Hitler et qui a dominé le gouvernement de ce pays entre 1933 et 1945.*

■ **nazi, ie** n. *Les **nazis** ont déclenché la Seconde Guerre mondiale et commis des crimes horribles,* les partisans du nazisme.

ne adv. ***Ne** indique une négation et est souvent suivi de « pas », « jamais », « plus », « rien », « aucun » : je **ne** viendrai **pas**. Je **ne** veux **plus**.*

néanmoins adv. ***Néanmoins** marque une opposition. Il était malade, **néanmoins** il est venu* (= pourtant, cependant, toutefois).

néant n.m. **SENS 1.** *Le **néant**,* c'est ce qui n'existe pas. **SENS 2.** *Il **a réduit** mes espoirs **à néant**,* il les a anéantis.

nébuleuse n.f. *Une **nébuleuse** est un immense nuage de gaz et de poussières dans le cosmos.*

nébuleux, euse adj. **SENS 1.** *Le ciel est **nébuleux**,* couvert de nuages (= nuageux). **SENS 2.** *Les idées de Paul sont* *nébuleuses,* elles ne sont pas nettes (= confus ; ≠ clair).

nécessaire adj. *Il est **nécessaire** de manger pour vivre,* il le faut (= indispensable ; ≠ inutile).

■ **nécessaire** n.m. *Il manque même du **nécessaire**,* de ce qu'il faut absolument pour vivre (≠ superflu). ◆ Un **nécessaire de toilette** contient les objets indispensables pour faire sa toilette.

■ **nécessairement** adv. *Sur les petites routes, nous roulerons **nécessairement** moins vite que sur l'autoroute,* il ne peut en être autrement (= obligatoirement, inévitablement, fatalement).

■ **nécessité** n.f. *Vous pouvez venir, mais ce n'est pas une **nécessité*** (= obligation).

■ **nécessiter** v. 1er groupe. *Ce projet **nécessite** une longue réflexion,* il la rend nécessaire (= exiger, imposer).

■ **nécessiteux, euse** adj. et n. *Une personne **nécessiteuse** manque de ce qui est nécessaire à la vie* (= pauvre, indigent).

nécrologie n.f. *J'ai lu dans le journal la **nécrologie** de M. Dupuis,* un article sur cet homme qui vient de mourir.

■ **nécrologique** adj. *Les journaux ont consacré des articles **nécrologiques** à ce grand savant disparu,* des articles qui annoncent sa mort et retracent sa vie.

nécropole n.f. *Une **nécropole** est un grand cimetière.*

nectar n.m. SENS 1. *Les abeilles recueillent le **nectar** des fleurs,* le liquide sucré qu'elles contiennent. SENS 2. *Ce vin est un **nectar**,* il est délicieux.

nef n.f. SENS 1. *La **nef** d'une église est l'espace central qui va du portail au chœur.* SENS 2. ***Nef** se disait autrefois pour « navire ».*

néfaste adj. *Le tabac est **néfaste** pour la santé,* il peut causer de graves dommages (= nuisible, mauvais).

négatif, ive SENS 1. adj. *Il m'a donné une réponse **négative**,* il a refusé (≠ affirmatif, positif). SENS 2. n.m. *Sur le **négatif** d'une photo, les parties claires correspondent aux teintes sombres, et inversement,* la pellicule développée.

■ **négative** n.f. *Il a répondu par la **négative**,* il a dit non. *Si vous êtes d'accord, nous aussi ; dans la **négative**, nous nous adresserons ailleurs,* dans le cas contraire.

■ **négation** n.f. *« Non » est un adverbe de **négation**,* qui sert à nier (≠ affirmation). → ***non***

négliger v. 1er groupe. SENS 1. *Pierre **néglige** son travail,* il ne s'en occupe pas avec soin (≠ s'intéresser). SENS 2. *Vous auriez tort de **négliger** ce conseil,* de ne pas en tenir compte (= dédaigner). SENS 3. *Il a tendance à se **négliger** en vieillissant,* à ne plus prendre soin de sa tenue, de sa santé.
✳ Conj. no 2.

■ **négligé** n.m. [SENS 1 et 3] *Il se fait remarquer par le **négligé** de ses vêtements* (= laisser-aller).

■ **négligeable** adj. [SENS 2] *La différence de prix entre ces deux articles est **négligeable**,* il n'y a pas lieu d'en tenir compte (= minime, insignifiant ; ≠ important, considérable).

■ **négligence** n.f. [SENS 1] *On lui a reproché sa **négligence**,* son manque de soin (≠ application).

■ **négligent, ente** adj. [SENS 1] *Paul est un élève **négligent**,* il n'est pas sérieux (≠ consciencieux).
✳ Ne pas confondre **négligent** et **négligeant** (participe présent de « négliger »).

■ **négligemment** adv. [SENS 1 et 2] *Il a répondu **négligemment** à mes questions,* sans s'appliquer (≠ soigneusement).
✳ On prononce [negliʒamɑ̃].

négocier v. 1er groupe. SENS 1. *Les deux pays **ont négocié** un traité de paix,* ils ont discuté afin d'arriver à un accord

pour faire la paix. SENS 2. *Grand-père a* **négocié** *des valeurs boursières,* il les a vendues.

■ **négoce** n.m. [SENS 2] **Négoce** se disait autrefois pour « commerce ».

■ **négociant, ante** n. [SENS 2] *M. Dupont est* **négociant** *en vins,* il vend du vin en gros (= commerçant, marchand, grossiste ; ≠ détaillant).

■ **négociateur, trice** n. [SENS 1] *Les* **négociateurs** *du cessez-le-feu se sont rencontrés,* les diplomates chargés de trouver un accord.

■ **négociation** n.f. [SENS 1] *L'échec des* **négociations** *a rouvert les hostilités* (= discussion, pourparlers).

nègre, négresse n. **Nègre** et **négresse** sont des mots péjoratifs et racistes pour désigner des personnes qui ont la peau noire.

■ **négrier** n.m. Les **négriers** étaient des gens qui vendaient les esclaves noirs.

■ **negro-spiritual** n.m. Un **negro-spiritual** est un chant religieux des Noirs d'Amérique.
✴ On prononce [negrospiritwol]. Au pluriel, on écrit des **négro-spirituals**.

illustr.
p. 557,
730,
895,
616

neige n.f. SENS 1. *La* **neige** *tombe depuis ce matin,* de l'eau congelée en flocons blancs. ●● **enneigé**. SENS 2. Monter des œufs **en neige**, c'est battre le blanc jusqu'à ce qu'il forme une mousse blanche et compacte.

■ **neiger** v. 1er groupe. *Il* **a neigé** *hier sur les Vosges,* la neige est tombée.
✴ Conj. n° 2. C'est un verbe impersonnel, il ne s'emploie qu'à la 3e personne du singulier avec « il » : *il* **neige.**

■ **neigeux, euse** adj. *On voit au loin les sommets* **neigeux,** couverts de neige blanche. ◆ *La mousse à raser de Papa est* **neigeuse,** elle a l'aspect de la neige.

illustr.
p. 527

nénuphar n.m. Le **nénuphar** est une plante qui pousse dans l'eau et dont les larges feuilles et les grandes fleurs s'étalent à la surface.

néo- préfixe. Placé au début d'un mot, **néo-** signifie « nouveau » : *le* **néo***colonialisme est une nouvelle forme de colonialisme.*

néologisme n.m. « *Deltaplane* » *est un* **néologisme,** un mot nouveau.

néon n.m. *La pièce est éclairée par un tube au* **néon,** un gaz qui devient lumineux sous l'effet de décharges électriques.

néophyte n. *Je suis encore un* **néophyte** *dans ce domaine,* un nouvel adepte (= novice).

népotisme n.m. Pour un homme politique, le **népotisme** consiste à favoriser sa famille.

nerf n.m. SENS 1. Les **nerfs** sont des cordons ou des filaments qui relient le cerveau au reste du corps et nous permettent de sentir, de voir, d'entendre, de toucher. ●● **neurologie, névralgie, névrose**. SENS 2. *Éric est* **sur les nerfs,** il est très excité. *Maria est* **à bout de nerfs,** elle est épuisée après une vive excitation. Une **crise de nerfs** se manifeste par des cris, des larmes, des gestes désordonnés. ●● **énerver**. SENS 3. *Pierre* **a du nerf,** il est actif, dynamique.

■ **nerveux, euse** adj. [SENS 1] Le système **nerveux** est constitué par les nerfs, le cerveau et la moelle épinière. [SENS 2] *Tu es trop* **nerveuse,** *détends-toi* (= excité, agité). [SENS 3] *M. Durand a une voiture* **nerveuse,** elle a de bonnes accélérations.

■ **nerveusement** adv. [SENS 2] *Anne s'agite* **nerveusement** (≠ calmement).

■ **nervosité** n.f. [SENS 2] *Marie est d'une très grande* **nervosité,** elle est toujours surexcitée.

nervure n.f. Les **nervures** d'une feuille sont les lignes qui ressortent à sa surface.

illustr.
p. 403

n'est-ce pas adv. N'est-ce pas sert à interroger, à demander un avis ou une confirmation : *ce café est bon, n'est-ce pas ?*

net, nette adj. SENS 1. *Le col de ta chemise n'est pas net,* on y voit des traces de saleté (= propre ; ≠ sale). SENS 2. *Cette photo est très nette,* on y voit tous les détails avec précision (= précis ; ≠ flou, brouillé). SENS 3. *Son refus a été très net,* sans aucune ambiguïté (= brutal, catégorique ; ≠ vague, évasif). SENS 4. Un prix **net** est un prix dont on a enlevé tous les frais supplémentaires. Le poids **net** d'une marchandise, c'est son poids sans l'emballage (≠ brut).

■ **net** adv. [SENS 3] *La voiture s'est arrêtée net* (= brutalement, pile).

■ **nettement** adv. [SENS 2] *On voit nettement tous les détails de la photo* (= clairement, précisément). ◆ *Tu roules nettement trop vite* (= beaucoup).

■ **netteté** n.f. [SENS 2] *Nicolas nous a fait le récit des événements avec netteté,* il nous les a racontés clairement (= clarté ; ≠ confusion). *La maison se détache avec netteté sur l'horizon* (= précision).

nettoyer v. 1ᵉʳ groupe. *Nous avons passé la journée à nettoyer la maison,* à la rendre propre (≠ salir).
✴ Conj. n° 3.

■ **nettoiement** n.m. Les services de **nettoiement** assurent la propreté des villes.

illustr.
p. 1016
■ **nettoyage** n.m. *Le nettoyage des meubles se fait avec un chiffon,* on les nettoie avec un chiffon.

illustr.
p. 642
1. neuf adj. numéral. *Pierre a neuf ans. Les bureaux ouvrent à 9 heures. 8 + 1 = 9.*
✴ On prononce **neuf ans** [nœvɑ̃], **neuf heures** [nœvœr].

■ **neuvième** adj. et n. *Septembre est le neuvième mois de l'année. J'habite au neuvième étage.*

2. neuf, neuve adj. *Marie s'est acheté une robe neuve et un pull neuf,* qui n'ont jamais servi (= nouveau ; ≠ usé, vieux).
●● *rénover*

neurasthénie n.f. La **neurasthénie** est une maladie qui se manifeste par une profonde tristesse. → *dépression*

■ **neurasthénique** adj. *M. Durand est neurasthénique,* il est toujours triste, abattu. → *dépressif*

neurologie n.f. La **neurologie** est la spécialité médicale qui soigne le système nerveux.

■ **neurologue** n. *Le neurologue lui a prescrit des calmants,* le spécialiste du système nerveux.

neutre adj. SENS 1. *La Suisse est un pays neutre,* qui ne prend pas parti au cours des guerres. *L'arbitre d'un match doit rester neutre,* il ne doit favoriser aucun des deux camps (= impartial). SENS 2. *Le gris est une couleur neutre,* sans éclat (≠ vif).

■ **neutraliser** v. 1ᵉʳ groupe. [SENS 1] *Ce territoire a été neutralisé,* il a été placé hors du conflit. ◆ *Nos efforts ont neutralisé sa mauvaise volonté,* ils l'ont empêchée d'avoir de l'effet (= annuler, paralyser ; ≠ favoriser).

■ **neutralité** n.f. [SENS 1] *Certains pays sont partisans de la neutralité,* ils veulent rester neutres.

neuvième → *neuf (1)*

illustr.
p. 29
névé n.m. En montagne, un **névé** est une plaque de neige transformée en glace.

illustr.
p. 679
neveu, nièce n. *Gilles est le neveu de M. Sourdat,* le fils du frère ou de la sœur de M. Sourdat. *Marie est sa nièce,* la fille de son frère ou de sa sœur.
✴ Au masculin pluriel, on écrit des **neveux**.

névralgie n.f. *Mme Lavaud souffre de névralgie faciale,* de vives douleurs des nerfs de la face.

▪ **névralgique** adj. *J'ai des douleurs névralgiques,* sur le trajet de certains nerfs. ◆ *C'est là une question névralgique,* extrêmement délicate, sensible.

névrose n.f. Une **névrose** est une maladie mentale qui provoque des troubles nerveux.

▪ **névrosé, ée** n. et adj. *Dans ce centre, on soigne des névrosés,* des malades atteints de névrose.

illustr. p. 216, 217,

nez n.m. SENS 1. Le **nez** est la partie saillante du visage située entre les deux joues et le front et le menton, qui sert à respirer et qui est le siège de l'odorat. *M. Durand parle du nez,* comme s'il avait le nez bouché. ●● *nasal* → *narine.* SENS 2. *Je me suis trouvé nez à nez avec Paul,* en face de lui. SENS 3. *On lui a fermé la porte au nez,* on a refusé de le recevoir. SENS 4. Fam. *Elle le mène par le bout du nez,* elle le fait faire tout ce qu'elle veut. SENS 5. Fam. *Cesse de fourrer ton nez partout,* de te mêler de ce qui ne te regarde pas. SENS 6. *Il ne voit pas plus loin que le bout de son nez,* il ne voit que la situation présente et est incapable de prévoir la suite. SENS 7. *75* *L'avion a piqué du nez,* de sa partie avant.

ni conj. Ce mot indique qu'on ajoute quelque chose de négatif : *je n'ai rien vu ni rien entendu ; il n'est ni bon ni méchant.*
✳ Ne pas confondre avec un **nid** et certaines formes du verbe « nier ».

niais, niaise adj. et n. *Jean est (un) niais,* il est ignorant et sot (= nigaud).

▪ **niaiserie** n.f. *Il ne raconte que des niaiseries* (= sottise).

illustr. p. 573

niche n.f. SENS 1. *Le chien dort dans sa niche,* une petite cabane installée dans le jardin. SENS 2. *La statue est placée dans une niche,* un renfoncement aménagé dans le mur.

nichée, nicher → *nid*

nickel n.m. Le **nickel** est un métal brillant très résistant.

▪ **nickelé, ée** adj. Un outil **nickelé** est recouvert de nickel.

nicotine n.f. *Notre voisin a les dents toutes jaunies par la nicotine,* la substance toxique contenue dans le tabac.

nid n.m. *Il y a au bord du toit un nid d'hirondelles,* un abri pour leurs œufs et leurs petits.
✳ Ne pas confondre avec **ni** et certaines formes du verbe « nier ».

illustr. p. 357, 753

▪ **nicher** v. 1er groupe. *Des corbeaux nichent dans ce grand arbre,* ils y ont fait leur nid. ◆ *La bille est allée se nicher dans un trou* (= se mettre, se loger). ●● *dénicher*

▪ **nichée** n.f. Une **nichée,** c'est l'ensemble des petits oiseaux de la même couvée qui sont encore au nid.

nièce → *neveu*

nier v. 1er groupe. *Je lui ai donné des preuves, mais il continue à nier,* à dire que ce n'est pas vrai (≠ affirmer, avouer). ●● *dénier, indéniable.* → *négatif*
✳ Ne pas confondre (je) **nie,** (tu) **nies,** (il, elle) **nie** avec **ni** ou un **nid.**

nigaud, e n. *Pierre est un grand nigaud,* il est bête, trop naïf (= dadais, niais ; ≠ malin).

n'importe → *importer*

nippes n.f. pl. Fam. *Où t'es-tu acheté ces nippes ?,* ces vieux vêtements.

▪ **nipper** v. 1er groupe. *Il est nippé comme un clochard,* mal habillé.

nippon, onne adj. **Nippon** est un équivalent de « japonais ».
✳ Au féminin, on écrit aussi **nippone.**

nitrate n.m. Les **nitrates** sont des produits chimiques utilisés comme engrais.

nitroglycérine n.f. La **nitroglycérine** est un explosif très violent qui sert à fabriquer la dynamite.

illustr. p. 1016,

niveau n.m. SENS 1. *Le sommet du mont Blanc est à 4 807 mètres au-dessus du niveau de la mer,* de la surface horizontale de la mer. SENS 2. *L'eau lui arrive au niveau des genoux,* à la hauteur des genoux. SENS 3. *Le niveau des prix a encore monté,* ils sont plus élevés. *Ses connaissances sont d'un bon niveau,* elles sont importantes. SENS 4. *Un niveau est un instrument qui sert à vérifier qu'une surface est horizontale.* SENS 5. *Il cherche à améliorer son niveau de vie,* ses conditions de vie, son confort. *Il existe plusieurs niveaux de langue : familier, soutenu, littéraire, etc.,* des façons de s'exprimer qui varient selon les situations et les personnes auxquelles on s'adresse.

156

✸ Au pluriel, on écrit des **niveaux.**

■ **niveler** v. 1er groupe. [SENS 1] *On a nivelé le terrain,* on en a fait une surface horizontale, sans creux ni bosses. ●● *dénivelé.* [SENS 3] *Certains pensent qu'il faut niveler les salaires,* les mettre au même niveau.
✸ Conj. n° 6.

illustr. p. 974

■ **niveleuse** n.f. [SENS 1] *Une niveleuse est un engin de travaux publics qui sert à niveler les terrains.*

■ **nivellement** n.m. [SENS 1 et 5] *Des engins réalisent le nivellement du terrain,* la suppression des bosses et des creux. ●● *dénivellation. On observe un nivellement progressif des salaires,* leur égalisation.

noble SENS 1. n. et adj. *Avant 1789, les nobles formaient la classe supérieure de la société* (= aristocrate, seigneur ; ≠ roturier). ●● *anoblir* SENS 2. adj. *Ces nobles sentiments lui valent le respect de tous,* ces sentiments généreux, élevés (≠ bas, vil). ●● *ennoblir*

■ **noblement** adv. [SENS 2] *Il a pardonné noblement à ses ennemis,* avec grandeur d'âme (= généreusement).

■ **noblesse** n.f. [SENS 1] *Avant la Révolution, la noblesse,* composée par l'ensemble des nobles, était la classe la plus élevée de la société et détenait tous les privilèges. *« Prince », « duc », « marquis », « comte », « baron » sont des titres de noblesse,* les différents rangs de la hiérarchie des nobles. [SENS 2] *Il a montré une grande noblesse d'âme* (= grandeur ; ≠ bassesse).

■ **nobiliaire** adj. [SENS 1] *Placé devant un nom propre, « de » est une particule nobiliaire,* indiquant qu'on est noble.

noce n.f. SENS 1. *M. Durand a invité cent personnes à la noce de sa fille,* à la fête qu'il a donnée pour son mariage. ◆ *La noce s'est rendue à l'église à pied,* le cortège qui accompagne les mariés. → *nuptial.* SENS 2. Fam. *Ils ont fait la noce toute la nuit,* ils ont fait la fête, ont bu, mangé, se sont amusés.

nocif, ive adj. *La fumée de cigarette est nocive,* dangereuse pour la santé (= néfaste ; ≠ inoffensif). ●● *nuire*

nocturne adj. *Les voisins ont fait du tapage nocturne,* pendant la nuit (≠ diurne). *Les animaux nocturnes sont les animaux qui sortent et vivent la nuit.*

Noël n.m. (Avec majuscule.) SENS 1. *Nous avons fêté Noël en famille,* le 25 décembre, anniversaire de la naissance du Christ. SENS 2. *Nous avons décoré l'arbre de Noël,* le sapin que l'on garnit de boules, de guirlandes pour Noël. SENS 3. *Le père Noël est un personnage imaginaire qui est censé distribuer des cadeaux aux enfants pendant la nuit de Noël.*

nœud n.m. SENS 1. *Fais un nœud très serré pour que le paquet soit solide,* une boucle en nouant la ficelle et en tirant pour bloquer. ●● *nouer, dénouer, renouer.* SENS 2. *Voilà le nœud de la question,* le point important. SENS 3. *Cette ville est un important nœud routier,* beaucoup de routes s'y croisent. SENS 4. *Cette planche* *est pleine de **nœuds**, de parties de bois rondes et dures.* ●● **noueux**. SENS 5. *Le bateau file 10 **nœuds**, sa vitesse est de 10 milles marins à l'heure (environ 18 kilomètres à l'heure).*

illustr. **noir** n.m. SENS 1. *Le **noir** est la couleur
p. 117 du charbon et c'est la plus foncée (≠ blanc).* SENS 2. *Mon petit frère a peur dans le **noir**, quand il fait sombre (= obscurité).* SENS 3. *Jean voit tout en **noir**, il est pessimiste, triste.* SENS 4. *Le travail **au noir** est un travail effectué dans des conditions illégales, sans versement de taxes ni de cotisations à l'État.* SENS 5. n. (Avec majuscule.) *L'Afrique est peuplée en majorité par des **Noirs**, des gens à la peau très foncée.*

■ **noir, noire** adj. [SENS 1] *Le charbon est **noir**, de la couleur la plus foncée.* [SENS 2] *Nous sommes sortis à la nuit **noire**, sans clair de lune (= sombre).* [SENS 3] *Jean a des idées **noires** (= triste ; ≠ joyeux).* [SENS 4] *Au sud du Sahara, les Africains ont la peau **noire**.*

■ **noirâtre** adj. [SENS 1] *Tu as une tache **noirâtre** sur ta veste,* tirant sur le noir, très foncée.

■ **noiraud, e** adj. [SENS 1] *Mon petit chien est **noiraud**,* d'une couleur d'un brun noir.

■ **noirceur** n.f. [SENS 1] *Ses longs cheveux ont la **noirceur** de l'ébène,* la couleur noire. [SENS 3] *Je suis écœuré par la **noirceur** de cette trahison (= méchanceté, perfidie).*

■ **noircir** v. 2ᵉ groupe. [SENS 1] *Le plafond **est noirci** par la fumée,* taché de noir. [SENS 3] *On nous **avait noirci** la situation,* on nous l'avait présentée comme plus mauvaise qu'elle n'est.

illustr. ■ **noire** n.f. *En musique, une **noire** est
p. 628 une note égale au quart de la ronde.*

noise n.f. *Chercher **noise** à quelqu'un,* c'est trouver un prétexte pour se disputer avec lui (= querelle).

illustr. **noisette** n.f. *La **noisette** est un fruit
p. 403 produit par un **noisetier**. Il est formé* d'une coquille dure, ronde ou ovale, que l'on casse pour manger la graine qu'elle contient.

⚹ Attention : deux « t » à **noisette**, un seul « t » à **noisetier**.

noix n.f. SENS 1. *La **noix** est le fruit* *illustr.*
produit par un **noyer**. Il est formé d'une *p. 21,*
coquille dure, arrondie, contenant la partie comestible et recouverte, tant qu'elle n'est pas mûre, par une écorce verte.
→ ***brou***. SENS 2. *La **noix de coco**, la **noix** *982*
muscade* sont des fruits qui possèdent aussi une coquille.

⚹ Ne pas confondre une **noix** avec certaines formes du verbe « noyer ».

nom n.m. SENS 1. *Quel est ton **nom** ? Je m'appelle Frédéric Durand,* comment t'appelles-tu ? *Durand est mon **nom**, Frédéric est mon prénom.* ●● **surnom, prénom**. SENS 2. *En grammaire, un **nom** est un mot qui sert à désigner un être vivant ou une chose et qui peut être le sujet d'un verbe.* « Fille » et « pomme de terre » *sont des **noms**.* « France » *et* « Picasso » *sont des **noms propres**,* ils désignent une seule chose, une seule personne ; « chien » et « table » *sont des **noms communs**,* ils désignent un ensemble d'êtres ou de choses. SENS 3. *Pierre a agi en mon **nom**,* je suis responsable de ce qu'il a fait à ma place.

⚹ Ne pas confondre un **nom** avec **non**.

■ **nommer** v. 1ᵉʳ groupe. [SENS 1] *Il se **nomme** Le Forestier,* c'est son nom (= s'appeler). ●● **surnommer**. *Comment **nomme**-t-on cet insecte bizarre ?,* quel nom lui donne-t-on ? ●● **dénommer**. ◆ *M. Duval **a** été **nommé** directeur,* il a été désigné à cette fonction.

■ **nommément** adv. [SENS 1] *On l'a **nommément** accusé,* en le désignant par son nom.

■ **nominal, ale, aux** adj. [SENS 1] *Le professeur a fait l'appel **nominal** des élèves,* il les a appelés un à un par leur nom.

■ **nominatif, ive** adj. [SENS 1] Une liste **nominative** indique tous les noms d'un ensemble de personnes ou de choses.

■ **nomination** n.f. *M. Durand attend sa* **nomination** *de professeur avec impatience,* qu'on le nomme au poste de professeur.

nomade n. *Des* **nomades** *se sont installés à l'entrée du village,* des gens qui n'ont pas d'habitation fixe et qui se déplacent sans cesse d'un lieu à un autre (≠ sédentaire). → **gitan, romanichel**

illustr. **nombre** n.m. SENS 1. Un **nombre** est un
p. 642 assemblage de chiffres qui permet de compter, de mesurer, de chiffrer. *5 000 est un* **nombre** *à quatre chiffres.* → **numéral, numération, numéro.** SENS 2. *Quel est le* **nombre** *d'habitants de cette ville ?,* combien y en a-t-il ? ●● **dénombrer.** SENS 3. *Il y a* **un grand nombre de** *personnes sur la place du marché,* une grande quantité, beaucoup. ●● **surnombre.** SENS 4. *Il compte* **au nombre de** *mes amis,* parmi mes amis. SENS 5. *Les soldats ont succombé sous* **le nombre,** la grande quantité, la masse. SENS 6. *L'adjectif s'accorde en* **nombre** *avec le nom auquel il se rapporte,* il se met comme lui au singulier ou au pluriel.

■ **nombreux, euse** adj. [SENS 3] *Pierre a de* **nombreux** *amis,* il en a beaucoup (≠ rare). ●● **innombrable**

illustr. **nombril** n.m. Le **nombril** est la petite
p. 217 cicatrice que chacun a au milieu du ventre à l'endroit où le cordon ombilical a été coupé.
✳ On prononce [nɔ̃bri] ou [nɔ̃bril].

nominal, nominatif, nomination, nommément, nommer → **nom**

non adv. Ce mot sert à nier, à refuser, à s'opposer : *« Veux-tu venir ? –* **Non.** *»* (≠ oui).
✳ Ne pas confondre avec un **nom**.

non- préfixe. Placé avec un trait d'union devant certains mots, **non-** indique le contraire, le refus ou la négation : **non**-*assistance* (refus d'assistance) ; **non**-*conformiste* (contraire de conformiste) ; **non**-*sens* (négation du sens).

nonagénaire adj. et n. *Mon arrière-grand-père est* **nonagénaire,** il a quatre-vingt-dix ans ou plus.

non-agression n.f. *Un pacte de* **non-agression** est un pacte par lequel des pays s'engagent à ne pas s'attaquer l'un l'autre.

nonante adj. En Belgique et en Suisse, on dit **nonante** pour « quatre-vingt-dix ».

nonce n.m. Un **nonce** est un ambassadeur du pape.

nonchalant, ante adj. *Marie est* **nonchalante,** elle manque de dynamisme et d'énergie (= indolent, apathique ; ≠ actif, énergique).

■ **nonchalance** n.f. *Yves travaille avec* **nonchalance,** sans aucune ardeur (= mollesse, indolence ; ≠ énergie, vivacité).

■ **nonchalamment** adv. *Il feuilletait* **nonchalamment** *un album,* avec mollesse et nonchalance (= négligemment, paresseusement).

non-lieu n.m. *L'accusé a bénéficié d'un* **non-lieu,** le juge a décidé d'arrêter les poursuites contre lui.
✳ Au pluriel, on écrit des **non-lieux.**

nonne n.f. **Nonne** se disait autrefois pour « religieuse ».

non-sens n.m. inv. *Ce serait un* **non-sens** *de construire une maison sur une falaise menacée d'effondrement,* une action contraire à la raison (= absurdité, folie). ●● **sens**
✳ Ce mot ne change pas au pluriel.

Les nombres

	CHIFFRES		NOMBRES CARDINAUX		NOMBRES ORDINAUX
unités	1		un		premier
	2		deux		deuxième
	3		trois		troisième
	4		quatre		quatrième
	5		cinq		cinquième
	6		six		sixième
	7		sept		septième
	8		huit		huitième
	9		neuf		neuvième
dizaines	10		dix		dixième
		11	onze		onzième
		12	douze		douzième
		13	treize		treizième
		14	quatorze		quatorzième
		15	quinze		quinzième
		16	seize		seizième
		17	dix-sept		dix-septième
		18	dix-huit		dix-huitième
		19	dix-neuf		dix-neuvième
	20		vingt		vingtième
		21	vingt et un		vingt et unième
		22...	vingt-deux	dizaine + unité	vingt-deuxième
		29	vingt-neuf		vingt-neuvième
	30		trente		trentième
	40		quarante		quarantième
	50		cinquante		cinquantième
	60		soixante		soixantième
	70		soixante-dix		soixante-dixième
		71...	soixante et onze	dizaine + dizaine	soixante et onzième
		73...	soixante-treize		soixante-treizième
	80		quatre-vingts		quatre-vingtième
		81...	quatre-vingt-un	dizaine + unité	quatre-vingt-unième
	90		quatre-vingt-dix		quatre-vingt-dixième
		91...	quatre-vingt-onze	dizaine + dizaine	quatre-vingt-onzième
centaines	100		cent		centième
	101		cent un		cent-unième
	110		cent dix		cent-dixième
	200		deux cents		deux centième
	220		deux cent vingt		deux cent vingtième
	600		six cents		six centième
milliers	1 000		mille		millième
	2 000		deux mille		deux millième
	100 000		cent mille		cent millième
millions	1 000 000		un million		millionième
milliards	1 000 000 000		un milliard		milliardième

✹ Sur les nombres ordinaux, on forme, avec le suffixe -ment, des adverbes qui servent à énumérer ou à classer : premièrement, deuxièmement, troisièmement, etc.

Les nombres *(suite)*

FRACTIONS	MULTIPLES *(multiplié par)*	ORDRES DE GRANDEUR
$\frac{1}{2}$ un demi ; la moitié	x 2 [le] double	une huitaine *(de jours)*
$\frac{1}{3}$ un (le) tiers	*(adv. :* doublement)	une dizaine
$\frac{1}{4}$ un (le) quart	x 3 [le] triple	une douzaine
$\frac{1}{5}$ un (le) cinquième	*(adv. :* triplement)	une vingtaine
$\frac{1}{6}$ un (le) sixième	x 4 [le] quadruple	une (la) trentaine
$\frac{2}{3}$ (les) deux tiers	x 5 [le] quintuple	une (la) quarantaine
$\frac{3}{4}$ (les) trois quarts	x 6 [le] sextuple	une (la) cinquantaine
$\frac{4}{5}$ (les) quatre	x 10 [le] décuple	une (la) soixantaine
cinquièmes...	x 100 [le] centuple	une (la) centaine *ou* un cent
		un (le) millier

non-stop adv. Une émission de radio **non-stop** est une émission qui se déroule sans interruption (= en continu).
☀ On prononce [nɔnstɔp].

non-violence n.f. La **non-violence**, c'est le refus d'utiliser la violence pour obtenir la satisfaction de ses revendications. ●● *violence*

■ **non-violent, ente** adj. *La manifestation* **non-violente** *a pris fin,* où les gens ont exprimé leurs souhaits sans recourir à la violence. ◆ n. *Les* **non-violents** *ont manifesté contre la guerre,* les partisans de la non-violence. → *pacifiste*

illustr. p. 694, 310
nord n.m. inv. et adj. inv. *La Belgique est au* **nord** *de la France* (≠ sud). (Avec majuscule.) *Le pôle* **Nord** *est une région très froide.* → *septentrional, boréal*

■ **nordique** adj. *La Suède et la Norvège sont des pays* **nordiques,** du nord de l'Europe.

normal, ale, aux adj. *La température interne* **normale** *de l'homme est d'environ 37 ºC* (= ordinaire, habituel ; ≠ exceptionnel). ●● *anormal.* ◆ *C'est* **normal** *de frissonner quand on a froid,* c'est ce qui arrive à tout le monde (= naturel).

■ **normale** n.f. *Les températures sont inférieures à la* **normale** *pour un mois d'août,* au niveau normal, habituel.

■ **normalement** adv. *Normalement, il rentre chez lui à 5 heures* (= ordinairement, habituellement ; ≠ exceptionnellement).

norme n.f. SENS 1. *Ces températures sont dans la* **norme** *d'un mois de mars,* dans les limites habituelles. SENS 2. La **norme,** c'est l'ensemble des prescriptions techniques auxquelles on doit se conformer quand on fabrique un produit. *Ce vélo n'est pas conforme à la* **norme** *de sécurité* (= règle).

nos → *notre*

nostalgie n.f. *Pierre a la* **nostalgie** *des dernières vacances,* il est un peu triste en pensant qu'elles sont finies (= mélancolie).

■ **nostalgique** adj. *Un chant* **nostalgique** est triste, mélancolique.

notable SENS 1. adj. *Alex a fait à l'école des progrès* **notables,** dignes d'être remarqués (= considérable, important). SENS 2. n.m. *Le maire, le pharmacien, le directeur de l'usine sont les* **notables** *de cette petite ville,* les gens importants (= personnalité).

■ **notablement** adv. [SENS 1] *Son travail à l'école s'est* **notablement** *amélioré* (= considérablement).

notaire n.m. *Quand on vend ou qu'on achète une maison, on va chez un notaire,* quelqu'un qui est chargé de ces formalités administratives. → **étude**

notamment adv. *Thomas est un bon élève, notamment en français* (= en particulier, spécialement).

illustr. **note** n.f. SENS 1. *« Do », « ré », « mi »,*
p. 628 *» fa », « sol », « la », « si » sont les sept notes de la gamme,* les sons et les signes servant à composer la musique, à l'écrire. SENS 2. *Regarde la note au bas de la page,* la remarque explicative. SENS 3. *Pendant la conférence, Denis a pris des notes,* il a écrit des passages résumés ou des remarques sur ce qu'il entendait. SENS 4. *Sabrina a eu 6 sur 20 en français, c'est une mauvaise note,* une appréciation de son travail. ●● **annotation**. SENS 5. *Le plombier nous a envoyé sa note,* un papier qui indique le détail de ce que nous devons payer pour son travail (= facture).

■ **noter** v. 1er groupe. [SENS 3] *As-tu noté ce que le professeur a dit ?,* l'as-tu inscrit dans ton cahier ? (= écrire). [SENS 4] *Le maître a noté les devoirs,* il leur a mis une note. ●● **annoter**. ◆ *On a noté un nouvel accroissement du chômage,* on l'a constaté (= remarquer, observer).

■ **notation** n.f. [SENS 1] *La notation musicale est la représentation des sons par des notes.*

notice n.f. *Cet appareil est vendu avec une notice,* un texte qui explique comment s'en servir.

notifier v. 1er groupe. *Il m'a notifié sa décision,* il me l'a fait connaître (= annoncer).

notion n.f. *Mélissa n'avait aucune notion d'informatique,* elle n'avait aucune connaissance dans ce domaine (= idée, aperçu, rudiment).

notoire adj. *Sa vanité est notoire,* elle est connue de beaucoup de gens (= patent, manifeste, évident).

■ **notoriété** n.f. *Cet écrivain jouit d'une grande notoriété,* il est très connu (= réputation, célébrité, renommée).

notre, nos adj. possessifs. Ces mots indiquent ce qui est à nous, ce qui nous concerne : *notre ville ; nos parents.*

■ **le nôtre, la nôtre, les nôtres** pron. possessifs. *Voilà vos affaires et voici les nôtres,* celles qui sont à nous.

nouer v. 1er groupe. SENS 1. **Nouer** *ses lacets de chaussure,* c'est les entrelacer pour les attacher ensemble. ●● **nœud, dénouer, renouer**. SENS 2. *Une profonde amitié s'est nouée entre Pierre et Jean,* elle s'est solidement établie.
❋ Ne pas confondre certaines formes du verbe **nouer** avec **nous**.

■ **noueux, euse** adj. *Ce vieux chêne a un tronc noueux,* il y a des nœuds dans son bois. ◆ *Mon grand-père a des doigts noueux,* aux articulations enflées.

nougat n.m. *Le nougat est une pâte plus ou moins dure faite d'amandes, de sucre et de miel.*

■ **nougatine** n.f. *La nougatine est une sorte de nougat à base de caramel et d'amandes pilées.*

nouilles n.f. pl. *Les nouilles sont des pâtes alimentaires découpées en lanières minces.*

nourrir v. 2e groupe. SENS 1. *La mère nourrit son bébé,* elle lui donne son lait (= allaiter). SENS 2. *Il se nourrit surtout de légumes et de fruits,* il mange principalement des légumes et des fruits (= s'alimenter). SENS 3. *M. Vitold a cinq personnes à nourrir,* il doit leur procurer de quoi vivre (= entretenir). SENS 4. *Il nourrissait l'espoir d'être reçu à l'examen,* il avait en lui cet espoir.

■ **nourrice** n.f. [SENS 1] *Autrefois, une nourrice était une femme qui allaitait un bébé autre que le sien.* ◆ *Maman emmène chaque matin ma petite sœur chez la nourrice,* la personne qui garde des enfants chez elle quand les parents travaillent. ◆ Une **épingle de nourrice** est une épingle à deux tiges parallèles qui s'emboîtent l'une dans l'autre à leur extrémité.

■ **nourricier, ère** adj. [SENS 3] Les parents **nourriciers** d'un enfant sont ses parents adoptifs.

■ **nourrissant, ante** adj. [SENS 2] *Le beurre est un aliment **nourrissant**, qui nourrit bien* (= nutritif).

■ **nourrisson** n.m. [SENS 1] *Un **nourrisson** est un bébé qui se nourrit encore de lait.*

■ **nourriture** n.f. [SENS 2] *Dans cet hôtel, la **nourriture** est excellente*, ce que l'on mange (= aliments).

nous pron. pers. *Ce mot s'emploie pour représenter la personne qui parle (moi) et une ou plusieurs autres personnes (toi, lui, vous, eux).*
❊ Ne pas confondre avec certaines formes du verbe « nouer ».

nouveau, elle, eaux adj. SENS 1. *Cette machine à laver est un modèle **nouveau**, qui n'existait pas auparavant* (= récent ; ≠ ancien). ●● ***novateur***. SENS 2. *Papa a acheté une **nouvelle** voiture, une voiture pour remplacer celle qu'il avait* (= neuf). ●● ***renouveler***
❊ **Nouveau** devient **nouvel** devant une voyelle ou un « h » muet : *mon **nouvel** ami ; un **nouvel** hôpital.*

■ **nouveau, elle** n. [SENS 1] *Un **nouveau** vient d'arriver dans notre classe*, un nouvel élève. → ***novice***
❊ Au masculin pluriel, on écrit des **nouveaux**.

■ de **nouveau** ou à **nouveau** adv. *Pierre est de **nouveau** en retard*, encore une fois.

■ **nouveauté** n.f. [SENS 1] *Vincent aime la **nouveauté**, les choses nouvelles* (= changement). ●● ***innovation***

nouveau-né, -née adj. et n. *Un enfant **nouveau-né** est un enfant qui vient de*

naître. *Trois **nouveau-nés** sont en couveuse.* → ***nourrisson, naître***
❊ **Nouveau** reste invariable : on écrit *des **nouveau-nés**, une fille **nouveau-née**.*

nouvelle n.f. SENS 1. *Un tremblement de terre a eu lieu en Savoie : connaissiez-vous la **nouvelle** ?*, ce qu'on vient d'apprendre. SENS 2. (Au plur.) *On est sans **nouvelles** de la navigatrice solitaire*, sans renseignements sur sa situation, sa santé. SENS 3. *Une **nouvelle** est un récit moins long qu'un roman.*

novateur, trice adj. *Adeline est un esprit **novateur**, elle aime les idées nouvelles* (= original). ●● ***innover***

novembre n.m. **Novembre** est le onzième mois de l'année.　　*illustr. p. 132*

novice adj. et n. *M. Dupont est encore **novice** dans son métier*, il n'a pas d'expérience (= débutant, inexpérimenté).

noyade → ***noyer (1)***

noyau n.m. SENS 1. *La pêche, la prune, la cerise sont des fruits à **noyau**, contenant au centre une partie dure qui renferme la graine.* ●● ***dénoyauter***. SENS 2. *Le **noyau** d'un atome est sa partie centrale.* SENS 3. *L'ennemi a rencontré des **noyaux** de résistance*, des groupes qui résistaient.　　*illustr. p. 949*
❊ Au pluriel, on écrit des **noyaux**.

1. noyer v. 1er groupe. SENS 1. *Trois personnes **se sont noyées** dans cet étang*, elles sont mortes asphyxiées dans l'eau. SENS 2. *Hugo **a noyé** son explication dans un flot de détails*, il l'a rendue confuse (= embrouiller). SENS 3. *Dans la discussion, Héloïse a cherché à **noyer le poisson***, elle a essayé d'embrouiller ses interlocuteurs pour les amener à céder par lassitude.
❊ Conj. n° 3.

■ **noyade** n.f. [SENS 1] *On l'a sauvé de la **noyade**, de la mort dans l'eau.*

Noyer

■ **noyé, ée** n. [SENS 1] *On a repêché un noyé.*
❋ Ne pas confondre avec un **noyer.**

illustr.
p. 21
2. noyer n.m. Un **noyer** est un arbre qui produit des noix. ●● *noix*
❋ Ne pas confondre avec un **noyé.**

nu, nue adj. SENS 1. *Pierre s'est mis tout nu pour se laver, il a enlevé ses vête-ments* (≠ habillé). SENS 2. *Hélène se promène pieds **nus**, sans chaussures ni chaussettes.* SENS 3. *Les murs de cette chambre sont **nus**, sans orne-ments.* SENS 4. *Les microbes ne sont pas visibles **à l'œil nu**, il faut un micro-scope pour les voir.* SENS 5. *Jérémy a mis son cœur **à nu**, il a révélé tout ce qu'il pensait* (= découvrir, dévoiler). *L'électricien **a mis à nu** le fil électrique, il a enlevé ce qui le recouvre.* ●● *dénu-der*

■ **nudisme** n.m. [SENS 1] Faire du **nu-disme**, c'est vivre nu en plein air.

■ **nudiste** n. [SENS 1] Des **nudistes** sont des personnes qui pratiquent le nudisme, qui vivent en plein air dans un état de complète nudité.

■ **nudité** n.f. [SENS 1] *Il a mis un peignoir pour cacher sa **nudité**, son corps nu.*

illustr.
p. 845,
556,
557
nuage n.m. SENS 1. Un **nuage** est un amas de fines gouttelettes d'eau qui flotte dans le ciel. *Le ciel est couvert de **nuages** gris, il va pleuvoir.* SENS 2. *Un **nuage** de fumée s'échappe de la cheminée,* une masse. SENS 3. *Ils ont connu un bonheur sans **nuages**,* sans difficultés.

■ **nuageux, euse** adj. [SENS 1] *Le ciel est **nuageux** aujourd'hui,* de nom-breux nuages flottent dans le ciel (≠ clair).

nuance n.f. SENS 1. *Le bleu clair, le bleu marine, le bleu roi sont des **nuances** de la couleur bleue,* des degrés. SENS 2. *Il y a des **nuances** entre leurs opinions,* de légères différences.

■ **nuancer** v. 1er groupe. [SENS 2] *Il faut nuancer ce jugement,* l'exprimer plus délicatement.
❋ Conj. n° 1.

nucléaire adj. *L'énergie **nucléaire** est celle que produit la désintégration des atomes* (= atomique).
illustr.
p. 333

nudisme, nudiste, nudité → *nu*

nuée n.f. *Une **nuée** de gens a pénétré dans la salle,* un très grand nombre (= foule, multitude).

nuire v. 3e groupe. *Les calomnies de son adversaire n'ont pas réussi à lui **nuire**,* à lui faire du tort (= discréditer). *La sécheresse **nuit** aux cultures,* elle cause des dégâts (= abîmer).
❋ Conj. n° 69. Ne pas confondre (il, elle) **nuit** et la **nuit.**

■ **nuisance** n.f. *Les **nuisances**,* ce sont les bruits, la pollution de l'environnement (= inconvénient, danger).

■ **nuisible** adj. *Ce climat est **nuisible** à la santé,* il la met en danger (= mauvais, néfaste, nocif ; ≠ favorable).

nuit n.f. SENS 1. *En hiver, les **nuits** sont plus longues,* les périodes d'obscurité entre le coucher et le lever du soleil (≠ jour). ●● *nocturne.* SENS 2. *Les dolmens ont été dressés dans **la nuit des temps**,* à une époque très reculée.
❋ Ne pas confondre avec (il, elle) **nuit** (de « nuire »).

nul, nulle SENS 1. adj. et pron. indéf. *Je n'ai **nul** besoin de tes explications* (= aucun). ***Nul** n'a le droit d'entrer ici* (= personne). SENS 2. adj. *Les deux équipes ont fait match **nul**,* le match s'est terminé sans vainqueur ni vaincu. ●● *annuler.* SENS 3. adj. *Pierre est **nul** en maths,* il est très mauvais (≠ brillant). *Ce film est **nul**,* il n'a aucun intérêt (= mauvais ; ≠ excellent).

■ **nullement** adv. [SENS 1] *Il n'est **nul-lement** coupable,* pas du tout.

■ **nullité** n.f. [SENS 3] *Cet élève est une* *nullité, il est nul.*

nulle part → *part*

numéraire n.m. *On a tout payé en* *numéraire,* avec de l'argent liquide et non par chèque ou par carte bancaire.

numéral, ale, aux adj. *Deux, trois,* *quatre sont des adjectifs numéraux,* qui expriment le nombre *(deux stylos)* ou le rang *(page quatre).* → *nombre, cardinal, ordinal*

■ **numération** n.f. *Les Romains avaient* *un système de numération différent du* *nôtre,* une façon de représenter les nombres.

■ **numérique** adj. *La supériorité numérique de l'ennemi était écrasante,* leur nombre dépassait le nôtre.

■ **numéro** n.m. *Mon billet de tombola* *porte le numéro 3720,* l'ensemble de chiffres, le nombre qui est inscrit dessus. ◆ *Le prochain numéro de cette revue* *paraît dans un mois* (= exemplaire). ◆ Au cirque, un **numéro,** c'est une partie du spectacle.

■ **numéroter** v. 1ᵉʳ groupe. *Elsa a* *numéroté toutes ses fiches,* elle a écrit un numéro dessus.

numérateur n.m. Dans une fraction, le **numérateur** est le nombre placé sur la barre (ou à sa gauche) et qui indique de combien de parties de l'unité elle se compose. → *dénominateur*

numération, numérique, **numéro, numéroter** → *numéral*

nuptial, ale, aux adj. *Nous avons* *assisté à la cérémonie nuptiale,* à la cérémonie du mariage.
❋ On prononce [nypsjal].

nuque n.f. *Jean a mis un coussin sous* *sa nuque,* l'arrière de son cou.   *illustr.* *p. 217*

nurse n.f. Une **nurse** est une femme chargée de s'occuper des enfants au domicile de quelqu'un.
❋ On prononce [nœrs].

nutriment n.m. *Les nutriments pas-* *sent dans le sang et sont distribués à* *tous les organes,* les aliments rendus solubles grâce à la digestion.

nutritif, ive adj. *La viande est pour* *l'homme un aliment plus nutritif que la* *salade,* elle contient plus d'éléments nécessaires à la vie et à la bonne santé (= nourrissant).

■ **nutrition** n.f. *Le malade souffre de* *troubles de la nutrition,* son organisme assimile mal la nourriture. ●● *dénutrition, malnutrition*

Nylon n.m. *Pierre a une chemise en* *Nylon,* un tissu synthétique.
❋ **Nylon** est un nom de marque, il s'écrit avec une majuscule dans les textes imprimés.

nymphe n.f. Chez les anciens Grecs, les **nymphes** étaient des déesses des bois et des fontaines.

Oronge

Oie

Ours

Orge

Oursin

illustr.
p. 277 **oasis** n.f. Une **oasis** est un endroit, dans un désert, où il y a de l'eau, ce qui permet aux hommes de s'y installer et de cultiver certaines plantes.
✳ On prononce [ɔazis]. Ce mot est du genre féminin.

obéir v. 2ᵉ groupe. SENS 1. *Pierre* **obéit** *à ses parents,* il fait ce qu'ils lui demandent ou ordonnent (≠ désobéir). SENS 2. *Tous les objets solides* **obéissent** *aux lois de la pesanteur,* ils sont soumis à ces lois (= suivre).

■ **obéissant, ante** adj. *Marie est une fillette* **obéissante,** disciplinée, docile (≠ désobéissant).

■ **obéissance** n.f. *Ce soldat a été puni pour refus d'***obéissance** (= soumission ; ≠ insubordination, désobéissance).

obélisque n.m. Un **obélisque** est une grande pierre dressée en forme de colonne à quatre faces et terminée en pointe.
✳ Ce mot est du genre masculin.

obèse adj. Une personne **obèse** est une personne très grosse (≠ maigre).

■ **obésité** n.f. *Il suit un régime contre l'***obésité** (≠ maigreur).

objecter, objecteur → *objection*

1. objectif n.m. SENS 1. *Gilles a atteint son* **objectif,** le résultat qu'il voulait obtenir (= but). SENS 2. L'**objectif** d'un appareil photo, c'est le système optique formé de lentilles qui donne l'image des objets que l'on photographie. illustr. p. 310, 531

2. objectif, ive adj. *Ce journal est* **objectif,** il raconte les faits tels qu'ils se sont passés (= impartial, neutre). Un jugement **objectif** est un jugement qui ne fait pas intervenir les préférences personnelles de celui qui l'exprime (≠ subjectif, tendancieux).

■ **objectivement** adv. *Il m'a décrit* **objectivement** *la situation,* sans prendre parti (= honnêtement).

■ **objectivité** n.f. *Il a parlé avec **objectivité**, sans parti pris, sans tenir compte de ses préférences* (= impartialité).

objection n.f. *Le projet de Sophie a rencontré de nombreuses **objections**, beaucoup de gens s'y sont opposés* (= critique, opposition, obstacle).

■ **objecter** v. 1er groupe. *Ils n'ont rien objecté à nos projets*, ils n'ont rien dit contre.

■ **objecteur** n.m. *Mon oncle a été **objecteur de conscience***, il a refusé de faire son service national.

objectivement, objectivité
→ *objectif (2)*

illustr. p. 583, 821 **objet** n.m. SENS 1. *Un **objet** est quelque chose de concret, généralement solide. Les ustensiles de cuisine, les bibelots, les jouets sont des **objets*** (= chose). SENS 2. *Quel est l'**objet** de ta visite ?* (= but, sujet). SENS 3. *Dans la phrase « Pierre regarde Paul », « Paul » est le **complément d'objet** du verbe.*

obliger v. 1er groupe. SENS 1. *On m'a **obligé** à partir*, on m'a forcé à le faire (= contraindre). SENS 2. *Vous m'**obligeriez** en me prêtant ce livre*, vous me feriez plaisir (≠ désobliger).
✳ Conj. n° 2.

■ **obligation** n.f. [SENS 1] *Je suis dans l'**obligation** d'aller à ce rendez-vous*, il faut que j'y aille (= nécessité). [SENS 2] *Amélie a des **obligations** envers son oncle qui l'a beaucoup aidée*, un devoir de gratitude et de reconnaissance.

■ **obligatoire** adj. [SENS 1] *Votre présence est **obligatoire*** (= indispensable ; ≠ facultatif).

■ **obligatoirement** adv. [SENS 1] *Il faut **obligatoirement** avoir un passeport pour aller dans ce pays*, c'est indispensable (= nécessairement).

■ **obligeance** n.f. [SENS 2] *Ayez l'**obligeance** de parler moins fort !* (= amabilité, bonté).

■ **obligeant, ante** adj. [SENS 2] *Damien est un garçon très **obligeant**, il aime rendre service et faire plaisir* (= aimable, serviable). ●● *désobligeant*

oblique adj. *Une ligne est **oblique** par rapport à une autre ligne ou à un plan quand elle n'est ni parallèle ni perpendiculaire à cette ligne ou à ce plan.* *illustr. p. 431*

■ **obliquer** v. 1er groupe. *Vous allez jusqu'au pont, puis vous **obliquez** à droite*, vous ne continuez pas en ligne droite (= tourner).

oblitérer v. 1er groupe. *Quand un timbre **a été oblitéré**, il ne peut plus servir*, quand il a été marqué par le cachet de la poste.
✳ Conj. n° 10.

oblong, oblongue adj. *Les dattes ont une forme **oblongue**, allongée.*

obnubiler v. 1er groupe. *M. Darlet est **obnubilé** par ses soucis d'argent*, il ne pense qu'à cela (= obséder).

obole n.f. *Il a donné son **obole** à la quête*, une petite somme d'argent.

obscène adj. *Une phrase **obscène** était écrite sur le mur*, une phrase très grossière (= indécent).

■ **obscénité** n.f. *Arrête de dire des **obscénités***, des mots orduriers.

obscur, e adj. SENS 1. *Cette rue est très **obscure**, il n'y a pas de lumière* (= sombre ; ≠ éclairé). SENS 2. *Il y a dans ce livre des passages **obscurs**, difficiles à comprendre* (≠ clair). SENS 3. *On éprouvait un **obscur** sentiment de malaise*, un sentiment que l'on ne s'expliquait pas très bien (= mystérieux, vague, confus). SENS 4. *Quel est cet écrivain **obscur** ?*, peu connu (≠ célèbre).

■ **obscurcir** v. 2e groupe. [SENS 1] *La nuit **s'obscurcit** de plus en plus*, elle devient de plus en plus noire (≠ éclaircir).

■ **obscurément** adv. [SENS 3] *Il sentait **obscurément** qu'un danger le menaçait* (= confusément, vaguement).

■ **obscurité** n.f. [SENS 1] *La maison est plongée dans l'obscurité,* il n'y a aucune lumière (= noir, nuit).

obséder v. 1er groupe. *Sébastien est obsédé par son échec à l'examen,* il y pense sans cesse (= obnubiler).
✳ Conj. n° 10.
■ **obsédant, ante** adj. *Cette musique est obsédante,* je l'ai toujours dans la tête, je ne peux pas m'en débarrasser.
■ **obsession** n.f. *Chloé a l'obsession de ne pas grossir,* elle y pense sans cesse (= hantise, idée fixe).

obsèques n.f. pl. *Les obsèques de son grand-père ont lieu demain,* la cérémonie au cours de laquelle on l'enterrera (= enterrement, funérailles).

obséquieux, euse adj. *M. Duval a des manières obséquieuses,* il est d'une politesse exagérée (= servile).
■ **obséquiosité** n.f. *M. Duval accueille son visiteur avec obséquiosité,* avec une politesse un peu hypocrite (= servilité, platitude).

observer v. 1er groupe. SENS 1. *Pierre aime observer les fourmis,* les regarder attentivement pour les étudier (= examiner). SENS 2. *On a observé quelques signes d'amélioration,* on les a notés, remarqués (= constater). SENS 3. *Vous êtes prié d'observer le règlement,* de vous y conformer (= respecter, obéir ; ≠ enfreindre, violer).
■ **observable** adj. [SENS 1] *L'éclipse sera observable de Paris* (= visible).
■ **observateur, trice** adj. [SENS 1] *Claire est très observatrice,* elle sait observer. [SENS 2] n. *Un observateur assiste à une réunion sans participer aux décisions.*
■ **observation** n.f. [SENS 1] *Arnaud a l'esprit d'observation,* il sait observer.
◆ *Le professeur lui a fait des observations sur sa conduite,* il a critiqué sa conduite (= reproche, critique).

■ **observatoire** n.m. [SENS 1] *Un observatoire sert à observer le ciel, les étoiles.*

obsession → *obséder*

obstacle n.m. SENS 1. *La voiture a fait une embardée pour éviter un obstacle,* quelque chose qui encombrait la route. SENS 2. *Il n'a pas rencontré d'obstacle dans l'organisation du pique-nique,* de difficulté l'empêchant de le mettre au point (= empêchement, entrave).

s'**obstiner** v. 1er groupe. *Il s'obstine à continuer malgré les difficultés,* il continue quand même (= s'entêter, s'acharner, persévérer).
■ **obstination** n.f. *Il a réussi à force d'obstination* (= acharnement, persévérance, ténacité).
■ **obstinément** adv. *Il refuse obstinément de partir,* avec entêtement (= absolument).

obstruer v. 1er groupe. *Le passage est obstrué par la foule,* on ne peut pas passer (= boucher, barrer).
■ **obstruction** n.f. *Faire de l'obstruction,* c'est empêcher les autres de parler, d'agir.

obtempérer v. 1er groupe. *Les ordres sont formels, il faut obtempérer,* faire ce qui est demandé (= obéir).
✳ Conj. n° 10.

obtenir v. 3e groupe. *En discutant beaucoup, j'ai pu obtenir une réduction,* j'ai réussi à l'avoir. *Si on mélange de la farine et de l'eau, on obtient de la pâte,* on parvient à la fabriquer.
✳ Conj. n° 22.

obturer v. 1er groupe. *Obturer un trou,* c'est le boucher (= colmater).
■ **obturation** n.f. *Le dentiste m'a fait une obturation,* il a bouché ma dent cariée (= plombage).

obtus

■ océanique O

obtus, use adj. SENS 1. Un **angle obtus** est plus ouvert qu'un angle droit, il mesure plus de 90 degrés (≠ aigu). SENS 2. *Jeanne a l'esprit obtus*, elle est peu intelligente (= borné ; ≠ fin).

illustr. **obus** n.m. Un **obus** est un projectile
p. 55 lancé par un canon.

oc n.m. On appelle **langue d'oc** les dialectes qu'on parle, à côté du français, dans certaines régions du midi de la France (= occitan). [Voir « Petite histoire du français », en fin d'ouvrage.] → *oïl*
■ **occitan, ane** n.m. et adj. L'**occitan** est l'ensemble des dialectes d'oc. ◆ adj. *Nous avons écouté des chansons occitanes*, en dialecte d'oc.

occasion n.f. SENS 1. *Je profite de l'occasion pour vous faire ce cadeau*, de la circonstance qui se présente. SENS 2. *À l'occasion de l'Ascension, il y a eu deux jours de congé* (= pour, à cause de). SENS 3. *M. Pernet a acheté une voiture d'occasion*, une voiture qui a déjà servi (≠ neuf). SENS 4. *Cet appareil est une occasion*, son prix est intéressant (= affaire).
■ **occasionnel, elle** adj. [SENS 1] *Elle fait un travail occasionnel*, qui se présente de temps à autre (= irrégulier ; ≠ habituel, durable).
■ **occasionnellement** adv. *Il fait la cuisine occasionnellement*, de temps en temps (≠ régulièrement).
■ **occasionner** v. 1er groupe. [SENS 2] *Son chien a occasionné un accident*, il en a été la cause (= causer, provoquer).

occident n.m. SENS 1. **Occident** se dit quelquefois pour « ouest » (= couchant ; ≠ orient, levant). SENS 2. (Avec majuscule.) L'**Occident**, ce sont les pays de l'Europe de l'Ouest et de l'Amérique du Nord.
■ **occidental, ale, aux** adj. et n. [SENS 1 et 2] *La Bretagne est la partie la plus occidentale de la France*, la plus à l'ouest (≠ oriental). ◆ (Avec majuscule.)

Les **Occidentaux** sont les habitants des pays de l'Occident.

occitan → *oc*

occulte adj. SENS 1. *Cet homme a un pouvoir occulte*, secret et mystérieux. SENS 2. *L'astrologie, l'alchimie, la magie sont des sciences occultes*, qui s'occupent de choses mystérieuses et sont critiquées par les scientifiques.
■ **occultisme** n.m. [SENS 2] *M. Syndot s'intéresse à l'occultisme*, aux sciences occultes. → *magie*

occuper v. 1er groupe. SENS 1. *C'est le jardinier qui s'occupe des fleurs*, qui en prend soin, qui leur consacre son temps, son activité. SENS 2. *Ils occupent tout le premier étage de cette maison*, ils y habitent. ●● *inoccupé*. SENS 3. *La table occupe le milieu de la pièce*, elle s'y trouve. SENS 4. *Pendant la guerre, les Allemands ont occupé la France*, ils s'y sont installés par la force militaire.
■ **occupant, ante** n. [SENS 2] *Comment s'appellent les occupants de cet appartement ?* (= habitant). [SENS 4] *Les occupants ont été chassés du pays*, les ennemis qui l'occupaient.
■ **occupation** n.f. [SENS 1] *Sa principale occupation est la lecture*, il passe son temps à lire. [SENS 4] *L'armée d'occupation a été vaincue*, celle qui occupait le pays.
■ **occupé, ée** adj. [SENS 1] *Laissez-moi, je suis très occupé*, je n'ai pas le temps (= pris ; ≠ inoccupé). [SENS 4] *Les troupes ennemies ont été chassées de la zone occupée*, la zone qu'elles occupaient de force (≠ libre).

occurrence n.f. *Il a gagné le premier prix : en l'occurrence, un voyage*, dans le cas présent, en cette circonstance.

océan n.m. Un **océan** est une vaste *illustr.* étendue d'eau salée. → *mer*   *p. 556,*
■ **océanique** adj. *Le climat océanique* *949* est celui des régions proches de l'océan.

651

■ **océanographie** n.f. L'océanographie est l'étude des océans.

illustr.
p. 117 **ocre** adj. inv. et n.m. *Dans cette région, la terre est* **ocre***, d'une couleur entre le jaune et le brun. Un vase d'un bel* **ocre***.*
✳ Employé comme adjectif, **ocre** ne change pas au pluriel.

octave n.f. En musique, une **octave** est l'intervalle entre les deux notes extrêmes d'une gamme.
✳ Ce mot est du genre féminin.

illustr.
p. 132 **octobre** n.m. Octobre est le dixième mois de l'année.

octogénaire adj. et n. *Son grand-père est* **octogénaire***, il a entre quatre-vingts et quatre-vingt-dix ans.*

illustr.
p. 431 **octogone** n.m. Un **octogone** est une figure géométrique formée de huit angles et de huit côtés.

octroi n.m. SENS 1. *Autrefois, il y avait des* **octrois** *aux portes des villes,* des sortes de douanes où l'on payait des taxes sur les marchandises. SENS 2. *La direction a décidé l'*octroi *d'une prime au personnel* (= attribution).
■ **octroyer** v. 1er groupe. [SENS 2] *On nous a* **octroyé** *deux jours de congé,* on nous les a donnés par faveur (= accorder).
✳ Conj. n° 3.

oculaire, oculiste → *œil*

ode n.f. Une **ode** est un long poème.

odeur n.f. *Sens-tu cette* **odeur** *de fumée ?,* une sensation que l'on perçoit avec le nez. *L'*odeur *du jasmin est agréable* (= parfum, senteur).
■ **odorat** n.m. L'odorat est l'un des cinq sens, celui qui permet de percevoir les odeurs. *Ce chien a un* **odorat** *très développé,* il sent bien les odeurs avec son nez (= flair). → *olfactif*
■ **odorant, ante** adj. *Ces fleurs sont* **odorantes***,* elles dégagent une odeur

(= parfumé). ●● *inodore, maladorant, déodorant*

odieux, euse adj. *Annabel a un caractère* **odieux***,* extrêmement désagréable (= détestable ; ≠ charmant). *Un crime* **odieux** *inspire le dégoût et l'horreur* (= ignoble, abject).
■ **odieusement** adv. *On nous a* **odieusement** *menti,* d'une façon inacceptable.

odorant, odorat → *odeur*

odyssée n.f. *Il m'a raconté son* **odyssée***,* son voyage plein d'aventures.

œcuménique adj. Le mouvement **œcuménique** veut rassembler les différentes religions.
✳ On prononce [ekymenik] ou bien [økymenik].

œdème n.m. Un **œdème** est un gonflement anormal d'une partie du corps.
✳ On prononce [edɛm] ou [ødɛm].

œil n.m. SENS 1. Les **yeux** sont les globes situés de part et d'autre du nez, sous le front, et qui servent à voir. → *vue*, **ophtalmie***. Il ne voit pas de l'*œil *gauche. Pierre a les* **yeux** *bleus.* SENS 2. *Il a jeté un* **coup d'œil** *sur mon travail,* un regard rapide. SENS 3. Fam. *J'ai eu ce livre* **à l'œil***,* sans payer (= gratuitement). SENS 4. *Il faut* **avoir l'œil à** *tout,* être attentif à tout. SENS 5. *Vous ne semblez pas* **voir** *ce projet* **d'un bon œil***,* y être favorable. SENS 6. **À mes yeux***, il n'est pas coupable,* selon moi, à mon point de vue. SENS 7. *Je veux bien* **fermer les yeux sur** *vos erreurs passées,* ne pas en tenir compte. SENS 8. *Ces fleurs se fanent à* **vue d'œil***,* très rapidement.
✳ Noter le pluriel : des **yeux**. Au singulier, on prononce [œj] ; au pluriel, on prononce [jø].
■ **œillade** n.f. [SENS 2] *Damien a lancé une* **œillade** *à Claire,* un coup d'œil d'amitié et de complicité.

illustr.
p. 217

Œuf

illustr.
p. 354

■ **œillère** n.f. [SENS 1] Les **œillères** sont des pièces de cuir qui empêchent les chevaux de regarder de côté. ◆ On dit de quelqu'un qu'il **a des œillères** quand il a des préjugés qui l'empêchent de comprendre certaines choses.

■ **oculaire** [SENS 1] adj. *J'ai été témoin* **oculaire** *de l'accident,* je l'ai vu. ◆ n.m.

illustr.
p. 310

L'**oculaire** d'une longue-vue est l'endroit où l'on met l'œil. → **optique**

■ **oculiste** n. [SENS 1] Un **oculiste** est un médecin qui soigne les maladies des yeux (= ophtalmologiste). → **opticien**

illustr.
p. 573

œil-de-bœuf n.m. Un **œil-de-bœuf** est une petite fenêtre ronde ou ovale.
✳ Noter le pluriel : des **œils-de-bœuf**.

œillère → **œil**

illustr.
p. 527

œillet n.m. SENS 1. Les **œillets** sont des plantes cultivées pour leurs fleurs blanches, rouges ou roses, très odorantes. SENS 2. *On passe le lacet de la chaussure dans des* **œillets,** *des trous cerclés de métal.*
✳ On prononce [œjɛ].

illustr.
p. 216

œsophage n.m. L'**œsophage** est un organe de la digestion, en forme de tube, qui conduit les aliments de la bouche à l'estomac.
✳ On prononce [ezɔfaʒ] ou [øzɔfaʒ].

illustr.
p. 310,

œuf n.m. Un **œuf** est un corps plus ou moins gros, qui contient un germe entouré de réserves nutritives et qui est pondu par les femelles des ovipares. Un **œuf** d'oiseau est entouré d'une coquille, un **œuf** de grenouille ou de poisson est gélatineux. *La poule a pondu un* **œuf,** *Pierre l'a mangé à la coque. Quand on mange du caviar, on mange des* **œufs** *d'esturgeon.*
✳ Au singulier, on prononce [œf] ; au pluriel, on prononce [ø].

357,
582

œuvre n.f. SENS 1. *Regarde ce dessin, c'est mon* **œuvre,** *c'est moi qui l'ai fait* (= travail). ●● **désœuvré.** SENS 2. *J'ai lu plusieurs* **œuvres** *de Victor Hugo, des*

livres écrits par lui (= ouvrage). SENS 3. Une **œuvre d'art** est une production artistique, comme un tableau ou une sculpture. *« La Joconde » et « la Victoire de Samothrace » sont des* **œuvres d'art.** SENS 4. *Il faut tout* **mettre en œuvre** *pour réussir* (= employer, utiliser). SENS 5. Les **œuvres humanitaires** sont des organisations d'assistance humanitaire.

■ **œuvrer** v. 1er groupe. Œuvrer pour la paix, c'est agir en faveur de la paix.

offense n.f. Une **offense** est une parole ou une action qui blesse quelqu'un en l'humiliant. *Julie m'a fait une* **offense** *en refusant de me parler* (= injure, insulte, affront).

■ **offenser** v. 1er groupe. *Vous l'avez* **offensé** *en refusant de lui serrer la main* (= blesser, froisser).

■ **offensant, ante** adj. *Ces soupçons sont* **offensants,** *ils humilient* (= injurieux, blessant).

offensif, ive adj. Les armes **offensives** servent à attaquer (≠ défensif). ●● **inoffensif**

■ **offensive** n.f. *L'ennemi a lancé une* **offensive,** *une attaque* (≠ défensive). ●● **contre-offensive**

office n.m. SENS 1. *Adressez-vous à l'***office** *de tourisme,* à l'organisation qui renseigne les touristes (= agence). SENS 2. *En l'absence de M. Dermet, M. Villon* **fait office de** *directeur,* il remplit cette fonction. SENS 3. *Clarissa a assisté à l'***office** *de 10 heures,* à la cérémonie religieuse (= messe). SENS 4. (Au plur.) *Il a eu recours à nos* **bons offices,** à nos services. SENS 5. *Théo a été désigné* **d'office,** *sans qu'on lui demande son avis.*

officiel, elle SENS 1. adj. *Cette décision est* **officielle,** *elle a été prise par les autorités, elle est reconnue publiquement* (≠ officieux). SENS 2. n.m. *Les* **officiels** *sont sur la tribune,* les gens importants (= autorité).

653

■ **officiellement** adv. [SENS 1] *On l'a averti officiellement,* de manière officielle.

■ **officialiser** v. 1er groupe. [SENS 1] *Sa nomination n'est pas encore officialisée,* rendue officielle.

illustr. p. 440 **officier** n.m. SENS 1. *Un lieutenant, un capitaine, un colonel sont des officiers,* ils ont un grade élevé dans l'armée. ●● *sous-officier.* SENS 2. Un **officier** municipal est une personne qui a une fonction dans l'administration de la commune.

officieux, euse adj. *La démission du gouvernement est encore officieuse,* elle n'a pas été confirmée par les autorités (≠ officiel).

officine n.f. Une **officine** est une pharmacie.

■ **officinal, ale, aux** adj. Les plantes **officinales** sont les plantes qu'on utilise en pharmacie.

offrir v. 3e groupe. SENS 1. *Mes parents m'ont offert une montre,* ils m'en ont fait cadeau (= donner). SENS 2. *Alex a offert de nous aider,* il nous l'a proposé. SENS 3. *Cette solution offre de nombreux avantages* (= présenter). ✳ Conj. n° 16.

■ **offrande** n.f. [SENS 1] *Les offrandes recueillies à cette fête de charité aideront à soulager des misères* (= don, cadeau).

■ **offre** n.f. [SENS 2] *Il a refusé mon offre,* ce que je lui proposais.

offusquer v. 1er groupe. *Sa conduite nous a tous offusqués,* elle nous a beaucoup déplu (= choquer).

illustr. p. 164 **ogive** n.f. SENS 1. *Les fenêtres des cathédrales gothiques sont en ogive,* en forme d'arc brisé. SENS 2. Une **ogive** nucléaire est l'extrémité pointue d'un projectile nucléaire.

■ **ogival, ale, aux** adj. [SENS 1] *Cette église est de style ogival,* les voûtes et les vitraux sont en ogive.

ogre, ogresse n. SENS 1. Un **ogre** est un géant cruel des contes de fées, qui mange les enfants. SENS 2. *Julien mange comme un ogre,* il a un très grand appétit.

oh ! interj. Ce mot sert à indiquer la joie, la douleur, l'impatience, l'indignation : *Oh, que c'est gentil !* (joie) ; *Oh, que tu es méchant !* (indignation).

illustr. p. 384 **oie** n.f. L'**oie** est un gros oiseau de basse-cour, aux pattes palmées, dont la chair est appréciée.

illustr. p. 746 **oignon** n.m. SENS 1. L'**oignon** est une plante potagère dont le bulbe est comestible. SENS 2. L'**oignon** d'une tulipe, c'est sa racine, son bulbe. SENS 3. Fam. *Les spectateurs étaient au bord de la route en rang d'oignons,* sur une seule ligne. ✳ On prononce [ɔɲɔ̃].

oïl n.m. On appelle **langue d'oïl** l'ensemble des dialectes parlés autrefois dans la partie nord de la France. (Voir « Petite histoire du français », en fin d'ouvrage.) → **oc** ✳ On prononce [ɔjl].

oindre v. 3e groupe. *L'évêque oint le front des enfants à qui il administre le sacrement de la confirmation,* il lui applique de l'huile bénite sur le front. ●● *onction* ✳ Conj. n° 82.

illustr. p. 403, 1033 **oiseau** n.m. SENS 1. Un **oiseau** est un animal vertébré, ovipare, dont le corps est recouvert de plumes, qui a deux pattes et deux ailes. → **ornithologie**. SENS 2. *À vol d'oiseau,* il y a 10 km d'ici au village, en ligne droite. SENS 3. *Il y a des licenciements dans son entreprise, il est comme l'oiseau sur la branche,* dans une situation précaire, instable. ✳ Au pluriel, on écrit des **oiseaux**.

illustr.
p. 753
■ **oisillon** n.m. [SENS 1] *Il y a quatre* **oisillons** *dans le nid,* quatre petits oiseaux.

oiseau-mouche n.m. Oiseau-mouche est l'autre nom du colibri.
✳ Au pluriel, on écrit des **oiseaux-mouches**.

oiseux, euse adj. *Arrêtons cette discussion* **oiseuse**, qui ne mène à rien (= vain, inutile ; ≠ fructueux).

oisif, ive adj. et n. *M. Durand mène une vie* **oisive**, *c'est un* **oisif**, *il ne travaille pas* (= désœuvré, inactif ; ≠ actif).

■ **oisiveté** n.f. *Je n'aime pas rester dans l'* **oisiveté**, sans rien faire.

O.K. ! interj. Ce mot se dit familièrement pour « d'accord ».
✳ On prononce [ɔke].

illustr.
p. 21
oléagineux, euse adj. et n.m. Une plante **oléagineuse** est une plante qui contient de l'huile que l'on peut extraire pour la consommer. *L'arachide, l'olive, le colza sont des* **oléagineux**.

illustr.
p. 277
oléoduc n.m. Un **oléoduc** est une canalisation servant à transporter le pétrole (= pipeline).

olfactif, ive adj. *Le nez est un organe* **olfactif**, il sert à percevoir les odeurs.

olibrius n.m. Fam. *Qu'est-ce que c'est que cet* **olibrius** *?*, cet homme bizarre.
✳ On prononce [ɔlibrijys].

oligarchie n.f. Une **oligarchie** est un groupe de personnes puissantes qui accaparent le pouvoir.

illustr.
p. 21,
690,
994
olive n.f. SENS 1. L'**olive** est un petit fruit ovale, contenant un noyau, qui devient noir quand il est mûr, dont on extrait de l'huile et qui est produit par l'**olivier**. SENS 2. *L'* **olive** *de la lampe est cassée,* le petit interrupteur qui se trouve sur le fil électrique.

■ **olivâtre** adj. [SENS 1] *Le malade avait un teint* **olivâtre**, qui évoque la couleur d'une olive pas mûre (= verdâtre).

■ **oliveraie** n.f. [SENS 1] Une **oliveraie** est une plantation d'oliviers.

olympique adj. Les **jeux Olympiques** sont une compétition sportive internationale qui a lieu tous les quatre ans.

■ **olympiade** n.f. Une **olympiade** est une période de quatre ans qui s'écoule entre deux jeux Olympiques.

ombilical, ale, aux adj. Le **cordon ombilical** est le gros filament qui relie le bébé à sa mère tant qu'il est dans le ventre de celle-ci et qui lui permet de se nourrir. *À la naissance, on coupe le* **cordon ombilical**, *et la cicatrice forme le nombril ou* **ombilic**.

illustr.
p. 573
ombre n.f. SENS 1. *Mets-toi à l'* **ombre** *de cet arbre,* dans la zone sombre où les rayons du soleil n'arrivent pas. SENS 2. *La lumière de la lampe dessine des* **ombres** *sur le mur,* des silhouettes sombres. SENS 3. *Pierre n'aime pas rester dans l'* **ombre**, *il aime qu'on parle de lui* (= obscurité). SENS 4. *C'est lui que j'ai vu, il n'y a pas l'* **ombre** *d'un doute,* pas le plus petit doute. SENS 5. *Il y a une* **ombre** *au tableau,* il y a des inconvénients dans cette affaire.

■ **ombrage** n.m. [SENS 1] *Ce chêne donne un bel* **ombrage** (= ombre). ◆ *Il a pris* **ombrage** *de mes paroles,* il a été vexé.

■ **ombragé, ée** adj. [SENS 1] *Un chemin* **ombragé** *mène à la rivière,* bordé d'arbres qui donnent de l'ombre.

■ **ombrageux, euse** adj. [SENS 2] Un cheval **ombrageux** est un cheval qui peut prendre peur d'une ombre ou de tout ce qui bouge. ◆ *Une personne* **ombrageuse** est une personne qui se vexe facilement (= susceptible).

illustr.
p. 42,
220
■ **ombrelle** n.f. [SENS 1] Une **ombrelle** est un petit parasol léger et portable, dont les femmes se servaient autrefois pour se protéger du soleil.

omelette n.f. *Nous avons mangé une* **omelette** *aux champignons,* un plat fait avec des œufs battus et cuits dans une poêle.

omettre v. 3ᵉ groupe. *Il* **a omis** *de me dire son nom,* il ne l'a pas fait, volontairement ou non (= oublier). ✱ Conj. n° 57.

■ **omission** n.f. *Il y a plusieurs* **omissions** *dans votre compte rendu,* plusieurs choses omises (= oubli, lacune).

omni- préfixe. Placé au début d'un mot, **omni-** signifie « tout » : *être* **omniscient** (tout savoir).

omnibus adj. et n.m. Un (train) **omnibus** est un train qui s'arrête à toutes les gares (≠ rapide, express). → **tortillard** ✱ On prononce le « s » : [ɔmnibys].

omnisports adj. inv. Un stade **omnisports** est un stade où l'on peut pratiquer plusieurs sports.

omnivore adj. *L'homme est* **omnivore**, il mange à la fois de la viande (comme les carnivores) et des végétaux (comme les herbivores).

illustr. p. 216, 217 **omoplate** n.f. Les **omoplates** sont les os plats des épaules.

on pron. indéf. SENS 1. *On me l'a dit* (= quelqu'un, des gens). SENS 2. *On doit penser aux autres* (= chacun, tout le monde). SENS 3. *On s'est bien amusé à la fête* (= nous).

once n.f. L'**once** est une ancienne mesure de masse qui valait environ 30 grammes. ◆ *Il n'y a pas* **une once de** *vérité dans ses paroles,* la plus petite partie.

illustr. p. 679 **oncle** n.m. *M. Durand est l'*oncle* de Paul,* il est le frère ou le beau-frère de son père ou de sa mère.

onction n.f. *Les rois de France recevaient l'*onction* du sacre,* une application d'huile bénite par l'évêque. ●● **oindre**

onctueux, euse adj. *Cette sauce est* **onctueuse**, elle a une consistance douce et un peu épaisse (= velouté, lié).

onde n.f. SENS 1. *Quand on jette un caillou dans l'eau, il se produit des* **ondes**, l'eau s'élève et s'abaisse en formant des cercles qui s'élargissent de plus en plus. SENS 2. *Le son, l'électricité, la lumière sont constitués par des* **ondes**, des sortes de vibrations. SENS 3. *Quelle est la* **longueur d'onde** *de cette station de radio ?,* le chiffre qui permet de la trouver sur le cadran du poste. (Au plur.) *La nouvelle a été annoncée sur les* **ondes**, à la radio. ◆ *Être sur la même* **longueur d'onde**, c'est se comprendre parfaitement.

■ **ondoyer** v. 1ᵉʳ groupe. [SENS 1] *Les hautes herbes* **ondoient** *au vent,* elles bougent en formant des sortes de vagues (= onduler). ✱ Conj. n° 3. Ce mot s'emploie dans la langue écrite.

■ **ondoyant, ante** adj. [SENS 1] *Hélène a une démarche* **ondoyante** (= souple).

■ **onduler** v. 1ᵉʳ groupe. [SENS 1] *Les hautes herbes* **ondulent**, elles bougent comme une onde (= ondoyer). *Tes cheveux* **ondulent**, ils forment comme des petites vagues (= friser, boucler). *Sur la cabane, il y a un toit en* **tôle ondulée**, dont la surface présente une alternance régulière de plis en creux et en relief.

■ **ondulation** n.f. [SENS 1] *Les* **ondulations** *de la route empêchent qu'on aille vite,* l'alternance des creux et des bosses.

ondée n.f. *Il a été surpris par une* **ondée**, une pluie soudaine et courte (= averse).

on-dit n.m. inv. *Il ne faut pas se fier à ces* **on-dit** (= rumeur, fam. racontar). ✱ Ce mot ne change pas au pluriel.

ondoyant, ondoyer, ondulation, onduler → **onde**

onéreux, euse adj. *Ces travaux sont très* **onéreux**, ils coûtent très cher (= coûteux ; ≠ bon marché).

illustr.
p. 217
ongle n.m. *Elle m'a griffé avec ses* **ongles** *trop longs !,* la partie dure qui recouvre l'extrémité des doigts et des orteils. *La manucure* **fait les ongles** *des clientes du salon de coiffure,* elle les coupe, les lime, y met du vernis.

■ **onglée** n.f. Avoir l'**onglée**, c'est avoir le bout des doigts engourdi et douloureux à cause du froid.

onguent n.m. Un **onguent** est une pommade pharmaceutique.

onomatopée n.f. *« Coucou », « chut », « boum » sont des* **onomatopées**, des mots imitant par leur son ce qu'ils représentent.

onyx n.m. *Cette broche est en* **onyx**, une pierre rare qui est une variété d'agate.

illustr.
p. 642
onze SENS 1. adj. numéral. *Pierre va avoir* **onze** *ans. 10 + 1 = 11.* SENS 2. n.m. inv. *Le* **onze** *de France a gagné le match,* l'équipe de football composée de onze joueurs.

illustr.
p. 642
■ **onzième** adj. et n. [SENS 1] *Ce coureur est arrivé* **onzième**. *Carole est la* **onzième** *sur la liste.*

opale n.f. *Marie a une bague avec une* **opale**, une pierre précieuse à reflets changeants.

opaque adj. *Le bois, le fer, le carton sont des matières* **opaques**, qui ne laissent pas passer la lumière (≠ transparent, translucide).

opéra n.m. SENS 1. *Nous avons écouté un* **opéra** *de Wagner,* une pièce de théâtre chantée. SENS 2. (Avec majuscule.) *L'*****Opéra*** *de Paris était plein,* le théâtre où l'on joue des opéras.

■ **opéra-comique** n.m. [SENS 1] *Dans un* **opéra-comique**, *il y a des passages chantés et des passages parlés,* une sorte d'opéra.

■ **opérette** n.f. [SENS 1] Une **opérette** est un petit opéra à sujet amusant.

opération n.f. SENS 1. *Vous pouvez essayer de réparer la voiture, mais c'est une* **opération** *difficile,* une série d'actions, de gestes, de manipulations (= travail, action). *Mon nouvel ordinateur peut faire beaucoup d'***opérations**, exécuter de nombreuses tâches et traiter beaucoup de données. SENS 2. *M. Durand a fait une mauvaise* **opération** *financière,* une mauvaise affaire (= transaction). SENS 3. *Martin a subi l'***opération** *de l'appendice,* une intervention chirurgicale pour lui enlever l'appendice. SENS 4. *L'addition, la soustraction, la multiplication et la division sont les quatre* **opérations** *fondamentales,* les divers calculs qu'on peut faire avec les nombres. SENS 5. *Les* **opérations** *se sont terminées par la victoire de nos troupes,* l'ensemble des manœuvres et des combats pour atteindre un objectif (= campagne).

illustr.
p. 868

■ **opérer** v. 1er groupe. [SENS 1] *Les gangsters* **ont opéré** *pendant la nuit,* ils ont accompli leur cambriolage (= agir, travailler). *Le chauffeur* **a opéré** *une manœuvre délicate,* il l'a faite (= effectuer, exécuter). ●● *inopérant.* [SENS 3] *Jean* **a été opéré** *à l'hôpital de la ville.* ✳ Conj. n° 10.

■ **opérable** adj. [SENS 3] *Le malade sera* **opérable** *dans deux jours.*

■ **opérateur, trice** n. [SENS 1] Un **opérateur** est une personne qui fait fonctionner un appareil.

illustr.
p. 502,
868

■ **opérateur** n.m. [SENS 4] En mathématiques, un **opérateur** est un signe qui indique l'opération à effectuer. *Les* **opérateurs** *sont +, –, x et : .*

■ **opérationnel, elle** adj. [SENS 1] *L'appareil n'est pas encore au point, mais il sera bientôt* **opérationnel**, en état de fonctionner.

■ **opératoire** adj. [SENS 3] *Le malade a bien résisté au choc* **opératoire**, causé par l'opération.

illustr.
p. 869

opérette → **opéra**

ophtalmie n.f. *Manon souffre d'une* **ophtalmie**, d'une maladie des yeux.

▪ **ophtalmologie** n.f. L'ophtalmologie est la spécialité médicale qui s'occupe des maladies des yeux.

▪ **ophtalmologiste** ou **ophtalmologue** n. *Alban est allé chez l'ophtalmologiste*, un médecin spécialiste des yeux (= oculiste). —> *opticien*
✳ En abrégé, on dit un **ophtalmo**.

opiner —> *opinion*

opiniâtre adj. *Pierre a réussi au prix d'un travail opiniâtre*, il a persévéré sans se décourager (= acharné).

▪ **opiniâtreté** n.f. *Par son opiniâtreté, il est venu à bout des difficultés* (= acharnement, ténacité, persévérance).

opinion n.f. **SENS 1.** *Tout le monde a donné son opinion*, a dit ce qu'il pensait (= avis, idée). **SENS 2.** *Ce meurtre a indigné l'opinion (publique)*, la majorité des gens.

▪ **opiner** v. 1er groupe. **[SENS 1]** *Tout le monde a opiné dans le même sens,* a donné son opinion. ◆ Fam. **Opiner de la tête** (ou **du bonnet**), c'est hocher la tête pour montrer que l'on est d'accord avec ce qui vient d'être dit.

opium n.m. L'**opium** est une drogue dangereuse, tirée du pavot, qui provoque une sorte d'assoupissement.
✳ On prononce [ɔpjɔm].

opportun, une adj. *Elle a choisi le moment opportun pour partir,* le moment qui convenait (= propice, approprié, favorable ; ≠ inopportun).

▪ **opportunément** adv. *Tu es arrivé opportunément,* au moment où il fallait (= à propos).

▪ **opportunisme** n.m. *On lui reproche son opportunisme,* d'agir sans scrupule en suivant ses seuls intérêts du moment.

▪ **opportuniste** n. et adj. *Cet homme politique est un opportuniste.*

▪ **opportunité** n.f. *Je ne vois pas l'opportunité de cette démarche,* je ne crois pas que le moment soit bien choisi et qu'elle servira à quelque chose (= utilité).

opposer v. 1er groupe. **SENS 1.** *Dans la discussion, Jérôme s'est opposé à moi,* il est entré en lutte contre moi (= affronter). **SENS 2.** *Nicolas s'est opposé à ce qu'on démolisse sa cabane,* il ne le voulait pas (= refuser ; ≠ permettre). **SENS 3.** *Il n'a rien pu opposer à mes arguments,* il n'a rien pu dire contre eux (= objecter). **SENS 4.** *Dans son devoir, Paul a opposé la ville et la campagne,* il a dit en quoi elles sont différentes (≠ rapprocher).

▪ **opposant, ante** n. **[SENS 1, 2 et 3]** *Le ministre a essayé de convaincre les opposants,* ceux qui sont contre sa politique.

▪ **opposé, ée** adj. et n.m. **[SENS 4]** *Julie et Laure sont d'avis opposés,* très différents (= contraire ; ≠ identique). *L'opposé du nord est le sud,* la direction contraire.

▪ **opposition** n.f. **[SENS 1, 2 et 3]** *Il a fait opposition à mes projets,* il s'y est opposé. *L'opposition a voté contre le gouvernement,* ceux qui sont contre sa politique. **[SENS 4]** *L'opposition entre leurs caractères est totale* (= différence, contraste ; ≠ ressemblance, similitude).

oppression n.f. **SENS 1.** *Le peuple s'est révolté contre l'oppression,* l'abus d'autorité (= tyrannie). **SENS 2.** *Le malade a de l'oppression,* de la difficulté à respirer.

▪ **oppresser** v. 1er groupe. **[SENS 2]** *Michel est oppressé par la chaleur,* il respire difficilement.

▪ **oppresseur** n.m. **[SENS 1]** *Les oppresseurs ont été chassés du pouvoir* (= tyran).

▪ **oppressif, ive** adj. **[SENS 1]** *On a protesté contre ces mesures oppressives,* qui visent à opprimer (= despotique, tyrannique).

▪ **opprimer** v. 1er groupe. **[SENS 1]** **Opprimer** *des gens, c'est les soumettre* à une autorité injuste, les empêcher de s'exprimer.

opprobre n.m. *De tels individus sont l'opprobre de l'humanité,* la honte, le déshonneur.
✳ Ce mot s'emploie dans la langue écrite ou littéraire.

opter v. 1er groupe. *Frédérique a opté pour une colonie de vacances au bord de la mer,* elle l'a choisie.
■ **option** n.f. *Plusieurs options se présentent à nous,* nous pouvons choisir (= choix).
■ **optionnel, elle** adj. *À cet examen, le latin est une matière optionnelle,* une matière qu'on a le droit de choisir (= facultatif ; ≠ obligatoire).

opticien → *optique*

optimiste adj. et n. *Benoît est un (garçon) optimiste,* il voit les choses du bon côté (≠ pessimiste).
■ **optimisme** n.m. *M. Delmas voit l'avenir avec optimisme,* il pense que tout ira bien (= confiance ; ≠ pessimisme).
■ **optimal, ale, aux** adj. *L'expérience a eu lieu dans des conditions optimales,* dans les meilleures conditions possibles (= idéal ; ≠ pire).
✳ On dit aussi des conditions **optimums**.

option, optionnel → *opter*

optique n.f. SENS 1. *L'optique est la science qui étudie la lumière et ses relations avec la vision.* SENS 2. *Les jumelles, la loupe, le microscope sont des instruments d'optique,* permettant de mieux voir. SENS 3. *Hugo a une optique différente de la mienne,* une manière de voir les choses (= point de vue).
■ **optique** adj. [SENS 1] *Le nerf optique relie l'œil au cerveau, et transmet les images qui se forment sur la rétine.*

■ **opticien, enne** n. [SENS 1] *Seydou est allé se faire faire des lunettes chez l'opticien.* → *ophtalmologiste*
✳ Ne pas confondre l'**oculiste** (ou l'ophtalmologiste), qui est un médecin, et l'**opticien**, qui est un fabricant ou un commerçant.

opulent, ente adj. Être **opulent**, c'est être très riche (= fortuné).
■ **opulence** n.f. *M. Duval vit dans l'opulence,* dans une grande abondance de biens, de richesses (= luxe ; ≠ misère).

opuscule n.m. Un **opuscule** est un petit livre. → *brochure*

1. or n.m. SENS 1. *Alexandra a un bracelet en or,* en métal précieux jaune. ●● *dorer.* SENS 2. *Pierre a un cœur d'or,* il est très généreux.
✳ Ne pas confondre avec **hors** ou la conjonction **or**.

2. or conj. *Ce mot relie les idées dans un raisonnement, en soulignant une opposition : on l'a accusé d'un délit, or il est prouvé qu'il était absent ce jour-là.*
✳ Ne pas confondre avec l'**or** ou **hors**.

oracle n.m. *Tout le monde l'écoute comme un oracle,* comme s'il annonçait la volonté d'un dieu.

orage n.m. SENS 1. *On entend du tonnerre, un orage va éclater,* une tempête de pluie avec des éclairs et du vent. → *tonnerre.* SENS 2. *Le directeur est furieux, il y a de l'orage dans l'air,* l'ambiance est très tendue. *illustr. p. 21*
■ **orageux, euse** adj. [SENS 1] *L'été a été orageux,* il y a eu beaucoup d'orages. *Le temps est orageux,* un orage va sans doute éclater. [SENS 2] *Nous avons eu une discussion orageuse,* avec des cris, comme une dispute (= agité, violent, houleux ; ≠ calme).

oraison n.f. *Le prêtre lit des oraisons,* des prières.

oral, ale, aux adj. *Il m'a donné une promesse **orale**, en paroles, non écrite* (= verbal).

■ **oral** n.m. *Julien a été collé aux **oraux** de son examen, aux épreuves orales* (≠ écrit).
✳ Au pluriel, on dit des **oraux**.

■ **oralement** adv. *Répondez **oralement**, par la parole* (≠ par écrit).

illustr. p. 690, **orange** SENS 1. n.f. *Une **orange** est un fruit rond des pays chauds à la peau d'une couleur jaune proche du rouge, à la pulpe divisée en quartiers et qui est produite par un **oranger**.* SENS 2. adj. inv. *117, 845* *La couleur **orange** est semblable à celle d'une orange.*

■ **orangé, ée** adj. et n.m. [SENS 2] *Cette peinture a une teinte **orangée**, qui se rapproche de l'orange.*

■ **orangeade** n.f. [SENS 1] *Une **orangeade** est une boisson faite de jus d'orange, de sucre et d'eau.*

■ **orangeraie** n.f. [SENS 1] *Une **orangeraie** est un lieu planté d'orangers.*

■ **orangerie** n.f. [SENS 1] *Nous avons visité l'**orangerie** de Versailles*, un bâtiment où l'on met à l'abri pendant l'hiver les orangers plantés dans des caisses.

illustr. p. 1033 **orang-outan** n.m. *Les **orangs-outans** sont de grands singes d'Asie, aux bras très longs et qui vivent dans les arbres.*
✳ On prononce [ɔrãutã].

orateur, trice n. *Laissez parler l'**orateur**!*, celui qui prononce un discours.

■ **oratoire** adj. *Cet avocat aime les effets **oratoires**,* les effets d'éloquence.

illustr. p. 216, 203 **orbite** n.f. SENS 1. *L'**orbite** d'un œil, c'est la cavité où il se trouve.* ●● **exorbité**. SENS 2. *La Terre décrit une **orbite** autour du Soleil,* une trajectoire courbe.
✳ Ce mot est du genre féminin.

orchestre n.m. SENS 1. *Nous sommes allés écouter un **orchestre** de jazz,* un groupe de musiciens. SENS 2. *Au théâtre, nous avions des fauteuils d'**orchestre**,* près de la scène* (≠ balcon).

illustr. p. 628, 629, 952

■ **orchestrer** v. 1er groupe. *Sa campagne électorale a été très bien **orchestrée**,* elle a été organisée, conduite méthodiquement.
✳ Le début des mots de cette famille se prononce [ɔrk].

orchidée n.f. *On lui a offert une gerbe d'**orchidées**,* de fleurs décoratives souvent d'origine tropicale.
✳ On prononce [ɔrkide].

ordinaire adj. SENS 1. *Elle n'a pas aujourd'hui sa gaieté **ordinaire**,* la gaieté qu'elle montre d'habitude* (= habituel, coutumier, normal ; ≠ exceptionnel).
●● **extraordinaire**. SENS 2. *Les Millot sont des gens **ordinaires**,* ils ne se distinguent pas des autres* (= banal ; ≠ original).

■ **ordinaire** n.m. [SENS 2] *Ce livre sort de l'**ordinaire**,* il ne ressemble à aucun autre, il n'est pas banal. [SENS 1] *D'**ordinaire**, je me lève à 7 heures* (= habituellement).

■ **ordinairement** adv. [SENS 1] *Ordinairement, il vient le jeudi* (= d'ordinaire, généralement).

ordinal, ale, aux adj. *Premier, second, dixième, centième sont des nombres **ordinaux**,* qui indiquent le rang, l'ordre dans un ensemble* (≠ cardinal).

illustr. p. 642

ordinateur n.m. *Un **ordinateur** est une machine électronique dont la mémoire contient un grand nombre de programmes qui permettent d'exécuter très rapidement une multitude d'opérations, comme des calculs, du classement de données, de l'écriture de textes, des dessins, de la musique, etc.* → **informatique**

illustr. p. 504

ordre n.m. SENS 1. *Les chiffres 6, 9, 7, 4 ne sont pas dans l'**ordre**,* ils ne sont pas rangés régulièrement, ils ne se suivent pas (≠ désordre). SENS 2. *José a mis de l'ordre dans ses affaires,* il les a rangées. SENS 3. *Aurélien a de l'ordre,* il range toujours ses affaires. SENS 4. *La police a rétabli l'ordre,* elle a fait cesser les troubles. *Le responsable de l'incident s'est fait rappeler à l'ordre,* il s'est fait réprimander (= blâmer). SENS 5. L'**ordre du jour** d'une assemblée, c'est la liste des questions qu'elle doit examiner. SENS 6. *Il m'a donné l'ordre de partir,* il m'a dit qu'il fallait le faire (= commandement ; ≠ interdiction). ●● **contrordre**. SENS 7. *À quel ordre appartient ce moine ?* (= congrégation). *L'ordre des médecins regroupe tous les médecins* (= association). SENS 8. L'**ordre** est un sacrement que l'on reçoit pour devenir prêtre catholique.

■ **ordonnance** n.f. **[SENS 1, 2 et 3]** *Il a troublé l'ordonnance de la cérémonie,* il y a mis du désordre (= organisation, arrangement). **[SENS 6]** *Une* **ordonnance** ministérielle est un texte contenant des mesures qui doivent être appliquées. *Le médecin a fait une* **ordonnance**, il a indiqué sur une feuille de papier (qui s'appelle aussi **ordonnance**) les médicaments à prendre. → **prescription**. ◆ *Les officiers ont une* **ordonnance**, un soldat qui leur sert de domestique.

■ **ordonné, ée** adj. **[SENS 2]** *Olivier est un garçon* **ordonné**, il a de l'ordre (≠ désordonné).

■ **ordonner** v. 1er groupe. **[SENS 1 et 2]** *Fabien ne sait pas* **ordonner** *ses idées,* les mettre en ordre (= classer, organiser). **[SENS 6]** *Je vous* **ordonne** *de sortir* (= commander). **[SENS 8]** *Le séminariste a été* **ordonné** *prêtre par l'évêque,* il a reçu le sacrement de l'ordre.

■ **ordination** n.f. **[SENS 8]** *Les prêtres reçoivent l'ordination,* le sacrement de l'ordre.

illustr.
p. 855

■ **ordures** n. f. pl. *Le dépôt d'ordures sent mauvais* (= détritus, déchets).

■ **ordurier, ère** adj. *Il a un langage* **ordurier**, il dit des gros mots, des obscénités.

orée n.f. *On a trouvé des champignons à l'orée du bois* (= bordure, lisière).

oreille n.f. SENS 1. *Les* **oreilles** *sont les organes situés de chaque côté de la tête et qui servent à percevoir les sons.* → **otite, oreillons**. *Alex a l'oreille fine,* il entend bien (= ouïe). SENS 2. **Faire la sourde oreille,** c'est faire semblant de ne pas entendre. SENS 3. *Il s'est fait tirer l'oreille pour nous accompagner,* il a fallu insister, il s'est fait prier.

illustr.
p. 217

oreiller n.m. *Julie aime mieux dormir sur un* **oreiller** *que sur un traversin,* une sorte de coussin carré pour poser sa tête.

illustr.
p. 863

oreillette n.f. SENS 1. *Les* **oreillettes** *sont les compartiments supérieurs du cœur.* SENS 2. *Le reporter peut dialoguer avec le présentateur du studio grâce à son micro et à une* **oreillette**, *un minuscule écouteur logé dans le creux de l'oreille.*

oreillons n.m. pl. *Mon petit frère a eu les* **oreillons**, *une maladie contagieuse qui fait enfler le cou, sous les oreilles.*

d'ores et déjà adv. *Je peux* **d'ores et déjà** *vous prédire une victoire,* dès maintenant.
✱ On prononce [dɔrzedeʒa].

orfèvre n. *Les* **orfèvres** *ont pour métier de fabriquer ou de vendre des objets en métal précieux.*

■ **orfèvrerie** n.f. *L'orfèvrerie est l'art des orfèvres et aussi l'ensemble des objets qu'ils fabriquent.*

organdi n.m. *Amélie porte une robe d'organdi,* un tissu très léger.

organe n.m. SENS 1. *Un* **organe** *est une partie du corps destinée à remplir une fonction particulière. Les yeux sont les* **organes** *de la vue, les oreilles sont les* **organes** *de l'ouïe,* ils transmettent au cerveau les signaux visuels, sonores qu'ils reçoivent. SENS 2. *Ce journal est* *l'***organe*** du parti au pouvoir,* il exprime les idées de ce parti.

■ **organique** adj. [SENS 1] *Les matières* **organiques** *proviennent des êtres vivants* (≠ chimique).

■ **organisme** n.m. [SENS 1] *Un* **organisme** *est un ensemble d'organes constituant un être vivant. L'***organisme*** d'un bébé est fragile. Les bactéries, les champignons sont des* **organismes,** *des êtres vivants.* ◆ *M. Dupont travaille dans un* **organisme** *de tourisme,* une association qui s'occupe de tourisme.

organisation n.f. SENS 1. *Un comité est chargé de l'***organisation*** de la fête,* de la préparation détaillée. SENS 2. *Les partis sont des* **organisations** *politiques* (= association, groupement).

■ **organiser** v. 1er groupe. [SENS 1] *Cette agence* **organise** *des voyages à l'étranger,* elle les prépare pour qu'ils se passent bien. ●● ***désorganiser, réorganiser***

■ **organisé, ée** adj. [SENS 1] *Denis est très* **organisé,** il règle très bien sa vie, son travail (= ordonné). *Cet été, nous avons fait un voyage* **organisé,** un voyage en groupe, préparé à l'avance.

■ **organisateur, trice** n. [SENS 1] *La maîtresse est l'***organisatrice*** de la fête,* elle l'a préparée.

organisme → *organe*

organiste → *orgue*

illustr. **orge** n.f. *L'***orge*** est une céréale qui sert
p. 20 à alimenter le bétail et à fabriquer la bière.

orgelet n.m. *Un* **orgelet** *est un petit furoncle sur le bord de la paupière.

orgie n.f. *La fête s'est terminée par une* **orgie,** les gens mangeaient, buvaient trop et se tenaient mal.

orgue n.m. *Dans cette église, il y a un* **orgue** *magnifique,* un grand instrument de musique à vent formé de nombreux tuyaux et de plusieurs claviers.
☀ Au pluriel, ce mot s'emploie au féminin pour désigner un seul instrument : *il a joué une fugue sur les grandes* **orgues.**

■ **organiste** n. *L'***organiste*** s'est assis devant ses claviers,* le joueur d'orgue.

orgueil n.m. *Son* **orgueil** *l'a fait détester par tout le monde,* le sentiment qu'il a d'être supérieur à tout le monde (= prétention, suffisance ; ≠ modestie, humilité). ●● ***s'enorgueillir***

■ **orgueilleux, euse** adj. et n. *Sonia est trop* **orgueilleuse** *pour reconnaître son erreur* (= prétentieux ; ≠ humble).
☀ Attention à l'orthographe des mots de cette famille : le « u » est avant le « e ».

orient n.m. SENS 1. **Orient** se dit quelquefois pour « est » (= levant ; ≠ occident, couchant). SENS 2. (Avec majuscule.) *L'***Orient,** *ce sont les pays d'Asie, les pays à l'est de l'Europe.

■ **oriental, ale, aux** adj. et n. [SENS 1 et 2] *Strasbourg est sur la frontière* **orientale** *de la France,* la frontière de l'est (≠ occidental). ◆ (Avec majuscule.) *Les* **Orientaux** *ont des coutumes différentes des Occidentaux,* les gens qui vivent en Orient.

orienter v. 1er groupe. SENS 1. *Il est difficile de s'***orienter*** dans l'obscurité,* de trouver la bonne direction (= se diriger ; ≠ désorienter). SENS 2. *On* **a orienté** *les recherches vers une nouvelle piste,* on les a poussées de ce côté. *Mon frère* **a été orienté** *vers des études artistiques,* on l'y a dirigé (= aiguiller).

■ **orientable** adj. [SENS 1] *Le mât de la planche à voile est* **orientable,** on peut le diriger dans le sens souhaité.

■ **orientation** n.f. [SENS 1] *Quelle est l'***orientation*** de cette maison ?,* comment est-elle disposée par rapport aux points cardinaux ? [SENS 2] *La conseillère d'***orientation*** nous aide à choisir une filière d'études.

orifice n.m. Un **orifice** est un trou qui fait communiquer une cavité avec l'extérieur. *La bouche, les narines, les pores sont des **orifices** du corps. L'**orifice** de la canalisation est bouché.*

illustr. p. 165, 971 **oriflamme** n.f. *Une **oriflamme** flottait au sommet du donjon,* un drapeau long et étroit.
❋ Ce mot est du genre féminin.

originaire → *origine*

original, ale, aux SENS 1. adj. *Léo a des idées **originales**,* des idées qui sortent de l'ordinaire (= personnel, nouveau ; ≠ banal, ordinaire, traditionnel). SENS 2. adj. et n.m. *Ce dessin ressemble exactement à l'**original** (au dessin **original**),* à celui qui a servi de modèle (≠ copie). SENS 3. n. *Hugo est un **original**,* un personnage bizarre, excentrique (= farfelu).
❋ Ne pas confondre **original** et **originel**.

■ **originalité** n.f. [SENS 1] *Cet écrivain manque d'**originalité**,* il n'innove pas (= personnalité).

origine n.f. SENS 1. *Pour trouver l'erreur, on a repris les calculs à l'**origine**,* au point de départ (= début ; ≠ aboutissement). SENS 2. *Son travail est à l'**origine** de sa réussite,* il en est la cause. SENS 3. *Patrick est d'**origine** irlandaise,* ses parents ou ses grands-parents étaient irlandais (= ascendance).

■ **originaire** adj. [SENS 3] *Carlos est **originaire** d'Espagne,* il y est né (= natif).

■ **originel, elle** adj. [SENS 1] *Le péché **originel** est le premier péché commis par l'homme, selon la Bible.* ◆ *Le sens **originel** d'un mot,* c'est le sens qu'il avait à l'origine (= initial). → ***primitif***
❋ Ne pas confondre **originel** et **original**.

oripeaux n.m. pl. *Des **oripeaux** sont de vieux habits extravagants.*
❋ Ce mot s'emploie surtout dans la langue écrite.

illustr. p. 402 **orme** n.m. *L'allée est bordée d'**ormes**,* de grands arbres.

■ **ormeau** n.m. *Un **ormeau** est un jeune orme.*
❋ Au pluriel, on écrit des **ormeaux**.

1. ormeau n.m. *L'**ormeau** est un coquillage de mer.*
❋ Au pluriel, on écrit des **ormeaux**.

illustr. p. 718

2. ormeau → *orme*

orner v. 1er groupe. *Ce livre **est orné** de belles photos,* celles-ci l'embellissent (= décorer).

■ **ornement** n.m. *Élise porte une robe sans aucun **ornement**,* sans bijou, sans élément décoratif.

■ **ornemental, ale, aux** adj. *Marie a des plantes **ornementales** sur son balcon,* des plantes servant à l'orner (= décoratif).

ornière n.f. *Le chemin est plein d'**ornières**,* de trous, de sillons creusés par des roues de voitures.

ornithologie n.f. *L'**ornithologie** est la science qui étudie les oiseaux.*

■ **ornithologue** n. *L'**ornithologue** a enregistré les cris des oiseaux dans la forêt,* le spécialiste d'ornithologie.

oronge n.f. *L'**oronge** est un champignon de la famille des amanites.*

orphelin, ine adj. et n. *Cet enfant est (un) **orphelin**,* ses parents sont morts.

■ **orphelinat** n.m. *Un **orphelinat** est un établissement où l'on élève les orphelins.*

orteil n.m. *Les **orteils** sont les doigts des pieds. Le **gros orteil** est le plus gros des doigts de pied.*

illustr. p. 217

orthodontie n.f. *L'**orthodontie**,* c'est l'ensemble des méthodes et des soins pour redresser les dents.
❋ On prononce [ɔrtɔdɔ̃si].

orthodoxe SENS 1. adj. *Des idées **orthodoxes** sont conformes à la doctrine* officielle (≠ hérétique). SENS 2. n. et adj. Les **orthodoxes** sont les chrétiens d'Orient qui ne reconnaissent pas l'autorité du pape.

orthographe n.f. *Regarde dans le dictionnaire si tu hésites sur l'orthographe d'un mot,* sur la manière correcte de l'écrire.

■ **orthographier** v. 1er groupe. *Tu as mal orthographié ce mot,* tu as fait une faute d'orthographe, tu n'as pas respecté les règles.

■ **orthographique** adj. *Cette dictée contient plusieurs difficultés orthographiques.*

orthopédique adj. *Aurélien boite et il doit porter un appareil orthopédique,* un appareil qui lui permet de mieux marcher.

orthophoniste n. Un **orthophoniste** est un spécialiste qui corrige les défauts de prononciation.

illustr. p. 753 **ortie** n.f. L'**ortie** est une plante très commune dont les feuilles causent une irritation douloureuse quand on les touche.

ortolan n.m. Les **ortolans** sont de petits oiseaux à la chair très appréciée.

orvet n.m. Un **orvet** est un petit lézard sans pattes, qui ressemble à un serpent et dont la queue se brise facilement.

illustr. p. 217 **os** n.m. Un **os** est un organe dur et solide qui sert à former le squelette de l'homme et des vertébrés. *Le chien ronge l'os du gigot.* ●● *désosser*
⁂ On prononce **un os** [œ̃nɔs], **des os** [dɛzo].

■ **osselet** n.m. SENS 1. Un **osselet** est un petit os. SENS 2. *Les enfants jouent aux osselets pendant la récréation,* un jeu qui se pratique avec des morceaux de métal ou de plastique ressemblant à de petits os qu'on lance en l'air et qu'on essaie de rattraper sur le dos de la main.

■ **ossements** n.m. pl. Les **ossements** sont les os desséchés d'un cadavre.

■ **osseux, euse** adj. *Mme Marty a une maladie osseuse,* une maladie des os. Une personne **osseuse** est une personne maigre dont les os se voient beaucoup.

■ **ossuaire** n.m. *On conserve les ossements des morts dans un ossuaire,* un local spécial.

osciller v. 1er groupe. *Le fauteuil à bascule oscille d'avant en arrière,* il a un mouvement de va-et-vient (= se balancer).

■ **oscillation** n.f. *Les oscillations du bateau l'ont rendu malade,* les mouvements de va-et-vient. → *roulis, tangage. Ève joue de la guitare en suivant les oscillations du métronome,* le mouvement d'aller et retour du balancier.
⁂ Le début des mots de cette famille se prononce [ɔsil].

illustr. p. 746 **oseille** n.f. *Nous avons mangé de la soupe à l'oseille,* une plante dont les feuilles au goût acide sont comestibles.

oser v. 1er groupe. *Il a osé dire ce qu'il pensait,* il en a eu le courage (≠ craindre).

■ **osé, ée** adj. *Ses plaisanteries sont parfois osées,* elles sont hardies.

illustr. p. 357 **osier** n.m. L'**osier** est une variété de saule dont les longues branches fines et souples servent à faire des paniers et divers objets de vannerie.

osselet, ossements, osseux, ossuaire → *os*

ostensible adj. *Il est parti de façon ostensible,* sans se cacher (≠ discret, furtif).

■ **ostensiblement** adv. *Il a ostensiblement refusé de lui serrer la main,* sans se cacher, de façon voyante (= ouvertement).

ostensoir n.m. *L'hostie consacrée est dans l'**ostensoir**, un objet du culte catholique qui sert à présenter l'hostie aux fidèles.*

ostentation n.f. *Ils étalent leur luxe avec **ostentation**, de manière à être vus de tous (≠ discrétion).*

ostréiculture n.f. *L'**ostréiculture**, c'est l'élevage des huîtres.*

■ **ostréiculteur, trice** n. *L'ostréiculteur élève les huîtres.*

otage n.m. *Les pirates de l'air ont gardé les passagers comme **otages**, ils les ont gardés prisonniers pour obtenir quelque chose en échange.*

illustr. p. 177, 1032 **otarie** n.f. *Une **otarie** est un mammifère marin qui ressemble à un phoque mais dont les membres sont différents.*

ôter v. 1er groupe. SENS 1. *Il **a ôté** ses gants pour me dire bonjour,* il les a enlevés (= retirer ; ≠ garder). SENS 2. *Quand on **ôte** 2 de 8, il reste 6* (= soustraire). SENS 3. *La fatigue m'**ôte** tout mon courage* (= enlever ; ≠ laisser).

otite n.f. *Une **otite** est une maladie des oreilles.*

oto-rhino-laryngologiste ou **oto-rhino** n. *Un **oto-rhino-laryngologiste** (ou un **oto-rhino**) est un médecin qui soigne les maladies des oreilles, du nez et de la gorge.*
✳ Au pluriel, on écrit des **oto-rhino-laryngologistes** ou des **oto-rhinos**.

ou conj. *Ce mot sert à indiquer soit un choix, soit une équivalence : que préfères-tu : la pêche **ou** la poire ?* (choix) ; *je partirai demain **ou (bien)** après-demain* (équivalence).
✳ Ne pas confondre avec **août**, une **houe**, le **houx** et **où**.

où SENS 1. adv. *Ce mot sert à interroger sur le lieu, la direction : **où** es-tu ?* (lieu) ;

où va-t-il ? (direction). SENS 2. pron. rel. *Ce mot sert à représenter un complément circonstanciel de lieu ou de temps : la ville **où** j'habite est belle* (lieu) ; *il part à l'heure **où** j'arrive* (temps).
✳ **Où** se distingue de **ou** par l'accent grave.

ouailles n.f. pl. *Les **ouailles** d'un curé, ce sont les fidèles de sa paroisse.*

ouate n.f. *À la pharmacie, on a acheté un paquet d'**ouate**, de coton préparé pour faire des pansements.*
✳ On peut dire : de la **ouate** ou de l'**ouate**.

oublier v. 1er groupe. SENS 1. *J'ai oublié le nom de cette dame,* il m'est sorti de la mémoire (≠ se rappeler, se souvenir de).
●● **inoubliable**. SENS 2. *Il **a oublié** de porter cette lettre à la poste,* il n'a pas pensé à le faire (= négliger ; ≠ omettre).

■ **oubli** n.m. [SENS 1 et 2] *Alex a commis un **oubli** fâcheux* (= étourderie, négligence).

■ **oubliettes** n.f. pl. [SENS 1 et 2] *Autrefois, dans les châteaux, on enfermait des prisonniers dans des **oubliettes**, des cachots souterrains.*

■ **oublieux, euse** adj. [SENS 2] *Je ne voudrais pas paraître **oublieux** de mes devoirs envers vous,* paraître oublier ce que je vous dois.

oued n.m. *Un **oued** est un cours d'eau qui s'assèche à certaines périodes dans des régions arides.*
✳ On prononce [wɛd].

ouest n.m. inv. et adj. inv. *Le soleil se couche à l'**ouest*** (= occident ; ≠ levant). *Brest est à l'**ouest** de Paris. Nous avons passé nos vacances sur la côte **ouest*** (≠ est). → **occidental** *illustr. p. 694*
✳ On prononce [wɛst].

ouf ! interj. *Ce mot exprime le soulagement : « **Ouf !** c'est fini ! »*

oui adv. Ce mot sert à affirmer, à accepter : « *Tu viens ? – Oui* » (≠ non).
✸ Ne pas confondre avec l'**ouïe**.

ouïe n.f. SENS 1. L'ouïe est l'un des cinq sens, celui qui permet de percevoir les sons. *Jean a une bonne ouïe*, il a l'oreille fine. SENS 2. (Au plur.) *Jérôme a pris le poisson par les ouïes*, les fentes qui sont de chaque côté de la tête et par lesquelles les poissons rejettent l'eau qui les aide à respirer. → **branchies**

■ **ouï-dire** n.m. inv. [SENS 1] *J'ai appris la nouvelle par ouï-dire*, pour l'avoir entendu dire.

■ **ouïr** v. 3ᵉ groupe. [SENS 1] **Ouïr** se disait autrefois pour « entendre ».
✸ Ce verbe n'est plus employé qu'à l'infinitif et au participe passé dans l'expression **ouï-dire**.

ouistiti n.m. Un **ouistiti** est un tout petit singe à longue queue.

ouragan n.m. *Un ouragan a dévasté la côte*, une très violente tempête. → **cyclone, typhon**

ourdir v. 2ᵉ groupe. **Ourdir** un complot, c'est l'organiser (= tramer, manigancer).
✸ Ce mot s'emploie surtout dans la langue écrite.

illustr. p. 228 **ourlet** n.m. *L'ourlet de ta robe est décousu*, la partie repliée et cousue sur le bord.

■ **ourler** v. 1ᵉʳ groupe. *Marie sait ourler les mouchoirs*, leur faire un ourlet.

illustr. p. 495, 617, 1032, 730 **ours** n.m. SENS 1. L'**ours** est un mammifère carnivore au corps massif et aux pattes pourvues de griffes puissantes. → **plantigrade**. SENS 2. *M. Ronchon est un ours*, il a mauvais caractère, il est peu sociable.

■ **ourse** n.f. [SENS 1] L'**ourse** est la femelle de l'ours.

■ **ourson** n.m. [SENS 1] L'**ourson** est le petit de l'ours.

oursin n.m. Les **oursins** sont des animaux marins dont la carapace est couverte de piquants. *illustr. p. 718*

ourson → **ours**

oust ! interj. Ce mot indique que l'on cherche à chasser quelqu'un ou à le presser : *Allez oust !*

outil n.m. Un **outil** est un objet conçu et fabriqué pour aider à accomplir un travail manuel. *Le marteau, la pioche, la pelle sont des outils.* *illustr. p. 746, 759, 117*
✸ On ne prononce pas le « l » : [uti].

■ **outillage** n.m. *La truelle et le fil à plomb font partie de l'outillage du maçon*, des outils dont il se sert pour son travail.

■ **outiller** v. 1ᵉʳ groupe. *Je suis mal outillé pour faire ce travail*, je n'ai pas les outils qu'il faut.

outrage n.m. *Je ne lui pardonnerai jamais cet outrage*, cette grave injure (= offense).

■ **outrager** v. 1ᵉʳ groupe. *Ces accusations l'ont outragé*, elles l'ont gravement offensé, insulté.
✸ Conj. nº 2.

outrance n.f. SENS 1. *Yves s'est excusé de ses outrances de langage*, de ses paroles exagérées, mal contrôlées (= excès). SENS 2. *Il faudra travailler à outrance pour achever à temps* (= intensément, beaucoup).

■ **outrancier, ère** adj. [SENS 1] *Ses propos outranciers ont scandalisé tout le monde* (= excessif ; ≠ mesuré, modéré).

1. outre SENS 1. prép. *Outre leur chien, ils ont deux chats* (= en plus de). *Je ne m'inquiète pas outre mesure* (= plus qu'il ne faut). SENS 2. adv. *Il est arrivé en retard, et, en outre, il ne s'est pas excusé* (= de plus). SENS 3. adv. *Je lui ai dit mon avis, mais il a passé outre*, il n'en a pas tenu compte.

2. outre n.f. *Il ne reste plus d'eau dans l'outre,* un sac en peau de bouc pour transporter des liquides.

outre- préfixe. Placé devant un nom avec un trait d'union, **outre-** signifie « au-delà de » : *outre-Rhin, outre-Atlantique.*

outrecuidance n.f. *Sa réponse est d'une outrecuidance insupportable,* elle fait preuve d'une excessive confiance en soi (= présomption, suffisance).

outremer n.m. et adj. inv. *L'outremer est une nuance de bleu assez foncé.* ✳ Employé comme adjectif, ce mot ne change pas au pluriel.

outre-mer adv. *La Martinique et la Guadeloupe sont des départements français d'outre-mer,* situés au-delà des mers par rapport à la métropole. ✳ Ne pas oublier le trait d'union.

outrepasser v. 1ᵉʳ groupe. *M. Arnaud a outrepassé ses droits,* il n'avait pas le droit d'agir ainsi, il a dépassé la limite de ce qui est permis.

outrer v. 1ᵉʳ groupe. *La grossièreté de sa conduite m'a outré,* elle m'a indigné, scandalisé. *Je suis outré d'un tel sans-gêne !* ✳ Ce verbe ne s'emploie qu'aux temps composés et à la voix passive.

outsider n.m. *La course a été gagnée par un outsider,* un concurrent dont la victoire était inattendue (≠ favori). ✳ On prononce [autsajdœr].

ouvrir v. 3ᵉ groupe. **[SENS 1]** *On frappe, va ouvrir la porte,* libérer le passage en déplaçant le panneau de la porte (≠ fermer). ●● *entrouvrir, rouvrir* → *entrebâiller. Ce magasin n'ouvre pas le lundi,* on ne peut aller y faire des achats.

[SENS 2] *On a ouvert une enquête* (= commencer, entamer ; ≠ clore). ✳ Conj. nº 16.

■ **ouvert, erte** adj. **SENS 1.** *Il fait froid, ne laisse pas la fenêtre ouverte,* permettant le passage de l'air (≠ fermé). → *béant.* **SENS 2.** *La chasse est ouverte depuis hier,* la période de la chasse a commencé hier. **SENS 3.** *Aziz est un garçon ouvert,* il est franc et cordial (≠ renfermé, secret).

■ **ouvertement** adv. **[SENS 3]** *Dorothée agit toujours ouvertement,* sans se cacher (= franchement ; ≠ secrètement).

■ **ouverture** n.f. **[SENS 1]** *L'ouverture de ce magasin a lieu à 8 heures,* il ouvre à 8 heures (≠ fermeture). ●● *réouverture.* **[SENS 2]** *L'ouverture de la pêche a lieu demain* (= début). ◆ *Il y a trois ouvertures dans ce mur* (= passage, trou).

■ **ouvre-boîte** ou **ouvre-boîtes** n.m. **[SENS 1]** *Un ouvre-boîte est un instrument qui sert à ouvrir les boîtes de conserve.* ✳ Au pluriel, on écrit des **ouvre-boîtes.**

ouvrable adj. *Les jours ouvrables,* ce sont les jours de travail (≠ férié).

ouvrage n.m. **SENS 1.** *Maria a terminé un ouvrage difficile* (= travail, tâche). **SENS 2.** *As-tu lu le dernier ouvrage de cet écrivain ?* (= livre, œuvre).

■ **ouvragé, ée** adj. **[SENS 1]** *Ce buffet est très ouvragé,* travaillé avec beaucoup de soin.

ouvre-boîte → *ouvert*

ouvreur, euse n. *As-tu laissé un pourboire à l'ouvreuse ?,* à la personne qui nous a placés au cinéma.   *illustr. p. 952*

ouvrier, ère adj. et n. *La classe ouvrière est formée par l'ensemble des ouvriers,* de ceux qui travaillent de leurs mains. *M. Vallier est ouvrier dans une usine.*

■ **ouvrière** n.f. *Chez les abeilles, les fourmis, les termites, les ouvrières sont*   *illustr. p. 982* les femelles stériles qui construisent et défendent les nids.

ouvrir → *ouvert*

illustr.
p. 310
ovaire n.m. SENS 1. L'**ovaire** d'une fleur est la partie du pistil qui contient les ovules. SENS 2. Chez les femmes et les femelles des animaux, les **ovaires** sont deux glandes qui servent à la reproduction. → *testicule*
✶ Ce mot est du genre masculin.

illustr.
p. 913
ovale adj. *On joue au rugby avec un ballon* **ovale**, *en forme d'œuf.*

ovation n.f. *Les acteurs ont reçu une* **ovation** *du public,* ils ont été remerciés avec des cris d'enthousiasme (= acclamation).

overdose n.f. *On a appris la mort d'un jeune drogué par* **overdose**, par suite d'une dose excessive de drogue.
✶ On prononce [ɔvɛrdoz].

illustr.
p. 397
ovin, ine adj. *La race* **ovine**, *c'est la race des moutons.*

ovipare adj. et n. *Les (animaux)* **ovipares** *sont ceux qui se reproduisent en pondant des œufs* (≠ vivipare).

ovni n.m. *Hugo prétend avoir vu un* **ovni** *dans le ciel,* un engin volant d'origine mystérieuse.
✶ **Ovni** est le sigle de « objet volant non identifié ».

ovule n.m. SENS 1. L'**ovule** d'une fleur est l'organe qui se transformera en graine. *illustr. p. 310* SENS 2. Chez les femmes et les femelles des animaux, les **ovules** sont des cellules reproductrices produites périodiquement par les ovaires. → *spermatozoïde*
✶ Ce mot est du genre masculin.

oxyde n.m. *La rouille est un* **oxyde** *de fer,* une combinaison d'oxygène et de fer. *Dans ce garage fermé, ne fais pas marcher le moteur de la voiture, on risque de respirer de l'***oxyde de carbone**, *un mélange toxique d'oxygène et de carbone.*

■ s'**oxyder** v. 1ᵉʳ groupe. *Le fer s'oxyde à l'humidité,* il s'abîme quand il est en contact avec l'oxygène de l'air (= rouiller).
●● *inoxydable*

■ **oxydation** n.f. *Le minium protège le fer de l'***oxydation** (= rouille).

oxygène n.m. L'**oxygène** est un gaz inodore contenu dans l'air et qui est indispensable à tous les êtres vivants. *illustr. p. 869*

■ **oxygéné, ée** adj. *On met parfois de l'***eau oxygénée** *sur les écorchures,* un produit désinfectant contenant de l'oxygène.

ozone n.m. L'**ozone** est un gaz odorant qui a des propriétés antiseptiques. La **couche d'ozone** est une partie de l'atmosphère terrestre, où la proportion d'ozone dans l'air est très élevée, ce qui protège la Terre des radiations nocives du Soleil.

P (capital and lowercase)

Papillon

Piment

Pie

Parachute

pacha n.m. *Ce gros paresseux se fait servir comme un* **pacha**, *comme un noble de l'ancienne Turquie.*

pachyderme n.m. Les **pachydermes** sont des mammifères à la peau épaisse, comme l'éléphant, l'hippopotame, le rhinocéros.
☀ Ces animaux sont aujourd'hui classés dans les **ongulés**.

pacifier, pacifique, pacifiste
→ *paix*

pack n.m. SENS 1. Au rugby, le **pack** est constitué par l'ensemble des avants. SENS 2. *Achète un* **pack** *de bière chez l'épicier,* un ensemble de petites bouteilles contenues dans un emballage.

illustr. p. 583
pacotille n.f. *Tu t'es acheté une montre de* **pacotille***, de mauvaise qualité.*

pacte n.m. *Les deux pays ont signé un* **pacte***,* ils ont pris un engagement solennel (= traité, accord).

■ **pactiser** v. 1er groupe. *On l'accuse d'***avoir pactisé** *avec l'adversaire,* d'avoir trahi son pays, son parti en se mettant d'accord avec l'adversaire.

pactole n.m. *Il a trouvé le* **pactole***,* une source de grand enrichissement.

paella n.f. La **paella** est un plat espagnol composé de riz au safran, de poissons, de crustacés et de viandes.
☀ On prononce [paela] ou [paelja].

pagaie n.f. *On fait avancer un canoë avec une* **pagaie***,* une sorte de rame à bout large, qui n'est pas fixée au bord de l'embarcation. *illustr. p. 983*

■ **pagayer** v. 1er groupe. *Antonin* **pagaie** *énergiquement* (= ramer).
☀ Conj. n° 4.

pagaille n.f. Fam. *Qui a mis cette* **pagaille** *dans mes affaires ?,* ce grand désordre (= fouillis). *J'ai reçu des lettres* **en pagaille***,* en grand nombre.

paganisme → *païen*

pagayer → *pagaie*

illustr.
p. 151,
502

1. page n.f. SENS 1. *Ouvrez votre livre à la page 100,* l'un des côtés d'une feuille marqué du numéro 100. SENS 2. *Il manque une page dans ce livre d'occasion,* une feuille complète (qui portait deux numéros de **pages**). SENS 3. Fam. **Être à la page,** c'est être au courant de l'actualité, ou c'est suivre la mode. SENS 4. **Tournons la page !,** oublions cela et passons à autre chose.

■ **paginer** v. 1er groupe. [SENS 1] **Paginer** un cahier, c'est en numéroter les pages.

■ **pagination** n.f. [SENS 1] *On passe de la page 25 à la page 28, il y a une erreur de pagination dans ce livre.*

2. page n.m. *Autrefois, les seigneurs avaient des pages,* des jeunes gens qui les escortaient.

pagne n.m. *À Tahiti, on porte des pagnes,* des sortes de jupes faites d'un simple morceau de tissu noué autour des hanches.

pagode n.f. En Extrême-Orient, les **pagodes** sont les temples des dieux.

paie, paiement → *payer*

païen, enne adj. et n. Les chrétiens ont appelé **païens** les peuples de l'Antiquité qui n'étaient pas de religion chrétienne. *Dans les religions païennes,* on adore plusieurs dieux (≠ chrétien).

■ **paganisme** n.m. *Le christianisme a remplacé le paganisme dans de nombreuses régions,* les croyances des païens.

paille n.f. SENS 1. *Quand on bat le blé, on sépare le grain de la paille.* ●● ***empailler, rempailler.*** SENS 2. *Pierre boit sa limonade avec une paille,* un petit tuyau qui sert à boire en aspirant.

■ **paillasse** n.f. [SENS 1] *Les réfugiés ont dû coucher sur des paillasses,* des sacs remplis de paille. ◆ *La vaisselle s'égoutte sur la paillasse,* la surface plate à rainures de l'évier, près de la cuve.

■ **paillasson** n.m. [SENS 1] *Essuie tes pieds sur le paillasson avant d'entrer,* le tapis de paille ou de fibre tressée.

■ **paillote** n.f. [SENS 1] *Une paillote est une cabane de paille.* → ***case, hutte***

paillette n.f. *Ma grande sœur a une robe à paillettes d'argent,* décorée de lamelles brillantes.

pain n.m. SENS 1. *Va acheter du pain chez le boulanger,* l'aliment fait de farine pétrie, fermentée et cuite au four. ◆ *Prends un pain d'un kilo et une baguette.* SENS 2. Le **pain d'épice** (ou **d'épices**) est un gâteau au miel. SENS 3. Fam. *Avec tout ce linge à repasser, j'ai du pain sur la planche !,* j'ai beaucoup de travail à faire.
✹ Ne pas confondre avec un **pin**.

illustr.
p. 150

■ **pané, ée** adj. [SENS 1] *Nous avons mangé des escalopes panées,* recouvertes de chapelure.

1. pair, e adj. *2, 4, 6 sont des nombres pairs,* divisibles par deux (≠ impair).
✹ Ne pas confondre avec une **paire** et un **père**.

2. pair n.m. SENS 1. *Autrefois, les nobles étaient jugés par leurs pairs,* leurs égaux, des hommes du même rang qu'eux. SENS 2. *M. Dubois est un menuisier hors pair,* sans égal (= supérieur). SENS 3. *La vanité et la bêtise vont souvent de pair,* elles vont souvent ensemble. SENS 4. *Mme Legrand a pris une jeune fille au pair,* une jeune fille, en général étrangère, qui fait un peu de ménage et s'occupe des enfants en échange du logement et de la nourriture.
✹ Ne pas confondre avec une **paire** et un **père**.

paire n.f. SENS 1. *Une paire de chaussures est formée de deux chaussures qui vont ensemble.* SENS 2. *Une paire* de lunettes est constituée de deux parties symétriques.

✳ Ne pas confondre avec l'adjectif **pair**, un **pair** et un **père**.

paisible, paisiblement ➞ *paix*

paître v. 3e groupe. *Les vaches pais-sent dans le pré,* elles mangent l'herbe (= brouter).

✳ Conj. n° 80.

paix n.f. SENS 1. *La paix est rétablie entre les deux pays,* il n'y a plus de guerre. SENS 2. *Je voudrais bien dormir en paix,* dans le calme (≠ agitation). ●● *apaiser*

▪ **pacifier** v. 1er groupe. [SENS 1] *L'ar-mée a pacifié la région,* elle y a ramené la paix, le calme.

▪ **pacifique** adj. [SENS 1] *Ce pays a une politique pacifique,* il veut la paix (≠ guerrier). [SENS 2] *Lionel est un garçon pacifique* (= tranquille).

▪ **pacifiste** adj. et n. [SENS 1] *Les (ma-nifestants) pacifistes ont protesté contre les missiles nucléaires,* les partisans de la paix.

▪ **paisible** adj. [SENS 2] *M. Bonnet mène une vie paisible* (= calme ; ≠ agité).

▪ **paisiblement** adv. [SENS 2] *Marie s'est endormie paisiblement* (= tranquillement).

palabres n.f. pl. *Ces palabres m'en-nuient,* ces longues discussions sans intérêt.

▪ **palabrer** v. 1er groupe. *Ils palabrent depuis plus de deux heures* (= discuter, discourir).

palace n.m. *M. Gagnon passe ses vacances dans un palace,* un hôtel de luxe.

paladin n.m. *Les paladins du Moyen Âge étaient d'héroïques chevaliers.*

palais n.m. SENS 1. *Un palais est la demeure, grande et luxueuse, d'un roi,*

d'un chef d'État ou d'un personnage important (= château). SENS 2. *Le palais des Expositions est un vaste ensemble de bâtiments consacré aux expositions. Le palais de justice est l'édifice où sont réunis les tribunaux.* SENS 3. *En man-geant son potage, Pierre s'est brûlé le palais,* la partie supérieure de l'intérieur de la bouche.

illustr. p. 217

✳ Ne pas confondre avec un **palet**.

palan n.m. *Un palan est un appareil à poulies qui sert à soulever des charges.*

illustr. p. 737

pale n.f. SENS 1. *Une hélice est formée de pales,* de parties plates. SENS 2. *Une pale est la partie plate et élargie à l'extrémité d'un aviron,* qui entre dans l'eau.

illustr. p. 54, 277

✳ Ne pas confondre avec l'adjectif **pâle**.

pâle adj. SENS 1. *Pierre vient d'être malade, il est tout pâle,* son visage est blanc. SENS 2. *Marie a une robe bleu pâle* (= clair ; ≠ vif).

✳ Ne pas confondre avec une **pale**.

▪ **pâleur** n.f. [SENS 1] *Ta pâleur m'in-quiète,* ton teint pâle.

▪ **pâlir** v. 2e groupe. [SENS 1] *Il a pâli de colère* (= blêmir). [SENS 2] *Les couleurs pâlissent au soleil* (= ternir, passer).

▪ **pâlot, otte** ou **pâlichon, onne** adj. [SENS 1] *Marie est pâlotte,* elle n'a pas bonne mine (= pâle).

palefrenier n.m. *Le métier de palefre-nier consiste à s'occuper des chevaux.*

illustr. p. 970

paléontologie n.f. *La paléontologie est la science des fossiles.*

illustr. p. 758

palet n.m. *Jean a envoyé le palet près du but,* la pierre plate et ronde ou le petit disque qui est utilisé dans certains jeux comme le hockey.

illustr. p. 894

✳ Ne pas confondre avec un **palais**.

paletot n.m. *Mets ton paletot sur un cintre,* un manteau court.

illustr. p. 311 **palette** n.f. SENS 1. *Le peintre étale ses couleurs sur sa* **palette**, une plaque de bois ou de plastique. SENS 2. *Ce peintre a une agréable* **palette**, un ensemble de couleurs qu'il a l'habitude d'employer.

palétuvier n.m. Le **palétuvier** est un grand arbre des pays tropicaux dont les racines, très nombreuses, sont apparentes au-dessus du sol.

pâleur, pâlichon → *pâle*

illustr. p. 573 **palier** n.m. SENS 1. *Leurs studios donnent sur le même* **palier**, la plate-forme qui se trouve à chaque étage. SENS 2. *On a promis de baisser les impôts par* **paliers**, par étapes (= progressivement). ✻ On prononce [palje]. Ne pas confondre avec le verbe **pallier**.

pâlir → *pâle*

palissade n.f. *Le chantier est entouré d'une* **palissade**, une clôture de planches.

palissandre n.m. *Chez cet antiquaire, on trouve des meubles en* **palissandre**, un bois exotique très dur de couleur brun foncé.

pallier v. 1er groupe. *Il faudrait* **pallier** *ces inconvénients par des mesures appropriées,* y remédier. ✻ Ne pas confondre avec un **palier**. La tournure **pallier à** est déconseillée.

■ **palliatif** n.m. *Cette solution n'est qu'un* **palliatif**, une mesure insuffisante dont l'effet est provisoire.

palmarès n.m. *Julien figure au* **palmarès** *du championnat,* sur la liste de ceux qui ont eu un prix. ✻ On prononce le « s » : [palmarɛs].

palme n.f. SENS 1. *Les feuilles du palmier s'appellent des* **palmes**. SENS 2. *Ce film a obtenu la* **palme** *d'or,* la plus haute récompense. SENS 3. *Saïd nage avec des* **palmes**, des sortes de nageoires en caoutchouc qui s'adaptent aux pieds et qui permettent de nager plus vite.

■ **palmé, ée** adj. [SENS 3] *Les canards ont les pattes* **palmées**, leurs doigts sont réunis par une membrane. *illustr. p. 384*

■ **palmeraie** n.f. [SENS 1] Une **palmeraie** est une plantation de palmiers.

■ **palmier** n.m. [SENS 1] Les **palmiers** sont de grands arbres des pays chauds dont les grandes feuilles sont réunies en bouquet. → **datte**

■ **palmipède** n.m. [SENS 3] Les **palmipèdes** sont des oiseaux aquatiques qui ont les pattes palmées, comme les canards, les cygnes, les mouettes.

pâlot → *pâle*

palourde n.f. Les **palourdes** sont des coquillages comestibles vivant dans le sable. *illustr. p. 718*

palper v. 1er groupe. *Le médecin a* **palpé** *le bras de Pierre,* il l'a touché avec la main pour l'examiner (= tâter). ●● *impalpable*

palpiter v. 1er groupe. *Mon cœur* **palpite** *de joie,* il bat très fort.

■ **palpitant, ante** adj. *Marie a vu un film* **palpitant**, très intéressant (= captivant, passionnant).

■ **palpitations** n.f. pl. *M. Durand a des* **palpitations**, son cœur bat trop fort.

paludisme n.m. Le **paludisme** est une maladie des pays chauds causée par la piqûre d'un moustique (= malaria).

se **pâmer** v. 1er groupe. **Se pâmer** se disait autrefois pour « s'évanouir ».

pampa n.f. *On élève du bétail dans les* **pampas** *d'Argentine,* de vastes prairies.

pamphlet n.m. *M. Delcour a écrit un* **pamphlet** *contre le gouvernement,* un petit texte qui l'attaque et s'en moque.

■ **pamphlétaire** n. *M. Delcour est un* **pamphlétaire**, il écrit des pamphlets.

illustr. p. 690

pamplemousse n.m. *Marie mange un pamplemousse à son petit déjeuner,* un fruit jaune au goût acidulé et qui ressemble à une grosse orange.

pan n.m. SENS 1. *Paul m'a retenu par un pan de mon manteau,* sa partie flottante. SENS 2. *Le tableau occupe un pan de mur,* une partie du mur.
✳ Ne pas confondre avec un **paon**.

panacée n.f. *Ce médicament n'est pas une panacée,* il ne guérit pas toutes les maladies.

illustr. p. 970

panache n.m. SENS 1. *Un panache ornait le casque des chevaliers,* un assemblage de plumes. SENS 2. *Un panache de fumée sort de la cheminée,* un nuage épais.

panaché, ée SENS 1. adj. *Une glace panachée* est faite de plusieurs parfums. SENS 2. n.m. *Un panaché* est une boisson faite d'un mélange de bière et de limonade.

panaris n.m. *J'ai un panaris au pouce,* un gros bouton douloureux, situé près de l'ongle.
✳ On ne prononce pas le « s » : [panari].

pancarte n.f. « *Entrée interdite* » *est écrit sur cette pancarte* (= écriteau, plaque).

pancréas n.m. *Le pancréas est une glande située derrière l'estomac* qui joue un rôle important dans la digestion.
✳ On prononce le « s » : [pãkreas].

illustr. p. 1032

panda n.m. *Le grand panda est une sorte d'ours noir et blanc qui vit dans l'Himalaya.*

pané → **pain**

panégyrique n.m. *Jean m'a fait le panégyrique de son ami,* il m'en a dit beaucoup de bien (= éloge, apologie).

panier n.m. SENS 1. *M. Mertens met ses courses dans un panier,* un récipient à anse, en osier, en lattes de châtaignier, etc. SENS 2. *Au basket-ball, il faut envoyer le ballon dans le panier,* le filet sans fond. *Linda a réussi un panier* (= but). SENS 3. Fam. *Ma sœur est un panier percé,* elle dépense tout son argent.

illustr. p. 151, 385, 582, 913

panique n.f. *L'explosion a provoqué la panique,* tout le monde a eu très peur (= affolement, terreur).
■ **paniquer** v. 1er groupe. *Il est paniqué à l'idée de l'examen,* il a très peur.

1. panne n.f. *Notre voiture est encore en panne,* elle ne fonctionne plus.
●● **dépanner**

2. panne n.f. *La panne* est de la graisse de porc.

panneau n.m. SENS 1. *Les portes de l'armoire sont formées de deux panneaux,* des surfaces planes entourées d'une bordure. SENS 2. *Les panneaux indicateurs* sont des plaques qui portent des indications. *Les panneaux publicitaires* portent des publicités.
✳ Au pluriel, on écrit des **panneaux**.

illustr. p. 502, 853, 495

panonceau n.m. *Un panonceau indique l'entrée de l'hôtel,* une petite enseigne, une petite plaque.
✳ Au pluriel, on écrit des **panonceaux**.

panoplie n.f. *Éric a reçu comme jeu une panoplie de pompier,* le déguisement et quelques accessoires qui forment l'équipement du pompier.

panorama n.m. *De la colline, on découvre un vaste panorama,* une belle vue générale (= paysage).
■ **panoramique** adj. *Du sommet, on a une vue panoramique* (= d'ensemble).

panse n.f. SENS 1. *La panse* est la première poche de l'estomac des ruminants. SENS 2. Fam. *Ce goinfre est en-*

core en train de se remplir la **panse** (= ventre, estomac).

panser v. 1ᵉʳ groupe. SENS 1. *Le médecin* **a pansé** *ma blessure,* il m'a fait un pansement. SENS 2. *Le palefrenier* **panse** *les chevaux,* il fait leur toilette.
✴ Ne pas confondre avec **penser**.

illustr. ■ **pansement** n.m. [SENS 1] *Maman a*
p. 868 *mis un* **pansement** *sur ma blessure,* un coton, une compresse, du sparadrap ou une bande.

pantagruélique adj. *On a fait un repas* **pantagruélique,** *très abondant.*

illustr. **pantalon** n.m. Un **pantalon** est un
p. 1010 vêtement qui va de la taille aux pieds en enveloppant chaque jambe séparément.

pantelant, ante adj. *Les rescapés étaient tout* **pantelants** *d'émotion,* ils respiraient difficilement (= haletant, palpitant).

panthère n.f. La **panthère** est un animal carnivore à la fourrure tachetée ou noire qui vit dans les régions tropicales.

pantin n.m. *Il s'agite comme un* **pantin,** une marionnette articulée dont on agite les membres en tirant sur des ficelles.

illustr. **pantographe** n.m. *En frottant sur la*
p. 425 *caténaire, le* **pantographe** *capte le courant,* une sorte de bras articulé sur les trains, les tramways.

pantois, oise adj. *Ses paroles m'ont laissé* **pantois** (= stupéfait).

pantomime n.f. Une **pantomime** est une pièce de théâtre jouée par des mimes, sans paroles. → **mime**

pantoufle n.f. *Le soir, grand-père met ses* **pantoufles,** ses chaussures d'intérieur (= chausson).

illustr. **paon** n.m. Les **paons** sont de gros
p. 1033 oiseaux au plumage multicolore ; les

mâles peuvent étaler leur grande queue en éventail quand ils font la roue.
✴ On prononce [pã]. Ne pas confondre avec un **pan**.

papa n.m. **Papa,** c'est le nom affectueux que l'on donne à son père. → **maman**

papal, papauté → **pape**

papaye n.f. Une **papaye** est un fruit des pays chauds ressemblant à un melon et produit par un **papayer**.
✴ On prononce [papaj].

pape n.m. Le **pape** est le chef de l'Église catholique (= souverain pontife).
■ **papal, ale, aux** adj. *On a écouté le discours* **papal,** du pape.
■ **papauté** n.f. *La* **papauté** *de Jean-Paul II a commencé en 1978,* ses fonctions de pape (= pontificat).

papi ou **papy** n.m. C'est le nom affectueux que l'on donne à son grand-père. *Bonjour* **papi** *!* → **mamie**

papier n.m. SENS 1. Les feuilles de *illustr.*
papier sur lesquelles on écrit sont faites *p. 51,*
avec des matières végétales. SENS 2. *Loïc* *122,*
a perdu un **papier** *important,* un texte *994*
rédigé (= document, pièce). SENS 3. *Julie colle du* **papier peint** *sur les murs de sa chambre,* des bandes de papier décoré pour tapisser les murs. SENS 4. (Au plur.) *L'agent m'a demandé mes* **papiers** *(d'identité),* ma carte d'identité, mon passeport, etc.

■ **paperasse** n.f. [SENS 2] *Marie a jeté des* **paperasses** *à la poubelle,* des papiers sans valeur.

■ **paperasserie** n.f. [SENS 2] *Il se perd dans la* **paperasserie,** l'accumulation de papiers.

■ **papeterie** n.f. [SENS 1] *Lucie est allée* *illustr.*
à la **papeterie** *acheter un cahier,* à la *p. 151*
boutique du papetier.

■ **papetier, ère** n. [SENS 1] Le **papetier** vend du papier, des cahiers, des crayons, des stylos, etc.

papille n.f. *La langue est recouverte de* **papilles**, *de petits points en saillie qui permettent de sentir les goûts.*

illustr. p. 310, **papillon** n.m. SENS 1. *Maria fait collection de* **papillons**, *d'insectes aux grandes ailes colorées et au vol irrégulier dont il existe des milliers d'espèces.* SENS 2. *Fam. M. Morel a trouvé un* **papillon** *sur son pare-brise,* un avis de contravention. 221 SENS 3. *Le clown avait mis un gros* **nœud papillon**, une sorte de nœud de cravate imitant la forme des ailes de papillon.

■ **papillonner** v. 1er groupe. [SENS 1] *Marie* **papillonne** *d'un sujet à l'autre,* elle va de l'un à l'autre sans se fixer.

illustr. p. 719 ■ **papillote** n.f. [SENS 1] *La queue du cerf-volant est ornée de* **papillotes**, *de morceaux de papier en forme d'ailes.* ◆ *On peut cuire des poissons au four dans des* **papillotes**, *enveloppés dans une feuille de papier huilé ou dans du papier d'aluminium.*

■ **papilloter** v. 1er groupe. [SENS 1] *Tu es fatigué, tes yeux* **papillotent**, *ils se ferment et s'ouvrent très vite, comme un battement d'ailes de papillon* (= clignoter).

papoter v. 1er groupe. Fam. *Luc et Marie passent leur temps à* **papoter**, à *dire des choses plus ou moins insignifiantes* (= bavarder).

paprika n.m. *Le* **paprika** *est un piment doux, en poudre, qui sert à épicer les plats.*

illustr. p. 502 **papyrus** n.m. *Les anciens Égyptiens écrivaient sur du* **papyrus**, *une sorte de papier fabriqué avec une plante portant ce nom.*
✹ On prononce le « s » : [papirys].

pâque n.f. *La* **pâque** *est une fête de la religion juive.*
✹ Ne pas confondre avec **Pâques**.

illustr. p. 741 **paquebot** n.m. *Autrefois, on traversait l'Atlantique sur un* **paquebot**, un grand navire aménagé pour le transport des passagers.

illustr. p. 753 **pâquerette** n.f. *La pelouse est couverte de* **pâquerettes**, *des petites fleurs aux nombreux pétales blancs et à cœur jaune.*

Pâques n.m. (Avec majuscule.) *Cette année, Pâques tombe en mars,* la fête chrétienne qui rappelle la résurrection du Christ. ●● **pascal**
✹ Ne pas confondre avec la **pâque**.

paquet n.m. SENS 1. *Le facteur a apporté un* **paquet**, un ou plusieurs objets enveloppés dans un emballage (= colis). ●● **empaqueter, dépaqueter**. SENS 2. *Fam. Si nous voulons réussir, il va falloir* **mettre le paquet**, faire un gros effort, une dépense importante.

■ **paquetage** n.m. *Le soldat prépare son* **paquetage**, *l'ensemble de ses affaires.*

par prép. Ce mot joue un rôle grammatical important et a des sens variés : *il est passé* **par** *la fenêtre* (lieu) ; *je voyage* **par** *le train* (moyen) ; *elle gagne 1 500 euros* **par** *mois* (fréquence) ; *elle est aimée* **par** *ses amis* (complément d'agent)

1. parabole n.f. *L'Évangile contient des* **paraboles**, *des histoires renfermant un enseignement, une morale.*

2. parabole n.f. *Une* **parabole** *est une courbe géométrique.*

parachever v. 1er groupe. *J'ai encore besoin de quelques jours pour* **parachever** *mon travail,* pour finir de l'exécuter très soigneusement (= parfaire, fam. fignoler). ●● **achever**
✹ Conj. n° 9.

illustr. p. 718 **parachute** n.m. *Les soldats ont sauté en* **parachute** *de l'avion,* avec un appareil de toile servant à ralentir leur chute.

■ **parachuter** v. 1er groupe. *Des troupes* **ont été parachutées** *en pays en-*

675

nemi, elles ont sauté en parachute d'un avion.

▪ **parachutage** n.m. *Un **parachutage** de médicaments a été réalisé*, ils ont été parachutés.

▪ **parachutiste** n. *Il est soldat dans une compagnie de **parachutistes**.*

1. parade → *parer*

2. parade n.f. SENS 1. *Le 14 Juillet, il y a une **parade** militaire* (= défilé, revue).
illustr. SENS 2. *Et maintenant, voici la grande
p. 177 **parade** du cirque !*, le défilé de tous les gens qui ont participé au spectacle. SENS 3. *Elle **fait parade** de son savoir*, elle en fait étalage par vanité (= étaler).

▪ **parader** v. 1er groupe. [SENS 3] *Il **parade** avec son nouveau blouson*, il se montre pour attirer l'attention, pour se faire admirer (= se pavaner).

paradis n.m. SENS 1. Selon la religion chrétienne, le **paradis** est le lieu de bonheur parfait où les âmes des justes vivent pour toujours avec Dieu et les saints après la mort (= ciel ; ≠ enfer). SENS 2. *Ce petit village est un **paradis***, un endroit très beau, très agréable.

▪ **paradisiaque** adj. [SENS 2] *Ils ont passé leurs vacances dans un endroit **paradisiaque***, très agréable (= enchanteur ; ≠ infernal).

paradoxe n.m. *M. Morin aime soutenir des **paradoxes***, des idées illogiques, bizarres, inattendues.

▪ **paradoxal, ale, aux** adj. *Son refus est **paradoxal** puisqu'il se disait d'accord sur tout* (= illogique, déconcertant, incompréhensible, bizarre ; ≠ normal).

parafe, parafer → *paraphe*

paraffine n.f. *La **paraffine** est une substance solide blanche tirée du pétrole qui sert en particulier à fabriquer les bougies.*

parages n.m. pl. *Est-ce que Pierre est dans les **parages** ?*, près d'ici (= environs, voisinage).

paragraphe n.m. *Ce texte contient trois **paragraphes***, trois parties dont chacune commence et finit quand on va à la ligne (= division).

paraître v. 3e groupe. SENS 1. *Le soleil **paraît** à l'horizon*, il se montre (= apparaître ; ≠ disparaître). ●● *reparaître*. SENS 2. *Cette revue **paraît** tous les mois*, elle est mise en vente. ●● *parution*. SENS 3. *Cela **paraît** facile* (= avoir l'air, sembler). SENS 4. ***Il paraît que** l'essence va augmenter*, on le dit.
✳ Conj. n° 64.

parallèle SENS 1. adj. et n.f. *Deux (li- *illustr.*
gnes) **parallèles**, deux plans **parallèles** *p. 431,*
sont toujours à égale distance l'un de
l'autre et ne se croisent jamais.* SENS 2. *310*
n.m. *Un **parallèle** est un cercle imaginaire autour de la Terre dont chaque point est à égale distance d'un pôle.*
→ *méridien.* ◆ *On peut établir un **parallèle** entre leurs deux vies*, les comparer point par point.

▪ **parallèlement** adv. [SENS 1] *Les arbres sont alignés **parallèlement** à la route.*

▪ **parallélisme** n.m. [SENS 1] *Le mécanicien vérifie le **parallélisme** des roues de l'auto*, qu'elles sont bien parallèles.

▪ **parallélépipède** n.m. [SENS 1] *Un *illustr.*
parallélépipède est un solide ayant six *p. 431*
faces parallèles deux à deux.*

▪ **parallélogramme** n.m. [SENS 1] *Un *illustr.*
parallélogramme est une figure géomé- *p. 431*
trique qui a quatre côtés parallèles deux à deux.*

paralyser v. 1er groupe. SENS 1. *M. Lavoie **est paralysé***, il est atteint de paralysie. SENS 2. *L'usine **est paralysée** par la grève*, elle ne fonctionne plus (= bloquer).

▪ **paralysie** n.f. [SENS 1] *M. Lavoie est atteint de **paralysie***, d'une maladie qui l'empêche de bouger.

▪ **paralytique** adj. et n. [SENS 1] *M. Lavoie est (un) **paralytique***, il est paralysé.

676

illustr.
p. 531 **parapente** n.m. Le **parapente** est un sport que l'on pratique en s'élançant du haut d'une falaise ou d'un versant de montagne avec un parachute rectangulaire.

illustr.
p. 974 **parapet** n.m. *Thomas s'est accoudé au* **parapet** *du pont,* au petit mur qui empêche de tomber.

paraphe ou **parafe** n.m. *M. Durand a mis son* **paraphe** *à la fin de la lettre,* sa signature simplifiée, formée de ses initiales.

■ **parapher** ou **parafer** v. 1ᵉʳ groupe. *On a paraphé le contrat* (= signer).

illustr.
p. 42 **parapluie** n.m. *Il pleut, ouvre ton* **parapluie**, un accessoire portatif qui protège de la pluie grâce à un tissu imperméable tendu.

parasite n.m. SENS 1. *Le gui est un* **parasite** *des arbres,* il pousse sur les arbres et se nourrit de leur sève. SENS 2. *M. Duval est un* **parasite**, il a organisé son existence de façon à vivre aux dépens des autres. SENS 3. (Au plur.) *Les paroles du journaliste étaient couvertes par des* **parasites**, des bruits, des crissements troublant l'émission.

illustr.
p. 583,
719 **parasol** n.m. *Il y a des* **parasols** *à la terrasse du café,* des sortes de grands parapluies protégeant du soleil, et que l'on fixe au sol ou à un support.

paratonnerre n.m. *On a mis un* **paratonnerre** *sur le toit,* une longue tige de fer reliée au sol et protégeant de la foudre.

illustr.
p. 42 **paravent** n.m. *La chambre est divisée en deux par un* **paravent**, un petit meuble en forme de cloison mobile fait de plusieurs panneaux de tissu, de papier, de bois, etc.

parbleu ! ou **pardi !** interj. Ces mots servent à renforcer une affirmation : *Tu es content ? – Parbleu ! oui* (= bien sûr).

parc n.m. SENS 1. *Nous nous sommes promenés dans le* **parc** *du château,* le très grand jardin avec des pelouses, des arbres. SENS 2. Les **parcs naturels** sont des régions dans lesquelles la nature est spécialement protégée par un règlement. SENS 3. *Le berger a enfermé ses moutons dans un* **parc**, un terrain fermé par une clôture. ●● **parquer**. SENS 4. *Il n'y avait plus de place dans le* **parc de stationnement** (= parking).

illustr.
p. 74,
1017

■ **parcmètre** n.m. [SENS 4] *Mets un euro dans le* **parcmètre**, dans l'appareil qui mesure le temps de stationnement.

illustr.
p. 1016

parcelle n.f. SENS 1. *M. Dupuis cultive une* **parcelle** *de terrain,* une petite surface. SENS 2. *Il n'y a pas une* **parcelle** *de vérité dans ses paroles,* la plus petite partie.

parce que conj. Ce mot indique la cause : « *Pourquoi êtes-vous rentrés ? – Parce qu'il pleuvait* ».

parchemin n.m. *Autrefois, on écrivait sur des* **parchemins**, des peaux de moutons spécialement préparées.

illustr.
p. 502

■ **parcheminé, ée** adj. *Son grand-père a un visage* **parcheminé**, qui a l'aspect jaune et ridé du parchemin.

parcimonie n.f. *M. Dupont dépense son argent avec* **parcimonie**, il en dépense peu (≠ générosité).

■ **parcimonieux, euse** adj. *M. Dupont est un homme* **parcimonieux**, qui fait très attention à ses dépenses (= regardant ; ≠ généreux, prodigue).

par-ci par-là adv. *J'ai trouvé quelques fautes* **par-ci par-là** *dans ce texte,* dispersées dans quelques endroits.

parcmètre → ***parc***

parcourir v. 3ᵉ groupe. SENS 1. *Nous avons* **parcouru** *l'Italie,* nous l'avons traversée en divers sens. SENS 2. *Pierre a*

parcouru 10 kilomètres à pied, il a fait cette distance. SENS 3. *Je n'ai fait que parcourir ce livre,* l'examiner rapidement (= survoler).
✹ Conj. n° 29.

■ **parcours** n.m. [SENS 1 et 2] *Le parcours de l'autobus passe devant la maison,* le chemin qu'il suit (= trajet).

par-delà prép. *Par-delà la Méditerranée, il y a l'Afrique,* de l'autre côté de la mer.

par-dessous → *dessous*

par-dessus → *dessus*

pardessus n.m. Un **pardessus** est un manteau d'homme.
✹ Ne pas confondre avec **par-dessus**.

par-devers prép. *Il a gardé des documents importants par-devers lui,* en sa possession.

pardi ! → *parbleu !*

pardon n.m. *Pierre est venu demander pardon de son insolence,* demander qu'on l'excuse. ◆ interj. *Tu m'as dérangé. – Oh ! pardon !,* excuse-moi !

■ **pardonner** v. 1er groupe. *Veuillez me pardonner cet oubli* (= excuser).

■ **pardonnable** adj. *Son erreur est pardonnable* (= excusable ; ≠ impardonnable).

pare-brise, pare-chocs → *parer*

pareil, eille adj. SENS 1. *Ces deux statues sont pareilles,* elles se ressemblent exactement (= semblable, identique ; ≠ différent). SENS 2. *Pourquoi arrives-tu à une heure pareille ?* (= tel).

■ **pareille** n.f. *Il m'a joué un mauvais tour, mais je lui rendrai la pareille,* je me vengerai, je lui revaudrai ça.

illustr. p. 679 **parent** SENS 1. n.m. pl. *Fatima aime ses parents,* son père et sa mère. SENS 2.

adj. et n. *Un parent,* c'est une personne avec laquelle on a des liens familiaux. *Mon père est le frère du tien, nous sommes parentes,* de la même famille.
●● *apparenté*

■ **parenté** n.f. [SENS 2] *Il y a un lien de parenté entre Claire et Cécile,* elles sont parentes. *illustr. p. 679*

parenthèse n.f. SENS 1. *Des mots sont mis entre parenthèses,* entre les signes d'écriture, notés (), qu'on utilise pour isoler un mot ou un groupe de mots qui ne sont pas indispensables dans une phrase. SENS 2. *Je reviens d'Italie, où, entre parenthèses, il faisait un temps affreux,* soit dit en passant.

parer v. 1er groupe. SENS 1. *On a paré la princesse de sa plus belle toilette,* on la lui a mise comme ornement (= habiller, vêtir). ●● *déparer, parure.* SENS 2. *Le boxeur n'arrivait pas à parer les coups,* à s'en protéger (= éviter). ●● *imparable*

■ **parade** n.f. [SENS 2] *Il a trouvé une parade contre ces ennuis,* un bon moyen pour les éviter.

■ **pare-brise** n.m. inv. [SENS 2] *Le pare-brise de la voiture est sale,* la plaque de verre à l'avant qui protège du vent. *illustr. p. 54, 69*
✹ Ce mot ne change pas au pluriel.

■ **pare-chocs** n.m. inv. [SENS 2] *Les pare-chocs d'une auto servent à la protéger des chocs à l'avant et à l'arrière.* *illustr. p. 69*
✹ Ce mot ne change pas au pluriel.

paresse n.f. *Pierre a une tendance à la paresse,* il n'aime pas travailler, faire des efforts (≠ énergie, courage).

■ **paresser** v. 1er groupe. *Claire aime paresser dans son lit,* ne rien faire.

■ **paresseux, euse** adj. et n. *Luc est très paresseux* (= fainéant ; ≠ travailleur).

■ **paresseusement** adv. *Elle feuilletait paresseusement un magazine,* avec paresse. ●● *nonchalamment*

parfait, aite adj. SENS 1. *Voilà un travail parfait,* sans défaut (= excellent ; ≠ mauvais, imparfait). ●● *perfection.* SENS 2.

La parenté

Dans cette famille, les prénoms des personnes de chaque génération sont classés selon l'ordre alphabétique : les plus âgées, les arrière-grands-parents, ont des prénoms qui commencent par A ; pour les grands-parents, c'est B, pour les parents, c'est C. Les enfants qui ont 5 ans, eux, ont des prénoms qui commencent par D : Doris et Delphine, par exemple, sont les enfants de Clément et de Claire.

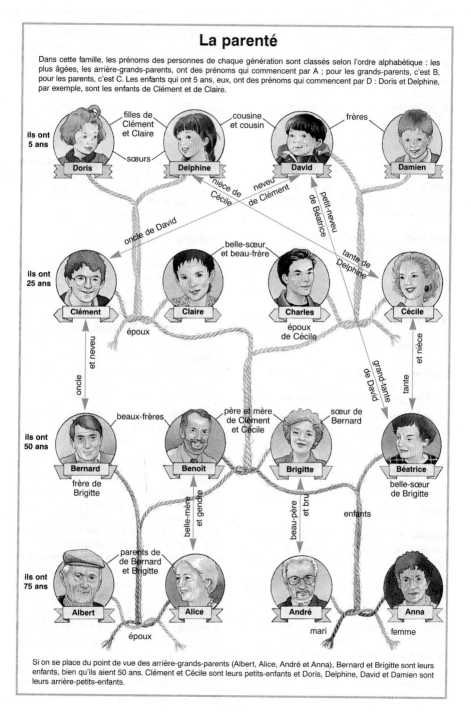

Si on se place du point de vue des arrière-grands-parents (Albert, Alice, André et Anna), Bernard et Brigitte sont leurs enfants, bien qu'ils aient 50 ans. Clément et Cécile sont leurs petits-enfants et Doris, Delphine, David et Damien sont leurs arrière-petits-enfants.

679

Cette réponse est d'un **parfait** ridicule (= complet, total, absolu).

■ **parfaitement** adv. [SENS 1] *Paul joue* **parfaitement** *du violon*, très bien, à la perfection (≠ imparfaitement).

■ **parfaire** v. 3e groupe. [SENS 1] *Il me faut encore du temps pour* **parfaire** *mon œuvre* (= parachever).
✳ Conj. no 76. **Parfaire** s'emploie surtout à l'infinitif et au participe passé.

parfois adv. *Pierre arrive* **parfois** *en retard à l'école*, de temps en temps (= quelquefois ; ≠ souvent).

illustr. p. 239 **parfum** n.m. SENS 1. *Ces roses ont beaucoup de* **parfum**, une odeur agréable. SENS 2. *Marie s'est mis du* **parfum**, un produit qui sent bon. SENS 3. *À quel* **parfum** *veux-tu ta glace ? – À la fraise* (= goût, arôme).

■ **parfumer** v. 1er groupe. [SENS 1] *Tu peux mettre de la lavande dans l'armoire pour* **parfumer** *ton linge*, pour lui donner une odeur agréable. [SENS 2] *Tu* **t'es** **parfumé** *aujourd'hui ?*, tu t'es mis du parfum, de l'eau de toilette. [SENS 3] *J'adore le dentifrice* **parfumé** *à la fraise.*

illustr. p. 150 ■ **parfumerie** n.f. [SENS 2] *Dans une* **parfumerie**, *on achète des parfums et des produits de beauté.*

■ **parfumeur, euse** n. [SENS 2] *Un* **parfumeur** *est un fabricant ou un marchand de parfums.*

pari → **parier**

paria n.m. *On l'a injustement traité comme un* **paria**, *une personne tenue à l'écart de la société, méprisée de tous.*

parier v. 1er groupe. SENS 1. *Je te* **parie** *15 euros que cette équipe gagnera*, si elle gagne, tu me donneras 15 euros. SENS 2. *Je* **parie** *qu'il va être encore en retard*, j'en suis à peu près sûr.

■ **pari** n.m. [SENS 1] *Cette équipe n'a pas gagné, j'ai perdu mon* **pari**.

■ **parieur, euse** n. [SENS 1] *On a payé les* **parieurs** *gagnants.*

parjure SENS 1. n.m. *Pierre a commis un* **parjure**, *il a juré une chose fausse ou n'a pas respecté son serment.* SENS 2. n. et adj. *Pierre est (un)* **parjure**, *il a violé son serment.*

parka n.f. ou n.m. *Il fait froid, mets ta* **parka**, *une sorte de manteau court à capuche.*
illustr. p. 1010

parking n.m. *Il y a un grand* **parking** *près de ce magasin*, un endroit pour garer les voitures (= parc de stationnement). ●● **parc**
✳ On prononce [parkiŋ].
illustr. p. 1017

parlant → **parler**

parlementaire SENS 1. adj. et n. *Les débats* **parlementaires** *ont duré toute la nuit*, les débats du Parlement. *Les* **parlementaires** *se sont réunis*, les membres du Parlement. SENS 2. n. *Le général a reçu les* **parlementaires**, les gens envoyés pour parlementer, pour discuter.

■ **Parlement** n.m. (Avec majuscule.) [SENS 1] *Le* **Parlement** *a voté le projet de loi*, l'ensemble des députés et des sénateurs (= Assemblée législative).
illustr. p. 358

■ **parlementer** v. 1er groupe. [SENS 2] *On* **a parlementé** *pour se mettre d'accord* (= discuter, négocier).

parler v. 1er groupe. SENS 1. *Mon petit frère a 2 ans, il commence à* **parler**, à exprimer sa pensée par des paroles. SENS 2. *Mme Mouret* **parle** *le français et l'allemand*, elle s'exprime dans ces deux langues. SENS 3. *As-tu* **parlé** *à Amélie de nos projets ?*, lui as-tu dit quelque chose à ce sujet ? ●● **pourparlers, reparler**. SENS 4. *On* **parle** *d'élargir cette route*, il en est question, c'est un projet. SENS 5. *C'est impossible, scientifiquement* **parlant**, d'un point de vue scientifique.

■ **parler** n.m. [SENS 2] *Il existe différents* **parlers** *locaux* (= langue, dialecte, patois).

■ **parlant, ante** adj. [SENS 1] *Ce dessin est très* **parlant**, *il n'a pas besoin d'être expliqué, commenté* (= expressif).

■ **parleur** n.m. [SENS 1] *M. Legrand est un **beau parleur***, il fait des beaux discours trompeurs.

■ **parloir** n.m. [SENS 3] *Les prisonniers reçoivent leur famille au **parloir**,* dans une salle où l'on parle avec les visiteurs.

■ **parlote** ou **parlotte** n.f. [SENS 3] Fam. *Ils passent leur temps en **parlotes**,* à parler inutilement (= bavardage).

parmesan n.m. Le **parmesan** est un fromage italien que l'on mange par exemple râpé sur les pâtes.

parmi prép. Ce mot indique que quelque chose ou quelqu'un appartient à un ensemble : *on l'a choisi **parmi** eux.*

parodie n.f. SENS 1. *Guillaume a fait rire ses camarades avec une **parodie** d'une Fable de La Fontaine,* une imitation amusante. SENS 2. *Ce procès était une **parodie** de justice,* une imitation grossière, ignoble (= caricature).

■ **parodier** v. 1er groupe. *Pierre **parodie** ma voix,* il l'imite pour s'en moquer.

illustr. p. 29 **paroi** n.f. SENS 1. *Cet immeuble a des **parois** de verre,* des murs. *La **paroi** de la falaise est à pic,* la face à peu près verticale. SENS 2. *Les **parois** de ce récipient sont étanches* (= côté).

paroisse n.f. Une **paroisse** est un territoire dont un curé ou un pasteur a la charge spirituelle.

■ **paroissial, ale, aux** adj. *L'église **paroissiale** est sur la place du village.*

■ **paroissien, enne** n. Un **paroissien** est un chrétien d'une paroisse.

parole n.f. SENS 1. *Les animaux ne sont pas doués de la **parole**,* ils ne peuvent pas parler (= langage). SENS 2. *Romain m'a dit une **parole** aimable,* un mot ou une phrase. SENS 3. (Au plur.) *Je ne connais pas les **paroles** de cette chanson,* le texte. SENS 4. *Fabrice a demandé la **parole**,* le droit de parler. *Tu m'as*

*coupé la **parole**,* tu m'as interrompu. ●● *porte-parole*. SENS 5. *Il m'a donné sa **parole** qu'il viendrait demain,* il me l'a promis. SENS 6. *Je l'ai rencontré hier, **parole** d'honneur !,* je te certifie que c'est vrai.

■ **parolier, ère** n. Un **parolier** est l'auteur des paroles d'une chanson.

paronyme n.m. « *Allocution* » *et* « *allocation* » *sont des **paronymes**,* des mots qui se ressemblent.
✳ Ne pas confondre avec **homonyme** et **synonyme**.

paroxysme n.m. *La tempête a atteint son **paroxysme**,* son moment le plus violent.

parpaing n.m. Un **parpaing** est une sorte de brique moulée en ciment. *illustr. p. 156*
✳ On ne prononce pas le « g » : [parpɛ̃].

parquer v. 1er groupe. *Les vaches sont **parquées** dans le pré,* elles sont enfermées dans un lieu entouré d'une clôture. ●● *parc*

parquet n.m. SENS 1. *M. Lavoie cire le **parquet** de la chambre,* les lames de bois constituant le sol (= plancher). SENS 2. *Le **parquet** est en train de délibérer,* l'ensemble des juges.

parrain n.m. Le **parrain** d'un enfant est *illustr. p. 821*
l'homme qui, au moment du baptême, s'engage à veiller sur son filleul et à l'aider dans la vie. → *filleul, marraine*

■ **parrainer** v. 1er groupe. *Un grand médecin **parraine** cette association,* il lui sert de garant, de répondant (= patronner).

parricide SENS 1. n. *La police a arrêté un **parricide**,* quelqu'un qui a tué son père ou sa mère. SENS 2. n.m. Un **parricide** est le meurtre du père ou de la mère.

parsemer v. 1er groupe. *La pelouse est **parsemée** de fleurs,* elle en est couverte çà et là.
✳ Conj. no 9.

part n.f. SENS 1. *Chacun a eu une **part** de la tarte* (= morceau, portion, partie). SENS 2. *Philippe **a pris part** à la réunion,* il y a participé. SENS 3. *Fabrice m'a **fait part** de ses projets,* il me les a fait connaître. SENS 4. *On a mis vos affaires **à part**,* on les a séparées du reste. SENS 5. *À **part** lui, tout le monde était content* (= excepté, sauf). SENS 6. *Voilà un livre **de la part** de Carole,* venant d'elle. SENS 7. ***Pour ma part**, je suis ravie du voyage,* en ce qui me concerne. SENS 8. *Je ne peux pas t'aider : **d'une part**, je n'y connais rien, **d'autre part**, je n'ai pas le temps,* d'abord..., et puis aussi. SENS 9. *As-tu vu mon manteau ? – Oui, je l'ai vu **quelque part**,* à un certain endroit. *Dans l'armoire ? – Non, **autre part**,* dans un autre endroit, ailleurs. *Je ne le vois **nulle part*** (= en aucun endroit ; ≠ partout). SENS 10. *Les nouvelles arrivent de **toute(s) part(s)**,* de tous les côtés. *On a fait des concessions **de part et d'autre**,* des deux côtés. *La balle a traversé la cloison **de part en part**,* d'un côté à l'autre.

■ **partager** v. 1er groupe. [SENS 1] *Mme Legendre **a partagé** le gâteau,* elle en a fait des parts (= diviser). [SENS 2] *Je **partage** votre tristesse,* j'y prends part, je m'y associe.
❊ Conj. n° 2.

■ **partage** n.m. [SENS 1] *Ce **partage** n'est pas égal* (= division, répartition).

partance, partant → *partir*

partenaire n. *Qui était ton **partenaire** au double de tennis ?,* celui qui jouait en association avec toi (≠ adversaire).

parterre n.m. SENS 1. *Ce **parterre** de tulipes est magnifique,* cette partie de jardin où l'on fait pousser des fleurs.
illustr. SENS 2. *Du balcon, on voit bien les*
p. 952 *spectateurs du **parterre**,* la partie d'une salle de spectacle située au rez-de-chaussée (= orchestre ; ≠ balcon, loge).
❊ Ce mot est du genre masculin.

parti n.m. SENS 1. *Les **partis** présentent des candidats aux élections,* les groupes

politiques. SENS 2. *Damien **a pris parti** pour moi,* il m'a soutenu. *Iris a un **parti pris** contre moi,* elle m'est hostile (= préjugé). SENS 3. *Mme Valdois sait **tirer parti** des restes,* les utiliser au mieux. SENS 4. *Comme j'ai compris qu'il ne céderait pas, j'**ai pris le parti** de ne pas insister,* j'ai choisi d'adopter cette attitude (= décider, se résoudre à). *J'ai dû **prendre mon parti** de cet échec,* m'y résigner.
❊ Ne pas confondre avec une **partie**.

■ **partial, ale, aux** adj. [SENS 2] *Cet arbitre est **partial**,* il a des préférences injustifiées pour une des deux équipes (= injuste ; ≠ impartial). → ***neutre***
❊ On prononce [parsjal].

■ **partialité** n.f. [SENS 2] *On l'a jugé avec **partialité*** (= injustice, parti pris).
●● *impartialité*
❊ On prononce [parsjalite].

participant, participation → ***participer***

participe n.m. *« Aimant » est le **participe** présent du verbe aimer, « aimé » est son **participe** passé,* des formes du verbe.

participer v. 1er groupe. *Pierre et Jean ont **participé** à la course,* ils l'ont faite avec d'autres (= prendre part à).

■ **participant, ante** n. *Il y avait quinze **participants** à l'excursion,* quinze personnes y ont participé.

■ **participation** n.f. *Je vous remercie de votre **participation*** (= collaboration).

particule → ***partie***

particulier, ère adj. SENS 1. *Alexis a une manière **particulière** de parler,* il ne parle pas comme les autres (= personnel, spécial, propre ; ≠ ordinaire). SENS 2. *On a examiné les cas **particuliers*** (= individuel ; ≠ général). SENS 3. *J'aime les fruits, **en particulier** les poires* (= surtout, spécialement).

■ **particulier, ère** n. [SENS 1] *M. Delcour est un simple **particulier**,* une personne comme les autres.

■ **particulièrement** adv. [SENS 3] *Seydou aime lire **particulièrement** des romans* (= en particulier). ◆ *Cette affaire est **particulièrement** intéressante* (= très, spécialement).

■ se **particulariser** v. 1ᵉʳ groupe. [SENS 1] *Myriam aime **se particulariser**, ne pas faire comme les autres* (= se singulariser).

■ **particularité** n.f. [SENS 1] *Cette maison a plusieurs **particularités**, des caractères particuliers* (= caractéristique, singularité).

partie n.f. SENS 1. *Linda consacre une **partie** de son temps à la musique*, une certaine quantité (= part ; ≠ totalité, tout). SENS 2. *Pierre **fait partie d'**un club sportif*, il en est membre (= appartenir à). SENS 3. *Nous avons fait une **partie** de tennis*, nous avons joué les coups nécessaires pour qu'il y ait un gagnant. SENS 4. *Le juge a renvoyé les deux **parties***, les adversaires en présence. SENS 5. *M. Glivot **a été pris à partie** par des voyous*, il a été injurié, attaqué.
✳ Ne pas confondre avec un **parti**.

■ **particule** n.f. [SENS 1] *Cette eau contient des **particules** de calcaire*, de très petits éléments. ◆ *Mme de Sévigné avait un nom à **particule***, précédé de « de ».

■ **partiel, elle** adj. [SENS 1] *Je n'ai en Pierre qu'une confiance **partielle***, une confiance limitée, incomplète (≠ total).
✳ On prononce [parsjɛl].

■ **partiellement** adv. [SENS 1] *Marie a **partiellement** réussi*, en partie (≠ totalement).
✳ On prononce [parsjɛlmã].

partir v. 3ᵉ groupe. SENS 1. *Nous devons **partir** demain pour Paris*, nous en aller d'ici (≠ arriver). ●● ***départ, repartir***.
SENS 2. *Vous prenez la rue qui **part** de l'église*, qui commence là (≠ aboutir). SENS 3. *Si vous appuyez sur la détente, le coup **part***, il se déclenche. SENS 4. *Cette affaire **part** mal*, elle s'engage mal

(= débuter, commencer). SENS 5. *Cette tache **partira** au lavage*, elle disparaîtra.
✳ Conj. n° 26. **Partir** se conjugue avec l'auxiliaire « être ».

■ à **partir de** prép. [SENS 2] *On habitera ici **à partir de** demain*, en commençant demain.

■ **partance** n.f. [SENS 1] *Le train **en partance** pour Lyon est en gare*, celui qui va partir.

■ **partant, ante** adj. *Si on demande des volontaires, je suis **partant***, je suis disposé à faire partie des volontaires. ◆ n.m. *Il y avait quinze **partants** dans cette course*, quinze concurrents au départ.

partisan, ane n. SENS 1. *Le candidat est applaudi par tous ses **partisans***, ceux qui sont du même avis que lui (≠ adversaire). SENS 2. *Des **partisans** ont attaqué un convoi ennemi*, des combattants volontaires n'appartenant pas à une armée régulière (= maquisard, franc-tireur).

■ **partisan** adj. [SENS 1] *Je suis **partisan** de rester*, c'est mon avis.

partitif, ive adj. *Dans la phrase « Veux-tu du chocolat ? », « du » est un article **partitif***, il désigne une partie de quelque chose.

partition n.f. *Le pianiste étudie sa **partition***, la feuille où est noté le morceau de musique qu'il doit jouer.   *illustr. p. 629*

partout adv. *On l'a cherché **partout***, dans tous les endroits (≠ nulle part).

parure n.f. *Hélène portait une **parure** de diamants*, un ensemble de bijoux assortis. ●● ***parer***

parution n.f. *Dès sa **parution**, ce livre a connu un immense succès* (= publication). ●● ***paraître***

parvenir v. 3ᵉ groupe. *John ne **parvient** pas à se faire comprendre*, il n'y réussit pas (= arriver).
✳ Conj. n° 22. **Parvenir** se conjugue avec l'auxiliaire « être ».

683

■ **parvenu, ue** n. *M. Richard est un parvenu*, il s'est rapidement enrichi (= nouveau riche).

parvis n.m. *Le parvis d'une église est l'espace qui est devant la façade.*

1. pas n.m. SENS 1. *Ma grand-mère marche à petits pas. J'entends des pas dans le couloir*, quelqu'un qui marche. *Il y a des pas sur la neige*, les traces de quelqu'un qui a marché. SENS 2. *Les soldats marchent au pas*, ils avancent le même pied tous en même temps. SENS 3. *Le pas d'une porte* est l'espace qui est devant la porte (= seuil). SENS 4. *Chut ! Avancez à pas de loup*, sans faire de bruit. *J'y vais de ce pas*, à l'instant même. *Papa fait les cent pas dans la pièce*, il va et vient sans arrêt. *Nous étions fâchés, j'ai fait les premiers pas pour me réconcilier*, j'ai pris l'initiative de la réconciliation. *Il faut le tirer de ce mauvais pas*, de cette situation difficile.

2. pas adv. Ce mot s'emploie avec **ne (n')** pour marquer la négation : *il n'est pas venu ; je ne l'aime pas.*

pascal, ale adj. *Leurs vacances pascales ont duré quinze jours*, leurs vacances de Pâques.
❋ Au masculin pluriel, on écrit **pascals** ou **pascaux**.

passable adj. *10 sur 20, c'est une note passable*, ni bonne ni mauvaise (= moyen).

■ **passablement** adv. *J'ai vu un film passablement ennuyeux* (= assez).

passage, passager, passant, passe, passé → passer

passe-droit n.m. *C'était interdit, mais ils ont eu des passe-droits*, des autorisations exceptionnelles (= faveur).
❋ Au pluriel, on écrit des **passe-droits**.

passe-montagne n.m. *Un passe-montagne est une sorte de bonnet couvrant la tête et le cou.*
❋ Au pluriel, on écrit des **passe-montagnes**.

passe-partout n.m. inv. *Le serrurier a ouvert avec un passe-partout*, une clef pouvant ouvrir plusieurs serrures.
❋ On ne met pas de « s » au pluriel.

passe-passe n.m. inv. *Le prestidigitateur a fait des tours de passe-passe*, il a fait disparaître un objet, il l'a escamoté.

passeport n.m. *Le douanier nous a demandé nos passeports*, nos papiers d'identité pour aller à l'étranger.

passer v. 1er groupe. SENS 1. *La route est barrée, on ne peut pas passer*, continuer à avancer. SENS 2. *Pour aller de Paris à Marseille, il faut passer par Lyon*, faire route par Lyon. SENS 3. *Nous avons passé la frontière*, nous sommes allés de l'autre côté. SENS 4. *Le temps passe vite*, il s'écoule. SENS 5. *Où as-tu passé tes vacances ?*, où étais-tu pendant ce temps ? SENS 6. *L'histoire se passe au Moyen Âge*, elle a lieu au Moyen Âge. *Tout s'est bien passé* (= se dérouler). SENS 7. *Jean est passé en sixième*, il y a été admis. SENS 8. *Marie a passé une visite médicale*, elle l'a subie. SENS 9. *Ce film passe au cinéma voisin*, on le joue. SENS 10. *Passe-moi le sel*, donne-le-moi. SENS 11. *Il faut passer le thé*, le filtrer. SENS 12. *La douleur va passer* (= s'arrêter). SENS 13. *M. Molier est arrivé à se passer de tabac* (= s'abstenir, se priver). SENS 14. *Pierre passe pour un spécialiste*, on le considère ainsi. SENS 15. *Ce tissu a passé au soleil*, il a perdu sa couleur.
❋ **Passer** se conjugue tantôt avec l'auxiliaire « être » : *nous sommes passés la voir*, tantôt avec l'auxiliaire « avoir » : *j'ai passé le week-end à lire.*

■ **passage** n.m. [SENS 1 et 2] *Pierre attend le passage de l'autobus*, que celui-ci passe. *Tu bouches le passage*,

illustr. p. 425

illustr.
p. 424,

855

l'endroit par où l'on passe. *Ce panneau annonce un* **passage à niveau**, un croisement entre une route et une voie ferrée. *Il faut traverser dans le* **passage pour piétons** *(ou* **passage clouté***)*, l'endroit de la rue marqué par des bandes blanches peintes sur la chaussée. → **impasse**. ◆ *Elle m'a lu un* **passage** *du livre*, un extrait.

illustr.
p. 971

■ **passager, ère** adj. [SENS 4] *Il a eu un malaise* **passager**, *qui a vite passé* (= momentané, temporaire ; ≠ durable). ◆ n. *Les* **passagers** *sont montés dans l'avion* (= voyageur).

■ **passant, ante** n. [SENS 1] *Josefa a demandé l'heure à un* **passant**, *à quelqu'un qui passait dans la rue*.

■ **passe** n.f. [SENS 1] *Connais-tu le* **mot de passe** *?*, le mot convenu pour qu'on te laisse passer. [SENS 10] *Franck a fait une* **passe** *au goal*, il lui a passé le ballon. ◆ *Pierre est dans une mauvaise* **passe**, *une mauvaise situation*. *Marie* **est en passe de** *gagner*, sur le point de gagner.

illustr.
p. 945

■ **passé** n.m. [SENS 4] *L'imparfait, le plus-que-parfait, le passé simple et le passé composé sont des temps du* **passé**, *des temps du verbe qui présentent une action passée* (≠ présent, futur).

■ **passeur, euse** n. [SENS 1] *Un* **passeur** *nous a fait traverser la rivière sur le bac*, celui dont la fonction est de faire passer des gens, de la marchandise, etc.

illustr.
p. 238

■ **passoire** n.f. [SENS 11] *Une* **passoire** *est un ustensile de cuisine percé de trous qui sert à filtrer les liquides, à égoutter des aliments*.

■ **passe-temps** n.m. inv. [SENS 4] *La lecture est mon* **passe-temps** *favori* (= occupation). ✳ Ce mot ne change pas au pluriel.

passereau n.m. Les **passereaux** sont des petits oiseaux qui vivent dans les arbres comme le moineau, le rouge-gorge, l'alouette, etc. ✳ Au pluriel, on écrit des **passereaux**.

passerelle n.f. SENS 1. *On traverse cette rivière sur une* **passerelle**, *un petit pont pour les piétons*. SENS 2. *Le commandant est sur la* **passerelle** *du bateau*, une plate-forme au-dessus des cabines.

illustr.
p. 425,

741,
971

passe-temps, passeur → *passer*

passible adj. *L'accusé est* **passible** *d'une amende*, il en risque une, il l'encourt.

passif, ive adj. *Devant certaines injustices, on ne peut pas rester* **passif**, sans réaction (= indifférent, apathique ; ≠ actif). *La résistance* **passive** *consiste à ne pas obéir, mais sans violence*. ◆ adj. et n.m. *« Il est aimé » est la forme* **passive**, *le* **passif** *de « il aime »* (≠ actif).

■ **passivement** adv. *Jacques obéit* **passivement**, *sans réagir*.

■ **passivité** n.f. *Par* **passivité**, *il laisse toujours les autres décider à sa place* (= indifférence, apathie).

passion n.f. SENS 1. *M. Dimier aime sa femme avec* **passion**, *d'un amour très fort*. SENS 2. *Avoir la* **passion** *des livres, c'est avoir un besoin ardent de lire*.

■ **passionnel, elle** adj. [SENS 1] *Un crime* **passionnel** *est un crime inspiré par la passion amoureuse*.

■ **passionner** v. 1er groupe. [SENS 2] *Ce roman m'a* **passionné**, *il m'a beaucoup intéressé*. ●● *dépassionner*

■ **passionnant, ante** adj. [SENS 2] *J'ai vu un film* **passionnant** (= captivant).

■ **passionnément** adv. [SENS 1] *Il l'aime* **passionnément**, *avec passion, follement*.

passivement → *passif*

passoire → *passer*

pastel SENS 1. n.m. *Ce dessin est fait au* **pastel**, *avec une sorte de crayon de couleur*. SENS 2. adj. inv. *Des couleurs* **pastel** *sont des couleurs claires et douces*.

685

illustr.
p. 690
pastèque n.f. La **pastèque** est une espèce de gros melon vert à chair rouge très rafraîchissant.

pasteur n.m. SENS 1. Un **pasteur** est un gardien de troupeaux dans certains pays.
illustr. SENS 2. Chez les protestants, le **pasteur**
p. 821 est celui qui dirige le culte.

pasteuriser v. 1ᵉʳ groupe. *Ils n'achètent que du lait **pasteurisé**,* purifié de ses microbes par une température élevée (= stériliser).

pastiche n.m. *Ce fantaisiste a fait un **pastiche** amusant d'un discours politique,* il en a imité le style (= imitation).
■ **pasticher** v. 1ᵉʳ groupe. *Il **a pastiché** un discours politique,* il en a fait un pastiche.

pastille n.f. *Marie suce des **pastilles** de menthe,* des petits bonbons de forme aplatie.

pastis n.m. Le **pastis** est un apéritif parfumé à l'anis.
✳ On prononce le « s » final : [pastis].

patate n.f. SENS 1. Fam. *Pierre et Marie épluchent les **patates*** (= pomme de terre). SENS 2. La **patate douce** est la racine comestible d'une plante des pays chauds.

patatras ! interj. Ce mot exprime un bruit de chute : ***patatras** ! tout est tombé.*
✳ Le « s » ne se prononce pas : [patatra].

pataud, e adj. *Jacques est un gros garçon **pataud*** (= empoté, maladroit).

patauger v. 1ᵉʳ groupe. *Les enfants **pataugent** dans la boue,* ils y marchent maladroitement, ou en éclaboussant.
✳ Conj. n° 2.

pâte n.f. SENS 1. *Mme Durand fait une **pâte** à tarte,* elle mélange et pétrit de la farine avec de l'eau. SENS 2. *Les **pâtes** de* fruits, la **pâte** dentifrice, la **pâte** à modeler sont des matières molles. SENS 3. (Au plur.) *Les macaronis, les spaghettis, etc., sont des variétés de **pâtes**,* des aliments préparés à partir de semoule de blé dur.
■ **pâteux, euse** adj. [SENS 2] *Cette crème est **pâteuse**,* molle et épaisse comme une pâte.

pâté n.m. SENS 1. *Le cuisinier a préparé un **pâté** de lapin,* du lapin haché cuit dans une terrine. SENS 2. *Aurélien habite dans ce **pâté de maisons*** (= groupe). SENS 3. *Les enfants font des **pâtés** de sable avec un seau,* ils remplissent le seau de sable mouillé et le démoulent.
illustr.
p. 582,

719

pâtée n.f. *Le chien mange sa **pâtée**,* une sorte de bouillie épaisse.

1. patelin, ine adj. *Il m'a parlé d'un ton **patelin**,* doux mais hypocrite.
✳ Ce mot s'emploie surtout à l'écrit.

2. patelin n.m. Fam. *Comment s'appelle ce **patelin** ?,* ce village.

patère n.f. *Accrochez vos manteaux à la **patère**,* au portemanteau fixé au mur.

paternel, elle adj. SENS 1. *Un oncle **paternel**,* c'est un oncle du côté du père (un frère ou un beau-frère du père).
●● **père** → **maternel**. SENS 2. *Il nous encourageait d'un ton **paternel**,* d'un ton qui exprimait une bienveillance comparable à celle d'un père (= gentil).
■ **paternellement** adv. [SENS 2] *Cet homme accueille **paternellement** ses amis étrangers,* avec la bienveillance d'un père.
■ **paternalisme** n.m. [SENS 2] *Ce directeur traite ses employés avec **paternalisme**,* il se montre bienveillant pour renforcer son autorité.
■ **paternité** n.f. *Je lui souhaite de connaître bientôt les joies de la **paternité**,* d'être père. ◆ *Qui a la **paternité** de ce projet ?,* qui en est l'auteur ?

pâteux → *pâte*

pathétique adj. *Le roman de Victor Hugo, « les Misérables », est pathétique, très émouvant.*

pathologie n.f. *La pathologie est l'étude scientifique des maladies.*

■ **pathologique** adj. *Ses migraines sont pathologiques, elles tiennent de la maladie, ne sont pas normales.*

patibulaire adj. *Cet individu a une mine patibulaire, il n'inspire pas confiance* (= louche).

patient, ente SENS 1. adj. *Il faut être patient pour observer les oiseaux, savoir persévérer en restant calme* (≠ impatient, irritable, emporté). SENS 2. n. *Le* *illustr.* *médecin visite ses patients, ses ma-* *p. 868* *lades, ses clients.*
✳ On prononce [pasjɑ̃].

■ **patience** n.f. [SENS 1] *Voilà deux heures que j'attends, ma patience a des limites* (= persévérance, calme ; ≠ impatience).
✳ On prononce [pasjɑ̃s].

■ **patiemment** adv. [SENS 1] *Paul attendait patiemment, sans s'énerver* (≠ impatiemment).
✳ On prononce [pasjamɑ̃].

■ **patienter** v. 1ᵉʳ groupe. [SENS 1] *Voulez-vous patienter quelques instants ?, attendre calmement.*
✳ On prononce [pasjɑ̃te].

patiner v. 1ᵉʳ groupe. SENS 1. *Pierre apprend à patiner, à se servir de patins.* SENS 2. *Les roues patinent dans la boue, elles tournent sans avancer.* SENS 3. *Le manche de ce marteau est patiné, son aspect montre qu'il a servi.*

illustr. ■ **patin** n.m. [SENS 1] *Anaïs fait du patin* *p. 894* *à glace, elle se déplace en glissant sur la glace grâce à des chaussures spéciales munies de lames. Frédéric fait du patin à roulettes, il glisse sur le sol avec*

des chaussures ou des semelles équipées de roues. [SENS 2] Un **patin** de frein sert à ralentir une roue.*

■ **patinage** n.m. [SENS 1] *La télé a* *illustr.* *retransmis un spectacle de patinage, du* *p. 895* *sport qui consiste à patiner sur la glace.*

■ **patine** n.f. [SENS 3] *Sur cette armoire, on voit la patine du temps, une couleur foncée qui montre son ancienneté.*

■ **patinette** n.f. *Une patinette est un jouet composé d'une planche montée sur deux roues et d'un guidon, qu'on fait avancer avec un pied* (= trottinette).

■ **patineur, euse** n. [SENS 1] *C'est une patineuse hollandaise qui a gagné la course.*

■ **patinoire** n.f. [SENS 1] *Les patineurs* *illustr.* *s'entraînent sur la patinoire, sur un* *p. 894* *endroit aménagé pour patiner.*

pâtir v. 2ᵉ groupe. *Les arbres fruitiers ont pâti du gel, ils en ont subi les conséquences* (= souffrir).

pâtisserie n.f. SENS 1. *La pâtisserie est* *illustr.* *la boutique du pâtissier.* SENS 2. *Au* *p. 150* *dessert, nous avons mangé de délicieuses pâtisseries, des gâteaux.*

■ **pâtissier, ère** n. *Mme Delcour est bonne pâtissière, elle fait bien les gâteaux. M. Labruyère est pâtissier, il fait des gâteaux pour les vendre.*

patois n.m. *Les paysans de notre village parlent le patois auvergnat, une langue particulière à une région plus ou moins étendue.* → *dialecte*

patraque adj. Fam. *Marie se sent patraque, un peu malade.*

pâtre n.m. *Pâtre se disait autrefois pour « berger ».*

patriarche n.m. *Abraham est un patriarche de la Bible, un chef d'une vaste famille, qui a vécu très longtemps.*

patricien, enne n. et adj. Les **patriciens** étaient les nobles de la Rome antique (≠ plébéien).
✳ Ne pas confondre avec un **praticien**.

patrie n.f. *Marc est français, la France est sa patrie,* le pays où il est né et auquel il se sent fortement attaché. ●● *apatride, compatriote, s'expatrier, rapatrier*

■ **patriote** adj. et n. *M. Morel est (un) patriote,* il aime sa patrie.

■ **patriotique** adj. *« La Marseillaise »* est un chant **patriotique**, un chant exprimant l'amour de la patrie.

■ **patriotisme** n.m. Le **patriotisme** est l'amour de la patrie.

patrimoine n.m. SENS 1. *Il est si dépensier qu'il a gaspillé tout son patrimoine,* les biens de famille reçus en héritage. SENS 2. Le **patrimoine** national, c'est l'ensemble des richesses de la nation.

patriote, patriotique, patriotisme
→ *patrie*

patron, onne n. SENS 1. *M. Ribour est le patron de l'usine,* il la dirige. SENS 2. *Sainte Catherine est la patronne des couturières,* la sainte considérée comme la protectrice de leur profession. SENS 3. *illustr.* n.m. *Claire a fait sa robe d'après un patron,* un modèle en papier.

illustr. p. 228

■ **patronage** n.m. [SENS 2] Être sous le **patronage** de quelqu'un, c'est être protégé par lui. ◆ Un **patronage** est une organisation de loisirs pour les enfants.

■ **patronal, ale, aux** adj. [SENS 1] *Le syndicat patronal défend les intérêts patronaux,* ceux des patrons. [SENS 2] Une fête **patronale** est dédiée à un saint.

■ **patronat** n.m. [SENS 1] *Les représentants du patronat ont été reçus par le ministre,* les représentants de l'ensemble des patrons.

■ **patronner** v. 1er groupe. [SENS 2] *Ce rallye est patronné par une grande*

marque de voitures, il est organisé grâce à son aide. → *parrainer, sponsoriser*

patrouille n.f. *Le bandit a été arrêté par une patrouille de police,* un petit groupe de policiers effectuant une ronde.

■ **patrouiller** v. 1er groupe. *Des soldats patrouillent dans les rues,* ils circulent par groupes pour surveiller.

■ **patrouilleur** n.m. Un **patrouilleur** est un petit navire ou un avion chargé de surveiller les côtes, les convois, etc.

patte n.f. SENS 1. *Les animaux ont des pattes,* des membres. SENS 2. Une **patte** est une languette ou une petite bande de tissu.

illustr. p. 310, 384

pâturage n.m. *La Normandie est une région de pâturages,* de terrains couverts d'herbe où le bétail vient paître (= prairie, pré).

illustr. p. 20, 354

■ **pâture** n.f. *Le chien cherche sa pâture dans la poubelle,* sa nourriture.

paume n.f. SENS 1. *Jean m'a montré un insecte dans la paume de sa main,* le dedans. SENS 2. Le jeu de **paume** consistait à se renvoyer une balle avec une raquette (à l'origine avec la **paume** de la main), un peu comme au tennis.

illustr. p. 217

paupière n.f. *Les cils bordent les paupières,* la peau qui protège l'œil.

illustr. p. 217

paupiette n.f. Les **paupiettes** de veau sont des tranches roulées et farcies.

pause n.f. *Nous ferons une pause à 10 heures,* nous nous arrêterons (= interruption).
✳ Ne pas confondre avec **pose**.

pauvre adj. et n. SENS 1. *M. Morin est un (homme) pauvre,* il a peu d'argent (≠ riche). → *indigent, nécessiteux. Dans cette région, la terre est pauvre,* elle produit peu (≠ fertile). ●● *appauvrir.* SENS 2. *Ayez pitié de ce pauvre homme !,* cet homme à plaindre (= malheureux). *Le* **pauvre**, *il a encore perdu !*

■ **pauvrement** adv. [SENS 1] *Les Morin vivent* **pauvrement**.

■ **pauvresse** n.f. [SENS 1] *Une* **pauvresse** *demandait l'aumône,* une femme pauvre (= mendiant).

■ **pauvreté** n.f. [SENS 1] *Ce pays est d'une grande* **pauvreté** (= dénuement ; ≠ richesse).

se **pavaner** v. 1ᵉʳ groupe. *Le ministre* **se pavane** *au salon,* il se donne des airs importants (= parader).

pavé n.m. *Attention ! les* **pavés** *sont glissants,* les blocs de pierre qui recouvrent la rue.

■ **paver** v. 1ᵉʳ groupe. *On* **a pavé** *la terrasse avec des dalles* (= recouvrir).

illustr. p. 971, 1017 628 **pavillon** n.m. SENS 1. *Le bateau avait un* **pavillon** *anglais,* un drapeau indiquant sa nationalité. SENS 2. *Les Deluc habitent un* **pavillon** *en banlieue,* une petite maison. SENS 3. Le **pavillon** d'une trompette, d'un tuba, etc., c'est le bout évasé d'où sort le son.

pavoiser v. 1ᵉʳ groupe. SENS 1. *Le 14 Juillet, on* **pavoise** *les édifices publics,* on les orne de drapeaux. SENS 2. Fam. *Il n'y a pas de quoi* **pavoiser**, de quoi être particulièrement fier.

pavot n.m. Le **pavot** est une fleur aux larges pétales dont il existe plusieurs espèces, certaines sauvages, comme le coquelicot, d'autres cultivées, dont on tire l'opium.

payer v. 1ᵉʳ groupe. SENS 1. *Jean* **a payé** *ce livre quinze euros,* il a donné cette somme pour l'avoir. SENS 2. *As-tu* **payé** *le boucher ?,* lui as-tu versé l'argent que tu lui devais ? ●● *impayé.* SENS 3. *Julien* **a été** *mal* **payé** *de ses efforts,* il en a été mal récompensé.
✷ Conj. n° 4.

■ **payable** adj. [SENS 1] *Vos achats sont* **payables** *à la sortie,* ils doivent être payés.

■ **payant, ante** adj. [SENS 1] *Ce spectacle est* **payant**, il faut payer pour y avoir accès (≠ gratuit).

■ **paye** ou **paie** n.f. [SENS 2] *Mme Valdois touche sa* **paye** *à la fin du mois,* elle est payée de son travail (= salaire).
✷ On prononce **paye** [pɛj] et **paie** [pɛ]. Ne pas confondre avec la **paix**.

■ **paiement** n.m. [SENS 2] *Mme Dubois fait ses* **paiements** *par chèques,* elle paie (= versement). illustr. p. 151
✷ On prononce [pɛmɑ̃].

■ **payeur, euse** n. [SENS 2] *M. Dupont est un mauvais* **payeur**, il ne paie pas ce qu'il doit ou il le paie en retard.

pays n.m. SENS 1. *La Belgique est un* **pays** *d'Europe,* le territoire d'une nation (= État). SENS 2. *La Savoie est un* **pays** *de montagnes* (= région).

paysage n.m. *De la colline, on découvre un beau* **paysage**, une vue d'ensemble sur la région. illustr. p. 690

paysan, anne n. *Il a passé ses vacances chez des* **paysans**, des gens qui travaillent la terre (= cultivateur, agriculteur).

■ **paysannerie** n.f. *La* **paysannerie** est l'ensemble des paysans.

péage n.m. SENS 1. *Nous avons pris une autoroute à* **péage**, sur laquelle il faut payer. SENS 2. *Il y avait beaucoup de monde au* **péage** *de l'autoroute,* à l'endroit où l'on retire un ticket et où l'on paie. illustr. p. 852, 853

peau n.f. SENS 1. *Laure a la* **peau** *brunie par le soleil,* la surface extérieure de son corps. ●● *pellicule → dermatologie, peler.* SENS 2. *Mme Durand a un manteau en* **peau** *de mouton,* fait avec le cuir de l'animal garni de sa fourrure. SENS 3. *Avant de manger cette pêche, enlève la* **peau**, l'enveloppe extérieure.

LE PAYSAGE MÉDITERRANÉEN

pastèque

aubergine

courgettes

figues

citron

agrume

melons

piments

poivron

amandes

olives

pamplemousses

orang

plantes aromatiques

fenouil

fleur

fruit

laurier

thym

romarin

basilic

pin

île

îlot

mas

cultures en terrasses

oliviers

aloès

pétanque

boule

cochonnet

vignoble

viticulteur

sulfatage

grappe de raisin

vendange

sécateur

cep

vigneron

hotte

690

Le climat méditerranéen est le plus chaud et le plus sec de la zone tempérée. La végétation est adaptée : feuillage persistant, petites feuilles odorantes. C'est le maquis et la garrigue.

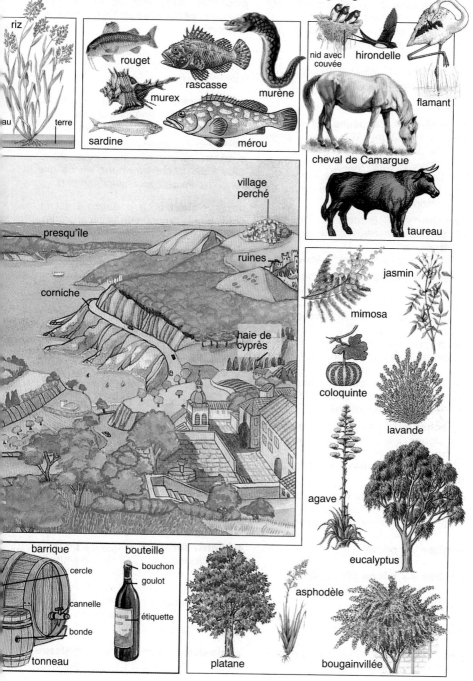

riz

eau   terre

rouget

murex

rascasse

murène

sardine

mérou

nid avec couvée   hirondelle

flamant

cheval de Camargue

taureau

village perché

presqu'île

ruines

corniche

haie de cyprès

jasmin

mimosa

coloquinte

lavande

agave

eucalyptus

barrique   bouteille

cercle

bouchon

goulot

cannelle

étiquette

bonde

tonneau

platane

asphodèle

bougainvillée

SENS 4. La **peau** du lait est la couche qui se forme à la surface du lait bouilli.
✳ Au pluriel, on écrit des **peaux**. Ne pas confondre avec un **pot**.

peccadille n.f. *Marie a été grondée pour une **peccadille**,* une très petite faute.

illustr. p. 747
1. pêche n.f. La **pêche** est un fruit juteux à noyau très dur et à la peau veloutée produit par le **pêcher**.

illustr. p. 694
2. pêche n.f. *M. Bonnet va à la **pêche** tous les dimanches,* il va essayer de prendre du poisson.
■ **pêcher** v. 1er groupe. *M. Durand **a** pêché deux truites,* il les a prises.
●● *repêcher*
✳ Ne pas confondre avec **pécher**.

illustr. p. 845
■ **pêcheur, euse** n. *Des **pêcheurs** à la ligne sont assis au bord de l'eau,* des gens qui pêchent.
✳ Ne pas confondre avec **pécheur**.

péché n.m. SENS 1. *L'orgueil, la colère, la paresse sont des **péchés**,* des fautes, des choses défendues par une loi religieuse. SENS 2. *La gourmandise est son péché mignon,* son petit défaut familier, dont elle ne se repent pas.
■ **pécher** v. 1er groupe. *Pierre **a péché** par orgueil,* il a commis une faute, un péché.
✳ Conj. n° 10. Ne pas confondre avec **pêcher**.
■ **pécheur, eresse** n. *Les **pécheurs** doivent se repentir,* ceux qui ont péché.
✳ Ne pas confondre avec **pêcheur**.

pécher → *péché*

pêcher → *pêche (1)* et *(2)*

pêcheur → *péché*

pêcheur → *pêche (2)*

pécore n.f. Fam. *C'est une **pécore** !,* une fille sotte et prétentieuse.

pectoral, ale, aux adj. et n.m. *Les (muscles) **pectoraux** sont les muscles de la poitrine.*

pécule n.m. *M. Legrand a amassé un petit **pécule**,* il a épargné une petite somme d'argent.

pécuniaire adj. *M. Duval a des ennuis **pécuniaires**,* des ennuis d'argent.
✳ Attention à l'orthographe : -**aire**- et non « ère ».
■ **pécuniairement** adv. *Je peux vous aider **pécuniairement**,* en ce qui concerne l'argent (= financièrement).

pédagogie n.f. *La **pédagogie** est la science et la pratique de l'éducation des enfants.*
■ **pédagogique** adj. *Ce professeur a de bonnes méthodes **pédagogiques**,* d'enseignement.
■ **pédagogue** n. *Ce professeur est un bon **pédagogue**,* il enseigne bien.

pédale n.f. *Appuie sur la **pédale** !,* un levier manœuvré avec le pied.   *illustr. p. 100*
■ **pédaler** v. 1er groupe. *Marie essayait de **pédaler** plus vite,* de manœuvrer les pédales de sa bicyclette.
■ **pédalier** n.m. *Le **pédalier** d'une bicyclette est un mécanisme qui comprend un axe, une grande roue dentée et la manivelle supportant les pédales.*
■ **Pédalo** n.m. *Un **Pédalo** est une embarcation à pédales montée sur des flotteurs.*   *illustr. p. 718*
✳ **Pédalo** est un nom de marque, il s'écrit avec une majuscule dans les textes imprimés.

pédant, ante adj. et n. *Les **pédants** sont ridicules,* ceux qui font étalage de leur savoir. *Il est insupportable avec son ton **pédant*** (= prétentieux, suffisant).
■ **pédantisme** n.m. *Le **pédantisme** de Jacques m'agace,* ses manières pédantes (≠ simplicité).

pédestre adj. *Une randonnée **pédestre** est une randonnée à pied.* ●● *pied*

pédiatre n. Un **pédiatre** est un médecin spécialiste des enfants.

pédicure n. Un **pédicure** est un spécialiste des soins des pieds.

pedigree n.m. *Ce chien a un bon **pedigree**,* il est de bonne race.
✻ On prononce [pedigre].

pègre n.f. *La **pègre**,* ce sont les voleurs et les bandits.

*illustr.
p. 239* **peigne** n.m. SENS 1. *Pierre se donne un coup de **peigne** dans les cheveux avant de sortir,* un instrument à dents qui sert à se coiffer. SENS 2. *Les policiers **ont passé** le quartier **au peigne fin**,* ils l'ont examiné en détail.

■ **peigner** v. 1er groupe. [SENS 1] *Marie **se peigne** devant la glace,* elle arrange ses cheveux avec un peigne (= se coiffer ; ≠ dépeigner).

peignoir n.m. *En sortant du bain, Julie met un **peignoir**,* un long vêtement d'intérieur ouvert devant et qui se ferme par une ceinture.

peindre v. 3e groupe. SENS 1. *On **a peint** en jaune les murs de la chambre,* on les a recouverts d'une matière colorante. ●● ***repeindre***. SENS 2. *Connais-tu l'artiste qui **a peint** ce tableau ?,* qui l'a fait. *Delacroix **a peint** des scènes de batailles,* il les a représentées par la peinture.
✻ Conj. n° 55.

■ **peintre** n. [SENS 1] *M. Verdier est **peintre** en bâtiment,* il peint les murs. [SENS 2] *Léonard de Vinci fut un grand **peintre**,* un artiste peignant des tableaux.

*illustr.
p. 117,
311* ■ **peinture** n.f. [SENS 1 et 2] *Pierre a acheté des pots de **peinture**,* de couleur pour peindre. [SENS 2] *Nous avons visité une exposition de **peinture**.* ●● ***pictural***

■ **peinturlurer** v. 1er groupe. [SENS 1] Fam. *Jean se promène dans une vieille voiture toute **peinturlurée**,* barbouillée de peinture.

peine n.f. SENS 1. *Jean a de la **peine** à se lever le matin,* il le fait difficilement, avec effort (= mal). SENS 2. *Il n'est que 8 heures, ce n'est pas la **peine** de se presser,* ce n'est pas utile. SENS 3. *La mort de M. Béliveau nous a causé beaucoup de **peine*** (= chagrin, douleur ; ≠ plaisir). SENS 4. *L'accusé a été condamné à une **peine** de prison,* à subir cette punition. *Affichage interdit, **sous peine** d'amende,* sinon vous risquez d'avoir une amende. SENS 5. *On y voit **à peine**,* presque pas, très peu. SENS 6. *Ne soyez pas (ne **vous mettez** pas) **en peine** pour si peu,* ne vous inquiétez pas.
✻ Ne pas confondre avec un **pêne** et une **penne**.

■ **peiner** v. 1er groupe. [SENS 1] *Les coureurs **peinaient** dans la côte,* ils faisaient des efforts. [SENS 3] *Cette nouvelle nous **a** beaucoup **peinés*** (= attrister, affliger, chagriner ; ≠ réjouir).

■ **pénal, ale, aux** adj. [SENS 4] *Le Code **pénal** fixe les peines applicables quand on enfreint la loi.*

■ **pénaliser** v. 1er groupe. [SENS 4] *Ce joueur de tennis **a été pénalisé** pour insulte à l'arbitre* (= sanctionner, punir).

■ **pénalité** n.f. [SENS 4] *Ceux qui font cela s'exposent à des **pénalités*** (= sanction, punition).

■ **pénible** adj. [SENS 1] *Il fait un travail **pénible**,* difficile et fatigant. [SENS 3] *Maria m'a aidé dans cette période **pénible*** (= triste, douloureux).

■ **péniblement** adv. [SENS 1] *Papi marche **péniblement**,* avec peine.

peintre, peinture, peinturlurer
→ ***peindre***

péjoratif, ive adj. *« Chauffard » est un mot **péjoratif**,* il exprime une idée défavorable, négative.

pelage n.m. *Ce chat a un beau **pelage*** (= poil).

pelé → ***peler***

LA PÊCHE

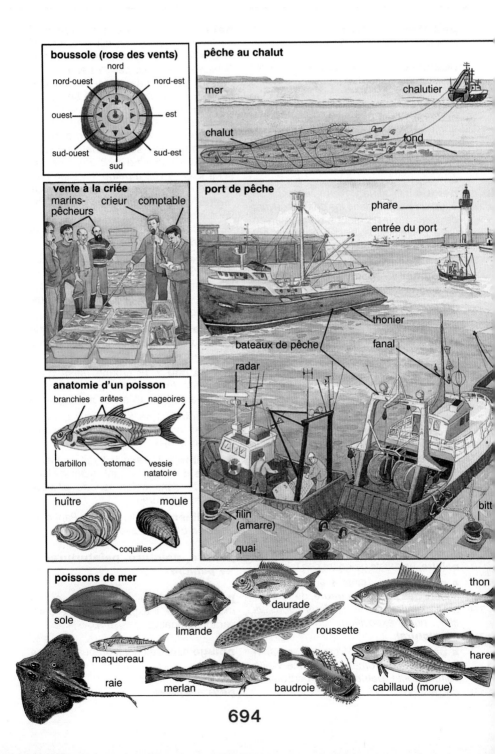

boussole (rose des vents)

nord
nord-ouest
nord-est
ouest
est
sud-ouest
sud-est
sud

pêche au chalut

mer
chalutier
chalut
fond

vente à la criée

marins-pêcheurs
crieur
comptable

port de pêche

phare
entrée du port
thonier
bateaux de pêche
fanal
radar

anatomie d'un poisson

branchies
arêtes
nageoires
barbillon
estomac
vessie natatoire

filin (amarre)
bitt
quai

huître
moule
coquilles

poissons de mer

sole
daurade
thon
limande
maquereau
roussette
raie
merlan
baudroie
cabillaud (morue)
hareng

694

pêle-mêle adv. *Ses vêtements sont pêle-mêle sur le tapis*, en désordre (= en vrac). ●● *mêler*

peler v. 1ᵉʳ groupe. SENS 1. *Après son coup de soleil, son dos **a pelé**,* la peau est partie. SENS 2. *Jean **a pelé** son orange avec un couteau,* il a enlevé la peau (= éplucher).
✳ Conj. nº 5.

■ **pelé, ée** adj. *Un crâne **pelé** est un crâne chauve. Une campagne **pelée** est sans végétation.*

■ **pelure** n.f. *Jette ces **pelures** de pommes de terre* (= épluchure).

pèlerinage n.m. *Lourdes est un lieu de **pèlerinage** célèbre,* un lieu saint où l'on va dans un but religieux.

■ **pèlerin** n.m. *À Pâques, il y avait beaucoup de **pèlerins** à Rome,* de personnes venues en pèlerinage.

pèlerine n.f. *Une **pèlerine** est un manteau sans manches.*

pélican n.m. *Les **pélicans** sont des oiseaux avec un gros bec muni d'une poche, où ils mettent de la nourriture en réserve pour leurs petits.*

pelisse n.f. *M. Vladimir a une **pelisse** à col de mouton,* un manteau fourré.

Illustr. 719, 156, 746

pelle n.f. *Les ouvriers déchargent le camion de sable avec des **pelles**,* des outils plats ou incurvés à long manche.

■ **pelletée** n.f. *Mets une **pelletée** de charbon dans le feu,* le contenu d'une pelle.

Illustr. 974, 333

■ **pelleteuse** n.f. *Une **pelleteuse** est un engin qui sert à déplacer de la terre.*

pellicule n.f. SENS 1. *Yves a des **pellicules** dans les cheveux,* des petits morceaux de peau desséchée. ●● *peau.* SENS 2. *Les grains de raisin sont recouverts d'une **pellicule**,* d'une peau très mince. ◆ *Maria a mis une **pellicule** dans son appareil photo,* un film.

Illustr. p. 531

pelote n.f. SENS 1. *Mme Favier a acheté une **pelote** de laine,* de la laine roulée en boule. SENS 2. *À Bayonne, on joue beaucoup à la **pelote** basque,* un sport où les joueurs envoient la balle contre un mur appelé « fronton », puis la rattrapent.

illustr. p. 228

peloton n.m. SENS 1. *Un coureur s'est échappé du **peloton**,* du groupe formé par les autres coureurs. SENS 2. *Un **peloton** de soldats monte la garde* (= groupe).

illustr. p. 1002

se pelotonner v. 1ᵉʳ groupe. *Le chat s'est pelotonné dans le fauteuil,* il s'est roulé sur lui-même.

pelouse n.f. *Il est interdit de marcher sur la **pelouse**,* sur le terrain couvert de gazon.

illustr. p. 527, 573

peluche n.f. SENS 1. *Le bébé joue avec son ours en **peluche**,* un ours fait d'une sorte d'étoffe épaisse à poils doux. SENS 2. *Ma petite sœur a eu une **peluche** pour Noël,* un animal en peluche. SENS 3. Fam. *Ce pull fait des **peluches**,* des petits poils qui se détachent du tissu.

■ **pelucheux, euse** adj. *Ce tissu est **pelucheux**,* poilu et duveteux.

pelure → *peler*

pénal, pénaliser, pénalité → *peine*

penalty n.m. *L'arbitre a sifflé un **penalty**,* une faute grave au football.
✳ On prononce [penalti]. Au pluriel, on écrit des **penaltys** ou des **penalties**.

illustr. p. 912

pénates n.m. pl. Fam. *Nous allons regagner **nos pénates**,* rentrer chez nous.

penaud, e adj. *Pris en faute, Rémi était tout **penaud**,* il avait un air honteux, confus.

pencher v. 1ᵉʳ groupe. SENS 1. *Regarde l'arbre comme il **penche** !,* il est incliné, oblique. SENS 2. *Ne te penche pas par la fenêtre* (= s'incliner, se baisser). SENS 3. *On va se pencher sur ce problème,* on va l'examiner, l'étudier. SENS 4. *Je penche pour la première de ces deux explications,* j'y suis favorable.

▪ **penchant** n.m. [SENS 4] *J'ai accueilli ses paroles avec prudence, car elle a un penchant à l'exagération,* elle a tendance à exagérer.

pendable adj. *Pierre m'a joué un tour pendable,* un mauvais tour.

pendaison → *pendre*

1. pendant → *pendre*

illustr. p. 945 **2. pendant** prép. Ce mot indique le moment où se passe une action : *il est arrivé pendant la nuit*

▪ **pendant que** conj. *Il riait pendant que je parlais,* en même temps que je parlais (= alors que, tandis que).

pendre v. 3e groupe. SENS 1. *Des fruits pendent aux branches de l'arbre,* ils sont suspendus. SENS 2. *Guillaume a pendu son manteau,* il l'a accroché (= suspendre). SENS 3. *Autrefois, on pendait les condamnés à mort,* on les étranglait en les suspendant par le cou avec une corde.
✴ Conj. n° 50.

▪ **pendaison** n.f. [SENS 3] *Il est mort par pendaison,* on l'a pendu ou il s'est pendu.

▪ **pendant** n.m. [SENS 1] *Marie a de jolis pendants d'oreilles,* des boucles d'oreilles avec un élément qui pend.

illustr. p. 150 ▪ **pendentif** n.m. [SENS 1] *Jeanne porte un pendentif en argent,* un bijou suspendu à une chaîne.

illustr. p. 863 ▪ **penderie** n.f. [SENS 2] *Une penderie est un placard où l'on pend des vêtements.*

▪ **pendu, ue** n. [SENS 3] *Cette histoire de pendu est horrible,* de personne qu'on a pendue ou qui s'est pendue.

1. pendule n.m. *Certains recherchent des sources au moyen d'un pendule,* un poids suspendu à un fil et qui se balance lorsqu'il localise de l'eau.

2. pendule n.f. *La pendule s'est arrêtée, il faut la remonter,* une petite horloge qu'on pose sur un meuble ou qu'on accroche au mur.
illustr. p. 150

▪ **pendulette** n.f. *Grand-mère a une pendulette auprès de son lit,* une petite pendule munie d'une sonnerie.

pêne n.m. *Le pêne d'une serrure,* c'est la partie mobile qui sert à la bloquer.
illustr. p. 572
✴ Ne pas confondre avec la **peine** et une **penne.**

pénétrer v. 1er groupe. SENS 1. *Il est interdit de pénétrer dans cette pièce,* d'entrer dedans. SENS 2. *Je n'ai pas réussi à pénétrer ses intentions,* à les comprendre, à les découvrir. ●● **impénétrable**
✴ Conj. n° 10.

▪ **pénétrant, ante** adj. [SENS 2] *Carole a un regard pénétrant* (= perçant, aigu). *Un esprit pénétrant* est clairvoyant, perspicace.

▪ **pénétration** n.f. [SENS 2] *Sélim a montré beaucoup de pénétration,* de facilité à comprendre (= intelligence).

▪ **pénétré, ée** adj. *Pierre est pénétré de son importance,* il a le sentiment d'être important (= convaincu, imbu, infatué).

pénible, péniblement → *peine*

péniche n.f. *Les péniches sont de longs bateaux qui servent à transporter les marchandises sur les fleuves et les canaux.*
illustr. p. 55, 741, 1016

pénicilline n.f. *La pénicilline est un antibiotique qui combat les infections.*

péninsule n.f. *La Bretagne forme une péninsule,* une grande presqu'île.

pénis n.m. Le **pénis** est l'organe génital externe de l'homme et des animaux mâles qui sert aussi à évacuer l'urine.
→ *sexe*
 On prononce le « s » : [penis].

pénitence n.f. SENS 1. *Pour faire* **pénitence**, *un chrétien doit se repentir de ses fautes.* *impénitent*. SENS 2. *Tu as encore cassé un verre !* *Comme* **pénitence**, *tu vas ramasser tous les morceaux,* pour ta peine (= punition).

■ **pénitencier** n.m. [SENS 2] Un **pénitencier** est une prison, un bagne.

■ **pénitent, ente** n. [SENS 1] Un **pénitent** est une personne qui va se confesser pour recevoir l'absolution.

■ **pénitentiaire** adj. [SENS 2] L'administration **pénitentiaire**, c'est l'administration des prisons.

penne n.f. Les **pennes** d'un oiseau sont les longues plumes de ses ailes et de sa queue.
 Ne pas confondre avec la **peine** et un **pêne**.

pénombre n.f. *La chambre est dans la* **pénombre**, la lumière y est faible.

pense-bête → *penser*

1. pensée → *penser*

illustr. **2. pensée** n.f. Les **pensées** sont des
p. 527 fleurs ressemblant un peu à de grandes violettes.

penser v. 1er groupe. SENS 1. *On ne sait pas si les animaux* **pensent**, *s'ils forment des idées dans leur esprit* (= réfléchir, raisonner). *repenser*. SENS 2. *Je* **pense** *que tu as raison,* c'est mon idée, mon opinion (= croire). *impensable*. SENS 3. *Je* **pense** *souvent à toi,* je ne t'oublie pas (= songer). SENS 4. *Je* **pense** *finir demain,* cela me paraît probable.
 Ne pas confondre avec **panser**.

■ **pense-bête** n.m. [SENS 3] Fam. *Faire un nœud à mon mouchoir me sert de* **pense-bête**, de rappel pour que je n'oublie pas.
 Au pluriel, on écrit des **pense-bêtes**.

■ **pensée** n.f. [SENS 1] *Cela m'est venu à la* **pensée** (= esprit). [SENS 2] *Sarah m'a confié ses* **pensées** (= idée, opinion). *arrière-pensée*. [SENS 3] *J'ai eu une* **pensée** *pour toi hier,* j'ai pensé à toi.

■ **penseur, euse** n. [SENS 1] *Einstein fut un grand* **penseur**, *un homme qui a réfléchi sur le monde.* ◆ *Les* **libres-penseurs** *pensent que Dieu n'existe pas.*

■ **pensif, ive** adj. [SENS 1] *Alban me regarde d'un air* **pensif** (= songeur).

pension n.f. SENS 1. *Quel est le tarif de la* **pension** *complète dans cet hôtel ?,* de la chambre et des deux repas. *demi-pension*. SENS 2. *Ses parents l'ont mis en* **pension**, *dans une école où les élèves sont logés et nourris.* SENS 3. *Mon grand-père touche une* **pension** *de retraite, une somme d'argent versée régulièrement* (= allocation).

■ **pensionnaire** n. [SENS 1] *Les* **pensionnaires** *de l'hôtel sont satisfaits,* les gens qui y sont en pension. [SENS 2] *Il est* **pensionnaire** *dans cette école* (= interne). *demi-pensionnaire*

■ **pensionnat** n.m. [SENS 2] *Marie est élève dans un* **pensionnat**, *une école qui reçoit des pensionnaires* (= internat).

■ **pensionné, ée** adj. et n. [SENS 3] *Mon grand-père est (un)* **pensionné** *de guerre,* il reçoit une pension.

pensum n.m. *Ce devoir, quel* **pensum** *!,* quel travail ennuyeux !
 On prononce [pɛ̃sɔm].

pentagone n.m. Un **pentagone** est une *illustr.*
figure géométrique de cinq angles et de *p. 431*
cinq côtés.
 On prononce [pɛ̃tagɔn].

pente n.f. *La route est en* **pente**, *elle est inclinée, elle monte ou descend. La* **pente** *est raide* (= côte).

Pentecôte n.f. (Avec majuscule.) La **Pentecôte** est une fête chrétienne célébrée cinquante jours après Pâques.

pénurie n.f. *Il y avait une **pénurie** de pétrole,* on en manquait (≠ abondance).

pépier v. 1er groupe. *Les moineaux **pépient** sur le balcon,* ils poussent leurs petits cris.

pépin n.m. *Les pommes et les poires ont des **pépins**,* des petites graines.

pépinière n.f. Dans une **pépinière**, on fait pousser des arbres et des arbustes avant de les replanter ailleurs.

■ **pépiniériste** n. *Nous avons acheté des plants de rosiers chez un **pépiniériste**,* une personne qui cultive une pépinière.

pépite n.f. *Le chercheur d'or a trouvé une **pépite**,* un morceau d'or pur.

illustr. p. 220 **péplum** n.m. Chez les Romains, le **péplum** était une tunique de femme sans manches.
✸ On prononce [peplɔm].

percepteur, perceptible, perception → *percevoir*

percer v. 1er groupe. SENS 1. *On a **percé** le mur pour faire une fenêtre,* on y a fait un trou. ●● ***transpercer***. SENS 2. *Ce bruit nous **perce** les oreilles,* il est très aigu (= déchirer). SENS 3. *On n'a pas réussi à **percer** le mystère,* à en découvrir l'explication (= comprendre, pénétrer). SENS 4. *Le bébé a sa première dent qui **perce**,* qui pousse, qui commence à sortir de la gencive.
✸ Conj. n° 1.

■ **perçant, ante** adj. [SENS 2] *Mme Durand a une voix **perçante**,* une voix aiguë (= strident, criard).

■ **percée** n.f. [SENS 1] *Le chemin fait une **percée** dans la forêt,* une partie dégagée (= ouverture, trouée).

■ **perceuse** n.f. [SENS 1] *Une **perceuse** est un outil qui sert à faire des trous au moyen de mèches, de forets.* *illustr. p. 117 995*

■ **perce-neige** n.m. inv. ou n.f. inv. [SENS 1] *Le **perce-neige** est une fleur blanche qui pousse à travers la neige à la fin de l'hiver.*
✸ Ce mot ne change pas au pluriel.

■ **perce-oreille** n.m. *Les **perce-oreilles** sont des insectes allongés portant une pince au bout de l'abdomen.*
✸ Au pluriel, on écrit des **perce-oreilles**.

percevoir v. 3e groupe. SENS 1. *Je **perçois** les battements de ton cœur,* je les sens. SENS 2. *L'État **perçoit** des taxes sur l'essence,* il les reçoit.
✸ Conj. n° 34.

■ **percepteur** n.m. [SENS 2] *Le **percepteur** est chargé de percevoir les impôts.*
✸ Ne pas confondre avec **précepteur**.

■ **perceptible** adj. [SENS 1] *Le bateau n'est plus **perceptible** à l'œil nu* (= visible). ●● ***imperceptible***

■ **perception** n.f. [SENS 1] *Les yeux, les oreilles, le nez sont des organes de la **perception**,* des sens. [SENS 2] *M. Baroll est allé payer ses impôts à la **perception**,* au bureau du percepteur.

1. perche n.f. SENS 1. *Pierre pratique le saut à la **perche**,* avec une longue tige en fibre de verre. SENS 2. Fam. *Par sa question, le journaliste lui a **tendu la perche**,* il l'a aidé à se tirer d'embarras. *illustr. p. 912*

■ **perchiste** n. [SENS 1] *Fabrice est **perchiste**,* il fait du saut à la perche. *illustr. p. 912*

2. perche n.f. *La **perche** est un poisson d'eau douce.* *illustr. p. 845*

percher v. 1er groupe. *Le moineau est allé **se percher** sur la branche* (= poser). *illustr. p. 691*

■ **perchoir** n.m. *Les poules dorment sur un **perchoir**,* un endroit où elles se perchent.

perchiste → *perche (1)*

perclus, use adj. *Mon grand-père est* **perclus de** *rhumatismes,* immobilisé par les rhumatismes.

percolateur n.m. *Un* **percolateur** *est un appareil avec lequel on obtient du café passé sous pression.*

percuter v. 1er groupe. *La voiture a per-cuté un mur,* elle l'a heurté violemment.

■ **percutant, ante** adj. *Cet argument* **percutant** *a emporté la décision* (= frappant, convaincant, péremptoire).

*illustr.
p. 628*
■ **percussion** n.f. *Le tambour, les cymbales sont des instruments à* **percussion,** on en joue en frappant dessus.

perdre v. 3e groupe. SENS 1. *Jean a* **perdu** *son stylo,* il ne l'a plus (= égarer ; ≠ retrouver). ●● ***perte.*** SENS 2. *Notre équipe a* **perdu** *le match,* elle a été vaincue (≠ gagner). SENS 3. *Yasmina vient de* **perdre** *son père,* il est mort. SENS 4. *En restant ici, on* **perd** *son temps,* on ne l'utilise pas bien (= gaspiller). *Ferme la porte, on* **perd** *de la chaleur,* on la laisse échapper. ●● ***déperdition.*** SENS 5. *Ils ont attendu longtemps, mais ils n'ont pas* **perdu** *patience,* ils n'ont pas cessé d'être patients. SENS 6. *Nous* **nous sommes perdus** *dans la forêt,* nous n'avons pas trouvé le bon chemin (= s'égarer).
✹ Conj. n° 52.

■ **perdant, ante** adj. et n. [SENS 2] *Dans cette affaire, nous avons été (les)* **perdants** (≠ gagnant).

■ **perdition** n.f. [SENS 3] *Le navire est* **en perdition,** il risque de faire naufrage.

■ **perdu, ue** adj. [SENS 3] *Le malade est* **perdu,** il va mourir (≠ sauvé). [SENS 6] *Il habite dans un village* **perdu,** difficile à atteindre.

*illustr.
p. 753*
perdrix n.f. *La* **perdrix** *est un oiseau au plumage gris ou roux recherché comme gibier.*

■ **perdreau** n.m. *Un* **perdreau** *est une jeune perdrix.*
✹ Au pluriel, on écrit des **perdreaux.**

perdu → ***perdre***

*illustr.
p. 679*
père n.m. SENS 1. *M. Duchemin est* **père** *de trois enfants.* ●● ***paternel.*** SENS 2. *Denis Papin est le* **père** *de la machine à vapeur,* il l'a inventée. SENS 3. On dit « mon **père** » à certains religieux, aux prêtres catholiques.
✹ Ne pas confondre avec un **pair** et une **paire.**

pérégrination n.f. (Souvent au plur.) *Élisabeth m'a raconté ses* **pérégrinations,** *ses déplacements, ses voyages.*

péremptoire adj. *Luc m'a répondu d'un ton* **péremptoire,** d'un ton sans réplique (= tranchant).

perfection n.f. *Fabien parle l'anglais à la* **perfection,** très bien (≠ imperfection). ●● ***parfait***

■ **perfectionner** v. 1er groupe. *On a* **perfectionné** *cet appareil* (= améliorer). *Il faudrait* **te perfectionner** *en français,* devenir meilleur.

■ **perfectionnement** n.m. *Anaïs suit des cours de* **perfectionnement** *en informatique,* pour se perfectionner.

perfide adj. SENS 1. *Elle a été victime d'une machination* **perfide,** trahissant la confiance (= déloyal). SENS 2. *Une allusion* **perfide** *contient une méchanceté cachée.*

■ **perfidie** n.f. [SENS 1] *On lui a reproché sa* **perfidie** (= fourberie, traîtrise).

perforer v. 1er groupe. *Cette machine* **perfore** *automatiquement les billets,* elle y fait un trou.

■ **perforation** n.f. *Il y a deux* **perforations** *sur chaque feuille* (= trou).

performance n.f. *Le coureur a battu le champion, c'est une belle* **performance** (= record, résultat, exploit ; ≠ contreperformance).

*illustr.
p. 869*
perfusion n.f. *On a fait une* **perfusion** *au malade,* on a fait passer du sang ou

des médicaments liquides dans ses veines à l'aide d'un appareil spécial.

pergola n.f. *Nous avons mangé sous la pergola*, sous un petit abri dans le jardin.

péricliter v. 1er groupe. *L'économie de ce pays est en train de péricliter*, elle va à la ruine (= décliner, se dégrader ; ≠ prospérer).

péril n.m. *La tempête a mis le navire en péril*, en danger.

■ **périlleux, euse** adj. *Attention, le virage est périlleux !* (= dangereux). *Les acrobates font des sauts périlleux*, ils sautent en faisant des tours complets sur eux-mêmes.

périmé, ée adj. *Ces tickets de métro sont périmés*, ils ne sont plus valables.

périmètre n.m. SENS 1. *Le périmètre de mon jardin est de 100 mètres*, la somme de ses côtés, la longueur de son pourtour. SENS 2. *Il y a plusieurs commerçants dans le périmètre immédiat de notre maison*, dans le voisinage.

période n.f. *Cela s'est passé pendant la période des vacances*, l'espace de temps (= durée).

■ **périodique** adj. *Marie a des crises périodiques de bronchite*, à intervalles réguliers. ◆ n.m. *Un périodique est un journal ou une revue qui paraît régulièrement.* → **quotidien, hebdomadaire**

■ **périodiquement** adv. *Les hirondelles reviennent périodiquement*, à intervalles réguliers.

péripétie n.f. *Notre voyage a été marqué par de nombreuses péripéties*, des événements imprévus.
❋ On prononce [peripesi].

périphérie n.f. *La banlieue se trouve à la périphérie de la ville*, tout autour (= pourtour ; ≠ centre).

■ **périphérique** adj. et n.m. *Il y a un encombrement sur le (boulevard) périphérique*, le boulevard qui fait le tour de la ville. ◆ *Le clavier, l'écran et l'imprimante sont les éléments périphériques d'un ordinateur.*

périphrase n.f. *« Le plus fidèle ami de l'homme » est une périphrase désignant le chien*, une expression, un groupe de mots mis à la place d'un seul.

périple n.m. *Les Monier ont fait un périple en Italie*, un long voyage.

périr v. 2e groupe. *Trois personnes ont péri dans l'incendie*, elles sont mortes. *Un si beau souvenir ne peut pas périr* (= disparaître).

■ **périssable** adj. *On met les produits périssables au réfrigérateur*, ceux qui risquent de s'abîmer. ●● **impérissable**

périscope n.m. *Le périscope d'un sous-marin est un appareil composé d'un tube et de miroirs qui permet de regarder à la surface de la mer.*

périssable → **périr**

périssoire n.f. *Une périssoire est un long canot très étroit manœuvré à la pagaie.*

péristyle n.m. *Les temples grecs étaient entourés d'un péristyle*, d'une galerie à colonnes.

perle n.f. SENS 1. *Marie a un joli collier de perles*, de petites boules brillantes. SENS 2. *Mme Delcour est la perle des cuisinières*, une très bonne cuisinière.

■ **perler** v. 1er groupe. [SENS 1] *La sueur perle sur son front*, elle forme des gouttes.

■ **perlière** adj.f. [SENS 1] *On trouve des perles précieuses dans les huîtres perlières*, qui fabriquent des perles.

permanent, ente adj. *Cette machine fait un bruit permanent*, qui ne cesse pas

(= continu, constant, incessant, perpétuel ; ≠ provisoire, passager, intermittent).

■ **permanente** n.f. *Sophie est allée chez le coiffeur se faire faire une **permanente**,* un traitement qui donne une ondulation durable aux cheveux.

■ **permanence** n.f. *Le spectacle continue **en permanence**, sans s'arrêter. Un employé tient une **permanence** pour renseigner les visiteurs, il assure un service sans interruption.* ◆ *Les élèves dont le professeur est absent vont **en permanence**, dans une salle à la disposition des élèves qui n'ont pas cours.*

perméable adj. *Un terrain sablonneux est **perméable**, il laisse passer l'eau* (≠ imperméable).

permettre v. 3ᵉ groupe. SENS 1. *Le médecin m'**a permis** de sortir, il m'en a donné l'autorisation* (≠ défendre, interdire). SENS 2. *Mon travail ne me **permet** pas de sortir, il ne m'en donne pas la possibilité* (≠ empêcher). SENS 3. *Je me **permets** de vous faire une observation, je prends cette liberté.*
✳ Conj. n° 57.

■ **permis** n.m. [SENS 1] *Jean a obtenu son **permis** de conduire, il a reçu le document officiel qui lui donne le droit de conduire.*

■ **permission** n.f. [SENS 1] *Pierre est sorti sans **permission*** (= autorisation).

■ **permissionnaire** n.m. [SENS 1] *Un **permissionnaire** est un soldat qui a la permission de sortir de la caserne.*

permuter v. 1ᵉʳ groupe. *En recopiant, Pierre **a permuté** deux mots, il les a mis l'un à la place de l'autre* (= intervertir).

■ **permutation** n.f. *« Gare » devient « rage » par la **permutation** de deux lettres.*

pernicieux, euse adj. *L'abus d'alcool est **pernicieux** pour la santé* (= mauvais, nuisible, dangereux, nocif ; ≠ salutaire).

péroné n.m. *Le **péroné** est un os de la jambe.* *illustr. p. 216*

péronnelle n.f. Fam. *Juliette est une petite **péronnelle**, elle est sotte et prétentieuse.*

pérorer v. 1ᵉʳ groupe. *M. Bertin **pérore** devant ses invités, il parle d'une manière prétentieuse* (= fam. pontifier).

perpendiculaire adj. et n.f. *Une ligne droite est **perpendiculaire** à une autre ligne ou à un plan quand elle coupe cette ligne ou ce plan en formant des angles droits. Une équerre permet de tracer une **perpendiculaire** à une droite.* *illustr. p. 431*

perpétrer v. 1ᵉʳ groupe. *L'accusé **avait perpétré** un crime, il l'avait commis.*
✳ Conj. n° 10. Ne pas confondre avec **perpétuer**.

perpétuel, elle adj. *Cette affaire nous a causé des ennuis **perpétuels**, sans fin* (= continuel, incessant, constant ; ≠ momentané, temporaire).

■ **perpétuellement** adv. *Il est **perpétuellement** triste* (= toujours, constamment).

■ **perpétuer** v. 1ᵉʳ groupe. **Perpétuer** *une tradition, c'est la faire durer* (= maintenir, poursuivre).
✳ Ne pas confondre avec **perpétrer**.

■ **perpétuité** n.f. *L'accusé a été condamné à la prison **à perpétuité**, pour toute sa vie.*

perplexe adj. *Ces deux avis contradictoires me laissent **perplexe**, indécis, embarrassé.*

■ **perplexité** n.f. *Ta question nous a plongés dans la **perplexité*** (= embarras).

perquisition n.f. *La police a fait une **perquisition** chez le suspect, elle a fouillé son logement.*

■ **perquisitionner** v. 1ᵉʳ groupe. *Le juge a ordonné de **perquisitionner** chez le prévenu* (= fouiller).

illustr.
p. 572
perron n.m. Le **perron** d'une maison est un petit escalier se terminant par une plate-forme sur laquelle donne la porte d'entrée.

illustr.
p. 982
perroquet n.m. SENS 1. *Les **perroquets** peuvent imiter la voix humaine,* des oiseaux exotiques très colorés. SENS 2. *Le **perroquet** est une des voiles d'un voilier.*

perruche n.f. *Une **perruche** est un oiseau ressemblant à un perroquet, mais plus petit.*

illustr.
p. 221
perruque n.f. *Mme Delcour porte une **perruque** blonde,* de faux cheveux.

persécuter v. 1ᵉʳ groupe. *Les nazis ont persécuté les Juifs,* ils les ont martyrisés et traités cruellement.

■ **persécuteur, trice** n. *Le chien a mordu ses **persécuteurs**.*

■ **persécution** n.f. *Les premiers chrétiens furent victimes de **persécutions**,* de cruautés.

persévérer v. 1ᵉʳ groupe. *Ne te décourage pas, **persévère** !,* continue ton action (= s'obstiner ; ≠ abandonner, renoncer).
✱ Conj. n° 10.

■ **persévérant, ante** adj. *Elle a réussi grâce à un effort **persévérant**.*

■ **persévérance** n.f. *Sa **persévérance** a été récompensée* (= insistance, ténacité, obstination).

illustr.
p. 572
persienne n.f. *La nuit tombe, il faut fermer les **persiennes**,* les volets à claire-voie laissant passer un peu de jour.

persifler v. 1ᵉʳ groupe. *Certains humoristes **persiflent** les hommes politiques,* ils se moquent d'eux de façon ironique.

illustr.
p. 746
persil n.m. *M. Poulain met du **persil** dans la salade de tomates,* une plante odorante.
✱ On ne prononce pas le « l » : [pɛʀsi].

persister v. 1ᵉʳ groupe. SENS 1. *Malgré cet échec, je **persiste** à lui faire confiance,* je continue. *Théo **persiste** à penser qu'il a raison* (≠ cesser). *Ne **persistez** pas dans votre erreur* (= s'obstiner). SENS 2. *Le froid a persisté tout le printemps* (= durer).

■ **persistant, ante** adj. [SENS 2] *Le froid est **persistant**,* il continue (= durable, tenace). *Les feuilles **persistantes** ne tombent pas en hiver et restent vertes en toutes saisons* (≠ caduc).

■ **persistance** n.f. [SENS 1] *On annonce la **persistance** du mauvais temps* (≠ arrêt, fin).

personne n.f. SENS 1. *Il y avait cinq **personnes** dans le compartiment,* cinq êtres humains (hommes ou femmes). SENS 2. *Il est venu en personne,* lui-même. SENS 3. *« Nous allons » est une phrase à la première **personne** du pluriel,* une forme de conjugaison qui permet de distinguer qui parle, à qui l'on parle, de qui ou de quoi l'on parle.

■ **personne** pron. indéf. [SENS 1] *As-tu vu quelqu'un ? – Non, je n'ai vu **personne**,* aucun être humain.

■ **personnage** n.m. [SENS 1] *Napoléon est un **personnage** historique,* une personne importante. *Dans cette pièce de théâtre, il n'y a que trois **personnages**,* trois personnes imaginées par l'auteur.

■ **personnalité** n.f. [SENS 1] *Jean a une forte **personnalité**,* c'est une personne de caractère. *Le préfet est une **personnalité**,* une personne importante.

■ **personnel, elle** adj. [SENS 2] *Jean ne pense qu'à son intérêt **personnel*** (= individuel, particulier, privé ; ≠ commun). [SENS 3] *L'indicatif est un mode **personnel**,* qui a des personnes de conjugaison (≠ impersonnel).

■ **personnel** n.m. [SENS 1] *Cette usine engage du **personnel**,* des personnes pour y travailler.
illustr.
p. 74

■ **personnellement** adv. [SENS 2] *Je la connais **personnellement**,* en personne.

■ **personnaliser** v. 1ᵉʳ groupe. [SENS 2]
Ces accessoires permettent de **personnaliser** *votre voiture,* de lui donner un
caractère personnel, distinctif.

■ **personnifier** v. 1ᵉʳ groupe. [SENS 1]
Dans son tableau, le peintre **a person-
nifié** *le printemps,* il l'a représenté par
une personne.

perspective n.f. SENS 1. *Cette maison
est dessinée en* **perspective**, le dessin
donne l'impression de profondeur
(≠ plan, schéma). SENS 2. *Nous étions
tout heureux à la* **perspective** *de ce
beau voyage,* en l'envisageant (= idée).
Elle a une belle situation **en perspective**,
en projet (= en vue).

perspicace adj. *Tu as deviné ? Tu es*
perspicace (= clairvoyant, pénétrant).

■ **perspicacité** n.f. *Il fait preuve de*
perspicacité, de finesse d'esprit (= pénétration, jugement).

persuader v. 1ᵉʳ groupe. *L'accusé* **a
persuadé** *le jury de son innocence,* il
l'a amené à l'admettre (= convaincre).
Je **suis persuadée** *qu'il se trompe,* je
le crois très profondément, j'en suis
convaincue.

■ **persuasif, ive** adj. *M. Durand est un
homme* **persuasif**, il sait convaincre.

■ **persuasion** n.f. *Il a parlé avec une
grande force de* **persuasion** (= conviction).

perte n.f. SENS 1. *Fanny est désolée de
la* **perte** *de son stylo.* SENS 2. *L'ennemi a
eu de nombreuses* **pertes**, *des soldats
tués.* SENS 3. *Ce commerçant vend* **à
perte**, en perdant de l'argent (≠ gain).
Tout ce travail a été fait **en pure perte**,
sans profit, pour rien. ◆ *La plaine s'étend*
à perte de vue, aussi loin qu'on peut voir.
●● **perdre**

pertinemment adv. *Je sais* **pertinemment** *que cette histoire est fausse,* de
façon certaine.
✳ On prononce [pɛrtinamɑ̃].

pertinent, ente adj. *Antonio a posé
une question* **pertinente**, qui convient
bien à la situation (= approprié, judicieux).

perturber v. 1ᵉʳ groupe. *Joël* **perturbe**
la classe en bavardant, il met du désordre (= troubler). *Il ne s'est pas laissé*
perturber *par les critiques* (= émouvoir).
●● **imperturbable**

■ **perturbateur, trice** n. *Les* **perturbateurs** *ont été expulsés de la salle.*

■ **perturbation** n.f. *La grève a causé
des* **perturbations** (= trouble, dérangement, désordre).

pervenche n.f. *Les* **pervenches** *sont
des petites fleurs bleues.*

pervers, e adj. *Une personne* **perverse**
aime faire le mal (= malfaisant ; ≠ bon).

■ **perversité** n.f. *M. Duval a agi avec*
perversité (= méchanceté).

■ **pervertir** v. 2ᵉ groupe. *Les mauvais
exemples l'ont perverti,* ils l'ont poussé
à faire le mal.

peser v. 1ᵉʳ groupe. SENS 1. *Un litre
d'eau* **pèse** *1 kilo,* il a ce poids. SENS 2.
Ce sac me **pèse** *sur les épaules,* il est
lourd (= appuyer). *Cette inaction forcée
lui* **pèse**, elle lui est pénible à supporter.
SENS 3. *Le boulanger a* **pesé** *le pain sur
sa balance,* il en a mesuré le poids. *Il a
longuement* **pesé** *sa décision,* il a tout
examiné avec attention.
✳ Conj. nᵒ 9. *illustr. p. 704*

■ **pesage** n.m. [SENS 3] *Avant la course,
on procède au* **pesage** *des jockeys,* on
mesure leur poids. *illustr. p. 397*

■ **pesamment** adv. [SENS 2] *M. Dupont
marche* **pesamment** (= lourdement).

■ **pesant, ante** adj. [SENS 1] *Tous les
corps sont* **pesants**, ils ont un poids.
[SENS 2] *Cette grosse valise est trop*
pesante *pour un enfant,* elle est trop
lourde (≠ léger).

■ **pesanteur** n.f. [SENS 1] *La* **pesanteur**
est une force qui entraîne les corps vers

La famille du mot «peser»

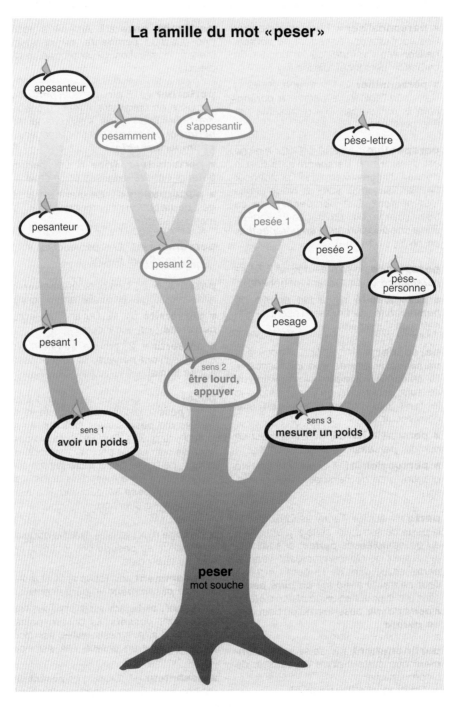

le bas et qui fait qu'ils ont un poids (≠ apesanteur).

■ **pesée** n.f. [SENS 2] *Jean a exercé une* **pesée** *sur le levier,* il a appuyé dessus (= poussée). [SENS 3] *On fait une* **pesée** *avec une balance,* on pèse les objets.

■ **pèse-lettre** n.m. [SENS 3] *Un* **pèse-lettre** *est une petite balance pour peser les lettres.*
✳ Au pluriel, on écrit des **pèse-lettres** ou des **pèse-lettre**.

■ **pèse-personne** n.m. [SENS 3] *Nathalie surveille son poids sur le* **pèse-personne**, *la balance en forme de plateau.*
✳ Au pluriel, on écrit des **pèse-personnes** ou des **pèse-personne**.

peseta n.f. *La* **peseta** *était l'unité monétaire de l'Espagne. Elle a été remplacée par l'euro.*
✳ On prononce [pezeta].

pessimiste adj. et n. *Un (homme)* **pessimiste** *est quelqu'un qui pense que tout va mal* (≠ optimiste).

■ **pessimisme** n.m. *Il voit l'avenir avec* **pessimisme**, *il n'a pas confiance.*

peste n.f. SENS 1. *Autrefois, les épidémies de* **peste** *faisaient beaucoup de morts,* une maladie infectieuse due à un bacille. SENS 2. Fam. *Marie est une petite* **peste**, *elle est insupportable.*

■ **pestiféré, ée** n. [SENS 1] *On le fuit comme un* **pestiféré**, *comme on fuyait autrefois un malade de la peste.*

pester v. 1er groupe. *M. Delveau* **peste** *contre le mauvais temps,* il parle avec colère (= jurer, grogner).

pesticide n.m. *Les agriculteurs répandent des* **pesticides** *sur les cultures,* des produits chimiques contre les parasites.

pestiféré → *peste*

pestilentiel, elle adj. *Le tas d'ordures dégage une odeur* **pestilentielle**, *une odeur nauséabonde, infecte.*

pet → *péter*

pétale n.m. *Les marguerites ont des* **pétales** *blancs, les coquelicots ont des* **pétales** *rouges,* des parties colorées qui forment la corolle d'une fleur. *illustr. p. 310*
✳ Attention : ce mot est du genre masculin.

pétanque n.f. *Jean et Pierre font une partie de* **pétanque**, *de jeu de boules.* *illustr. p. 690*

pétarade n.f. *On entend dans la rue une* **pétarade** *de motos,* une suite de détonations.

■ **pétarader** v. 1er groupe. *L'auto est partie* **en pétaradant**.

pétard n.m. *Le 14 Juillet, les enfants font éclater des* **pétards**, *des petites charges qui explosent bruyamment.*

péter v. 1er groupe. Fam. *Ça sent mauvais : quelqu'un a* **pété**, *a laissé échapper un gaz de son derrière.*
✳ Conj. no 10.

■ **pet** n.m. Fam. *Lâcher un* **pet**, *c'est péter.*

pétiller v. 1er groupe. SENS 1. *Le feu* **pétille** *dans la cheminée,* il fait des petits bruits. SENS 2. *Le champagne* **pétille**, *il fait des petites bulles.* SENS 3. *Ses yeux* **pétillent** *d'impatience* (= briller).

■ **pétillant, ante** adj. [SENS 2] *L'eau* **pétillante**, *c'est de l'eau gazeuse.* [SENS 3] *Claire a des yeux* **pétillants** *de malice.*

petit, e adj. SENS 1. *Jean est plus* **petit** *que Pierre,* sa taille est inférieure (≠ grand). ●● **rapetisser**. ◆ *Après cette bêtise, tu as intérêt à* **te faire tout petit**, *à éviter de te faire remarquer.* SENS 2. *Loïc est encore trop* **petit** *pour aller à l'école,* trop jeune. *Romain a cinq ans, c'est un* **petit garçon**. *Julie a deux ans, c'est une* **petite fille**. → **jeune homme, jeune fille**. SENS 3. *Qu'est-ce qui fait ce* **petit** *bruit ?* (= faible, léger ; ≠ fort). SENS 4. *M. Durand est un* **petit**

employé de bureau, un employé peu important (= modeste).

■ **petit, e** n. [SENS 2] *Luc est dans la classe des petits*, des plus jeunes (≠ grand). *La chatte a eu des petits*, des chatons.

■ **petit à petit** adv. *L'eau s'est évaporée petit à petit*, peu à peu, insensiblement.

■ **petitesse** n.f. [SENS 1 et 3] *La petitesse de sa taille l'exclut du volley-ball.* ◆ *Critiquer ce détail, c'est de la petitesse d'esprit*, de la mesquinerie.

petit-beurre n.m. *Marie grignote des petits-beurre*, des biscuits secs, plats, à bord dentelé.
✳ Au pluriel, on écrit des **petits-beurre**.

illustr. p. 679 **petit-fils, petite-fille, petits-enfants** n. *M. Verdier a trois petits-enfants : deux petits-fils et une petite-fille*, il est leur grand-père.

illustr. p. 150 **petit-four** n.m. *Les invités ont mangé des petits-fours au buffet*, des gâteaux sucrés ou salés de la taille d'une bouchée.

pétition n.f. *Les employés ont signé une pétition pour l'augmentation des salaires*, une demande écrite collective.

petit-lait n.m. *Le petit-lait est un liquide clair qui se sépare du lait caillé.* ●● *lait*

petits-enfants → *petit-fils*

petit-suisse n.m. *Les petits-suisses sont des petits fromages cylindriques au lait de vache.*

illustr. p. 718 **pétoncle** n.m. *Le pétoncle est un petit coquillage comestible.*

illustr. p. 718 **pétrel** n.m. *Le pétrel est un oiseau marin vivant dans les mers froides.*

pétrifier v. 1er groupe. *Luc était pétrifié par l'émotion*, il ne pouvait plus bouger (= immobiliser, figer).

pétrir v. 2e groupe. *Le pâtissier pétrit la pâte pour faire une tarte*, il la presse et la remue avec ses mains.

■ **pétrin** n.m. *Un pétrin est un grand récipient où les boulangers pétrissent le pain.*

pétrole n.m. *La France importe du pétrole*, un liquide huileux tiré du sous-sol et qui sert de source d'énergie. *illustr. p. 277, 333*

■ **pétrolier, ère** adj. *L'essence, le mazout sont des produits pétroliers*, à base de pétrole. ◆ n.m. *Un pétrolier a fait naufrage*, un bateau transportant du pétrole. *illustr. p. 333, 740*

■ **pétrolifère** adj. *Un sous-sol pétrolifère contient du pétrole.*

pétulant, ante adj. *La maison n'est pas calme, avec des garçons aussi pétulants*, au dynamisme exubérant (= vif, impétueux ; ≠ mou, amorphe).

pétunia n.m. *Mme Durand a des pots de pétunias sur son balcon*, des plantes à fleurs blanches, violettes ou roses. *illustr. p. 527*

peu adv. SENS 1. *Il y a peu d'élèves dans la classe*, un petit nombre (≠ beaucoup). *Paul est peu attentif* (≠ très). SENS 2. *Aimes-tu les carottes ? – Un peu* (≠ beaucoup). SENS 3. *Peu à peu, il fait des progrès* (= lentement, petit à petit). SENS 4. *Vous recevrez ce colis sous peu*, sans tarder (= prochainement). SENS 5. *Le directeur est sorti depuis peu*, il n'y a pas longtemps. SENS 6. *Pour peu que vous insistiez, il acceptera*, il vous suffit d'insister.
✳ Ne pas confondre avec (je) **peux**, (il, elle) **peut** (de « pouvoir »).

peuple n.m. SENS 1. *Le peuple français va voter dimanche*, l'ensemble des habitants du pays. SENS 2. *M. Martin est issu du peuple*, de la partie la plus nombreuse et la moins riche de la population (≠ bourgeoisie). ●● *populaire, populace*

■ **peuplade** n.f. [SENS 1] Une **peuplade** est un groupe de gens qui vivent en tribus.

■ **peupler** v. 1er groupe. [SENS 1] *On sait peu de chose sur les premiers hommes qui* **ont peuplé** *cette île* (= habiter, occuper). *Cette ville* **est** *très* **peuplée**, elle a beaucoup d'habitants. ●● ***dépeupler, population, repeupler, souspeuplé, surpeuplé***

■ **peuplement** n.m. [SENS 1] Une colonie de **peuplement** s'établit dans une région pour la peupler. ●● ***dépeuplement, surpeuplement***

peuplier n.m. *Les arbres qui bordent cette route sont des* **peupliers**, *des arbres hauts et minces, à petites feuilles.*

peur n.f. SENS 1. *Jean* **a peur** *dans le noir, il est inquiet, effrayé.* ●● ***apeuré***. *J'ai peur de m'être trompé, je le crains. Tu* **m'as fait peur**, *tu m'as inquiété, effrayé. Caroline a pu surmonter sa* **peur** (= crainte). SENS 2. *J'ai tout vérifié,* **de peur d'**oublier *un détail* (= par crainte de).

■ **peureux, euse** adj. *Marie est* **peureuse** (= craintif ; ≠ brave, courageux).

peut-être adv. Ce mot indique une possibilité. *« Tu viendras ? –* **Peut-être** *»* (≠ sûrement).

Illustr. ◗. 217 **phalange** n.f. *Pierre s'est cassé une* **phalange** *du pouce, l'un des os.*

pharaon n.m. *Les* **pharaons** *étaient les rois de l'ancienne Égypte.*

Illustr. 741, 1002, 69, 971 **phare** n.m. SENS 1. *Il y a un* **phare** *à l'entrée du port, une tour lumineuse pour guider les navires.* SENS 2. *Le conducteur a été ébloui par les* **phares** *d'une voiture, ses lumières placées à l'avant.*
✹ Ne pas confondre avec le **fard**.

Illustr. 868 **pharmacie** n.f. SENS 1. *Laurence fait des études de* **pharmacie**, *elle apprend à connaître les médicaments.* SENS 2. *Va*
à la **pharmacie** *acheter des médicaments, à la boutique qui en vend.* SENS 3. *Maman a fait un tri dans la* **pharmacie**, *l'armoire où l'on met les médicaments chez soi.*

■ **pharmacien, enne** n. *M. Verneuil est* **pharmacien**, *c'est son métier.*

■ **pharmaceutique** adj. *L'aspirine est un* **produit pharmaceutique**, *un médicament.*

pharynx n.m. *Le* **pharynx** *se trouve au fond de la bouche, au début de l'œsophage* (= gosier).

phase n.f. SENS 1. *Le combat s'est déroulé en plusieurs* **phases**, *plusieurs étapes distinctes* (= stade). SENS 2. *Les* **phases** *de la Lune sont les aspects successifs de sa partie éclairée par le Soleil : un disque, c'est la* **pleine lune** *; le croissant qui a les pointes à gauche, c'est le* **premier croissant** *; celui qui a les pointes à droite, c'est le* **dernier croissant** *; plus rien, c'est la* **nouvelle lune**.

phénomène n.m. SENS 1. *Les marées sont des* **phénomènes** *naturels, des faits naturels, des événements observables.* SENS 2. Fam. *M. Lenoir est un* **phénomène**, *un personnage bizarre, peu ordinaire.*

■ **phénoménal, ale, aux** adj. [SENS 2] *Jacques est d'une force* **phénoménale** (= extraordinaire).

philanthrope n. *Cet hôpital a été fondé par un* **philanthrope**, *un homme généreux.*

■ **philanthropie** n.f. *Gaëlle agit par* **philanthropie**, *par amour des autres êtres humains.*

philatélie n.f. *Jacques s'intéresse à la* **philatélie**, *à la collection des timbres.*

■ **philatéliste** n. *Jacques fait des échanges avec un autre* **philatéliste**, *un collectionneur de timbres.*

philosophale adj. f. *Les alchimistes du Moyen Âge cherchaient la* **pierre philo-**

sophale, une substance qui devait, pensaient-ils, transformer le plomb en or.

philosophie n.f. SENS 1. La **philosophie** est une réflexion sur les grands problèmes de l'homme et de sa place dans l'univers (Dieu, l'âme, le bien et le mal, etc.). SENS 2. *Marie supporte sa maladie avec* **philosophie**, avec calme et résignation.

■ **philosophe** [SENS 1] n. *Platon et Aristote sont de grands* **philosophes** *grecs,* des gens qui se sont occupés de philosophie. [SENS 2] adj. *Il ne se plaint jamais, il est très* **philosophe**, il est résigné et courageux.

■ **philosophique** adj. [SENS 1] *Sa grande sœur lit des ouvrages* **philosophiques**, qui traitent de philosophie.

philtre n.m. Dans les contes ou les légendes, un **philtre** est une boisson magique qui est censée inspirer de l'amour.
✳ Ne pas confondre avec un **filtre**.

phobie n.f. *Pierre a la* **phobie** *du feu,* une peur irraisonnée.

illustr.
p. 5
phonétique SENS 1. n.f. La **phonétique** est l'étude scientifique des sons du langage. SENS 2. adj. Les signes **phonétiques** servent à transcrire les sons du langage.

illustr.
p. 730
phoque n.m. Les **phoques** sont de gros mammifères marins vivant au pôle Nord, au pôle Sud ou dans des régions moins froides.

phosphate n.m. Les **phosphates** sont des produits chimiques utilisés comme engrais.

phosphore n.m. Le **phosphore** est un corps solide qui émet une lueur bleuâtre dans l'obscurité.

■ **phosphorescent, ente** adj. *Pierre a une montre* **phosphorescente**, qui est lumineuse dans l'obscurité.

photo ou **photographie** n.f. SENS 1. Pour faire de la **photo**, il faut un appareil contenant une pellicule sensible à la lumière. SENS 2. *Marie regarde les* **photos** *des vacances* (= cliché, vue).

illustr.
p. 531,
503

■ **photographe** n. *Jean est* **photographe**, son métier est de faire de la photo.

illustr.
p. 221,
503

■ **photographier** v. 1er groupe. *Jean a* **photographié** *ses amis,* il les a pris en photo.

■ **photographique** adj. Une pellicule **photographique**, un **appareil photographique** (ou **appareil photo**) servent à faire de la photographie.

■ **photogénique** adj. *Marie est très* **photogénique**, son image photographique ou cinématographique produit un bel effet.

photocopie n.f. Une **photocopie** est une reproduction photographique d'un document.

■ **photocopier** v. 1er groupe. *Faites* **photocopier** *ce certificat* (= reproduire).

■ **photocopieuse** n.f. ou **photocopieur** n.m. La **photocopieuse** (ou le **photocopieur**) est l'appareil qui permet de faire des photocopies.

illustr.
p. 123,
503

photoélectrique adj. Une cellule **photoélectrique** sert à mesurer l'intensité de la lumière.

photogénique → **photo**

phrase n.f. « *Viendras-tu demain ?* » *est une* **phrase**, une suite de mots ayant un sens et finissant par un point, un point d'interrogation, un point d'exclamation ou des points de suspension.
●● **périphrase** → **proposition**

phrygien, enne adj. Le **bonnet phrygien** était un bonnet rouge servant d'emblème aux révolutionnaires de 1789.

phylloxéra n.m. Le **phylloxéra** est un insecte qui détruit la vigne ; c'est aussi le nom de la maladie qu'il donne à la vigne.

physicien → *physique*

physiologie n.f. La **physiologie** est la science qui étudie le fonctionnement des organes des êtres vivants.

■ **physiologique** adj. *Pierre a des troubles physiologiques, de l'organisme.*

physionomie n.f. SENS 1. *Marie a une physionomie intelligente,* un visage. SENS 2. *La physionomie de la France a beaucoup changé en trente ans* (= aspect).

■ **physionomiste** adj. [SENS 1] *Pierre est très physionomiste,* il reconnaît bien les visages de personnes qu'il n'a pas souvent vues.

physique adj. SENS 1. *Le son, l'électricité, la lumière sont des phénomènes physiques,* des phénomènes de la nature. SENS 2. *Jean ressentait une grande fatigue physique,* une fatigue de son corps (= corporel ; ≠ intellectuel, moral). *Tous les matins, Pierre fait de la culture physique,* de la gymnastique. *Mercredi, nous avons eu un cours d'éducation physique.*

■ **physique** n.f. [SENS 1] La **physique** est la science qui étudie la matière et établit les lois des phénomènes naturels.

■ **physique** n.m. [SENS 2] *Adeline a un physique agréable,* une apparence extérieure.

■ **physiquement** adv. [SENS 2] *Depuis sa maladie, il est très diminué physiquement,* sur le plan physique.

■ **physicien, enne** n. [SENS 1] *Son père est physicien,* spécialiste de physique.

piaffer v. 1er groupe. *Les chevaux piaffent,* ils frappent le sol avec leur pied. *Les enfants piaffent d'impatience en attendant le départ en vacances,* ils s'agitent impatiemment.

piailler v. 1er groupe. Fam. *Les enfants piaillent dans la cour,* ils poussent des cris aigus et discordants.

■ **piaillement** n.m. *On entend les piaillements d'une bande de moineaux,* les petits cris aigus.

piano n.m. *Marie joue du piano,* un instrument de musique à clavier et à cordes. *illustr. p. 628*

■ **pianiste** n. Un **pianiste** joue du piano.

■ **pianoter** v. 1er groupe. *Marie pianote pendant des heures,* elle joue maladroitement du piano.

pic n.m. SENS 1. *Le maçon démolit le mur avec un pic,* un outil pointu à manche, ressemblant à une pioche. SENS 2. *Les pics des Alpes apparaissent au loin,* les sommets pointus. SENS 3. *Le pic est un oiseau qui frappe l'écorce des arbres avec son bec pour se nourrir.* SENS 4. *La falaise tombe à pic dans la mer,* verticalement. SENS 5. Fam. *Pierre est tombé à pic pour nous voir,* très bien (= à propos). *illustr. p. 29*
✳ Ne pas confondre avec une **pique**.

■ **pic-vert** ou **pivert** n.m. [SENS 3] Le **pivert** est un oiseau de la famille des pics. *illustr. p. 403*

pichenette n.f. *D'une pichenette, Thomas a lancé une boulette de papier,* d'un petit coup sec donné avec le doigt replié puis détendu (= chiquenaude).

pichet n.m. *On a commandé un pichet de vin au restaurant,* un petit pot à anse. *illustr. p. 238*

pickpocket n.m. *Un pickpocket lui a volé son portefeuille,* un voleur qui prend ce que les gens ont dans leurs poches ou dans leurs sacs.
✳ On prononce le « t » : [pikpɔkɛt].

picorer v. 1er groupe. *Les moineaux picorent des miettes de pain,* ils les mangent en les piquant de leur bec.

picoter v. 1er groupe. *Les yeux me picotent,* ils me piquent légèrement.

■ **picotement** n.m. *Je sens un picotement sous les pieds* (= démangeaison).

picotin n.m. *Le cheval a eu son **picotin**, sa ration d'avoine.*

pictural, ale, aux adj. *L'art **pictural** est l'art de la peinture.* → ***peinture***

pic-vert → ***pic***

pie n.f. *Il est bavard comme une **pie**,* un oiseau noir et blanc à longue queue.

■ **pie** adj. inv. *Un cheval **pie** est noir et blanc ou roux et blanc.*
✴ Cet adjectif ne s'accorde pas.

pièce n.f. SENS 1. *Marie a un maillot de bain deux **pièces**,* formé de deux parties. ●● ***deux-pièces***. SENS 2. *Une **pièce** de bois, de tissu est un morceau de bois, de tissu. Le vase **a été mis en pièces** par le choc,* il a été brisé. *On **a mis en pièces** son projet* (= démolir). ◆ *Ce garçon est **tout d'une pièce**,* il est simple, sans façon. ◆ *Son programme est fait **de pièces et de morceaux**,* il manque d'unité, il est disparate. ◆ *Cette histoire est inventée **de toutes pièces**,* en totalité, sans aucun fondement dans la réalité. SENS 3. *Le jeu d'échecs comporte 32 **pièces*** (= figurine). SENS 4. *La **pièce** montée du mariage avait un fond en nougatine,* la pâtisserie faite de choux à la crème disposés en pyramide et recouverts de caramel. SENS 5. *Ces fruits coûtent un euro **pièce**,* chacun. SENS 6. *L'agent nous a demandé nos **pièces** d'identité* (= document, papier). SENS 7. *Nous habitons un appartement de quatre **pièces**,* de quatre chambres ou salles. SENS 8. *On m'a rendu la monnaie en **pièces** de un euro* (≠ billet). SENS 9. *Jean a une **pièce** à son pantalon,* un morceau de tissu cousu. ●● ***rapiécer***. SENS 10. *Au théâtre, nous avons vu une **pièce** de Molière* (= œuvre).

■ **piécette** n.f. [SENS 8] *J'ai dans ma poche quelques **piécettes** de 10 centimes,* des petites pièces.

1. pied n.m. SENS 1. *Pierre s'est tordu le **pied** gauche en courant,* la partie du corps qui est située au bas de la jambe.

illustr. p. 583,

530,

151, 228,

952

illustr. p. 217, 216,

◆ *Max m'a fait un **pied de nez**,* un geste de moquerie que l'on fait en appuyant le pouce sur le nez, les autres doigts étant écartés. SENS 2. *Jean a fait 10 kilomètres **à pied**,* en marchant. ●● ***pédestre***. SENS 3. *Si tu t'écartes trop du rivage, tu n'**auras** plus **pied**,* tu ne pourras plus toucher le fond avec tes pieds en gardant la tête hors de l'eau. SENS 4. *J'attends les critiques **de pied ferme**,* sans crainte, prêt à résister. SENS 5. *Nos troupes se sont défendues **pied à pied**,* en ne reculant que peu à peu. SENS 6. *Il a fallu faire **des pieds et des mains** pour réussir,* employer tous les moyens possibles. SENS 7. *Nous **avons mis sur pied** un nouveau projet,* nous l'avons préparé, élaboré. SENS 8. *Le **pied** de ce champignon est blanc,* sa partie inférieure. SENS 9. *Un **pied** de la table est cassé,* une des parties par lesquelles elle s'appuie sur le sol. SENS 10. *Nous nous sommes reposés au **pied** de la montagne,* en bas (= base). SENS 11. *Le **pied** est une ancienne mesure de longueur (environ 30 centimètres).* SENS 12. *Un **pied à coulisse** est un instrument qui sert à mesurer des objets.*

■ **piétiner** v. 1er groupe. [SENS 1] *Attention, tu vas **piétiner** les fleurs,* les écraser avec les pieds. [SENS 2] *Les gens **piétinent** devant l'entrée du cinéma,* ils avancent peu ou pas du tout. *L'enquête **piétine**,* elle ne fait pas de progrès (≠ progresser, avancer).

■ **piéton, onne** n. [SENS 2] *Le trottoir est réservé aux **piétons**,* à ceux qui vont à pied.

■ **piéton, onne** ou **piétonnier, ère** adj. *Une rue **piétonne** (ou **piétonnière**) est réservée aux piétons.*

2. pied n.m. *L'alexandrin est un vers de douze **pieds*** (= syllabe).

pied-à-terre n.m. inv. *Les Dupont ont un **pied-à-terre** à la campagne,* une petite maison ou un petit appartement.
✴ On prononce [pjetatɛr]. Ce nom ne change pas au pluriel.

illustr. p. 862

995

illustr. p. 855

piédestal n.m. SENS 1. *La statue repose sur un **piédestal**,* un support, un socle. SENS 2. *Il met son ami sur un **piédestal**,* il l'admire énormément.
✳ Au pluriel, on dit des **piédestaux**.

piège n.m. SENS 1. *On a posé des **pièges** à souris dans la cuisine,* des dispositifs pour les attraper. SENS 2. *Fais attention, sa question cache un **piège**,* elle cherche à te tromper, à te prendre en défaut* (= traquenard).
■ **piéger** v. 1ᵉʳ groupe. [SENS 1] *La voiture **était piégée**,* on y avait placé un engin explosif. [SENS 2] *La question était habile, mais je ne me suis pas laissé **piéger**,* prendre à ce piège.
✳ Conj. n° 2 et n° 10.

*illustr.
p. 759,
157* **pierre** n.f. SENS 1. *Cette maison est construite en **pierre**,* une matière dure et solide. ●● ***empierrer.*** SENS 2. *Quelqu'un a jeté une **pierre** : le carreau est cassé* (= caillou). ●● ***lance-pierre.*** ◆ *Il s'est trompé, mais il ne faut pas lui **jeter la pierre**,* le blâmer. SENS 3. *Les diamants et les rubis sont des **pierres précieuses**,* des pierres utilisées en joaillerie.

■ **pierraille** n.f. *On se tord les pieds dans la **pierraille**,* un amas de pierres.

■ **pierreux, euse** adj. [SENS 2] *Ce chemin est **pierreux**,* couvert de pierres.

■ **pierreries** n.f. pl. [SENS 3] *Ce coffret est orné de **pierreries**,* de pierres précieuses.

piété → *pieux*

piétiner, piéton, piétonnier
→ *pied (1)*

piètre adj. *Paul est un **piètre** chanteur,* un chanteur médiocre.

pieu n.m. *Le cheval est attaché à un **pieu**,* à un morceau de bois enfoncé dans le sol* (= piquet).
✳ Au pluriel, on écrit des **pieux**. Ne pas confondre avec l'adjectif **pieux**.

pieusement → *pieux*

pieuvre n.f. *La **pieuvre** est un mollusque marin possédant huit tentacules.* *illustr. p. 556*

pieux, euse adj. *Mme Godet est très **pieuse**,* très attachée à la religion* (= dévot). ●● ***impie***
✳ Ne pas confondre avec un **pieu**.

■ **pieusement** adv. *Elle conserve **pieusement** des souvenirs d'autrefois,* avec un respect presque religieux.

■ **piété** n.f. *Mme Durand est d'une grande **piété*** (= dévotion). ●● ***impiété***

pigeon n.m. *Les **pigeons** roucoulent sur le toit,* des oiseaux assez gros, au plumage blanc, gris ou brun. *Les **pigeons voyageurs** reviennent toujours à leur nid.* *illustr. p. 384*

■ **pigeonnier** n.m. *Un **pigeonnier** est un petit bâtiment souvent en forme de tour, destiné à l'élevage des pigeons.* *illustr. p. 384*

piger v. 1ᵉʳ groupe. Fam. *Il n'a rien **pigé** à mon explication,* il n'a rien compris.
✳ Conj. n° 2.

pigment n.m. *La chlorophylle est le **pigment** des feuilles,* la substance qui leur donne leur coloration.

pignon n.m. SENS 1. *Le **pignon** d'une maison est la partie supérieure du mur formant un angle entre les deux pentes du toit.* SENS 2. *Le **pignon** d'une roue de bicyclette est une roue dentée qui est entraînée par la chaîne.* *illustr. p. 573*

1. pile n.f. SENS 1. *Il y a une **pile** de livres sur la table,* un tas assez haut. ●● ***empiler.*** SENS 2. *Les **piles** d'un pont sont les piliers qui le soutiennent.* SENS 3. *Jean a acheté des **piles** pour son poste de radio,* des appareils fournissant de l'électricité. adj. SENS 4. *Le côté **pile** d'une pièce de monnaie est celui où est indiquée sa valeur* (≠ face). *Pour savoir lequel de nous deux va rester, jouons à **pile ou face**,* laissons tomber une pièce de monnaie et regardons sur quel côté le hasard la fera tomber.* *illustr. p. 974*

2. pile adv. Fam. *La voiture s'est arrêtée* *pile* (= brusquement). *Il est 3 heures* *pile* (= exactement, fam. tapant).

piler v. 1er groupe. *Le pâtissier* *pile des* *amandes,* il les écrase avec un pilon.

■ **pilon** n.m. Un **pilon** est un instrument à bout arrondi servant à broyer des aliments, des ingrédients.

■ **pilonner** v. 1er groupe. *Les canons* *ont pilonné la ville,* ils l'ont écrasée sous les obus.

pileux, euse adj. Le système **pileux** est formé des poils et des cheveux.

illustr. *p. 572* **pilier** n.m. *Le toit du hangar est soutenu* *par quatre* *piliers de béton* (= poteau, colonne).

piller v. 1er groupe. *Des voleurs* *ont* *pillé l'appartement,* ils ont tout emporté (= dévaliser).

■ **pillage** n.m. *Autrefois, les villes* *conquises étaient souvent livrées au* *pillage,* les soldats les pillaient.

■ **pillard, arde** n. *Des pillards ont tout* *saccagé,* des personnes qui pillent (= voleur).

pilon, pilonner → **piler**

pilori n.m. *Autrefois, certains condamnés étaient attachés au* *pilori,* à un poteau sur la place publique.

illustr. *p. 54,* *74* **pilote** n. *Le pilote de l'avion a réussi à* *se poser,* la personne qui le conduit. ●● **copilote**

■ **piloter** v. 1er groupe. *Cette voiture de* *course est difficile à* *piloter* (= conduire). ◆ *Elle nous* *a pilotés dans la ville* (= guider).

illustr. *p. 74,* *971* ■ **pilotage** n.m. *Le poste de* *pilotage* se *trouve à l'arrière du bateau,* l'endroit d'où on le pilote.

illustr. *p. 983* **pilotis** n.m. *La maison est construite* *sur* *pilotis,* sur de gros piliers de bois. ✹ On ne prononce pas le « s » : [pilɔti].

pilule n.f. *Antonio prend des* *pilules* *contre la toux,* des médicaments en forme de petites boules aplaties.

pimbêche n.f. *Marie est une* *pimbêche,* elle est prétentieuse et désagréable.

illustr. *p. 690* **piment** n.m. Le **piment rouge** est une épice que l'on met dans certains plats pour leur donner un goût piquant. Le **piment doux** s'appelle aussi « poivron ».

■ **pimenté, ée** adj. *Cette sauce est* *trop* *pimentée,* trop piquante (= épicé ; ≠ fade).

pimpant, ante adj. *Chloé était* *pimpante dans sa robe d'été,* jolie et gracieuse.

illustr. *p. 403,* *690* **pin** n.m. *Il y a des forêts de* *pins dans* *les Landes,* d'arbres à aiguilles de la famille des conifères fournissant de la résine et dont le fruit est appelé **pomme de pin**. ✹ Ne pas confondre avec le **pain**.

■ **pinède** n.f. *Des* *pinèdes ont brûlé* *dans le Midi,* des bois de pins.

pinacle n.m. *Ses amis le* *portent au* *pinacle,* ils disent beaucoup de bien de lui.

pinailler v. 1er groupe. Fam. *On ne va* *pas* *pinailler pour quelques euros,* discuter, critiquer sur de menus détails (= ergoter).

pince, pincé → **pincer**

illustr. *p. 117,* *311* **pinceau** n.m. *Le peintre nettoie ses* *pinceaux avec de l'essence,* les instruments faits d'une touffe de poils liés au bout d'un manche et servant à peindre. ✹ Au pluriel, on écrit des **pinceaux**.

pincer v. 1er groupe. SENS 1. *Jean m'a* *pincé le bras,* il m'a serré la peau avec les doigts. *Je me* *suis pincé le doigt* *dans la porte,* il a été serré entre la porte et l'encadrement. SENS 2. *Marie* *pince* *les lèvres quand elle est en colère,* elle

les serre. SENS 3. Fam. *Le voleur s'est fait* **pincer** *par la police* (= surprendre, prendre, arrêter, fam. épingler).
✸ Conj. n° 1.

illustr. ■ **pince** n.f. [SENS 1] *J'ai arraché le clou*
p. 117, *avec une* **pince**, *un outil qui permet de*
994, *serrer les objets. Les crabes, les ho-*
239 *mards, les écrevisses ont des* **pinces**, *des pattes qui peuvent serrer.*

■ **pincé, ée** adj. [SENS 2] *Paul a pris un* *air* **pincé** *pour me répondre*, un air mécontent et hautain (≠ détendu, affable).

■ **pincée** n.f. [SENS 1] *Jean a pris une* **pincée** *de sel entre ses doigts*, une petite quantité.

■ **pincement** n.m. [SENS 1] *Le* **pince-** **ment** *des cordes de la guitare permet de les faire vibrer.* ◆ *Il a eu un* **pincement** *au cœur en apprenant la mauvaise nou-* *velle*, une sensation d'angoisse et de douleur.

illustr. ■ **pincettes** n.f. pl. [SENS 1] *On remue les*
p. 42 *braises avec des* **pincettes**, *de longues pinces.* ◆ Fam. *Ma sœur n'est pas à* **prendre avec des pincettes** *aujour-* *d'hui !*, elle est de si mauvaise humeur qu'il vaut mieux ne pas lui parler.

■ **pinçon** n.m. [SENS 1] *Pierre a un* **pinçon** *noir sur le bras*, une marque faite en pinçant.

■ **pince-sans-rire** n. inv. [SENS 2] *Jeanne est une* **pince-sans-rire**, *elle plaisante sans sourire.*
✸ Ce mot ne change pas au pluriel.

pinède → **pin**

illustr. **pingouin** n.m. Les **pingouins** sont des
p. 730 oiseaux de mer des régions froides du pôle Nord qui se tiennent verticalement.
→ **manchot**

illustr. **ping-pong** n.m. On joue au **ping-pong**
1016 sur une table spéciale avec une balle légère et des raquettes (= tennis de table).
✸ On prononce [piŋpɔ̃g].

pingre adj. et n. *M. Lebrun est (un)* **pingre**, il est très avare.

pin's n.m. inv. Un **pin's** est un petit badge métallique muni d'une courte pointe qui permet de le piquer sur un vêtement.
✸ On prononce [pins].

pinson n.m. Le **pinson** est un petit oiseau chanteur à la gorge rouge. *Marie est* **gaie comme un pinson**, très gaie.

pintade n.f. *Nous avons mangé une* **pintade** *aux choux*, une volaille aux plumes grises avec des taches claires. *illustr. p. 384*

pinte n.f. *John s'est servi une* **pinte** *de bière*, un grand verre.

pioche n.f. *Les ouvriers ont éventré le* *illustr.*
sol à coups de **pioche**, avec un outil à *p. 156*
manche fait pour creuser, pour défoncer.
■ **piocher** v. 1ᵉʳ groupe. *Les terrassiers* **piochent** *la chaussée*, ils la creusent avec une pioche. *Si tu ne peux pas jouer,* **pioche** *une carte*, prends-en une dans le tas. ◆ Fam. *Pierre* **pioche** *son examen*, il y travaille avec ardeur.

piolet n.m. Un **piolet** est une sorte de *illustr.*
canne à bout ferré et formant une petite *p. 29*
pioche, utilisée par les alpinistes.

1. pion n.m. *On joue aux dames avec* *illustr.*
des **pions**, de petites pièces rondes. *Au* *p. 530*
jeu d'échecs, il y a 16 **pions**, 16 petites figurines.

2. pion, pionne n. Fam. *Sylvie est* **pionne** *dans un lycée*, elle est surveillante.

pionnier, ère n. SENS 1. *Des* **pionniers** *ont défriché cette région déserte*, des gens qui s'y sont installés les premiers (= colon). SENS 2. *Guynemer fut un* **pionnier** *de l'aviation*, un des premiers aviateurs.

pipe n.f. *Le commissaire fumait sa* **pipe**, *illustr.*
le petit récipient muni d'un tuyau et qu'on *p. 894*
remplit de tabac.

pipeau n.m. *Jean apprend à jouer du pipeau*, une petite flûte à bec.
✳ Au pluriel, on écrit des **pipeaux**.

pipeline ou **pipe-line** n.m. Un **pipeline** est une canalisation pour le transport du pétrole (= oléoduc).
✳ On prononce [piplin] ou [pajplajn]. Au pluriel, on écrit des **pipelines** ou des **pipe-lines**.

piper v. 1er groupe. SENS 1. *Jean n'a pas pipé*, il n'a rien dit. SENS 2. *On l'accuse d'avoir pipé les cartes* (= truquer).

pipette n.f. Dans les laboratoires, une **pipette** est un tube de verre servant à prélever des liquides.

pipi n.m. Fam. *Bébé a fait pipi dans ses couches*, il a uriné.

piquant, pique, piqué → *piquer*

pique-assiette n.m. Fam. Un **pique-assiette** est une personne qui cherche toujours à se faire inviter chez les autres.
✳ Au pluriel, on écrit des **pique-assiettes** ou des **pique-assiette**.

illustr. p. 852 **pique-nique** n.m. *Nous aimons faire des pique-niques sur la plage*, un repas en plein air.
✳ Au pluriel, on écrit des **pique-niques**.

■ **pique-niquer** v. 1er groupe. *Dimanche, on ira pique-niquer*, manger en plein air.

piquer v. 1er groupe. SENS 1. *Jean s'est piqué le doigt avec un clou*, il s'est enfoncé la pointe dedans. *Marie a été piquée par une guêpe.* SENS 2. *Le chien a été piqué contre la rage*, on lui a fait une piqûre. SENS 3. *Mme Florent pique à la machine*, elle coud. SENS 4. *La fumée pique les yeux*, elle produit une sensation désagréable (= irriter). ●● *picoter.* SENS 5. Fam. *Paul a piqué une crise de colère*, il s'est mis brusquement en colère. SENS 6. *L'avion pique vers le sol*, il descend rapidement. SENS 7. Fam. *Qui*

est-ce qui m'a piqué *mon stylo ?*, qui me l'a pris ? (= voler, chiper). SENS 8. *Jeanne se pique de tout savoir*, elle le prétend.

■ **piquant, ante** [SENS 1] *Les cactus ont des piquants* (= épine). [SENS 4] adj. *Les rosiers ont des tiges piquantes*, elles piquent les doigts. ◆ *Cette sauce est trop piquante*, elle pique la langue.

■ **pique** n.f. [SENS 1] *Une pique est une arme ancienne à bout pointu.* ◆ *Gaëlle m'envoie toujours des piques*, des remarques mordantes, un peu vexantes. ◆ n.m. *Jean a joué l'as de pique*, la couleur représentée par un dessin rappelant un fer de pique noir.
✳ Ne pas confondre avec un **pic**.

illustr. p. 530

■ **piqué** n.m. [SENS 6] *L'avion descend en piqué*, il pique vers le sol.

■ **piqûre** n.f. [SENS 1] *Marie gratte ses piqûres de moustique*, les petites blessures faites par l'insecte. [SENS 2] *L'infirmière a fait une piqûre au malade*, une injection de médicament avec une aiguille et une seringue. [SENS 3] *La piqûre de ton pantalon se décout* (= couture).

illustr. p. 228

piquet n.m. SENS 1. Un **piquet** est un petit pieu. *Ne reste pas là, planté comme un piquet !*, sans bouger. SENS 2. Un **piquet de grève** est un groupe de grévistes qui surveille l'exécution des consignes de grève.

illustr. p. 895, 746, 177

piqueter v. 1er groupe. *La grille est piquetée de taches de rouille*, elle en est parsemée.
✳ Conj. n° 8.

piqûre → *piquer*

piranha n.m. Le **piranha** est un petit poisson carnassier aux dents acérées, très vorace et vivant dans les fleuves d'Amérique du Sud.
✳ On prononce [piraɲa].

pirate SENS 1. n.m. *Autrefois, les navires pouvaient être attaqués par des pirates*, des bandits. → *corsaire.* *Des pirates de l'air ont détourné un avion sous la* *menace de leurs armes*, des gens qui prennent en otage l'équipage et les passagers. SENS 2. adj. *Une émission* **pirate** *ne respecte pas les règlements.*

■ **pirater** v. 1ᵉʳ groupe. [SENS 2] **Pirater** *une cassette, c'est en faire une reproduction illégale.*

■ **piraterie** n.f. [SENS 1] *La flotte royale combattait la* **piraterie***, le brigandage sur mer.*

pire adj. et n.m. *Le temps est* **pire** *aujourd'hui qu'hier*, plus mauvais (≠ meilleur). ●● **empirer***. C'est la* **pire** *chose qui pouvait nous arriver. On a réussi à éviter* **le pire***, la plus mauvaise solution.*
✴ **Pire** est le comparatif et **le pire** le superlatif de « mauvais ».

lustr.
759,
983
pirogue n.f. *Les indigènes d'Océanie naviguent sur des* **pirogues***, des embarcations légères et allongées.*

pirouette n.f. *Les patineurs font des* **pirouettes** *sur la glace*, ils tournent vivement sur eux-mêmes en prenant appui sur un pied.

lustr.
354
1. pis n.m. *Le* **pis** *d'une vache, d'une brebis ou d'une chèvre, c'est sa mamelle.*

2. pis adv. *Les choses vont* **de mal en pis***, de plus en plus mal.*

pis-aller n.m. inv. *Il a fallu recourir à un* **pis-aller***, à une solution adoptée faute de mieux.*
✴ On prononce [pizale]. Ce mot ne change pas au pluriel.

pisciculture n.f. *La* **pisciculture** *est l'élevage des poissons.*
✴ On prononce [pisikyltyr].

lustr.
1016
piscine n.f. *Les enfants sont partis se baigner à la* **piscine***, un bassin aménagé pour la natation.*

pisé n.m. *Le mur de cette chaumière est en* **pisé***, en terre sèche.*

pissenlit n.m. *Au printemps, on peut faire une salade de* **pissenlit***, des plantes à feuilles dentelées, à fleurs jaunes, dont les graines volent légèrement au vent.* *illustr. p. 753*

pisser v. 1ᵉʳ groupe. Fam. *Le chien a* **pissé** *sur le tapis* (= uriner).

■ **pisseux, euse** adj. Fam. *Ce papier peint est d'un jaune* **pisseux***, d'un jaune terne.*

pistache n.f. *La* **pistache** *est une graine verte comestible produite par un* **pistachier***.*

piste n.f. SENS 1. *Le chien a trouvé la* **piste** *du lapin, la trace de son passage. La police n'a aucune* **piste** *pour l'instant, aucun indice.* ●● **dépister***.* SENS 2. *La caravane suit la* **piste** *dans le désert, un chemin non aménagé marqué seulement par les traces de passage.* SENS 3. *Une* **piste** *de ski est un terrain aménagé sur lequel on skie. Une* **piste** *d'atterrissage est un endroit où atterrissent les avions.* SENS 4. *Les clowns entrent sur la* **piste** *du cirque*, l'espace circulaire qui sert de scène. *illustr. p. 970, 277, 894, 75, 912, 971, 177*

pistil n.m. *Le* **pistil** *est la partie de la fleur qui reçoit le pollen.* → **étamine** *illustr. p. 310*

pistole n.f. *La* **pistole** *est une ancienne monnaie.*

pistolet n.m. SENS 1. *Les gangsters ont tiré plusieurs coups de* **pistolet***, une petite arme à feu* (= revolver). SENS 2. *Un* **pistolet** *à peinture est un appareil pour pulvériser de la peinture.* *illustr. p. 55*

piston n.m. SENS 1. *Le* **piston** *est une pièce du moteur qui se déplace dans le cylindre.* SENS 2. Fam. *M. Lamy a obtenu son poste par* **piston***, grâce à des protections.* *illustr. p. 69*

■ **pistonner** v. 1ᵉʳ groupe. [SENS 2] Fam. *M. Lamy s'est fait* **pistonner** *pour obtenir son poste* (= recommander, appuyer).

pitance n.f. *Le chien réclame sa pitance*, sa nourriture.

piteux, euse adj. *Après l'accident, la voiture était en piteux état* (= mauvais, pitoyable).

■ **piteusement** adv. *Ces beaux projets ont piteusement échoué* (= lamentablement, pitoyablement).

pitié n.f. *Paul a eu pitié de ce malheureux chien*, il a été ému par ses souffrances (= compassion). ●● **apitoyer, impitoyable**

■ **pitoyable** adj. *Ces réfugiés sont dans une situation pitoyable*, ils font pitié.

■ **pitoyablement** adv. *L'affaire s'est achevée pitoyablement* (= piteusement, lamentablement).

illustr. **piton** n.m. SENS 1. *M. Chéron a planté un* *p. 117,* **piton** *dans le mur*, un clou ou une vis *29,* dont la tête forme un anneau ou un crochet. SENS 2. *À l'île de la Réunion, il y* *495* *a de nombreux pitons*, des sommets de montagne pointus (= pic).
✳ Ne pas confondre avec un **python**.

pitoyable, pitoyablement → *pitié*

pitre n.m. *Pierre fait le pitre en classe*, il fait rire les autres (= clown).

■ **pitrerie** n.f. *Pierre se fait remarquer par ses pitreries*, ses plaisanteries, ses grimaces de pitre (= clownerie).

pittoresque adj. *Ce village est très pittoresque*, il attire l'attention par sa beauté ou son originalité (≠ banal).

pivert → *pic*

illustr. **pivoine** n.f. *La pivoine est une grosse* *p. 527* fleur rouge, rose ou blanche.

pivot n.m. *L'aiguille d'une boussole repose sur un pivot*, une pointe centrale qui lui permet de tourner.

■ **pivoter** v. 1er groupe. *Pierre a pivoté sur ses talons* (= tourner).

pizza n.f. *Nous avons mangé une pizza dans un restaurant italien*, une sorte de tarte aux tomates.
✳ On prononce [pidza].

■ **pizzeria** n.f. *Une pizzeria est un restaurant qui sert des pizzas*.
✳ On prononce [pidzerja].

placard n.m. SENS 1. *Le balai est dans* *illustr.* *le placard de la cuisine*, l'armoire amé- *p. 238* nagée dans le mur ou posée contre le mur. SENS 2. *Nous avons fait paraître un placard publicitaire dans plusieurs journaux*, une annonce très voyante.

■ **placarder** v. 1er groupe. [SENS 2] *Des affiches ont été placardées sur les murs*, elles ont été collées, apposées.

place n.f. SENS 1. *Ce livre n'est pas à la* *illustr.* *bonne place*, au bon endroit. ●● **empla-** *p. 104* **cement**. SENS 2. *Il y a huit places assises* *582* *dans le compartiment*, huit endroits pour s'asseoir. *Veuillez prendre place*, vous installer, vous asseoir. SENS 3. *Pierre a eu la première place en français*, il a été classé premier (= rang). SENS 4. *M. Lebrun a perdu sa place*, son emploi. SENS 5. *La mairie se trouve sur la place du village*, l'espace dégagé entouré de bâtiments. SENS 6. *Cette ville est une place forte*, elle est fortifiée. *Max viendra à la place de Colin*, pour le remplacer. *Je ne me plaindrais pas, à ta place*, si j'étais toi. SENS 7. *La pluie a fait place au soleil*, la pluie a cessé et il y a du soleil. SENS 8. *Il faut faire place nette*, débarrasser cet endroit de ce qui l'encombre.

■ **placer** v. 1er groupe. [SENS 1] *J'avais placé mon stylo sur la table*, je l'avais mis à cette place (= poser). ●● **déplacer, replacer**. [SENS 3] *Pierre s'est placé premier* (= se classer). ◆ **Placer** de l'argent, c'est le confier à la banque pour qu'il rapporte des intérêts. ◆ *Avec lui, on ne peut jamais placer un mot*, on ne peut rien dire.
✳ Conj. n° 1.

■ **placement** n.m. [SENS 4] *Un bureau de placement est chargé de fournir des* emplois. ◆ *M. Duval a fait un mauvais* **placement**, *il a mal placé son argent.*

placenta n.m. Lorsqu'une femme est enceinte, le **placenta** est un organe qui permet les échanges entre le sang de la maman et celui du bébé.
✴ On prononce [plasɛ̃ta].

placide adj. *Ce paysan est un homme* **placide**, *calme et doux.*

■ **placidité** n.f. *Rien ne trouble sa* **placidité**, *son calme (≠ nervosité).*

Iustr. 862 **plafond** n.m. SENS 1. *Des guirlandes sont suspendues au* **plafond** *de la salle*, la surface qui ferme le haut d'une pièce. SENS 2. *Les prix ont commencé à baisser après avoir atteint un* **plafond**, une limite supérieure (≠ plancher).

■ **plafonner** v. 1ᵉʳ groupe. [SENS 2] *Cette voiture* **plafonne** *à 120 kilomètres à l'heure*, c'est sa plus grande vitesse.

Iustr. 862 ■ **plafonnier** n.m. *Éteins le* **plafonnier** *de la voiture*, la lampe qui est fixée au plafond.

Iustr. 718, 531, 556 **plage** n.f. *Les enfants font des pâtés de sable sur la* **plage**, l'étendue de sable ou de galets au bord de la mer.

plagiat n.m. *Ce livre est un* **plagiat**, une imitation sans scrupule d'un autre livre.

■ **plagier** v. 1ᵉʳ groupe. *On l'accuse d'avoir* **plagié** *cet écrivain*, de l'avoir copié effrontément.

plaider v. 1ᵉʳ groupe. *L'accusé s'est adressé à un avocat pour* **plaider** *sa cause*, pour la défendre en justice.

■ **plaideur, euse** n. *Les* **plaideurs** *ne se sont pas mis d'accord*, les adversaires en justice.

■ **plaidoirie** n.f. *L'avocat a fait une longue* **plaidoirie**, un discours devant le tribunal.

■ **plaidoyer** n.m. *Son texte est un* **plaidoyer** *pour la paix*, il la défend avec force.

plaie n.f. SENS 1. *Pierre s'est coupé, et sa* **plaie** *s'est infectée*, sa blessure. SENS 2. *Elle a fait une bêtise, d'accord, mais ça ne sert à rien de* **retourner** *(ou de* **remuer**) *le couteau dans la plaie*, d'insister sur ce sujet.

plaindre v. 3ᵉ groupe. SENS 1. *Marie est malade, je la* **plains**, j'ai pitié d'elle. SENS 2. *Marie* **se plaint**, *elle a mal*, elle exprime sa souffrance (= se lamenter, gémir). SENS 3. *Les voisins* **se sont plaints** *du bruit*, ils ont fait savoir qu'ils n'étaient pas contents (= protester ; ≠ se féliciter, se réjouir).
✴ Conj. nº 55. Ne pas confondre (il, elle) **plaint** et l'adjectif **plein**.

■ **plaignant, ante** n. [SENS 3] *Le* **plaignant** *a perdu son procès*, celui qui avait déposé une plainte.

■ **plainte** n.f. [SENS 2] *Le blessé émet des* **plaintes**, des gémissements. [SENS 3] *M. Durand a déposé une* **plainte** *contre M. Dupont*, il a fait une déclaration devant la justice pour se plaindre.
✴ Ne pas confondre avec une **plinthe**.

■ **plaintif, ive** adj. [SENS 2] *On entend des cris* **plaintifs**, des cris faibles semblables à des plaintes.

plaine n.f. *La Beauce est une région de* **plaine**, une région au sol plat qui s'étend loin à l'horizon.

de **plain-pied** adv. *La cuisine et la salle à manger ne sont pas* **de plain-pied**, au même niveau.
✴ Attention à l'orthographe de ce mot.

plainte, plaintif → *plaindre*

plaire v. 3ᵉ groupe. SENS 1. *Tes vacances* **t'ont-elles plu** ?, en es-tu content ? (= satisfaire ; ≠ déplaire). *Nous* **nous sommes** *beaucoup* **plu** *à la campagne*, nous avons été contents d'y être. SENS 2. (Formule de politesse.) **S'il te (vous) plaît**, *passe(z)-moi le pain.*
✴ Conj. nº 77. Attention : **plu** peut être le participe passé de **plaire** ou de **pleuvoir** ; il est toujours invariable.

717

LA PLAGE

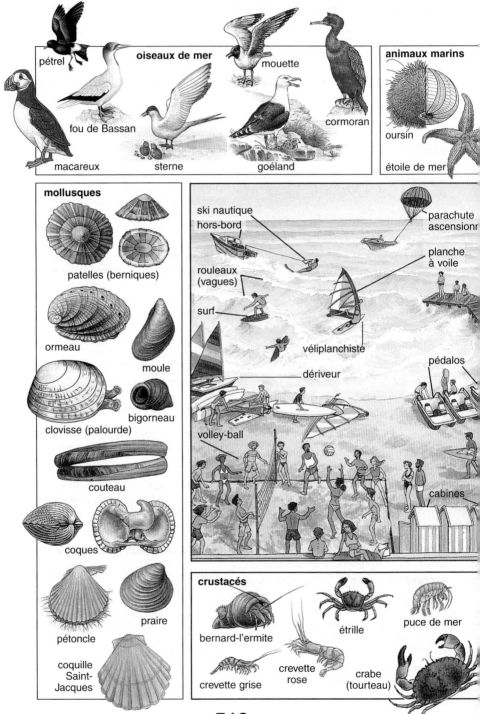

oiseaux de mer

pétrel

fou de Bassan

macareux

sterne

mouette

cormoran

goéland

animaux marins

oursin

étoile de mer

mollusques

patelles (berniques)

ormeau

moule

clovisse (palourde)

bigorneau

couteau

coques

pétoncle

praire

coquille
Saint-
Jacques

ski nautique

hors-bord

parachute
ascensionr

rouleaux
(vagues)

planche
à voile

surf

véliplanchiste

dériveur

pédalos

volley-ball

cabines

crustacés

bernard-l'ermite

étrille

puce de mer

crevette
rose

crabe
(tourteau)

crevette grise

718

Élément du littoral (voir p. 556), la plage est formée de sable ou de galets. À marée basse, on peut ramasser des coquillages et pêcher de petits crustacés.

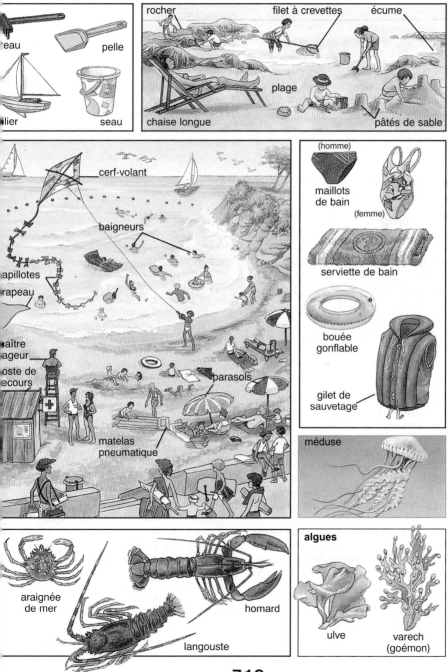

…eau

pelle

…lier

seau

rocher

filet à crevettes

écume

plage

chaise longue

pâtés de sable

cerf-volant

baigneurs

…apillotes

…rapeau

…aître
…ageur

…oste de
…ecours

matelas
pneumatique

parasols

(homme)

maillots
de bain

(femme)

serviette de bain

bouée
gonflable

gilet de
sauvetage

méduse

araignée
de mer

homard

langouste

algues

ulve

varech
(goémon)

719

■ **plaisir** n.m. [SENS 1] *J'ai eu le **plaisir** de faire la connaissance de Jean* (= joie, bonheur). *Sa bonne mine **fait plaisir** à voir,* elle est agréable à regarder.

■ **plaisance** n.f. [SENS 1] *M. Morel pratique la navigation de **plaisance**,* il navigue pour son plaisir.

■ **plaisancier, ère** n. [SENS 1] *Les **plaisanciers** sont ceux qui font de la navigation de plaisance.*

plaisanter v. 1er groupe. *Pierre était d'humeur à **plaisanter**,* à dire des choses drôles pour amuser les autres.

■ **plaisant, ante** SENS 1. adj. *Il m'a raconté une histoire **plaisante*** (= drôle, amusant). SENS 2. n.m. *Jean est un **mauvais plaisant**,* il fait ou dit des plaisanteries de mauvais goût.

■ **plaisamment** adv. *Christian m'a **plaisamment** appelé « Monsieur le président »,* pour plaisanter.

■ **plaisanterie** n.f. *Sa **plaisanterie** a fait rire tout le monde* (= blague).

■ **plaisantin** n.m. *Ne l'écoutez pas, c'est un **plaisantin**,* il n'est pas sérieux (= farceur).

plaisir → **plaire**

illustr. p. 51, **plan** n.m. SENS 1. *L'architecte a fait le **plan** de la maison,* un dessin simplifié qui en représente la disposition. ◆ ***Laisser** un travail **en plan**,* c'est le laisser inachevé, à l'abandon. SENS 2. *Les pouvoirs publics ont un **plan** pour lutter contre les incendies,* un projet, une organisation. SENS 3. *Quel est le **plan** de ton devoir ?,* l'organisation des différentes parties. SENS 4. *Sur cette photo, tu vois Marie au premier **plan** et Paul au deuxième **plan**,* Marie est devant Paul et n'a personne devant elle. ●● ***arrière-plan**. SENS 5. Ces deux affaires ne sont pas sur le même **plan**,* l'une est plus importante que l'autre, ou d'une nature différente *156* (= niveau). SENS 6. *Le toit forme un **plan incliné**,* une surface unie, plane, oblique par rapport à l'horizontale.
✳ Ne pas confondre avec un **plant**.

■ **plan, plane** adj. [SENS 6] *Cette table est une surface **plane*** (= uni, plat).
●● **aplanir**
✳ Ne pas confondre avec un **plant**.

■ **planifier** v. 1er groupe. [SENS 2] *On a **planifié** la production d'acier,* on a prévu ce qu'elle devra être.

■ **planification** n.f. [SENS 2] *La **planification** de l'économie peut éviter des crises,* son organisation selon un plan.

■ **planning** n.m. [SENS 2] *La direction a établi un nouveau **planning**,* un nouveau plan de production. *illustr. p. 122*
✳ On prononce [planiŋ].

planche n.f. SENS 1. *Le menuisier rabote des **planches** pour faire une table,* des plaques de bois. SENS 2. *Ce livre contient de belles **planches** en couleurs,* des illustrations groupées. SENS 3. *M. Gilbert cultive une **planche** de salades,* une rangée de son jardin. SENS 4. *Jean sait **faire la planche**,* flotter sur le dos à la surface de l'eau. SENS 5. *Au bord de la mer, on fait de la **planche à voile**,* un sport qui consiste à faire de la voile en se maintenant debout sur une planche dont on oriente le mât mobile. SENS 6. *(Au plur.) Ce comédien rêve de monter sur **les planches**,* sur la scène d'un théâtre pour y jouer, pour devenir comédien. *illustr. p. 995 157, 747, 531, 718*

■ **plancher** n.m. [SENS 1] *On a recouvert le **plancher** d'un tapis,* le sol en planches (= parquet). ◆ *On a fixé un **plancher** pour les cotisations,* une limite inférieure (≠ plafond).

■ **planchette** n.f. [SENS 1] *M. Delmas découpe la viande sur une **planchette**,* une petite planche.

■ **planchiste** n. [SENS 5] *Un **planchiste** est un sportif qui pratique la planche à voile.*
✳ On dit aussi « véliplanchiste ».

plancton n.m. *Le **plancton** est un ensemble d'animaux microscopiques vivant dans la mer, et qui sert de nourriture aux baleines.*

planer v. 1er groupe. SENS 1. *Un épervier plane dans le ciel,* il vole sans agiter les ailes. *L'avion descend en planant,* en volant sans que le moteur soit en marche. SENS 2. *M. Bertrand plane au-dessus de ces détails,* il les voit superficiellement. SENS 3. *Un mystère plane toujours sur cette affaire,* il subsiste.

■ **planeur** n.m. [SENS 1] *Pierre apprend à piloter un planeur,* un avion sans moteur qui plane dans l'air.

illustr. p. 531

planète n.f. Une **planète** est un corps céleste qui tourne autour du Soleil. Mercure, Vénus, la Terre, Mars, Jupiter, Saturne, Uranus, Neptune et Pluton sont les neuf **planètes** du système solaire.

illustr. p. 203

■ **planétaire** adj. *Une guerre planétaire pourrait détruire la Terre,* une guerre concernant toute la planète Terre (= mondial). ●● *interplanétaire*

planeur → *planer*

planification, planifier → *plan*

planisphère n.m. Un **planisphère** est une carte qui représente la Terre entière. ●● *sphère* → *mappemonde* ✳ Ce mot est du genre masculin.

planning → *plan*

plant, plantation → *planter*

1. plante n.f. La **plante des pieds** est le dessous du pied.

illustr. p. 217

■ **plantaire** adj. Une verrue **plantaire** est située sur la plante du pied.

illustr. p. 217

■ **plantigrade** n.m. *L'ours est un plantigrade,* il marche en posant sur le sol la plante des pieds.

2. plante n.f. Les **plantes** sont des végétaux fixés au sol par des racines. Les carottes, l'herbe, les roses sont des **plantes**. Les cactus sont des **plantes** grasses. Le philodendron est une **plante** verte.

illustr. p. 151, 21, 863

■ **plantule** n.f. La **plantule** du haricot est la plante miniature qui est contenue dans le cotylédon.

planter v. 1er groupe. SENS 1. *M. Gilbert a planté des rosiers,* il les a mis en terre pour qu'ils poussent. ●● *transplanter.* SENS 2. *Qui plante des clous dans le mur ?* (= enfoncer). SENS 3. *On va planter la tente ici,* la monter (= dresser). *Adrien est planté devant la fenêtre,* il reste debout, immobile.

■ **plant** n.m. [SENS 1] *M. Gilbert a acheté des plants de tomate,* de jeunes pieds de tomate pour les transplanter. ✳ Ne pas confondre avec un **plan** et l'adjectif **plan**.

■ **plantation** n.f. [SENS 1] *Ses plantations ont gelé,* ce qu'il a planté. *M. Diallo possède une plantation de bananiers,* une exploitation agricole.

■ **planteur** n.m. [SENS 1] Les **planteurs** possèdent des plantations dans les pays tropicaux.

■ **plantoir** n.m. [SENS 1] Un **plantoir** est un instrument qui sert à planter.

illustr. p. 746

plantureux, euse adj. *Le repas d'anniversaire était plantureux,* il était très abondant (= copieux ; ≠ maigre).

plaque n.f. SENS 1. *Pierre a mis des photos sous une plaque de verre,* un morceau plat, mince et rigide. SENS 2. *Toutes les voitures doivent avoir une plaque d'immatriculation,* une pièce plate de métal portant leur numéro. SENS 3. *Jean a des plaques rouges sur la figure,* des taches. SENS 4. *L'écorce terrestre est constituée de plaques qui s'écartent ou se rapprochent les unes des autres pour former les océans et les reliefs.* ✳ Au sens 2, on dit aussi « plaque minéralogique ».

illustr. p. 69

949

■ **plaquer** v. 1er groupe. [SENS 1] *Ce bracelet est plaqué avec de l'or (ou plaqué or),* recouvert d'une couche d'or. ●● *contreplaqué.* ◆ Fam. *Jean a plaqué Pierre contre le sol,* il l'y a jeté et

appuyé avec force. ◆ *Il **a plaqué** son travail au milieu de la journée*, il l'a abandonné soudain.

illustr.
p. 869
▪ **plaquette** n.f. [SENS 1] *J'ai acheté une **plaquette** de beurre*, une petite plaque. *Les **plaquettes** de freins sont usées.*

plasma n.m. *Le **plasma** est le liquide incolore du sang qui contient les globules rouges et blancs.*

plastic n.m. *Le **plastic** est un explosif puissant.*
✳ Ne pas confondre avec **plastique**.

▪ **plastiquer** v. 1ᵉʳ groupe. *Des inconnus **ont plastiqué** une maison*, ils l'ont fait sauter avec du plastic.

plastique SENS 1. adj. *L'argile est **plastique***, on peut la pétrir, la modeler (= malléable). SENS 2. adj. *Les **arts plastiques** sont la peinture, le dessin, la gravure, la sculpture et l'architecture.* SENS 3. adj. et n.m. *Le Nylon est une **matière plastique***, un produit fabriqué artificiellement par des procédés chimiques. *Ces assiettes sont en **plastique**.*
illustr.
p. 583,
746
✳ Ne pas confondre avec le **plastic**.

▪ **plastifier** v. 1ᵉʳ groupe. [SENS 3] *Ce livre a une couverture **plastifiée***, recouverte d'une mince couche de plastique.

plastiquer → *plastic*

plastron n.m. *Autrefois, les chemises d'hommes avaient un **plastron***, un devant rigide.

plat, e adj. SENS 1. *Il nous faut un terrain **plat** pour planter la tente*, sans creux ni bosse (= uni ; ≠ accidenté). ●● *aplatir*. SENS 2. *On met les **assiettes plates** sous les assiettes à soupe*, des assiettes peu profondes (≠ creux). SENS 3. *La sole est un poisson **plat***, peu épais. *Des chaussures **plates** ont des talons peu élevés.* SENS 4. *Pierre écrit mal, son style est **plat***, il est banal (≠ original).

illustr.
p. 238
▪ **plat** n.m. [SENS 1] *J'aime marcher sur le **plat***, sur un terrain uni. [SENS 2] *On a*

apporté le rôti sur un **plat***, une sorte de grande assiette. → ***vaisselle***. ◆ *La bouillabaisse est un **plat** du Midi*, on en mange dans le Midi (= mets).

▪ **à plat** adv. [SENS 1] *Le livre est posé **à plat** sur l'étagère*, sur une face plate (= horizontalement). ◆ *Le pneu est **à plat***, il est dégonflé. *La batterie est **à plat***, elle est déchargée. Fam. *Je me sens **à plat***, très fatigué (= épuisé). ◆ *Je suis tombé **à plat ventre***, étendu sur le ventre.

▪ **plateau** n.m. [SENS 1] *De la vallée, nous sommes montés sur le **plateau***, une région haute mais plate. [SENS 2] *Le garçon apporte les boissons sur un **plateau***, un support plat et rigide. *Au restaurant, on nous a apporté un **plateau** de fromages.* ◆ *Les **plateaux** de la balance sont les deux supports sur lesquels on pose les objets à peser ou les masses marquées.* ◆ *Au théâtre, les acteurs évoluent sur le **plateau*** (= scène). *Les techniciens s'affairent sur le **plateau** du studio*, le lieu aménagé pour le tournage d'un film, d'une émission de télévision.
illustr.
p. 494,
530,
616,

583,
582
✳ Au pluriel, on écrit des **plateaux**.

▪ **plate-bande** n.f. [SENS 1] *Il est interdit de marcher sur les **plates-bandes***, les parties cultivées du jardin.
illustr.
p. 746
527

▪ **plate-forme** n.f. [SENS 1] *Une **plate-forme** est une surface plate sur laquelle on peut se tenir ou installer quelque chose.*
illustr.
p. 974
55,
333

▪ **platitude** n.f. [SENS 4] *Pierre ne dit que des **platitudes***, des choses sans intérêt (= banalité).

platane n.m. *On voit des **platanes** dans les villes, au bord des routes*, de grands arbres dont l'écorce se détache par plaques.
illustr.
p. 691

plateau, plate-bande, plate-forme → *plat*

1. platine n.m. *Ma grand-mère avait une bague en **platine***, un métal précieux de couleur grise.

illustr.
p. 862,
502

2. platine n.f. *Jean met un disque sur la **platine** de l'électrophone,* le support plat sur lequel on pose le disque.

platitude → *plat*

illustr.
p. 157

plâtre n.m. SENS 1. *Le **plâtre** est une poudre blanche qui, mélangée à l'eau, forme une pâte qui durcit. Le plafond est en **plâtre**.* SENS 2. *Pierre s'est cassé la jambe, on lui a mis un **plâtre**,* un bandage rigide en plâtre. SENS 3. *(Au plur.) Les **plâtres** de la maison sont finis,* les parties recouvertes de plâtre. ◆ *Les acheteurs de la première série de cette nouvelle voiture **ont essuyé les plâtres**,* ils ont subi les conséquences d'une mise au point encore imparfaite.

■ **plâtras** n.m. [SENS 1] *Des **plâtras** se détachent du plafond,* des débris de plâtre.

■ **plâtrer** v. 1er groupe. [SENS 1] *Les ouvriers **ont plâtré** les murs,* ils les ont recouverts de plâtre. ●● **replâtrer**. [SENS 2] *On **a plâtré** la jambe de Pierre,* on lui a mis un plâtre.

illustr.
p. 157

■ **plâtrier** n.m. [SENS 1] *Un **plâtrier** est un ouvrier qui travaille le plâtre.*

plausible adj. *On a donné une explication très **plausible** de ce phénomène* (= acceptable, vraisemblable).

play-back n.m. inv. *Chanter en **play-back**,* c'est faire semblant de chanter une chanson pendant qu'elle est diffusée au moyen d'une bande magnétique enregistrée préalablement.
✳ On prononce [plɛbak].

play-boy n.m. *Sur la couverture de ce magazine, il y a un **play-boy**,* un homme d'une élégance recherchée qui veut être séduisant.
✳ On prononce [plɛbɔj]. Au pluriel, on écrit des **play-boys**.

plèbe n.f. *Dans la Rome antique, la **plèbe** était la classe populaire.*

■ **plébéien, enne** adj. et n. *Les familles **plébéiennes** étaient issues du peuple* (≠ patricien).

plébiscite n.m. *Le dictateur a organisé un **plébiscite**,* un vote populaire pour se faire confier le pouvoir absolu.

■ **plébisciter** v. 1er groupe. *Le général a été **plébiscité**,* il a été élu par plébiscite.

plein, pleine adj. SENS 1. *Cette carafe est **pleine** de vin,* elle est remplie (≠ vide). SENS 2. *Le ministre a reçu les **pleins** pouvoirs,* des pouvoirs très étendus (≠ partiel). *Je te fais **pleine** confiance,* une confiance totale. SENS 3. *Ta chemise est **pleine** de taches,* il y en a beaucoup. SENS 4. *La voiture s'est arrêtée **en plein milieu** de la place,* juste au milieu.
✳ Ne pas confondre avec (il, elle) **plaint** (de « plaindre »).

■ **plein** n.m. [SENS 1] *M. Florent a fait le **plein** d'essence,* il a rempli le réservoir. ●● **trop-plein**. [SENS 2] *La fête **bat son plein**,* elle est à son point maximal.

■ **plein** prép. [SENS 3] *Pierre a des billes **plein** ses poches,* ses poches en sont remplies.

■ **pleinement** adv. [SENS 2] *Le professeur était **pleinement** satisfait* (= tout à fait, totalement).

■ **plénier, ère** adj. [SENS 2] *Une assemblée **plénière** est une assemblée à laquelle tous les membres sont invités.*

■ **plénipotentiaire** n.m. [SENS 2] *Le gouvernement a envoyé des **plénipotentiaires**,* des gens ayant les pleins pouvoirs.

■ **plénitude** n.f. [SENS 2] *Ce vieillard a gardé la **plénitude** de ses facultés intellectuelles,* la totalité sans altération.
✳ **Plein, pleinement** s'écrivent avec un « i » mais les autres mots de la famille n'ont pas de « i ».

pléonasme n.m. *« Monter en haut » est un **pléonasme**,* on exprime la même idée dans la même phrase avec plusieurs mots, sans nécessité.

pléthore n.f. *Il y a **pléthore** de raisin cette année,* il y en a trop (= excès, surabondance ; ≠ pénurie).

■ **pléthorique** adj. *Les stocks sont* **pléthoriques**, *trop abondants.*

pleurer v. 1er groupe. SENS 1. *Jean s'est fait mal, il* **pleure**, *il verse des larmes.* ●● **éploré**. SENS 2. *Loïc* **pleure** *la mort de son père, il regrette sa disparition.*

■ **pleurs** n.m. pl. [SENS 1] *Je l'ai trouvé* **en pleurs**, *en larmes.*

■ **pleurnicher** v. 1er groupe. [SENS 1] *Pourquoi* **pleurniches**-*tu sans arrêt ?* (= pleurer sans raison, geindre).

■ **pleurnicheur, euse** ou **pleurni-chard, arde** n. *Tom est un* **pleurni-cheur**, *il pleurniche continuellement.*

pleurésie n.f. *La* **pleurésie** *est une maladie des poumons.*

pleurnicher, pleurs → **pleurer**

pleutre adj. et n.m. *Ce mot se dit quelquefois pour « lâche », « poltron ».*

pleuvoir → **pluie**

Plexiglas n.m. *La vitre est en* **Plexiglas**, *en matière plastique dure et transparente imitant le verre.*
❋ On prononce le « s » final : [plɛksiglas]. **Plexiglas** est un nom de marque, il s'écrit avec une majuscule dans les textes imprimés.

plexus n.m. *Pierre a reçu un coup de poing dans le* **plexus solaire**, *au creux de l'estomac.*
❋ On prononce le « s » final : [plɛksys].

plie n.f. *La* **plie** *est un poisson de mer plat ressemblant un peu à la sole.*

plier v. 1er groupe. SENS 1. **Plier** *une feuille de papier, c'est rabattre une partie sur l'autre* (≠ déplier). ●● **replier**. SENS 2. *On peut* **plier** *ce lit, il tiendra moins de place*, *rapprocher les éléments qui le constituent.* SENS 3. *Il est si fort qu'il arrive à* **plier** *cette barre de fer*, à la rendre courbe (= tordre). *Attention, la*

branche **plie** !, *elle se courbe* (= fléchir, ployer). SENS 4. *Max est têtu, tu n'arriveras pas à le faire* **plier** (= céder). *Il a dû* **se plier** *aux ordres du directeur* (= se soumettre, obéir).

■ **pli** n.m. [SENS 1] *Je vais repasser le* **pli** *de mon pantalon*, *l'endroit où le tissu a été plié.* [SENS 3] *Ma sœur s'est fait une* **mise en plis**, *des ondulations avec des rouleaux sur les cheveux mouillés.*
◆ *Pierre a fait tous les* **plis** *de la partie, il a ramassé tous les petits paquets de cartes de chaque tour du jeu* (= levée).
◆ *J'ai reçu un* **pli** *recommandé* (= lettre).

illustr. p. 101, 228

■ **pliable** ou **pliant, ante** adj. [SENS 2] *Ce vélo est* **pliable**, *on peut le plier pour le ranger. Adrien a dormi sur un lit* **pliant**.

illustr. p. 117

■ **pliant** n.m. [SENS 2] *Un* **pliant** *est un petit siège sans bras ni dossier que l'on peut plier pour le transporter.*

■ **pliage** n.m. *Les enfants font des* **pliages** *pour confectionner des avions et des cocottes en papier*, *ils plient du papier dans un ordre précis.*

■ **pliure** n.f. [SENS 1] *La carte routière se déchire à la* **pliure**, *à l'endroit des plis.*

■ **plisser** v. 1er groupe. [SENS 1] *On a* **plissé** *du papier pour faire un éventail*, *on a fait des plis.* [SENS 2] *Jean* **plisse** *les yeux*, *il les ferme à demi.*

■ **plissé, ée** adj. [SENS 1] *Une jupe* **plissée** *comporte un grand nombre de plis.*

■ **plissement** n.m. [SENS 3] *Un* **plisse-ment** *de terrain est une déformation de la surface de la Terre. Les Alpes sont apparues à la suite d'un* **plissement** *de terrain.*

plinthe n.f. *Les fils électriques passent derrière les* **plinthes**, *les planchettes posées au bas des murs.*
❋ Ne pas confondre avec une **plainte**.

plissement, plisser, pliure → **plier**

plomb n.m. SENS 1. *Le* **plomb** *est un métal gris très lourd et facilement malléable qui sert à fabriquer des poids, des*

illustr. p. 994, 502

tuyaux, etc. SENS 2. *Le perdreau que le chasseur a tué était plein de* **plombs**, des grains de plomb contenus dans les cartouches.* ◆ Fam. *Le projet* **a du plomb dans l'aile**, il est mal en point, il n'aboutira pas. SENS 3. *Il y a eu un court-circuit, les* **plombs** *ont sauté*, les fusibles électriques. SENS 4. *Un* **sommeil de plomb** *est un sommeil lourd et profond.*

■ **plomber** v. 1er groupe. [SENS 1] *Plomber un objet*, c'est l'alourdir avec du plomb. ◆ ***Plomber** une dent cariée*, c'est la boucher avec un alliage spécial (= obturer).

■ **plombage** n.m. *Le dentiste m'a fait un* **plombage**, il m'a plombé une dent (= obturation).

illustr. p. 994 ■ **plombier** n.m. *Il y a une fuite d'eau, il faut appeler le* **plombier**, l'artisan qui répare les tuyaux et entretient les installations d'eau et de gaz.

■ **plomberie** n.f. *La* **plomberie** *est en mauvais état*, les tuyaux d'eau et de gaz.

plonger v. 1er groupe. SENS 1. *Pierre* **a plongé** *dans la piscine*, il a sauté dans l'eau la tête et les bras en avant. SENS 2. *Marie* **a plongé** *son bras dans l'eau*, elle l'y a mis (= enfoncer, tremper). SENS 3. *Pierre* **est plongé** *dans la lecture de son livre*, il s'est absorbé dans son livre. ●● **replonger**. SENS 4. *Cette nouvelle m'a* **plongé** *dans la tristesse*, elle m'a rendu très triste.
❉ Conj. n° 2.

■ **plongeant, ante** adj. [SENS 1] *D'ici, on a une vue* **plongeante**, de haut en bas.

■ **plongée** n.f. [SENS 1] *Le sous-marin est en* **plongée**, il est sous l'eau. *Rémi fait de la* **plongée** *sous-marine*, il va sous l'eau pour explorer les fonds ou pour pêcher.

illustr. p. 1016 ■ **plongeoir** n.m. [SENS 1] *Pierre a sauté du* **plongeoir** *de 3 mètres*, un tremplin, une plate-forme spécialement aménagés pour plonger.

■ **plongeon** n.m. [SENS 1] *Pierre a fait un beau* **plongeon**, il a plongé.

■ **plongeur, euse** n. [SENS 1] *Sophie est une bonne* **plongeuse**, elle est habile à plonger. *Des* **plongeurs** *travaillent au fond de la mer* (= homme-grenouille).

ployer v. 1er groupe. *Attention, la planche* **ploie** *sous ton poids !*, elle plie (= fléchir, se courber).
❉ Conj. n° 3.

pluie n.f. SENS 1. *J'ai été tout trempé par la* **pluie** *qui tombe à verse*, des gouttes d'eau. **Parler de la pluie et du beau temps**, c'est dire des choses banales. SENS 2. *Une* **pluie** *de balles s'est abattue sur les attaquants*, un très grand nombre.

illustr. p. 845, 557

■ **pleuvoir** v. 3e groupe. [SENS 1] *L'été, il* **pleut** *rarement en Provence.* [SENS 2] *Les coups* **pleuvaient** *sur lui* (= tomber).
❉ Conj. n° 47. Au sens 1, c'est un verbe impersonnel, il ne s'emploie qu'à la 3e personne du singulier, avec « il » : *il pleut*. Attention : **plu** peut être le participe passé de **pleuvoir** ou de **plaire**. Il est toujours invariable.

■ **pluvial, ale, aux** adj. [SENS 1] *Les eaux* **pluviales** *sont les eaux de pluie.*

■ **pluvieux, euse** adj. [SENS 1] *Nous avons eu un automne* **pluvieux**, avec beaucoup de pluie.

plume n.f. SENS 1. *Les oiseaux ont le corps couvert de* **plumes**, des tiges souples garnies de sortes de poils appelés « barbes ». SENS 2. *Pierre a cassé la* **plume** *de son stylo*, l'extrémité métallique qui dépose l'encre sur le papier.
●● ***porte-plume***

illustr. p. 617, 311, 122

■ **plumage** n.m. [SENS 1] *Le* **plumage** *du corbeau est noir*, ses plumes.

■ **plumeau** n.m. [SENS 1] *Mme Dupont enlève la poussière avec un* **plumeau**, un ustensile formé de plumes.
❉ Au pluriel, on écrit des **plumeaux**.

illustr. p. 583

■ **plumer** v. 1er groupe. [SENS 1] *Le cuisinier* **a plumé** *deux poulets*, il leur a enlevé les plumes une à une.

■ **plumet** n.m. [SENS 1] *Certains soldats ont un **plumet** à leur coiffure,* une touffe de plumes (= panache).

■ **plumier** n.m. [SENS 2] Un **plumier** est une petite boîte dans laquelle les écoliers mettaient leurs crayons, leurs stylos.

la **plupart** n.f. *La plupart des enfants aiment les bonbons,* la plus grande partie (= la majorité ; ≠ peu, tous). *La plupart du temps, c'est Pierre qui gagne,* le plus souvent, habituellement.

pluri- préfixe. Placé au début d'un mot, **pluri-** signifie « plusieurs » : *un enseignement **pluri**disciplinaire concerne plusieurs disciplines.*

pluriel n.m. On met un nom au **pluriel** ordinairement quand il désigne plusieurs êtres ou plusieurs choses (≠ singulier). → *nombre*

plus adv. SENS 1. *Marie est **plus** jeune que Jeanne. Marie est **la plus** jeune* (≠ moins). *Un esprit curieux cherche toujours à en savoir **plus*** (= davantage). *Ce travail est correct, **sans plus**,* il est tout juste correct. *Son récit est **plus ou moins** exact,* il l'est en partie (= à peu près). *Cette maison est en mauvais état, **de plus** (ou **en plus**), elle est mal située* (= en outre). SENS 2. *Il y a une heure **au plus** qu'il est parti* (= au maximum). SENS 3. *Sept **plus** deux font neuf (7 + 2 = 9),* sept ajouté à deux. SENS 4. Précédé de *ne*, **plus** indique qu'une action ne continue pas. *Il **ne** bouge **plus**.* ✱ On prononce [plys] au sens 3 et [ply] au sens 4. Aux sens 1 et 2, on prononce [ply] devant une consonne, [plyz] devant une voyelle et [plys] en fin de phrase.

plusieurs adj. indéf. pl. *Il faut **plusieurs** jours pour faire un tel travail,* plus d'un (= quelques).

plus-que-parfait n.m. « *J'avais aimé* » est le **plus-que-parfait** *du verbe « aimer »,* un des temps composés du verbe. ✱ On prononce le « s ».

plutonium n.m. Le **plutonium** est un métal radioactif obtenu à partir de l'uranium, utilisé dans la fabrication des bombes atomiques. ✱ On prononce [plytɔnjɔm].

plutôt adv. SENS 1. *Viens dimanche prochain **plutôt** qu'aujourd'hui,* de préférence à aujourd'hui. SENS 2. *Ces temps-ci, les bonnes nouvelles sont **plutôt** rares* (= assez).

pluvial, pluvieux → *pluie*

pneu n.m. *M. Bouvier a fait gonfler les **pneus** de sa voiture,* les tubes de caoutchouc des roues. ✱ Au pluriel, on écrit des **pneus**.
illustr. p. 69, 1002

■ **pneumatique** adj. *Pierre pêche dans son canot **pneumatique*** (= gonflable). *Un marteau **pneumatique** fonctionne* grâce à de l'air comprimé.
illustr. p. 740 719

pneumonie n.f. *La **pneumonie** est une maladie des poumons.*

poche n.f. SENS 1. *Jean met son portefeuille dans la **poche** gauche de sa veste,* une partie de vêtement en forme de sac. ●● ***empocher**.* SENS 2. *M. Gilbert a des **poches** sous les yeux,* des boursouflures. SENS 3. *Une lampe **de poche**, un livre **de poche** sont des objets de* petites dimensions, qu'on peut glisser dans une poche. SENS 4. *Est-ce que tes parents te donnent de l'**argent de poche**?,* de l'argent destiné à tes dépenses personnelles.
illustr. p. 101

■ **pochette** n.f. [SENS 1] *Une **pochette** est un mouchoir ou un foulard que l'on laisse dépasser de la poche d'une veste* qui se trouve près du revers. ◆ *Remets le disque dans sa **pochette**,* l'enveloppe qui le protège.

pocher v. 1ᵉʳ groupe. SENS 1. *Le cuisinier fait **pocher** des œufs*, il les fait cuire entiers sans leur coquille dans l'eau bouillante. SENS 2. *Jean a eu un œil poché dans la bagarre*, son œil est bleu et enflé.

pochette → *poche*

pochette-surprise n.f. *Il y avait une voiture miniature dans ma **pochette-surprise***, un cornet de papier contenant des bonbons et un objet inattendu.

pochoir n.m. *Un dessin au **pochoir** est fait avec une feuille de carton ou de métal découpée sur laquelle on passe un pinceau.

podium n.m. *Les vainqueurs sont montés sur le **podium*** (= estrade).
✺ On prononce [pɔdjɔm].

illustr. p. 42 **1. poêle** n.m. *L'atelier est chauffé par un **poêle** à mazout*, un appareil de chauffage au mazout.
✺ On prononce [pwal], comme un **poil** et une **poêle**.

illustr. p. 238 **2. poêle** n.f. *Une **poêle** est un ustensile de cuisine rond et plat, peu profond et muni d'un long manche, dont on se sert pour faire frire des aliments.* → **ustensile**
✺ On prononce [pwal], comme un **poil** et un **poêle**.

■ **poêlon** n.m. *Un **poêlon** est une sorte de casserole.
✺ On prononce [pwalɔ̃].

poésie n.f. SENS 1. *La **poésie** est l'art de combiner les sons, les mots et les rythmes en faisant des vers.* SENS 2. *On ne lit pas sur le même ton un bulletin d'information et une **poésie***, un texte en vers. SENS 3. *Claire aime la **poésie** des soirs d'automne*, leur beauté émouvante.

■ **poème** n.m. [SENS 2] *Rémi apprend un **poème** de Jacques Prévert* (= poésie).

■ **poète** n.m. [SENS 1 et 2] *Victor Hugo est un grand **poète***, il a écrit des poésies.

■ **poétique** adj. [SENS 1] *M. Clermont a acheté les œuvres **poétiques** de Victor Hugo*, ses poèmes. [SENS 3] *Ce paysage est très **poétique*** (= émouvant).

poids n.m. SENS 1. *Le **poids** de cette table est de 50 kilos*, c'est ce qu'elle pèse (= masse). SENS 2. *L'épicier met un **poids** sur le plateau de la balance*, une masse métallique marquée servant à peser. ●● **contrepoids**. SENS 3. *Les athlètes s'exercent à lancer le **poids***, une boule de métal. SENS 4. *Les **poids** d'une horloge sont des morceaux de métal suspendus à une chaîne qui assurent le mouvement du mécanisme de l'horloge.* SENS 5. *Yvon a un **poids** sur la conscience*, une charge pénible, un souci ou un remords. SENS 6. *M. Lanray est un homme de **poids***, important, influent. SENS 7. *Il y avait beaucoup de **poids lourds** sur l'autoroute* (= camion).
✺ Ce mot s'écrit toujours avec un « s ». Ne pas confondre **poids**, **pois** et **poix**.
illustr. p. 583
912, 150,
852, 733

poignant, ante adj. *Carole m'a raconté une histoire **poignante***, très émouvante.

poignard n.m. *La victime a reçu un coup de **poignard***, une arme à lame courte, large et pointue.
illustr. p. 165

■ **poignarder** v. 1ᵉʳ groupe. *Henri IV est mort **poignardé***, il a été frappé d'un coup de poignard.

poigne, poignée → *poing*

poignet n.m. SENS 1. *Elsa s'est cassé le **poignet***, l'articulation entre la main et le bras. SENS 2. *Les **poignets** de ta chemise sont sales*, le bout des manches.
illustr. p. 217

poil n.m. *Les **poils** sont de petits filaments qui poussent sur le corps de certains animaux et sur le corps humain.* ●● **pileux**. *Les **poils** du pinceau sont usés*, les filaments de matière animale ou
illustr. p. 117

synthétique qui servent à peindre. *Ce chat a le **poil** brillant* (= pelage).

■ **poilu, ue** adj. *Mon frère a les jambes **poilues**,* couvertes de poils (= velu).

poinçon n.m. *Le cordonnier perce le cuir avec un **poinçon**,* une tige pointue.

■ **poinçonner** v. 1ᵉʳ groupe. *Le contrôleur **a poinçonné** nos billets,* il y a fait un trou pour attester le contrôle.

poindre v. 3ᵉ groupe. *Le jour commence à **poindre**,* à se lever.
✷ Conj. n° 82. Ce verbe s'emploie surtout dans la langue écrite et il n'existe pas à tous les temps.

illustr. p. 216 **poing** n.m. *Dans la bagarre, il a reçu un coup de **poing**,* un coup donné avec la main fermée. ◆ *Dormir **à poings fermés**,* c'est dormir très profondément.
✷ Ne pas confondre **poing** et **point**.

■ **poignée** n.f. *Une **poignée** de bonbons,* c'est ce que peut contenir la main fermée. ◆ *Gilles m'a donné une **poignée** de main,* il m'a serré la main. ◆ *La **poignée** de la scie est cassée,* la partie qui sert à la tenir. ◆ *Il n'y a dans la salle qu'une **poignée** de spectateurs,* un petit nombre.
illustr. p. 117

■ **poigne** n.f. *Le forgeron a de la **poigne**,* de la force dans les mains.
●● **empoigner**

1. point adv. « *Ne... **point** »* se dit parfois au lieu de « *ne... pas* ». *Je **ne** le vois **point**.*

illustr. p. 503 **2. point** n.m. SENS 1. *On met un **point** sur le « i » et sur le « j »,* un petit signe rond. SENS 2. *Une phrase finit par un **point**,* un signe de ponctuation (.) entre deux phrases. → **ponctuation**. SENS 3. *Le bateau n'était plus qu'un **point** au loin,* une petite tache. SENS 4. *Nous sommes revenus à notre **point** de départ* (= endroit, lieu). SENS 5. *Le capitaine **fait le point**,* il calcule l'endroit où se trouve le navire. SENS 6. *Dans son discours, il a abordé plusieurs **points**,* plusieurs ques-

tions (= problème). SENS 7. *Je ne l'ai jamais vu en colère à ce **point**,* à ce degré. SENS 8. *Martin a eu 9 sur 20, il lui manque un **point** pour avoir la moyenne,* une unité de compte. ◆ *Pierre a gagné la partie de ping-pong par 21 **points** à 12.* SENS 9. *Les **points** de cet ourlet sont espacés,* les piqûres faites avec une aiguille et du fil. SENS 10. *Nous sommes partis au **point du jour**,* au moment où le jour se lève, à la pointe du jour (= aube, aurore). SENS 11. *Il est arrivé **à point**,* au bon moment. *Le rôti est **à point**,* bien cuit. SENS 12. *Notre projet est **au point**,* bien organisé, prêt à être exécuté. SENS 13. *La discussion est **au point mort**,* elle est arrêtée. SENS 14. *Pierre est **mal en point**,* malade. SENS 15. *Je suis **sur le point de** partir,* je vais partir.
illustr. p. 228
✷ Ne pas confondre **point** et **poing**.

■ **pointillé** n.m. [SENS 1, 2 et 3] *Découpez en suivant le **pointillé**,* la ligne de petits points rapprochés.

pointage → *pointer*

point de vue n.m. *D'ici, nous avons un beau **point de vue**,* un spectacle vu d'un endroit qui domine. ◆ *Nos **points de vue** sont très différents* (= opinion, avis).
✷ Au pluriel, on écrit des **points de vue**.

pointe n.f. SENS 1. *Percez le tube avec la **pointe** d'une aiguille,* le bout pointu. SENS 2. *Chut ! Marchez sur la **pointe** des pieds,* le bout formé par les orteils. SENS 3. *M. Lenoir a acheté un paquet de **pointes** chez le quincaillier,* des clous cylindriques. SENS 4. *Il y a un phare sur la **pointe**,* à l'extrémité de la bande de terre avançant dans la mer (= cap). SENS 5. *Il y avait une **pointe** de malice dans ses paroles,* un peu (= soupçon). SENS 6. *Aux heures **de pointe**,* il y a du monde sur l'autoroute, aux heures où la circulation atteint son maximum. SENS 7. *Une industrie **de pointe** est une industrie d'avant-garde.* SENS 8. *Une fois à Nantes, on pourra **pousser une pointe** jusqu'à la mer,* aller jusqu'à cet endroit assez éloigné et non prévu dans l'itinéraire. SENS 9.*
illustr. p. 117

Nous irons observer les oiseaux à la **pointe du jour,** au lever du jour, au point du jour (= aube, aurore). SENS 10. (Au plur.) *La danseuse* **fait des pointes,** elle danse sur l'extrémité de ses chaussons.

■ **pointu, ue** adj. [SENS 1] *Attention, ce couteau est* **pointu,** il pique (= acéré ; ≠ arrondi).

pointer v. 1ᵉʳ groupe. SENS 1. *Le professeur* **pointe** *chaque nom de la liste,* il marque un signe devant. SENS 2. *Les ouvriers* **pointaient** *à l'entrée de l'usine,* ils déclaraient leur heure d'arrivée. SENS 3. *Julien* **a pointé** *son doigt vers la porte,* il l'a dirigé vers la porte. SENS 4. *Le chien* **pointe** *les oreilles,* il les dresse. *Le phare* **pointe** *à l'horizon,* il se dresse.

■ **pointage** n.m. [SENS 1] *Le professeur a fait un* **pointage** *des élèves,* il a contrôlé leur présence en pointant leur nom sur la liste.

pointillé → *point (2)*

pointilleux, euse adj. *Mme Leduc est très* **pointilleuse,** elle est minutieuse et exigeante (= fam. tâtillon).

pointu → *pointe*

pointure n.f. *Quelle* **pointure** *chausses-tu, du 39 ou du 40 ?,* quelle est la taille de tes chaussures ?

point-virgule n.m. *Le* **point-virgule** (;) est un signe de ponctuation servant à séparer deux membres de phrase. → *ponctuation*

illustr. p. 747 **poire** n.f. *Les* **poires** *sont des fruits à pépins, ventrus et généralement amincis vers la queue produits par un* **poirier.** ◆ **Couper la poire en deux,** c'est faire un compromis.

illustr. p. 747 **poireau** n.m. *Noël n'aime pas la soupe aux* **poireaux,** *des légumes allongés, blancs à la base et aux feuilles vertes.* ✳ Au pluriel, on écrit des **poireaux.**

poirier → *poire*

pois n.m. SENS 1. *Les* **pois** *sont des plantes grimpantes cultivées pour leurs graines (appelées aussi* **pois***). Les* **petits pois** *sont des légumes verts à grains ronds. Les* **pois de senteur** *sont des petites fleurs parfumées de diverses couleurs.* SENS 2. *Une cravate à* **pois** *est décorée de petits ronds.* ✳ Ne pas confondre avec un **poids** et la **poix.**

illustr. p. 747

poison n.m. SENS 1. *L'arsenic, l'opium sont des* **poisons,** *des substances dangereuses pour la santé.* ●● **empoisonner, contrepoison.** SENS 2. Fam. *Ce garçon est un vrai* **poison,** *un enfant capricieux, insupportable.*

poisse n.f. Fam. *C'est encore raté ? Tu as vraiment la* **poisse** *!,* de la malchance.

poisser v. 1ᵉʳ groupe. *Jean* **s'est poissé** *les mains avec de la confiture,* ses mains sont collantes.

■ **poisseux, euse** adj. *Jean a les mains* **poisseuses** *de confiture* (= collant, gluant).

■ **poix** n.f. *La* **poix** *est une substance collante.* ✳ Ne pas confondre avec le **poids** et un **pois.**

poisson n.m. SENS 1. *Les* **poissons** *sont des animaux vertébrés ovipares qui vivent dans l'eau, sont recouverts d'écailles et ont des branchies au lieu de poumons. L'ablette, le brochet, la carpe sont des* **poissons** *d'eau douce. Le turbot, le requin, le thon sont des* **poissons** *de mer.* → **pisciculture.** SENS 2. *Ce n'est pas vrai, c'est un* **poisson d'avril** *!,* une fausse nouvelle qu'on annonce pour faire une farce le 1ᵉʳ avril.

illustr. p. 845, 694

■ **poissonneux, euse** adj. *Cette rivière est très* **poissonneuse,** elle contient beaucoup de poissons.

■ **poissonnerie** n.f. [SENS 1] *La* **poissonnerie** *est la boutique du poissonnier.*

illustr. p. 582

LE PAYSAGE POLAIRE

baleinier

attelage

chiens de traîneau

traîneau

oiseaux polaires

pingouin (pôle Nord)

manchot (pôle Sud)

construction d'un igloo

1
2
bloc de neige
3
4
trou de ventilation
5
porte

aurore boréale
station météorologique
banquise
brise-glace
iceberg

Inuit (Esquimau)

harpon

anorak

moufle

botte

mammifères marins (cétacés)

baleine

cachalot

narval

mammifères

morse

ours blanc

phoque

renne

husky (chien de traîneau)

illustr.
p. 583

■ **poissonnier, ère** n. [SENS 1] Le poissonnier vend du poisson, des coquillages, des crustacés.

illustr.
p. 217

poitrine n.f. SENS 1. La **poitrine** est la partie du corps située entre le cou et la taille, qui contient le cœur et les poumons. SENS 2. *Cette dame a une grosse* **poitrine**, de gros seins.

illustr.
p. 354

■ **poitrail** n.m. [SENS 1] Le **poitrail** d'un cheval, c'est la face avant de son corps, entre le cou et les pattes.
✳ Au pluriel, on dit des **poitrails**.

poivre n.m. SENS 1. *Tu a mis trop de* **poivre** *dans cette sauce, ça pique !*, une épice produite par un arbuste appelé **poivrier**. SENS 2. *Papa a les cheveux* **poivre et sel**, bruns mêlés de blanc (= grisonnant).

■ **poivrer** v. 1ᵉʳ groupe. [SENS 1] Poivrer une sauce, c'est y mettre du poivre.

■ **poivrière** n.f. [SENS 1] *La* **poivrière** *(ou le* **poivrier***) est sur la table,* un récipient spécial pour le poivre.

illustr.
p. 164

→ **salière**. ◆ Une **poivrière** est un abri placé en surplomb d'une muraille où prenait place le guetteur d'un château fort.

illustr.
p. 690

poivron n.m. Le **poivron** est un piment doux, vert, jaune ou rouge.

poix → **poisser**

poker n.m. SENS 1. Le **poker** est un jeu de cartes d'origine américaine où l'on mise de l'argent. SENS 2. *Cette décision soudaine, c'est un* **coup de poker**, un choix plein de risque.
✳ On prononce [pɔkɛr].

polaire, polariser → **pôle**

Polaroid n.m. Un **Polaroid** est un appareil photographique à développement instantané.
✳ C'est un nom de marque, il s'écrit avec une majuscule dans les textes imprimés.

polder n.m. *Les Hollandais ont mis en valeur de nombreux* **polders**, *des régions conquises sur la mer.*
✳ On prononce [pɔldɛr].

pôle n.m. SENS 1. Les **pôles** sont des régions très froides situées le plus au nord et le plus au sud du globe terrestre. SENS 2. *Paris est un* **pôle d'attraction** *pour les touristes,* un endroit qui les attire.

■ **polaire** adj. [SENS 1] Un paysage polaire est un paysage caractéristique des pôles. (Avec majuscule.) L'étoile **Polaire** indique la direction du pôle Nord.
◆ Un froid **polaire** est un froid intense.

illustr.
p. 730

■ **polariser** v. 1ᵉʳ groupe. [SENS 2] *L'attention* **était polarisée** *sur lui* (= attirer, concentrer).
✳ **Pôle** s'écrit avec un accent circonflexe, mais les mots de sa famille n'en prennent pas.

polémique n.f. *Les deux hommes politiques ont engagé une* **polémique**, une très vive discussion.

■ **polémiquer** v. 1ᵉʳ groupe. *Pour faire avancer le projet, cessons de* **polémiquer**, de discuter âprement.

1. poli, ie adj. *Le marbre de la cheminée est parfaitement* **poli**, on l'a frotté pour le rendre lisse et brillant (≠ rugueux, terne). ●● **dépoli**

illustr.
p. 759

■ **polir** v. 2ᵉ groupe. *On* **polit** *le verre pour le rendre transparent* (= frotter).

2. poli, ie adj. *Renaud est un garçon* **poli**, bien élevé (≠ impoli, malpoli, insolent, grossier).

■ **poliment** adv. *Renaud m'a répondu* **poliment**, de façon polie.

■ **politesse** n.f. La **politesse**, ce sont les règles de courtoisie, de savoir-vivre qui révèlent le respect d'autrui (≠ impolitesse). *« Merci », « s'il vous plaît » sont des* **formules de politesse**.

police n.f. SENS 1. La **police** est l'administration qui est chargée de faire res-

illustr.
p. 733

pecter la loi et d'assurer la sécurité de la population. SENS 2. *M. Durand a souscrit une **police d'assurance** pour sa voiture,* un contrat.

▪ **policier, ère** n. [SENS 1] *Les **policiers** ont arrêté un suspect,* les membres de la police (= agent).

▪ **policier, ère** adj. [SENS 1] Les films **policiers** sont ceux qui parlent de policiers et de bandits. Les chiens **policiers** sont dressés pour aider la police.

polichinelle n.m. SENS 1. Un **polichinelle** est un pantin qui a un gros ventre et une bosse dans le dos. SENS 2. (Avec majuscule.) *Il croit que personne n'est au courant de son mariage, mais c'est un **secret de Polichinelle**,* un faux secret, que tout le monde connaît.

policier → *police*

poliment → *poli*

poliomyélite n.f. *Il est infirme des jambes car il a eu la **poliomyélite**,* une maladie due à un virus qui peut causer une paralysie.

polir → *poli (1)*

polisson, onne n. *C'est encore un tour de ce petit **polisson** !,* cet enfant espiègle.

politesse → *poli (2)*

politique n.f. La **politique** est la manière de gouverner un pays.

▪ **politique** adj. *Les députés, les ministres sont des hommes **politiques**,* ils s'occupent des intérêts du pays, de la façon dont il est gouverné. Un parti **politique** est une organisation qui gouverne ou veut gouverner. ●● *apolitique*

▪ **politicien, enne** n. Un **politicien** est un homme politique.
❋ Ce mot a assez souvent un sens défavorable.

▪ **politiser** v. 1ᵉʳ groupe. *Ce débat qui devait être technique a été vite **politisé**,* on lui a donné un caractère politique.

polka n.f. La **polka** est une danse d'origine polonaise.

pollen n.m. Le **pollen** des fleurs est l'ensemble des petits grains formant une fine poudre qui sert à la reproduction des végétaux.
❋ On prononce [pɔlɛn].

polluer v. 1ᵉʳ groupe. *Cette plage est **polluée** par du mazout,* elle est salie, rendue malsaine.

▪ **pollution** n.f. *Près de l'usine, la **pollution** est inquiétante,* la dégradation de la qualité de l'air ou de l'eau par des produits toxiques (≠ pureté).

polo n.m. SENS 1. Le **polo** est un sport d'équipe dans lequel les joueurs sont à cheval et poussent une balle de bois avec un maillet. SENS 2. *Olivier a un **polo** bleu,* une chemise de sport en tricot.   *illustr. p. 1010*

polochon n.m. Fam. Un **polochon** est un traversin.

poltron, onne adj. et n. *Michaël est (un) **poltron**,* il manque de courage (= peureux, lâche, froussard ; ≠ brave).

▪ **poltronnerie** n.f. *On s'est moqué de sa **poltronnerie*** (= lâcheté ; ≠ courage).

poly- préfixe. Placé au début d'un mot, **poly-** indique qu'il y a plusieurs choses : *la **poly**copie est une reproduction en plusieurs copies ; un **poly**èdre est un solide à plusieurs faces.*

polyester n.m. *La nappe est en **poly**ester,* en un certain tissu synthétique.
❋ On prononce [pɔliɛstɛr].

polygamie n.f. *La **polygamie** est interdite par la loi française,* la situation de

LA POLICE ET LA GENDARMERIE

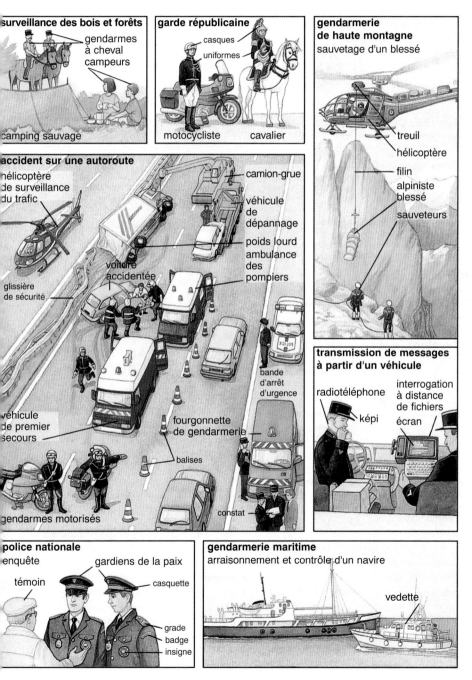

surveillance des bois et forêts

gendarmes
à cheval
campeurs

camping sauvage

garde républicaine

casques

uniformes

motocycliste   cavalier

**gendarmerie
de haute montagne**

sauvetage d'un blessé

treuil

hélicoptère

filin

alpiniste
blessé

sauveteurs

accident sur une autoroute

hélicoptère
de surveillance
du trafic

camion-grue

véhicule
de
dépannage

poids lourd
ambulance
des
pompiers

voiture
accidentée

glissière
de sécurité

bande
d'arrêt
d'urgence

véhicule
de premier
secours

fourgonnette
de gendarmerie

balises

gendarmes motorisés

constat

**transmission de messages
à partir d'un véhicule**

radiotéléphone

interrogation
à distance
de fichiers

képi

écran

police nationale

enquête

gardiens de la paix

témoin

casquette

grade
badge
insigne

gendarmerie maritime

arraisonnement et contrôle d'un navire

vedette

733

quelqu'un qui est **polygame**, c'est-à-dire d'un homme qui a plusieurs épouses ou d'une femme qui a plusieurs maris.
●● *bigamie, monogamie*

polyglotte adj. *M. Marty est polyglotte, il sait parler plusieurs langues.* → *bilingue, trilingue*

illustr. p. 431 **polygone** n.m. *Un polygone est une figure géométrique qui a plusieurs côtés.*

polype n.m. *M. Dumont a été opéré d'un polype dans la gorge,* d'une tumeur molle souvent peu grave.

polystyrène n.m. *L'emballage de la glace est en polystyrène,* en matière plastique blanche, très légère.

polytechnicien, enne n. *Un polytechnicien est un élève d'une grande école scientifique appelée* **Polytechnique**.

polyvalent, ente adj. *Un professeur polyvalent enseigne plusieurs matières. À la mairie, il y a une salle polyvalente,* qui a plusieurs usages possibles.

illustr. p. 869 **pommade** n.f. *Mets de la pommade sur ta brûlure,* un médicament gras.

illustr. p. 385, 747, 403 **pomme** n.f. SENS 1. *Les pommes sont des fruits sphériques à pépins produits par un pommier.* SENS 2. *La pomme de pin est le fruit du pin.* SENS 3. *La pomme d'Adam est une petite bosse que les hommes ont sur la gorge.* SENS 4. *La pomme d'arrosoir est le bout arrondi et percé de trous de l'arrosoir.* SENS 5. Fam. **Tomber dans les pommes,** c'est s'évanouir.

■ **pommé, ée** adj. [SENS 1] *Une laitue pommée est une laitue arrondie comme une pomme.*

pommeau n.m. *Le pommeau d'une épée est le bout arrondi de sa poignée.*

Le cavalier s'accroche au pommeau de sa selle, la partie arrondie située à l'avant.
❋ Au pluriel, on écrit des **pommeaux**. *illustr. p. 354*

pomme de terre n.f. *La pomme de terre est une plante cultivée pour ses tubercules.* *illustr. p. 747*
❋ Au pluriel, on écrit des **pommes de terre**.

pommelé, ée adj. *Le ciel est pommelé,* couvert de petits nuages ronds.

pommette n.f. *Yvon a les pommettes toutes rouges,* le haut des joues.

pommier → *pomme*

1. pompe n.f. SENS 1. *Jean gonfle son pneu avec une pompe,* un appareil qui remplit le pneu d'air. SENS 2. *Une pompe à eau envoie de l'eau. Une pompe à essence envoie de l'essence.* SENS 3. Fam. *J'ai un coup de pompe tout d'un coup,* je me sens fatigué. *illustr. p. 1017, 277, 852*

■ **pomper** v. 1er groupe. [SENS 2] *On a pompé l'eau de l'étang,* on l'a évacuée avec une pompe.

■ **pompage** n.f. [SENS 2] *Une station de pompage est une installation qui pompe l'eau.*

■ **pompiste** n. [SENS 2] *Le pompiste a fait le plein de ma voiture,* l'employé de la pompe à essence. *illustr. p. 852*

2. pompe n.f. SENS 1. *Le mariage a été célébré en grande pompe,* la cérémonie a eu beaucoup d'éclat (= solennité). SENS 2. (Au plur.) *Les pompes funèbres sont chargées d'organiser les enterrements.*

■ **pompeux, euse** adj. [SENS 1] *Le maire a fait un discours pompeux* (= solennel, grandiloquent ; ≠ simple).

■ **pompeusement** adv. [SENS 1] *Cette maison bourgeoise est pompeusement appelée « le château »,* d'une manière pompeuse.

pompier n.m. *On a appelé les **pompiers** pour éteindre l'incendie*, des spécialistes de la lutte contre le feu, les inondations, etc.
🟊 On dit aussi **sapeur-pompier**.

illustr. p. 736, 737

pompiste → *pompe (1)*

pompon n.m. Un **pompon** est une boule de laine décorative.

illustr. p. 55, 894

se **pomponner** v. 1ᵉʳ groupe. *Anaïs **se pomponne** devant la glace*, elle soigne sa toilette.

poncer v. 1ᵉʳ groupe. *Avant de peindre, il faut bien **poncer** le mur*, le frotter ou le gratter pour le rendre lisse et propre.
🟊 Conj. n° 1.

▪ **ponce** adj.f. *Jean se récure les mains avec une **pierre ponce***, une pierre dure et rugueuse.

illustr. p. 949

▪ **ponceuse** n.f. Une **ponceuse** est une machine qui sert à poncer.

illustr. p. 117

poncho n.m. *Les Mexicains portent des **ponchos***, de grands rectangles de tissu, avec une ouverture pour passer la tête, qui servent de manteau.
🟊 On prononce [pɔ̃ʃo] ou [pɔ̃tʃo].

illustr. p. 1011

ponction n.f. SENS 1. En médecine, faire une **ponction**, c'est retirer du corps un liquide avec une seringue. SENS 2. *Cette dépense représente une grosse **ponction** sur notre budget*, un prélèvement d'argent.

ponctuation → *ponctuer*

ponctuel, elle adj. SENS 1. *Théo est **ponctuel** à ses rendez-vous*, il arrive à l'heure. SENS 2. *Ce sont des critiques **ponctuelles***, qui portent sur des points précis.

▪ **ponctualité** n.f. [SENS 1] *J'admire sa **ponctualité***, son exactitude, sa régularité.

▪ **ponctuellement** adv. [SENS 1] *Il arrive **ponctuellement** à 8 heures* (= régulièrement).

ponctuer v. 1ᵉʳ groupe. SENS 1. *Paul ne sait pas **ponctuer** ses devoirs*, mettre les signes de ponctuation. SENS 2. *Il a lu le texte en le **ponctuant** de commentaires*, en mettant en relief des passages par des commentaires.

▪ **ponctuation** n.f. *Le point, la virgule, le point-virgule, les parenthèses sont des signes de **ponctuation***, des signes qui permettent de séparer les membres d'une phrase ou les phrases entre elles.

pondéré, ée adj. *M. Dupont est un esprit **pondéré*** (= calme ; ≠ violent, impulsif).

▪ **pondération** n.f. *M. Dupont agit toujours avec **pondération***, avec modération et prudence.

pondre v. 3ᵉ groupe. *Les oiseaux, les poissons, les insectes **pondent** des œufs*, ils les produisent.
🟊 Conj. n° 51.

▪ **pondeuse** n.f. *Cette poule est une bonne **pondeuse***, elle pond beaucoup d'œufs.

▪ **ponte** n.f. *La poule glousse après la **ponte***, après avoir pondu.

illustr. p. 384

poney n.m. *Paul se promène à dos de **poney***, une sorte de petit cheval.

pont n.m. SENS 1. *On traverse la rivière sur un **pont** de bois*, une construction qui va d'une rive à l'autre. SENS 2. *Un **pont aérien** est une liaison par avion qui assure des services d'urgence à des réfugiés, à des sinistrés. SENS 3. À l'Ascension, nous avons **fait le pont***, nous avons eu un jour de congé supplémentaire entre deux jours fériés. SENS 4. *Les passagers se promènent sur le **pont** du paquebot*, le plancher qui recouvre la coque. ●● **entrepont**. SENS 5. *Pour faire la vidange, le garagiste lève la voiture à l'aide du **pont***, un appareil qui élève la voiture à hauteur d'homme.

illustr. p. 845, 741, 971, 69

▪ **pont-levis** n.m. [SENS 2] *Les châteaux forts avaient un **pont-levis***, un pont que l'on pouvait lever ou baisser.

illustr. p. 164

LES POMPIERS ET LA SÉCURITÉ CIVILE

extincteurs

à poudre à eau pulvérisée à mousse

Incendie d'un navire dans un port

marins-pompiers

bateau-pompe

Incendie d'un réservoir de pétrole

canon à mousse

Incendie de forêt

massif boisé

tour de guet

fumée

hélicoptère antifeu

brasier

véhicules de lutte contre l'incendie

fourgon

fourgon-pompe

camion-citerne

bulldozer

tranchée pare-feu

lance

échelle pivotante

guidage des avions au sol

sapeurs-forestiers

plate-forme élévatrice

tenues d'intervention

masque respiratoire

casque

veste de cuir

ceinturon

bottes

bande réfléchissante

tenue de plongée

combinaison

Les pompiers sont le plus souvent des bénévoles.
On les appelle en cas d'incendie, d'accident grave ou de catastrophe
naturelle, et ils arrivent pour porter secours.

départ des pompiers pour une intervention

échelle

caserne

garage

gyrophare

ambulance

véhicules
d'intervention

fourgon-
pompe

avions de lutte
contre l'incendie
(Canadair)

pompiers

véhicules
tout terrain
(camions-citernes)

Incendie d'un immeuble

toboggan
d'évacuation

brasier

flammes

dévidoir

car de police

tuyau

raccord

bouche
d'incendie

repêchage d'une voiture

flèche

camion-
grue

câbles

treuil

palan

pompiers

catastrophe naturelle (séisme)

immeuble
détruit

sauveteurs
secouristes

brancardiers

ambulance

grue

pompiers

chiens

737

■ **ponton** n.m. [SENS 1] *On traverse le fleuve sur un* **ponton**, *une plate-forme flottante.*

ponte → **pondre**

pontife n.m. SENS 1. Souverain pontife est le titre donné au pape, chef suprême de la chrétienté. SENS 2. Les **pontifes** d'une entreprise sont les personnages importants.

■ **pontifical, ale, aux** adj. [SENS 1] L'État **pontifical** est le Vatican.

■ **pontificat** n.m. [SENS 1] *Le* **pontificat** *de Jean-Paul II a commencé en 1978,* sa fonction de pape.

■ **pontifier** v. 1er groupe. [SENS 2] Fam. *M. Durand* **pontifie** *devant ses invités,* il parle d'un ton solennel, prétentieux (= pérorer).

pont-levis, ponton → **pont**

pop → **pop music**

pop-corn n.m. inv. Les **pop-corn** sont des grains de maïs gonflés et grillés.
✳ Ce mot composé ne change pas au pluriel.

pope n.m. Un **pope** est un prêtre de l'Église orthodoxe.

popeline n.f. *Alex a une chemise en* **popeline**, *un tissu lisse.*

pop music ou **pop** n.f. *Pierre aime la* **pop music**, *une musique très rythmée* issue du rock.
✳ On prononce [pɔpmyzik] ou bien [pɔpmjuzik].

popote n.f. Fam. *Les campeurs font leur* **popote** *sur un réchaud,* ils cuisent leur nourriture (= cuisine).

populace n.f. **Populace** est un terme de mépris pour désigner le peuple. ●● **peuple**

populaire adj. SENS 1. *Les ouvriers et les paysans forment les classes popu-*

laires, *issues du peuple.* ●● **peuple**. SENS 2. *Ce navigateur est très* **populaire**, *il est aimé de beaucoup de monde* (≠ impopulaire).

■ **populariser** v. 1er groupe. [SENS 2] *Les journaux* **ont popularisé** *son nom,* ils l'ont fait connaître très largement.

■ **popularité** n.f. [SENS 2] *Ce ministre jouit d'une grande* **popularité**, *il est très* populaire (= célébrité ; ≠ impopularité).

population n.f. *La* **population** *de la France dépasse 60 millions d'habitants,* le nombre d'habitants. *La* **population active**, c'est l'ensemble des personnes qui travaillent. ●● **peuple**

■ **populeux, euse** adj. *Un quartier* **populeux** *est un quartier très peuplé.*

porc n.m. SENS 1. *Le* **porc** *est un animal* domestique dont la viande se vend en particulier dans les charcuteries (= cochon). ●● **pourceau**. SENS 2. *Il y avait du rôti de* **porc** *au menu,* de la viande de porc. → **truie**   *illustr. p. 397*
✳ Ne pas confondre avec **port** et **pore**.

■ **porcelet** n.m. *La truie est suivie de ses* **porcelets**, *de ses petits.*   *illustr. p. 397*

■ **porcher** n.m. Autrefois, les porcs étaient gardés par des **porchers**.

■ **porcherie** n.f. *La* **porcherie** *est un* bâtiment de la ferme où l'on élève les porcs.   *illustr. p. 385*

■ **porcin, ine** adj. L'élevage **porcin** est l'élevage des porcs.   *illustr. p. 397*

porcelaine n.f. *Pour ce repas, on a sorti les assiettes en* **porcelaine**, *en* céramique fine.

porcelet → **porc**

porc-épic n.m. Les **porcs-épics** sont des mammifères rongeurs des régions chaudes dont le corps est recouvert de longs piquants.
✳ On prononce [pɔrkepik].

porche n.m. *Le* **porche** *d'un bâtiment* est la partie couverte qui est à l'entrée.   *illustr. p. 384*

porcher, porcherie, porcin
→ *porc*

pore n.m. *Pierre transpire par tous les* **pores**, *les trous minuscules de la peau.* ✴ Ne pas confondre avec **porc** et **port**. Ce mot est du genre masculin.

■ **poreux, euse** adj. *Cette roche est* **poreuse**, *elle a des trous minuscules qui laissent passer l'eau* (= perméable).

pornographique adj. *Les films* **pornographiques** *sont ceux qui montrent la sexualité d'une manière obscène.*

porphyre n.m. *Certaines églises italiennes ont des colonnes en* **porphyre**, *une roche rouge.*
✴ On prononce [pɔrfir].

porridge n.m. *John mange du* **porridge** *au petit déjeuner*, *de la bouillie d'avoine.*

*illustr.
p. 694,
741,
557*

1. port n.m. SENS 1. *Marseille est un* **port** *maritime, Rouen est un* **port** *fluvial,* un endroit où s'arrêtent les navires. SENS 2. *Leur voyage s'est bien passé, ils* **sont arrivés à bon port**, *sans accident.*
✴ Ne pas confondre avec **porc** et **pore**.

*illustr.
p. 740*

■ **portuaire** adj. [SENS 1] *Les grues, les hangars, les docks font partie de l'équipement* **portuaire**, *d'un port.*

2. port → *porter*

portable → *porter*

portail → *porte*

portant, portatif → *porter*

*illustr.
p. 164,
572,
424,
863*

porte n.f. SENS 1. *On frappe, va ouvrir la* **porte**, *le panneau mobile qui permet ou interdit le passage.* SENS 2. *M. Leclerc a* **été mis à la porte**, *il a été renvoyé* (= congédier). SENS 3. *Si on tolère cela, c'est* **la porte ouverte** *à tous les abus,* on ne pourra plus s'y opposer. ◆ *L'école a organisé une* **journée portes ouvertes**, *le public a eu la possibilité de visiter l'école.*

■ **porte-fenêtre** n.f. [SENS 1] *Une* **porte-fenêtre** *est une fenêtre qui descend jusqu'au sol et qui sert de porte.*
illustr. p. 573

■ **portail** n.m. [SENS 1] *Le* **portail** *de la cathédrale est ouvert,* la grande porte.
✴ Au pluriel, on dit des **portails**.
illustr. p. 527

■ **portier** n.m. [SENS 1] *Il a donné un pourboire au* **portier** *de l'hôtel*, à l'employé qui se tient à l'entrée pour accueillir les clients.

■ **portière** n.f. [SENS 1] *Ne passe pas la tête par la* **portière** !, la porte de la voiture.
illustr. p. 970, 69

■ **portillon** n.m. [SENS 1] *On entre dans le square par un* **portillon**, *une porte basse.*
illustr. p. 424

en **porte-à-faux** adv. *Le colis a basculé parce qu'il était* **en porte-à-faux**, *en équilibre instable.*

porte-à-porte n.m. inv. *Ils ont commencé dans le métier en* **faisant du porte-à-porte**, *du démarchage à domicile.*

porte-avions n.m. inv. *Un* **porte-avions** *est un navire de guerre aménagé pour le transport des avions et pour permettre leur décollage et leur atterrissage.*
●● *avion*
illustr. p. 55

porte-bagages n.m. inv. *Un* **porte-bagages** *est un support placé sur un véhicule pour recevoir des bagages.*
●● *bagage*

porte-bonheur n.m. inv. *On dit que les brins de muguet offerts le 1er mai sont des* **porte-bonheur**, *ils apporteront du bonheur.* ●● *bonheur*

porte-cartes n.m. inv. *Un* **porte-cartes** *est un portefeuille pour ranger des papiers d'identité, des cartes de transport, etc.* ●● *carte*

porte-clefs n.m. inv. *Un* **porte-clefs** *est un anneau ou un étui qui sert à porter des clefs.* ●● *clef*

LE PORT DE COMMERCE

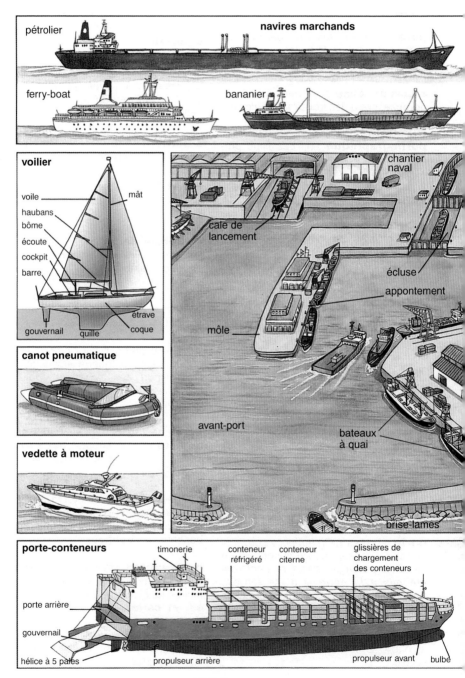

pétrolier

navires marchands

ferry-boat

bananier

voilier

voile

mât

haubans

bôme

écoute

cockpit

barre

gouvernail

quille

étrave

coque

canot pneumatique

vedette à moteur

chantier naval

cale de lancement

écluse

appontement

môle

avant-port

bateaux à quai

brise-lames

porte-conteneurs

timonerie

conteneur réfrigéré

conteneur citerne

glissières de chargement des conteneurs

porte arrière

gouvernail

hélice à 5 pales

propulseur arrière

propulseur avant

bulbe

Dans un grand port, on peut voir toutes sortes de navires. Certains transportent des marchandises, comme les pétroliers, ou des voyageurs, comme les ferry-boats. Et les autres, à quoi servent-ils ?

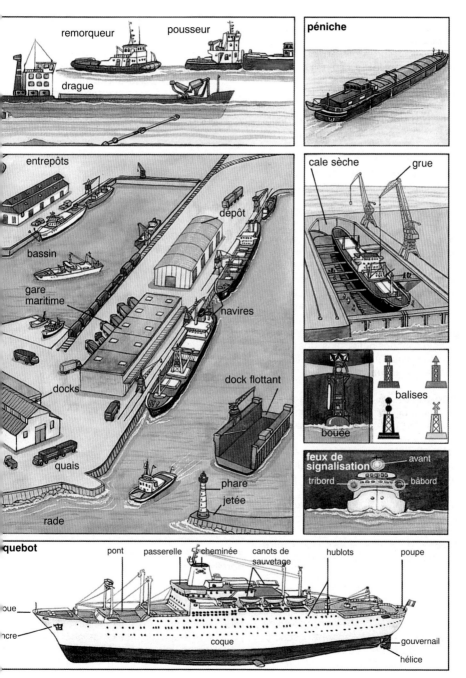

remorqueur
pousseur
drague

péniche

entrepôts
dépôt
bassin
gare maritime
navires
docks
dock flottant
quais
phare
jetée
rade

cale sèche
grue

balises
bouée

feux de signalisation
avant
tribord
bâbord

quebot
pont
passerelle
cheminée
canots de sauvetage
hublots
poupe
oue
ncre
coque
gouvernail
hélice

illustr.
p. 1010

porte-documents n.m. inv. *L'archi-tecte a sorti les plans de son **porte-documents**, de sa serviette très plate.*
●● *document*

portée → *porter*

porte-fenêtre → *porte*

portefeuille n.m. SENS 1. *M. Delmas a sorti des billets de son **portefeuille**,* un étui de cuir ou de plastique muni de poches intérieures. SENS 2. *Dans le nou-veau gouvernement, ce député a reçu le **portefeuille** des Finances,* il est devenu ministre des Finances.
✹ **Portefeuille** s'écrit en un seul mot.

illustr.
p. 862

portemanteau n.m. *Accroche ton par-dessus au **portemanteau**,* un support muni de crochets pour pendre les vête-ments. ●● *manteau*
✹ **Portemanteau** s'écrit en un seul mot. Au pluriel, on écrit des **portemanteaux**.

porte-monnaie n.m. inv. *Des **porte-monnaie** sont des petits sacs, des petites pochettes pour mettre des pièces de monnaie.* ●● *monnaie*

porte-parole n. inv. *Des **porte-parole** sont des gens qui parlent au nom d'une personne ou d'un groupe.* ●● *parole*

porte-plume n.m. *Autrefois, on écrivait avec des **porte-plume**,* des bâtonnets auxquels on adapte une plume.
●● *plume*
✹ Au pluriel, on écrit des **porte-plume** ou des **porte-plumes**.

porter v. 1er groupe. SENS 1. *Hugo **porte** un paquet sur son dos,* il en supporte le poids (= transporter). SENS 2. *La chatte **porte** ses petits deux mois,* elle les a dans son ventre. SENS 3. *Il **porte** une lourde responsabilité dans cette affaire* (= supporter). SENS 4. *M. Chanot **porte** de l'argent à la banque* (= apporter). SENS 5. *Catherine **porte** une jupe bleue et un pull vert,* elle les a sur elle. SENS 6. *M. Dupont*

porte *la barbe,* il en a une. SENS 7. *Quel nom **porte**-t-il ?,* quel est son nom ? (= avoir). SENS 8. **Porter** *secours,* c'est secourir. Porter **plainte,** c'est se plaindre. **Porter** bonheur (ou malheur), c'est cau-ser un bonheur (ou un malheur). SENS 9. *La discussion **a porté sur** le match de rugby,* elle a eu ce sujet. SENS 10. *Le coup **a porté,*** il a atteint son but. SENS 11. *Sa voix **porte** loin,* elle s'entend de loin. SENS 12. *Marie **se porte** bien,* sa santé est bonne (= aller).

■ **port** n.m. [SENS 4] *Il faut payer le **port** de cette lettre,* le prix de son transport. [SENS 5 et 6] Avoir un **port d'armes,** c'est avoir la permission d'en avoir une sur soi.
✹ Ne pas confondre avec **porc** et **pore**.

■ **portable** adj. [SENS 1] *Un téléviseur **portable** est un téléviseur que l'on peut facilement transporter* (= portatif). [SENS 5] *Cette jupe n'est plus **portable**,* elle est trop usée ou démodée.

illustr.
p. 940

■ **portant, ante** adj. [SENS 10] *Tirer un coup de feu **à bout portant**,* c'est le tirer de très près. [SENS 12] *Marie est **bien portante**,* elle est en bonne santé.

■ **portatif, ive** adj. [SENS 1] *Un poste de radio **portatif** est un poste que l'on peut transporter sur soi* (= portable).

■ **portée** n.f. [SENS 10 et 11] *Quelle est la **portée** de ce fusil ?,* à quelle distance porte-t-il ? *Il ne **mesure** pas **la portée** de ses paroles,* l'effet, la conséquence. [SENS 2] *La **portée** d'une chienne,* c'est le nombre de petits qu'elle met bas en une fois. ◆ *Ce livre est **à la portée de** ta main,* tu peux le prendre avec la main sans avoir à te déplacer. *Ce travail n'est pas **à la portée** de tout le monde,* tout le monde n'est pas capable de le faire. ◆ *On écrit les notes de musique sur une **portée**,* un groupe de cinq lignes paral-lèles.

illustr.
p. 628

■ **porteur, euse** [SENS 1] n. *Ces valises sont trop lourdes, va chercher un **por-teur**,* un homme dont le métier est de porter les bagages. [SENS 5] adj. Être **porteur** d'un virus ou d'un microbe, c'est porter en soi les germes d'une maladie.

illustr.
p. 425

illustr. **porte-savon** n.m. Un **porte-savon** est
p. 239 un petit support où l'on peut poser un
savon.
✹ Au pluriel, on écrit des **porte-savons**
ou des **porte-savon**.

illustr. **porte-serviettes** n.m. inv. *On a ins-*
p. 239 *tallé un* **porte-serviettes** *à côté du la-*
vabo, un support pour suspendre des
serviettes de toilette.

porteur → *porter*

illustr. **porte-voix** n.m. inv. Les **porte-voix** sont
p. 177 des instruments en forme de cône qui
permettent d'amplifier la voix pour qu'elle
porte loin.

portier, portière, portillon
→ *porte*

portion n.f. SENS 1. *À la cantine, les*
portions *sont copieuses,* la quantité de
nourriture servie à chacun (= part).
→ *ration*. SENS 2. *Une* **portion** *de la*
population est mécontente, une partie
de la population (= fraction).

illustr. **portique** n.m. *La balançoire est accro-*
p. 527, *chée à un* **portique,** une barre soutenue
424 par des poteaux.

porto n.m. Le **porto** est un vin renommé
du Portugal.

portrait n.m. SENS 1. *On te reconnaît*
très bien sur ce **portrait,** ce dessin, cette
peinture ou cette photo représentant ton
visage. SENS 2. *Quentin est le* **portrait** *de*
son père, il lui ressemble beaucoup.
→ *sosie*

■ **portrait-robot** n.m. *Les journaux ont*
diffusé des **portraits-robots** *de l'assas-*
sin, des portraits établis à partir des
descriptions de témoins.

portuaire → *port (1)*

poser v. 1er groupe. SENS 1. *Pose le livre*
sur la table (= mettre, placer, déposer).
SENS 2. *L'oiseau* **s'est posé** *sur une*

branche, il s'y est mis (≠ s'envoler).
SENS 3. *On a fait* **poser** *de nouveaux*
rideaux (= installer). SENS 4. *Youssef m'a*
posé une question, il m'a interrogé.
SENS 5. *Chloé* **pose** *devant le photogra-*
phe, elle reste immobile. SENS 6. *Noël*
pose *devant ses amis,* il prend des airs
prétentieux. SENS 7. **Poser** une opération,
un chiffre, c'est les écrire pour effectuer
un calcul. *9 plus 3 égale 12, je* **pose** *2*
et je retiens 1.

■ **pose** n.f. [SENS 3] *Le plombier est*
venu pour la **pose** *d'un chauffe-eau*
(= installation). [SENS 5] *Pour prendre*
cette photo, il faudra une **pose** *de trois*
secondes, rester immobile pendant ce
temps. [SENS 6] *Noël prend des* **poses**
prétentieuses (= attitude).
✹ Ne pas confondre avec **pause.**

■ **posé, ée** adj. [SENS 5] *Julien est un*
garçon **posé** (= calme, sérieux).

■ **posément** adv. [SENS 5] *Adeline m'a*
répondu **posément,** sans s'énerver
(= calmement).

■ **poseur, euse** adj. et n. [SENS 6] *Noël*
est (un) **poseur** (= prétentieux).

positif, ive adj. SENS 1. *L'acheteur m'a*
donné une réponse **positive,** il m'a dit oui
(= affirmatif ; ≠ négatif). SENS 2. *Un*
nombre **positif** est un nombre supérieur
à zéro. SENS 3. *Le résultat de ses démar-*
ches est **positif,** il a réussi. SENS 4.
Coralie a un esprit **positif,** elle a du sens
pratique (= réaliste, concret ; ≠ abstrait,
rêveur).

■ **positivement** adv. [SENS 1] *Il m'a*
répondu **positivement** (= affirmati-
vement). [SENS 3] *Son influence s'est*
exercée **positivement,** dans un sens
favorable.

position n.f. SENS 1. *Dans quelle* **posi-**
tion *dors-tu ?* (= attitude). SENS 2. *Ce*
coureur est arrivé en cinquième **posi-**
tion, au cinquième rang (= place). SENS 3.
On lui a demandé de préciser sa **posi-**
tion, de donner nettement son avis
(= opinion, point de vue). SENS 4. *Le*

*navire a fait connaître sa **position**,* l'endroit où il se trouve (= situation).

positivement → *positif*

posséder v. 1er groupe. *M. Launay **possède** une maison de campagne,* elle lui appartient (= avoir). ●● **déposséder** ✳ Conj. n° 10.

■ **possesseur** n.m. *Qui est le **possesseur** de ce bois ?* (= propriétaire).

■ **possessif, ive** adj. *« Mon », « ton », « son » sont des adjectifs **possessifs**,* qui expriment la possession, l'appartenance.

■ **possession** n.f. *Est-ce que tu as ces livres en ta **possession** ?,* est-ce que tu les possèdes ?

possible adj. SENS 1. *Il est **possible** de faire ce travail en deux heures,* on peut le faire (= réalisable ; ≠ impossible). SENS 2. *Est-ce qu'il viendra demain ? C'est **possible**,* peut-être (≠ certain).

■ **possible** n.m. [SENS 1] *Gilles a fait tout son **possible**,* tout ce qu'il pouvait faire.

■ **possibilité** n.f. [SENS 1] *Je n'ai pas la **possibilité** de venir,* je n'en ai pas les moyens (= pouvoir). ●● **impossibilité**. [SENS 2] *Il faut envisager toutes les **possibilités**,* tous les cas possibles (= éventualité).

---

post- préfixe. Placé au début d'un mot, **post-** signifie « après » : *des soins **post**opératoires sont des soins qu'on donne après une opération.*

---

postdater v. 1er groupe. *La lettre est partie le 16, elle est datée du 17, elle **a** donc **été postdatée**,* elle a reçu une date postérieure à la date réelle (≠ antidater). ●● **date**

1. poste n.f. SENS 1. (Avec majuscule.) *La **Poste** est un service public chargé de distribuer le courrier.* SENS 2. *La **poste** est*

à côté de la mairie, *le bureau de poste où l'on peut expédier ou recevoir du courrier.* SENS 3. *Autrefois, les voitures de **poste** transportaient les voyageurs et le courrier.* *illustr. p. 970*

■ **postal, ale, aux** adj. [SENS 1 et 2] *Un wagon **postal** est un wagon qui sert à transporter le courrier qui a été mis à la poste.*

■ **poster** v. 1er groupe. [SENS 1 et 2] *As-tu **posté** la lettre pour Fabien ?,* l'as-tu mise à la poste ?

■ **postier, ère** n. [SENS 1 et 2] *Un **postier** est un membre du personnel de La Poste.*

■ **postillon** n.m. [SENS 3] *Autrefois, un **postillon** conduisait les chevaux d'une voiture de poste, d'une diligence.* ◆ Fam. *M. Dollet envoie des **postillons** quand il parle,* des gouttes de salive. *illustr. p. 970*

2. poste n.m. SENS 1. *Le soldat est resté à son **poste**,* à l'endroit où il devait rester. SENS 2. *Un **poste** de police est un endroit où se trouvent des policiers ; un **poste** de pilotage est l'endroit où se trouve le pilote d'un avion.* SENS 3. *M. Dupont occupe un **poste** important* (= emploi, charge, fonction). SENS 4. *Les Chéron ont un **poste** de radio et un **poste** de télévision,* un appareil qui permet d'écouter la radio et un appareil qui permet de regarder la télévision (= radio, téléviseur). *illustr. p. 719 74, 503*

■ **poster** v. 1er groupe. [SENS 1] *Il **s'est posté** à la fenêtre pour m'attendre,* il s'est mis à cet endroit.

1. poster → *poste (1)*

2. poster → *poste (2)*

3. poster n.m. *Yvon a mis des **posters** sur les murs de sa chambre,* de grandes photos et des affiches. ✳ On prononce [pɔstɛr].

postérieur, eure adj. SENS 1. *Mon arrivée est **postérieure** à la tienne,* elle a eu lieu après (= ultérieur ; ≠ antérieur). SENS 2. *Rémi a reçu un coup sur la partie*

postérieure *de la tête,* sur l'arrière (≠ antérieur).

■ **postérieur** n.m. [SENS 2] Fam. *Une guêpe lui a piqué le **postérieur**,* le derrière, les fesses.

■ **postérité** n.f. [SENS 1] *Il travaille pour la **postérité**,* les gens qui vivront après lui.

posthume adj. *J'ai lu un roman **posthume** de cet écrivain,* un roman publié après sa mort.

postiche adj. et n.m. *Le père Noël a mis une barbe **postiche**,* une fausse barbe. *Le bandit avait un **postiche**,* de faux cheveux (= perruque).

postier, postillon → *poste (1)*

post-scriptum n.m. inv. *Il y avait un **post-scriptum** à la fin de sa lettre,* quelques mots ajoutés après la signature.
✵ On prononce [pɔstskriptɔm]. Ce mot ne change pas au pluriel. On écrit, en abrégé, P.-S.

postuler v. 1ᵉʳ groupe. **Postuler (à)** un emploi, c'est être candidat à cet emploi (= solliciter).

■ **postulant, ante** n. *Il y a plusieurs **postulants** pour ce poste* (= candidat).

posture n.f. SENS 1. *Tu es couché ! ce n'est pas une **posture** pour travailler !,* une position du corps (= attitude). → *maintien*. SENS 2. *Si notre équipe perd encore un match, elle sera en mauvaise **posture** pour le classement,* elle sera dans une situation difficile (= position).

pot n.m. SENS 1. *Mamie met des **pots** de fleurs sur son balcon,* des récipients conçus pour recevoir de la terre et des plantes. SENS 2. *Le **pot d'échappement** d'une voiture,* c'est le dispositif par où sortent les gaz brûlés. SENS 3. *Bébé est sur le **pot (de chambre)**,* le récipient où il fait ses besoins. SENS 4. *On a découvert*

illustr. p. 69

*le **pot aux roses**,* le secret de l'affaire. SENS 5. *Dis ce que tu as à dire, ne **tourne** pas **autour du pot**,* ne parle pas autour du sujet, aborde-le directement.
✵ Ne pas confondre avec la **peau**.

potable adj. *Attention, cette eau n'est pas **potable** !,* elle n'est pas bonne à boire. → *buvable*

potage n.m. *Un **potage** est un bouillon dans lequel on a fait cuire ou tremper des aliments coupés ou passés.

potager, ère adj. SENS 1. *Les **plantes potagères** sont les plantes qui peuvent être utilisées pour l'alimentation humaine. *Les pommes de terre, les carottes, les haricots sont des **plantes potagères*** (= légume). → *fourrager*. SENS 2. n.m. et adj. *M. Bouteiller cultive son **(jardin) potager**,* un jardin où il cultive des légumes.

illustr. p. 746

potasse n.f. *La **potasse** est un produit chimique utilisé comme engrais.

potasser v. 1ᵉʳ groupe. Fam. *J'ai eu une bonne note parce que j'**avais potassé** ma leçon,* je l'avais bien apprise (= étudier, fam. bûcher).

pot-au-feu n.m. inv. *Dimanche dernier, nous avons mangé un bon **pot-au-feu**,* de la viande de bœuf et des légumes bouillis.
✵ On prononce le « t » : [potɔfø]. Ce mot ne change pas au pluriel.

pot-de-vin n.m. *Un **pot-de-vin** est une somme d'argent illégale versée pour obtenir un avantage.
✵ Au pluriel, on écrit des **pots-de-vin**.

pote n.m. Fam. *Sacha et Max sont mes **potes**,* mes camarades, mes copains.

poteau n.m. *La route est bordée par des **poteaux** électriques,* des piliers soutenant des fils.
✵ Au pluriel, on écrit des **poteaux**.

illustr. p. 970

LE POTAGER ET LE VERGER

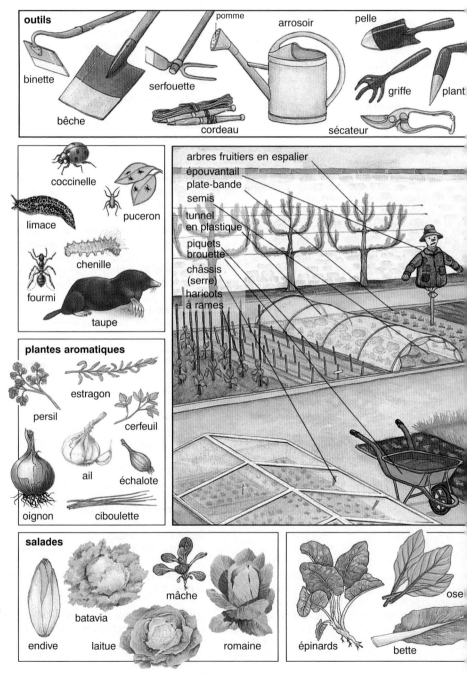

outils

binette

bêche

serfouette

pomme

cordeau

arrosoir

sécateur

pelle

griffe

plant

coccinelle

limace

puceron

chenille

fourmi

taupe

plantes aromatiques

persil

estragon

cerfeuil

ail

échalote

oignon

ciboulette

arbres fruitiers en espalier

épouvantail

plate-bande

semis

tunnel
en plastique

piquets
brouette

châssis
(serre)

haricots
à rames

salades

endive

batavia

mâche

laitue

romaine

épinards

ose

bette

Si on cultive un potager, on peut manger ses légumes.
Dans son verger, on cueille ses fruits. Mais avant, il faut bêcher,
semer, planter, désherber, détruire les animaux nuisibles... Ouf !

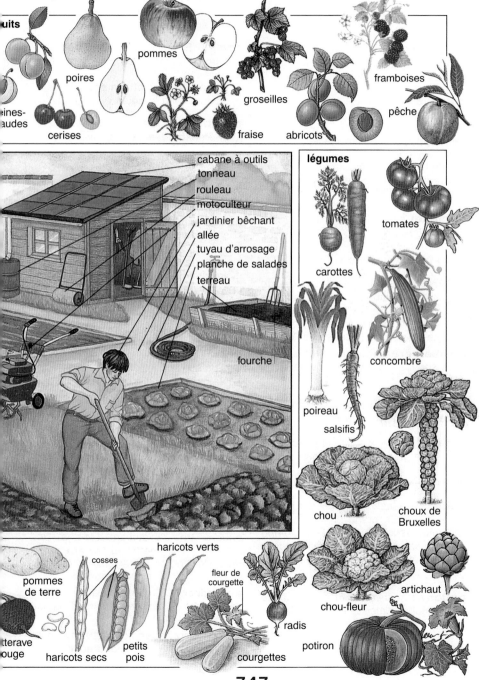

uits

poires

pommes

ines-
audes

cerises

groseilles

fraise

framboises

pêche

abricots

cabane à outils
tonneau
rouleau
motoculteur
jardinier bêchant
allée
tuyau d'arrosage
planche de salades
terreau

fourche

légumes

tomates

carottes

concombre

poireau

salsifis

chou

choux de
Bruxelles

haricots verts

cosses

pommes
de terre

fleur de
courgette

artichaut

chou-fleur

terave
ouge

haricots secs

petits
pois

radis

courgettes

potiron

potée n.f. La **potée** est un plat de charcuterie, de viande de porc et de légumes cuits ensemble.

potelé, ée adj. *Le bébé a des bras* **potelés**, des bras rebondis (= dodu, grassouillet ; ≠ maigre).

potence n.f. SENS 1. *Autrefois, on pendait les condamnés à mort à une* **potence**, un support fait d'un poteau vertical et d'une poutre placée à angle droit à laquelle est fixée une corde (= gibet). SENS 2. *Une lanterne est accrochée à la* **potence**, un support à bras horizontal.

potentiel n.m. *Ce pays renforce son* **potentiel** *militaire*, ses forces, ses capacités (= puissance).
✸ On prononce [pɔtɑ̃sjɛl].

illustr. p. 41, 758 **poterie** n.f. SENS 1. *À l'école, on a fait de la* **poterie**, on a fabriqué et cuit des objets en terre. SENS 2. *Nous avons vu une exposition de* **poteries**, des vases, des assiettes, des plats (= terre cuite).

■ **potier, ère** n. *Le* **potier** *met un vase dans son four*, la personne qui fabrique des poteries.

illustr. p. 165 **poterne** n.f. Une **poterne** est une petite porte dans une fortification.

potiche n.f. *Qui a cassé la* **potiche** *du salon ?*, le grand vase décoratif.

potier → **poterie**

potin n.m. SENS 1. Fam. *Il y a du* **potin** *dans la rue*, un grand bruit (= tapage, vacarme). SENS 2. (Au plur.) *M. Durand aime raconter des* **potins**, des histoires concernant des personnes (= commérages, ragots).

potion n.f. *Le médecin lui a prescrit une* **potion** *pour calmer sa toux*, un médicament à boire.

illustr. p. 747 **potiron** n.m. *Nous avons mangé une soupe au* **potiron**, une grosse citrouille.

pot-pourri n.m. *Les élèves ont chanté un* **pot-pourri**, un assemblage de plusieurs airs connus.

illustr. p. 310 **pou** n.m. *Sébastien se gratte, il a attrapé des* **poux**, des insectes qui vivent dans les cheveux.
✸ Au pluriel, on écrit des **poux**. Ne pas confondre avec le **pouls**.

pouah ! interj. Ce mot exprime le dégoût. **Pouah** *! que c'est mauvais !*

illustr. p. 238, 855 **poubelle** n.f. *Tous les matins, les éboueurs ramassent les* **poubelles**, des récipients destinés à recevoir les ordures (= boîte à ordures).

illustr. p. 217 **pouce** n.m. SENS 1. *Claire suce encore son* **pouce**, le doigt de la main le plus gros. SENS 2. *Le* **pouce** *est une ancienne mesure de longueur d'environ 3 centimètres*. SENS 3. *Martin ne veut pas* **bouger d'un pouce**, il veut rester exactement à la même place. SENS 4. **Donner un coup de pouce** *à quelqu'un*, c'est intervenir pour l'aider à réussir. SENS 5. *J'étais très pressé, j'ai déjeuné* **sur le pouce**, à la hâte. SENS 6. Interj. **Pouce** *! je ne joue plus !*, je veux arrêter le jeu.
✸ Ne pas confondre avec certaines formes du verbe **pousser**.

poudre n.f. SENS 1. *Alex met du sucre en* **poudre** *dans son yaourt*, du sucre moulu très fin. SENS 2. *Maman se met de la* **poudre** *sur les joues*, un produit de beauté fait de particules très fines, souvent colorées. SENS 3. *Dans les cartouches, il y a une charge de* **poudre**, de substance explosive. SENS 4. *La nouvelle s'est répandue* **comme une traînée de poudre**, très rapidement. SENS 5. *Un incident a failli* **mettre le feu aux poudres**, déclencher une explosion de violence.

■ **poudrer** v. 1er groupe. [SENS 2] *Marie* **se poudre** *le visage*, elle met de la poudre dessus.

■ **poudreux, euse** adj. [SENS 1] *On a skié dans la neige* **poudreuse**, fine comme de la poudre.

■ **poudrier** n.m. [SENS 2] *Maman sort son poudrier de son sac*, sa boîte à poudre.

■ **poudrière** n.f. [SENS 3] *Cet endroit est aussi dangereux qu'une poudrière*, qu'un entrepôt de poudre.

1. pouf ! interj. Ce mot exprime un bruit sourd. *Pouf !, la pile de livres s'est effondrée.*

illustr. p. 862

2. pouf n.m. Un **pouf** est un siège bas et rembourré, souvent rond.

pouffer v. 1er groupe. *Tout le monde a pouffé de rire*, a éclaté de rire malgré soi.

pouilleux, euse adj. *Ils habitent un quartier pouilleux*, très sale et misérable.

poulailler → *poule*

poulain n.m. Le **poulain** est un jeune cheval qui n'a pas encore 3 ans. *La jument galope suivie de son poulain* (= petit).

■ **pouliche** n.f. Une **pouliche** est une jeune jument.

illustr. p. 384

poule n.f. SENS 1. La **poule** est un oiseau de basse-cour qui a des ailes courtes et une petite crête au sommet de la tête. *La poule est la femelle du coq et la mère des poussins.* → **volaille**. SENS 2. *Cette équipe joue en poule A*, dans un groupe d'équipes. SENS 3. *Tu n'es qu'une poule mouillée*, tu n'es vraiment pas courageux (= mauviette).

■ **poularde** n.f. [SENS 1] Une **poularde** est une poule jeune et grasse.

■ **poulet** n.m. [SENS 1] *À midi, il y a du poulet rôti*, une jeune poule ou un jeune coq dont on mange la chair.

illustr. p. 384

■ **poulailler** n.m. [SENS 1] *La fermière a enfermé les poules dans le poulailler*, le local où elles logent. ◆ *Au théâtre, nous étions placés au poulailler*, aux places du haut.

pouliche → *poulain*

poulie n.f. *On s'est servi d'une poulie pour monter les caisses*, d'une roue sur laquelle passe une corde.

illustr. p. 384, 157

poulpe n.m. Le **poulpe** est un mollusque marin qui a de longs tentacules munis de ventouses (= pieuvre).
✳ Ce mot est du genre masculin.

pouls n.m. *Damien a couru, son pouls est très rapide*, le battement du sang dans ses artères, qu'on peut sentir au poignet. ●● **pulsation**
✳ On prononce [pu]. Ne pas confondre avec un **pou**.

poumon n.m. Les **poumons** sont les deux organes de la respiration situés dans la cage thoracique. ●● *s'époumoner, pulmonaire*

illustr. p. 216

poupe n.f. *Le navire a le vent en poupe*, il reçoit le vent par l'arrière (≠ proue).

illustr. p. 971, 741

poupée n.f. *Julie habille et déshabille sa poupée*, un jouet à forme humaine.

poupon n.m. SENS 1. *La mère berce son poupon*, son nouveau-né (= nourrisson). SENS 2. *Céline a eu un poupon pour Noël*, une poupée qui représente un bébé (= baigneur).

■ **poupin, ine** adj. [SENS 1] Une figure **poupine** est ronde et joufflue comme celle d'un poupon.

■ **pouponner** v. 1er groupe. [SENS 1] *Pouponner un nourrisson*, c'est s'occuper tendrement de lui (= dorloter, cajoler).

■ **pouponnière** n.f. [SENS 1] Une **pouponnière** est un établissement où l'on garde les petits enfants de moins de 3 ans. → *crèche, garderie*

1. pour prép. Ce mot joue un rôle grammatical dans des emplois très divers : *il est parti tôt pour arriver à l'heure, pour que tout soit prêt à midi* (but) ; *il faut faire cela pour demain* (temps) ; *M. Bertrand a eu une amende pour* *excès de vitesse* (cause) ; *j'en ai eu pour mon argent* (échange) ; *il est petit pour son âge* (comparaison) ; *elle est assez grande pour travailler* (conséquence) ; *elle a payé pour moi* (remplacement).

▪ **2. pour** n.m. inv. *Il a pesé le pour et le contre,* les avantages et les inconvénients.

pourboire n.m. *M. Dupont a donné un pourboire au garçon,* une somme d'argent en plus du prix.

pourceau n.m. *Un pourceau est un porc* (= cochon). ●● *porc*
✳ Au pluriel, on écrit des **pourceaux**.

pourcentage n.m. *Un pourcentage est une fraction dont le dénominateur est égal à 100. S'il y a 50 admis pour 100 candidats ($\frac{50}{100}$), le pourcentage d'admission est de 50 %* (= proportion).

pourchasser v. 1er groupe. *La police pourchasse les voleurs,* elle les poursuit. ●● *chasser*

se **pourlécher** v. 1er groupe. *Les enfants se pourlèchent en regardant le gâteau,* ils se passent la langue sur les lèvres en signe de délectation.
✳ Conj. n° 10.

pourparlers n.m. pl. *Les adversaires ont entamé des pourparlers,* ils ont commencé des discussions pour arriver à un accord (= négociation). ●● *parler*

illustr. p. 221 **pourpoint** n.m. *Autrefois, les hommes pouvaient porter un pourpoint,* une sorte de veste.

pourpre SENS 1. adj. *Sous l'effet de la honte, son visage est devenu pourpre,* très rouge. ●● *empourprer.* SENS 2. n.f. *La pourpre est un colorant rouge tiré d'un coquillage, le pourpre.*

pourquoi adv. *Ce mot sert à interroger sur la cause. Pourquoi es-tu parti si vite ? – Parce que j'étais pressé.*

▪ c'est **pourquoi** conj. *Ce mot sert à expliquer la cause. La planche était pourrie, c'est pourquoi elle s'est cassée.*

pourrir v. 2e groupe. *Ces fruits commencent à pourrir, à devenir mauvais* (= se gâter, se décomposer). → se *putréfier*

▪ **pourriture** n.f. *Il y a dans cette grotte une odeur de pourriture,* de choses pourries (= putréfaction).

poursuivre v. 3e groupe. SENS 1. *Ce chien m'a poursuivi pour me mordre,* il a couru derrière moi. → *pourchasser.* SENS 2. *Colin poursuit ses efforts,* il ne les arrête pas (= continuer, persévérer). SENS 3. *M. Durand a poursuivi son voisin en justice,* il a porté plainte contre lui et a demandé qu'un procès lui soit fait.
✳ Conj. n° 62.

▪ **poursuite** n.f. [SENS 1] *Il a couru à la poursuite du voleur,* pour essayer de l'attraper. [SENS 3] *Des poursuites ont été engagées contre lui,* un procès va être engagé contre lui.

▪ **poursuivant, ante** n. [SENS 1] *Le malfaiteur a vite fui ses poursuivants,* ceux qui essayaient de l'attraper.

pourtant adv. *Ce mot marque une opposition. Il est malade, pourtant il est venu,* malgré cela (= cependant, néanmoins).

pourtour n.m. *Le pourtour de la place est planté de grands marronniers,* la partie située tout autour (= périphérie ; ≠ centre). ●● *tour (2)*

pourvoir v. 3e groupe. SENS 1. *T'es-tu pourvu d'argent ?,* en as-tu pris ? (= se munir). ●● *dépourvu.* SENS 2. *Anne est étudiante, ses parents pourvoient à ses besoins,* ils lui fournissent l'argent qui lui est nécessaire (= subvenir).
✳ Conj. n° 43.

pourvu que conj. *Cette conjonction a des emplois divers : pourvu qu'il fasse* *beau !* (souhait) ; *tu peux partir,* ***pourvu que*** *tu sois rentré avant midi* (condition).

pousser v. 1ᵉʳ groupe. SENS 1. *Ariane* ***pousse*** *de toutes ses forces contre la porte,* elle appuie dessus (≠ tirer). SENS 2. *Marie est tombée quand Sylvie l'****a poussée*** (= bousculer). SENS 3. *La pluie nous* ***a poussés à*** *partir,* elle est la cause de notre départ (= engager, inciter ; ≠ empêcher). SENS 4. *Jacques m'****a poussé à bout****,* il m'a mis en colère, exaspéré. SENS 5. *Sonia* ***a poussé*** *un hurlement de terreur,* elle a fait entendre un hurlement. SENS 6. *En un mois, l'herbe a beaucoup* ***poussé****,* elle s'est développée (= grandir). SENS 7. *Je me* ***suis poussé*** *pour lui faire de la place,* je me suis déplacé.

■ **pousse** n.f. [SENS 6] *Au printemps, les arbres ont des jeunes* ***pousses****,* de nouvelles branches qui poussent.
✳ Ne pas confondre avec un **pouce**.

■ **poussée** n.f. [SENS 1 et 2] *D'une* ***poussée****, il m'a envoyé par terre,* en me poussant. ◆ *Julien a eu une* ***poussée*** *de fièvre,* une brutale élévation de sa température (= accès).

■ **poussette** n.f. [SENS 1] *M. Clermont promène bébé dans une* ***poussette****,* une voiture légère que l'on pousse.

poussière n.f. *Le vent soulevait des nuages de* ***poussière****,* de la terre et d'autres matières en grains très fins.
●● *épousseter*

■ **poussier** n.m. *Le* ***poussier****, c'est de la poussière de charbon.*

■ **poussiéreux, euse** adj. *Cet appartement est* ***poussiéreux****,* plein de poussière, sale.

poussif, ive adj. *M. Dupont est un gros homme* ***poussif****,* il s'essouffle vite.

poussin n.m. *La poule est suivie de ses* ***poussins****,* ses petits.

poutre n.f. *Une* ***poutre*** *est une grosse et longue pièce de bois.* *illustr. p. 572, 913*

■ **poutrelle** n.f. *Une* ***poutrelle*** *est une poutre en métal.* *illustr. p. 156*

1. pouvoir n.m. SENS 1. *Les animaux n'ont pas le* ***pouvoir*** *de parler,* ils n'en ont pas les moyens (= faculté, possibilité). SENS 2. *Cet homme a beaucoup de* ***pouvoir****,* une grande capacité d'agir et de commander (= puissance, autorité). SENS 3. *Dans ce pays, l'armée* ***a pris le pouvoir****,* elle gouverne. → ***gouvernement****.* SENS 4. (Au plur.) Les **pouvoirs publics**, c'est l'ensemble des gens qui gouvernent un pays. SENS 5. *Les Durand ont un faible* ***pouvoir d'achat****,* ils gagnent peu d'argent (= revenu).

2. pouvoir v. 3ᵉ groupe. SENS 1. ***Peux****-tu venir demain ?,* en as-tu la possibilité ? SENS 2. *Je* ***peux*** *me tromper, mais je ne crois pas,* c'est possible. SENS 3. *Hélène* ***peut*** *nager très longtemps,* elle en est capable. SENS 4. *Si tu es sage, tu* ***pourras*** *aller au cinéma,* tu en auras la permission.
✳ Conj. n° 38. On dit **je peux** ou **je puis**, mais toujours **puis-je** ?

praire n.f. *Mme Durand a acheté des huîtres et des* ***praires****,* des coquillages qui vivent enfouis dans le sable. *illustr. p. 718*

prairie n.f. *La Normandie est une région de* ***prairies****,* de terrains couverts d'herbe (= pré, pâturage). *illustr. p. 753*

praline n.f. *Une* ***praline*** *est un bonbon fait d'une amande grillée enrobée de sucre cuit.*

■ **praliné, ée** adj. *Le chocolat* ***praliné*** *contient des pralines écrasées.* *illustr. p. 150*

pratique n.f. SENS 1. *M. Darmont a la* ***pratique*** *des affaires,* il en a l'expérience (≠ théorie). *Il faut* ***mettre en pratique*** *vos belles résolutions,* les appliquer dans la vie. *La* ***pratique*** *du sport est bonne pour la santé,* l'habitude de faire du sport. SENS 2. *Il est indigné par les* ***pratiques*** *de* *ses adversaires, par ce qu'ils font* (= agissements). **SENS 3.** *Le journal publie une enquête sur la **pratique** religieuse dans notre région,* sur l'assistance aux offices et le respect des prescriptions.

■ **pratique** adj. **[SENS 1]** *Il a du sens **pratique**, il sait se débrouiller dans la vie* (≠ théorique). ◆ *Cet outil est **pratique**, il est facile à utiliser* (= efficace, commode).

■ **praticable** adj. **[SENS 1]** *Ces chemins sont **praticables**, on peut passer sans danger* (≠ impraticable). → ***carrossable***

■ **praticien, enne** n. **[SENS 1]** *Mme Launay est allée consulter un grand **praticien**, un médecin qui exerce son métier en soignant des patients et non en faisant de la recherche.* → ***spécialiste***
✳ Ne pas confondre avec **patricien**.

■ **pratiquant, ante** adj. et n. **[SENS 3]** *M. Dupont n'est pas **pratiquant**, il n'observe pas les pratiques religieuses.*

■ **pratiquement** adv. **[SENS 1]** *Théoriquement, ça a l'air facile, mais, **pratiquement**, c'est difficile, en fait, en réalité* (= en pratique). ◆ *Il est **pratiquement** 8 heures* (= à peu près, presque).

■ **pratiquer** v. 1ᵉʳ groupe. **[SENS 1]** *Sandra **pratique** le tennis et la natation, elle s'adonne à ces sports.* **[SENS 2]** *On **a pratiqué** un trou dans le mur, on l'a fait.* **[SENS 3]** *M. Brunet est catholique, mais il ne **pratique** pas, il n'est pas pratiquant.*

illustr. p. 20 **pré** n.m. *Les vaches broutent dans le **pré**, le terrain couvert d'herbe* (= prairie, pâturage).

pré- préfixe. Placé au début d'un mot, **pré-** signifie « d'avance » : **pré**fabriqué, **pré**établi.

préalable adj. **SENS 1.** *Il est parti sans avis **préalable**, sans l'avoir dit à l'avance.* → ***préliminaire*** **SENS 2.** n.m. *Au **préalable**, il faut remplir ce questionnaire, avant de faire autre chose* (= d'abord, auparavant).

■ **préalablement** adv. **[SENS 2]** *Pour participer au concours, il faut **préalablement** se faire inscrire, au préalable.*

préambule n.m. *Nous avons abordé le point principal après un long **préambule**, une introduction annonçant le thème du discours.* → ***avant-propos, préface***

préau n.m. *Les enfants jouent sous le **préau**, la partie couverte de la cour de récréation.* ✳ Au pluriel, on écrit des **préaux**. *illustr. p. 310*

préavis n.m. *Les syndicats ont déposé un **préavis** de grève, un avertissement annonçant officiellement qu'ils ont l'intention de faire grève.*

précaire adj. *À cause des menaces de chômage, les ouvriers sont dans une situation **précaire**, qui n'offre aucune garantie, aucune sécurité* (= fragile, incertain ; ≠ solide, stable).

précaution n.f. **SENS 1.** *Il faut manipuler ce vase avec **précaution**, en faisant attention.* **SENS 2.** *Par **précaution**, j'emporte un parapluie* (= prévoyance, prudence).

précéder v. 1ᵉʳ groupe. **SENS 1.** *Sa mort a été **précédée** par une longue maladie, la maladie est arrivée avant* (≠ suivre). **SENS 2.** *Martin me **précède** de quelques pas, il marche devant moi.* ✳ Conj. n° 10.

■ **précédent, ente** adj. **[SENS 1]** *Les vacances commençaient le mardi, elle est tombée malade le jour **précédent**, le jour d'avant, c'est-à-dire le lundi* (≠ suivant). → ***antérieur*** *illustr. p. 13*

■ **précédent** n.m. **[SENS 1]** *Cette catastrophe est sans **précédent**, sans exemple antérieur.*

■ **précédemment** adv. **[SENS 1]** *Cette question a été examinée **précédemment*** (= auparavant, antérieurement). ✳ On prononce [presedamã].

LA PRAIRIE

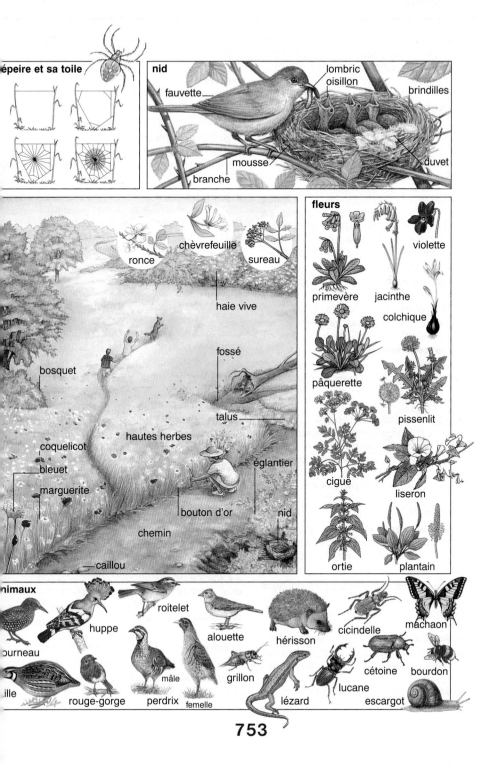

épeire et sa toile

nid

fauvette
lombric
oisillon
brindilles
mousse
branche
duvet

chèvrefeuille
ronce
sureau

haie vive

fossé

bosquet

talus

hautes herbes

coquelicot
bleuet
marguerite

églantier

bouton d'or
nid

chemin

caillou

fleurs

violette
primevère
jacinthe
colchique

pâquerette

pissenlit

ciguë

liseron

ortie
plantain

nimaux

roitelet
huppe
alouette
hérisson
cicindelle
machaon

ourneau

mâle
grillon
cétoine
bourdon
lucane

ille
rouge-gorge
perdrix
femelle
lézard
escargot

753

précepte n.m. « *Aimez-vous les uns les autres* » *est un* **précepte** *de l'Évangile,* une règle de conduite (= leçon, prescription).

précepteur, trice n. *Autrefois, certains enfants de familles riches avaient un* **précepteur,** un professeur particulier à la maison.
✳ Ne pas confondre avec un **percepteur.**

prêcher v. 1er groupe. SENS 1. *Dimanche, le curé* **a prêché** *sur l'Évangile,* il a fait un sermon à ce sujet. SENS 2. *Mon grand-père me* **prêche** *l'obéissance,* il me recommande d'être obéissant (= conseiller, prôner).

■ **prêche** n.m. [SENS 1] *Un* **prêche** *est une homélie, un sermon.* [SENS 2] Fam. *Après ce chahut, on a eu droit à un* **prêche** *de la maîtresse,* un discours un peu solennel et moralisateur (= sermon).
→ **remontrances**

■ **prédicateur** n.m. [SENS 1] *Le* **prédicateur** *a fini son sermon,* celui qui prêche.

illustr. p. 949 **précieux, euse** adj. SENS 1. *L'or et l'argent sont des métaux* **précieux,** d'un grand prix, d'une grande valeur. SENS 2. *Lise m'a donné de* **précieux** *conseils,* des conseils très utiles. SENS 3. *Hugo parle d'une manière* **précieuse,** un peu prétentieuse (= maniéré, affecté ; ≠ simple, naturel).

■ **précieusement** adv. [SENS 1] *Conserve cette clé* **précieusement,** comme une chose de valeur (= soigneusement).

■ **préciosité** n.f. [SENS 3] *Marie parle avec* **préciosité** (= affectation ; ≠ naturel, simplicité).

précipice n.m. *L'autocar s'est écrasé au fond du* **précipice,** un trou, un lieu très profond (= ravin, gouffre, abîme).

précipiter v. 1er groupe. SENS 1. *Un ouragan* **a précipité** *la voiture dans un* ravin, il l'a jetée en bas. *Un homme* **s'est précipité** *du cinquième étage* (= se jeter). SENS 2. *Les gens* **se sont précipités** *vers le lieu de l'accident,* ils ont accouru (= se ruer). SENS 3. *M. Leblanc a dû* **précipiter** *son départ* (= hâter, accélérer ; ≠ retarder).

■ **précipitamment** adv. [SENS 3] *Alexis est parti* **précipitamment,** avec une hâte extrême (= brusquement ; ≠ doucement).

■ **précipitation** n.f. [SENS 1] (Au plur.) *La météo annonce de fortes* **précipitations** *dans l'est,* des chutes de pluie, de neige ou de grêle. [SENS 3] *Martin a agi avec* **précipitation,** avec trop de hâte (= irréflexion).   *illustr. p. 557*

précis, ise adj. SENS 1. *Peggy m'a donné des renseignements* **précis,** exacts et détaillés (≠ vague, imprécis). SENS 2. *La séance commence à 8 heures* **précises,** ni avant ni après (= juste, fam. pile).

■ **précis** n.m. [SENS 1] *Un* **précis** *est un livre qui donne des indications sommaires mais précises sur un sujet.*

■ **précisément** adv. [SENS 1] *Décrivez* **précisément** *les circonstances de l'accident* (= exactement, clairement ; ≠ confusément). ◆ *Vous n'avez rien fait ? C'est* **précisément** *ce qu'on vous reproche* (= justement).

■ **préciser** v. 1er groupe. [SENS 1] **Précise**-*moi ce que tu veux faire,* dis-le moi de façon précise.

■ **précision** n.f. [SENS 1] *Ce plan est d'une grande* **précision,** il est très précis. ●● **imprécision.** *Amélie m'a demandé des* **précisions,** des explications détaillées. [SENS 2] *Paul a une montre* **de précision,** très exacte.

précoce adj. *L'hiver est* **précoce,** *cette année,* il arrive tôt (≠ tardif).

■ **précocité** n.f. *Cet enfant est d'une grande* **précocité,** il est en avance pour son âge.

préconçu, ue adj. Des **idées préconçues** sont des idées toutes faites, que l'on adopte sans réflexion ni examen (= préjugé, prévention). ●● *concevoir*

préconiser v. 1ᵉʳ groupe. *M. Arnaud* **préconise** *cette solution,* il conseille de faire ainsi (= recommander, prôner).

précurseur SENS 1. n.m. *Les* **précurseurs** *sont souvent incompris,* ceux qui lancent une idée ou un mouvement très en avance par rapport à l'époque. SENS 2. adj.m. *Ces gros nuages sont les signes* **précurseurs** *d'un orage,* ils l'annoncent (= annonciateur).

prédateur, trice adj. et n.m. *Le renard est un (animal)* **prédateur,** *il se nourrit de proies.*

prédécesseur n.m. *Le nouveau directeur a fait l'éloge de son* **prédécesseur,** de celui qui l'a précédé dans les fonctions qu'il exerce (≠ successeur).

prédicateur → *prêcher*

prédiction → *prédire*

prédilection n.f. *Voilà mon livre de* **prédilection,** *celui que je préfère* (= préférence). → *penchant*

prédire v. 3ᵉ groupe. *On lui* **a prédit** *de grandes difficultés,* on les lui a annoncées à l'avance (= pronostiquer).
❋ Conj. n° 72, sauf au participe passé : **prédit.**
■ **prédiction** n.f. *Tes* **prédictions** *ne se sont pas réalisées,* ce que tu prédisais (= pronostic, prophétie).

prédisposer v. 1ᵉʳ groupe. *Les fumeurs* **sont prédisposés** *à certaines maladies,* ils risquent de les avoir, ils y sont exposés, sujets. ●● *disposer*

prédominer v. 1ᵉʳ groupe. *L'activité qui* **prédomine** *dans cette région est* *l'élevage,* l'activité qui est la plus importante (= l'emporter, prévaloir). ●● *dominer*

prééminence n.f. *La* **prééminence** *de cette équipe sur les autres est indiscutable,* son meilleur niveau (= supériorité).
■ **prééminent, ente** adj. *Les questions économiques ont occupé une place* **prééminente** *dans les discussions,* une place de premier plan (= prépondérant).
❋ Ne pas confondre avec **proéminent.**

préexister v. 1ᵉʳ groupe. *Les dinosaures* **ont préexisté** *à l'apparition de l'homme,* ils ont existé avant (= précéder). ●● *exister*

préfabriqué, ée adj. *Une maison* **préfabriquée** *est une maison construite par assemblage d'éléments fabriqués d'avance.* ●● *fabriquer*

préface n.f. *Dans sa* **préface,** *l'auteur indique le plan de son livre,* le texte de présentation placé au début (= introduction, avant-propos). → *préambule*
■ **préfacer** v. 1ᵉʳ groupe. *Ce roman* **est préfacé** *par un académicien,* un académicien en a écrit la préface.
❋ Conj. n° 1.

préfectoral → *préfet*

préférer v. 1ᵉʳ groupe. *Daphné* **préfère** *les pommes aux poires,* elle trouve que les pommes sont meilleures (= aimer mieux). *J'***ai préféré** *me taire plutôt que de l'accuser,* j'ai pensé qu'il valait mieux me taire.
❋ Conj. n° 10.
■ **préférable** adj. *Partez demain, c'est* **préférable,** cela vaut mieux.
■ **préférence** n.f. *Victor a une* **préférence** *pour la musique classique,* il la préfère aux autres musiques (= prédilection). ◆ *Quand je peux, je prends le train* **de préférence à** *la voiture,* plutôt que la voiture.

préfet n.m. Le **préfet** est le représentant de l'État dans le département. ●● *sous-préfet*

illustr. p. 358

■ **préfectoral, ale, aux** adj. Un arrêté **préfectoral** est une décision du préfet.

■ **préfecture** n.f. *Bourg-en-Bresse est la* **préfecture** *de l'Ain*, la ville où sont installés le préfet et ses bureaux (= chef-lieu). ●● *sous-préfecture*. ◆ *La* **préfecture** *ferme à 17 heures*, les bureaux du préfet.

préfigurer v. 1er groupe. *Cette invitation* **préfigure** *peut-être un changement dans leurs relations*, elle le laisse présager (= annoncer).

préfixe n.m. *« Pré- » dans « prédire », « sur- » dans « surgeler » sont des* **préfixes**, des éléments placés au début d'un mot et servant à former un autre mot.

préhistoire n.f. *Certains hommes de la* **préhistoire** *vivaient dans des cavernes*, de la période très ancienne où les hommes n'avaient pas inventé l'écriture. ●● *histoire*

illustr. p. 758

■ **préhistorique** adj. *On a découvert une grotte avec des peintures* **préhistoriques**, qui datent de la préhistoire.

préjudice n.m. *Votre retard m'a causé un* **préjudice**, il m'a fait du tort (= inconvénient, dommage ; ≠ avantage).
✵ Ne pas confondre avec un **préjugé**.

■ **préjudiciable** adj. *Cette erreur m'a été* **préjudiciable** (= nuisible ; ≠ avantageux).

préjugé n.m. *Mon grand-père a un* **préjugé** *contre les produits étrangers*, une opinion établie avant tout examen, toute expérience (= idée préconçue, prévention).
✵ Ne pas confondre avec un **préjudice**.

■ **préjuger** v. 1er groupe. *On ne peut pas* **préjuger** *du résultat de cette tenta-tive*, émettre par avance une opinion. ●● *juger* ⟶ *pronostiquer*
✵ Conj. n° 2.

se **prélasser** v. 1er groupe. *Fabien se* **prélasse** *dans son lit*, il y reste sans rien faire (= se reposer, se détendre).

prélat n.m. *Les évêques, les archevê-ques, les cardinaux sont des* **prélats**, des hauts personnages de l'Église catholique.

prélever v. 1er groupe. *Cette somme* **sera prélevée** *sur votre compte en banque*, elle sera retirée (= enlever, retrancher).
✵ Conj. n° 9.

■ **prélèvement** n.m. *On a fait un* **prélèvement** *de l'eau du puits pour la faire analyser*, on en a pris un peu.

préliminaire SENS 1. adj. *Vous ne pouvez pas comprendre sans une expli-cation* **préliminaire**, donnée auparavant (= préalable). SENS 2. n.m. pl. *Après de longs* **préliminaires**, *il a abordé le point principal*, des indications préparatoires (≠ conclusion).

prélude n.m. SENS 1. *Ils se sont insultés, ce fut le* **prélude** *d'une violente bagarre*, le point de départ. SENS 2. *Clara joue un* **prélude** *de Chopin*, un morceau de musique.

■ **préluder** v. 1er groupe. [SENS 1] *Des affiches publicitaires* **ont préludé** *à la sortie de ce film*, elles l'ont annoncée.

prématuré, ée SENS 1. adj. *Attendez un peu : cette démarche serait* **préma-turée**, *elle se produirait trop tôt*. SENS 2. adj. et n. *Un (enfant)* **prématuré** *est né avant la date prévue*.

■ **prématurément** adv. *Tu t'es réjoui* **prématurément**, *trop tôt* (≠ tardive-ment).

préméditer v. 1er groupe. *L'assassin* **avait prémédité** *son crime*, il y avait

longuement pensé et l'avait soigneusement préparé (= calculer, prévoir).
●● *méditer*

■ **préméditation** n.f. *La* **préméditation**
aggrave la faute, la volonté réfléchie de
commettre cette action.

prémices n.f. pl. *Ces bons résultats
sont les* **prémices** *du succès,* les premiers signes.

illustr. **premier, ère** adj. et n. SENS 1. *Demain,*
p. 642 *c'est le* **premier** *jour du mois,* celui qui
commence le mois (≠ dernier). SENS 2.
Prends la **première** *porte à droite* (= prochain). SENS 3. *Cet acteur a le* **premier**
rôle dans le film, le plus important. *Qui
est le* **premier** *en français ?,* le meilleur.
SENS 4. Les **nombres premiers** sont des
nombres qui ne sont divisibles que par
eux-mêmes et par 1, comme 3, 5, 7, 11,
13, etc.

■ **premièrement** adv. [SENS 1] *Tu iras*
premièrement *à l'épicerie, deuxièmement à la boucherie* (= d'abord, primo ;
≠ enfin).

illustr. **prémolaire** n.f. *Chez les humains, les*
p. 217 *adultes ont huit* **prémolaires**, *des dents
situées entre les molaires et les canines.*
●● *molaire*

prémonition n.f. *Anaïs prétend avoir
eu une* **prémonition** *de l'accident,* une
sorte d'avertissement mystérieux qu'il se
produirait (= pressentiment).

se **prémunir** v. 2ᵉ groupe. *Prends ton
imperméable pour* **te prémunir** *contre la
pluie,* pour te protéger. ●● *munir*

prendre v. 3ᵉ groupe. SENS 1. *Axel a*
pris *un couteau dans le tiroir,* il l'a saisi
et le tient dans sa main. ●● *prise. Je*
prends *mon pain dans cette boulangerie*
(= acheter). SENS 2. *En 1789, les Pari-
siens* **ont pris** *la Bastille,* ils s'en sont
rendus maîtres (= s'emparer de).
●● *imprenable*. SENS 3. *Le pêcheur a*
pris *un poisson,* il l'a attrapé. → *capturer*. SENS 4. *Je* **prendrais** *bien un peu*

de lait et un petit-beurre, *je boirais et je
mangerais avec plaisir* (= absorber).
SENS 5. *Sidonie* **prend** *l'autobus pour
aller à l'école,* elle l'utilise comme moyen
de transport. SENS 6. **Prenez** *la première
rue à droite* (= suivre, emprunter). SENS 7.
Tu **as pris** *un mauvais exemple* (= choisir). SENS 8. **Prendre** *un bain,* c'est se
baigner. **Prendre** *une photo,* c'est photographier. **Prendre** *la fuite,* c'est s'enfuir.
SENS 9. *Qui* **a pris** *mon stylo ?* (= enlever ;
≠ rendre). SENS 10. *Le menuisier nous a*
pris *150,50 euros,* il nous a demandé
cette somme. SENS 11. *Tu me* **prends**
pour un imbécile ?, tu me considères
ainsi ? SENS 12. *Ce travail m'a* **pris** *deux
heures,* j'ai employé ce temps à le faire.
SENS 13. *Je* **suis** *très* **pris** *en ce moment,*
je suis occupé, absorbé. SENS 14. *Le feu
ne veut pas* **prendre,** commencer à
brûler. SENS 15. *La mayonnaise a bien*
pris, elle s'est durcie. SENS 16. *Renaud
s'est* **pris** *les doigts dans la porte,* il a
pincé ses doigts (= se coincer). SENS 17.
Tu **t'y** *es mal* **pris,** tu as agi avec
maladresse. SENS 18. *Pourquoi* **t'en**
prends-*tu à moi ?,* pourquoi m'attaques-
tu ? (= critiquer).
✹ Conj. n° 54. Ne pas confondre **pris**
(le participe passé de « prendre ») avec
un **prix**.

■ **prenant, ante** adj. [SENS 12 et 13] *Ce
livre est très* **prenant**, il est captivant
(= intéressant ; ≠ ennuyeux).

■ **preneur, euse** n. [SENS 1] *Ce paysan
n'a pas trouvé* **preneur** *pour sa ferme*
(= acheteur, acquéreur).

prénom n.m. *Marony est son nom de
famille et Adrien son* **prénom**, le nom qui
le distingue des autres membres de sa
famille. ●● *nom*

préoccuper v. 1ᵉʳ groupe. *Sa santé le*
préoccupe, elle lui cause du souci (= inquiéter, tracasser).

■ **préoccupation** n.f. *Mme Sutèche a
de graves* **préoccupations**, des problèmes qui lui causent du souci (= tracas,
inquiétude).

LA PRÉHISTOIRE

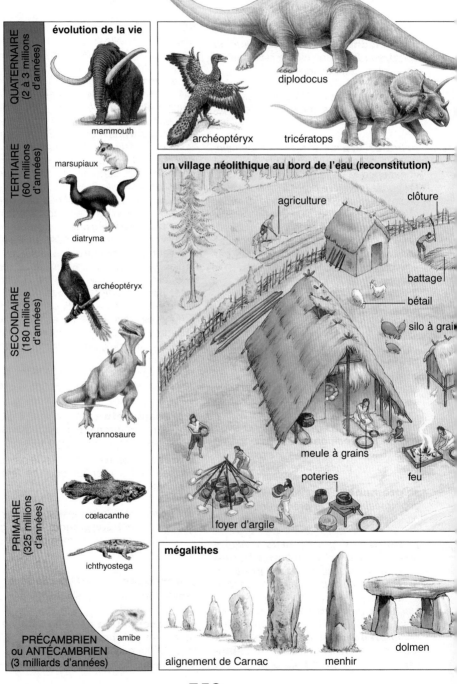

évolution de la vie

QUATERNAIRE (2 à 3 millions d'années)

mammouth

TERTIAIRE (60 millions d'années)

marsupiaux

diatryma

SECONDAIRE (180 millions d'années)

archéoptéryx

tyrannosaure

PRIMAIRE (325 millions d'années)

cœlacanthe

ichthyostega

PRÉCAMBRIEN ou ANTÉCAMBRIEN (3 milliards d'années)

amibe

diplodocus

archéoptéryx   tricératops

un village néolithique au bord de l'eau (reconstitution)

agriculture   clôture

battage

bétail

silo à grain

meule à grains   feu

poteries

foyer d'argile

mégalithes

alignement de Carnac   menhir   dolmen

Il y a environ 4 millions d'années vivait l'ancêtre de l'homme, l'australopithèque. Pendant cette très longue période où l'écriture n'avait pas été inventée, la grande difficulté était de survivre.

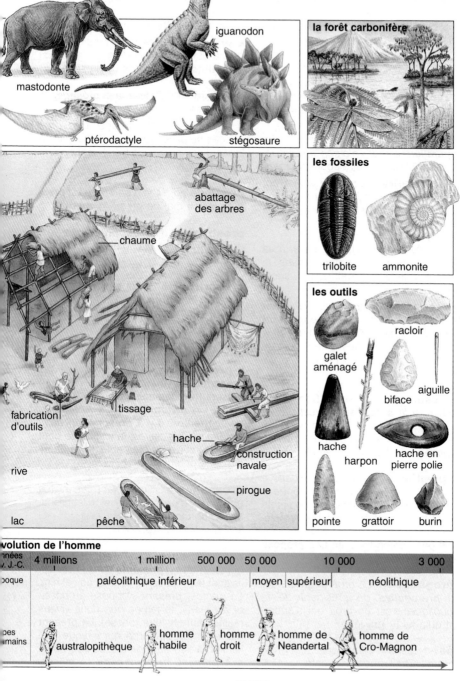

iguanodon

mastodonte

ptérodactyle

stégosaure

la forêt carbonifère

les fossiles

trilobite   ammonite

abattage des arbres

chaume

les outils

racloir

galet aménagé

biface

aiguille

fabrication d'outils

tissage

hache

construction navale

hache

harpon

hache en pierre polie

rive

pirogue

lac   pêche

pointe   grattoir   burin

évolution de l'homme

années v. J.-C.	4 millions	1 million	500 000	50 000	10 000	3 000
époque	paléolithique inférieur			moyen | supérieur	néolithique	
types humains	australopithèque	homme habile	homme droit	homme de Neandertal	homme de Cro-Magnon	

préparer v. 1er groupe. SENS 1. *Hubert **prépare** ses bagages pour partir en vacances,* il les arrange pour qu'ils soient prêts. SENS 2. *Fatima **se prépare à** partir,* elle va le faire (= se disposer). SENS 3. *Camille **prépare** un examen,* elle y travaille.

■ **préparatifs** n.m. pl. [SENS 1 et 2] *Les **préparatifs** du départ sont terminés,* ce qu'il faut faire pour le préparer.

■ **préparation** n.f. [SENS 1, 2 et 3] *La **préparation** du repas n'a pas été longue,* les actes qu'il a fallu faire pour l'apprêter.

■ **préparatoire** adj. [SENS 1 et 2] *Avant le premier cours de judo, il y a eu une réunion **préparatoire**,* de préparation à cette activité.

prépondérance n.f. *Ce pays a la **prépondérance** économique dans la région,* le rôle le plus important (= supériorité).

■ **prépondérant, ante** adj. *Le Premier ministre a joué un rôle **prépondérant** dans le relèvement du pays,* un rôle plus important que celui des autres personnalités (= prééminent, primordial ; ≠ secondaire).

préposé, ée n. SENS 1. *Donne ton manteau à la **préposée** au vestiaire,* la personne chargée de tenir le vestiaire. SENS 2. *Le courrier est distribué par les **préposés**,* les facteurs (= employé).

préposition n.f. *« De », « dans », « sur », « chez », « pour », « contre », « vers » sont des **prépositions**,* des mots invariables qui introduisent un complément.
✳ Ne pas confondre avec une **proposition**.

prérogative n.f. *Le droit de grâce est une **prérogative** du président de la République,* c'est un droit qui n'appartient qu'à lui (= privilège).

près adv. SENS 1. *Gilles habite tout **près**,* dans un endroit proche (= à côté ; ≠ loin).

SENS 2. *Il est **à peu près** 10 heures* (= environ).
✳ Ne pas confondre avec **prêt**.

■ **près de** prép. [SENS 1] *Il est **près de** moi,* à côté de moi (≠ loin de). [SENS 2] *Il est **près de** 8 heures* (= presque).

présage n.m. *Crois-tu aux **présages** ?,* aux signes qui annoncent l'avenir.

■ **présager** v. 1er groupe. *Ces gros nuages ne **présagent** rien de bon,* ils ne laissent rien prévoir de bon (= annoncer).
✳ Conj. no 2.

presbyte adj. *Mon grand-père est **presbyte**,* il voit mal de près. → ***myope***

presbytère n.m. *Le **presbytère** est derrière l'église,* la maison du curé (= cure).

prescrire v. 3e groupe. *Après sa maladie, on lui **a prescrit** un long repos,* on le lui a vivement recommandé (= ordonner).
✳ Conj. no 71. Ne pas confondre avec **proscrire**.

■ **prescription** n.f. *Il faut suivre les **prescriptions** du médecin,* ce qu'il a prescrit (= recommandation ; ≠ interdiction). → ***ordonnance***. ◆ *Après un certain temps, il y a **prescription** dans les affaires judiciaires,* la justice ne peut plus poursuivre le coupable, il y a abandon des poursuites.

préséance n.f. *On a placé les invités par ordre de **préséance**,* selon leur rang, leur importance.
✳ On prononce [preseãs].

présent, ente SENS 1. adj. et n. *Il y a quinze (élèves) **présents** dans la classe,* ils sont là (≠ absent). SENS 2. adj. et n.m. *Le (temps) **présent** s'oppose au passé et à l'avenir,* le temps que nous vivons maintenant (≠ futur, passé). *Le **présent** est le temps du verbe qui indique que l'action a lieu au moment où l'on parle.* ◆ *À **présent**, tu peux partir* (= mainte-

illustr.
p. 945

nant). SENS 3. n.m. *Pierre m'a fait un*
présent (= cadeau).

■ **présence** n.f. [SENS 1] *Ta présence
est indispensable* (≠ absence). ◆ *Il a eu
la **présence d'esprit** de jeter de l'eau sur
le feu,* il a eu une réaction rapide pleine
d'à-propos.

présenter v. 1ᵉʳ groupe. SENS 1. *Le
directeur nous **a présenté** la nouvelle
maîtresse,* il l'a introduite pour nous la
faire connaître. *Ce cadeau **est** très bien
présenté,* il est mis en valeur par des
éléments décoratifs. SENS 2. *Qui **présente** le journal télévisé aujourd'hui ?,*
qui annonce les titres de l'actualité et les
commente ? **Présenter** un spectacle,
c'est en annoncer les numéros et les
commenter. SENS 3. *Veuillez **présenter**
vos papiers* (= montrer, exhiber). SENS 4.
*Damien **se présente** à un examen,* il est
candidat. *Vous êtes prié de **vous présenter** au commissariat de police,* d'y
venir. SENS 5. *Si l'occasion **se présente**,
passez nous voir* (= se produire, survenir).

■ **présentable** adj. [SENS 1 et 3] *Va te
changer, tu n'es pas **présentable**,* digne
d'être présenté, de te présenter.

*illustr.
p. 503* ■ **présentateur, trice** n. [SENS 2] *La
présentatrice du journal télévisé est la
personne qui annonce les nouvelles de
l'actualité.*

■ **présentation** n.f. [SENS 1] (Au plur.)
*Mélanie a fait les **présentations**,* elle a
*illustr.
p. 221* présenté les gens. [SENS 2] *Nous avons
assisté à une **présentation** de mode,*
une manifestation où l'on montre les
nouveaux modèles au public (= défilé).
→ **exposition**

*illustr.
p. 151* ■ **présentoir** n.m. [SENS 3] *Il y a de
nombreux livres sur le **présentoir**,* le
support sur lequel on expose les objets
dans un magasin.

préserver v. 1ᵉʳ groupe. *Ce manteau
te **préservera** du froid,* il te mettra à l'abri
(= protéger).

■ **préservation** n.f. *Les mouvements
écologistes luttent pour la **préservation***

de l'environnement, pour qu'il soit protégé (= sauvegarde, protection).

■ **préservatif** n.m. *Un **préservatif** est
une gaine de caoutchouc qui se place
sur le sexe de l'homme avant les relations
sexuelles pour éviter la contamination
par certaines maladies comme le sida, ou
pour ne pas avoir d'enfant.

présider v. 1ᵉʳ groupe. *La réunion **est
présidée** par le directeur,* c'est lui qui
dirige les débats.

■ **président, e** n. *Le **président** du tribunal a demandé le silence,* celui qui préside. *Le **président** de la République est
le chef de l'État.* ●● ***vice-président***   *illustr.
p. 358*

■ **présidence** n.f. *Les élections à la
présidence de la République auront lieu
dans un mois,* pour la fonction de président.

■ **présidentiel, elle** adj. *Il y avait cinq
candidats à l'élection **présidentielle**,*
pour élire le président de la République.
✳ On prononce [prezidɑ̃sjɛl].

présomption, présomptueux
→ ***présumer***

presque adv. *Il est **presque** 10 heures,*
pas tout à fait (= à peu près).

presqu'île n.f. *Le Cotentin est une
presqu'île,* une terre entourée en grande   *illustr.
p. 556*
partie par la mer (= péninsule). ●● ***île***
→ ***isthme***

**pressant, presse, pressé,
presse-citron** → ***presser***

pressentir v. 3ᵉ groupe. *Gwenaël **avait
pressenti** la vérité,* il l'avait sentie à
l'avance, il s'en doutait (= deviner, prévoir).
✳ Conj. n° 19.

■ **pressentiment** n.m. *J'ai eu le **pressentiment** d'un malheur,* l'intuition qu'il
se produirait (= prémonition).

presser v. 1ᵉʳ groupe. SENS 1. *Alice me
presse de terminer ce travail,* elle me dit

de le faire vite. *Il commence à pleuvoir,* **pressons** *le pas,* marchons plus vite (= accélérer ; ≠ ralentir). SENS 2. **Presse-toi,** *nous sommes en retard,* hâte-toi (= se dépêcher). SENS 3. *Le temps* **presse,** il faut se dépêcher, se hâter. SENS 4. *Yvon* **presse** *des citrons pour faire une citronnade,* il les comprime pour en faire sortir le jus. SENS 5. *Il m'a* **pressé** *la main avec force,* il a appuyé dessus (= serrer).

■ **pressant, ante** adj. [SENS 1, 2 et 3] *J'ai un* **pressant** *besoin d'argent,* qui exige une solution rapide (= urgent).

■ **pressé, ée** adj. [SENS 1, 2 et 3] *Ce travail est très* **pressé,** *il ne peut pas attendre,* il doit être fait sans délai (= urgent). *Nous en parlerons demain, car je* **suis pressée,** je n'ai pas le temps, j'ai beaucoup de choses à faire.

illustr. p. 117, 502, 503

■ **presse** n.f. [SENS 4] *Une* **presse** *est une machine qui sert à serrer, à comprimer, à écraser. Une* **presse** *typographique est une machine à imprimer.* ◆ *La* **presse** *a annoncé un tremblement de terre en Orient,* l'ensemble des journaux.

■ **pression** n.f. [SENS 1] *Il a fait* **pression** *sur moi pour me décider à partir,* il a insisté pour me forcer à partir. [SENS 5] *D'une* **pression** *du doigt, j'ai refermé la boîte,* en appuyant avec le doigt. *La* **pression** *atmosphérique diminue avec l'altitude,* le poids de l'air. ◆ *Une* **pression** *est une sorte de bouton qu'on attache en appuyant dessus.* (On dit aussi un **bouton-pression**.)

■ **pressoir** n.m. [SENS 4] *Le vigneron apporte son raisin au* **pressoir,** à l'endroit où on le presse.

■ **pressurer** v. 1er groupe. [SENS 5] *Le peuple* **était pressuré,** il était accablé d'impôts.

illustr. p. 238

■ **presse-citron** n.m. [SENS 4] *Un* **presse-citron** *est un ustensile qui sert à presser les citrons et les oranges pour en extraire le jus.*
❋ Au pluriel, on écrit des **presse-citron** ou des **presse-citrons**.

■ **presse-papiers** n.m. inv. [SENS 5] *Anouk se sert d'un morceau de plomb comme* **presse-papiers,** un objet que l'on pose sur des papiers pour les empêcher de s'envoler.
❋ Ce mot ne change pas au pluriel.

■ **presse-purée** n.m. inv. [SENS 5] *Un* **presse-purée** *est un ustensile de cuisine qui sert à écraser des pommes de terre pour faire de la purée.*
❋ Ce mot ne change pas au pluriel.

pressing n.m. *J'ai porté mon pantalon au* **pressing,** à l'établissement qui effectue le nettoyage et le repassage des vêtements.
❋ On prononce [presiŋ].

pressurisé, ée adj. *L'avion est* **pressurisé,** à l'intérieur, l'air est maintenu à la pression atmosphérique normale.

prestance n.f. *M. Legendre est un homme de belle* **prestance,** il est grand et élégant (= allure, apparence).

preste adj. *Claire a des mouvements* **prestes,** rapides et adroits (= agile, vif ; ≠ pataud).

■ **prestement** adv. *Elle s'est éclipsée* **prestement,** avec agilité et rapidité (= vivement).
❋ Les mots de cette famille s'emploient surtout dans la langue écrite.

prestidigitateur, trice n. *Le* **prestidigitateur** *a fait sortir un lapin de son chapeau* (= illusionniste).

■ **prestidigitation** n.f. *Mehdi sait faire des tours de* **prestidigitation,** des tours de magie.

prestige n.m. *Ce chef d'État a un grand* **prestige,** il est connu et admiré.

■ **prestigieux, euse** adj. *Rome est une ville* **prestigieuse,** que beaucoup de gens admirent (= magnifique).

présumer v. 1er groupe. SENS 1. *Jérôme* **a présumé de** *ses forces,* il s'est cru plus fort qu'il ne l'est. → **suresti-mer**. SENS 2. *Son air réjoui me fait* **présumer** *qu'il a réussi,* me le fait penser (= supposer).

■ **présumé, ée** adj. [SENS 2] *Le commissaire a interrogé le coupable* **présumé,** celui que l'on croit coupable.

■ **présomption** n.f. [SENS 1] *Michel est plein de* **présomption,** *il a bien trop confiance en lui* (= prétention ; ≠ modestie). [SENS 2] *Tant qu'il n'est pas jugé, un accusé doit bénéficier de la* **présomption** *d'innocence,* on doit le considérer comme s'il était innocent.

■ **présomptueux, euse** adj. [SENS 1] *Michel est trop* **présomptueux** (= prétentieux).

1. prêt, prête adj. *Je serai* **prêt** *à partir dans cinq minutes,* j'aurai fini de me préparer et je pourrai partir.
✳ Ne pas confondre avec **près.**

2. prêt → **prêter**

prétendre v. 3ᵉ groupe. SENS 1. *Jérémy* **prétend** *qu'il a été en contact avec des extraterrestres,* il l'affirme, mais c'est douteux ou faux (= soutenir). SENS 2. *Marianne* **prétend** *se faire respecter,* elle en a l'intention (= vouloir).
✳ Conj. n° 50.

■ **prétendant, ante** [SENS 1] n. *Ce prince était* **prétendant** *au trône,* il voulait monter sur le trône. [SENS 2] n.m. *Cette jeune fille avait de nombreux* **prétendants,** *des hommes qui souhaitaient l'épouser* (= amoureux).

■ **prétendu, ue** adj. [SENS 1] *Comment s'appelle ce* **prétendu** *magicien ?,* cet homme qui se prétend magicien.

■ **prétentieux, euse** adj. et n. [SENS 1] *Joël est trop* **prétentieux,** *trop content de lui-même* (= orgueilleux, vaniteux ; ≠ modeste).

■ **prétention** n.f. [SENS 1] *Je n'ai pas la* **prétention** *de tout savoir,* je ne prétends pas cela. *Joël est plein de* **prétention,** il a une trop grande estime de lui-même

(= vanité, suffisance, présomption ; ≠ modestie). [SENS 2] (Au plur.) *Il faudra diminuer vos* **prétentions,** *ce que vous réclamez* (= désir, exigence).

prêter v. 1ᵉʳ groupe. SENS 1. *J'ai prêté mon stylo à Gilles,* je lui ai permis de l'utiliser pendant un certain temps à condition qu'il me le rende. → **emprunter**. SENS 2. **Prêter** *serment,* c'est jurer. **Prêter** *de l'importance à quelque chose,* c'est lui en donner. **Prêter** *son aide à quelqu'un,* c'est l'aider. SENS 3. *On me* **prête** *des paroles que je n'ai pas dites* (= attribuer).

■ **prêt** n.m. [SENS 1] *M. Sermois a demandé un* **prêt** *pour acheter une maison, qu'on lui prête de l'argent.* → **emprunt, crédit**
✳ Ne pas confondre avec l'adjectif **prêt** et l'adverbe **près.**

■ **prêteur, euse** adj. et n. [SENS 1] *Raphaël n'est pas* **prêteur,** *il n'aime pas prêter.* → **créancier**

prétexte n.m. *Il a dit qu'il était malade, mais c'était un* **prétexte** *pour ne pas venir,* une fausse raison.

■ **prétexter** v. 1ᵉʳ groupe. *Armelle* **a prétexté** *un mal de tête pour partir,* elle a pris ce prétexte comme motif de départ.

prétoire n.m. *Le* **prétoire** *est la salle du tribunal.*

prêtre n.m. *Un* **prêtre** *est une personne qui accomplit les rites du culte dans certaines religions. Les* **prêtres** *catholiques célèbrent la messe.*   *illustr. p. 821*

■ **prêtresse** n.f. *Les vestales étaient des* **prêtresses** *entretenant le feu sacré,* des femmes accomplissant les rites.

■ **prêtrise** n.f. *La* **prêtrise** *est la fonction du prêtre.*

preuve n.f. SENS 1. *L'accusé a apporté la* **preuve** *de son innocence,* un élément qui prouvait son innocence (= démonstration). ●● **prouver**. SENS 2. *Amélie a fait* **preuve** *d'un grand courage,* elle a montré qu'elle était courageuse. SENS 3. Faire la **preuve** d'une opération, c'est démontrer qu'elle est juste, au moyen d'un calcul. *La **preuve** d'une soustraction se fait en additionnant le plus petit nombre et le résultat, ce qui doit donner le nombre le plus grand.*

preux n.m. Les **preux** du Moyen Âge étaient de vaillants chevaliers.
✷ Ce mot s'emploie dans la langue écrite.

prévaloir v. 3ᵉ groupe. SENS 1. *C'est son opinion qui **a prévalu**,* qui a eu le plus d'importance (= l'emporter, prédominer). SENS 2. *Le grand frère d'Émilie aime **se prévaloir** de ses nombreux diplômes,* les faire remarquer (= se vanter, se glorifier, s'enorgueillir).
✷ Conj. nº 40.

prévenir v. 3ᵉ groupe. SENS 1. *Pierre **m'a prévenu** de son arrivée,* il me l'a fait savoir à l'avance (= avertir, informer). SENS 2. *On dit qu'il vaut mieux **prévenir** que guérir,* prendre des précautions pour éviter un mal. SENS 3. *Quand Manon était malade, sa mère **prévenait** tous ses désirs,* elle allait au-devant d'eux (= anticiper). SENS 4. *On l'**a prévenu contre** moi,* on lui a dit du mal de moi (= monter contre).
✷ Conj. nº 22.

∎ **prévenance** n.f. [SENS 3] *Thomas est plein de **prévenances** pour sa grand-mère* (= attention, gentillesse).

∎ **prévenant, ante** adj. [SENS 3] *Thomas est un garçon gentil et **prévenant*** (= empressé, obligeant ; ≠ indifférent).

∎ **préventif, ive** adj. [SENS 2] *On a pris des mesures **préventives**,* destinées à éviter des accidents.

∎ **préventivement** adv. [SENS 2] *On vaccine **préventivement** les enfants,* pour éviter les maladies.

∎ **prévention** n.f. [SENS 2] *La **prévention** routière est l'ensemble des mesures prises pour prévenir les accidents de la route.* [SENS 4] *Pourquoi as-tu des pré-*

ventions contre moi ?, un parti pris hostile (= préjugé).

prévenu, ue n. *Un **prévenu** est une personne soupçonnée d'avoir commis un délit.*

prévoir v. 3ᵉ groupe. SENS 1. *Certains indices permettent parfois de **prévoir** les tremblements de terre,* de savoir ou de supposer qu'ils vont avoir lieu (= deviner). ●● **imprévu**. SENS 2. *On **a prévu** plusieurs places au premier rang pour les invités d'honneur,* on les a préparées, réservées.
✷ Conj. nº 42.

∎ **prévisible** adj. *Son échec était **prévisible**,* on pouvait le prévoir (≠ imprévisible).

∎ **prévision** n.f. *Pierre écoute les **prévisions** météorologiques à la radio,* ce que l'on peut prévoir du temps qu'il fera dans les jours à venir. → **pronostic**

∎ **prévoyant, ante** adj. *M. Volmer est **prévoyant**,* il pense à ce qui peut arriver et s'organise (= prudent ; ≠ imprévoyant).

∎ **prévoyance** n.f. *Tu as manqué de **prévoyance**,* tu n'as pas su prévoir (≠ imprévoyance).

prier v. 1ᵉʳ groupe. SENS 1. *On va à la messe pour **prier** Dieu,* pour s'adresser à lui et l'adorer. SENS 2. *Carole m'**a prié** de venir demain,* elle me l'a demandé avec insistance. SENS 3. *Donnez-moi ce livre, **je vous prie**,* s'il vous plaît.
✷ Ne pas confondre certaines formes du verbe **prier** avec certaines formes du verbe **prendre** et avec un **prix**.

∎ **prière** n.f. [SENS 1] *Alex récite ses **prières**,* les textes par lesquels il s'adresse à Dieu. [SENS 2] ***Prière de** ne pas marcher sur les pelouses,* on est prié de ne pas le faire. *illustr. p. 820*

∎ **prie-Dieu** n.m. inv. [SENS 1] *À l'église, Alex s'est agenouillé sur le **prie-Dieu**,* une sorte de chaise basse.
✷ Ce mot ne change pas au pluriel.

prieur, eure n. Le **prieur** (ou la **prieure**) d'une communauté religieuse est la personne qui la dirige.

primaire adj. SENS 1. *Jusqu'à l'entrée en sixième, on est dans l'enseignement* **primaire,** l'enseignement du premier degré (≠ secondaire). SENS 2. L'ère **primaire** est la période la plus ancienne de la Terre, au cours de laquelle sont apparus les poissons. → **secondaire, tertiaire, quaternaire**

illustr. p. 758

primate n.m. Un **primate** est un mammifère au cerveau développé qui peut saisir des objets avec ses mains. *Le singe et l'homme sont des* **primates.**

primauté n.f. *Ce pays possède la* **primauté** *économique,* le premier rang (= supériorité, prépondérance).

1. prime adj. *De prime abord,* je ne vous avais pas reconnu, au premier abord (= d'abord).

2. prime n.f. SENS 1. *À la fin de l'année, les employés reçoivent une* **prime,** une somme d'argent en plus de leur salaire (= gratification). SENS 2. *Si vous payez d'un coup, on vous donne un livre* **en prime,** en supplément. SENS 3. Une **prime** d'assurance est une somme d'argent que l'on verse pour bénéficier des garanties d'un contrat d'assurance.
■ **primer** v. 1er groupe. [SENS 1] *Le jury a* **primé** *le plus beau dessin,* il l'a récompensé par un prix. ◆ *Ce qui* **prime** *chez lui, c'est le courage,* ce qui est le plus important (= dominer).

primesautier, ère adj. *Élodie est une jeune fille* **primesautière,** elle suit son premier mouvement (= spontané ; ≠ réfléchi).

primeur n.f. SENS 1. *J'ai eu la* **primeur** *de cette nouvelle,* je l'ai apprise le premier. SENS 2. (Au plur.) *On cultive des* **primeurs** *dans ces serres,* des légumes ou des fruits qui mûrissent avant la saison normale.

primevère n.f. *Les* **primevères** *poussent au printemps,* des fleurs des prés ou des jardins, de diverses couleurs.

illustr. p. 753

primitif, ive adj. SENS 1. *On a remis la maison dans son état* **primitif,** celui où elle était au début (= ancien, initial). → **originel.** SENS 2. On appelait autrefois **sociétés primitives** les sociétés qui ne connaissaient pas l'écriture, l'agriculture et la technologie, au contraire des sociétés occidentales.
■ **primitivement** adv. [SENS 1] *Cette auberge était* **primitivement** *un moulin,* (= anciennement, à l'origine).

primo adv. *J'ai acheté cette voiture* **primo** *parce qu'elle consomme moins, ensuite parce qu'elle est plus confortable* (= premièrement, d'abord).

primordial, ale , aux adj. *Cet événement est d'une importance* **primordiale,** il est très important (= capital ; ≠ secondaire).

prince, princesse n. SENS 1. Un **prince** est un fils de roi, un membre d'une famille royale ou le souverain d'une principauté. *Marie est habillée comme une* **princesse,** la fille d'un souverain ou la femme d'un prince. SENS 2. *Je pourrais exiger la réparation des dégâts, mais* **je suis bon prince,** *n'en parlons plus,* je veux me montrer généreux.
■ **princier, ère** adj. [SENS 1] *Le père de Vincent est d'une élégance* **princière,** digne d'un prince.
■ **princièrement** adv. [SENS 1] *Nous avons été reçus* **princièrement,** avec beaucoup d'égards (= magnifiquement).
■ **principauté** n.f. [SENS 1] *Monaco est une* **principauté,** un État gouverné par un prince.

principal, ale, aux adj. SENS 1. *Quel est l'acteur* **principal** *de ce film ?,* le plus important (≠ secondaire). SENS 2. adj. et n.f. Dans une phrase, une (proposition) **principale** est une proposition dont dépendent les propositions subordonnées.

■ **principal** n.m. *On a presque fini, le principal est fait* (= essentiel).

■ **principalement** adv. *Il faut être prudent, principalement en cas de verglas, par-dessus tout* (= surtout).

principauté → **prince**

principe n.m. SENS 1. *M. Launay ne boit pas d'alcool, c'est un principe,* une règle de vie. *Selon ses principes, toute opinion de bonne foi est respectable,* selon ses idées. SENS 2. *Je vais t'expliquer le principe d'Archimède,* la loi scientifique. SENS 3. *En principe, Pierre sera là demain,* selon les prévisions (= théoriquement ; ≠ pratiquement).

printemps n.m. Dans l'hémisphère Nord, le **printemps** est la saison où la nature renaît et qui commence à la fin de l'hiver, le 20 ou le 21 mars et finit au début de l'été, le 21 ou le 22 juin.

■ **printanier, ère** adj. *Les violettes sont des fleurs printanières,* du printemps.

priori → **a priori**

priorité n.f. *Au croisement, les voitures venant de la droite ont la priorité,* elles passent les premières.

■ **prioritaire** adj. *Une ambulance est un véhicule prioritaire,* les autres doivent la laisser passer.

prise n.f. SENS 1. *Adrien a lâché prise,* il a lâché ce qu'il tenait. *Julie m'a fait une prise de judo,* elle m'a saisi d'une certaine manière. ●● **prendre**. SENS 2. *Le pêcheur a fait une belle prise,* il a attrapé, pris un beau poisson. → **capture**. SENS 3. *On m'a fait une prise de sang,* on m'en a prélevé un peu pour l'analyser.

illustr. p. 994, 504

SENS 4. *Branche la lampe à la prise (de courant),* au dispositif électrique qui permet de recevoir l'électricité.

priser → **prix**

prisme n.m. *Un prisme de verre décompose la lumière du soleil,* un solide ayant des faces planes et des arêtes parallèles.

illustr. p. 431

prison n.f. *Le coupable a été condamné à dix ans de prison,* à être enfermé dans un endroit où l'on garde les condamnés et les personnes soupçonnées d'un délit et qui doivent être jugées (= réclusion). ●● **emprisonner** → **détention**

■ **prisonnier, ère** n. *À l'armistice, les prisonniers de guerre ont été libérés,* ceux que l'ennemi avait capturés. *Le gardien raccompagne le prisonnier dans sa cellule* (= détenu).

privation → **priver**

privé, ée adj. SENS 1. *Défense d'entrer, chemin privé,* où le public n'est pas admis (≠ public). SENS 2. *Il n'aime pas qu'on s'occupe de sa vie privée,* sa vie personnelle (= intime). SENS 3. *M. Dumont est professeur dans l'enseignement privé,* celui qui ne dépend pas de l'État (≠ public).

■ **privatiser** v. 1er groupe. *Privatiser une entreprise,* c'est la faire passer au secteur privé, alors qu'elle dépendait de l'État (≠ nationaliser).

■ **privatisation** n.f. *On annonce la privatisation de trois grandes entreprises* (≠ nationalisation).

priver v. 1er groupe. SENS 1. *Les soldats punis ont été privés de permissions,* les permissions leur ont été supprimées. SENS 2. *Un accident l'a privé de sa jambe,* il lui en a fait perdre l'usage. SENS 3. *Sa famille se prive pour qu'il puisse faire des études,* sa famille s'efforce de dépenser peu d'argent. SENS 4. *Je ne me suis pas privé de lui dire ce que j'en pensais,* je l'ai fait abondamment (= ne pas se faire faute, ne pas se gêner ; ≠ hésiter).

■ **privation** n.f. [SENS 1] *Pendant les guerres, les populations souffrent de*

privations, du manque des choses né-cessaires à la vie.

privilège n.m. *Autrefois, les nobles avaient de nombreux **privilèges**, des droits que les autres n'avaient pas* (= avantage).

■ **privilégié, ée** n. et adj. *Cet hôtel de luxe est réservé à des **privilégiés*** (≠ dé-favorisé).

prix n.m. SENS 1. *Le **prix** d'un produit, c'est ce qu'il coûte* (= valeur). SENS 2. *Il faut réussir à **tout prix**, même s'il faut faire de grands efforts* (= absolument, coûte que coûte). SENS 3. *Ce film a obtenu le premier **prix** au concours,* la plus haute récompense.
✹ Ne pas confondre avec certaines formes du verbe **prendre** et avec certaines formes du verbe **prier**.

■ **priser** v. 1er groupe. [SENS 1] *M. Du-pont **prise** beaucoup l'honnêteté, il lui accorde une grande valeur* (= apprécier, estimer).
✹ Ce mot s'emploie surtout dans la langue écrite.

pro- préfixe. Placé au début d'un mot, **pro-** signifie « favorable à » : *une politique **pro**-américaine* (favorable aux Américains, aux États-Unis).

probable adj. *Il est **probable** qu'il fera beau demain,* ce n'est pas sûr mais presque (= vraisemblable ; ≠ cer-tain). ●● ***improbable***

■ **probablement** adv. *Le malade sera **probablement** sur pied la semaine pro-chaine,* sans doute (= vraisemblable-ment).

■ **probabilité** n.f. *La **probabilité** de gagner le gros lot est faible,* les chances que cela se produise.

probant, ante adj. *L'expérience a été **probante**, elle a prouvé ce que nous voulions démontrer* (= convaincant, dé-cisif, concluant). ●● ***prouver***

probe adj. *Une personne **probe** est une personne d'une totale honnêteté* (= inté-gre).
✹ Ce mot appartient à la langue écrite.

■ **probité** n.f. *Le caissier est d'une grande **probité*** (= honnêteté, intégrité).

problème n.m. SENS 1. *Résoudre un **problème** d'arithmétique, c'est trouver la solution des questions posées.* SENS 2. *La maladie du directeur pose un **problème** à l'entreprise,* elle crée une situation embarrassante (= préoccupation). *Il y a des **problèmes** de circulation dans cette ville* (= difficulté).

■ **problématique** adj. [SENS 2] *Son suc-cès à l'examen est **problématique**,* il n'est pas certain (= douteux, aléatoire ; ≠ sûr).

procédé n.m. SENS 1. *On a modifié le **procédé** de fabrication,* la manière de fabriquer (= méthode, façon). SENS 2. *Ses **procédés** à mon égard m'ont choqué,* sa manière de se conduire (= attitude, comportement).

■ **procéder** v. 1er groupe. [SENS 1] *Il faut **procéder** au nettoyage de la maison,* faire cette action. *Comment va-t-il pro-céder ?* (= agir, s'y prendre).
✹ Conj. n° 10.

procédure n.f. SENS 1. *La **procédure** est l'ensemble des règles qu'il faut ap-pliquer en justice.* SENS 2. *On peut arriver au même résultat par une **procédure** différente,* une suite d'actions (= mé-thode, procédé).

procès n.m. *Un **procès** est une action en justice au cours de laquelle un juge ou un jury décident si un accusé est inno-cent ou coupable.*

procession n.f. *La **procession** est allée de l'église au cimetière,* le défilé religieux. *illustr. p. 41*

processus n.m. *L'affaire a suivi un **processus** compliqué,* un déroulement (= marche, développement).
✹ On prononce le « s » final : [prɔsɛsys].

procès-verbal n.m. SENS 1. *M. Durand a eu un **procès-verbal** pour stationnement interdit*, un papier constatant cette faute et entraînant une amende. (On dit souvent un **P.V.**) ●● ***verbaliser***. SENS 2. *Après la réunion, on a relu le **procès-verbal***, le résumé écrit de la réunion (= compte rendu).
✳ Au pluriel, on écrit des **procès-verbaux**.

illustr. p. 132 **1. prochain, aine** adj. SENS 1. *Nous nous reverrons la semaine **prochaine***, celle qui vient après celle où nous sommes (≠ dernier). SENS 2. *Au **prochain** carrefour, tournez à droite*, au plus proche (= suivant ; ≠ précédent).

illustr. p. 945 ■ **prochainement** adv. [SENS 1] *Pierre reviendra **prochainement***, dans peu de temps (= bientôt).

2. prochain n.m. *La religion chrétienne prêche l'amour du **prochain***, des autres humains.

proche adj. SENS 1. *Ce village est **proche** de la mer*, il en est près (= voisin ; ≠ éloigné). SENS 2. *Les vacances sont **proches***, elles vont bientôt arriver (≠ lointain). ●● ***approcher***. SENS 3. *Le français est **proche** de l'italien*, ces langues se ressemblent. ●● ***rapprocher***

proclamer v. 1er groupe. SENS 1. *Napoléon **a été proclamé** empereur en 1804*, il a été déclaré solennellement empereur (= reconnaître). SENS 2. *L'accusé **proclamait** qu'il n'était pas coupable*, il le déclarait avec force et publiquement (= crier, affirmer).
■ **proclamation** n.f. [SENS 1] *La **proclamation** des résultats a été faite par le directeur*, l'annonce des résultats (= déclaration, avis, communiqué).

procuration n.f. *Je serai absent, mais j'ai laissé une **procuration** à mon voisin*, un papier l'autorisant à agir à ma place.

procurer v. 1er groupe. *Pourrais-tu me **procurer** ce livre ?*, me le faire obtenir (= fournir).

procureur n.m. *Le **procureur** a demandé un an de prison pour l'accusé*, le magistrat chargé de l'accusation.

prodigalité → ***prodiguer***

prodige n.m. SENS 1. *L'ascension de cette montagne a été un **prodige** d'endurance*, une action extraordinaire (= miracle). SENS 2. *Mozart fut un petit **prodige***, une personne ayant des dons extraordinaires (= génie).
✳ Ne pas confondre avec l'adjectif **prodigue**.

■ **prodigieux, euse** adj. [SENS 1] *Ce livre a eu un succès **prodigieux***, qui surprend par sa rareté (= extraordinaire, incroyable).

■ **prodigieusement** adv. [SENS 1] *Il est **prodigieusement** riche* (= extrêmement).

prodiguer v. 1er groupe. *Mon père m'a **prodigué** ses recommandations*, il m'en a donné beaucoup.
■ **prodigue** adj. *M. Darbon est un homme **prodigue***, il dépense sans compter (= dépensier ; ≠ économe, avare).
✳ Ne pas confondre avec un **prodige**.
■ **prodigalité** n.f. *Sa **prodigalité** l'a ruiné*, ses dépenses excessives (= gaspillage).

produire v. 3e groupe. SENS 1. *Certains acides **produisent** des brûlures sur la peau*, ils les occasionnent (= causer, provoquer, faire). SENS 2. *Comment s'est **produit** l'accident ?*, comment a-t-il eu lieu ? (= survenir, arriver). SENS 3. *Le Canada **produit** beaucoup de blé*, on y cultive des terres qui donnent beaucoup de blé (= fournir ; ≠ consommer). SENS 4. ***Produire** un film, une émission de télévision*, c'est fournir l'argent nécessaire à leur réalisation.
✳ Conj. n° 70.

■ **producteur, trice** n. [SENS 3] *Les producteurs de blé sont mécontents de la baisse des prix*, les personnes qui le produisent pour le vendre (≠ consommateur). [SENS 4] *Le producteur a investi de grosses sommes dans le film.*

■ **productif, ive** adj. [SENS 3] *Ce sol est peu productif*, il produit peu (= fécond, fertile ; ≠ improductif).

■ **production** n.f. [SENS 3] *Il faut augmenter la production de riz*, en produire plus. ●● **surproduction**. [SENS 4] *Un gros budget a été affecté à la production de cette émission*, au budget nécessaire pour la réaliser. *Une nouvelle production belge sort cette semaine sur les écrans*, un film. ●● **coproduction, superproduction**

■ **produit** n.m. [SENS 3] *Un produit est une substance offerte par la nature ou fabriquée par l'homme. Le charbon est un produit naturel, le blé est un produit agricole, l'acier est un produit industriel.* ●● **sous-produit**. ◆ *12 est le produit de 6 par 2*, le résultat de la multiplication.

proéminent, ente adj. *Un nez proéminent est un nez très en relief par rapport au reste du visage* (= saillant). ✹ Ne pas confondre avec **prééminent**.

profane SENS 1. adj. *La musique profane, l'art profane*, c'est la musique, l'art non religieux. SENS 2. adj. et n. *Excusez-moi, je suis profane en géographie*, je n'y connais rien (= ignorant, inexpérimenté ; ≠ savant, expert).

■ **profaner** v. 1er groupe. [SENS 1] *Profaner une chose sacrée*, c'est ne pas respecter son caractère sacré.

■ **profanation** n.f. [SENS 1] *La profanation des sépultures est punie par la loi* (= violation).

proférer v. 1er groupe. *Il est parti en proférant des menaces*, en les disant violemment. ✹ Conj. n° 10.

professer → **profession**

professeur n.m. *M. Arnaud est professeur de français, Mme Barbier est un jeune professeur de maths*, ils enseignent ces matières. *Aujourd'hui, les instituteurs sont aussi appelés professeurs des écoles.*

■ **professoral, ale, aux** adj. *Il parle d'un ton professoral*, qui évoque la façon de parler d'un professeur (= doctoral, grave).

■ **professorat** n.m. *Antoine se destine au professorat*, au métier de professeur (= enseignement).

profession n.f. SENS 1. *Ma mère est avocate, c'est sa profession*, son métier. SENS 2. *M. Dubois fait profession d'idées socialistes*, il les déclare ouvertement.

■ **professer** v. 1er groupe. [SENS 2] *Il professe des opinions bizarres*, il les déclare publiquement (= exprimer, proclamer ; ≠ taire).

■ **professionnel, elle** adj. et n. [SENS 1] *M. Brunet a commis une faute professionnelle*, en exerçant son métier. *Cette équipe de football est composée de professionnels*, le football est leur métier (≠ amateur).

■ **professionnellement** adv. [SENS 1] *Il pratique maintenant le cyclisme professionnellement*, en tant que professionnel.

professoral, professorat
→ **professeur**

profil n.m. *Sur cette photo, on te voit de profil*, de côté (≠ de face).

■ se **profiler** v. 1er groupe. *Les montagnes se profilent à l'horizon*, elles apparaissent en silhouettes (= se découper, se détacher).

profit n.m. SENS 1. *Ce commerçant a fait des profits*, il a gagné de l'argent (= bénéfice ; ≠ perte). SENS 2. *Son voyage en Allemagne lui a été d'un grand profit*, il lui a été utile (= avantage).

■ **profiter** v. 1er groupe. [SENS 2] *Le prisonnier a profité de la nuit pour* *s'enfuir, il a saisi cette occasion. Sa connaissance de l'allemand lui a profité,* elle lui a été utile (= servir).

■ **profitable** adj. [SENS 2] *Colin a fait un voyage en Angleterre profitable* (= avantageux, utile, fructueux).

■ **profiteur, euse** n. [SENS 1] *À bas les profiteurs !,* ceux qui font des profits en faisant tort aux autres (= exploiteur).

profond, e adj. SENS 1. *Ici, la mer est profonde de 1 000 mètres,* le fond est à 1 000 mètres sous la surface. SENS 2. *Rémi a un profond amour pour sa mère,* très grand (= fort, intense, ardent ; ≠ faible). SENS 3. *Armelle est un esprit profond,* elle va au fond des choses (= pénétrant ; ≠ superficiel). ●● **approfondir**

■ **profondément** adv. [SENS 1] *Le couteau a pénétré profondément,* à une grande profondeur (≠ superficiellement). [SENS 2] *Fabien est profondément ému,* très vivement (= extrêmement).

■ **profondeur** n.f. [SENS 1] *Quelle est la profondeur de ce puits ?,* sa dimension de haut en bas.

profusion n.f. *Cette année, il y a une profusion de fruits,* une grande quantité (= surabondance, foison).

progéniture n.f. *La progéniture d'un animal,* ce sont ses petits. *La progéniture d'une personne,* ce sont ses enfants.

programme n.m. SENS 1. *Le journal donne le programme de la télévision,* la liste des émissions. SENS 2. *Le candidat aux élections a annoncé son programme,* ce qu'il a l'intention de réaliser s'il est élu (= plan, projets). SENS 3. *Cette question n'est pas au programme de l'examen,* dans la liste des questions à étudier. SENS 4. *Les informaticiens ont créé un nouveau programme informatique,* un ensemble d'instructions destinées à faire exécuter quelque chose à l'ordinateur.

■ **programmer** v. 1er groupe. [SENS 1] *Ce cinéma programme de beaux films,* il les met à son programme (= présenter). [SENS 4] *Maman a programmé l'enregistrement de l'émission,* elle a réglé le déclenchement de cette opération en sélectionnant un programme.

progresser v. 1er groupe. SENS 1. *L'épidémie progresse,* elle se répand (= se développer, se propager ; ≠ reculer, régresser). SENS 2. *Gilles a progressé en français,* il a fait des progrès (= s'améliorer ; ≠ rétrograder).

■ **progrès** n.m. [SENS 2] *Gilles fait des progrès,* on constate un changement en mieux (= amélioration). ◆ *M. Lenoir croit au progrès,* au développement des connaissances et de la science qui rendra les hommes de plus en plus heureux.

■ **progressif, ive** adj. [SENS 1] *Ces exercices sont de difficulté progressive,* ils sont de plus en plus difficiles (= gradué).

■ **progression** n.f. [SENS 1] *La progression des troupes n'a pas pu être arrêtée,* la marche en avant (= avance ; ≠ recul).

■ **progressiste** adj. et n. [SENS 2] *Une politique progressiste vise à tirer parti des progrès techniques pour établir une société plus juste.*

■ **progressivement** adv. [SENS 1] *La chaleur diminue progressivement,* peu à peu (= graduellement ; ≠ subitement).

prohiber v. 1er groupe. *Le trafic de la drogue est prohibé par la loi,* il est interdit (= proscrire ; ≠ autoriser).

■ **prohibitif, ive** adj. *Le prix de ces fruits est prohibitif,* si élevé qu'il ne permet pas de les acheter (= exorbitant).

proie n.f. SENS 1. *Le tigre s'est jeté sur sa proie,* sur l'animal qu'il chassait. SENS 2. *L'aigle, le vautour, le faucon sont des oiseaux de proie,* qui se nourrissent d'autres animaux (= rapace). SENS 3. *La maison est la proie des flammes,* les flammes sont en train de la détruire. SENS 4. *Pierre est en proie à l'inquiétude, il est tourmenté par l'inquiétude.*

projeter v. 1er groupe. SENS 1. *Le choc nous a projetés en avant,* il nous a jetés avec force. SENS 2. *Sélim projette de partir demain,* il en a l'intention (= envisager). SENS 3. *Nous projetterons des diapositives,* nous les ferons apparaître sur un écran grâce à un projecteur.
✳ Conj. n° 8.

illustr. p. 913, 952, 221

■ **projecteur** n.m. [SENS 3] *La lumière du projecteur est très forte,* de l'appareil qui projette des rayons lumineux.

■ **projectile** n.m. [SENS 1] *Les gamins envoyaient toutes sortes de projectiles,* d'objets qu'on lance suivant une direction donnée. *Les balles, les plombs de carabine sont des projectiles,* des objets lancés par une arme.

illustr. p. 952

■ **projection** n.f. [SENS 3] *Toute la classe a assisté à la projection du film,* à son passage sur l'écran.

■ **projet** n.m. [SENS 2] *Quels sont tes projets pour les vacances ?,* qu'est-ce que tu comptes faire ? *Sabrina nous a présenté son projet pour la fête de l'école,* ce qu'elle envisage de faire (= intention, plan, programme).

prolétaire n. *Un prolétaire est une personne qui vit modestement de son seul salaire* (≠ capitaliste, bourgeois).

■ **prolétariat** n.m. *Le prolétariat est l'ensemble des prolétaires.*

proliférer v. 1er groupe. *Avec cette chaleur, les mouches se sont mises à proliférer,* à se reproduire et à devenir très nombreuses (= se multiplier).
→ *pulluler*
✳ Conj. n° 10.

■ **prolifération** n.f. *La prolifération des criquets est inquiétante,* leur reproduction rapide (= multiplication).

■ **prolifique** adj. *Le lapin est un animal prolifique,* il se reproduit rapidement.

prolixe adj. *Quand elle parle de sa collection, Raphaëlle est très prolixe,* elle parle beaucoup (= bavard, loquace, intarissable).

prologue n.m. *Dans son prologue, l'écrivain remercie ceux qui l'ont aidé,* dans le texte qui précède l'œuvre (= introduction, avant-propos). ◆ *Le prologue d'un récit,* c'est la première partie, où l'auteur raconte ce qui s'est passé avant le début de l'action (≠ épilogue).

prolonger v. 1er groupe. SENS 1. *On a prolongé la réunion d'une heure,* on l'a fait durer une heure de plus (= allonger ; ≠ écourter). SENS 2. *La rue a été prolongée de 200 mètres,* on a augmenté sa longueur (= allonger, continuer).
✳ Conj. n° 2.

■ **prolongé, ée** adj. [SENS 1] *Nous avons eu une sécheresse prolongée,* qui a duré longtemps.

■ **prolongation** n.f. [SENS 1] *La prolongation du match a duré un quart d'heure,* le temps en plus du temps fixé.

■ **prolongement** n.m. [SENS 2] *La maison est dans le prolongement de la rue,* dans la direction qui la prolonge.

promener v. 1er groupe. *M. Dumas promène son chien,* il le fait marcher dehors avec lui. *Pierre est parti se promener à pied,* marcher pour son plaisir (= faire un tour, fam. se balader).
✳ Conj. n° 9.

■ **promenade** n.f. *Nous avons fait une longue promenade dans les bois* (= tour, fam. balade). → *randonnée*

■ **promeneur, euse** n. *Par ce beau temps, il y a beaucoup de promeneurs sur les boulevards,* de personnes qui se promènent.

promettre v. 3e groupe. SENS 1. *Alex m'a promis de venir demain,* il m'a dit qu'il le ferait (= jurer, s'engager à). SENS 2. *Je me suis promis de ne pas faire la même erreur,* j'ai pris cette ferme décision.
✳ Conj. n° 57.

P

■ **promesse** n.f. [SENS 1] *Alex n'a pas tenu sa **promesse**, il n'a pas respecté son engagement* (= parole, serment).

■ **prometteur, euse** adj. [SENS 1] *Voilà des débuts **prometteurs** !, qui laissent espérer de beaux résultats.*

promiscuité n.f. *La **promiscuité** est parfois pénible en colonie de vacances, le voisinage obligé avec beaucoup d'autres personnes.*

illustr.
p. 556 **promontoire** n.m. *Il y a un phare sur le **promontoire**, le cap qui domine la mer.*

promouvoir v. 3ᵉ groupe. SENS 1. *Il a été promu directeur, on l'a nommé à ce poste supérieur.* SENS 2. *Cette actrice passe à la télévision pour **promouvoir** son film, favoriser son succès en le faisant connaître.* ✳ Conj. n° 36.

■ **promoteur, trice** n. [SENS 2] *Cet homme politique a été le **promoteur** d'une réforme importante, il en a lancé l'idée et en a commencé la réalisation* (= instigateur, initiateur). ◆ *Un **promoteur** (immobilier)* est un homme d'affaires qui finance la construction des immeubles et les vend.

■ **promotion** n.f. [SENS 1] *M. Marlin a été nommé à ce poste, c'est une **promotion**, une nomination à un poste plus élevé* (= avancement). [SENS 2] *On a fait beaucoup de publicité pour la **promotion** de ce nouveau savon, pour le développement des ventes. Un article en **promotion** est, pour un certain temps, vendu à un prix réduit.* ◆ *Paul n'est pas de la même **promotion** que Jean, de l'ensemble des élèves, des candidats qui sont de la même année.*

■ **promotionnel, elle** adj. [SENS 2] *Cet article est en vente à un prix **promotionnel**, un prix avantageux pour augmenter le nombre de ventes.*

prompt, e adj. *Dans sa carte, Tiffany me souhaite un **prompt** rétablissement, qui arrive vite* (= rapide).
✳ On prononce [prɔ̃, prɔ̃t].

■ **promptitude** n.f. *Pierre a répondu avec **promptitude*** (= rapidité).
✳ On prononce [prɔ̃tityd]. Les mots de cette famille s'emploient surtout dans la langue écrite.

promulguer v. 1ᵉʳ groupe. *Les lois sont promulguées au « Journal officiel », elles sont rendues publiques* (= publier).
■ **promulgation** n.f. *De quand date la **promulgation** de cette loi ?, sa publication officielle.*

prôner v. 1ᵉʳ groupe. *Tu oses **prôner** de pareilles idées ?, les louer avec insistance* (= recommander, préconiser).

pronom n.m. *Un **pronom** est un mot qui sert à remplacer un nom ou une phrase. « Je », « tu », « il », « se » sont des **pronoms** personnels ; « on », « chacun » sont des **pronoms** indéfinis ; « qui », « que », « dont » sont des **pronoms** relatifs.*

■ **pronominal, ale, aux** adj. *« Regarder » est à la forme active, « se regarder » est à la forme **pronominale**, une forme composée du verbe et d'un pronom réfléchi.*

prononcé, ée adj. *Ce beurre a un goût de rance très **prononcé**, très net* (= marqué, accusé).

prononcer v. 1ᵉʳ groupe. SENS 1. *Jo a prononcé un discours, il l'a dit.* SENS 2. *Dans « sculpteur », le « p » ne se prononce pas, on ne le fait pas entendre* (= s'articuler). ●● **imprononçable**. SENS 3. *Le tribunal s'est prononcé en faveur de Martin, il a pris parti pour lui* (= se décider).
✳ Conj. n° 1.

■ **prononciation** n.f. [SENS 2] *« Pan » et « paon » ont la même **prononciation**, on utilise les mêmes sons pour dire ces mots.*

pronostic n.m. *Pierre ne s'est pas trompé dans ses **pronostics**, quand* il a annoncé ce qui allait se passer (= prévision).

■ **pronostiquer** v. 1ᵉʳ groupe. *Les spécialistes* **ont pronostiqué** *la victoire de ce boxeur, ils l'ont annoncée à l'avance* (= prédire, prévoir).

propager v. 1ᵉʳ groupe. *Qui* **a propagé** *cette fausse nouvelle ?, qui l'a répandue dans le public ?* (= diffuser). *L'incendie* **s'est propagé** *aux maisons voisines, il les a atteintes* (= progresser, s'étendre). ✳ Conj. n° 2.

■ **propagande** n.f. *Avant les élections, les partis font de la* **propagande***, ils propagent leurs idées.*

■ **propagation** n.f. *Les médecins luttent contre la* **propagation** *de l'épidémie* (= développement, extension).

propane n.m. *Cette cuisinière fonctionne au* **propane***, un gaz que l'on stocke dans des récipients métalliques.*

propension n.f. *Marianne a une* **propension** *à se moquer de tout, un penchant naturel* (= tendance, inclination).

prophète n.m. SENS 1. *Mahomet est le* **prophète** *de la religion musulmane, il l'a prêchée comme messager divin.* SENS 2. *M. Durand est un* **prophète** *de malheur, il annonce des événements malheureux.*

■ **prophétie** n.f. [SENS 2] *Je ne crois pas à tes* **prophéties***, à ce que tu annonces pour l'avenir* (= prédiction, oracle). ✳ On prononce [prɔfesi].

■ **prophétique** adj. [SENS 2] *On s'aperçoit aujourd'hui que ses paroles étaient* **prophétiques***, ce qu'elles annonçaient s'est réellement produit.*

■ **prophétiser** v. 1ᵉʳ groupe. [SENS 2] *Ce journaliste* **avait prophétisé** *les événements, il avait deviné qu'ils allaient se produire* (= annoncer, prédire).

propice adj. *Hugo a agi au moment* **propice***, quand il le fallait* (= bon, favorable, opportun ; ≠ fâcheux, déplacé).

proportion n.f. SENS 1. *Au concours, la* **proportion** *des reçus était de dix pour cent, le rapport entre les reçus et le total des candidats* (= pourcentage). SENS 2. *Cette voiture a de belles* **proportions***, le rapport entre ses dimensions est harmonieux.* ●● **disproportion**. SENS 3. (Au plur.) *Ce château a des* **proportions** *gigantesques, des dimensions* (= taille).

■ **proportionné, ée** adj. [SENS 2] *Voilà un athlète admirablement* **proportionné***, dont les membres ont des proportions harmonieuses.* ●● **disproportionné**

■ **proportionnel, elle** adj. [SENS 1] *Le prix de cet objet est* **proportionnel** *au temps passé à le fabriquer, il varie avec le temps* (= en rapport avec).

■ **proportionnellement** adv. [SENS 1] *Ces deux maisons sont au même prix, mais la plus grande est* **proportionnellement** *plus avantageuse, quand on met en rapport ses qualités et son prix.*

propos n.m. SENS 1. *Mon* **propos** *n'est pas de vous ennuyer, ce que j'ai en tête* (= intention, but, dessein). SENS 2. *Il a eu des* **propos** *blessants à mon égard, des choses qu'il a dites* (= parole, mot). SENS 3. *Ils se sont disputés* **à propos** **d'***argent* (= au sujet de). *Il se met en colère* **à tout propos***, pour n'importe quel motif.* SENS 4. *Paul est arrivé* **à propos***, au bon moment, au moment opportun.*

proposer v. 1ᵉʳ groupe. SENS 1. *Jean* **m'a proposé** *de m'accompagner à la gare, il m'a dit qu'il le ferait volontiers si je le souhaitais* (= offrir). SENS 2. *Delphine* **se propose** *de partir demain, elle en a l'intention* (= projeter).

■ **proposition** n.f. [SENS 1] *J'ai refusé la* **proposition** *de Jean, ce qu'il me proposait* (= offre). ◆ *La phrase « je crois qu'il vient » contient deux* **propositions***, deux parties ayant chacune un verbe.* ✳ Ne pas confondre avec une **préposition**.

propre adj. SENS 1. *M. Dumont possède sa* **propre** *voiture, une voiture qui lui* appartient personnellement (= particulier). ●● **propriété, approprié.** SENS 2. « Paris », « Jean », « Dupont » sont des **noms propres**, ils désignent une chose ou un être particuliers (≠ nom commun). SENS 3. *Ce bateau est* **propre à** *la navigation lointaine*, il convient pour cela (= apte). *Il faut employer le terme* **propre**, *le mot qui convient exactement* (≠ impropre). SENS 4. *Le sens* **propre** *d'un mot, c'est son sens premier. Au sens* **propre**, *« la peste » est une maladie, au sens figuré, « une peste » est une personne détestable* (= littéral ; ≠ figuré). SENS 5. *Chaque matin, Papa met une chemise* **propre**, *qui a été lavée* (= net ; ≠ sale, malpropre).

▪ **propre** n.m. [SENS 1] *On dit que le rire est* **le propre de** *l'homme*, son caractère particulier.

▪ **proprement** adv. [SENS 3] *À* **proprement** *parler, on n'en sait rien*, pour être précis (= à vrai dire). *Ce n'est pas une faute* **proprement dite**, une vraie faute. [SENS 5] *Essaie de manger* **proprement**, *sans te salir* (≠ salement).

▪ **propreté** n.f. [SENS 5] *Sophie aime la* **propreté** (≠ saleté, crasse). ●● **malpropreté**

propriété n.f. SENS 1. *Les Leroux ont une* **propriété** *à la campagne*, une maison ou une terre qui leur appartient. ●● **copropriété, exproprier.** SENS 2. *L'eau a la* **propriété** *de bouillir à 100 degrés*, c'est l'un de ses caractères particuliers (= particularité, caractéristique).

▪ **propriétaire** n. [SENS 1] *Qui est le* **propriétaire** *de cette maison ?*, à qui appartient-elle ? (= possesseur). ●● **copropriétaire**

propulser v. 1er groupe. *Les bateaux sont* **propulsés** *par des hélices*, des hélices les font avancer.

▪ **propulsion** n.f. *Un sous-marin à* **propulsion** *nucléaire est un sous-marin qui avance grâce à l'énergie nucléaire.*

au prorata de prép. *Les victimes seront indemnisées* **au prorata de** *leurs pertes*, dans une proportion qui variera selon l'importance de leurs pertes (= selon, proportionnellement à).

proroger v. 1er groupe. *La date limite* **a été prorogée** *de deux jours*, le délai a été prolongé de deux jours (= repousser). ✳ Conj. n° 2.

prosaïque adj. *M. Masson a des goûts* **prosaïques**, sans élégance (= commun, ordinaire, terre à terre).

prosateur → **prose**

proscrire v. 3e groupe. SENS 1. *Il faut* **proscrire** *cette mauvaise habitude*, la rejeter (= chasser, condamner). SENS 2. *La loi* **proscrit** *la consommation de tabac dans les lieux publics*, elle l'interdit formellement (= défendre, prohiber ; ≠ permettre). ✳ Conj. n° 71. Ne pas confondre avec **prescrire**.

▪ **proscription** n.f. *Les autorités ont décidé la* **proscription** *du tabac dans les lieux publics* (= interdiction).

▪ **proscrit, ite** n. *Un* **proscrit** *est un homme chassé de son pays.* → **exiler**

prose n.f. *La* **prose** *est la façon ordinaire de s'exprimer quand on n'emploie pas des vers. Les romans sont écrits en* **prose** (≠ vers). → **poésie**

▪ **prosateur** n.m. *Un* **prosateur** *est un écrivain qui s'exprime en prose* (≠ poète).

prosélyte n. *Le zèle des militants a fait de nombreux* **prosélytes**, il a attiré beaucoup de personnes à leur cause (= adepte).

▪ **prosélytisme** n.m. *Cette religion fait du* **prosélytisme**, elle cherche à convertir les gens.

prospecter v. 1er groupe. *On* **prospecte** *dans la région pour trouver du* *pétrole,* on étudie le terrain, on fait des recherches.

■ **prospection** n.f. *Cette société fait de la* ***prospection*** *géologique* (= recherche).

prospectus n.m. *Au courrier, il n'y avait que des* ***prospectus****, des annonces publicitaires imprimées et distribuées gratuitement* (= dépliant).

✳ On prononce le « s » : [prɔspɛktys].

prospère adj. *Cette région est* ***prospère****,* en plein développement (= riche, florissant ; ≠ misérable).

■ **prospérer** v. 1er groupe. *Ce commerce* ***prospère****, il marche bien et se développe* (≠ péricliter).

✳ Conj. n° 10.

■ **prospérité** n.f. *La crise a mis fin à la* ***prospérité****,* à l'abondance (= succès, richesse ; ≠ déclin, stagnation).

se **prosterner** v. 1er groupe. *Autrefois, on* ***se prosternait*** *devant le roi, on s'inclinait très bas en signe de respect.*

se **prostituer** v. 1er groupe. *La misère a poussé ces pauvres femmes à* ***se prostituer****, à avoir des relations sexuelles avec des hommes en se faisant payer.*

■ **prostitution** n.f. *Cette femme se livre à la* ***prostitution****.*

prostré, ée adj. *Les rescapés étaient* ***prostrés****, le regard vague, ils étaient inertes, comme absents* (= abattu).

■ **prostration** n.f. *Depuis sa maladie, il reste dans un état de* ***prostration****,* d'abattement profond.

protagoniste n.m. *Dans cette affaire, M. Mollet est le principal* ***protagoniste****, il y a joué le rôle principal.*

protéger v. 1er groupe. SENS 1. *Son frère l'a* ***protégée*** *contre les attaques des grands* (= défendre, secourir). SENS 2. *Prends un manteau pour* ***te***

protéger *du froid, pour ne pas le subir* (= se préserver).

✳ Conj. n° 2 et n° 10.

■ **protégé, ée** n. [SENS 1] *C'est la nièce du directeur, elle est sa* ***protégée****,* la personne qu'il a prise sous sa protection.

■ **protège-cahier** n.m. [SENS 2] *Mon cahier est protégé par un* ***protège-cahier****,* une couverture souple.

✳ Au pluriel, on écrit des **protège-cahiers.**

■ **protecteur, trice** adj. et n. [SENS 1] *La Société* ***protectrice*** *des animaux est une association qui défend et protège les animaux. Cet industriel est un* ***protecteur*** *des artistes,* il les aide et leur permet de travailler (= bienfaiteur).

■ **protection** n.f. [SENS 1] *Des gardes du corps assurent la* ***protection*** *du président,* ils le protègent (= défense, sauvegarde). [SENS 2] *Un anorak est une bonne* ***protection*** *contre le froid,* il empêche de le subir.

■ **protectorat** n.m. *Le Maroc et la Tunisie ont été des* ***protectorats*** *français,* des sortes de colonies.

protéine n.f. *La viande et le fromage contiennent des* ***protéines****,* des substances nourrissantes indispensables à l'organisme.

protestant, ante n. et adj. *Les* ***protestants*** *sont des chrétiens qui ne reconnaissent pas l'autorité du pape.*

illustr. p. 821

■ **protestantisme** n.m. *Il s'est converti au* ***protestantisme****,* à la religion protestante.

protester v. 1er groupe. SENS 1. *Les syndicats* ***protestent*** *contre le nouveau décret,* ils déclarent énergiquement qu'ils ne sont pas d'accord (= s'opposer ; ≠ approuver). SENS 2. *L'accusé* ***proteste*** *de son innocence,* il l'affirme.

■ **protestation** n.f. [SENS 1] *Cette décision a provoqué de nombreuses* ***protestations****, des réactions d'opposition et de désapprobation.* [SENS 2] *J'ai été très* *touché de ses **protestations** d'amitié* (= déclaration, témoignage).

prothèse n.f. Une **prothèse** dentaire est un appareil qui remplace une ou plusieurs dents.

protocole n.m. *La cérémonie s'est déroulée selon un **protocole** très strict, des règles officielles* (= cérémonial, étiquette).

■ **protocolaire** adj. *J'ai assisté à une réception **protocolaire**, conforme au protocole.*

prototype n.m. *Cet avion est un **prototype**, un modèle unique qui n'est pas encore fabriqué en série.*

protubérance n.f. *La pomme d'Adam forme une **protubérance** sur le cou, elle est en relief, elle est proéminente* (= saillie).

illustr. p. 741, 971

proue n.f. *La **proue** des bateaux est pointue pour fendre la mer, l'avant* (≠ poupe).

prouesse n.f. *Noël se vante de ses **prouesses** sportives, de ses excellents résultats sportifs* (= exploit, performance).

prouver v. 1er groupe. *Les experts **ont prouvé** que ce tableau était un faux, ils ont forcé tout le monde à l'admettre* (= démontrer, établir). ●● ***preuve, probant***

provenir v. 3e groupe. SENS 1. *Ces marchandises **proviennent** des États-Unis, elles en viennent.* SENS 2. *Cet accident **provient** d'un manque de surveillance, il en est la conséquence* (= résulter, découler).
✳ Conj. n° 22. **Provenir** se conjugue avec l'auxiliaire « être ».

■ **provenance** n.f. [SENS 1] *Le train en **provenance** de Lyon entre en gare, le train qui en vient.*

proverbe n.m. *« L'argent ne fait pas le bonheur » est un **proverbe**, une phrase* qui exprime une vérité générale (= sentence, maxime).

■ **proverbial, ale, aux** adj. *Harpagon est d'une avarice **proverbiale**, connue de tout le monde* (= légendaire).

providence n.f. *Les chrétiens croient à la **providence** divine, que Dieu est bon et gouverne avec sagesse le monde.*

■ **providentiel, elle** adj. *J'ai fait une rencontre **providentielle**, très heureuse* (= inespéré).
✳ On prononce [prɔvidɑ̃sjɛl].

province n.f. SENS 1. *La Normandie et la Bretagne sont des **provinces** françaises, des divisions, des régions de la France.* SENS 2. *Les Bouvier habitent la **province**, ailleurs qu'à Paris.*

■ **provincial, ale, aux** n. et adj. [SENS 2] *Mme Bouvier est une **provinciale**, elle habite la province* (≠ parisien).

proviseur n.m. *Le **proviseur** du lycée a réuni les professeurs, celui qui dirige le lycée.*

provision n.f. SENS 1. *Mme Durand fait **provision** de sucre, elle en achète pour en avoir en réserve.* ●● ***approvisionner***. SENS 2. *(Au plur.) Mme Durand va faire ses **provisions**, acheter ce qu'il lui faut* (= commissions, achats, courses). SENS 3. *Un chèque sans **provision** est un chèque d'un montant supérieur à l'argent qu'on a en réserve à la banque.*

provisoire adj. *Les adversaires ont conclu un accord **provisoire**, qui n'est pas fait pour durer toujours* (= temporaire ; ≠ définitif).

■ **provisoirement** adv. *Ils habitent **provisoirement** à Lyon, pour quelque temps* (= momentanément ; ≠ définitivement).

provoquer v. 1er groupe. SENS 1. *Son insolence **a provoqué** ma colère, elle en a été la cause* (= causer, entraîner, susciter). SENS 2. *Ne **provoquez** pas les gens coléreux, ne les poussez pas à des actes de violence* (= défier, exciter).

■ **provocant, ante** adj. [SENS 2] *Gilles avait une attitude provocante*, qui pouvait faire naître des réactions de violence (= agressif ; ≠ apaisant).
✳ Ne pas confondre avec **provoquant** (participe présent de « provoquer »).

■ **provocateur, trice** adj. et n. [SENS 2] Un (agent) **provocateur** est une personne qui pousse les autres à la violence.

■ **provocation** n.f. [SENS 2] *Ne réponds pas à ses provocations*, à ce qu'il dit ou fait pour te pousser à la violence (= défi).

proximité n.f. *La poste est à proximité de la mairie*, elle en est proche (≠ distance).

prude adj. Une personne est **prude** quand elle montre trop de pudeur (= pudibond).

■ **pruderie** n.f. La **pruderie** est l'attitude d'une personne qui montre une pudeur excessive, exagérée.

prudent, ente adj. *Noël est prudent quand il traverse la rue*, il fait attention (≠ imprudent).

■ **prudemment** adv. *M. Martin conduit prudemment*, en évitant les dangers (= sagement).
✳ On prononce [prydamã].

■ **prudence** n.f. La **prudence** est l'attitude d'une personne qui agit de manière à éviter de faire des choses dangereuses ou nuisibles. *M. Mercier avait eu la prudence de s'assurer contre le vol* (= précaution). ●● *imprudence*

pruderie → *prude*

illustr.
p. 747 **prune** n.f. La **prune** est un fruit à noyau, à la chair sucrée et savoureuse, de forme ronde ou allongée et produite par un **prunier**. *Les mirabelles sont des prunes jaunes, les quetsches sont des prunes violettes*.

■ **pruneau** n.m. Un **pruneau** est une prune séchée de couleur noire.
✳ Au pluriel, on écrit des **pruneaux**.

■ **prunelle** n.f. Les **prunelles** sont de petites prunes sauvages bleu foncé qu'on trouve souvent dans les haies.
◆ La **prunelle** est le petit rond noir au centre de l'œil (= pupille).

P.-S. → *post-scriptum*

psaume n.m. Un **psaume** est un chant religieux.

pseudo- préfixe. Placé au début d'un mot, **pseudo-** signifie « faux », « mensonger » : *un pseudo-savant est un faux savant*.

pseudonyme n.m. *Ce poète écrit sous un pseudonyme*, un nom d'emprunt.

psychanalyse n.f. La **psychanalyse** est une méthode pour soigner certains troubles psychiques en faisant raconter ses souvenirs au patient.

■ **psychanalyser** v. 1er groupe. Se faire **psychanalyser**, c'est se faire soigner à l'aide d'une psychanalyse.

■ **psychanalyste** n. Un **psychanalyste** est un spécialiste qui soigne par psychanalyse.
✳ Le début des mots de cette famille se prononce [psik].

psychiatrie n.f. La **psychiatrie** est la partie de la médecine qui s'occupe des maladies mentales.

■ **psychiatre** n. Un **psychiatre** est un médecin spécialiste de psychiatrie.

■ **psychique** adj. Les troubles **psychiques** sont des troubles mentaux.
✳ Le début des mots de cette famille se prononce [psi].

psychologie n.f. SENS 1. La **psychologie** est l'étude des comportements, des réactions des individus. SENS 2. *M. Martin manque de psychologie*, il ne comprend pas l'état d'esprit des autres (= intuition, finesse).

■ **psychologique** adj. [SENS 1] *La défaite de notre champion a des causes plus **psychologiques** que physiques,* dues à son état d'esprit (= mental, moral).

■ **psychologue** [SENS 1] n. *M. Dupuis est **psychologue** scolaire,* il s'occupe des difficultés psychologiques des élèves. [SENS 2] adj. *Tu n'es pas très **psychologue**,* tu manques de psychologie, de finesse.

■ **psychothérapie** n.f. [SENS 1] *La psychothérapie est le traitement d'une difficulté psychologique.*

■ **psychothérapeute** n. [SENS 1] *Jean va régulièrement chez un **psychothérapeute**,* un spécialiste de psychothérapie. ✺ Le début des mots de cette famille se prononce [psik].

psychose n.f. *Le sentiment d'insécurité tourne parfois à la **psychose**,* à la peur maladive.
✺ On prononce [psikoz].

puanteur → *puer*

puberté n.f. *La **puberté** est la période située entre l'enfance et l'adolescence où le corps d'un enfant se transforme en un corps d'homme ou de femme.*

public n.m. SENS 1. *Ce chemin est interdit au **public**,* à l'ensemble des gens. *Les hommes politiques ont l'habitude de parler **en public**,* devant tout le monde. SENS 2. *À la fin de la pièce, le **public** a applaudi,* les spectateurs (= assistance).

illustr. p. 1017
■ **public, publique** adj. [SENS 1] *Tout le monde peut se promener dans un jardin **public*** (≠ privé).

■ **publiquement** adv. [SENS 1] *Le ministre a annoncé **publiquement** sa démission,* en public (≠ secrètement, en privé).

■ **publicité** n.f. [SENS 1] *Cette marque de voiture fait beaucoup de **publicité**,* elle organise toutes sortes d'actions (films, messages radiophoniques, affiches) pour se faire connaître du public afin d'augmenter ses ventes. → ***promotion***

■ **publicitaire** adj. [SENS 1] *Ce spot **publicitaire** est très amusant,* qui fait de la publicité pour une marque. *Au bord de l'autoroute, il y a des panneaux **publicitaires**,* qui portent des affiches de publicité.
illustr. p. 495

■ **publier** v. 1er groupe. [SENS 1] *Ce livre **a été publié** l'année dernière,* il a été proposé à la vente au public (= éditer).

■ **publication** n.f. [SENS 1] *On annonce la **publication** de son nouveau roman,* la mise en vente (= parution). ◆ *Les livres, les journaux, les revues sont des **publications**,* des textes publiés.

puce n.f. SENS 1. *Le chien gratte ses **puces**,* de petits insectes bruns, sauteurs, qui vivent en parasite et piquent la peau pour sucer le sang. SENS 2. Fam. *Sa remarque **m'a mis la puce à l'oreille**,* elle m'a alerté, a éveillé ma méfiance (= mettre sur le qui-vive). SENS 3. *Une **puce** est un minuscule élément d'un ordinateur, d'un jeu électronique qui contient un très grand nombre d'informations. Les cartes bancaires sont des cartes à **puce**.*

puceron n.m. *Les **pucerons** sont des insectes très petits qui vivent en parasite sur les plantes.*
illustr. p. 746

pudeur n.f. *La **pudeur** est un sentiment de gêne ou de honte qu'une personne éprouve si elle doit montrer son corps ou exposer des détails intimes de sa vie privée (= décence).*

■ **pudique** adj. *Marie est **pudique**,* elle montre beaucoup de pudeur (= décent, réservé).

■ **pudibond, e** adj. *Une personne **pudibonde** est une personne exagérément pudique (= prude).*

puer v. 1er groupe. *Cette poubelle **pue**,* elle sent très mauvais (= empester).
✺ Ne pas confondre certaines formes du verbe **puer** avec le **pus**.

■ **puanteur** n.f. *Les œufs pourris dégagent une **puanteur** insupportable,* une odeur nauséabonde.

puériculture n.f. *Hélène suit des cours de* **puériculture**, *elle apprend à s'occuper des bébés et des jeunes enfants.*

▪ **puéricultrice** n.f. Personne qui s'occupe des bébés et des jeunes enfants dans une crèche.

puéril, e adj. *Sa théorie sur la suppression des impôts est* **puérile**, *elle est simple comme une idée d'enfant mais n'est pas sérieuse* (= enfantin, naïf, infantile).

▪ **puérilité** n.f. *Jacques a un raisonnement d'une* **puérilité** *déconcertante* (= naïveté, infantilisme).

pugilat n.m. *La dispute s'est terminée en* **pugilat**, *une bagarre à coups de poing.* → *rixe*

puis adv. *Yvon a fait ses devoirs,* **puis** *il est allé jouer* (= ensuite, après).
✳ Ne pas confondre avec un **puits**.

puiser v. 1ᵉʳ groupe. SENS 1. *Le campeur est allé* **puiser** *de l'eau à la source,* en prendre en y plongeant un récipient. SENS 2. *Il va falloir* **puiser** *dans les réserves*, prendre une partie des réserves (= prélever).

puisque conj. Ce mot indique une cause. *Puisque tu sors, rapporte du pain* (= comme).

puissance n.f. SENS 1. *Napoléon voulut soumettre l'Europe à sa* **puissance**, *à son autorité* (= pouvoir). ●● *toute-puissance*. SENS 2. *Cet athlète donne une impression de* **puissance**, *de très grande force.* ●● *impuissance*. SENS 3. *La* **puissance** *de cette voiture est de 10 chevaux*, la force de son moteur. SENS 4. Les grandes **puissances** sont les pays les plus riches. SENS 5. *2* **puissance** *4 égale 16 (2⁴ = 16)*, 2 multiplié 4 fois par lui-même. → *carré, cube*

▪ **puissant, ante** adj. [SENS 1] *Ce banquier est un homme riche et* **puissant**, *il a du pouvoir.* ●● *impuissant, tout-puissant*. [SENS 3] *L'éclairage n'est pas*

assez **puissant**, pas assez intense (= fort ; ≠ faible).

▪ **puissamment** adv. *Cet homme est* **puissamment** *riche* (= extrêmement).

puits n.m. Un **puits** est un trou dans le sol, d'où l'on tire de l'eau, du pétrole (**puits de** pétrole), du minerai (**puits de mine**).
✳ Ne pas confondre avec l'adverbe **puis**.

illustr. p. 277, 384

pull-over ou **pull** n.m. *Il fait froid, mets* un **pull**, un tricot de laine qu'on enfile par la tête (= chandail).
✳ On prononce [pylɔvɛr] et [pyl]. Au pluriel, on écrit des **pull-overs**.

illustr. p. 1010

pulluler v. 1ᵉʳ groupe. *Avec cette chaleur, les mouches* **pullulent**, *elles sont très nombreuses* (= grouiller). → *proliférer*

▪ **pullulement** n.m. *Ce* **pullulement** *d'insectes est dû à la chaleur* (= grouillement).

pulmonaire adj. *La tuberculose et la bronchite sont des maladies* **pulmonaires**, *des poumons.* ●● *poumon*

illustr. p. 216

pulpe n.f. SENS 1. *La* **pulpe** *de ces pêches est très juteuse*, leur chair. SENS 2. La **pulpe** des dents est leur partie intérieure.

illustr. p. 217

pulsation n.f. *La fièvre accélère les* **pulsations**, *les battements du cœur envoyant le sang dans les artères.* ●● *pouls*

pulvériser v. 1ᵉʳ groupe. SENS 1. *Les agriculteurs* **pulvérisent** *des insecticides sur les plantations*, ils les projettent en fines gouttelettes (= vaporiser). SENS 2. *La voiture* **a été pulvérisée** *par le choc*, elle a été détruite complètement. SENS 3. *Il* **a pulvérisé** *le record du 100 mètres nage libre*, il l'a dépassé largement.

▪ **pulvérisation** n.f. [SENS 1] *Il faut faire plusieurs* **pulvérisations** *d'insecticide pour protéger ces plantes*, des projections en fines gouttelettes.

illustr. p. 384

■ **pulvérisateur** n.m. [SENS 1] *Ce produit insecticide est vendu dans un **pulvérisateur**,* un appareil pour le pulvériser (= vaporisateur, bombe).

illustr. p. 494 **puma** n.m. Le **puma** est un mammifère carnassier d'Amérique de la taille d'une panthère.

punaise n.f. SENS 1. *Dans cet hôtel sordide, on risque d'être piqué par des **punaises**,* des insectes parasites qui sentent mauvais. SENS 2. *Anissa fixe un poster au mur avec des **punaises**,* des sortes de clous à tête très large.

illustr. p. 123

1. punch n.m. Le **punch** est une boisson faite avec du rhum et du sirop de sucre.
✳ On prononce [pɔ̃ʃ].

2. punch n.m. inv. Avoir du **punch**, c'est être très dynamique, agir avec beaucoup d'énergie.
✳ On prononce [pœnʃ].

punir v. 2ᵉ groupe. *Les coupables **ont** été **punis**,* ils ont subi un châtiment (= châtier, sanctionner). ●● **impunément, impuni**

■ **punition** n.f. *La maîtresse n'aime pas donner des **punitions*** (= châtiment, sanction ; ≠ récompense). → **représailles**

■ **punitif, ive** adj. Une expédition **punitive** est une expédition destinée à se venger d'une agression.

1. pupille n. Un (ou une) **pupille** est un enfant orphelin dont s'occupe un tuteur.
✳ On prononce [pypij] ou [pypil].

illustr. p. 217 **2. pupille** n.f. La **pupille** de l'œil est le petit cercle noir situé au centre de l'iris et qui se rétrécit face à la lumière (= prunelle).
✳ On prononce [pypij] ou [pypil].

illustr. p. 629, 628, 502 **pupitre** n.m. SENS 1. Un **pupitre** est un petit meuble sur lequel on écrit ou sur lequel on pose le livre qu'on lit ou la musique qu'on joue. → **lutrin**. SENS 2. *Le technicien actionne les manettes de son **pupitre**,* le meuble qui rassemble les moyens de commande et de contrôle visuel d'un appareil.

pur, pure adj. SENS 1. *Maman a un chemisier en **pure** soie,* en soie qui n'est mélangée à aucun autre textile. SENS 2. *L'eau **pure** ne contient aucune substance indésirable ou nocive* (≠ impur, trouble, pollué). SENS 3. *Il m'a assuré que ses intentions étaient **pures**,* qu'il n'avait pas d'arrière-pensées (= honnête, désintéressé). SENS 4. *Je suis ici par un **pur** hasard,* uniquement par hasard.

■ **purement** adv. [SENS 4] *C'est un conseil **purement** désintéressé* (= totalement). *Il m'a dit « non », **purement et simplement**,* sans rien de plus, tout simplement (= vraiment).

■ **pureté** n.f [SENS 2] *À la montagne, l'air est d'une grande **pureté*** (≠ impureté, pollution, saleté).

■ **purifier** v. 1ᵉʳ groupe. [SENS 2] *Il faudrait **purifier** cette eau,* enlever ce qui la pollue, ses impuretés. ●● **épurer**

■ **pur-sang** n.m. inv. [SENS 1] Un **pur-sang** est un cheval de race pure.
✳ Ce mot ne change pas au pluriel.

purée n.f. Pour faire une **purée** de pommes de terre, on cuit des pommes de terre et on les écrase.

purement, pureté → **pur**

purgatoire → **purger**

purger v. 1ᵉʳ groupe. SENS 1. *Purger quelqu'un,* c'est lui donner un médicament purgatif. SENS 2. *Le voleur **purge** une peine d'un an de prison,* il la subit.
✳ Conj. n° 2.

■ **purgatif, ive** adj. et n.m. [SENS 1] Un (médicament) **purgatif** est un médicament destiné à lutter contre la constipation (= laxatif).

■ **purge** n.f. [SENS 1] Une **purge** est un médicament purgatif.

■ **purgatoire** n.m. [SENS 2] Dans la religion catholique, le **purgatoire** est un lieu où les âmes des morts subissent des peines en réparation de leurs péchés, jusqu'à ce qu'elles méritent d'aller au paradis.

purifier → *pur*

purin n.m. Le **purin** est le liquide qui s'écoule d'un tas de fumier.

puritain, aine adj. et n. *Mme Dupont est (une) puritaine*, elle a une morale très rigoureuse (= austère).

pur-sang → *pur*

pus n.m. *Ton bouton s'est infecté, il est plein de pus*, d'un liquide jaunâtre qui contient des microbes.
✳ Ne pas confondre avec certaines formes du verbe **puer** et certaines formes du verbe **pouvoir**.

■ **purulent, ente** adj. *Il a une plaie purulente au bras*, pleine de pus.

pustule n.f. Une **pustule** est une inflammation de la peau qui contient du pus.
→ *bouton*

putois n.m. Un **putois** est un petit mammifère sauvage à la fourrure brune, qui sent très mauvais. ◆ *Arrête de crier comme un putois !*, très fort.

se **putréfier** v. 1er groupe. *Le tas de feuilles mortes commence à se putréfier*, à se décomposer (= pourrir).
●● *imputrescible*

■ **putréfaction** n.f. *Une odeur de putréfaction s'échappe de la poubelle* (= pourriture, décomposition).

■ **putride** adj. *Il y a ici une odeur putride*, l'odeur de quelque chose qui se putréfie (= infect, nauséabond).

putsch n.m. *Les militaires ont fait un putsch et pris le pouvoir*, un coup d'État.
✳ On prononce [putʃ].

puzzle n.m. *Julien fait un puzzle*, il joue à reconstituer une image découpée en fragments.
✳ On prononce [pœzl] ou [pœzœl].

illustr. p. 530

Pygmée n. Les **Pygmées** sont des Africains de petite taille vivant dans la forêt équatoriale.

pyjama n.m. Un **pyjama** est un vêtement de nuit composé d'une veste et d'un pantalon.

illustr. p. 1010

pylône n.m. *La route est bordée par des pylônes électriques*, des poteaux en ciment ou en métal qui supportent des câbles.

illustr. p. 894, 425

pyramide n.f. SENS 1. En géométrie, une **pyramide** est un solide dont la base est un polygone et les faces des triangles qui se réunissent en un point appelé « sommet ». SENS 2. *Les Égyptiens ont construit de gigantesques pyramides*, de grands monuments à base carrée et à sommet pointu qui servaient de sépultures.

illustr. p. 431

Pyrex n.m. *Le rôti cuit dans un plat en Pyrex*, un verre très résistant.
✳ **Pyrex** est un nom de marque, il s'écrit avec une majuscule dans les textes imprimés.

pyrogravure n.f. Faire de la **pyrogravure**, c'est graver un dessin sur du bois avec un fer rouge.

pyromane n. *Les gendarmes ont arrêté un pyromane*, quelqu'un qui a l'obsession maladive d'allumer des incendies. → *incendiaire*

python n.m. Le **python** est un très grand serpent d'Asie ou d'Afrique qui étouffe ses proies.
✳ Ne pas confondre avec un **piton**.

illustr. p. 1033

Quetsche

Quartz

Quenouille

Queue

quadragénaire adj. et n. Un **quadra-génaire** est une personne qui a entre quarante et cinquante ans.
☀ On prononce [kwadraʒenɛr].

illustr.
p. 74

quadri- ou **quadru-** préfixe. Placé au début d'un mot, **quadri-** ou **quadru-** signifie « quatre » : *un quadriréacteur est un avion à quatre réacteurs.*

quadriennal, ale, aux adj. *Les jeux Olympiques sont quadriennaux, ils ont lieu tous les quatre ans.*
☀ On prononce [kwadrijenal] ou bien [kadrijenal].

illustr.
p. 431

quadrilatère n.m. *Le carré, le rectangle, le losange sont des quadrilatères, des figures géométriques à quatre côtés.*
☀ On prononce [kwadrilatɛr] ou bien [kadrilatɛr].

quadrillage → *quadriller*

quadrille n.m. *Autrefois, on dansait le quadrille, une danse à quatre couples.*

quadriller v. 1er groupe. SENS 1. *Le papier de mon cahier est quadrillé,* il est divisé en carreaux. SENS 2. *Les policiers quadrillent le quartier,* ils sont répartis dans chaque secteur pour contrôler le quartier.

■ **quadrillage** n.m. [SENS 1] *Sur le plan, les rues de la ville forment un quadrillage,* des carrés. [SENS 2] *La police a effectué un quadrillage du quartier,* une répartition des policiers en chaque point du quartier.

quadrimoteur n.m. Un **quadrimoteur** est un avion qui a quatre moteurs.
☀ On prononce [kwadrimɔtœr] ou bien [kadrimɔtœr].

illustr.
p. 54

quadriréacteur → *quadri-*

quadrupède n.m. *Le chien, le cheval, le lion sont des quadrupèdes, des animaux qui ont quatre pattes.* → *bipède*
☀ On prononce [kwadrypɛd] ou bien [kadrypɛd].

782

illustr.
p. 642

quadruple n.m. *12 est le **quadruple** de 3*, il vaut quatre fois plus.

▪ **quadrupler** v. 1er groupe. *La production d'acier a **quadruplé**,* elle a été multipliée par quatre.

▪ **quadruplés, ées** n. pl. *Notre voisine a eu des **quadruplés**,* quatre bébés qui sont nés en même temps.

✳ Dans tous les mots de cette famille, on prononce [kwadry] ou [kadry].

illustr.
p. 424,
425,
741,
694

quai n.m. SENS 1. *Nous attendons Jean sur le **quai** de la gare,* le trottoir surélevé qui borde la voie où le train arrive. SENS 2. *Nous nous sommes promenés sur les **quais** de la Seine,* la maçonnerie construite au bord du fleuve.

qualifier v. 1er groupe. SENS 1. *Yvan **qualifie** d'imbéciles ceux qui ne sont pas de son avis,* il leur donne ce nom (= traiter). *Comment **qualifier** sa conduite ?* (= nommer). ●● *inqualifiable.* SENS 2. *Il n'est pas **qualifié** pour faire ce travail,* il n'a pas la qualification nécessaire. SENS 3. *L'équipe de France **s'est qualifiée** pour la finale,* elle a gagné les épreuves qui lui permettent de participer à la finale (≠ disqualifier).

▪ **qualificatif** n.m. [SENS 1] *« Imbécile » est un **qualificatif** injurieux,* un mot qui sert à qualifier une personne ou une chose (= terme).

▪ **qualificatif, ive** adj. *Un adjectif **qualificatif** est un adjectif qui sert à qualifier un nom en indiquant un caractère, un aspect de ce que désigne ce nom. « Beau », « grand », « fertile », « musical » sont des adjectifs qualificatifs.*

→ *attribut,* **épithète**

▪ **qualification** n.f. [SENS 2] *M. Durand a acquis sa **qualification** dans une école d'ingénieurs,* ses diplômes et sa formation. [SENS 3] *L'équipe de France a gagné le match de **qualification**,* le droit de continuer la compétition.

qualité n.f. SENS 1. *La bonne ou la mauvaise **qualité** d'un produit,* c'est ce qui fait qu'il est bon ou mauvais. SENS 2.

*Sa principale **qualité** est son honnêteté,* l'élément de sa personnalité, de son caractère (= mérite, vertu ; ≠ défaut). SENS 3. *M. Dupont a agi en **qualité de** directeur,* du fait qu'il est directeur (= comme, en tant que).

quand SENS 1. adv. *Ce mot sert à interroger sur le temps. **Quand** viendra-t-il ?,* à quel moment. SENS 2. conj. *Ce mot indique le temps. Il viendra **quand** il aura fini* (= lorsque, au moment où).

✳ Ne pas confondre avec un **camp** ni avec **quant à.**

quand même conj. *Il était malade, mais il est venu **quand même**,* malgré cela.

quant à prép. *Faites ce que vous voulez ; **quant à** moi, je m'en vais,* en ce qui me concerne, pour ma part.

✳ On prononce [kãta].

quant-à-soi n.m. inv. *Pierre se tient sur son **quant-à-soi**,* il se montre circonspect et distant (= réserve, retenue).

✳ On prononce [kãtaswa].

quantième n.m. *Il y a une erreur de **quantième** : nous ne sommes pas le 10, mais le 11,* une erreur de jour du mois.

→ *date*

quantité n.f. SENS 1. *Quelle est la **quantité** de vin contenue dans cette bouteille ?,* combien y en a-t-il ? *Quelle **quantité** de tissu faut-il pour faire cette robe ?,* quelle longueur ? (= combien). *La **quantité** peut se mesurer en nombre d'unités, en volume, en longueur, en poids, etc.* SENS 2. *Pierre lit des **quantités** de livres,* un grand nombre, beaucoup.

quarante adj. *Il y a **quarante** élèves dans la classe. 10 x 4 = 40.*

illustr.
p. 642

▪ **quarantaine** n.f. SENS 1. *M. Durand a une **quarantaine** d'années,* environ quarante ans. → ***quadragénaire.*** SENS 2. *Ses camarades l'**ont mis en quarantaine**,* ils le tiennent à l'écart sans lui parler.

illustr.
p. 643

illustr. p. 642 ■ **quarantième** adj. et n. *M. Durand est dans sa **quarantième** année. Julien est le **quarantième** à s'inscrire à notre club.*

illustr. p. 643 **quart** n.m. **SENS 1.** *25 est le **quart** de 100, il est quatre fois plus petit (≠ quadruple).* **SENS 2.** *Les campeurs boivent dans un **quart**, un gobelet en métal.* **SENS 3.** *Il est 5 heures **et quart** (ou 5 heures **un quart**), 5 heures et 15 minutes.* **SENS 4.** *Le marin a pris le **quart**, il est de garde pour quatre heures.*
✳ Ne pas confondre avec **car**.

■ **quart d'heure** n.m. **[SENS 1]** *Je m'absente un **quart d'heure**, quinze minutes.*
◆ *Tu vas **passer un mauvais quart d'heure**, te faire vivement réprimander.*
✳ Au pluriel, on écrit des **quarts d'heure**.

quartette n.m. *Un **quartette** est un groupe de quatre musiciens de jazz.*
→ ***quatuor***
✳ On prononce [kwartɛt].

quartier n.m. **SENS 1.** *Le boucher transporte un **quartier** de bœuf, un gros morceau. Un **quartier** d'orange est la division naturelle de la pulpe de ce fruit.* **SENS 2.** *Dans quel **quartier** de Paris habite Paul ?, quelle partie de la ville.* **SENS 3.** *Le **quartier général** de l'armée se trouve dans ce château, l'endroit d'où l'armée est commandée.* **SENS 4.** *La Lune est dans son premier (ou son dernier) **quartier**, une phase de la Lune où elle n'apparaît pas encore (ou n'apparaît plus) toute ronde.* **SENS 5.** *Ils n'**ont pas fait de quartier**, ils ont tué tout le monde.*

illustr. p. 440 **quartier-maître** n.m. *Dans la marine, les **quartiers-maîtres** ont le 1er grade au-dessus des matelots.*

illustr. p. 616, 949 **quartz** n.m. *Le sable contient des grains de **quartz**, d'une roche très dure qui forme des cristaux.*
✳ On prononce [kwarts].

quasi adv. *C'est **quasi** impossible, à peu près, pour ainsi dire.*

■ **quasiment** adv. Fam. *Il m'a **quasiment** mis à la porte* (= presque).

illustr. p. 758 **quaternaire** adj. *L'ère **quaternaire** est la période de la Terre au cours de laquelle l'homme est apparu, il y a environ deux millions d'années, et qui dure encore aujourd'hui.* → ***primaire, secondaire, tertiaire***
✳ On prononce [kwatɛrnɛr].

illustr. p. 642 **quatorze** adj. numéral. *Deux semaines complètes font **quatorze** jours. 10 + 4 = 14.*

illustr. p. 642 ■ **quatorzième** adj. et n. *Il est arrivé au **quatorzième** rang. Ce coureur est le **quatorzième** à l'arrivée.*

illustr. p. 642 **quatre** adj. **SENS 1.** *Il y a **quatre** saisons dans l'année. 2 + 2 = 4.* **SENS 2.** *Il **s'est mis en quatre** pour nous faire plaisir, il a fait beaucoup d'efforts.*

illustr. p. 642 ■ **quatrième** adj. et n. **[SENS 1]** *Nous habitons au **quatrième** étage. Élisa est (la) **quatrième** en histoire.*

■ **quatrain** n.m. **[SENS 1]** *Un **quatrain** est un groupe de quatre vers.* → ***strophe***

illustr. p. 628 ■ **quatuor** n.m. **[SENS 1]** *Un **quatuor** est un groupe de quatre musiciens qui jouent généralement de la musique classique.* → ***quartette***
✳ On prononce [kwatɥɔr].

quatre-quarts n.m. inv. *Un **quatre-quarts** est un gâteau fait de farine, de beurre, d'œufs et de sucre en quantités égales.*
✳ Ce mot ne change pas au pluriel.

illustr. p. 583 **quatre-saisons** n.f. inv. *Une **marchande de(s) quatre-saisons** vend des fruits et des légumes dans une charrette.*
✳ Ce mot ne change pas au pluriel.

illustr. p. 642 **quatre-vingts** adj. numéral. *Tu me dois **quatre-vingts** euros. 20 x 4 = 80. Mon grand-père a **quatre-vingt-cinq** ans.* → ***octogénaire***
✳ Suivi d'un autre nombre, **quatre-vingts** ne prend pas de « s » : **quatre-vingt-dix**.

quatrième, quatuor → *quatre*

que SENS 1. pron. rel. Ce mot introduit une proposition subordonnée relative en désignant une personne ou une chose et a une fonction de complément. *L'homme que j'ai vu.* SENS 2. pron. interr. Ce mot sert à interroger. *Que se passe-t-il ?* SENS 3. conj. Ce mot relie deux propositions ou deux mots. *Il a dit qu'il viendrait. Il est plus grand que moi. Je n'ai qu'un livre,* seulement un. SENS 4. adv. Ce mot sert à exprimer une exclamation. *Que tu es grand !* (= comme).

quel, quelle adj. interr. SENS 1. Ce mot sert pour l'interrogation. *Quel livre lis-tu ?* SENS 2. Ce mot sert aussi pour l'exclamation. *Quelle jolie maison !*

quelconque SENS 1. adj. indéf. *Il a refusé en donnant un prétexte quelconque,* n'importe lequel. SENS 2. adj. *Ce livre est quelconque,* sans intérêt (= médiocre, banal, ordinaire).

quelque SENS 1. adj. indéf. sing. *J'ai eu quelque difficulté à comprendre,* une certaine difficulté. *Il a dû avoir quelque empêchement* (= tel ou tel). SENS 2. adj. indéf. pl. *Il a dit quelques mots et il est parti,* un petit nombre de mots.

▪ **quelque chose** pron. indéf. m. *Veux-tu manger quelque chose ?,* une chose ou une autre. *J'ai vu quelque chose d'étonnant,* une chose étonnante.

▪ **quelquefois** adv. *Je vais quelquefois chez ma grand-mère,* de temps en temps (= parfois ; ≠ souvent).

▪ **quelqu'un** pron. indéf. m. *Quelqu'un m'a dit de venir,* une personne (= on).

▪ **quelques-uns,   quelques-unes** pron. indéf. pl. *Quelques-uns des dessins ont été exposés,* un petit nombre.

quelque part → *part*

quémander v. 1er groupe. *Je n'aime pas être obligé de quémander ce qui m'est dû,* de le demander humblement et en insistant (= solliciter).

qu'en-dira-t-on n.m. inv. *Yvette se moque du qu'en-dira-t-on,* de ce que les gens disent d'elle (= commérage, ragot).

quenelle n.f. Des **quenelles** de volaille sont des sortes de rouleaux faits de viande de volaille hachée.

quenotte n.f. Fam. Une **quenotte** est une dent de petit enfant.

quenouille n.f. *Autrefois, on filait la laine en la plaçant sur une quenouille,* un support constitué par un bâton. *illustr. p. 42*

querelle n.f. Une **querelle** est une dispute (= altercation). *C'est un homme désagréable qui cherche querelle à tous ses voisins,* qui se montre agressif à leur égard.

▪ **se quereller** v. 1er groupe. *Martin et Hugo se sont querellés* (= se disputer, se chamailler).

▪ **querelleur, euse** adj. *Martin est un garçon querelleur,* il aime les querelles, les disputes (= batailleur, bagarreur ; ≠ pacifique, doux).

quérir v. [SENS 3] Envoyer **quérir** quelqu'un, c'est envoyer chercher une personne pour la ramener. *Le juge envoya quérir un expert.*
☀ **Quérir** appartient à la langue écrite et ne s'emploie qu'à l'infinitif.

question n.f. SENS 1. *Il est difficile de répondre à cette question,* à la demande qui est faite (= interrogation ; ≠ réponse). SENS 2. *On a déjà parlé de cette question,* de ce sujet (= affaire, problème). SENS 3. *Il est question de partir demain,* on en parle, on envisage cette possibilité. SENS 4. *Je m'occuperai de l'affaire en question,* de l'affaire dont nous avons parlé. SENS 5. *Ce qui est en question, c'est la fermeture de l'entreprise,* ce qui va être décidé (= en jeu).

▪ **questionnaire** n.m. [SENS 1] *Veuillez remplir ce questionnaire,* cette liste de questions.

■ **questionner** v. 1er groupe. [SENS 1] *Les enquêteurs* **ont questionné** *les voisins,* ils leur ont posé des questions (= interroger).

quête n.f. SENS 1. *Une* **quête** *pour les aveugles a été faite dans la rue,* on a demandé de l'argent aux gens (= collecte). SENS 2. *M. Durand s'est mis en* **quête** *d'un logement,* il s'est mis à le rechercher (= à la recherche de).

■ **quêter** v. 1er groupe. [SENS 1] *On* **quête** *pour les sans-abri,* on fait la quête.

■ **quêteur, euse** n. [SENS 1] *Les* **quêteurs** *de la Croix-Rouge ont sonné à ma porte,* les personnes qui font une quête.

quetsche n.f. *Les* **quetsches** *sont de grosses prunes violettes.*
　❋ On prononce [kwɛtʃ].

illustr.
p. 354,
617

238,

530,

1016,

971

queue n.f. SENS 1. *Les chiens, les chats, les vaches, les chevaux ont une* **queue** *au bas du dos,* un organe qui est le prolongement de leur colonne vertébrale. SENS 2. *La* **queue** *de la casserole est cassée,* la partie qui sert à la tenir (= manche). *Quand tu cueilles des fleurs, laisse-leur une longue* **queue** (= tige). SENS 3. *Une* **queue de billard** est une longue tige de bois avec laquelle on pousse les boules. SENS 4. *Il y a une longue* **queue** *devant le cinéma,* une file de personnes qui attendent. ◆ *Mettez-vous à la* **queue,** au dernier rang de la file. SENS 5. *Ce wagon est en* **queue** *du train,* à l'arrière (≠ tête). SENS 6. *Ce chauffard nous a fait une* **queue de poisson,** il nous a doublés en se rabattant brusquement devant nous. SENS 7. *Les enfants marchent* **à la queue leu leu,** l'un derrière l'autre (= en file indienne).

■ **queue-de-cheval** n.f. *Amina s'est fait une* **queue-de-cheval,** une coiffure où les cheveux sont tirés en arrière et tenus par un élastique ou une barrette.
　❋ Au pluriel, on écrit des **queues-de-cheval.**

■ **queue-de-pie** n.f. *Une* **queue-de-pie** est un habit de cérémonie pour les hommes.
　❋ Au pluriel, on écrit des **queues-de-pie.**

illustr.
p. 220

qui SENS 1. pron. rel. Ce mot introduit une proposition subordonnée relative et a une fonction de sujet du verbe. *L'homme* **qui** *est venu est M. Durand.* SENS 2. pron. interr. Ce mot sert à interroger. **Qui** *est là ?* **Qui** *cherchez-vous ?,* quelle personne.

quiche n.f. *Nous avons mangé une* **quiche,** une sorte de tarte recouverte d'un mélange d'œufs battus et de lard.

quiconque pron. indéf. *Je sais cela mieux que* **quiconque,** mieux que n'importe qui. **Quiconque** *pense cela se trompe,* tous ceux qui pensent cela.

quidam n.m. Fam. *Qui est ce* **quidam** *?,* cette personne dont on ne sait pas le nom.
　❋ On prononce [kidam] ou [kɥidam].

quiétude n.f. *Tu peux partir en toute* **quiétude,** en toute tranquillité (≠ inquiétude).
　❋ On prononce [kjetyd].

quignon n.m. *Patrick a emporté un* **quignon** *de pain pour son goûter,* un assez gros morceau.

quille n.f. SENS 1. *Léa et Julie jouent aux* **quilles,** à renverser avec une boule des cylindres de bois placés debout. SENS 2. *Le voilier s'est renversé la* **quille** *en l'air,* la partie inférieure.

illustr.
p. 740

quincaillerie n.f. SENS 1. *Les outils, les clous, les vis, les écrous sont des articles de* **quincaillerie.** SENS 2. *Il y a une* **quincaillerie** *dans la rue voisine,* un magasin qui vend des clous, des vis, etc.

■ **quincaillier, ère** n. [SENS 1 et 2] *Va chez le* **quincaillier** *acheter une boîte de* *clous,* le commerçant qui vend des articles de quincaillerie.

quinconce n.m. *Les arbres sont plantés en* **quinconce,** *par groupes de cinq, dont quatre aux angles d'un carré et un au milieu.*
❋ On prononce [kɛ̃kɔ̃s].

quinine n.f. *La* **quinine** *est un médicament qui calme la fièvre, spécialement celle qui est provoquée par le paludisme.*

quinquagénaire adj. et n. *Mme Martin est (une)* **quinquagénaire,** *elle a entre cinquante et soixante ans.*
❋ On prononce [kɛ̃kaʒenɛr] ou bien [kɥɛ̃kwaʒenɛr].

quinquennal, ale, aux adj. *Un plan* **quinquennal** *s'étend cinq ans.*

■ **quinquennat** n.m. *Depuis 2002, le président de la république française est élu pour un* **quinquennat,** *une période de cinq ans.* → **septennat.**

*illustr.
p. 991* **quintal** n.m. *Le fermier a récolté 20* **quintaux** *de blé, vingt fois 100 kilos.*
❋ En abrégé, on écrit **q** sans point à la suite. Au pluriel, on dit des **quintaux.**

quinte n.f. *Mon grand-père a souvent des* **quintes** *de toux,* il se met à tousser brusquement et longtemps (= accès).

quintessence n.f. *Il a résumé la* **quintessence** *de ce livre,* ce qu'il y a de plus important dedans.
❋ Ce mot s'emploie surtout dans la langue écrite.

quintette n.m. *Un* **quintette** *est un groupe de cinq musiciens qui jouent ensemble.*
❋ On prononce [kɛ̃tɛt] ou [kwɛ̃tɛt].

*illustr.
p. 642* **quintuple** n.m. *100 est le* **quintuple** *de 20,* il est cinq fois plus grand.

■ **quintupler** v. 1er groupe. *Le prix des fruits a* **quintuplé,** il a été multiplié par cinq.

■ **quintuplés, ées** n. pl. *Raphaëlle a eu des* **quintuplés,** *ce qui est rare,* cinq bébés qui sont nés en même temps.

quinze adj. numéral. *Le rugby se joue à* **quinze** *joueurs. 10 + 5 = 15.*
*illustr.
p. 642*

■ **quinzaine** n.f. SENS 1. *Nous nous reverrons dans une* **quinzaine** *(de jours),* environ quinze jours. SENS 2. *Je prendrai quelques jours de congé pendant la deuxième* **quinzaine** *d'avril,* la période qui va du 15 au 30.
*illustr.
p. 132*

■ **quinzième** adj. et n. *Amélie habite dans le* **quinzième** *arrondissement de Paris (dans le* **quinzième***).*
*illustr.
p. 642*

quiproquo n.m. *Je parlais de M. Delveau, et lui de M. Morel : c'était un* **quiproquo,** *une erreur sur la personne ou la chose en question* (= malentendu, méprise).

quittance n.f. *Après avoir payé, demandez une* **quittance,** *un papier prouvant que vous avez payé.*

quitte adj. SENS 1. *Je te rends les 15,24 euros que tu m'as prêtés, nous sommes* **quittes,** *nous ne nous devons plus rien.* SENS 2. *La voiture s'est retournée dans le fossé, nous* **en avons été quittes pour la peur,** *à côté de tout ce qui aurait pu nous arriver de grave, nous n'avons eu à subir que la peur.* SENS 3. *Fais vérifier les pneus* **quitte à** *arriver en retard,* au risque de.

quitter v. 1er groupe. SENS 1. *Les Montel* **ont quitté** *la France,* ils en sont partis. SENS 2. *Elle* **a tout quitté** *pour le suivre* (= laisser, abandonner). SENS 3. *Stéphane et Michaël* **se sont quittés** *sans se dire au revoir,* ils se sont séparés. SENS 4. *Allô, ne* **quittez pas,** *ne raccrochez pas,* restez en ligne.

qui-vive n.m. inv. *Il est resté toute la nuit* **sur le qui-vive,** *en faisant attention,* en étant sur ses gardes.

quoi SENS 1. pron. interr. *Je voudrais quelque chose. –* **Quoi** *?,* quelle chose. *De **quoi** parliez-vous ?*, de quelle chose. SENS 2. pron. rel. Ce mot remplace un nom de chose ou une phrase entière et s'emploie comme complément. *Je n'ai pas **de quoi** m'habiller*, ce qu'il faut pour m'habiller. SENS 3. pron. rel. indéf. ***Quoi qu**'on fasse, on ne peut pas réussir*, on peut faire tout ce qu'on voudra.

☀ Ne pas confondre **quoi que** et **quoi-que**.

quoique conj. Ce mot exprime l'opposition. *Il est venu, **quoiqu**'on le lui ait défendu* (= bien que).

☀ Ne pas confondre avec **quoi que**.

quolibet n.m. *Son discours a été interrompu par les **quolibets** des auditeurs*, les paroles ironiques ou injurieuses (= raillerie, moquerie).

☀ On ne prononce pas le « t » : [kɔlibɛ].

quorum n.m. *La réunion ne peut pas avoir lieu, il n'y a pas le **quorum***, pas assez de personnes présentes.

☀ On prononce [kɔrɔm] ou [kwɔrɔm].

quote-part n.f. *Chacun a payé sa **quote-part***, ce qu'il devait.

quotidien, enne SENS 1. adj. *Il faut que je fasse mon travail **quotidien***, de chaque jour. SENS 2. n.m. *Ce journal est un **quotidien** du matin*, il paraît tous les jours (≠ hebdomadaire, mensuel).

illustr. p. 151

■ **quotidiennement** adv. *De tels incidents se produisent **quotidiennement***, chaque jour.

quotient n.m. *Le **quotient** de 20 par 5 est 4*, le résultat de la division.

☀ On prononce [kɔsjɑ̃].

Rr

Renard

Rascasse

Raquette

Raisin

rabâcher v. 1ᵉʳ groupe. Fam. *Il rabâche toujours les mêmes discours*, il les répète sans arrêt (= ressasser). *On la connaît ton histoire, tu rabâches* (= radoter).

■ **rabâchage** n.m. Fam. *Tu m'ennuies avec tes rabâchages* (= radotage).

rabais n.m. *J'ai marchandé pour essayer d'obtenir un rabais*, une diminution de prix (= remise). ●● *bas*

rabaisser v. 1ᵉʳ groupe. *Ses adversaires cherchent à le rabaisser*, à diminuer son mérite, sa valeur (= abaisser, dénigrer ; ≠ vanter, exalter). ●● *bas*

rabattre v. 3ᵉ groupe. SENS 1. *Pour fermer la boîte, rabattez le couvercle* (= abaisser). SENS 2. *Le vendeur n'a pas voulu rabattre un centime de la somme qu'il réclamait* (= diminuer). *Il était plein d'assurance, mais il en a bien rabattu*, il a perdu ses illusions et réduit ses exigences. SENS 3. *Faute de viande, on s'est rabattu sur du poisson*, on a accepté d'en manger. SENS 4. *Les chiens rabat-*

tent le gibier vers les chasseurs, ils le font aller dans cette direction.
✳ Conj. nº 56. Ne pas confondre avec **rebattre**.

■ **rabat** n.m. [SENS 1] *La poche se ferme par un rabat*, une pièce qui se replie dessus. *illustr. p. 29*

■ **rabatteur, euse** n. [SENS 4] *Les rabatteurs battent les fourrés avec des bâtons pour faire partir le gibier.*

■ **rabat-joie** n.m. inv. [SENS 2] *Pierre est un rabat-joie*, il vient troubler le plaisir des autres par son humeur maussade (= trouble-fête).
✳ Ce mot ne change pas au pluriel.

rabbin n.m. *Le rabbin célèbre les cérémonies de la religion juive ; il est le chef spirituel d'une communauté juive.* *illustr. p. 820*

rabiot n.m. Fam. *À la cantine, les plus affamés demandent toujours du rabiot*, un peu de supplément.

râble n.m. *On a mangé du lièvre, j'ai eu un morceau de râble*, dans le bas du dos.

789

■ **râblé, ée** adj. *M. Bonnet est un homme **râblé**, il a le dos large et musclé* (= trapu).

illustr. p. 995 **rabot** n.m. *Un **rabot** est un outil de menuiserie qui sert à aplanir une pièce de bois.*

■ **raboter** v. 1er groupe. *Le bas de la porte frotte, il faut la **raboter**.*

raboteux, euse adj. *Le sol du sentier est **raboteux*** (= inégal, rugueux).

rabougri, ie adj. *Au bord de la mer, les arbres sont **rabougris**, peu développés* (= chétif).

rabrouer v. 1er groupe. *Quand j'ai présenté ma demande ce matin, je me suis fait **rabrouer**,* renvoyer rudement (= rembarrer).

racaille n.f. *Les vols sont attribués à la **racaille** du quartier,* un ensemble de gens malhonnêtes.

raccommoder v. 1er groupe. SENS 1. *La chaise est cassée, je vais essayer de la **raccommoder*** (= réparer). *Peux-tu **raccommoder** mon pantalon ?* (= recoudre, repriser). SENS 2. Fam. *Virginie et Patrick **se sont raccommodés*** (= réconcilier ; ≠ fâcher, brouiller).

■ **raccommodage** n.m. [SENS 1] *Ce **raccommodage** est très bien fait.*

raccompagner v. 1er groupe. *J'ai **raccompagné** mon ami jusqu'à la gare,* je l'ai accompagné quand il repartait. ●● *accompagner*

raccorder v. 1er groupe. *Un passage souterrain **raccorde** les deux bâtiments,* il les relie.

■ **raccord** n.m. *On a fait des **raccords** de peinture,* on a remis de la peinture là où il en manquait. ◆ *Le **raccord** de ma pompe à vélo est crevé,* le tuyau de caoutchouc qui se fixe à l'extrémité pour la relier à la chambre à air. ◆ *On a fixé*

*un **raccord** à chaque bout du tuyau,* une pièce qui permet de les raccorder. *illustr. p. 737*

■ **raccordement** n.m. *Une voie de **raccordement** relie les deux autoroutes* (= liaison).

raccourcir v. 2e groupe. SENS 1. *Chloé trouvait sa jupe trop longue, elle l'a **raccourcie**,* elle l'a rendu plus courte (≠ rallonger). SENS 2. *À l'automne, les jours **raccourcissent**,* ils deviennent plus courts (= diminuer ; ≠ rallonger). ●● *court (1)*

■ **raccourci** n.m. *Pour gagner du temps, nous avons pris un **raccourci**,* un chemin plus court.

raccrocher v. 1er groupe. SENS 1. *En rentrant, elle **a raccroché** son imperméable au portemanteau,* elle l'a accroché de nouveau. ●● *accrocher.* SENS 2. *Allô ! ne **raccrochez** pas,* ne reposez pas le combiné téléphonique sur le socle pour couper la communication (≠ décrocher). SENS 3. *Il a failli tomber à l'eau, mais il **s'est raccroché** à une branche,* il s'est retenu (= rattraper).

race n.f. SENS 1. *Il y a beaucoup de gens de **race** noire aux États-Unis,* des gens ayant la peau noire et des caractères physiques particuliers. SENS 2. *Ce chien n'est pas de **race** pure,* son père et sa mère sont des chiens de types différents. ✷ Au sens 1, aujourd'hui, on préfère parler de **population** plutôt que de **race**.

■ **racé, ée** adj. [SENS 2] *Ce cheval est **racé**,* de race pure.

■ **racial, e, aux** adj. [SENS 1] *M. Duval a des préjugés **raciaux**,* il n'aime pas les gens qui ne sont pas de la même origine que lui. ●● *multiracial*

■ **racisme** n.m. [SENS 1] *Le **racisme** est contraire à la dignité humaine,* le mépris pour les gens qui ont une origine différente. → *antisémitisme*

■ **raciste** adj. et n. [SENS 1] *Certains pays mènent une politique **raciste**,* dirigée contre les gens d'origine différente. ●● *antiraciste*

racheter v. 1er groupe. SENS 1. *Il n'y a plus de sucre, il faut en **racheter**, en acheter de nouveau.* ●● ***acheter.*** SENS 2. *Si tu veux vendre ta voiture, je te la **rachète**, je t'achète cette voiture que tu avais achetée auparavant.* SENS 3. *Il était en retard au rendez-vous, mais il **s'est racheté** en apportant des fleurs,* il s'est fait pardonner.
✳ Conj. n° 7.

■ **rachat** n.m. [SENS 2] *Je lui ai proposé le **rachat** de sa voiture,* de la lui racheter.

rachitique adj. *Cet enfant est **rachitique**, sa croissance est très insuffisante,* il est mal développé (= chétif, malingre).

racial → *race*

racine n.f. SENS 1. *Ce chêne a des **racines** énormes,* les parties qui s'enfoncent dans le sol. ●● ***enraciner, déraciner, indéracinable.*** SENS 2. *La **racine** du mot « indestructible » est « struct- »,* la partie commune à une série de mots de la même famille. → ***radical***

racisme, raciste → *race*

racket n.m. *On a arrêté un individu qui exerçait un **racket** sur certains commerçants,* qui leur extorquait de l'argent par des menaces.
✳ On prononce le « t » : [rakɛt]. Ne pas confondre avec une **raquette**.

■ **racketteur, euse** n. *Les **racketteurs** ont été arrêtés.*

raclée n.f. Fam. *Les maraudeurs ont reçu une **raclée**,* des coups (= volée).

racler v. 1er groupe. *Mme Belin **racle** le fond de la casserole,* elle le gratte pour le nettoyer.

■ **raclette** n.f. *Une **raclette** est un outil servant à racler.* ◆ *En Suisse, on mange de la **raclette**,* du fromage que l'on fait fondre à la chaleur et que l'on racle pour le manger au fur et à mesure qu'il fond.

racoler v. 1er groupe. *Ce commerçant essaie de **racoler** des clients,* de les attirer par tous les moyens.

■ **racolage** n.m. *Il a réussi à recruter quelques adhérents à force de **racolage**,* à force de les racoler.

raconter v. 1er groupe. SENS 1. *Chaque soir, Nicolas demande qu'on lui **raconte** une histoire,* qu'on la lui dise (= conter). ●● ***conte.*** SENS 2. ***Raconte**-nous ta journée,* dis-nous ce qui s'est passé. → ***récit, narration.*** SENS 3. *On **raconte** que ce château était un repaire de brigands* (= prétendre, rapporter).

■ **racontar** n.m. Fam. *N'écoutez pas tous ces **racontars**,* tout ce qu'on dit avec malveillance sur quelqu'un (= ragot, potin, cancan, commérage).

racornir v. 2e groupe. *Le cuir de ces vieilles chaussures **s'est racorni**,* il est devenu aussi dur que de la corne. ●● ***corne***

radar n.m. *Par temps de brouillard, le bateau se dirige au **radar**,* un appareil qui signale les obstacles. *illustr. p. 694, 75*

rade n.f. SENS 1. *Le bateau a jeté l'ancre dans la **rade**,* un grand bassin abrité. SENS 2. Fam. *La voiture est restée **en rade** sur la route,* en panne. *illustr. p. 741*

radeau n.m. *Nous avons traversé la rivière en **radeau**,* une embarcation faite de morceaux de bois assemblés.
✳ Au pluriel, on écrit des **radeaux**.

radiateur n.m. SENS 1. *Le **radiateur** de la voiture est percé,* le réservoir contenant l'eau de refroidissement du moteur. SENS 2. *Il y a deux **radiateurs** dans cette pièce,* deux appareils de chauffage. *illustr. p. 69, 862*

1. radiation n.f. *Les corps radioactifs émettent des **radiations**,* des rayons invisibles. ●● ***irradier***

2. radiation → *radier*

radical, ale, aux SENS 1. adj. *J'ai proposé un changement* **radical**, *un changement complet, total.* SENS 2. adj. et n.m. *Les* **radicaux** *(le Parti* **radical***) ont voté contre le gouvernement,* un parti politique. SENS 3. n.m. *« Chant » est le* **radical** *du verbe chanter,* la partie du mot qui ne change pas.

■ **radicalement** adv. [SENS 1] *Il a refusé* **radicalement** (= totalement, absolument).

radier v. 1er groupe. *On l'a radié de la liste des participants,* on a rayé son nom (= barrer).

■ **radiation** n.f. *Sa* **radiation** *est due à une faute professionnelle,* son exclusion.

radieux, euse adj. SENS 1. *Il a fait un soleil* **radieux** (= brillant, éclatant ; ≠ pâle). SENS 2. *Elle m'a fait un sourire* **radieux** (= rayonnant, joyeux, épanoui ; ≠ triste).

radin, ine adj. et n. Fam. *Il économise sur tout sans nécessité : quel (individu)* **radin** *!* (= avare, pingre).

radio- préfixe. Placé au début d'un mot, **radio-** indique une idée de rayonnement, avec trois sens différents possibles : **radio***diffusion* (transmission des sons à distance) ; **radio***graphie* (système qui permet de voir à l'intérieur du corps grâce aux rayons) ; **radio***activité* (propriété qu'ont certains corps d'émettre des rayons dangereux).

illustr. p. 503 **1. radio** ou **radiodiffusion** n.f. *Cette émission est transmise par* **radio**, *un procédé qui diffuse des sons à grande distance en utilisant les ondes.*

■ **radio** n.f. *Qui a cassé la* **radio** *?,* le poste de radio.

■ **radio** n.m. *Le* **radio** *de l'avion appelle la tour de contrôle,* celui qui est chargé des communications par radio.

■ **radiodiffuser** v. 1er groupe. *Ce concert* **sera radiodiffusé** *demain,* il sera transmis par la radio.

■ **radiophonique** adj. *Les programmes* **radiophoniques**, *ce sont les programmes de la radio.*

2. radio n.f. *Avant de l'opérer, on lui a fait une* **radio** *des poumons,* un examen de l'intérieur du corps au moyen de rayons X (si l'on prend un cliché photographique, c'est une **radiographie**, s'il s'agit d'un simple examen visuel, c'est une **radioscopie**). *illustr. p. 869*

■ **radiologue** n. *Un* **radiologue** *est un médecin spécialiste de la radiographie.*

radioactif, ive adj. *Les déchets* **radioactifs** *sont très dangereux,* ils émettent des rayons dangereux.

■ **radioactivité** n.f. *La* **radioactivité** *de l'uranium a été découverte au XXᵉ siècle,* l'émission de rayons par l'uranium.

radiodiffuser, radiodiffusion → **radio (1)**

radiographie, radiologue → **radio (2)**

radiophonique → **radio (1)**

radioscopie → **radio (2)**

radis n.m. *Le* **radis** *est une plante dont on mange la racine à peau rose et blanche ou rouge en hors-d'œuvre. Le* **radis noir** *est une variété de gros radis à peau noire.* *illustr. p. 747*

radium n.m. *Le* **radium** *est un métal radioactif blanc.*
＊ On prononce [radjɔm].

radius n.m. *Le* **radius** *est un os de l'avant-bras.* *illustr. p. 216*
＊ On prononce le « s » : [radjys].

radoter v. 1er groupe. *Arrête de* **radoter** *!,* de raconter toujours la même chose (= rabâcher).

■ **radotage** n.m. *Ses* **radotages** *sont ennuyeux, les mêmes histoires qu'il raconte sans cesse.*

se **radoucir** v. 2ᵉ groupe. SENS 1. *Le temps s'est radouci, il est devenu plus doux.* ●● **doux**. SENS 2. *Il s'est d'abord fâché, puis il s'est radouci* (= se calmer, s'apaiser).

rafale n.f. SENS 1. *Le vent souffle par* **rafales**, *par coups brusques* (= bourrasque). SENS 2. *Les bandits ont tiré une* **rafale** *de mitraillette, une série de coups très rapprochés.*

raffermir v. 2ᵉ groupe. SENS 1. *Ces massages* **raffermissent** *la peau, ils la rendent plus ferme* (≠ ramollir). SENS 2. *Sa santé* **s'est raffermie** (= se fortifier). ●● **ferme (2)**

raffiner v. 1ᵉʳ groupe. SENS 1. *L'essence est du pétrole* **raffiné**, *rendu plus pur.* SENS 2. *Mme Delcour* **raffine** *sur sa toilette, elle en prend un soin extrême.*

■ **raffinage** n.m. [SENS 1] *Le* **raffinage** *du sucre le rend blanc.*

■ **raffiné, ée** adj. [SENS 2] *Mme Delcour est une femme* **raffinée** (= élégant, distingué ; ≠ simple).

■ **raffinement** n.m. [SENS 2] *Alexis s'exprime avec* **raffinement**, *il choisit soigneusement ses mots.*

■ **raffinerie** n.f. [SENS 1] *La* **raffinerie** *de pétrole se trouve au bord du fleuve, l'usine de raffinage.*

raffoler v. 1ᵉʳ groupe. *Marie* **raffole** *du chocolat, elle l'aime beaucoup.*

raffut n.m. Fam. *Le chien a fait du* **raffut** *toute la nuit, beaucoup de bruit* (= vacarme, tapage).

rafiot n.m. Fam. *Un* **rafiot** *est un petit bateau en mauvais état.*

rafistoler v. 1ᵉʳ groupe. Fam. **Rafistoler** *une vieille chaise, c'est la réparer tant bien que mal.*

rafler v. 1ᵉʳ groupe. Fam. *Qui* **a raflé** *ce qui était sur la table ?, qui l'a pris et emporté ?*

■ **rafle** n.f. *La police a fait une* **rafle** *dans ce café, elle a emmené tout le monde au poste de police.*

rafraîchir v. 2ᵉ groupe. SENS 1. *Les orages* **ont rafraîchi** *l'atmosphère, ils l'ont rendue plus fraîche* (≠ réchauffer). ●● **frais (1)**. SENS 2. *J'ai soif, je vais* **me rafraîchir**, *boire quelque chose de frais.* SENS 3. **Rafraîchir** *un tableau, c'est le nettoyer, en raviver les couleurs.* SENS 4. **Rafraîchir la mémoire** *à quelqu'un, c'est lui rappeler ce qu'il avait oublié.*

■ **rafraîchissant, ante** adj. [SENS 1 et 2] *Cette petite brise est* **rafraîchissante**. *Un jus d'orange glacé est une boisson* **rafraîchissante**.

■ **rafraîchissement** n.m. [SENS 1] *On annonce un* **rafraîchissement** *de la température* (= baisse, refroidissement). [SENS 2] *On a servi des* **rafraîchissements**, *des boissons fraîches.*

ragaillardir v. 2ᵉ groupe. *Après cette longue marche, un bon repas nous* **a ragaillardis**, *il nous a rendu des forces* (= revigorer, ravigoter). ●● **gaillard**

rage n.f. SENS 1. *Cette nouvelle l'a mis en* **rage**, *dans une grande colère* (= fureur). ●● **enrager**. SENS 2. *Pierre a une* **rage** *de dents, un violent mal de dents.* SENS 3. *La tempête* **fait rage**, *elle se déchaîne.* SENS 4. *Pasteur a inventé un vaccin contre la* **rage**, *une grave maladie due à un virus et transmise à l'homme par la morsure de certains animaux enragés.* ●● **enragé**

■ **rager** v. 1ᵉʳ groupe. [SENS 1] *Échouer si près du but, ça me fait* **rager**, *ça me met en colère.*
✳ Conj. nᵒ 2.

■ **rageur, euse** adj. [SENS 1] *Il m'a répondu d'un ton* **rageur** (= furieux, hargneux).

■ **rageusement** adv. [SENS 1] *Il a refusé rageusement,* avec énervement, avec colère.

ragot n.m. Fam. *N'écoute pas ces ragots !,* ces bavardages malveillants (= médisance, commérage, fam. racontar).

ragoût n.m. *Un ragoût de mouton, c'est de la viande de mouton cuite avec des légumes et mijotée dans une sauce.*

ragoûtant, ante adj. *Ce plat est peu ragoûtant,* on n'a pas envie de le manger (= appétissant).

rai n.m. *Un rai de lumière,* c'est un rayon de lumière. ●● *rayon*
🌼 Ce mot s'emploie surtout dans la langue écrite. Ne pas confondre avec une **raie**.

raid n.m. *L'aviation a fait un raid en territoire ennemi,* une attaque par surprise.
🌼 Ne pas confondre avec l'adjectif **raide**.

raide adj. SENS 1. *Mon poignet foulé est raide,* difficile à plier (= rigide ; ≠ souple). *Les Asiatiques ont souvent les cheveux raides* (≠ frisé, bouclé). SENS 2. *Le sentier est raide,* il monte beaucoup (= abrupt). SENS 3. *L'équilibriste marche sur la corde raide,* une corde bien tendue. SENS 4. *Il est tombé raide mort,* il est mort brusquement.
🌼 Ne pas confondre avec un **raid**.

■ **raideur** n.f. [SENS 1] *J'ai une raideur au genou,* il est engourdi.

■ **raidillon** n.m. [SENS 2] *On a monté péniblement le raidillon,* la pente raide.

■ **raidir** v. 2ᵉ groupe. [SENS 1] *L'athlète raidit ses muscles* (= tendre, contracter). ◆ *Les deux adversaires se sont raidis dans leur opposition,* ils se sont montrés plus intransigeants (= affermir).

■ **raidissement** n.m. [SENS 1] *Une crampe provoque un raidissement des muscles.* ◆ *On observe un raidissement de leur position* (= renforcement).

1. raie n.f. SENS 1. *Gérard a une chemise blanche à raies bleues* (= bande, ligne, rayure). ●● *rayer.* SENS 2. *Mélanie a une raie sur le côté,* une ligne séparant ses cheveux.

2. raie n.f. *La raie est un poisson de mer plat aux nageoires triangulaires très développées.* *illustr. p. 694*

rail n.m. *Les trains roulent sur des rails,* des barres d'acier. ●● *dérailler* *illustr. p. 425*

railler v. 1ᵉʳ groupe. *On le raillait pour ses airs prétentieux,* on se moquait de lui (= ridiculiser).

■ **raillerie** n.f. *Pierre ne supporte pas les railleries,* qu'on se moque de lui (= moquerie, plaisanterie, sarcasme).

■ **railleur, euse** adj. *Il m'a répondu d'un ton railleur* (= ironique, moqueur).

rainette n.f. *La rainette est une petite grenouille aux doigts munis de ventouses qui peut modifier sa couleur selon l'endroit où elle se trouve.* *illustr. p. 357*
🌼 Ne pas confondre avec une **reinette**.

rainure n.f. *L'épingle est tombée dans une rainure du parquet,* une mince fente.

raisin n.m. *On a fait le vin avec le jus du raisin,* le fruit de la vigne qui pousse en grappes. → *vendange* *illustr. p. 690*

raison n.f. SENS 1. *L'homme est un être doué de raison,* de la faculté de comprendre, de réfléchir (= esprit, intelligence, pensée, bon sens). ◆ *Perdre la raison,* c'est devenir fou. ●● *rationnel.* SENS 2. *Julien a l'âge de raison,* l'âge où l'on distingue le bien du mal. SENS 3. *Je pense que tu as raison,* que tu ne te trompes pas (≠ tort). SENS 4. *Connais-tu la raison de son absence ?,* la cause, le motif. *En raison du mauvais temps, la fête n'aura pas lieu en plein air* (= à cause de). ●● *irraisonné.* SENS 5. *Tes raisons ne m'ont pas convaincu,* tes explications (= argument, excuse). SENS 6. *Il est payé à raison de 75 euros par pièce,* au prix de 75 euros, en comptant sur cette base.

■ **raisonnable** adj. [SENS 1 et 2] *Voilà une décision raisonnable !* (= sage, sensé ; ≠ excessif, fou, déraisonnable).

■ **raisonnablement** adv. [SENS 1 et 2] *Tu as agi raisonnablement* (= bien).

■ **raisonnement** n.m. [SENS 1] *Un raisonnement simple te donnera la solution,* l'activité méthodique de ton intelligence.

■ **raisonner** v. 1er groupe. [SENS 1] *Tu as bien raisonné* (= penser). [SENS 5] *J'ai essayé en vain de le raisonner,* de le rendre raisonnable.
✳ Ne pas confondre avec **résonner**.

■ **raisonneur, euse** adj. et n. [SENS 5] *Jacques est un insupportable raisonneur,* il discute toujours et veut avoir raison.

rajeunir v. 2e groupe. SENS 1. *Sa nouvelle coiffure la rajeunit,* elle la fait paraître plus jeune (≠ vieillir). SENS 2. *Il a rajeuni de dix ans depuis sa cure,* il paraît ou il se sent plus jeune. ●● *jeune*

■ **rajeunissement** n.m. [SENS 2] *Cette cure entraîne un vrai rajeunissement,* l'impression d'une nouvelle jeunesse.

rajouter v. 1er groupe. *Rajouter du sel à une sauce,* c'est en mettre un peu plus. ●● *ajouter.* ◆ *Je n'ai rien à rajouter à ma déclaration,* à dire de plus (≠ retirer).

rajuster ou **réajuster** v. 1er groupe. SENS 1. *Elle ôta son chapeau et rajusta sa coiffure,* elle la remit en ordre. SENS 2. *Les commerçants réajustent les prix,* ils les modifient selon l'évolution du coût de la vie. ●● *ajuster*

■ **rajustement** ou **réajustement** n.m. *Les syndicats réclament un réajustement des salaires,* une augmentation pour compenser celle des prix.

râle → **râler**

ralentir v. 2e groupe. *La voiture ralentit car le feu va passer au rouge,* elle va plus lentement (≠ accélérer). ●● *lent*

■ **ralenti** n.m. *Vous allez voir au ralenti le saut effectué par la patineuse,* en passant les images à une vitesse moins grande que la vitesse normale (≠ en accéléré). *Le moteur tourne au ralenti,* à sa vitesse la plus basse.

■ **ralentissement** n.m. *La pluie cause un ralentissement de la circulation* (≠ accélération).

râler v. 1er groupe. SENS 1. *Les mourants râlent,* ils font entendre un bruit rauque. SENS 2. Fam. *Arrête de râler !* (= fam. rouspéter, grogner).

■ **râle** n.m. [SENS 1] *Le râle* est un bruit anormal et rauque produit par les poumons.

■ **râleur, euse** n. Fam. [SENS 2] *Anne est une râleuse,* elle est toujours mécontente.

rallier v. 1er groupe. SENS 1. *Le discours du ministre a rallié certains opposants,* il les a amenés à l'approuver (= convaincre, gagner). SENS 2. *On s'est rallié à cette solution,* on s'est mis d'accord en l'approuvant. SENS 3. *Rallier des gens dispersés,* c'est les regrouper, les rassembler.

■ **ralliement** n.m. [SENS 1] *Son ralliement à ce parti est récent* (= adhésion, rattachement). [SENS 3] *On a fixé un point de ralliement* (= rassemblement).

rallonger v. 1er groupe. SENS 1. *Isabelle a grandi, il faut rallonger sa robe,* la rendre plus longue (= allonger ; ≠ raccourcir). SENS 2. *Au printemps, les jours rallongent,* ils deviennent plus longs (= allonger ; ≠ diminuer). ●● *long*
✳ Conj. n° 2.

■ **rallonge** n.f. *Nous serons dix à table, il faut mettre la rallonge,* la planche qui rend la table plus longue. ◆ *Une rallonge* électrique est un fil qui permet de prolonger le fil d'alimentation d'un appareil.

rallumer v. 1er groupe. *Adrien rallume sa pipe qui s'était éteinte,* il l'allume à nouveau. ●● *allumer*. ◆ *L'incendie s'est rallumé,* il a repris.

rallye n.m. *Jacques a participé à un rallye automobile,* une compétition où les concurrents doivent se retrouver à un endroit précis après des épreuves.

ramadan n.m. Le **ramadan** est un mois consacré au jeûne dans la religion musulmane.

ramage n.m. SENS 1. *Entends-tu le ramage des oiseaux ?* (= chant). SENS 2. (Au plur.) Un tissu à **ramages** est orné de dessins en arabesques.

ramasser v. 1er groupe. SENS 1. *Ramasse ce que tu as laissé tomber !,* prends-le par terre. SENS 2. *Le car ramasse les enfants pour les emmener à l'école,* il les prend à divers endroits. SENS 3. *Le chien se ramasse pour sauter,* il se replie.

■ **ramassé, ée** adj. [SENS 3] *M. Petiot est un petit bonhomme ramassé* (= trapu, massif ; ≠ élancé).

■ **ramassage** n.m. [SENS 1] *C'est le moment du ramassage des pommes de terre* (= récolte). [SENS 2] *Claire attend le passage du car de ramassage scolaire.*

■ **ramassis** n.m. [SENS 1] *Il y a ici un ramassis de vieux papiers,* un ensemble confus (= tas).

illustr. p. 573 **rambarde** n.f. *Attention ! la rambarde du balcon est cassée,* la rampe légère (= garde-fou).

illustr. p. 970, 845 **1. rame** n.f. *Le pêcheur manœuvre sa barque avec des rames,* des barres de bois aplaties et élargies à une extrémité (= aviron).

■ **ramer** v. 1er groupe. *Il faut ramer en cadence,* manœuvrer les rames.

■ **rameur, euse** n. *Après la course, les rameurs étaient très fatigués,* ceux qui rament.

illustr. p. 424 **2. rame** n.f. *Une rame de métro,* c'est la file des voitures de métro attachées ensemble.

3. rame n.f. *Une rame de papier,* c'est un ensemble de 500 feuilles.

illustr. p. 746 **4. rame** n.f. *Les haricots poussent le long des rames qu'on a plantées en terre,* le long des branches ou des perches destinées à les soutenir (= tuteur).

rameau n.m. *Une branche porte des rameaux,* des branches plus petites. ✳ Au pluriel, on écrit des **rameaux**.

■ **ramifier** v. 1er groupe. *Les nervures de la feuille sont ramifiées,* elles se divisent en nervures plus petites qui se divisent à leur tour.

■ **ramification** n.f. *Les vaisseaux sanguins forment des ramifications,* ils sont ramifiés.

ramener v. 1er groupe. SENS 1. *J'ai ramené Mario à l'aéroport en voiture,* je l'y ai amené avec moi quand il repartait. ●● *amener*. SENS 2. *L'anticyclone a ramené le beau temps,* grâce à lui, le beau temps est revenu. ✳ Conj. n° 9.

ramer, rameur → *rame (1)*

rameuter v. 1er groupe. *Il a rameuté tous les voisins en criant : « Au voleur » !,* il les a appelés à venir vers lui.

ramier n.m. *Les ramiers roucoulent sur la branche,* des pigeons sauvages.

ramification, ramifier → *rameau*

ramollir v. 2e groupe. *Les pluies ont ramolli le sol,* elles l'ont rendu moins ferme (≠ durcir). ●● *mou*

ramoner v. 1er groupe. *Il faut faire ramoner la cheminée,* la nettoyer pour ôter la suie du conduit.

■ **ramonage** n.m. *Le ramonage annuel est obligatoire*, le nettoyage du conduit d'une cheminée.

■ **ramoneur** n.m. *Le ramoneur est monté sur le toit*, celui dont le métier est de ramoner les cheminées.

rampe n.f. SENS 1. *La rampe de l'escalier est en fer forgé*, une sorte de balustrade ou de barre pour se retenir. SENS 2. *On accède au garage par une rampe*, une surface en pente (= plan incliné). SENS 3. *La scène du théâtre est éclairée par une rampe*, une rangée de lampes disposée au bord de la scène. SENS 4. *La fusée a quitté la rampe de lancement*, l'installation qui sert à la lancer dans l'espace.

illustr.
p. 151,
573,
54,
75,
952

ramper v. 1er groupe. SENS 1. *Les serpents rampent*, ils avancent en glissant sur le ventre. SENS 2. *M. Legris rampe devant ses chefs*, il se conduit servilement.

rancart n.m. Fam. *On a mis ces vieux meubles au rancart*, on s'en est débarrassé (= au rebut).

rance adj. et n.m. *Ce beurre est rance, il a un goût de rance*, il a pris un mauvais goût en vieillissant.

■ **rancir** v. 2e groupe. *Le lard a ranci*, son odeur et son goût sont mauvais.

illustr.
p. 495

ranch n.m. *Le soir, les cow-boys rentrent au ranch*, dans une grande ferme où on fait de l'élevage.
❋ On prononce [rɑ̃tʃ]. Au pluriel, on écrit des **ranchs** ou des **ranches**.

rancir → *rance*

rancœur n.f. *Leur brouille fait suite à de vieilles rancœurs*, à des sentiments d'amertume nés d'injustices subies ou de déceptions (= ressentiment, rancune).

rançon n.f. SENS 1. *Les ravisseurs de l'enfant ont demandé une rançon*, de l'argent en échange de sa libération.

SENS 2. *Cette vedette est poursuivie par les photographes : c'est la rançon de la gloire*, l'inconvénient qui est lié à un avantage.

■ **rançonner** v. 1er groupe. [SENS 1] *Autrefois, les pirates rançonnaient les navires marchands*, ils ne les relâchaient que contre une rançon.

rancune n.f. *Bien que tu ne l'aies pas invité, il n'a aucune rancune*, il ne t'en veut pas (= ressentiment, rancœur).

■ **rancunier, ère** adj. *Je ne le savais pas si rancunier* (= vindicatif ; ≠ indulgent).

randonnée n.f. *Nous avons fait une randonnée dans la campagne*, une longue promenade.

■ **randonneur, euse** n. *Les randonneurs font des randonnées pour leurs loisirs.*

illustr.
p. 531

ranger v. 1er groupe. SENS 1. *Les soldats se sont rangés par 10*, ils se sont mis en rangs par 10. SENS 2. *Il faudrait ranger tous ces papiers*, les mettre en ordre (≠ déranger). SENS 3. *M. Legendre se range le long du trottoir*, il met son véhicule sur le côté (= se garer).
❋ Conj. n° 2.

■ **rang** n.m. [SENS 1] *Mettez-vous en rangs !*, sur une même ligne, côte à côte. → *file.* ◆ *Ce pays est au premier rang des producteurs de pétrole* (= en tête). *Daniel est sorti de l'École polytechnique dans les premiers rangs* (= place). ◆ *Pour un emploi vacant, il y a au moins 20 personnes sur les rangs*, comme candidats.

illustr.
p. 311

■ **rangée** n.f. [SENS 1] *Il y a 5 rangées de tables dans la classe* (= rang).

illustr.
p. 952

■ **rangement** n.m. [SENS 2] *Ce placard sert au rangement des vêtements*, à les ranger.

ranimer v. 1er groupe. SENS 1. *On a ranimé le noyé par la respiration artificielle*, on l'a ramené à la vie consciente.

797

●● **animer, réanimation**. SENS 2. *L'incendie s'est ranimé*, il a repris (≠ se rallumer).

rap n.m. *Les jeunes du quartier se sont rassemblés pour un concert de rap*, une forme de musique où les paroles sont scandées sur un rythme très marqué.

■ **rappeur, euse** n. *Quel est ton rappeur préféré ?*, le chanteur de rap que tu préfères ?

rapace SENS 1. adj. *M. Duval est un homme d'affaires rapace*, il aime l'argent (= avide, cupide). SENS 2. n.m. *Les rapaces sont des oiseaux de proie, comme l'aigle, le vautour, le faucon.*

illustr. p. 616

■ **rapacité** n.f. [SENS 1] *Sa rapacité a fait bien des victimes* (= avidité, cupidité).

rapatrier v. 1ᵉʳ groupe. *Les prisonniers ont été rapatriés*, ils ont été ramenés dans leur pays. ●● **patrie**

râper v. 1ᵉʳ groupe. **Râper** *des carottes*, c'est les frotter avec une râpe pour les réduire en petits morceaux.

■ **râpé, ée** adj. *Ta veste est râpée au coude*, elle est usée (= élimé).

illustr. p. 238, 995

■ **râpe** n.f. *Une râpe est un ustensile de cuisine avec des aspérités, qui sert à râper certains aliments.* ◆ *Le menuisier se sert d'une râpe*, un instrument rugueux semblable à une grosse lime d'acier.

■ **râpeux, euse** adj. *Mon grand-père a les mains râpeuses* (= rugueux, rêche ; ≠ doux).

rapetisser v. 1ᵉʳ groupe. SENS 1. *Mon pantalon a rapetissé au lavage*, il est devenu plus petit (= diminuer, rétrécir ; ≠ grandir). SENS 2. *La distance rapetisse les objets*, elle les fait paraître plus petits (= grossir ; ≠ agrandir). ●● **petit**

râpeux → **râper**

raphia n.m. *Jean a tissé un sac en raphia*, une fibre tirée d'un palmier.

rapide adj. SENS 1. *Ce cheval va gagner, c'est le plus rapide*, il va le plus vite (≠ lent). SENS 2. *Il faut prendre une décision rapide*, sans tarder (= prompt).

■ **rapide** n.m. [SENS 1] *M. Lemieux a pris le rapide Paris-Bruxelles*, le train qui ne s'arrête qu'aux grandes gares (≠ express, omnibus). ◆ *J'ai descendu les rapides en canoë*, un tronçon de rivière à très fort courant.

■ **rapidement** adv. *Marche plus rapidement !* (= vite ; ≠ lentement).

■ **rapidité** n.f. *Le lièvre est parti avec une rapidité extraordinaire* (= vitesse ; ≠ lenteur).

rapiécer v. 1ᵉʳ groupe. **Rapiécer** *un vêtement*, c'est le raccommoder en y mettant des pièces.
✳ Conj. n° 1 et n° 10.

rapière n.f. *Une rapière était une longue épée utilisée dans les duels.*

rapine n.f. *Les pirates vivaient de rapine*, de vol, de pillage.

rappeler v. 1ᵉʳ groupe. SENS 1. *Je l'ai rappelé pour lui demander un renseignement*, je l'ai appelé de nouveau. SENS 2. *Je ne me rappelle plus votre nom*, il ne me revient pas à la mémoire (= se souvenir de ; ≠ oublier). *Rappelez-moi votre nom*, redites-le-moi.
✳ Conj. n° 6.

■ **rappel** n.m. [SENS 1] *Le gouvernement a décidé le rappel de l'ambassadeur*, de le faire revenir. [SENS 2] *J'ai reçu une lettre de rappel*, pour me rappeler que je devais payer. ◆ *Les alpinistes descendent en rappel*, avec une corde double.

illustr. p. 29

rappeur → **rap**

rapporter v. 1ᵉʳ groupe. SENS 1. *N'oublie pas de me rapporter mon livre*, de le prendre avec toi pour me le rendre. *Mon père m'a rapporté un cadeau de son voyage*, il me l'a offert à son retour.

SENS 2. *Ce travail **rapporte** beaucoup,* il fait gagner de l'argent. SENS 3. *On m'a **rapporté** que vous aviez été malade,* on me l'a dit. SENS 4. *Les élèves qui **rapportent** sont mal vus,* ceux qui dénoncent leurs camarades (= moucharder). SENS 5. *Ta réponse ne **se rapporte** pas à ma question,* elle n'est pas en rapport avec elle (= correspondre, s'appliquer).

■ **rapport** n.m. [SENS 2] *Cette terre est d'un bon **rapport*** (= profit, rendement). [SENS 3] *Le ministre a fait un **rapport** sur la situation économique* (= exposé, compte rendu). [SENS 5] *Quel est le **rapport** entre ces deux faits ?,* le lien qui les unit (= relation, point commun, ressemblance). ◆ (Au plur.) *Je suis en bons **rapports** avec Jacques,* je m'entends bien avec lui (= relations). ◆ *Bien qu'ils n'habitent plus la même ville, ils sont restés **en rapport*** (= en contact). ◆ *Nicolas est petit **par rapport à** Mathieu,* en comparaison de lui.

■ **rapporteur, euse** [SENS 3] n. *Ce député est le **rapporteur** du budget,* il a fait un rapport à ce sujet. [SENS 4] adj. et n. *Les **rapporteurs** ne sont pas de bons camarades.* ◆ n.m. *Un **rapporteur** est un instrument de géométrie en forme de demi-cercle gradué qui sert à mesurer les angles.*

illustr. p. 51

rapprocher v. 1er groupe. SENS 1. ***Rapproche** ta chaise,* mets-la plus près (= approcher ; ≠ éloigner, écarter). ●● **proche.** SENS 2. *Chaque jour nous **rapproche** des vacances,* nous met plus près de ce moment. SENS 3. *Ils ont des idées qui se **rapprochent**,* qui se ressemblent (≠ diverger, s'opposer).

■ **rapprochement** n.m. [SENS 3] *Le juge a tenté, en vain, d'obtenir un **rapprochement** des deux adversaires,* une conciliation, un accord.

rapt n.m. *On cherche cet homme pour le **rapt** d'un enfant* (= enlèvement). → ***ravir (2)***
✳ On prononce le « t » : [rapt].

raquette n.f. SENS 1. *On joue au tennis avec une balle et une **raquette**.* Une **raquette de tennis** est faite de cordes tendues et croisées dans un ovale au bout d'un manche ; une **raquette de ping-pong** est une plaque ovale avec un manche court. SENS 2. *Les trappeurs se déplacent sur la neige avec des **raquettes**,* de larges semelles à claire-voie.
✳ Ne pas confondre avec le **racket**.

illustr. p. 913

rare adj. *J'ai trouvé un timbre **rare**,* qu'on ne voit pas souvent (≠ courant, fréquent).

■ **rarement** adv. *Mehdi arrive **rarement** en retard* (≠ souvent).

■ **raréfier** v. 1er groupe. *Certaines espèces animales se **raréfient**,* elles deviennent plus rares.

■ **rareté** n.f. *Ce livre est très cher à cause de sa **rareté**,* la difficulté à se le procurer.

■ **rarissime** adj. *Dans ce sport, les accidents sont heureusement **rarissimes**,* extrêmement rares.

ras, rasade, rasant → ***raser***

rascasse n.f. *Dans la bouillabaisse, on met des **rascasses**,* des poissons de mer qui ont des épines sur le corps.

illustr. p. 691

raser v. 1er groupe. SENS 1. *M. Mével se **rase** tous les matins,* il se coupe les poils du visage au ras de la peau. SENS 2. *La maison **a été rasée**,* elle a été détruite totalement. SENS 3. *Le ballon m'**a rasé** la tête,* il est passé tout près (= frôler). SENS 4. Fam. *Tu me **rases** avec tes questions* (= ennuyer).

illustr. p. 239

■ **rasant, ante** adj. [SENS 3] *Un éclairage **rasant** est un éclairage dont les rayons frôlent seulement la surface éclairée.* [SENS 4] Fam. *Ce livre est **rasant*** (= ennuyeux).

■ **ras, rase** adj. [SENS 1] *Pierre porte les cheveux **ras**,* coupés très court. [SENS 2] *Il faut **faire table rase** de ces préjugés,* les rejeter complètement. **[SENS 3]** *Le verre est rempli* **à ras bord**, jusqu'au niveau du bord. ◆ n.m. *L'avion est passé* **au ras du** *sol*, très près du sol.

▪ **rasade** n.f. **[SENS 3]** *Il m'a servi une* **rasade** *de limonade*, un verre rempli à ras bord.

▪ **rase-mottes** n.m. inv. **[SENS 3]** *L'avion vole en* **rase-mottes**, tout près du sol.

▪ **raseur, euse** n. **[SENS 4]** Fam. *Ce Marc, quel* **raseur** *!*, comme il est ennuyeux.

illustr. p. 239 ▪ **rasoir** **[SENS 1]** . n.m. *Ton père utilise-t-il un* **rasoir** *électrique ou mécanique ?*, un instrument pour se raser. **[SENS 4]** adj. Fam. *Ce film est* **rasoir**, il est ennuyeux.

rassasier v. 1ᵉʳ groupe. *Nous sommes sortis* **rassasiés** *du restaurant*, nous n'avions plus faim. ●● *satiété*

rassembler v. 1ᵉʳ groupe. *Il faudrait* **rassembler** *tous ces papiers éparpillés*, les réunir (= regrouper). *La foule* **s'est rassemblée** *sur la place* (= s'attrouper). ●● *assembler*

▪ **rassemblement** n.m. *L'accident a provoqué un* **rassemblement** (= attroupement).

se **rasseoir** v. 3ᵉ groupe. *À l'appel de son nom, chacun se lève puis* **se rassoit**, s'assoit de nouveau. ●● *asseoir*
✳ Conj. nº 44.

rasséréner v. 1ᵉʳ groupe. *Quand il a su la nouvelle, il en* **a été rasséréné** (= tranquilliser, rassurer ; ≠ troubler).
✳ Conj. nº 10.

rassis, ise adj. *Ce pain est* **rassis**, un peu dur (≠ frais).

rassurer v. 1ᵉʳ groupe. *Téléphone-nous dès ton arrivée pour nous* **rassurer** (= tranquilliser ; ≠ inquiéter, effrayer).

▪ **rassurant, ante** adj. *Ces bonnes nouvelles sont* **rassurantes**, elles rassurent.

rat n.m. *Il y a des* **rats** *dans la cave*, des petits mammifères rongeurs à longue queue. *illustr. p. 385*

▪ **rate** n.f. La **rate** est la femelle du rat.

▪ **raton** n.m. Le **raton** est le petit du rat.

se **ratatiner** v. 1ᵉʳ groupe. *Les pommes de terre* **se ratatinent** *en vieillissant*, elles deviennent petites et ridées.

ratatouille n.f. Une **ratatouille** est un plat d'aubergines, de tomates et de courgettes mijotées longuement.

1. rate n.f. La **rate** est une glande située à gauche de l'estomac.

2. rate → *rat*

raté → *rater*

râteau n.m. **[SENS 1]** *Le jardinier ramasse les feuilles avec un* **râteau**, un outil à dents qui a un long manche. *illustr. p. 384 719*
✳ Au pluriel, on écrit des **râteaux**. Dans cette famille de mots, seul **râteau** prend un accent circonflexe.

▪ **ratisser** v. 1ᵉʳ groupe. SENS 1. *Pierre* **ratisse** *les allées du jardin*, il les nettoie avec un râteau. SENS 2. *Les policiers* **ont ratissé** *le quartier*, ils l'ont fouillé méthodiquement.

▪ **ratissage** n.m. **[SENS 1]** *C'est François qui s'est proposé pour le* **ratissage** *des allées du jardin*. **[SENS 2]** *Le voleur s'est fait prendre au cours d'un* **ratissage** *dans le village*.

râtelier n.m. SENS 1. *Le fermier met du foin dans le* **râtelier** *du cheval*, une sorte d'échelle posée en biais au-dessus de la mangeoire. ◆ Fam. *M. Martin n'est pas très scrupuleux, il* **mange à tous les râteliers**, il tire avantage de toutes les situations en profitant des uns et des autres. SENS 2. *Dans son atelier, M. Legrand dispose ses outils sur un* **râtelier**, une tringle ou une barre au-dessus de l'établi. *illustr. p. 354* *117*

800

rater v. 1ᵉʳ groupe. SENS 1. *Le chasseur* ***a raté*** *le lapin,* il ne l'a pas atteint (= manquer). SENS 2. *Julien* ***a raté*** *son coup,* il n'a pas réussi.

■ **raté** n.m. *Le moteur a des* ***ratés,*** il fait des bruits anormaux.

ratifier v. 1ᵉʳ groupe. *Les traités doivent* ***être ratifiés*** *par le président de la République,* ils doivent recevoir l'approbation qui les rendra valables (= approuver, confirmer).

■ **ratification** n.f. *Ce contrat ne sera valable qu'après sa* ***ratification*** (= confirmation).

ration n.f. *Les soldats ont emporté des* ***rations*** *pour huit jours,* des portions de nourriture.

■ **rationner** v. 1ᵉʳ groupe. *À une époque, l'essence* ***a été rationnée,*** *chacun n'en a eu qu'une quantité limitée.*

■ **rationnement** n.m. *Le gouvernement a pris des mesures de* ***rationnement.*** → **restriction**

rationnel, elle adj. *Ton projet n'est pas* ***rationnel,*** conforme au bon sens. ●● **raison**

■ **rationnellement** adv. *Il organise son travail* ***rationnellement*** (= intelligemment, méthodiquement).

raton → **rat**

raton laveur n.m. *Le* ***raton laveur*** *est un petit mammifère d'Amérique qui trempe ses aliments dans l'eau avant de les manger.* → **rat**

rattacher v. 1ᵉʳ groupe. SENS 1. *Il s'est baissé pour* ***rattacher*** *son lacet de chaussure,* pour l'attacher de nouveau. SENS 2. *Cette commune* ***est rattachée*** *à la ville voisine,* elle en dépend.

■ **rattachement** n.m. *Le* ***rattachement*** *de la Savoie à la France date de 1860,* l'intégration dans le territoire français.

rattraper v. 1ᵉʳ groupe. SENS 1. *Les gendarmes* ***ont rattrapé*** *le voleur,* ils l'ont rejoint, repris (= reprendre, rejoindre). SENS 2. *Loïc n'a pas pu* ***rattraper*** *son retard* (= regagner, compenser). SENS 3. *Il a failli tout gâcher, mais il* ***s'est rattrapé*** *à temps,* il a évité au dernier moment cette maladresse (= se ressaisir).

■ **rattrapage** n.m. [SENS 2] *Serge va suivre des cours de* ***rattrapage,*** pour rattraper son retard.

rature n.f. *Ton devoir est plein de* ***ratures,*** de mots barrés.

■ **raturer** v. 1ᵉʳ groupe. *Jean* ***a raturé*** *une phrase,* il l'a rayée.

rauque adj. *Une voix* **rauque** *est une voix grave et voilée.*

ravage n.m. *La tempête a fait des* ***ravages,*** des dégâts importants (= destruction).

■ **ravager** v. 1ᵉʳ groupe. *Les oiseaux* ***ont ravagé*** *les récoltes* (= détruire, saccager, dévaster).
✳ Conj. nº 2.

ravaler v. 1ᵉʳ groupe. *Les maçons* ***ont ravalé*** *le mur de la maison,* ils l'ont nettoyé et enduit.

■ **ravalement** n.m. *Cette façade a besoin d'un* ***ravalement,*** d'être nettoyée.

rave n.f. *La betterave, le navet sont des* ***raves,*** des plantes aux racines comestibles.

ravier n.m. *On sert les hors-d'œuvre dans des* ***raviers,*** des petits plats creux et allongés.

ravigoter v. 1ᵉʳ groupe. Fam. *Nous étions épuisés : ce bon repas nous* ***a ravigotés,*** il nous a redonné des forces (= revigorer, ragaillardir).

ravin n.m. *Le ruisseau coule au fond d'un* ***ravin,*** d'une vallée étroite et très profonde.

■ **raviner** v. 1er groupe. *Les torrents* **ravinent** *les pentes,* ils y creusent de profonds sillons.

ravioli n.m. *Chez les Giovanni, on mange beaucoup de* **raviolis***, des pâtes carrées farcies de viande.*
✱ Au pluriel, on écrit des **raviolis** ou des **ravioli**.

1. ravir v. 2e groupe. *Je* **suis ravi** *de vous rencontrer,* j'en suis très heureux (= enchanter). ◆ *Hélène chante* **à ravir***,* admirablement.

■ **ravissant, ante** adj. **[SENS 1]** *Margot est* **ravissante***, très jolie.*

■ **ravissement** n.m. **[SENS 1]** *Ce spectacle nous a plongés dans le* **ravissement***,* un état de bonheur, de joie extrêmes (= enchantement).

2. ravir v. 2e groupe. **Ravir** *quelqu'un,* c'est l'enlever par la force (= kidnapper). ●● **rapt**
✱ Ce verbe s'emploie surtout dans la langue écrite.

■ **ravisseur, euse** n. *Les* **ravisseurs** *ont demandé une rançon,* les auteurs du rapt.

se **raviser** v. 1er groupe. *Jean* **s'est ravisé** *au dernier moment,* il a changé d'avis.

ravissant, ravissement → *ravir (1)*

ravisseur → *ravir (2)*

ravitailler v. 1er groupe. *Un hélicoptère a* **ravitaillé** *les naufragés,* il leur a fourni de quoi vivre.

■ **ravitaillement** n.m. *Un avion spécialisé assure le* **ravitaillement** *en vol du bombardier,* il le ravitaille en essence. ◆ *Nous avons du* **ravitaillement** *pour huit jours,* des provisions.

raviver v. 1er groupe. *Cet incident a* **ravivé** *de vieilles rancunes,* il les a rendues plus vives (= réveiller, ranimer).

rayer v. 1er groupe. **SENS 1.** *La carrosserie de la voiture est* **rayée***,* elle est abîmée par des raies. ●● **raie. SENS 2.** *Il a* **rayé** *deux mots dans son devoir,* il les a barrés d'un trait (= raturer).
✱ Conj. n° 4.

■ **rayure** n.f. **[SENS 1]** *Les zèbres ont des* **rayures** *sur le corps,* des bandes de couleur (= raie).

rayon n.m. **SENS 1.** *Un* **rayon** *de lumière passe sous la porte,* une ligne de lumière. ●● **rai, raie. SENS 2.** (Au plur.) *Les corps radioactifs émettent des* **rayons***,* des phénomènes physiques invisibles (= radiation). **SENS 3.** *Le* **rayon** *de ce cercle mesure 5 centimètres,* la ligne qui va du centre à n'importe quel point de sa circonférence. **SENS 4.** *Les roues de bicyclette ont des* **rayons***,* des tiges d'acier qui vont du centre de la roue à la jante. **SENS 5.** *Cet avion a un grand* **rayon d'action***,* il peut aller loin. **SENS 6.** *Le livre est sur le* **rayon** *du haut de la bibliothèque,* la planche du haut. **SENS 7.** *M. Morin fait ses achats au* **rayon** *d'alimentation,* dans la partie du magasin réservée à cette catégorie de marchandises. **SENS 8.** *Dans la ruche, les abeilles emmagasinent le miel dans des* **rayons***,* des gâteaux de cire comportant un grand nombre d'alvéoles.

illustr. p. 869

431,

1002

■ **rayonnage** n.m. **[SENS 6]** *On a rangé les livres sur des* **rayonnages** (= étagère).

■ **rayonner** v. 1er groupe. **[SENS 3]** *Les rues* **rayonnent** *à partir de la place,* elles partent dans toutes les directions. **[SENS 5]** *Nous* **avons rayonné** *à partir de Paris,* nous nous sommes promenés dans la région. ◆ *Son visage* **rayonne** *de joie,* il exprime vivement ce sentiment.

■ **rayonnement** n.m. **[SENS 1 et 2]** *Le* **rayonnement** *solaire est source d'énergie,* les radiations émises par le soleil. ◆ *Ces œuvres contribuent au* **rayonnement** *de notre culture* (= propagation, diffusion).

rayure → *rayer*

raz de marée ou **raz-de-marée** n.m. inv. *Un **raz de marée** a inondé cette côte*, une vague énorme de 20 à 30 m de hauteur et très violente.

✳ Ce mot ne change pas au pluriel.

razzia n.f. *Des brigands ont fait une **razzia** dans le village*, une expédition de pillage.

✳ On prononce [razja] ou [radzja].

> **re-** ou **ré-** ou **r-** préfixe. Placés au début d'un mot, **re-**, **ré-** ou **r-** indiquent la répétition, le retour : **re***commencer* (commencer de nouveau) ; **ré***élire* (élire une nouvelle fois) ; **r***accompagner quelqu'un* (l'accompagner quand il repart).

ré n.m. **Ré** est la deuxième note de la gamme.

réaction n.f. SENS 1. *Si tu l'ennuies, tu vas voir sa **réaction***, comment il va répondre à ton action (= attitude, comportement). SENS 2. *Un avion **à réaction** avance grâce à des moteurs **à réaction***, qui projettent des gaz derrière eux. SENS 3. *Ce parti lutte contre la **réaction***, ceux qui s'opposent au progrès social et politique.

illustr. ■ **réacteur** n.m. [SENS 2] *Le pilote a mis
p. 75 *les **réacteurs** en marche*, les moteurs à réaction. ●● **biréacteur**

■ **réactionnaire** adj. [SENS 3] *Le gouvernement a pris des décrets jugés **réactionnaires** par l'opposition*, d'un caractère excessivement conservateur (≠ progressiste).

■ **réagir** v. 2e groupe. [SENS 1] *Quand il a su la nouvelle, il **a réagi** violemment*, il a eu à la suite de cela une attitude violente. *Il faut **réagir** contre cette tendance au découragement* (= lutter, résister).

se **réadapter** v. 1er groupe. *Après vingt ans passés à l'étranger, il **se réadapte** difficilement dans son pays*, il s'y adapte de nouveau. ●● **adapter**

réajustement, réajuster
→ **rajuster**

réaliser v. 1er groupe. SENS 1. *Ce coureur **a réalisé** un exploit*, il l'a fait (= accomplir). *Ce qu'on avait annoncé ne **s'est** pas **réalisé***, ne s'est pas produit. SENS 2. Fam. *Je n'**ai** pas **réalisé** comment tu as pu faire*, je n'ai pas compris (= saisir).

■ **réalisable** adj. [SENS 1] *Ce projet n'est pas **réalisable*** (= possible, faisable ; ≠ irréalisable).

■ **réalisateur, trice** n. [SENS 1] *Qui est le **réalisateur** de ce film ?*, celui qui a dirigé le tournage.

■ **réalisation** n.f. [SENS 1] *La **réalisation** de ses projets demandera beaucoup d'argent* (= exécution).

réalité n.f. SENS 1. *Les rêves n'ont pas de **réalité***, ce ne sont pas des faits réels (= existence). ●● **réel**. SENS 2. *Il prétend avoir vu un fantôme, **en réalité** c'est un rideau agité par le vent* (= en fait).

■ **réalisme** n.m. [SENS 1] *Cessez de vivre dans l'illusion, voyez la situation avec **réalisme***, comme elle est réellement.

■ **réaliste** adj. et n. [SENS 1] *Ce film contient des scènes très **réalistes***, qui risquent de choquer car elles montrent la réalité (= cru, osé). ◆ *M. Durant est (un) **réaliste***, il tient compte avant tout des exigences de la réalité (≠ rêveur, idéaliste).

réanimation n.f. *L'opéré a eu un malaise cardiaque, on l'a emmené en salle de **réanimation***, la salle équipée pour ranimer les personnes. ●● **animer, ranimer**

réapparaître v. 3e groupe. *La tache **réapparaît** sur ce vêtement malgré le nettoyage*, on la voit de nouveau. ●● **apparaître**
✳ Conj. n° 64.

■ **réapparition** n.f. *On attend la **réapparition** du soleil après l'orage*, qu'il brille de nouveau.

rébarbatif, ive adj. Un visage **rébarbatif** est un visage désagréable, revêche (≠ affable).

rebattre v. 3e groupe. *Arrête de me* **rebattre les oreilles** *avec tes récriminations !,* de les répéter sans arrêt.
✱ Conj. n° 56. Ne pas confondre avec **rabattre**.

■ **rebattu, ue** adj. *C'est un sujet* **rebattu,** dont on a beaucoup parlé (= usé, éculé).

rebelle SENS 1. n. et adj. *Les* **rebelles** *se sont emparés du pouvoir,* des gens qui s'étaient révoltés. SENS 2. adj. *Une fièvre* **rebelle** résiste aux remèdes (= tenace).

■ se **rebeller** v. 1er groupe. [SENS 1] *Les prisonniers* **se sont rebellés** *contre la discipline* (= se révolter, s'insurger).

■ **rébellion** n.f. [SENS 1] *La* **rébellion** *a été vaincue* (= révolte, soulèvement, insurrection).

se **rebiffer** v. 1er groupe. *Quand on agace le chat, il* **se rebiffe** (= regimber, se défendre).

reboiser v. 1er groupe. **Reboiser** *une région,* c'est y replanter des arbres (≠ déboiser). ●● *bois*

■ **reboisement** n.m. *Le* **reboisement** *des pentes diminue l'érosion,* quand on y replante des arbres.

rebond → *rebondir*

rebondi, ie adj. *Des joues* **rebondies** sont des joues bien rondes.

rebondir v. 2e groupe. SENS 1. *La balle* **rebondit,** elle fait un nouveau bond après avoir heurté un obstacle. ●● *bond.* SENS 2. *La discussion* **rebondit,** elle reprend sur un autre sujet ou avec d'autres arguments.

■ **rebond** n.m. [SENS 1] *Un gravier a faussé le* **rebond** *de la balle,* il l'a fait mal rebondir.

■ **rebondissement** n.m. [SENS 2] *L'enquête connaît un* **rebondissement,** un développement nouveau et imprévu.

rebord n.m. *Des pots de fleurs sont posés sur le* **rebord** *de la fenêtre,* le bord qui dépasse du mur. ●● *bord*

reboucher v. 1er groupe. **Reboucher** un trou, une bouteille, c'est les boucher de nouveau. ●● *boucher*

à **rebours** adv. *Sais-tu compter* **à rebours** *? – Oui : 10, 9, 8, 7, 6,* dans le sens contraire, à l'envers.

rebouteux, euse n. *Un* **rebouteux** *est quelqu'un qui, sans être médecin, soigne des entorses et diverses maladies.*

rebrousser v. 1er groupe. SENS 1. *Le vent lui* **a rebroussé** *les cheveux,* il les lui a relevés dans le sens contraire. SENS 2. *Les explorateurs ont dû* **rebrousser chemin,** repartir dans le sens inverse.

■ à **rebrousse-poil** adv. [SENS 1] *Ne caresse pas le chat* **à rebrousse-poil,** *il va te griffer,* en rebroussant ses poils.

rebuffade n.f. *Je ne me suis pas laissé décourager par cette* **rebuffade,** *ce refus brutal.*

rébus n.m. *Un* **rébus** *est un mot ou une phrase à deviner en assemblant des sons représentés par des lettres, des chiffres ou des dessins, par exemple ce texte :* LNAMÉRV (Hélène a aimé Hervé).
✱ On prononce le « s » : [rebys].

rebut n.m. *On a mis ces vieux meubles* **au rebut,** on s'en est débarrassé (= fam. au rancard).

rebuter v. 1er groupe. *Son accueil désagréable avait de quoi* **rebuter** *les clients,* les décourager, les dégoûter.

■ **rebutant, ante** adj. *Ce travail est* **rebutant** (= ingrat ; ≠ attrayant).

récalcitrant, ante adj. *Il n'est pas possible de convaincre certains esprits*

récalcitrants, qui résistent avec entêtement (= rebelle, rétif, indocile ; ≠ docile).

recaler v. 1er groupe. Fam. *Rémi a failli être **recalé** au bac*, il a failli échouer (= refuser).

récapituler v. 1er groupe. ***Récapitulons** la suite des événements*, répétons-la en résumant.

■ **récapitulation** n.f. *À la fin de son discours, il a fait une **récapitulation*** (= résumé).

receler v. 1er groupe. SENS 1. *Cette bibliothèque **recèle** des manuscrits précieux*, elle les contient (= renfermer). SENS 2. ***Receler** des objets volés*, c'est les garder illégalement.
✳ Conj. n° 5.

■ **recel** n.m. [SENS 2] *Le **recel** d'objets volés est une complicité de vol*, quand on les garde illégalement.

■ **receleur, euse** n. [SENS 2] *Les policiers ont arrêté un **receleur***.

récemment → *récent*

recenser v. 1er groupe. *On **a recensé** la population de la Suisse*, on a compté exactement le nombre d'habitants (= dénombrer).

■ **recensement** n.m. *Le **recensement** de la population a lieu périodiquement*.

récent, ente adj. *Cet immeuble est une construction **récente***, qui date de peu de temps (= nouveau ; ≠ ancien).

illustr. p. 945 ■ **récemment** adv. *J'ai vu Paul **récemment***, il y a peu de temps.
✳ On prononce [resamã].

récépissé n.m. *J'ai versé de l'argent pour payer mes impôts et on m'a donné un **récépissé***, un papier signé qui reconnaît ce versement (= reçu).

récepteur, réception → *recevoir*

récession n.f. *La **récession** est une diminution de l'activité économique d'un pays* (≠ expansion).

recette n.f. SENS 1. *Le commerçant compte ses dépenses et ses **recettes***, l'argent qu'il a reçu. SENS 2. *Quelle est la **recette** de ce pâté ?*, comment le prépare-t-on ?

recevoir v. 3e groupe. SENS 1. *J'ai reçu une lettre de Paul*, elle m'a été remise. SENS 2. *La voiture **a reçu** un choc*, on le lui a donné. SENS 3. *Mme Gilot **reçoit** ses invités*, elle les accueille chez elle. SENS 4. *Jean **a été reçu** à l'examen*, il a été admis (≠ refuser, fam. coller, recaler).
✳ Conj. n° 34.

■ **récepteur, trice** adj. et n.m. [SENS 1] *Un (poste) **récepteur** de radio, de télévision permet de recevoir des émissions* (≠ émetteur). *illustr. p. 940*

■ **réception** n.f. [SENS 1] *La **réception** de cette lettre m'a réjoui*. [SENS 3] *Mme Gilot a donné une **réception***, elle a reçu des amis. *On vous attend à la **réception** de l'hôtel*, à l'endroit où l'on reçoit les clients.

■ **recevable** adj. [SENS 1] *Ta demande n'est pas **recevable***, on ne peut pas l'accepter (= acceptable, admissible).

■ **receveur, euse** n. [SENS 1] *On paie ses impôts au **receveur***, à celui qui est chargé de les recevoir. ◆ *Le **receveur des postes** est celui qui est responsable d'un bureau de poste*.

■ **reçu** n.m. [SENS 1] *Le facteur m'a fait signer un **reçu***, un papier prouvant que j'ai reçu quelque chose.

rechange n.m. *Les concurrents du rallye emportent des pièces de **rechange***, pour remplacer en cas de besoin les pièces abîmées. ●● *changer*

réchapper v. 1er groupe. *Il a été bien malade, il a eu de la chance d'en **réchapper***, de guérir (= s'en tirer, s'en sortir). ●● *échapper*

recharger v. 1er groupe. ***Recharger** une voiture, un fusil, une batterie, c'est les charger de nouveau. ●● *charge*
✳ Conj. n° 2.

■ **recharge** n.f. Une **recharge** de stylo est une cartouche contenant une réserve d'encre.

■ **rechargeable** adj. Un stylo **rechargeable** peut recevoir des recharges (≠ jetable).

réchauffer v. 1ᵉʳ groupe. *On a réchauffé les plats pour les retardataires,* on les a chauffés de nouveau. *Le temps s'est réchauffé,* il fait moins froid. ●● **chaud**

■ **réchauffement** n.m. *La météo annonce un réchauffement de la température* (≠ refroidissement).

■ **réchaud** n.m. Un **réchaud** est un petit fourneau portatif.

rêche adj. *Ce tissu est rêche,* rude au toucher (= rugueux ; ≠ doux).

rechercher v. 1ᵉʳ groupe. *La police recherche les coupables,* elle les cherche avec soin.

■ **recherche** n.f. *Les bandits ont échappé aux recherches de la police* (= investigation). *Mon frère est à la recherche d'un emploi* (= en quête de). ◆ *Ma cousine travaille dans la recherche,* dans un organisme scientifique qui cherche à faire des découvertes. ◆ *Margot s'habille avec recherche,* avec beaucoup de soin (= raffinement ; ≠ simplicité).

rechigner v. 1ᵉʳ groupe. *Paul rechigne à travailler,* il y met de la mauvaise volonté.

rechute n.f. *Le malade a fait une rechute,* sa maladie s'est de nouveau manifestée alors qu'elle était en voie de guérison.

■ **rechuter** v. 1ᵉʳ groupe. *Sois prudent, tu risques de rechuter,* de faire une rechute.

récidiver v. 1ᵉʳ groupe. *Dès sa sortie de prison, le malfaiteur a récidivé,* il a recommencé à commettre des délits.

■ **récidive** n.f. *La récidive aggrave la faute,* quand on commet de nouveau un délit après une condamnation.

■ **récidiviste** n. *L'accusé est un récidiviste,* il avait déjà commis cette faute, ce délit.

récif n.m. *Le bateau a heurté des récifs,* des rochers à fleur d'eau.

récipient n.m. Un **récipient** est un objet creux, comme un bidon, une bouteille, un vase, une tasse, servant à recevoir un liquide, un gaz, etc.

réciproque adj. et n.f. *Leur amour est réciproque,* ils s'aiment l'un l'autre (= mutuel). *Si tu as confiance en moi, la réciproque est vraie,* l'inverse.

■ **réciproquement** adv. *Je l'ai aidée, et réciproquement elle m'a aidé,* à son tour (= vice versa).

récit n.m. *Jean m'a fait le récit de son voyage,* il me l'a raconté (= compte rendu, narration).

récital n.m. *La chanteuse a donné une série de récitals,* des représentations, des concerts où un seul interprète se fait entendre.
✳ Au pluriel, on dit des **récitals**.

réciter v. 1ᵉʳ groupe. *Irène récite sa leçon,* elle la dit de mémoire à haute voix.

■ **récitation** n.f. *Irène a appris une récitation,* un texte qu'elle doit savoir par cœur afin de le réciter.

réclamation → **réclamer**

réclame n.f. SENS 1. *Ce commerçant fait de la réclame,* il fait connaître ses produits pour les vendre (= publicité). SENS 2. *Ce produit est en réclame,* il est vendu à un prix réduit (= en promotion).

réclamer v. 1ᵉʳ groupe. SENS 1. *Pierre m'a réclamé ce qu'il m'avait prêté,* il l'a demandé avec insistance (= exiger).

SENS 2. *Ces quêteurs se réclamaient d'une organisation de bienfaisance*, ils disaient qu'ils venaient avec l'accord de cette organisation.

■ **réclamation** n.f. [SENS 1] *On n'a pas tenu compte de mes réclamations* (= demande, revendication, plainte).

reclasser v. 1er groupe. SENS 1. *Il faut reclasser toutes ces fiches éparpillées par le courant d'air*, les mettre dans l'ordre de nouveau. ●● *classer*. SENS 2. *Reclasser quelqu'un*, c'est lui procurer un nouvel emploi.

■ **reclassement** n.m. [SENS 1] *Le reclassement des fiches a été long.* [SENS 2] *Elle s'occupe du reclassement des chômeurs.*

réclusion n.f. *L'accusé a été condamné à la réclusion perpétuelle* (= emprisonnement).

■ **reclus, use** adj. *Elle vit recluse dans sa maison*, enfermée, isolée.

se recoiffer v. 1er groupe. *Elle a ôté sa capuche et s'est recoiffée devant la glace*, elle a refait sa coiffure. ●● *coiffer*

recoin n.m. *Le chat s'est réfugié dans un recoin*, un endroit caché. ●● *coin*

recoller v. 1er groupe. *On a recollé les morceaux du vase*, on les a rassemblés en les collant. ●● *colle*

récolter v. 1er groupe. *Nous avons récolté des fruits* (= ramasser, cueillir).

illustr. p. 385 ■ **récolte** n.f. *La récolte de blé a été bonne*, l'ensemble du blé récolté.

recommandé n.m. *Il envoie ce colis en recommandé*, il a payé un supplément pour qu'il soit remis personnellement au destinataire.

recommander v. 1er groupe. SENS 1. *Il m'a recommandé la prudence*, il m'a conseillé avec insistance d'être prudent (= conseiller). SENS 2. *M. Valdois est*

recommandé par le ministre, celui-ci a dit du bien de lui pour lui rendre service (= appuyer).

■ **recommandable** adj. [SENS 2] *Cet homme n'est pas recommandable*, on ne peut pas le recommander pour ses qualités (= estimable).

■ **recommandation** n.f. [SENS 1] *Il n'a pas tenu compte de mes recommandations* (= conseil, exhortation).

recommencer v. 1er groupe. *La classe recommence à deux heures*, elle commence de nouveau (= reprendre). *Ne recommencez pas la même erreur* (= refaire, renouveler). ●● *commencer* ✳ Conj. n° 1.

récompenser v. 1er groupe. *Nous tenons à te récompenser pour ton aide*, à te donner un cadeau en remerciement (≠ punir).

■ **récompense** n.f. *Une récompense est promise à qui retrouvera le chien perdu* (= gratification ; ≠ châtiment).

réconcilier v. 1er groupe. *Les deux amis ont fini par se réconcilier*, par se remettre d'accord après s'être fâchés (= fam. se raccommoder ; ≠ se brouiller). ●● *concilier*

■ **réconciliation** n.f. *Une poignée de main a marqué leur réconciliation* (≠ brouille).

reconduire v. 3e groupe. SENS 1. *Il m'a reconduite jusqu'à la porte*, il m'a raccompagnée (= ramener). ●● *conduire*. SENS 2. *On a reconduit le budget précédent*, on l'a renouvelé sans modification. ✳ Conj. n° 70.

réconforter v. 1er groupe. SENS 1. *Ton amitié nous a réconfortés*, elle nous a redonné du courage (= soutenir ; ≠ décourager). SENS 2. *Ce repas m'a réconforté*, il m'a redonné des forces (= ragaillardir, fam. ravigoter, retaper ; ≠ affaiblir).

■ **réconfortant, ante** adj. [SENS 1] *Les paroles réconfortantes de ses amis lui ont été d'un grand secours.*

■ **réconfort** n.m. [SENS 1] *Damien est triste, il a besoin de réconfort* (= encouragement, consolation).

reconnaître v. 3ᵉ groupe. SENS 1. *Il a tellement changé que je ne l'ai pas reconnu,* je n'ai pas pu me rendre compte que c'était bien lui (= identifier). SENS 2. *Je reconnais que je me suis trompé,* je l'admets (= avouer ; ≠ nier). SENS 3. *Les soldats reconnaissent le terrain,* ils y vont pour l'examiner. SENS 4. *Ce nouveau gouvernement a été reconnu par la France,* il a été admis officiellement.
✳ Conj. nº 64.

■ **reconnaissable** adj. [SENS 1] *Michèle est reconnaissable à ses longs cheveux roux,* on peut la reconnaître facilement.

■ **reconnaissance** n.f. [SENS 1] *Marie m'a fait un signe de reconnaissance,* qui montre qu'elle me reconnaît. [SENS 3] *Les soldats font une reconnaissance en pays ennemi,* ils en parcourent un secteur pour rapporter des renseignements (= exploration). ◆ *J'éprouve de la reconnaissance pour les services qu'il m'a rendus* (= gratitude).

■ **reconnaissant, ante** adj. *Je lui suis reconnaissant de son aide,* j'ai de la reconnaissance, de la gratitude (≠ ingrat).

reconquérir v. 3ᵉ groupe. *La contre-attaque a permis de reconquérir le terrain perdu,* de s'en emparer de nouveau (= regagner). ●● *conquérir*
✳ Conj. nº 21.

■ **reconquête** n.f. *L'opposition lutte pour la reconquête du pouvoir.*

reconstituer v. 1ᵉʳ groupe. *Les fouilles ont permis de reconstituer le plan de la ville antique,* de le rétablir (= reproduire). ●● *constitution*

■ **reconstitution** n.f. *Le juge a ordonné la reconstitution du crime,* de le simuler pour en reproduire les circonstances exactes. *illustr. p. 758*

reconstruire v. 3ᵉ groupe. *Après la guerre, il a fallu reconstruire les quartiers détruits,* les édifier de nouveau (= rebâtir). ●● *construire*
✳ Conj. nº 70.

■ **reconstruction** n.f. *La reconstruction de la ville a duré plusieurs années.*

recopier v. 1ᵉʳ groupe. SENS 1. *Recopier un brouillon,* c'est en faire une copie définitive. SENS 2. *Recopier une adresse,* c'est la prendre en note. ●● *copie*

record n.m. *Le record du monde de saut en hauteur a été battu,* la meilleure performance.

recoucher v. 1ᵉʳ groupe. *Elle a recouché son bébé après la tétée,* elle l'a couché de nouveau. ●● *coucher.* ◆ *Je me suis levé pour boire un verre d'eau, et je me suis recouché,* je me suis remis au lit.

recoudre v. 3ᵉ groupe. *Un bouton de ma veste a sauté, il faudrait le recoudre,* le coudre de nouveau. ●● *coudre*
✳ Conj. nº 59.

recouper v. 1ᵉʳ groupe. SENS 1. *Il faut recouper quelques tranches de gigot,* couper de nouvelles tranches. ●● *couper.* SENS 2. *Ce que tu me dis recoupe ce que j'ai appris,* cela coïncide, c'est une confirmation.

■ **recoupement** n.m. [SENS 2] *Par recoupements, on a pu savoir la vérité,* en vérifiant les coïncidences, en comparant les témoignages.

recourber v. 1ᵉʳ groupe. *On a patiemment recourbé la tige pour en faire un crochet,* on lui a donné une forme courbe. ●● *courbe*

recourir v. 3ᵉ groupe. *Il **a recouru** à mes services,* il m'a demandé mon aide (= faire appel).
✳ Conj. n° 29.

■ **recours** n.m. *On peut faire cela en dernier **recours**,* comme dernière solution.

recouvrer v. 1ᵉʳ groupe. *Elle voudrait **recouvrer** l'argent qu'on lui doit* (= reprendre, récupérer).
✳ Ne pas confondre avec **recouvrir**.

■ **recouvrement** n.m. *Le percepteur est chargé du **recouvrement** des impôts* (= perception).

recouvrir v. 3ᵉ groupe. SENS 1. **Recouvrir** une casserole, c'est remettre un couvercle dessus. SENS 2. *Le sol **est recouvert** de feuilles mortes,* il en est entièrement couvert (= joncher).
●● *couvrir*
✳ Conj. n° 16. Ne pas confondre avec **recouvrer**.

illustr. p. 310 **récréation** n.f. *Les élèves jouent dans la **cour de récréation**,* l'endroit prévu pour s'amuser, se détendre entre les cours.

se **récrier** v. 1ᵉʳ groupe. *Quand on l'a accusé, il **s'est récrié**,* il a protesté.

récriminer v. 1ᵉʳ groupe. *Il passe son temps à **récriminer** contre le règlement,* à s'en plaindre vivement (= protester).

■ **récrimination** n.f. *Tu m'ennuies avec tes **récriminations*** (= réclamation, plainte).

récrire → *réécrire*

se **recroqueviller** v. 1ᵉʳ groupe. *Le chat **s'est recroquevillé** dans un coin,* il s'est replié sur lui-même (= se pelotonner).

recru, ue adj. *Après une nuit de travail acharné, les sauveteurs étaient **recrus de fatigue**,* épuisés, harassés.
✳ Ce mot appartient à la langue écrite.

recrudescence n.f. *La météo annonce une **recrudescence** du froid,* une réapparition plus grave (= augmentation, reprise).

recruter v. 1ᵉʳ groupe. *Cette entreprise **recrute** des employés,* elle les engage (= embaucher).

■ **recrue** n.f. *Les jeunes **recrues** sont les soldats récemment engagés.*

■ **recrutement** n.m. *Le **recrutement** des nouveaux collaborateurs se fera par concours* (= embauche).

recta adv. Fam. *C'est un bon client, il paie toujours **recta**,* exactement, ponctuellement.

rectal → *rectum*

rectangle n.m. *Notre jardin forme un **rectangle** de 12 mètres de large sur 25 mètres de long,* une figure géométrique ayant quatre angles droits et dont les côtés sont égaux deux à deux. ◆ adj. *Un triangle **rectangle** a un angle droit.* *illustr. p. 431*

■ **rectangulaire** adj. *Les pages de ce livre sont **rectangulaires**,* elles ont la forme d'un rectangle.

rectifier v. 1ᵉʳ groupe. **Rectifier** une erreur, c'est la corriger.

■ **rectificatif, ive** adj. et n.m. *Le journal a publié un **rectificatif (une note rectificative)**,* une note qui rectifie ce qui avait été publié.

■ **rectification** n.f. *Ce travail demande quelques **rectifications*** (= correction).

rectiligne adj. *Les allées du parc sont **rectilignes**,* en ligne droite.

recto n.m. *Remplissez le **recto** du questionnaire !,* la page du devant (≠ verso).

rectum n.m. *Le **rectum** est la partie terminale du gros intestin.*
✳ On prononce [rɛktɔm].

■ **rectal, ale, aux** adj. *La température **rectale** est celle qui est prise dans le rectum.*

reçu → *recevoir*

recueillir v. 3ᵉ groupe. SENS 1. *Elle a recueilli des documents pour écrire son livre*, elle les a rassemblés, réunis. SENS 2. *Jean a recueilli un chien abandonné*, il s'en est chargé et l'a pris auprès de lui. SENS 3. *Les croyants se recueillent pour prier*, ils restent immobiles et silencieux, concentrés dans leurs pensées.
✸ Conj. nᵒ 24.

■ **recueil** n.m. [SENS 1] *Ce livre est un recueil de poésies*, un ouvrage qui réunit plusieurs poésies.

■ **recueillement** n.m. [SENS 3] *L'assistance a suivi l'office avec recueillement*, avec beaucoup d'attention, en méditant.

reculer v. 1ᵉʳ groupe. SENS 1. *Recule un peu ta chaise !*, mets-la plus loin en arrière. *Alexis a reculé d'un mètre*, il est allé en arrière. SENS 2. *On a reculé la date du départ*, on l'a remise à plus tard (= reporter, repousser, retarder, différer). SENS 3. *C'est un garçon décidé, qui ne recule pas devant l'effort* (= renoncer, abandonner, se dérober).

illustr. p. 69
■ **recul** n.m. [SENS 1] *Fabrice a eu un mouvement de recul à la vue de ce spectacle horrible*, un mouvement en arrière.

■ **reculade** n.f. [SENS 3] *Ils ont fini par tout accepter après plusieurs reculades*, après avoir cédé plusieurs fois (= concession).

■ **à reculons** adv. [SENS 1] *Pierre s'est éloigné à reculons*, en marchant en arrière.

récupérer v. 1ᵉʳ groupe. SENS 1. *J'ai récupéré ce que je lui avais prêté*, j'en ai repris possession (= retrouver, reprendre, recouvrer). SENS 2. *Le chiffonnier récupère des vieux papiers pour les vendre*, il les ramasse parmi les choses mises au rebut (= recueillir). ●● *irrécupérable*. SENS 3. *Après son effort, il a mis une heure à récupérer*, à reprendre des forces.
✸ Conj. nᵒ 10.

■ **récupération** n.f. [SENS 2] *La cabane était faite de matériaux de récupération.*

récurer v. 1ᵉʳ groupe. *Récurer des casseroles*, c'est les nettoyer en les frottant.

récuser v. 1ᵉʳ groupe. *Nous récusons ce témoignage*, nous n'admettons pas sa valeur. ●● *irrécusable*. *On lui a offert ce poste, mais il s'est récusé*, il a refusé.

recycler v. 1ᵉʳ groupe. SENS 1. *Des cours sont organisés pour recycler les ingénieurs de l'entreprise*, pour leur donner un complément de formation adapté à l'évolution de leur métier. *Aurélie cherche à se recycler dans l'informatique*, elle suit des cours pour faire un nouveau travail. SENS 2. *On recycle le papier et le verre*, on récupère le papier et le verre usagés pour les utiliser de nouveau.

■ **recyclage** n.m. [SENS 1] *M. Dubois a suivi un stage de recyclage.*

rédacteur, rédaction → *rédiger*

reddition n.f. *L'ennemi a exigé la reddition des assiégés*, qu'ils cessent de résister (= capitulation). ●● *rendre*

rédemption n.f. *Le dogme chrétien de la Rédemption enseigne que le Christ a sauvé les hommes.*

■ **rédempteur** n.m. *Le Christ est appelé le Rédempteur*, le sauveur du genre humain.

redescendre v. 3ᵉ groupe. SENS 1. *Les alpinistes sont redescendus par des sentiers de montagne*, ils sont revenus en bas après être montés. ●● *descendre*. SENS 2. *On a redescendu à la cave les bouteilles restantes*, on les a reportées en bas.
✸ Conj. nᵒ 50. *Ce verbe se conjugue tantôt avec l'auxiliaire « être » : je suis redescendu à la plage ; tantôt avec l'auxiliaire « avoir » : j'ai redescendu cette lettre à la gardienne.*

redevable adj. SENS 1. *Je vous suis* **redevable** *de ma réussite,* j'y suis parvenu grâce à vous. SENS 2. *Vous m'êtes encore* **redevable** *de 152,40 euros,* vous ne me les avez pas encore rendus.
●● *devoir, débiteur*

redevance n.f. La **redevance** de la télévision est la somme à payer pour bénéficier de ses programmes.

Illustr.
. 503
rédiger v. 1ᵉʳ groupe. *Le journaliste* **rédige** *son article,* il l'écrit.
✳ Conj. nº 2.

■ **rédaction** n.f. *La* **rédaction** *de ces lettres m'a pris du temps,* j'ai mis du temps à les écrire. ◆ *Loïc a eu une bonne note à sa* **rédaction,** un devoir de français consistant à rédiger un texte sur un sujet donné.

Illustr.
. 503
■ **rédacteur, trice** n. *Mme Legendre est* **rédactrice** *dans un journal,* elle y écrit.

Illustr.
177,
220
redingote n.f. Une **redingote** est une longue veste que les hommes portaient autrefois.

redire v. 3ᵉ groupe. *Il* **m'a redit** *qu'il était d'accord,* il me l'a dit une nouvelle fois. ●● *répéter*
✳ Conj. nº 72 sauf au présent (vous **redites**) et au participe (**redit**).

■ **redite** n.f. *Il faut supprimer les* **redites** *dans ce compte rendu,* les répétitions.

redoubler v. 1ᵉʳ groupe. SENS 1. *Bruno a* **redoublé** *(sa classe),* il l'a recommencée pour une nouvelle année. ●● *doubler.* SENS 2. *La pluie a* **redoublé,** elle est devenue encore plus forte. *Il faut* **redoubler d'efforts,** faire encore plus d'efforts. *On frappait à la porte* **à coups redoublés,** beaucoup et fort.

■ **redoublant, ante** n. [SENS 1] *Les* **redoublants** *ont déjà fait cet exercice,* les élèves qui redoublent.

■ **redoublement** n.m. [SENS 1] *Son* **redoublement** *lui a été profitable : cette année, il est dans les premiers de la classe.*

redouter v. 1ᵉʳ groupe. *Il* **redoute** *l'avenir,* il en a peur (= craindre).

■ **redoutable** adj. *Patrick est un joueur de tennis* **redoutable,** très fort (= dangereux ; ≠ inoffensif).

redoux n.m. *Après une semaine de gelée, le* **redoux** *est arrivé,* le radoucissement de la température.

redresser v. 1ᵉʳ groupe. SENS 1. *Yves a ramassé la vis et il* **s'est redressé,** il s'est remis droit (= relever ; ≠ incliner, renverser). SENS 2. *Il* **a redressé** *la situation,* il l'a remise en meilleur état (= rétablir).

■ **redressement** n.m. [SENS 2] *Le* **redressement** *de la situation économique après la guerre a été long,* la remise en état (= relèvement).

■ **redresseur** n.m. [SENS 2] Les **redresseurs de torts** veulent rétablir le droit et la justice.

réduire v. 3ᵉ groupe. SENS 1. *Il faudrait* **réduire** *nos dépenses,* les diminuer (= restreindre, limiter). SENS 2. *Mes arguments l'***ont réduit au** *silence* (= contraindre, forcer). ●● *irréductible.* SENS 3. *Le bois* **s'est réduit en** *cendres,* il n'en reste plus que des cendres (= transformer).
✳ Conj. nº 70.

■ **réduction** n.f. [SENS 1] *Cette carte est une* **réduction** *de celle qui est au mur,* c'est la même en plus petit (≠ agrandissement). ◆ *Le commerçant m'a fait une* **réduction,** une diminution du prix (= rabais, remise).

réduit n.m. Un **réduit** est une petite pièce sans fenêtre, qui peut servir de débarras.

réécrire ou **récrire** v. 3ᵉ groupe. *J'ai dû* **réécrire** *ma rédaction,* la rédiger de nouveau. ●● *écrire*
✳ Conj. nº 71.

rééditer v. 1ᵉʳ groupe. *On a* **réédité** *ce roman,* on l'a de nouveau imprimé.
●● *éditer*

rééduquer v. 1er groupe. SENS 1. *On s'efforce de* **rééduquer** *les délinquants, de leur donner une nouvelle éducation.* ●● *éducation.* SENS 2. *Après son accident, il a dû* **se rééduquer** *par des séances de kinésithérapie,* récupérer l'usage de ses membres.

■ **rééducation** n.f. *Le médecin lui a prescrit des séances de* **rééducation,** *d'exercices pour retrouver l'usage normal de son corps.*

réel, réelle adj. *L'histoire que je te raconte est* **réelle,** *elle s'est passée* (= vrai ; ≠ inventé, irréel).

■ **réellement** adv. *Que penses-tu* **réellement** *?* (= vraiment, en fait).

réélire v. 3e groupe. *Plusieurs députés sortants n'*ont pas été **réélus,** *ils n'ont pas été élus de nouveau.* ●● *élire* ✳ Conj. n° 73.

■ **réélection** n.f. *La* **réélection** *de ce candidat paraît assurée,* sa nouvelle élection.

refaire v. 3e groupe. SENS 1. *Ce travail est mal fait, il faut le* **refaire,** *le faire une nouvelle fois* (= recommencer). SENS 2. *On* **a refait** *la toiture de la maison,* on l'a remise en état (= réparer). ✳ Conj. n° 76.

■ **réfection** n.f. [SENS 2] *La route est en* **réfection,** *en réparation.*

réfectoire n.m. *Les demi-pensionnaires mangent au* **réfectoire** *du lycée,* une grande salle à manger.

référence n.f. SENS 1. *Les dictionnaires sont des ouvrages de* **référence,** *des ouvrages que l'on consulte pour se renseigner.* SENS 2. *Les* **références** *d'une citation, c'est l'indication de l'auteur, de l'ouvrage et du passage où se trouve la citation.* SENS 3. *Quelles sont vos* **références** *?,* quelles sont les personnes qui peuvent vous recommander ?

■ se **référer** v. 1er groupe. [SENS 1] *Pour comprendre ce mot,* **réfère-toi** *au dic-*

tionnaire, consulte le dictionnaire (= se reporter, recourir). ✳ Conj. n° 10.

référendum n.m. *La Constitution a été modifiée par un* **référendum,** *un vote de tous les électeurs sur une question précise.* ✳ On prononce [referɛ̃dɔm].

se **référer** → *référence*

refermer v. 1er groupe. **Refermer** une fenêtre, un livre, c'est les fermer après les avoir ouverts. ●● *fermer*

réfléchir v. 2e groupe. SENS 1. ***Réfléchis** bien avant de répondre !,* pense à ce que tu vas dire. SENS 2. *Les miroirs* **réfléchissent** *les objets,* ils en renvoient l'image (= refléter).

■ **réfléchi, ie** adj. [SENS 1] *Pierre est un garçon* **réfléchi** (= prudent, sage, raisonnable ; ≠ étourdi, irréfléchi).

■ **réflexion** n.f. [SENS 1] *Laisse-moi le temps de la* **réflexion** *!,* de réfléchir. → *méditation.* ◆ *Jean m'a fait des* **réflexions** *désagréables* (= remarque, observation). [SENS 2] *L'écho est causé par la* **réflexion** *du son sur les parois,* celles-ci renvoient le son.

■ **reflet** n.m. [SENS 2] *Le soleil fait des* **reflets** *sur la mer,* sa lumière s'y réfléchit.

■ **refléter** v. 1er groupe. [SENS 2] *Son image* **se reflète** *dans l'eau du lac,* elle s'y réfléchit. ◆ *Ses paroles* **reflètent** *son mauvais caractère* (= exprimer, traduire). ✳ Conj. n° 10.

refleurir v. 2e groupe. *Ce rosier* **refleurit,** *il fleurit de nouveau.* ●● *fleur*

réflexe n.m. *M. Montel a freiné à temps, il a de bons* **réflexes,** *il réagit vite et bien.*

réflexion → *réfléchir*

refluer v. 1er groupe. *À la fin du match, les spectateurs* **refluent** *vers la sortie,* ils s'y dirigent en masse pour repartir (≠ affluer).

■ **reflux** n.m. *Le **reflux** de la mer a commencé à midi,* la marée descendante (≠ flux).
✻ On prononce [rəfly].

refondre v. 3ᵉ groupe. *Ce livre **a été refondu**,* il a été entièrement refait.
✻ Conj. nº 51.

réforme n.f. SENS 1. *Ce parti propose une **réforme** de la société,* un changement profond pour l'améliorer. SENS 2. (Avec majuscule.) *La **Réforme**,* c'est le mouvement religieux qui a été à l'origine du protestantisme.

■ **réformateur, trice** adj. [SENS 1] *Ce parti a un esprit **réformateur**,* il veut des réformes.

■ **réformé, ée** adj. [SENS 2] *La religion **réformée** est la religion protestante.*

■ **réformer** v. 1ᵉʳ groupe. [SENS 1] *Cette loi **a été réformée** par un vote de l'Assemblée* (= changer).

■ **réformiste** adj. [SENS 1] *Un parti **réformiste** est un parti qui veut des réformes,* mais non une révolution.

refouler v. 1ᵉʳ groupe. SENS 1. *La police **a refoulé** les curieux,* elle les a fait reculer (= repousser). SENS 2. *Marie tente de **refouler** ses larmes,* de ne pas pleurer (= réprimer, retenir).

réfractaire adj. SENS 1. *C'est une forte tête, **réfractaire** à toute autorité,* qui la refuse (= rebelle ; ≠ docile). SENS 2. *La brique **réfractaire** supporte des températures très élevées.*

refrain n.m. *Tout le monde a repris le **refrain** de la chanson,* les paroles qui se répètent après chaque couplet.

réfréner v. 1ᵉʳ groupe. *Antonio n'arrive pas à **réfréner** son impatience,* à la contenir (= réprimer, retenir).
✻ Conj. nº 10.

réfrigérer v. 1ᵉʳ groupe. SENS 1. *On **réfrigère** la viande pour la conserver,* on abaisse sa température (= frigorifier). SENS 2. *L'accueil que nous avons reçu nous **a réfrigérés**,* il nous a mis mal à l'aise par sa froideur.
✻ Conj. nº 10.

■ **réfrigérant, ante** adj. [SENS 2] *Le directeur est un homme **réfrigérant**,* très froid (≠ aimable, affable).

■ **réfrigérateur** n.m. [SENS 1] *Remets le beurre au **réfrigérateur** !,* l'appareil qui produit du froid (= fam. frigo). *illustr. p. 238*

refroidir v. 2ᵉ groupe. SENS 1. *Le café **a refroidi** dans la tasse,* il est devenu froid (≠ chauffer, se réchauffer). ●● **froid**. SENS 2. *Après cette série d'échecs, son enthousiasme **s'est refroidi**,* il a diminué.

■ **refroidissement** n.m. [SENS 1] *On annonce un **refroidissement** de la température* (= rafraîchissement ; ≠ réchauffement). [SENS 2] *Il y a un net **refroidissement** dans les relations entre ces deux pays.*

refuge n.m. SENS 1. *Nous avons cherché un **refuge** contre l'orage,* un endroit pour nous protéger. SENS 2. *Les alpinistes ont couché dans un **refuge**,* une maison servant d'abri en haute montagne. *illustr. p. 855, 29*

■ se **réfugier** v. 1ᵉʳ groupe. [SENS 1] *Les opposants au dictateur **se sont réfugiés** à l'étranger,* ils s'y sont mis en sécurité.

■ **réfugié, ée** n. [SENS 1] *Ce pays accueille les **réfugiés** politiques,* des gens qui ont quitté leur pays, où ils étaient en danger.

refuser v. 1ᵉʳ groupe. SENS 1. *Nos interlocuteurs **ont refusé** nos propositions,* ils ne les ont pas acceptées (= repousser, rejeter). SENS 2. *Je **refuse** de (je me **refuse** à) croire qu'il est coupable,* je ne veux pas le faire.

■ **refus** n.m. *Quel est le motif de ton **refus** ?* (≠ accord, consentement).

réfuter v. 1ᵉʳ groupe. *J'ai **réfuté** ses arguments,* j'ai prouvé qu'ils étaient faux. ●● **irréfutable**

■ **réfutation** n.f. *Ma réfutation de ses arguments a convaincu tout le monde.*

regagner v. 1er groupe. SENS 1. *On peut difficilement regagner le temps perdu,* le rattraper. SENS 2. *Les touristes ont regagné leur pays,* ils y sont retournés. ●● **gagner**

regain n.m. SENS 1. *Cette entreprise, qui déclinait, connaît aujourd'hui un regain d'activité,* un nouvel élan (= renouveau, recrudescence). SENS 2. *Les paysans ont fauché le regain,* l'herbe qui a repoussé après que la prairie a été fauchée.

régal n.m. *Le chocolat est pour moi un régal,* je l'aime beaucoup.
✴ Au pluriel, on dit des **régals**.

■ se **régaler** v. 1er groupe. *Nous nous sommes régalés,* nous avons mangé avec plaisir quelque chose de bon.

regarder v. 1er groupe. SENS 1. *Nous avons regardé le match à la télé,* nous l'avons vu en y portant attention. SENS 2. *Cette maison regarde vers le nord,* elle est tournée dans cette direction. SENS 3. *Mes affaires ne te regardent pas,* tu n'as pas à t'en mêler (= concerner, intéresser). SENS 4. *M. Guinet regarde trop à la dépense,* il y fait trop attention. SENS 5. *Après cette sécheresse, on regarde la pluie comme une aubaine,* on la considère comme une aubaine.

■ **regardant, ante** adj. [SENS 4] *Léo est très regardant,* il dépense le moins possible (= parcimonieux, économe).

■ **regard** n.m. [SENS 1] *Je l'ai suivi du regard,* des yeux.

regarnir v. 2e groupe. *Les commerçants ont regarni leurs étalages,* ils les ont garni de nouveau. ●● **garnir**

régate n.f. *Une régate est une course de bateaux à voile.*

régence n.f. *Quand un roi est trop jeune, un régent est nommé pour*

exercer la **régence**, pour régner à sa place.

■ **régent, ente** n. *Anne d'Autriche fut régente jusqu'à la majorité de Louis XIV,* elle exerça la régence.

régenter v. 1er groupe. *M. Dubois régente son entourage,* il le dirige avec autorité (= dominer, commander).

régie n.f. SENS 1. *La régie des tabacs est l'administration chargée d'en organiser la production et la vente.* SENS 2. *La régie veille au bon déroulement de l'émission,* les personnes chargées du contrôle des caméras, des micros, etc., et qui sont dans un local, à proximité du studio. *illustr. p. 502 503*

■ **régisseur** n.m. [SENS 2] *Au théâtre, le régisseur s'occupe de l'organisation et du bon fonctionnement du spectacle.* *illustr. p. 952*

regimber v. 1er groupe. *Tout le monde a obéi sans regimber,* sans protester (= se rebiffer).

1. régime n.m. SENS 1. *La France a un régime républicain,* une forme de gouvernement (= institution). SENS 2. *On classe les animaux selon leur régime alimentaire,* l'ensemble des aliments dont une espèce se nourrit. SENS 3. *Le médecin me fait suivre un régime,* je ne peux manger que certains aliments. SENS 4. *Le régime d'un moteur,* c'est la vitesse à laquelle il tourne.

2. régime n.m. *Il y a un seul régime de bananes par bananier,* des bananes en grappe. *illustr. p. 277 983*

régiment n.m. *C'est le colonel qui commande le régiment,* une unité militaire composée de plusieurs bataillons.

région n.f. SENS 1. *Philippe habite dans la région lyonnaise,* dans le territoire qui entoure Lyon (= zone). SENS 2. *(Avec majuscule.) La Région Île-de-France est une collectivité territoriale.* *illustr. p. 358*

■ **régional, ale, aux** adj. [SENS 1] *Connais-tu cette coutume régionale ?,*

illustr.
p. 358
d'une certaine région. [SENS 2] *Le président du conseil* **régional** *est responsable d'une Région.*

■ **régionaliste** adj. [SENS 1] *Un écrivain* **régionaliste** *décrit une région et ses coutumes.*

régisseur → **régie**

registre n.m. *Le trésorier note toutes ses dépenses et ses recettes dans un* **registre**, *un gros cahier.* ●● **enregistrer**

réglage → **régler**

illustr.
p. 51,
311
règle n.f. SENS 1. *On trace des traits droits avec une* **règle**, *une barre bien droite.* SENS 2. *Jean ne connaît pas les* **règles** *de la politesse, ce qu'il faut faire pour être poli* (= principe, convention, prescription, code). *Apprends-moi la* **règle** *de ce jeu !, comment il faut jouer.* SENS 3. *Tes papiers ne sont pas* **en règle**, *en accord avec ce qui est exigé par les lois.* ●● **régulier**. SENS 4. *(Au plur.) Marie a eu ses premières* **règles**, *un écoulement de sang qui se produit chez la femme à partir de la puberté.* SENS 5. *Une* **règle de trois** *est le calcul d'un nombre inconnu à partir de trois autres connus, par exemple pour résoudre ce problème : Marie-Claire achète 7 croissants avec 5 euros. Loïc achète 15 croissants, combien paie-t-il ?*

■ **règlement** n.m. [SENS 2 et 3] *Ta conduite est contraire au* **règlement** *de l'école, à l'ensemble des règles qu'il faut suivre.*

■ **réglementaire** adj. [SENS 3] *Ce que tu fais n'est pas* **réglementaire**, *conforme au règlement* (= régulier). → **légal**

■ **réglementairement** adv. [SENS 3] *Cette décision a été prise* **réglementairement**, *en respectant le règlement.* → **légalement**

■ **réglementer** v. 1er groupe. [SENS 3] *La circulation* **est réglementée**, *soumise à certains règlements.*

■ **réglementation** n.f. [SENS 3] *La* **réglementation** *sur l'alcool est très stricte,* l'ensemble des règlements qui concernent un domaine particulier (= législation).

règlement → **règle** et **régler**

régler v. 1er groupe. SENS 1. *Cette montre a besoin d'***être réglée**, *d'être mise au point* (≠ dérégler). SENS 2. *Il faut* **régler** *cette affaire, la terminer, la mener à bien* (= conclure). SENS 3. *M. Morin a* **réglé** *le montant de ses impôts* (= payer, acquitter).
✳ Conj. n° 10.

■ **réglable** adj. [SENS 1] *Le fauteuil du dentiste est* **réglable**, *il peut se mettre dans différentes positions.*

■ **réglage** n.m. [SENS 1] *Le mécanicien a fait le* **réglage** *du moteur.*

■ **règlement** n.m. [SENS 2] *Nous attendons avec impatience le* **règlement** *de cette affaire, qu'elle se termine* (= conclusion). [SENS 3] *M. Hernandez a fait un* **règlement** *par chèque* (= paiement).

réglisse SENS 1. n.f. *La* **réglisse** *est une plante dont la racine est utilisée en confiserie.* SENS 2. n.m. *Le* **réglisse** *est un produit de confiserie aromatisé avec le suc de la réglisse. J'aime sucer* **un réglisse**.
illustr.
p. 868

règne n.m. SENS 1. *Cela s'est passé pendant le* **règne** *de Louis XIV, pendant qu'il était roi.* SENS 2. *L'homme fait partie du* **règne** *animal, les plantes du* **règne** *végétal, deux divisions des sciences naturelles.*

■ **régner** v. 1er groupe. [SENS 1] *On sait que Louis XIV* **a régné** *de 1643 à 1715, il a été roi.* ◆ *La confiance* **règne** *entre nous* (= exister, durer).
✳ Conj. n° 10.

regonfler v. 1er groupe. *Nicolas m'avait fait une farce ; j'ai dû* **regonfler** *mon matelas pneumatique, le remplir d'air de nouveau.* ●● **gonfler**

regorger v. 1er groupe. *Cette rivière regorge de poissons*, elle en contient beaucoup (= foisonner).
✸ Conj. n° 2.

régresser v. 1er groupe. *L'épidémie a régressé*, elle a reculé (≠ progresser).

■ **régression** n.f. *L'épidémie est en régression* (= recul ; ≠ progression).

regret n.m. SENS 1. *Je suis parti sans regret*, sans tristesse de quitter un lieu ou des gens. SENS 2. (Formule de politesse.) *J'ai le regret de ne pas pouvoir vous donner satisfaction*, cela me contrarie.

■ **regretter** v. 1er groupe. [SENS 2] *Je regrette de ne pas pouvoir venir*, j'en suis contrarié, mécontent (= déplorer).

■ **regrettable** adj. [SENS 1] *Tu as fait une erreur regrettable*, c'est dommage que tu l'aies faite (= fâcheux ; ≠ souhaitable).

regrouper v. 1er groupe. *Les manifestants dispersés par la police se sont regroupés plus loin*, ils ont formé de nouveau un groupe (= rassembler).
●● **groupe**

régulier, ère adj. SENS 1. *Ses papiers ne sont pas en situation régulière*, ils ne sont pas conformes à la règle, à la loi (≠ irrégulier, anormal, illégal). SENS 2. *Le train roule à une vitesse régulière*, toujours la même (= constant ; ≠ inégal). SENS 3. *Amélie me fait des visites régulières*, selon une fréquence constante (= habituel). SENS 4. *Inès a un visage régulier* (= symétrique ; ≠ difforme). SENS 5. *M. Mollier est régulier dans son travail* (= exact, ponctuel ; ≠ inégal, irrégulier).

■ **régularité** n.f. [SENS 1] *Les syndicats ont tous contesté la régularité de cette décision* (= légalité). ●● **irrégularité**. [SENS 2 et 3] *Ce bruit se répète avec régularité*, à intervalles égaux. [SENS 5] *Il montre une grande régularité dans ses habitudes*, il ne change pas.

■ **régulariser** v. 1er groupe. [SENS 1] *Passez à la mairie pour faire régulariser votre passeport*, pour le faire mettre en règle. [SENS 2] *Ce barrage a régularisé le fleuve*, il a rendu son courant plus régulier.

■ **régulièrement** adv. [SENS 1] *Le maire a été élu régulièrement*, selon la loi, le règlement. [SENS 2 et 3] *M. Poret paie régulièrement son loyer* (= ponctuellement).

réhabiliter v. 1er groupe. SENS 1. *Réhabiliter un condamné*, c'est reconnaître publiquement son innocence en annulant la condamnation. SENS 2. *Par sa conduite exemplaire, il s'est réhabilité*, il a retrouvé l'estime des gens (= se racheter).

réhabituer v. 1er groupe. *Après cette longue maladie, il se réhabitue peu à peu à vivre normalement*. ●● **habitude**

rehausser v. 1er groupe. SENS 1. *Les maçons ont rehaussé le mur*, ils l'ont rendu plus haut (= surélever, exhausser). SENS 2. *Ce maquillage rehaussait l'éclat de son visage*, il le faisait ressortir (= relever, accentuer).

réimprimer v. 1er groupe. *Ce livre est épuisé, mais on va le réimprimer*, l'imprimer de nouveau. ●● **imprimer**

■ **réimpression** n.f. *On attend la réimpression de cet ouvrage*, qu'il soit réimprimé.

rein n.m. SENS 1. *M. Vandamme a dû être opéré d'un rein*, un des deux organes qui sécrètent l'urine. SENS 2. (Au plur.) *M. Caradec a mal aux reins*, au bas du dos. → **lombaire, lumbago**
illustr. p. 216 217

reine n.f. SENS 1. *La reine est la femme qui dirige un royaume ou l'épouse d'un roi*. SENS 2. *Elle a été la reine de la soirée*, la plus fêtée, la plus admirée. SENS 3. *Dans la ruche, la reine est l'abeille qui pond les œufs*.
illustr. p. 982

reine-claude n.f. *Les reines-claudes sont des prunes rondes de couleur verte ou jaune*.
illustr. p. 747

reine-marguerite n.f. Les **reines-marguerites** sont des fleurs blanches, rouges ou bleues proches des marguerites.

reinette n.f. La **reinette** du Canada est une variété de pommes.
* Ne pas confondre avec une **rainette**.

réintégrer v. 1ᵉʳ groupe. *Le chien **a réintégré** sa niche, il y est retourné* (= regagner).
* Conj. nº 10.

réitérer v. 1ᵉʳ groupe. *Il a dû **réitérer** sa question,* la répéter.
* Conj. nº 10.

rejaillir v. 2ᵉ groupe. *Le scandale **a rejailli** sur les hommes politiques,* il les a atteints indirectement (= retomber).

rejeter v. 1ᵉʳ groupe. SENS 1. *Ce poisson est trop petit, il faut le **rejeter** à l'eau,* l'y remettre. ●● **jeter**. SENS 2. *M. Morel **a rejeté** ma demande* (= repousser ; ≠ admettre). SENS 3. *Il a l'habitude de **rejeter** ses torts sur les autres,* de les faire retomber sur eux pour se disculper.
* Conj. nº 8.

■ **rejet** n.m. [SENS 2] *Le **rejet** de son plan l'a déçu* (= refus).

rejeton n.m. Fam. *Voilà M. Morin et ses deux **rejetons**,* ses enfants.

rejoindre v. 3ᵉ groupe. SENS 1. *Ce coureur **a rejoint** le peloton de tête,* il l'a rattrapé. SENS 2. ***Rejoignez** votre place,* retournez-y (= regagner). SENS 3. *Nos routes **se rejoignent**,* elles se réunissent.
* Conj. nº 82.

réjouir v. 2ᵉ groupe. *Ce succès nous **réjouit**,* il nous fait plaisir (≠ attrister, chagriner). *Je **me réjouis** de ton arrivée,* j'en suis joyeux (≠ désoler).

■ **réjouissance** n.f. *La ville était illuminée en signe de **réjouissance**,* de joie.
◆ (Au plur.) *La victoire fut suivie de*

réjouissances, *de fêtes données pour célébrer un événement heureux.*

■ **réjouissant, ante** adj. *Ce résultat n'est pas **réjouissant*** (= gai ; ≠ triste, désolant).

relâcher v. 1ᵉʳ groupe. SENS 1. *Le prisonnier **a été relâché**,* il a été remis en liberté. SENS 2. *La discipline **se relâche**,* elle devient moins sévère (≠ renforcer). SENS 3. *Les ficelles du paquet **se sont relâchées**,* elles se sont desserrées. SENS 4. *Le navire **a relâché** dans le port,* il y a fait escale.

■ **relâche** n.f. [SENS 2] *Xavier travaille **sans relâche**,* sans s'arrêter, sans trêve.
◆ *Le théâtre fait **relâche** au mois d'août,* il ferme.

■ **relâchement** n.m. [SENS 2] *Le directeur n'admet aucun **relâchement*** (= négligence, laisser-aller).

relais n.m. SENS 1. *Autrefois, on s'arrêtait dans des **relais** pour remplacer les chevaux fatigués,* des sortes d'auberges. SENS 2. *Notre équipe a gagné le **relais** quatre fois 100 mètres,* quatre coureurs ont couru à tour de rôle 100 mètres. SENS 3. *Une nouvelle équipe de sauveteurs **a pris le relais** de la première qui était épuisée,* elle l'a remplacée. SENS 4. *Il y a un **relais** de télévision sur la colline,* un dispositif qui retransmet les images.
* Noter la présence du « s » au singulier.

illustr. p. 852, 970

940

■ **relayer** v. 1ᵉʳ groupe. [SENS 2] *Nous nous **sommes relayés** pour porter la valise,* nous l'avons portée à tour de rôle.
* Conj. nº 4.

relancer v. 1ᵉʳ groupe. SENS 1. *C'est un joueur de fond de court qui **relance** toutes les balles,* qui les renvoie. ●● **lancer**. SENS 2. ***Relancer** un projet,* c'est lui donner un nouvel élan, le reprendre. SENS 3. *Il me doit de l'argent dont j'ai besoin, il faut que je le **relance**,* que je le lui réclame.
* Conj. nº 1.

relater v. 1er groupe. *Jean m'a relaté ce qui s'était passé,* il me l'a raconté en détail (= rapporter).

relatif, ive adj. SENS 1. *Je lis un livre relatif à la vie des poissons,* qui concerne ce sujet. SENS 2. *Mes connaissances en anglais sont relatives,* elles ne sont pas parfaites (= incomplet, imparfait, limité). SENS 3. adj. et n. « Qui », « lequel », « dont » sont des (pronoms) **relatifs** ; ils introduisent une (proposition) **relative**. Dans la phrase « regarde l'oiseau qui vole », le (pronom) **relatif** « qui » remplace l'antécédent « l'oiseau » et introduit la **relative** « qui vole ».

■ **relativement** adv. [SENS 2] *Rémi est relativement grand pour son âge* (= assez).

relation n.f. SENS 1. *L'enquête devrait dire s'il y a une relation entre la vitesse du véhicule et l'accident,* un rapport, un lien. SENS 2. (Au plur.) *Les relations sexuelles sont les contacts physiques sexuels.* SENS 3. *M. Dubois a des relations,* il connaît des gens importants. SENS 4. *Ils ont invité toutes leurs relations à cette soirée,* leurs amis et connaissances.

relativement → *relatif*

se **relaxer** v. 1er groupe. *Jean se relaxe après l'effort,* il se détend (= se reposer, se décontracter).

■ **relaxation** n.f. *J'ai besoin d'un moment de relaxation* (= repos, détente).

■ **relax** adj. inv. Fam. *Il nous a parlé d'un ton très relax* (= détendu, décontracté).

relayer → *relais*

reléguer v. 1er groupe. *On va reléguer ces vieux meubles au grenier,* les y mettre pour s'en débarrasser.
✳ Conj. n° 10.

relent n.m. *Dans les rues, près du port, on sent des relents de friture,* des odeurs désagréables.

relever v. 1er groupe. SENS 1. *Théo est tombé et il s'est relevé aussitôt,* il s'est remis debout. SENS 2. *Il fait froid relève ton col !,* mets-le plus haut (= remonter ; ≠ abaisser, rabattre). SENS 3. *Les grévistes demandent qu'on relève leur salaire,* qu'on l'augmente (= hausser ; ≠ diminuer). SENS 4. *J'ai relevé plusieurs fautes dans ton devoir* (= remarquer, noter). SENS 5. *Il faudrait du poivre pour relever la sauce,* lui donner plus de goût. SENS 6. *On relève les sentinelles toutes les quatre heures,* on les remplace. SENS 7. *On l'a relevé de ses fonctions,* on les lui a enlevées.
✳ Conj. n° 9.

■ **relève** n.f. [SENS 6] *La sentinelle attend la relève,* elle attend qu'on la remplace.

■ **relevé** n.m. [SENS 4] *J'ai fait un relevé de mes dépenses,* je les ai notées par écrit.

■ **relèvement** n.m. [SENS 3] *Le gouvernement a décidé un relèvement du salaire minimum* (= augmentation ; ≠ baisse).

relief n.m. SENS 1. *Le relief des Alpes est montagneux,* la forme du terrain. SENS 2. *Il y a au plafond des sculptures en relief,* qui dépassent, qui sont en saillie (≠ en creux). ●● **bas-relief, haut-relief**. SENS 3. *Sa réponse met en relief son ignorance,* elle la fait apparaître (= souligner).

relier v. 1er groupe. SENS 1. *Ce livre est relié en cuir rouge,* son dos et sa couverture sont en cuir rouge (≠ brocher). SENS 2. *Ce chemin relie les deux villages,* il fait le lien entre eux (= joindre). *illustr. p. 151*

■ **reliure** n.f. [SENS 1] *Tes livres ont de belles reliures,* des couvertures rigides.

■ **relieur, euse** n. [SENS 1] *Un relieur est un artisan qui relie les livres.*

religieuse n.f. *Élisa savoure une religieuse,* un gâteau composé de deux choux superposés fourrés de crème au chocolat ou au café. *illustr. p. 150*

illustr.
p. 820 **religion** n.f. *Le christianisme, l'islam, le judaïsme, le bouddhisme sont des **religions**,* des croyances en un dieu ou des dieux, accompagnées des règles de vie correspondantes.

■ **religieux, euse** adj. et n. *La messe est une cérémonie **religieuse**.* ●● ***antireligieux, irréligieux**. Les moines sont des **religieux**, les sœurs sont des **religieuses**,* des membres d'un ordre ou d'une congrégation qui consacrent leur vie à Dieu.

■ **religieusement** adv. *Pierre écoute **religieusement** la musique,* avec recueillement.

reliquat n.m. *As-tu payé le **reliquat** de tes dettes ?,* ce qui te restait à payer (= reste).

relique n.f. *Il y a dans cette chapelle les **reliques** d'un saint,* ce qui reste de son corps, ou ce qui lui a appartenu.

■ **reliquaire** n.m. *Un **reliquaire** est un coffret ou un cadre dans lequel on conserve des reliques.*

relire v. 3e groupe. SENS 1. *J'ai relu attentivement mon contrat,* je l'ai lu une nouvelle fois. ●● ***lire**. SENS 2. Je **relis** toujours mes lettres,* je lis ce que j'ai écrit. ✳ Conj. no 73.

reliure → *relier*

reluire v. 3e groupe. *Il cire et il brosse ses chaussures pour les faire **reluire**,* pour les rendre plus brillantes. ●● ***luire*** ✳ Conj. no 69.

remâcher v. 1er groupe. *C'est un rancunier, il **a** longtemps **remâché** sa vengeance,* il y a songé sans cesse (= ruminer).

remanier v. 1er groupe. *L'auteur **a** remanié son texte,* il l'a repris et corrigé (= retoucher). ●● ***manier***

se **remarier** v. 1er groupe. *Elle a été veuve, puis elle **s'est remariée**,* elle s'est mariée de nouveau. ●● ***marier***

remarquer v. 1er groupe. ***As-tu remarqué** sa nouvelle robe ?,* y as-tu fait attention ? (= observer).

■ **remarquable** adj. *Il a accompli un exploit **remarquable*** (= notable, extraordinaire ; ≠ banal, médiocre).

■ **remarquablement** adv. *Adeline chante **remarquablement**,* très bien.

■ **remarque** n.f. *Je tiendrai compte de vos **remarques**,* de vos observations critiques (= réflexion). ◆ *Il y a des **remarques** après certains articles de ce dictionnaire,* des indications auxquelles il faut faire attention (= note).

remballer v. 1er groupe. *Les camelots ont **remballé** leur marchandise,* ils l'ont rangée pour la remporter. ●● ***emballer***

rembarquer v. 1er groupe. SENS 1. *On a **rembarqué** tout le matériel,* on l'a embarqué de nouveau. ●● ***embarquer**.* SENS 2. *Les passagers ont **rembarqué**,* ils sont remontés à bord.

rembarrer v. 1er groupe. Fam. *Quand je lui ai présenté ma demande, il m'a **rembarré**,* il m'a mal reçu (= rabrouer).

remblayer v. 1er groupe. *Remblayer un fossé,* c'est le boucher avec de la terre, des matériaux (≠ déblayer). ●● ***déblais*** ✳ Conj. no 4.

■ **remblai** n.m. *On a fait un **remblai** pour poser la voie ferrée,* on a surélevé le terrain en apportant de la terre.

rembobiner v. 1er groupe. *Lorsque le film de la cassette est terminé, on **rembobine** la bande,* on la fait revenir au début. ●● ***bobine***

rembourrer v. 1er groupe. *Les sièges sont bien **rembourrés**,* ils sont remplis de bourre pour être plus doux. ●● ***bourre***

rembourser v. 1er groupe. *On m'a **remboursé** le billet que je n'avais pas utilisé,* on m'a rendu l'argent que j'avais donné pour le payer. ●● ***bourse***

LES RELIGIONS

la religion juive

lecture de la Torah

kippa

châle de prière

doigt de lecture

mariage — mariée — marié — rabb

le Talmud

la Bible

hébreu

chandelier à 7 branches

Tables de la Loi

un office à la synagogue

fidèles

arche (armoire renfermant la Torah)

officiant

la religion musulmane

le Coran

verset du Coran (calligraphie arabe)

chapelet

muezzin

minaret

appel à la prière

la prière à la mosquée

imam

minbar (chaire)

tapis de prière

ablutions

prosternation

Les musulmans, les juifs, les chrétiens - qu'ils soient catholiques, orthodoxes ou protestants - croient en un seul dieu. D'autres religions sont fondées sur une morale ou vénèrent les forces de la nature.

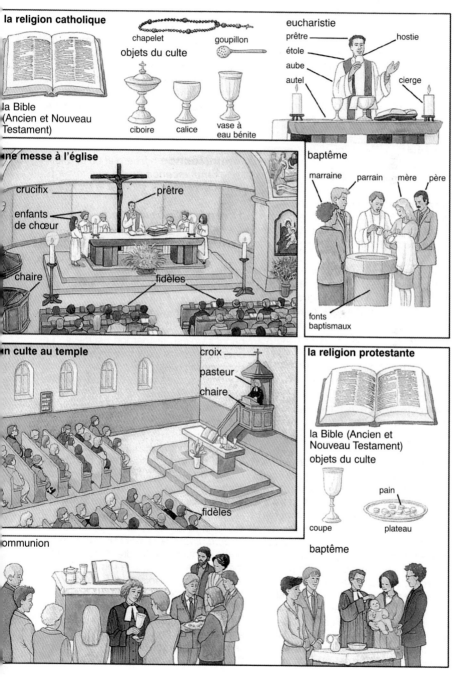

la religion catholique

chapelet
goupillon
objets du culte

la Bible
(Ancien et Nouveau
Testament)

ciboire   calice   vase à
eau bénite

eucharistie
prêtre   hostie
étole
aube
autel   cierge

une messe à l'église

crucifix   prêtre

enfants
de chœur

chaire   fidèles

baptême

marraine   parrain   mère   père

fonts
baptismaux

un culte au temple

croix
pasteur
chaire

fidèles

la religion protestante

la Bible (Ancien et
Nouveau Testament)
objets du culte

pain

coupe   plateau

communion

baptême

■ **remboursement** n.m. *Le rembour-sement du prêt se fera sur douze mois.*

se **rembrunir** v. 2ᵉ groupe. *Quand il a su la nouvelle, son visage s'est rembruni,* il est devenu soucieux (= s'assombrir, se fermer).

remède n.m. *Ce sirop est un bon remède contre la toux,* il la soigne (= médicament).

■ **remédier** v. 1ᵉʳ groupe. *Il faut remédier à cet inconvénient,* y trouver une solution. ●● *irrémédiable*

remembrement n.m. Une opération de **remembrement** consiste à reconstituer des propriétés d'un seul tenant par échange de parcelles dispersées.

se **remémorer** v. 1ᵉʳ groupe. *Ils se remémoraient avec émotion leur première rencontre,* ils en évoquaient le souvenir (= se rappeler). ●● *mémoire*

remercier v. 1ᵉʳ groupe. SENS 1. *Je ne sais comment vous remercier,* vous dire merci. ●● *merci.* SENS 2. *Le directeur a remercié sa secrétaire,* il l'a congédiée, renvoyée.

■ **remerciement** n.m. [SENS 1] *Lucie a écrit à son parrain une lettre de remerciement,* pour le remercier.

remettre v. 3ᵉ groupe. SENS 1. *Remets ce livre sur l'étagère !,* mets-le là où il était avant (= replacer). SENS 2. *Le facteur m'a remis un paquet,* il me l'a donné. SENS 3. *La réunion a été remise à la semaine prochaine,* elle a été renvoyée à cette date (= reporter). SENS 4. *La pluie s'est remise à tomber,* elle a recommencé à le faire. SENS 5. *Il a remis une vieille voiture en marche,* il a recommencé à la faire marcher. **Remettre** une chose **en état,** c'est la restaurer, la réparer. **Remettre** un prisonnier **en liberté,** c'est le libérer. SENS 6. *Après ma maladie, j'ai mis longtemps à me remettre,* à retrouver la santé (= se rétablir). SENS 7. *Je m'en*

remets à vous, je vous laisse faire car je vous fais confiance.
✻ Conj. n° 57.

■ **remise** n.f. [SENS 2] *La remise des décorations a eu lieu dans la cour d'honneur,* c'est là qu'on les a remises. [SENS 5] *La remise en état d'un vieil immeuble est souvent longue* (= restauration). ◆ *Le libraire m'a fait une remise,* une diminution du prix (= réduction, rabais).

réminiscence n.f. *Je n'ai qu'une lointaine réminiscence de ces événements,* des souvenirs très vagues.

1. remise → *remettre*

2. remise n.f. *Le jardinier met ses outils dans la remise,* un local de rangement (= resserre).

■ **remiser** v. 1ᵉʳ groupe. *Le tracteur est remisé dans le hangar* (= ranger).

rémission n.f. SENS 1. *La rémission des péchés,* c'est le pardon. SENS 2. *Le coupable devra payer sans rémission,* sans possibilité d'y échapper. SENS 3. *Pendant sa maladie, il a connu des périodes de rémission,* des périodes où elle était moins douloureuse (= accalmie, atténuation).

remonter v. 1ᵉʳ groupe. SENS 1. *Nous avons remonté l'escalier,* nous l'avons monté de nouveau. *Il est remonté au grenier,* il y est monté de nouveau. ●● *monter.* SENS 2. *Fabien a remonté l'appareil,* il l'a remis en état alors qu'il était démonté. SENS 3. *La pendule est arrêtée, il faut la remonter,* remettre les poids en haut ou retendre les ressorts du mécanisme pour qu'il se remette à fonctionner. SENS 4. *Bois ce thé chaud pour te remonter,* pour te donner de nouvelles forces (= réconforter). SENS 5. *Les températures remontent,* elles montent après avoir baissé. SENS 6. *Cette histoire remonte loin,* son origine est lointaine (= dater de).

■ **remontant** n.m. [SENS 4] *Une tasse de café est un bon* **remontant**, *elle réconforte* (= *tonique*).

■ **remontée** n.f. [SENS 1] *Les téléskis, les télésièges, les téléphériques sont des* **remontées** *mécaniques, des équipements pour remonter les skieurs en haut des pentes.*

illustr. p. 895
■ **remonte-pente** n.m. [SENS 1] *Pour monter en haut des pentes, les skieurs empruntent les* **remonte-pentes** (= *téléski*).
🔸 Au pluriel, on écrit des **remonte-pentes**.

illustr. p. 150
■ **remontoir** n.m. [SENS 3] *Les montres à ressort ont un* **remontoir**, *une petite molette pour les remonter.*

remontrer v. 1er groupe. *Il a voulu m'en* **remontrer**, *se montrer supérieur à moi, me donner des leçons.*

■ **remontrances** n.f. pl. *Le professeur m'a fait des* **remontrances** (= *reproches, blâmes*).

remords n.m. *J'ai du* **remords** *d'avoir agi ainsi, je le regrette* (= *repentir*).
🔸 Noter la présence du « s » au singulier.

remorque n.f. SENS 1. *La dépanneuse a pris la voiture* **en remorque**, *elle l'a remorquée.* SENS 2. *Antonin est* **à la remorque** *de son frère, il l'imite, le suit.*
illustr. p. 21
SENS 3. *Une* **remorque** *est accrochée à l'arrière du camion, un véhicule sans moteur.* ●● **semi-remorque**

■ **remorquer** v. 1er groupe. [SENS 1 et 2] *La voiture* **remorque** *une caravane, elle la tire derrière elle.*

illustr. p. 741
■ **remorqueur** n.m. [SENS 1] *Le bateau en détresse a été secouru par un* **remorqueur**, *un bateau à moteur puissant qui l'a tiré.*

rémoulade n.f. *On mange souvent le céleri (à la)* **rémoulade**, *une sauce composée de mayonnaise et de moutarde.*

rémouleur n.m. *Le* **rémouleur** *a pour métier d'aiguiser les couteaux, les ciseaux, etc.*

remous n.m. *À cet endroit, la rivière fait des* **remous**, *l'eau est agitée* (= *tourbillon*).
illustr. p. 845
🔸 Noter la présence du « s » au singulier.

rempailler v. 1er groupe. **Rempailler** *une chaise, c'est la garnir d'une nouvelle paille.* ●● **paille**

rempart n.m. SENS 1. *La ville est entourée de* **remparts**, *de murailles fortifiées.* SENS 2. *Il m'a fait un* **rempart** *de son corps, il m'a protégé en se mettant devant moi.*
illustr. p. 427

remplacer v. 1er groupe. SENS 1. *Pendant sa maladie, son adjoint l'a* **remplacé**, *il a fait le travail à sa place.* ●● **irremplaçable**. SENS 2. *Il faudrait* **remplacer** *le carreau cassé, en mettre un autre à la place.*
🔸 Conj. n° 1.

■ **remplaçant, ante** n. [SENS 1] *On lui a désigné un* **remplaçant**, *quelqu'un pour le remplacer.*

■ **remplacement** n.m. [SENS 1] *M. Delmart fait un* **remplacement**, *il remplace quelqu'un.*

remplir v. 2e groupe. SENS 1. *Veux-tu* **remplir** *d'eau cette carafe ?, la rendre pleine* (= *emplir* ; ≠ *vider*). SENS 2. *Il faut* **remplir** *ce questionnaire, répondre aux questions.* SENS 3. *Cette nouvelle m'a* **rempli** *de joie, elle m'a rendu très joyeux.* SENS 4. *M. Verdier* **remplit** *la fonction de directeur, il est directeur* (= *exercer, occuper*).

■ **remplissage** n.m. [SENS 1] *Le* **remplissage** *de la citerne demande deux heures, l'opération qui consiste à la remplir* (≠ *vidange*).

se **remplumer** v. 1er groupe. Fam. *La maladie l'avait beaucoup affaibli, mais il* **s'est** *bien* **remplumé**, *il a repris des forces, du poids.*

remporter v. 1er groupe. SENS 1. *Après la fête, les forains* **remportent** *leur ma-*

tériel, ils l'emportent avec eux en partant. ●● *emporter*. SENS 2. *Notre équipe **a** remporté le match*, elle l'a gagné.

remuer v. 1ᵉʳ groupe. SENS 1. *Arrête de **remuer** sans arrêt !*, de te déplacer (= bouger). SENS 2. *Cette table est difficile à **remuer***, à déplacer.

■ **remuant, ante** adj. [SENS 1] *Pierre est un garçon **remuant*** (= agité, turbulent ; ≠ calme).

■ **remue-ménage** n.m. inv. [SENS 1] *Ce **remue-ménage** nous a réveillés* (= agitation, branle-bas).
✳ Ce mot ne change pas au pluriel.

rémunérer v. 1ᵉʳ groupe. *Ce travail est mal **rémunéré***, mal payé (= rétribuer).
✳ Conj. nᵒ 10.

■ **rémunérateur, trice** adj. *Il fait un métier **rémunérateur***, bien payé.

■ **rémunération** n.f. *On lui a offert une grosse **rémunération** pour ses services*, de l'argent pour le payer ou le récompenser (= rétribution). → ***salaire***

renâcler v. 1ᵉʳ groupe. *Didier a accepté de partir en **renâclant***, en montrant de la mauvaise humeur (= rechigner, maugréer, bougonner, grogner).

renaître v. 3ᵉ groupe. SENS 1. *Les fleurs **renaissent** au printemps*, elles poussent de nouveau. ●● *naître*. SENS 2. *Enfin, l'espoir **renaît***, il recommence à apparaître (= revenir).
✳ Conj. nᵒ 65. **Renaître** se conjugue seulement aux temps simples.

■ **renaissance** n.f. [SENS 2] *Après la crise, on peut espérer une **renaissance** de l'économie*, un nouvel essor (= reprise). ◆ (Avec majuscule.) La **Renaissance** est la période historique qui fit suite au Moyen Âge. Un renouveau important des arts, des sciences et de la littérature eut lieu pendant cette période, en particulier au XVIᵉ siècle, en France.

renard n.m. SENS 1. *Le **renard** est un mammifère carnassier roux qui ressem-* ble un peu à un chien, à oreilles pointues et à queue touffue. SENS 2. *Cet homme est un vieux **renard***, il est très rusé.

■ **renarde** n.f. *La **renarde** est la femelle du renard.

■ **renardeau** n.m. *Le **renardeau** est le petit du renard.
✳ Au pluriel, on écrit des **renardeaux**.

renchérir v. 2ᵉ groupe. *Quand j'ai fait cette proposition, il **a renchéri***, il l'a appuyée en insistant encore plus que moi.

rencontrer v. 1ᵉʳ groupe. *J'**ai rencontré** Alexis dans la rue*, je me suis trouvé en sa présence.

■ **rencontre** n.f. *Vous ici ! quelle **rencontre** inattendue ! Il est venu à ma **rencontre***, au-devant de moi. ◆ *Une **rencontre** de rugby est une compétition* (= match).

rendement → ***rendre***

rendez-vous n.m. inv. *J'ai **rendez-vous** avec Marc à 8 heures devant la gare*, je dois le rencontrer.

se rendormir v. 3ᵉ groupe. *Après son biberon, le bébé s'**est** aussitôt **rendormi***, il a recommencé à dormir.
✳ Conj. nᵒ 18.

rendre v. 3ᵉ groupe. SENS 1. *Je **rends** toujours les livres qu'on me prête*, je les remets à ceux qui me les prêtent (= redonner, restituer ; ≠ garder). SENS 2. *Luc **a rendu** son repas*, il l'a vomi. SENS 3. *Ces oranges **rendent** beaucoup de jus* (= produire, donner, fournir). SENS 4. *Ce repas m'**a rendu** malade*, il m'a fait devenir malade. SENS 5. *Sacha m'**a rendu** visite*, il est venu me voir. SENS 6. *Nous **nous sommes rendus** à Genève*, nous y sommes allés. SENS 7. *Les soldats **se sont rendus***, ils ont abandonné le combat (= capituler, se soumettre). → ***reddition***
✳ Conj. nᵒ 50.

■ **rendement** n.m. [SENS 3] *Les engrais améliorent le **rendement** des terres*, ils font qu'elles produisent plus.

illustr.
p. 354,
970

rêne n.f. *Le cavalier tire sur les rênes de son cheval,* les courroies qui servent à le diriger.

✻ Ne pas confondre avec une **reine** et un **renne**.

renégat → *renier*

renfermer v. 1er groupe. **SENS 1.** *Ce tiroir* **renferme** *des documents importants,* il les contient. **SENS 2.** *Jean* **se renferme** *sur lui-même,* il cache ses sentiments.

■ **renfermé, ée** [SENS 2] adj. *Franck est très* **renfermé,** il ne parle pas beaucoup (= secret, taciturne ; ≠ communicatif, expansif, ouvert). ◆ n.m. *Ça sent le* **renfermé** *ici,* une mauvaise odeur de pièce fermée.

renfiler v. 1er groupe. *Mon collier est cassé, il faut le faire* **renfiler** *,* faire enfiler de nouveau les perles. *Maman* **renfile** *son aiguille,* elle y passe de nouveau du fil. ●● **fil**

renflé, ée adj. *Ce vase a une base* **renflée,** bombée.

renflouer v. 1er groupe. **SENS 1.** **Renflouer** un navire échoué, c'est le remettre à l'eau. **SENS 2.** *La banque a pu* **renflouer** *cette société,* lui fournir l'argent pour qu'elle ne soit plus endettée.

renfoncer v. 1er groupe. *Il* **a renfoncé** *son chapeau sur sa tête,* il l'a enfoncé encore plus.
✻ Conj. n° 1.

■ **renfoncement** n.m. *Le chat s'est caché dans un* **renfoncement,** un endroit caché (= recoin).

renforcer v. 1er groupe. **SENS 1.** *On a* **renforcé** le mur qui menaçait de tomber, on l'a rendu plus résistant (= consolider). **SENS 2.** *Nous avons besoin de nouveaux joueurs pour* **renforcer** *notre équipe,* pour la rendre plus forte, plus efficace.
✻ Conj. n° 1.

■ **renfort** n.m. [SENS 2] *Le général a demandé des* **renforts,** de nouveaux soldats pour renforcer l'armée. ◆ *Une nouvelle lessive a été lancée* **à grand renfort de** *publicité,* en recourant abondamment à la publicité.

renfrogné, ée adj. *Pourquoi as-tu cet air* **renfrogné** *?,* qui exprime la mauvaise humeur (= mécontent, fâché, maussade, grognon).

rengaine n.f. *Il chante toujours la même* **rengaine,** la même chanson très connue.

se rengorger v. 1er groupe. *Quand on lui fait des compliments il* **se rengorge,** il prend un air fier et arrogant.
✻ Conj. n° 2.

renier v. 1er groupe. *M. Dupont* **a renié** *ses idées,* il en a changé (= désavouer).

■ **reniement** n.m. *On lui a reproché son* **reniement,** d'avoir renié ses idées.

■ **renégat, e** n. *On l'a traité de* **renégat** *quand il a changé de camp* (= traître).

renifler v. 1er groupe. *Arrête de* **renifler,** *mouche-toi !,* de faire du bruit avec ton nez en inspirant fortement.

renne n.m. *Les* **rennes** *vivent dans les pays froids,* des grands mammifères ressemblant à des cerfs.
✻ Ne pas confondre avec une **reine** et une **rêne**.

illustr.
p. 730

renom n.m. *Christophe Colomb doit son* **renom** *à la découverte de l'Amérique,* sa célébrité (= notoriété).

■ **renommée** n.f. *La* **renommée** *de ce restaurant est très grande,* il est très connu (= célébrité, réputation, renom).

■ **renommé, ée** adj. *La Bourgogne est* **renommée** *pour ses vins* (= célèbre, réputé).

renoncer v. 1er groupe. *Il* **a renoncé** *à ses projets,* il les a abandonnés.
✻ Conj. n° 1.

■ **renoncement** n.m. Mener une vie de **renoncement**, c'est vivre en renonçant volontairement aux biens terrestres.

■ **renonciation** n.f. *Il a signé une re-nonciation à cet héritage*, une déclaration selon laquelle il y renonce.

renoncule n.f. *Le bouton-d'or est une sorte de renoncule*, une plante qui fleurit au printemps.

renouer v. 1ᵉʳ groupe. SENS 1. *Renoue tes lacets de chaussures*, refais le nœud. ●● *nœud, dénouer*. SENS 2. *Ils ont renoué leurs relations*, ils les ont reprises après une interruption.

renouveler v. 1ᵉʳ groupe. SENS 1. *On a renouvelé les membres de l'assemblée*, on les a remplacés par des membres nouveaux (= changer). ●● *nouveau*. SENS 2. *Xavier a renouvelé sa question*, il l'a posée une deuxième fois (= recommencer). *Que cela ne se renouvelle pas !* (= se reproduire).
✸ Conj. nº 6.

■ **renouveau** n.m. [SENS 2] *Ce livre connaît un renouveau de succès*, un nouveau succès (= regain).

■ **renouvellement** n.m. [SENS 1] *Agnès a demandé le renouvellement de son passeport*, qu'on lui donne un nouveau passeport (= changement).

■ **renouvelable** adj. [SENS 1] *Ce passeport est renouvelable tous les trois ans*, il doit être renouvelé.

rénover v. 1ᵉʳ groupe. *Ce magasin a été rénové*, il a été remis à neuf.

■ **rénovation** n.f. *On a entrepris des travaux de rénovation* (= restauration, modernisation).

renseigner v. 1ᵉʳ groupe. *Peux-tu me renseigner sur l'heure du train ?*, me la faire connaître (= informer).

■ **renseignement** n.m. *Demande le renseignement à la gare* (= indication, information).

rentable adj. *Cette affaire est rentable*, elle rapporte de l'argent (= payant).

■ **rentabilité** n.f. *La rentabilité de cette entreprise est insuffisante*, ses bénéfices (= rendement).

■ **rentabiliser** v. 1ᵉʳ groupe. *L'entre-prise a rentabilisé ses investissements*, ses investissements lui ont rapporté des bénéfices.

rente n.f. *Une rente est un revenu que rapporte un capital placé.*

■ **rentier, ère** adj. et n. *M. Gélin est rentier*, il vit de ses rentes.

rentrer v. 1ᵉʳ groupe. SENS 1. *Après l'école, Saïd rentre chez lui*, il revient chez lui (= retourner). SENS 2. *Il faut rentrer la voiture au garage*, l'y remettre (≠ sortir). SENS 3. Fam. *L'auto est rentrée dans un arbre*, elle s'est jetée violemment dessus. → *percuter*. SENS 4. *Cette clef ne rentre pas dans la serrure* (= entrer, pénétrer, s'enfoncer).
✸ *Rentrer* se conjugue avec l'auxiliaire **être**, sauf au sens 2.

■ **rentrée** n.f. [SENS 1] *La rentrée des classes a lieu en septembre*, le moment où on retourne à l'école. ◆ *M. Legrand attend une rentrée d'argent*, de l'argent qu'il doit recevoir.

renverser v. 1ᵉʳ groupe. SENS 1. *Jean a renversé son verre*, il l'a fait tomber en le faisant basculer (≠ redresser). SENS 2. *Le gouvernement a été renversé*, il a dû démissionner. SENS 3. *Un piéton a été renversé par une voiture*, il a été jeté à terre. SENS 4. *Voilà une nouvelle qui me renverse*, qui me stupéfie.

■ **renversant, ante** adj. [SENS 4] *Voilà une nouvelle renversante !*, très étonnante (= stupéfiant).

■ **à la renverse** adv. [SENS 1] *Paul a failli tomber à la renverse*, sur le dos, en arrière.

■ **renversement** n.m. *Il a réussi un renversement de la situation*, un changement complet (= retournement).

renvoyer v. 1ᵉʳ groupe. SENS 1. *On m'a* **renvoyé** *chez moi,* on m'a fait y retourner. SENS 2. *Des employés* **ont été renvoyés**, ils ont été mis à la porte (= congédier). SENS 3. *Fanny m'a* **renvoyé** *la balle* (= relancer). SENS 4. *On* **a renvoyé** *la réunion à la semaine prochaine,* on l'a remise à plus tard (= reporter, remettre). ✳ Conj. nº 11.

■ **renvoi** n.m. [SENS 2] *Son* **renvoi** *de l'école a été décidé* (= expulsion, exclusion). ◆ *Dans un livre, un* **renvoi** indique qu'il faut se reporter à une autre page. ◆ *Dans l'après-midi, j'ai eu des* **renvois** *de concombre,* des rots avec le goût du concombre mangé au repas.

réorganiser v. 1ᵉʳ groupe. *Les circuits touristiques* **ont été réorganisés**, ils ont été organisés d'une manière nouvelle. ●● **organisation**

réouverture n.f. *La* **réouverture** *du magasin aura lieu le 1ᵉʳ septembre,* il sera ouvert de nouveau. ●● **ouvert**

repaire n.m. *On a surpris les bandits dans leur* **repaire**, dans le lieu qui leur servait de refuge. ✳ Ne pas confondre avec un **repère**.

se **repaître** v. 3ᵉ groupe. *Le chien* **se repaît** *des restes du repas,* il les mange (= se nourrir). ●● **repu** ✳ Conj. nº 80.

répandre v. 3ᵉ groupe. SENS 1. *Le contenu de la bouteille* **s'est répandu** *sur la table,* il y a coulé. SENS 2. *Ce fromage* **répand** *une odeur forte,* il la dégage aux alentours. SENS 3. *La nouvelle* **s'est répandue** *rapidement,* elle s'est étendue (= se propager, se divulguer). ✳ Conj. nº 50.

reparaître v. 3ᵉ groupe. *Cette personne n'avait pas* **reparu** *à son domicile depuis une semaine,* on ne l'avait pas revue (= réapparaître). ●● **paraître** ✳ Conj. nº 64.

réparer v. 1ᵉʳ groupe. SENS 1. *Le garagiste* **a réparé** *la voiture,* il l'a remise en bon état (= arranger). SENS 2. *Je voudrais* **réparer** *ma négligence,* en supprimer les conséquences (= corriger). SENS 3. **Réparer** *ses forces,* c'est les retrouver.

■ **réparable** adj. [SENS 1] *Ces chaussures ne sont pas* **réparables**, on ne peut pas les réparer. [SENS 2] *Vous avez commis une petite erreur facilement* **réparable** (≠ irréparable).

■ **réparateur, trice** n. [SENS 1] *Le téléviseur est en panne, nous attendons le* **réparateur**. [SENS 3] adj. *Il s'est endormi d'un sommeil* **réparateur**, qui a réparé ses forces.

■ **réparation** n.f. [SENS 1] *La* **réparation** *de la voiture nous a coûté cher.* [SENS 2] *Je réclame des dommages et intérêts en* **réparation** *des dégâts subis.*

illustr. p. 69

reparler v. 1ᵉʳ groupe. *On* **reparlera** *de cette affaire une autre fois,* on en parlera de nouveau. ●● **parler**

repartie n.f. *Ta* **repartie** *est très spirituelle,* ta réponse vive (= réplique, riposte). *Elle a le sens de la* **repartie**. ✳ On prononce [reparti].

repartir v. 3ᵉ groupe. *Arrivés à midi, nous* **sommes repartis** *à deux heures,* nous nous sommes remis en route pour aller ailleurs. ●● **partir** ✳ Conj. nº 26. **Repartir** se conjugue avec l'auxiliaire **être**. Ne pas confondre avec **répartir**.

répartir v. 2ᵉ groupe. *On* **a réparti** *le travail entre tous les présents,* on l'a distribué, partagé. ✳ Ne pas confondre avec **repartir**.

■ **répartition** n.f. *Cette* **répartition** *est injuste* (= partage).

repas n.m. *Nous avons fait un bon* **repas**, nous avons bien mangé.

repasser v. 1ᵉʳ groupe. SENS 1. *Je* **repasserai** *demain,* je passerai de nouveau

illustr.
p. 239
(= revenir). SENS 2. *On* **repasse** *le linge avec un fer à* **repasser***, on ôte les plis* (≠ *froisser*). SENS 3. *Ève* **repasse** *ses leçons, elle les apprend une nouvelle fois* (= réviser, revoir). SENS 4. *Alain a échoué à son examen, il va devoir le* **repasser***, en subir les épreuves de nouveau.*
✵ Au sens 1, **repasser** se conjugue avec l'auxiliaire **être**.

■ **repassage** n.m. [SENS 2] *Le* **repassage** *m'a pris une heure*, repasser le linge.

repêcher v. 1er groupe. SENS 1. *On a* **repêché** *un noyé*, on l'a retiré de l'eau. ●● *pêche (2)*. SENS 2. Fam. *Ce candidat a été* **repêché***, il a été reçu à l'examen par indulgence*, malgré des notes un peu insuffisantes.

repeindre v. 3e groupe. *On a* **repeint** *la salle de bains en bleu*, on a mis une nouvelle couche de peinture sur les murs. ●● *peindre*
✵ Conj. n° 55.

repenser v. 1er groupe. SENS 1. *Je tremble encore quand je* **repense** *au danger auquel nous avons échappé*, quand j'y pense de nouveau. ●● *penser*. SENS 2. *Tout ce projet doit être* **repensé***, il faut en modifier la conception* (= reconsidérer, revoir).

se repentir v. 3e groupe. *Il* **se repent** *de ne pas avoir pris assez de précautions*, il le regrette et se le reproche (= regretter).
✵ Conj. n° 19.

■ **repentir** n.m. *Il a montré un* **repentir** *sincère*, un regret de ses fautes (= remords).

répercuter v. 1er groupe. SENS 1. *La paroi rocheuse* **répercute** *les sons*, elle les renvoie. SENS 2. *La hausse des prix se* **répercute** *sur le niveau de vie*, elle a des conséquences.

■ **répercussion** n.f. [SENS 2] *Sa décision a eu de graves* **répercussions***, de graves effets, de graves conséquences* (= contre-coup).

repère n.m. *On a pris le clocher comme point de* **repère***, comme endroit pour ne pas se perdre.*
✵ Ne pas confondre avec un **repaire**.

■ **repérer** v. 1er groupe. *J'ai* **repéré** *un bon coin pour la pêche*, je l'ai découvert et noté. *Je n'arrive pas à* **me repérer** *dans ce bois*, à me retrouver, à m'orienter.
✵ Conj. n° 10.

■ **repérage** n.m. *Sur ce plan, des numéros facilitent le* **repérage** *des monuments*, on les retrouve.

illustr.
p. 123
répertoire n.m. *J'ai écrit ton adresse dans mon* **répertoire***, un carnet dans lequel des renseignements sont classés par ordre alphabétique.*

répéter v. 1er groupe. SENS 1. *Ne* **répète** *pas cela, c'est un secret*, ne le dis pas aux autres. SENS 2. *On* **répète** *le refrain après chaque couplet*, on le dit de nouveau. SENS 3. *Il* **a répété** *les mêmes erreurs*, il les a faites de nouveau (= refaire, recommencer). SENS 4. *Les acteurs sont en train de* **répéter***, de s'entraîner à jouer leur rôle.*
✵ Conj. n° 10.

■ **répétition** n.f. [SENS 2] *Il y a des* **répétitions** *dans ton devoir*, tu dis plusieurs fois la même chose. [SENS 3] *Une arme à* **répétition** *peut tirer plusieurs fois de suite sans être rechargée*. [SENS 4] *Les acteurs ont fait de nombreuses* **répétitions** *avant de jouer en public*, ils se sont entraînés. *La* **répétition générale** *est la dernière répétition d'une pièce avant sa présentation au public.*
illustr.
p. 952

repeupler v. 1er groupe. SENS 1. *Des étrangers* **ont repeuplé** *ces régions dévastées par la guerre*, ils les ont peuplées de nouveau. ●● *peuple*. SENS 2. *On a* **repeuplé** *l'étang*, on y a remis des poissons.

repiquer v. 1er groupe. *Le jardinier* **repique** *des salades*, il les déterre pour les planter ailleurs (= transplanter).

828

répit n.m. *Mon travail ne me laisse pas de* **répit** (= repos, détente).

replacer v. 1er groupe. *Tâche de replacer les livres au bon endroit dans la bibliothèque,* de les placer où ils étaient avant (= remettre). ●● **place**
✳ Conj. n° 1.

replâtrer v. 1er groupe. *Il faudrait* **replâtrer** *la cloison,* la réparer avec du plâtre. ●● **plâtre**

replet, ète adj. *M. Rondeau est un petit homme* **replet,** *il a une mine* **replète,** *il est gros* (= grassouillet, dodu).

replier v. 1er groupe. **SENS 1.** *Replie soigneusement la carte routière,* plie-la comme elle était avant d'être dépliée. ●● **plier**. *Les campeurs* **ont replié** *leur tente,* ils l'ont rabattue et rangée. **SENS 2.** *Les soldats* **se sont repliés** *devant les troupes adverses,* ils ont reculé.
■ **repli** n.m. **[SENS 1]** *Ils se sont cachés dans les* **replis** *du terrain,* les creux, les ondulations du sol. **[SENS 2]** *Le général a donné l'ordre de* **repli,** de se replier.

réplique n.f. **SENS 1.** *Alex a eu une* **réplique** *intelligente,* une réponse brève (= riposte, repartie). **SENS 2.** *Cette statue est une* **réplique** *de la statue de la Liberté à New York,* une reproduction.
■ **répliquer** v. 1er groupe. **[SENS 1]** *Je lui ai répliqué que ça ne le regardait pas* (= répondre, riposter, rétorquer).

se **replonger** v. 1er groupe. *Alice s'est* **replongée** *dans sa lecture,* elle s'y est plongée de nouveau après une interruption.
✳ Conj. n° 2.

répondre v. 3e groupe. **SENS 1.** *Posez-moi des questions et je vous* **répondrai,** je vous donnerai mon avis (≠ interroger). **SENS 2.** *Il n'a pas* **répondu** *à ma lettre,* il n'a pas écrit ou téléphoné en retour. **SENS 3.** *Je* **réponds** *de l'honnêteté de mon client,* je garantis qu'il est honnête.

SENS 4. *Cet article ne* **répond** *pas à mes besoins* (= correspondre).
✳ Conj. n° 51.
■ **répondant** n.m. **[SENS 3]** *Je suis le* **répondant** *de Paul,* je réponds de lui.
■ **répondeur** n.m. *Le* **répondeur** *est un appareil qui donne et enregistre des messages téléphoniques quand on est absent.*   *illustr. p. 940*
■ **réponse** n.f. **[SENS 1 et 2]** *Il m'a donné une* **réponse** *affirmative,* un avis correspondant à une question.

1. reporter v. 1er groupe. **SENS 1.** *La séance* **a été reportée,** *elle a été renvoyée à plus tard* (= remettre). **SENS 2.** **Reportez-vous** *à l'introduction !,* allez la regarder.
■ **report** n.m. **[SENS 1]** *On a décidé le* **report** *de la réunion* (= renvoi).

2. reporter n.m. *Le journal a envoyé un* **reporter** *sur les lieux du crime,* un journaliste chargé de l'information.   *illustr. p. 503*
✳ On prononce [rəpɔrtɛr].
■ **reportage** n.m. *As-tu lu le* **reportage** *sur l'accident ?,* le récit des événements fait par un journaliste.

reposer v. 1er groupe. **SENS 1.** *Il a bu et il* **a reposé** *son verre,* il l'a posé après l'avoir soulevé. **SENS 2.** *Ces quelques jours de vacances m'***ont bien reposé,** *ils m'ont délassé* (≠ fatiguer). **Reposez-vous** *un moment,* cessez de travailler, de vous fatiguer. **SENS 3.** *Je* **me repose sur** *lui pour faire ce travail,* je lui fais confiance (= compter). **SENS 4.** *Tes arguments ne* **reposent sur rien,** *ils ne sont fondés sur rien.*
■ **repos** n.m. **[SENS 2]** *J'ai besoin d'un peu de* **repos** (= délassement, détente ; ≠ fatigue).
■ **reposant, ante** adj. **[SENS 2]** *Nous avons passé un week-end* **reposant** (≠ fatigant).

repousser v. 1er groupe. **SENS 1.** *Francis* **a repoussé** *sa chaise pour se lever,* il l'a écartée de lui. SENS 2. *Les soldats ont repoussé l'ennemi*, ils l'ont fait reculer. SENS 3. *On a repoussé sa demande*, on l'a rejetée (≠ accepter). SENS 4. *Ces fleurs repousseront au printemps*, elles pousseront de nouveau.

■ **repoussant, ante** adj. *Il est d'une saleté repoussante*, d'une saleté qui inspire du dégoût, qui rebute (= répugnant ; ≠ attirant).

répréhensible adj. *Des actes répréhensibles* sont des actes blâmables, condamnables.

reprendre v. 3ᵉ groupe. SENS 1. *Reprenez-donc de la viande*, prenez-en une nouvelle fois. SENS 2. *Le prisonnier a été repris*, il a été pris de nouveau. SENS 3. *Le garagiste me reprend ma voiture à un bon prix*, il la rachète. SENS 4. *J'ai repris le travail lundi dernier*, j'ai recommencé à travailler. SENS 5. *Voyant qu'il s'était trompé, il s'est repris*, il a rectifié ce qu'il avait dit par erreur. SENS 6. *J'ai été très déçu ; on ne m'y reprendra plus*, je ne recommencerai pas la même erreur.
✹ Conj. nº 54.

■ **reprise** n.f. [SENS 3] *On m'offre une bonne reprise pour ma voiture*, un bon prix de rachat. [SENS 4] *La reprise des cours a lieu en octobre.* ◆ *Il s'est trompé à plusieurs reprises*, plusieurs fois. ◆ *Cette auto a de bonnes reprises*, elle accélère bien. ◆ *Un match de boxe se déroule en plusieurs reprises* (= partie, round).

■ **repris** n.m. [SENS 2] *Un repris de justice* est quelqu'un qui a déjà été condamné.

représailles n.f. pl. *À la suite de cet attentat, l'ennemi a fusillé des otages, par représailles*, pour se venger.

représenter v. 1ᵉʳ groupe. SENS 1. *Cette photo représente la tour Eiffel*, elle en présente l'image (= montrer). SENS 2. *Les notes de la gamme représentent*

des sons, ce sont des signes qui correspondent aux sons. SENS 3. *Cet achat représente une grosse dépense*, il correspond à cette dépense (= constituer, entraîner). SENS 4. *Les ambassadeurs représentent la France à l'étranger*, ils agissent en son nom. SENS 5. *Les acteurs représentent une comédie*, ils la jouent.

■ **représentant, ante** n. [SENS 4] *Le président a envoyé un représentant*, quelqu'un qui parle et agit en son nom (= délégué). ◆ *Les commerçants sont visités par des représentants*, des personnes qui viennent présenter des produits et prendre des commandes. *illustr. p. 358*

■ **représentatif, ive** adj. [SENS 2] *La délégation est représentative des diverses opinions de l'assemblée*, elle est constituée de façon à représenter ces diverses opinions.

■ **représentation** n.f. [SENS 4] *Le Parlement assure la représentation du peuple.* [SENS 5] *C'est la première représentation de cette pièce*, la première fois qu'elle est jouée en public.

répression → *réprimer*

réprimande n.f. *Son père lui a fait une réprimande*, il l'a grondé, attrapé (= remontrance ; ≠ compliment).

■ **réprimander** v. 1ᵉʳ groupe. *La maîtresse l'a réprimandé pour cette bêtise mais elle ne l'a pas puni* (= gronder, attraper ; fam. disputer ; ≠ féliciter).

réprimer v. 1ᵉʳ groupe. *C'est un garçon violent, qui ne sait pas réprimer sa colère*, l'empêcher de se manifester.

■ **répression** n.f. *La police est chargée de la répression des crimes*, de les empêcher et de les faire punir.

repris → *reprendre*

reprise → *reprendre, repriser*

repriser v. 1ᵉʳ groupe. *Marie reprise sa robe*, elle la raccommode là où elle est trouée ou déchirée.

illustr.
p. 228
■ **reprise** n.f. *Peux-tu faire une **reprise** à mon pantalon ?*, le repriser.

réprobateur, réprobation
→ *réprouver*

reproche n.m. *Sa conduite insouciante mérite des **reproches**,* des blâmes, des critiques (≠ compliment, félicitations). ●● *irréprochable*

■ **reprocher** v. 1ᵉʳ groupe. *On lui a **reproché** son retard,* on l'a blâmé pour cela.

reproduire v. 3ᵉ groupe. SENS 1. *Cette erreur ne doit pas **se reproduire**,* se produire de nouveau (= recommencer, se renouveler). SENS 2. *Un magnétophone **reproduit** les sons,* il les répète après les avoir enregistrés. SENS 3. *Les êtres vivants **se reproduisent**,* ils donnent naissance à d'autres êtres vivants. ✳ Conj. n° 70.

■ **reproducteur, trice** adj. [SENS 3] *Le pistil est un des organes **reproducteurs** de la fleur,* il sert à la reproduction.

■ **reproduction** n.f. [SENS 2] *Cette image est la **reproduction** d'un tableau* (= copie, imitation). [SENS 3] *La **reproduction** des êtres vivants se fait de différentes manières selon les espèces.*

réprouver v. 1ᵉʳ groupe. *La torture est un acte que la morale **réprouve**,* qu'elle condamne vivement (= condamner, blâmer ; ≠ approuver).

■ **réprobateur, trice** adj. *Il m'a lancé un regard **réprobateur**,* exprimant le reproche.

■ **réprobation** n.f. *Des actes d'une telle lâcheté méritent la **réprobation** générale* (= blâme).

illustr.
p. 1033
reptile n.m. *Les **reptiles** sont des animaux rampants au corps couvert d'écailles comme les serpents, les lézards, les crocodiles et les tortues.*

repu, ue adj. *Après ce bon dîner, je suis **repu*** (= rassasié). ●● *repaître*

république n.f. *La France est une* *illustr.* **république**, *un État gouverné par des* *p. 358* représentants élus par le peuple (≠ monarchie).

■ **républicain, aine** adj. et n. *La France a un régime **républicain**,* c'est une république. *À la Révolution, les royalistes s'opposaient aux **républicains**,* aux partisans de la république.

répudier v. 1ᵉʳ groupe. *Il a **répudié** ses engagements,* il y a renoncé (= rejeter). ✳ Ce mot s'emploie surtout à l'écrit.

répugnance n.f. *Il a avalé ce plat mal cuit avec **répugnance**,* avec un vif dégoût (= répulsion).

■ **répugnant, ante** adj. *Quelle est cette odeur **répugnante** ?*, écœurante, infecte.

■ **répugner** v. 1ᵉʳ groupe. *Le mensonge me **répugne**,* il me déplaît vivement (= dégoûter).

répulsion n.f. *De tels actes inspirent de la **répulsion**,* un sentiment de profond dégoût (= répugnance).

réputation n.f. *M. Lambert a **bonne réputation**,* les gens pensent du bien de lui.

■ **réputé, ée** adj. *Ce restaurant est **réputé*** (= connu, célèbre, renommé).

requérir v. 3ᵉ groupe. SENS 1. *Le procureur a **requis** une lourde peine contre l'accusé,* il l'a réclamée. SENS 2. *Ce détail **requiert** toute votre attention,* votre attention est nécessaire pour bien le remarquer (= demander, réclamer, exiger).
✳ Conj. n° 21.

■ **requis, ise** adj. [SENS 2] *Cette femme a toutes les qualités **requises** pour exercer ces fonctions,* les qualités voulues, exigées.

■ **requête** n.f. [SENS 1] *Adressez votre **requête** à la mairie !* (= demande, réclamation).

requiem n.m. Un **requiem** est un chant religieux ou une composition musicale en mémoire des morts.
✳ On prononce [rekɥijem].

requin n.m. *Il est dangereux de se baigner ici à cause des* **requins,** *de grands poissons très voraces qui vivent dans les mers chaudes ou tempérées.*

réquisitionner v. 1ᵉʳ groupe. *En cas de besoin, le gouvernement peut* **réqui-sitionner** *les choses et les gens,* les utiliser d'autorité.

■ **réquisition** n.f. *Un décret autorise la* **réquisition** *de certains locaux pour les sinistrés,* l'utilisation de ces locaux par décision des autorités.

réquisitoire n.m. *Le procureur pro-nonce le* **réquisitoire** *contre l'accusé,* le discours d'accusation.

rescapé, ée n. *Un avion a secouru les* **rescapés,** ceux qui ont échappé à la mort (= survivant ; ≠ victime).

à la **rescousse** adv. *Il est venu* **à la rescousse,** pour nous secourir, nous aider.

réseau n.m. Un **réseau** routier est un ensemble de routes. Un **réseau** télépho-nique est un ensemble de lignes télé-phoniques.
✳ Au pluriel, on écrit des **réseaux.**

réséda n.m. Le **réséda** est une plante dont les fleurs jaunes et parfumées sont disposées en grappes.

réserve n.f. SENS 1. *Mme Lavoie a fait des* **réserves** *de sucre,* elle en a gardé pour plus tard (= provision). SENS 2. (Au plur.) *On a fait des* **réserves** *sur son projet,* on ne l'a pas approuvé (= restric-tions). SENS 3. *Éric manque de* **réserve,** de modération dans son attitude (= re-tenue). SENS 4. *La Camargue est une* **réserve** *d'animaux,* ils y sont protégés.

■ **réservé, ée** adj. [SENS 3] *Alban a un caractère très* **réservé** (= discret ; ≠ effronté).

■ **réserver** v. 1ᵉʳ groupe. [SENS 1] *Il s'est* **réservé** *la meilleure place,* il l'a gardée pour lui. ◆ *As-tu* **réservé** *les places de théâtre ?* (= retenir). ◆ *La voie de droite* **est réservée** *aux autobus,* ils ont seuls le droit d'y aller (= destiner).

■ **réservation** n.f. [SENS 1] Faire une **réservation,** c'est réserver une place.

■ **réservoir** n.m. [SENS 1] *Le* **réservoir** *de la voiture est plein,* le récipient où l'on met l'essence en réserve. *illustr. p. 69, 277*

résider v. 1ᵉʳ groupe. *Les Bordron* **résident** *à Paris,* ils y ont leur domicile (= habiter, demeurer).

■ **résidence** n.f. *Quel est votre lieu de* **résidence** *?* (= habitation, domicile). *Nous habitons dans une* **résidence,** un groupe d'immeubles situé dans un cadre agréable. *Ils ont une* **résidence** *secon-daire à la campagne,* une maison en plus de leur habitation principale.

■ **résidentiel, elle** adj. *Ils habitent un ensemble* **résidentiel,** constitué seule-ment par des maisons d'habitation. *illustr. p. 1017*
✳ On prononce [rezidɑ̃sjɛl].

résidu n.m. *La cendre est le* **résidu** *du bois qui a brûlé,* ce qui en reste.

se **résigner** v. 1ᵉʳ groupe. *Il s'est* **résigné** *à abandonner son projet,* il a accepté à contrecœur, mais sans pro-tester (= se résoudre).

■ **résignation** n.f. *Il accepte son mal-heur avec* **résignation** (= soumission ; ≠ révolte).

résilier v. 1ᵉʳ groupe. *Yann* **a résilié** *son contrat,* il y a mis fin (= annuler).

résine n.f. *De la* **résine** *coule de l'écorce des pins,* une substance col-lante.

■ **résineux, euse** adj. et n.m. Les (ar-bres) **résineux** sont des arbres qui produisent de la résine comme le pin, le sapin, etc. → *conifère*

résister v. 1er groupe. SENS 1. *La branche pourrie n'a pas résisté à son poids,* elle ne l'a pas supporté et a cassé. ●● *irrésistible.* SENS 2. *Les soldats ont résisté à l'ennemi,* ils se sont opposés à lui (≠ céder).

▪ **résistant, ante** [SENS 1] adj. *Alex est très résistant* (= fort, robuste, endurant). [SENS 2] n. *Les soldats de l'armée d'occupation ont fusillé des résistants,* des patriotes appartenant à une organisation de résistance.

▪ **résistance** n.f. [SENS 1] *Ceux qui construisent les ponts ont fait des études sur la résistance des matériaux* (= solidité). [SENS 2] *Le malfaiteur s'est laissé arrêter sans résistance,* sans s'opposer. *Pendant la guerre, des mouvements de résistance se sont créés,* des mouvements de volontaires combattant l'occupant.* ◆ Le **plat de résistance** est le plat principal d'un repas.

résolu, résolument, résolution → *résoudre*

résonner v. 1er groupe. *On entend des pas résonner dans le couloir,* faire du bruit (= retentir).
✷ Ne pas confondre avec **raisonner.**

▪ **résonance** n.f. *Quand on frappe sur une cloche, elle entre en résonance,* elle résonne.

résorber v. 1er groupe. *Le gouvernement essaie de résorber le chômage,* de le faire disparaître progressivement.

résoudre v. 3e groupe. SENS 1. *Résoudre un problème,* c'est trouver sa solution. SENS 2. *Il s'est résolu à (ou il a résolu de) tout avouer,* il a finalement pris cette décision.
✷ Conj. n° 61.

▪ **résolu, ue** adj. [SENS 2] *Henri est un garçon résolu* (= décidé, énergique ; ≠ irrésolu, indécis, hésitant).

▪ **résolument** adv. [SENS 2] *Il s'est mis résolument au travail,* sans hésiter.

▪ **résolution** n.f. [SENS 2] *Il a pris la résolution de venir* (= décision). *Henri a agi avec résolution* (= fermeté, énergie).

respect n.m. SENS 1. *J'ai un grand respect pour M. Bertrand,* je le considère avec admiration, déférence (= considération ; ≠ mépris). SENS 2. *On m'a appris le respect de la vérité, de l'honnêteté,* à ne jamais rien faire de contraire à la vérité, à l'honnêteté. SENS 3. **Tenir quelqu'un en respect,** c'est le tenir à distance en le menaçant, pour se protéger de lui. SENS 4. (Au plur.) *Je lui ai présenté mes respects,* des marques de politesse.
✷ On prononce [rɛspɛ].

▪ **respecter** v. 1er groupe. [SENS 1] *Respecte tes grands-parents !* (≠ mépriser). [SENS 2] *Silence ! Respectez le sommeil des autres !,* faites-y attention. *Il faut absolument respecter l'horaire,* en tenir compte, l'observer.

▪ **respectable** adj. [SENS 1] *C'est un homme respectable,* qui mérite d'être respecté (= honorable).

▪ **respectueux, euse** adj. [SENS 1] *Il s'est montré respectueux envers moi* (= déférent ; ≠ insolent).

respectif, ive adj. *Retournez à vos places respectives !,* chacun à la vôtre.

▪ **respectivement** adv. *Julien et Joël ont gagné respectivement 150 € et 300 €,* chacun en ce qui le concerne.

respectueux → *respect*

respirer v. 1er groupe. SENS 1. *Le malade respire avec difficulté,* il inspire et expire l'air. ●● *irrespirable.* SENS 2. *Son visage respire la franchise,* il l'exprime.

▪ **respiration** n.f. [SENS 1] *La respiration est une alternance régulière de mouvements d'inspiration et d'expiration.*

▪ **respiratoire** adj. [SENS 1] *Les poumons, les bronches, la trachée consti-*

illustr. p. 216

tuent l'appareil **respiratoire**, l'ensemble des organes qui servent à la respiration.

resplendir v. 2ᵉ groupe. *Le diadème de la reine* **resplendissait**, il brillait vivement (= étinceler).

■ **resplendissant, ante** adj. *Le soleil était* **resplendissant** *ce jour-là* (= radieux). *Vous avez une mine* **resplendissante** (= magnifique).

responsable adj. et n. SENS 1. *Qui est (le)* **responsable** *de l'accident ?*, la personne qui l'a causé. SENS 2. *Les parents sont* **responsables de** *leurs enfants mineurs*, ils en sont chargés. ●● **irresponsable**

■ **responsabilité** n.f. *Chacun doit prendre ses* **responsabilités**, accepter les conséquences de ses actes.

resquiller v. 1ᵉʳ groupe. Fam. *Martin a* **resquillé** *dans la file d'attente*, il est passé devant tout le monde.

■ **resquilleur, euse** n. Fam. *Un* **resquilleur** *s'est fait prendre par le contrôleur*, une personne qui resquillait (= fraudeur).

ressac n.m. *Entends-tu le bruit du* **ressac** *?*, le choc des vagues contre un obstacle.

se **ressaisir** v. 2ᵉ groupe. *Loïc a failli tout abandonner, mais il* **s'est ressaisi**, il a repris courage, retrouvé son sang-froid.

ressasser v. 1ᵉʳ groupe. *À force d'être* **ressassée**, *cette idée a pénétré dans les esprits*, d'être sans cesse répétée (= rabâcher, seriner).

ressembler v. 1ᵉʳ groupe. *Maria* **ressemble** *à sa mère*, elle a des traits semblables (≠ différer de).

■ **ressemblance** n.f. *As-tu remarqué leur* **ressemblance** *?* (≠ différence).

■ **ressemblant, ante** adj. *Ce portrait de Hugo est très* **ressemblant**, on le reconnaît bien.

ressemeler v. 1ᵉʳ groupe. *Le cordonnier* **ressemelle** *les chaussures*, il y met de nouvelles semelles. ●● **semelle** ✳ Conj. n° 6.

■ **ressemelage** n.m. *Mes chaussures de marche ont besoin d'un* **ressemelage**.

ressentiment n.m. *Malgré cette petite méchanceté, je n'ai aucun* **ressentiment** *contre lui*, je ne lui en veux pas (= rancune).

ressentir v. 3ᵉ groupe. SENS 1. *Chacun* **ressentait** *une grande fatigue*, chacun la sentait (= éprouver). ●● **sentir**. SENS 2. *Il* **se ressent** *encore de cette ancienne blessure*, il en éprouve encore les effets. ✳ Conj. n° 19.

resserre n.f. *Il a mis ses outils dans une* **resserre** (= remise).

resserrer v. 1ᵉʳ groupe. SENS 1. **Resserre** *tes lacets de chaussures*, attache-les plus serrés. ●● **serrer**. SENS 2. *La route* **se resserre**, elle devient plus étroite (= se rétrécir). SENS 3. *Cette rencontre* **a resserré** *nos liens d'amitié*, elle les a renforcés.

resservir v. 3ᵉ groupe. SENS 1. *Nicolas aimerait bien qu'on lui* **resserve** *de la mousse au chocolat*, qu'on lui en serve de nouveau. ●● **servir**. SENS 2. *Ces vêtements sont un peu usagés, mais ils peuvent* **resservir**, être utilisés de nouveau. ✳ Conj. n° 20.

ressort n.m. SENS 1. *La porte se ferme automatiquement grâce à un* **ressort**, un mécanisme qui reprend sa position quand on le déforme. SENS 2. *Depuis sa maladie, Jeanne manque de* **ressort** (= force, énergie, dynamisme). SENS 3. *Cette affaire est* **du ressort de** *la police*, c'est à elle de s'en occuper (= compétence). SENS 4. **En dernier ressort**, *il a fait appel à un voisin*, comme dernière ressource (= en dernier recours).

illustr. p. 177, 572

834

ressortir v. 3ᵉ groupe. SENS 1. *Il est ressorti de la maison,* il en est sorti après y être entré. SENS 2. *Marie a ressorti du grenier une vieille ombrelle,* elle l'en a extraite, ramenée. SENS 3. *Que ressort-il de ses paroles ?,* quelle conclusion peut-on en tirer ? (= résulter). SENS 4. *Le jaune ressort bien sur le rouge,* il apparaît nettement, il est bien visible (= trancher). ☀ Conj. nº 28. **Ressortir** se conjugue avec l'auxiliaire **être** sauf au sens 2.

ressortissant, ante n. *Cette nouvelle concerne les ressortissants français aux États-Unis d'Amérique,* les Français qui sont là-bas.

ressouder v. 1ᵉʳ groupe. *On a fait ressouder un barreau de la grille,* on l'a fait souder de nouveau. *L'os fracturé s'est ressoudé,* les deux morceaux se sont rattachés. ●● *souder*

ressources n.f. pl. SENS 1. *Cette famille est sans ressources,* sans moyens d'existence. SENS 2. *Les ressources de la France en pétrole sont très faibles,* elle a très peu de pétrole.

ressusciter v. 1ᵉʳ groupe. *L'Évangile dit que le Christ est ressuscité,* qu'il est revenu à la vie.

■ **résurrection** n.f. *Selon l'Évangile, la résurrection du Christ a eu lieu le troisième jour après sa mort,* son retour à la vie.

restant → *rester*

restaurer v. 1ᵉʳ groupe. SENS 1. *Ce vieux château a été restauré,* il a été remis en bon état (= réparer). SENS 2. *Nous nous restaurons avant de continuer la promenade,* nous mangeons pour reprendre des forces.

■ **restaurant** n.m. [SENS 2] *Un restaurant est un établissement qui sert des repas.*

■ **restaurateur, trice** n. [SENS 2] *Mes parents sont restaurateurs,* ils tiennent un restaurant.

■ **restauration** n.f. [SENS 1] *Depuis leur restauration, ces fauteuils semblent neufs,* leur remise en état. [SENS 2] *Julien veut faire une école hôtelière pour travailler dans la restauration,* dans les restaurants.

rester v. 1ᵉʳ groupe. SENS 1. *Adrien est resté huit jours en Angleterre,* il a été là-bas pendant ce temps (= demeurer, séjourner). SENS 2. *Il me reste 2 euros,* je les ai encore.
☀ **Rester** se conjugue avec l'auxiliaire **être**.

■ **restant, ante** [SENS 1] adj. *Écris-moi poste restante à Paris,* la lettre restera à la poste jusqu'à ce que j'aille la chercher. [SENS 2] n.m. *Je prendrai le restant demain,* ce qui reste.

■ **reste** n.m. [SENS 2] *Peux-tu me rendre le reste de ce que tu me dois ?,* ce que tu me dois encore. Le **reste** d'une soustraction, c'est ce qui reste d'un nombre quand on en a retranché un autre ; le **reste** d'une division, c'est ce qui reste du dividende quand la division ne tombe pas juste. (Au plur.) *On a mangé des restes,* ce qui restait d'un repas précédent. ◆ *Il est parti, du reste (au reste) je m'y attendais* (= d'ailleurs).

restituer v. 1ᵉʳ groupe. SENS 1. *Il m'a restitué ce qu'il me devait,* il me l'a rendu. SENS 2. *Un magnétophone restitue les sons enregistrés,* il les reproduit.

■ **restitution** n.f. [SENS 1] *Le tribunal l'a condamné à la restitution des biens volés.* [SENS 2] *Ce roman offre une bonne restitution de la vie au Moyen Âge,* une reconstitution.

restreindre v. 3ᵉ groupe. SENS 1. *Il faut restreindre nos dépenses,* les diminuer (= réduire ; ≠ accroître). SENS 2. *Alex n'aime pas se restreindre* (= se priver). ☀ Conj. nº 55.

■ **restreint, einte** adj. [SENS 1] *Nous ne disposons que d'un espace restreint* (= limité, étroit).

■ **restriction** n.f. [SENS 2] *Pendant la guerre, il y avait des restrictions*, on trouvait moins de nourriture et de produits de consommation (= privation). → *rationnement*. ◆ *On a accepté son plan sans restriction*, on l'a accepté totalement (= sans condition, sans réserve).

résultat n.m. *Quel est le résultat des négociations ?* (= conclusion). Le **résultat** d'une addition, c'est la somme ; le **résultat** d'une soustraction, c'est le reste ; le **résultat** d'une multiplication, c'est le produit ; le **résultat** d'une division, c'est le quotient.

■ **résulter** v. 1er groupe. *Il n'est rien résulté de mes efforts*, ils n'ont pas abouti.

résumer v. 1er groupe. *Peux-tu me résumer ce livre ?*, me dire en peu de mots ce qu'il contient.

■ **résumé** n.m. *J'ai lu un résumé des nouvelles*, un texte qui donne l'essentiel (= abrégé).

résurrection → *ressusciter*

rétablir v. 2e groupe. SENS 1. *La police a rétabli l'ordre*, elle l'a fait exister de nouveau (= ramener). SENS 2. *Après sa maladie, il s'est vite rétabli*, il a retrouvé la santé (= se remettre).

■ **rétablissement** n.m. [SENS 1] *Les deux États sont parvenus au rétablissement de leurs relations*, à leur remise en vigueur. [SENS 2] *Je vous souhaite un rapide rétablissement* (= guérison). ◆ *D'un rétablissement, je me suis hissé en haut du mur*, d'un effort des bras, puis de tout le corps.

retaper v. 1er groupe. SENS 1. Fam. *J'ai acheté une vieille maison, je vais la faire retaper*, remettre en état (= réparer). SENS 2. Fam. *Je vais me retaper à la montagne*, reprendre des forces (= se rétablir).

retarder v. 1er groupe. SENS 1. *La pluie nous a retardés*, elle nous a fait arriver plus tard. SENS 2. *Fabien a retardé son départ*, il l'a remis à plus tard (= repousser ; ≠ hâter). SENS 3. *Ma montre retarde de cinq minutes*, elle marque cinq minutes de moins que l'heure juste (≠ avancer).

■ **retard** n.m. [SENS 1 et 3] *J'ai dix minutes de retard*, j'arrive dix minutes plus tard que l'heure prévue (≠ avance).

■ **retardataire** adj. et n. [SENS 1] *Les (spectateurs) retardataires auront les moins bonnes places*, ceux qui arrivent en retard. [SENS 3] *Ma vieille tante a des idées retardataires*, en retard sur l'évolution des mœurs ou des idées (= dépassé, rétrograde ; ≠ avancé, progressiste).

■ **retardement** n.m. [SENS 1] Une bombe **à retardement** est munie d'un dispositif qui en retarde l'explosion.

retenir v. 3e groupe. SENS 1. *Il m'a retenu dix minutes*, il m'a empêché de partir. SENS 2. *Je me suis retenu à son bras*, je m'y suis accroché pour ne pas tomber. SENS 3. *J'ai retenu des places de théâtre*, je les ai réservées (= louer). SENS 4. *Faisons l'addition : 7 et 5 font 12, je pose 2 et je retiens 1*, je le réserve pour le joindre aux chiffres de la colonne suivante. SENS 5. *On lui retient une partie de son salaire pour payer ses dettes* (= garder). SENS 6. *Je n'ai pas pu retenir son nom*, le garder dans ma mémoire (= se souvenir de). SENS 7. *Je n'ai pas pu me retenir de rire*, m'en empêcher. ✳ Conj. n° 22.

■ **retenue** n.f. [SENS 1] *Loïc a eu deux heures de retenue*, on l'a retenu à l'école pour le punir (= consigne, fam. colle). [SENS 4] *L'addition est fausse parce qu'on a oublié la retenue*, le chiffre retenu. [SENS 5] *Il gagne 750,28 euros, moins les retenues*, les sommes retenues sur son salaire. [SENS 7] *Aïcha montre beaucoup de retenue dans ses paroles* (= discrétion, modération, réserve ; ≠ laisser-aller).

retentir v. 2e groupe. *Les cloches retentissent*, elles font beaucoup de bruit.

■ **retentissant, ante** adj. SENS 1. *Le président a annoncé les résultats d'une voix* **retentissante**, *très forte* (= puissant, sonore). SENS 2. *Ce film a eu un succès* **retentissant**, *très grand* (= éclatant).

■ **retentissement** n.m. [SENS 2] *Cette nouvelle a eu un grand* **retentissement**, *on en a beaucoup parlé.*

retenue → *retenir*

réticence n.f. SENS 1. *Après bien des* **réticences**, *il a fini par avouer*, après s'être retenu de parler. SENS 2. *Hugo a accepté mon plan sans* **réticence**, *sans hésitation* (= réserve).

■ **réticent, ente** adj. *Au début, le directeur était* **réticent** *devant ce projet, puis il a accepté* (= hésitant, réservé).

rétif, ive adj. *Il a cravaché son cheval* **rétif**, *qui refusait d'avancer* (≠ docile).

rétine n.f. *Les images de ce que nous voyons se forment sur la* **rétine**, *la membrane située au fond de l'œil.*

retirer v. 1er groupe. SENS 1. *Retirez cette grosse valise du passage !*, enlevez-la (= ôter ; ≠ mettre). *J'ai retiré 70 € à la banque à midi* (= prélever). ●● **retrait**. SENS 2. *La décision du tribunal* **retire** *le droit de vote au condamné*, elle le prive de ce droit (= supprimer ; ≠ accorder, donner). SENS 3. *J'ai retiré du plaisir de ce voyage* (= obtenir, trouver). SENS 4. *M. Arnaud* **s'est retiré** *à la campagne*, il est allé y vivre au calme. ●● **retraite**

■ **retiré, ée** adj. [SENS 4] *Il habite dans un endroit* **retiré** (= éloigné, isolé).

retomber v. 1er groupe. SENS 1. *Max a lancé son ballon, qui* **est retombé** *dans la cour du voisin*, qui est revenu à terre en tombant. ●● **tomber**. SENS 2. *Claire* **est retombée** *malade*, elle est de nouveau malade, elle a fait une rechute. SENS 3. *C'est sur lui que* **retombe** *la responsabilité*, c'est lui qui est responsable.

■ **retombées** n.f. pl. [SENS 1] *Après une explosion atomique, il y a des* **retombées** *radioactives*, des particules qui retombent. ◆ *Ce scandale a eu des* **retombées** *politiques*, des conséquences indirectes.

retordre v. 3e groupe. SENS 1. **Retordre** *des fils*, c'est les tordre ensemble. ●● **tordre**. SENS 2. *Cette affaire m'a donné du fil à* **retordre**, elle m'a donné du mal.
✳ Conj. n° 52.

rétorquer v. 1er groupe. *Il m'a reproché une erreur, je lui* **ai rétorqué** *que c'était lui qui se trompait* (= répondre, répliquer, riposter).

retors, e adj. *M. Duval est un homme* **retors**, *très rusé.*

retoucher v. 1er groupe. **Retoucher** *une photo, une robe*, c'est les corriger pour les améliorer.

■ **retouche** n.f. *Le peintre a fait quelques* **retouches** *à son tableau.*

retourner v. 1er groupe. SENS 1. *Claire* **retourne** *le bifteck dans la poêle*, elle le tourne de l'autre côté. SENS 2. *Quand je l'ai appelé, il* **s'est retourné**, il s'est tourné vers moi. SENS 3. *Noël* **est retourné** *chez lui*, il y est allé de nouveau (= repartir, rentrer, revenir). SENS 4. *On lui* **a retourné** *sa lettre*, on la lui a renvoyée.

■ **retour** n.m. [SENS 3] *À mon* **retour**, *je vous téléphonerai*, quand je reviendrai (≠ départ). [SENS 4] *Réponds-moi par* **retour** *du courrier*, aussitôt après avoir reçu ma lettre. ◆ *Que veux-tu* **en retour** *de mes services ?*, en échange.

■ **retournement** n.m. *Il est parvenu à un* **retournement** *de la situation*, à un changement complet (= renversement).

retracer v. 1er groupe. *L'explorateur a* **retracé** *ses aventures*, il les a racontées.
✳ Conj. n° 1.

rétracter v. 1er groupe. SENS 1. *Le chat* **rétracte** *ses griffes*, il les rentre. SENS 2.

*Il m'avait promis son aide, puis il **s'est rétracté**, il a retiré ce qu'il avait dit (= se dédire).*

retrait n.m. SENS 1. *J'ai fait un **retrait** de 150 euros à la banque* (= prélèvement). *Cette infraction est punie par le **retrait** du permis de conduire* (= suppression, confiscation). ●● ***retirer***. SENS 2. *Cette maison est **en retrait**, en arrière des autres.*

retraite n.f. *M. Arnaud a pris sa **retraite**, il n'a plus d'activité professionnelle et s'est retiré.* ●● ***retirer**. Il touche une **retraite**, de l'argent parce qu'il a atteint l'âge voulu pour ne plus travailler.* ◆ *L'armée **bat en retraite**, elle recule devant l'ennemi.*

■ **retraité, ée** n. et adj. *M. Arnaud est (un) **retraité**, il a pris sa retraite.*

retrancher v. 1ᵉʳ groupe. SENS 1. *Si on **retranche** 5 de 8, il reste 3* (= enlever, ôter, soustraire). SENS 2. *L'ennemi **s'est retranché** dans la montagne, il s'y est retiré à l'abri.*

■ **retranchement** n.m. [SENS 2] *Les troupes ont établi des **retranchements** solides* (= fortification, défense).

retransmettre v. 3ᵉ groupe. *Le match a été **retransmis** à la télévision, on l'a passé* (= diffuser). ●● ***transmettre*** ✹ Conj. nᵒ 57.

■ **retransmission** n.f. *Il n'y aura pas de **retransmission** du concert* (= diffusion).

rétrécir v. 2ᵉ groupe. SENS 1. *Ma jupe est trop large, il faut la **rétrécir**, diminuer sa largeur* (≠ élargir). ●● ***étroit**.* SENS 2. *Son pantalon **a rétréci** au lavage, il est devenu plus étroit. Ici, le sentier **se rétrécit**, il se resserre.*

■ **rétrécissement** n.m. *Les travaux ont entraîné un **rétrécissement** de la chaussée, une diminution de largeur.*

rétribuer v. 1ᵉʳ groupe. *Ce travail **est** vraiment mal **rétribué**, il est mal payé* (= rémunérer).

■ **rétribution** n.f. *Il a accepté la **rétribution** qu'on lui proposait* (= paiement, rémunération).

> **rétro-** préfixe. Placé devant un mot, **rétro-** indique un retour en arrière, un mouvement en arrière : ***rétro**actif, **rétro**viseur.*

rétro adj. inv. et n.m. Fam. *La mode **rétro** (ou le **rétro**) rappelle la mode des années passées.*

rétroactif, ive adj. *Ce décret s'applique avec effet **rétroactif** au 1ᵉʳ janvier, il s'applique à une période qui précède sa publication.*

rétrograder v. 1ᵉʳ groupe. SENS 1. *Ce coureur n'a cessé de **rétrograder** d'étape en étape, de reculer dans le classement* (= régresser ; ≠ progresser). SENS 2. *Avant le virage, le chauffeur **a rétrogradé** de quatrième en troisième, il est passé à la vitesse inférieure.*

■ **rétrograde** adj. [SENS 1] *Un mouvement **rétrograde** est un mouvement qui se fait vers l'arrière.* ◆ *M. Dumont est un esprit **rétrograde**, opposé au progrès* (= retardataire ; ≠ progressiste, avancé).

rétrospectif, ive adj. *J'ai fait une étude **rétrospective** des événements, une étude portant sur le passé.*

■ **rétrospective** n.f. *Nous avons vu une **rétrospective** des œuvres de Picasso, une exposition présentant des œuvres anciennes.*

■ **rétrospectivement** adv. ***Rétrospectivement**, j'ai eu peur*, après coup, en y repensant.

retrousser v. 1ᵉʳ groupe. *Olivier **retrousse** ses manches pour se mettre au travail, il replie vers le haut les manches de sa chemise* (= relever).

■ **retroussé, ée** adj. *Anne a le nez **retroussé**, un nez assez court dont le bout est un peu relevé* (= en trompette).

retrouver v. 1er groupe. SENS 1. *J'ai* *retrouvé le livre que j'avais perdu,* je l'ai trouvé après l'avoir cherché (= récupérer). ●● ***trouver***. *Je n'arrive pas à retrouver son nom,* à me le rappeler. SENS 2. *On se retrouvera tous ce soir chez toi,* on se réunira.

■ **retrouvailles** n.f. pl. [SENS 2] *Ils ne s'étaient pas vus depuis dix ans, leurs retrouvailles ont été très joyeuses,* le moment où ils se sont retrouvés.

illustr. p. 69, 1002 **rétroviseur** n.m. *Avant de doubler, regarde dans le rétroviseur,* le miroir du véhicule qui montre la route vers l'arrière.
✳ On dit, familièrement, un **rétro**.

réunifier v. 1er groupe. *L'Allemagne a été réunifiée en 1990,* le pays, divisé en deux parties, a retrouvé son unité.

■ **réunification** n.f. *La réunification de l'Allemagne est un événement politique important de la fin du XXe siècle,* le rétablissement de son unité.

réunir v. 2e groupe. SENS 1. *On a réuni de l'argent pour lui venir en aide,* on a recueilli de l'argent (= rassembler). SENS 2. *Ils se sont réunis pour discuter du projet,* ils se sont rencontrés (= se rassembler ; ≠ se séparer). ●● ***unir***

■ **réunion** n.f. [SENS 2] *M. Launay est allé à une réunion de parents d'élèves* (= assemblée).

réussir v. 2e groupe. *Olivier a réussi (à) son examen,* il a eu un bon résultat (≠ échouer).

■ **réussite** n.f. *Loïc a fêté sa réussite* (= succès ; ≠ échec). ◆ *Il passe le temps en faisant des réussites,* en jouant tout seul aux cartes.

revaloir v. 3e groupe. *Tu m'as rendu service et je te revaudrai cela,* je te rendrai service à mon tour.
✳ Conj. n° 40.

revaloriser v. 1er groupe. *Revaloriser les salaires,* c'est les augmenter (= relever). ●● ***valoir***

revanche n.f. SENS 1. Agir par esprit de **revanche**, c'est chercher à reprendre l'avantage sur quelqu'un qui a eu le dessus. *Il m'a trompé, mais j'ai pris ma revanche,* je me suis vengé. SENS 2. *Julie a gagné une partie et perdu la revanche,* la deuxième partie. SENS 3. *Alex est médiocre en mathématiques, en revanche il est très bon musicien* (= en compensation, par contre).

rêvasser, rêve, rêvé → *rêver*

revêche adj. *Le gardien nous a répondu d'un air revêche* (= grincheux, hargneux ; ≠ aimable, doux).

réveiller v. 1er groupe. *Un bruit m'a réveillé au milieu de la nuit,* il m'a tiré du sommeil (≠ endormir).

■ **réveil** n.m. *À son réveil, il était de mauvaise humeur.* ◆ *Le réveil a sonné à 8 heures,* une petite pendule qui sonne à l'heure qu'on a choisie. *illustr. p. 150*

réveillon n.m. *Pour le réveillon de Noël, nous avons mangé une dinde,* le repas de fête pris pendant la nuit.

■ **réveillonner** v. 1er groupe. *Le 31 décembre, nous avons réveillonné chez Jacques,* nous avons fait un réveillon.

révéler v. 1er groupe. SENS 1. *Gilles n'a pas voulu révéler ses projets,* les faire connaître (= dévoiler, divulguer ; ≠ cacher). SENS 2. *L'enquête se révèle difficile,* elle apparaît difficile.
✳ Conj. n° 10.

■ **révélateur, trice** adj. [SENS 1] *Son silence est révélateur,* il révèle son embarras (= significatif).

■ **révélation** n.f. [SENS 1] *L'accusé a fait des révélations au tribunal,* il a donné des informations inattendues. *Ce détail a été pour moi une révélation,* il m'a mieux fait comprendre.

revenant → *revenir*

revendiquer v. 1er groupe. *Le personnel a revendiqué une augmentation de salaire*, il l'a réclamée comme une chose due.

■ **revendication** n.f. *Leurs justes revendications ont été satisfaites* (= demande, réclamation).

■ **revendicatif, ive** adj. *Les manifestants lançaient des slogans revendicatifs*, qui expriment des revendications.

revendre v. 3e groupe. *Nos voisins ont revendu leur appartement*, ils ont vendu l'appartement qu'ils avaient acheté.
●● *vendre*
✳ Conj. n° 50.

■ **revente** n.f. *Il a récupéré de l'argent à la revente de sa voiture*, quand il l'a revendue.

revenir v. 3e groupe. SENS 1. *Après un an d'absence, il est revenu chez lui* (= rentrer, retourner). SENS 2. *Le docteur m'a dit de revenir demain*, de venir une autre fois (= repasser). SENS 3. *Le blessé est revenu à lui*, il a cessé d'être évanoui, il a repris connaissance. SENS 4. *Je n'en reviens pas*, je suis très surpris. SENS 5. Fam. *Sa figure ne me revient pas*, elle ne m'inspire pas confiance. SENS 6. *Cet argent me revient*, il doit m'être donné. SENS 7. *À combien revient cette voiture ?*, combien coûte-t-elle ? SENS 8. *Pierre fait revenir des oignons dans la poêle*, il les fait cuire dans de la graisse ou du beurre. SENS 9. *Cela revient au même*, le résultat est le même.
✳ Conj. n° 22. **Revenir** se conjugue avec l'auxiliaire **être**.

■ **revenant** n.m. [SENS 1] *Il a raconté une histoire de revenants*, de morts qui reviennent (= fantôme).

■ **revenu** n.m. [SENS 6] *Il faut chaque année déclarer ses revenus au fisc*, l'argent qu'on a reçu.

■ **revient** n.m. [SENS 7] *Le prix de revient d'une marchandise*, c'est ce qu'elle coûte en totalité.

rêver v. 1er groupe. SENS 1. *J'ai rêvé cette nuit que je volais comme un oiseau*, je l'ai vécu dans mon sommeil. SENS 2. *M. Godet rêve de s'acheter une voiture*, il le désire vivement. SENS 3. *Yvon rêve au lieu d'écouter*, il est distrait, dans la lune.

■ **rêve** n.m. [SENS 1] *J'ai fait un rêve angoissant.* → *cauchemar.* [SENS 2] *Son rêve est de devenir une vedette de cinéma* (= désir).

■ **rêvé, ée** adj. [SENS 2] *Voilà le modèle rêvé !* (= souhaitable, idéal).

■ **rêvasser** v. 1er groupe. [SENS 3] *Il passe son temps à rêvasser*, à rêver vaguement, à laisser aller ses pensées.

■ **rêverie** n.f. [SENS 3] *Noël est perdu dans ses rêveries*, dans ses pensées vagues.

■ **rêveur, euse** adj. et n. [SENS 3] *Il m'a regardé d'un air rêveur* (= distrait, absent). *Joël est un rêveur* (≠ réaliste).

réverbère n.m. *Les réverbères de la rue sont allumés*, les lampes qui l'éclairent.

réverbérer v. 1er groupe. *Les vitres réverbèrent le soleil*, elles renvoient sa lumière (= réfléchir).
✳ Conj. n° 10.

■ **réverbération** n.f. *La réverbération du soleil sur la neige est aveuglante*, la réflexion du soleil.

reverdir v. 2e groupe. *Au printemps, la campagne reverdit*, elle redevient verte.
●● *vert*

révérence n.f. SENS 1. *Devant les rois, les courtisans faisaient la révérence*, ils saluaient profondément en inclinant leur corps en avant. SENS 2. *Sitôt son repas achevé, il nous a tiré sa révérence*, il est parti prestement.

révérend, ende adj. et n. **Révérend**, révérend père, révérende mère, sont les titres donnés à certains religieux.

révérer v. 1er groupe. *Les chrétiens* *révèrent Dieu,* ils le respectent profondément (= adorer, vénérer).
✸ Conj. n° 10.

rêverie → *rêver*

illustr. *p. 1010,* *220*

revers n.m. SENS 1. *Écris sur le revers* *de la feuille,* sur l'autre côté (= dos, verso ; ≠ face, recto). SENS 2. *Il a une* *décoration au revers de sa veste,* sur la partie rabattue qui fait un pli. SENS 3. *Tous* *ces revers l'ont démoralisé,* ces échecs (= insuccès, défaite ; ≠ succès). SENS 4. *Le joueur de tennis a fait un revers,* il a renvoyé la balle en tenant sa raquette le dos de la main en avant (≠ coup droit).

réversible adj. Un mouvement **réversible** peut se produire en sens inverse (≠ irréversible).

revêtir v. 3e groupe. SENS 1. *Hugo a* *revêtu son plus beau costume,* il l'a mis. ●● *vêtir.* SENS 2. *On a revêtu le mur* *d'une couche de ciment,* on l'a recouvert.
✸ Conj. n° 27.

■ **revêtement** n.m. [SENS 2] *Le revêtement* *de la route est en mauvais état,* la couche de matériaux qui la recouvre.

rêveur → *rêver*

revient → *revenir*

revigorer v. 1er groupe. *Cette promenade au grand air m'a revigoré,* elle m'a redonné des forces (= revivifier, ragaillardir, fam. ravigoter).

revirement n.m. *Son revirement m'a* *étonné,* son changement complet d'opinion.

réviser v. 1er groupe. SENS 1. *Chloé* *révise ses leçons,* elle les étudie de nouveau (= repasser). SENS 2. *Il faut faire* *réviser la voiture,* la faire examiner pour vérifier son état et la réparer s'il y a lieu.

■ **révision** n.f. [SENS 1] *As-tu fini tes* *révisions ?,* de revoir tes leçons. [SENS 2]

Sa voiture est au garage pour une *révision,* une vérification générale de son fonctionnement.

revivifier v. 1er groupe. *Cet enfant est* *anémié, mais l'air de la montagne va le* *revivifier,* lui rendre des forces (= revigorer). ●● *vivifier*

revivre v. 3e groupe. SENS 1. *Je ne* *voudrais pas revivre ces moments pénibles,* les vivre de nouveau. ●● *vie.* SENS 2. *Le malade se sent revivre,* revenir à la vie, à un meilleur état de santé.
✸ Conj. n° 63.

révocation → *révoquer*

revoir v. 3e groupe. SENS 1. *J'ai revu un* *ancien camarade d'école,* je l'ai vu de nouveau. ●● *voir.* SENS 2. *Il faut revoir* *tes leçons,* les étudier de nouveau (= réviser, repasser). SENS 3. *Je revois encore* *son air effaré,* cette image me revient à l'esprit.
✸ Conj. n° 41.

■ au **revoir** n.m. On dit **au revoir** à quelqu'un quand on le quitte (≠ bonjour).

révolter v. 1er groupe. SENS 1. *Les gens* *se sont révoltés contre le tyran,* ils ont refusé de se soumettre (= se soulever, s'insurger). SENS 2. *Cette injustice me* *révolte,* elle m'indigne.

■ **révoltant, ante** adj. [SENS 2] *Ce qu'il* *a dit est révoltant* (= choquant, scandaleux).

■ **révolte** n.f. [SENS 1] *Une révolte a* *éclaté dans ce pays* (= soulèvement, émeute, insurrection). [SENS 2] *Un sentiment de révolte m'envahit* (= indignation).

révolu, ue adj. *Léo a dix-huit ans* *révolus,* il a dépassé son 18e anniversaire (= accompli, passé). *C'est une* *époque révolue,* terminée.

1. révolution n.f. *La révolution de la* *Terre autour du Soleil s'effectue en une* année ; la **révolution** de la Lune autour de la Terre s'effectue en un peu moins d'un mois, le mouvement circulaire.

2. révolution n.f. SENS 1. (Avec majuscule.) La **Révolution française** de 1789 a remplacé la monarchie par la république, le changement brutal de régime politique. SENS 2. Cette découverte est une **révolution** scientifique, une nouveauté totale (= bouleversement). La **révolution** industrielle du XIXᵉ siècle, c'est la période qui voit la naissance de l'industrie.

■ **révolutionnaire** adj. et n. [SENS 1] 1789 est le début de la période **révolutionnaire**, de la Révolution. Les **révolutionnaires** ont pris la Bastille. [SENS 2] Cette auto est **révolutionnaire**, elle est d'une conception très nouvelle.

■ **révolutionner** v. 1ᵉʳ groupe. [SENS 2] L'invention de l'électricité **a révolutionné** le monde, elle l'a profondément modifié.

illustr. p. 55
revolver n.m. Le bandit a tiré un coup de **revolver**, une arme à feu de petite taille (= pistolet).
✳ On prononce [revɔlvɛr].

révoquer v. 1ᵉʳ groupe. SENS 1. Il **a été révoqué**, il a été chassé de son poste (= destituer). SENS 2. **Révoquer** un décret, c'est l'annuler. ●● *irrévocable*

■ **révocation** n.f. [SENS 1] Cette **révocation** est injuste (= renvoi). [SENS 2] Louis XIV supprima les libertés des protestants par la **révocation** de l'édit de Nantes, en 1685, l'annulation.

revue n.f. SENS 1. On **a passé en revue** tous les détails de l'affaire, on les a examinés l'un après l'autre. SENS 2. As-tu assisté à la **revue** du 14 Juillet ?, au défilé des soldats. SENS 3. Mme Florent est abonnée à plusieurs **revues**, des publications périodiques.
illustr. p. 855

se **révulser** v. 1ᵉʳ groupe. Ses yeux **se sont révulsés**, on n'en voyait plus que le blanc.

rez-de-chaussée n.m. inv. Les Dupré habitent au **rez-de-chaussée**, dans la partie de l'habitation située au niveau du sol.
✳ Ce mot ne change pas au pluriel.
illustr. p. 51, 855

rhabiller v. 1ᵉʳ groupe. Après le bain, je me suis **rhabillé**, je me suis habillé de nouveau. ●● *habiller*

rhétorique n.f. La **rhétorique** est l'art de bien parler.

rhinocéros n.m. Le **rhinocéros** est un gros mammifère herbivore à la peau très épaisse, qui porte sur le nez une corne (rhinocéros d'Asie) ou deux cornes (rhinocéros d'Afrique).
✳ On prononce le « s » : [rinɔserɔs].
illustr. p. 983, 1032

rhizome n.m. Certaines plantes, comme les iris, ont des **rhizomes**, des tiges souterraines qui font de nouvelles pousses et de nouvelles racines.
illustr. p. 357

rhododendron n.m. Le **rhododendron** est un arbrisseau à fleurs rouges, roses ou violettes.
✳ On prononce [rɔdɔdɛ̃drɔ̃].

rhubarbe n.f. Elsa aime la compote de **rhubarbe**, une plante au suc acide.

rhum n.m. Tu mets du **rhum** dans le gâteau, de l'alcool de canne à sucre.
✳ On prononce [rɔm].

rhumatisme n.m. Mon grand-père a des **rhumatismes**, des douleurs aux articulations.

rhume n.m. Le **rhume** est une petite maladie due à une inflammation de la muqueuse du nez et de la gorge. ●● *s'enrhumer*

ribambelle n.f. Fam. Dans cette maison familiale, il vient chaque année une **ribambelle** d'enfants, un grand nombre.

ricaner v. 1ᵉʳ groupe. Tu devrais réfléchir au lieu de **ricaner**, de rire bêtement.

■ **ricanement** n.m. *Tes ricanements ne m'impressionnent pas, tes rires bêtes.*

riche adj. et n. SENS **1**. *M. Martin est riche,* il a de l'argent, des biens (= fortuné ; ≠ pauvre). ●● ***enrichir****. C'est un nouveau riche,* il est riche depuis peu. SENS **2**. *Ce pays est riche en pétrole,* il en a beaucoup. SENS **3**. *Sa maison possède un riche mobilier,* un mobilier de grand prix (= luxueux, précieux, cossu, somptueux).

■ **richement** adv. [SENS **3**] *L'appartement est richement meublé* (= luxueusement).

■ **richesse** n.f. [SENS **1**] *Sa richesse est très grande* (= fortune ; ≠ pauvreté). [SENS **2**] *Les richesses naturelles d'un pays,* ce sont ses ressources.

■ **richissime** adj. [SENS **1**] *Ce banquier est richissime,* extrêmement riche.

illustr. p. 845 **ricochet** n.m. *Alex fait des ricochets sur le lac,* il lance obliquement des pierres plates qui rebondissent à la surface de l'eau.

■ **ricocher** v. 1er groupe. *La balle a ricoché contre le mur,* sa trajectoire a été déviée par le choc contre le mur.

rictus n.m. *Il avait un rictus de souffrance sur son visage,* son visage était déformé (= grimace).
✳ On prononce le « s » : [riktys].

ride n.f. *Ma grand-mère a des rides,* des petits plis de la peau sur le visage, le cou, les mains.

■ **rider** v. 1er groupe. *Quand Max est soucieux, son front se ride* (= plisser). ●● ***dérider***

illustr. p. 862, 177, 952 **rideau** n.m. SENS **1**. *Le soir, on ferme les rideaux,* les pièces de tissu qu'on suspend devant une fenêtre. SENS **2**. *Le rideau se lève et la pièce commence,* la tenture qui sépare la scène d'un théâtre de la salle.
✳ Au pluriel, on écrit des **rideaux**.

rider → *ride*

ridicule adj. et n.m. SENS **1**. *Ce petit chapeau sur sa grosse tête est ridicule,* il donne envie de rire (= risible, grotesque). *On l'a tourné en ridicule,* on s'est moqué de lui. SENS **2**. *Entreprendre une telle ascension en espadrilles, c'est une idée ridicule,* une idée absurde, déraisonnable. SENS **3**. *J'ai acheté ce tableau chez un brocanteur pour un prix ridicule,* un prix très bas (= minime, insignifiant).

■ **ridiculement** adv. [SENS **1**] *Son chapeau est ridiculement petit.*

■ **ridiculiser** v. 1er groupe. [SENS **1**] *Il se ridiculise en s'habillant ainsi,* il se rend ridicule.

rien pron. indéf. SENS **1**. *Il fait noir, je ne vois rien,* aucune chose (≠ quelque chose). SENS **2**. *Six cent deux euros d'acompte ? Ce n'est pas rien,* c'est une somme considérable. SENS **3**. *Après ce coup de colère, il s'est remis à plaisanter comme si de rien n'était,* comme si rien ne s'était passé. SENS **4**. *Vous êtes un peu en retard, mais ça ne fait rien,* c'est sans importance.

■ **rien** n.m. *Ils se sont fâchés pour un rien,* une chose sans importance. ◆ *La boîte est un rien trop petite,* un tout petit peu.

rieur → *rire*

rigide adj. SENS **1**. *Ce livre a une couverture rigide,* qui ne plie pas (= raide ; ≠ mou). SENS **2**. *La directrice est très rigide* (= sévère ; ≠ indulgent).

rigolade → *rigoler*

rigole n.f. SENS **1**. *Cette rigole permet l'évacuation des eaux de pluie,* ce petit fossé. SENS **2**. *La pluie fait des rigoles sur le trottoir,* des petits filets d'eau. *illustr. p. 354*

rigoler v. 1er groupe. Fam. *Il est toujours en train de rigoler* (= rire).

■ **rigolade** n.f. Fam. *Quelle rigolade, quand il raconte des histoires !,* on rit très fort. ◆ Fam. *Pour lui, porter ces sacs de* ciment, c'est de la **rigolade**, c'est une tâche facile.

▪ **rigolo, ote** adj. Fam. *Elle est **rigolote** avec son chapeau* (= drôle).

rigueur n.f. SENS 1. *Les prisonniers ont été traités avec **rigueur***, avec une grande sévérité. SENS 2. *La **rigueur** du froid a augmenté*, sa dureté. SENS 3. *La **rigueur** de ses raisonnements est très grande* (= exactitude, précision). SENS 4. *Ici, la cravate est **de rigueur***, elle est obligatoire. SENS 5. *À **la rigueur**, je peux venir demain*, si c'est indispensable.

▪ **rigoureux, euse** adj. [SENS 1] *Cette punition est trop **rigoureuse*** (= sévère). [SENS 2] *L'hiver a été **rigoureux*** (= dur, rude). [SENS 3] *Son analyse est **rigoureuse***, elle est solidement établie.

▪ **rigoureusement** adv. [SENS 4] *Il est **rigoureusement** interdit de fumer* (= absolument, formellement).

rillettes n.f. pl. *Le charcutier vend des **rillettes***, de la charcuterie faite de petits morceaux de porc ou d'oie cuits dans leur graisse.

rime n.f. *À la fin de chaque vers, il y a une **rime***, un son qui est répété à la fin d'un autre vers.

▪ **rimer** v. 1er groupe. *« Automne » **rime** avec « monotone »*, ces mots se terminent par les mêmes sons. ◆ *Cela **ne rime** à rien*, n'a aucun sens.

rincer v. 1er groupe. ***Rince** bien les verres avant de les essuyer !*, passe-les dans l'eau propre pour les rendre bien nets.
✳ Conj. n° 1.

▪ **rinçage** n.m. *Au **rinçage**, on a ajouté un produit pour assouplir le linge*, au moment de le rincer.

ring n.m. *Les boxeurs sont montés sur le **ring***, sur l'estrade où a lieu le combat.
✳ On prononce [riŋ].

ripaille n.f. *À ce banquet, les convives **ont fait ripaille***, ils ont beaucoup mangé.

riposter v. 1er groupe. *Il **a riposté** à son adversaire par des injures* (= répondre, répliquer).

▪ **riposte** n.f. *Quand on agace le chat, sa **riposte** est immédiate, il griffe* (= réaction, contre-attaque).

rire v. 3e groupe. SENS 1. *Nous **avons** beaucoup **ri** de ses plaisanteries*, cela nous a rendus gais (≠ pleurer). SENS 2. *Joël a dit cela pour **rire***, pour plaisanter, sans parler sérieusement. SENS 3. *Je n'aime pas qu'on **rie de** moi*, qu'on se moque de moi.
✳ Conj. n° 67.

▪ **rire** n.m. [SENS 1] *On entend des éclats de **rire** à côté. Ces mots ont provoqué des **rires** dans l'assistance.*

▪ **rieur, euse** adj. et n. [SENS 1] *Lisa a les yeux **rieurs*** (= gai). *Il a mis les **rieurs** de son côté*, ceux qui rient.

▪ **risée** n.f. [SENS 3] *Il est la **risée** de ses camarades*, ils se moquent de lui.

▪ **risette** n.f. [SENS 1] Fam. *Le bébé nous fait des **risettes***, des sourires.

▪ **risible** adj. [SENS 3] *Il est habillé de manière **risible***, on rit de lui (= ridicule).

ris n.m. *Le **ris** de veau est un mets apprécié constitué par les glandes du cou de cet animal.*
✳ Ne pas confondre avec le **riz**.

risée, risette, risible → **rire**

risquer v. 1er groupe. SENS 1. *Il **a risqué** sa vie pour me sauver*, il l'a mise en danger (= exposer). SENS 2. *Attention, tu **risques de** tomber et **de** te faire mal*, cela pourrait t'arriver.

▪ **risque** n.m. *Cette entreprise comporte des **risques*** (= danger).
✳ Ne pas confondre avec une **rixe**.

▪ **risqué, ée** adj. *Voilà une entreprise bien **risquée***, hasardeuse, téméraire.

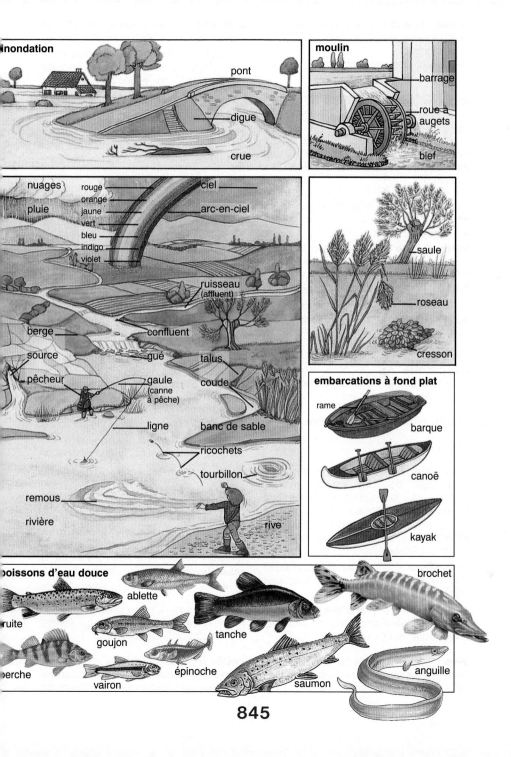

inondation

pont

digue

crue

moulin

barrage

roue à augets

bief

nuages

pluie

rouge
orange
jaune
vert
bleu
indigo
violet

ciel

arc-en-ciel

ruisseau
(affluent)

berge

confluent

source

gué

talus

pêcheur

gaule
(canne
à pêche)

coude

ligne

banc de sable

ricochets

tourbillon

remous

rivière

rive

saule

roseau

cresson

embarcations à fond plat

rame

barque

canoë

kayak

poissons d'eau douce

brochet

ablette

truite

goujon

tanche

perche

vairon

épinoche

saumon

anguille

■ **risque-tout** n.m. inv. *Ces alpinistes sont des risque-tout, ils sont téméraires, imprudents.*
✻ *Ce mot composé ne change pas au pluriel.*

rissoler v. 1er groupe. *Anaïs fait rissoler des pommes de terre, elle les fait cuire dans l'huile à feu vif.*

ristourne n.f. *Le vendeur m'a fait une ristourne de 10 pour 100, une réduction (= remise).*

rite n.m. *Cette religion a des rites bizarres, des pratiques religieuses, des cérémonies.*

■ **rituel, elle** adj. *Les chants, les cérémonies rituels sont les chants, les cérémonies réglés par un rite. À Pâques, nous faisons une promenade rituelle à Fontainebleau (= traditionnel, habituel).*

■ **rituellement** adv. *On a rituellement souhaité la bonne année aux oncles et tantes (= traditionnellement).*

ritournelle n.f. *Tu nous fatigues à répéter toujours la même ritournelle (= refrain, chanson).*

rituel, rituellement → *rite*

rivage → *rive*

rival, ale, aux adj. et n. *Ce match va départager les deux équipes rivales, celles qui se disputent la victoire (= concurrent). Il y a eu de nombreux rivaux pour ce poste, des concurrents. Pour mon goût, ce fromage est sans rival (= inégalable).*
■ **rivaliser** v. 1er groupe. *Tu ne peux pas rivaliser avec lui, lutter avec des chances égales.*
■ **rivalité** n.f. *Il y a une rivalité commerciale entre ces deux pays (= opposition, lutte, concurrence).*

illustr. p. 845, 759 **rive** n.f. *La rive droite du fleuve, c'est le bord du fleuve qu'on a à sa droite en descendant le courant.*

■ **rivage** n.m. *Le bateau s'éloigne du rivage, du bord de la mer (= côte, littoral).* *illustr. p. 556*

■ **riverain, aine** n. *Les riverains de la Loire ont fui devant l'inondation, ceux qui habitent au bord.* ◆ *Seuls les riverains ont le droit de stationner ici, ceux qui habitent dans cette rue.*

river v. 1er groupe. SENS 1. *Les anneaux de la chaîne sont rivés, attachés avec des rivets.* SENS 2. *Il a les yeux rivés sur moi, le regard attaché fixement (= fixer).*
■ **rivet** n.m. *Un rivet est une sorte de clou dont les deux extrémités sont aplaties après la pose.*

riverain → *rive*

rivière n.f. *Une rivière est un cours d'eau d'importance moyenne ou faible qui ne se jette pas dans la mer.* → *fleuve* *illustr. p. 845, 557, 333*

rixe n.f. *Albert a été blessé dans une rixe, une violente bagarre.*
✻ *Ne pas confondre avec un risque.*

riz n.m. *Le riz est une céréale des pays chauds qui joue un rôle essentiel dans l'alimentation en Extrême-Orient.* *illustr. p. 691*
✻ *Ne pas confondre avec ris.*

■ **rizière** n.f. *Le riz pousse dans des rizières, des terrains humides où l'on cultive le riz.*

robe n.f. SENS 1. *Laura a une robe rouge, un vêtement féminin composé d'un corsage et d'une jupe d'un seul tenant.* SENS 2. *Les magistrats portent une robe, un vêtement long et ample.* SENS 3. *Quand il se lève le matin, Paul enfile sa robe de chambre, un vêtement d'intérieur.* *illustr. p. 1011, 221*

robinet n.m. *L'eau coule sur l'évier, ferme le robinet !, le dispositif qui permet d'interrompre l'écoulement.* *illustr. p. 239*

robot n.m. *Il a des gestes mécaniques comme un robot, une machine automatique pouvant faire le travail de l'homme.* *illustr. p. 238, 995*

■ **robotique** n.f. La **robotique** est la science et la technique qui permettent d'inventer et de fabriquer des robots.

illustr. ■ **robotiser** v. 1er groupe. *Cette usine*
p. 994 *de voitures s'est robotisée, elle s'est équipée de robots pour exécuter une partie du travail.*

robuste adj. *Antonin est un garçon* **robuste** *(= fort, résistant, vigoureux ; ≠ fragile, délicat).*

■ **robustesse** n.f. *On a choisi ce modèle d'appareil à cause de sa* **robustesse**, *sa solidité (≠ fragilité).*

roc n.m. *Damien est resté ferme comme un roc, un rocher.*
✻ Ne pas confondre avec le **rock**.

■ **rocaille** n.f. *Rien ne pousse dans cette* **rocaille**, *cet amas de cailloux (= pierraille).*

■ **rocailleux, euse** adj. *Ce sentier est* **rocailleux** *(= caillouteux).* ◆ *Une voix* **rocailleuse** *est une voix forte et rude.*

rocambolesque adj. *Il m'est arrivé une aventure* **rocambolesque**, *pleine d'incidents extraordinaires.*

roche n.f. SENS 1. *Quand on creuse le sol, on arrive à la* **roche** *(= pierre).*
◆ *C'est clair comme de l'eau de roche,*
illustr. *c'est très clair, tout à fait évident.* SENS 2.
p. 949 *La craie est une* **roche** *tendre, une matière minérale.*

illustr. ■ **rocher** n.m. [SENS 1] *Nous sommes*
p. 556 *montés sur un énorme* **rocher**, *un bloc de pierre.*

■ **rocheux, euse** adj. [SENS 1] *La côte est* **rocheuse**, *elle est formée de rochers.*

illustr. **rock** n.m. *Franck est un bon chanteur*
p. 629 *de* **rock**, *une musique très rythmée issue du jazz et du blues.*
✻ Ne pas confondre avec un **roc**.

■ **rocker** n.m. ou **rockeur, euse** n. Un **rocker** est un chanteur de rock.
✻ On prononce [rɔkœr].

rocking-chair n.m. Un **rocking-chair** est un fauteuil à bascule.
✻ On prononce [rɔkintʃɛr] ou [rɔkinʃɛr]. Au pluriel, on écrit des **rocking-chairs**.

rodage → **roder**

rodéo n.m. *Ce cow-boy a remporté le* **rodéo**, *un jeu qui consiste à tenir le plus longtemps possible sur un cheval sauvage.*

roder v. 1er groupe. **Roder** un moteur, *c'est le faire fonctionner à vitesse réduite pour que les différentes pièces s'ajustent parfaitement.*
✻ Ne pas confondre avec **rôder**.

■ **rodage** n.m. *Ne va pas trop vite, la voiture est* **en rodage**, *dans la période pendant laquelle on rode le moteur.*

rôder v. 1er groupe. *Il y a des chiens qui* **rôdent** *dans la rue, qui vont et viennent à l'aventure (= errer).*
✻ Ne pas confondre avec **roder**.

■ **rôdeur, euse** n. *La police a arrêté un* **rôdeur** *(= vagabond).*

rogne n.f. Fam. *Il se met* **en rogne** *à la moindre contrariété, en colère, de mauvaise humeur.*

rogner v. 1er groupe. SENS 1. *La photo est un peu trop grande pour le cadre, il faut* **rogner** *les bords, les recouper, les réduire.* SENS 2. *M. Henry* **rogne** *sur la nourriture, il limite ses dépenses par de petites économies.*

■ **rognure** n.f. [SENS 1] *Le cordonnier jette ses* **rognures** *de cuir, les petits morceaux inutilisables (= déchet).*

rognon n.m. *Maman nous a fait des* **rognons** *de veau à la crème, un plat constitué par les reins de cet animal.*

rognure → **rogner**

roi n.m. SENS 1. *Autrefois, la France était gouvernée par un roi, un souverain* recevant son titre par héritage (= monarque). ●● **reine, royal, royaume, royauté**. Le jour ou la **fête des Rois**, c'est l'Épiphanie. SENS 2. *Alex a joué le roi de cœur*, une des figures du jeu de cartes.

illustr. p. 753 **roitelet** n.m. *Des roitelets se sont envolés de la haie*, des petits oiseaux à huppe orangée ou jaune.

rôle n.m. SENS 1. *M. Chéron a joué un rôle important dans cette affaire*, il a eu une influence (= action, fonction). SENS 2. *L'acteur apprend son rôle*, ce qu'il doit dire et faire sur scène.

roller n.m. *Le soir, les enfants font du roller sur la place*, ils patinent sur des patins à grandes roulettes alignées et fixées à des chaussures spéciales.
✱ On prononce [ʀɔlœʀ].

illustr. p. 970,

573,

994 **romain, aine** adj. SENS 1. *L'Empire romain* est celui de la Rome antique ; il commence en 27 avant Jésus-Christ et se termine en 476 après Jésus-Christ. Les chiffres **romains** sont les lettres I, V, X, L, C, D, M, qui correspondent à 1, 5, 10, 50, 100, 500, 1000. SENS 2. Les caractères **romains** sont des lettres d'imprimerie droites. → **italique**

illustr. p. 746 **romaine** n.f. La **romaine** est une salade à feuilles croquantes.

illustr. p. 427 **1. roman, ane** adj. SENS 1. *Le français, l'italien, l'espagnol sont des langues romanes*, qui viennent du latin. SENS 2. *L'art roman* en architecture s'est développé au Moyen Âge, aux XIe et XIIe siècles ; il se caractérise par la présence de voûtes arrondies. → **gothique**

illustr. p. 151 **2. roman** n.m. *Un roman est un récit en prose qui raconte une histoire imaginée.*
■ **romancier, ère** n. *Quel est le nom du romancier ?*, de l'auteur du roman.

■ **romanesque** adj. *Il a eu des aventures romanesques*, dignes d'un roman (= fantastique).

romance n.f. *Anaïs chante une romance bretonne*, une chanson sentimentale.

romancier → **roman (2)**

romand, ande adj. *La Suisse romande* est la partie de la Suisse où l'on parle français.

romanesque → **roman (2)**

romanichel, elle n. *Des romanichels campent à l'entrée du village*, des gens qui vivent dans des roulottes (= bohémien, gitan).
✱ Ce mot est péjoratif. On dit souvent « les gens du voyage ».

romantique adj. *Isabelle a une imagination romantique*, elle est sentimentale, sensible.

illustr. p. 690 **romarin** n.m. *Hélène a mis du romarin dans le civet*, une plante aromatique.

rompre v. 3e groupe. SENS 1. *Il a fallu rompre la glace pour puiser de l'eau*, la casser, la briser. ●● **rupture**. SENS 2. *Laura a rompu le silence*, elle a parlé ou fait du bruit (= interrompre, troubler). SENS 3. *M. Duval a rompu avec sa femme*, ils se sont séparés. SENS 4. *Je suis rompu à ce genre de travail*, j'y suis très exercé.
✱ Conj. n° 53.

illustr. p. 753 20 **ronce** n.f. *Hugo s'est égratigné dans les ronces*, des arbustes épineux qui produisent les mûres sauvages.

ronchonner v. 1er groupe. Fam. *Quel mauvais caractère, il ronchonne tout le temps !* (= protester, grogner ; fam. râler, rouspéter).

rond, ronde adj. SENS 1. *Nous mangeons autour d'une table ronde* (= circulaire). ●● **arrondir**. SENS 2. *La Terre est ronde* (= sphérique). ●● **rotondité**. SENS 3. *Cécile a un petit visage rond* (= arrondi ; ≠ anguleux). SENS 4. *M. Du-*

bois est un homme tout **rond**, gros et petit (= fam. boulot ; ≠ maigre). SENS 5. 10 est un chiffre **rond**, sans décimales. ◆ SENS 6. adv. Le moteur tourne **rond**, régulièrement.

illustr.
p. 913 ■ **rond** n.m. [SENS 1] Loïc fait des **ronds** avec son compas, des cercles. Un **rond** de serviette est un anneau dans lequel on enfile une serviette de table roulée.

illustr.
p. 164,
628 ■ **ronde** n.f. [SENS 1] Les enfants font une **ronde**, ils se tiennent par la main et tournent en rond. ◆ Les gardiens ont fait leur **ronde**, leur tournée d'inspection. ◆ Il n'y a personne à dix kilomètres **à la ronde**, tout autour. ◆ La **ronde** est une note de musique prise comme unité de durée.

■ **rondement** adv. [SENS 6] L'affaire a été menée **rondement**, vite et bien.

■ **rondeur** n.f. [SENS 4] Mme Leclerc a des **rondeurs**, son corps a des formes arrondies.

■ **rondelet, ette** adj. [SENS 4] Cet enfant est **rondelet** (= grassouillet).

■ **rondelle** n.f. [SENS 1] Une **rondelle** de saucisson est une tranche ronde.

illustr.
p. 403 ■ **rondin** n.m. [SENS 1] Le bûcheron coupe le tronc en **rondins**, en morceaux cylindriques.

illustr.
p. 855 ■ **rond-point** n.m. [SENS 1] Au **rond-point**, tu tourneras à droite, à la place ronde.

ronfler v. 1er groupe. Quand tu dors, tu **ronfles**, tu fais du bruit en respirant.

■ **ronflement** n.m. Entends-tu ce **ronflement** de moteur ?, ce bruit sourd et continu (= ronronnement).

■ **ronflant, ante** adj. Stéphane emploie des mots **ronflants**, des mots pompeux (= grandiloquent, emphatique ; ≠ simple).

ronger v. 1er groupe. SENS 1. Le chien **ronge** son os, il le mord et le gratte avec ses dents. SENS 2. La rouille **ronge** le fer, elle l'attaque, l'abîme. SENS 3. M. Bertrand est **rongé** par le chagrin, il est tourmenté. ✳ Conj. n° 2.

■ **rongeur** n.m. [SENS 1] Les **rongeurs** sont de petits mammifères aux longues incisives tranchantes avec lesquelles ils rongent leurs aliments. Le rat, le lapin, l'écureuil sont des **rongeurs**.

ronronner v. 1er groupe. SENS 1. Le chat **ronronne** quand il est content, il fait entendre un petit grondement sourd. SENS 2. Le moteur **ronronne**, il fait entendre un bruit sourd et continu.

■ **ronronnement** n.m. [SENS 1] On entendait le **ronronnement** du chat, le bruit du chat qui ronronne. [SENS 2] On se laisse bercer par le **ronronnement** du moteur (= ronflement). ✳ On dit aussi **ronron**.

roquefort n.m. Le **roquefort** est un fromage de brebis contenant des moisissures.

roquet n.m. Encore ce sale **roquet** qui aboie !, ce petit chien hargneux.

roquette n.f. Une **roquette** est un projectile à fusée employé particulièrement contre les chars. *illustr. p. 54*

rosace n.f. La **rosace** de cette cathédrale est magnifique, le grand vitrail rond.

rosâtre → *rose (2)*

rosbif n.m. Le **rosbif** était trop cuit, le rôti de bœuf.

1. rose adj. et n.m. Julie a les joues **roses**, d'un rouge clair. Le **rose** lui va bien, la couleur rose. *illustr. p. 117*

■ **rosâtre** adj. Elle porte une robe d'une couleur **rosâtre**, tirant sur le rose.

■ **rosé, ée** adj. et n.m. Ce vigneron fait du (vin) **rosé**, du vin d'un rouge clair.

2. rose n.f. SENS 1. Ces **roses** embaument toute la pièce, des fleurs dont la tige est garnie d'épines. SENS 2. La **rose des vents** permet de savoir d'où vient le vent, une sorte d'étoile qui indique les points cardinaux sur un cadran. *illustr. p. 527, 694*

∎ **roseraie** n.f. *Il y a des roses de toutes les couleurs dans la* **roseraie**, dans la plantation de rosiers.

illustr. p. 527 ∎ **rosier** n.m. *Le* **rosier** *est un arbuste le plus souvent épineux qui donne des roses.*

illustr. p. 357, 845 **roseau** n.m. *Martin s'est fait une flûte en* **roseau**, *une plante aquatique à tige creuse.*
❋ Au pluriel, on écrit des **roseaux**.

rosée n.f. *Ce matin, le pré était couvert de* **rosée**, *de gouttelettes très fines de vapeur d'eau condensée.*

roseraie → *rose (2)*

rosette n.f. *Martine Bouvier, notre maire, porte la* **rosette** *de la Légion d'honneur*, le petit insigne rond de cette décoration.

rosier → *rose (2)*

rosse adj. Fam. *Ne soyez pas* **rosse**, *prêtez-moi 15 euros*, ne soyez pas méchant.

∎ **rosserie** n.f. Fam. *Denis m'a encore fait une* **rosserie** (= méchanceté).

rosser v. 1er groupe. Fam. *Il s'est fait* **rosser** *par des voyous*, rouer de coups (= battre, frapper).

∎ **rossée** n.f. Fam. *Il a reçu une* **rossée**, une volée de coups.

rossignol n.m. *Dans les nuits chaudes de juin, on peut entendre le* **rossignol**, *un petit oiseau au chant très mélodieux. Marie a une voix de* **rossignol**, une belle voix.

rot n.m. *Michaël a laissé échapper un* **rot**, *un renvoi par la bouche des gaz de l'estomac.*
❋ On prononce [ro].

∎ **roter** v. 1er groupe. *Il est mal élevé de* **roter** *en public*, de faire des rots.

rotation n.f. *La* **rotation** *de la Terre sur elle-même fait les jours et les nuits*, le mouvement tournant.

∎ **rotatif, ive** adj. *Une pompe* **rotative** agit en tournant.

illustr. p. 503 ∎ **rotative** n.f. *Le journal est sur la* **rotative**, la presse à imprimer.

rôti → *rôtir*

rotin n.m. *Les élèves tressent des objets en* **rotin**, avec les tiges d'une plante exotique.

rôtir v. 2e groupe. *Jeanne a mis un poulet à* **rôtir**, à cuire à la broche ou au four.

illustr. p. 582 ∎ **rôti** n.m. *Nous avons mangé un* **rôti** *de veau*, de la viande cuite à la broche ou au four. → *rosbif*

∎ **rôtissoire** n.f. *On a mis le rôti dans la* **rôtissoire** *électrique* (= four).

rotonde n.f. *Une* **rotonde** *est la partie circulaire de certains bâtiments surmontée d'une coupole.*

rotondité n.f. *La* **rotondité** *de la Terre*, c'est sa forme sphérique.

illustr. p. 216 **rotule** n.f. *Paul s'est cassé la* **rotule** *en tombant*, un os plat et rond du genou.

roturier, ère n. *Sous la royauté, les* **roturiers** *étaient défavorisés*, ceux qui n'étaient pas nobles.

rouage n.m. *Un* **rouage** *de ma montre est cassé*, une petite roue du mécanisme.

roublard, arde n. Fam. *Méfie-toi de Léo, c'est un* **roublard**, il est malin, rusé.

∎ **roublardise** n.f. Fam. *On s'est laissé prendre à ses* **roublardises**.

rouble n.m. *Le* **rouble** *est l'unité monétaire de la Russie.*

roucouler v. 1er groupe. *Les pigeons* **roucoulent**, ils font entendre leur chant.

∎ **roucoulement** n.m. *Le* **roucoulement** *est le chant du pigeon, de la tourterelle.*

illustr.
p. 427,
971,
1002,
852

roue n.f. SENS 1. Une roue est une pièce en forme de cercle qui tourne autour d'un axe central. ●● *deux-roues* → *rouage*. SENS 2. *Le paon fait la roue,* il déploie les plumes de sa queue en éventail.

roué, ée adj. *Julien s'arrange toujours pour laisser les autres faire le travail, il est très roué,* malin, rusé.

■ **rouerie** n.f. *On se méfie de sa rouerie* (= ruse).

rouer v. 1er groupe. **Rouer** quelqu'un de coups, c'est le battre.

illustr.
p. 42

rouet n.m. *Autrefois, on pouvait filer la laine, le chanvre, le lin avec un rouet,* un instrument à roue.

illustr.
p. 117,
845,

150

rouge adj. et n.m. SENS 1. *La couleur* **rouge** *est celle du sang, des coquelicots. Je n'aime pas le vin rouge. Arrête-toi, le feu est au rouge pour les piétons!* SENS 2. *Le* **rouge à lèvres** *est un produit de maquillage qui colore les lèvres.*

■ **rougeâtre** adj. *Éric a des taches rougeâtres sur les bras,* tirant sur le rouge.

■ **rougeaud, e** adj. *M. Dupont est un gros homme rougeaud,* au visage rouge (= rubicond).

illustr.
p. 753

■ **rouge-gorge** n.m. *Les* **rouges-gorges** *sont de petits oiseaux bruns à la gorge rouge vif.*

■ **rougeole** n.f *Carole a la* **rougeole**, *une maladie au cours de laquelle de nombreuses petites taches rouges apparaissent sur la peau.*

■ **rougeoyer** v. 1er groupe. *Les braises rougeoient,* elles prennent une teinte rougeâtre.
✳ Conj. n° 3.

illustr.
p. 691

■ **rouget** n.m. *Le* **rouget** *est un poisson de mer aux écailles de couleur rouge.*

■ **rougeur** n.f. *Carole a des* **rougeurs** *sur la figure,* des taches rouges.

■ **rougir** v. 2e groupe. *Anne est timide, elle rougit souvent,* elle a le visage qui devient rouge. → *s'empourprer*

rouille n.f. *Cette barre de fer est couverte de* **rouille**, *d'une croûte d'un brun roux.*

■ **rouiller** v. 1er groupe. *L'humidité fait* **rouiller** *le fer et l'acier,* ils s'abîment en se couvrant de rouille. ●● *dérouiller*

rouler v. 1er groupe. SENS 1. *Les boules* **roulent** *sur le tapis du billard,* elles avancent en tournant. SENS 2. *Le train* **roule** *à 100 kilomètres à l'heure,* il avance sur ses roues. SENS 3. *On entend le tonnerre* **rouler** *au loin,* faire un bruit sourd et continu. SENS 4. *Veux-tu* **rouler** *la toile cirée,* la plier en rouleau (= enrouler ; ≠ dérouler). SENS 5. *Il* **s'est roulé** *dans une couverture,* il s'est enveloppé dedans. SENS 6. Fam. *Tu as payé 15,52 euros ? Tu t'es fait* **rouler**, *tu as été trompé par le vendeur.*

■ **roulade** n.f. *En gymnastique, Laure a fait plusieurs* **roulades** *enchaînées* (= galipette).

■ **roulant, ante** adj. [SENS 2] *L'infirme se déplace dans un fauteuil* **roulant**, *que l'on peut déplacer grâce à des roues.* [SENS 3] *Un feu* **roulant** *est un tir continu d'armes à feu.*

■ **roulé, ée** adj. [SENS 4] *Papa porte un pull à col* **roulé**, *plié en roulant.*

■ **rouleau** n.m. [SENS 1 et 4] *Claire aplatit la pâte avec un* **rouleau** *à pâtisserie, un cylindre. On égalise la route avec un* **rouleau** *compresseur. La mer est agitée, il y a des* **rouleaux**, *des grandes vagues qui déferlent.* [SENS 4] *Le papier peint se vend en* **rouleaux**, *en bandes enroulées sur elles-mêmes. Ma sœur s'est fait une mise en plis avec des* **rouleaux**, *des gros bigoudis.*
✳ Au pluriel, on écrit des **rouleaux**.

illustr.
p. 117,
747,
974,
718,

583

■ **roulement** n.m. [SENS 1] *Un* **roulement à billes** *est un mécanisme contenant des billes qui roulent les unes sur les autres pour diminuer les frottements.* [SENS 3] *Entends-tu les* **roulements** *du tambour ?* (= bruit). ◆ *Les ouvriers travaillent par* **roulement**, *ils se remplacent alternativement.*

LA ROUTE ET L'AUTOROUTE

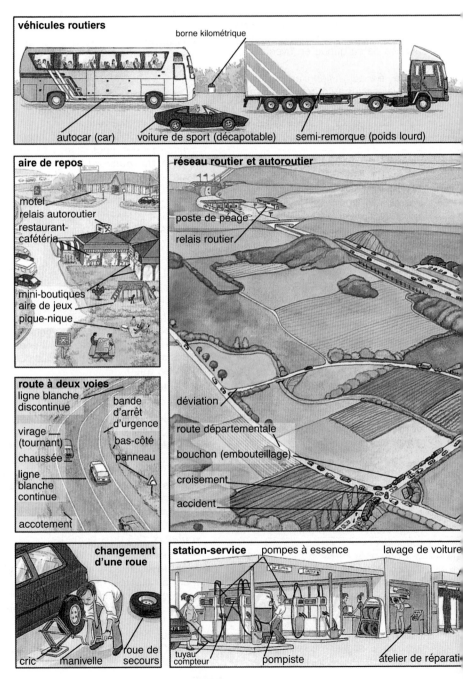

véhicules routiers

borne kilométrique

autocar (car)   voiture de sport (décapotable)   semi-remorque (poids lourd)

aire de repos

motel
relais autoroutier
restaurant-
cafétéria

mini-boutiques
aire de jeux
pique-nique

réseau routier et autoroutier

poste de péage

relais routier

déviation

route départementale

bouchon (embouteillage)

croisement

accident

route à deux voies

ligne blanche
discontinue

virage
(tournant)

chaussée

ligne
blanche
continue

accotement

bande
d'arrêt
d'urgence

bas-côté

panneau

**changement
d'une roue**

cric   manivelle   roue de
secours

station-service   pompes à essence   lavage de voiture

tuyau
compteur   pompiste   atelier de réparati

852

Sur les routes et les autoroutes, il faut être très attentif aux panneaux de signalisation et bien penser qu'on n'est pas seul.
Dans la rue (voir p. 855), il faut aussi avoir le souci de la sécurité.

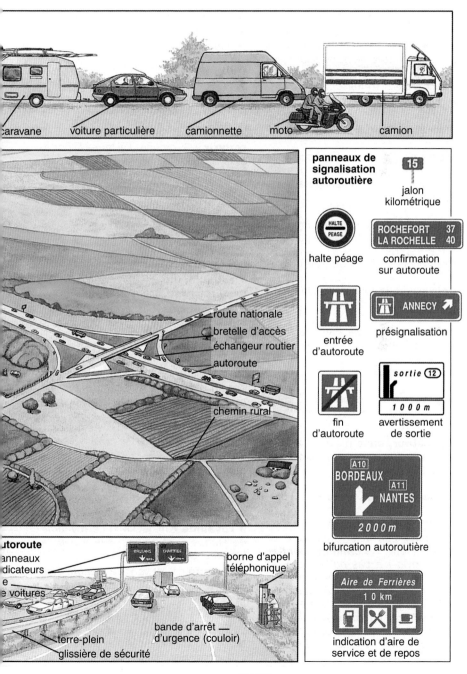

caravane — voiture particulière — camionnette — moto — camion

route nationale
bretelle d'accès
échangeur routier
autoroute
chemin rural

panneaux de signalisation autoroutière

15
jalon kilométrique

HALTE PEAGE — halte péage

ROCHEFORT 37
LA ROCHELLE 40
confirmation sur autoroute

entrée d'autoroute

ANNECY ↗
présignalisation

fin d'autoroute

sortie 12
1000 m
avertissement de sortie

A10 BORDEAUX
A11 NANTES
2000m
bifurcation autoroutière

Aire de Ferrières
10 km
indication d'aire de service et de repos

autoroute
panneaux indicateurs
file de voitures
ORLEANS CHARTRES

borne d'appel téléphonique

terre-plein
glissière de sécurité
bande d'arrêt d'urgence (couloir)

853

■ **roulette** n.f. [SENS 2] *Mon frère dort sur un lit à roulettes*, un lit muni de petites roues sous les pieds. ◆ *Il a perdu une fortune à la roulette*, un jeu de hasard. ◆ *Aujourd'hui, les dentistes utilisent des roulettes moins douloureuses qu'autrefois*, des pointes tournant très vite pour creuser (= fraise).

illustr. p. 868

■ **roulis** n.m. *Le roulis du bateau me rend malade*, le mouvement d'un côté sur l'autre. → **tangage**

roulotte n.f. *Les gens du cirque habitent dans des roulottes*, de grandes voitures spécialement aménagées (= caravane).

illustr. p. 177

round n.m. *Le boxeur a abandonné au troisième round*, à la troisième partie du match (= reprise).
※ On prononce [rund] ou [rawnd].

roupie n.f. *La roupie est l'unité monétaire de l'Inde et du Pakistan.*

roupiller v. 1er groupe. Fam. *J'ai envie de roupiller*, de dormir.

rouquin → **roux**

rouspéter v. 1er groupe. Fam. *Il rouspète pour rien*, il proteste, il récrimine.
※ Conj. no 10.

■ **rouspéteur, euse** n. Fam. *Laisse-le crier, il a toujours été un rouspéteur !* (= grincheux).

rousseur, roussi → **roux**

route n.f. SENS 1. *Il y a des travaux sur cette route*, une voie large avec un revêtement uni. → **chemin, sentier**. SENS 2. *David n'a pas pu retrouver sa route*, la direction qu'il devait prendre (= chemin, itinéraire). *Le navire fait route vers le sud*, il s'y dirige. SENS 3. *Nous nous mettrons en route à 8 heures*, nous partirons. SENS 4. *Impossible de mettre en route ma voiture, ce matin !*, de la faire démarrer.

illustr. p. 853, 617, 974

■ **routier, ère** adj. [SENS 1] *Le dimanche, la circulation routière est intense.* ◆ n.m. *Nous avons déjeuné dans un restaurant de routiers*, de conducteurs de camions.

routine n.f. *J'aimerais échapper à la routine*, à la répétition des mêmes actes.

■ **routinier, ère** adj. *M. Bernard mène une vie routinière*, il fait tous les jours la même chose.

rouvrir v. 3e groupe. *J'ai fermé la porte, et je ne peux pas la rouvrir*, l'ouvrir de nouveau. *Le magasin rouvrira la semaine prochaine.* ●● **ouvrir**
※ Conj. no 16.

roux, rousse adj. et n. *À l'automne, les arbres deviennent roux*, d'une couleur entre le jaune et le rouge. *Julie est une belle rousse*, elle a les cheveux **roux**.

■ **rouquin, ine** adj. et n. Fam. *Julie est (une) rouquine*, elle est rousse.

■ **rousseur** n.f. *Elle a des taches de rousseur sur la figure*, des taches rousses.

■ **roussi** n.m. *Ça sent le roussi dans la cuisine*, une odeur de brûlé.

royal, ale, aux adj. SENS 1. *Le pouvoir royal était sans limites légales*, le pouvoir du roi. SENS 2. *Ce collier est un cadeau royal*, digne d'un roi (= magnifique, somptueux). ●● **roi**

■ **royalement** adv. [SENS 2] *On nous a reçus royalement*, très bien (= somptueusement).

■ **royaliste** n. [SENS 1] *Les royalistes sont partisans de la royauté.*

■ **royaume** n.m. [SENS 1] *Le royaume de France s'est agrandi peu à peu*, le territoire gouverné par le roi.

■ **royauté** n.f. [SENS 1] *La royauté était héréditaire*, la dignité de roi.

ruade → **ruer**

ruban n.m. *Sonia a un ruban dans les cheveux*, une bande étroite de tissu qui sert d'ornement.

illustr. p. 228

LA RUE

boutique

enseigne — store

étal — vitrine

Boucher.

Pâtissier — Gla...

poubelle — lampadaire — benne à ordures

éboueur — borne d'appel des pompiers

autobus (bus)

arrêt d'autobus — sens interdit

immeuble

3e étage

2e étage

1er étage

rez-de-chaussée

rue

BAR BRASSERIE

avenue

agent de police

motocyclette

passage pour piétons

trottoir

chaussée —

bouche d'égout

feux de signalisation —

refuge pour piétons

borne lumineuse

collision

impasse —

carrefour

rond-point

boulevard

bouche de métro

kiosque à journaux

UN COUP DE

CLAP

affiches

revues —

les travaux de la rue

marteau piqueur —

déblais

compresseur

tranchée

855

rubéole n.f. La **rubéole** est une maladie contagieuse due à un virus, qui ressemble à la rougeole.

rubicond, onde adj. *M. Duval a un visage rubicond*, très rouge (= rougeaud).

illustr. p. 949 **rubis** n.m. *Anne a une bague ornée d'un rubis*, une pierre précieuse rouge.

rubrique n.f. *Oncle Pierre lit toujours la rubrique sportive du journal*, les articles sur le sport.

illustr. p. 384 **ruche** n.f. Une **ruche** est un petit abri aménagé pour recevoir un essaim d'abeilles.

rude adj. SENS 1. *L'hiver a été rude*, difficile à supporter (= froid, dur, rigoureux ; ≠ doux). SENS 2. *La montée au sommet est rude* (= difficile, pénible). SENS 3. *M. Martin a la voix rude*, brutale, dure.

■ **rudement** adv. [SENS 3] *M. Martin parle rudement à son personnel* (= durement). ◆ Fam. *Je suis rudement content d'avoir gagné* (= très, fam. drôlement).

■ **rudesse** n.f. [SENS 3] *Je n'aime pas la rudesse de sa voix* (= brusquerie ; ≠ douceur).

■ **rudoyer** v. 1er groupe. [SENS 3] *M. Clermont rudoie son personnel*, il le traite avec rudesse.
❋ Conj. n° 3.

rudiments n.m. pl. *Je ne connais que les rudiments de cette science*, les notions élémentaires.

■ **rudimentaire** adj. *Il a des connaissances rudimentaires en électronique*, très faibles.

rudoyer → *rude*

illustr. p. 855, 971, 1016 **rue** n.f. *Loïc habite dans la rue d'à côté*, une voie bordée de maisons. ◆ Être à la rue, c'est être sans abri, sans logement.

■ **ruelle** n.f. *La fenêtre donne sur une ruelle*, une petite rue.

ruer v. 1er groupe. SENS 1. *Attention ! ce cheval rue*, il lance violemment en arrière ses membres postérieurs. SENS 2. *Deux hommes se sont rués sur moi*, ils se sont lancés sur moi (= se précipiter, se jeter).

■ **ruade** n.f. [SENS 1] *Le cheval a lancé une ruade*, il a rué.

■ **ruée** n.f. [SENS 2] *À 4 heures, c'est la ruée des élèves vers la sortie*, un mouvement massif et précipité.

illustr. p. 913 **rugby** n.m. Le **rugby** est un sport d'équipe qui se joue avec un ballon ovale.

■ **rugbyman** n.m. *Une équipe de rugby comprend quinze rugbymans*, quinze joueurs de rugby.
❋ Au pluriel, on écrit des **rugbymans** [rygbiman] ou bien des **rugbymen** [rygbimɛn].

rugir v. 2e groupe. *Le lion rugit*, il pousse son cri.

■ **rugissement** n.m. Le **rugissement** est le cri du lion et des autres grands fauves. *M. Ledoux pousse des rugissements de colère*, des cris de colère.

rugueux, euse adj. *Cet arbre a une écorce rugueuse*, elle est dure au toucher (= râpeux, rêche ; ≠ lisse).

■ **rugosité** n.f. *Je me suis écorché aux rugosités du mur* (= aspérité).

illustr. p. 691 **ruine** n.f SENS 1. *La maison tombe en ruine*, elle s'écroule. *Après l'incendie, les sauveteurs ont fouillé les ruines*, ce qui reste du bâtiment détruit (= débris, décombres). SENS 2. *M. Martin est au bord de la ruine*, il risque de perdre tous ses biens.

■ **ruiner** v. 1er groupe. [SENS 2] *Jo est ruiné*, il a perdu sa fortune (≠ enrichir).

■ **ruineux, euse** adj. [SENS 2] *Tu as des goûts ruineux*, très coûteux.

illustr. p. 557, 845 **ruisseau** n.m. *Les enfants pêchent dans le ruisseau*, le petit cours d'eau.
❋ Au pluriel, on écrit des **ruisseaux**.

856

■ **ruisseler** v. 1er groupe. *La pluie ruisselle sur le mur, elle coule sans arrêt.* ✳ Conj. n° 6.

■ **ruissellement** n.m. *Le chemin a été raviné par le ruissellement des eaux,* l'écoulement continu.

rumeur n.f. SENS 1. *Il y a des rumeurs de mécontentement dans la salle,* des bruits confus (= brouhaha). SENS 2. *On dit qu'il est mort, mais ce n'est qu'une rumeur,* une nouvelle peu sûre qui se répand.

ruminer v. 1er groupe. SENS 1. *Les vaches ruminent dans le pré,* elles mâchent une deuxième fois l'herbe qu'elles ont mangée. SENS 2. *Hugo rumine son échec à l'examen,* il y pense et repense sans cesse (= remâcher).

■ **ruminant** n.m. [SENS 1] Les **ruminants** sont des mammifères qui possèdent un estomac leur permettant de ruminer. Le bœuf, le mouton, le chameau, la girafe sont des **ruminants**.

rumsteck n.m. *Va chez le boucher acheter deux tranches de rumsteck,* de viande coupée dans la croupe du bœuf. ✳ On prononce [rɔmstɛk].

rupestre adj. *Ces grottes contiennent des peintures rupestres,* tracées sur la paroi des roches.

rupture n.f. SENS 1. *La rupture de la corde est due à l'usure,* le fait qu'elle s'est cassée (= déchirure). ●● **rompre**. SENS 2. *Quelle est la cause de leur rupture ?* (= séparation, brouille).

rural, ale, aux adj. *M. Duchamp est maire d'une commune rurale,* une commune de la campagne (= agricole ; ≠ urbain).

ruse n.f. *Éric a obtenu ce qu'il voulait par la ruse,* par un moyen habile, utilisé pour tromper. → **stratagème**

■ **rusé, ée** adj. *Éric est rusé* (= malin).

■ **ruser** v. 1er groupe. *Il sait ruser pour avoir ce qu'il veut,* agir avec ruse (= manœuvrer).

rush n.m. *À la fin de la séance, c'est le rush vers la sortie,* la ruée. ✳ On prononce [rœʃ]. Au pluriel, on écrit des **rushs** ou des **rushes**.

rustaud, e adj. et n. Fam. *Albert est (un) rustaud,* il a des manières gauches, maladroites (= balourd).

Rustine n.f *Marie répare sa chambre à air avec une Rustine,* une pastille de caoutchouc collant. ✳ **Rustine** est un nom de marque, il s'écrit avec une majuscule dans les textes imprimés.

rustique adj. *Les Durand ont des meubles rustiques,* de forme simple et de style campagnard.

rustre n.m. *Quel est ce rustre qui m'a bousculée ?,* cet homme mal élevé. ✳ Ne pas confondre avec l'adjectif **fruste**.

rut n.m. *Le rut* est la période pendant laquelle les mammifères cherchent à s'accoupler. ✳ On prononce le « t » : [ryt].

rutilant, ante adj. *Les chromes de la voiture sont rutilants,* ils brillent vivement (= étincelant, flamboyant).

rythme n.m. SENS 1. *Les danseurs dansent au rythme de la musique,* en suivant le mouvement de la musique (= en cadence). SENS 2. *Le rythme de sa respiration s'est accéléré* (= allure, vitesse, mouvement).

■ **rythmer** v. 1er groupe. [SENS 1] *Il rythme sa chanson en tapant du pied,* il marque le rythme.

■ **rythmique** adj. et n.f. [SENS 1] *Anaïs fait de la (gymnastique) rythmique,* une sorte de gymnastique avec accompagnement musical et qui s'apparente à la danse.

S s

*S*auterelle

*S*axophone

*S*corpion

*S*erin

*S*oja

s' → **se** et **si**

sa → **son**

sabbat n.m. SENS 1. *Chez les juifs, le samedi est le jour du* **sabbat**, *du repos sacré.* SENS 2. *Dans certains contes, on décrit des* **sabbats**, *des réunions nocturnes de sorciers et de sorcières.*

illustr. p. 719, 156 **sable** n.m. *La plage est couverte de* **sable** *fin*, *une matière minérale formée de grains très fins.* ●● **ensabler**

■ **sabler** v. 1er groupe. *On* **sable** *les routes verglacées,* on y jette du sable.

■ **sableux, euse** adj. *Une eau* **sableuse** *contient du sable.*

■ **sablonneux, euse** adj. *Nous campons sur un terrain* **sablonneux**, *couvert de sable.*

■ **sablier** n.m. *Je mesure le temps de cuisson des œufs à la coque avec un* **sablier**, *un petit appareil dans lequel le sable s'écoule régulièrement.*

■ **sablière** n.f. *Ce camion vient de la* **sablière**, *du lieu où l'on extrait du sable.*

1. sabler → **sable**

2. sabler v. 1er groupe. *Pour fêter ce succès, on* **a sablé** *le champagne,* on a bu ensemble du champagne.

sabord n.m. *Les* **sabords** *étaient des ouvertures sur les flancs des anciens vaisseaux.* illustr. p. 971

■ **saborder** v. 1er groupe. *Le capitaine* **a sabordé** *son navire,* il l'a coulé volontairement.

sabot n.m. SENS 1. *Le jardinier travaille en* **sabots**, *en chaussures faites dans une seule pièce de bois ou de matière moulée.* SENS 2. *Les chevaux, les bœufs ont des* **sabots**, *de la corne qui entoure le bout de leurs pattes.* illustr. p. 354

saboter v. 1er groupe. SENS 1. *Le pylône de télévision* **a été saboté**, il a été abîmé ou cassé volontairement. SENS 2. *Ce travail* **est saboté**, il est mal fait.

■ **sabotage** n.m. [SENS 1] *L'accident de chemin de fer est dû au* **sabotage** *de la voie, à la détérioration volontaire.*

■ **saboteur, euse** n. [SENS 1] *Le pont a été détruit par des* **saboteurs***, des gens qui l'ont saboté.*

sabre n.m. *Autrefois, on se battait avec un* **sabre***, une sorte d'épée à un seul tranchant.*

sabrer v. 1er groupe. *Les journaux* **ont sabré** *de longs passages de son discours, ils les ont supprimés.*

1. sac n.m. *Les conquérants* **ont mis à sac** *plusieurs villes, ils les ont pillées, dévastées.*

■ **saccage** n.m. *Les voleurs ont fait un véritable* **saccage** *dans la maison, ils ont tout cassé et mis en désordre.*

■ **saccager** v. 1er groupe. *La ville* **a été saccagée** *par les ennemis, elle a été pillée et dévastée.*
✳ Conj. n° 2.

*illustr.
p. 311,
425,
583,
29,
1011*

2. sac n.m. *Les pommes de terre sont transportées dans des* **sacs** *de toile, des objets fabriqués dans une matière souple. Les campeurs rangent leurs affaires dans leur* **sac à dos***. Qu'y a-t-il dans ton* **sac à main** *? – Mes papiers, mon argent, mes clés.*

*illustr.
p. 869*

■ **sachet** n.m. *Les bonbons se vendent dans des* **sachets** *de papier, des petits sacs.*

■ **sacoche** n.f. *Sa moto a des* **sacoches** *de cuir, des sacs fermés suspendus au porte-bagages.*

saccade n.f. *La voiture avance par* **saccades***, par petits bonds (= à-coup, secousse).*

■ **saccadé, ée** adj. *Ses gestes sont très* **saccadés***, ils se font par saccades (= brusque).*

saccage, saccager → *sac (1)*

sacerdoce n.m. *Depuis vingt ans, ce prêtre exerce son* **sacerdoce***, ses fonctions religieuses.*

■ **sacerdotal, ale, aux** adj. *Les vêtements* **sacerdotaux** *sont ceux que le prêtre met pour célébrer les offices.*

sachet, sacoche → *sac (2)*

sacquer → *saquer*

sacrer v. 1er groupe. *Les rois de France* **étaient sacrés** *à Reims, ils étaient déclarés rois au cours d'une cérémonie religieuse.*

■ **sacre** n.m. *Le* **sacre** *des rois était fastueux, la cérémonie au cours de laquelle ils étaient sacrés.*

■ **sacré, ée** adj. *Ce lieu est* **sacré***, il a un caractère religieux (= saint).* ◆ *Pour Jacques, l'amitié est* **sacrée***, on doit absolument la respecter.* ◆ Fam. *Tu as eu une* **sacrée** *veine de t'en tirer, une grande chance.*

■ **sacrement** n.m. *Le baptême est un* **sacrement***, un acte important de la religion catholique.*

sacrifice n.m. SENS 1. *Les Romains faisaient des* **sacrifices** *à leurs dieux, des offrandes.* SENS 2. *Ils font des* **sacrifices** *pour élever leurs enfants, ils se privent.*

■ **sacrifier** v. 1er groupe. [SENS 1] *Les Romains* **sacrifiaient** *des animaux, ils les tuaient pour les offrir à leurs dieux.* [SENS 2] *Il* **sacrifie** *ses loisirs à son travail, il se prive de loisirs pour travailler. Elle se* **sacrifie** *pour élever ses enfants, elle se dévoue pour eux en renonçant à beaucoup de choses pour elle-même.*

■ **sacrifié, ée** adj. [SENS 2] *Ce commerçant a quelques articles* **sacrifiés***, vendus à un prix très bas.*

sacrilège n.m. SENS 1. *Voler des objets du culte dans une église est un* **sacrilège***, un crime contre une chose sacrée.* SENS 2. *C'est un* **sacrilège** *de jouer aussi mal cette musique, un manque de respect pour elle.*

sacripant n.m. Fam. *Ce sacripant-là nous a encore joué un mauvais tour,* ce vilain garnement (= chenapan, vaurien).

sacristie n.f. La **sacristie** est la partie de l'église où sont rangés les objets du culte.

■ **sacristain** n.m. Le **sacristain** s'occupe de l'entretien de l'église et de la sacristie.

sadique adj. et n. *Gilles est (un) sadique,* il prend plaisir à faire souffrir les autres ou les animaux.

■ **sadisme** n.m. *Gilles agit par sadisme.*

safari n.m. *Ils participent à un safari en Afrique,* une expédition de chasse.

■ **safari-photo** n.m. *Julien rêve d'un safari-photo au Kenya,* une excursion pour photographier ou filmer des animaux sauvages dans une réserve.

safran n.m. *Nous avons mangé du riz au safran,* assaisonné d'une poudre jaune extraite de cette plante.

sagace adj. *C'est un homme sagace,* il a un esprit pénétrant (= perspicace, clairvoyant, subtil).

■ **sagacité** n.f. *Sa sagacité lui a fait deviner le piège,* sa finesse d'esprit (= perspicacité, subtilité).

sagaie n.f. *Les chasseurs de cette tribu sont armés de sagaies,* une sorte de javelot.

sage SENS 1. adj. et n. *M. Rouget est un homme sage,* plein de bon sens (= raisonnable, prudent, sérieux ; ≠ fou). SENS 2. adj. *Éric est un enfant sage,* doux et obéissant (= docile).

■ **sagement** adv. [SENS 1] *Vous avez agi sagement en évitant de vous laisser entraîner dans cette affaire* (≠ inconsidérément).

■ **sagesse** n.f. [SENS 1] *Cette décision est pleine de sagesse* (= bon sens,

discernement). [SENS 2] *Mon fils est d'une sagesse étonnante* (= obéissance, tranquillité). ●● **s'assagir**

sage-femme n.f. Une **sage-femme** est une personne dont la profession consiste à assister les femmes pendant leur accouchement.

sagement, sagesse → *sage*

sagouin n.m. Fam. *Ce sagouin-là a bâclé son travail,* cet individu grossier, peu soigneux.

saigner v. 1er groupe. SENS 1. *Je saigne du nez,* du sang coule de mon nez. *Le cuisinier saigne un poulet,* il le vide de son sang. ●● **sang**. SENS 2. *Ils se saignent pour payer leur appartement,* ils donnent presque tout ce qu'ils gagnent.

■ **saignant, ante** adj. [SENS 1] *Un bifteck saignant est un bifteck à peine cuit.*

■ **saignée** n.f. [SENS 1] *Autrefois, les médecins pratiquaient la saignée,* ils retiraient du sang au malade au moyen d'une grosse aiguille.

■ **saignement** n.m. [SENS 1] *Paul a eu un saignement de nez,* il a saigné du nez.

saillir v. 3e groupe. *L'athlète fait saillir ses muscles,* il les gonfle, les fait apparaître en relief.
✳ Conj. n° 33.

■ **saillant, ante** adj. *Le nez est une partie saillante du visage,* il dépasse (= proéminent).

■ **saillie** n.f. *Le balcon est en saillie sur la façade,* il dépasse de la façade.

sain, saine adj. SENS 1. *Noël est sain de corps et d'esprit,* en bonne santé (≠ malade). SENS 2. *L'air de la montagne est sain,* il est bon pour la santé (= salubre ; ≠ malsain, pollué). ●● **assainir**. SENS 3. *Tu as de saines lectures,* tu lis de bons livres.
✳ Ne pas confondre avec **saint** et **sein**.

■ **sainement** adv. [SENS 1] *Ce garçon juge* **sainement** (= raisonnablement).

saindoux n.m. *Les rillettes sont couvertes de* **saindoux**, *de graisse de porc fondue.*

illustr. p. 21 **sainfoin** n.m. *Le* **sainfoin** *est une plante qui fournit du fourrage.*

saint, sainte adj. et n. SENS 1. (Adjectif seulement.) *La Bible, les Évangiles, le Coran sont des livres* **saints**, *des livres qui contiennent les textes fondamentaux d'une religion* (= sacré). *Un lieu* **saint** *est un lieu vénéré par une religion. La* **Terre sainte**, *ce sont les lieux où a vécu Jésus-Christ.* SENS 2. *M. Dupont est un* **saint** *homme, il est bon et juste.* ◆ *Le calendrier donne une liste de* **saints**, *de personnes qui, après leur mort, ont été reconnues dignes d'un culte par l'Église catholique.* **Saint** *Vincent est le patron des vignerons.* ◆ *Elle a tout essayé en vain : elle* **ne sait plus à quel saint se vouer**, *quel moyen trouver pour se tirer d'affaire.*
☀ *Ne pas confondre avec* **sain** *et* **sein**.

■ **sainteté** n.f. *Cet homme est mort avec une réputation de* **sainteté** (= perfection).

saint-bernard n.m. inv. *Les alpinistes égarés ont été retrouvés par des* **saint-bernard**, *des gros chiens de montagne.*
☀ *Ce mot ne change pas au pluriel.*

sainte-nitouche n.f. Fam. *Valérie est une petite peste sous son air de* **sainte-nitouche** !, *son air hypocrite de sagesse.*

sainteté → *saint*

saisir v. 2ᵉ groupe. SENS 1. *Joël m'a* **saisi** *par le bras, il m'a attrapé le bras rapidement avec la main* (= empoigner). *Elle a eu peur et* **s'est saisie** *d'un bâton pour se défendre, elle l'a pris vivement* (= s'emparer de ; ≠ se dessaisir). ●● **insaisissable**. SENS 2. *Je* **saisis** *mal votre explication, je la comprends mal.*

SENS 3. *J'ai été* **saisi** *par le froid, le froid m'a fait un choc désagréable* (= surprendre). *Les biftecks* **seront saisis** *dans la poêle à feu vif, ils seront soumis tout de suite à une cuisson rapide.* SENS 4. *Parce qu'ils ne payaient pas leurs dettes, la justice* **a saisi** *les meubles de mes voisins, elle les leur a pris.* SENS 5. **Saisir** *un texte, c'est le taper sur le clavier d'un ordinateur pour l'enregistrer dans la mémoire du système.*

■ **saisie** n.f. [SENS 4] *La* **saisie** *d'un journal, c'est la confiscation des exemplaires imprimés.* [SENS 5] *La* **saisie** *du manuscrit a pris plus de temps que prévu, la frappe sur le clavier.*

■ **saisissant, ante** adj. [SENS 3] *La tempête était un spectacle* **saisissant** (= frappant, surprenant).

■ **saisissement** n.m. [SENS 3] *Il est resté muet de* **saisissement**, *sous l'effet de la surprise.*

saison n.f. *Le printemps, l'été, l'automne, l'hiver sont les quatre* **saisons**, *les quatre divisions de l'année.* ●● **demi-saison, arrière-saison**

■ **saisonnier, ère** adj. *Il fait un travail* **saisonnier**, *qui ne se fait qu'à certaines saisons.*

salade n.f. SENS 1. *La laitue est une* **salade**, *un légume vert dont on mange les feuilles crues.* SENS 2. *Nous avons mangé une* **salade** *de tomates, des tomates à la vinaigrette.* SENS 3. *Au dessert, il y avait une* **salade de fruits**, *des fruits mélangés coupés et sucrés.*   *illustr. p. 746*

■ **saladier** n.m. *La salade est servie dans un* **saladier**, *un récipient assez grand et profond.*   *illustr. p. 238*

salaire n.m. *Maman reçoit son* **salaire** *à la fin du mois, l'argent qui paie son travail* (= paye, rémunération, appointements).

■ **salarial, ale, aux** adj. *Les charges* **salariales** *sont des taxes établies sur le montant des salaires versés.*

861

LA SALLE DE SÉJOUR ET LA CHAMBRE

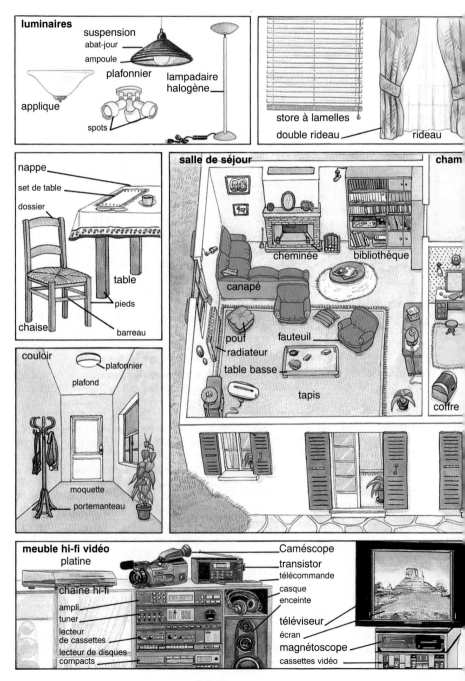

luminaires

suspension
abat-jour
ampoule
plafonnier
lampadaire
halogène
applique
spots

store à lamelles
double rideau
rideau

nappe
set de table
dossier
table
pieds
chaise
barreau

salle de séjour

cham

cheminée
bibliothèque
canapé
pouf
radiateur
table basse
fauteuil
tapis
coffre

couloir
plafonnier
plafond
moquette
portemanteau

meuble hi-fi vidéo
platine
chaîne hi-fi
ampli
tuner
lecteur
de cassettes
lecteur de disques
compacts

Caméscope
transistor
télécommande
casque
enceinte
téléviseur
écran
magnétoscope
cassettes vidéo

Quand on pénètre dans la maison dessinée p. 572,
il y a d'abord l'entrée. Au bout, à gauche, on trouve la salle de séjour.
Et si on faisait un bon feu dans la cheminée ?

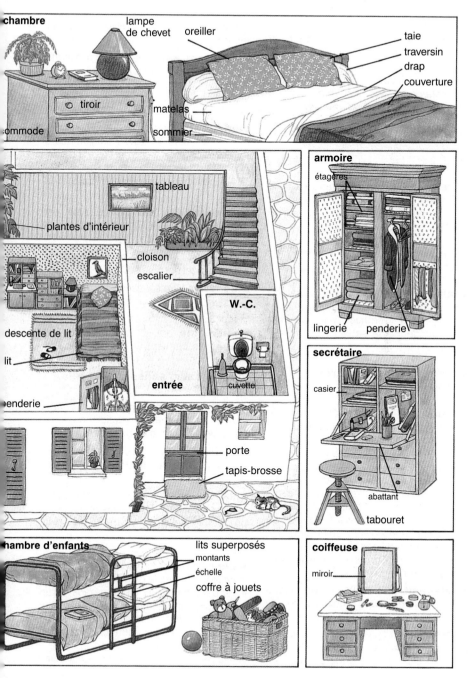

chambre — lampe de chevet — oreiller — taie — traversin — drap — couverture — tiroir — matelas — commode — sommier

armoire — étagères — lingerie — penderie

tableau — plantes d'intérieur — cloison — escalier — **W.-C.** — cuvette

descente de lit — lit — penderie — **entrée** — porte — tapis-brosse

secrétaire — casier — abattant — tabouret

chambre d'enfants — lits superposés — montants — échelle — coffre à jouets

coiffeuse — miroir

■ **salariat** n.m. *Des discussions ont opposé le patronat et le salariat*, l'ensemble des salariés.

■ **salarié, ée** adj. et n. *M. Dupont est (un) salarié*, il reçoit un salaire.

salaisons n.f. pl. *Le jambon, le lard sont des salaisons*, des aliments qu'on a salés pour les conserver. ●● *sel*

salamalecs n.m. pl. Fam. *Ne faites pas tant de salamalecs*, de politesses exagérées.

illustr.
p. 357
salamandre n.f. *La salamandre est un amphibien qui a la forme d'un lézard et dont la peau noire à taches jaunes sécrète une substance toxique.*

salami n.m. *Le salami est un gros saucisson sec italien.*

illustr.
p. 556
salant adj. m. *On récolte le sel de mer dans les marais salants*, des bassins dans lesquels l'eau de mer laisse un dépôt de sel en s'évaporant. ●● *sel*

salarial, salariat, salarié
→ *salaire*

salaud n.m. Très fam. *Ce type-là ne cherche qu'à nuire, c'est un salaud*, un être malfaisant, déloyal (= crapule).

sale adj. SENS 1. *Tu as les mains sales, lave-les*, elles sont couvertes de crasse, de poussière (= crasseux, dégoûtant ; ≠ propre). SENS 2. Fam. *Il fait un sale temps*, il fait mauvais. SENS 3. *Méfie-toi de lui, c'est un sale individu*, un homme peu recommandable, ignoble.
✳ Ne pas confondre avec la **salle** et (il, elle) **sale**, du verbe « saler ».

■ **salement** adv. [SENS 1] *Ne mange pas aussi salement !* (= malproprement ; ≠ proprement).

■ **saleté** n.f. [SENS 1] *Tes chaussures sont d'une saleté repoussante*, elles sont très sales. ◆ *Le trottoir est plein de*

saletés, de choses sales (= ordures, détritus).

■ **salir** v. 2e groupe. [SENS 1] *Tu vas salir tes gants*, les rendre sales (= tacher).

■ **salissant, ante** adj. [SENS 1] *Le jaune est une couleur salissante*, qui se salit facilement. *Le travail du mécanicien est salissant*, il rend sale.

saler v. 1er groupe. *Sale la soupe, mets-y du sel.* ●● *sel*. *Les pêcheurs salent le poisson*, ils l'imprègnent de sel pour le conserver (≠ dessaler).
✳ Ne pas confondre (il, elle) **sale** et la **salle**.

■ **salé, ée** adj. *Du beurre salé est imprégné de sel.* ◆ Fam. *La facture est salée*, elle est élevée.

■ **salé** n.m. *On nous a servi du salé*, de la viande de porc salée.

■ **salière** n.f. *Le sel est présenté à table dans une salière*, un récipient spécial pour le sel. ●● *sel*. → *poivrière*
illustr.
p. 238

■ **salin, ine** adj. *L'eau du puits est saline*, elle contient du sel. ●● *sel*

saleté, salir, salissant → *sale*

salive n.f. *J'ai mal à la gorge quand j'avale ma salive*, le liquide qu'on a naturellement dans la bouche.

■ **salivaire** adj. *Les glandes salivaires sont les glandes qui produisent la salive.*

■ **saliver** v. 1er groupe. *La vue d'une vitrine de pâtissier le fait saliver*, active sa production de salive, lui met l'eau à la bouche.

salle n.f. SENS 1. *Les enfants sont dans la salle à manger*, la pièce où l'on mange. *Il y a deux salles de cinéma dans cette rue*, deux établissements où l'on projette des films. SENS 2. *Toute la salle applaudit le chanteur*, les spectateurs présents dans la salle.
✳ Ne pas confondre avec l'adjectif **sale**.
illustr.
p. 239,
862

salon n.m. SENS 1. *Nous prenons le café dans le salon,* la pièce où l'on reçoit les visiteurs. SENS 2. *Un salon de coiffure est le magasin d'un coiffeur.* SENS 3. (Avec majuscule.) *Quand a lieu le Salon de l'automobile ?,* l'exposition des nouvelles voitures.

saloperie n.f. Très fam. SENS 1. *Il faut nettoyer cette pièce, elle est pleine de saloperies,* de choses sales ou à jeter (= saleté, cochonnerie). SENS 2. *Ce couteau, c'est de la saloperie,* une chose de mauvaise qualité, qui ne vaut rien (= fam. camelote).

illustr. p. 117, 1010 **salopette** n.f. *Le mécanicien porte une salopette,* un vêtement constitué d'un pantalon et d'un haut à bretelles (= bleu de travail).

salpêtre n.m. *Sur les murs des pièces humides, il se forme parfois du salpêtre,* une poudre blanche qui ressemble à de la moisissure.

illustr. p. 747 **salsifis** n.m. *On a servi le rôti avec des salsifis,* une plante dont on mange la racine d'un blanc jaunâtre.

saltimbanque n.m. *Le jour de la foire, il est venu des saltimbanques,* des gens qui font des tours d'adresse dans la rue.

salubre adj. *Le climat de cette région est salubre,* bon pour la santé (= sain ; ≠ insalubre, malsain).

■ **salubrité** n.f. *Des mesures de salubrité sont des mesures d'hygiène.*

saluer v. 1er groupe. SENS 1. *Loïc m'a salué quand je l'ai rencontré,* il m'a dit bonjour ou bonsoir. SENS 2. *L'arrivée du coureur est saluée par des cris,* elle est accueillie, acclamée.

■ **salut** n.m. [SENS 1] *Il m'a fait un salut de la main,* il m'a salué. ◆ *Il n'a dû son salut qu'à la fuite,* il a sauvé sa vie en fuyant.

■ **salutations** n.f. pl. [SENS 1] *Je vous adresse mes salutations,* je vous salue.

salutaire adj. *Ses vacances lui ont été salutaires,* elles lui ont redonné une bonne santé (= bienfaisant, bénéfique, profitable).

salutations → *saluer*

salve n.f. *L'artillerie a tiré une salve,* un ensemble de coups de canon.

samba n.f. *La samba est une danse populaire d'origine brésilienne.*

samedi n.m. *Le samedi est le sixième jour de la semaine.* *illustr. p. 132*

samouraï n.m. *Un samouraï était un guerrier japonais.*

sanatorium n.m. *Un sanatorium est un établissement où l'on soigne les tuberculeux.*
✳ On prononce [sanatɔrjɔm].

sanction n.f. SENS 1. *Le projet de loi a obtenu la sanction du Parlement,* le Parlement l'a approuvé (= approbation). SENS 2. *Le maître inflige une sanction à Alex,* une punition.

■ **sanctionner** v. 1er groupe. [SENS 1] *Le directeur a sanctionné le projet* (= approuver). *Un diplôme d'ingénieur sanctionne ces trois années d'études,* ce diplôme reconnaît officiellement la valeur de ces études. [SENS 2] *Plusieurs élèves ont été sanctionnés* (= punir).

sanctuaire n.m. *Lourdes est un sanctuaire,* un lieu saint.

sandale n.f. *L'été, je porte des sandales,* des chaussures plates et légères. *illustr. p. 220, 1011*
■ **sandalette** n.f. *Maman m'a acheté une paire de sandalettes,* des sandales légères.

sandwich n.m. *À midi, on a eu juste le temps d'avaler un sandwich,* deux tranches de pain entre lesquelles il y a de la viande, du pâté, du fromage, etc.

☀ Au pluriel on écrit des **sandwichs** ou des **sandwiches**.

illustr. **sang** n.m. SENS 1. Le **sang** est le liquide
p. 869 rouge qui circule dans les veines, les artères et les vaisseaux capillaires. ●● *saigner, exsangue, ensanglanté.* → **hématome**. SENS 2. *Si on a 5 minutes de retard, maman se fait du mauvais sang*, elle s'inquiète. SENS 3. *Mon sang n'a fait qu'un tour*, j'ai très vivement réagi. SENS 4. *Des hordes d'envahisseurs mettaient tout à feu et à sang*, ils incendiaient et massacraient.

☀ Ne pas confondre avec la préposition **sans**.

▪ **sanglant, ante** adj. [SENS 1] *Il a un pansement sanglant sur sa blessure*, taché de sang (= ensanglanté). *Le combat a été sanglant*, il a fait beaucoup de victimes (= meurtrier).

▪ **sanguin, ine** adj. [SENS 1] Le sang circule dans les vaisseaux **sanguins**. *Des oranges sanguines* sont des oranges dont la chair est rouge.

▪ **sanguinaire** adj. [SENS 1] *Le tigre est un animal sanguinaire*, qui aime tuer (= cruel).

▪ **sanguinolent, ente** adj. [SENS 1] *Sa plaie est sanguinolente*, il s'y mêle du sang.

sang-froid n.m. inv. *Le conducteur a conservé son sang-froid*, il est resté maître de lui (= calme, maîtrise de soi).

sanglant → *sang*

illustr. **sangle** n.f. *La valise est entourée d'une*
p. 29, *sangle*, d'une bande de cuir ou de tissu
354 qui la serre.

▪ **sangler** v. 1er groupe. **Sangler** un cheval, c'est le serrer avec une sangle pour maintenir sa selle.

illustr. **sanglier** n.m. *Les chasseurs ont tué un*
p. 403 *sanglier*, un porc sauvage.

sanglot n.m. *L'enfant a éclaté en sanglots*, il s'est mis à pleurer très fort.

▪ **sangloter** v. 1er groupe. *Sébastien sanglote*, il pleure fort.

sangria n.f. La **sangria** est une boisson de vin sucré dans lequel macèrent des morceaux de fruits.

sangsue n.f. *Dans certaines mares, il y a des sangsues*, des gros vers munis de ventouses et qui sucent le sang.

☀ On prononce [sɑ̃sy].

sanguin, sanguinaire, sanguinolent → *sang*

sanitaire adj. SENS 1. Une équipe **sanitaire** est chargée de la santé ; elle comprend des médecins et des infirmiers. SENS 2. *Les lavabos, les éviers sont des appareils sanitaires*, qui font partie de l'installation d'eau d'une maison.

sans prép. Ce mot indique le manque, la privation : *il est venu sans son cahier* (≠ avec).

☀ Ne pas confondre avec le **sang**.

▪ **sans que** conj. *Il est parti sans qu'on s'en aperçoive*, on ne s'en est pas aperçu.

sans-abri n. inv. *Le tremblement de terre a fait mille sans-abri*, mille personnes sans logement. ●● *abri*

☀ Ce mot ne change pas au pluriel.

sans-gêne adj. inv. *Nos voisins sont vraiment trop sans-gêne : ils font hurler leur radio toute la nuit*, ils font ce qui leur plaît sans se demander si cela gêne les autres. ◆ n.m. *Elle est d'un sans-gêne extraordinaire* (= impolitesse).

☀ Ce mot ne change pas au pluriel.

sansonnet n.m. Un **sansonnet** est un oiseau appelé aussi « étourneau ».

santal n.m. Le bois de **santal** est un bois odorant qu'on utilise en pharmacie et en ébénisterie.

illustr.
p. 868
santé n.f. SENS **1**. *Fais du sport, c'est bon pour la* **santé**, le bon état du corps. ●● *sain, sanitaire*. SENS **2**. *M. Dumontel est en mauvaise* **santé**, *il est souvent malade.*

santon n.m. *La crèche de Noël est décorée de* **santons**, *de petits personnages en plâtre peint.*

saoul, saouler → *soûl*

saper v. 1er groupe. *La mer* **sape** *les falaises*, elle en creuse le bas et les détruit petit à petit.

sapeur-pompier n.m. **Sapeur-pompier** est un autre mot pour dire « pompier ».

saphir n.m. SENS **1**. *Sa bague est ornée d'un joli* **saphir**, *d'une pierre précieuse bleue.* SENS **2**. *Le bras des électrophones était muni d'un* **saphir**, *d'une pointe très fine et dure.*

illustr.
p. 403
sapin n.m. Le **sapin** est un arbre résineux à aiguilles qui appartient à la famille des conifères.

saquer ou **sacquer** v. 1er groupe. Fam. *Il n'avait pas assez travaillé, il s'est fait* **saquer** *à l'examen*, noter sévèrement.

sarabande n.f. *Les enfants font la* **sarabande**, ils jouent en faisant beaucoup de bruit (= tapage).

sarbacane n.f. *Sophie lance des boulettes de papier avec une* **sarbacane**, *un petit tuyau dans lequel on souffle.*

sarcasme n.m. *Ils ont accablé les vaincus de* **sarcasmes**, *de moqueries méchantes.*

■ **sarcastique** adj. *Arnaud a eu un rire* **sarcastique**, moqueur et méchant (= sardonique).

sarcler v. 1er groupe. *M. Dupont* **sarcle** *souvent son jardin*, il arrache les mauvaises herbes.

sarcophage n.m. *Les momies des pharaons égyptiens sont dans des* **sarcophages**, *des cercueils de pierre richement décorés.*
illustr.
p. 41

sardine n.f. *Nous avons mangé des* **sardines** *grillées*, un petit poisson de mer.
illustr.
p. 691

■ **sardinerie** n.f. Les **sardineries** sont des usines où l'on fait des conserves de sardines.

sardonique adj. *Je n'aime pas son rire* **sardonique**, ironique et méchant (= sarcastique).

sari n.m. *En Inde, les femmes portent un* **sari**, *un vêtement fait d'une pièce d'étoffe drapée autour du corps.*

sarment n.m. Les **sarments** sont les jeunes tiges qui poussent chaque année sur la vigne.

sarrasin n.m. *En Bretagne, on fait des crêpes à la farine de* **sarrasin**, *une céréale appelée aussi « blé noir ».*
illustr.
p. 20

sarrau n.m. *Un* **sarrau** *est une sorte de blouse.* ✻ Attention au pluriel : des **sarraus**.
illustr.
p. 220

sarriette n.f. La **sarriette** est une plante aromatique utilisée en cuisine.

sas n.m. *L'astronaute sort de la capsule en passant par un* **sas**, *un espace fermé compris entre deux portes.* ✻ On prononce le « s » final : [sas].

satané, ée adj. Fam. *C'est un* **satané** *farceur*, il est très farceur (= maudit).

satanique adj. *Un rire* **satanique** *fait penser au diable* (= diabolique, démoniaque).

satellite n.m. SENS **1**. *La Lune est le* **satellite** *de la Terre*, une planète qui tourne autour de la Terre. SENS **2**. *Un* **satellite** artificiel est un engin lancé de la Terre et mis en orbite autour de la Terre
illustr.
p. 203,
940,
502

LA SANTÉ ET LA MÉDECINE

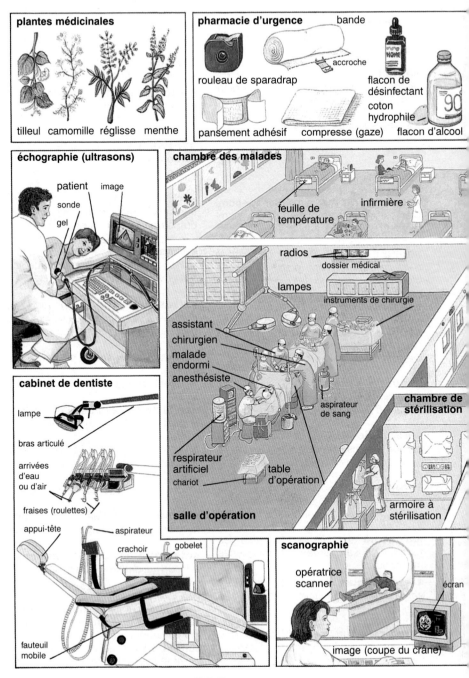

plantes médicinales

tilleul   camomille   réglisse   menthe

pharmacie d'urgence

bande

rouleau de sparadrap

accroche

flacon de désinfectant

coton hydrophile

pansement adhésif   compresse (gaze)   flacon d'alcool

échographie (ultrasons)

patient   image

sonde

gel

chambre des malades

feuille de température   infirmière

radios

dossier médical

lampes

instruments de chirurgie

assistant

chirurgien

malade endormi

anesthésiste

aspirateur de sang

chambre de stérilisation

respirateur artificiel

chariot

table d'opération

armoire à stérilisation

salle d'opération

cabinet de dentiste

lampe

bras articulé

arrivées d'eau ou d'air

fraises (roulettes)

appui-tête   aspirateur

crachoir   gobelet

fauteuil mobile

scanographie

opératrice scanner

écran

image (coupe du crâne)

Comme tous les êtres vivants, les hommes peuvent tomber malades ou se blesser. Le médecin fait d'abord son diagnostic. Il lui arrive de demander des examens particuliers : radiographie, scanner...

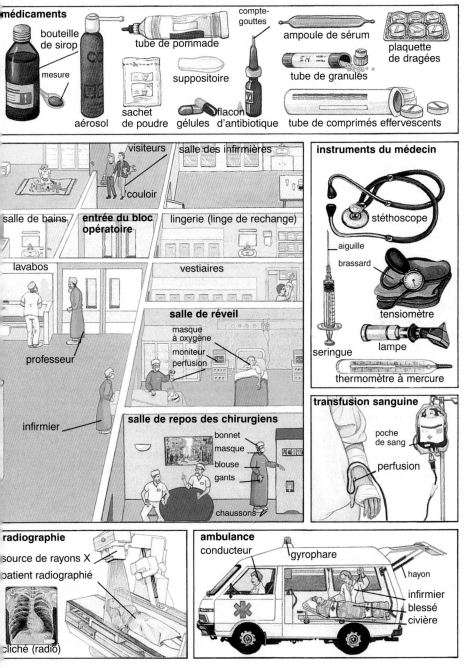

médicaments

bouteille de sirop

mesure

aérosol

tube de pommade

sachet de poudre

suppositoire

gélules

flacon d'antibiotique

compte-gouttes

ampoule de sérum

tube de granules

plaquette de dragées

tube de comprimés effervescents

visiteurs

salle des infirmières

couloir

salle de bains

entrée du bloc opératoire

lingerie (linge de rechange)

lavabos

vestiaires

professeur

infirmier

salle de réveil

masque à oxygène

moniteur

perfusion

salle de repos des chirurgiens

bonnet

masque

blouse

gants

chaussons

instruments du médecin

stéthoscope

aiguille

brassard

tensiomètre

seringue

lampe

thermomètre à mercure

transfusion sanguine

poche de sang

perfusion

radiographie

source de rayons X

patient radiographié

cliché (radio)

ambulance

conducteur

gyrophare

hayon

infirmier

blessé

civière

869

illustr.
p. 75

ou d'une autre planète. SENS 3. *Les voyageurs pour Londres sont priés d'embarquer au **satellite** n° 9*, le bâtiment qui communique avec l'aérogare et devant lequel les avions stationnent.

satiété n.f. *Mangez **à satiété**, jusqu'à ce que vous n'ayez plus faim. ●● **insatiable, rassasier**
✳ On prononce [sasjete].

satin n.m. *La doublure de mon manteau est en **satin**,* une étoffe lisse et brillante.

■ **satiné, ée** adj. *Cette peinture est **satinée**,* elle a un aspect légèrement brillant.

satire n.f. *Ce livre fait la **satire** de notre société,* il la critique en la ridiculisant.

■ **satirique** adj. *Un journal **satirique*** fait de la satire.

satisfaire v. 3ᵉ groupe. SENS 1. *Son travail le **satisfait**,* il en est content. ●● **autosatisfaction**. SENS 2. *Satisfaire un désir,* c'est le contenter (= assouvir). SENS 3. *Il **a satisfait à** ma demande,* il lui a donné une réponse favorable (= accepter).
✳ Conj. n° 76.

■ **satisfaisant, ante** adj. [SENS 1] *Le résultat est **satisfaisant**,* il est bon (= convenable ; ≠ insuffisant).
✳ On prononce [satisfəzã].

■ **satisfait, aite** adj. [SENS 1] *Je suis **satisfait** de son travail* (= content). [SENS 2] *Ma curiosité est **satisfaite**,* je sais ce que je voulais savoir (≠ insatisfait).

■ **satisfaction** n.f. [SENS 1] *La lecture procure des **satisfactions*** (= joie, plaisir). [SENS 3] *Les grévistes ont obtenu **satisfaction**,* ils ont reçu ce qu'ils demandaient.

saturé, ée adj. SENS 1. *L'air est **saturé** d'humidité,* il y a un maximum d'humidité dans l'air. SENS 2. *Je suis **saturé** de*

cinéma, pleinement rassasié si bien que je n'ai plus envie d'y aller.

■ **saturation** n.f. *À certaines heures, le boulevard arrive à **saturation**,* il y a un maximum de voitures qui ralentissent la circulation.

sauce n.f. *Il faut saler un peu plus cette **sauce**,* le liquide qui sert à accompagner le plat.

■ **saucière** n.f. *On sert la sauce dans une **saucière**,* un récipient spécial.

■ **saucer** v. 1ᵉʳ groupe. *Loïc **sauce** son assiette avec du pain,* il éponge la sauce. *Loïc **sauce** son pain dans le plat,* il trempe son pain dans la sauce du plat.
✳ Conj. n° 1.

saucisse n.f. *J'ai mangé une **saucisse** avec des frites,* de la viande hachée et assaisonnée, placée dans un boyau.

illustr. p. 582

■ **saucisson** n.m. *Un **saucisson** est une grosse saucisse qui se mange froide.

illustr. p. 582

1. sauf, sauve adj. *Les otages ont eu la vie **sauve**,* ils ont échappé à la mort. *Il est sorti **sain et sauf** de l'accident,* il n'est pas blessé.

2. sauf prép. *Tout le monde est venu à la fête, **sauf** deux personnes,* deux personnes ne sont pas venues (= excepté, à l'exception de, hormis).

sauge n.f. *La **sauge** est une plante dont certaines variétés peuvent servir d'assaisonnement,* d'autres d'ornement.

saugrenu, ue adj. *C'est une idée **saugrenue** d'entrer dans la piscine tout habillé,* une idée bizarre, inattendue (= farfelu).

saule n.m. *Il y a des **saules** au bord de la rivière,* des arbres aux branches très souples.

illustr. p. 845, 527, 357

saumâtre adj. *Dans cette petite île, l'eau du puits est **saumâtre**,* elle a un léger goût d'eau de mer (= salé).

illustr. **saumon** n.m. Le **saumon** est un gros
p. 845 poisson à la chair rose qui vit dans la mer
et remonte les cours d'eau pour se
reproduire.

saumure n.f. *Les olives baignent dans
la **saumure**, un liquide très salé qui sert
à conserver certains aliments.*

sauna n.m. Un **sauna** est un bain de
chaleur sèche et de vapeur ; c'est aussi
l'établissement où l'on prend ce bain.

saupoudrer v. 1er groupe. *Je **saupou-
dre** mon gâteau de sucre,* j'y répands du
sucre en poudre.

saur adj. m. Un **hareng saur** est un
hareng salé et fumé.

saurien n.m. Les **sauriens** sont des
reptiles d'un groupe qui comprend les
lézards, les caméléons, les orvets.

sauter v. 1er groupe. SENS 1. *L'oiseau
saute de branche en branche,* il s'élève
et se pose ailleurs (= bondir). *Le nageur
saute du plongeoir,* il s'élance vers le
bas. *Le cheval **saute** l'obstacle,* il le
franchit d'un saut. SENS 2. *J'ai **sauté** un
mot en copiant le texte,* je l'ai oublié,
omis. SENS 3. *Je fais **sauter** des pommes
de terre,* je les fais cuire à feu vif en les
remuant (= rissoler). SENS 4. *Un dépôt de
munitions a **sauté**,* il a explosé. SENS 5.
*Les cambrioleurs ont **fait sauter** la serrure,* ils l'ont forcée, détruite. SENS 6. *Il y
a une erreur, **ça saute aux yeux**,* c'est
évident.

illustr. ■ **saut** n.m. [SENS 1] *Il franchit le fossé
p. 912, d'un **saut**,* d'un bond. ◆ *Je **fais un saut**
895 chez Paul et je reviens,* j'y vais rapidement.
✴ Ne pas confondre avec **sceau**, **seau** et
sot.

■ **saute** n.f. [SENS 1] *Il y a eu une **saute**
de vent,* le vent a changé brusquement
de direction. *Ses **sautes d'humeur** sont
désagréables,* le fait que, subitement, il
devienne de mauvaise humeur alors qu'il
était de bonne humeur.

■ **sauteur, euse** n. [SENS 1] *Parmi les
athlètes récompensés, il y avait un **sauteur** à la perche,* un spécialiste du saut
à la perche.

■ **saute-mouton** n.m. inv. [SENS 1]
*Nous jouons à **saute-mouton**,* chaque
joueur écarte les jambes et saute par-
dessus un autre qui se tient courbé.

■ **sauterelle** n.f. [SENS 1] Les **sauterel-
les** sont des insectes qui font de grands
bonds.

■ **sautiller** v. 1er groupe. [SENS 1]
*L'oiseau **sautille**,* il fait des petits sauts.

■ **sautoir** n.m. [SENS 1] Un **sautoir** est un
endroit aménagé pour le saut en hauteur
ou en longueur.

1. sautoir → *sauter*

2. sautoir n.m. *Mme Duval porte un
bijou pendu à un **sautoir**,* une longue
chaîne faisant collier.

sauvage adj. SENS 1. *Le renard, la
belette, le lièvre sont des animaux **sauvages**,* qui vivent en liberté dans la nature
(≠ domestique, apprivoisé). SENS 2. *Mon
chat est **sauvage**,* il ne se laisse pas
approcher facilement (= farouche ; ≠ sociable). SENS 3. *Un prunier **sauvage** est
un prunier qui pousse librement, sans
être cultivé. SENS 4. *Ce pays est **sauvage**,*
l'homme ne l'a pas transformé. SENS 5.
adj. et n. *Il s'est conduit comme un
sauvage,* comme un homme barbare,
cruel. *Il a un air **sauvage**.*

■ **sauvagement** adv. [SENS 5] *Les victimes ont été **sauvagement** assassinées*
(= cruellement).

■ **sauvagerie** n.f. [SENS 5] *Ils ont traité
leurs prisonniers avec une grande **sauvagerie*** (= cruauté, barbarie).

sauvegarde n.f. *Ce réfugié est sous la
sauvegarde de la police,* la police le
protège (= protection).

■ **sauvegarder** v. 1er groupe. ***Sauve-
gardons** la forêt !,* défendons-la contre la
destruction (= préserver, protéger).

sauver v. 1er groupe. SENS 1. *M. Arnaud a sauvé un nageur qui se noyait,* il l'a mis hors de danger. SENS 2. *Le chien se sauve, il faut le rattraper,* il s'enfuit à toute vitesse (= s'échapper).

illustr. p. 733
■ **sauvetage** n.m. [SENS 1] *Réussir un sauvetage,* c'est sauver quelqu'un. *Les bouées, les gilets de sauvetage sont dans le bateau.*

illustr. p. 733, 737
■ **sauveteur** n.m. [SENS 1] *L'alpiniste a été retrouvé par les sauveteurs,* les gens partis pour le sauver.

■ **sauveur** n.m. [SENS 1] *Ce médecin est mon sauveur,* il m'a sauvé la vie.

■ **sauve-qui-peut** n.m. inv. [SENS 2] *Quand l'incendie a éclaté, ça a été un sauve-qui-peut général,* une fuite désordonnée (= débandade).

❋ Ce mot ne change pas au pluriel.

■ **à la sauvette** adv. et adj. [SENS 2] *La décision a été prise à la sauvette,* discrètement et avec une hâte excessive. *Les vendeurs à la sauvette vendent des articles dans les rues sans autorisation.*

savamment → *savoir*

illustr. p. 983
savane n.f. *En Afrique, il y a de vastes savanes,* des prairies de hautes herbes avec des arbres.

savant → *savoir*

savate n.f. *Le clochard marchait en traînant ses savates,* ses vieilles chaussures ou ses pantoufles.

saveur n.f. *Les dattes ont une saveur sucrée,* un goût sucré.

■ **savourer** v. 1er groupe. *Je savoure mon gâteau,* je le mange lentement pour bien le goûter (= déguster).

■ **savoureux, euse** adj. *Ce gâteau est savoureux* (= délicieux).

savoir v. 3e groupe. SENS 1. *Sais-tu la nouvelle ?,* la connais-tu ? (= être au courant de). SENS 2. *Joël sait sa leçon,* il l'a apprise et peut la répéter. SENS 3.

Julien sait nager, il est capable de nager. *Hugo sait l'anglais,* il peut le parler. SENS 4. *Je ne saurais vous renseigner,* je ne peux pas.

❋ Conj. n° 39.

■ **savoir** n.m. [SENS 2] *Cet homme a un vaste savoir,* il sait beaucoup de choses.

■ **savant, ante** adj. et n. [SENS 2] *Les découvertes scientifiques ont été faites par des savants,* des gens qui ont de grandes connaissances. ◆ adj. *Un chien savant est dressé à faire des exercices difficiles. Le pilote a réussi à atterrir grâce à une manœuvre savante,* habile, adroite. *Les plantes ont un nom vulgaire et un nom savant,* utilisé par les scientifiques.

■ **savamment** adv. [SENS 1] *Je parle savamment de cette question,* je la connais très bien. [SENS 2] *Tout s'est déroulé selon un plan savamment établi* (= habilement, ingénieusement).

■ **savoir-faire** n.m. inv. [SENS 3] *Cet artisan a beaucoup de savoir-faire,* il est très habile dans son métier (= adresse, compétence).

❋ Ce mot ne change pas au pluriel.

■ **savoir-vivre** n.m. inv. [SENS 1] *Cet individu manque de savoir-vivre,* il ne connaît pas les règles de la politesse (= éducation).

❋ Ce mot ne change pas au pluriel.

illustr. p. 239, 583
savon n.m. SENS 1. *Je me lave avec du savon,* un produit qui nettoie. *J'achète un savon,* un morceau de savon. ●● *porte-savon.* SENS 2. Fam. *Pierre s'est fait passer un savon,* il s'est fait réprimander vivement.

■ **savonner** v. 1er groupe. [SENS 1] *Alex se savonne les mains,* il les frotte avec du savon.

■ **savonnette** n.f. [SENS 1] *Une savonnette est un petit savon parfumé.*

■ **savonneux, euse** adj. [SENS 1] *De l'eau savonneuse contient du savon dissous.*

savourer, savoureux → *saveur*

illustr.
p. 628
saxophone n.m. *Julien joue du saxo-phone*, un instrument de musique à vent, en cuivre.
* On dit familièrement un **saxo**.

saynète n.f. Une **saynète** est une petite pièce de théâtre comique.

scabreux, euse adj. SENS 1. *Une telle opération financière est scabreuse*, elle est risquée, peu sûre. SENS 2. *Il a raconté une histoire scabreuse*, une histoire qui peut choquer (= osé).

scalaire n.m. Un **scalaire** est un poisson au corps aplati qu'on voit souvent dans les aquariums.

scalp n.m. *Les Indiens conservaient le scalp de leurs ennemis,* leur chevelure détachée du crâne avec la peau.
■ **scalper** v. 1er groupe. *Sur cette image, l'Indien scalpe son ennemi,* il détache le scalp avec un couteau.

scalpel n.m. *Le chirurgien utilise un scalpel*, un couteau très tranchant.

scalper → *scalp*

scandale n.m. *Cette escroquerie a provoqué un scandale*, tout le monde en parle en la désapprouvant vivement.
■ **scandaleux, euse** adj. *Il fait un bénéfice scandaleux* (= honteux, révoltant).
■ **scandaliser** v. 1er groupe. *Je suis scandalisé par sa conduite,* très choqué.

scander v. 1er groupe. *Les manifestants scandent des slogans,* ils les crient en séparant les syllabes selon un rythme très net.

illustr.
p. 868
scanner n.m. Le **scanner** est un appareil qui permet de donner des images par plans successifs de l'intérieur du corps.
* On prononce [skaner].

scaphandre n.m. *On explore le fond du lac avec un scaphandre*, un équipement qui permet de respirer sous l'eau.

■ **scaphandrier** n.m. *Les travaux sous l'eau étaient exécutés par des scaphandriers*, des plongeurs équipés d'un scaphandre.

scarabée n.m. Les **scarabées** sont des insectes voisins des hannetons.

scarlatine n.f. *À l'école, il y a plusieurs cas de scarlatine*, une maladie contagieuse due à un bacille, qui se manifeste par des plaques rouges sur la peau.

scarole n.f. *Le maraîcher vend de la scarole*, une variété de salade à feuilles croquantes.

sceau → *sceller*

scélérat, e n. et adj. *Ce trafiquant est un scélérat*, un être malfaisant (= bandit, crapule).

sceller v. 1er groupe. SENS 1. *Le maçon scelle un crochet dans le mur*, il le fixe avec du ciment (≠ desceller). SENS 2. *L'enveloppe de la lettre est scellée*, elle porte un sceau sur sa fermeture afin que personne ne l'ouvre.
* On prononce [sɛle]. Ne pas confondre avec **seller**.
■ **sceau** n.m. [SENS 2] *Ce diplôme porte le sceau de l'Université*, le cachet officiel imprimé dans la cire.
* On prononce [so]. Au pluriel, on écrit des **sceaux**. Ne pas confondre avec **saut**, **seau** et **sot**.
■ **scellés** n.m. pl. [SENS 2] *L'huissier met les scellés sur la porte de l'appartement*, il la scelle avec de la cire pour pouvoir vérifier qu'elle n'a pas été ouverte.
■ **scellement** n.m. [SENS 1] *Le maçon fait un scellement*, il a scellé quelque chose.

scénario n.m. SENS 1. *Le scénario de ce film est compliqué*, l'histoire que raconte le film. SENS 2. *L'entrevue a eu lieu selon un scénario compliqué*, un ensemble programmé d'actions.

▪ **scénariste** n. [SENS 1] Un **scénariste** est l'auteur d'un scénario de film ou de téléfilm.

illustr. **scène** n.f. SENS 1. *Les acteurs sont sur*
p. 952 *la scène, la partie du théâtre où ils jouent.*
SENS 2. *Chaque acte d'une pièce de théâtre est divisé en plusieurs scènes,* plusieurs parties marquées par l'entrée ou la sortie de personnages. SENS 3. *La scène se situe à Paris,* l'action se déroule à Paris. SENS 4. *J'ai assisté dans la rue à une scène comique,* un événement (= spectacle). SENS 5. *Loïc m'a fait une scène,* il s'est mis en colère contre moi.

▪ **scénique** adj. [SENS 1] L'espace **scénique,** c'est l'espace de la scène d'un théâtre. *Le script donne les indications scéniques,* les indications sur la manière de jouer une scène.

sceptique adj. et n. *Tu me dis que nous serons à l'heure, je suis sceptique,* je ne le crois pas, j'en doute (= incrédule).
✳ Ne pas confondre avec **septique.**

▪ **scepticisme** n.m. *Son visage exprimait son scepticisme* (= incrédulité, doute).

sceptre n.m. *Le roi tient à la main son sceptre,* le bâton qui est l'insigne de la royauté.
✳ Ne pas confondre avec **spectre.**

schéma n.m. *Je fais le schéma d'un os,* le dessin simplifié.

▪ **schématique** adj. Un plan **schématique** est un plan simplifié.

▪ **schématiquement** adv. *Il nous a exposé schématiquement son projet,* dans les grandes lignes.

▪ **schématiser** v. 1er groupe. *En schématisant, on peut résumer la situation en une phrase,* en ne retenant que l'essentiel.

schisme n.m. *Il y a eu un schisme dans ce parti politique,* il s'est divisé (= scission).

illustr. **schiste** n.m. *L'ardoise est du schiste,*
p. 616 une roche feuilletée.

schuss n.m. **Faire un schuss,** c'est descendre une pente rapide à skis, tout droit et à toute allure.
✳ On prononce [ʃus].

sciatique adj. Le nerf **sciatique** va de la hanche au pied.

▪ **sciatique** n.f. *Mon grand-père a une sciatique,* une douleur dans les hanches et le long des jambes, due à une irritation du nerf sciatique.

scie n.f. *Pour couper le bois, le métal,* *illustr.*
j'utilise une scie, un outil d'acier muni de *p. 117* dents.

▪ **scier** v. 1er groupe. **Scier** une planche, c'est la couper avec une scie.

▪ **scierie** n.f. Une **scierie** est une usine où le bois est débité en planches.

▪ **sciure** n.f. *Sous la scie, il y a un tas* *illustr.*
de sciure, de poussière tombée du bois *p. 117* qu'on scie.

sciemment adv. *J'ai employé ce mot sciemment,* volontairement (= exprès ; ≠ involontairement).
✳ On prononce [sjamɑ̃].

science n.f. SENS 1. *La biologie est une science,* elle observe, décrit avec précision et explique ce qu'elle étudie. SENS 2. *La science fait des progrès,* les connaissances des hommes. SENS 3. (Au plur.) *Il est doué pour les sciences,* pour les matières où le calcul et l'observation ont une grande part.

▪ **scientifique** [SENS 1 et 2] adj. *Léo lit des revues scientifiques,* des revues qui parlent de sciences. Une méthode **scientifique** utilise l'observation et le calcul. [SENS 3] n. et adj. *Saïd est un scientifique,* il est spécialiste d'une science. *Il a un esprit scientifique* (= rigoureux).

▪ **scientifiquement** adv. [SENS 2] *Ces phénomènes ne sont guère explicables scientifiquement,* selon les connaissances scientifiques actuelles.

science-fiction n.f. Un téléfilm de **science-fiction** est un téléfilm dont l'action se passe dans un avenir imaginaire marqué par des progrès extraordinaires de la science. ●● *fictif*

scier, scierie → *scie*

scinder v. 1er groupe. *Le groupe s'est scindé,* il s'est divisé.

■ **scission** n.f. *La scission de ce parti politique en deux clans l'a affaibli* (= division, schisme).

scintiller v. 1er groupe. *Les étoiles scintillent,* elles brillent en lançant par moments des éclats (= étinceler).

■ **scintillement** n.m. *On est frappé par le scintillement des cristaux au soleil* (= éclat).

scission → *scinder*

sciure → *scie*

sclérose n.f. *Grand-père souffre de sclérose des artères,* ses artères durcissent.

■ se **scléroser** v. 1er groupe. *Les artères de Grand-père se sclérosent,* elles durcissent.

scolaire adj. *Ses résultats scolaires sont excellents,* les résultats de son travail à l'école. *L'année scolaire commence, en France, au début de septembre,* la période où l'on va à l'école.

■ **scolarité** n.f. *La scolarité est obligatoire en France jusqu'à seize ans,* la fréquentation de l'école. ●● *école*

scoliose n.f. *Ludovic a une scoliose,* sa colonne vertébrale est déformée.

scoop n.m. *Ce journaliste a fait un scoop,* il a présenté le premier une nouvelle importante.
✳ On prononce [skup].

scooter n.m. *Un scooter est un véhicule à moteur à deux roues,* générale-

ment petites, où le conducteur n'est pas assis à califourchon.
✳ On prononce [skutœr] ou [skutɛr].

scorbut n.m. *Autrefois, les marins attrapaient parfois le scorbut,* une maladie qui fait tomber les dents quand on manque de vitamines.
✳ On prononce le « t » : [skɔrbyt].

score n.m. *Notre équipe a gagné par le score de trois buts à deux,* le nombre de points obtenus. *illustr. p. 530*

scories n.f. pl. *Quand on fait fondre du minerai, le métal se sépare des scories,* des déchets.

scorpion n.m. *La piqûre de certains scorpions est mortelle,* de petits animaux ayant une carapace, des pinces et un aiguillon venimeux. *illustr. p. 277*

Scotch n.m. *Le Scotch est un ruban adhésif transparent.*
✳ **Scotch** est un nom de marque, il s'écrit avec une majuscule dans les textes imprimés.

■ **scotcher** v. 1er groupe. *J'ai scotché une affiche sur le mur,* je l'ai collée avec du Scotch.

scout, scoute adj. et n. *Le mouvement scout regroupe des jeunes pour des activités physiques dans la campagne, dans le cadre d'une formation morale. Une troupe de scouts (ou une troupe scoute) a campé près de la rivière.*

■ **scoutisme** n.m. *Paul fait du scoutisme,* il est scout. *Claire est guide, elle fait partie d'un mouvement de scoutisme.*

Scrabble n.m. *Le Scrabble est un jeu de lettres qui consiste à former des mots en les plaçant sur une grille.* *illustr. p. 530*
✳ **Scrabble** est un nom de marque, il s'écrit avec une majuscule dans les textes imprimés.

scribe n.m. *Dans l'Antiquité égyptienne, les scribes étaient chargés d'écrire pour les autres.* *illustr. p. 502*

875

1. script n.m. Le **script** est un système d'écriture où toutes les lettres sont séparées comme dans un texte imprimé. ✳ On prononce le « t » final : [skript].

2. script n.m. Un **script** est un scénario de film comprenant les dialogues et des indications scéniques. ✳ On prononce le « t » final : [skript].

■ **scripte** n.f. La **scripte** est la personne qui note les détails techniques de chaque prise de vues au cours du tournage d'un film.

scrupule n.m. *J'ai des scrupules à dénoncer le coupable*, j'hésite à le faire, car cela me pose un problème de conscience.

■ **scrupuleux, euse** adj. *Elle est scrupuleuse dans son travail*, elle le fait le mieux possible (= consciencieux).

■ **scrupuleusement** adv. *Il faut respecter scrupuleusement les proportions de la recette* (= rigoureusement).

scruter v. 1er groupe. *Le marin scrute l'horizon*, il le parcourt du regard avec attention (= observer, inspecter).

scrutin n.m. *Le candidat a été élu au deuxième tour du scrutin*, de l'opération électorale (= vote).

sculpter v. 1er groupe. *Voici une statuette sculptée dans le bois*, taillée et façonnée dans le bois.

■ **sculpteur** n.m. *Cette statue est l'œuvre d'un grand sculpteur*, d'un artiste qui sculpte (= statuaire).

■ **sculpture** n.f. *Cet artiste fait de la sculpture*, il sculpte. *La façade est ornée de sculptures*, de représentations sculptées, de statues.

illustr. p. 41

✳ Dans les mots de cette famille, on ne prononce pas le « p ».

se pron. pers. SENS 1. *Maxime se regarde dans la glace*, il regarde lui-même.

SENS 2. *Adrien et Colin se regardent*, chacun regarde l'autre.

✳ **Se** devient **s'** devant une voyelle ou un « h » muet : *ils s'aiment, il s'habille*.

séance n.f. SENS 1. *La séance du conseil municipal est ouverte*, la réunion pour discuter. SENS 2. *La séance de cinéma commence à 8 heures*, le spectacle de cinéma (= représentation).

séant n.m. *Le chien est sur son séant*, il est assis.

seau n.m. *Il transporte de l'eau dans un seau*, un récipient muni d'une anse. ✳ Au pluriel, on écrit des **seaux**. Ne pas confondre avec **sceau**, **saut** et **sot**.

illustr. p. 156, 719

sébile n.f. *Le mendiant tend sa sébile*, un petit récipient dans lequel les passants mettent de l'argent.

sec, sèche adj. SENS 1. *Le linge est sec*, il ne contient plus d'eau (≠ humide, mouillé). *La peinture est sèche*, elle n'est plus liquide. SENS 2. *Maman achète des haricots secs*, que l'on a fait sécher pour les conserver (≠ frais). SENS 3. Manger du pain **sec**, c'est manger du pain sans aucun autre aliment. SENS 4. *Il m'a fait une réponse sèche*, courte et peu aimable (= dur ; ≠ gentil). SENS 5. *Mme Lepic est une personne au corps sec*, maigre. ✳ Ne pas confondre l'adjectif **sèche**, certaines formes du verbe **sécher** et une **seiche**.

illustr. p. 747

■ **sec** n.m. [SENS 1] *Il faut garder ces fruits au sec*, dans un endroit sans humidité.

■ **à sec** adv. [SENS 1] *La source est à sec*, elle n'a plus d'eau, elle est tarie. ●● **assécher**. ◆ Fam. *Peux-tu me prêter quelques euros, je suis à sec*, je n'ai plus d'argent.

■ **sèchement** adv. [SENS 4] *Le directeur a rejeté sèchement ma demande*, nettement et en peu de mots (= durement ; ≠ gentiment).

■ **sécher** v. 1er groupe. [SENS 1] *Cette machine sèche le linge*, elle enlève l'humidité (≠ mouiller). *Marie* **se sèche** *les cheveux*, elle les rend secs. *Le sol* **a séché***, il est devenu sec. ●● **dessécher** ✱ Conj. n° 10.

■ **sécheresse** n.f. [SENS 1] *Nous sommes dans une période de* **sécheresse***, d'absence de pluie. [SENS 4] *Elle m'a répondu avec* **sécheresse***, d'un ton sec, tranchant (= brusquerie ; ≠ douceur, gentillesse).

■ **séchage** n.m. [SENS 1] *Le temps de* **séchage** *d'une peinture est le temps qu'il lui faut pour sécher.*

illustr.
p. 239,
384
■ **séchoir** n.m. [SENS 1] *Je sèche mes cheveux avec un* **séchoir***, un appareil qui sèche en soufflant de l'air chaud. (On dit aussi un* **sèche-cheveux***.) Un* **séchoir** *à linge est une installation ou un appareil qui sert à sécher le linge. (On dit aussi un* **sèche-linge***.)*

illustr.
p. 690,
746
■ **sécateur** n.m. *Les vendangeurs coupent les grappes avec des* **sécateurs***, des sortes de gros ciseaux.*

séchage, sèchement, sécher, sécheresse, séchoir → sec

illustr.
p. 642
■ **second, onde** SENS 1. adj. *J'habite au* **second** *étage, au-dessus du premier (= deuxième). SENS 2. adj. *Il est* **second** *vendeur, il a un poste moins important que le premier vendeur. SENS 3. n.m. *Voici mon* **second***, celui qui m'aide (= assistant, collaborateur).

illustr.
p. 758
■ **secondaire** adj. [SENS 1] L'enseignement **secondaire** vient après le primaire. L'ère **secondaire** est la période de la Terre où les oiseaux et les mammifères sont apparus. **→** *primaire, tertiaire, quaternaire**. [SENS 2] *Cet acteur n'a qu'un rôle* **secondaire***, un rôle peu important.

■ **seconder** v. 1er groupe. [SENS 3] *Ce collaborateur me* **seconde** *dans mon travail (= aider).
✱ Dans cette famille de mots, la deuxième syllabe se prononce [gɔ̃].

illustr.
p. 991
■ **seconde** n.f. SENS 1. Dans une minute, il y a 60 **secondes**. SENS 2. *Attends une*

seconde *!, un tout petit moment (= instant).
✱ On prononce [səgɔ̃d].

seconder → second

■ **secouer** v. 1er groupe. SENS 1. *On* **secoue** *le prunier pour en faire tomber les fruits, on le remue très fort (= agiter).* **→** *gauler**. *Je* **secoue** *la poussière de mon chiffon, j'agite le chiffon pour en chasser la poussière. SENS 2. *Cette nouvelle l'a* **secoué***, elle lui a fait un choc (= ébranler, traumatiser).

■ **secousse** n.f. [SENS 1] *Le train part sans* **secousse***, sans mouvement brusque (= à-coup, saccade).

■ **secourir** v. 3e groupe. SENS 1. *On a* **secouru** *les blessés, on est venu à leur aide et on leur a donné des soins urgents. SENS 2. **Secourir** *une personne dans la misère, c'est l'aider (= assister). ✱ Conj. n° 29.

■ **secourable** adj. [SENS 2] *C'est une personne* **secourable***, prête à secourir les autres (= obligeant, serviable).

■ **secours** n.m. [SENS 1] *Il faut porter* **secours** *aux blessés, les secourir (= assistance, aide). (Au plur.) *Les blessés attendent l'arrivée des* **secours***, des personnes et du matériel envoyés pour leur venir en aide. [SENS 2] *Ma mémoire m'est d'un grand* **secours***, elle m'est utile et me rend service. ◆ *Une roue de* **secours** *est une roue destinée à remplacer une roue dont le pneu est crevé.*

illustr.
p. 852

■ **secourisme** n.m. [SENS 1] *Je suis des cours de* **secourisme***, des cours où l'on apprend les gestes élémentaires qui permettent de donner des soins à un blessé en attendant l'arrivée des secours.

■ **secouriste** n. [SENS 1] *Une équipe de* **secouristes** *a pris soin des blessés, des gens qui ont appris le secourisme.*

illustr.
p. 737

secousse → secouer

■ **secret** n.m. SENS 1. *Je vais te confier un* **secret***, une chose qu'il ne faut répéter à personne. SENS 2. *Je vais te donner mon* **secret** *pour réussir ce gâteau,* le moyen personnel pour le faire (= truc, astuce).

■ **secret, ète** adj. [SENS 1] *Nous utilisons un code* **secret**, *qui n'est connu que de nous.*

■ **secrètement** adv. [SENS 1] *Ils s'étaient* **secrètement** *mis d'accord avant la discussion* (= en cachette ; ≠ ouvertement).

illustr. p. 122,

863

secrétaire SENS 1. n. *Le directeur a une* **secrétaire**, *une employée chargée du courrier, de prendre les rendez-vous, de ranger les dossiers, etc.* SENS 2. n.m. *J'écris sur un* **secrétaire**, *une sorte de bureau avec des tiroirs et un abattant pour écrire dessus.*

■ **secrétariat** n.m. [SENS 1] *Dans une école de* **secrétariat**, *on apprend le métier de secrétaire.* ◆ *Pour tous les renseignements, adressez-vous au secrétariat, au bureau des secrétaires.*

secrètement → **secret**

sécréter v. 1er groupe. *Les glandes salivaires* **sécrètent** *la salive,* elles produisent la salive.
✴ Conj. no 10.

■ **sécrétion** n.f. *La résine est une* **sécrétion** *du pin,* un liquide sécrété par le pin.

sectaire adj. et n. *Une personne* **sectaire** *est une personne qui n'accepte pas les idées des autres* (= intolérant ; ≠ ouvert, large d'esprit).

■ **sectarisme** n.m. *Les discussions ont échoué à cause du* **sectarisme** *des participants,* de leur attitude intransigeante.

secte n.f. *Une* **secte** *religieuse est un groupe de personnes qui ont des croyances différentes de celles de la religion commune.*

secteur n.m. SENS 1. *Ils n'habitent pas dans le même* **secteur**, *dans la même*

partie de la ville (= quartier). → **district, région**. SENS 2. *Il y a une panne de* **secteur**, *du courant électrique distribué dans une partie du réseau.* SENS 3. Le **secteur** public, *c'est l'ensemble des entreprises qui dépendent de l'État, par opposition au* **secteur** privé.

section n.f. SENS 1. *Il y a une* **section** *syndicale dans cette entreprise,* un groupe de gens inscrits à un syndicat. SENS 2. *Dans l'armée, une* **section** *est commandée par un lieutenant,* un petit groupe d'hommes. SENS 3. *Il y a des travaux sur cette* **section** *de route,* sur cette partie du trajet (= tronçon).

sectionner v. 1er groupe. **Sectionner** un câble, *c'est le couper* (= trancher).

séculaire adj. *Il y a dans ce parc des arbres* **séculaires**, *qui existent depuis plusieurs siècles.* ●● **siècle**. → **centenaire**

secundo adv. *Je n'ai pas aimé ce film : primo, l'histoire est banale,* **secundo**, *les acteurs jouent mal* (= en second lieu, deuxièmement).
✴ On prononce [səgɔ̃do].

illustr. p. 74

sécurité n.f. SENS 1. *Nous sommes en* **sécurité**, *à l'abri du danger* (= sûreté ; ≠ insécurité). ●● **sûr**. La **sécurité** routière, *c'est l'ensemble des mesures que l'on prend pour préserver les usagers de la route des risques d'accident et ce sont les services qui s'en occupent.* → **ceinture**. SENS 2. *(Avec majuscule.)* La **Sécurité sociale**, *c'est un organisme d'État qui rembourse une partie de leurs frais médicaux aux personnes qui lui versent des cotisations.*

■ **sécuriser** v. 1er groupe. *Les réfugiés ont besoin d'**être sécurisés**, de retrouver un sentiment de sécurité et de confiance* (= rassurer, tranquilliser ; ≠ inquiéter).

■ **sécurisant, ante** adj. *Les rondes de police sont* **sécurisantes** *pour la population,* elles la sécurisent (= rassurant ; ≠ angoissant).

sédentaire SENS 1. adj. et n. *Cette tribu est **sédentaire**, elle reste dans une région déterminée (≠ nomade). Dans cette entreprise, le personnel est **sédentaire**, il reste sur place, ne se déplace pas à l'extérieur.* SENS 2. adj. *Un emploi **sédentaire** est un emploi qui n'exige pas de déplacements.*

sédiment n.m. *Au fond de la mer, il y a des **sédiments**, des débris déposés par le vent, l'eau.*

illustr. p. 949 ■ **sédimentaire** adj. *Le calcaire, l'argile sont des roches **sédimentaires**, formées de sédiments.*

sédition n.f. *Une **sédition** est une révolte (= insurrection, soulèvement).*

■ **séditieux, euse** adj. *Des paroles **séditieuses** sont des paroles qui incitent à la révolte (= subversif).*

séduire v. 3ᵉ groupe. SENS 1. *Benjamin a **séduit** Pauline, il l'a rendue amoureuse de lui (= charmer).* SENS 2. *Ce projet me **séduit**, il m'attire (= tenter, plaire).* ❋ Conj. n° 70.

■ **séducteur, trice** [SENS 1] adj. *Elle a un sourire **séducteur**, qui séduit (= charmeur).* ◆ n. *Cet homme est un **séducteur**, il aime séduire les femmes.*

■ **séduction** n.f. [SENS 1] *Cette personne a de la **séduction**, elle a le pouvoir de séduire (= charme).*

■ **séduisant, ante** adj. [SENS 1] *Une femme **séduisante** est une femme qui attire par son charme, sa beauté.* [SENS 2] *Ce projet est **séduisant**, il est tentant (= alléchant).*

illustr. p. 431 **segment** n.m. *Tracez un **segment** de droite sur votre cahier,* une ligne droite de longueur limitée.

ségrégation n.f. *Une politique de **ségrégation** consiste à tenir à l'écart certaines personnes en raison de leur origine, de la couleur de leur peau, de leur religion, etc.*

seiche n.f. *L'oiseau aiguise son bec sur un os de **seiche**,* un mollusque marin dont la tête porte des tentacules. *illustr. p. 556* ❋ Ne pas confondre avec l'adjectif **sèche**.

seigle n.m. *Le **seigle** est une céréale qui pousse surtout sur les terrains pauvres et dont on tire de la farine.* *illustr. p. 20, 150*

seigneur n.m. SENS 1. *Au Moyen Âge et sous l'Ancien Régime, un **seigneur** était un noble qui possédait de vastes terres et habitait dans un château.* → **fief, suzerain, vassal**. SENS 2. *Ce monsieur fait le **grand seigneur**, il dépense sans compter.*

sein n.m. SENS 1. *Les **seins** d'une femme sont ses deux mamelles (= poitrine). La maman **donne le sein** à son bébé, elle l'allaite.* SENS 2. *Paul vit **au sein de** sa famille, parmi sa famille.* *illustr. p. 217* ❋ Ne pas confondre avec l'adjectif **sain** et un **saint**.

séisme n.m. *Un **séisme** est un ensemble de secousses, plus ou moins fortes, qui se produisent à la surface de la Terre et qui peuvent provoquer de graves destructions (= tremblement de terre).* *illustr. p. 737, 949* ●● **sismique**

seize adj. numéral. *Quinze plus un font **seize**. 10 + 6 = 16.* *illustr. p. 642*

■ **seizième** n. et adj. *Il est le **seizième** à présenter sa candidature,* quinze se sont présentés avant lui. *illustr. p. 642*

séjourner v. 1ᵉʳ groupe. *Nous avons **séjourné** en Suisse, nous y sommes restés quelque temps.*

■ **séjour** n.m. *J'aimerais faire un **séjour** à la mer, y passer quelque temps.* ◆ *La famille regarde la télévision dans la **salle de séjour**,* une des pièces de la maison qui sert à la fois de salle à manger et de salon. *illustr. p. 862*

sel n.m. SENS 1. *L'eau de mer contient du **sel**,* une substance blanche qui sert, *illustr. p. 556* en particulier, à assaisonner les aliments. ●● *saler, dessaler.* SENS 2. *Ses plaisanteries sont pleines de sel,* d'esprit (= piquant, humour). ✳ Ne pas confondre avec **celle** et une **selle**.

sélection n.f. *Il a fallu faire une sélection parmi les candidats,* choisir les meilleurs (= choix).

■ **sélectionner** v. 1ᵉʳ groupe. *Le capitaine a sélectionné les joueurs,* il a fait une sélection parmi eux.

■ **sélectionneur, euse** n. *Le sélectionneur n'a pas encore fait connaître les noms de tous les joueurs de l'équipe,* celui qui est chargé de constituer l'équipe.

■ **sélectif, ive** adj. Un recrutement **sélectif** est un recrutement qui se fait par une sélection, par un choix.

self-service ou **self** n.m. Un **self-service** est un restaurant dans lequel le client se sert lui-même. ●● *servir, libre-service*
✳ Au pluriel, on écrit des **self-services** ou des **selfs**.

illustr. **selle** n.f. SENS 1. La **selle** d'un cheval est *p. 531,* la pièce de cuir qu'on lui met sur le dos *354,* pour s'asseoir dessus. La **selle** d'une *1002* bicyclette est un petit siège. SENS 2. (Au plur.) Les **selles** sont les excréments humains. ◆ **Aller à la selle,** c'est faire ses excréments.
✳ Ne pas confondre avec **celle** et le **sel**.

■ **seller** v. 1ᵉʳ groupe. [SENS 1] **Seller** un cheval, c'est lui mettre une selle sur le dos. ●● *desseller*
✳ Ne pas confondre avec **sceller**.

■ **sellier** n.m. [SENS 1] Un **sellier** fabrique ou vend des selles et tout ce qui équipe les chevaux.
✳ Ne pas confondre avec un **cellier**.

sellette n.f. *Pierre est sur la sellette,* on l'interroge, on examine son cas attentivement.

sellier → *selle*

selon prép. SENS 1. *Il doit faire beau, selon la météo,* d'après ce qu'elle annonce. SENS 2. *Le montage a été fait selon les instructions,* en se conformant à ce que disaient les instructions (= d'après, suivant). SENS 3. *Selon le temps, le bateau partira ou non,* son départ dépendra du temps (= en fonction de, suivant).

semailles → *semer*

semaine n.f. SENS 1. Une **semaine** du *illustr.* calendrier va du début du lundi à la fin du *p. 132* dimanche. ◆ *Nous avons pris une semaine de vacances,* une période de sept jours. SENS 2. *Le magasin est ouvert en semaine,* tous les jours, sauf le dimanche. → *hebdomadaire*

sémaphore n.m. Un **sémaphore** est un *illustr.* appareil qui permet de transmettre des *p. 971* signaux à des bateaux ou à des trains, grâce à un système de panneaux mobiles ou de lumières.

semblable SENS 1. adj. *Ces deux objets sont semblables,* ils se ressemblent (= pareil, identique, analogue ; ≠ différent). → *similitude* SENS 2. n.m. *Toute sa vie, il s'est préoccupé de secourir ses semblables,* les autres êtres humains (= autrui, prochain).

sembler v. 1ᵉʳ groupe. SENS 1. *Tu sembles fatigué,* tu as l'air fatigué (= paraître). SENS 2. *Il me semble que tu te trompes,* je le crois, j'en ai l'impression.

■ **semblant** n.m. [SENS 1] *Jean fait semblant de dormir,* il fait comme s'il dormait (= feindre). → *simuler*

semelle n.f. *Mes chaussures ont des semelles épaisses,* la pièce qui forme le dessous. ●● *ressemeler*

semer v. 1ᵉʳ groupe. SENS 1. *On sème des graines,* on les met en terre pour les faire germer. SENS 2. *On a semé des clous sur la route,* on les a jetés çà et là.
✳ Conj. n° 9.

880

■ **semailles** n.f. pl. [SENS 1] L'époque des **semailles** est l'époque où l'on sème.

■ **semence** n.f. [SENS 1] Les **semences** sont des graines que l'on sème. ●● **ensemencer**

■ **semeur, euse** n. [SENS 1] *Le semeur lance les graines à la volée,* celui qui sème.

illustr. p. 746   ■ **semis** n.m. [SENS 1] *Paul arrose ses semis de salades,* la terre où il a semé.

illustr. p. 20   ■ **semoir** n.m. [SENS 1] *Un semoir est une machine qui sème les graines.*

illustr. p. 132   **semestre** n.m. *L'année est composée de deux semestres,* de deux périodes de six mois. → **trimestre**

■ **semestriel, elle** adj. Une revue **semestrielle** est une revue qui paraît chaque semestre. → **trimestriel**

semeur → **semer**

semi- préfixe. Placé au début de certains mots, **semi-** signifie « à moitié », « à demi » : *une machine semi-automatique a besoin d'une intervention manuelle.*

sémillant, ante adj. Une personne **sémillante** est une personne vive et gaie (= pimpant, fringant).

séminaire n.m. SENS 1. *André est dans un séminaire,* dans un établissement où l'on forme les futurs prêtres catholiques. SENS 2. *Un séminaire de savants est une réunion où des savants travaillent ensemble* (= colloque).

■ **séminariste** n.m. [SENS 1] *André est séminariste,* il est élève dans un séminaire.

illustr. p. 852   **semi-remorque** n.m. Un **semi-remorque** est un très gros camion formé d'une remorque accrochée à une sorte de tracteur. ●● **remorque**
✳ Au pluriel, on écrit des **semi-remorques**.

semis, semoir → **semer**

semonce n.f. SENS 1. *Grégory a reçu une semonce,* il s'est fait gronder (= réprimande). SENS 2. *Cet échec électoral est un coup de semonce pour le gouvernement,* un avertissement sérieux.

semoule n.f. *On fait ce gâteau avec de la semoule,* une sorte de farine faite de grains grossièrement écrasés.

sempiternel, elle adj. *Je suis fatigué de ses plaintes sempiternelles,* continuelles et ennuyeuses (= perpétuel).

■ **sempiternellement** adv. *Il répète sempiternellement les mêmes accusations* (= perpétuellement, continuellement).

sénat n.m. Un **sénat** est une assemblée politique. ◆ (Avec majuscule.) En France, le **Sénat** doit approuver les lois votées par l'Assemblée nationale. *illustr. p. 358*

■ **sénateur** n.m. *M. Durand est sénateur,* il est membre du Sénat. *illustr. p. 358*

sénile adj. Une voix **sénile** est une voix de vieillard.

■ **sénilité** n.f. *Cet homme est atteint de sénilité,* de troubles du corps et de l'esprit provoqués par la vieillesse.

senior n. *Un senior est un sportif de plus de 21 ans.*
✳ On prononce [senjɔr].

sens n.m. SENS 1. *La vue, l'ouïe, l'odorat, le goût, le toucher sont les cinq sens,* ce qui nous permet de voir, entendre, sentir, etc. *Pierre a le sens des affaires,* il sait faire des affaires (= intuition, instinct). SENS 2. *Quel est le sens de ce mot ?,* ce qu'il veut dire (= signification). ●● **contresens, faux-sens, non-sens.** → **figuré, propre.** SENS 3. *Hélène a du bon sens,* elle sait ce qui est raisonnable (= jugement, fam. jugeote). SENS 4. *Les fugitifs couraient dans tous les sens,* de tous les côtés (= direction). *illustr. p. 882*
✳ On prononce [sãs].

La famille du mot «sens»

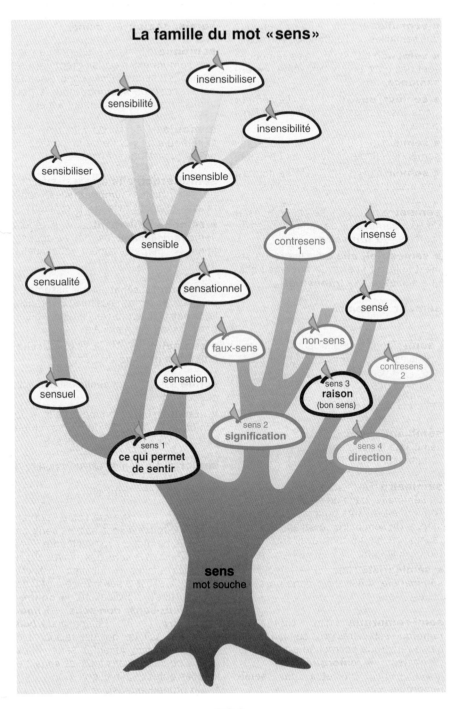

■ **sensé, ée** adj. [SENS 3] *Hélène est sensée,* elle a du bon sens, de la jugeote. ●● *insensé*
✳ Ne pas confondre avec **censé**.

■ **sensuel, elle** adj. [SENS 1] Une personne **sensuelle** est une personne qui recherche le plaisir que peuvent procurer les sens. *Bien manger est un plaisir sensuel* (= voluptueux).

■ **sensualité** n.f. [SENS 1] *C'est un homme d'une **sensualité** raffinée,* qui a un tempérament sensuel.

sensation n.f. SENS 1. *J'ai une **sensation** de froid,* je ressens physiquement le froid (= impression). SENS 2. *Son arrivée a fait sensation,* elle a produit beaucoup d'intérêt, de surprise.

■ **sensationnel, elle** adj. [SENS 2] *Les journaux ont annoncé un événement sensationnel* (= extraordinaire, remarquable ; ≠ banal).

sensé → *sens*

sensible adj. SENS 1. *Pierre est un enfant **sensible**,* il est vite ému (= émotif, impressionnable ; ≠ insensible). *Il a été **sensible** à nos arguments,* ils ont fait de l'effet sur lui. SENS 2. *J'ai la gorge **sensible**,* j'ai souvent mal à la gorge (= fragile). *Paul est **sensible** à la chaleur,* il la supporte mal. ●● *insensibiliser*. SENS 3. *La hausse de la température est **sensible**,* assez importante (= notable). SENS 4. *Une balance **sensible** est une balance très précise.*

■ **sensiblement** adv. [SENS 3] *Il a **sensiblement** grandi* (= notablement, nettement ; ≠ insensiblement). ◆ *Ils sont **sensiblement** égaux,* à peu près égaux (= approximativement).

■ **sensibilité** n.f. [SENS 1] *Cet homme n'a aucune **sensibilité**,* on ne peut pas l'émouvoir (≠ insensibilité). [SENS 2] *Paul est d'une grande **sensibilité** au froid,* il le craint beaucoup. [SENS 4] *Un thermomètre médical doit avoir une grande **sensibilité**,* une grande aptitude à détecter les plus petites variations (= précision).

■ **sensibiliser** v. 1ᵉʳ groupe. [SENS 1] *Une campagne de presse a **sensibilisé** les lecteurs à ce problème,* elle a attiré leur attention dessus pour qu'ils y réfléchissent.

sensuel → *sens*

sentence n.f. SENS 1. *Le juge a rendu sa **sentence**,* sa décision (= verdict, jugement). SENS 2. *« Bien mal acquis ne profite jamais »* est une **sentence**, une pensée morale exprimée avec une certaine solennité (= dicton, maxime, proverbe).

■ **sentencieux, euse** adj. [SENS 2] Une personne **sentencieuse** est une personne qui emploie souvent des sentences, des phrases moralisatrices.

■ **sentencieusement** adv. [SENS 2] Parler **sentencieusement**, c'est parler avec trop de solennité et sur un ton moralisateur.

senteur n.f. Une **senteur** est une odeur agréable. *La **senteur** de la lavande se répand dans la maison* (= parfum). → *arôme*

sentier n.m. *Un **sentier** s'enfonce dans la forêt,* un chemin étroit. *illustr. p. 29*

sentiment n.m. SENS 1. *L'affection, l'amour, la peur, la haine sont des **sentiments**,* on les ressent au fond de soi-même (= émotion). SENS 2. *J'ai le **sentiment** que je me trompe,* j'en ai l'impression.

■ **sentimental, ale, aux** adj. [SENS 1] *J'aime les chansons **sentimentales**,* qui parlent d'amour. Une personne **sentimentale** est une personne qui accorde beaucoup de place aux sentiments amoureux, au rêve et à la tendresse (= romantique).

sentinelle n.f. *À l'entrée de la caserne, il y a une **sentinelle**,* un soldat qui monte la garde.

sentir v. 3ᵉ groupe. SENS 1. *Je **sens** la chaleur du soleil,* j'éprouve une sensation de chaleur. ●● ***ressentir***. SENS 2. *Je sens qu'il va faire beau,* je le devine (= pressentir). SENS 3. *Je sens l'odeur des roses,* je la perçois grâce à mon odorat, en respirant. SENS 4. *Cette rose sent bon,* elle répand une odeur agréable. → ***embaumer***

☀ Conj. n° 19. Ne pas confondre certaines formes du verbe **sentir** avec un **sens** et avec **sans**.

seoir v. 3ᵉ groupe. *Cette robe vous sied à merveille,* elle vous va très bien. ●● ***seyant***. *Il ne sied pas de faire le difficile,* cela ne convient pas.

☀ Conj. n° 46. Ce verbe est employé à très peu de formes. Il s'emploie surtout dans la langue écrite.

illustr. p. 310 **sépale** n.m. Les **sépales** d'une fleur sont les sortes de feuilles situées sous les pétales.

séparer v. 1ᵉʳ groupe. SENS 1. *La maîtresse a séparé Paul et Jacques,* elle les a éloignés l'un de l'autre (≠ réunir). *Nous devons nous séparer,* nous quitter (= rompre, se disperser ; ≠ se rassembler). ●● ***inséparable***. SENS 2. *La rivière se sépare en deux,* elle se partage (= se diviser). SENS 3. *Un mur sépare les deux jardins,* il est entre les deux (= isoler).

■ **séparation** n.f. [SENS 1] *Leur séparation a été brutale,* ils se sont séparés brutalement (= rupture). [SENS 3] *Une cloison sert de séparation entre deux pièces,* elle les sépare.

■ **séparatiste** adj. et n. [SENS 1] *Les séparatistes cherchent à séparer une région de l'État dont elle fait partie* (= autonomiste).

■ **séparément** adv. [SENS 1] *Travaillons séparément,* chacun de notre côté (≠ ensemble).

illustr. p. 642 **sept** adj. numéral. *Il y a sept jours dans une semaine. 6 + 1 = 7.*

☀ Ne pas confondre avec **cet, cette** et avec un **set**.

■ **septième** adj. et n. *J'habite le septième étage,* celui qui vient après le sixième. *illustr. p. 642*

■ **septennat** n.m. *Avant 2002, le président de la République française était élu pour un septennat,* une période de sept ans. → ***quinquennat.***

septante adj. En Belgique et en Suisse, on dit **septante** pour « soixante-dix ».

septembre n.m. **Septembre** est le neuvième mois de l'année. *illustr. p. 132*

septennat → ***sept***

septentrional, ale, aux adj. *Lille est dans la partie septentrionale de la France,* la partie située au nord (≠ méridional).

septième → ***sept***

septique adj. *Dans une fosse septique,* les excréments sont réduits à l'état liquide par une fermentation.

☀ Ne pas confondre avec **sceptique**.

septuagénaire adj. et n. *Mon grand-père est septuagénaire,* il a entre soixante-dix et quatre-vingts ans.

sépulture n.f. *Où se trouve la sépulture de ton arrière-grand-père ?,* le lieu où il est enterré (= caveau, tombe, tombeau).

■ **sépulcre** n.m. *Un tombeau est quelquefois appelé un sépulcre.*

☀ Ce mot s'emploie dans la langue écrite.

■ **sépulcral, ale, aux** adj. *M. Dupont a une voix sépulcrale,* qui semble sortir d'un tombeau (= caverneux).

séquelle n.f. *Je souffre des séquelles de l'accident,* des troubles qui persistent après la guérison.

séquence n.f. *J'ai aimé cette séquence du film,* cette partie (= scène).

séquestrer v. 1ᵉʳ groupe. *Des bandits l'ont séquestré,* ils l'ont enfermé sans en avoir le droit.

■ **séquestration** n.f. *Le gangster est accusé de séquestration d'enfant,* d'avoir séquestré un enfant.

sérail n.m. *Autrefois, les princes turcs enfermaient leurs épouses dans le sérail,* une partie de leur palais.
✱ Au pluriel, on écrit des **sérails**.

serein, eine adj. SENS 1. *Le ciel est serein,* il est pur et calme (≠ nuageux). SENS 2. *Son visage est serein* (= tranquille, paisible ; ≠ inquiet, troublé).
✱ Ne pas confondre avec un **serin**.

■ **sereinement** adv. [SENS 2] *Ils ont accueilli la nouvelle très sereinement* (= calmement, tranquillement).

■ **sérénité** n.f. [SENS 2] *Les deux amis discutent avec sérénité,* avec tranquillité (= calme, placidité).

sérénade n.f. *Une sérénade était autrefois un concert donné la nuit sous les fenêtres de la femme aimée.*

sérénité → *serein*

illustr. p. 220 **serf, serve** n. Au Moyen Âge, un **serf** était un paysan qui dépendait d'un seigneur et n'était pas libre de quitter la terre qu'il travaillait. → *manant, vilain*
✱ On prononce [sɛrf] ou [sɛr]. Ne pas confondre avec un **cerf** et une **serre**.

■ **servage** n.m. *Le servage ne laissait pas beaucoup de liberté aux paysans,* l'état de serf. ●● *servitude.* → *esclavage*

illustr. p. 746 **serfouette** n.f. *On bine et on sarcle la terre avec une serfouette,* un outil de jardinage.

illustr. p. 440 **sergent** n.m. *Un sergent est un soldat qui a le premier grade de sous-officier.*

série n.f. SENS 1. *Le maître a posé une série de questions,* plusieurs questions

(= suite). SENS 2. *Mme Dupont a acheté une série de casseroles,* plusieurs casseroles qui forment un ensemble (= lot, batterie). SENS 3. *On fabrique ces assiettes en série,* en un grand nombre d'exemplaires identiques.

sérieux, euse adj. SENS 1. *Jean est sérieux dans son travail,* il le fait bien (= appliqué, consciencieux). *Voilà un travail sérieux !,* un travail fait avec application. SENS 2. *Marie a un visage sérieux,* qui ne sourit pas (= grave). SENS 3. *Cette maladie est sérieuse* (= grave, dangereux).

■ **sérieux** n.m. [SENS 2] *Tâche de garder ton sérieux,* de ne pas rire (= impassibilité). [SENS 3] *On devrait prendre cette menace au sérieux,* y attacher de l'importance (≠ à la légère).

■ **sérieusement** adv. [SENS 1] *Jean ne travaille pas sérieusement,* avec application (= consciencieusement). [SENS 3] *Le blessé est sérieusement atteint* (= gravement, grièvement).

serin, ine n. *Jean a un serin dans une cage,* un petit oiseau jaune (= canari).
✱ Ne pas confondre avec l'adjectif **serein**.

seriner v. 1ᵉʳ groupe. Fam. *Cesse de seriner cette chanson !,* de la répéter sans cesse (= rabâcher, ressasser).

illustr. p. 869 **seringue** n.f. *On fait des piqûres avec une seringue,* une petite pompe à laquelle on adapte une aiguille.

serment n.m. *Il a fait le serment de ne plus fumer,* la promesse solennelle. → *jurer*

sermon n.m. SENS 1. *Le prêtre a fait un sermon,* il a parlé aux fidèles réunis dans l'église (= homélie, prêche). → *prédicateur.* SENS 2. *Sa mère lui a fait un sermon,* des remontrances longues et ennuyeuses.

■ **sermonner** v. 1ᵉʳ groupe. [SENS 2] *Je vais le sermonner,* lui faire des remontrances (= gronder, réprimander).

885

serpe n.f. *Jean coupe des branches avec une serpe*, un outil tranchant à lame recourbée.

illustr. p. 1033 **serpent** n.m. Les **serpents** sont des reptiles sans pattes, au corps recouvert d'écailles et qui se déplacent en rampant. La vipère, la couleuvre, le boa et le python sont des **serpents**.

serpenter v. 1er groupe. *Le sentier serpente dans les bois,* il tourne tantôt dans un sens, tantôt dans l'autre et fait des sinuosités.

serpentin n.m. *On a lancé des serpentins,* des petits rouleaux de papier coloré qui se déroulent quand on les lance.

serpillière n.f. *Je lave mon carrelage avec une serpillière,* une grosse toile pour laver le sol.

serpolet n.m. *Sens-tu cette odeur de serpolet dans ce chemin ?,* de thym sauvage.

serrage → **serrer**

illustr. p. 746 **serre** n.f. SENS 1. *Ces plantes poussent en serre,* dans un endroit fermé et vitré où elles sont à l'abri du froid. SENS 2. On appelle **effet de serre** le phénomène de réchauffement de l'atmosphère dû à l'accumulation de gaz polluants dans les couches d'air qui entourent la Terre. ✸ Ne pas confondre avec un **cerf** et un **serf**.

serrer v. 1er groupe. SENS 1. *Elle serre la poignée de son sac,* elle la tient fermement (≠ lâcher). SENS 2. *Les voyageurs sont serrés dans le métro,* ils sont les uns contre les autres (= comprimer). *Les enfants se serrent sur le banc,* ils se rapprochent les uns des autres (= se tasser). ●● **enserrer**. SENS 3. *Serre ton nœud de cravate,* tire sur les extrémités. *Serre bien cette vis,* tourne-la jusqu'à ce qu'elle soit bloquée (≠ desserrer).

●● **resserrer**. SENS 4. *Ce vêtement me serre,* je suis à l'étroit dedans (= comprimer). → **mouler**. SENS 5. *Cette misère vous serre le cœur,* elle vous cause une vive émotion.

■ **serrage** n.m. [SENS 3] *Le mécanicien vérifie le serrage des écrous,* s'ils sont serrés.

■ **serrement** n.m. [SENS 1] *Ils se saluent d'un serrement de main,* d'une pression mutuelle de la main (= poignée de main). [SENS 5] *On éprouve un serrement de cœur devant ce spectacle,* un sentiment de tristesse et d'angoisse.

■ **serres** n.f. pl. [SENS 1] *L'aigle a des serres,* des griffes qui serrent sa proie. ✸ Ne pas confondre avec une **serre**. *illustr. p. 617*

■ **serré, ée** adj. [SENS 2] *Ton écriture est serrée,* les lettres sont rapprochées. ◆ *La lutte est serrée,* les adversaires sont de force égale.

serrure n.f. *La clef est dans la serrure,* le dispositif qui permet de fermer ou d'ouvrir la porte. *illustr. p. 572*

■ **serrurier** n.m. *Le serrurier fait ou répare des serrures, des clefs.*

■ **serrurerie** n.f. *Il apprend la serrurerie,* le métier de serrurier.

sertir v. 2e groupe. *Le joaillier sertit un diamant,* il le fixe sur un bijou.

sérum n.m. *Le sang est composé de globules et de sérum,* un liquide jaunâtre qui se sépare du sang après coagulation. → **plasma** *illustr. p. 869* ✸ On prononce [serɔm].

servage → **serf**

servante, serveur, serviable, service → **servir**

serviette n.f. SENS 1. *Pour s'essuyer, on utilise des serviettes de table et, pour se sécher, des serviettes de toilette,* des morceaux de tissu plus ou moins épais. ●● **porte-serviettes**. SENS 2. *L'écolier porte sa serviette,* son cartable. *illustr. p. 239, 719, 1010*

servile adj. *M. Duval est **servile**,* il a un caractère trop soumis (= obséquieux).

■ **servilement** adv. *M. Duval obéit **servilement**,* avec trop de soumission.

■ **servilité** n.f. *Il accepte tout avec **servilité**,* avec une totale soumission (= bassesse).

servir v. 3ᵉ groupe. SENS 1. *Le garçon **sert** les clients du bar,* il apporte ce qu'ils ont commandé. ●● ***desservir**. Tiens, voici de l'orangeade, **sers-toi**, prends-en.* ●● ***resservir**.* SENS 2. *Sa mémoire l'**a servi**,* il a profité de sa bonne mémoire (= aider). ●● ***desservir**.* SENS 3. *Cet outil lui **a servi**,* il lui a été utile. SENS 4. *À quoi **sert** cette machine ?,* que fait-on avec ? SENS 5. *Ma voiture **sert** souvent,* elle est souvent utilisée. *Je me **sers** de la voiture,* je l'utilise. *Ce meuble me **sert** de bureau,* je l'utilise comme bureau.
✳ Conj. n° 20.

■ **service** n.m. [SENS 1] *Le **service** est rapide,* le garçon sert vite. ●● ***libre-service, self-service**.* ◆ *Le **service** est compris,* le pourcentage du montant de l'addition destiné au serveur. ⟶ ***pourboire**.* ◆ *Un **service** à café est un assortiment de vaisselle pour servir le café. [SENS 2] *Florian m'a rendu (un) **service**,* il m'a été utile, il m'a aidé. ◆ *Le **service** national,* c'est tout ce qu'un jeune citoyen doit faire pour remplir ses obligations de défense militaire de son pays ou de solidarité civile. ◆ *Les **services** d'une entreprise sont l'ensemble des gens qui travaillent dans l'entreprise et les bureaux dans lesquels ils travaillent. Elle dirige le **service** exportation.*

■ **serveur, euse** n. [SENS 1] *Nicole est **serveuse** dans un bar,* elle sert les clients.

■ **serviteur** n.m. [SENS 1] *Un **serviteur** est un domestique.*
✳ Ce mot n'est plus beaucoup employé.

■ **servante** n.f. [SENS 1] *Autrefois, une bonne s'appelait une **servante**.*

■ **serviable** adj. [SENS 2] *Amélie est **serviable**,* elle aime à rendre service (= obligeant).

servitude n.f. SENS 1. *Ce peuple vécut longtemps dans la **servitude**,* dans un état de dépendance totale (= sujétion, esclavage ; ≠ liberté). SENS 2. *Les **servitudes** d'un métier,* c'est ce que ce métier oblige à faire (= contrainte, sujétion).

ses ⟶ *son (1)*

session n.f. *La **session** d'un examen est la période pendant laquelle se déroule cet examen. Une **session** parlementaire est la période pendant laquelle le Parlement siège.*
✳ Ne pas confondre avec **cession**.

set n.m. SENS 1. *Nous avons gagné le match de volley par 3 **sets** à 2,* par 3 parties à 2 (= manche). SENS 2. *Un **set** de table est un ensemble de napperons pouvant remplacer une nappe ;* c'est aussi chacun des napperons.   *illustr. p. 862*
✳ On prononce le « t » : [sɛt]. Ne pas confondre avec **cet** et **sept**.

setter n.m. *Un **setter** est un chien d'une race à poil long et ondulé.*   *illustr. p. 385*
✳ On prononce [sɛtɛr].

seuil n.m. SENS 1. *Le **seuil** d'une maison est l'espace situé juste devant la porte d'entrée.* SENS 2. *Nous sommes au **seuil** de l'hiver,* au début (= entrée).

seul, e adj. SENS 1. *C'est mon **seul** chapeau,* je n'en ai qu'un (= unique). SENS 2. *Depuis qu'elle a déménagé, Lisa se sent **seule**,* sans personne pour lui tenir compagnie (= isolé, solitaire). SENS 3. *J'ai fait cela **seul**,* sans l'aide de personne. SENS 4. ***Seuls** deux arbres restaient,* il ne restait que deux arbres (= seulement).

■ **seulement** adv. [SENS 4] *Ils sont **seulement** trois,* ils ne sont que trois. ◆ *Je voudrais bien lui écrire, **seulement** je n'ai pas son adresse* (= mais).

sève n.f. *La **sève** est le liquide qui circule dans les végétaux et les nourrit.*

sévère adj. SENS 1. *Son père est **sévère**,* sans indulgence (= dur, exigeant). SENS 2.

À l'enterrement, il portait un costume **sévère**, sans ornement (= strict, austère). SENS 3. *Notre équipe a essuyé une défaite* **sévère**, *une lourde défaite* (= grave).

■ **sévèrement** adv. [SENS 1] *Pierre a été puni* **sévèrement**, *sans aucune indulgence* (= durement).

■ **sévérité** n.f. [SENS 1] *Le juge avait fait preuve de* **sévérité**, *il avait été sévère* (= rigueur ; ≠ indulgence).

sévices n.m. pl. *On l'accusait d'avoir exercé des* **sévices** *sur un enfant*, de l'avoir battu (= violences).

sévir v. 2ᵉ groupe. SENS 1. *On* **a sévi** *contre les coupables*, on les a punis sévèrement. SENS 2. *Une épidémie de grippe* **sévit**, *elle atteint beaucoup de monde et fait des ravages*.

sevrer v. 1ᵉʳ groupe. *La maman* **a sevré** *son bébé*, elle a commencé à lui donner d'autres aliments que du lait.
✹ Conj. n° 9.

■ **sevrage** n.m. *Le* **sevrage** *d'un bébé se fait progressivement*, l'abandon du lait comme seul aliment.

sexagénaire adj. et n. *Mon oncle est (un)* **sexagénaire**, il a entre soixante et soixante-dix ans.

illustr. p. 991 **sexagésimal, ale, aux** adj. *Dans le système* **sexagésimal**, *chaque unité vaut soixante fois l'unité inférieure*.

illustr. p. 217 **sexe** n.m. SENS 1. *Le* **sexe**, *c'est les organes génitaux qui différencient un garçon d'une fille*, un mâle d'une femelle. → **pénis, vulve**. SENS 2. *Dorothée est du* **sexe** *féminin, Julien est du* **sexe** *masculin*, elle a les caractéristiques des filles, et lui celles des garçons.

■ **sexuel, elle** adj. [SENS 1] *Les organes* **sexuels** *sont les organes génitaux qui servent aux relations sexuelles et à la reproduction*. → **reproducteur**. Un livre d'éducation **sexuelle** est un livre qui explique la sexualité et la reproduction des êtres humains. *Les relations* **sexuel-**les, c'est l'union des corps de deux personnes qui s'aiment. ●● **homosexuel**

■ **sexualité** n.f. [SENS 2] *La* **sexualité**, *c'est l'ensemble des désirs d'un être provoqués par le sexe et des actes qu'il fait pour les satisfaire*.

■ **sexiste** adj. et n. [SENS 1] *Une personne* **sexiste** *a tendance à mépriser les personnes de l'autre sexe*. → **macho**

sextant n.m. *Les navigateurs utilisent un* **sextant**, un appareil spécial qui détermine la position d'un navire à partir de l'observation de la hauteur du soleil au-dessus de l'horizon.

sexuel → **sexe**

seyant, ante adj. *Cette robe est très* **seyante**, elle est élégante et va bien à la personne qui la porte. ●● **seoir**

illustr. p. 150 **shampooing** n.m. SENS 1. *On se lave les cheveux avec un* **shampooing**, un produit moussant. SENS 2. *Jean se fait un* **shampooing**, il se lave la tête.
✹ On prononce [ʃɑ̃pwɛ̃].

shérif n.m. *Dans ce western, le* **shérif** *est le personnage principal*, le chef des policiers.
✹ On prononce [ʃerif].

shoot n.m. *Au football, un* **shoot** *est un coup de pied vigoureux dans le ballon*.
✹ On prononce [ʃut].

■ **shooter** v. 1ᵉʳ groupe. *Un avant* **a shooté** *dans les buts adverses* (= tirer).
✹ On prononce [ʃute].

illustr. p. 1010 **short** n.m. *Les sportifs portent souvent un* **short**, une culotte courte. → **bermuda**
✹ On prononce [ʃɔrt].

show n.m. *Le* **show** *télévisé de ce chanteur a été formidable*, un spectacle, un récital dont il est l'unique vedette.
✹ On prononce [ʃo].

1. si SENS 1. conj. *Si le temps est beau, je sortirai*, à cette condition. *Pardonne-*

moi **si** je ne t'ai pas répondu, de ne pas t'avoir répondu. SENS 2. adv. *Il est **si** beau !* (= tellement). *Il n'est pas **si** gentil que* ça (= aussi). ***Si** grand **qu'**il soit, il fait des bêtises,* bien qu'il soit grand. SENS 3. adv. Ce mot sert à interroger dans le style indirect : *il demande **si** tu sais ta leçon,* est-ce que tu la sais ? SENS 4. adv. Ce mot sert à affirmer après une question posée à la forme négative ou après une affirmation à la forme négative : *personne ne manque ? – **Si**. Je ne le connais pas. – Mais **si** !* (≠ non).
☀ Aux sens 1 et 3, **si** devient **s'** devant « il » et « ils » : ***s'**il veut.*

2. si n.m. Si est la septième note de la gamme.

sibyllin, ine adj. *Il a prononcé des paroles **sibyllines**,* difficiles à comprendre (= obscur, mystérieux, énigmatique).

sic adv. Sic, mis entre parenthèses après un mot, une phrase, indique que l'on reprend exactement les mots employés par quelqu'un, même si cela paraît étrange.

sida n.m. Le **sida** est une maladie très grave, qui se transmet par le sang ou lors de relations sexuelles sans préservatif.

sidérer v. 1ᵉʳ groupe. *Je **suis sidéré** par son audace,* je suis extrêmement étonné (= abasourdir, stupéfier).
☀ Conj. n° 10.

▪ **sidérant, ante** adj. *Il a eu l'audace de recommencer, c'est **sidérant** !* (= stupéfiant).

sidérurgie n.f. La **sidérurgie** est l'industrie qui permet la transformation du minerai de fer en fonte, en fer et en acier.
→ *métallurgie*

▪ **sidérurgique** adj. *L'industrie **sidérurgique** a subi des crises graves.*

siècle n.m. SENS 1. Un **siècle**, c'est une période de cent ans. ●● *séculaire*.

SENS 2. Le XXᵉ **siècle** est la période qui va du début de 1901 à la fin de l'an 2000.

il **sied** → *seoir*

siège n.m. SENS 1. Des **sièges** sont des meubles sur lesquels on s'assoit, comme une chaise, un fauteuil ou un tabouret. SENS 2. *Le palais Bourbon est le **siège** de l'Assemblée nationale,* l'endroit où elle se réunit. SENS 3. *Aux élections, ce parti a obtenu cent **sièges** de députés,* cent membres de ce parti ont été élus députés. SENS 4. *Le **siège** d'une douleur,* c'est l'endroit où l'on a mal. SENS 5. *L'ennemi a fait le **siège** de la ville,* il a essayé de s'en emparer militairement. ●● *assiéger*

illustr. p. 69, 74, 123

▪ **siéger** v. 1ᵉʳ groupe. [SENS 2 et 3] *Les députés **siègent** à l'Assemblée nationale,* ils s'y réunissent.
☀ Conj. n° 2 et n° 10.

sien, sienne SENS 1. pron. poss. *Ce livre n'est pas à toi, c'est **le sien**,* il est à lui ou à elle. SENS 2. n.m. pl. *Il est entouré de l'affection **des siens**,* de sa famille, de ses proches. SENS 3. n.f. pl. *Jacques a encore **fait des siennes**,* des sottises.

sieste n.f. *Ma grand-mère fait la **sieste**,* elle se repose et dort après le déjeuner.

siffler v. 1ᵉʳ groupe. SENS 1. *Paul **siffle** en travaillant,* il produit un son aigu en chassant l'air entre ses lèvres. SENS 2. *Il **siffle** son chien,* il l'appelle en sifflant. SENS 3. *Le merle **siffle**,* il fait entendre un son aigu avec son gosier. SENS 4. *Les spectateurs **sifflent** la pièce,* ils émettent des sifflements pour montrer qu'elle ne leur plaît pas (= huer). SENS 5. *L'arbitre **siffle** la fin de la partie,* il l'annonce à coups de sifflet.

▪ **sifflement** n.m. [SENS 1 et 4] *Il y a eu des **sifflements** dans la salle,* des bruits faits en sifflant.

▪ **sifflet** n.m. [SENS 5] *L'agent de police a un **sifflet**,* un petit instrument pour siffler.

■ **siffloter** v. [SENS 1] *Jean siffote un air connu,* il le siffle négligemment.

illustr. p. 970 **sigle** n.m. *Un sigle est une abréviation formée par la première lettre de chaque mot, comme « E.D.F. », employé pour Électricité de France.*

signal n.m. SENS 1. *Chaque panneau du Code de la route est un signal,* un objet qui donne un avertissement ou un ordre. SENS 2. *Un des passagers du train a tiré le signal d'alarme,* un dispositif qui permet d'avertir le conducteur qu'il y a un danger.

■ **signaler** v. 1er groupe. [SENS 1] *Le cycliste signale qu'il va tourner en tendant le bras,* il avertit qu'il va le faire. *On nous a signalé une erreur,* on nous l'a fait savoir, remarquer. ◆ *Cet appareil se signale par sa grande simplicité d'emploi,* il se distingue des autres grâce à cela (= se faire remarquer).

■ **signalement** n.m. *On a le signalement du voleur,* une description qui peut permettre de le reconnaître.

illustr. p. 855 ■ **signalisation** n.f. *La signalisation d'une voie ferrée,* c'est l'ensemble des signaux qui y sont placés.

signataire, signature → *signer*

signe n.m. SENS 1. *Il a de la fièvre, c'est signe qu'il est malade,* c'est un indice de la maladie (= indication, marque). SENS 2. *Je lui fais signe de venir,* je le lui fais comprendre d'un geste. SENS 3. *En entrant dans l'église, il a fait un signe de croix,* un geste religieux en portant sa main à son front, à sa poitrine, puis à chaque épaule. SENS 4. *Le signe + signifie « plus », le signe × signifie « multiplié par »* (= dessin, symbole). *Le point, la virgule sont des signes de ponctuation,* des repères qui aident à la compréhension d'une phrase.

■ se **signer** v. 1er groupe. [SENS 3] *Les fidèles se signent,* ils font un signe de croix.

signer v. 1er groupe. *Jean a signé sa lettre,* il a écrit son nom au bas de la lettre. ●● *soussigné*

■ **signature** n.f. *Sa signature est illisible,* son nom écrit de sa main, toujours de la même façon, au bas d'une lettre, d'un texte ou d'une œuvre.

■ **signataire** n. *Les signataires du contrat sont M. Durand et M. Dubois,* ceux qui le signent.

signifier v. 1er groupe. SENS 1. *Que signifie ce mot ?,* que veut-il dire ? quel est son sens ? SENS 2. *Le patron a signifié son renvoi à son employé,* il lui a annoncé sa décision de le renvoyer (= notifier).

■ **significatif, ive** adj. [SENS 1] *Il a fait un geste significatif,* un geste qui exprimait nettement ce qu'il pensait (= révélateur).

■ **signification** n.f. [SENS 1] *La signification de cette phrase est obscure,* ce qu'elle signifie (= sens).

silence n.m. SENS 1. *J'aime le silence de la forêt,* l'absence de bruit (= calme, paix ; ≠ tapage). SENS 2. *Jean garde le silence,* il se tait.

■ **silencieux, euse** adj. [SENS 1] *La maison est silencieuse,* on n'y entend aucun bruit (≠ bruyant). [SENS 2] *Jean est resté silencieux toute la soirée,* il n'a pas parlé (= muet).

■ **silencieusement** adv. [SENS 1] *Les chats marchent silencieusement,* sans faire de bruit.

silex n.m. *Les hommes préhistoriques faisaient des outils en silex,* une roche très dure. *illustr. p. 759*

silhouette n.f. *Dans la brume, j'aperçois des silhouettes,* des formes dont on ne voit que les contours.

silice n.f. *Le sable contient de la silice,* une matière très dure qui peut rayer le verre.

illustr.
p. 971
sillage n.m. *On voit le **sillage** du bateau,* la trace qu'il laisse derrière lui en avançant.

illustr.
p. 20
sillon n.m. *La charrue trace des **sillons** dans le champ,* de longues fentes.

sillonner v. 1er groupe. *Nous **avons sillonné** la forêt,* nous l'avons parcourue dans tous les sens.

illustr.
p. 385,
427
silo n.m. *On conserve le blé dans un **silo** à blé,* un grand réservoir.

simagrées n.f. pl. *Ne fais pas tant de **simagrées** !,* des manières détournées pour éviter d'aller droit au but (= façons).
→ *minauder*

simiesque → *singe*

similitude n.f. *La **similitude** entre ces deux objets est totale,* leur grande ressemblance. → *analogie, semblable, ressembler*

▪ **similaire** adj. *Ces deux médicaments ont un effet **similaire**,* à peu près semblable (= analogue, équivalent).

simoun n.m. *Le **simoun** est un vent chaud du désert.* → *sirocco*

simple adj. SENS 1. *J'écris sur une feuille **simple**,* seule, qui n'a qu'une fois le format normal (≠ double). SENS 2. *Le présent, l'imparfait, le passé **simple** sont des temps **simples** du verbe,* ils s'écrivent en un seul mot (≠ composé). SENS 3. *Ce travail est **simple**,* il ne demande pas d'effort particulier (= aisé, facile ; ≠ compliqué). SENS 4. *Marie a une robe **simple**,* sans ornement. SENS 5. *M. Durand est un homme **simple**,* il ne fait pas de manières (= sans façon ; ≠ compliqué). SENS 6. *Ce n'est qu'une **simple** erreur,* c'est seulement une erreur.

▪ **simplement** adv. [SENS 4 et 5] *Marie est habillée **simplement**,* avec des vêtements sans ornement (= sobrement). [SENS 6] *Je suis **simplement** parti dix minutes* (= seulement).

▪ **simplicité** n.f. [SENS 3] *Ce problème est d'une grande **simplicité**,* il est facile à comprendre, à résoudre (= facilité ; ≠ difficulté, complication). [SENS 4 et 5] *Il nous a reçus avec **simplicité**,* sans cérémonie, sans faire de manières.

▪ **simplifier** v. 1er groupe. [SENS 3] *Simplifier un problème,* c'est le rendre plus simple.

▪ **simplification** n.f. [SENS 3] *Par souci de **simplification**, on a arrondi les chiffres,* pour que ce soit plus simple (≠ complication).

▪ **simpliste** adj. [SENS 3] *Son argument est un peu **simpliste**,* il simplifie exagérément en insistant trop sur un seul aspect des choses.

simuler v. 1er groupe. *Il **simule** une maladie,* il fait semblant d'être malade (= feindre). → *affecter*

▪ **simulacre** n.m. *Au cinéma, les combats sont des **simulacres**,* on fait semblant de se battre.

▪ **simulateur, trice** n. et adj. *C'est une **simulatrice**,* une personne qui simule, qui fait semblant.

▪ **simulation** n.f. *C'est de la **simulation**,* ce n'est pas vrai (= comédie).

simultané, ée adj. *Des événements **simultanés** sont des événements qui se produisent en même temps.*

▪ **simultanément** adv. *Deux personnes ont crié **simultanément**,* en même temps (= ensemble ; ≠ successivement).

▪ **simultanéité** n.f. *Nous avons été surpris de la **simultanéité** des deux phénomènes* (= coïncidence).

sincère adj. SENS 1. *Je suis **sincère**,* je dis ce que je pense (= franc ; ≠ hypocrite). SENS 2. *Une amitié **sincère** les unit,* une amitié véritablement ressentie (= réel ; ≠ simulé, feint).

▪ **sincèrement** adv. *Je suis **sincèrement** désolée* (= vraiment, réellement).

▪ **sincérité** n.f. [SENS 1] *Je vous parle avec **sincérité**,* sans mentir (= franchise ;

≠ dissimulation, hypocrisie). [SENS 2] *Je crois à la sincérité de son amitié,* que son amitié est sincère.

sinécure n.f. *M. Durand a trouvé une* **sinécure**, *un emploi où il n'a presque rien à faire.*

sine die adv. *Le débat a été renvoyé* **sine die**, *sans qu'aucune date soit prévue pour sa reprise.*
✻ *Ce sont des mots latins ; on prononce [sinedje] bien qu'il n'y ait pas d'accents.*

illustr. p. 1033 **singe** n.m. *Un* **singe** *est un mammifère primate vivant généralement dans les arbres, qui a des membres supérieurs plus grands que les membres inférieurs, et qui a des mains. Le gorille, le chimpanzé, l'orang-outan, le ouistiti sont des* **singes.** → **guenon**

■ **singer** v. 1ᵉʳ groupe. *Nicolas* **singe** *son professeur,* il l'imite par moquerie.
✻ Conj. n° 2.

■ **singerie** n.f. *Arrête tes* **singeries** *!,* tes grimaces et tes gestes comiques (= pitrerie).

■ **simiesque** adj. *Il a une allure* **simiesque**, qui fait penser à un singe.

singulier, ère SENS 1. adj. *Il m'arrive une aventure* **singulière**, qui ne ressemble à aucune autre (= unique, extraordinaire ; ≠ banal, ordinaire). *Une omelette à la sardine ? Quelle idée* **singulière** *!* (= étrange, bizarre, extravagant). SENS 2. adj. et n.m. *On met un mot au* **singulier** *quand il désigne un seul être ou une seule chose* (≠ pluriel). → **nombre**

■ **singulièrement** adv. [SENS 1] *Il s'habille* **singulièrement**, différemment des autres (= bizarrement). ◆ *Il fait* **singulièrement** *froid ce soir,* extrêmement (= très).

■ se **singulariser** v. 1ᵉʳ groupe. [SENS 1] *Pierre aime* **se singulariser**, se faire remarquer par quelque chose qui étonne (= se particulariser).

■ **singularité** n.f. [SENS 1] *Cet objet a une* **singularité**, quelque chose de particulier (= particularité, originalité).

sinistre SENS 1. adj. *Ce paysage désertique est* **sinistre**, *il a quelque chose d'inquiétant* (= effrayant, triste, lugubre). SENS 2. n.m. *Un incendie, une inondation sont des* **sinistres**, *des événements catastrophiques.*

■ **sinistré, ée** adj. et n. [SENS 2] *Cette région est* **sinistrée**, *il s'y est produit un sinistre. Les* **sinistrés** *ont été secourus,* les victimes du sinistre.

sinon conj. *Dépêche-toi,* **sinon** *tu seras en retard,* faute de quoi (= sans quoi, autrement, ou alors).

sinueux, euse adj. *La route est très* **sinueuse**, *elle a beaucoup de virages* (≠ droit, rectiligne).

■ **sinuosité** n.f. *Nous avons suivi les* **sinuosités** *de la route,* les courbes qu'elle décrit (= virage, lacet).

sinus n.m. *Les* **sinus** *sont des cavités dans certains os de la tête, situées dans le front et de chaque côté du nez.* *illustr. p. 216*
✻ *On prononce le « s » final :* [sinys].

■ **sinusite** n.f. *Son rhume a dégénéré en* **sinusite**, *une inflammation des sinus.*

sinusoïdal, ale, aux adj. *Une ligne* **sinusoïdale** *est formée d'une succession de courbes de sens opposés.*

siphon n.m. SENS 1. *Sous l'évier est placé un* **siphon**, *un tuyau d'écoulement des eaux usées en forme d'U.* SENS 2. *Pour transvaser un liquide d'un récipient dans un autre, on peut utiliser un* **siphon**, *un tube en forme d'U renversé à branches inégales.*

sire n.m. SENS 1. **Sire** *est un titre donné à un souverain* (= Majesté). SENS 2. *Au Moyen Âge,* **sire** *était un titre donné à un seigneur.* ●● **messire**
✻ *Ne pas confondre avec la* **cire.**

sirène n.f. SENS 1. *Les* **sirènes** *sont des êtres imaginaires ayant une tête et un buste de femme et une queue de pois-*

son. SENS 2. *Une **sirène** annonce l'incendie,* un appareil qui fait un bruit fort et prolongé.

sirocco n.m. Le **sirocco** est un vent violent et très chaud qui souffle du désert vers le littoral méditerranéen.
→ **simoun**

sirop n.m. SENS 1. *J'ai bu du **sirop** de fraise avec de l'eau,* du jus de fraise concentré et sucré. SENS 2. *Armelle avale une cuillerée de **sirop** contre la toux,* un médicament liquide sucré.

illustr. p.869

■ **sirupeux, euse** adj. *Ce liquide est **sirupeux**,* il a la consistance du sirop (= visqueux).

siroter v. 1ᵉʳ groupe. *Georges **sirote** son café,* il le boit lentement, en le savourant. → **déguster**

sirupeux → **sirop**

sismique adj. *Il y a un risque **sismique** dans cette région,* un risque de tremblement de terre. ●● **séisme**. *Il y a eu plusieurs secousses **sismiques**,* des mouvements du sol dus au séisme.

■ **sismographe** n.m. Un **sismographe** est un appareil qui sert à enregistrer des renseignements sur les séismes.

site n.m. *Ce château est dans un **site** grandiose,* un environnement naturel (= paysage).

sitôt adv. SENS 1. ***Sitôt** arrivé, il m'a téléphoné,* aussitôt qu'il est arrivé. SENS 2. *Je ne lui écrirai pas **de sitôt**,* pas avant très longtemps.

situer v. 1ᵉʳ groupe. [SENS 1] *Cette ville est **située** en Normandie,* elle s'y trouve (= placer).

■ **situation** n.f. SENS 1. *La **situation** de la mairie est centrale,* le lieu où elle se trouve (= emplacement, position). SENS 2. *La **situation** politique a changé,* les circonstances. SENS 3. *Il a une belle **situation**,* un bon métier (= place, emploi).

six adj. numéral. ***Six** mois, c'est la moitié d'une année. 4 + 2 = 6.*

illustr. p. 642

✳ **Six** se prononce [si] devant une consonne : ***six** jours* [siʒur] ; [siz] devant une voyelle ou un « h » muet : ***six** hommes* [sizɔm] ; [sis] en fin de phrase.

■ **sixième** SENS 1. adj. et n. *Il est classé **sixième**,* juste après le cinquième. SENS 2. n.f. *Il entre en **sixième**,* la première classe de l'enseignement secondaire.

illustr. p. 642

Skaï n.m. *Cette valise est en **Skaï**,* une matière qui imite le cuir.

✳ **Skaï** est un nom de marque, il s'écrit avec une majuscule dans les textes imprimés.

skate ou **skateboard** n.m. *Farid aime faire du **skate**,* un sport qui consiste à exécuter des figures sur une planche à roulettes.

✳ On prononce [sket], [skɛtbɔrd].

sketch n.m. *Les élèves ont joué un **sketch**,* une courte pièce comique.

✳ Au pluriel, on écrit aussi des **sketchs** ou des **sketches**.

ski n.m. *On glisse sur la neige avec des **skis**,* des patins plats, longs et étroits. ◆ *J'aime faire du **ski**,* un sport qui consiste à glisser sur la neige avec des skis. Le **ski nautique** est un sport dans lequel on glisse sur l'eau avec des skis en se faisant tirer par un bateau à moteur.

illustr. p. 894, 718

■ **skier** v. 1ᵉʳ groupe. *Jean apprend à **skier**,* à faire du ski.

■ **skieur, euse** n. *Les **skieurs** descendent la pente,* les personnes qui font du ski.

illustr. p. 894

■ **skiable** adj. *La piste est-elle **skiable** ?,* est-ce qu'on peut y skier ?

skipper n.m. Le **skipper** est le barreur d'un bateau à voile de régate.

✳ On prononce [skipœr].

slalom n.m. *C'est un skieur du pays qui a gagné le **slalom**,* une épreuve de ski qui consiste à effectuer une descente en

illustr. p. 895

LE SKI ET LES SPORTS D'HIVER

patinage artistique

hockey sur glace

cage

crosse

patins

palet

bonhomme de neige

pompon

bonnet

balai

pipe

couloir
d'avalanche

téléphérique

station

**câble
porteur**

**câble
tracteur**

pylône

flocons
de neige

piste de
slalom

patinoire

virage aval

télésiège

télécabine

chasse-neige

traîneau

patin

ski de fond

894

En hiver, la neige transforme le paysage de la montagne. Les fleurs et les animaux qu'on y trouve l'été (voir p. 617) sont en sommeil ou à l'abri. Place aux skieurs, aux patineurs et aux bonshommes de neige !

patinage de vitesse

bobsleigh

bonnet de fourrure

cagoule

chaîne de montagnes

cristaux de neige

tremplin de saut

piste de descente

perche

remonte-pente

slalom

piquet

serre-tête

anorak

gant

luge

spatule

kis

fixation

monoski

ski alpin

ski de fond

dragonne

bâton

chaussures de ski

ski de fond

ski alpin

enchaînant des virages délimités par des piquets.

illustr.
p. 1010 **slip** n.m. Un **slip** est une culotte courte servant de sous-vêtement ou de maillot de bain.

slogan n.m. *Les manifestants crient des **slogans**, des phrases courtes qui retiennent l'attention.*

smala n.f. Fam. *M. Dupont est parti en vacances avec toute sa **smala**,* sa grande famille.

smash n.m. *Au tennis, un **smash** est un coup qui rabat brusquement une balle haute.*
✳ On prononce [smaʃ]. Au pluriel, on écrit des **smashs** ou des **smashes**.

smoking n.m. *Les hommes étaient en **smoking**,* un costume de cérémonie.
✳ On prononce [smɔkiŋ].

snack ou **snack-bar** n.m. *Un **snack** est un restaurant où l'on sert rapidement des repas ou des plats très simples à toute heure.*
✳ Au pluriel, on écrit des **snacks** ou des **snack-bars**.

snob adj. et n. *Marie-Chantal est **snob**,* elle cherche à passer pour quelqu'un de distingué.
✳ Ce mot ne change pas au féminin.

■ **snobisme** n.m. *Il fait cela par **snobisme**,* parce qu'il est snob.

sobre adj. SENS 1. *M. Durand est **sobre**,* il évite de trop boire et de trop manger. SENS 2. *Jean a un costume **sobre**,* sans ornement (= simple, discret ; ≠ excentrique).

■ **sobrement** adv. [SENS 1] *Buvez **sobrement**,* avec modération. [SENS 2] *Jean est habillé **sobrement**,* avec simplicité.

■ **sobriété** n.f. [SENS 1] *Cet athlète est d'une grande **sobriété**,* il boit et mange avec modération (= tempérance).

sobriquet n.m. *Son **sobriquet** était « Poil de carotte »,* le surnom qu'on lui donnait pour se moquer.

soc n.m. *Le **soc** de la charrue, c'est le fer large et pointu qui laboure la terre.*

société n.f. SENS 1. *Les individus ont des devoirs envers la **société**,* envers l'ensemble des hommes avec qui ils vivent. SENS 2. *Les fourmis vivent en **société**,* en groupes organisés (= collectivité, communauté). SENS 3. *J'aime la **société** de ces gens,* j'aime les fréquenter (= compagnie). SENS 4. *Il travaille dans une **société** commerciale,* une maison de commerce (= entreprise, établissement).

■ **sociable** adj. [SENS 3] *Marie est **sociable**,* elle aime la compagnie (≠ sauvage). → **misanthrope**

■ **social, ale, aux** adj. [SENS 1] *Les sciences **sociales** sont les sciences qui étudient les sociétés humaines. Une loi **sociale** est une loi faite pour améliorer les conditions de vie des gens.*

■ **socialisme** n.m. [SENS 1] *Le **socialisme** est une doctrine qui accorde plus d'importance à l'intérêt collectif qu'aux intérêts particuliers.*

■ **socialiste** adj. et n. [SENS 1] *Les **socialistes** demandent l'augmentation des allocations familiales,* les partisans du socialisme.

■ **sociétaire** adj. [SENS 4] *Les **sociétaires** ont touché leur part de bénéfices,* les membres associés de la société.

■ **sociologie** n.f. [SENS 1] *La **sociologie** est une science qui étudie les sociétés humaines.*

socle n.m. *La statue est posée sur un **socle**,* sur un support (= piédestal). *illustr. p. 995*

socquette n.f. *Des **socquettes** sont des chaussettes basses qui recouvrent le pied et la cheville.* *illustr. p. 1010*

soda n.m. *On a commandé des **sodas** pour les enfants,* des boissons d'eau gazeuse additionnée de sirop de fruits.

illustr.
p. 679
sœur n.f. SENS 1. *Christiane est ma* *sœur*, elle a le même père et la même mère que moi. ●● ***belle-sœur, demi-sœur***. → ***frère***. SENS 2. *C'est une* *(bonne) sœur qui m'a fait la piqûre*, une religieuse.

sofa n.m. *Papa s'allonge sur le sofa*, une sorte de lit (= divan, canapé).

soi pron. pers. SENS 1. *On ne doit pas* *penser seulement à soi*, à sa personne. *Après la classe, chacun rentre chez soi*. SENS 2. *Tu peux venir avec des amis, ça* *va de soi*, c'est évident, il n'y a pas besoin de le dire.
✳ Ne pas confondre avec la **soie** et **soit**.

soi-disant SENS 1. adj. inv. *Ce soi-disant médecin est un charlatan*, cet homme qui prétend être médecin. SENS 2. adv. *Il devait soi-disant revenir*, d'après ce qu'il disait.

soie n.f. SENS 1. *Marie a un corsage en* *soie*, un tissu léger, fin et doux fait avec des fils produits par une chenille appelée « ver à soie ». ●● ***soyeux***. SENS 2. *Cette* *brosse est en soies de sanglier*, les poils longs et durs que le sanglier ainsi que le porc ont sur la peau.
✳ Ne pas confondre avec **soi** et **soit**.

■ **soierie** n.f. [SENS 1] *Mme Dupont tient* *un magasin de soieries*, de tissus de soie.

soif n.f. SENS 1. *J'ai soif*, j'ai besoin de boire. → ***altérer***. SENS 2. *J'ai soif de* *grand air*, j'en ai très envie. ●● ***assoiffé***

soin n.m. SENS 1. *Son travail est fait avec* *soin*, il y a fait très attention (= application). SENS 2. *Je prends soin de mes* *vêtements*, je les conserve en bon état. SENS 3. (Au plur.) *Je confie mon chien à* *vos soins*, je vous charge de veiller sur lui. SENS 4. (Au plur.) *L'infirmière donne* *des soins à un blessé*, elle le soigne. → ***traitement***. *Aurélien est aux petits* *soins pour sa sœur*, il s'en occupe avec gentillesse et attention. → ***bichonner***

■ **soigner** v. 1er groupe. [SENS 1] *Soigne* *ton travail*, fais-le avec soin (= s'appliquer ; ≠ bâcler). [SENS 2] *Je soigne* *mes plantes*, je m'en occupe bien (≠ négliger). [SENS 4] *Le médecin soigne ses* *malades*, il essaie de les guérir en leur donnant des soins (= traiter). → ***thérapeutique***

■ **soigné, ée** adj. [SENS 1 et 2] *Marie a* *des ongles soignés*, propres (≠ négligé).

■ **soigneux, euse** adj. [SENS 1 et 2] *Julie* *est soigneuse*, elle fait tout avec soin, elle prend soin de ses affaires (≠ négligent).

■ **soigneusement** adv. [SENS 1 et 2] *Range soigneusement tes livres !*, avec soin.

■ **soigneur** n.m. [SENS 4] *Les sportifs* *ont leur soigneur*, quelqu'un qui leur donne les soins nécessaires.

soir n.m. *Le soir, je suis fatigué*, au moment où la journée s'achève (≠ matin).

■ **soirée** n.f. SENS 1. *Nous avons passé* *la soirée à jouer aux cartes*, le temps entre le coucher du soleil et le moment de se coucher (≠ matinée). SENS 2. *Je* *suis invité à une soirée*, un spectacle, une fête, une réunion qui a lieu le soir.

soit conj. ou adv. SENS 1. *Utilisez soit du* *beurre soit de l'huile*, ou bien du beurre, ou bien de l'huile. SENS 2. *Il a payé le prix* *indiqué, soit 100 euros*, c'est-à-dire 100 euros. SENS 3. *Puisque tu y tiens,* *soit, je le ferai* (= d'accord).
✳ Au sens 3, on prononce [swat]. Ne pas confondre avec **soi** et la **soie**.

soixante adj. numéral. *Six fois dix font* *soixante*. 6 × 10 = 60.

illustr.
p. 642

■ **soixantaine** n.f. *Le voyage coûte une* *soixantaine d'euros*, environ 60 euros. *Il* *a la soixantaine*, il a environ soixante ans. → ***sexagénaire, sexagésimal***

illustr.
p. 643

■ **soixantième** adj. et n. *Il est dans sa* *soixantième année*, il va avoir soixante ans.

illustr.
p. 642

■ **soixante-dix** adj. numéral. *Sept fois* *dix font soixante-dix*. 7 × 10 = 70.

■ **soixante-dixième** adj. et n. *Il est dans sa soixante-dixième année.* → **septuagénaire**

illustr. p. 20, 495
soja n.m. *On fabrique de l'huile et de la farine à partir des graines de soja, une sorte de haricot.*

1. sol n.m. SENS 1. *Il est assis sur le sol de la chambre,* la surface sur laquelle on marche (= par terre). SENS 2. *Le sol de cette région est argileux,* la couche de terre (= terrain). ●● ***sous-sol***
✳ Ne pas confondre avec une **sole**.

2. sol n.m. *Sol est la cinquième note de la gamme.*
✳ Ne pas confondre avec une **sole**.

solaire → **soleil**

illustr. p. 440
soldat n.m. *Il est soldat,* il est dans l'armée (= militaire).

1. solde n.f. *Les militaires touchent une solde,* un salaire.
✳ Ne pas confondre avec un **solde**.

2. solde n.m. SENS 1. *Vous versez 100 euros et payez le solde à la livraison,* le reste du prix. → **arrhes**. SENS 2. *Ces vêtements sont en solde,* ils sont vendus au rabais. *Les soldes commencent demain,* les réductions de prix sur les marchandises.
✳ Ne pas confondre avec une **sole**.

■ **solder** v. 1er groupe. [SENS 2] *Solder une marchandise,* c'est la vendre en solde. ◆ *Cette tentative s'est soldée par un échec,* elle a eu pour résultat un échec.

illustr. p. 694
sole n.f. *La sole est un poisson de mer plat.*
✳ Ne pas confondre avec le **sol**.

illustr. p. 203
soleil n.m. SENS 1. (Avec majuscule.) *La Terre tourne autour du Soleil,* de l'astre qui nous envoie la lumière et la chaleur. SENS 2. *Je me fais bronzer au soleil,* à la lumière qui vient du soleil. ●● ***ensoleillé***

solaire adj. *Une loupe concentre les rayons solaires,* les rayons du soleil. *Les panneaux solaires captent l'énergie solaire,* les panneaux construits pour emmagasiner la chaleur émise par le soleil et la restituer sous une forme que l'on peut utiliser pour le chauffage.
illustr. p. 502, 203

solennel, elle adj. SENS 1. *Cette inauguration a été une cérémonie solennelle,* célébrée publiquement et avec apparat. SENS 2. *Il a pris un engagement solennel,* public et définitif.

■ **solennellement** adv. [SENS 1] *Il s'est engagé solennellement à nous aider,* avec beaucoup de sérieux et de gravité.

■ **solennité** n.f. [SENS 1] *Il parle avec solennité,* sur un ton pompeux (= emphase).
✳ Le début des mots de cette famille se prononce [sɔla].

solfège n.m. *J'apprends le solfège,* la lecture et l'écriture des notes de musique.
illustr. p. 628

■ **solfier** v. 1er groupe. *En classe, on apprend à solfier,* à chanter en disant les notes.

solidaire adj. SENS 1. *Je suis solidaire de mon frère,* j'approuve ce qu'il fait et je le défends. SENS 2. *Les deux parties de cet objet sont solidaires,* elles sont fixées l'une à l'autre et fonctionnent ensemble.

■ **solidairement** adv. [SENS 1] *Nous avons toujours agi solidairement,* en plein accord.

■ **solidarité** n.f. [SENS 1] *J'ai agi par solidarité avec mon frère,* parce que j'étais solidaire de lui et que je voulais le soutenir.

■ se **solidariser** v. 1er groupe. [SENS 1] *Certains artistes se sont solidarisés avec les grévistes,* ils se sont joints à eux (= s'unir, s'associer ; ≠ se désolidariser).

1. solide adj. SENS 1. *Cette table est très solide,* elle résiste aux chocs, à l'usure (≠ fragile, cassant). ●● *consoli-der*. SENS 2. *Jean est un garçon solide, il résiste à la fatigue et à la maladie* (= robuste ; ≠ faible). *Il a une solide réputation de paresse*, une réputation bien établie.

■ **solidement** adv. [SENS 1] *Ce piquet est solidement enfoncé*, de façon à ne pas bouger.

■ **solidité** n.f. [SENS 1] *Ce meuble manque de solidité*, il n'est pas solide (≠ fragilité).

illustr. p.431

2. solide n.m. SENS 1. *Une pierre est un solide*, un objet qui n'est ni liquide ni gazeux. SENS 2. *Un solide est une forme géométrique qui a un volume. Un cône, une pyramide, un cube sont des solides.* → *arête, face, sommet*

■ **solidifier** v. 1ᵉʳ groupe. [SENS 1] *Le froid solidifie l'eau*, il la rend solide (= figer ; ≠ liquéfier).

soliste → *solo*

solitaire SENS 1. adj. et n. *Mon grand-père vit (en) solitaire à la campagne*, il reste seul (= isolé). SENS 2. n.m. *Jeanne a une bague ornée d'un solitaire*, d'un diamant monté seul sur cette bague.

■ **solitude** n.f. [SENS 1] *Le berger aime la solitude*, il aime être seul (≠ compagnie, société).

solive n.f. *Dans une maison, le plancher des étages est porté par des solives*, de grandes barres de bois posées sur les murs (= poutre).

solliciter v. 1ᵉʳ groupe. *Je sollicite l'autorisation de m'absenter*, je la demande comme une faveur.

■ **sollicitation** n.f. *Il a fini par céder aux sollicitations de son entourage*, aux demandes pressantes (= instance, prière).

sollicitude n.f. *Sa femme l'a soigné avec sollicitude*, une attention affectueuse (= tendresse).

solo n.m. *Le concert commence par un solo de violon*, un morceau de musique joué par un violon seul. → *duo, trio*

■ **soliste** n. *Ce musicien est un soliste*, il joue des solos.

solstice n.m. Dans l'hémisphère Nord, le **solstice** d'été est le jour le plus long de l'année (21 ou 22 juin), le **solstice** d'hiver est le jour le plus court (21 ou 22 décembre). → *équinoxe*

solution n.f. SENS 1. *Une solution de sel*, c'est de l'eau dans laquelle du sel est dissous. SENS 2. *J'ai trouvé la solution du problème*, le raisonnement permettant de trouver la réponse (= résultat). → *résoudre*

■ **soluble** adj. [SENS 1] *Le sucre est soluble dans l'eau*, il s'y dissout (≠ insoluble).

■ **solubilisé, ée** adj. [SENS 1] *Du café solubilisé* est du café qui a été rendu soluble.

solvable adj. *Cet homme est solvable*, il peut payer ce qu'il doit (≠ insolvable).

■ **solvabilité** n.f. *Le vendeur s'est assuré de la solvabilité de l'acheteur avant de lui faire crédit*, de sa capacité à payer.

sombre adj. SENS 1. *Ma chambre est sombre*, peu éclairée (= obscur ; ≠ clair). ●● *assombrir*. SENS 2. *Jean porte un costume vert sombre*, qui se rapproche du noir (= foncé ; ≠ clair, pâle). SENS 3. *Tu as l'air sombre*, triste et renfermé (≠ enjoué, gai). SENS 4. *L'avenir paraît sombre*, inquiétant (= angoissant ; ≠ rassurant). *C'est une sombre histoire*, une histoire sinistre et mystérieuse (= ténébreux ; ≠ clair, limpide).

sombrer v. 1ᵉʳ groupe. SENS 1. *Le bateau a sombré*, il s'est enfoncé dans l'eau (= couler, s'engloutir). SENS 2. *Anne était très fatiguée, elle a sombré dans le sommeil*, elle s'est endormie d'un seul coup sans pouvoir résister.

sommaire adj. SENS 1. *Votre explication est sommaire,* trop simple (= superficiel). SENS 2. *Une exécution sommaire* est une exécution qui n'a pas été précédée d'un jugement.

■ **sommaire** n.m. Le **sommaire** d'un livre, c'est sa table des matières.

■ **sommairement** adv. [SENS 1] *Nous avons sommairement évoqué le problème,* rapidement et sans entrer dans les détails (= brièvement, succinctement ; ≠ longuement).

sommation → *sommer*

1. somme n.f. SENS 1. *La somme de deux plus trois est cinq,* le résultat obtenu en faisant cette addition (= total). SENS 2. *J'ai une grosse somme à payer,* une grande quantité d'argent.

2. somme n.f. *L'âne est une bête de somme,* il est utilisé pour porter des charges.

3. somme → *sommeil*

sommeil n.m. SENS 1. *Claire a besoin de neuf heures de sommeil par nuit,* de dormir neuf heures. ●● **ensommeillé, insomnie, somnambule, somnolence**. SENS 2. *J'ai sommeil ce soir,* j'ai envie de dormir. SENS 3. *Ce volcan est en sommeil,* il ne se manifeste pas (≠ activité).

■ **sommeiller** v. 1er groupe. [SENS 1] *Paul sommeille,* il dort d'un sommeil léger. → *somnoler*

■ **somme** n.m. [SENS 1] *Le malade a fait un somme,* il a dormi un petit moment.

■ **somnifère** n.m. [SENS 1] *Un somnifère* est un médicament qui fait dormir (= soporifique).

sommelier, ère n. *Dans certains restaurants, le vin est servi par un sommelier,* une personne chargée des vins et des liqueurs.

sommer v. 1er groupe. *L'agent l'a sommé de circuler,* il le lui a ordonné fermement (= enjoindre).

■ **sommation** n.f. *Il a fallu obéir à la sommation,* à l'ordre impératif.

sommet n.m. SENS 1. *Les alpinistes ont atteint le sommet de la montagne,* son point le plus haut (= cime ; ≠ base, pied). SENS 2. *Le sommet d'un solide, c'est le point où plusieurs arêtes se rencontrent.* SENS 3. *Une conférence au sommet* (ou *un sommet*) est un entretien entre chefs d'État ou de gouvernement. *illustr. p. 616, 431*

sommier n.m. *Le matelas est posé sur un sommier,* un cadre muni de ressorts ou de lattes de bois. *illustr. p. 863*

sommité n.f. *Ce médecin est une sommité,* un des plus brillants dans son domaine.

somnambule adj. et n. *Sébastien est somnambule,* il marche, il parle en dormant.

somnifère → *sommeil*

somnolence n.f. *Ce médicament provoque la somnolence,* un demi-sommeil.

■ **somnolent, ente** adj. *M. Dupont est somnolent après les repas,* à moitié endormi.

■ **somnoler** v. 1er groupe. *Le chat somnole près du feu,* il dort à demi.
→ ***sommeiller, s'assoupir***

somptuaire adj. *Des dépenses somptuaires* sont des dépenses excessives faites par goût du luxe.
✴ Ne pas confondre avec **somptueux**.

somptueux, euse adj. *Cet appartement est somptueux,* beau et luxueux.
✴ Ne pas confondre avec **somptuaire**.

1. son, sa, ses adj. possessifs. Ces mots indiquent ce qui est à lui ou à elle, ce qui lui appartient : *son manteau, sa veste, ses chaussures.*
✴ Ne pas confondre **son** avec (ils, elles) **sont** de « être » ; ne pas confondre **sa** avec **ça** ; ne pas confondre **ses** avec **ces**.

On emploie **son** au lieu de **sa** devant un nom féminin commençant par une voyelle ou un « h » muet : *son oreille, son habitude.*

2. son n.m. Le **son** est constitué par des vibrations de l'air que l'on perçoit grâce aux oreilles. ●● **ultrason, supersonique.** → **phonétique.** *On entend le son d'une cloche,* son bruit.

■ **sonner** v. 1ᵉʳ groupe. [SENS 1] *On sonne à la porte,* on fait marcher la sonnette. ◆ *Le réveil sonne,* il produit un son prolongé. ◆ *On sonne la fin de la récréation,* une sonnerie l'annonce.

■ **sonnerie** n.f. *J'entends la sonnerie du réveil,* le bruit qu'il fait quand il sonne.

illustr. p. 572

■ **sonnette** n.f. *Le visiteur actionne la sonnette,* un mécanisme qui produit un son assez fort.

■ **sonneur** n.m. Le **sonneur** était la personne qui faisait sonner les cloches d'une église.

■ **sonore** adj. *Ce métal est sonore,* il produit un son quand on le frappe. ◆ *Cette chapelle est sonore,* les sons, même légers, s'y entendent bien.

■ **sonorité** n.f. *Ce piano a une bonne sonorité,* il produit des sons agréables.

■ **sonoriser** v. 1ᵉʳ groupe. *On a sonorisé la salle de théâtre,* on l'a munie de haut-parleurs. ●● **insonoriser.** ◆ *Sonoriser un film,* c'est l'accompagner de musique, de paroles.

illustr. p. 629

■ **sonorisation** n.f. *C'est Pierre qui est chargé de la sono,* de l'installation de haut-parleurs et de micros pour diffuser la musique, les paroles dans une salle ou sur une place.
✳ On dit familièrement la **sono.**

3. son n.m. *À la ferme, on nourrit les porcs avec du son,* l'enveloppe des grains de céréales qui reste quand on a fini de les moudre.

sonate n.f. *Le pianiste interprète une sonate,* un morceau de musique pour un petit nombre d'instruments.

sonder v. 1ᵉʳ groupe. SENS 1. *Le marin sonde la mer,* il mesure la profondeur de l'eau. ●● **insondable.** SENS 2. *J'ai sondé mon ami,* j'ai cherché à savoir ce qu'il pensait.

■ **sonde** n.f. [SENS 1] *On mesure la profondeur de l'eau à l'aide d'une sonde,* un appareil composé d'un fil auquel est attaché un poids. ◆ *On a envoyé dans l'espace une sonde interplanétaire,* un engin non habité équipé pour étudier l'espace.

illustr. p. 202

■ **sondage** n.m. [SENS 1] *Les sondages indiquent une grande profondeur,* les mesures faites avec une sonde. [SENS 2] *On a fait des sondages d'opinion,* des enquêtes pour essayer de connaître l'opinion de la population en interrogeant un petit nombre de gens.

songer v. 1ᵉʳ groupe. *Je songe à mes amis,* je pense à eux.
✳ Conj. n° 2.

■ **songe** n.m. *Jean paraît plongé dans un songe,* dans ses pensées (= rêve).

■ **songeur, euse** adj. *Cette nouvelle l'a laissé songeur,* pensif, rêveur.

sonner, sonnerie → *son (2)*

sonnet n.m. Un **sonnet** est un poème de 14 vers présentés en 4 strophes.

sonnette, sonneur, sono, sonore, sonorisation, sonoriser, sonorité → *son (2)*

sophistiqué, ée adj. Un mécanisme **sophistiqué** est un mécanisme extrêmement complexe et perfectionné.

soporifique SENS 1. adj. et n.m. *Ce médicament est (un) soporifique,* il endort (= somnifère). SENS 2. adj. *La séance a commencé par un discours soporifique,* qui donnait envie de dormir (= ennuyeux).

soprano ou **soprane** n.m. ou n.f. Les femmes qui chantent très haut sont des **sopranos.**

901

illustr.
p. 150

sorbet n.m. Un **sorbet** est une glace sans crème à base de jus de fruits.

■ **sorbetière** n.f. Une **sorbetière** est un appareil qui sert à faire des glaces ou des sorbets.

sorcellerie, sorcier → *sort*

sordide adj. SENS 1. *Cette maison est* **sordide**, très sale. SENS 2. *Mon voisin est d'une avarice* **sordide**, qui atteint un degré honteux (= répugnant, ignoble, abject).

sorgho n.m. Le **sorgho** est une céréale proche du millet.

sornettes n.f. pl. *Tu nous racontes des* **sornettes**, tu dis n'importe quoi (= sottises, balivernes).

sort n.m. SENS 1. *Je suis content de mon* **sort**, de la façon dont mon existence se passe. SENS 2. *Le gagnant est tiré au* **sort**, désigné par le hasard. SENS 3. *Il croit qu'on lui a jeté un* **sort**, que quelqu'un a attiré, par magie, un malheur sur lui (= maléfice).

■ **sortilège** n.m. [SENS 3] Croire aux **sortilèges**, c'est croire qu'il existe des événements magiques (= enchantement, envoûtement).

■ **sorcier, ère** [SENS 3] n. Un **sorcier** est une personne qui fait de la magie et peut jeter un sort (= magicien). ◆ adj. Fam. *Ce n'est pas* **sorcier**, *ce que je te demande*, ce n'est pas difficile.

■ **sorcellerie** n.f. [SENS 3] *C'est de la* **sorcellerie**, quelque chose que seul un sorcier est capable de faire (= magie). ●● *ensorceler*

sortable, sortant → *sortir*

sorte n.f. SENS 1. *Marie a fait un bouquet avec plusieurs* **sortes** *de fleurs*, plusieurs variétés (= genre, catégorie, espèce). SENS 2. *Il a travaillé* **de telle sorte qu'**il a réussi, il a si bien travaillé qu'il a réussi (= de telle manière, de telle façon).

sortilège → *sort*

sortir v. 3ᵉ groupe. SENS 1. *M. Durand* **sort** *de sa maison*, il va au-dehors (≠ entrer). *On va bientôt* **sortir** *de l'hiver*, cesser d'être dans cette saison. SENS 2. *Nous* **sortons** *ce soir*, nous allons en visite, au spectacle, en promenade. SENS 3. *Il* **sort** *son chien*, il le promène. SENS 4. *Ce livre vient de* **sortir**, d'être mis en vente. SENS 5. Fam. *Il nous* **a sorti** *une drôle d'histoire* (= raconter).
✳ Conj. nº 28. **Sortir** se conjugue avec l'auxiliaire « être » aux sens 1, 2 et 4 mais avec l'auxiliaire « avoir » aux sens 3 et 5.

■ **sortable** adj. [SENS 2] Fam. *Ce garçon n'est pas* **sortable**, il se conduit si mal qu'on ne peut pas le présenter en société.

■ **sortant, ante** adj. [SENS 1] *On a affiché les numéros* **sortants**, ceux qui ont été tirés au sort (= gagnant). *Le député* **sortant** *ne se représente pas aux élections*, celui qui était élu.

■ **sortie** n.f. [SENS 1] *C'est bientôt l'heure de la* **sortie**, l'heure où l'on sort. *Je l'attends à la* **sortie**, à l'endroit par où l'on sort (= issue ; ≠ entrée). [SENS 2 et 3] *Nous avons fait une* **sortie**, une promenade. [SENS 4] *On a annoncé la* **sortie** *de son nouveau roman* (= publication, parution).

S. O. S. n.m. *Le bateau en détresse lance un* **S. O. S.** *par radio*, un appel au secours.

sosie n.m. *Cet homme est mon* **sosie**, il me ressemble parfaitement.

sot, sotte adj. et n. *Votre réponse est* **sotte**, elle est bête, idiote (= stupide).
✳ Ne pas confondre avec un **saut**, un **sceau** et un **seau**.

■ **sottement** adv. *Vous avez agi* **sottement**, comme un sot (= bêtement).

■ **sottise** n.f. *Je me rends compte de sa* **sottise**, de son absence d'intelligence (= stupidité). ◆ *André a fait une* **sottise**, une chose stupide (= bêtise).

sou n.m. SENS 1. Le **sou** était une pièce de monnaie de peu de valeur. SENS 2. *J'ai des sous*, de l'argent.
✳ Ne pas confondre avec l'adjectif **soûl** et avec la préposition **sous**.

soubassement n.m. *Le soubassement d'une maison repose sur les fondations*, le bas des murs (= base).

soubresaut n.m. *Elle a eu un soubresaut en entendant le bruit*, un mouvement brusque et involontaire du corps (= sursaut).

souche n.f. SENS 1. *En forêt, je me suis assis sur une souche*, la partie de l'arbre qui reste dans le sol quand il a été coupé. SENS 2. *Notre famille est de souche anglaise*, d'origine anglaise. SENS 3. *Quand on détache un chèque du carnet, il reste la souche*, un petit rectangle de papier portant le numéro du chèque (= talon).

1. souci n.m. Le **souci** est une plante à fleurs jaunes.

2. souci n.m. SENS 1. *Je me fais du souci*, j'éprouve de l'inquiétude (= tourment, tracas). SENS 2. *J'ai des soucis*, des sujets d'inquiétude (= problème, ennui).
■ se **soucier** v. 1ᵉʳ groupe. *Je ne me soucie pas de ce que tu penses*, je ne m'en inquiète pas (= se préoccuper).
●● *insouciant*

■ **soucieux, euse** adj. *Vous semblez (être) soucieux*, avoir du souci (= inquiet, préoccupé).

illustr. p. 238
soucoupe n.f. *La tasse est posée sur une soucoupe*, une petite assiette.
◆ Une **soucoupe volante** est un objet volant qui serait d'origine extraterrestre.
→ *ovni*

soudain, aine SENS 1. adj. *Une pluie soudaine s'est mise à tomber*, une pluie arrivée tout à coup (= subit, imprévu). SENS 2. adv. *Le ballon a soudain éclaté* (= tout à coup, brusquement).

■ **soudainement** adv. *Soudainement, il s'est mis à pleuvoir, sans que l'on s'y attende* (= soudain, subitement).

■ **soudaineté** n.f. *La soudaineté de la gelée a surpris tout le monde*, son arrivée brusque et imprévue (= rapidité).

soudard n.m. *C'est un rustre qui a des manières de soudard*, de soldat brutal et grossier.

souder v. 1ᵉʳ groupe. *Le plombier soude deux tuyaux*, il les réunit à l'aide d'une soudure (≠ dessouder). ●● *ressouder*

■ **soudeur, euse** n. *Le soudeur porte un masque pour se protéger le visage*, la personne qui soude.
illustr. p. 994

■ **soudure** n.f. *Le plombier fait une soudure avec un chalumeau*, il réunit deux pièces de métal avec du métal fondu que l'on appelle aussi de la **soudure**.
illustr. p. 994

soudoyer v. 1ᵉʳ groupe. *Les gangsters avaient soudoyé le portier*, ils l'avaient payé pour le faire agir malhonnêtement (= corrompre).
✳ Conj. n° 3.

souffler v. 1ᵉʳ groupe. SENS 1. *Le vent souffle*, l'air se déplace. SENS 2. *Soufflez dans ce ballon*, envoyez-y de l'air avec votre bouche. *Souffle la bougie*, éteins-la avec ton souffle. SENS 3. *Laissez-moi souffler*, reprendre ma respiration. ●● *essouffler*. SENS 4. *Ne lui soufflez pas la réponse*, ne la lui dites pas pour l'aider. SENS 5. Fam. *Je suis soufflé*, très étonné (= stupéfier, fam. époustoufler).

■ **souffle** n.m. [SENS 1] *Je sens un souffle d'air frais*, un mouvement d'air (= bouffée). → *vent*. [SENS 2] *Les assistants, anxieux, retenaient leur souffle*, l'air qu'ils allaient expirer (= respiration).

■ **soufflé** n.m. Un **soufflé** est un plat qui gonfle en cuisant au four.
✳ Ne pas confondre avec un **soufflet**.

■ **soufflerie** n.f. [SENS 1 et 2] *On essaie les avions dans des souffleries*, des installations faites pour produire un souffle.

illustr.
p. 42,
424,
628

■ **soufflet** n.m. [SENS 2] *J'active le feu avec un soufflet*, un appareil qui envoie de l'air. ◆ *Les voitures du train sont reliées par un soufflet*, un couloir en forme d'accordéon. ◆ Les **soufflets** d'un orgue, d'un accordéon sont les parties pliantes qui soufflent l'air produisant les sons.

illustr.
p. 952

■ **souffleur, euse** n. [SENS 4] Au théâtre, le **souffleur** aide les acteurs qui ne savent plus leur texte.

1. soufflet n.m. Un **soufflet** est un coup donné avec le plat de la main (= gifle).
✻ Ne pas confondre avec un **soufflé**.

■ **souffleter** v. 1ᵉʳ groupe. **Souffleter** quelqu'un, c'est lui donner un soufflet.
✻ Conj. nº 8. Les mots de cette famille s'emploient dans la langue écrite.

2. soufflet, souffleur → *souffler*

souffrir v. 3ᵉ groupe. SENS 1. *Il souffre de sa blessure*, il a mal. SENS 2. *Les légumes ont souffert du gel*, ils ont été abîmés. SENS 3. *Je ne peux pas le souffrir*, je le déteste (= supporter, sentir).
✻ Conj. nº 16. Ne pas confondre certaines formes de ce verbe avec le **soufre**.

■ **souffrance** n.f. [SENS 1] *L'aspirine calme la souffrance*, le mal que l'on ressent (= douleur). ◆ *Ce colis reste en souffrance*, personne ne le réclame.

■ **souffrant, ante** adj. [SENS 1] *Marie est souffrante*, elle a un petit ennui de santé (= malade).

■ **souffre-douleur** n.m. inv. [SENS 1] *Cet enfant est le souffre-douleur de ses camarades*, il est la cible de leurs moqueries et de leur brutalité.
✻ Ce mot ne change pas au pluriel.

■ **souffreteux, euse** adj. [SENS 1] Une personne **souffreteuse** est une personne qui est souvent malade.

illustr.
p. 616

soufre n.m. *Le soufre brûle en produisant une fumée suffocante*, une substance de couleur jaune.
✻ Ne pas confondre avec certaines formes du verbe **souffrir**.

souhaiter v. 1ᵉʳ groupe. SENS 1. *Je souhaite qu'il fasse beau*, je le voudrais bien (= désirer). SENS 2. *Je viens vous souhaiter la bonne année*, vous offrir mes vœux de bonheur.

■ **souhait** n.m. [SENS 1] *Il a réalisé son souhait*, son envie que quelque chose se réalise (= désir, vœu).

■ **souhaitable** adj. [SENS 1] *Il est souhaitable que tu fasses des progrès*, il le faudrait. *Manon a agi avec toute la discrétion souhaitable*, que l'on pouvait souhaiter (= désirable, voulu).

souiller v. 1ᵉʳ groupe. *La serviette est souillée par du cambouis*, elle est salie (= tacher, maculer).

■ **souillon** n. *Annie est une souillon*, elle est malpropre.
✻ Ce mot est le même aux deux genres.

souk n.m. Un **souk** est un marché arabe.

soûl, e ou **saoul, e** adj. SENS 1. Être **soûl**, c'est avoir bu trop d'alcool (= ivre). SENS 2. *Il y a tant de bruit que j'en suis soûle*, j'ai la tête qui tourne.
✻ On prononce [su, sul]. Ne pas confondre avec un **sou** et la préposition **sous**.

■ **soûl** n.m. *Mange tout ton soûl*, autant que tu veux.
✻ Le « l » ne se prononce pas : [su].

■ **soûler** ou **saouler** v. 1ᵉʳ groupe. Se **soûler**, c'est boire de l'alcool jusqu'à être **soûl**. ●● *dessoûler*
✻ On prononce [sule].

■ **soûlant, ante** adj. [SENS 2] *Il est soûlant avec ses histoires*, il est ennuyeux (= fatigant, assommant).

soulager v. 1ᵉʳ groupe. SENS 1. *Ce médicament soulage la douleur*, il la fait diminuer ou disparaître (= atténuer, calmer ; ≠ aggraver). SENS 2. *Je suis soulagé de le savoir guéri*, je ne suis plus inquiet (= apaiser, rassurer).
✻ Conj. nº 2.

■ **soulagement** n.m. *Il a poussé un soupir de soulagement*, de détente après son inquiétude (= apaisement ; ≠ accablement).

soûlant, soûler → *soûl*

soulever v. 1er groupe. SENS 1. *La cuisinière* **soulève** *le couvercle de la casserole,* elle le lève un peu. SENS 2. *Ce projet* **soulève** *l'enthousiasme,* il le fait naître (= provoquer, susciter, déchaîner). SENS 3. *Le peuple se* **soulève,** il se révolte (= se rebeller, s'insurger). SENS 4. *Cette odeur me* **soulève le cœur,** elle me donne envie de vomir (= écœurer). ✱ Conj. n° 9.

■ **soulèvement** n.m. [SENS 3] Un **soulèvement** est une révolte (= émeute, insurrection).

illustr. p. 221 **soulier** n.m. SENS 1. *Mes* **souliers** *me font mal aux pieds* (= chaussure). SENS 2. Fam. *À l'arrivée du contrôleur, les resquilleurs* **étaient dans leurs petits souliers,** ils étaient dans une situation délicate et se sentaient mal à l'aise.

souligner v. 1er groupe. SENS 1. ***Soulignez** le titre,* tirez un trait dessous. SENS 2. *Je tiens à* **souligner** *un détail,* à le mettre en valeur.

■ **soulignage** ou **soulignement** n.m. [SENS 1] *Sa lettre est surchargée de* **soulignages,** de traits tirés sous des mots.

soumettre v. 3e groupe. SENS 1. *Les salaires* **sont soumis** *à l'impôt,* on est obligé de payer l'impôt dessus (= assujettir). SENS 2. *Les révoltés* **se sont soumis,** ils se sont rendus, ils obéissent. SENS 3. *La question* **a été soumise** *à des experts,* on la leur a présentée pour qu'ils donnent leur avis. ✱ Conj. n° 57.

■ **soumis, ise** adj. [SENS 2] *Le chien regarde son maître d'un air* **soumis** (= docile, obéissant ; ≠ récalcitrant, rétif).

■ **soumission** n.f. [SENS 2] *Ce chef exige une* **soumission** *totale à ses décisions,* une attitude docile (= obéissance).

soupape n.f. Une **soupape** est une *illustr. p. 69* pièce mobile d'un moteur, d'un mécanisme qui se soulève pour laisser passer un gaz ou un liquide.

soupçon n.m. SENS 1. *La police a des* **soupçons** *contre lui,* elle pense qu'il est peut-être coupable. → **suspicion.** SENS 2. *J'ai perçu* **un soupçon de** *malice dans sa réponse,* un petit peu de malice (= pointe).

■ **soupçonner** v. 1er groupe. [SENS 1] *On le* **soupçonne** *de vol,* on pense qu'il a peut-être commis un vol (= suspecter). ●● ***insoupçonné***

■ **soupçonneux, euse** adj. [SENS 1] *Le douanier a jeté un regard* **soupçonneux** *sur nos valises,* un regard exprimant ses soupçons.

soupe n.f. Une **soupe** est un aliment liquide plus ou moins épais, généralement à base de légumes, et dans lequel on met parfois du pain (= potage, bouillon).

■ **soupière** n.f. *On sert la soupe dans* *illustr. p. 238* *une* **soupière,** un récipient creux.

soupente n.f. *La nuit, les souris trottent dans la* **soupente,** le réduit situé dans la partie haute d'une pièce coupée en deux par un plancher ou sous un escalier. → **mansarde**

souper n.m. SENS 1. *Après le* **souper,** *nous irons nous coucher,* un repas que l'on prend tard le soir. SENS 2. *Aline est arrivée pour le* **souper,** le repas du soir (= dîner).

■ **souper** v. 1er groupe. SENS 1. *En sortant du théâtre, nous* **avons soupé** *dans un bistrot,* nous avons mangé tard. SENS 2. *Viens* **souper** *demain* (= dîner).

soupeser v. 1er groupe. ***Soupèse** cette valise,* soulève-la avec la main pour juger de son poids. ●● ***peser*** ✱ Conj. n° 9.

soupière → *soupe*

soupir → *soupirer*

illustr.
p. 573
soupirail n.m. *La cave est aérée par un soupirail*, une petite fenêtre.
❋ Au pluriel, on dit des **soupiraux**.

soupirer v. 1ᵉʳ groupe. SENS 1. *Les auditeurs soupirent d'ennui*, ils poussent des soupirs. SENS 2. *Il soupire après ses vacances*, il les attend avec impatience.

■ **soupir** n.m. [SENS 1] *À cette nouvelle, Pierre a poussé un soupir de soulagement*, une respiration forte et prolongée.

■ **soupirant** n.m. [SENS 2] *La marquise avait de nombreux soupirants*, des hommes qui lui faisaient la cour (= prétendant). → *amoureux*

souple adj. SENS 1. *Les saules ont des branches souples*, qui se plient facilement (= élastique, flexible ; ≠ rigide, raide). *Mamie est encore très souple*, ses membres se plient sans difficulté (≠ raide). ●● **assouplir**. SENS 2. *Jean a un caractère souple*, il s'entend bien avec les gens, car il s'adapte à eux (= accommodant, conciliant).

■ **souplesse** n.f. [SENS 1] *Le chat est un animal d'une grande souplesse*, son corps est souple (= agilité ; ≠ raideur). [SENS 2] *Dans cette affaire, il faut manœuvrer avec souplesse*, avec douceur et doigté (= adresse, diplomatie).

illustr.
p. 845,
557
source n.f. SENS 1. *Ici, il y a une source d'eau très pure*, de l'eau qui sort du sol. ●● **sourdre**. SENS 2. *Le pétrole est une source d'énergie*, il fournit de l'énergie. SENS 3. *La maladie est la source de mes ennuis*, elle en est l'origine (= cause).

■ **sourcier** n.m. [SENS 1] *M. Dupuis est sourcier*, il a le don de découvrir des sources.

illustr.
p. 217
sourcil n.m. *Paul, surpris, lève les sourcils*, les lignes de poils situées au-dessus des yeux.
❋ On ne prononce pas le « l » : [sursi].

■ **sourciller** v. 1ᵉʳ groupe. *Il se laissa injurier sans sourciller*, sans montrer aucune émotion.

■ **sourcilière** adj.f. *L'arcade sourcilière* est l'arc où poussent les sourcils.

sourcilleux, euse adj. *Le directeur est très sourcilleux sur la tenue du personnel*, il est extrêmement exigeant (= pointilleux, difficile).

sourd, e SENS 1. adj. et n. *Mon grand-père est (un) sourd*, il n'entend pas. ●● **surdité**. SENS 2. adj. *Il est resté sourd à mes prières*, il n'a pas voulu m'écouter (= insensible). SENS 3. adj. *Le paquet est tombé avec un bruit sourd*, un bruit atténué, peu sonore (= étouffé, mat). ●● **assourdir**. *J'ai une douleur sourde dans la tête*, faible mais continue (≠ aigu).

■ **sourdement** adv. [SENS 3] *Le tonnerre gronde sourdement*, en faisant un bruit sourd.

■ **sourd-muet, sourde-muette** adj. et n. [SENS 1] *Elle est sourde-muette*, elle ne peut ni entendre ni parler.

■ **sourdine** n.f. [SENS 3] *On entend une musique en sourdine*, pas très fort (= faiblement).

sourdre v. 3ᵉ groupe. *De l'eau sourd dans ce vallon*, elle sort de terre.
❋ Conj. n° 84. Ce verbe s'emploie dans la langue écrite.

souriant → *sourire*

souriceau, souricière → *souris*

sourire v. 3ᵉ groupe. SENS 1. *Maman sourit*, elle rit doucement, en silence. SENS 2. *Cette idée me sourit*, elle me plaît.
❋ Conj. n° 67. Ne pas confondre certaines formes du verbe **sourire** avec une **souris**.

■ **souriant, ante** adj. [SENS 1] *Une personne souriante* est une personne qui sourit souvent (= avenant, enjoué).

■ **sourire** n.m. [SENS 1] *Fais-moi un sourire*, souris-moi un instant. → *risette*

illustr.
p. 385,
504
souris n.f. SENS 1. *Une souris a grignoté le fromage*, un petit mammifère rongeur. SENS 2. *Il se déplace sur l'écran de son ordinateur grâce à la souris*, la pièce que l'on oriente et sur laquelle on appuie.
✳ Ne pas confondre avec certaines formes du verbe **sourire**.

■ **souriceau** n.m. [SENS 1] Les **souriceaux** sont les petits de la souris.
✳ Au pluriel, on écrit des **souriceaux**.

■ **souricière** n.f. [SENS 1] *Paul a posé des souricières dans le grenier*, des pièges à souris. ◆ *La police a tendu une souricière aux malfaiteurs*, elle a fait en sorte qu'ils viennent dans un lieu où elle les attend (= piège).

sournois, oise adj. et n. *Méfie-toi de lui, il est sournois*, il fait des mauvaises actions en se dissimulant (= hypocrite, fourbe ; ≠ franc).

■ **sournoisement** adv. *Il nous a attaqués sournoisement*, en dissimulant ses intentions (= lâchement).

■ **sournoiserie** n.f. *Ses compliments sont pleins de sournoiserie*, pleins de fourberie (= hypocrisie).

sous- préfixe. Placé au début d'un mot, **sous-** indique un degré inférieur, une insuffisance : *sous-lieutenant* (inférieur au lieutenant) ; *sous-alimentation* (insuffisance d'alimentation).

sous prép. Ce mot donne différentes indications : *le tapis est sous la table* (lieu) ; *la lettre est sous enveloppe* (lieu) ; *La Fontaine vivait sous Louis XIV* (temps) ; *la branche plie sous le poids des fruits* (cause).
✳ Ne pas confondre avec un **sou** et avec l'adjectif **soûl**. Quand il indique le lieu, **sous** peut signifier « au-dessous de » (≠ sur) ou « à l'intérieur de » (= dans).

sous-alimenté, ée adj. Une personne sous-alimentée est une personne qui n'a pas assez à manger et risque de graves maladies. ●● *aliment*

■ **sous-alimentation** n.f. *Les enfants de ce pays souffrent de sous-alimentation*, d'une alimentation insuffisante. → *malnutrition*

sous-bois n.m. *Nous observerons les oiseaux dans les sous-bois*, sous les arbres des bois, des forêts.
illustr.
p. 403

souscrire v. 3ᵉ groupe. SENS 1. *M. Durand a souscrit à une encyclopédie*, il s'est engagé à acheter les volumes qui paraîtront. SENS 2. *Je ne peux pas souscrire à vos déclarations*, m'y associer, les approuver (= acquiescer).
✳ Conj. nᵒ 71.

■ **souscripteur** n.m. [SENS 1] *Cet emprunt a attiré de nombreux souscripteurs*, des personnes qui ont versé de l'argent pour souscrire.

■ **souscription** n.f [SENS 1] *Cette série de livres est vendue par souscription*, contre un engagement de verser une certaine somme d'argent avant la parution totale.

sous-cutané, ée adj. Les piqûres sous-cutanées se font sous la peau. → *intraveineux, intramusculaire*

sous-développé, ée adj. Une région sous-développée est une région dont le développement industriel et agricole n'est pas suffisant pour assurer un bon niveau de vie à ses habitants. ●● *développer*

sous-entendre v. 3ᵉ groupe. *Il n'a pas dit qu'il viendrait, mais c'était sous-entendu*, il l'a fait comprendre sans le dire.
✳ Conj. nᵒ 50.

■ **sous-entendu** n.m. *Tes sous-entendus sont déplaisants*, les choses que tu veux faire comprendre sans les dire clairement (= insinuation, allusion).

sous-estimer v. 1ᵉʳ groupe. *Nous avons eu tort de sous-estimer les diffi-*

cultés, de les croire moins importantes qu'elles ne l'étaient (≠ surestimer). ●● *estimer*

illustr. **sous-lieutenant** n.m. Le grade de *p. 440* sous-lieutenant est le premier grade des officiers de l'armée de terre et de l'air. ●● *lieutenant*

illustr. **sous-main** n.m. inv. Un **sous-main** est *p. 123* un rectangle de cuir ou de buvard qui sert d'appui pour écrire sur un bureau. ✳ Ce mot ne change pas au pluriel.

illustr. **sous-marin, ine** SENS 1. adj. Faire de *p. 940,* la pêche **sous-marine**, c'est aller pêcher sous la surface de la mer. ●● *marin*. *55* SENS 2. n.m. Un **sous-marin** est un navire capable de naviguer sous l'eau (= submersible).

illustr. **sous-officier** n.m. Un **sous-officier** est *p. 440* un militaire de grade peu élevé. *Un sergent et un adjudant sont des* **sous-officiers**. ●● *officier*

sous-peuplé, ée adj. Une région **sous-peuplée** est une région dont la population est trop peu nombreuse. ●● *peuple*

illustr. **sous-préfet** n.m. Le **sous-préfet** est le *p. 358* représentant de l'État dans un arrondissement de département. ●● *préfet*

■ **sous-préfecture** n.f. La **sous-préfecture** est la ville où réside le sous-préfet et où sont installés ses services administratifs.

sous-produit n.m. *Le goudron est un* **sous-produit** *de la fabrication du gaz,* un produit dérivé, obtenu au cours de la fabrication d'un produit principal. ●● *produire*

soussigné, ée adj. *Je* **soussignée** *déclare que...,* c'est moi, Adèle, qui signe au bas de cette déclaration. ●● *signer* ✳ Ce mot s'emploie dans les formules administratives.

illustr. **sous-sol** n.m. SENS 1. *Papa a aménagé p. 51 un garage dans le* **sous-sol** *de la maison,*

la partie de la maison située au-dessous du rez-de-chaussée. SENS 2. *Il y a du pétrole dans le* **sous-sol** *de ce pays,* la partie du sol qui se trouve au-dessous de la surface de la terre. ●● *sol (2)*

sous-titre n.m. SENS 1. Un **sous-titre** est un titre plus petit que le titre principal et destiné à le compléter. ●● *titre*. SENS 2. *Les* **sous-titres** *de ce film anglais n'étaient pas très lisibles,* les phrases imprimées au bas de l'image et qui sont la traduction des dialogues.

■ **sous-titrer** v. 1er groupe. *Ce film italien est en version originale* **sous-titrée**, les acteurs parlent italien et leurs dialogues sont traduits dans des sous-titres.

soustraire v. 3e groupe. SENS 1. *Quand je* **soustrais** *5 de 20, il reste 15,* quand je l'enlève (= retrancher, ôter ; ≠ ajouter). SENS 2. *Je ne veux pas me* **soustraire** *à mes devoirs,* je ne veux pas y échapper (= se dérober ; ≠ assumer). ✳ Conj. n° 79.

■ **soustraction** n.f. [SENS 1] Une **soustraction** est une opération qui consiste à retrancher un nombre d'un autre (≠ addition).

sous-verre n.m. inv. Un **sous-verre** est une gravure ou une photo placée entre une plaque de verre et un carton, sans cadre. ✳ Ce mot ne change pas au pluriel.

sous-vêtement n.m. Les **sous-vêtements** sont les pièces d'habillement que l'on porte sous les autres vêtements, directement sur la peau. *Les slips, les culottes, les maillots de corps, les soutiens-gorge sont des* **sous-vêtements**. ●● *vêtement*

soutane n.f. *Les prêtres portaient la* **soutane**, une longue robe noire.

soute n.f. La **soute** est la partie d'un *illustr.* bateau, d'un avion où l'on met le matériel, *p. 75,* les bagages. *202*

soutènement → *soutenir*

soutenir v. 3ᵉ groupe. SENS 1. *Les piliers* **soutiennent** *le plafond*, ils le supportent (= porter, retenir). SENS 2. *Jacques* **soutient** *son frère*, il prend son parti (= défendre). SENS 3. *Il faut* **soutenir** *notre attention*, l'empêcher de fléchir, de se relâcher (= maintenir). SENS 4. *Je* **soutiens** *que tu te trompes*, je l'affirme (= assurer, prétendre, maintenir). ●● *insoutenable*
✶ Conj. nº 22.

■ **soutènement** n.m. [SENS 1] Un mur de **soutènement** est un mur qui soutient une terrasse ou un remblai.

■ **soutenu, ue** adj. [SENS 3] Un effort **soutenu** est un effort que l'on fait pendant un long moment sans l'interrompre (= persévérant). ◆ Un mot de la langue **soutenue** est un mot que l'on emploie surtout en écrivant, pour s'exprimer d'une façon distinguée (≠ familier). → *littéraire*

■ **soutien** n.m. [SENS 2] *Dans son malheur, il a besoin d'un* **soutien**, d'une aide morale (= appui). ◆ *Il est* **soutien de famille**, c'est lui qui fait vivre sa famille grâce à l'argent qu'il gagne.

illustr.
p. 1010
■ **soutien-gorge** n.m. [SENS 1] Un **soutien-gorge** est un sous-vêtement féminin qui soutient les seins.
✶ Au pluriel, on écrit des **soutiens-gorge**.

illustr.
p. 425,
557
souterrain, aine SENS 1. adj. *On peut changer de trottoir par un passage* **souterrain**, qui passe sous terre. SENS 2. n.m. *Le château a des* **souterrains**, des galeries sous terre.

soutien, soutien-gorge → *soutenir*

soutirer v. 1ᵉʳ groupe. SENS 1. **Soutirer** du vin, c'est le transvaser d'un tonneau dans un autre pour que la lie reste au fond du premier. SENS 2. *Il m'a* **soutiré** *de l'argent,* il m'a amené par la ruse à lui en donner. → *extorquer*

se **souvenir** v. 3ᵉ groupe. *Je me souviens de cette aventure,* je l'ai encore dans ma mémoire (= se rappeler, se remémorer ; ≠ oublier). → *mémoire*
✶ Conj. nº 22.

■ **souvenir** n.m. SENS 1. *Mon grand-père aime raconter ses* **souvenirs**, les moments de sa vie dont il se souvient. SENS 2. *J'ai rapporté des* **souvenirs** *de Grèce*, des objets qui me rappelleront mon voyage.

souvent adv. *En automne, il pleut souvent*, la pluie tombe à intervalles rapprochés (= fréquemment ; ≠ rarement).

souverain, aine SENS 1. n. *Un roi, un empereur, un monarque sont des* **souverains**, ils sont les chefs suprêmes d'un royaume, d'un empire. SENS 2. adj. *Dans une démocratie, le peuple est* **souverain**, il est seul à décider. SENS 3. adj. *Ce médicament est* **souverain** *contre la grippe*, efficace à coup sûr (= radical, infaillible).

■ **souverainement** adv. [SENS 2] *Le peuple jugera* **souverainement**, en maître absolu. [SENS 3] *Il est* **souverainement** *intelligent*, extrêmement.

■ **souveraineté** n.f. [SENS 1 et 2] *Le peuple exerce sa* **souveraineté**, son pouvoir souverain.

soyeux, euse adj. *Armelle a des cheveux* **soyeux**, doux et fins comme de la soie. ●● *soie*

spacieux, euse adj. *Une chambre* **spacieuse** est une chambre dans laquelle il y a beaucoup de place (= grand, vaste ; ≠ exigu). ●● *espace*

spaghetti n.m. *Raphaël aime les* **spaghettis**, des pâtes alimentaires en forme de fines baguettes.
✶ Au pluriel, on écrit des **spaghettis** ou des **spaghetti**.

sparadrap n.m. *Son pansement tient avec du* **sparadrap**, du tissu collant.
illustr.
p. 868

spartiate n.f. *L'été, je porte des **spartiates**, des sandales dont le dessus est fait de lanières croisées.*
✷ On prononce [sparsjat].

spasme n.m. *Un **spasme** est une contraction involontaire d'un muscle.*

■ **spasmodique** adj. *Elle était agitée d'un rire **spasmodique**,* un rire évoquant un spasme par sa soudaineté et sa violence (= convulsif).

illustr. p. 202 **spatial, ale, aux** adj. *Une fusée **spatiale** va dans l'espace, hors de l'atmosphère terrestre.* ●● ***espace***
✷ On prononce [spasjal].

illustr. p. 41, 895 **spatule** n.f. SENS 1. *J'étends de la colle avec une **spatule**,* une petite pelle plate. SENS 2. *La **spatule** de mon ski est cassée,* le bout recourbé à l'avant.

speaker, speakerine n. *Un **speaker** est la personne qui annonce les programmes à la radio et à la télévision.*
→ ***présentateur***
✷ On prononce [spikœr], [spikrin].

spécial, ale, aux adj. SENS 1. *J'écris sur l'ardoise avec un crayon **spécial**,* qui est fait exprès pour cela (= particulier). SENS 2. *Cet objet a une forme **spéciale**,* qui ne ressemble à aucune autre (= singulier ; ≠ ordinaire).

■ **spécialement** adv. [SENS 1] *Je viens **spécialement** pour vous voir* (= exprès). *J'aime les fruits et **spécialement** les pêches,* en particulier (= particulièrement, notamment).

■ se **spécialiser** v. 1ᵉʳ groupe. [SENS 1] *Ce médecin **s'est spécialisé** dans les maladies du cœur,* il ne soigne que ces maladies.

■ **spécialisation** n.f. [SENS 1] *La recherche scientifique demande une **spécialisation** poussée,* une formation et une action limitées à un seul domaine précis.

■ **spécialiste** n. et adj. [SENS 1] *C'est un **spécialiste** du cœur,* il s'est spécialisé dans ce domaine.

■ **spécialité** n.f. [SENS 1] *Sa **spécialité**, c'est l'histoire,* le domaine qu'il connaît le mieux. ◆ *Le cassoulet est une **spécialité** toulousaine,* un plat particulier à la région de Toulouse.

spécifier v. 1ᵉʳ groupe. *Le contrat **spécifie** toutes les conditions de vente de la maison,* il les indique précisément (= préciser, stipuler).

spécifique adj. *L'étain fond à 232 degrés, c'est une propriété **spécifique**,* qui lui est propre (= caractéristique, particulier).

spécimen n.m. *Ce chien est un beau **spécimen** de sa race,* il représente bien sa race (= modèle).
✷ On prononce [spesimɛn].

spectacle n.m. SENS 1. *Je suis impressionné par le **spectacle** de la mer,* par ce que j'ai sous les yeux : la mer (= vue, tableau). SENS 2. *Ce soir, nous allons au **spectacle**,* au théâtre, ou au cinéma, ou au cirque, etc.

■ **spectateur, trice** n. [SENS 1] *Elle a été la **spectatrice** d'un accident,* l'une des personnes qui ont vu l'accident (= témoin, observateur). [SENS 2] *Les acteurs ont été applaudis par les **spectateurs**,* les gens qui regardent le spectacle. *illustr. p. 912, 952, 177*

■ **spectaculaire** adj. [SENS 2] *Les acrobates font un numéro **spectaculaire**,* qui surprend les spectateurs par son audace (= impressionnant). ◆ *Cet élève a fait des progrès **spectaculaires**,* qui étonnent par leur importance (= remarquable).

spectre n.m. SENS 1. *John prétend avoir vu un **spectre** dans le château,* un fantôme (= revenant). SENS 2. *Le **spectre** de la lumière,* c'est l'ensemble des couleurs de l'arc-en-ciel qui composent la lumière du soleil.
✷ Ne pas confondre avec un **sceptre**.

spéculation n.f. *Il s'est enrichi par des **spéculations** malhonnêtes,* en exploitant les variations de prix des produits (= manœuvre).

■ **spéculer** v. 1ᵉʳ groupe. *Ce banquier a spéculé sur le prix des terrains,* il les a achetés quand ils ne valaient pas cher pour les revendre quand leur prix a monté.

■ **spéculateur, trice** n. *Des spéculateurs ont fait monter le prix du sucre,* des personnes qui spéculent.

spéléologie n.f. *Pierre fait de la spéléologie,* il explore les grottes souterraines pour les étudier.

■ **spéléologue** n. *Une équipe de spéléologues a découvert de nouvelles grottes.*

sperme n.m. Le **sperme** est le liquide émis par les glandes reproductrices mâles.

■ **spermatozoïde** n.m. Les **spermatozoïdes** sont les cellules reproductrices mâles contenues dans le sperme. → *ovule*

illustr. p. 431

sphère n.f. SENS 1. Une **sphère** est un solide limité par une surface courbe dont tous les points se trouvent à la même distance d'un point appelé « centre ». La Terre est une **sphère** légèrement aplatie aux deux pôles (= boule). ●● *hémisphère, planisphère*. SENS 2. *Cet homme est très apprécié dans sa sphère,* dans le milieu où il exerce son activité.

■ **sphérique** adj. [SENS 1] *La Terre est sphérique,* elle a la forme d'une sphère (= rond).

sphinx n.m. SENS 1. Un **sphinx** est un animal imaginaire de l'Antiquité qui a un corps de lion et une tête humaine. SENS 2. *Cet homme est un sphinx,* on ne peut pas deviner ce qu'il pense.

spinnaker ou **spi** n.m. *Par vent arrière, le yacht a mis son spi,* une grande voile triangulaire légère qui se gonfle beaucoup.
✳ On prononce [spinekœr].

spirale n.f. Un escalier en **spirale** est un escalier qui tourne régulièrement dans le même sens (= en colimaçon).

■ **spire** n.f. *Ce ressort a vingt spires,* le fil de fer fait vingt tours sur lui-même.

spiritisme n.m. Le **spiritisme** est un ensemble de pratiques qui visent à entrer en communication avec les esprits des morts. ●● *esprit*

spirituel, elle adj. SENS 1. La vie **spirituelle** est la vie de l'esprit, la vie de l'âme (≠ corporel, matériel, temporel). ●● *esprit*. SENS 2. Une remarque **spirituelle** est une remarque pleine d'esprit, drôle (= fin, brillant, humoristique).

spiritueux n.m. Les **spiritueux** sont des boissons alcoolisées.

splendide adj. *Quel temps splendide !,* très beau (= magnifique, superbe).

■ **splendeur** n.f. *Cette décoration est une splendeur !,* un spectacle splendide (= magnificence).

spolier v. 1ᵉʳ groupe. *On l'a spolié de son héritage,* on l'en a privé par des procédés malhonnêtes (= déposséder, dépouiller).

spongieux, euse adj. *On s'enfonce dans ce sol spongieux,* mou et imbibé d'eau. ●● *éponge*

sponsor n.m. Un **sponsor** est une personne ou une entreprise qui fournit de l'argent pour soutenir une compétition sportive ou une action culturelle. → *mécène*

■ **sponsoriser** v. 1ᵉʳ groupe. *Cette entreprise a sponsorisé le match de football,* elle l'a financé (= parrainer).

spontané, ée adj. SENS 1. *Le coupable a fait des aveux spontanés,* sans y être forcé. SENS 2. *Hélène est une fillette spontanée,* elle ne cherche pas à dissimuler ses sentiments (= franc).

LE SPORT ET L'ÉDUCATION PHYSIQUE

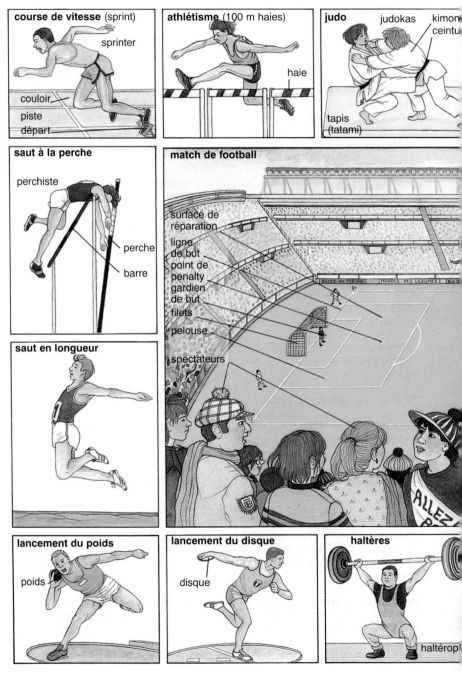

course de vitesse (sprint)

sprinter

couloir
piste
départ

athlétisme (100 m haies)

haie

judo judokas kimon
ceintu

tapis
(tatami)

saut à la perche

perchiste

perche

barre

match de football

surface de
réparation
ligne
de but
point de
penalty
gardien
de but
filets
pelouse

spectateurs

BUVEZ DU THÉ OW   MANGEZ DES LÉGUMES   BLA

P

ALLEZ
B

saut en longueur

lancement du poids

poids

lancement du disque

disque

haltères

haltérop

Pour que le corps se développe, il faut faire travailler ses muscles et ses articulations. C'est ce qu'on fait au cours d'éducation physique ou quand on pratique un sport d'équipe. Et, en plus, on s'amuse !

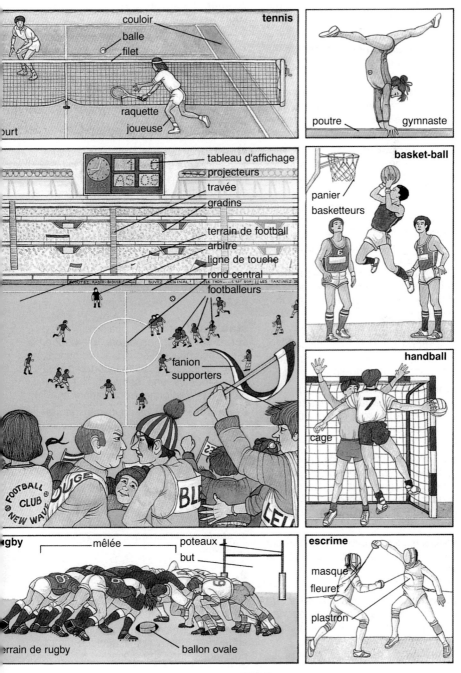

tennis

couloir
balle
filet
raquette
joueuse
court

poutre — gymnaste

tableau d'affichage
projecteurs
travée
gradins
terrain de football
arbitre
ligne de touche
rond central
footballeurs

basket-ball

panier
basketteurs

fanion
supporters

handball

cage

FOOTBALL CLUB NEW WAVE

rugby

mêlée

poteaux
but

terrain de rugby

ballon ovale

escrime

masque
fleuret

plastron

■ **spontanéité** n.f. [SENS 2] *J'aime la spontanéité,* le caractère des gens qui sont francs et directs (= franchise).

■ **spontanément** adv. [SENS 1] *Il a proposé son aide spontanément,* sans qu'on la lui demande.

sporadique adj. *Des mouvements sporadiques de grève ont eu lieu,* des grèves de quelques personnes dispersées en des endroits différents.

■ **sporadiquement** adv. *Des foyers d'épidémie sont apparus sporadiquement,* en divers endroits, ici et là.

illustr. p. 912,

894

sport n.m. SENS 1. Le **sport** est une activité exigeant un effort physique et que l'on pratique assez régulièrement. La course, le rugby, le football, la natation sont des **sports**. SENS 2. *Pour Noël, nous allons aux sports d'hiver,* en vacances à la montagne. Les **sports d'hiver** sont les sports que l'on pratique à la montagne, sur la neige ou sur la glace.

■ **sportif, ive** adj. et n. [SENS 1] Un journal **sportif** est un journal qui parle de sport. Un **sportif** est une personne qui pratique assidûment un sport.

■ **sportivement** adv. *Le candidat battu a reconnu sportivement sa défaite,* sans contestation, aussi loyalement qu'après une compétition sportive.

illustr. p. 862, 503

spot n.m. SENS 1. *Le couloir est éclairé par un spot,* un petit projecteur. SENS 2. Un **spot** publicitaire est un film publicitaire de très courte durée.
＊ On prononce [spɔt].

illustr. p. 912

sprint n.m. *Ce coureur a gagné au sprint,* en allant très vite à la fin de la course.
＊ On prononce [sprint].

■ **sprinter** v. 1er groupe. *À la fin de la course, il faut sprinter pour gagner,* aller le plus vite possible (= accélérer).
＊ À l'infinitif, on prononce [sprinte].

■ **sprinter** n.m. *Ce coureur est un bon sprinter,* il sait aller très vite en fin de course.
＊ On prononce [sprintœr].

illustr. p. 912

squale n.m. Un **squale** est un requin.
＊ On prononce [skwal].

square n.m. Un **square** est un petit jardin public.
＊ On prononce [skwar].

illustr. p. 1017

squatter n.m. *Des squatters se sont installés dans cette ancienne usine,* des personnes sans abri qui l'occupent sans autorisation.
＊ On prononce [skwatœr].

squelette n.m. Le **squelette,** c'est l'ensemble des os du corps des vertébrés.
→ *carcasse*

illustr. p. 216

■ **squelettique** adj. *Le malade était squelettique,* très maigre (= décharné, osseux).

stable adj. SENS 1. *La chaise a un pied cassé, elle n'est pas stable,* elle bouge, elle n'est pas en équilibre (≠ bancal, branlant, instable). SENS 2. *Le temps est stable depuis une semaine,* il est inchangé (= stationnaire ; ≠ variable).

■ **stabilité** n.f. *Nous souhaitons la stabilité des prix,* le maintien de leur niveau actuel.

■ **stabiliser** v. 1er groupe. *Le gouvernement s'efforce de stabiliser les prix,* de les maintenir au même niveau.
●● *déstabiliser*

1. stade n.m. *On peut faire du sport sur un stade,* un terrain équipé d'installations sportives.

illustr. p. 41, 913, 1017

2. stade n.m. *Sa maladie en est au stade aigu,* au moment où elle est aiguë (= phase, étape).

stage n.m. Faire un **stage** dans une entreprise, c'est y rester quelque temps pour apprendre son métier.

■ **stagiaire** adj. et n. *Un (instituteur)* *stagiaire fait un stage dans notre école,* un instituteur qui apprend encore le métier.

stagner v. 1ᵉʳ groupe. SENS 1. *L'eau* *stagne dans les flaques,* elle ne coule pas (= croupir). SENS 2. *Le chiffre des* *ventes stagne,* il reste le même (≠ évoluer).

■ **stagnant, ante** adj. [SENS 1] *Une* *flaque, c'est de l'eau stagnante,* de l'eau qui ne coule pas (= dormant).

■ **stagnation** n.f. [SENS 2] La **stagnation** du commerce, c'est son manque d'activité (= arrêt, marasme).

illustr. *p. 616* **stalactite** n.f. *Dans la grotte, il y a des* **stalactites,** des colonnes de calcaire qui descendent du plafond (≠ stalagmite).

illustr. *p. 616* **stalagmite** n.f. Les **stalagmites** sont des colonnes de calcaire qui montent du sol des grottes (≠ stalactite).

stalle n.f. SENS 1. *Le cheval est dans sa* **stalle,** l'emplacement qui lui est réservé dans l'écurie (= box). SENS 2. *Il y a des* **stalles** *dans le chœur de l'église,* des sièges en bois à dossier très haut.

illustr. *p. 530,* *1002* **stand** n.m. *Au Salon de l'auto, chaque* *marque de voitures a son* **stand,** son emplacement réservé.

standard SENS 1. adj. *L'équipement* *standard d'une voiture,* c'est celui qu'ont toutes les voitures du même type (= courant). ◆ *J'ai fait faire un échange stan-* *dard du moteur,* l'échange du moteur *illustr.* *p.940* usé contre un moteur du même modèle, neuf ou rénové. SENS 2. n.m. *Quand* *je téléphone au bureau de mon père,* *c'est le standard qui me répond,* le service qui s'occupe de l'appareil central qui met les postes téléphoniques intérieurs en relation avec l'extérieur.
* Employé comme adjectif, **standard** ne change pas au féminin.

■ **standardiser** v. 1ᵉʳ groupe. [SENS 1] *La fabrication de ce modèle de voiture*

est standardisée, elle a été organisée pour que toutes les voitures soient identiques.

■ **standardisation** n.f. [SENS 1] *La* **standardisation** accélère la production, la fabrication de produits standards.

■ **standardiste** n. [SENS 2] *J'ai de-* *mandé le poste de mon père à la* **standardiste,** l'employée du standard (= téléphoniste).

standing n.m. SENS 1. Le **standing** d'une famille, c'est la position sociale qu'elle peut avoir grâce aux revenus dont elle dispose (= train de vie). SENS 2. *Nous* *étions logés dans un hôtel de grand* **standing,** d'un haut niveau de confort (= classe).
* On prononce [stãdiŋ].

star n.f. Une **star** est une personne très connue dans son domaine (= vedette).

starter n.m. SENS 1. *Le starter a donné* *le signal du départ de la course,* la personne chargée de cela. SENS 2. *Le* *moteur est froid, il faut mettre le starter,* le dispositif qui facilite la mise en marche.
* On prononce [startɛr].

station n.f. SENS 1. *Les marcheurs* *font une station,* un arrêt momentané (= halte, pause). SENS 2. *L'autobus arrive* *illustr.* *à la station,* l'endroit où il s'arrête (= ar- *p. 424,* rêt). SENS 3. *La station debout lui est* *pénible depuis son accident,* la position de son corps droit sur ses jambes (= posture). SENS 4. *Chamonix est une* **station** de sports d'hiver, un lieu où on *894,* les pratique. SENS 5. Une **station météo-** *730* **rologique** est un centre, une installation pour observer le temps.

■ **stationner** v. 1ᵉʳ groupe. [SENS 1] *La* *voiture stationne au coin de la rue,* elle est arrêtée. → **garer**

■ **stationnement** n.m. [SENS 1] *Le sta-* *tionnement est interdit dans cette rue,* l'arrêt des véhicules le long du trottoir. → **parking**

illustr.
p. 852

■ **stationnaire** adj. [SENS 1] *Le temps est stationnaire*, il est inchangé (= stable ; ≠ variable).

■ **station-service** n.f. [SENS 5] Les stations-service sont des endroits où l'on peut faire le plein d'essence, faire laver sa voiture, etc.
❋ Au pluriel, on écrit des **stations-service**.

statistique n.f. Faire la **statistique** des naissances de l'année, c'est les compter pour faire des comparaisons avec les naissances des autres années.

■ **statistiquement** adv. *La grande criminalité est statistiquement en baisse*, selon les chiffres des statistiques.

illustr.
p. 41

statue n.f. *Le sculpteur exécute des statues*, des œuvres d'art en pierre, en bois, en métal, représentant des êtres vivants en entier. → *buste*
❋ Ne pas confondre avec certaines formes du verbe **statuer** et un **statut**.

■ **1. statuaire** n. Un **statuaire** est un artiste qui fait des statues (= sculpteur).

■ **2. statuaire** n.f. La **statuaire** est l'art de faire des statues.

■ **statuette** n.f. Une **statuette** est une petite statue.

statuer v. 1er groupe. *Il faut statuer sur le cas de cet employé*, prendre une décision à son sujet (= se prononcer).
❋ Ne pas confondre certaines formes du verbe **statuer** avec une **statue** et un **statut**.

statuette → *statue*

statu quo n.m. inv. *Par prudence, on a maintenu le statu quo*, l'état actuel des choses, la situation actuelle.
❋ Cette expression est faite de deux mots latins ; on prononce [statykwo].

stature n.f. *Un géant est un homme d'une grande stature*, d'une taille élevée (= taille).

statut n.m. *Les statuts de l'association n'ont pas été respectés*, les règles qui fixent son organisation (= règlement).
❋ Ne pas confondre avec une **statue** et certaines formes du verbe **statuer**.

■ **statutaire** adj. *La réunion du comité est une obligation statutaire*, inscrite dans les statuts (= réglementaire).

steak n.m. *J'ai mangé un steak avec des frites*, une tranche de viande de bœuf que l'on fait griller (= bifteck).
❋ On prononce [stɛk].

stèle n.f. *À l'emplacement de la bataille, on a élevé une stèle*, une pierre qui porte une inscription.

sténographie ou **sténo** n.f. Écrire en **sténographie** (ou en **sténo**), c'est écrire à la vitesse de la parole au moyen de signes particuliers.

■ **sténographier** v. 1er groupe. *Le texte du discours a été sténographié*, il a été noté en sténo.

■ **sténodactylo** n.f. *Le patron dicte du courrier à la sténodactylo*, une employée qui connaît la dactylographie et la sténographie.

stentor n.m. *M. Martin a une voix de stentor*, une voix très forte.
❋ On prononce [stãtɔr].

steppe n.f. *La steppe s'étend à l'infini*, une grande plaine herbeuse des climats secs.

stère n.m. Un **stère** est une unité de mesure des volumes valant 1 mètre cube et servant à mesurer le bois.
❋ Ce mot est du genre masculin.

stéréophonie ou **stéréo** n.f. *Le concert radiophonique est diffusé en stéréophonie*, par un procédé qui donne à l'auditeur l'impression d'être dans la salle de concerts.

■ **stéréophonique** adj. ou **stéréo** adj. inv. Une chaîne **stéréo** diffuse le son en stéréophonie au moyen de baffles.

stéréotypé, ée adj. *Les formules de politesse sont **stéréotypées**, elles ont toujours la même forme.*

illustr. p. 357 **stérile** adj. SENS 1. Un animal **stérile** est un animal qui ne peut pas se reproduire (≠ fécond). SENS 2. *Cette discussion est* **stérile**, *elle ne mène à rien* (= vain ; ≠ efficace, utile). SENS 3. *On a mis sur sa blessure un pansement* **stérile**, *sans microbes* (= aseptique).

■ **stérilité** n.f [SENS 1] *Guérir la* **stérilité** *d'une personne, c'est faire qu'elle puisse avoir des enfants.*

■ **stériliser** v. 1er groupe. [SENS 1] *Stériliser une chatte, c'est la rendre stérile.* → ***castrer***. [SENS 3] *On* **stérilise** *le lait en le faisant bouillir,* on tue les microbes qui s'y trouvent. → ***aseptiser, désinfecter***

■ **stérilisateur** n.m. [SENS 3] *On stérilise les biberons dans un* **stérilisateur**, *un appareil semblable à une marmite.*

illustr. p. 868 ■ **stérilisation** n.f. [SENS 3] *La* **stérilisation** *du lait se fait par ébullition,* la suppression des microbes.

illustr. p. 216 **sternum** n.m. Le **sternum** est l'os plat situé au milieu de la poitrine.
❋ On prononce [stɛrnɔm].

illustr. p. 869 **stéthoscope** n.m. *Le médecin ausculte les gens avec un* **stéthoscope**, *un appareil qui amplifie les bruits intérieurs du corps et permet de les entendre.*

illustr. p. 74 **steward** n.m. Un **steward** sert les repas et les boissons et s'occupe des passagers d'un avion. → ***hôtesse de l'air***
❋ On prononce [stiwart].

stigmatiser v. 1er groupe. *Le ministre a* **stigmatisé** *ce lâche attentat,* il l'a vivement condamné (= blâmer).
❋ Ce mot s'emploie dans la langue écrite.

stimuler v. 1er groupe. *La présence du public* **stimule** *les sportifs,* elle augmente leur ardeur et leur désir de gagner (= encourager).

■ **stimulant, ante** n.m. et adj. *Le café est un* **stimulant**, *un produit qui augmente l'activité de l'organisme* (= excitant). *Les félicitations de la maîtresse sont* **stimulantes**, *elles sont encourageantes.*

■ **stimulation** n.f. *Amélie avait besoin d'une* **stimulation** *pour poursuivre ses efforts,* d'un encouragement.

■ **stimulateur** n.m. Un **stimulateur** cardiaque est un appareil qui stimule l'activité du cœur.

stipuler v. 1er groupe. *Le contrat* **stipule** *que le prix est définitif,* il l'indique avec précision (= spécifier, préciser).

stock n.m. *Le commerçant a des* **stocks**, *de la marchandise en réserve.*

■ **stocker** v. 1er groupe. **Stocker** du sucre, c'est en mettre beaucoup en réserve.

stoïque adj. *Il reste* **stoïque** *sous la pluie,* il la supporte sans se plaindre (= impassible).

stomacal, ale, aux adj. Des douleurs **stomacales** sont des douleurs d'estomac (= gastrique).

stomatologie n.f. La **stomatologie** est la partie de la médecine qui s'occupe de la bouche et des dents.

stopper v. 1er groupe. SENS 1. *Le mécanicien* **stoppe** *la machine,* il l'arrête (= immobiliser). *La voiture* **stoppe**, elle s'arrête. SENS 2. *Mon pantalon neuf a un accroc, je vais le faire* **stopper**, réparer en refaisant le tissage.

■ **stop !** interj. [SENS 1] *Il y a un accident !* **Stop !**, *arrêtez-vous !*

■ **stop** n.m. [SENS 1] *Les voitures s'arrêtent au* **stop**, *au niveau du panneau routier qui ordonne de stopper.* ◆ *Les* **stops** *(ou les* **feux de stop**) *d'une voiture s'allument quand on freine,* des lumières rouges placées à l'arrière. ◆ *Faire du* **stop**, *c'est faire de l'auto-stop.* *illustr. p. 69*

■ **stoppage** n.m. [SENS 2] *Le **stoppage** de ta jupe est invisible* (= réparation).

illustr. p. 573, 862

store n.m. *Baisse le **store** !, une sorte de rideau qui protège du soleil.*

strabisme n.m. *Georges est atteint de **strabisme**, un défaut des yeux qui ne regardent pas dans la même direction.* → **loucher**

strangulation n.f. *Le chien a failli mourir par **strangulation**, mourir étranglé* (= étranglement).

strapontin n.m. *Dans les salles de spectacle, il y a des **strapontins** au bord des allées, des sièges qui se replient.*

stratagème n.m. *Pierre a imaginé un **stratagème** pour entrer gratuitement, un moyen habile* (= subterfuge). → **ruse**

strate n.f. *Ici, la première **strate** du sol est argileuse, la première couche.*

■ **stratifié, ée** adj. *Sur le bord de l'autoroute, on voit des roches **stratifiées**, des roches formant plusieurs couches de matériaux superposés.*

stratégie n.f. *Le commandant en chef a décidé de la **stratégie** à adopter, de la manière de conduire les opérations* (= tactique).

■ **stratégique** adj. *Nos troupes occupent une position **stratégique**, une position qui offre un grand intérêt militaire.*

stratifié → **strate**

stratosphère n.f. *La **stratosphère** est la deuxième couche de l'atmosphère, située entre 12 et 50 km d'altitude.*

stress n.m. *La grande agitation de la vie à la ville provoque parfois un **stress**, un état d'énervement, d'angoisse et de fatigue* (= anxiété).

strict, e adj. SENS 1. *Le capitaine a donné des ordres très **stricts**, qui doivent* être respectés rigoureusement (= sévère, rigoureux). SENS 2. *Je vous ai dit la **stricte** vérité, la conformité totale avec ce qui s'est passé, sans rien ajouter ni retrancher* (= exact). SENS 3. *Le directeur est très **strict** sur les horaires, il en exige le respect absolu* (= sévère, exigeant).

■ **strictement** adv. [SENS 1] *La vente de ce produit est **strictement** interdite* (= rigoureusement, formellement).

strident, ente adj. *Annie a poussé un cri **strident** en voyant l'araignée, un cri aigu et très fort* (= perçant).

strie n.f. *Ce coquillage a des **stries** sur sa surface, des lignes parallèles.*

■ **strié, ée** adj. *Ce coquillage est **strié**, il est marqué de stries.*

strophe n.f. *Les **strophes** d'un poème sont les groupes distincts de vers formant des ensembles. Un sonnet comprend quatre **strophes**.* → **quatrain**

structure n.f. *La **structure** d'une phrase est la manière dont ses éléments sont organisés* (= disposition, agencement).

■ **structuré, ée** adj. *Ce roman est bien **structuré**, ses différentes parties sont bien organisées* (= construit).

stuc n.m. *Les plafonds du palais ont des moulures en **stuc**, une matière qui imite le marbre.*

studieux, euse adj. *Un élève **studieux** est un élève qui aime bien étudier, qui s'applique* (= appliqué ; ≠ paresseux).

studio n.m. SENS 1. *J'habite un **studio**, un petit logement d'une pièce.* SENS 2. *Le photographe travaille dans son **studio**, son atelier.* SENS 3. *Un **studio** de cinéma, de télévision, de radio est un local où l'on tourne des films, où l'on fait des émissions.*

illustr. p. 503

stupéfaction n.f. *Son visage exprime la **stupéfaction**, un très grand étonnement* (= ébahissement, ahurissement).

■ **stupéfait, aite** adj. *Je suis stupéfait de ce que tu me dis*, très étonné (= interdit, ébahi, éberlué).

■ **stupéfier** v. 1er groupe. *Cette nouvelle m'a stupéfié*, elle m'a étonné au point que je ne savais plus quoi dire (= abasourdir, ébahir, sidérer).

■ **stupéfiant, ante** SENS 1. adj. *Cette nouvelle est stupéfiante*, elle est extrêmement étonnante (= sidérant, incroyable). SENS 2. n.m. *Ces policiers sont chargés de lutter contre le trafic des stupéfiants*, de la drogue.

stupeur n.f. *Ce spectacle l'a plongée dans la stupeur*, dans un étonnement si grand qu'elle est restée comme paralysée (= stupéfaction, saisissement).

stupide adj. *Ce garçon ne comprend rien, il est stupide*, il manque d'intelligence (= idiot, sot ; ≠ intelligent).

■ **stupidement** adv. *Il a répondu stupidement* (= bêtement, sottement).

■ **stupidité** n.f. *Ce garçon est d'une stupidité incroyable* (≠ intelligence). *Arrête de dire des stupidités*, des choses stupides (= ânerie, bêtise).

style n.m. SENS 1. *Le style d'un écrivain*, c'est sa manière d'écrire. ◆ Dans un dialogue au **style direct**, on reprend exactement les paroles prononcées par un personnage ; au **style indirect**, on les répète à sa place. SENS 2. *Ce coureur a du style*, sa manière de courir est élégante. SENS 3. *M. Durand a des meubles de style Louis XV*, du genre de ceux qui étaient faits à l'époque de Louis XV.

■ **stylé, ée** adj. [SENS 2] *Un serveur stylé* est un serveur qui se conforme impeccablement aux règles du métier.

■ **styliser** v. 1er groupe. *Sa robe est ornée de fleurs stylisées*, qu'on a dessinées en les simplifiant.

illustr. p. 220 ■ **styliste** n. Le métier des **stylistes** est de créer des modèles dans le domaine de l'habillement, de l'ameublement.

stylet n.m. Un **stylet** est un petit poignard à lame très étroite.

stylo n.m. Un **stylo** est un objet cylindrique contenant un réservoir d'encre et qui sert à écrire. *illustr. p. 122, 311*

suave adj. *Les lis répandent un parfum suave*, doux et agréable.

■ **suavité** n.f. *Sylvie a une voix pleine de suavité*, de douceur.

subalterne adj. et n. *M. Martin est un employé subalterne*, il occupe un emploi secondaire. → **subordonné**. *Il a joué un rôle subalterne*, pas très important (= mineur).

subdiviser v. 1er groupe. *La maîtresse a dédoublé la classe et a subdivisé chaque partie en 3 groupes*, elle a divisé chaque partie en parties plus petites. ●● **diviser**

■ **subdivision** n.f. *Les cantons sont des subdivisions des arrondissements*, des parties plus petites que ces divisions du département.

subir v. 2e groupe. SENS 1. *J'ai subi son bavardage pendant deux heures*, j'ai dû m'y soumettre alors que je ne le voulais pas (= endurer, supporter). SENS 2. *Manon a subi une intervention chirurgicale*, cette intervention a été pratiquée sur elle. ◆ *La maison a subi des dégâts*, des dégâts lui ont été causés.

subit, ite adj. *Une piqûre de guêpe cause une douleur subite*, qui apparaît tout à coup (= soudain).

■ **subitement** adv. *Il est parti subitement*, quand personne ne s'y attendait (= tout à coup, soudain).

subjectif, ive adj. *Sa critique est subjective*, il critique en ne tenant compte que de ses idées et de ses goûts (≠ objectif). → **personnel**

■ **subjectivement** adv. *Tu juges trop subjectivement*, en te fondant sur tes goûts, tes idées (≠ objectivement).

■ **subjectivité** n.f. *Une étude scientifique doit éviter la* **subjectivité**, *l'introduction d'idées personnelles* (≠ objectivité).

subjonctif n.m. Le **subjonctif** est un mode du verbe qui sert à exprimer un souhait, un ordre ou une action possible. *Dans la phrase « je veux que tu viennes », le verbe « venir » est au* **subjonctif**.

subjuguer v. 1ᵉʳ groupe. *L'orateur* **subjugue** *son auditoire,* il le séduit complètement (= fasciner, captiver).

sublime adj. *Il a fait preuve d'un dévouement* **sublime**, qui suscite l'admiration (= extraordinaire, admirable).

submerger v. 1ᵉʳ groupe. SENS 1. *Ces rochers* **sont submergés** à marée haute, ils sont recouverts d'eau (= inonder). SENS 2. *Je* **suis submergé** *de travail,* j'en ai trop (= déborder).
✵ Conj. nº 2.

■ **submersible** n.m. [SENS 1] Un **submersible** est un sous-marin. ●● *insubmersible*

subordonner v. 1ᵉʳ groupe. *Le départ du bateau* **est subordonné** *au temps,* il dépend du temps.

■ **subordonné** SENS 1. n. *Le directeur réunit ses* **subordonnés**, *ceux qui sont sous ses ordres* (= subalterne). ●● *insubordination*. SENS 2. n.f. et adj. En grammaire, une **(proposition) subordonnée** est une proposition qui dépend d'une proposition principale.

■ **subordination** n.f. *Les mots « que », « quand » sont des conjonctions de* **subordination**, *des mots qui relient une proposition subordonnée à une proposition principale.*

subreptice adj. *Il a averti ses complices d'un geste* **subreptice**, *fait en cachette de tout le monde* (= furtif ; ≠ ostensible).

■ **subrepticement** adv. *Le malin avait quitté la salle* **subrepticement**, *de façon à ne pas se faire remarquer.*

subside n.m. *L'association a reçu des* **subsides** *de la municipalité,* une aide sous forme d'argent (= subvention).

subsidiaire adj. *Une question* **subsidiaire** *est une question supplémentaire qui sert à départager les concurrents.*

subsister v. 1ᵉʳ groupe. SENS 1. *Dans le texte, il* **subsiste** *une erreur,* il en reste une. SENS 2. *Une allocation lui permet tout juste de faire* **subsister** *sa famille,* de lui fournir de quoi vivre (= survivre).

■ **subsistance** n.f. [SENS 2] *L'animal cherche sa* **subsistance**, *sa nourriture.*

substance n.f. SENS 1. *Le caoutchouc est une* **substance** *élastique,* une matière (= corps). SENS 2. *Résumez-nous la* **substance** *de votre discours,* ses idées essentielles.

substantiel, elle adj. SENS 1. *Un repas* **substantiel** *est un repas nourrissant.* SENS 2. *Une augmentation* **substantielle** *est une augmentation importante.*
✵ On prononce [sypstɑ̃sjɛl].

substantif n.m. *« Chien » et « crayon » sont des* **substantifs**, *des noms.*

substituer v. 1ᵉʳ groupe. **Substituer** *un mot à un autre,* c'est mettre ce mot à la place de l'autre. ◆ **Se substituer** *à quelqu'un,* c'est le remplacer (= suppléer).

■ **substitution** n.f. *Il y a eu une* **substitution** *de sacs,* on a substitué un sac à un autre (= échange).

subterfuge n.m. *Pour échapper à une invitation qui l'ennuyait, il a utilisé un* **subterfuge**, *un moyen habile* (= stratagème, ruse).

subtil, e adj. SENS 1. *Annie est une fille* **subtile**, *fine et intelligente.* SENS 2. *Il y a une nuance* **subtile** *entre ces deux variétés de bleu,* une nuance difficilement perceptible (= délicat, infime).

■ **subtilité** n.f. *Son raisonnement est plein de* **subtilité**, *plein de finesse. Ne* discutons pas sur des **subtilités**, des points de peu d'importance.

subtiliser v. 1er groupe. *On lui **a** **subtilisé** son sac,* on le lui a volé adroitement.

subvenir v. 3e groupe. *Il est maintenant en âge de **subvenir** à ses besoins,* de gagner sa vie (= pourvoir).
✱ Conj. n° 22.

subvention n.f. *La commune a reçu une **subvention** de l'État,* de l'argent (= subside, aide).

■ **subventionner** v. 1er groupe. Sub-ventionner un théâtre, c'est l'aider en lui donnant une subvention.

subversif, ive adj. *L'orateur a pro-noncé des paroles **subversives**,* qui visent à bouleverser les idées et les lois (= révolutionnaire, séditieux).

■ **subversion** n.f. *On l'a accusé de sub-version,* de dire des choses subversives.

suc n.m. SENS 1. *On presse les fruits pour en extraire le **suc**,* le liquide qui est à l'intérieur (= jus). SENS 2. *Le **suc** gastrique* est un liquide acide produit par l'estomac pour favoriser la digestion.

succédané n.m. *Du **succédané** de caviar,* c'est un produit qui l'imite et vise à le remplacer.

succéder v. 1er groupe. *Le soleil **a** **succédé** à la pluie,* il est venu après (= remplacer, suivre ; ≠ précéder). *Les jours **se succèdent**,* ils se suivent les uns après les autres.
✱ Conj. n° 10.

■ **succession** n.f. *Le verglas a causé une **succession** d'accidents,* un ensem-ble d'accidents successifs (= série).
◆ *Les héritiers se partagent la **succes-sion**,* les biens d'une personne décédée (= héritage).

■ **successeur** n.m. *Je vous présente mon **successeur**,* celui qui prend ma place (≠ prédécesseur).

■ **successif, ive** adj. *J'ai reçu trois visites **successives**,* qui se suivaient.

■ **successivement** adv. *Nous som-mes allés **successivement** à la poste et à la pharmacie,* d'abord à la poste, puis à la pharmacie (≠ simultanément, en même temps).

succès n.m. SENS 1. *Je te félicite de ton **succès**,* du résultat heureux que tu as obtenu (= réussite ; ≠ échec, insuccès). SENS 2. *Ce film a du **succès**,* il a la faveur du public (= triomphe ; ≠ fiasco).

successeur, successif, succession, successivement
→ ***succéder***

succinct, e adj. *Faites-nous un exposé **succinct**,* dit en peu de mots (= court, bref, sommaire, concis).
✱ On prononce [syksɛ̃], [syksɛ̃t].

■ **succinctement** adv. *On nous a suc-cinctement présenté le projet,* en peu de mots (= sommairement, brièvement).

succion → ***sucer***

succomber v. 1er groupe. SENS 1. *Le blessé **a succombé**,* il est mort. SENS 2. *Agathe **a succombé** au sommeil,* elle a été vaincue par lui et s'est endormie.
→ ***sombrer***. ◆ *Jean **a succombé** à la tentation,* il n'y a pas résisté (= céder).

succulent, ente adj. *Ce gâteau est **succulent**,* il est très bon (= excellent, délicieux, savoureux).

succursale n.f. *Cette banque a une **succursale** dans chaque ville,* un éta-blissement qui dépend d'elle.

sucer v. 1er groupe. SENS 1. *Tu **suces** encore ton pouce !,* tu le mets dans ta bouche et tu le tètes. SENS 2. *Michel **suce** un bonbon,* il le fait fondre dans sa bouche.
✱ Conj. n° 1.

■ **succion** n.f. [SENS 1] *Quand le bébé tète, on entend un bruit de* **succion**, *un bruit d'aspiration avec la bouche.*
❋ On prononce [sysjɔ̃] ou [syksjɔ̃].

illustr. ■ **sucette** n.f. [SENS 2] *Une* **sucette** *est*
p. 150 un bonbon fixé au bout d'un bâtonnet.

sucre n.m. Le **sucre** est une substance blanchâtre que l'on extrait de la betterave ou de la canne à sucre et qui sert à donner une saveur plus douce à certaines boissons et à certains aliments.

■ **sucrer** v. 1ᵉʳ groupe. *As-tu* **sucré** *ton café ?,* y as-tu mis du sucre ?

■ **sucré, ée** adj. *Un fruit* **sucré** *est un fruit qui contient beaucoup de sucre.*

■ **sucrerie** n.f. *On fabrique le sucre dans une* **sucrerie**, *une usine équipée pour l'extraire.* ◆ (Au plur.) *Les* **sucreries** *sont des friandises à base de sucre.*

■ **sucrier, ère** adj. *La betterave* **sucrière** *est la variété de betterave qui fournit le sucre.* ◆ n.m. *Le sucre est dans un* **sucrier**, *un récipient fait pour le recevoir.*

illustr. **sud** n.m. inv. et adj. inv. *Marseille est au*
p. 694, **sud** *de la France* (≠ nord). *(Avec majus-*
310 cule.) *Le pôle* **Sud** *est opposé au pôle Nord.* → *méridional, austral*

suer v. 1ᵉʳ groupe. *J'ai chaud, je* **sue**, *je suis couvert de sueur* (= transpirer).

■ **sueur** n.f. *La* **sueur** *est un liquide qui sort des pores de la peau quand on a chaud* (= transpiration).

■ **sudoripare** adj. *Les glandes* **sudoripares** *sont les glandes qui sécrètent la sueur.*

suffire v. 3ᵉ groupe. [SENS 1] *Pour cet achat, 15 euros me* **suffisent**, *j'ai assez de 15 euros.*
❋ Conj. n° 72.

■ **suffisant, ante** adj. SENS 1. *J'ai une note* **suffisante** *pour être reçu,* une note assez élevée (≠ insuffisant). SENS 2. *M. Dupont est un homme* **suffisant**, toujours satisfait de lui (= prétentieux, vaniteux ; ≠ modeste).

■ **suffisamment** adv. [SENS 1] *J'ai suffisamment mangé,* assez mangé (≠ insuffisamment).

■ **suffisance** n.f. [SENS 1] *Il y a ici des vivres en* **suffisance**, *en quantité assez grande pour satisfaire les besoins* (≠ insuffisance). [SENS 2] *Le conférencier parle avec* **suffisance**, avec une grande satisfaction de lui-même (= prétention, vanité).

suffixe n.m. *Un* **suffixe** *est un groupe de lettres que l'on rattache à la fin de la racine d'un mot pour former un autre mot. Dans le mot « diplomatique », « -ique » est un* **suffixe**. (Voir p. 1036.)
→ **préfixe**

suffoquer v. 1ᵉʳ groupe. SENS 1. *On* **suffoque** *dans cette pièce,* on a du mal à respirer (= étouffer). SENS 2. *Cette nouvelle nous* **suffoque**, *elle nous cause une violente émotion* (= stupéfier).

■ **suffocant, ante** adj. [SENS 1] *Ce bois vert dégage une fumée* **suffocante**, qui ne permet pas de respirer normalement (= étouffant).
❋ Ne pas confondre l'adjectif **suffocant** et **suffoquant**, participe présent de « suffoquer ».

■ **suffocation** n.f. [SENS 1] *L'asthme cause des accès de* **suffocation**, de difficulté à respirer (= étouffement).

suffrage n.m. SENS 1. *Le président de la République est élu au* **suffrage** *universel,* par une élection où toutes les personnes majeures peuvent voter. SENS 2. *Ce candidat a obtenu beaucoup de* **suffrages**, de votes des électeurs en sa faveur (= voix). SENS 3. *Ce film a les* **suffrages** *du public,* l'approbation, la faveur du public.

suggérer v. 1ᵉʳ groupe. *Je* **suggère** *que nous allions nous promener,* je vous présente mon idée et je vous demande votre avis (= proposer).
❋ On prononce [syɡʒere]. Conj. n° 10.

■ **suggestion** n.f. *Voici la **suggestion** de Sandrine,* l'idée qu'elle nous présente (= proposition).
✺ On prononce [sygʒɛstjɔ̃]. Ne pas confondre **suggestion** et **sujétion**.

suicide n.m. *On a appris le **suicide** d'un banquier,* sa mort volontaire.
■ se **suicider** v. 1ᵉʳ groupe. *Il **s'est suicidé** par désespoir,* il s'est tué volontairement.
■ **suicidaire** adj. *Si vous agissiez ainsi, ce serait un comportement **suicidaire**,* qui vous conduirait à l'échec ou à la mort.

suie n.f. *La cheminée est pleine de **suie**,* d'une matière noire que la fumée y a déposée.
✺ Ne pas confondre avec certaines formes des verbes « suivre » et « être ».

suif n.m. *Le **suif** est la graisse que l'on tire du corps des ruminants.*

suinter v. 1ᵉʳ groupe. *L'eau **suinte** d'une fissure,* elle s'écoule goutte à goutte. *Les murs de la cave **suintent**,* ils sont couverts d'eau qui s'écoule lentement.
■ **suintement** n.m. *Il y a un **suintement** sur les murs de la cave,* un écoulement d'eau goutte à goutte.

suivre v. 3ᵉ groupe. **SENS 1.** *La voiture **suit** le camion,* elle avance derrière lui (≠ précéder, devancer). ●● ***poursuivre***. **SENS 2.** *Son frère le **suit** partout,* il l'accompagne. **SENS 3.** *Le soleil **a suivi** la pluie,* il est venu après (= succéder à ; ≠ précéder). ●● ***s'ensuivre***. **SENS 4.** *J'ai **suivi** le sentier jusqu'à la route,* j'ai marché sur le sentier (= parcourir, emprunter). *Le chemin **suit** la rivière,* il est parallèle à la rivière (= longer). **SENS 5.** *Pierre **suit** des cours de maths,* il en prend régulièrement. **SENS 6.** *Je ne vous **suis** plus,* je ne partage plus votre avis, ou je ne comprends plus ce que vous dites. **SENS 7.** *Je **suis** tes conseils,* j'agis selon ce que tu m'as dit (= obéir à, se

conformer à ; ≠ s'opposer à). **SENS 8.** *Je **suis** le match de rugby à la télévision,* je le regarde. **SENS 9.** *Cet élève **suit** bien en classe,* il écoute bien, il est au niveau voulu.
✺ Conj. n° 62. Ne pas confondre je **suis** avec je **suis** de « être ».

■ **suite** n.f. **[SENS 2]** *Ce chef d'État est venu avec sa **suite**,* les gens qui l'accompagnent (= escorte). **[SENS 3]** *Nous avons eu une **suite** d'ennuis,* un enchaînement d'ennuis, l'un après l'autre (= série, succession). *Connais-tu la **suite** de cette histoire ?,* ce qui vient après. *Cet accident a eu des **suites**,* des développements postérieurs (= conséquence). *Il a mangé trois fruits de **suite**,* l'un après l'autre (= à la file, successivement). ***À la suite de** sa maladie,* elle a dû partir en convalescence, comme conséquence de sa maladie. *L'accident a eu lieu **par suite** d'une crevaison,* à cause de cela.

■ **suivant, ante** adj. et n. **[SENS 3]** *La solution du problème est à la page **suivante**,* celle qui vient après (≠ précédent). *Au **suivant** de ces messieurs !,* à celui qui vient après.   *illustr. p. 132*

■ **suivant** prép. **[SENS 7]** *Choisissez **suivant** vos préférences,* en accord avec vos préférences (= selon).

■ **suiveur, euse** adj. **[SENS 1 et 2]** *Les voitures **suiveuses** sont près du peloton,* les voitures qui suivent la course.   *illustr. p. 1002*

■ **suivi, ie** adj. **[SENS 5]** *Nous entretenons une correspondance **suivie**,* qui ne s'interrompt pas (= régulier, continu).

sujet n.m. **SENS 1.** *Quel est le **sujet** de votre conversation ?,* de quoi parlez-vous ? (= thème). **SENS 2.** *Quel est le **sujet** de votre dispute ?,* la raison pour laquelle vous vous disputez (= cause, motif). **SENS 3.** *Le roi parle à ses **sujets**,* aux personnes soumises à son autorité. **SENS 4.** *Le **sujet** d'une phrase est le mot ou le groupe de mots qui répond à la question « qui est-ce qui ? » ou « qu'est-ce qui ? » posée avant le verbe. Dans la phrase « le chat gris dort », « le chat gris » est le **sujet** du verbe « dormir ».*

■ **sujet, ette** adj. *Elle est* **sujette** *au mal de tête,* elle a souvent mal à la tête, elle y est exposée.

sujétion n.f. *Votre métier vous impose de très nombreuses* **sujétions,** des obligations pénibles et astreignantes (= contrainte, servitude). ●● *assujettir* ✱ Ne pas confondre **sujétion** et **suggestion.**

sulfater v. 1er groupe. *Les vignerons* **sulfatent** *les vignes,* ils pulvérisent des produits dessus pour combattre les maladies.

illustr. p. 690 ■ **sulfatage** n.m. Le **sulfatage** de la vigne est une opération qui permet d'éviter les maladies de la vigne.

sultan n.m. Un **sultan** est un prince dans certains pays musulmans.

> **super-** préfixe. Placé au début d'un mot, **super-** indique un degré élevé, une importance considérable : *superfin* (très fin) ; *superpuissance* (puissance mondiale).

1. super adj. inv. Fam. *C'est* **super,** c'est très bien, c'est extraordinaire. ✱ Ce mot ne change pas au pluriel.

illustr. p. 852 **2. super** ou **supercarburant** n.m. Du **super,** c'est de l'essence spécialement raffinée.

superbe adj. *Les Dupont habitent un appartement* **superbe,** très beau (= magnifique, splendide ; ≠ affreux, horrible).

supercarburant → *super (2)*

supercherie n.f. *Il a vendu un faux tableau à la place du vrai, c'est une* **supercherie,** une tromperie.

superficie n.f. *Quelle est la* **superficie** *de ce terrain ?,* son étendue (= surface).

superficiel, elle adj. SENS 1. *Cette brûlure est* **superficielle,** peu profonde.

SENS 2. *En histoire, ses connaissances sont* **superficielles,** il ne sait pas grand-chose (= sommaire ; ≠ approfondi).

■ **superficiellement** adv. [SENS 1] *Le gâteau n'est brûlé que* **superficiellement,** en surface. [SENS 2] *La question a été examinée* **superficiellement** (= sommairement).

superflu, ue adj. *Évitons les dépenses* **superflues** *!,* qui ne sont pas nécessaires (= inutile).

supérieur, eure SENS 1. adj. *Montons à l'étage* **supérieur,** au-dessus, plus haut. *illustr. p. 1016* SENS 2. adj. *Sa note est* **supérieure** *à la mienne,* elle est meilleure (≠ inférieur). SENS 3. n. et adj. *M. Vidal est mon* **supérieur,** je travaille sous ses ordres (= chef). *Il occupe un poste de cadre* **supérieur.** → *hiérarchie*

■ **supérieurement** adv. [SENS 2] *Cette fille est* **supérieurement** *intelligente* (= extrêmement, éminemment, suprêmement).

■ **supériorité** n.f. [SENS 2] *Je constate la* **supériorité** *de ce produit sur les autres,* qu'il est supérieur aux autres (≠ infériorité).

superlatif n.m. « *Très grand* », « *le plus grand* » *sont des* **superlatifs** *de* « *grand* », ils expriment des degrés élevés ou extrêmes de grandeur.

supermarché n.m. Un **supermarché** est un magasin de grande surface qui vend toutes sortes de produits en libre-service. ●● *marché*

superposer v. 1er groupe. *À la colonie de vacances, les lits des enfants sont* **superposés,** ils sont mis l'un au-dessus de l'autre. *illustr. p. 863*

superproduction n.f. Une **superproduction** est un film à grand spectacle. ●● *produire*

supersonique adj. et n. Un (avion) **supersonique** est un avion qui peut dépasser la vitesse du son. ●● *son*

superstition n.f. *Dire que le nombre 13 porte bonheur (ou malheur) est de la* **superstition***, une croyance aux présages que rien ne justifie.*

■ **superstitieux, euse** adj. *Certaines personnes* **superstitieuses** *croient que casser un miroir porte malheur.*

superstructure n.f. *Les* **superstructures** *d'un navire, c'est l'ensemble des parties qui sont situées au-dessus du pont.* ●● ***structure***

superviser v. 1er groupe. *Le directeur a* **supervisé** *le travail, il en a rapidement contrôlé la qualité.*

supplanter v. 1er groupe. SENS 1. *Il a réussi à* **supplanter** *son patron, à prendre sa place (= évincer).* → ***suppléer.*** SENS 2. *L'éclairage électrique a* **supplanté** *l'éclairage au gaz, il s'y est substitué (= remplacer).*

suppléer v. 1er groupe. SENS 1. *Le directeur a un adjoint capable de le* **suppléer***, de le remplacer s'il est absent, malade, etc.* SENS 2. *Sa bonne volonté* **supplée** *à son inexpérience, elle compense ce défaut.*

■ **suppléant, ante** adj. et n. [SENS 1] *Le* **suppléant** *a remplacé le député qui a été nommé ministre.*

■ **suppléance** n.f. [SENS 1] *La nouvelle institutrice a été chargée d'une* **suppléance***, de remplacer momentanément l'institutrice habituelle qui est absente.*

supplément n.m. *Est-ce qu'il n'y a pas un* **supplément** *de dessert ?, du dessert en plus de celui qu'on a eu.*

■ **supplémentaire** adj. *Il faut faire un effort* **supplémentaire***, un effort en plus.*

supplice n.m. SENS 1. *Jadis, on envoyait des condamnés au* **supplice***, on leur infligeait des punitions corporelles souvent mortelles (= torture).* SENS 2. *Je suis au* **supplice***, je suis très mal à l'aise, je souffre beaucoup.*

supplier v. 1er groupe. *Je vous* **supplie** *de m'écouter, je vous le demande humblement et avec insistance.*

■ **supplication** n.f. *Il est resté sourd à mes* **supplications***, à mes prières insistantes.*

1. supporter v. 1er groupe. SENS 1. *Les piliers* **supportent** *le plafond, ils le soutiennent (= porter).* SENS 2. *Il faut* **supporter** *ces inconvénients, les subir sans se plaindre.*

■ **support** n.m. [SENS 1] *Cette balance est vendue avec son* **support***, un objet destiné à la porter.*

■ **supportable** adj. [SENS 2] *La chaleur est* **supportable***, on peut la supporter (≠ insupportable).*

2. supporter n.m. *Le coureur est encouragé par ses* **supporters***, ceux qui le soutiennent (= partisan).* ✳ On prononce [sypɔrtɛr] ou bien [sypɔrtœr].

illustr. p. 913, 1002

supposer v. 1er groupe. SENS 1. *Fabien est absent : je* **suppose** *qu'il est malade, je pense qu'il est peut-être malade (= présumer, imaginer).* SENS 2. *Faire une compétition* **suppose** *de l'entraînement, cela exige nécessairement de l'entraînement.*

■ **supposition** n.f. [SENS 1] *On se perd en* **suppositions** *sur les raisons de l'accident, en explications possibles (= conjecture, hypothèse).*

suppositoire n.m. *Un* **suppositoire** *est un médicament solide que l'on introduit dans le rectum.*

illustr. p. 869

supprimer v. 1er groupe. *Ce médicament* **supprime** *la douleur, il la fait disparaître.* **Supprimez** *cette phrase dans le texte !, enlevez-la (= ôter ; ≠ garder, conserver).*

■ **suppression** n.f. *Cet excès de vitesse a entraîné la* **suppression** *de son permis de conduire, on lui a supprimé son permis.*

suppurer v. 1er groupe. *La plaie suppure,* il en sort du pus.

supputer v. 1er groupe. **Supputer** une dépense, c'est la calculer, l'évaluer.

suprême adj. SENS 1. Le chef **suprême** est celui qui est au-dessus de tous. SENS 2. *Il fit un **suprême** effort pour ne pas se noyer,* un dernier effort (= ultime, désespéré).

■ **suprêmement** adv. *Carole est suprêmement intelligente,* au plus haut point (= supérieurement).

■ **suprématie** n.f. *La **suprématie** économique de ce pays est incontestable,* sa domination dans ce domaine.
✳ On prononce [sypremasi].

sur- préfixe. Placé au début d'un mot, **sur-** indique un degré supérieur : *suraigu* (très aigu) ; *surestimer* (estimer au-dessus de sa valeur).

1. sur prép. Ce mot donne différentes indications : *ma chambre donne **sur** la rue* (lieu) ; *l'affiche est **sur** le mur* (lieu) ; *on tire **sur** la cible* (direction) ; *réfléchissons **sur** ce problème* (thème) ; *six candidats **sur** dix sont reçus* (proportion).
✳ Ne pas confondre avec l'adjectif **sûr**. Quand il indique le lieu, **sur** peut signifier « au-dessus de » (≠ sous) ou « à la surface de » (≠ dans).

2. sur, sure adj. *Cette pomme n'est pas mûre, elle est **sure**,* elle a un goût acide, piquant.
✳ Ne pas confondre avec **sûr**.

sûr, sûre adj. SENS 1. *Cette voiture est **sûre**,* on y est en sécurité (≠ dangereux). SENS 2. *Je suis **sûr** de gagner,* je n'en doute pas (= certain). SENS 3. *Cette nouvelle est **sûre**,* on peut avoir confiance en elle (= exact, certain, assuré ; ≠ douteux).
✳ Ne pas confondre avec l'adjectif et avec la préposition **sur**.

■ **sûreté** n.f. [SENS 1] *Elle met ses bijoux en **sûreté**,* dans un lieu sûr, à l'abri des voleurs (= sécurité).

■ **sûrement** adv. [SENS 1] *Nous avançons lentement, mais **sûrement**,* sans prendre de risques. [SENS 2] *Je vais **sûrement** gagner* (= certainement).

surabondant, ante adj. *La production de pêches a été **surabondante**,* trop abondante. ●● *abondant*

■ **surabondamment** adv. *Il a insisté **surabondamment** sur cette question* (= exagérément).

■ **surabondance** n.f. *Cette description devient lassante par la **surabondance** des détails* (= excès, profusion).

suraigu, uë adj. *Annie a protesté vivement de sa voix **suraiguë**,* très aiguë (= strident, criard, aigu).
✳ Noter le tréma sur le « e » au féminin.

suralimentation n.f. *L'obésité est souvent due à la **suralimentation**,* une alimentation trop nourrissante. ●● *aliment*

suranné, ée adj. *Le chapeau melon est un chapeau **suranné**,* qui n'est plus à la mode (= ancien, démodé).

surcharger v. 1er groupe. SENS 1. *Le chauffeur a eu l'imprudence de **surcharger** son camion,* de le charger exagérément. ●● *charge*. SENS 2. *Nous sommes **surchargés** de travail,* nous en avons trop (= accabler).
✳ Conj. n° 2.

■ **surcharge** n.f. [SENS 1] *L'accident est dû à la **surcharge** du camion.* [SENS 2] *Le nouveau règlement impose une **surcharge** de travail* (= supplément, surcroît).

surchauffer v. 1er groupe. SENS 1. *L'appartement **est surchauffé**,* il est trop chauffé. ●● *chaud*. SENS 2. *Les esprits **sont surchauffés**,* ils sont surexcités.

surclasser v. 1er groupe. *Ce concurrent **surclasse** tous ses adversaires,* il leur est nettement supérieur.

surcroît n.m. SENS 1. *Son absence nous impose un **surcroît** de travail*, du travail en plus (= supplément). SENS 2. *Cet objet est décoratif, et utile **par surcroît** (de surcroît)* [= en plus, en outre].

surdité n.f. *La **surdité** est le handicap dont souffre une personne sourde.* ●● *sourd*

illustr. p. 753   **sureau** n.m. *Benoît a fait un sifflet en **sureau***, un arbuste dont on peut évider les branches en ôtant la moelle. ✻ *Au pluriel, on écrit des **sureaux**.*

surélever v. 1er groupe. *On **a surélevé** la maison d'un étage*, on a augmenté sa hauteur (= rehausser, exhausser ; ≠ abaisser). ●● *élever* ✻ Conj. n° 9.

sûrement → *sûr*

surenchère n.f. *Grâce à 150,52 euros de **surenchère**, j'ai pu acheter ce tableau*, en offrant de payer 150,52 euros de plus. ●● *enchère*

■ **surenchérir** v. 2e groupe. *J'ai dû renoncer à **surenchérir** pour acheter la statue*, à faire une surenchère.

surestimer v. 1er groupe. *Il a tendance à **surestimer** ses capacités*, à en faire une estimation excessive (≠ sous-estimer). ●● *estimer*. → *présumer*

sûreté → *sûr*

surexciter v. 1er groupe. *La veille du départ en vacances, les enfants étaient **surexcités***, ils étaient très excités, survoltés. ●● *exciter*

■ **surexcitation** n.f. *Les supporters de l'équipe gagnante étaient dans un état de **surexcitation***, d'excitation extrême.

illustr. p. 718   **surf** n.m. *Le **surf** est un sport qui consiste à se tenir en équilibre sur une planche portée par une vague déferlante.* ✻ *On prononce* [sœrf].

surface n.f. SENS 1. *Les hommes vivent sur la **surface** de la Terre*, sur sa partie extérieure. SENS 2. *Quelle est la **surface** de ce terrain ? – Mille mètres carrés*, son étendue (= aire, superficie). *illustr. p. 431, 991*

surfait, aite adj. *Sa réputation est **surfaite***, vantée de façon exagérée.

surgeler v. 1er groupe. ***Surgeler** un aliment, c'est le soumettre rapidement à un froid intense.* ●● *geler* ✻ Conj. n° 5.

■ **surgelé, ée** adj. et n.m. *Maman a acheté du poisson **surgelé**. Ce magasin vend des **surgelés**.* *illustr. p. 151*

surgir v. 2e groupe. *Un chien **a surgi** devant moi*, il est apparu brusquement.

surhomme n.m. *Il faudrait être un **surhomme** pour venir à bout d'un tel travail*, un homme aux capacités exceptionnelles. ●● *homme*

■ **surhumain, aine** adj. *Les alpinistes ont dû faire des efforts **surhumains** pour atteindre ce sommet*, des efforts qui paraissent dépasser les capacités humaines (= extraordinaire).

surjet n.m. *Pour assembler les deux tissus bord à bord, maman a fait un **surjet***, un point de couture. *illustr. p. 228*

sur-le-champ adv. *On m'a demandé de venir **sur-le-champ***, sans attendre (= tout de suite, immédiatement).

surlendemain n.m. *La réparation a été achevée le **surlendemain**, le jour d'après le lendemain, donc deux jours après.* ●● *demain* *illustr. p. 132*

surligneur n.m. *Un **surligneur** est un gros feutre de couleur vive et transparente qui sert à mettre en valeur une partie d'un texte.*

surmener v. 1er groupe. *Les sauveteurs **sont surmenés***, ils sont fatigués

927

par un travail excessif. *Il **se surmène**, il se fatigue trop.*
✴ Conj. n° 9.

■ **surmenage** n.m. *Les médecins ont discuté du **surmenage** scolaire*, de la fatigue excessive des élèves.

surmonter v. 1er groupe. SENS 1. *Le clocher **surmonte** l'église*, il est placé au-dessus. SENS 2. *Yann **a surmonté** sa peur*, il l'a maîtrisée (= dominer).

■ **surmontable** adj. [SENS 2] *Ces difficultés sont **surmontables***, on peut les surmonter (≠ insurmontable).

surmulot n.m. *Un **surmulot** est un type de rat* (= rat d'égout).

surnager v. 1er groupe. *Des débris du bateau naufragé **surnagent***, ils restent à la surface de l'eau (= flotter). → **nager**
✴ Conj. n° 2.

surnaturel, elle adj. *Un miracle est un événement **surnaturel***, contraire aux lois connues de la nature. ●● **nature**

surnom n.m. *Il s'appelle monsieur Lesourd, mais on l'appelle Sourdingue, c'est son **surnom***, l'autre nom qu'on lui donne. ●● **nom**

■ **surnommer** v. 1er groupe. *On le **surnomme** Sourdingue, mais il n'aime pas ça*, on le désigne par ce surnom.

surnombre n.m. *Le bateau avait pris plusieurs passagers en **surnombre***, en plus du nombre prévu (= excédent). ●● **nombre**

surnommer → **surnom**

suroît n.m. SENS 1. *Le **suroît** est un vent marin qui souffle du sud-ouest.* SENS 2. *Les marins ont mis leur **suroît***, un chapeau de pluie imperméable qui descend sur la nuque.

surpasser v. 1er groupe. SENS 1. *Cet athlète **a surpassé** ses concurrents*, il a fait mieux qu'eux (= battre, surclasser). SENS 2. *Le résultat **surpasse** les prévisions*, il va au-delà (= dépasser). SENS 3. *Aujourd'hui, le cuisinier **s'est surpassé***, il a réussi encore mieux que d'habitude.

surpeuplé, ée adj. *Un quartier **surpeuplé** est un quartier où la population est trop nombreuse* (≠ sous-peuplé). ●● **peuple**

■ **surpeuplement** n.m. ou **surpopulation** n.f. *L'afflux des réfugiés a entraîné un **surpeuplement** de la ville*, un excès de population.

surplace n.m. *Faire du **surplace***, c'est être immobilisé, ne pas pouvoir avancer.

surplomb n.m. *Les balcons sont en **surplomb***, au-dessus du vide (= en saillie). *illustr. p. 29*

■ **surplomber** v. 1er groupe. *La falaise **surplombe** la mer*, elle avance au-dessus de la mer.

surplus n.m. *Ils ont fait des confitures avec leur **surplus** de fruits*, avec ce qu'ils ont récolté en trop (= excédent).

surpopulation → **surpeuplement**

surprendre v. 3e groupe. SENS 1. *La pluie nous **a surpris***, elle est venue sans que nous nous y attendions. SENS 2. *Cette nouvelle m'**a surpris** (= étonner). ✴ Conj. n° 54.

■ **surprenant, ante** adj. [SENS 2] *Cet élève a fait des progrès **surprenants** (= étonnant).

■ **surprise** n.f. [SENS 1] *Le voleur a été arrêté par **surprise***, on l'a arrêté en le surprenant. [SENS 2] *Il est muet de **surprise** (= étonnement). ◆ *Si on lui faisait une **surprise** pour sa fête ?*, un plaisir ou un cadeau inattendu.

surproduction n.f. *Il y a une **surproduction** d'acier*, on en produit trop. ●● **produire**

sursaut n.m. *En entendant la sonnerie, il a eu un* **sursaut,** un mouvement brusque et involontaire.

■ **sursauter** v. 1ᵉʳ groupe. *Les bruits me font* **sursauter,** avoir des sursauts (= tressaillir).

sursis n.m. SENS 1. *Il est condamné à la prison avec* **sursis,** il est condamné mais il n'ira en prison que s'il commet une nouvelle faute. SENS 2. *Il a un* **sursis** *de dix jours pour payer,* on lui permet de ne payer que dans dix jours (= délai).

■ **sursitaire** n. [SENS 2] *Quand Pierre faisait ses études, il a été* **sursitaire,** il a bénéficié d'un sursis pour son service militaire.

■ **surseoir** v. 3ᵉ groupe. [SENS 2] **Surseoir** à une exécution, c'est la remettre à plus tard.
🌸 Conj. nº 45.

surtaxe n.f. *Une* **surtaxe** *est une taxe supplémentaire.* ●● *taxe*

surtout adv. SENS 1. *L'égoïste pense* **surtout** *à lui* (= principalement). SENS 2. **Surtout,** *n'oublie pas ce que je t'ai dit,* j'insiste là-dessus.

surveiller v. 1ᵉʳ groupe. SENS 1. *La maman* **surveille** *ses enfants,* elle veille sur eux. SENS 2. *La police* **surveille** *un suspect,* elle observe tout ce qu'il fait. SENS 3. **Surveillez** *votre langage !,* veillez à parler correctement (= contrôler).

■ **surveillant, ante** n. [SENS 1 et 2] *Ce* **surveillant** *est très sévère,* celui qui surveille les élèves, les prisonniers, etc.

■ **surveillance** n.f. [SENS 1 et 2] *Un maître nageur assure la* **surveillance** *de la baignade.*

survenir v. 3ᵉ groupe. *Un incident est* **survenu,** il est arrivé soudain, sans qu'on s'y attende.
🌸 Conj. nº 22. **Survenir** se conjugue avec l'auxiliaire « être ».

illustr.
p. 1010 **survêtement** n.m. *Après la course, le sportif a enfilé un* **survêtement,** un vê-

tement chaud par-dessus sa tenue de sport. ●● *vêtement*

survivre v. 3ᵉ groupe. *Le blessé a* **survécu** *à l'accident,* il a échappé à la mort. ●● *vie*
🌸 Conj. nº 63.

■ **survivant, ante** n. et adj. *Il n'y a pas eu de (passagers)* **survivants** *dans l'accident d'avion,* tout le monde est mort.

■ **survie** n.f. *Une réserve d'aliments permet plusieurs jours de* **survie** *en cas d'accident,* de prolongation de la vie.

survoler v. 1ᵉʳ groupe. SENS 1. *En allant à Londres, nous avons* **survolé** *la Manche,* l'avion est passé au-dessus. ●● *vol (1).* SENS 2. *Je n'ai fait que* **survoler** *ce compte rendu,* je l'ai regardé très vite (= parcourir).

■ **survol** n.m. [SENS 1] *Le* **survol** *de la zone militaire est interdit,* le passage au-dessus.

survolté, ée adj. SENS 1. *Un appareil électrique est* **survolté** *s'il est soumis à un voltage trop élevé.* ●● *volt.* SENS 2. *Le directeur est* **survolté,** il est dans un état de tension nerveuse excessive.

sus adv. SENS 1. **Courir sus** *à l'ennemi se disait autrefois pour « attaquer » l'ennemi.* SENS 2. *Les taxes viennent* **en sus** *du prix indiqué,* en plus.
🌸 On prononce le « s » final : [sys].

susceptible adj. SENS 1. *Marie est* **susceptible,** elle se vexe facilement. SENS 2. *Ton dessin est* **susceptible d'**être amélioré,* il peut l'être. SENS 3. *Voilà un livre* **susceptible de** *plaire,* qui peut plaire (= capable).

■ **susceptibilité** n.f. [SENS 1] *Je connais sa* **susceptibilité,** je sais qu'il est susceptible.

susciter v. 1ᵉʳ groupe. *Ce projet a* **suscité** *l'intérêt de la population,* celle-ci s'y est intéressée (= provoquer, éveiller).

suspect, e SENS 1. adj. *Son témoignage est* **suspect,** on doit s'en méfier

(= douteux). SENS 2. adj. et n. *La police a arrêté un suspect,* une personne qu'elle soupçonne.
✳ Au masculin, on prononce [syspɛ].

▪ **suspecter** v. 1ᵉʳ groupe. [SENS 1] *Je suspecte son honnêteté,* je n'en suis pas convaincu, je la trouve douteuse. [SENS 2] *On suspecte un rôdeur,* on le soupçonne.

▪ **suspicion** n.f. *Il règne un climat de suspicion,* les gens se soupçonnent les uns les autres (= méfiance). → *soupçon*

suspendre v. 3ᵉ groupe. SENS 1. *Suspendez votre pardessus au portemanteau,* accrochez-le en le laissant pendre. ●● *pendre.* SENS 2. *On a dû suspendre la séance,* l'interrompre (= arrêter). SENS 3. *Le ministre a suspendu un préfet,* il lui a interdit pour quelque temps d'exercer ses fonctions.
✳ Conj. n° 50.

illustr.
p. 494,
974
▪ **suspendu, ue** adj. [SENS 1] Un pont suspendu est un pont soutenu par des câbles. ◆ *Cette voiture est bien suspendue,* ses ressorts amortissent bien les cahots.

▪ **suspension** n.f. [SENS 2 et 3] *La suspension d'un fonctionnaire n'entraîne pas d'office la suspension de son traitement.* ◆ *La suspension de cette voiture est excellente,* elle est très bien suspendue (= amortisseurs). ◆ *Il a mis des points de suspension à la fin de sa phrase,* trois points qui indiquent qu'on ne dit pas tout.

▪ en **suspens** adv. [SENS 2] *Le travail est resté en suspens,* il n'a pas été achevé.
✳ On prononce [syspã]. Ne pas confondre avec **suspense**.

suspense n.m. *Il y a beaucoup de suspense dans ce film,* on attend la fin avec une grande impatience.
✳ On prononce [syspɛns] ou [sœspɛns]. Ne pas confondre avec **en suspens**.

suspension → *suspendre*

suspente n.f. *Le parachute est relié au harnais par des suspentes,* des cordes.

suspicion → *suspect*

se **sustenter** v. 1ᵉʳ groupe. *Les naufragés ont pu se sustenter en mangeant des coquillages,* se nourrir, se soutenir.

susurrer v. 1ᵉʳ groupe. *Il m'a susurré un conseil à l'oreille* (= murmurer, chuchoter).

suture n.f. *Le médecin a fait une suture à la plaie,* il l'a recousue.

suzerain, aine n. et adj. Autrefois, le **suzerain** était un seigneur qui avait des vassaux sous sa dépendance.

▪ **suzeraineté** n.f. *La suzeraineté d'un État sur un autre est sa domination.*

svelte adj. *Cette jeune fille est très svelte,* elle est mince, élancée.

▪ **sveltesse** n.f. *J'admire sa sveltesse,* comme elle est svelte.

sweat-shirt n.m. *Un sweat-shirt,* c'est un pull en coton molletonné.   *illustr.*
✳ On prononce [switʃœrt]. Au pluriel, on écrit des **sweat-shirts**.   *p. 1010*

syllabe n.f. « *Lapin* » *est un mot de deux syllabes,* formé par deux groupes de sons : [la] et [pɛ̃]. ●● *monosyllabe*

sylviculture n.f. *La sylviculture est la science qui étudie la culture et l'entretien des forêts.*

symbole n.m. SENS 1. *La balance est le symbole de la justice,* la balance (mot concret) représente la justice (mot abstrait). SENS 2. *En chimie,* « *H* » *est le symbole de l'hydrogène,* une lettre qui désigne ce gaz.

▪ **symbolique** adj. [SENS 1] *Le salut au drapeau est un geste symbolique,* il est le signe des sentiments qu'on a pour la patrie.

■ **symboliser** v. 1er groupe. [SENS 1] *La colombe* **symbolise** *la paix, elle évoque l'idée de paix* (= figurer, représenter).

symétrique adj. *Les deux moitiés du visage sont* **symétriques**, *elles sont opposées mais semblables* (≠ asymétrique, dissymétrique).

■ **symétriquement** adv. *Ces objets sont rangés* **symétriquement** *sur la table.*

illustr. ■ **symétrie** n.f. *La* **symétrie** *est le ca-*
p. 431 *ractère d'une chose que l'on peut diviser en deux parties identiques par rapport à une ligne centrale appelée « axe de symétrie ».*

sympathie n.f. *J'éprouve de la* **sympathie** *pour lui, je l'aime bien* (= amitié ; ≠ antipathie).

■ **sympathique** adj. *M. Delcour est un homme* **sympathique** (= aimable, agréable ; ≠ antipathique). *Cette réunion était* **sympathique** (= agréable, amical, cordial).

■ **sympathiquement** adv. *Nous avons été accueillis* **sympathiquement**, *avec sympathie, gentillesse.*

■ **sympathiser** v. 1er groupe. *Ces deux personnes* **ont** *vite* **sympathisé**, *elles se sont vite bien entendues.*

symphonie n.f. *L'orchestre joue une* **symphonie**, *un grand morceau de musique composé de plusieurs mouvements.*

illustr. ■ **symphonique** adj. *Un orchestre* **sym-**
p. 629 **phonique** *comprend tous les musiciens nécessaires à l'exécution des symphonies.*

symptôme n.m. *L'apparition de taches rouges est un* **symptôme** *de la rougeole, un signe qui permet de reconnaître cette maladie.*

■ **symptomatique** adj. *Il a fait une réflexion* **symptomatique** *de son incrédulité, significative, révélatrice.*

✳ Attention, **symptôme** prend un accent circonflexe, **symptomatique** n'en prend pas.

synagogue n.f. *Les juifs vont prier à la* **synagogue**, *un bâtiment réservé au culte israélite.*

synchroniser v. 1er groupe. *On* **a** **synchronisé** *la marche de ces appareils, on les a fait fonctionner en même temps ou de façon coordonnée.*

■ **synchronisation** n.f. *Dans ce film, il y a des défauts de* **synchronisation**, *le son et les dialogues sont décalés par rapport à l'image.*

syncope n.f. *Le malade a eu une* **syncope**, *il s'est évanoui.*

syndicat n.m. SENS 1. *En France, les travailleurs ont fondé des* **syndicats** *dès 1884, des associations pour défendre leurs intérêts.* SENS 2. *Un* **syndicat d'initiative** *est un bureau qui est chargé de renseigner les touristes.*

■ **syndical, ale, aux** adj. [SENS 1] *Il est abonné à un journal* **syndical**, *publié par le syndicat.*

■ **syndicalisme** n.m. [SENS 1] *Faire du* **syndicalisme**, *c'est militer dans un syndicat.*

■ **syndicaliste** n. [SENS 1] *Le directeur a reçu une délégation de* **syndicalistes**, *de membres des syndicats.*

■ se **syndiquer** v. 1er groupe. [SENS 1] *Il* **s'est syndiqué**, *il s'est inscrit à un syndicat. Les locataires* **se sont syndiqués**, *ils ont fondé un syndicat.*

■ **syndic** n.m. [SENS 1] *Les copropriétaires de l'immeuble ont choisi un* **syndic**, *quelqu'un qui fait exécuter leurs décisions.*

synode n.m. *Un* **synode** *est une réunion de représentants d'une religion pour discuter de questions de doctrine.*

synonyme n.m. *« Rame » et « aviron » sont deux* **synonymes**, *deux mots qui ont à peu près le même sens* (≠ contraire, antonyme).

✳ Ne pas confondre avec **homonyme** et **paronyme**.

931

synoptique adj. Un tableau **synoptique** est un résumé disposé de façon à présenter une vue d'ensemble.

syntaxe n.f. La **syntaxe** étudie comment les mots s'assemblent pour former des phrases, c'est la partie essentielle de la grammaire.

synthèse n.f. SENS 1. Faire la **synthèse** des observations présentées par plusieurs personnes, c'est rassembler ces observations dans un ensemble cohérent. SENS 2. Faire la **synthèse** de l'eau, c'est produire artificiellement de l'eau à partir des éléments qui la constituent.

illustr.
p. 504

■ **synthétique** adj. [SENS 2] *Le Nylon est un textile* **synthétique**, produit par une synthèse chimique (= artificiel ; ≠ naturel).

■ **synthétiseur** n.m. [SENS 2] *Il a joué ce morceau de musique sur un* **synthétiseur,** appareil électronique qui imite les instruments de musique.

illustr.
p. 629

système n.m. SENS 1. Un **système** est un ensemble organisé qui constitue un tout, comme le **système** métrique, le **système** nerveux, etc. Le Soleil et les planètes qui tournent autour de lui forment le **système** solaire. SENS 2. *Elle a mis au point un ingénieux* **système** *de classement des dossiers,* une méthode.

illustr.
p. 203

■ **systématique** adj. *Il fait de l'opposition* **systématique,** il s'oppose à tout par principe.

■ **systématiquement** adv. *Il refuse* **systématiquement** *de signer les pétitions,* il refuse à chaque fois (= régulièrement, par principe).

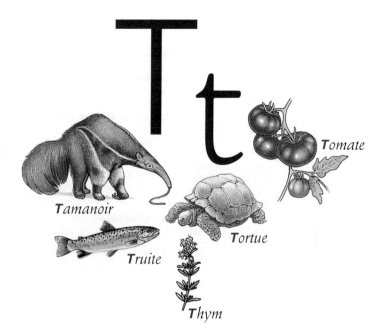

Tamanoir

Tomate

Tortue

Truite

Thym

t' → *te*

ta → *ton (1)*

tabac n.m. SENS 1. *Dans cette région, les paysans cultivent du **tabac**, une plante à grandes feuilles.* SENS 2. *M. Durand achète du **tabac** pour sa pipe,* les feuilles séchées de cette plante hachées et préparées pour être fumées. *Le **tabac** est nuisible à la santé.* SENS 3. *Je vais au **tabac** m'acheter des cigarettes,* à la boutique où l'on vend du tabac, des cigarettes, des allumettes, etc. (On dit aussi « bureau de tabac »). SENS 4. Fam. *Cet individu prétend **avoir été passé à tabac** au commissariat de police,* avoir été roué de coups. SENS 5. Fam. *Son dernier film **a fait un tabac**,* il a eu un grand succès.
❋ On ne prononce pas le « c » : [taba].

■ **tabagie** n.f. [SENS 1] *C'est une **tabagie,** ici !,* la pièce est pleine de fumée de tabac.

■ **tabagisme** n.m. Le **tabagisme**, c'est l'intoxication provoquée par l'abus de tabac.

■ **tabatière** n.f. [SENS 1] Une **tabatière** est une petite boîte destinée à recevoir du tabac en poudre. *illustr. p. 42*

tabasser v. 1ᵉʳ groupe. Fam. *Des voyous l'**ont tabassé**,* ils l'ont roué de coups.

tabernacle n.m. Dans une église, le **tabernacle** est la petite armoire, sur l'autel, où l'on garde les hosties.

table n.f. SENS 1. Une **table** est un meuble formé d'un plateau horizontal posé sur des pieds et servant à divers usages. *Loïc **met la table**,* il dispose dessus les assiettes et les couverts. *On **s'est mis à table** à 8 heures,* on a commencé à manger. ●● *s'attabler*. SENS 2. *La **table des matières** se trouve à la fin du livre,* la liste des chapitres. SENS 3. *Elsa apprend la **table de multi-*** *illustr. p. 502, 311, 862, 868*

933

plication, le tableau des multiplications entre les 10 premiers nombres.

■ **tablée** n.f. [SENS 1] *Il y avait là une joyeuse **tablée**,* une assemblée de gens assis autour de la table.

illustr. p. 863, 123, 311, 69, 74
tableau n.m. SENS 1. *Il y a de très beaux **tableaux** dans ce musée,* des peintures encadrées (= toile). SENS 2. *La maîtresse fait un dessin au **tableau**,* le panneau mural sur lequel on écrit à la craie. SENS 3. *Il y a des tas de manettes sur le **tableau de bord** de l'avion,* le panneau où sont réunis les cadrans, les commandes, etc. SENS 4. *Il nous a fait un **tableau** détaillé de la situation,* une description. SENS 5. *Voici un **tableau** chronologique des rois de France,* une liste présentée de façon claire et ordonnée.
✻ Au pluriel, on écrit des **tableaux**.

tabler v. 1er groupe. *Il ne faut pas trop **tabler** sur la chance,* compter sur elle (= miser).

illustr. p. 239, 150
tablette n.f. SENS 1. *Le dentifrice est sur la **tablette** du lavabo,* la plaque posée à plat au-dessus du lavabo. SENS 2. *Qui a entamé la **tablette** de chocolat ?* (= plaque).

illustr. p. 995, 1010, 974
tablier n.m. SENS 1. *Quand elle fait la cuisine, maman met son **tablier**,* un vêtement mis par-dessus les autres pour les protéger. SENS 2. Le **tablier** d'un pont est la partie du pont sur laquelle se trouve la chaussée.

tabou, oue adj. *Ne parle pas de ça, c'est un sujet **tabou** !,* un sujet qu'il faut absolument éviter d'aborder (= interdit).

illustr. p. 863, 238
tabouret n.m. *Assieds-toi sur le **tabouret** !,* un siège sans bras ni dossier.

du **tac au tac** adv. *Quand il m'a fait des reproches, je lui ai répondu **du tac au tac**,* immédiatement et avec vivacité.

tache n.f. SENS 1. *Tu as une **tache** de sauce sur ta chemise,* un endroit sali. illustr. p. 117 SENS 2. *Les dalmatiens sont des chiens blancs à **taches** noires,* des marques noires.
✻ Ne pas confondre avec **tâche**.

■ **tacher** v. 1er groupe. [SENS 1] ***J'ai taché** ma chemise,* j'y ai fait des taches (= salir). ●● ***détacher***
✻ Ne pas confondre avec **tâcher**.

■ **tacheté, ée** adj. [SENS 2] *Ce chien est blanc **tacheté** de noir,* avec des petites taches noires (= moucheté).

tâche n.f. *Nous avons déménagé, ce n'est pas une **tâche** facile,* un travail facile (= ouvrage, besogne).
✻ Ne pas confondre avec **tache**.

tâcher v. 1er groupe. *Je **tâcherai** d'être là à 8 heures,* je ferai mon possible pour y être (= essayer, s'efforcer de).
✻ Ne pas confondre avec **tacher**.

tacher, tacheté ⟶ ***tache***

tacite adj. *Il a agi avec mon accord **tacite**,* sans que j'aie exprimé nettement mon accord (= sous-entendu).

■ **tacitement** adv. *J'étais **tacitement** d'accord,* sans l'exprimer.

taciturne adj. et n. *Il est **taciturne**,* il parle peu (= renfermé ; ≠ bavard, exubérant).

tacot n.m. Fam. *J'ai visité une exposition de **tacots**,* de vieilles voitures.

tact n.m. *Tu manques de **tact** en parlant d'argent devant lui : il n'a pas un sou !* (= délicatesse, discrétion, doigté).
✻ On prononce le « t » : [takt].

tactile adj. Les sensations **tactiles** sont celles que procure le toucher.

tactique n.f. *Puisque ça ne réussit pas comme ça, on va changer de **tactique**,* on va employer d'autres moyens pour arriver au résultat voulu (= plan, méthode, stratégie).

taffetas n.m. *Valérie a une robe en taffetas*, une sorte de soie à reflets changeants.

tag n.m. *Il y a des tags sur les murs de l'école,* des signes ou des inscriptions d'une écriture spéciale faits clandestinement.

illustr. p. 863 **taie** n.f. *Les taies d'oreiller sont sales,* les enveloppes de tissu qui les recouvrent.

taille n.f. SENS 1. *Aurélien est de la taille de Delphine,* leurs corps ont la même hauteur. SENS 2. *Quelle taille faites-vous ?,* quelles sont les mesures de
illustr. p. 217 vos vêtements ? → *mensurations*. SENS 3. *Les sauveteurs avaient de l'eau jusqu'à la taille,* au-dessus des hanches (= ceinture). SENS 4. *La taille des arbres a lieu en hiver,* on coupe une partie des branches. *Cet immeuble est en pierre de taille,* construit avec des pierres taillées. SENS 5. *C'est une erreur de taille !,* importante (= monumental). *Il est de taille à nous résister,* il en est capable (= en mesure de).

illustr. p. 983 ■ **tailler** v. 1er groupe. [SENS 4] *Le jardinier a taillé la haie,* il l'a coupée pour lui donner une certaine forme. *La couturière taille une robe,* elle coupe les morceaux d'étoffe pour la faire.

■ **taillader** v. 1er groupe. *Les éclats de verre lui ont tailladé le visage,* ils lui ont fait des coupures, des entailles.

■ **tailleur** n.m. [SENS 4] *Le tailleur de pierres utilise un marteau et un burin,* l'ouvrier qui taille les pierres. ◆ *Papa est allé se faire faire un costume chez le tailleur,* celui qui fait des vêtements d'homme. → *couturière*.
illustr. p. 1011 ◆ *Chantal s'est acheté un tailleur,* un costume de femme composé d'une jupe et d'une veste. ◆ *Les enfants,*

asseyez-vous en tailleur !, asseyez-vous par terre, les jambes repliées et les genoux écartés.

■ **taille-crayon** n.m. [SENS 4] *La mine de mon crayon est cassée, prête-moi ton taille-crayon.*
illustr. p. 122, 311
✹ Au pluriel, on écrit des **taille-crayons** ou des **taille-crayon**.

taillis n.m. *Un taillis est une partie de la forêt où les arbres sont petits parce qu'ils sont souvent coupés.*
illustr. p. 402

tain n.m. *Le tain d'une glace est la couche d'étain appliquée derrière la glace et qui sert à réfléchir la lumière.*
✹ Ne pas confondre avec **teint** et **thym**.

taire v. 3e groupe. SENS 1. *Il a tu son secret jusqu'au bout,* il ne l'a pas dit (= cacher ; ≠ révéler). SENS 2. *Chut ! taisez-vous!,* ne parlez pas, gardez le silence.
✹ Conj. n° 78.

talc n.m. *Le talc est une poudre blanche d'origine minérale qui était employée pour les soins de la peau.*

■ **talquer** v. 1er groupe. *Maman talquait les fesses de bébé,* elle y mettait du talc.

talé, ée adj. *Un fruit talé est un fruit meurtri* (= blet).

talent n.m. *Cet acteur a du talent,* il joue bien.

■ **talentueux, euse** adj. *Charlotte est déjà une pianiste talentueuse,* pleine de talent.

talisman n.m. *Valérie tient beaucoup à cette bague, elle dit que c'est son talisman,* un objet auquel elle attribue un pouvoir magique.

talkie-walkie n.m. *Les policiers communiquent entre eux grâce à des talkies-*

935

walkies, de petits appareils portatifs de radio émetteurs et récepteurs.
✸ On prononce [tokiwoki].

1. taloche n.f. Fam. *Ces garnements ont reçu quelques* **taloches**, des gifles.

illustr. **2. taloche** n.f. *Le plâtrier étale le*
p. 157 *ciment avec une* **taloche**, *une planche munie d'une poignée.*

illustr. **talon** n.m. SENS 1. *J'ai mal au* **talon**
p. 217, *gauche*, à l'arrière du pied. ◆ **Tourner les talons**, c'est faire demi-tour et repartir en
1011 courant. SENS 2. *Mes* **talons** *sont usés*, la partie arrière de la chaussure. SENS 3. *Papa a écrit le montant de son chèque sur le* **talon**, la partie qui reste dans le carnet quand on détache le chèque (= souche).

■ **talonner** v. 1er groupe. [SENS 1] *Le fuyard* **est talonné** *par la police*, il est suivi de très près.

talquer → **talc**

illustr. **talus** n.m. *Le camion a percuté le* **talus**,
p. 845 la partie en pente qui borde la route.

tamanoir n.m. Le **tamanoir** est un grand mammifère d'Amérique du Sud qui se nourrit d'insectes à l'aide de sa longue langue visqueuse.

tamaris n.m. Les **tamaris** sont des arbustes à petites fleurs roses.
✸ On prononce le « s » final : [tamaris].

tambour n.m. SENS 1. *Les soldats jouent du* **tambour**, ils frappent avec deux baguettes une caisse ronde fermée à chaque bout par une peau tendue. SENS 2. *Voici le* **tambour** *de la fanfare*, celui qui joue du tambour. SENS 3. *Les policiers ont mené l'affaire* **tambour battant**, vite, sans traîner. SENS 4. *Il est parti* **sans tambour ni trompette**, sans bruit, en secret.

illustr. ■ **tambourin** n.m. [SENS 1] *Nous dan-*
p. 310 *sons au son du* **tambourin**, un petit tambour.

■ **tambouriner** v. 1er groupe. [SENS 1] *Anaïs* **tambourine** *sur la vitre*, elle frappe de petits coups rapides avec ses doigts.

tamis n.m. *On sépare les graviers du* *illustr.*
sable avec un **tamis**, un récipient percé *p. 156,*
de petits trous (= crible). *41*

■ **tamiser** v. 1er groupe. **Tamiser** de la farine, c'est la passer au tamis.

■ **tamisé, ée** adj. *Il y a dans la chambre du malade une lumière* **tamisée**, atténuée (= doux ; ≠ cru).

tampon n.m. SENS 1. *Le douanier a* *illustr.*
apposé un **tampon** *sur mon passeport*, *p. 123*
une inscription faite en appliquant une petite plaque gravée que l'on encre. SENS 2. *Les* **tampons** *placés à chaque bout des wagons servent à amortir les chocs*, des gros disques. SENS 3. *Il se bouche les oreilles avec des* **tampons** *de coton*, du coton roulé en boule.

■ **tamponner** v. 1er groupe. [SENS 1] **Tamponner** un timbre, c'est le marquer d'un tampon (= oblitérer, estampiller). [SENS 2] *Les deux voitures* **se sont tamponnées**, elles se sont heurtées. [SENS 3] *Elle* **se tamponne** *les yeux avec son mouchoir*, elle sèche ses larmes.

■ **tamponnement** n.m. [SENS 2] *Le* **tamponnement** *des deux trains a fait plusieurs blessés* (= collision).

■ **tamponneur, euse** adj. [SENS 2] *À la* *illustr.*
foire, on a fait un tour dans les autos *p. 530*
tamponneuses, des petites voitures électriques équipées pour se tamponner.

tam-tam n.m. *En Afrique, on danse au son des* **tam-tams**, des tambours en bois.
✸ Au pluriel, on écrit des **tam-tams**.

tanche n.f. *M. Legendre a pêché une* *illustr.*
tanche *dans l'étang*, un poisson d'eau *p. 845*
douce.

tandem n.m. SENS 1. *Tu as déjà fait du* **tandem** ?, une bicyclette spéciale à deux places. SENS 2. *Pascal et François for-*

ment un joyeux **tandem**, un groupe de deux personnes inséparables.

tandis que conj. Ce mot exprime l'opposition : *tu joues, **tandis que** moi, je travaille* (= alors que, pendant que).

tangage → *tanguer*

illustr. p. 431 **tangent, ente** adj. SENS 1. *Une droite est **tangente** à un cercle quand elle le touche sans le couper.* SENS 2. *Stéphanie a réussi son examen, mais c'était **tangent** !,* elle a failli échouer.

tangible adj. *J'aimerais avoir des preuves **tangibles** de sa bonne foi !,* des preuves évidentes, réelles (= concret).

tango n.m. *Ramon et Inès connaissent tous les pas du **tango**,* une danse d'origine argentine.

tanguer v. 1er groupe. *La mer était mauvaise et le bateau **tanguait**,* il se balançait de l'avant vers l'arrière.
■ **tangage** n.m. *La houle provoquait un léger **tangage**.* → *roulis*

tanière n.f. *Le renard s'est réfugié dans sa **tanière**,* le trou où il se cache (= terrier).

tank n.m. *Les **tanks** ennemis ont attaqué,* les chars d'assaut.

tanner v. 1er groupe. SENS 1. *On **tanne** une peau d'animal pour en faire du cuir,* on lui fait subir une préparation spéciale. SENS 2. Fam. *Romain **tanne** ses parents pour avoir un vélo,* il le leur demande tout le temps.
■ **tannage** n.m. [SENS 1] *Le **tannage** empêche les peaux de pourrir,* l'opération qui consiste à les tanner.
■ **tannerie** n.f. [SENS 1] *Il y a une **tannerie** près de la rivière,* une usine où l'on tanne les peaux.
■ **tanneur** n.m. [SENS 1] *Le **tanneur** a pour métier de tanner les peaux.*

tant adv. SENS 1. *Ne mange pas **tant** de bonbons !,* une si grande quantité (= autant, tellement). SENS 2. *Tu as réussi ton examen ? **Tant mieux**,* c'est bien, je suis content. *Si tu ne peux pas venir, **tant pis**,* cela ne fait rien. SENS 3. *Elle a été engagée **en tant que** secrétaire,* en qualité de secrétaire (= à titre de, comme).
■ **tant que** conj. *Allons nous promener **tant qu**'il fait beau,* pendant qu'il fait beau. *J'attendrai **tant qu**'il faudra,* aussi longtemps que (= autant que).
■ **tant** pron. indéf. *Je gagne **tant** par mois,* telle somme d'argent.
❋ Ne pas confondre avec un **taon** et le **temps**.

tante n.f. ***Tante** Marie est la sœur de mon père et **tante** Odette est la femme du frère de mon père.* *illustr. p. 679*

un **tantinet** adv. Fam. *Vous arrivez **un tantinet** trop tard,* un petit peu trop tard.

tantôt adv. SENS 1. ***Tantôt** il rit, **tantôt** il pleure,* à un moment..., à un autre moment. SENS 2. Fam. *Je reviendrai **tantôt**,* cet après-midi.

taon n.m. *J'ai été piqué par un **taon**,* une sorte de grosse mouche. *illustr. p. 385*
❋ On prononce [tã]. Ne pas confondre avec **tant** (adverbe) et le **temps**.

tapage n.m. SENS 1. *Tu entends ce **tapage** à côté ?,* ces bruits violents (= vacarme, tintamarre). SENS 2. *On a fait beaucoup de **tapage** autour de cette affaire,* on en a beaucoup parlé (= bruit).
■ **tapageur, euse** adj. [SENS 2] *Ce film bénéficie d'une publicité **tapageuse**,* qui cherche à attirer l'attention (≠ discret).

tapant, ante adj. Fam. *Elle est arrivée à midi **tapant** et est repartie à 3 heures **tapantes**,* à midi, à 3 heures exactement (= fam. pile).

tape → *taper*

937

taper v. 1er groupe. SENS 1. *Le méca-*
illustr. *nicien **tape** sur un rivet à coups de*
p. 503 *marteau* (= frapper). SENS 2. *Tu sais **taper***
à la machine ?, te servir d'une machine
à écrire. SENS 3. Fam. *Le soleil **tape** dur*
aujourd'hui, il est très chaud.

■ **tape** n.f. [SENS 1] *J'ai reçu une grande*
***tape** dans le dos, c'était Paul,* un coup
donné avec la main.

■ **tapoter** v. 1er groupe. [SENS 1] *Maman*
***tapote** la joue de bébé,* elle lui donne de
légères tapes.

en **tapinois** adv. *Jean est entré dans la*
*pièce **en tapinois**,* en se cachant (= discrètement, en catimini).

tapioca n.m. *Ce soir, il y a du potage*
*au **tapioca**,* fait avec des petits flocons
blancs tirés du manioc.

tapir n.m. *Le **tapir** est un mammifère*
d'Asie et d'Amérique de la taille d'un
cochon, dont le nez se prolonge en une
courte trompe.

se **tapir** v. 2e groupe. *Le chat **s'est tapi***
sous le lit, il s'y est caché, en se
ramassant sur lui-même (= se blottir).

illustr. **tapis** n.m. SENS 1. *Un **tapis** est une pièce*
p. 74, de tissu assez épais dont on recouvre
333, le sol. SENS 2. *Un **tapis** roulant,* c'est
912, une longue bande souple qui se déplace
530 de façon continue sur des rouleaux
pour transporter des personnes ou des
objets. SENS 3. **Mettre** une question **sur le**
tapis, c'est amener la discussion sur ce
sujet.

tapisser v. 1er groupe. *On **a tapissé** le*
mur avec du papier peint, on l'a recouvert.

illustr. ■ **tapisserie** n.f. SENS 1. *Les murs du*
p. 164, *château étaient couverts de **tapisseries**,*
des panneaux décoratifs tissés avec
des fils de laine et ornés de dessins.
228 SENS 2. *Hélène fait de la **tapisserie**,* une
broderie exécutée à l'aiguille sur un
canevas.

■ **tapissier** n.m. *Il faut faire recouvrir ce*
*fauteuil par un **tapissier**,* quelqu'un qui
pose des tentures, des tissus.

tapoter → **taper**

taquet n.m. *Un **taquet** est une pièce de*
bois ou de métal servant à caler ou à
bloquer un mécanisme.

taquiner v. 1er groupe. *Mais non, ce*
n'est pas vrai, je disais ça juste pour te
***taquiner** !* (= agacer, faire enrager).

■ **taquinerie** n.f. *Pascal adore la **taqui-***
***nerie**,* taquiner les autres.

■ **taquin, ine** adj. *Julie est très **taquine**,*
elle prend plaisir à taquiner.

tarabiscoté, ée adj. *Une écriture*
***tarabiscotée** est chargée d'ornements*
excessifs (= compliqué).

tarabuster v. 1er groupe. Fam. *Parle*
donc gentiment à ce garçon au lieu de
*le **tarabuster**,* de le traiter durement
(= rudoyer, malmener, harceler).

tard adv. SENS 1. *Il est midi, tu te lèves* *illustr.*
***tard** !,* après l'heure habituelle (≠ tôt). *p. 945*
●● **retard**. SENS 2. *Tu es arrivé **trop tard**,*
après le moment convenable. SENS 3. *On*
*verra ça **plus tard**,* à un autre moment
dans l'avenir (= ultérieurement).
✳ Ne pas confondre avec une **tare**.

■ **tarder** v. 1er groupe. [SENS 1] *Je suis*
*inquiet, Jean **tarde** à rentrer,* il rentre
plus tard que d'habitude. ●● **s'attarder**.
◆ *L'autobus ne va plus **tarder**,* il sera
bientôt là. ◆ *Il me **tarde** de connaître le*
résultat, j'ai hâte de le connaître.

■ **tardif, ive** adj. [SENS 1] *Tu rentres à*
*une heure bien **tardive** !,* il est tard.

tare n.f. SENS 1. *La **tare** est le poids de*
l'emballage d'une marchandise. SENS 2.
*Ce cheval a une **tare**,* un défaut de
naissance.
✳ Ne pas confondre avec **tard** (adverbe).

■ **taré, ée** adj. [SENS 2] *Ce cheval est*
***taré**,* il a une tare.

tarentule n.f. La **tarentule** est une araignée dont la piqûre est venimeuse.

illustr. p. 572 **targette** n.f. *Cette porte se ferme avec une **targette**,* un petit verrou constitué d'une plaque ou d'un cylindre qu'on fait coulisser.

se **targuer** v. 1er groupe. *Il **se targue** d'être le plus fort,* il s'en vante (= se flatter).

tarif n.m. *Le **tarif** des consommations est affiché dans le café,* le détail des prix.

tarir v. 2e groupe. SENS 1. *La source **a tari*** (ou ***s'est tarie**),* l'eau ne coule plus (= s'assécher). SENS 2. *Pierre **ne tarit pas** d'éloges à ton sujet,* il n'arrête pas d'en faire. ●● *intarissable*

tarot n.m. *Nous avons fait une partie de **tarot**,* un jeu de cartes qui se joue avec 78 cartes spéciales.

tartare adj. *Un **steak tartare** est un steak fait avec de la viande hachée crue.*

illustr. p. 150 **tarte** n.f. *Une **tarte** est une pâtisserie plate faite d'une pâte que l'on fait cuire et que l'on recouvre de fruits ou de légumes.*

■ **tartelette** n.f. *Une **tartelette** est une petite tarte pour une personne.*

tartine n.f. *Au petit déjeuner, je mange des **tartines** beurrées,* des tranches de pain.

■ **tartiner** v. 1er groupe. *Du fromage à tartiner est du fromage qu'on étale sur le pain.*

tartre n.m. SENS 1. *La brosse à dents enlève le **tartre**,* le dépôt jaunâtre qui se forme sur les dents. SENS 2. *Il y a du **tartre** au fond de la théière,* un dépôt calcaire. ●● *détartrer, entartrer*

tartufe n.m. *Ne te fie pas à son air aimable, c'est un **tartufe**,* un hypocrite. ✳ On écrit aussi **tartuffe**.

tas n.m. SENS 1. *Il faut jeter ce **tas** de journaux,* ces journaux placés les uns sur les autres (= pile). ●● *entasser*. → *amas, monceau*. SENS 2. Fam. *Hubert connaît **un tas de** gens à Paris,* un grand nombre (= foule, masse). *illustr. p. 556*

tasse n.f. SENS 1. *J'ai cassé une **tasse** à thé,* un petit récipient avec une anse pour boire. SENS 2. *Je boirais bien une **tasse** de café,* le contenu d'une tasse. SENS 3. Fam. *Marc est tombé du matelas pneumatique et il **a bu la tasse**,* il a avalé de l'eau sans le vouloir. *illustr. p. 238*

tasseau n.m. *Les planches de l'étagère sont soutenues par des **tasseaux**,* des pièces de bois. ✳ Au pluriel, on écrit des **tasseaux**.

tasser v. 1er groupe. SENS 1. *Laure **tasse** ses vêtements dans la valise,* elle appuie dessus pour qu'ils s'aplatissent (= bourrer, comprimer). SENS 2. *On était **tassés** dans le métro,* on était serrés les uns contre les autres. SENS 3. Fam. *Adrien est en colère, mais ça va **se tasser**,* se calmer, s'arranger.

■ **tassement** n.m. [SENS 1] *Il y a eu ici un **tassement** du sol* (= affaissement).

tatami n.m. *On pratique le judo, le karaté sur un **tatami**,* un tapis spécial. *illustr. p. 912*

tâter v. 1er groupe. SENS 1. *Tu as vu ma bosse ? tiens **tâte**,* touche avec la main pour mieux te rendre compte. SENS 2. Fam. *J'ai **tâté le terrain**, je crois que Marie va venir avec nous,* j'ai essayé de savoir discrètement. SENS 3. Fam. *Je ne sais pas si je vais avec vous, je **me tâte**,* je pèse le pour et le contre (= hésiter, s'interroger).

■ **tâtonner** v. 1er groupe. [SENS 1] *J'avançais dans le noir en **tâtonnant**,* en tâtant les murs, les meubles, etc., pour me guider. ◆ *La police **tâtonne** dans ses recherches,* elle avance lentement et de façon imprécise.

■ **tâtonnement** n.m. [SENS 1] *Après bien des **tâtonnements** dans le noir, j'ai*

939

LES TÉLÉCOMMUNICATIONS

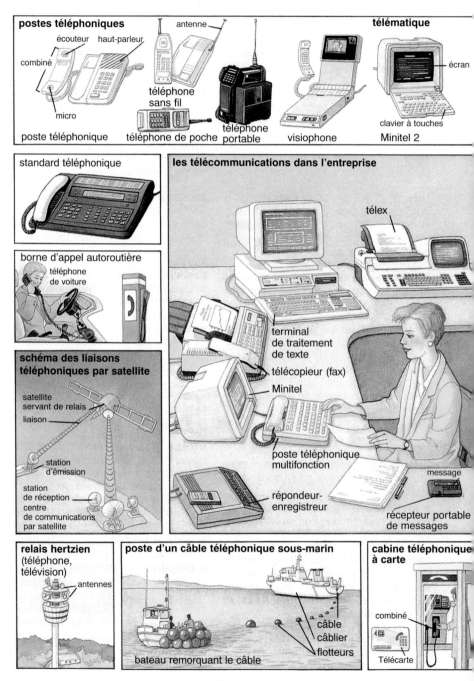

postes téléphoniques

écouteur   haut-parleur

combiné

micro

poste téléphonique

antenne

téléphone
sans fil

téléphone de poche

téléphone
portable

visiophone

télématique

écran

clavier à touches

Minitel 2

standard téléphonique

borne d'appel autoroutière

téléphone
de voiture

**schéma des liaisons
téléphoniques par satellite**

satellite
servant de relais

liaison

station
d'émission

station
de réception

centre
de communications
par satellite

les télécommunications dans l'entreprise

télex

terminal
de traitement
de texte

télécopieur (fax)

Minitel

poste téléphonique
multifonction

répondeur-
enregistreur

message

récepteur portable
de messages

relais hertzien
(téléphone,
télévision)

antennes

poste d'un câble téléphonique sous-marin

câble
câblier
flotteurs

bateau remorquant le câble

**cabine téléphonique
à carte**

combiné

Télécarte

940

retrouvé la sortie. ◆ *L'enquête a com-
mencé par des* **tâtonnements**, *des recherches au hasard.*

■ à **tâtons** adv. [SENS 1] *Nous cher-
chions* à **tâtons** *l'interrupteur,* en tâtonnant (= à l'aveuglette).

tatillon, onne adj. Fam. *M. Dubois est
tatillon,* trop minutieux, trop attaché aux
détails (= pointilleux).

tâtonnement, tâtonner, à tâtons
→ **tâter**

tatouage n.m. *Ce matelot a des* **ta-
touages**, *des dessins, des inscriptions à
l'encre incrustés dans la peau.*

■ **tatouer** v. 1er groupe. *Ce marin s'est
fait* **tatouer** *le bras,* faire un tatouage.

taudis n.m. *Ces pauvres gens vivent
dans un* **taudis**, *un logement misérable.*

*illustr.
p. 746*
taupe n.f. *La* **taupe** *est un petit animal
noir qui vit sous terre et creuse des
galeries.*

■ **taupinière** n.f. *Il y a des* **taupinières**
dans le potager, des tas de terre que les
taupes rejettent à la surface du sol en
creusant.

*illustr.
p. 397,
691*
taureau n.m. *Attention au* **taureau**, *il
peut être méchant !,* le mâle de la vache.
✹ Au pluriel, on écrit des **taureaux**.

■ **tauromachie** n.f. *La corrida est un
spectacle de* **tauromachie**, *de combat
contre les taureaux.* → **torero**

taux n.m. *M. Clermont a placé ses
économies au* **taux** *de six pour cent
(6 %),* cent euros lui rapportent six euros
par an.

tavelé, ée adj. *Un fruit* **tavelé** *est un
fruit qui présente des petites taches
appelées* **tavelures**.

taverne n.f. *Une* **taverne** *est un café-
restaurant de genre rustique.* → **auberge**

taxe n.f. *On paie une* **taxe** *sur les
produits de luxe,* une sorte d'impôt (= redevance). ●● **surtaxe**

■ **taxer** v. 1er groupe. *L'alcool* **est taxé**,
on paie une taxe en plus de son prix.
●● **détaxer**. ◆ *Vous risquez de vous
faire* **taxer** *de folie* (= accuser).

taxi n.m. *J'ai pris un* **taxi** *pour venir chez
toi,* une voiture conduite par un chauffeur
à qui l'on paie le prix du trajet.

te pron. pers. **Te** est le pronom de la
deuxième personne du singulier quand il
est complément : *je* **te** *vois.*
✹ **Te** devient **t'** devant une voyelle ou un
« h » muet : *je* **t'**appelle *; tu* **t'**habilles *?*

té n.m. *Le dessinateur trace des lignes
avec son* **té**, *une règle en forme de T.*
*illustr.
p. 51*

technique n.f. *Les* **techniques** *du cinéma, du bâtiment, etc., sont les méthodes et les procédés utilisés dans ces
domaines.*

■ **technique** adj. *L'enseignement* **technique** *prépare au métier de technicien. Le
menuisier emploie des mots* **techniques**
que je ne comprends pas, des mots qui
font partie du vocabulaire particulier de
son métier (≠ courant).

■ **technicien, enne** n. *Pour faire réparer votre téléviseur, adressez-vous à un
technicien,* un spécialiste des techniques de la télévision.
*illustr.
p. 502*

■ **technocrate** n. *Au ministère, je n'ai
rencontré que des* **technocrates**, *des
spécialistes ayant une haute formation
technique mais pas d'expérience pratique.*

■ **technologie** n.f. *La* **technologie** *est
l'étude des techniques et du matériel
utilisés dans l'industrie.*

teck ou **tek** n.m. *Les meubles du jardin
sont en* **teck**, *un bois tropical très dur qui
ne pourrit pas.*

teckel n.m. *Le* **teckel** *est un chien de
petite taille de la même famille que le
basset.*

illustr.
p. 1010

tee-shirt n.m. Un **tee-shirt** est un maillot de corps sans col, à manches et qui a la forme d'un T quand on le pose à plat.
✳ On prononce [tiʃœrt]. On écrit aussi **T-shirt**. Au pluriel, on écrit des **tee-shirts**.

tégument n.m. Le **tégument** est l'enveloppe qui entoure une graine.

teigne n.f. Fam. *Quelle **teigne**, cette fille !*, qu'elle est méchante, désagréable !

teindre v. 3ᵉ groupe. *J'ai fait **teindre** mon manteau en noir,* je lui ai fait donner cette couleur (= colorer). ●● **déteindre**
✳ Conj. nº 55.

■ **teint** n.m. *Julie a le **teint** clair,* la couleur de son visage est claire.
✳ Ne pas confondre avec **tain** et **thym**.

■ **teinte** n.f. *Les **teintes** de ce tissu sont très jolies,* les couleurs (= nuance, coloris, ton). ●● **demi-teinte**

■ **teinter** v. 1ᵉʳ groupe. *Tu mets des lunettes à verres **teintés** ?*, légèrement colorés (= colorer).
✳ Ne pas confondre avec **tinter**.

■ **teinture** n.f. *Tes cheveux sont roux, tu t'es fait faire une **teinture** ?*, tu les as fait teindre ?

■ **teinturier, ère** n. *Il ne faut pas laver cette robe, il vaut mieux la donner au **teinturier**,* la personne chez qui on fait nettoyer ou teindre les vêtements.

■ **teinturerie** n.f. La **teinturerie** est la boutique du teinturier.

tel, telle adj. SENS 1. *Je ne m'attendais pas à une **telle** surprise,* à une pareille surprise (= semblable). SENS 2. *Elle est **telle** que je pensais* (= comme). SENS 3. *Tu as fait un **tel** bruit que tout le monde a été réveillé,* un si grand bruit. SENS 4. *On n'a rien changé, tout est resté **tel quel**,* pareil. SENS 5. *Tu devrais aller nager, il n'y a **rien de tel** pour être en forme,* rien d'aussi bon. SENS 6. pron. *Un jour il s'adresse à **un tel**, un jour à un autre,* à une certaine personne.

télé- préfixe. Placé au début d'un mot, **télé-** indique que quelque chose a lieu à distance : ***télé**commander.*

télé ⟶ *télévision*

télécabine n.f. *Les skieurs montent dans une **télécabine** pour arriver en haut des pistes,* une des petites cabines fixées à un câble à intervalle régulier.

illustr. p. 894

Télécarte n.f. *La **Télécarte** sert à téléphoner dans une cabine téléphonique.*
✳ **Télécarte** est un nom de marque, il s'écrit avec une majuscule dans les textes imprimés.

illustr. p. 940

télécommander v. 1ᵉʳ groupe. *Léo **télécommande** adroitement sa petite voiture électrique,* il la commande à distance (= téléguider). ●● **commander**

■ **télécommande** n.f. *On peut changer de programme de télévision en manœuvrant la **télécommande**,* le boîtier de commande à distance.

illustr. p. 862

télécommunications n.f. pl. *Les **télécommunications** sont l'ensemble des moyens permettant d'écrire ou de parler à distance, comme le téléphone, le télégraphe, la télécopie.*

illustr. p. 940, 502, 203

télécopie n.f. *La **télécopie** est un service des télécommunications qui permet de transmettre des documents grâce au téléphone et à un appareil spécial appelé « télécopieur »* (= fax).

illustr. p. 940

téléfilm ⟶ *télévision*

télégramme n.m. *J'ai reçu un **télégramme** de David, il arrive demain,* un message court envoyé par télégraphe.

■ **télégraphier** v. 1ᵉʳ groupe. *Il faut **télégraphier** à Henri que son père est malade,* lui envoyer un télégramme.

■ **télégraphe** n.m. *Le **télégraphe** est un système qui permet d'envoyer très rapidement des messages écrits.*

illustr. p. 503

illustr.
p. 971,
503
■ **télégraphique** adj. Les poteaux télégraphiques supportent les fils du télégraphe. ◆ Un style **télégraphique** est une manière d'écrire un texte de façon très brève, très concise.

illustr.
p. 503
■ **télégraphiste** n. Le **télégraphiste** apportait les télégrammes à domicile.

téléguider v. 1er groupe. *La fusée est* **téléguidée** *depuis la base spatiale*, elle est guidée à distance (= télécommander). ●● *guide*

illustr.
p. 940
télématique n.f. La **télématique** est l'ensemble des services informatisés fournis par les réseaux de télécommunications.

télémètre n.m. Un **télémètre** est un appareil permettant de mesurer la distance d'un objet éloigné.

téléobjectif n.m. *J'ai photographié des oiseaux au* **téléobjectif**, avec un objectif photographique grossissant qui permet de photographier de loin.

illustr.
p. 894,
617
téléphérique n.m. *Pour monter au glacier, on a pris le* **téléphérique**, une cabine suspendue à des câbles.

illustr.
p. 940,
503
téléphone n.m. Un **téléphone** est un appareil relié à un circuit électrique qui permet de se parler d'un endroit à un autre qui peut être très éloigné. *Le* **téléphone** *sonne, va répondre ! Est-ce que tu as reçu des* **coups de téléphone** ?, des communications téléphoniques (= coup de fil).

■ **téléphoner** v. 1er groupe. *Je te* **téléphonerai** *ce soir*, je te parlerai au téléphone (= appeler).

illustr.
p. 940
■ **téléphonique** adj. *On peut téléphoner dans une cabine* **téléphonique**.

télescospage → *télescoper*

illustr.
p. 202
télescope n.m. *On peut voir les étoiles au* **télescope**, une grande lunette.

télescoper v. 1er groupe. *Les deux voitures* **se sont télescopées**, elles sont entrées en collision (= se tamponner).

■ **télescopage** n.m. Le **télescopage** des deux véhicules est dû à une fausse manœuvre.

télescopique adj. Une antenne **télescopique** est faite d'éléments qui peuvent s'emboîter les uns dans les autres.
illustr.
p. 75

télésiège n.m. *Le* **télésiège** *nous a conduits au sommet de la montagne*, des sièges accrochés à un câble.
illustr.
p. 894

téléski n.m. *Les skieurs remontent la pente grâce au* **téléski**, un appareil qui tire les skieurs (= remonte-pente).

télévision n.f. SENS 1. La **télévision** est une technique qui permet de transmettre par ondes électriques des images qui sont reçues sur les écrans d'appareils appelés **postes de télévision**. SENS 2. *Tu ne vas pas passer tout l'après-midi devant la* **télévision** ?, devant l'écran du téléviseur.
illustr.
p. 503

❋ On dit, familièrement, la **télé**.

■ **téléviseur** n.m. [SENS 1] *Le* **téléviseur** *est en panne*, le poste de télévision.
illustr.
p. 862

■ **téléviser** v. 1er groupe. [SENS 1] *Le match* **sera télévisé**, il sera retransmis à la télévision.

■ **téléfilm** n.m. [SENS 1] Un **téléfilm** est un film réalisé pour la télévision.

■ **téléspectateur, trice** n. [SENS 2] *Les* **téléspectatrices** *ont été nombreuses à téléphoner*, les personnes qui regardent une émission de télévision.

télex n.m. Un **télex** est un procédé de transmission instantanée à distance de messages écrits.
illustr.
p. 940,
503

tellement adv. *Pascal a* **tellement** *changé que je ne le reconnais pas*, il a changé à un tel degré, à tel point (= tant).

téméraire adj. *Il faut être bien* **téméraire** *pour plonger de si haut !*, un peu trop hardi et imprudent (= audacieux, intrépide ; ≠ prudent).

▪ **témérité** n.f. *Quelle **témérité** de se risquer seul dans cette ascension !* (= audace, imprudence).

témoigner v. 1er groupe. SENS 1. *Après l'accident, on m'a demandé de **témoigner**,* de dire ce que j'en savais, ce que j'avais vu. SENS 2. *Il m'a **témoigné** toute sa sympathie,* il m'en a donné l'assurance (= marquer, montrer, manifester).

▪ **témoignage** n.m. [SENS 1] *Le **témoignage** de M. Roussel a permis d'établir l'innocence de l'accusé,* les preuves qu'il a apportées en tant que témoin (= déclaration, déposition). [SENS 2] *Ces fleurs sont un **témoignage** de mon affection,* une marque qui la prouve.

illustr. p. 733, 1011

▪ **témoin** n.m. [SENS 1] *J'ai été **témoin** d'un accident,* je l'ai vu et je peux donner des détails. *Je vous **prends** à **témoin** de sa mauvaise foi,* je vous demande de la remarquer pour pouvoir en témoigner. ◆ *Dans une course de relais, le **témoin** est le petit bâton que les athlètes se passent de main en main.*

illustr. p. 217

tempe n.f. *La **tempe** est le côté de la tête, entre l'œil et l'oreille.*

tempérament n.m. SENS 1. *Michel est d'un **tempérament** gai,* d'un caractère gai (= nature, naturel). SENS 2. *Papa a acheté sa voiture **à tempérament**,* il la possède mais il la paie peu à peu (= à crédit).

tempérance n.f. *La **tempérance** est recommandée aux automobilistes,* on leur recommande de ne pas boire d'alcool (= sobriété ; ≠ intempérance).

température n.f. SENS 1. *La **température** est douce pour la saison,* le degré de chaleur ou de froid de l'air extérieur. SENS 2. *Rémi a 39 °C, il a de la **température**,* de la fièvre.

illustr. p. 868

tempérer v. 1er groupe. *Tu as été trop brutal, il faudrait **tempérer** tes paroles,* les modérer (= adoucir, atténuer). ✳ Conj. n° 10.

▪ **tempéré, ée** adj. *La France a un climat **tempéré**,* ni trop chaud ni trop froid (= doux).

tempête n.f. *Plusieurs bateaux ont fait naufrage pendant la **tempête**,* le vent violent accompagné de pluie.

temple n.m. SENS 1. *À Athènes, on a visité des **temples** grecs,* des édifices construits par les Grecs pour leurs dieux. SENS 2. *Le dimanche, les protestants vont au **temple**,* un bâtiment qui est réservé à leur culte.

illustr. p. 41, 821

temporaire, temporairement
→ *temps*

temporel, elle adj. *La richesse, la santé sont des biens **temporels**,* qui concernent les choses matérielles, la vie terrestre (≠ spirituel). ✳ Ne pas confondre avec **temporaire**.

temps n.m. SENS 1. *Une pendule sert à mesurer le **temps**,* la durée (les minutes, les heures, les jours, etc.) SENS 2. *Combien de **temps** mets-tu pour aller à l'école ? Dix minutes.* SENS 3. *Non, je n'ai pas le **temps** de jouer avec toi,* je n'ai pas de moment libre, je suis pressé (= loisir). *Prenez votre **temps**,* ne vous pressez pas. *Tu **perds ton temps** à les attendre,* elles ne viendront pas, cela ne sert à rien (= gaspiller). SENS 4. *Il est **temps** de partir,* le moment est venu. SENS 5. *Aurais-tu aimé vivre au **temps** des Gaulois ?,* à leur époque. SENS 6. *Quel **temps** fait-il aujourd'hui ?,* est-ce qu'il fait beau ou non ? SENS 7. *En grammaire, les **temps** du verbe sont les ensembles de formes de conjugaison des différents modes : présent, imparfait, futur, etc.* SENS 8. *La valse est un air à trois **temps**,* à trois unités par mesure. SENS 9. *On est arrivé juste **à temps** pour prendre le train,* assez tôt (= à l'heure). *Je vois*

illustr. p. 945, 991

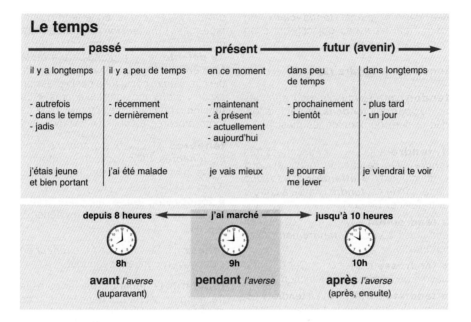

Le temps

————— **passé** —————————— **présent** ————— **futur (avenir)** ——→

il y a longtemps	il y a peu de temps	en ce moment	dans peu de temps	dans longtemps
- autrefois - dans le temps - jadis	- récemment - dernièrement	- maintenant - à présent - actuellement - aujourd'hui	- prochainement - bientôt	- plus tard - un jour
j'étais jeune et bien portant	j'ai été malade	je vais mieux	je pourrai me lever	je viendrai te voir

depuis 8 heures ←——— **j'ai marché** ———→ jusqu'à 10 heures

8h   **9h**   **10h**

avant *l'averse*   **pendant** *l'averse*   **après** *l'averse*
(auparavant)   (après, ensuite)

Franck **de temps en temps**, quelquefois. *Elle chante* **tout le temps**, sans arrêter (= toujours). **Dans le temps**, *on labourait avec des bœufs* (= autrefois, jadis). *Il pleut ici* **la plupart du temps**, *le plus souvent*.

✳ Ne pas confondre avec un **taon**.

■ **temporaire** adj. [SENS 2] *La boutique rouvrira bientôt : sa fermeture est* **temporaire**, *elle ne durera qu'un temps limité* (= momentané, provisoire ; ≠ durable, définitif, perpétuel).

✳ Ne pas confondre avec **temporel**.

■ **temporairement** adv. [SENS 2] *M. Dubois est absent* **temporairement**, *pour peu de temps* (= momentanément).

■ **temporiser** v. 1er groupe. *Il faut tâcher de* **temporiser**, *de gagner du temps, de faire durer la situation actuelle.*

tenable → *tenir*

tenace adj. SENS 1. *Non, je n'abandonnerai pas, je suis* **tenace**, *je persévère dans ce que je fais* (= opiniâtre, obstiné, persévérant). SENS 2. *Une fièvre* **tenace**

est une fièvre qu'on n'arrive pas à faire baisser (= persistant, durable).

■ **ténacité** n.f. *Quelle* **ténacité** *! il n'a pas renoncé à son projet !* (= obstination, entêtement).

tenailler v. 1er groupe. *La faim le* **tenaille**, *le fait souffrir cruellement*.

tenailles n.f. pl. *Passe-moi les* **tenailles** *pour arracher ce clou !*, *une pince aux extrémités plates ou coupantes.* *illustr. p. 117, 995*

tenancier → *tenir*

tenant, ante SENS 1. n. *Au championnat du monde de saut, le* **tenant du titre** *a été battu*, *celui qui l'avait*. SENS 2. n.m. *M. Vandamme possède cent vingt hectares* **d'un seul tenant**, *formant un tout sans séparations*. SENS 3. adj. *Quand il a reçu le télégramme, il est parti* **séance tenante**, *immédiatement, sur-le-champ*.

tendance → *tendre (2)*

tendancieux, euse adj. *Il faut prendre avec prudence cette information don-*

née par un journal **tendancieux**, un journal qui n'est pas objectif, qui a un parti pris (= partial).

tendeur ⟶ **tendre (2)**

tendon n.m. Les muscles sont attachés aux os par des **tendons**, la partie allongée et dure qui termine les muscles.

1. tendre adj. SENS 1. Pascal est très **tendre** avec sa fiancée, gentil et doux (= affectueux). ●● **attendrir**. SENS 2. Que cette viande est **tendre** !, facile à couper et à mâcher (≠ dur).

■ **tendrement** adv. [SENS 1] La maman embrasse son bébé **tendrement**, avec tendresse.

■ **tendresse** n.f. [SENS 1] Cet enfant a besoin de **tendresse**, d'affection douce.

■ **tendreté** n.f. [SENS 2] La **tendreté** est la qualité d'une viande tendre.

2. tendre v. 3ᵉ groupe. SENS 1. La corde n'est pas assez **tendue**, tirée pour être bien raide (≠ détendre). ●● **extensible**. SENS 2. On **a tendu** les murs de tissu, on les a couverts. ●● **tenture**. SENS 3. **Tendez-vous** la main, avancez-la l'un vers l'autre. SENS 4. Il m'**a tendu un piège**, il a cherché à me tromper. SENS 5. La température **tend à** s'élever, elle s'élève peu à peu. SENS 6. La situation **est tendue** entre les deux pays, elle est arrivée à un point qui peut aboutir à quelque chose de grave. Dans l'attente des résultats, Sonia était **tendue** (= contracté, nerveux).
⁕ Conj. nº 50.

■ **tendance** n.f. [SENS 5] Aurélien a **tendance** à exagérer, il y est porté, c'est dans sa nature (= penchant).

■ **tendeur** n.m. [SENS 1] Fixe bien les **tendeurs** de la tente, ce qui sert à tendre la toile. Les bagages sont fixés sur la galerie par des **tendeurs**, des cordons de caoutchouc.

■ **tension** n.f. [SENS 1] Si on augmente la **tension** d'une corde de guitare, le son devient plus élevé, si on la tend davantage. [SENS 6] La **tension** est grande entre ces deux pays, les relations sont tendues. ●● **détente**. ◆ Mon grand-père a de la **tension** (de l'**hypertension**), une maladie circulatoire constituée par la pression excessive du sang dans les artères. ◆ La **tension** d'un courant électrique, c'est sa force mesurée en volts (= voltage).

illustr. p. 869

ténèbres n.f. pl. Nous avancions dans les **ténèbres**, dans l'obscurité profonde.
⁕ Ce mot s'emploie surtout dans les textes écrits.

■ **ténébreux, euse** adj. Une affaire **ténébreuse** est obscure (= mystérieux ; ≠ clair).

teneur n.f. Ce vin a une forte **teneur** en alcool, il en contient beaucoup.

ténia n.m. Le **ténia** est un ver parasite très long qui vit parfois dans l'intestin de l'homme.
⁕ On dit aussi « ver solitaire ».

tenir v. 3ᵉ groupe. SENS 1. Tu peux me **tenir** mon sac ?, le garder à la main ou dans les bras. SENS 2. Le tableau ne **tient** pas bien, il n'est pas bien fixé. SENS 3. Cette table **tient** trop de place dans la pièce (= prendre, occuper). SENS 4. C'est M. Dupont qui **tient** cet hôtel, qui s'en occupe (= diriger, gérer). SENS 5. La maison **est** bien **tenue**, elle est bien entretenue. SENS 6. Je ne sais pas si on va tous **tenir** dans la voiture, y entrer. SENS 7. Romain **tient** de son père, il lui ressemble. SENS 8. Je **tiens à** ce livre, ne le perds pas !, j'y attache de l'importance (= être attaché à). SENS 9. Tu **tiens** vraiment **à** aller là-bas ?, tu en as envie ? (= désirer). SENS 10. **Tiens-toi** droit !, prends cette position. Ne fais pas comme Yves, il **se tient** mal à table, il se conduit en personne mal élevée. SENS 11. Je m'**en tiens à** ce qui était convenu, je ne change pas sur ce point. SENS 12. Il n'**a** pas **tenu** sa promesse, il ne l'a pas respectée. SENS 13. **Tenez** bon !, ne lâchez pas (= résister). SENS 14. Cette voiture **tient** bien **la route**, elle suit la direction voulue. SENS 15. Vous *n'êtes pas **tenu de** répondre*, obligé de répondre. SENS 16. *Je la **tiens pour** une fille sérieuse*, je la considère comme telle. ❋ Conj. n° 22.

■ **tenable** adj. [SENS 13] *La situation n'est plus **tenable***, on ne peut plus la supporter (= supportable ; ≠ intenable).

■ **tenancier, ère** n. [SENS 4] *La **tenancière** d'un café* est la personne qui le tient, le dirige.

illustr.
p. 736,
54

■ **tenue** n.f. [SENS 5] *Qui s'occupe de la **tenue** de la maison ?*, de l'entretien. [SENS 10] *Un peu de **tenue**, voyons !*, tenez-vous bien (= correction). [SENS 14] *Cette voiture a une bonne **tenue de route**, même par mauvais temps.* ◆ *Comment faut-il s'habiller ? – En **tenue** de sport,* en vêtements de sport.

illustr.
p. 913,

1016

tennis n.m. SENS 1. *Le **tennis** est un sport auquel on joue à deux ou à quatre avec une balle et des raquettes sur un terrain appelé « court ».* SENS 2. *Le **tennis** de table*, c'est le ping-pong. SENS 3. *J'ai oublié mes **tennis***, des chaussures de sport en toile blanche.

illustr.
p. 995

tenon n.m. *Il faut faire réparer ce fauteuil : un **tenon** est cassé*, une partie saillante destinée à être engagée dans une entaille appelée « mortaise ».

ténor n.m. *Il est **ténor** à l'Opéra*, chanteur avec une voix aiguë.

tension → **tendre (2)**

illustr.
p. 556

tentacule n.m. *La pieuvre a des **tentacules**, des sortes de bras souples qui lui servent à se déplacer et à capturer ses proies.* ❋ *Ce mot est du genre masculin.*

tentant, tentation, tentative
→ **tenter**

illustr.
p. 617,
277

tente n.f. *On a dormi sous la **tente***, un abri de toile que l'on installe avec des piquets et des cordes.

tenter v. 1er groupe. SENS 1. *Le sportif a **tenté** de sauter deux mètres*, il a

essayé de le faire (= s'efforcer). ***Tente ta chance***, essaie de gagner. SENS 2. *Ce voyage en Italie me **tente***, il me fait envie (= attirer).

■ **tentant, ante** adj. [SENS 2] *Ton offre est bien **tentante***, elle me fait envie (= séduisant, attirant).

■ **tentation** n.f. [SENS 2] *Ne m'offre pas de chocolats, je céderais à la **tentation** de les manger tous !*, à l'envie.

■ **tentative** n.f. [SENS 1] *À la deuxième **tentative**, le sportif a réussi son saut* (= essai).

tenture n.f. *Une **tenture** est une pièce de tissu qui décore un mur, qui recouvre une porte.*

illustr.
p. 164

ténu, ue adj. *Un fil **ténu** est un fil très fin, très mince.*

tenue → **tenir**

ter adj. *J'habite au 21 **ter**, rue de Rome*, au numéro qui vient après le 21, le 21 bis et avant le 22. ❋ On prononce [tɛr].

térébenthine n.f. *L'essence de **térébenthine** est un produit tiré de la résine de pin qui sert à diluer la peinture.* ❋ On prononce [terebɑ̃tin].

Tergal n.m. *Mon pantalon est en **Tergal***, un tissu synthétique léger qui ne se froisse pas. ❋ ***Tergal*** est un nom de marque ; il s'écrit avec une majuscule dans les textes imprimés.

tergiverser v. 1er groupe. *Il a **tergiversé** longtemps avant d'accepter*, il a discuté, hésité longtemps.

■ **tergiversations** n.f. pl. *Ne perdez pas votre temps en **tergiversations**.*

terme n.m. SENS 1. *Nous sommes arrivés au **terme** de notre voyage*, nous l'avons fini (= fin ; ≠ début). SENS 2. *Chaque trimestre, il faut payer le **terme**,* le loyer. SENS 3. *Des prévisions* **à court terme** *portent sur une période brève. Un emprunt* **à long terme** *s'étend sur une période longue* (= à longue échéance). SENS 4. *Mme Vilard a accouché* **à terme**, à la date prévue. *Un prématuré est un enfant né* **avant terme**, avant la date prévue. → **prématuré**. SENS 5. « *Littoral* » *est un* **terme** *de géographie*, un mot qui appartient à ce domaine particulier. SENS 6. (Au plur.) *Nous sommes* **en bons termes** *avec nos voisins*, nous avons de bons rapports avec eux (= relations).

✳ Ne pas confondre avec des **thermes**.

terminer v. 1ᵉʳ groupe. SENS 1. *Mon grand frère* **termine** *ses études* (= achever ; ≠ commencer). ●● **interminable**. SENS 2. *Le mot* « *œuf* » *se* **termine** *par un* « *f* » (= finir).

■ **terminaison** n.f. [SENS 2] *La* **terminaison** *du mot* « *aimer* » *est* « *er* », *ses dernières lettres, qui s'ajoutent au radical.*

■ **terminal, ale, aux** [SENS 1] adj. et n.f. *Laurent est élève en (classe)* **terminale**, *la classe qui termine les études au lycée.* *illustr.* *p. 504,* *940* [SENS 2] n.m. *Un* **terminal** *d'ordinateur est un calculateur relié à un ordinateur central.*

■ **terminus** n.m. [SENS 1] *Je suis sorti du métro au* **terminus**, *au dernier arrêt.* ✳ On prononce le « s » : [tɛrminys].

illustr. *p. 982* **termite** n.m. *Les* **termites** *rongent le bois de l'intérieur*, *des insectes vivant en société et qui se nourrissent de bois.*

illustr. *p. 982* ■ **termitière** n.f. *Une* **termitière** *est un nid de termites qui peut avoir plusieurs mètres de hauteur.*

terne adj. SENS 1. *Tes cheveux sont* **ternes**, *ils ne brillent pas* (≠ brillant). SENS 2. *C'est un personnage* **terne**, *qui n'attire pas l'attention* (≠ original).

■ **ternir** v. 2ᵉ groupe. [SENS 1] *Les couleurs* **ternissent** *au soleil*, *elles deviennent ternes* (= se décolorer, passer).

terrain n.m. SENS 1. *Voilà un* **terrain** *à vendre, une étendue de terre où il n'y a pas de constructions.* ●● **terre**. SENS 2. *Un vélo, un véhicule* **tout terrain** *peuvent rouler hors des routes et des pistes.* SENS 3. *Il va falloir trouver un* **terrain** *d'entente pour se mettre d'accord*, un sujet, un point de discussion. *illustr.* *p. 913,* *1002,* *54*

terrasse n.f. SENS 1. *Si tu montes sur la* **terrasse**, *tu verras tout Paris*, la plate-forme qui remplace le toit d'une maison. SENS 2. *Il n'y a plus de place à la* **terrasse** *du café*, l'endroit où sont les tables, au-dehors. SENS 3. *Il fait beau, on mange sur la* **terrasse**?, un grand balcon. SENS 4. *Ici, on pratique la* **culture en terrasses**, la culture des plantes sur des pentes qui forment des étages successifs. ●● **terre** *illustr.* *p. 1016,* *573,* *690*

terrassement n.m. *Sur le chantier, le* **terrassement** *commence*, on creuse et on déplace la terre. ●● **terre** *illustr.* *p. 156*

■ **terrassier** n.m. *Un* **terrassier** *est un ouvrier qui travaille au terrassement.*

terrasser v. 1ᵉʳ groupe. *Il* **a terrassé** *son adversaire*, il l'a renversé à terre.

terrassier → **terrassement**

terre n.f. SENS 1. (Avec majuscule.) *La* **Terre** *tourne autour du Soleil*, la planète sur laquelle vivent les hommes. ●● **extra-terrestre**. SENS 2. *Du bateau, on aperçoit la* **terre**, le sol sur lequel on marche (≠ mer, air). → **atterrir**. *Asseyez-vous* **par terre**, sur le sol. *Le métro passe* **sous terre**, au-dessous du niveau du sol. ●● **souterrain**. SENS 3. *Creuse un trou dans la* **terre**, la matière dont le sol est fait. ●● **déterrer, enterrer, se terrer**. SENS 4. *On fait de la poterie en* **terre (cuite)**, une argile durcie au four (= céramique). SENS 5. *Ce riche industriel a des* **terres** *en Touraine*, des domaines à la campagne (= terrain). SENS 6. *Christophe Colomb a voulu explorer les* **terres** *lointaines*, les pays, les régions. SENS 7. adj. inv. *Ce garçon manque de poésie : il est très* **terre à** *illustr.* *p. 203,* *20*

LE GLOBE TERRESTRE

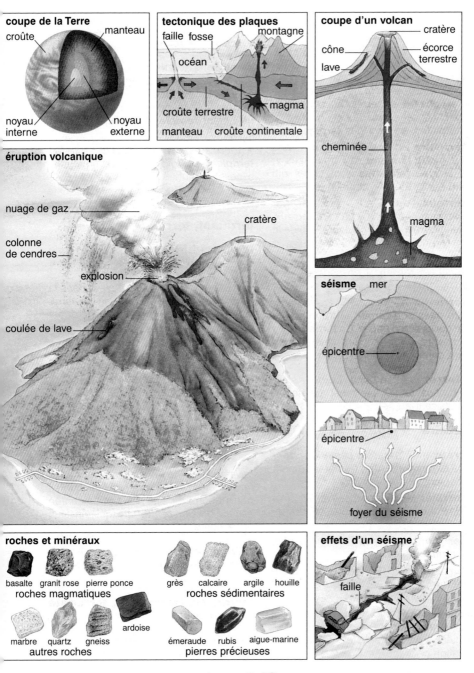

coupe de la Terre
croûte
manteau
noyau interne
noyau externe

tectonique des plaques
faille fosse
montagne
océan
croûte terrestre
magma
manteau
croûte continentale

coupe d'un volcan
cratère
cône
écorce terrestre
lave
cheminée
magma

éruption volcanique
nuage de gaz
colonne de cendres
explosion
cratère
coulée de lave

séisme
mer
épicentre
épicentre
foyer du séisme

roches et minéraux
basalte granit rose pierre ponce
roches magmatiques
grès calcaire argile houille
roches sédimentaires
marbre quartz gneiss
ardoise
autres roches
émeraude rubis aigue-marine
pierres précieuses

effets d'un séisme
faille

949

terre !, il ne se préoccupe que des choses matérielles de la vie courante (= prosaïque).

illustr. ■ **terreau** n.m. [SENS 3] *Julie plante des*
p. 747 *fleurs dans du **terreau**,* de la terre très fertile.

illustr. ■ **terre-plein** n.m. [SENS 3] *Il y a une*
p. 853 *haie sur le **terre-plein** central de l'auto-*
route, la bande de terrain qui sépare les deux chaussées.

☀ Au pluriel, on écrit des **terre-pleins**.

illustr. ■ **terrestre** adj. [SENS 1] *Nous vivons*
p. 949 *sur le **globe terrestre**,* la Terre. [SENS 2] *Les plantes **terrestres** sont celles qui vivent sur la terre (≠ aquatique).

■ **terreux, euse** adj. [SENS 3] *Cet homme est malade, il a un teint **terreux**,* un teint qui évoque la couleur terne de la terre (= grisâtre, blafard, blême).

■ **terrien, enne** adj. [SENS 5] *C'est un propriétaire **terrien**,* il possède des terres.

■ **terrier** n.m. [SENS 3] *Le lapin est rentré dans son **terrier**,* le trou dans la terre qui lui sert d'abri. ◆ Un **terrier** est un chien apte à chasser les animaux qui vivent dans des terriers.

se **terrer** v. 1er groupe. *Le chat **s'est terré** sous le lit,* il s'y est caché en s'aplatissant au sol.

terrestre → *terre*

terreur n.f. *L'assassin sème la **terreur** dans toute la ville,* une très grande peur (= panique, effroi, frayeur).

■ **terrifier** v. 1er groupe. *Ce film m'a **terrifié**,* il m'a fait très peur (= épouvanter).

■ **terrifiant, ante** adj. *On a entendu un cri **terrifiant** (= effrayant).

■ **terroriser** v. 1er groupe. *L'enfant était **terrorisé** par le chien qui aboyait,* il avait très peur (= terrifier).

■ **terrorisme** n.m. *Les attentats, les sabotages sont des actes de **terrorisme**,* destinés à provoquer la terreur dans une intention politique.

■ **terroriste** n. et adj. *Un **terroriste** a été arrêté,* une personne qui participait à des actes de terrorisme.

terreux → *terre*

terrible adj. SENS 1. *La bombe atomi-que est une arme **terrible**,* qui fait très peur (= terrifiant). SENS 2. *Il y a un vent **terrible**,* très grand (= fort). SENS 3. *C'est un enfant **terrible**,* un enfant turbulent, insupportable (≠ sage).

■ **terriblement** adv. [SENS 2] *Il fait **terriblement** froid (= très, extrêmement, excessivement).

terrien, terrier → *terre*

terrifiant, terrifier → *terreur*

terril n.m. Un **terril** est un amas énorme de déblais extraits d'une mine. ●● *terre*

terrine n.f. SENS 1. *Le pâté est dans la **terrine**,* dans un plat profond en terre. SENS 2. *Cette **terrine** de canard est délicieuse !,* du pâté de canard cuit dans ce plat et servi froid.

territoire n.m. SENS 1. *Je suis ici en **territoire** étranger,* dans un pays étran-ger. ●● *terre*. SENS 2. *Le **territoire** de la commune s'arrête ici,* l'étendue qui dépend de la commune. SENS 3. *Le loup délimite son **territoire**,* une partie de terrain qu'il s'attribue.

■ **territorial, ale, aux** adj. [SENS 1] *Ce navire étranger a pénétré dans nos eaux **territoriales**,* la partie de la mer qui fait partie de notre pays. [SENS 2] *Le canton est une division **territoriale**,* qui constitue un territoire.

terroir n.m. *M. Cadiergues parle avec l'accent de son **terroir** natal,* de la région où il est né. ●● *terre*

terroriser, terrorisme, terroriste → *terreur*

tertiaire adj. *L'ère tertiaire est l'épo-*   *illustr.*
que qui a précédé l'ère quaternaire où   *p. 758*

950

nous vivons, et qui est caractérisée en particulier par l'apparition de grandes chaînes de montagnes, comme le plissement alpin. → *primaire, secondaire, quaternaire*

tertio adv. *J'adore ce roman : primo l'histoire est originale, secundo il est bien écrit, **tertio** il se lit facilement,* en troisième lieu (= troisièmement).
✳ On prononce [tɛrsjo].

tertre n.m. Un **tertre** est une petite éminence de terre (= butte).

tes → *ton (1)*

tesson n.m. *Je me suis coupé avec un **tesson** de bouteille,* un morceau de bouteille cassée.

test n.m. *Avant d'entrer en sixième, on nous a fait passer des **tests**,* des exercices qui permettent de mesurer nos réflexes, nos connaissances, notre intelligence, etc.
■ **tester** v. 1ᵉʳ groupe. *Tous nos appareils **ont été testés** en laboratoire,* ils ont été soumis à des épreuves de vérification.

testament n.m. *M. Delcour laisse toute sa fortune à sa filleule dans son **testament**,* la lettre où il a écrit ce qu'il voulait qu'on fasse de ses biens après sa mort.
→ *léguer*

tester → *test*

testicule n.m. Les **testicules** sont les glandes reproductrices mâles.
→ *ovaire*
✳ Ce mot est du genre masculin.

tétanos n.m. *On vaccine dès l'enfance contre le **tétanos**,* une maladie due à un bacille et qu'on peut attraper quand on s'est blessé au contact de la terre sale.
●● *antitétanique*
✳ On prononce le « s » final : [tetanos].

têtard n.m. *Il y a des **têtards** dans la mare,* des animaux minuscules à grosse tête et au corps fin qui deviendront des grenouilles.

illustr. p. 357

tête n.f. SENS 1. *La **tête**, le tronc et les membres forment le corps. Je me suis fait mal à la **tête**,* au crâne. *Elle a une jolie **tête*** (= visage). SENS 2. *La **tête** du lit est la partie du lit où l'on pose la tête* (≠ pied). SENS 3. *Je n'ai pas la **tête** à écouter tes histoires,* l'esprit. SENS 4. *Ça coûte cher par **tête** !,* par personne.
◆ adv. *Et si on dînait **en tête à tête** ?,* tous les deux, seuls. SENS 5. *Je ne peux pas faire ce calcul **de tête**,* sans écrire (= mentalement). *Je n'ai plus les chiffres **en tête**,* en mémoire. SENS 6. *Qui est **à la tête de** cette usine ?,* qui la dirige ? SENS 7. *On est **en tête** du train,* dans les premières voitures, après la locomotive* (≠ queue). *Notre équipe est **en tête**,* elle gagne. SENS 8. *Lucas **fait la tête**,* il boude. SENS 9. *En voyant le feu prendre, j'ai **perdu la tête**,* je me suis affolé. SENS 10. *Il est parti sur un **coup de tête**,* par une décision soudaine, sans réfléchir. SENS 11. *Personne n'ose lui **tenir tête**,* s'opposer à lui (= résister).

illustr. p. 217, 216

■ **tête-à-queue** n.m. inv. [SENS 7] *L'auto a fait un **tête-à-queue** sur la route mouillée,* elle a fait un demi-tour sur elle-même en dérapant.
✳ Ce mot ne change pas au pluriel.

■ **tête-à-tête** n.m. inv. *J'ai eu plusieurs **tête-à-tête** avec Loïc,* des entretiens particuliers.
✳ Ce mot ne change pas au pluriel.

■ **tête-bêche** adv. [SENS 2] *Fabien et Alex ont dormi **tête-bêche**,* côte à côte, mais en sens inverse l'un de l'autre.

téter v. 1ᵉʳ groupe. *Bébé **tète**,* il boit du lait en le suçant.
✳ Conj. n° 10.

■ **tétée** n.f. *Bébé a six **tétées** par jour,* six repas où il tète.

■ **tétine** n.f. La **tétine** d'un biberon est son bout en caoutchouc qui sert à téter.

LE THÉÂTRE ET LE CINÉMA

salle de théâtre

galerie

balcon

corbeille

baignoire

scène

parterre   fauteuils d'ochestre   fosse d'orchestre

théâtre de marionnettes

marionnettiste

fils

scène

marionnette

répétition d'une pièce de théâtre

projecteurs

décor

rideau

coulisses

machiniste

côté cour

metteur en scène

scène

comédiens
(acteurs)

rampe

trou du
souffleur

salle

régisseur

côté jardin

**cabine de projection
de cinéma**   projecteur

bobines
de film

projectionniste

salle de cinéma

spectateurs   rangée   écran

ouvreuse   fauteuils

allée

952

têtu, ue adj. *Hugo est très têtu*, il ne veut pas renoncer à ses idées (= entêté, obstiné, buté).

texte n.m. *J'ai lu le texte de son discours*, les mots qui le composent.

■ **textuel, elle** adj. *Cette citation est textuelle*, exactement fidèle au texte.

■ **textuellement** adv. *Je vous répète textuellement ce qu'il a dit* (= mot à mot).

textile SENS 1. adj. Dans l'industrie **textile**, on fabrique des tissus. SENS 2. n.m. *La laine est un textile naturel, le Nylon, un textile synthétique*, une matière dont on fait des tissus.

textuel, textuellement → *texte*

thé n.m. SENS 1. *Tu veux une tasse de thé ?*, d'une boisson faite avec les feuilles séchées du **théier**, arbuste cultivé en Extrême-Orient. SENS 2. Un **salon de thé** est une sorte de pâtisserie où l'on sert du thé.

illustr. p. 238
■ **théière** n.f. [SENS 1] La **théière** est le récipient dans lequel on fait et on sert le thé.

illustr. p. 952, 427
théâtre n.m. SENS 1. *Hier soir, nous sommes allés au théâtre*, dans une salle où des acteurs jouent une pièce sur une scène. SENS 2. *Cet acteur de cinéma fait aussi du théâtre*, il joue dans un théâtre. *Les comédies, les tragédies, les drames, les mélodrames sont des pièces de théâtre*. SENS 3. *Cette maison a été le théâtre d'un crime*, le lieu où un crime a été commis. SENS 4. *Son arrivée a été un coup de théâtre*, un événement inattendu et sensationnel.

■ **théâtral, ale, aux** adj. [SENS 2] *Les comédiens ont donné une représentation théâtrale*, ils ont joué une pièce de théâtre. ◆ *Il a salué l'assistance d'un air théâtral*, avec une solennité excessive (= pompeux).

■ **théâtralement** adv. *Il est parti théâtralement sans un mot en claquant la porte*, d'une manière théâtrale.

théier, théière → *thé*

thème n.m. SENS 1. *Quel était le thème de la discussion ?*, le sujet. SENS 2. *Aurélien a fait son thème anglais*, il a traduit en anglais un texte français (≠ version). → *traduire*

théologie n.f. La **théologie** est l'étude des questions relatives à la religion.

théorème n.m. Un **théorème** est une démonstration mathématique.

théorie n.f. SENS 1. Une **théorie** est un ensemble d'idées, de lois qui expliquent un phénomène. SENS 2. *En théorie tu as raison, mais en pratique ta solution est inapplicable*, en raisonnant sans tenir compte de la réalité (= en principe ; ≠ en réalité, en fait).

■ **théoricien, enne** n. [SENS 1] *Le professeur Martin est un théoricien de l'économie*, il en étudie et en enseigne la théorie.

■ **théorique** adj. [SENS 2] *Ton raisonnement est théorique*, il ne tient pas compte de la réalité.

■ **théoriquement** adv. [SENS 2] *Théoriquement, cela n'aurait pas dû arriver* (= en théorie ; ≠ pratiquement, en fait).

thérapeutique adj. *Cette plante a des propriétés thérapeutiques*, elle a le pouvoir de soigner des maladies.

thermes n.m. pl. Chez les Romains, les **thermes** étaient des sortes de piscines dotées d'un système de chauffage.
❋ Ne pas confondre avec un **terme**.

■ **thermal, ale, aux** adj. *Évian est une station thermale*, une ville où les eaux servent à soigner certaines maladies.

thermique adj. Une centrale **thermique** produit de l'énergie à partir de la chaleur. L'isolation **thermique** vise à protéger de la chaleur ou du froid.

thermomètre n.m. Un **thermomètre** est un instrument qui sert à mesurer la température.
illustr. p. 869

thermonucléaire adj. Une bombe **thermonucléaire** est une bombe atomique.

Thermos n.m. ou n.f. Une bouteille **Thermos** permet de garder un liquide chaud ou froid.
✷ **Thermos** est un nom de marque, il s'écrit avec une majuscule dans les textes imprimés.

thermostat n.m. Un four à **thermostat** est équipé d'un dispositif qui permet d'avoir toujours la même température.

thésauriser v. 1er groupe. **Thésauriser** de l'argent, c'est le mettre de côté sans le dépenser.

thèse n.f. La **thèse** que tu défends est originale, le point de vue (= opinion, idée).

illustr. p. 694 **thon** n.m. Le **thon** est un gros poisson de mer que l'on mange frais ou en conserve.
✷ Ne pas confondre avec **ton**.

illustr. p. 694 ■ **thonier** n.m. Un **thonier** est un bateau pour la pêche au thon.

illustr. p. 310 **thorax** n.m. *Hugo gonfle le **thorax***, la partie du corps qui contient les poumons (= poitrine, torse).

■ **thoracique** adj. La **cage thoracique**, c'est le thorax.

illustr. p. 527 **thuya** n.m. *On a planté une rangée de **thuyas** le long du grillage*, des conifères ornementaux.
✷ On prononce [tyja].

illustr. p. 690 **thym** n.m. Le **thym** est une plante aromatique qui donne du goût aux plats.
✷ Ne pas confondre avec **tain** et **teint**.

illustr. p. 216 **tibia** n.m. *En skiant, Clément s'est cassé le **tibia***, l'os du devant de la jambe.

tic n.m. *Il cligne tout le temps des yeux, c'est un **tic** !*, un mouvement nerveux involontaire.

illustr. p. 582, 151 **ticket** n.m. *As-tu acheté des **tickets** de bus ?*, les billets qui montrent qu'on a payé sa place. Un **ticket** de caisse, c'est un papier qui montre qu'on a bien payé une marchandise.

tic-tac n.m. inv. *Écoute le **tic-tac** de la pendule*, le bruit particulier qu'elle fait en marchant.

tiède adj. SENS 1. *L'eau est **tiède***, ni chaude ni froide. SENS 2. *Il s'est montré **tiède** sur ce projet*, peu enthousiaste.

■ **tiédeur** n.f. [SENS 1] La **tiédeur** du printemps, c'est la température tiède. [SENS 2] *Les rares applaudissements traduisaient la **tiédeur** du public.*

■ **tiédir** v. 2e groupe. [SENS 1] *Loïc laisse **tiédir** son café*, devenir tiède.

tien, tienne SENS 1. pron. poss. *Ma jupe est moins jolie que la **tienne***, celle qui est à toi. SENS 2. n.m. pl. *Salue les **tiens** de ma part*, tes parents.
✷ Ne pas confondre avec l'interjection **tiens !**

tiens ! interj. Ce mot marque la surprise : *__Tiens !__, voilà Paul !*
✷ Ne pas confondre avec le pronom possessif **tien**.

tierce → **tiers**

tiercé n.m. *Au **tiercé**, j'ai joué le 3, le 4 et le 8, mais je n'ai pas gagné*, j'ai parié que les chevaux portant ces trois numéros arriveraient les premiers.

illustr. p. 643 **tiers** n.m. SENS 1. *Alex a pris un **tiers** du gâteau*, une des trois parties égales du gâteau. SENS 2. *Je n'aime pas raconter ma vie devant des **tiers***, des personnes étrangères.

■ **tierce** adj.f. [SENS 2] *Une **tierce personne** assistait à l'entretien*, une troisième personne.

illustr. p. 402, 573, **tige** n.f. SENS 1. *La **tige** de la rose a des épines*, la partie allongée de la plante qui porte les feuillles. SENS 2. *Un paraton-*

illustr. *nerre est une longue **tige** de métal*
p. 20 *posée sur le toit,* une barre mince.

tignasse n.f. Fam. *Va chez le coiffeur faire couper ta **tignasse**,* tes cheveux longs et mal coiffés.

illustr. **tigre** n.m. Le **tigre** *est un animal féroce*
p. 177, *au pelage jaune rayé de noir qui vit en*
1032 *Asie.*

■ **tigresse** n.f. La **tigresse** *est la femelle du tigre.*

tilleul n.m. SENS 1. *On se repose à l'ombre du **tilleul**,* un arbre à fleurs
illustr. odorantes. SENS 2. *Tu veux boire du*
p. 868 ***tilleul** ?,* une tisane faite avec des fleurs séchées de cet arbre.

timbale n.f. SENS 1. *Bébé a bu dans sa **timbale**,* un gobelet en métal. SENS 2. La
illustr. **timbale** *est un instrument de musique à*
p. 629 percussion.

timbre n.m. SENS 1. *J'ai oublié de coller le **timbre** sur l'enveloppe,* le petit rectangle de papier qui sert à payer l'envoi de la lettre par la poste. On dit aussi **timbre-poste**. → ***philatélie**.* SENS 2. *Les cartes d'identité portent le **timbre** de la préfecture,* la marque imprimée (= cachet, tampon). SENS 3. *Cette cloche a un joli **timbre**,* elle sonne bien (= son).

■ **timbrer** v. 1er groupe. [SENS 1] *Tu as oublié de **timbrer** ta lettre,* d'y coller un timbre (= affranchir).

■ **timbré, ée** adj. [SENS 2] *Ce contrat est écrit sur du papier **timbré**,* marqué d'un timbre officiel. [SENS 3] *Marc a une voix bien **timbrée**,* qui a un son bien net.

timide adj. et n. *Il est trop **timide** pour oser lui parler,* il manque d'assurance, de confiance en lui (= timoré, craintif ; ≠ hardi). ●● ***intimider***

■ **timidement** adv. *Il m'a répondu timidement* (≠ hardiment).

■ **timidité** n.f. *Il faut surmonter ta timidité,* ton manque d'assurance (≠ hardiesse, audace).

timon n.m. *Les bœufs étaient attelés au* *illustr.*
***timon** de la charrue,* la longue pièce de *p. 385*
bois servant à la tirer.

timonier n.m. *Le **timonier** dirige le navire,* celui qui est au gouvernail.

■ **timonerie** n.f. La **timonerie**, *ce sont* *illustr.*
les appareils de navigation et la partie du *p. 740*
navire où ils se trouvent.

timoré, ée adj. *David est **timoré*** (= timide, hésitant, craintif ; ≠ entreprenant).

tintamarre n.m. *Que de bruit, quel **tintamarre** !,* quel vacarme ! (= tapage).

tinter v. 1er groupe. *On entend au loin les cloches **tinter**,* sonner à petits coups. ✳ Ne pas confondre avec **teinter**.

■ **tintement** n.m. *Écoute le **tintement** des grelots,* le son des grelots qui tintent.

tiquer v. 1er groupe. Fam. *Il **a tiqué** quand on lui a dit le prix,* il a eu l'air surpris, contrarié, hésitant.

tir → *tirer*

tirade n.f. *L'acteur a récité sa **tirade** trop vite,* un monologue récité en une seule fois.

tirage, tiraillement, tirailler, tirailleur → *tirer*

tirant n.m. Le **tirant** *d'eau* *d'un bateau, c'est la profondeur de sa coque dans l'eau.*

tire-bouchon → *tirer*

à **tire-d'aile** adv. *L'oiseau est parti **à tire-d'aile**,* très vite.

à **tire-larigot** adv. Fam. *Boire **à tire-larigot**,* c'est boire abondamment.

tire-ligne → *tirer*

tirelire n.f. Une **tirelire** *est une boîte avec une fente où l'on met l'argent qu'on veut économiser.*

tirer v. 1er groupe. **SENS 1**. *Le cheval **tirait** la charrette,* il la traîne derrière lui (≠ pousser). ●● ***traction, tracteur, trait.*** SENS 2. *Un voyageur **a tiré** la sonnette d'alarme,* il l'a fait fonctionner en amenant la poignée vers lui ou vers le bas. **SENS 3.** ***Tire** le rideau,* ferme-le (≠ ouvrir). **SENS 4.** ***Tire** sur ta jupe !,* tends-la pour l'allonger. **SENS 5.** *Le prestidigitateur **a tiré** un lapin de son chapeau,* il l'en a fait sortir. *Le problème était difficile, mais je **m'en suis** bien **tiré**,* j'ai réussi à le résoudre (= s'en sortir). **SENS 6.** *On **tire** l'essence du pétrole,* on l'extrait. **SENS 7.** *Ce roman **a été tiré** à 3 000 exemplaires,* il a été imprimé. **SENS 8.** *Il faut faire **tirer** ces photos,* les faire reproduire sur du papier, à partir des négatifs. **SENS 9.** *Le policier **a tiré** sur le bandit,* il a fait feu sur lui. *On **a tiré** à l'arc dans le jardin,* on a lancé des flèches avec un arc. **SENS 10.** **Tirer** un trait, c'est le tracer. **SENS 11.** *La cheminée **tire** mal, il y a plein de fumée dans la pièce,* la circulation d'air ne se fait pas bien. **SENS 12.** *Dans une tombola, les lots **sont tirés au sort**,* ils sont désignés par le hasard. **SENS 13.** **Tirer les cartes,** c'est prédire l'avenir de quelqu'un à l'aide d'un jeu de cartes. **SENS 14.** *L'hiver **tire à sa fin**,* il est proche de sa fin (= toucher à sa fin). **SENS 15.** *Cette laine est d'un bleu qui **tire sur** le vert,* qui se rapproche du vert.

illustr. p. 530 ■ **tir** n.m. **[SENS 9]** *À la foire, on est allé au stand de **tir**,* dans un lieu où l'on s'exerce à tirer.

■ **tirage** n.m. **[SENS 7]** *Ce journal a un gros **tirage**,* on le tire à un grand nombre d'exemplaires. **[SENS 8]** *Le **tirage** d'une photo,* c'est sa reproduction sur du papier. **[SENS 11]** *Il faut régler le **tirage** du poêle, il enfume toute la pièce !,* la manière dont la circulation d'air s'y fait. **[SENS 12]** *C'est ce soir le **tirage** de la loterie,* on tire au sort les numéros gagnants.

■ **tirailler** v. 1er groupe. **[SENS 1]** *Quand il lit, Luc **tiraille** sa moustache,* il tire dessus à petits coups répétés. ◆ *Je **suis tiraillé** entre deux désirs,* attiré dans des sens divers. **[SENS 9]** *On entend les chasseurs **tirailler** dans les bois,* tirer çà et là sans régularité.

■ **tiraillement** n.m. (Au plur.) *Il y a des **tiraillements** à l'intérieur de ce groupe,* des désaccords.

■ **tirailleur** n.m. **[SENS 9]** Un **tirailleur** est un soldat qui tire seul, pour harceler l'ennemi.

■ **tiré, ée** adj. **[SENS 4]** *Tu as les traits **tirés**,* marqués par la fatigue. ◆ *Aurélien est toujours **tiré à quatre épingles** !,* habillé avec soin.

■ **tire-bouchon** n.m. **[SENS 2]** *Il y avait deux **tire-bouchons** et je n'en retrouve aucun !,* un instrument qui sert à déboucher une bouteille.

✳ Au pluriel, on écrit des **tire-bouchons**.

■ **tire-ligne** n.m. **[SENS 10]** Un **tire-ligne** est un instrument utilisé par les dessinateurs industriels pour tracer des lignes très nettes.

✳ Au pluriel, on écrit des **tire-lignes**.

■ **tireur, euse** n. **[SENS 9]** *M. Valdois est un bon **tireur** à la carabine,* il tire bien. **[SENS 13]** Une **tireuse** de cartes est une cartomancienne.

tiret n.m. Un **tiret** est un signe de ponctuation formé d'un trait horizontal (–) qui sert en particulier à couper un mot en fin de ligne, ou pour indiquer un changement d'interlocuteur.

tirette n.f. Une **tirette** est une tablette qu'on peut sortir et rentrer dans certains meubles.

tireur → *tirer*

tiroir n.m. *Les couteaux sont dans le **tiroir** du buffet,* la partie du meuble formant une espèce de casier qu'on peut tirer et repousser. *illustr. p. 863, 122*

■ **tiroir-caisse** n.m. *Les gangsters ont emporté tout l'argent du **tiroir-caisse**,* du tiroir qui contient l'argent d'un commerçant. *illustr. p. 151*

✳ Au pluriel, on écrit des **tiroirs-caisses**.

tisane n.f. Une **tisane** est une boisson chaude faite avec des plantes parfumées : tilleul, menthe, verveine, etc. (= infusion).

tison n.m. *On va rallumer le feu avec les tisons,* les morceaux de bois à moitié brûlés et encore rouges (= braise).

■ **tisonnier** n.m. Un **tisonnier** est une tige métallique avec laquelle on remue les braises d'un foyer.

tisser v. 1er groupe. *À Lyon, on tisse la soie,* on fait des tissus de soie.

illustr. p. 759 ■ **tissage** n.m. *Autrefois, le tissage se faisait uniquement sur des métiers à tisser,* la fabrication des tissus.

■ **tisserand** n.m. Un **tisserand** est un artisan qui fabrique des tissus avec un métier à tisser.

illustr. p. 228, 583 ■ **tissu** n.m. *Pour les rideaux, il faudrait un tissu uni* (= étoffe). ◆ *Son témoignage est un tissu de mensonges,* une suite continue de mensonges enchevêtrés. ◆ *Le tissu osseux, le tissu musculaire,* c'est la substance des os, des muscles.

■ **tissu-éponge** n.m. *Les serviettes de toilette sont en tissu-éponge,* en tissu de coton très absorbant.

illustr. p. 151, 503 **titre** n.m. SENS 1. *« Le Livre de la jungle » est le titre d'un roman de Kipling,* le nom de l'ouvrage. ●● ***sous-titre, intituler.*** SENS 2. *Sur la première page du journal, il y a un gros titre,* une inscription en grosses lettres. SENS 3. *Il court pour le titre de champion du monde,* pour avoir cette qualification (= qualité, appellation). *C'est lui le champion du monde en titre,* il en a le titre. ●● ***attitré.*** SENS 4. *« Marquis » est un titre de noblesse,* un nom donné à une dignité, un rang importants. SENS 5. *La licence, le doctorat sont des titres universitaires,* des diplômes. → ***titulaire.*** SENS 6. *Les titres de propriété sont rangés dans un tiroir du bureau,* les certificats qui prouvent les droits de quelqu'un. Un **titre de transport** est un billet ou une carte prouvant qu'on

est en règle. SENS 7. *S'il proteste, c'est à juste titre,* avec raison (= légitimement, à bon droit). *Je vous donne ce conseil à titre amical,* en tant qu'ami. *On l'a engagé à titre d'essai,* pour essayer.

■ **titrer** v. 1er groupe. [SENS 2] *Le journal d'aujourd'hui titre : « Terrible accident sur l'autoroute »,* il met ce titre.

tituber v. 1er groupe. *Regarde cet ivrogne, il titube,* il marche en ne tenant pas bien sur ses jambes (= chanceler, vaciller).

titulaire adj. et n. SENS 1. Un fonctionnaire **titulaire** est nommé définitivement à son poste. SENS 2. Les **titulaires** du permis de conduire sont les personnes qui l'ont obtenu.

■ **titulariser** v. 1er groupe. [SENS 1] *Les stagiaires ont été titularisés,* nommés titulaires.

toast n.m. SENS 1. *Et maintenant nous allons porter un toast aux jeunes mariés,* lever nos verres en leur honneur. SENS 2. *Peter mange des toasts à son petit déjeuner,* des tranches de pain grillé. ✴ On prononce [tost].

illustr. p. 530, 737 **toboggan** n.m. SENS 1. *Au square, on joue sur le toboggan,* une sorte de piste en pente où l'on se laisse glisser sur les fesses. *Les pompiers évacuent les habitants de l'immeuble en feu par le toboggan.* SENS 2. *On a construit un toboggan au-dessus de la route,* un passage au-dessus d'un croisement.

toc n.m. Fam. *Son collier n'est pas en or, c'est du toc !,* une imitation de peu de valeur.

tocsin n.m. *Aujourd'hui, la sirène a remplacé le tocsin,* la sonnerie de cloche qui était employée comme signal d'alarme.

illustr. p. 220 **toge** n.f. *Au tribunal, les juges portent une toge,* une sorte de robe.

tohu-bohu n.m. inv. Fam. *Dans ce tohu-bohu, on ne reconnaissait plus personne,* cette agitation confuse et bruyante.
❋ Ce mot ne change pas au pluriel.

toi pron. pers. Ce mot s'emploie pour renforcer le sujet « tu » ou le complément « te » : *toi, tu restes là ; toi, je te parle.* Il s'emploie aussi après **c'est** : *c'est toi qui décides* ou comme complément après une préposition : *ce cadeau est pour toi.*
❋ Ne pas confondre avec un **toit**.

toile n.f. SENS 1. *La toile de la tente s'est déchirée,* le tissu dans lequel elle est faite. *Le jean est une toile très solide.* SENS 2. *L'araignée tisse sa toile,* elle fait un piège pour capturer les insectes avec les fils qu'elle sécrète. SENS 3. *Les peintres exposent leurs toiles dans une galerie,* leurs tableaux (= peinture).

illustr. p. 753

toilette n.f. SENS 1. *Fabrice est dans la salle de bains, il fait sa toilette,* il se lave et se peigne. SENS 2. *Quelle toilette !, tu sors ?* (= vêtements, tenue). SENS 3. (Au plur.) *Où sont les toilettes ?,* les w.-c., les cabinets (= lavabos).

illustr. p. 239

toise n.f. Une **toise** est une grande règle qui sert à mesurer la taille d'une personne.

toiser v. 1er groupe. **Toiser** quelqu'un, c'est le regarder de haut en bas avec mépris ou défi.

toison n.f. La **toison** d'un mouton, c'est sa laine.

toit n.m. SENS 1. *L'antenne de télévision est sur le toit,* la surface qui recouvre le dessus d'une maison. ◆ *J'ai une nouvelle à t'annoncer, mais ne va pas la crier sur les toits,* la dire à tout le monde. SENS 2. *Notre voiture a un toit ouvrant,* la partie supérieure de la carrosserie.

illustr. p. 572, 165, 424

■ **toiture** n.f. [SENS 1] *Il faut refaire la toiture,* le toit et ce qui le fait tenir.

tôle n.f. *Sur la cabane, il y a un toit de tôle,* de fine plaque de métal.

■ **tôlerie** n.f. SENS 1. Une **tôlerie** est un atelier où l'on travaille la tôle. SENS 2. *L'accident de voiture n'a fait que des dégâts de tôlerie,* des dégâts aux parties en tôle.

■ **tôlier** n.m. Un **tôlier** est un ouvrier qui travaille la tôle.

tolérer v. 1er groupe. *Le gardien du square tolère que les enfants jouent sur la pelouse,* il l'accepte mais normalement ce n'est pas permis (= permettre, autoriser, supporter).
❋ Conj. n° 10.

■ **tolérable** adj. *Un tel bruit n'est pas tolérable* (= supportable, acceptable ; ≠ intolérable).

■ **tolérance** n.f. *Il a le droit d'avoir ses idées, tu manques de tolérance !,* de respect pour le droit des autres à penser comme ils veulent (= largeur d'esprit ; ≠ intolérance).

■ **tolérant, ante** adj. *Amélie est très tolérante,* elle admet que les autres puissent avoir des opinions différentes des siennes (≠ intolérant).

tollé n.m. *Quand il a dit non, il y a eu un tollé général,* un cri pour protester (= huées ; ≠ acclamation). → **clameur**

tomate n.f. Les **tomates** sont de gros fruits rouges qu'on mange souvent en salade ou cuits comme légumes.

illustr. p. 747

tombe n.f. *On est allé au cimetière mettre des fleurs sur la tombe de grand-père,* l'endroit où il est enterré.

■ **tombal, ale, als** adj. *Cette pierre tombale est en marbre,* celle qui recouvre la tombe.
❋ Attention au masculin pluriel : **tombals**.

■ **tombeau** n.m. Les **tombeaux** sont des monuments en pierre que l'on construit au-dessus des tombes.
❋ Au pluriel, on écrit des **tombeaux**.

tomber v. 1er groupe. SENS 1. *J'ai glissé et je suis tombé,* j'ai fait une chute

(= dégringoler). SENS 2. *La nuit* **tombe**, *on ne voit plus clair,* il va faire nuit. SENS 3. *La pluie* **est tombée** *cette nuit,* il a plu. SENS 4. *Le vent* **tombe**, il arrête de souffler (= cesser ; ≠ se lever). SENS 5. *Aurélie nous* **laisse tomber**, *on ne la voit plus,* elle nous abandonne (= délaisser). SENS 6. *Noël* **tombe** *un samedi cette année,* c'est un samedi. *Tiens ! tu es là,* **ça tombe** *bien !,* ça arrive bien. SENS 7. *Amélie* **est tombée** *malade,* elle l'est devenue brusquement. SENS 8. *Je* **suis tombé sur** *Alex dans la rue,* je l'ai rencontré par hasard. SENS 9. *Il* **est tombé dans le piège**, il a été pris.
✳ **Tomber** se conjugue avec l'auxiliaire **être**.

■ **tombée** n.f. [SENS 2] *On est parti à la* **tombée** *de la nuit,* au moment où la nuit tombe.

tombereau n.m. *On a déversé trois* **tombereaux** *de terre dans le jardin,* le contenu de trois camions ou charrettes qui basculent.
✳ Au pluriel, on écrit des **tombereaux**.

tombola n.f. *J'ai gagné une bouteille de champagne à la* **tombola**, la loterie où l'on gagne des objets.

tome n.m. *Chez Sylvie, il y a un dictionnaire en dix* **tomes**, en dix volumes.
✳ Ne pas confondre avec la **tomme**.

tomme n.f. *La* **tomme** *est un fromage de Savoie.*
✳ Ne pas confondre avec un **tome**.

tommette ou **tomette** n.f. *Dans le sud de la France, le sol des maisons est souvent recouvert de* **tommettes**, *des carreaux de céramique à 6 côtés.*

1. ton, ta, tes adj. possessifs. *Ces mots indiquent ce qui est à toi, ce qui t'appartient :* **ton** *livre,* **ta** *chemise,* **tes** *affaires.*
✳ On emploie **ton** au lieu de **ta** devant un nom féminin commençant par une voyelle ou un « h » muet : **ton** *oreille,* **ton** *humeur.*

2. ton n.m. SENS 1. *Il m'a répondu sur un* **ton** *qui ne m'a pas plu,* une façon de parler. SENS 2. *On ne chante pas tous dans le même* **ton**, la même hauteur de la voix, du son (= tonalité). SENS 3. *Un* **ton** est la différence de hauteur entre deux notes qui se suivent ; il correspond à l'intervalle entre do et ré. ●● **demi-ton**. SENS 4. *En automne, les arbres ont des* **tons** *jaunâtres,* des couleurs (= nuance, teinte). SENS 5. *Ce qui est de* **bon ton** est conforme aux bonnes manières, à la bonne éducation.
✳ Ne pas confondre avec **thon**.

■ **tonalité** n.f. [SENS 2] *Quel est le bouton pour régler la* **tonalité** *de la télé ?,* la qualité du son. ◆ *Je n'ai pas la* **tonalité**, le son qui indique qu'on peut composer un numéro quand on décroche le téléphone.

tondre v. 3ᵉ groupe. **Tondre** *les moutons,* c'est couper ras leur laine. *Clément* **tond** *le gazon,* il le coupe très court.
✳ Conj. nº 51.

■ **tondeuse** n.f. *Le coiffeur finit la coupe de cheveux à la* **tondeuse**, un instrument pour tondre les cheveux. *La* **tondeuse à gazon** *est dans la remise,* la machine pour tondre l'herbe.

illustr. p. 527

■ **tonte** n.f. *Quand a lieu la* **tonte** *des moutons ?,* l'époque où on les tond.

tonifier, tonique → *tonus*

tonitruant, ante adj. *Une voix* **tonitruante** *est une voix très forte.*

tonnage → *tonneau*

tonne n.f. *Cette voiture pèse une* **tonne**, mille kilos.
✳ En abrégé, on écrit **t** sans point à la suite.

illustr. p. 991

tonneau n.m. SENS 1. *On a mis le vin dans des* **tonneaux**, des récipients en

illustr. p. 427

illustr.
p. 747

bois (= fût). SENS 2. *La voiture a fait un* **tonneau**, *un tour complet sur elle-même en se renversant.* SENS 3. Le **tonneau** est une ancienne unité de mesure pour calculer ce que pouvait contenir un navire. ✳ Au pluriel, on écrit des **tonneaux**.

■ **tonnage** n.m. [SENS 3] *Les paquebots sont des navires de fort* **tonnage** (= capacité).

■ **tonnelet** n.m. [SENS 1] *M. Delcour a acheté un* **tonnelet** *de cognac*, un petit tonneau.

■ **tonnelier** n.m. [SENS 1] Le **tonnelier** a pour métier de fabriquer ou de réparer des tonneaux.

tonnelle n.f. *On a déjeuné sous la* **tonnelle**, une sorte de voûte faite d'un support couvert de plantes grimpantes.

tonnerre n.m. *Il y a eu des éclairs et puis on a entendu un coup de* **tonnerre**, le bruit que fait la foudre pendant l'orage.

■ **tonner** v. 1er groupe. *Il* **tonne**, on entend le bruit du tonnerre. ◆ *Le canon* **tonne**, on entend des coups de canon. ✳ S'il s'agit du tonnerre, c'est un verbe impersonnel employé avec « il ».

tonsure n.f. *Les moines ont une* **tonsure** *sur le sommet du crâne*, un cercle de cheveux rasés.

tonte → **tondre**

tonus n.m. *Ce remède lui a donné du* **tonus**, de l'énergie (= dynamisme). ✳ On prononce le « s » : [tɔnys].

■ **tonique** adj. *L'air de la montagne est* **tonique**, il donne de l'énergie (= stimulant, vivifiant).

■ **tonifier** v. 1er groupe. *Une bonne douche froide* **tonifie** *les muscles*, elle a un effet tonique (= stimuler).

topographie n.f. *Cette région a une* **topographie** *montagneuse*, un relief montagneux.

■ **topographique** adj. Les cartes **topographiques** représentent le relief.

toquade n.f. Une **toquade** est une envie soudaine (= caprice, lubie).

toque n.f. *Le cuisinier a mis sa* **toque**, une sorte de bonnet haut, cylindrique et sans bords.

illustr.
p. 1010

toqué, ée adj. et n. Fam. Un vieux **toqué** est un personnage un peu excentrique. *Marc est* **toqué** (= fou).

torche n.f. SENS 1. *Dans la grotte, le guide nous éclaire avec une* **torche**, un gros bâton enduit d'un produit qu'on enflamme (= flambeau). SENS 2. Une **torche** électrique est une grosse lampe portative de forme allongée.

torcher v. 1er groupe. Fam. *Il a* **torché** *son assiette avec du pain*, il l'a essuyée.

torchis n.m. *Cette maison a des murs en* **torchis**, faits d'un mélange de paille et de terre.

torchon n.m. *Prends un* **torchon** *propre pour essuyer les verres !*, un morceau de tissu destiné à cet usage.

tordre v. 3e groupe. SENS 1. *Aide-moi à* **tordre** *la serviette, elle est trempée*, à la tourner sur elle-même en serrant chaque bout en sens contraire. ●● **retordre**. SENS 2. *Aïe ! tu m'as* **tordu** *le bras*, tu me l'as tourné brutalement. *On risque de se* **tordre** *les chevilles sur ces pavés*, de se faire une entorse. SENS 3. *La clé* **s'est tordue** *dans la serrure*, elle s'est déformée et n'est plus droite. SENS 4. *On se* **tordait** *de rire en écoutant Loïc*, on riait beaucoup. ✳ Conj. n° 52.

■ **tordant, ante** adj. [SENS 4] Fam. *Ton histoire est* **tordante**, très drôle.

■ **tors, torse** adj. [SENS 3] *Ce vieil homme avait des jambes* **torses** (= tordu). ✳ Ce mot s'emploie surtout au féminin et dans la langue écrite.

■ **torsade** n.f. [SENS 1] Une **torsade** de cheveux est obtenue en enroulant les cheveux sur eux-mêmes.

■ **torsion** n.f. [SENS 1] *Il a exercé une torsion sur la ficelle*, il l'a tordue.

torero n.m. *Les toreros sont ceux qui combattent les taureaux dans l'arène, lors d'une corrida.*
✳ On prononce [tɔrero]. On disait autrefois **toréador**.

tornade n.f. *La tornade a arraché plusieurs arbres*, la tempête accompagnée d'un vent très violent. → **cyclone, typhon, ouragan**

torpeur n.f. *Le malade est dans un état de profonde torpeur*, il ne réagit plus (= assoupissement, léthargie, engourdissement).

torpille n.f. *Le navire a été coulé par une torpille*, une sorte de bombe propulsée dans l'eau par un moteur.
■ **torpiller** v. 1ᵉʳ groupe. *Torpiller* un navire, c'est le faire exploser avec une torpille.
■ **torpilleur** n.m. *Les torpilleurs sont des bateaux de guerre utilisés pour torpiller les navires ennemis.*

torréfier v. 1ᵉʳ groupe. *Torréfier des grains de café*, c'est les faire griller lorsqu'ils sont encore verts.
■ **torréfaction** n.f. *On torréfie le café dans des usines de torréfaction.*

illustr. p. 617, 557
torrent n.m. SENS 1. *Le torrent dévale la montagne*, un cours d'eau rapide et puissant. SENS 2. *Il pleut à torrents*, très fort.
■ **torrentiel, elle** adj. [SENS 2] *Des pluies torrentielles sont tombées sur la région*, des pluies abondantes et aussi violentes qu'un torrent.
✳ On prononce [tɔrãsjɛl].

torride adj. *On a eu un été torride*, très chaud.

tors, torsade → **tordre**

illustr. p. 217
torse n.m. *Il fait chaud, Marc s'est mis torse nu*, le haut du corps nu.

torsion → **tordre**

tort n.m. SENS 1. *Qui est responsable ? – Je ne sais pas, chacun a des torts*, des choses à se reprocher. SENS 2. *Sa négligence lui a fait du tort*, elle lui a causé des ennuis (= préjudice). SENS 3. *Le chauffeur du camion était dans son tort (ou en tort)*, il a brûlé le feu rouge, il a commis une faute (≠ dans son droit). SENS 4. *Vous auriez tort de vous inquiéter : il n'y a pas le moindre risque*, ce ne serait pas justifié (≠ avoir raison). SENS 5. *Il a été accusé à tort*, injustement (≠ à juste titre). SENS 6. *Ne parle pas à tort et à travers*, sans réfléchir suffisamment (= à la légère, inconsidérément).

torticolis n.m. *Il s'est réveillé avec un torticolis*, une douleur au cou qui empêche de tourner la tête.

tortillard n.m. *Un tortillard est un petit train qui va lentement.*

tortiller v. 1ᵉʳ groupe. *Margot tortillait nerveusement son mouchoir*, elle le tordait. ●● **entortiller**

tortionnaire → **torture**

illustr. p. 1033
tortue n.f. *La tortue est un reptile à carapace, amphibie ou terrestre, qui se déplace très lentement.*

tortueux, euse adj. *On atteint le sommet de la montagne par un sentier tortueux*, qui fait de nombreux détours (= sinueux ; ≠ droit).

torture n.f. SENS 1. *Le prisonnier n'a pas avoué malgré les tortures*, les supplices physiques. SENS 2. *La jalousie est une torture*, une grande souffrance morale (= tourment).
■ **torturer** v. 1ᵉʳ groupe. [SENS 1] *Le prisonnier a été torturé*, il a été soumis à la torture. → **martyriser**. [SENS 2] *Le*

961

coupable est torturé par le remords, il souffre beaucoup moralement.

▪ **tortionnaire** n. [SENS 1] *Il n'a rien avoué à ses tortionnaires*, aux personnes qui le torturaient.

tôt adv. *En été, le jour se lève tôt*, de bonne heure (≠ tard). *Tôt ou tard on s'en apercevra*, un jour ou l'autre.

total, ale, aux adj. SENS 1. *J'ai une confiance totale en lui*, une confiance entière, complète (= absolu ; ≠ limité, partiel). SENS 2. *20 € + 10 €, ça fait une somme totale de 30 €*, une somme qui additionne les deux prix (= global).

▪ **total** n.m. [SENS 2] *Ça vous fait un total de 100 €*, une somme totale obtenue par addition. *Au total, c'est une bonne affaire*, tout compte fait (= en somme).
✳ Au pluriel, on dit des **totaux**.

▪ **totalement** adv. [SENS 1] *C'est totalement faux*, entièrement (= complètement).

▪ **totaliser** v. 1er groupe. [SENS 2] *Le concurrent a totalisé 50 points*, il est arrivé à ce total.

▪ **totalité** n.f. [SENS 2] *Pour économiser, il ne faut pas dépenser la totalité de ce que l'on gagne*, le tout (≠ une partie).

totalitaire adj. *Un État totalitaire est un État où l'opposition politique est interdite.*

▪ **totalitarisme** n.m. *Plusieurs militants ont protesté contre le totalitarisme de la direction* (= autoritarisme, absolutisme, dictature).

totalité → *total*

totem n.m. *Sur l'image, des Indiens dansent autour de leur totem*, une sorte de statue représentant l'animal ou la plante qui protège la tribu.

toubib n.m. Fam. *Si tu es malade, appelle un toubib*, un médecin.

toucan n.m. *Le toucan est un oiseau des forêts tropicales au bec énorme.*

touchant → *toucher*

touche n.f. SENS 1. *Une touche de piano, d'accordéon, de machine à écrire, d'ordinateur, etc., est une des pièces du clavier sur lesquelles on pose les doigts.* SENS 2. *Il peint par petites touches*, à coups légers de pinceau. SENS 3. *Ça y est, j'ai une touche !*, une secousse qui montre, à la pêche, que le poisson a mordu à l'hameçon. SENS 4. *Le ballon est sorti en touche*, hors des limites du terrain de football, de rugby. SENS 5. *Le sous-directeur a été mis sur la touche*, on le tient à l'écart.

illustr. p. 151, 940, 504, 628,

913

toucher v. 1er groupe. SENS 1. *Ne touche pas au fil de la clôture électrique !*, ne mets pas la main dessus. SENS 2. *Ma bille a frôlé la tienne, mais elle ne l'a pas touchée*, elle n'est pas entrée en contact avec (= atteindre). SENS 3. *Le malade n'a pas touché à son repas*, il l'a laissé intact (= entamer). SENS 4. *Les vacances touchent à leur fin*, elles sont sur le point de finir (= tirer à sa fin). SENS 5. *Nos deux maisons se touchent*, elles sont l'une à côté de l'autre. SENS 6. *Je n'ai pas réussi à le toucher*, à le contacter (= joindre). SENS 7. *J'ai touché 150 € pour faire ce travail*, j'ai été payé (= recevoir). SENS 8. *Ta lettre nous a touchés*, elle nous a émus.

▪ **toucher** n.m. [SENS 1] *Le toucher est l'un des cinq sens par lequel on reconnaît, en la touchant avec les doigts, la forme d'une chose.* → *tactile*

▪ **touchant, ante** adj. [SENS 8] *Quels adieux touchants !*, qui touchent le cœur (= émouvant).

touffe n.f. *Le jardinier a arraché une touffe de mauvaises herbes*, un ensemble de brins d'herbe.

▪ **touffu, ue** adj. *Jean a une barbe touffue*, qui forme une touffe épaisse (= dru, serré ; ≠ clairsemé).

touiller v. 1er groupe. Fam. *Touille la purée*, remue-la.

toujours adv. SENS 1. *J'ai* **toujours** *habité ici*, tout le temps. *Il est* **toujours** *à l'heure*, chaque fois (≠ jamais). SENS 2. *Tu es* **toujours** *décidé à partir ?*, tu es encore décidé ? *Il n'a* **toujours** *pas téléphoné ?*, pas encore ? SENS 3. *Il est parti* **pour toujours**, définitivement. SENS 4. *On dit qu'il n'y a aucun risque,* **toujours** *est-il que je me méfie*, en tout cas, quoi qu'il en soit. SENS 5. *Le résultat n'est pas garanti, mais on peut* **toujours** *essayer*, il n'y a pas d'inconvénient à le faire.

toundra n.f. La **toundra** est une steppe de la région arctique dont la végétation est réduite.

toupet n.m. Fam. *Il a eu le* **toupet** *de se plaindre de ses cadeaux*, l'audace (= impudence, aplomb, fam. culot).

toupie n.f. *Caroline joue à la* **toupie**, un jouet en forme de poire qu'on fait tourner sur sa pointe.

illustr. p. 165, 333, 940,

1. tour n.f. SENS 1. *Montons dans la* **tour** *du château*, le bâtiment très haut, rond ou carré, qui domine les autres. SENS 2. *La* **tour** *Eiffel est une construction très haute.* SENS 3. *Les Legalou habitent au 38ᵉ étage d'une* **tour**, un immeuble très élevé (= gratte-ciel).

illustr. p. 165, 54

■ **tourelle** n.f. [SENS 1] Une **tourelle** est une petite tour. [SENS 2] La **tourelle** d'un char, d'un navire de guerre est l'emplacement mobile qui sert au tir.

illustr. p. 1002

2. tour n.m. SENS 1. *En fermant la porte, n'oublie pas de donner un* **tour** *de clé*, de tourner la clé sur elle-même dans la serrure. ●● **demi-tour**. SENS 2. *Les coureurs ont fait le* **tour** *de la piste*, ils ont fait un parcours en rond autour de la piste, en revenant à leur point de départ. ●● **pourtour, entourer**. SENS 3. *Le* **tour** *de taille d'une personne*, c'est la circonférence de son corps au niveau de la ceinture. SENS 4. *Il fait beau, si on allait faire un* **tour** *?*, une promenade. SENS 5. *Cette fois, c'est mon* **tour** *de faire les courses, c'est à moi. Répondez* **à tour de rôle**, dans l'ordre fixé pour chacun (= l'un après l'autre ; ≠ ensemble). *Elle était* **tour à tour** *inquiète et rassurée* (= alternativement). SENS 6. *Un* **tour** *de cartes est un exercice avec les cartes à jouer qui demande de l'habileté.* *C'est un* **tour de force** *d'avoir résolu le problème en si peu de temps*, une action remarquable (= exploit). SENS 7. *Les élèves ont joué un* **tour** *à leur professeur : ils lui ont caché son stylo*, ils lui ont fait une farce. SENS 8. *Je n'aime pas le* **tour** *que prend la discussion*, l'aspect (= tournure, allure). SENS 9. *Ce* **tour** *de phrase est compliqué*, ce procédé de construction de la phrase (= tournure). SENS 10. *L'artiste a présenté au public son nouveau* **tour de chant**, un répertoire de ses chansons (= récital). SENS 11. *L'affaire a été réglée* **en un tour de main**, très rapidement (= en un tournemain).

illustr. p. 995

3. tour n.m. *Le potier travaille l'argile sur un* **tour**, un plateau tournant. *Cette pièce métallique a été réalisée au* **tour**, avec une machine qui fait tourner la pièce à façonner.

■ **tourneur** n.m. Le **tourneur** est l'ouvrier ou l'artisan qui travaille au tour.

tourbe n.f. La **tourbe** est une sorte de charbon formé de végétaux en décomposition qu'on extrait des marécages.

■ **tourbière** n.f. Une **tourbière** est un marécage d'où on extrait la tourbe.

tourbillon n.m. SENS 1. *Le vent soulève un* **tourbillon** *de poussière*, de la poussière qui s'élève en tournant sur elle-même. SENS 2. *À cet endroit, la rivière fait des* **tourbillons**, l'eau est agitée d'un mouvement tournant.

illustr. p. 845

■ **tourbillonner** v. 1ᵉʳ groupe. [SENS 1] *Les feuilles mortes* **tourbillonnent** *au vent*, elles tournent rapidement sur elles-mêmes en volant (= tournoyer).

tourelle → **tour (1)**

tourisme n.m. *Nous avons fait du tourisme en Italie*, nous avons voyagé, visité l'Italie.

■ **touriste** n. *Avec leur guide, les touristes anglais visitent le Louvre*, les personnes qui font du tourisme.

■ **touristique** adj. *Papa s'est acheté un guide touristique de l'Italie*, un guide fait pour le tourisme. *Ce quartier n'est pas un lieu touristique*, qui attire les touristes.

tourment n.m. *Son état de santé nous cause bien du tourment* (= inquiétude, tracas, souci).

■ **tourmenter** v. 1er groupe. *Cette pensée me tourmente*, elle me tracasse, m'inquiète. *Ne te tourmente pas pour si peu !*, ne te fais pas de souci.

tourmente n.f. *Un bateau a fait naufrage dans la tourmente*, la violente tempête.

tourmenter → *tourment*

tournage, tournant → *tourner*

tourne-disque n.m. *Un tourne-disque est un appareil qui sert à écouter des disques* (= électrophone).
✺ Au pluriel, on écrit des **tourne-disques**.

tournedos n.m. *À midi, on a mangé des tournedos grillés*, du filet de bœuf coupé en tranches rondes.

tournée n.f. **SENS 1.** *Le facteur fait sa tournée*, il distribue le courrier selon un certain itinéraire. *Ce chanteur rentre d'une tournée dans le sud de la France*, d'une série de représentations qu'il a données dans diverses villes. **SENS 2.** Fam. *« Allez, encore un verre, c'est ma tournée ! »*, c'est moi qui paie les boissons aux autres.

en un tournemain adv. *Loïc a résolu le problème en un tournemain*, très rapidement (= en un tour de main).

tourner v. 1er groupe. **SENS 1.** *La Terre tourne autour du Soleil*, elle se déplace en faisant le tour du Soleil. *Le manège tourne*, il fait un tour en rond sur lui-même. *Tourne la salade*, retournes-en les feuilles (= remuer). **SENS 2.** *Tourne la tête vers moi*, dirige-la de mon côté. ●● *détourner*. *Ces routes de montagne tournent beaucoup*, elles changent de direction. ●● *détour, contourner*. *Au prochain carrefour, vous tournerez à droite*, vous prendrez cette direction. *Tournez la page*, faites-la passer d'un côté à l'autre. **SENS 3.** *Je ne sais pas comment tourner ma phrase*, l'exprimer et la présenter. **SENS 4.** *Arrêtez de vous battre, ça va mal tourner*, se terminer (= évoluer). **SENS 5.** *Quel est le nom du réalisateur qui a tourné ce film ?*, qui a filmé avec la caméra ? *Cet acteur a tourné dans de nombreux films* (= jouer). **SENS 6.** *Le lait a tourné*, il est devenu aigre. **SENS 7.** *Toute l'affaire tourne autour d'une seule question*, elle a cette question comme centre d'intérêt. **SENS 8.** *J'ai la tête qui tourne*, j'ai des vertiges.

■ **tournage** n.m. **[SENS 5]** *Le tournage du film a duré six mois*, sa réalisation.

■ **tournant** n.m. **[SENS 2]** *Attention, ce tournant est dangereux !*, l'endroit où la route change de direction (= virage). *illustr. p. 852*

■ **tourniquet** n.m. **[SENS 1]** *Il y a un tourniquet à l'entrée du magasin*, un appareil qui tourne en ne laissant passer qu'une personne à la fois.

■ **tournis** n.m. **[SENS 8]** Fam. *Les enfants, arrêtez de courir autour de la table, vous me donnez le tournis*, la tête me tourne (= vertige).

■ **tournoyer** v. 1er groupe. **[SENS 1]** *Les feuilles mortes tournoient dans le ciel*, elles tournent sur elles-mêmes (= tourbillonner).
✺ Conj. n° 3.

■ **tournoiement** n.m. **[SENS 1]** *Le tournoiement des feuilles mortes dans le vent le rend mélancolique*, quand les feuilles tournoient.

■ **tournure** n.f. [SENS 4] *Je n'aime pas la* **tournure** *prise par les événements,* la façon dont ils évoluent (= tour). [SENS 3] *Cet écrivain emploie des* **tournures** *vieillies* (= expression). ◆ *Il a une drôle de* **tournure** *d'esprit !,* une drôle de façon de voir les choses (= forme).

illustr. **tournesol** n.m. Le **tournesol** est une *p. 21* plante dont la grosse fleur jaune se tourne vers le soleil et dont on extrait une huile alimentaire.

tourneur → *tour (3)*

illustr. **tournevis** n.m. Le **tournevis** est un outil *p. 117,* qui sert à visser et à dévisser. *994* ✳ On prononce le « s » final : [turnəvis].

tourniquet, tournis → *tourner*

tournoi n.m. SENS 1. Au Moyen Âge, un **tournoi** était un combat opposant deux cavaliers qui cherchaient à se faire tomber de cheval. SENS 2. *Marie a gagné le* **tournoi** *de tennis,* une compétition composée de plusieurs matchs.

tournoiement, tournoyer, tournure → *tourner*

tourte n.f. Une **tourte** est une pâtisserie ronde contenant de la viande, du poisson, etc.

illustr. **tourteau** n.m. Un **tourteau** est un gros *p. 718* crabe à la chair appréciée. ✳ Au pluriel, on écrit des **tourteaux**.

tourterelle n.f. *Une* **tourterelle** *roucoule sur le balcon,* un oiseau voisin du pigeon.

tous → *tout*

Toussaint n.f. (Avec majuscule.) *Je viendrai vous voir à la* **Toussaint**, *le 1er novembre,* jour de la fête catholique de tous les saints.

tousser, toussoter → *toux*

tout, toute, tous, toutes SENS 1. adj. indéfinis. *Toute la famille est réunie,* la famille entière. *Tous les enfants ont eu des jouets,* chacun sans exception. SENS 2. pron. indéfinis. *On ne peut pas* **tout** *savoir,* toutes les choses. *Vous savez* **tous** *nager ?,* la totalité d'entre vous. SENS 3. n.m. *Vous aurez le* **tout** *pour 90 €,* l'ensemble. *On était dix* **en tout**, au total. *Il* **a risqué le tout pour le tout**, il a risqué de tout perdre pour essayer de tout gagner. SENS 4. adv. *Il est* **tout** *petit,* **tout** *étourdi* (= très). *Je* **ne** *suis* **pas du tout** *contente,* absolument pas. ✳ Au sens 4, **tout** est adverbe mais prend un « e » devant un adjectif féminin commençant par une consonne : *elle est* **toute** *petite,* mais *elle est* **tout** *étonnée,* **tout** *heureuse.* Ne pas confondre avec la toux.

tout à coup adv. *Tout à coup le chat a bondi sur la souris* (= soudain, subitement, brusquement).

tout à fait adv. *Je suis* **tout à fait** *ravie,* entièrement (= totalement, complètement).

tout-à-l'égout n.m. inv. *On a installé le* **tout-à-l'égout** *dans ce village,* un système de canalisations reliant les maisons aux égouts. ●● *égout* ✳ Ce mot ne change pas au pluriel.

tout à l'heure → *heure*

tout de suite adv. *Venez ici* **tout de suite**, immédiatement.

toutefois adv. *Je vous attends ; si* **toutefois** *vous ne pouviez pas venir,* *prévenez-moi* (= cependant).

tout-puissant, toute-puissante adj. *Dans ce pays régnait un monarque* **tout-puissant**, qui avait un pouvoir sans limites. ●● *puissance*

■ **toute-puissance** n.f. inv. *Les textes religieux parlent de la* **toute-puissance** de Dieu. ◆ L'orateur a dénoncé la **toute-puissance** de l'argent, la domination de l'argent.

toux n.f. Tu as pris ton sirop contre la **toux** ?, pour ne plus tousser. → **quinte**
✳ On prononce [tu]. Ne pas confondre avec **tout**.

■ **tousser** v. 1er groupe. La fumée me fait **tousser**, chasser de l'air par la bouche en faisant du bruit par saccades.

■ **toussoter** v. 1er groupe. Sylvie **toussote**, elle tousse un peu.

toxique adj. L'opium, le haschisch sont des produits **toxiques**, contenant du poison. ●● **intoxiquer, désintoxiquer**

■ **toxicomanie** n.f. Être atteint de **toxicomanie**, c'est se droguer avec des produits toxiques.

■ **toxicomane** n. Le **toxicomane** a été hospitalisé (= drogué).

trac n.m. Avant d'entrer en scène, cet acteur a le **trac**, il a peur.

tracas n.m. Pourquoi te faire du **tracas** ?, du souci.

■ **tracasser** v. 1er groupe. La santé de grand-père me **tracasse**, me cause du souci (= inquiéter, tourmenter).

■ **tracasserie** n.f. J'en ai assez de ces **tracasseries** administratives, de ces ennuis à propos de questions de détail.

trace n.f. SENS 1. On voit des **traces** de pas dans la neige, des marques, des empreintes. SENS 2. On a trouvé des **traces** de poison dans l'estomac de la victime, des particules.

tracer v. 1er groupe. Avec votre compas, vous allez **tracer** un cercle, le dessiner en faisant un trait.
✳ Conj. n° 1.

■ **tracé** n.m. On a fait le **tracé** de l'autoroute, on a dessiné son parcours.

trachée n.f. La **trachée** est le principal conduit par où passe l'air que nous respirons. *illustr. p. 216*
✳ On dit aussi **trachée-artère**.

■ **trachéite** n.f. Julien a une **trachéite** qui le fait tousser, une irritation de la trachée.
✳ On prononce [trakeit].

tract n.m. Les manifestants distribuaient des **tracts**, des feuilles de papier imprimées.
✳ On prononce [trakt].

tractations n.f. pl. Il a obtenu ce qu'il voulait, après de nombreuses **tractations**, des négociations, souvent longues et difficiles. → **marchandage**

tracteur n.m. C'est un **tracteur** qui a amené la remorque, un véhicule à moteur servant à tirer un engin ou un instrument agricole. *illustr. p. 385, 20*

traction n.f. Pour les trains, la **traction** électrique a remplacé la **traction** à vapeur, les trains sont tirés par des locomotives électriques.

tradition n.f. Tous les ans, au 1er janvier, on se souhaite une bonne année, c'est la **tradition**, une coutume qui se transmet.

■ **traditionnel, elle** adj. Et voici la **traditionnelle** bûche de Noël, qui est fondée sur une tradition et qui est passée dans les habitudes.

■ **traditionnellement** adv. On fait **traditionnellement** des feux d'artifice le 14 Juillet en France.

traduire v. 3e groupe. SENS 1. L'interprète **a traduit** en français le discours du ministre allemand, il a dit en français ce que le ministre disait en allemand. ●● **intraduisible**. → **thème, version**. SENS 2. L'accusé **a été traduit** en justice, il a été amené devant les juges des tribunaux. SENS 3. La sécheresse **s'est**

traduite par une hausse des prix, elle a eu cette conséquence.
✳ Conj. n° 70.

■ **traducteur, trice** n. [SENS 1] *Eva est* **traductrice** *dans une maison d'édition,* elle traduit des textes écrits d'une langue dans une autre. → **interprète**

■ **traduction** n.f. [SENS 1] *La* **traduction** *de ce texte est mauvaise*, il a été mal traduit.

trafic n.m. SENS 1. *Le* **trafic** *routier sera important pour le week-end*, la circulation sur les routes. SENS 2. *Ils se livraient au* **trafic** *de la drogue*, à un commerce interdit.

■ **trafiquer** v. 1er groupe. [SENS 2] *Ces escrocs* **trafiquaient**, ils achetaient et vendaient de la marchandise de façon illégale. ◆ Fam. *Ce vin* **est trafiqué**, il a subi un traitement destiné à tromper sur sa qualité (= frelaté).

■ **trafiquant, ante** n. [SENS 2] *La police a arrêté des* **trafiquants** *d'armes*, des personnes qui se livraient au trafic des armes.

tragédie n.f. SENS 1. *Au XVIIe siècle, Corneille et Racine ont écrit des* **tragédies**, des pièces de théâtre dont le sujet est grave et qui se terminent mal pour les héros. → **comédie**. SENS 2. *La prise d'otages a été une véritable* **tragédie**, un événement grave qui finit mal (= drame).

■ **tragique** adj. [SENS 1] *Corneille est un auteur* **tragique**, il a écrit des tragédies. [SENS 2] *Un* **tragique** *accident s'est produit sur l'autoroute*, un accident effroyable (= terrible, dramatique).

■ **tragiquement** adv. [SENS 2] *Il est mort* **tragiquement**, dans des circonstances tragiques.

trahir v. 2e groupe. SENS 1. *En donnant des renseignements qui devaient être tenus secrets, cet homme* **a trahi**, il n'a pas été fidèle à sa parole et a trompé ceux qui lui avaient fait confiance. *Le meurtrier* **a trahi** *ses complices*, il les a

dénoncés (= livrer). SENS 2. *L'accusé* **s'est trahi** *en racontant l'emploi du temps de sa soirée*, il a laissé échapper un détail qu'il ne voulait pas révéler. SENS 3. *Ses forces l'*ont trahi, elles l'ont abandonné.

■ **trahison** n.f. [SENS 1] *En temps de guerre, la* **trahison** *est punie de mort.*

■ **traître, esse** n. [SENS 1] *Il y a un* **traître** *parmi nous*, une personne qui a trahi. ◆ *En nous attaquant par-derrière, il nous a pris* **en traître**, d'une façon qui n'est pas loyale (= perfidement).

■ **traîtrise** n.f. [SENS 1] *On a des preuves de sa* **traîtrise**, du fait qu'il a agi en traître (≠ loyauté, fidélité).

train n.m. SENS 1. *Le* **train** *entre en gare,* la suite de voitures et de wagons tirés par une locomotive. SENS 2. *Un* **train** *de péniches descend le fleuve*, une suite de péniches tirées les unes derrière les autres par un remorqueur. SENS 3. *L'avion va se poser, le pilote a sorti le* **train** *d'atterrissage*, les roues qui servent pour atterrir. SENS 4. *J'étais* **en train** *d'écrire quand on a sonné*, occupé à écrire. SENS 5. *Tu n'as pas l'air* **en train**, en forme. SENS 6. **Au train** *où nous roulons, nous serons arrivés dans une heure*, à cette allure. SENS 7. *Ils ont un* **train de vie** *modeste*, ils vivent en dépensant peu (= standing). *illustr. p. 424, 970, 971, 75*

traînard, traîne → **traîner**

traîneau → **traîner**

traînée n.f. *La fusée du feu d'artifice a laissé une* **traînée** *rouge dans le ciel*, une trace en longueur.

traîner v. 1er groupe. SENS 1. *Fabien* **traîne** *son camion derrière lui avec une ficelle*, il le tire. SENS 2. *Attention, ton manteau* **traîne** *par terre*, il pend jusqu'à terre en balayant le sol. SENS 3. *Les enfants, ne* **traînez** *pas en rentrant !*, ne vous mettez pas en retard (= s'attarder). SENS 4. *Éloïse laisse* **traîner** *toutes ses* *affaires*, elle ne les range pas. **SENS 5.** *Mon procès **traîne** depuis des mois*, il dure (= s'éterniser). **SENS 6.** *Le blessé a réussi à **se traîner** jusqu'à la voiture*, à se déplacer péniblement (= ramper).

▪ **traînard, arde** n. [**SENS 3**] Fam. *Quelle **traînarde**, dépêche-toi !*, tu ne vas pas assez vite.

▪ **traîne** n.f. [**SENS 2**] *Tu as vu la **traîne** de la mariée !*, la partie de la robe qui traîne par terre derrière elle. [**SENS 3**] Fam. *Pascal est toujours à la **traîne***, après les autres (= en retard).

illustr.
p. 894,
730

▪ **traîneau** n.m. [**SENS 1**] *Le **traîneau** est tiré par des chiens*, un véhicule qui glisse sur la neige.
✴ Au pluriel, on écrit des **traîneaux**.

train-train n.m. inv. Fam. Le **train-train** quotidien, ce sont les occupations qui se répètent chaque jour (= routine).

traire v. 3ᵉ groupe. *À la ferme, on **trait** les vaches chaque jour*, on tire leur lait en pressant sur les pis. ●● **trayeuse**
✴ Conj. n° 79.

▪ **traite** n.f. *À l'étable, la **traite** a lieu matin et soir*, on trait les vaches.

illustr.
p. 354,
503

trait n.m. **SENS 1.** *Un cheval **de trait** tire les chariots, les charrettes.* **SENS 2.** *Tire un **trait** avec ta règle pour souligner le mot*, une petite ligne. *« Abat-jour » s'écrit avec un **trait d'union***, un petit trait qui joint les mots formant un mot composé. **SENS 3.** *La sécheresse est un **trait** dominant du climat de cette région* (= caractère). **SENS 4.** (Au plur.) *Hélène a des **traits** fins*, les lignes du visage. **SENS 5.** *Vous relèverez dans ce texte tout ce qui **a trait** à l'agriculture*, ce qui a un rapport avec l'agriculture (= concerner). **SENS 6.** *Un **trait d'esprit** est une parole par laquelle une personne montre qu'elle est spirituelle.* **SENS 7.** *J'avais tellement soif que j'ai bu mon verre **d'un trait***, en une fois, sans m'arrêter.

traitant → **traiter**

1. traite n.f. **SENS 1.** *On a fait le voyage d'**une** seule **traite***, sans s'arrêter. **SENS 2.** *Autrefois, on pratiquait la **traite** des esclaves*, le trafic qui consistait à les vendre (= commerce). **SENS 3.** Une **traite** est un écrit indiquant la somme qu'un débiteur doit payer à une certaine date.

2. traite → **traire**

traiter v. 1ᵉʳ groupe. **SENS 1.** *Les prisonniers **ont été** bien **traités***, on s'est bien conduit envers eux. ●● **maltraiter**. **SENS 2.** *Il m'**a traité** d'idiot !*, il m'a insulté en m'appelant ainsi. **SENS 3.** *Le médecin a très bien **traité** ma grippe*, il l'a soignée. **SENS 4.** *On **traite** le pétrole dans des raffineries pour en faire de l'essence*, on lui fait subir certaines transformations. **SENS 5.** *Ce livre **traite** de la politique française*, il développe ce sujet (= exposer). **SENS 6.** *M. Dupont est en train de **traiter** une grosse affaire*, de négocier pour arriver à un accord. ●● **intraitable**

▪ **traitant, ante** adj. [**SENS 3**] Le médecin **traitant** est celui qui soigne habituellement un malade. *On lui a conseillé une lotion **traitante** pour sa peau*, une lotion qui soigne la peau.

▪ **traité** n.m. [**SENS 5**] Un **traité** de chimie est un livre qui traite de chimie. [**SENS 6**] *La guerre s'est terminée par un **traité** de paix*, un texte officiel où les parties adverses se sont mises d'accord après avoir négocié. → **pacte**

▪ **traitement** n.m. [**SENS 1**] *Ce chien a subi des mauvais **traitements***, on l'a maltraité. [**SENS 3**] *Papa suit un **traitement** pour ne plus fumer*, on lui donne des médicaments et on le soigne pour cela. [**SENS 4**] *Le **traitement** du pétrole, ce sont les opérations qu'on lui fait subir.* ◆ *Il y a un **traitement de texte** sur mon ordinateur*, un programme qui permet de corriger, de placer, de mettre en page le texte que l'on tape. ◆ *M. Durand est professeur, il reçoit un **traitement***, un salaire.

illustr.
p. 333,
940

traiteur n.m. *On peut acheter des plats cuisinés chez un **traiteur***, un commerçant qui cuisine des plats à emporter chez soi.

traître, traîtrise → *trahir*

trajectoire n.f. *Les policiers ont étudié la **trajectoire** de la balle,* le chemin qu'elle a suivi.

trajet n.m. *On a fait le **trajet** Paris-Lyon en cinq heures,* la distance entre ces deux villes (= parcours, itinéraire).

trame n.f. SENS 1. *La **trame** d'un tissu,* ce sont les fils tissés dans le sens de la largeur. SENS 2. *La **trame** d'un récit,* c'est l'ensemble des événements racontés.

■ **tramer** v. 1ᵉʳ groupe. *Des généraux rebelles **avaient tramé** une conspiration,* ils l'avaient préparée en secret (= manigancer, comploter, ourdir).

tramontane n.f. *La **tramontane** est un vent froid soufflant dans une partie du sud de la France en direction de la mer.

illustr. **trampoline** n.m. *Dans l'aire de jeu, on
p. 177 a installé un **trampoline**,* une grande toile tendue sur laquelle on saute, on rebondit.

illustr. **tramway** n.m. *Dans certaines villes de
p. 1017, France, il y a des **tramways**,* des voitures
971 de transport en commun électriques qui roulent sur des rails.
✳ On prononce [tramwɛ]. On dit, familièrement, un **tram**.

tranchant, tranche → *trancher*

illustr. **tranchée** n.f. *On a creusé une **tran-
p. 157 chée** dans la rue,* un trou horizontal long et étroit.

trancher v. 1ᵉʳ groupe. SENS 1. *Il **a tranché** la corde,* il l'a coupée d'un seul coup (= sectionner). SENS 2. *Comme la discussion s'éternisait, le président **a tranché**,* il y a mis fin en prenant une décision. SENS 3. *Le fauteuil noir **tranche** sur la moquette blanche,* il forme un contraste (= ressortir).

■ **tranchant, ante** adj. [SENS 1] *Le couteau est un instrument **tranchant**,* qui coupe. ◆ *Il m'a répondu d'un ton **tranchant*** (= brusque, cassant, péremptoire, incisif).

■ **tranchant** n.m. [SENS 1] *Le **tranchant** d'un couteau est le côté qui coupe.

■ **tranché, ée** adj. [SENS 2] *Joël a des opinions bien **tranchées**,* très nettes (= arrêté, définitif).

■ **tranche** n.f. [SENS 1] *Une **tranche** de jambon est un morceau mince qu'on a coupé. ◆ *Ce livre ancien est doré sur **tranches**,* sur les surfaces que fait, quand il est fermé, l'épaisseur des feuilles.

tranquille adj. SENS 1. *Nous habitons dans un quartier **tranquille**,* où il n'y a pas de bruit, d'agitation (= calme, paisible ; ≠ bruyant). SENS 2. *Les enfants, restez un peu **tranquilles** !* (= sage ; ≠ remuant, agité). SENS 3. *Laisse ta sœur **tranquille**,* ne l'ennuie pas. SENS 4. *Soyez **tranquille**, tout se passera bien,* ne vous faites pas de souci (= rassuré ; ≠ inquiet).

■ **tranquillement** adv. [SENS 2] *Les enfants jouent **tranquillement**,* sagement et calmement.

■ **tranquillité** n.f. [SENS 1] *Quelle **tranquillité** dans ce quartier !* (= calme).

■ **tranquilliser** v. 1ᵉʳ groupe. [SENS 4] ***Tranquillisez-vous**, votre fils n'est pas malade* (= rassurer ; ≠ inquiéter).

■ **tranquillisant, ante** [SENS 4] adj. *Cette nouvelle est **tranquillisante**,* rassurante. ◆ n.m. *Un **tranquillisant** est un médicament pour combattre l'angoisse.

transaction n.f. *Des **transactions** immobilières,* ce sont des marchés conclus (achats, ventes).

1. transat n.m. *Papa se repose dans un **transat**,* une chaise longue pliante en toile.
✳ On prononce le « t » final : [trãzat].

2. transat → *transatlantique*

LES TRANSPORTS À TRAVERS LES ÂGES

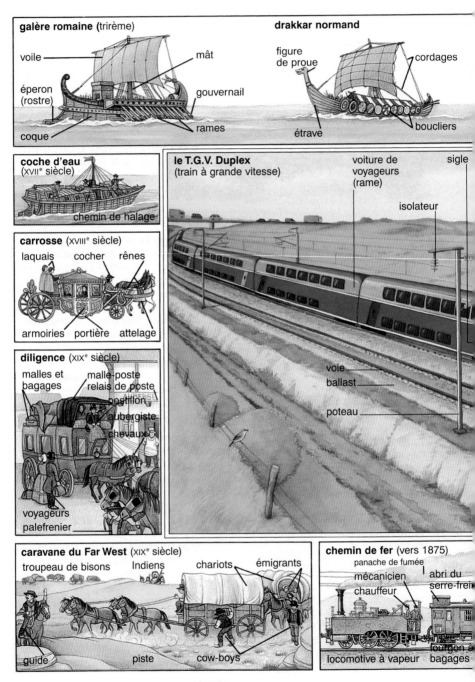

galère romaine (trirème)

voile — mât

éperon (rostre)

gouvernail

coque

rames

drakkar normand

figure de proue

cordages

étrave

boucliers

coche d'eau (XVIIe siècle)

chemin de halage

carrosse (XVIIIe siècle)

laquais   cocher   rênes

armoiries   portière   attelage

diligence (XIXe siècle)

malles et bagages

malle-poste

relais de poste

postillon

aubergiste

chevaux

voyageurs

palefrenier

le T.G.V. Duplex (train à grande vitesse)

voiture de voyageurs (rame)

sigle

isolateur

voie

ballast

poteau

caravane du Far West (XIXe siècle)

troupeau de bisons   Indiens   chariots   émigrants

guide   piste   cow-boys

chemin de fer (vers 1875)

panache de fumée

mécanicien

abri du serre-frei

chauffeur

locomotive à vapeur   fourgon à bagages

Personne ne sait quand est née l'idée de creuser un tronc d'arbre pour en faire le premier bateau. La roue, elle, a été inventée vers 3 500 avant J.-C. Depuis, quel chemin parcouru, d'un continent à l'autre !

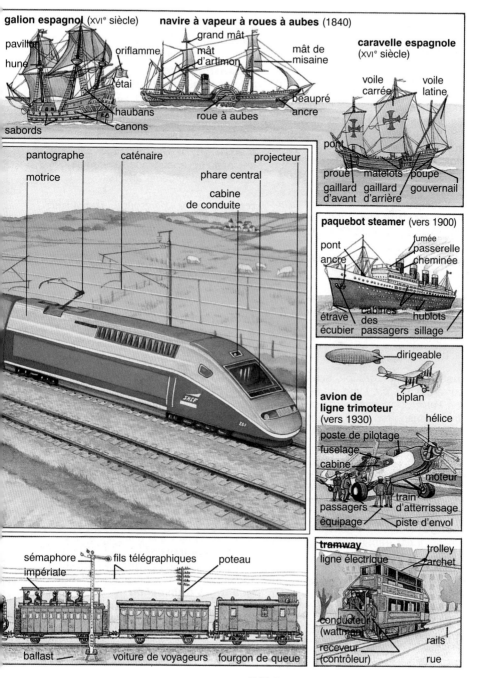

galion espagnol (XVIᵉ siècle)

pavillon
hune
étai
haubans
sabords
canons

navire à vapeur à roues à aubes (1840)

grand mât
mât d'artimon
mât de misaine
beaupré
roue à aubes
ancre

caravelle espagnole (XVIᵉ siècle)

voile carrée
voile latine
pont
proue   matelots   poupe
gaillard   gaillard   gouvernail
d'avant   d'arrière

pantographe   caténaire   projecteur
motrice   phare central
cabine de conduite

paquebot steamer (vers 1900)

pont
ancre
fumée
passerelle
cheminée
étrave   cabines   hublots
écubier   des   sillage
passagers

dirigeable
avion de ligne trimoteur (vers 1930)
biplan
hélice
poste de pilotage
fuselage
cabine
moteur
passagers   train d'atterrissage
équipage   piste d'envol

sémaphore   fils télégraphiques   poteau
impériale
ballast   voiture de voyageurs   fourgon de queue

tramway
ligne électrique
trolley
archet
conducteur (wattman)
receveur (contrôleur)
rails
rue

971

transatlantique SENS 1. adj. et n.f. *La course **transatlantique** (la **transatlantique**) oppose des voiliers qui traversent l'océan Atlantique.* SENS 2. n.m. *Ce **transatlantique** reliait Le Havre à New York,* ce paquebot.

■ **transat** n.f. [SENS 1] *Qui va gagner la **transat** en solitaire cette année ?,* la course transatlantique.
✳ On prononce le « t » final : [trɑ̃zat].

transcrire v. 3ᵉ groupe. *On **a transcrit** ce nom chinois en lettres de l'alphabet latin,* on l'a écrit en caractères différents.
✳ Conj. nº 71.

■ **transcription** n.f. *On a fait des exercices de **transcription** phonétique,* de transposition en écriture phonétique.

transe n.f. *J'étais **en transe** en attendant le résultat,* j'étais anxieux.

transept n.m. *Le **transept** d'une église est la partie perpendiculaire à la nef qui forme les bras d'une croix.*
✳ On prononce le « p » et le « t » : [trɑ̃sɛpt].

transférer v. 1ᵉʳ groupe. SENS 1. *Le voleur a été arrêté à Lyon, on **l'a transféré** à Paris,* on l'a conduit de ce lieu à l'autre (= transporter). SENS 2. *Le magasin **est transféré** un peu plus loin,* on l'a changé de place.
✳ Conj. nº 10.

■ **transfert** n.m. [SENS 1] *Le prisonnier s'est évadé pendant son **transfert**,* son transport d'une prison à une autre.

transfigurer v. 1ᵉʳ groupe. *Depuis qu'il est marié, il **est transfiguré**,* son visage a pris un nouvel éclat.

transformer v. 1ᵉʳ groupe. SENS 1. *J'**ai** complètement **transformé** le salon,* je lui ai donné une forme, un aspect différent (= changer, modifier). SENS 2. *La chenille **se transforme** en papillon,* elle prend une autre forme (= se changer, se métamorphoser). SENS 3. *Au rugby, **trans-***

former un essai, c'est tirer entre les poteaux pour marquer un but.

■ **transformateur** n.m. [SENS 1] *Un **transformateur** est un appareil qui sert à changer la tension du courant électrique.*

■ **transformation** n.f. [SENS 1] *Tu as fait des **transformations** chez toi ?,* des changements. [SENS 2] *La **transformation** du têtard en grenouille est sa métamorphose.*

transfuge n. *Un **transfuge** est une personne qui abandonne son camp pour passer dans le camp adverse.*

transfuser v. 1ᵉʳ groupe. ***Transfuser** un blessé,* c'est faire passer du sang d'une personne en bonne santé dans le corps de celui-ci.

■ **transfusion** n.f. *Ce blessé a besoin d'une **transfusion** (sanguine),* d'une injection de sang prélevé sur un donneur.

illustr. p. 869

transgresser v. 1ᵉʳ groupe. *Le soldat **a transgressé** les ordres,* il ne les a pas respectés (= enfreindre, violer).

■ **transgression** n.f. *Toute **transgression** du règlement sera sanctionnée* (= violation).

transhumance n.f. *La **transhumance** des moutons a lieu au printemps,* leur déplacement vers la montagne.

transi, ie adj. *Nous étions **transis** dans cette brume glaciale,* nous avions très froid.

transiger v. 1ᵉʳ groupe. *L'un voulait aller à la mer, l'autre à la campagne ; finalement ils **ont transigé** et sont partis à la montagne !,* ils se sont mis d'accord en faisant des concessions. ●● ***intransigeant**.* → ***transaction***
✳ Conj. nº 2.

transistor n.m. *Hugo a acheté des piles pour son **transistor**,* un poste de radio portatif.

illustr. p. 503, 862

transit n.m. Être **en transit**, c'est passer par un lieu sans y séjourner, avant de repartir pour une autre destination.
❋ On prononce le « t » final : [trãzit].

■ **transiter** v. 1ᵉʳ groupe. *Nous **avons** transité par Cologne*, nous nous y sommes arrêtés avant de repartir.

transitif, ive adj. *Dans la phrase « Prends ton manteau », le verbe est **transitif***, il a un complément d'objet (≠ intransitif).

transition n.f. SENS 1. *C'est la **transition** du chaud au froid qui t'a fait attraper un rhume*, le passage. SENS 2. *Un gouvernement **de transition*** est intermédiaire entre l'ancien et le nouveau.

■ **transitoire** adj. [SENS 2] *Ces dispositions sont **transitoires***, elles ne dureront pas (= momentané, temporaire, passager ; ≠ durable).

translucide adj. *Cette porcelaine est **translucide***, elle laisse passer la lumière sans être totalement transparente (≠ opaque).

transmettre v. 3ᵉ groupe. *Votre lettre m'**a été transmise** hier*, on me l'a fait parvenir. *La grippe **se transmet** facilement d'une personne à l'autre*, elle se passe (= communiquer). ●● ***retransmettre***
❋ Conj. nº 57.

■ **transmissible** adj. *La grippe est une maladie **transmissible***, qui peut se transmettre (= contagieux).

■ **transmission** n.f. *La **transmission** des ondes lumineuses est extrêmement rapide* (= propagation).

transparent, ente adj. *Le verre est **transparent***, on voit à travers. → ***limpide***

■ **transparence** n.f. *La **transparence** est la propriété de ce qui est transparent. On voit par **transparence** ce qui se passe derrière le rideau.*

■ **transparaître** v. 3ᵉ groupe. *Son visage laissait **transparaître** sa colère* (= se deviner, apparaître).
❋ Conj. nº 64.

transpercer v. 1ᵉʳ groupe. SENS 1. *La balle **a transpercé** la cloison*, elle l'a percée de part en part (= traverser, perforer). ●● ***percer***. SENS 2. *La pluie **a transpercé** nos vêtements*, elle est passée à travers.
❋ Conj. nº 1.

transpirer v. 1ᵉʳ groupe. *Pascal a de la fièvre, il **a transpiré** toute la nuit*, il a été en sueur (= suer).

■ **transpiration** n.f. *C'est la chaleur qui provoque la **transpiration***, la sécrétion de la sueur.

transplanter v. 1ᵉʳ groupe. SENS 1. *Transplanter un rosier*, c'est le déterrer pour le planter ailleurs. ●● ***planter***. SENS 2. *Transplanter un cœur, un rein*, c'est le prélever sur un cadavre, un donneur, pour le greffer sur un malade.

■ **transplantation** n.f. *Le malade a été sauvé par une **transplantation** cardiaque*, une greffe du cœur.

transporter v. 1ᵉʳ groupe. *Le blessé **a été transporté** à l'hôpital*, il y a été porté (= emmener).

■ **transport** n.m. *Ce train est réservé au **transport** des marchandises*, pour les transporter d'un lieu à un autre. *L'autobus, le métro sont des **transports** en commun.* *illustr. p. 1017, 970*

■ **transporteur** n.m. *Un **transporteur** routier* est un camionneur qui transporte des marchandises.

transposer v. 1ᵉʳ groupe. *Transposer un morceau de musique*, c'est l'écrire dans un autre ton pour l'adapter à un autre instrument ou à la voix d'un chanteur. *Transposer les phrases d'un texte*, c'est les changer de place (= intervertir).

transvaser v. 1ᵉʳ groupe. *On **a transvasé** le vin de la bouteille dans une carafe*, on l'a changé de récipient.

LES TRAVAUX PUBLICS

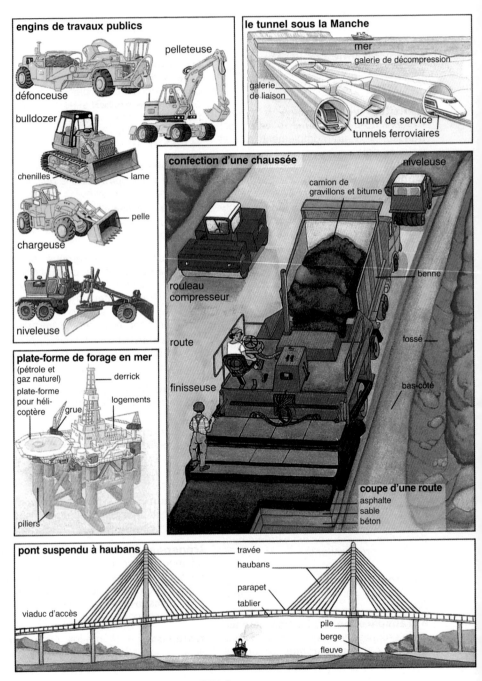

engins de travaux publics

pelleteuse

défonceuse

bulldozer

chenilles — — lame

pelle

chargeuse

niveleuse

plate-forme de forage en mer
(pétrole et
gaz naturel)

derrick

plate-forme
pour héli-
coptère

grue

logements

piliers

le tunnel sous la Manche

mer

galerie de décompression

galerie
de liaison

tunnel de service

tunnels ferroviaires

confection d'une chaussée

niveleuse

camion de
gravillons et bitume

benne

rouleau
compresseur

route

fossé

finisseuse

bas-côté

coupe d'une route

asphalte
sable
béton

pont suspendu à haubans

travée

haubans

parapet

tablier

viaduc d'accès

pile

berge

fleuve

974

transversal, ale, aux adj. *Ma voiture est garée dans une rue transversale, une rue qui coupe celle où je suis.*

illustr. p. 431,

trapèze n.m. SENS 1. Un **trapèze** est une figure géométrique à quatre côtés dont deux seulement sont parallèles (la grande base et la petite base). SENS 2. *Au cirque, on a vu les acrobates faire du* *177* *trapèze,* se suspendre à une barre tenue par deux cordes.

illustr. p. 177

■ **trapéziste** n. [SENS 2] Les **trapézistes** font des acrobaties au trapèze.

trappe n.f. *Il faut soulever la trappe pour entrer,* le panneau mobile du plancher ou du plafond.

trappeur n.m. Les **trappeurs** sont des chasseurs d'animaux à fourrure en Amérique du Nord.

trapu, ue adj. Un homme **trapu** est un homme petit et large de corps (= râblé).

traquenard n.m. *On est tombé dans un traquenard,* un piège. → **guet-apens**

traquer v. 1er groupe. *La police traque les malfaiteurs,* elle les poursuit pour les arrêter (= pourchasser).

traumatisme n.m. Un **traumatisme** est un ensemble de troubles causés à quelqu'un par un choc physique ou moral.

■ **traumatiser** v. 1er groupe. *Il a été traumatisé par son nouvel échec à l'examen,* il a été profondément choqué.

illustr. p. 855,

travail n.m. SENS 1. *Bruno est au chômage, il cherche du travail,* une occupation qui lui permette de gagner sa vie (= emploi). SENS 2. *Encore une semaine de travail et c'est les vacances* (= activité ; ≠ loisirs, repos). SENS 3. *Léo, tu as fait ton travail pour demain ?,* tes devoirs *974* et tes leçons. SENS 4. (Au plur.) *En été, il y a des travaux dans les rues,* des réparations, des aménagements.

✳ Au pluriel, on dit des **travaux**.

■ **travailler** v. 1er groupe. [SENS 1 et 2] *Papa travaille en usine,* il exerce une activité, un métier. [SENS 3] *Va travailler, tu as une leçon à apprendre,* étudier.
◆ *On ne peut plus fermer la porte, le bois a travaillé avec l'humidité,* il s'est déformé (= se gauchir).

■ **travailleur, euse** n. et adj. [SENS 1] *Les travailleurs de l'usine sont en grève,* ceux qui y travaillent. [SENS 3] *Loïc est très travailleur,* il travaille beaucoup, il aime le travail (≠ paresseux).

travée n.f. SENS 1. *Au cirque, nous étions assis dans la travée centrale,* la rangée de sièges. SENS 2. La **travée** d'un pont est l'espace compris entre deux piles de ce pont.

illustr. p. 913, 974

1. travers n.m. *Il est gourmand ? Ce n'est qu'un léger travers !* (= défaut).

2. travers SENS 1. prép. *On a marché à travers les champs,* en les traversant. *Un camion est renversé en travers de la route,* au milieu, en la barrant dans le sens de la largeur. SENS 2. adv. *Tu as mis ton chapeau de travers,* pas droit (= fam. de guingois). *Il comprend tout de travers,* d'une manière fausse (= mal).

traverse n.f. SENS 1. Les **traverses** d'une voie ferrée sont des barres transversales sur lesquelles les rails sont fixés. SENS 2. Un **chemin de traverse** est un chemin plus court et plus irrégulier que la voie normale (= raccourci).

illustr. p. 425

traverser v. 1er groupe. SENS 1. *Faites attention pour traverser la rue !,* pour passer d'un côté à l'autre (= franchir). SENS 2. *La pluie a traversé mon imperméable* (= transpercer).

■ **traversée** n.f. [SENS 1] *La mer était mauvaise, j'ai été malade pendant toute la traversée,* le voyage d'une côte à une autre.

traversin n.m. *Alex dort avec un traversin,* un long oreiller cylindrique de la largeur du lit (= fam. polochon).

illustr. p. 863

travestir v. 2ᵉ groupe. *Pour le Mardi gras, Julien s'est travesti en Indien,* il s'est déguisé.

■ **travestissement** n.m. *Ce magasin loue des travestissements,* des costumes pour se déguiser (= déguisement).

illustr. p. 354 **trayeuse** n.f. *La trayeuse est un appareil qui sert à traire les vaches.* ●● **traire**

trébucher v. 1ᵉʳ groupe. *En marchant, j'ai trébuché sur une pierre,* mon pied l'a heurtée et j'ai failli tomber (= buter).

illustr. p. 21, 530 **trèfle** n.m. SENS 1. *Les vaches broutent le trèfle,* une plante fourragère. SENS 2. *Qui a l'as de trèfle ?,* dans un jeu de cartes, la couleur représentée par une feuille de trèfle noire.

treillage n.m. *La vigne vierge pousse sur du treillage,* un assemblage de lattes minces entrecroisées.

■ **treille** n.f. *Une treille est une vigne dont les rameaux sont fixés à un treillage ou à un mur.*

treillis n.m. SENS 1. *Le garde-manger est recouvert d'un treillis,* un grillage métallique. SENS 2. *Les soldats mettent leur treillis,* un uniforme en grosse toile.

illustr. p. 642 **treize** adj. numéral. *Il y a treize élèves dans la classe. 12 + 1 = 13.*

illustr. p. 642 ■ **treizième** adj. et n. *Adrien est (le) treizième sur la liste. J'habite dans le treizième arrondissement, à Paris.*

tréma n.m. *On met un tréma sur le « e » de Noël,* un double point.

tremble n.m. *Le tremble est une variété de peuplier aux feuilles arrondies que le moindre souffle d'air fait trembler.*

trembler v. 1ᵉʳ groupe. SENS 1. *Tu as froid ? Tu trembles,* tu es agité de petits mouvements répétés et involontaires (= frissonner, grelotter). SENS 2. *Je tremble à l'idée des dangers qui nous me-*

nacent, j'ai peur (= frémir). SENS 3. *La terre a tremblé au Japon,* elle a été ébranlée par une secousse.

■ **tremblant, ante** adj. *Elsa est tremblante de fièvre,* elle tremble à cause de la fièvre.

illustr. p. 737 ■ **tremblement** n.m. [SENS 1] *Son émotion se devinait au tremblement de ses mains,* à leur agitation. [SENS 3] *Il y a eu un tremblement de terre au Japon,* un séisme.

■ **trembloter** v. 1ᵉʳ groupe. [SENS 1] *J'ai les mains qui tremblotent,* qui tremblent légèrement.

■ **tremblote** n.f. [SENS 1] Fam. *Fabien est si troublé qu'il en a la tremblote,* il tremble.

trémolo n.m. *Il nous a dit adieu avec des trémolos dans la voix,* des tremblements.

se **trémousser** v. 1ᵉʳ groupe. *Les enfants se trémoussent au son de la musique,* ils se remuent vivement.

trempé, ée adj. SENS 1. *L'acier trempé est de l'acier ayant reçu un traitement spécial qui le rend plus dur.* SENS 2. *Un caractère bien trempé est un caractère ferme, énergique.*

■ **trempe** n.f. [SENS 1] *Cet acier a subi une trempe spéciale,* un traitement spécial pour le durcir. [SENS 2] *On ne rencontre pas souvent un homme de cette trempe* (= énergie, vigueur).

tremper v. 1ᵉʳ groupe. SENS 1. *Il faut faire tremper le linge,* le laisser un certain temps dans l'eau. SENS 2. *Pascal trempe sa tartine dans son café* (= plonger). SENS 3. *Il a plu cette nuit, les fauteuils du jardin sont trempés,* ils sont tout mouillés. ●● **détremper**. SENS 4. *On lui reproche d'avoir trempé dans des affaires louches,* d'y avoir été mêlé.

illustr. p. 895 **tremplin** n.m. *À la piscine, Max a pris son élan du tremplin et a plongé,* la planche élastique qui sert à sauter.

trente adj. numéral. *Maman a **trente** ans, deux fois quinze. 2 x 15 = 30.*

■ **trentaine** n.f. *Cette femme doit avoir une **trentaine** d'années,* environ trente ans.

■ **trentième** adj. et n. *Vous avez le **trentième** numéro de la série. Anne est la **trentième** à s'inscrire à notre club.*

trente-et-un n.m. Fam. **Se mettre sur son trente-et-un,** c'est mettre ses plus beaux vêtements.

trentième → *trente*

trépasser v. 1er groupe. *À minuit le roi Renaud **trépassa**,* il mourut.

■ **trépas** n.m. *Il est passé de vie à **trépas**,* de la vie à la mort.
✹ Les mots de cette famille s'emploient surtout dans la langue écrite.

trépider v. 1er groupe. *Quand le métro passe, on sent le sol **trépider**,* trembler légèrement.

■ **trépidation** n.f. *Les gens du dessus dansent, le plafond est agité de légères **trépidations**,* vibrations.

■ **trépidant, ante** adj. *À Paris, on mène une vie **trépidante**,* une vie agitée (≠ calme).

trépied n.m. *Un **trépied** est un support ou un meuble à trois pieds.

trépigner v. 1er groupe. *Dans sa colère, Loïc s'est mis à **trépigner** et à crier,* à frapper des pieds par terre.

très adv. *Papa est **très** grand* (= extrêmement). *J'ai **très** envie d'une glace* (= bien, fort, terriblement).

trésor n.m. *On a découvert un **trésor** dans l'épave du navire,* un ensemble d'objets précieux (des pièces d'or, des bijoux, etc.)

■ **trésorier, ère** n. *Mme Mollet est la **trésorière** de l'association,* elle est char-gée de recueillir l'argent et de faire les comptes.

■ **trésorerie** n.f. *La **trésorerie** d'une entreprise,* c'est l'argent dont elle dispose pour faire face aux dépenses (= finances, fonds).

tressaillir v. 3e groupe. *Je t'ai fait peur ? tu **as tressailli**,* tu as eu un brusque mouvement du corps (= sursauter).
✹ Conj. n° 23.

■ **tressaillement** n.m. *Un **tressaillement** a marqué sa surprise,* une brusque secousse de tout le corps.

tresse n.f. *Julie a une **tresse** dans le dos,* une coiffure faite de trois longues mèches de cheveux qu'on entrelace (= natte).

■ **tresser** v. 1er groupe. *Julie **tresse** ses cheveux,* elle les entrecroise pour faire une tresse.

tréteau n.m. *On a installé la table de ping-pong sur des **tréteaux**,* des supports horizontaux à quatre pieds.
✹ Au pluriel, on écrit des **tréteaux**.

treuil n.m. *Pour remonter le seau du puits, on tourne le **treuil**,* un cylindre autour duquel s'enroule une corde.

trêve n.f. SENS 1. *Les combats se sont arrêtés pendant la **trêve** de Noël,* une période d'arrêt provisoire des combats. SENS 2. ***Trêve** de plaisanteries, je parle sérieusement maintenant* (= assez de).

tri- préfixe. Placé au début d'un mot **tri-** signifie « trois » : *un **tri**moteur a trois moteurs, un **tri**angle a trois angles, etc.*

tri, triage → *trier*

triangle n.m. SENS 1. *Un **triangle** est une figure géométrique à trois côtés. Un **triangle** isocèle a deux côtés égaux ; un*

triangle équilatéral a trois côtés de même longueur et trois angles égaux ; un triangle rectangle a un angle droit. SENS 2. Le **triangle** est un instrument de musique de forme triangulaire sur lequel on frappe avec une baguette d'acier.

illustr. p. 310, 628

■ **triangulaire** adj. [SENS 1] *Le foc est une voile triangulaire*, en forme de triangle.

tribord n.m. *Attention, un voilier arrive sur nous à tribord, du côté droit du bateau quand on regarde vers l'avant* (≠ bâbord).

illustr. p. 741

tribu n.f. *Le chef indien a rassemblé tous les membres de sa tribu, les familles qui descendent du même ancêtre et qui ont le même chef* (= clan).
✳ Ne pas confondre avec un **tribut**.

tribulations n.f. pl. *Après bien des tribulations, il a réussi à regagner son pays*, des aventures plus ou moins désagréables.

tribun n.m. Dans l'Antiquité romaine, les **tribuns** étaient des officiers ou des magistrats.

tribunal n.m. SENS 1. *L'assassin a comparu devant le tribunal, l'ensemble des personnes qui rendent la justice.* SENS 2. *L'accusé est convoqué au tribunal, à l'endroit où les juges rendent la justice.*
✳ Au pluriel, on dit des **tribunaux**.

tribune n.f. SENS 1. *Le président est monté à la tribune pour faire son discours*, sur une estrade. SENS 2. *Les tribunes du champ de courses sont pleines de monde*, les gradins où sont assis les spectateurs.

illustr. p. 1002

tribut n.m. SENS 1. Autrefois, un **tribut** était ce qu'un vaincu devait donner au vainqueur. SENS 2. *Cette région a payé un lourd tribut aux inondations*, elle a été durement éprouvée.
✳ Ne pas confondre avec une **tribu**.

tributaire adj. *Comme elle n'a pas de pétrole, la France est tributaire des pays qui en ont*, elle en dépend.

tricentenaire n.m. Le **tricentenaire** d'un événement, c'est son trois centième anniversaire. ●● *cent*

tricher v. 1er groupe. *Je ne joue plus avec toi, tu triches pour gagner*, tu trompes les autres en faisant des choses interdites par les règles du jeu.

■ **tricheur, euse** n. et adj. *Quelle tricheuse ! tu regardes mon jeu ! Il est tellement tricheur qu'on se méfie toujours*, il triche si souvent.

■ **tricherie** n.f. *Il a gagné sans tricherie*, sans tromperie.
✳ On dit familièrement **triche** : *c'est de la triche !*

tricolore adj. *Le drapeau français est tricolore*, il a trois couleurs, le bleu, le blanc et le rouge. *Un feu tricolore est un feu de signalisation routière qui est tantôt vert, tantôt orange, tantôt rouge.*

tricorne n.m. *Le marquis portait un tricorne, un chapeau à trois bords repliés.*

illustr. p. 221

tricoter v. 1er groupe. *Je sais tricoter*, faire un vêtement de laine ou de coton en mailles entrelacées à l'aide d'aiguilles spéciales.

■ **tricot** n.m. SENS 1. *Maman fait du tricot avec de la laine et des aiguilles*, elle tricote. SENS 2. *Mets ton tricot de laine, il fait froid* (= pull-over, chandail).

illustr. p. 228,

tricycle n.m. *Mon petit frère fait du tricycle*, un vélo à trois roues. ●● *cycle*

trident n.m. *Neptune, le dieu de la Mer, est représenté avec un trident à la main*, une fourche à trois dents.

trier v. 1er groupe. SENS 1. *Il faut trier les pommes, pour jeter les mauvaises*, les choisir et les mettre à part. SENS 2. *Les*

978

*employés des postes **trient** les lettres*, ils les répartissent selon leur destination.

■ **tri** n.m. [SENS 1 et 2] *J'ai fait un **tri** dans mes affaires, je les ai triées.*

■ **triage** n.m. [SENS 2] *Dans une gare de **triage**, on trie les wagons de marchandises suivant leur destination.*

trilingue adj. *Un secrétaire **trilingue** parle trois langues.*

trille n.m. *Le solo de flûte comprend plusieurs **trilles**, des sons modulés sur deux notes très proches.*
❋ Ce mot est du genre masculin.

trimaran n.m. *Un **trimaran** est un voilier qui a une coque de chaque côté de la coque centrale.*

trimbaler ou **trimballer** v. 1ᵉʳ groupe. Fam. *Pauline **trimbale** partout sa poupée*, elle l'emporte avec elle.

trimer v. 1ᵉʳ groupe. Fam. *Il a fallu **trimer** dur pour arriver à ce résultat* (= travailler, peiner).

illustr. p. 132 **trimestre** n.m. *Mon grand frère passe ses examens au troisième **trimestre**, une des quatre périodes de trois mois qui divisent l'année.* → *semestre*

■ **trimestriel, elle** adj. *Une revue trimestrielle est une revue qui paraît tous les trois mois.* → *semestriel*

tringle n.f. *Les rideaux sont suspendus à une **tringle**, une tige qui les soutient.*

trinquer v. 1ᵉʳ groupe. SENS 1. *On a **trinqué** à la santé de l'oncle Charles*, on a cogné légèrement les verres les uns contre les autres avant de boire. SENS 2. Fam. *Dans l'accident, c'est surtout la petite voiture qui **a trinqué***, qui a subi des dégâts, des dommages.

trio n.m. SENS 1. *Un **trio** est une formation de trois musiciens ou un morceau de musique pour trois instruments.* SENS 2.

*Yves, Paul et Éric font un joyeux **trio**, un ensemble de trois personnes inséparables.*

illustr. p. 41 **triomphe** n.m. SENS 1. *L'élection de cet homme politique a été un **triomphe**, un très grand succès* (= victoire). SENS 2. *Le gagnant a été porté **en triomphe** par ses camarades*, ils l'ont porté sur leurs épaules pour qu'on l'acclame. → *ovation*

■ **triompher** v. 1ᵉʳ groupe. [SENS 1] *Ce sportif **a triomphé** de tous ses adversaires*, il a gagné contre tous (= l'emporter sur, vaincre).

■ **triomphant, ante** adj. [SENS 1] *Pascal nous a annoncé son succès d'un air **triomphant**, fier d'avoir gagné.*

■ **triomphal, ale, aux** adj. [SENS 2] *Cette chanteuse a reçu un accueil **triomphal**, marqué par des acclamations* (= enthousiaste).

tripes n.f. pl. *À midi, on a mangé des **tripes**, des morceaux cuisinés de l'estomac et de l'intestin du bœuf.*

■ **tripier, ère** n. *Le **tripier** vend des tripes et des abats.*

■ **triperie** n.f. *La **triperie** est la boutique du tripier.*

triple adj. *Ma solution offre un **triple** avantage, un avantage sur trois points.*

■ **triple** n.m. *J'ai acheté un vélo d'occasion que j'aurais payé le **triple** à l'état neuf, trois fois plus cher.* *illustr. p. 642*

■ **tripler** v. 1ᵉʳ groupe. *Les prix ont **triplé** depuis cette époque*, ils ont été multipliés par trois.

■ **triplés, ées** n. pl. *Marie a accouché de **triplés**, trois bébés qui sont nés en même temps.* → *jumeau*

triporteur n.m. *Un **triporteur** est une bicyclette à trois roues avec une caisse pour transporter les marchandises.* → *tricycle*

tripoter v. 1ᵉʳ groupe. Fam. *Ne **tripote** pas la poignée de la portière !*, ne la touche pas tout le temps.

trique n.f. *L'individu nous menaçait avec une **trique**, un gros bâton.*

triste adj. SENS 1. *Je suis bien **triste** que tu t'en ailles,* j'ai de la peine, du chagrin (= peiné ; ≠ content, gai). ●● ***attrister**.* SENS 2. *La fin du film est **triste**,* elle donne envie de pleurer (≠ gai). SENS 3. *Après l'accident, la voiture était dans un **triste** état* (= lamentable).

■ **tristement** adv. [SENS 1] *Je l'ai regardé partir **tristement**,* avec tristesse.

■ **tristesse** n.f. [SENS 1] *C'est avec une profonde **tristesse** que nous avons appris la nouvelle* (= peine, chagrin ; ≠ gaieté, joie).

illustr. p. 357   **triton** n.m. *Le **triton** est un amphibien,* voisin de la salamandre, à queue aplatie qui vit dans les mares et les étangs.

triturer v. 1er groupe. SENS 1. ***Triturer** un mélange,* c'est le broyer (= pétrir, malaxer). SENS 2. Fam. *J'ai beau **me triturer la cervelle**,* je ne trouve rien, chercher une solution (= réfléchir).

trivial, ale, aux adj. *Alex a employé un mot **trivial**,* très vulgaire (= grossier).

■ **trivialité** n.f. *Sa plaisanterie est d'une **trivialité** choquante* (= grossièreté).

troc n.m. *Faire du **troc**,* c'est faire l'échange d'un objet contre un autre, sans donner d'argent.

■ **troquer** v. 1er groupe. *Elsa **a troqué** son collier contre mon bracelet* (= échanger).

illustr. p. 527   **troène** n.m. *Il y a une haie de **troènes** dans le fond du jardin,* des arbustes à fleurs odorantes.

troglodyte n.m. *Les **troglodytes** sont des personnes qui habitent dans des grottes ou dans des habitations creusées dans la roche.*

trogne n.f. Fam. *Il a une drôle de **trogne*** (= tête, visage).

trognon n.m. *Jean a mangé la pomme ; il a laissé le **trognon**,* la partie du milieu avec les pépins.

troïka n.f. *Une **troïka** est un traîneau russe tiré par trois chevaux attelés côte à côte.*

trois adj. numéral. *Paul a **trois** sœurs : Sylvie, Lucie et Anne. 2 + 1 = 3.* *illustr. p. 642*

■ **troisième** adj. et n. *Anne est la **troisième** sœur de Paul. J'habite au **troisième** (étage).* *illustr. p. 642*

trolleybus ou **trolley** n.m. *Les **trolleybus** ont parfois remplacé les tramways,* les autobus qui marchent à l'électricité, à l'aide d'une perche les reliant à des fils aériens. *illustr. p. 971*

trombe n.f. SENS 1. *Cette nuit, il est tombé des **trombes** d'eau,* de la pluie très abondante et forte. SENS 2. *L'automobiliste a fait un démarrage **en trombe**,* très rapide.

trombone n.m. SENS 1. *Ce musicien joue du **trombone**,* un instrument de musique à vent muni d'une partie coulissante ou de pistons. SENS 2. *Ces deux pages sont attachées avec un **trombone**,* une sorte d'agrafe (= attache). *illustr. p. 628, 122*

trompe n.f. SENS 1. *Avec sa **trompe**, l'éléphant s'asperge d'eau,* la partie très longue et mobile de son nez. SENS 2. *À la chasse à courre, on fait sonner la **trompe**,* le cor de chasse. *illustr. p. 1032*

tromper v. 1er groupe. SENS 1. *J'ai pris la mauvaise route, c'est le brouillard qui **m'a trompé**,* qui m'a fait croire quelque chose qui n'était pas vrai (= induire en erreur, abuser). ●● ***détromper**.* SENS 2. *M. Chéron **n'a** jamais **trompé** sa femme,* il ne lui a jamais été infidèle. SENS 3. *Je **me suis trompé** dans mes calculs,* j'ai fait une erreur. *Vous **vous trompez** d'adresse,* vous la confondez avec une autre. *Si tu crois que tu me fais peur, tu te **trompes*** (= se leurrer, s'illusionner).

■ **tromperie** n.f. [SENS 1] *J'ai été victime d'une* **tromperie**, *on m'a trompé* (= duperie, mystification).

■ **trompeur, euse** adj. [SENS 1] *Les apparences sont souvent* **trompeuses**, *elles trompent* (= faux, mensonger). → **fallacieux**

■ **trompe-l'œil** n.m. inv. [SENS 1] *Tout ce décor n'est qu'un* **trompe-l'œil**, *une apparence trompeuse.*
✱ Ce mot ne change pas au pluriel.

illustr. p. 628 **trompette** n.f. SENS 1. *Le clown joue de la* **trompette**, *un instrument de musique à vent fait d'un tube cylindrique recourbé muni de pistons et terminé par un pavillon.* SENS 2. *Claire a le nez* **en trompette**, *relevé du bout* (= retroussé).

■ **trompettiste** n.m. [SENS 1] *Louis Armstrong était un remarquable* **trompettiste**, *un joueur de trompette.*

trompeur → **tromper**

tronc n.m. SENS 1. *Il y a un* **tronc** *d'arbre en travers de la route*, *la partie de l'arbre qui va du sol aux branches.* → **fût**. SENS 2. *Cette poupée n'a plus de jambes, ni de bras, ni de tête, il ne reste que le* **tronc**, *la partie du corps qui va du ventre au cou.* SENS 3. *À l'entrée de l'église, il y a un* **tronc**, *une boîte munie d'une fente, destinée à recueillir les offrandes.*

tronçon n.m. SENS 1. *Le bûcheron débite l'arbre en* **tronçons**, *en morceaux plus longs que larges.* SENS 2. *On a pris le nouveau* **tronçon** *d'autoroute*, *la partie ajoutée à ce qui existait* (= section).

■ **tronçonner** v. 1ᵉʳ groupe. [SENS 1] *Le bûcheron* **tronçonne** *un arbre, il le coupe en tronçons.*

illustr. p. 403 ■ **tronçonneuse** n.f. [SENS 1] *Une* **tronçonneuse** *est une scie à moteur portative qui sert à tronçonner.*

trône n.m. SENS 1. *La reine préside la cérémonie assise sur son* **trône**, *le siège élevé qui lui est réservé.* SENS 2. *Ce*

prince montera sur le **trône** *dans quelques années, il sera roi.* ●● **détrôner**

■ **trôner** v. 1ᵉʳ groupe. [SENS 1] *Le président* **trônait** *à la place d'honneur, il y était placé et tout le monde pouvait le voir.*

tronquer v. 1ᵉʳ groupe. *Cette citation est* **tronquée**, *on en a supprimé une partie* (= mutiler, écourter).

trop adv. *On a mis* **trop** *de sel, on a* **trop** *salé, plus qu'il ne faut. Le piano ne passe pas par la porte, il a 50 cm* **en trop** *(ou* **de trop***), en excédent.*

illustr. p. 42 **trophée** n.m. *Le champion de tennis m'a montré ses* **trophées**, *les objets qu'il garde en souvenir de ses victoires.*

tropique n.m. *Le soleil des* **tropiques** *est très chaud, de la zone située de part et d'autre de l'équateur. Le* **tropique** *du Cancer est dans l'hémisphère Nord ; le* **tropique** *du Capricorne est dans l'hémisphère Sud.*

illustr. p. 982 ■ **tropical, ale, aux** adj. *Une plante* **tropicale** *pousse dans la zone des tropiques. Il fait une chaleur* **tropicale**, *très forte* (= torride).

illustr. p. 239 **trop-plein** n.m. SENS 1. *Le* **trop-plein** *du réservoir s'écoule par une canalisation, la quantité de liquide qui est en excès.* SENS 2. *Un* **trop-plein** *évite que la baignoire ne déborde, un dispositif d'écoulement.*
✱ Au pluriel, on écrit des **trop-pleins**.

troquer → **troc**

trotter v. 1ᵉʳ groupe. SENS 1. *Le cheval* **trotte**, *il va à une allure intermédiaire entre le pas (plus lent) et le galop (plus rapide).* SENS 2. *Bébé commence à* **trotter** *maintenant, à marcher.* SENS 3. *Cette chanson me* **trotte** *dans la tête, elle me revient tout le temps.*

■ **trot** n.m. [SENS 1] *À l'hippodrome, on a vu une course de* **trot**, *où les chevaux vont au trot.*

L'AFRIQUE TROPICALE ET ÉQUATORIALE

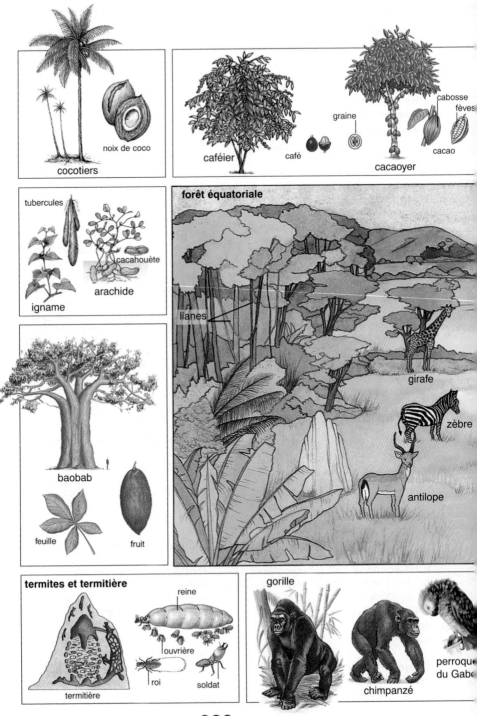

noix de coco

cocotiers

caféier   café   graine   cabosse   fèves

cacao

cacaoyer

tubercules

cacahouète

arachide

igname

forêt équatoriale

lianes

girafe

zèbre

antilope

baobab

feuille   fruit

termites et termitière

reine

ouvrière

roi   soldat

termitière

gorille

chimpanzé   perroquet du Gabon

Autour de l'équateur, en plaine, il fait très chaud et humide toute l'année : c'est le domaine de la forêt dense. Sous les tropiques pousse la savane, grâce à l'alternance d'une saison sèche et d'une saison humide.

régime

banane

fleur

bananier

grenier ou réserve lacustre

pilotis

pirogue

pagaie

éruption
coulée de lave
volcan

feu de brousse

exploitation forestière

grume

roues jumelées

éléphants

rhinocéros

buffles

chacal

lion

hyène

lionne

gazelle

savane

mine de diamants

excavatrice

diamant brut   diamant taillé

gnou

hyène

chacal

cobra

crocodile

autruche

■ **trotteur** n.m. [SENS 1] *Ce cheval est un **trotteur**, il est spécialement entraîné pour la course de trot.*

illustr. p. 150

■ **trotteuse** n.f. *La **trotteuse** d'une montre est l'aiguille qui marque les secondes.*

■ **trottiner** v. 1ᵉʳ groupe. [SENS 2] *Delphine **trottine** dans la rue à côté de sa maman, elle marche à petits pas.*

■ **trottinette** n.f. *Ma petite sœur fait de la **trottinette**, un jouet composé d'une planche montée sur deux roues et d'un guidon qui oriente la roue avant (= patinette).*

illustr. p. 855

trottoir n.m. *Attention aux voitures, marchez sur le **trottoir** !, la partie, de chaque côté d'une rue, réservée aux piétons.*

illustr. p. 239, 530

trou n.m. SENS 1. *Le jardinier creuse un **trou** dans la terre, un creux, une cavité (= excavation).* SENS 2. *Oh ! j'ai fait un **trou** dans ma chemise !, une déchirure (= accroc).* SENS 3. *Papa dit qu'il a des **trous de mémoire**, il ne se souvient plus de certaines choses (= oubli, absence).*

■ **trouer** v. 1ᵉʳ groupe. [SENS 2] *Mes chaussettes **sont trouées**, elles ont un trou (= percer).*

■ **trouée** n.f. [SENS 2] *Les travaux de l'autoroute ont fait une **trouée** dans la forêt, une grande ouverture.*

troubadour n.m. *Au Moyen Âge, les **troubadours** étaient des poètes qui chantaient dans le midi de la France, en langue d'oc.* → **ménestrel, trouvère**

troubler v. 1ᵉʳ groupe. SENS 1. *Ici, l'eau **est troublée** par les égouts qui s'y déversent, elle n'est plus claire.* SENS 2. *La conférence **a été troublée** par des gens qui manifestaient, elle a été interrompue par du désordre.* SENS 3. *L'élève **s'est troublé** quand on lui a demandé de répondre, il s'est ému et a été embarrassé.*

■ **trouble** adj. [SENS 1] *L'eau est **trouble** ici, elle n'est pas parfaitement transparente (≠ clair).*

■ **trouble** adv. [SENS 1] *Je vois **trouble**, je ne vois pas nettement les objets.*

■ **trouble** n.m. [SENS 2] *La manifestation a été marquée par des **troubles**, du désordre (= agitation).* → **tumulte**. [SENS 3] *L'accusé niait tout, mais son **trouble** l'a trahi, son émotion, son embarras.*

■ **trouble-fête** n.m. inv. [SENS 2] *Un voisin est venu nous dire que notre réunion était trop bruyante : c'est un **trouble-fête** !, une personne qui vient déranger le plaisir des autres.*

✳ *Ce mot ne change pas au pluriel.*

trouée, trouer → **trou**

trouille n.f. Fam. *Le danger est passé, mais j'ai eu la **trouille**, j'ai eu peur.*

■ **trouillard, arde** n. et adj. Fam. *Quel **trouillard** ! Il n'ose pas bouger ! (= peureux).*

troupe n.f. SENS 1. *Il y a toute une **troupe** de touristes qui descendent du car, un groupe, une foule.* ●● **s'attrouper**. SENS 2. *Cette pièce de théâtre est jouée par une jeune **troupe** de comédiens, un groupe (= compagnie).* SENS 3. *(Au plur.) Nos **troupes** sont proches de la frontière, nos soldats, notre armée.*

■ **troupeau** n.m. [SENS 1] *Ce paysan a plusieurs **troupeaux** de moutons, des groupes d'animaux qui vivent ensemble.*

illustr. p. 970, 277, 616

✳ *Au pluriel, on écrit des **troupeaux**.*

trousse n.f. *Range ton stylo dans la **trousse**, un étui pour ranger des objets.*

illustr. p. 311

trousseau n.m. SENS 1. *Un **trousseau** de clés est un ensemble de clés attachées par un anneau.* SENS 2. *Je serai pensionnaire, maman a préparé mon **trousseau**, mes vêtements et mon linge.*

✳ *Au pluriel, on écrit des **trousseaux**.*

trousses n.f. pl. *Le voleur n'ira pas loin, la police **est à ses trousses**, à sa poursuite.*

trouver v. 1ᵉʳ groupe. SENS 1. *Alors, tu as **trouvé** ton disque ?, tu as le disque que* tu cherchais ? ●● **_introuvable_**. SENS 2. *J'ai trouvé un billet de 100 € dans la rue, je l'ai découvert par hasard* (≠ perdre). ●● **_retrouver_**. SENS 3. *Tu trouves que j'ai raison ?* (= penser, estimer, croire). SENS 4. *Où se trouve la rue du Montparnasse ?*, à quel endroit est-elle située ? SENS 5. *Attention, Marie va se trouver mal*, s'évanouir. ●● **_syncope_**

■ **trouvaille** n.f. [SENS 2] *J'ai fait une trouvaille dans le grenier*, une découverte intéressante.

trouvère n.m. Au Moyen Âge, les **trouvères** étaient des poètes qui chantaient dans la moitié nord de la France, en langue d'oïl. → **_ménestrel, troubadour_**

truand n.m. Fam. *Le truand a été arrêté par la police*, le bandit (= gangster).

■ **truander** v. 1er groupe. Fam. *Je me suis fait truander par ce marchand ambulant* (= voler).

truc n.m. SENS 1. Fam. *Il y a sûrement un truc pour réussir ce tour de cartes*, un moyen astucieux (= astuce). SENS 2. *Qu'est-ce que c'est que ce truc-là?*, cette chose (= fam. machin, fam. bidule).

■ **truquer** v. 1er groupe. [SENS 1] *Dans un film, on ne saigne pas vraiment, c'est truqué*, il y a un truc pour le faire croire.

■ **truquage** ou **trucage** n.m. [SENS 1] *Il y a des truquages dans ce film*, des moyens utilisés pour faire croire que ce qu'on voit est vrai.

truchement n.m. *C'est par le truchement d'un ami que j'ai eu ce renseignement*, par son intermédiaire.

truculent, ente adj. *Cet écrivain utilise un langage truculent*, plein de mots crus et pittoresques.

illustr.
p. 156 **truelle** n.f. Une **truelle** est une sorte de petite pelle plate utilisée par les maçons.

truffe n.f. SENS 1. *Sous les racines du chêne, le porc a flairé des truffes*, des champignons noirs et très parfumés qui se développent dans la terre. SENS 2. *Le chien a la truffe froide,* le bout du nez. SENS 3. *À Noël, j'ai eu une boîte de truffes*, de crottes de chocolat saupoudrées de cacao.

■ **truffé, ée** adj. *À Noël, on a mangé du foie gras truffé*, avec des morceaux de truffes à l'intérieur.

truie n.f. La **truie** est la femelle du porc. *illustr. p. 397*

truite n.f. *Le menu comporte des truites aux amandes*, des poissons de rivière à la chair excellente. *illustr. p. 845*

truquage, truquer → **_truc_**

trust n.m. *Ces trois fabricants se sont réunis en un trust puissant*, un groupe qui tend à dominer tout un secteur économique.
✳ On prononce [trœst].

tsar ou **tzar** n.m. Le **tsar** était l'empereur de Russie.

tsé-tsé n.f. inv. La **mouche tsé-tsé** est une mouche d'Afrique dont la piqûre provoque la maladie du sommeil.
✳ Ce mot ne change pas au pluriel.

tsigane ou **tzigane** adj. et n. La musique **tsigane** est la musique jouée et chantée par les musiciens de Bohême et de Hongrie.

tu pron. pers. Ce mot s'emploie pour représenter la personne à qui l'on parle : *tu viens ?*

■ **tutoyer** v. 1er groupe. *On se connaît depuis longtemps, alors on se tutoie*, on se dit « tu » (≠ vouvoyer).
✳ Conj. n° 3.

■ **tutoiement** n.m. Le **tutoiement** s'emploie entre amis (≠ vouvoiement).

tuant → **_tuer_**

tuba n.m. SENS 1. Le **tuba** est un gros instrument de musique à vent muni de *illustr. p. 628* pistons et terminé par un large pavillon. SENS 2. Le **tuba** est un tube qu'on met dans la bouche pour respirer quand on nage sous l'eau.

illustr. p. 994,

311,

869

tube n.m. SENS 1. *Les fils électriques sont isolés par un tube de plastique,* un cylindre creux (= tuyau). SENS 2. *Où est mon tube de dentifrice ?,* un petit emballage allongé, fermé par un bouchon. SENS 3. Le **tube** digestif est le conduit de l'organisme par lequel passent les aliments. SENS 4. Fam. *Tu as entendu le dernier tube?,* la dernière chanson à succès.

■ **tubulaire** adj. [SENS 1] *Un échafaudage tubulaire est fait de tubes métalliques.*

illustr. p. 982

tubercule n.m. *Les pommes de terre, les ignames sont des tubercules,* des renflements d'une racine.
❋ Ce mot est du genre masculin.

tuberculose n.f. *Par le B.C.G., on est vacciné contre la tuberculose,* une maladie contagieuse due au bacille de Koch, qui atteint surtout les poumons.

■ **tuberculeux, euse** adj. et n. *Cette malade est (une) tuberculeuse,* elle est atteinte de tuberculose. ●● ***antituberculeux***

tubulaire ⟶ *tube*

tuer v. 1er groupe. SENS 1. *Le chasseur n'a pas tué le lièvre, il l'a seulement blessé,* il ne l'a pas fait mourir. ●● ***s'entretuer***. SENS 2. Fam. *Je me tue à te répéter toujours la même chose,* je me fatigue beaucoup. SENS 3. *Elle feuillette un magazine pour tuer le temps,* pour passer le temps.

■ **tuant, ante** adj. Fam. [SENS 2] *C'est un métier tuant,* très fatigant (= exténuant).

■ **tué, ée** n. [SENS 1] *Il y a eu plusieurs tués dans l'accident* (= mort).

■ **tuerie** n.f. [SENS 1] *La fusillade a été une véritable tuerie* (= massacre, carnage, hécatombe).

■ **tueur, euse** n. [SENS 1] *La police a divulgué le portrait du tueur* (= assassin, criminel, meurtrier).

à **tue-tête** adv. *Marie chante à tue-tête,* très fort.

tuile n.f. SENS 1. *Plusieurs tuiles du toit sont cassées,* des plaques en terre cuite qui le recouvrent. SENS 2. Fam. *Il m'arrive une grosse tuile,* un événement fâcheux (= catastrophe).

illustr. p. 427, 572

tulipe n.f. *On cultive beaucoup de tulipes aux Pays-Bas,* des fleurs à bulbe aux couleurs variées.

illustr. p. 527

tulle n.m. *Les rideaux sont en tulle,* un tissu transparent et léger.

tuméfié, ée adj. *Après le combat, le boxeur avait le visage tuméfié,* enflé à certains endroits.

tumeur n.f. *Une tumeur est une grosseur anormale dans le corps ou sur le corps.*

tumulte n.m. *La réunion s'est terminée dans le tumulte,* une agitation accompagnée de bruit, de cris.

■ **tumultueux, euse** adj. *La séance fut tumultueuse,* agitée et bruyante.

tuner n.m. *Un tuner est le récepteur radio d'une chaîne haute-fidélité.*
❋ On prononce [tynœr] ou [tynɛr].

illustr. p. 862

tunique n.f. SENS 1. *Dans le film « Ben Hur », les personnages portent des tuniques,* des sortes de chemises ou de robes qu'on portait sous d'autres vêtements dans l'Antiquité. SENS 2. *Une tunique est une veste d'uniforme à col droit et sans poches.* SENS 3. *Maman porte une tunique sur son pantalon,* une sorte de chemise longue et ample.

illustr. p. 220

tunnel n.m. *Le train passe sous un tunnel,* un passage creusé sous le sol.

illustr. p. 425, 617

turban n.m. *Le fakir a un **turban** autour de la tête*, une longue bande d'étoffe enroulée.

illustr. p. 54   **turbine** n.f. *Une **turbine** est une pièce de moteur en forme de roue munie de pales, qui tourne grâce à la pression de l'eau, de la vapeur ou d'un gaz.*

turbo SENS 1. adj. inv. *Un moteur **turbo** est un moteur dont la puissance est augmentée par une turbine qui tourne sous l'effet des gaz d'échappement.* SENS 2. n.f. *Sa voiture, c'est une **turbo**, elle est munie d'un moteur turbo.*
🟆 Au sens 1, ce mot ne change pas au pluriel.

turboréacteur n.m. *Un **turboréacteur** est un moteur à réaction comportant une turbine.*

turbot n.m. *Au restaurant, on a mangé du **turbot**,* un gros poisson de mer plat.

turbulent, ente adj. *Pascal est très **turbulent** à l'école* (= remuant, agité ; ≠ calme).

turfiste n. *Les **turfistes** s'intéressent aux pronostics hippiques,* les amateurs de courses de chevaux.
🟆 On prononce [tœrfist] ou [tyrfist].

turlupiner v. 1ᵉʳ groupe. Fam. *Cette idée me **turlupine** depuis ce matin,* j'y pense sans cesse (= préoccuper, tracasser).

turpitude n.f. *Quelle vie pleine de **turpitudes** !,* d'actions malhonnêtes.

turquoise n.f. et adj. inv. *Sa broche est ornée d'une **turquoise**,* une pierre fine opaque d'un bleu proche du vert. *Ma robe est bleu **turquoise**.*

tuteur, trice SENS 1. n. *Les parents de Chloé sont morts dans un accident, sa tante est devenue sa **tutrice**,* la personne chargée de s'occuper d'elle, selon la loi.

SENS 2. n.m. *On a attaché le rosier à un **tuteur**,* un piquet planté dans le sol pour le tenir droit.

▪ **tutelle** n.f. [SENS 1] *Adrien est orphelin, il est sous la **tutelle** de son parrain,* la protection, la responsabilité.

▪ **tutélaire** adj. [SENS 1] *Une puissance **tutélaire** est une puissance protectrice.*

tutoiement, tutoyer → *tu*

tutu n.m. *Les danseuses de l'Opéra portent un **tutu**,* une jupe faite de plusieurs épaisseurs de tulle.

tuyau n.m. SENS 1. *Le **tuyau** d'arrosage est percé,* le long tube qui sert au passage de l'eau. → ***conduit**.* SENS 2. Fam. *J'ai des **tuyaux** pour le tiercé,* des renseignements secrets.
🟆 Au pluriel, on écrit des **tuyaux**.
illustr. p. 527, 737

▪ **tuyauterie** n.f. [SENS 1] *Le plombier a refait toute la **tuyauterie** de la salle de bains,* l'ensemble des tuyaux, des canalisations.
illustr. p. 573

tuyère n.f. *C'est par la **tuyère** que la fusée peut se propulser dans l'air,* le conduit par où s'échappent les gaz.
🟆 On prononce [tɥijɛr] ou [tyjɛr].
illustr. p. 202, 494

tweed n.m. *Papa a une veste en **tweed**,* en tissu de laine.
🟆 On prononce [twid].

tympan n.m. SENS 1. *Le **tympan** est une membrane tendue au fond de l'oreille,* qui vibre et permet de percevoir les sons. SENS 2. *Le **tympan** de l'église est orné de sculptures,* la partie qui se trouve au-dessus du portail.

type n.m. SENS 1. *Ce fusil est d'un **type** très courant* (= modèle). SENS 2. *M. Dupont est le **type** de l'intellectuel,* il en a les caractéristiques, les traits qui permettent de le reconnaître. SENS 3. Fam. *Je n'aime pas ce **type**,* cet homme (= bonhomme, individu).

▪ **typique** adj. [SENS 2] *Boire du thé est une habitude **typique** des Anglais,* caractéristique.

■ **typiquement** adv. [SENS 2] *L'olivier est un arbre* **typiquement** *méditerranéen,* il est caractéristique des pays de la Méditerranée.

typhon n.m. *Plusieurs bateaux ont coulé lors du dernier* **typhon**, un cyclone tropical. → **cyclone, ouragan**

typique, typiquement → *type*

typographie n.f. La **typographie** est une technique d'impression.

■ **typographe** n. Dans une imprimerie, le **typographe** assemble les lettres, les caractères pour composer un texte.

tyran n.m. *Cet homme est un* **tyran** *avec toute sa famille,* quelqu'un qui abuse de son autorité pour rendre la vie pénible aux autres (= despote).

■ **tyrannie** n.f. *Ce chef d'État exerçait une véritable* **tyrannie** *sur son peuple,* un abus d'autorité (= oppression, dictature).

■ **tyrannique** adj. *Ne sois pas* **tyrannique** *avec ta petite sœur !,* autoritaire et méchant.

■ **tyranniser** v. 1er groupe. *Ce roi* **tyrannisait** *ses sujets* (= persécuter, opprimer).

tyrannosaure n.m. *Les* **tyrannosaures** *étaient de grands reptiles préhistoriques.* *illustr. p. 758*

tzar → *tsar*

tzigane → *tsigane*

U u V v
U.L.M.

Violette

W w
Wapiti

---

illustr.
p. 617 **ubac** n.m. L'**ubac** est le versant d'une vallée de montagne exposé à l'ombre (≠ adret).

ubiquité n.f. *Je n'ai pas le don d'ubiquité,* je ne peux pas être dans plusieurs endroits à la fois.
* On prononce [ybikɥite].

ulcère n.m. *M. Leclerc a un ulcère à l'estomac,* une plaie qui ne cicatrise pas.

ulcérer v. 1er groupe. *Son ingratitude m'a ulcéré,* elle m'a irrité profondément.
* Conj. n° 10.

illustr.
p. 531 **U.L.M.** n.m. Un **U.L.M.** est un appareil très léger et à moteur, qui permet de voler.

ultérieur, eure adj. *On reparlera de ce projet à une date ultérieure,* à une date qui viendra après (= postérieur ; ≠ antérieur).

■ **ultérieurement** adv. *On en reparlera ultérieurement,* plus tard.

ultimatum n.m. *Les preneurs d'otages ont adressé un ultimatum au gouvernement,* ils ont formulé leurs dernières exigences avec des menaces.
* On prononce [yltimatɔm].

ultime adj. *Écoute bien, ce sont mes ultimes recommandations,* mes toutes dernières recommandations.

ultra- préfixe. Placé au début d'un mot, **ultra-** indique une grande intensité : ***ultra**confidentiel,* ***ultra**nationaliste, etc.*

ultrason n.m. *L'oreille humaine ne peut pas percevoir les ultrasons,* des vibrations de la même nature que le son, mais plus rapides. ●● *son* illustr.
p. 868

ultraviolet, ette adj. et n.m. *Le Soleil émet des (rayons) ultraviolets,* des rayons invisibles mais qui ont une action sur la peau.
* En abrégé, on dit des **UV**.

ululer ou ***hululer** v. 1ᵉʳ groupe. *Le hibou **ulule**, il pousse son cri.*

■ **ululement** ou ***hululement** n.m. *L'**ululement** est le cri du hibou.*

un, une, des art. indéfinis. Ces articles indiquent que le nom qui suit est indéterminé : *Donne-moi **une** pomme* (n'importe laquelle parmi un ensemble).

illustr.   **un, une** adj. numéral. **Un** est le premier
p. 642   des nombres entiers. ***Un** plus **un** font deux (1 + 1 = 2).*

unanime adj. *Jean a reçu une approbation **unanime**, de tout le monde* (= général).

■ **unanimement** adv. *La proposition a été acceptée **unanimement**.*

■ **unanimité** n.f. *Cette loi a été votée à l'**unanimité**, tout le monde a voté pour.*
→ ***majorité***

1. une → ***un***

2. une n.f. *La **une** est la première page d'un journal.*

uni, ie adj. SENS 1. *Le sol n'est pas assez **uni** pour jouer aux boules* (= plat ; ≠ inégal, accidenté). SENS 2. *Marie a une jupe **unie**, d'une seule couleur* (≠ multicolore, bigarré).

unifier v. 1ᵉʳ groupe. *On **a unifié** les tarifs douaniers européens, on les a rendus semblables* (≠ diversifier).

■ **unification** n.f. *L'**unification** de l'Italie a eu lieu au XIXᵉ siècle, la création d'un seul État italien constitué de plusieurs petits États* (≠ division, éclatement).

illustr.   **uniforme** adj. *Dans cette région de
p. 733   plaine, le paysage est **uniforme**, toujours le même* (≠ varié).

illustr.   ■ **uniforme** n.m. *Les pompiers, les
p. 1011   soldats portent un **uniforme**, un costume imposé par le règlement.*

■ **uniformément** adv. *Le ciel reste **uniformément** gris, partout également.*

■ **uniformiser** v. 1ᵉʳ groupe. *Tous ces règlements différents devraient **être uniformisés*** (= unifier).

■ **uniformité** n.f. *L'**uniformité** du paysage est lassante* (≠ variété, diversité).

unijambiste n. Un **unijambiste** est une personne qui a perdu une jambe.
●● ***jambe***

unilatéral, ale, aux adj. SENS 1. *Stationnement **unilatéral** !, autorisé d'un seul côté de la rue.* SENS 2. *Une décision **unilatérale** est une décision que quelqu'un prend seul, sans consulter les autres.*

■ **unilatéralement** adv. *Il s'est mis dans son tort en rompant **unilatéralement** l'accord, par sa seule décision.*

union → ***unir***

unique adj. SENS 1. *Pierre est fils **unique**, il est le seul enfant, il n'a ni frère ni sœur. Cette rue est à sens **unique**, un seul sens de circulation est autorisé.* SENS 2. *Attention à ce vase, c'est une pièce **unique**, il n'y en a aucun de semblable* (= exceptionnel ; ≠ commun).

■ **uniquement** adv. [SENS 1] *Égoïste, tu penses **uniquement** à toi !* (= seulement, exclusivement).

unir v. 2ᵉ groupe. SENS 1. *L'amitié qui les **unit** est très grande, ils s'entendent bien* (= lier, rassembler, réunir ; ≠ séparer, désunir). ***Unissons-nous** pour défendre nos intérêts communs* (= s'associer ; ≠ s'opposer). ●● ***unité***. SENS 2. *La directrice **unit** la fermeté et la douceur, elle a ces qualités en même temps.* SENS 3. *Le mâle et la femelle **s'unissent** pour la reproduction* (= s'accoupler).

■ **union** n.f. [SENS 1] *L'**union** fait la force, le fait d'être unis* (= entente ; ≠ discorde, désunion). *Une fédération est une **union** d'États* (= association, groupement). [SENS 2] *Cette **union** de couleurs est très jolie* (= assemblage, réunion).

U

■ à l'unisson
■ universitaire

Les unités de mesure

		$\frac{1}{1000}$ (0,001)	$\frac{1}{100}$ (0,01)	$\frac{1}{10}$ (0,1)	1	10	100	1 000	>1 000
longueur		milli-mètre (mm)	centi-mètre (cm)	déci-mètre (dm)	**mètre (m)**	déca-mètre (dam)	hecto-mètre (hm)	kilomètre (km)	
capacité		millilitre (ml)	centilitre (cl)	décilitre (dl)	**litre (l)**	décalitre (dal)	hectolitre (hl)	mètre cube (m³)	
masse		milli-gramme (mg)	centi-gramme (cg)	déci-gramme (dg)	**gramme (g)**	déca-gramme (dag)	hecto-gramme (hg)	1 kilogramme (kilo)= 2 livres (kg)	1 quintal (q) = 100 kg / 1 tonne (t) = 1000 kg
surface (aire)					**mètre carré (m²)**		are (a)		hectare (ha)

nombres décimaux

nombres sexagésimaux

mesure des durées

1 minute = 60 secondes (s)　1 heure = 60 minutes (min)　1 jour = 24 heures (h)　1 an = 365 jours (j)

■ à l'**unisson** adv. [SENS 1] *Ils ont approuvé le projet à l'unisson, tous ensemble et en parfait accord* (= en chœur).

illustr. p. 991, **unité** n.f. SENS 1. *Ces différents partis ont décidé l'unité d'action, ils sont d'accord pour agir ensemble.* SENS 2. *Ces tableaux manquent d'unité, d'harmonie d'ensemble.* SENS 3. *Ces vélos coûtent plus de 150 euros l'unité, l'un, chacun* *642,* (= pièce). SENS 4. *Le mètre est une unité de longueur, le gramme est une unité de masse, l'euro est l'unité monétaire de nombreux pays d'Europe, l'élément de base qui sert de référence. Dans 423, 3 est le chiffre des unités.* SENS 5. *Le soldat a rejoint son unité, son corps de troupes.* *504* SENS 6. *L'unité centrale de l'ordinateur est la partie de l'ordinateur qui exécute le programme.*

■ **unitaire** adj. [SENS 1] *Les syndicats ont décidé une action unitaire, visant à l'unité.*

univers n.m. SENS 1. *La Terre, le Soleil, les étoiles constituent l'Univers, tout ce qui existe, l'ensemble des galaxies.* SENS 2. *Ce savant est connu dans l'univers entier, par tous les hommes* (= monde).

■ **universel, elle** adj. [SENS 2] *Une exposition universelle est une exposition qui réunit des exposants du monde entier.* → *suffrage*

■ **universellement** adv. [SENS 2] *Ce tableau est universellement connu* (= mondialement).

université n.f. *Jacques fait ses études supérieures dans une université, un établissement d'enseignement supérieur.*

■ **universitaire** adj. et n. *Jacques mange au restaurant universitaire, un restaurant réservé aux étudiants. M. Dubois est un universitaire, il enseigne à l'université.*

991

uppercut n.m. *Le boxeur a reçu un* **uppercut** *qui l'a mis K.-O.*, un coup de poing au menton de bas en haut.
✳ On prononce le « t » : [ypɛrkyt].

uranium n.m. L'**uranium** est un métal rare recherché par l'industrie atomique.
✳ On prononce [yranjɔm].

urbain, aine adj. *La population* **urbaine** *de la France augmente de plus en plus*, celle des villes (≠ rural).

■ **urbaniser** v. 1ᵉʳ groupe. *Cette région s'est* **urbanisée**, des villes se sont construites ou développées.

■ **urbanisation** n.f. *L'***urbanisation** *s'est accélérée dans cette région*, la concentration de la population dans les villes.

■ **urbanisme** n.m. L'**urbanisme** est l'ensemble des études et des méthodes d'aménagement des villes.

■ **urbaniste** n. Un **urbaniste** est un architecte spécialiste d'urbanisme.

urgent, ente adj. *Je vous quitte, j'ai un rendez-vous* **urgent**, qui ne peut pas attendre.

■ **urgence** n.f. *On vous demande* **d'urgence** *(ou* **de toute urgence**)*, tout de suite. ◆ *À l'hôpital, il y a un service des* **urgences**, des cas urgents de personnes malades ou blessées.

urine n.f. *Le médecin a fait faire une analyse d'***urine**, du liquide jaune qui vient des reins et qui s'écoule dans la vessie.

■ **uriner** v. 1ᵉʳ groupe. *Ce médicament fait* **uriner**, il fait évacuer l'urine (= fam. faire pipi).

■ **urinoir** n.m. *Il y a des* **urinoirs** *dans la cour de l'école*, des endroits où les garçons peuvent uriner.

urne n.f. SENS 1. Une **urne** est une boîte dans laquelle les électeurs déposent leur bulletin de vote. SENS 2. *Quand on incinère un mort, on met ses cendres dans une* **urne** *funéraire*, un vase spécial.

urticaire n.f. *Jean se gratte, il a une crise d'***urticaire**, une maladie qui cause des démangeaisons.

us n.m. pl. *Je commence à connaître les* **us et coutumes** *de cette région*, la façon de se conduire (= usages).

1. user v. 1ᵉʳ groupe. SENS 1. *Jean* **a usé** *son pull aux coudes*, il l'a abîmé par frottement, à force de s'en servir.
●● ***inusable***. SENS 2. *Ma voiture* **use** *peu d'essence* (= consommer).

■ **usure** n.f. [SENS 1] *Le tapis porte des traces d'***usure**, il est usé.

2. user v. 1ᵉʳ groupe. *Il a fallu* **user** *de ruse pour réussir*, employer la ruse (= recourir à).

■ **usage** n.m. SENS 1. *Quel est l'***usage** *de cet appareil ?*, à quoi sert-il ? (= emploi). *L'***usage** *du tabac est mauvais pour la santé. Ces vêtements m'ont fait un long* **usage**, ils m'ont servi longtemps. *Cette machine à écrire est* **hors d'usage**, on ne peut plus s'en servir (= inutilisable). SENS 2. *Quels sont les* **usages** *de ce pays ?*, les habitudes, les coutumes, les traditions. *Il est d'***usage** *de se serrer la main pour se dire bonjour*, on le fait habituellement.

■ **usagé, ée** adj. [SENS 1] *Jean porte des vêtements* **usagés**, qui ont longtemps servi, qui sont plus ou moins usés (= défraîchi ; ≠ neuf).

■ **usager** n.m. [SENS 1] *La police recommande la prudence aux* **usagers** *de la route*, à ceux qui l'utilisent.

■ **usité, ée** adj. [SENS 1] *Le verbe « se pâmer » n'est plus* **usité**, on ne l'utilise plus (= usuel, courant ; ≠ inusité).

■ **usuel, elle** adj. [SENS 1] *Ici, l'ordinateur est un objet* **usuel**, on s'en sert souvent.

illustr.
p. 333,
1017,
994

usine n.f. *M. Martin travaille dans une* **usine** *d'automobiles*, un établissement où l'on en fabrique.

■ **usiner** v. 1ᵉʳ groupe. *Ces pièces* **ont été usinées** *à la machine* (= façonner, fabriquer).

usité → *user (2)*

ustensile n.m. Un **ustensile** est un objet qui sert aux travaux de la vie domestique. La casserole, la louche, la passoire sont des **ustensiles** de cuisine. La brosse à dents est un **ustensile** de toilette.

usuel → *user (2)*

usufruit n.m. *M. Chatain a l'***usufruit*** de cette propriété*, elle ne lui appartient pas, mais il peut y habiter ou en toucher les revenus.

usure → *user (1)* et **usurier**

usurier, ère n. Un **usurier** est une personne qui prête de l'argent aux autres en leur réclamant des intérêts très élevés.

■ **usure** n.f. *L'***usure*** est interdite par la loi*, les pratiques des usuriers.

■ **usuraire** adj. *Il prête de l'argent à des taux* **usuraires**, très élevés et illégaux.

usurper v. 1ᵉʳ groupe. *Ce charlatan a* **usurpé** *le titre de médecin*, il l'a pris de façon illégitime.

■ **usurpateur, trice** n. *Napoléon fut surnommé « l'***usurpateur*** » par les royalistes*, celui qui avait usurpé le pouvoir.

■ **usurpation** n.f. *Le maire proteste contre les* **usurpations** *du préfet*, les abus de pouvoir (= empiètement).

ut n.m. **Ut** est l'autre nom de la note de musique « do ».
✴ On prononce le « t » : [yt]

utérus n.m. L'**utérus** est l'organe de la femme et des femelles des mammifères dans lequel se développe l'enfant à naître.
✴ On prononce le « s » final : [yterys].

utile adj. *Cet outil est très* **utile**, il rend service. *Votre aide m'a été* **utile** (= profitable ; ≠ inutile).

■ **utilement** adv. *Tu as travaillé* **utilement**, avec profit.

■ **utilité** n.f. *Il reconnaît l'***utilité*** de cette mesure*, qu'elle est utile (≠ inutilité).

■ **utilitaire** adj. *Les camions, les autocars sont des véhicules* **utilitaires**, des véhicules destinés au transport des marchandises ou au transport collectif des personnes.

utiliser v. 1ᵉʳ groupe. *M. Delmas* **utilise** *sa voiture pour aller à son travail*, il s'en sert (= employer).

■ **utilisable** adj. *Cette vieille machine à coudre reste* **utilisable**, on peut l'utiliser (≠ inutilisable).

■ **utilisateur, trice** n. *Les* **utilisateurs** *de l'appareil sont priés de le remettre en place*.

■ **utilisation** n.f. *Pour l'***utilisation*** de cette calculatrice, lire la notice jointe* (= emploi, usage).

utopie n.f. *La paix sur Terre est-elle une* **utopie** *?*, une chose impossible à réaliser (= illusion, rêve).

■ **utopique** adj. *Il a présenté un projet* **utopique** (= irréalisable, chimérique).

vacances n.f. pl. *Les grandes* **vacances** *scolaires durent de juillet à septembre* (= congé). **V**

■ **vacancier, ère** n. *Il y a beaucoup de* **vacanciers** *sur la Côte d'Azur*, de personnes en vacances.

vacant, ante adj. *Il y a dans cet immeuble des appartements* **vacants**, sans occupants (= libre, disponible ; ≠ occupé).

vacarme n.m. *Les motos font un affreux* **vacarme**, un bruit très fort (= tapage, tintamarre).

vacataire n. *Cette entreprise emploie beaucoup de* **vacataires**, des employés temporaires.

L'USINE ET L'ATELIER

électricien

pince à dénuder   enrouleur

prise de courant   interrupteur

fil dénudé   gaine

fiche   olive   tube protecteur   collier

plombier

lunettes de soudeur   étincelles

soudure

chalumeau
bouteille de gaz

chaîne de montage d'une automobile

poste robotisé

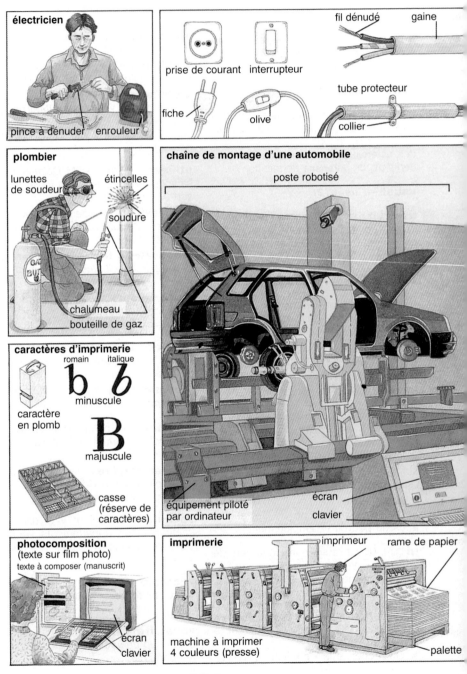

équipement piloté par ordinateur   écran   clavier

caractères d'imprimerie

romain   italique

b   *b*

minuscule

caractère en plomb

B

majuscule

casse
(réserve de caractères)

photocomposition
(texte sur film photo)
texte à composer (manuscrit)

écran
clavier

imprimerie

imprimeur   rame de papier

machine à imprimer
4 couleurs (presse)

palette

Dans une usine, sur la chaîne de montage, des robots assurent les tâches autrefois confiées aux ouvriers. Les artisans travaillent dans leur atelier ou à domicile. Leur outillage est adapté à leur métier.

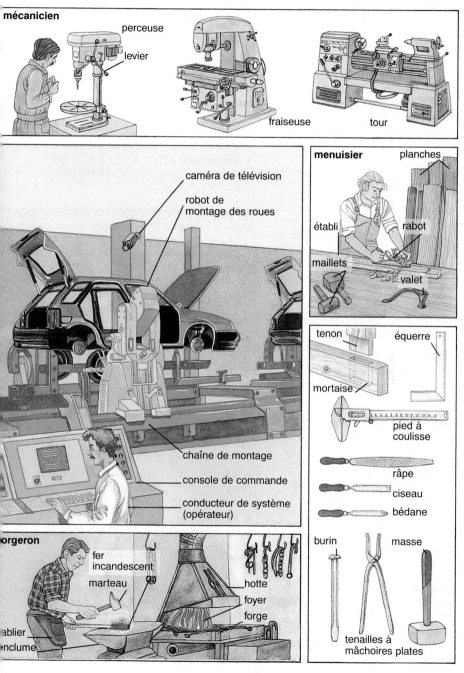

mécanicien

perceuse

levier

fraiseuse

tour

caméra de télévision

robot de montage des roues

chaîne de montage

console de commande

conducteur de système (opérateur)

menuisier

planches

établi

rabot

maillets

valet

tenon

équerre

mortaise

pied à coulisse

râpe

ciseau

bédane

burin

masse

tenailles à mâchoires plates

forgeron

fer incandescent

marteau

hotte

foyer

forge

tablier

enclume

vaccin n.m. *On a découvert un nouveau vaccin contre la grippe,* une substance qu'on inocule et qui permet d'éviter cette maladie.

■ **vacciner** v. 1er groupe. *Le médecin nous a vaccinés contre le tétanos,* il nous a fait un vaccin pour nous immuniser contre cette maladie.

■ **vaccination** n.f. *La vaccination contre la grippe est recommandée aux personnes âgées,* l'introduction dans l'organisme de ce vaccin.

illustr. p. 354, 397
vache SENS 1. n.f. *On élève les vaches pour leur lait et leur viande,* de gros mammifères domestiques à cornes. → **bovidé**. SENS 2. adj. et n.f. Fam. *Pierre est vache, il n'a pas voulu m'aider,* il est sans pitié, dur. *Quelle vache, ce type !*

■ **vacherie** n.f. Fam. [SENS 2] *Il m'a fait une vacherie en refusant de m'aider,* une méchanceté.

■ **vachette** n.f. [SENS 1] *Dans les Landes, on fait des courses de vachettes,* de jeunes vaches.

vaciller v. 1er groupe. *Pierre est si fatigué qu'il vacille sur ses jambes,* il penche d'un côté et de l'autre (= chanceler, tituber).

vadrouille n.f. Fam. *On est partis en vadrouille,* en promenade sans but précis (= balade).

va-et-vient n.m. inv. SENS 1. *Il y a dans le couloir un va-et-vient continuel,* des gens y passent (= circulation). SENS 2. *On a installé un va-et-vient dans le couloir,* un dispositif électrique qui permet d'allumer et d'éteindre la même lampe de plusieurs endroits.

✳ Ce mot ne change pas au pluriel.

vagabond n.m. *Parfois, des vagabonds errent sur les routes,* des gens sans domicile ni travail (= clochard).

■ **vagabonder** v. 1er groupe. *Des jeunes, sac au dos, vagabondent à travers la campagne,* ils vont çà et là. *Il rêvait en laissant vagabonder sa pensée* (= errer, vaguer).

■ **vagabondage** n.m. *Le vagabondage,* c'est l'état de vagabond.

vagin n.m. *Le vagin est un organe génital interne de la femme et des femelles d'animaux,* qui a la forme d'un conduit et qui sert à la reproduction.

vagir v. 2e groupe. *Les nouveau-nés vagissent,* ils crient.

■ **vagissement** n.m. *On entend des vagissements dans la chambre du bébé,* des petits cris.

1. vague n.f. SENS 1. *La tempête soulève des vagues énormes,* des masses d'eau qui se soulèvent et s'abaissent. → **lame, houle**. SENS 2. *La vague de chaleur dure depuis le 10 juillet,* une période de temps très chaud. SENS 3. *Samedi dernier, il y a eu une vague de départs en vacances,* un grand nombre (= masse, série).

illustr. p. 718

■ **vaguelette** n.f. [SENS 1] *Des vaguelettes clapotent contre la coque du bateau,* des petites vagues.

2. vague adj. SENS 1. *Nous ne pouvons pas nous contenter de promesses aussi vagues,* aussi imprécises (= flou, incertain ; ≠ net, précis). SENS 2. *Il y a un terrain vague derrière l'immeuble,* un terrain qui n'est ni utilisé ni entretenu.

■ **vague** n.m. [SENS 1] *Il reste immobile, les yeux dans le vague,* sans regarder rien de précis.

■ **vaguement** adv. [SENS 1] *On voit vaguement une silhouette au loin* (= confusément ; ≠ précisément, nettement).

■ **vaguer** v. 1er groupe. [SENS 1] *Jean laisse vaguer son imagination,* il ne pense à rien de précis (= vagabonder, errer).

vahiné n.f. *Les vahinés portent des colliers de fleurs,* les femmes de Tahiti.

vaillant, ante adj. SENS 1. Un homme vaillant est un homme courageux (= va-leureux). SENS 2. *Je n'ai pas un sou vaillant,* je n'ai pas d'argent.

■ **vaillamment** adv. [SENS 1] *Ces trou-pes se battaient* **vaillamment** (= coura-geusement).

■ **vaillance** n.f. [SENS 1] *On parle de la* **vaillance** *des chevaliers d'autrefois* (= courage).

vain, vaine adj. SENS 1. *Leurs efforts ont été* **vains,** ils n'ont pas réussi (= inu-tile, stérile ; ≠ efficace). SENS 2. *Mes craintes n'étaient pas* **vaines,** sans fon-dement (= faux, illusoire ; ≠ réel, fondé). ✷ Ne pas confondre avec le **vin**, **vingt**, (il, elle) **vint** de « venir », (il, elle) **vainc** de « vaincre ».

■ en **vain** adv. [SENS 1] *J'ai essayé* **en vain** *de le convaincre,* sans réussir (= inu-tilement).

■ **vainement** adv. [SENS 1] *J'ai attendu* **vainement** *pendant trois heures* (= en vain).

■ **vanité** n.f. [SENS 1] *La* **vanité** *de leurs efforts était évidente* (= inefficacité).

vaincre v. 3ᵉ groupe. SENS 1. *En 1940, l'Allemagne* **a vaincu** *la France,* elle a remporté la victoire (= battre). ●● **invin-cible**. SENS 2. *Pierre a réussi à* **vaincre** *sa peur de l'obscurité,* à la dominer, à la surmonter. ✷ Conj. nº 85. Ne pas confondre (il, elle) **vainc** avec l'adjectif **vain**.

■ **vaincu, ue** adj. et n. [SENS 1] *L'équipe* **vaincue** *a regagné tristement les ves-tiaires* (= perdant ; ≠ invaincu).

■ **vainqueur** n.m. [SENS 1] *Les* **vain-queurs** *de la Coupe du monde ont été acclamés* (= gagnant). → **victorieux**

vainement → **vain**

illustr. p. 845 **vairon** n.m. Les **vairons** sont des petits poissons des rivières et des ruisseaux au corps nuancé de diverses couleurs.

illustr. p. 216 **vaisseau** n.m. SENS 1. Les **vaisseaux** sanguins sont les artères, les veines et les capillaires dans lesquels le sang circule. → **vasculaire**. SENS 2. Un **vais-seau** était un grand navire de guerre. SENS 3. *Le* **vaisseau spatial** *a quitté l'atmosphère terrestre,* l'engin pour voya-ger dans l'espace. ✷ Au pluriel, on écrit des **vaisseaux**. *illustr. p. 203*

vaisselle n.f. *Après le repas, il faut laver la* **vaisselle,** les ustensiles qui ont servi (assiettes, plats, bols, etc.).

■ **vaisselier** n.m. Un **vaisselier** est un meuble pour ranger la vaisselle.

val → **vallée**

valable → **valoir**

valet n.m. SENS 1. *Autrefois, les nobles avaient de nombreux* **valets,** des domes-tiques (= serviteur, laquais). SENS 2. *Jean a joué le* **valet** *de cœur,* une des figures du jeu de cartes.

valeur → **valoir**

valeureux, euse adj. *Les* **valeureux** *sauveteurs ont fait un travail admirable* (= courageux, vaillant).

1. valide adj. *Paul a été malade, mais il est de nouveau* **valide,** en bonne santé. *Depuis son accident, il n'a qu'un bras* **valide,** *l'autre est dans le plâtre.* ●● **invalide**

2. valide adj. *Ce certificat n'est* **valide** *qu'avec la signature du médecin* (= va-lable, utilisable).

■ **valider** v. 1ᵉʳ groupe. *Il faut faire* **valider** *votre billet,* le rendre valide. ●● **invalider**

■ **validité** n.f. *Ce billet d'avion a une* **validité** *d'un mois,* il peut être utilisé pendant un mois.

valise n.f. Une **valise** est un bagage rectangulaire dont le couvercle se rabat et qui est muni d'une poignée pour être porté. **Faire ses valises, boucler ses valises,** c'est se préparer à partir. *illustr. p. 425*

V

vallée / **vanne**

illustr. p. 617

vallée n.f. *Cette rivière coule dans une large vallée, un endroit creux avec des versants en pente.*

■ **val** n.m. Un **val** est une petite vallée.
◆ *Il est toujours par monts et par vaux,* il voyage beaucoup.
✳ Au pluriel, on dit des **vals**, sauf dans l'expression **par monts et par vaux**.

■ **vallon** n.m. *Un ruisseau coule au fond du vallon,* de la petite vallée.

■ **vallonné, ée** adj. *Cette région est vallonnée,* il y a de nombreux vallons.

valoir v. 3ᵉ groupe. SENS 1. *Ces livres valent 100 euros,* ils ont ce prix (= coûter). ●● **équivaloir, dévaluer, revaloriser**. SENS 2. *Ce tissu ne vaut rien,* il est de mauvaise qualité. ◆ *Cet acteur ne vaut rien,* il joue mal. SENS 3. *La chaleur ne te vaut rien,* elle n'est pas bonne pour ta santé. SENS 4. *Jean cherche toujours à se faire valoir,* à se montrer à son avantage. SENS 5. *Il vaut mieux se taire que de dire des bêtises,* cela est préférable.
✳ Conj. n° 40.

■ **valable** adj. [SENS 2] *Mon passeport n'est plus valable* (= bon ; ≠ périmé). *On ne doit pas s'absenter sans raison valable* (= acceptable, sérieux).

■ **valeur** n.f. [SENS 1] *Ces terrains ont doublé de valeur en quelques années,* ils valent deux fois plus (= prix). [SENS 2] *M. Rouget est un homme de valeur,* il a de grandes qualités (= mérite). ◆ *Soulignez ce mot pour le mettre en valeur,* le faire ressortir. ◆ *Ajoutez de l'huile, la valeur d'un demi-verre,* une quantité équivalente à un demi-verre. ◆ *La valeur d'une note de musique,* c'est sa durée.

■ **valoriser** v. 1ᵉʳ groupe. [SENS 1] *Le passage de l'autoroute a valorisé ces terrains,* il a fait augmenter leur prix (≠ dévaloriser).

valse n.f. *L'orchestre joue une valse lente,* une danse à trois temps où les couples tournent sur eux-mêmes en se déplaçant.

■ **valser** v. 1ᵉʳ groupe. *Jean valse avec Marie,* il danse une valse.

■ **valseur, euse** n. *Les valseurs tournent sur la piste,* les personnes qui valsent.

valve n.f. SENS 1. *Pour gonfler le pneu de ton vélo, il faut d'abord dévisser la valve,* le mécanisme qui ne laisse passer l'air que dans un sens. SENS 2. *La coquille des huîtres et des moules a deux valves,* deux parties.

vampire n.m. SENS 1. *Ce film raconte une histoire de vampire,* de fantôme buveur de sang. SENS 2. *Le vampire est une chauve-souris d'Amérique du Sud qui mord les mammifères et se nourrit de leur sang.*

van n.m. *Un van est un camion qui sert au transport des chevaux.*
✳ Ne pas confondre avec le **vent**.

vandale n.m. *Les arbres du boulevard ont été abîmés par des vandales,* des gens qui détruisent pour le plaisir de nuire.

■ **vandalisme** n.m. *On recherche les auteurs de ces actes de vandalisme,* de destruction pour le plaisir (= saccage, déprédation).

vanille n.f. *La vanille est une plante exotique dont les gousses donnent un parfum souvent utilisé en pâtisserie.*

■ **vanillé, ée** adj. *Le pâtissier met du sucre vanillé sur la tarte,* du sucre parfumé à la vanille.

1. vanité → **vain**

2. vanité n.f. *Il étale avec vanité ses titres et ses décorations* (= fatuité, suffisance, prétention).

■ **vaniteux, euse** adj. *Stéphane est vaniteux,* il est trop fier de lui-même (= prétentieux ; ≠ modeste).

vanne n.f. SENS 1. *Quand les vannes de l'écluse sont fermées, les bateaux ne*

peuvent pas passer (= porte, panneau). SENS 2. Fam. *Arrête de m'envoyer des* **vannes**, *de me dire des choses désagréables.*

vanner v. 1ᵉʳ groupe. SENS 1. *Autrefois, on* **vannait** *le blé pour séparer le grain des déchets.* SENS 2. Fam. *Pierre est rentré* **vanné** *de la promenade,* très fatigué (= harasser).

vannerie n.f. *À l'école, Colin apprend à faire de la* **vannerie**, *des objets en osier ou en rotin tressé.*

■ **vannier** n.m. *Un* **vannier** *est un artisan qui fabrique des objets en vannerie.*

illustr. p. 527 **vantail** n.m. *La maison a une porte à deux* **vantaux**, *formée de deux grands panneaux mobiles.*
❋ Au pluriel, on dit des **vantaux**.

vanter v. 1ᵉʳ groupe. SENS 1. *On nous a* **vanté** *le vin de cette région,* on nous en a dit du bien (= louer). → **éloge**. SENS 2. *Pierre* **se vante** *quand il dit qu'il peut faire 50 kilomètres à pied,* il exagère ses capacités.
❋ Ne pas confondre avec **venter**.

■ **vantard, arde** n. et adj. [SENS 2] *Luc est (un)* **vantard** (= fanfaron, hâbleur).

■ **vantardise** n.f. [SENS 2] *Personne ne croit ses* **vantardises** (= exagération, fanfaronnade).

va-nu-pieds n. inv. Fam. *Avec ton pantalon déchiré, tu as l'air d'un* **va-nu-pieds** (= mendiant, clochard).

vapeur n.f. SENS 1. *L'eau bout à 100 degrés et se transforme en* **vapeur**, *elle passe à l'état gazeux en formant d'abord de très fines gouttelettes qui flottent dans* *illustr. p. 970, 971* l'air. ●● *s'évaporer*. SENS 2. *Les machines à* **vapeur** *fonctionnent grâce à l'énergie produite par la* **vapeur d'eau**.

■ **vaporeux, euse** adj. [SENS 1] *Marie a une robe* **vaporeuse**, *légère et presque transparente.*

■ **vaporiser** v. 1ᵉʳ groupe. [SENS 1] *Marie* **vaporise** *du parfum dans la pièce,* elle en répand avec un vaporisateur.

■ **vaporisateur** n.m. [SENS 1] *Ce parfum est vendu en* **vaporisateur**, *un* *illustr. p. 239* appareil qui projette le parfum en fines gouttelettes (= atomiseur, pulvérisateur).

vaquer v. 1ᵉʳ groupe. *Dans la ferme, chacun* **vaque** *à ses occupations,* chacun fait ce qu'il a à faire.

varan n.m. *Le* **varan** est un reptile d'Asie, d'Afrique et d'Australie, qui ressemble à un gros lézard.

varappe n.f. *Le dimanche, Pierre fait de* *illustr.* la **varappe**, *il escalade des rochers pour* *p. 29* faire du sport.

varech n.m. *Quand la marée redescend, elle laisse du* **varech** *sur la plage,* *illustr.* des algues rejetées par la mer (= goé- *p. 719* mon).
❋ On prononce [varɛk].

vareuse n.f. *Le marin a relevé le col de sa* **vareuse**, *une veste ample qui ne s'ouvre pas devant.*

variable, variante, variation
→ **varier**

varice n.f. *Mme Dupont a du mal à marcher à cause de ses* **varices**, *une maladie qui dilate les veines.*

varicelle n.f. *Pierre ne va pas en classe, il a la* **varicelle**, *une maladie contagieuse des enfants qui donne des boutons sur tout le corps.*

varier v. 1ᵉʳ groupe. *Le prix des fruits* **varie** *selon la saison,* il n'est pas le même (= changer).

■ **variable** adj. *Aujourd'hui, il fait un temps* **variable** (= changeant, instable ; ≠ constant, immuable). ◆ *Un mot* **variable** *change de forme selon le genre, le nombre et la fonction* (≠ invariable).

■ **variante** n.f. *Ce modèle de voiture n'est qu'une* **variante** *du modèle précédent,* c'est le même modèle avec seulement quelques détails différents.

■ **variation** n.f. *Attention aux* **variations** *de température !* (= changement).

■ **varié, ée** adj. *Mon travail est très* **varié**, il change, il n'est pas toujours le même (≠ monotone). ●● *invariable*

■ **variété** n.f. *Il y a peu de* **variété** *dans ce paysage,* il change peu (= diversité). ◆ *L'épicier nous a recommandé cette* **variété** *de pommes* (= sorte, espèce). ◆ (Au plur.) *À la télévision, il y a une émission de* **variétés**, composée de chansons et de sketches variés.

variole n.f. *Aujourd'hui, la* **variole** *a disparu en France,* une grave maladie contagieuse due à un virus.

vasculaire adj. *M. Bertrand a une maladie* **vasculaire**, une maladie des vaisseaux sanguins (veines, artères, capillaires). ●● *vaisseau*

1. vase n.m. *On va mettre ce beau bouquet dans un* **vase** *en cristal,* un récipient ayant un caractère décoratif.

2. vase n.f. *Le bord de l'étang est couvert de* **vase**, de boue très molle. ●● *envaser*

■ **vaseux, euse** adj. SENS 1. *Le sol est* **vaseux** *au bord de l'étang,* couvert de vase. SENS 2. Fam. *Je me sens* **vaseuse** *par cette chaleur,* sans énergie, molle. *Son projet est* **vaseux**, il est confus, médiocre.

vaseline n.f. *La* **vaseline** *sert à fabriquer des pommades,* un produit gras tiré du pétrole.

vaseux → *vase (2)*

vasistas n.m. *Ouvre le* **vasistas** *pour aérer la pièce,* une sorte de petite fenêtre placée près du plafond.
※ On prononce le « s » final : [vazistas].

vasque n.f. *Une* **vasque** *est un bassin ou une large coupe de caractère décoratif.*

vassal, ale n. *Au Moyen Âge, les suzerains étaient assistés par leurs* **vassaux**, *des personnes qui dépendaient d'eux, mais qu'ils devaient protéger.*
※ Au masculin pluriel, on dit des **vassaux**.

vaste adj. *Les Barbier habitent dans une* **vaste** *maison de douze pièces,* une maison très grande (= spacieux ; ≠ exigu).

va-tout n.m. inv. *Pierre* **a joué son va-tout** *et il a perdu,* il a risqué tout ce qu'il avait (= le tout pour le tout).

vaudeville n.m. *Un* **vaudeville** *est une pièce de théâtre légère et comique.*

vaudou n.m. *Le* **vaudou** *est un culte d'origine africaine, pratiqué en particulier à Haïti.*

à **vau-l'eau** adv. *C'est un garçon très négligent, qui laisse ses affaires aller* **à vau-l'eau**, *il ne s'en occupe pas.*

vaurien n.m. *Petit* **vaurien**, *tu as cassé un carreau !* (= garnement, voyou).

vautour n.m. *Les* **vautours** *sont de grands rapaces des montagnes à la tête et au cou déplumés, qui se nourrissent de cadavres.* illustr. p. 616

se **vautrer** v. 1ᵉʳ groupe. *Les cochons* **se vautrent** *dans la boue,* ils se couchent et se roulent dedans.

à la **va-vite** adv. *Il a fait ce travail* **à la va-vite**, *très vite et sans s'appliquer.*

veau n.m. SENS 1. *Le* **veau** *est le petit de la vache.* ●● *vêler*. SENS 2. *À midi, nous avons mangé du* **veau**, *de la viande de veau.* illustr. p. 397
※ Au pluriel, on écrit des **veaux**.

vécu, ue adj. *Il m'a raconté une histoire* **vécue**, *une histoire qui s'est réellement passée.* ●● **vivre**

1. vedette n.f. SENS 1. *Plusieurs vedettes jouent dans ce film, des acteurs très connus.* SENS 2. *Jacques aime se mettre en vedette*, se faire remarquer.

illustr. p. 740, 55, 733

2. vedette n.f. *Nous avons visité le port dans une* **vedette**, *un petit bateau à moteur.*

végétation n.f. SENS 1. *Dans les déserts, il y a très peu de* **végétation**, *de plantes.* → **botanique**. SENS 2. (Au plur.) *François a été opéré des* **végétations**, *on lui a enlevé des sortes de peaux qui se forment tout au fond du nez et qui empêchent de bien respirer.*

■ **végétal, ale, aux** adj. et n.m. [SENS 1] *L'huile d'olive est une huile* **végétale**, *faite avec une plante* (≠ animal et minéral). *Les* **végétaux** *ont besoin d'eau pour pousser* (= plante).

■ **végétarien, enne** adj. et n. [SENS 1] *M. et Mme Mahé sont (des)* **végétariens**, *ils mangent des légumes et des fruits, mais pas de viande.*

■ **végétatif, ive** adj. [SENS 1] *Mener une vie* **végétative**, *c'est ne plus avoir d'activité du tout, ne faire que manger et dormir.*

■ **végéter** v. 1ᵉʳ groupe. *M. Arnaud* **végète** *dans un emploi modeste,* il reste dans une situation médiocre (= vivoter). ✳ Conj. nº 10.

véhément, ente adj. *Elle a riposté à cette accusation d'un ton* **véhément**, *très violent* (= impétueux, emporté).

■ **véhémence** n.f. *Pierre et Olivier discutent avec* **véhémence** (= emportement, vivacité ; ≠ calme).

illustr. p. 75, 54, 69

véhicule n.m. Un **véhicule** est un moyen de transport. *Les camions, les autocars sont des* **véhicules** *utilitaires. Les ambulances, les voitures de pompiers sont des* **véhicules** *prioritaires.*

■ **véhiculer** v. 1ᵉʳ groupe. *Ces marchandises* **seront véhiculées** *par bateau* (= transporter).

veille n.f. SENS 1. *Les vacances commenceront* **la veille** *de Noël, le jour d'avant* (≠ le lendemain). ●● **avant-veille**. SENS 2. *Les Diallo sont* **à la veille** *de partir en Afrique,* sur le point de le faire. SENS 3. *M. Durand est resté deux nuits en état de* **veille**, *sans dormir* (≠ sommeil). SENS 4. *Le marin a pris son tour de* **veille** *à 2 heures du matin,* son tour de garde (= surveillance).

illustr. p. 132

■ **veillée** n.f. [SENS 3] *Autrefois, on racontait des histoires à la* **veillée**, *entre le repas du soir et le moment de se coucher.*

■ **veiller** v. 1ᵉʳ groupe. [SENS 3] *Patrick* **a veillé** *très tard pour terminer ses devoirs,* il est resté éveillé, il n'a pas dormi. [SENS 4] *Tu* **veilleras** *à ce que tout se passe bien,* tu t'occuperas de cela. *La baby-sitter est chargée de* **veiller** *sur les enfants,* de les garder et de faire attention à eux (= surveiller).

■ **veilleur** n.m. [SENS 4] Un **veilleur de nuit** est une personne chargée de surveiller des bâtiments, un chantier, un parking pendant la nuit.

■ **veilleuse** n.f. *Dans le train, la* **veilleuse** *est restée allumée toute la nuit,* une petite lampe.

veine n.f. SENS 1. *Les* **veines** *sont les vaisseaux qui ramènent le sang vers le cœur.* ●● **intraveineux**. → **artère**. SENS 2. *Sur ce meuble poli, on voit les* **veines** *du bois,* des lignes de couleurs différentes. SENS 3. Fam. *Jean gagne souvent aux cartes, il a de la* **veine**, *de la chance* (≠ déveine).

illustr. p. 216

■ **veinard, arde** adj. et n. [SENS 3] Fam. *Jean est (un)* **veinard**, *il a de la veine* (= chanceux).

■ **veiné, ée** adj. [SENS 2] *Le marbre est une roche* **veinée**, *qui a des veines.*

vêler v. 1ᵉʳ groupe. *La vache* **a vêlé** *cette nuit,* elle a donné naissance à un petit veau.

LE VÉLO ET LA MOTO

moto de route
- réservoir
- rétroviseur
- clignotant
- carénage
- selle
- phare
- feu arrière
- garde-boue
- jante
- fourche
- roue arrière
- frein
- pot d'échappement
- roue avant
- béquille
- moteur

course d'endurance (au Touquet)
- dunes de sable
- concurrents
- combinaison
- moto de cross
- dossard
- casque

vélo tout terrain
- selle
- cadre
- dérailleur
- rayon
- chaîne
- pneu cranté
- pédale

moto de compétition (vitesse) Grand Prix
- tribune des journalistes
- public
- chronométreurs
- starter
- photographes
- équipes techniques
- stand de maintenance et de ravitaillement
- piste
- chute
- bordure
- virage

bicross
- casque
- protection
- genouillère
- piste

étape d'un tour cycliste
- voiture suiveuse
- motard d'escorte
- spectateurs
- supporters
- peloton

échappée
- casquette
- maillot
- cuissard

illustr.
p. 718

véliplanchiste n. Un **véliplanchiste** est un sportif qui pratique la planche à voile.
✹ On dit aussi **planchiste**.

velléités n.f. pl. *Sébastien avait des* **velléités** *de se lever tôt,* il en avait l'intention, sans y être tout à fait décidé, et il ne l'a pas fait.

■ **velléitaire** n. et adj. *Pierre est (un)* **velléitaire**, il a l'intention d'agir, mais n'agit pas (≠ volontaire, décidé).

illustr.
p. 1002

vélo n.m. *Pour Noël, Pierre a eu un* **vélo** *de course,* une bicyclette. ⟶ **moto**

■ **vélodrome** n.m. *L'arrivée de l'étape a eu lieu dans le* **vélodrome**, dans un stade avec une piste pour les vélos.

■ **vélomoteur** n.m. Un **vélomoteur** est un véhicule à deux roues muni d'un moteur plus puissant que celui du cyclomoteur. ⟶ **cyclomoteur, Mobylette**

vélocité n.f. *Marie fait des exercices de* **vélocité** *au piano,* elle apprend à jouer avec rapidité et agilité.

vélodrome, vélomoteur ⟶ **vélo**

velours n.m. SENS 1. *Jean a un pantalon en* **velours**, un tissu dont l'endroit est constitué par des poils courts et très doux. SENS 2. Fam. *En agissant ainsi, on* **joue sur du velours**, on ne prend pas de risques, on est sûr de gagner.

■ **velouté, ée** adj. [SENS 1] *La peau des pêches est* **veloutée**, douce à toucher comme le velours. ◆ n.m. Un **velouté** est un potage très onctueux.

velu, ue adj. *M. Duval a les bras* **velus**, couverts de poils (= poilu).

venaison n.f. *La* **venaison**, c'est la chair de grand gibier, comme le cerf, le sanglier, etc.

■ **vénerie** n.f. *La* **vénerie** est la chasse au gros gibier.

vénal, ale, aux adj. SENS 1. *Une personne* **vénale** *est une personne qui est prête à agir malhonnêtement pour de l'argent (= corrompu ; ≠ incorruptible, intègre). SENS 2. La valeur* **vénale** *d'un objet, c'est le prix auquel on pourrait le vendre.*

venant ⟶ **venir**

illustr.
p. 690

vendange n.f. *Cette année, la* **vendange** *a commencé (ou les* **vendanges** *ont commencé) le 15 septembre,* la récolte du raisin.

■ **vendanger** v. 1er groupe. *Le vigneron a* **vendangé** *toutes ses vignes en quinze jours,* il a récolté tous les raisins.
✹ Conj. n° 2.

■ **vendangeur, euse** n. *À la fin de la journée, les* **vendangeurs** *sont fatigués,* les personnes qui vendangent.

vendetta n.f. *La* **vendetta** *est une coutume corse selon laquelle un meurtre doit être vengé par un membre de la famille de la victime sur un membre de la famille du meurtrier.*

vendre v. 3e groupe. SENS 1. *Le libraire* **vend** *des livres, le pharmacien* **vend** *des médicaments,* ils les cèdent contre de l'argent (≠ acheter, donner). ●● *inven-* **dable, mévente, revendre**. SENS 2. *Le bandit a* **vendu** *ses complices,* il les a dénoncés (= trahir, livrer).
✹ Conj. n° 50.

illustr.
p. 150

■ **vendeur, euse** n. [SENS 1] *Le* **vendeur** *ne veut pas être payé par chèque,* la personne qui vend (≠ acheteur). *Mme Dubois est* **vendeuse** *dans un magasin,* elle est chargée de vendre les marchandises (≠ client).

■ **vendu, ue** n. [SENS 2] *Cet homme est un* **vendu** *(= traître).*

■ **vente** n.f. [SENS 1] *Quel est le prix de* **vente** *de ces marchandises ?,* la somme à donner pour son acquisition (≠ achat).

illustr.
p. 132

vendredi n.m. *Le* **vendredi** *est le cinquième jour de la semaine.*

vendu → *vendre*

illustr. p. 402 **vénéneux, euse** adj. *Attention à ce champignon, il est **vénéneux** !, il contient un poison.* ●● *venin*
✳ **Vénéneux** se dit seulement à propos des choses qu'on mange. Ne pas confondre avec **venimeux**.

vénérer v. 1er groupe. *Les chrétiens **vénèrent** le Christ, la Vierge et les saints,* ils les respectent et leur vouent un culte (= révérer).
✳ Conj. n° 10.

■ **vénérable** adj. Une personne **vénérable** est une personne qui inspire un profond respect (= respectable). Une personne d'**âge vénérable** est une personne très âgée.

■ **vénération** n.f. *Ils parlent de leur père avec **vénération**,* un grand respect (= déférence).

vénerie → *venaison*

venger v. 1er groupe. **Venger** quelqu'un, c'est punir la personne qui l'a offensé ou qui lui a fait du tort. *La victime a refusé de **se venger** du coupable,* de lui faire du mal à son tour pour le punir.
✳ Conj. n° 2.

■ **vengeance** n.f. *Pierre a agi par esprit de **vengeance**,* par désir de rendre le mal qu'on lui a fait (= revanche). → ***représailles***

■ **vengeur, eresse** adj. *L'orateur a fait un discours **vengeur**,* exprimant une vengeance, constituant une revanche. ●● *vindicatif*
✳ Le féminin de l'adjectif **vengeur** est **vengeresse** : *Je lui ai écrit une lettre **vengeresse**.*

véniel, elle adj. Une faute **vénielle** est une faute sans gravité (= léger, pardonnable ; ≠ grave, inexcusable).

venin n.m. *Le **venin** de la vipère peut être mortel,* le poison contenu dans ses crochets.

■ **venimeux, euse** adj. *Certaines araignées sont **venimeuses**,* leur piqûre est empoisonnée. ●● *antivenimeux*
✳ Ne pas confondre avec **vénéneux**.

venir v. 3e groupe. SENS 1. *J'ai demandé à Pierre-Yves de **venir** nous voir demain,* de se déplacer vers nous. ●● *bienvenu*.
SENS 2. *Le vent **vient** du nord,* son point d'origine est le nord (= provenir, arriver). SENS 3. *Pierre **est venu au monde** en mars,* il est né à ce moment-là. SENS 4. *Ne t'inquiète pas, ton tour **viendra** !* (= arriver, survenir). SENS 5. *Jean **vient de** sortir,* il est sorti il y a très peu de temps.
✳ Conj. n° 22. **Venir** se conjugue avec l'auxiliaire « être ».

■ **venant** n.m. [SENS 1] *Ce bureau est ouvert **à tout venant**,* à toute personne qui souhaite y entrer (= n'importe qui). ●● *tout-venant*

■ **venu, ue** n. [SENS 1] *Ne parle pas au **premier venu**,* à n'importe qui.

■ **venue** n.f. [SENS 1] *Hier, Juliette m'a annoncé sa **venue**,* qu'elle viendrait (= arrivée). ●● *bienvenue*

vent n.m. SENS 1. *Les voiliers sont poussés par un **vent** favorable,* de l'air en déplacement. SENS 2. *La trompette, la flûte sont des **instruments à vent**,* dans lesquels on souffle. SENS 3. *Ses promesses, c'est du **vent**,* ce n'est pas sérieux, c'est inconsistant.
✳ Ne pas confondre avec un **van** et (il, elle) **vend** de « vendre ».

■ **venter** v. 1er groupe. [SENS 1] *Il **vente** depuis ce matin,* il fait du vent.
✳ C'est un verbe impersonnel, il ne s'emploie qu'à la 3e personne du singulier avec « il ». Ne pas confondre avec **vanter**.

■ **venteux, euse** adj. [SENS 1] *Cette plage est **venteuse**,* il y a souvent du vent.

■ **ventiler** v. 1er groupe. [SENS 1] *Il fait trop chaud, il faut **ventiler** cette pièce,* faire entrer de l'air (= aérer). ◆ *Il faut **ventiler** les frais entre les participants,* les répartir.

illustr.
p. 69 ■ **ventilation** n.f. [SENS 1] *La ventilation de cette pièce est insuffisante,* le renouvellement de l'air (= aération). ◆ *Je suis chargé de la ventilation des frais entre les participants* (= répartition).

illustr.
p. 69 ■ **ventilateur** n.m. [SENS 1] *Le ventilateur nous envoie une petite brise agréable,* un appareil équipé d'une hélice qui agite l'air en tournant.

vente → *vendre*

venter, venteux, ventilateur, ventilation, ventiler → *vent*

illustr.
p. 556 **ventouse** n.f. SENS 1. *Les pieuvres ont de longs bras à ventouses,* des organes qui peuvent adhérer aux objets. SENS 2. *Le crochet du torchon est fixé au mur par une ventouse,* une rondelle de caoutchouc ou de plastique que l'on applique en appuyant dessus pour y faire le vide.

illustr.
p. 217 **ventre** n.m. SENS 1. *Pierre a la colique, il a mal au ventre,* la partie de son corps, au-dessous de la taille, qui contient les intestins. → *abdomen.* SENS 2. *Amélie dort sur le ventre,* sur la partie avant du corps (≠ dos).

■ **ventral, ale, aux** adj. [SENS 2] *Un parachute ventral est un parachute qui est fixé sur le ventre* (≠ dorsal).

■ **ventru, ue** adj. [SENS 1] *M. Durand est ventru,* il a un gros ventre (= bedonnant).
❋ On dit familièrement **ventripotent.**

illustr.
p. 216 **ventricule** n.m. *Les ventricules sont les compartiments inférieurs du cœur.*

ventriloque n. *Un ventriloque est une personne qui parle sans remuer les lèvres.*

venu, venue → *venir*

vêpres n.f. pl. *Dans l'Église catholique, les vêpres sont un office religieux de l'après-midi.*

ver n.m. *Un ver est un petit animal allongé, formé d'anneaux, et sans pattes.*

◆ *La viande avariée grouillait de vers,* de larves de mouches (= asticot). ◆ *Les vers à soie sont les chenilles d'un papillon appelé « bombyx ».* ◆ Fam. *Comme il n'est pas méfiant, on lui a facilement tiré les vers du nez,* on lui a indirectement fait dire ce qu'on voulait savoir.
❋ Ne pas confondre avec du **verre,** un **vers** ou l'adjectif **vert.**

■ **véreux, euse** adj. *Un fruit véreux est un fruit qui contient des vers.* ◆ *Une personne véreuse est une personne capable de malhonnêteté pour de l'argent* (= malhonnête, vénal ; ≠ honnête).

■ **vermifuge** n.m. *Un vermifuge est un médicament contre les vers de l'intestin.*

■ **vermisseau** n.m. *Un vermisseau est un tout petit ver.*
❋ Au pluriel, on écrit des **vermisseaux.**

■ **vermoulu, ue** adj. *Ce vieux buffet est tout vermoulu,* plein de trous de vers.

véracité n.f. *Je vous garantis la véracité de cette histoire,* son exacte conformité à ce qui s'est passé (= vérité, authenticité, exactitude ; ≠ fausseté). ●● *vrai*

véranda n.f. *Il y a une véranda derrière la cuisine,* une galerie vitrée.

verbaliser v. 1er groupe. *L'agent de police a verbalisé pour excès de vitesse,* il a établi un procès-verbal. ●● *procès-verbal*

verbe n.m. SENS 1. *Paul a le verbe haut,* la parole forte. SENS 2. *Le verbe est un mot qui indique l'action ou l'état et qui varie selon le sujet, le temps et le mode. Le verbe est le mot principal de la phrase.* → *auxiliaire, conjugaison, infinitif*

■ **verbal, ale, aux** adj. [SENS 1] *Le directeur m'a donné son accord verbal,* exprimé de vive voix (= oral ; ≠ écrit). [SENS 2] *« Apitoyer » est un verbe, « faire pitié » est une locution verbale,* un groupe de mots qui joue le même rôle qu'un verbe.

■ **verbalement** adv. [SENS 1] *Il me l'a promis* **verbalement**, *de vive voix* (= oralement ; ≠ par écrit).

verbeux, euse adj. *Pierre s'est lancé dans des explications* **verbeuses**, *longues et embrouillées* (≠ concis).

■ **verbiage** n.m. *Je ne comprends rien à son* **verbiage**, *à son discours verbeux* (= bavardage).

verdâtre → *verdir*

verdeur n.f. *Mon grand-père n'a pas perdu sa* **verdeur**, *l'énergie de sa jeunesse* (= vigueur). ●● *vert*

verdict n.m. *Le* **verdict** *d'un tribunal est la décision qu'il prend sur la culpabilité d'un accusé* (= jugement, sentence).

verdir v. 2ᵉ groupe. SENS 1. *Les bourgeons éclatent et les feuilles* **verdissent**, *elles deviennent vertes.* ●● *vert, reverdir.* SENS 2. *Pierre a verdi de peur*, *il est devenu extrêmement pâle* (= blêmir).

■ **verdoyant, ante** adj. [SENS 1] *La campagne normande est une région* **verdoyante**, *couverte de verdure.*

■ **verdure** n.f. [SENS 1] *La colline est couverte de* **verdure**, *d'herbe verte, d'arbres aux feuilles vertes* (= végétation).

■ **verdâtre** adj. [SENS 1] *L'eau croupie de la mare a des tons* **verdâtres**, *d'une couleur indécise, tirant sur le vert* (= glauque). ●● *vert*

véreux → *ver*

verge n.f. SENS 1. *Autrefois, on punissait les écoliers à coups de* **verges**, *des baguettes de bois souple.* SENS 2. *La* **verge** *est l'organe sexuel externe de l'homme et des animaux mâles* (= pénis).

illustr. p. 746 **verger** n.m. *Un* **verger** *est un terrain planté d'arbres fruitiers.*

verglas n.m. *La voiture a dérapé sur le* **verglas**, *sur la glace qui recouvre la route.*

■ **verglacé, ée** adj. *Attention, route* **verglacée** *!*, *recouverte de verglas.*

sans **vergogne** adv. *Il nous a menti* **sans vergogne**, *sans se gêner, sans honte* (= effrontément).

vergue n.f. *Sur les grands bateaux à voiles, il y avait des* **vergues**, *des barres de bois placées en travers des mâts et soutenant les voiles.*

vérité n.f. *Je jure de dire la* **vérité**, *ce qui est vrai, ce qui s'est réellement passé.* ●● *contre-vérité.* ◆ *En vérité, tout cela est sans importance*, *pour parler franchement* (= en réalité, en fait).

■ **véridique** adj. *Son récit est* **véridique**, *conforme à ce qui s'est passé, à la vérité* (= exact, vrai, fidèle ; ≠ faux, mensonger). ●● *vrai*

■ **vérification** n.f. *Les policiers ont fait une* **vérification** *d'identité*, *ils se sont assurés que chacun était en règle* (= contrôle).

■ **vérifier** v. 1ᵉʳ groupe. *Il faudrait* **vérifier** *tous ces calculs*, *les contrôler pour établir s'ils sont justes.* → *preuve*

■ **véritable** adj. SENS 1. *On ne connaît pas la* **véritable** *raison de son absence*, *la raison qui motive vraiment son absence* (= réel, vrai ; ≠ apparent). SENS 2. *Christophe est pour moi un* **véritable** *ami*, *un ami qui mérite bien ce nom* (= vrai, authentique).

■ **véritablement** adv. *Ce qu'il m'a dit était* **véritablement** *étonnant*, *tout à fait étonnant* (= effectivement, vraiment).

verlan n.m. *« Pourri » se dit « ripou » en* **verlan**, *un argot où l'on inverse les syllabes.*

vermeil, eille adj. SENS 1. *La couleur* **vermeille** *est la couleur rouge vif des cerises mûres.* SENS 2. n.m. *Au repas de gala, il y avait des fourchettes et des cuillers en* **vermeil**, *en argent doré.*

■ **vermillon** adj. inv. [SENS 1] *Le rouge* **vermillon** *est un rouge vif tirant sur l'orangé.*

vermicelle n.m. *Jean aime le potage au vermicelle,* aux pâtes très fines.

vermifuge → *ver*

vermillon → *vermeil*

vermine n.f. La **vermine,** c'est l'ensemble des insectes parasites de l'homme et des animaux comme les puces, les poux, les punaises.

vermisseau, vermoulu → *ver*

vernis n.m. *Ce tableau est recouvert de vernis,* un enduit transparent et brillant qui le protège. *Maman s'est mis du vernis à ongles,* un produit brillant, transparent ou coloré.
illustr. p. 150
❋ Ne pas confondre avec l'adjectif **verni.**

■ **vernir** v. 2ᵉ groupe. *Le plancher de la chambre est verni,* recouvert de vernis.

■ **verni, ie** adj. Fam. *Yannick a gagné, il est verni,* il a de la chance (= chanceux).
❋ Ne pas confondre avec le **vernis.**

verrat n.m. *Un verrat est un porc mâle apte à la reproduction.* → *truie*

verre n.m. SENS 1. *Pierre a cassé un carreau, il y a du verre par terre,* une matière dure, cassante, généralement transparente et fabriquée avec une certaine variété de sable. SENS 2. *On a sorti les verres de cristal pour mon anniversaire,* des récipients pour boire. *J'ai bu un verre d'eau,* le contenu d'un verre. SENS 3. *Marie porte des lunettes à verres fumés,* les morceaux de verre traité spécialement pour aider à y voir mieux. *Alix ne porte pas de lunettes mais des verres (de contact),* des lentilles (de contact).
illustr. p. 238, 239
❋ Ne pas confondre avec un **ver, vers** ou l'adjectif **vert.**

■ **verrerie** n.f. [SENS 1] *Dans une verrerie,* on fabrique du verre et des objets en verre.

■ **verrier** n.m. [SENS 1] *Un verrier est un ouvrier qui travaille dans une verrerie.*

■ **verrière** n.f. [SENS 1] *Les serres sont recouvertes d'une verrière,* un plafond composé de grands panneaux de verre.
illustr. p. 424

■ **verroterie** n.f. [SENS 1] *Marie porte un collier de verroterie,* en verre coloré de peu de valeur.

verrou n.m. *Le soir, papa ferme le verrou de la porte,* une grosse pièce métallique, généralement très résistante, qui coulisse pour bloquer une porte.
illustr. p. 572

■ **verrouiller** v. 1ᵉʳ groupe. *Verrouille bien la porte avant de partir !,* ferme-la avec le verrou.

verrue n.f. *Le médecin m'a enlevé une verrue au pied,* une petite grosseur à la surface de la peau.

1. vers prép. Ce mot sert à indiquer plusieurs choses : *nous allons vers la mer* (en direction de : lieu) ; *j'arriverai vers midi* (à peu près à ce moment-là : temps).
❋ Ne pas confondre avec un **ver,** un **verre** ou l'adjectif **vert.**

2. vers n.m. *Les fables de La Fontaine sont en vers,* elles sont composées en lignes rythmées qui riment.

■ **versification** n.f. La **versification** est l'ensemble des règles que l'on suit pour écrire des vers. → *poésie, rime*
❋ Ne pas confondre avec un **ver,** un **verre** ou l'adjectif **vert.**

versant n.m. *Le versant nord de la montagne est très abrupt,* la pente entre le bas et le sommet.
illustr. p. 616

versatile adj. *Jean a un caractère très versatile,* qui change souvent (= changeant, inconstant ; ≠ constant, persévérant). → *lunatique*

■ **versatilité** n.f. *On ne peut pas se fier à Jean, étant donné sa versatilité,* ses fréquents changements d'avis (= inconstance).

à verse → *verser*

1007

versé, ée adj. *Il est très **versé** en musique*, il s'y connaît (= savant, compétent).

verser v. 1er groupe. SENS 1. *Maman **verse** de l'eau dans mon verre*, elle la fait couler dedans (= mettre). → ***transvaser***. SENS 2. *M. Durand est allé **verser** de l'argent à la banque*, y apporter de l'argent (= porter, remettre). SENS 3. *La voiture **a versé** dans le fossé*, elle est tombée sur le côté (= se renverser, culbuter, basculer). SENS 4. *Ce policier **a été versé** dans les services administratifs*, il y a été affecté (= muter).

■ **à verse** adv. [SENS 1] *Il pleut **à verse***, très fort (= abondamment).
✹ Ne pas confondre avec une **averse**.

■ **versement** n.m. [SENS 2] *Il a payé sa dette en trois **versements***, en trois apports d'argent (= paiement).

■ **verseur** adj. m. [SENS 1] *Cette casserole a un bec **verseur***, servant à verser.

illustr. p. 820 **verset** n.m. *La Bible et le Coran sont divisés en **versets***, en petits paragraphes numérotés.

verseur → ***verser***

versification → ***vers (2)***

version n.f. SENS 1. *Jacques a fait une **version** anglaise*, il a traduit en français un texte anglais (≠ thème). → ***traduire***. SENS 2. *Ce film est projeté en **version** originale*, dans la langue où il a été d'abord réalisé. → ***sous-titre***. SENS 3. *Il nous a raconté sa **version** de l'accident*, la manière dont il l'a vu (= interprétation).

verso n.m. *Le **verso** est l'envers d'une page* (= dos ; ≠ recto).

illustr. p. 117, 845 **vert, verte** adj. SENS 1. *La couleur **verte** est celle de l'herbe au printemps. Au printemps, les bois deviennent **verts***. ●● ***verdâtre***. SENS 2. *Ces raisins sont encore **verts***, ils ne sont pas arrivés à maturité (≠ mûr). SENS 3. *Le bois **vert*** brûle difficilement, le bois qui contient encore de la sève (≠ sec). SENS 4. *Mon grand-père est encore **vert***, vigoureux malgré son âge. ●● ***verdeur***. SENS 5. *On nous a fait de **vertes** remontrances*, des remontrances qui expriment un très grand mécontentement (= sévère).

■ **vert** n.m. [SENS 1] *Anne a des yeux d'un beau **vert** clair. Le feu va passer au **vert***, la couleur qui autorise les voitures à passer.
✹ Ne pas confondre avec un **ver**, un **verre** ou **vers**.

■ **vert-de-gris** n.m. inv. [SENS 1] *Le **vert-de-gris** est un dépôt verdâtre qui se forme sur le cuivre oxydé.*
✹ Ce mot ne change pas au pluriel.

■ **vertement** adv. [SENS 5] *On lui a répondu **vertement** de faire la queue comme tout le monde*, sans ménagement (= brutalement ; ≠ gentiment).

vertébral, ale, aux adj. *La **colonne vertébrale** est l'ensemble des vertèbres du dos qui contient la moelle épinière* (= épine dorsale). *illustr. p. 216*

■ **vertèbre** n.f. *En tombant, Pierre s'est déplacé une **vertèbre***, un des os de la colonne vertébrale. *illustr. p. 216*

■ **vertébré** n.m. *Les **vertébrés** sont des animaux qui possèdent un squelette interne et une colonne vertébrale. Les mammifères, les oiseaux, les poissons, les serpents, les grenouilles sont des **vertébrés**.* ●● ***invertébré***

vertement → ***vert***

vertical, ale, aux SENS 1. adj. *La paroi de la falaise est **verticale***, elle est perpendiculaire au sol (≠ horizontal, oblique). SENS 2. n.f. *Le fil à plomb indique la direction de la **verticale***, la direction suivie par un objet qui tombe. *illustr. p. 431*

■ **verticalement** adv. *Les corps tombent **verticalement***, en suivant une ligne qui coupe le sol à angle droit.

vertige n.m. *Avoir le **vertige***, c'est avoir une impression d'angoisse devant le vide, qui donne la sensation que l'on est entouré de choses qui tournent et que l'on va tomber.

■ **vertigineux, euse** adj. *La montgolfière est montée à une hauteur **vertigineuse**, qui donne le vertige. L'avion a atteint une vitesse **vertigineuse**, très grande.*

vertu n.f. SENS 1. *Le courage, la générosité, l'honnêteté sont des **vertus**, des qualités morales* (≠ vice). SENS 2. *Cette plante a la **vertu** de calmer les maux de ventre, elle a la capacité de produire cette guérison* (= pouvoir, propriété). SENS 3. *Les policiers ont perquisitionné **en vertu des** pouvoirs qu'ils avaient,* en application de ces pouvoirs (= au nom de, en raison de).

■ **vertueux, euse** adj. [SENS 1] *Sa conduite n'a pas été très **vertueuse**,* conforme aux règles morales (= honnête, sage ; ≠ immoral, dévergondé).

verve n.f. *Grand-mère raconte des histoires drôles avec beaucoup de **verve**,* de façon brillante et spirituelle (= esprit, humour).

verveine n.f. *La **verveine** est une plante parfumée dont les feuilles servent à préparer des tisanes.*

vésicule n.f. *Une **vésicule** est une sorte de petit sac qui sert de réservoir dans le corps humain, comme la **vésicule** biliaire.* → *bile*

vesse-de-loup n.f. *Les **vesses-de-loup** sont des champignons en forme de poire retournée, comestibles quand ils sont jeunes, qui dégagent une sorte de poussière quand ils sont vieux et qu'on les écrase.*
✳ *Au pluriel, on écrit des **vesses-de-loup**.*

illustr. p. 216, 694   **vessie** n.f. SENS 1. *L'urine est contenue dans la **vessie**, un organe en forme de poche, situé dans le bas du ventre.* → *natatoire*. SENS 2. *Dans un ballon de*

foot, il y a une **vessie** en caoutchouc, un sac gonflable. SENS 3. Fam. *On voudrait me faire **prendre des vessies pour des lanternes**,* me faire croire des choses absurdes.

vestale n.f. *Dans la Rome antique, les **vestales** étaient des prêtresses qui s'occupaient du feu sacré.*

veste n.f. SENS 1. *Il fait chaud, je vais enlever ma **veste**,* un vêtement qui va des épaules à la taille et s'ouvre par-devant. SENS 2. Fam. *Ce candidat a ramassé une **veste** aux élections,* il a échoué (= échec, insuccès).   *illustr. p. 1011, 736*

■ **veston** n.m. [SENS 1] *Un **veston** est la veste d'un costume d'homme.*

vestiaire → *vêtement*

vestibule n.m. *Attendez quelques minutes dans le **vestibule** !,* le couloir d'entrée.

vestiges n.m. pl. *Ces ruines sont des **vestiges** de la civilisation grecque, ce qui reste du passé* (= restes, traces).   *illustr. p. 41*

veston → *veste*

vêtement n.m. *Les **vêtements** sont des pièces de tissu confectionnées pour couvrir le corps ou le protéger des intempéries. Un pantalon, une robe, un pull, un bonnet sont des **vêtements*** (= habit).   *illustr. p. 1010*
●● ***sous-vêtement, survêtement***

■ **vestiaire** n.m. *Vous pouvez laisser votre manteau au **vestiaire**,* à l'endroit prévu pour ranger les vêtements. *J'ai oublié mon sac dans les **vestiaires**,* le local où l'on se change, au gymnase, à la piscine, etc.   *illustr. p. 869*

■ **vestimentaire** adj. *La **tenue vestimentaire** de quelqu'un, c'est l'ensemble des vêtements qu'il porte.*

■ **vêtir** v. 3ᵉ groupe. *Marie **est vêtue** d'une jupe rouge et d'un pull bleu* (= habiller ; ≠ dévêtir). ●● ***revêtir***
✳ Conj. nº 27.

LES VÊTEMENTS

sweat-shirt

polo

col roulé

pull-over

cordon

cardigan

parka

ceinture

braguette

pli

jambe

revers

blue-jean

pantalon

manche

survêtement
(jogging)

jupe

short

tee-shirt

vêtements de nuit

pyjama

chemise de nuit

toque

tabliers

gilet

costume
de ville

salopette

imperméable

mécanicien

cuisinier

boucher

gardienne
d'immeuble

garçon
de café

porte-documents
(serviette)

attroupement de badauds

sous-vêtements

soutien-gorge

collant

socquettes

slip

caleçon

jupon

chaussettes

1010

Les vêtements peuvent montrer quelle profession on exerce.
On en change selon les circonstances de la vie, comme on change
de vocabulaire selon qu'on s'adresse à un copain ou à un inconnu.

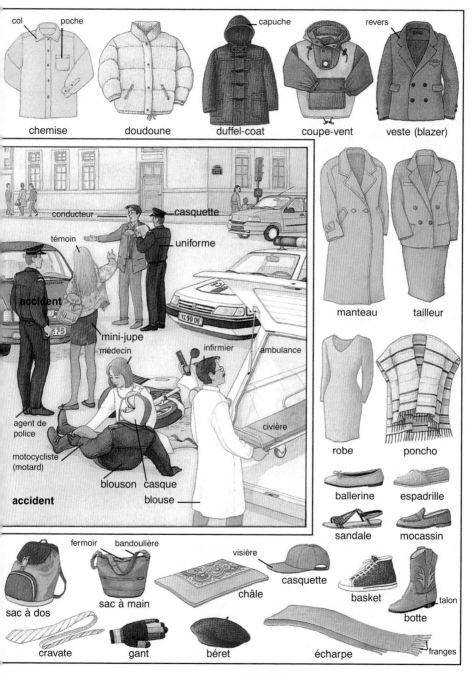

col — poche — chemise

doudoune

capuche — duffel-coat

coupe-vent

revers — veste (blazer)

conducteur — casquette

témoin — uniforme

accident

mini-jupe — médecin — infirmier — ambulance

E75

agent de police

motocycliste (motard)

civière

blouson — casque

accident — blouse

manteau — tailleur

robe — poncho

ballerine — espadrille

sandale — mocassin

fermoir — bandoulière

visière

châle — casquette

sac à dos — sac à main

basket

talon — botte

cravate — gant — béret — écharpe — franges

1011

vétéran n.m. SENS 1. Un **vétéran** est un soldat qui a participé à une guerre quand il était jeune (= ancien combattant). SENS 2. *L'équipe locale a joué contre une équipe de* **vétérans**, de sportifs déjà âgés.

vétérinaire n. *Le chat était malade, on l'a porté chez le* **vétérinaire**, le médecin pour animaux.

vétille n.f. *Nous n'allons pas nous fâcher pour une* **vétille**, une chose sans importance (= broutille).

vêtir ⟶ **vêtement**

veto n.m. inv. *Il a mis son* **veto** *à toutes nos demandes*, il a répondu par le refus (= opposition ; ≠ accord, acceptation). ✵ On prononce [veto].

vétuste adj. *Nos voisins habitent une maison* **vétuste**, vieille et en mauvais état.

■ **vétusté** n.f. *La* **vétusté** *de cet immeuble le rend dangereux*, son âge et son mauvais état (= délabrement).

veuf, veuve adj. et n. *Mme Martin est* **veuve**, son mari est mort.

■ **veuvage** n.m. *Depuis son* **veuvage**, *elle vit très retirée*, depuis qu'elle est veuve.

veule adj. *Ne compte pas sur lui, il est* **veule**, il manque d'énergie (= mou, faible, lâche ; ≠ volontaire, énergique).

■ **veulerie** n.f. *Par* **veulerie**, *il a renoncé à ses projets*, par manque d'énergie et par lâcheté (= mollesse).

veuvage, veuve ⟶ **veuf**

vexer v. 1er groupe. *Tu l'as* **vexé** *en lui disant qu'il avait grossi*, tu l'as blessé dans son amour-propre (= fâcher, froisser).

■ **vexant, ante** adj. *Pierre m'a dit des paroles* **vexantes**, qui blessent l'amour-propre (= humiliant, blessant).

■ **vexation** n.f. *On lui a fait subir toutes sortes de* **vexations**, des blessures d'amour-propre (= humiliation).

■ **vexatoire** adj. *Une mesure* **vexatoire** *est une mesure prise pour vexer, humilier les gens* (= humiliant).

via prép. *Ce train va à Marseille* **via** *Lyon*, en passant par Lyon.

viabilité n.f. *Ces travaux sont destinés à améliorer la* **viabilité** *de la route*, à améliorer son état pour que l'on puisse mieux rouler dessus.

viable adj. *Cette affaire n'est pas* **viable**, elle n'a pas tout ce qu'il faut pour durer et se développer.

viaduc n.m. *Le train traverse le fleuve sur un* **viaduc**, un grand pont.

illustr. p. 494

viager, ère adj. *Mon grand-père touche une pension* **viagère**, qui lui sera versée jusqu'à sa mort.

■ **viager** n.m. *Les Durand ont acheté leur maison en* **viager**, ils paient une rente viagère au propriétaire.

viande n.f. *La* **viande** *est la chair des mammifères et des oiseaux que l'on mange. On achète la* **viande** *chez le boucher.*

vibrer v. 1er groupe. SENS 1. *Les vitres* **vibrent** *quand un camion passe*, elles sont agitées par des oscillations rapides (= trembler, trépider). SENS 2. *Son discours a fait* **vibrer** *les auditeurs*, il les a émus et enthousiasmés.

■ **vibrant, ante** adj. [SENS 2] *L'orateur a lancé un appel* **vibrant**, qui fait frémir et qui enthousiasme (= émouvant, pathétique, ardent).

■ **vibration** n.f. [SENS 1] *On s'habitue aux* **vibrations** *de l'avion*, au bruit et au tremblement du moteur (= trépidation).

■ **vibratoire** adj. [SENS 1] *Un mouvement* **vibratoire** *est formé d'une suite de vibrations.*

vicaire n.m. *Un* **vicaire** *est un prêtre qui aide le curé d'une paroisse.*

illustr.
p. 440

vice- préfixe. Placé au début d'un mot, **vice-** indique que quelqu'un exerce une fonction en second : *un **vice**-président.*

vice n.m. SENS 1. *La paresse, le mensonge sont des **vices**,* de graves défauts (≠ vertu). SENS 2. *Cette voiture a un **vice** de construction,* elle est mal construite (= défaut, malfaçon).
🟊 Ne pas confondre avec une **vis.**

■ **vicié, ée** adj. [SENS 2] *Dans cette ville, l'air est **vicié**,* on ne peut plus le respirer sans dommage (= pollué, impur).

■ **vicieux, euse** adj. [SENS 1] *Attention à ce cheval, il est **vicieux** !,* il refuse d'obéir et il est têtu (= méchant, rétif). [SENS 2] *Tu as une prononciation **vicieuse**,* tu prononces mal (= mauvais, fautif).

vice-président, ente n. Un **vice-président** est une personne qui seconde le président et le remplace quand c'est nécessaire. *La **vice-présidente** de l'association a donné la parole à M. Vintot.* ●● **président**

■ **vice-présidence** n.f. *C'est papa qui assure la **vice-présidence** du comité des sports de l'école,* la fonction de vice-président.

vice versa adv. *Toutes les semaines, M. Durand va de Lyon à Paris et **vice versa**,* et de Paris à Lyon (= inversement).
🟊 On prononce [visvɛrsa] ou [visevɛrsa].

vicié, vicieux → *vice*

vicinal, ale, aux adj. *Nous avons roulé dans la campagne en prenant les **chemins vicinaux**,* les petites routes qui relient les villages entre eux.

vicissitudes n.f. pl. *Cette famille a connu bien des **vicissitudes**,* une succession d'événements heureux et malheureux (= aléa, tribulations).
🟊 Ce mot s'emploie surtout dans la langue écrite.

vicomte, vicomtesse n. Un **vicomte** a un titre de noblesse inférieur à celui de comte. ●● **comte**

victime n.f. SENS 1. *La catastrophe a fait une centaine de **victimes**,* de personnes blessées ou tuées. SENS 2. *M. Durand a été **victime** d'un escroc,* il a souffert des agissements de celui-ci.

victoire n.f. *L'équipe de France de football a remporté une belle **victoire**,* un succès (= réussite ; ≠ défaite).

■ **victorieux, euse** adj. *Le boxeur **victorieux** a été applaudi,* celui qui a remporté la victoire (≠ vaincu). → **vainqueur**

victuailles n.f. pl. *Pour le pique-nique, chacun a apporté des **victuailles**,* de la nourriture (= provisions, vivres).

vide adj. *Cette boîte est **vide**,* il n'y a rien dedans (≠ plein, rempli). *Cet appartement est **vide**,* il n'y a personne qui y loge (= vacant ; ≠ occupé, habité).

■ **vide** n.m. SENS 1. *En montagne, Pierre a peur du **vide**,* des espaces sans rien. SENS 2. *Il y a un **vide** dans le rayon de la bibliothèque,* un espace vide, où il n'y a pas de livre. SENS 3. *Ce café moulu est vendu sous **vide**,* dans des sachets d'où on a enlevé l'air. SENS 4. *Le bateau est reparti à **vide**,* sans rien dedans.

■ **vidanger** v. 1er groupe. *On a **vidangé** la citerne,* on l'a vidée pour la nettoyer.
🟊 Conj. n° 2.

■ **vidange** n.f. *M. Durand a fait faire la **vidange** de sa voiture,* il a fait enlever l'huile usée pour la remplacer par de la neuve.

■ **vide-ordures** n.m. inv. *Jette ça dans le **vide-ordures** !,* le tuyau vertical qui aboutit à une grande poubelle collective.
🟊 Ce mot ne change pas au pluriel.

■ **vider** v. 1er groupe. SENS 1. *Les déménageurs **ont vidé** l'appartement,* ils ont enlevé tout ce qu'il y avait dedans (= débarrasser ; ≠ remplir). SENS 2. *Le* cuisinier **vide** un poulet, il enlève les boyaux. SENS 3. Vous êtes prié de **vider les lieux**, de vous en aller. La classe se **vide** après le cours, les élèves la quittent (≠ se remplir).

illustr. **vidéo** SENS 1. n.f. La **vidéo** permet
p. 862, d'enregistrer sur magnétoscope ou sur Caméscope des images et des sons et de les restituer sur un téléviseur. SENS 2.
504 adj. inv. Pour Noël, Adrien a demandé des jeux **vidéo**, des jeux que l'on commande électroniquement sur un écran.
✳ Au sens 2, **vidéo** ne change pas au pluriel.

■ **vidéocassette** n.f. J'ai enregistré le match télévisé sur une **vidéocassette**, une cassette vidéo.

vide-ordures, vider → *vide*

vie n.f. SENS 1. Les sauveteurs ont risqué leur **vie**, ils ont risqué de mourir.
●● **survie, vital, vivre**. SENS 2. M. Delvaux a passé toute sa **vie** à Paris, le temps pendant lequel il a vécu. ◆ **De ma vie**, je n'ai vu une si belle maison, jamais. SENS 3. Il m'a raconté sa **vie**, son passé, son histoire. SENS 4. Hélène est une fillette pleine de **vie**, de vigueur et d'entrain. ●● **vitalité**. SENS 5. La **vie** est de plus en plus chère, tout augmente, les produits qu'on doit acheter pour vivre. ◆ Margot **gagne** bien **sa vie**, elle a un bon salaire.

vieil → *vieux*

illustr. **vielle** n.f. La **vielle** est un instrument de
p. 629 musique ancien et populaire, à touches et à cordes frottées par une roue.
✳ Ne pas confondre la **vielle** avec l'adjectif féminin **vieille**.

vierge SENS 1. adj. Une personne **vierge** n'a jamais eu de relations sexuelles.
SENS 2. Une feuille de papier est **vierge** quand rien n'a été écrit dessus (= blanc, intact, immaculé). Une cassette **vierge** n'a pas encore servi. SENS 3. La **forêt vierge** n'est ni habitée ni exploitée par

l'homme. SENS 4. n.f. Il y a une **vierge** ancienne sur un pilier de l'église, une statue de la Sainte Vierge.

vieux, vieille adj. SENS 1. Ma grand-mère est morte très **vieille** (= âgé ; ≠ jeune). SENS 2. Pierre est plus **vieux** que Jean d'un an, il a un an de plus. SENS 3. Ils habitent une **vieille** maison, une maison ancienne (≠ moderne, neuf). SENS 4. J'ai jeté de **vieux** papiers, des papiers sans valeur (= usagé ; ≠ neuf). SENS 5. Pierre est un **vieil** ami à moi, nous sommes amis depuis longtemps.
✳ Au masculin singulier, l'adjectif **vieux** devient **vieil** devant une voyelle ou un « h » muet : un **vieil** oncle, un **vieil** hôtel.

■ **vieux, vieille** n. [SENS 1 et 2] Un **vieux** et une **vieille** sont assis sur le banc, des gens âgés. [SENS 3] n.m. Jean aime mieux le **vieux** que le neuf, les meubles anciens, les maisons anciennes. [SENS 5] (Terme d'amitié) Fam. Bonjour, **mon vieux** !

■ **vieillard** n.m. [SENS 1] Mon arrière-grand-père est un **vieillard** de quatre-vingt-quinze ans, un vieil homme.

■ **vieillerie** n.f. [SENS 4] Jette toutes ces **vieilleries** à la poubelle, ces vieux objets sans valeur.

■ **vieillesse** n.f. [SENS 1] Notre cheval est mort de **vieillesse**, parce qu'il était vieux.

■ **vieillir** v. 2e groupe. [SENS 1] Il **vieillit**, sa vue baisse, il devient vieux. [SENS 2] Cette coiffure te **vieillit**, elle te fait paraître plus vieille.

■ **vieillot, otte** adj. [SENS 3 et 4] Tu as des idées **vieillottes**, anciennes et démodées.

vif, vive adj. SENS 1. Jeanne d'Arc a été brûlée **vive**, vivante. SENS 2. Jacques a l'esprit **vif**, il comprend vite (= éveillé ; ≠ lent). SENS 3. Hélène a les yeux **vifs**, pleins de vie, de vitalité. SENS 4. Son patron lui a fait de **vifs** reproches (= violent, brutal, dur). ●● **vivacité, vivement**. SENS 5. Pierre se plaint d'une **vive** douleur à la jambe, d'une douleur forte, aiguë. ●● **aviver, raviver**. SENS 6. Anne

a un pull rouge **vif,** d'un rouge éclatant (≠ pâle, terne).

■ **vif** n.m. [SENS 1] *Pour opérer, le médecin a dû couper dans le vif,* dans la chair vivante. ◆ *Entrons dans le vif du sujet !,* parlons du point le plus important.

vigie n.f. *Sur les navires à voiles, il y avait une vigie,* un poste d'observation pour surveiller les alentours.

vigilant, ante adj. *Tâche de rester vigilant !,* de faire constamment attention (= attentif).

■ **vigilance** n.f. *Les prisonniers ont trompé la vigilance des gardiens* (= surveillance).

■ **vigile** n.m. *Un vigile est un homme chargé de surveiller des locaux.*

vigne n.f. SENS 1. *M. Marvel a planté de la vigne dans son jardin,* des petits arbrisseaux qui donnent du raisin. → **viticulture.** SENS 2. *La façade de la maison est recouverte de vigne vierge,* une sorte de plante grimpante.

illustr. p. 527

■ **vigneron, onne** n. [SENS 1] *M. Martin est vigneron en Bourgogne,* il cultive la vigne (= viticulteur).

illustr. p. 690

■ **vignoble** n.m. [SENS 1] *Ce vignoble donne un vin réputé,* cette plantation de vigne.

illustr. p. 690

vignette n.f. *Papa a collé sa vignette auto sur le pare-brise,* une étiquette imprimée.

vignoble → **vigne**

vigogne n.f. *Ramon a un pull en laine de vigogne,* un mammifère des Andes qui est de la même famille que le lama.

vigueur n.f. SENS 1. *L'homme attaqué s'est défendu avec vigueur* (= force, énergie ; ≠ mollesse). SENS 2. *Cette loi entrera en vigueur le 1er janvier prochain,* elle sera appliquée.

■ **vigoureux, euse** adj. [SENS 1] *Nous avons besoin d'hommes vigoureux pour*

ce travail (= fort, puissant, robuste ; ≠ chétif, faible).

■ **vigoureusement** adv. [SENS 1] *Tout le monde a protesté vigoureusement contre cette injustice* (= énergiquement).

vil, vile adj. SENS 1. *Il a acheté ces meubles à vil prix,* à très bon marché (= à bas prix). SENS 2. *C'est un homme vil,* lâche, méprisable. ●● *s'avilir*
✳ Ce mot s'emploie surtout dans la langue écrite.

vilain, aine adj. SENS 1. *C'est très vilain de mentir,* c'est très mal (≠ bien). SENS 2. *Marie n'est pas vilaine* (= laid ; ≠ joli). SENS 3. *Quel vilain temps aujourd'hui !* (= mauvais ; ≠ beau). SENS 4. n.m. *Au Moyen Âge, on appelait les paysans libres des vilains.* → **serf, manant**

vilebrequin n.m. *Les menuisiers d'autrefois perçaient des trous à l'aide du vilebrequin,* un outil en forme de manivelle.

vilenie n.f. *Cette accusation de sa part est une vilenie,* une méchanceté pleine de bassesse (= infamie).
✳ On prononce [vilni] ou [vileni].

vilipender v. 1er groupe. *Cet homme politique a été vilipendé par certains journaux,* il a été attaqué violemment (= calomnier).

villa n.f. *Les Niven ont une villa au bord de la mer,* une grande maison avec un jardin.

illustr. p. 427

village n.m. *Les Rossi habitent dans un village de cent habitants,* une localité peu importante. → **bourg, bourgade, hameau**

illustr. p. 21, 691, 427, 758

■ **villageois, oise** n. *Les villageois se réunissent pour la fête du village,* les habitants du village.

ville n.f. SENS 1. *Lyon est une des plus grandes villes de France* (= agglomération). → **urbain.** SENS 2. *Les Malavoie habitent la ville* (≠ campagne). → **citadin**

illustr. p. 1016

LA VILLE

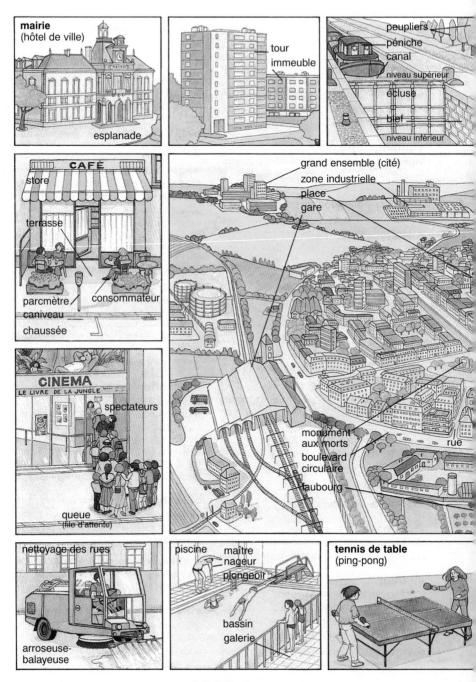

mairie
(hôtel de ville)

esplanade

tour
immeuble

peupliers
péniche
canal
niveau supérieur
écluse
bief
niveau inférieur

CAFÉ
store
terrasse
parcmètre
caniveau
chaussée
consommateur

grand ensemble (cité)
zone industrielle
place
gare

CINEMA
LE LIVRE DE LA JUNGLE
spectateurs

monument
aux morts
boulevard
circulaire
faubourg
rue

queue
(file d'attente)

nettoyage des rues

arroseuse-
balayeuse

piscine   maître
nageur
plongeoir

bassin
galerie

tennis de table
(ping-pong)

1016

Au centre de la ville, qui est la partie la plus ancienne, il y a l'église. Quand la population augmente, de nouveaux quartiers sont créés à la périphérie. Là se trouve le centre commercial (voir p. 150).

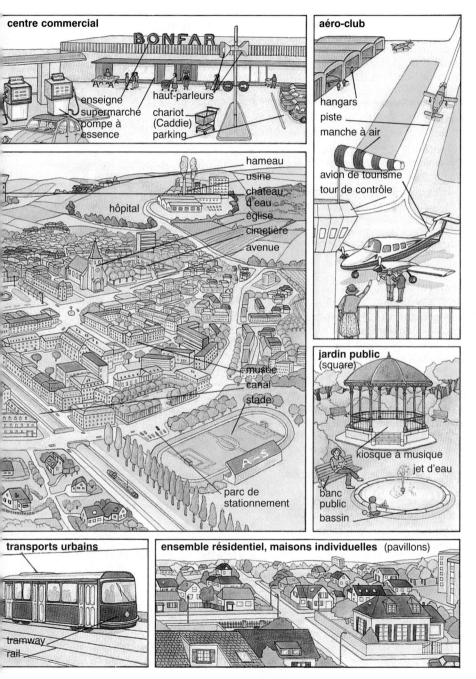

centre commercial

enseigne
supermarché
pompe à
essence

haut-parleurs
chariot
(Caddie)
parking

aéro-club

hangars
piste
manche à air

hameau
usine
château
d'eau
église
cimetière
avenue

hôpital

avion de tourisme
tour de contrôle

musée
canal
stade

jardin public
(square)

kiosque à musique
jet d'eau

parc de
stationnement

banc
public
bassin

transports urbains

tramway
rail

ensemble résidentiel, maisons individuelles (pavillons)

1017

villégiature n.f. *Les Hertel sont en* **villégiature** *à la montagne,* ils y sont momentanément pour se reposer.

vin n.m. *On préfère ordinairement le* **vin** *blanc avec du poisson et le* **vin** *rouge avec de la viande rouge,* une boisson alcoolisée faite avec le raisin. → **aviné**
✳ Ne pas confondre avec **vain** et **vingt**.

■ **vinasse** n.f. Fam. *Ça sent la* **vinasse** *dans cette cave !,* le mauvais vin.

■ **vinicole** adj. *La Bourgogne est une région* **vinicole**, qui produit du vin (= viticole).

■ **vinification** n.f. *La* **vinification** *demande beaucoup de soin,* la transformation du jus de raisin en vin.

vinaigre n.m. *Tu as mis trop de* **vinaigre** *dans la salade, ça pique !,* un condiment fait avec du vin aigre.

■ **vinaigrer** v. 1ᵉʳ groupe. *Cette sauce est trop* **vinaigrée**.

■ **vinaigrette** n.f. *On a mangé des poireaux à la* **vinaigrette**, avec une sauce faite d'huile et de vinaigre.

■ **vinaigrier** n.m. *Un* **vinaigrier** *est un récipient pour mettre le vinaigre.*

vinasse → *vin*

vindicatif, ive adj. *Xavier est* **vindicatif**, il est porté par tempérament à se venger (= rancunier). ●● **venger**

illustr. p. 642 **vingt** adj. numéral. *Il y a* **vingt** *arrondissements, à Paris.* 10 + 10 = 20.
✳ On prononce [vɛ̃]. Ne pas confondre avec l'adjectif **vain** et le **vin**.

illustr. p. 643 ■ **vingtaine** n.f. *Une* **vingtaine** *de personnes assistaient à la réunion,* environ vingt.

illustr. p. 642 ■ **vingtième** adj. et n. *Le* **vingtième** *siècle. Lise est la* **vingtième** *au classement.*

vinicole, vinification → *vin*

viol → *violer*

violacé → *violet*

violation → *violer*

viole → *violon*

violent, ente adj. SENS 1. *Quand il se met en colère, Éric devient* **violent** (= brutal ; ≠ doux, calme). ●● **non-violent**. SENS 2. *Un vent* **violent** *a soufflé toute la nuit,* un vent très fort (≠ léger).

■ **violemment** adv. [SENS 1] *Il m'a repoussé* **violemment** (= brutalement).
✳ On prononce [vjɔlamã].

■ **violence** n.f. [SENS 1] *Les militaires ont pris le pouvoir par la* **violence**, en employant la force brutale (≠ douceur). ●● **non-violence**. [SENS 2] *La* **violence** *de la tempête a encore augmenté,* son intensité.

violer v. 1ᵉʳ groupe. SENS 1. **Violer** *un règlement, une loi,* c'est ne pas les respecter (= transgresser). **Violer** *un secret,* c'est le trahir. SENS 2. **Violer** *une personne est un crime puni par la loi,* le fait de l'obliger à avoir des rapports sexuels en employant la force, la menace.

■ **viol** n.m. [SENS 2] *Cet individu a été condamné pour* **viol**, pour avoir violé une personne.

■ **violation** n.f. [SENS 1] *Ces actes sont une* **violation** *de la loi,* une infraction.

illustr. p. 845, 117 **violet, ette** adj. et n.m. *Si on mélange du rouge à cette peinture bleue, elle deviendra* **violette**. *Tante Marie s'habille souvent en* **violet**.

■ **violacé, ée** adj. *Ces rideaux sont bleu* **violacé**, tirant sur le violet.

illustr. p. 753 ■ **violette** n.f. *Les* **violettes** *sont des petites fleurs parfumées de couleur violette.*

illustr. p. 628 **violon** n.m. SENS 1. *Un* **violon** *est un instrument à quatre cordes dont on joue avec un archet et qu'on tient entre l'épaule et le menton.* SENS 2. *Fabrice est journaliste mais son* **violon** *d'Ingres,* *c'est la peinture,* son activité secondaire préférée.

■ **violoniste** n. [SENS 1] *Ce morceau de musique est joué par un grand violoniste,* un joueur de violon.

■ **viole** n.f. [SENS 1] *La viole est un violon d'autrefois.*

illustr. p. 628, 629

■ **violoncelle** n.m. [SENS 1] *Le violoncelle est une sorte de gros violon, qu'on fait reposer au sol sur une pointe, et dont on joue assis.*

■ **violoncelliste** n. [SENS 1] *Un violoncelliste est un joueur de violoncelle.*

illustr. p. 277

vipère n.f. *Il est imprudent d'aller dans ces broussailles sans bottes à cause des vipères,* des serpents venimeux.

virage → *virer*

virée n.f. Fam. *Je vais faire une virée,* une promenade, un tour.

virer v. 1ᵉʳ groupe. SENS 1. *Au carrefour, tu vireras à droite,* tu changeras de direction (= tourner). SENS 2. *M. Roclan a viré de l'argent à mon compte bancaire,* il a fait passer de l'argent de son compte sur le mien. SENS 3. *Au coucher du soleil, le ciel a viré au rouge,* il a changé de couleur.

illustr. p. 852

■ **virage** n.m. [SENS 1] *La voiture a dérapé dans un virage* (= tournant).

■ **virement** n.m. [SENS 2] *Est-ce que je peux vous payer par virement ?,* en vous virant de l'argent.

■ **virevolter** v. 1ᵉʳ groupe. [SENS 1] *Les feuilles mortes tombent en virevoltant,* en tournant et en se déplaçant dans tous les sens (= tournoyer).

virgule n.f. *Tu as oublié des virgules dans ta rédaction,* un signe de ponctuation (,) qui correspond en général à une légère pause quand on lit le texte à haute voix. → *ponctuation*

viril, e adj. *Lionel a employé un langage viril,* un langage ferme, énergique.

■ **virilement** adv. *Au lieu de se laisser abattre, il a réagi virilement* (= énergiquement, fermement).

■ **virilité** n.f. *Il a fait preuve d'une grande virilité devant le danger,* il a agi avec la vigueur, l'énergie que l'on attribue généralement aux hommes. → *féminité*

virole n.f. *Ce couteau à cran d'arrêt reste ouvert grâce à une virole,* une bague de métal.

illustr. p. 117

virtuel, elle adj. *Nous avons les moyens virtuels de réaliser ce projet,* ces moyens existent en principe, mais ils ne sont pas appliqués, mis en pratique actuellement (= théorique ; ≠ réel).

■ **virtuellement** adv. *Mon travail est virtuellement fini* (= pour ainsi dire, presque).

virtuose n. *Ce violoniste est un véritable virtuose,* il joue avec un talent et une habileté exceptionnels.

■ **virtuosité** n.f. *Sa virtuosité au piano est extraordinaire* (= talent, brio).

virulent, ente adj. *L'orateur a fait une critique virulente du gouvernement,* une critique très violente.

■ **virulence** n.f. *Il a protesté avec virulence contre cette accusation* (= âpreté, violence).

virus n.m. *La grippe est une maladie causée par un virus,* une sorte de microbe de très petite taille.
※ On prononce le « s » : [virys].

vis n.f. SENS 1. *Le verrou est fixé sur la porte par quatre vis,* des tiges en métal qu'on enfonce en tournant. SENS 2. *On monte en haut du phare par un escalier à vis,* un escalier qui tourne (= en spirale, en colimaçon).
※ Ne pas confondre avec un **vice**.

illustr. p. 117

■ **visser** v. 1ᵉʳ groupe. [SENS 1] *Le médecin a fait visser une plaque sur sa porte,* il l'a fait fixer par des vis (≠ dévisser).

visa n.m. *Pour aller dans ce pays, il faut un **visa** en plus du passeport*, une autorisation spéciale.

visage n.m. SENS 1. *Son chapeau lui cache le haut du **visage***, le haut du devant de la tête (= figure, face). SENS 2. *L'hôtesse nous a accueillis avec un **visage** souriant* (= physionomie). SENS 3. *À cette nouvelle, elle a changé de **visage*** (= expression).

vis-à-vis de prép. SENS 1. *Jean s'est assis **vis-à-vis de** moi*, en face de moi. SENS 2. *Que comptes-tu faire **vis-à-vis de** Paul ?*, à son égard, envers lui.

viscère n.m. *La cuisinière enlève les **viscères** du poulet*, les boyaux, les poumons, etc. *Le foie est un **viscère**.*

■ **viscéral, ale, aux** adj. *L'abdomen est une cavité **viscérale***, qui contient des viscères. ◆ *Il a une horreur **viscérale** de la chasse*, il la déteste profondément.

viscosité → *visqueux*

viser v. 1er groupe. SENS 1. *À la baraque de tir forain, Thomas **vise** le centre de la cible*, il dirige soigneusement son arme vers le but. SENS 2. *Ma remarque **vise** les gens prétentieux*, elle s'adresse à eux (= concerner). SENS 3. *En disant cela, il **vise** à nous étonner*, c'est son intention (= chercher à).

■ **visée** n.f. [SENS 1] *La ligne de **visée** d'un fusil part de l'œil du tireur et aboutit au but*. [SENS 3] (*Au plur.*) *Pierre a des **visées** ambitieuses* (= intentions, ambitions).

illustr. p. 531, 54 ■ **viseur** n.m. [SENS 1] *Regarde dans le **viseur** de l'appareil photo*, le dispositif à lentilles pour viser.

visible adj. SENS 1. *Le bateau est tout près, il est très **visible***, on peut bien le voir (≠ invisible). SENS 2. *Il a accepté avec une joie **visible***, qui se voyait (= évident). ●● *voir*

■ **visibilité** n.f. [SENS 1] *Avec ce brouillard, la **visibilité** est mauvaise*, la possibilité de voir.

■ **visiblement** adv. [SENS 1 et 2] *Aurélie est **visiblement** heureuse*, on le voit (= manifestement).

visière n.f. *Pierre a abaissé la **visière** de sa casquette*, le bord qui protège les yeux. *illustr. p. 54, 1011*

vision n.f. SENS 1. *Laure a des troubles de la **vision***, elle voit mal (= vue). ●● *voir, visible*. SENS 2. *Jean a une **vision** juste de la situation*, il voit les choses comme elles sont. ◆ *Tu es fou, tu as des **visions** !*, tu imagines avoir vu des choses qui n'existent pas (= hallucination).

■ **visionnaire** n. [SENS 2] *Un **visionnaire** est une personne qui a des visions.*

■ **visionner** v. 1er groupe. [SENS 1] *Visionner un film, c'est en examiner les images pour en faire le montage.*

■ **visionneuse** n.f. [SENS 1] *Une **visionneuse** est un appareil permettant d'examiner les images d'un film ou des diapositives.*

visite n.f. SENS 1. *La **visite** du musée a duré deux heures*, le parcours qu'on y a fait pour le voir. SENS 2. *Franck nous a rendu **visite***, il est venu nous voir. SENS 3. *Les enfants ont passé une **visite** médicale*, le médecin les a examinés.

■ **visiter** v. 1er groupe. [SENS 1] *Pendant les vacances, nous **avons visité** l'Italie*, nous avons parcouru ce pays pour mieux le connaître.

■ **visiteur, euse** n. [SENS 1] *Le château accueille cinq cents **visiteurs** par jour.* [SENS 2] *Mme Duchêne a reconduit sa **visiteuse***, la personne qui lui a rendu visite. *illustr. p. 869*

vison n.m. *Le **vison** est un petit mammifère ressemblant à un putois*, à la fourrure très recherchée.

visqueux, euse adj. *Le goudron chaud forme une pâte **visqueuse***, épaisse, molle et collante. → *gluant, poisseux*

■ **viscosité** n.f. *Le degré de* **viscosité** *de l'huile est indiqué sur le bidon* (≠ *fluidité*).

visser ⟶ *vis*

visuel, elle adj. *Marie a une bonne mémoire* **visuelle***, elle se souvient des choses qu'elle voit.* ●● *voir, visible*

vital, ale, aux adj. *Ces gens ne gagnent pas le minimum* **vital***, indispensable à la vie.*

■ **vitalité** n.f. *Hélène est pleine de* **vitalité** (= *vie, énergie, dynamisme*).

vitamine n.f. *Les fruits contiennent des* **vitamines***, des substances nécessaires à la santé, au bon fonctionnement de l'organisme.*

vite adv. *Je n'arrive pas à te suivre, tu marches* **vite***, en parcourant un grand espace en peu de temps* (= *rapidement* ; ≠ *lentement*). *Anaïs est intelligente et comprend très* **vite***, en peu de temps.*

■ **vitesse** n.f. *La voiture roulait à une grande* **vitesse** (= *rapidité*). *On calcule la* **vitesse** *d'un véhicule en divisant la distance parcourue par le temps du parcours.* ◆ *Il est parti* **à toute vitesse***, très vite, à toute allure* (= *en hâte*). *Cette voiture a quatre* **vitesses***, il y a quatre positions du* **changement de vitesse***, du mécanisme qui règle l'effort du moteur.*

illustr. p. 69

viticulture n.f. *La* **viticulture***, c'est la culture de la vigne.*

■ **viticulteur, trice** n. *Les* **viticulteurs** *du Midi ont subi des pertes* (= *vigneron*).

illustr. p. 690

■ **viticole** adj. *La Champagne est une région* **viticole** (= *vinicole*).

vitre n.f. *Pierre a cassé une* **vitre** *avec son ballon, un carreau de verre.*

illustr. p. 572

■ **vitrage** n.m. *Un grand* **vitrage** *éclaire la pièce, une fenêtre garnie de vitres.*

■ **vitrail** n.m. *Les* **vitraux** *de la cathédrale représentent la naissance du* Christ, *les grandes fenêtres aux verres colorés.*
✳ *Au pluriel, on dit des* **vitraux***.*

■ **vitré, ée** adj. *On entre dans le salon par une porte* **vitrée***, garnie de vitres.*

■ **vitreux, euse** adj. *Les roches* **vitreuses** *ressemblent à du verre fondu.* ◆ *Pierre a le regard* **vitreux***, sans éclat, terne.*

■ **vitrier** n.m. *Le* **vitrier** *est venu remplacer le carreau cassé, celui dont le métier est de vendre et de poser des vitres.*

■ **vitrifier** v. 1er groupe. *On* **a vitrifié** *le parquet, on l'a recouvert d'un enduit transparent.*

■ **vitrine** n.f. *De nouveaux livres sont exposés dans la* **vitrine** *du libraire, dans la devanture vitrée.*

illustr. p. 855, 151

vitriol n.m. *Le* **vitriol** *est un acide très puissant qui ronge la peau.*

vitupérer v. 1er groupe. *M. Legendre* **vitupère** *contre la hausse des prix, il la critique énergiquement* (= *fulminer, pester, protester*).
✳ Conj. n° 10.

■ **vitupération** n.f. *Il a poursuivi son chemin sans se soucier des* **vitupérations** *de ses adversaires* (= *récrimination, protestation*).

vivable adj. *C'est un petit village très* **vivable***, où l'on peut vivre sans désagrément* (≠ *invivable*). ●● *vie.* ◆ *J'ai renoncé à le fréquenter, il n'est pas* **vivable***, la vie est insupportable auprès de lui.*

vivace adj. SENS 1. *Une plante* **vivace** *est une plante qui vit plusieurs années.* SENS 2. *M. Morin refuse toujours de saluer son voisin : il a la rancune* **vivace** (= *durable, tenace*).

vivacité n.f. SENS 1. *Jacques a une grande* **vivacité** *d'esprit, il a l'esprit très vif* (≠ *lenteur*). ●● *vif.* SENS 2. *Il m'a répondu avec* **vivacité** (= *irritation, violence*).

vivant → *vivre*

illustr.
p. 1033
vivarium n.m. Un **vivarium** est un lieu où sont installées des cages vitrées dans lesquelles on peut observer des petits animaux vivants comme les insectes, les reptiles, etc.
✳ On prononce [vivarjɔm].

vive interj. Ce mot sert à acclamer : *Tout le monde a crié : « Vive la liberté ! »*
■ **vivats** n.m. pl. *Le président a été accueilli par des vivats*, des acclamations d'enthousiasme (≠ huées).
✳ On prononce [viva].

vivement adv. SENS 1. *Elle s'est enfuie vivement* (= rapidement). SENS 2. *Il a répliqué très vivement* (= sèchement).
●● *vif*. ◆ *Je souhaite vivement te revoir*, je le souhaite ardemment, profondément. ◆ interj. *Vivement qu'on parte en vacances !*, je souhaite que cela arrive vite !

vivier n.m. Un **vivier** est un bassin dans lequel on élève des poissons pour les manger.

vivifier v. 1er groupe. *L'air de la montagne vivifie*, il donne de la vigueur, tonifie. ●● *revivifier, vie*
■ **vivifiant, ante** adj. *Cette région a un climat vivifiant* (= stimulant, tonique).

vivipare adj. et n. *Les mammifères sont (des) vivipares*, leurs petits se forment dans le ventre de la mère et non dans des œufs (≠ ovipare).

vivisection n.f. La **vivisection**, c'est la dissection d'animaux vivants pour les étudier.

vivre v. 3e groupe. SENS 1. *Le chien est gravement blessé, mais il vit encore*, il respire, son cœur bat, il n'est pas mort. *Mon arrière-grand-père a vécu quatre-vingt-dix ans*, sa vie a duré ce temps-là. ●● *vie, survivre, revivre*. SENS 2. *Les Verdier vivent à Paris et les Morel vivent en banlieue*, ils y passent leur vie

(= habiter). SENS 3. *Nous avons vécu de bons moments ensemble* (= passer).
●● *vécu*. SENS 4. *Il faut travailler pour vivre, pour gagner de quoi se nourrir, se loger, s'habiller, etc.*
✳ Conj. n° 63.

■ **vivant, ante** adj. [SENS 1] *Le blessé est encore vivant* (≠ mort). ●● *vie, survivant.* ◆ *Nous habitons un quartier vivant* (= animé, actif). ◆ *Le latin est une langue morte et le français une langue vivante*, une langue parlée aujourd'hui.

■ **vivant** n. [SENS 1] *Cela s'est passé de son vivant*, quand il vivait. ◆ *M. Bonnet est un bon vivant*, il aime bien manger, il est toujours de bonne humeur.

■ **vivoter** v. 1er groupe. [SENS 4] Fam. *Il a si peu d'argent qu'il vivote*, il vit mal.
●● *vie*

■ **vivres** n.m. pl. [SENS 4] *Les alpinistes ont emporté des vivres pour trois jours*, de quoi se nourrir (= provisions, victuailles).

■ **vivrier, ère** adj. *Les cultures vivrières sont celles qui produisent des aliments.*

vizir n.m. *Chez les musulmans, un vizir était un ministre.*

vlan ! interj. Ce mot exprime un bruit violent, en particulier un bruit de coup : *Vlan ! une gifle !*

vocabulaire n.m. *Pierre lit beaucoup pour enrichir son vocabulaire*, l'ensemble des mots qu'il connaît.

■ **vocable** n.m. *« Vivipare » est un vocable scientifique* (= terme, mot).
✳ C'est un mot savant.

vocal → *voix*

vocalise n.f. *Faire des vocalises*, c'est chanter une seule syllabe en changeant de note, pour exercer sa voix.

vocation n.f. *Jean veut devenir médecin, c'est sa vocation*, la profession vers laquelle il se sent attiré.

vociférer v. 1er groupe. *Qu'as-tu à vociférer comme ça ?*, à crier avec colère (= hurler).
✳ Conj. n° 10.

vodka n.f. *La vodka est un alcool de grain souvent fabriqué dans les pays slaves.*

vœu n.m. SENS 1. *Pour le Nouvel An, Pierre m'a envoyé ses vœux*, il m'a souhaité du bonheur. SENS 2. *Cette décision n'est pas conforme aux vœux de la majorité*, à ce qu'elle veut (= souhait, désir). SENS 3. *Les moines font vœu de pauvreté*, ils promettent à Dieu de rester pauvres.
✳ Au pluriel, on écrit des **vœux**.

vogue n.f. *Cette danse n'est plus en vogue*, elle n'est plus appréciée du public (= à la mode).

voguer v. 1er groupe. *Les navires de Christophe Colomb ont vogué plusieurs mois*, ils ont navigué.
✳ Ce mot s'emploie surtout à l'écrit.

voici prép. Ce mot sert à montrer, à présenter quelqu'un ou quelque chose de proche, de précis, par opposition à « voilà » : *Voilà le village, et voici ma maison.*

illustr.
p. 41,
voie n.f. SENS 1. *Les routes, les chemins de fer, les canaux sont des voies de communication*, des parcours aménagés pour aller d'un endroit à un autre. SENS 2. *La voiture s'est engagée dans une voie à sens unique*, un chemin, une
852, rue ou une route. SENS 3. *Nous sommes sur une route à trois voies*, qui a une largeur suffisante pour trois files de voitures. SENS 4. *Empruntez le passage*
425, *souterrain pour traverser la voie (ferrée)*,
970 les rails du chemin de fer. SENS 5. *Pierre est dans la bonne voie*, il se conduit bien. SENS 6. *Les négociations sont en bonne voie*, elles sont sur le point d'aboutir, de réussir. SENS 7. *Une espèce animale en voie de disparition* est une espèce en train de disparaître. SENS 8. *Le bateau a*

coulé à cause d'une *voie d'eau*, un trou dans la coque. SENS 9. *Tu ne devines pas qui j'ai rencontré ? je vais te mettre sur la voie*, te donner les indications qui t'aideront à trouver.
✳ Ne pas confondre avec **voix**.

■ **voirie** n.f. [SENS 2] *La voirie, c'est l'entretien des rues, des routes et des chemins.*

voilà prép. Ce mot sert à montrer, à présenter quelqu'un ou quelque chose d'éloigné, par opposition à « voici » : *Voici mon vélo, et voilà celui de Claude.*
✳ Dans le langage courant, on emploie **voilà** dans tous les cas.

1. voile n.m. SENS 1. *Dans certains pays musulmans, les femmes portent un voile*, un tissu qui cache le visage. SENS 2. *La mariée avait un voile de tulle*, un morceau de tissu fin qui recouvre la tête. SENS 3. *Les rideaux du salon sont en voile de Tergal*, en tissu léger et fin. SENS 4. *La côte est cachée par un voile de brouillard*, le brouillard empêche de la voir nettement.

■ **voilage** n.m. *Un voilage pend devant la baie vitrée*, un grand rideau transparent.

■ **voilette** n.f. [SENS 1] *Une voilette est un petit voile que les femmes mettaient parfois à leur chapeau pour cacher leur visage.*
illustr.
p. 220

■ **voiler** v. 1er groupe. [SENS 1] *Certaines femmes musulmanes se voilent le visage*, elles le cachent avec un voile. [SENS 4] *Des nuages voilent le soleil* (= cacher, masquer). *Tu as dû entrouvrir ton appareil, les photos sont voilées*, les images sont effacées. ◆ *La bicyclette a une roue voilée*, déformée, tordue.

2. voile n.f. SENS 1. *Autrefois, on naviguait à la voile*, grâce à des pièces de tissu que le vent gonfle. SENS 2. *Pierre fait du vol à voile*, il pilote un planeur.
illustr.
p. 740,
970,
531

■ **voilier** n.m. [SENS 1] *Dans le port, il y a des bateaux à moteur et des voiliers*, des bateaux à voiles.
illustr.
p. 719

▪ **voilure** n.f. [SENS 1] *Le navire a déployé sa* **voilure**, l'ensemble de ses voiles.

voir v. 3ᵉ groupe. SENS 1. *Serge* **voit** *mal, il porte des lunettes,* il distingue mal ce qui se présente à son regard. ●● **entrevoir, revoir, voyant, vue**. → **optique, aveugle**. SENS 2. *J'ai* **vu** *un beau film à la télévision,* je l'ai suivi grâce à mes yeux (= regarder). → **spectacle, visuel, vision**. SENS 3. *Nous* **sommes allés voir** *les Verdier,* leur rendre visite. SENS 4. *Il faut* **voir** *ce problème de plus près,* l'examiner, l'étudier. SENS 5. *Je ne* **vois** *pas de quoi il veut parler* (= saisir, comprendre). *Nous n'avons pas la même manière de* **voir** *les choses,* nous ne nous en faisons pas la même idée (= envisager, considérer). SENS 6. *Jean* **m'a fait voir** *sa collection de timbres,* il me l'a montrée. SENS 7. *Le film* **n'a rien à voir avec** *le roman qui a le même titre,* il n'a aucun rapport avec lui. ◆ *Julien* **n'a rien à voir** *dans cette affaire,* cette affaire ne le concerne pas. SENS 8. *Inviter Amélie et Chloé en même temps ? Impossible, elles* **ne peuvent pas se voir**, elles se détestent.
✻ Conj. n° 41. Ne pas confondre avec l'adverbe **voire**.

voire adv. *Je resterai absent des semaines,* **voire** *des mois,* ou même des mois.
✻ Ne pas confondre avec le verbe **voir**.

voirie → **voie**

voisin, ine adj. SENS 1. *La poste est* **voisine** *de la mairie,* elle n'en est pas loin (= proche ; ≠ éloigné). ●● **avoisinant**. SENS 2. *Nous avons des idées* **voisines**, qui se ressemblent (≠ différent, opposé).

▪ **voisin, ine** n. [SENS 1] *M. Durand s'entend bien avec ses* **voisins**, les gens qui habitent près de chez lui.

▪ **voisinage** n.m. [SENS 1] *Tous les gens du* **voisinage** *sont au courant,* des environs.

▪ **voisiner** v. 1ᵉʳ groupe. [SENS 1] *Chez le brocanteur, une bassinoire* **voisine** *avec une lampe à pétrole,* elle est placée à côté.

voiture n.f. SENS 1. *Autrefois, on voyageait en* **voiture** *à cheval,* un véhicule à roues tiré par des chevaux. *Mme Florent pousse une* **voiture** *d'enfant,* un véhicule à roues spécialement aménagé (= landau, poussette). SENS 2. *Il y avait beaucoup de* **voitures** *sur l'autoroute* (= auto). SENS 3. *Nos places de train sont dans la* **voiture** *6,* le véhicule de chemin de fer servant au transport des voyageurs (= wagon).

illustr. p. 853, 69, 424, 971

voix n.f. SENS 1. *M. Martin parle d'une* **voix** *forte,* l'ensemble des sons qu'il produit par sa bouche et sa gorge. *Pierre m'a dit cela* **de vive voix**, en me parlant et non par écrit. ●● à **mi-voix, porte-voix**. → **oral, verbal**. SENS 2. *Il faut écouter la* **voix** *de son cœur,* les conseils, les avertissements. SENS 3. *Le candidat a été élu à la majorité des* **voix**, de ceux qui votaient (= suffrage). SENS 4. *« Frapper » est à la* **voix active**, la forme du verbe où le sujet désigne l'auteur de l'action. *« Être frappé » est à la* **voix passive**, la forme du verbe où le sujet désigne l'être ou la chose qui subit l'action.
✻ Ne pas confondre avec **voie**.

▪ **vocal, ale, aux** adj. [SENS 1] *Les cordes* **vocales** *sont des organes qui produisent la voix,* la parole.

1. vol n.m. SENS 1. *L'oiseau prend son* **vol**, il s'élève dans l'air en battant des ailes. *Un* **vol** *d'hirondelles passe dans le ciel,* un groupe d'hirondelles en train de voler. ●● **s'envoler**. SENS 2. *Il y a deux heures de* **vol** *entre Paris et Alger,* de déplacement en avion. ●● **survoler**. SENS 3. *Jean a attrapé la balle* **au vol**, avant qu'elle touche le sol (= à la volée).

illustr. p. 202, 74

▪ **volant, ante** adj. [SENS 1] *As-tu déjà vu des poissons* **volants** *?,* des poissons des mers chaudes qui peuvent sauter très haut hors de l'eau et qui semblent voler. ◆ *Il m'a écrit son adresse sur une*

feuille **volante**, détachée d'un carnet ou d'un cahier.

■ **voler** v. 1er groupe. [SENS 1] *Il y a de l'orage, les hirondelles* **volent** *bas*, elles se déplacent dans l'air. *L'avion* **vole** *à 3 000 mètres.* ◆ *Quand il a crié, nous* **avons volé** *à son secours*, nous sommes accourus très vite (= s'élancer, se précipiter).

■ **volée** n.f. [SENS 3] *Il a attrapé le ballon* **à la volée** (= au vol). ◆ *Il a relancé la balle* **à toute volée**, avec force. ◆ Fam. *Pierre a reçu une* **volée**, des coups (= fam. raclée).

■ **voleter** v. 1er groupe. [SENS 1] *Les petits oiseaux* **volettent** *dans la cage*, ils volent à petits coups d'ailes.
✳ Conj. n° 8.

illustr. p. 1033 ■ **volière** n.f. [SENS 1] *Une* **volière** *est une cage assez grande pour que les oiseaux puissent y voler.*

2. vol n.m. *Cet individu est jugé pour le* **vol** *d'une voiture*, pour l'avoir volée.
●● *antivol*

■ **voler** v. 1er groupe. *Quelqu'un m'a* **volé** *mon portefeuille*, me l'a pris (= dérober, fam. piquer). → *subtiliser, cambrioler, détrousser*

■ **voleur, euse** n. *On a arrêté les* **voleurs**, les personnes qui ont commis un vol.

volage adj. *Loïc est un homme* **volage**, il est peu fidèle en amour (= infidèle).

illustr. p. 582, 385 **volaille** n.f. *Les poules, les canards, les oies, les dindons sont de la* **volaille** *(ou* **des volailles**), des oiseaux de basse-cour (= volatile).

illustr. p. 582 ■ **volailler, ère** n. *On achète des volailles chez le* **volailler**, le marchand de volailles.

illustr. p. 69 **1. volant** n.m. SENS 1. *Un* **volant** *est une sorte de roue qui commande la direction d'un véhicule.* SENS 2. *On joue au badminton avec une raquette et un* **volant**, une petite sphère légère munie d'une

couronne de plumes ou de plastique.
SENS 3. *Marie a une robe à* **volant**, avec une pièce de tissu cousue en bas.

illustr. p. 221

2. volant → *vol (1)*

volatil, e adj. *L'essence est une substance* **volatile**, qui s'évapore facilement.
✳ Ne pas confondre avec un **volatile**.

■ **se volatiliser** v. 1er groupe. *Si on ne rebouche pas le flacon, le parfum va* **se volatiliser**, s'évaporer. ◆ *Je ne l'ai pas vu partir, il* **s'est volatilisé**, il a disparu soudain.

volatile n.m. *Une poule, un canard, un dindon sont des* **volatiles**, des oiseaux de basse-cour (= volaille).
✳ Ne pas confondre avec l'adjectif **volatil**.

volatiliser → *volatil*

vol-au-vent n.m. inv. *Un* **vol-au-vent** *est une croûte de pâte feuilletée garnie de viande ou de poisson en sauce et qui se mange chaude.*

volcan n.m. *Le Vésuve est un* **volcan** *près de Naples*, une montagne formée par les coulées de laves issues des éruptions. *Les* **volcans** *peuvent être actifs, en sommeil ou éteints.*

illustr. p. 983, 949

■ **volcanique** adj. *Une éruption* **volcanique** *peut faire de nombreux morts*, l'explosion d'un volcan et le jaillissement de laves en fusion.

illustr. p. 949

■ **volcanologue** ou **vulcanologue** n. *Un célèbre* **volcanologue** *a présenté le film d'une éruption*, un spécialiste de l'étude des volcans.

volée → *vol (1)*

voler → *vol (1)* et *vol (2)*

volet n.m. SENS 1. *La lumière me gêne, ferme les* **volets**, les panneaux qui protègent les fenêtres (= persienne). SENS 2. *Remplissez les trois* **volets** *du questionnaire !*, les trois parties qui peuvent se dé-

illustr. p. 572

illustr. tacher. SENS 3. *Les ailes d'avions*
p. 75 *sont munies de **volets** à l'arrière*, de
panneaux mobiles. SENS 4. **Trier** des
gens **sur le volet**, c'est les trier très
soigneusement.
✳ Ne pas confondre avec le **volley**.

voleter → *vol (1)*

voleur → *vol (2)*

volière → *vol (1)*

illustr. **volley-ball** ou **volley** n.m. *Nous avons*
p. 718 *gagné la partie de **volley-ball**, un sport
d'équipe qui consiste à se renvoyer un
ballon par-dessus un filet haut.*

■ **volleyeur, euse** n. *Un **volleyeur** est
un joueur de volley-ball.*

**volontaire, volontairement,
volonté, volontiers** → *vouloir*

volt n.m. *Le **volt** est l'unité de mesure
de la force d'un courant électrique. En
France, les appareils fonctionnent en
220 **volts**.*

■ **voltage** n.m. *À l'étranger, vérifie le
voltage avant de brancher ton rasoir,
la force du courant (= tension).*
●● *survolté*

volte-face n.f. inv. SENS 1. *Quand je l'ai
appelé, il **a fait volte-face**, il s'est retourné. SENS 2. On ne peut pas se fier à
lui, il a déjà fait plusieurs **volte-face**, il a
changé radicalement d'opinion.*
✳ Ce mot ne change pas au pluriel.

voltiger v. 1er groupe. *Le vent fait
voltiger les feuilles mortes, il les soulève
et les fait voler en tous sens (= tournoyer).*
✳ Conj. n° 2.

illustr. ■ **voltige** n.f. *Le trapéziste a fait un
p. 177 numéro de **voltige**, d'acrobatie aérienne.*

volubile adj. *Alex est très **volubile**, il
parle beaucoup, il est très bavard.*

■ **volubilité** n.f. *Alex parle avec **volubilité**, il parle beaucoup et vite.*

volume n.m. SENS 1. *Quel est le **volume**
de cette caisse ?*, la place qu'elle occupe
et ce qu'elle peut contenir. *Un litre a un
volume de 1 décimètre cube.* → ***capacité***. SENS 2. *Le **volume** des importations
a augmenté* (= quantité). SENS 3. *Où
règle-t-on le **volume** du son sur ce
téléviseur ?* (= puissance). SENS 4.
*M. Durand a cinq cents **volumes** dans sa
bibliothèque* (= livre).
illustr.
p. 991,
431

■ **volumineux, euse** adj. [SENS 1] *Ce
meuble est trop **volumineux**, il tient trop
de place.*

volupté n.f. *Pierre écoute la musique
avec **volupté**, un plaisir très grand* (= délectation, ravissement).

■ **voluptueux, euse** adj. *Ces fleurs ont
un parfum **voluptueux*** (= enivrant).

■ **voluptueusement** adv. *Pierre est
étendu **voluptueusement** au soleil, avec
volupté.*

volute n.f. *Des **volutes** de fumée sortent de la cheminée*, la fumée forme une
colonne en spirale.

volve n.f. *La **volve** est la membrane
épaisse qui entoure la base du pied de
certains champignons.*
illustr.
p. 403

vomir v. 2e groupe. *Stéphane a eu mal
au cœur en voiture et il **a vomi**, il a rejeté
par la bouche le contenu de son estomac
(= rendre).* → ***nausée***

■ **vomissement** n.m. *Le malade a eu
des **vomissements** de sang, il a vomi du
sang.*

■ **vomitif** n.m. *Pour lutter contre l'empoisonnement, on lui a fait prendre un
vomitif, un produit qui fait vomir.*

vorace adj. *Ce chien est **vorace**, il
mange beaucoup et vite.*

■ **voracement** adv. *Serge s'est jeté
voracement sur les gâteaux* (= avidement, goulûment).

■ **voracité** n.f. *Jean mange avec **voracité*** (= goinfrerie, gloutonnerie).

vos → *votre*

vote n.m. SENS 1. *À dix-huit ans, on a le droit de* **vote**, de prendre part aux élections. SENS 2. *Après l'élection, on a compté les* **votes** (= voix, suffrage).

■ **voter** v. 1er groupe. [SENS 1] *L'Assemblée* **a voté** *une loi*, elle l'a adoptée par un vote. [SENS 2] *M. Brunet* **a voté** *pour le candidat sortant*, il lui a donné sa voix.

■ **votant, ante** n. *Aux élections, il y a eu 80 pour 100 de* **votants**, de personnes qui ont voté (≠ abstentionniste).

votre, vos adj. possessifs. Ces mots indiquent ce qui est à vous, ce qui vous concerne : **votre** *maison*, **vos** *parents*.

■ le **vôtre**, la **vôtre**, les **vôtres** pron. possessifs. *Voici nos bagages et voilà* **les vôtres**, ceux qui sont à vous.

vouer v. 1er groupe. SENS 1. *Pierre* **voue** *une grande admiration à son père*, il la lui manifeste, il l'admire. SENS 2. *Cette entreprise* **est vouée** *à l'échec*, elle échouera inévitablement (= destiner à, condamner à).

vouloir v. 3e groupe. SENS 1. *Pierre* **veut** *venir demain*, il en a l'intention, le désir, la volonté (= souhaiter). *Je* **veux** *qu'on me donne une explication* (= exiger). SENS 2. *Je* **veux bien** *te prêter ce livre*, j'accepte de le faire (= consentir à). SENS 3. *Je ne sais pas ce que ce mot* **veut dire**, ce qu'il signifie. SENS 4. *Depuis que nous nous sommes disputés, il m'***en veut**, il a de la rancune à mon égard.
✸ Conj. n° 37.

■ **vouloir** n.m. [SENS 2] *On n'attend que son* **bon vouloir** *pour partir*, qu'il le veuille bien.

■ **volonté** n.f. [SENS 1] *Cela ne dépend pas de ma* **volonté**, de ce que je peux vouloir. *Avant de partir, il nous a fait connaître ses* **volontés**, ce qu'il voulait (= désir, ordre, intention). *Jean a de la* **volonté**, il est énergique, opiniâtre (= caractère). *Pierre est plein de* **bonne volonté**, il veut faire de son mieux.

■ **volontaire** adj. [SENS 1] *Je ne l'ai pas fait exprès, ce n'était pas* **volontaire** (= voulu, intentionnel, délibéré ; ≠ involontaire). *Jean est un garçon* **volontaire**, il a de la volonté (= énergique, velléitaire).

■ **volontaire** n. [SENS 2] *Des* **volontaires** *se sont présentés pour combattre l'incendie*, des gens qui ont bien voulu, mais qui n'étaient pas obligés.

■ **volontairement** adv. [SENS 1] *C'est* **volontairement** *que je n'ai pas parlé de cette question* (= exprès, intentionnellement).

■ **volontiers** adv. [SENS 2] *Peux-tu me prêter ce livre ? –* **Volontiers** *!*, je veux bien (= avec plaisir).

vous pron. pers. Ce mot s'emploie pour désigner plusieurs personnes familières à qui l'on parle (toi + toi + toi...) : *venez-***vous** *?* Il s'emploie aussi pour remplacer « tu » quand on parle à quelqu'un qu'on ne connaît pas bien, à qui l'on parle avec respect : *bonjour, monsieur, comment allez-***vous** *?*
✸ Ne pas confondre avec certaines formes du verbe **vouer**.

■ **vouvoyer** v. 1er groupe. *Les élèves* **vouvoient** *le professeur*, ils lui disent « vous » (≠ tutoyer).
✸ Conj. n° 3.

■ **vouvoiement** n.m. *On emploie le* **vouvoiement** *par politesse* (≠ tutoiement).

voûte n.f. *La* **voûte** *de cette église est en pierre*, le plafond arrondi.

■ **voûté, ée** adj. *La cave est* **voûtée**, son plafond est une voûte. ◆ *Pierre a le dos* **voûté** (= courbé, rond).

■ se **voûter** v. 1er groupe. *Papie commence à* **se voûter**, à se tenir courbé.

vouvoiement, vouvoyer → *vous*

voyage n.m. SENS 1. *M. Duval est parti en* **voyage** *en Italie*, il y est allé. SENS 2. *Pour décharger la voiture, il a fallu faire trois* **voyages**, transporter les objets en trois fois.

illustr.
p. 424,
970

■ **voyager** v. 1er groupe. [SENS 1] *Ma sœur a beaucoup voyagé, elle a fait de nombreux voyages* (= se déplacer, circuler).
✻ Conj. no 2.

■ **voyageur, euse** n. [SENS 1] *Après l'escale, les voyageurs sont remontés dans l'avion,* les personnes qui voyagent (= passager). *Un voyageur de commerce* est un représentant qui rend visite à ses clients. ◆ adj. *Les pigeons voyageurs* sont dressés pour porter des messages au loin.

1. voyant, ante adj. *Cette couleur est décidément trop voyante,* elle se remarque trop (= criard ; ≠ discret). ●● *voir*

2. voyant n.m. *Quand on met l'appareil en marche, un voyant rouge s'allume,* un point lumineux. ●● *voir*

voyante n.f. *Une voyante lui a prédit de beaux succès,* une femme qui prétend savoir l'avenir. ●● *voir*

voyelle n.f. *« A », « e », « i », « o », « u », « y » sont les voyelles de l'alphabet* (≠ consonne).

voyou n.m. *Des voyous ont cassé la porte du jardin,* des garçons mal élevés (= vaurien).

en vrac adv. *Il a posé ses paquets en vrac sur le plancher,* en désordre, pêle-mêle.

vrai, vraie adj. SENS 1. *L'histoire que je te raconte est vraie,* elle s'est passée dans la réalité (= exact, véridique ; ≠ faux, imaginaire, inventé). ●● *vérité*. SENS 2. *Les perles de ce collier sont vraies* (= authentique ; ≠ faux, imité, factice). SENS 3. *Un vrai sportif ne se conduit pas ainsi* (= véritable).

■ **vrai** n.m. [SENS 1] *Il y a beaucoup de vrai dans ce qu'il a dit* (= vérité). ●● *véracité*. [SENS 3] *À vrai dire, je n'avais pas pensé à cela* (= en fait).

■ **vraiment** adv. [SENS 1] *Ce que je dis s'est vraiment passé* (= réellement). [SENS 3] *Il écrit vraiment bien* (= extrêmement, très).

■ **vraisemblable** adj. [SENS 1] *Il est vraisemblable qu'il ne viendra pas,* cela semble vrai (= probable ; ≠ invraisemblable).

■ **vraisemblablement** adv. [SENS 1] *D'après son accent, il est vraisemblablement allemand* (= sans doute, probablement).

■ **vraisemblance** n.f. [SENS 1] *Cette histoire n'a aucune vraisemblance,* on ne peut pas y croire, cela ne paraît pas possible (≠ invraisemblance).

vrille n.f. SENS 1. *Le bricoleur perce la planche avec une vrille,* un outil pointu qu'on enfonce en tournant. SENS 2. *La vrille* est une figure de voltige aérienne où l'avion pique vers le sol en tournant sur lui-même. SENS 3. *Les vrilles de la vigne* sont des pousses qui s'enroulent autour d'un support.

vrombir v. 2e groupe. *Les moteurs des voitures de course se mettent à vrombir* (= ronfler, gronder). *Les abeilles vrombissent autour de la ruche* (= bourdonner).

■ **vrombissement** n.m. *L'avion s'envole dans un puissant vrombissement,* un ronflement de moteur.

vu, vue adj. *Pierre est bien vu de son directeur,* bien considéré. ●● *voir*

■ **vu** n.m. *Cela s'est passé au vu de tout le monde,* en public.

■ **vu** prép. *Vu l'heure qu'il est, il faut partir,* étant donné.

vue n.f. SENS 1. *La vue* est l'un des cinq sens qui permet de voir les formes, les couleurs, etc. ●● *voir*. SENS 2. *De ce sommet, on a une belle vue,* on voit bien. SENS 3. *Cette photo représente une vue de la plage* (= image). → *panorama*. SENS 4. *Je le connais de vue,* je l'ai déjà vu. ◆ *Pierre grandit à vue d'œil,* très rapidement. SENS 5. *Il nous a présenté ses **vues** sur cette question,* son opinion, ses intentions. SENS 6. *Pierre est venu **en vue de** nous aider,* dans cette intention (= pour).

vulcanologue → *volcan*

vulgaire adj. SENS 1. *M. Duval a un langage **vulgaire*** (= grossier, trivial ; ≠ distingué, élégant). SENS 2. *Les plantes ont un nom savant et un nom **vulgaire,*** connu de tout le monde (= usuel).

■ **vulgairement** adv. [SENS 1] *M. Duval s'exprime **vulgairement*** (≠ poliment).

■ **vulgariser** v. 1er groupe. [SENS 2] **Vulgariser** *des connaissances scientifiques, c'est les mettre à la portée de tout le monde.*

■ **vulgarisation** n.f. [SENS 2] *Voilà un bon livre de **vulgarisation** sur l'informatique !,* une explication en termes simples.

■ **vulgarité** n.f. [SENS 1] *La **vulgarité** de ton langage est choquante* (= grossièreté).

vulnérable adj. *La carapace des tortues les rend peu **vulnérables**,* peu faciles à blesser, à attaquer (≠ invulnérable).

vulve n.f. *La **vulve** est un organe génital externe de la femme et des femelles de mammifères.*

W

illustr. p. 424

wagon n.m. *Ce train est composé de nombreux **wagons**,* des voitures de chemin de fer tirées par une locomotive.
❋ On prononce [vagɔ̃].

illustr. p. 157

■ **wagonnet** n.m. *Dans les mines, le charbon est transporté dans des **wagonnets**,* des petites voitures sur rails servant au transport de matériaux.
❋ On prononce [vagɔnɛ].

illustr. p. 425

■ **wagon-citerne** n.m. *Les **wagons-citernes** servent au transport des liquides.*

■ **wagon-lit** n.m. *En train, il est possible de voyager la nuit en couchette ou*

en ***wagon-lit****,* une voiture de chemin de fer avec des lits.
❋ On dit aussi **voiture-lit**.

■ **wagon-restaurant** n.m. *Dans le train, nous avons mangé au **wagon-restaurant**,* un wagon aménagé en restaurant.

Walkman n.m. *Éric écoute de la musique sur son **Walkman**,* un magnétophone à cassette portatif.
❋ On prononce [wokman]. **Walkman** est un nom de marque, il s'écrit avec une majuscule dans les textes imprimés. On dit plutôt un **baladeur**.

illustr. p. 502

wapiti n.m. *Le **wapiti** est un grand cerf d'Amérique du Nord et d'Asie.*
❋ On prononce [wapiti].

water-polo n.m. *Le **water-polo** est un sport d'équipe qui se joue dans l'eau avec un ballon.*
❋ On prononce [watɛrpolo].

waters ou **w.-c.** n.m. pl. *Les **waters** sont tout au fond du couloir* (= cabinets, toilettes).
❋ On prononce [watɛr], [dublǝvese] ou [vese].

illustr. p. 863

watt n.m. *Cette ampoule électrique est de 40 **watts**,* c'est sa puissance.
❋ On prononce [wat].

w.-c. → *waters*

week-end n.m. *Les Durand passent leurs **week-ends** à la campagne,* les congés de fin de semaine.
❋ On prononce [wikɛnd]. Au pluriel, on écrit des **week-ends**.

western n.m. *Jean regarde un **western** à la télévision,* un film de cow-boys.

whisky n.m. *M. Duval a bu trop de **whisky**,* un alcool de grain.
❋ Au pluriel, on écrit des **whiskys** ou des **whiskies**.

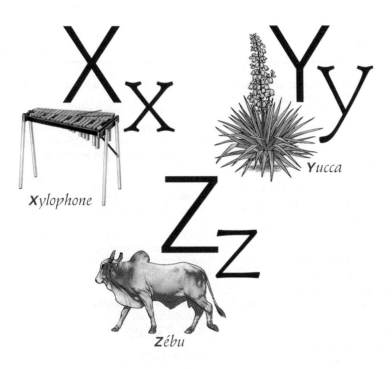

Xx

Xylophone

Yy

Yucca

Zz

Zébu

illustr.
p. 629,
310

xénophobe adj. Une personne **xéno-phobe** n'aime pas les étrangers.

■ **xénophobie** n.f. La **xénophobie** est une hostilité à l'égard des étrangers.

xylophone n.m. Le **xylophone** est un instrument de musique constitué de plaquettes sur lesquelles on frappe avec deux baguettes.

Y

y SENS 1. adv. Ce mot exprime le lieu. *J'y vais*, je vais à cet endroit. SENS 2. pron. pers. *Je n'y ai pas pensé*, je n'ai pas pensé à cela.

yacht n.m. *Ils ont traversé l'Atlantique sur un yacht*, un bateau de plaisance.
✳ On prononce [jɔt].

■ **yachting** n.m. *Le yachting est un loisir coûteux*, la navigation de plaisance.
✳ On prononce [jɔtiŋ].

yack n.m. Un **yack** est un grand bœuf du Tibet à longs poils.

yaourt, yogourt ou **yoghourt** n.m. Un **yaourt**, c'est du lait caillé présenté en petit pot.

yard n.m. Le **yard** est une mesure anglaise valant environ 90 centimètres.
✳ On prononce [jard].

yen n.m. Le **yen** est l'unité monétaire du Japon.
✳ On prononce [jɛn].

yeux → *œil*

yoga n.m. Le **yoga** est une sorte de gymnastique d'origine hindoue.

yoghourt, yogourt → *yaourt*

youyou n.m. *Les enfants s'amusent dans un youyou*, un petit canot.

Yo-Yo n.m. inv. Un **Yo-Yo** est un jouet formé de deux disques reliés par leur axe, que l'on fait monter et descendre le long d'un fil qui s'enroule sur l'axe.

✵ **Yo-Yo** est un nom de marque ; il s'écrit avec une majuscule dans les textes imprimés.

yucca n.m. Le **yucca** est une plante d'origine exotique à longues feuilles pointues produisant des sortes de grappes de fleurs blanches en forme de cloche.

✵ On prononce [juka].

Z

zapper v. 1er groupe. *Les programmes de télévision sont décevants ce soir, alors on zappe*, on passe d'une chaîne à une autre avec une télécommande.

illustr. p. 982, 1032

zèbre n.m. SENS 1. Le **zèbre** est un mammifère d'Afrique, voisin du cheval, au corps rayé. SENS 2. Fam. *Ton copain a l'air d'un drôle de zèbre*, d'un garçon bizarre ou qui inspire la méfiance.

■ **zébrer** v. 1er groupe. *Le ciel est zébré d'éclairs*, ceux-ci y font de grandes raies (= rayer).

✵ Conj. no 10.

■ **zébrure** n.f. *Une brûlure lui a fait une zébrure à la main* (= raie, rayure).

illustr. p. 1033

zébu n.m. Le **zébu** est un bœuf d'Asie qui a une bosse sur le dos.

zèle n.m. *Cet employé travaille avec zèle*, avec ardeur (= empressement).

■ **zélé, ée** adj. *Cet employé est zélé* (≠ négligent).

zénith n.m. *À midi, le soleil est au zénith*, au point le plus haut de sa course.

✵ On prononce le « t » : [zenit].

zéro n.m. SENS 1. **Zéro** est le nombre qui indique une valeur nulle. SENS 2. *Notre équipe a gagné par deux buts à zéro*, l'équipe adverse n'a marqué aucun but. SENS 3. *Pierre a eu un zéro en dictée*, une note nulle. ◆ Fam. **Avoir le moral à zéro**, c'est être très déprimé.

✵ Au pluriel, on écrit des **zéros**.

■ **zéro** adj. [SENS 2] *J'ai fait zéro faute à ma dictée*, pas une seule (= aucun).

zeste n.m. *Maria a mis des zestes de citron et d'orange dans le gâteau*, des morceaux de peau.

zézayer v. 1er groupe. *Adrien zézaie*, il prononce les « j » comme des « z » et les « ch » comme des « s » (= zozoter).

✵ On prononce [zezɛje]. Conj. no 4.

■ **zézaiement** n.m. *J'essaie de corriger mon zézaiement*, mon défaut de prononciation.

zibeline n.f. La **zibeline** est un petit mammifère voisin de la martre dont la fourrure très fine et brun foncé est très recherchée.

zigzag n.m. *Cette route de montagne fait des zigzags*, des angles très aigus.

■ **zigzaguer** v. 1er groupe. *Il a trop bu, il marche en zigzaguant*, il ne marche pas droit.

zinc n.m. *Les baraques ont un toit en zinc*, un métal léger, blanc ou gris.

✵ On prononce [zɛ̃g].

zizanie n.f. *Jean est venu mettre la zizanie entre nous*, provoquer une dispute (= discorde).

zodiaque n.m. *Il y a douze signes du zodiaque*, un ensemble de figures utilisées en astrologie. *Le Bélier, le Taureau, les Gémeaux, le Sagittaire sont des signes du zodiaque*.

zona n.m. Un **zona** est une maladie caractérisée par des éruptions sur la peau et des douleurs très vives sur le trajet des nerfs.

zone n.f. SENS 1. *La France fait partie de la zone tempérée*, d'une partie de la Terre de climat tempéré. SENS 2. *Au nord de la ville, il y a une zone industrielle*, un espace, un secteur réservé aux industries.

illustr. p. 1016

zoologie n.f. La **zoologie** est l'étude scientifique des animaux.

LE ZOO

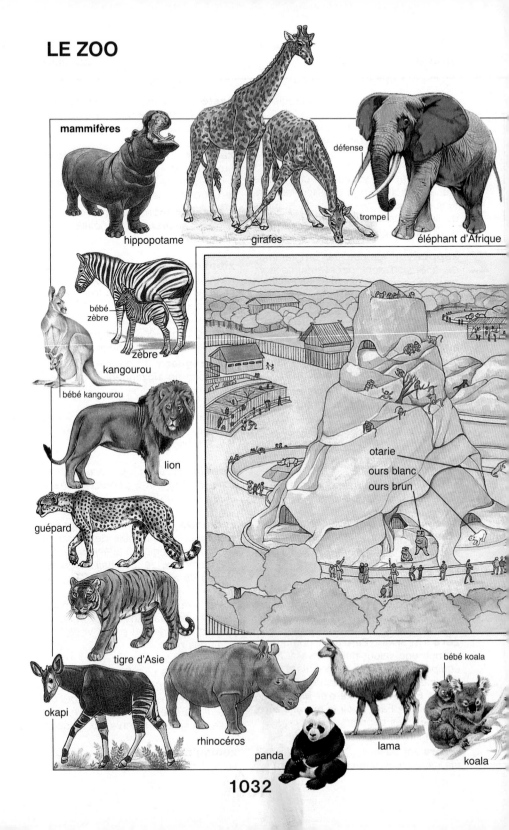

mammifères

hippopotame

girafes

défense

trompe

éléphant d'Afrique

bébé zèbre

zèbre

kangourou

bébé kangourou

lion

guépard

otarie

ours blanc

ours brun

tigre d'Asie

okapi

rhinocéros

panda

lama

bébé koala

koala

Dans un zoo, on peut voir des animaux venus de pays lointains ou difficiles à observer dans la nature. Ils sont généralement groupés par familles : les mammifères, les reptiles, les oiseaux...

mammifère marin

dauphin

reptiles

python

caméléon

tortue terrestre

gecko

iguane

oiseaux

colibri

paon

casoar

calao

ibis

bengali

condor

girafe
volière
fosse
abri
vivarium
cages
zébu
clôture
enclos
entrée

ZOO

orang-outan

macaque

atèle

gibbon

paresseux
(unau)

1033

■ **zoologique** adj. Dans un jardin **zoologique**, on peut voir des animaux rares et sauvages (= zoo).

illustr.
p. 1033 ■ **zoo** n.m. Un **zoo** est un jardin zoologique.
✳ On prononce [zo] ou [zoo].

zoom n.m. *On distingue bien les détails : c'est une photo prise avec un **zoom***, un dispositif qui grossit l'image dans un appareil photographique ou une caméra.
✳ On prononce [zum].

zouave n.m. SENS 1. Les **zouaves** étaient des soldats de l'ancienne armée française d'Afrique. SENS 2. Fam. *Arrêtez de faire le **zouave** !*, l'imbécile, le malin.

zozoter v. 1er groupe. *Elsa a un défaut de prononciation, elle **zozote*** (= zézayer).

zut ! interj. Ce mot marque la contrariété : *Zut, j'ai oublié ma clé !*

LA FORMATION DES FAMILLES DE MOTS

Dans une famille de mots, il y a d'abord un mot souche, puis des mots dérivés, comme **charger** (mot souche) et **chargement**, **déchargement**, **chargeur**, etc. (dérivés).

Les mots dérivés sont formés à l'aide de **suffixes**, ajoutés à la fin du radical du mot souche, et de **préfixes**, placés au début du radical :

dé	charge	ment
préfixe	radical	suffixe

Les suffixes et les préfixes ont un sens. Si on connaît ce sens et qu'on sait ce que signifie le mot souche, il est plus facile de comprendre ce que veut dire un mot encore inconnu.

Les principaux suffixes

catégorie des mots souches	sens des suffixes	suffixes	dérivés	catégorie des dérivés
●● **verbes** arroser, charger, écrire, admirer, incliner…	action de (arroser…) ou résultat de l'action	-age -ment	arrosage chargement	noms masculins
		-ure -tion -sion	écriture admiration expédition exclusion	noms féminins
	la personne qui (voyage…) la machine ou l'objet qui (calcule…)	-eur, euse -euse -teur, trice -trice -oir -oire -ant, ante -eux, euse -if, ive	voyageur arroseuse réparateur calculatrice arrosoir écumoire roulant ennuyeux explosif	noms et adjectifs
	qui peut être (incliné…)	-able -ible	inclinable divisible	
●● **adjectifs** solide, mince, sage, calme…	qualité de ce qui est (solide…)	-(i)té -eur -esse -(i)tude -ence -ance -ise -erie -ie	solidité pauvreté minceur sagesse exactitude patience confiance sottise étourderie jalousie	noms féminins
	rendre ou devenir (calme…)	-er -ir -ifier -iser	calmer rougir simplifier insonoriser	verbes
	qui est vaguement (vert…)	-âtre	verdâtre	adjectifs
	d'une manière (calme…)	-ment	calmement	adverbes

catégorie des mots souches	sens des suffixes	suffixes	dérivés	catégorie des dérivés
●● **noms** garage, électricité, poire, sucre...	la personne qui s'occupe de... (profession)	-iste -ien, enne -aire -er, ère -ier, ière	garagiste électricien, enne antiquaire horloger, ère bijoutier, ière	noms masculins et féminins
	magasin, boutique de la personne	-erie	boulangerie bijouterie	noms féminins
	ce qui produit (= arbre)	-er -ier	oranger poirier	noms masculins
	ce qui peut contenir (= récipient)	-ier	sucrier	noms masculins
	contenu de...	-ée	cuillerée	noms féminins
	lieu planté de...	-aie -eraie	chênaie palmeraie	noms féminins
	environ... ou groupe de...	-aine	douzaine	noms féminins
	doctrine ou manière d'agir	-isme	socialisme	noms masculins
	partisan ou professionnel de...	-iste	socialiste violoniste	noms
	état... ensemble des... bureau de...	-at	anonymat électorat secrétariat	noms masculins
	petit(e) (diminutif)	-et -ette -elet -elette -eau	jardinet historiette roitelet tartelette renardeau	noms masculins et féminins
	qui se rapporte à... qui a...	-aire -oire -ique -if, ive -u, ue -el, elle -al, ale -eux, euse	polaire opératoire atomique craintif, ive barbu, ue ministériel, elle final, ale véreux, euse	adjectifs
	utiliser, s'occuper de...	-er	skier jardiner	verbes

Cherche dans les pages 454 et 455 les principaux suffixes qui permettent de former les noms des habitants à partir des noms de villes, de régions ou de pays.

1037

Les principaux préfixes

sens des préfixes	exemples de mots souches	préfixes	exemples de dérivés
qui n'est pas	habituel normal violent heureux	in- a- non- mal-	inhabituel anormal non-violent malheureux
extrêmement	connu fin sensible doué court	archi- extra- hyper- sur- ultra-	archiconnu extrafin hypersensible surdoué ultracourt
très mal	alimenté	sous-	sous-alimenté
contre	vol poison pluie	anti- contre- para-	antivol contrepoison parapluie
qui est avec	pilote	co-	copilote
qui est à l'extérieur	terrestre	extra-	extraterrestre
qui est à l'intérieur	veineux	intra-	intraveineux
qui est au-dessus ou considéré au-dessus	aigu estimé	sur-	suraigu surestimé
qui est en dessous ou considéré en dessous	cutané estimé	sous-	sous-cutané sous-estimé
qui n'est plus	ministre	ex-	ex-ministre
qui est favorable	européen	pro-	pro-européen

Cherche dans ton diction-
naire les articles écrits sur un
fond de couleur : tu découvri-
ras beaucoup d'autres préfixes avec leur sens et des
exemples de dérivés.

Des transformations en chaîne

Il est parfois difficile de reconnaître le radical d'un mot souche dans un mot de la même famille. Par exemple, dans le dérivé **chaleur**, on ne retrouve pas le « **u** » et le « **d** » de **chaud** ; de même, le « **f** » de **nerf** est remplacé par un « **v** » dans **nerveux**.

Un suffixe change souvent la forme de ce qui est placé avant lui, et un suffixe peut lui-même être modifié par un autre suffixe qui le suit, par exemple : ner**f** $\longrightarrow$ ner**veux** $\longrightarrow$ ner**vosité**.

Voici quelques cas assez fréquents de modifications :

-eux	nerveux curieux généreux lumineux rugueux sinueux	-os-(+ ité)	nervosité curiosité générosité luminosité rugosité sinuosité	De nombreux mots en « -eux » ne suivent pas ce modèle. Cherche des exemples dans ton dictionnaire.
-eur(e)	professeur docteur honneur meilleur faveur douleur fleur heure	-or-	professoral doctorat honorable améliorer favoriser endolori floral horaire	On a la même correspondance « eu » / « o» ou « œu » / « o» dans des couples comme *seul* et *solitude* ou *bœuf* et *bovin*. Cherche d'autres exemples dans ton dictionnaire.
-eur	douleur saveur langueur	-our-	douloureux savoureux langoureux	On a la même correspondance « eu » / « ou » ou « œu » / « ou » dans des couples comme *jeu* et *jouer*, *preuve* et *prouver*, ou *œuvre* et *ouvrage*.
-air(e)	secrétaire salaire militaire vulgaire clair chair	-ar-	secrétariat salarial démilitariser vulgarité clarté charnu	On a la même correspondance « ai »/« a » dans des couples comme *naître* et *natif* ou *paix* et *pacifique*.
-ain	main humain	-an-	manuel humanité	
-oire	histoire répertoire mémoire	-or-	historien répertorier mémorable	
-ifier	simplifier modifier électrifier	-ification	simplification modification électrification	
-éfier	stupéfier putréfier liquéfier torréfier raréfier	-éfaction	stupéfaction putréfaction liquéfaction torréfaction raréfaction	

Les étranges changements
dans le radical de certains verbes

Entre un verbe et son dérivé, on remarque parfois des modifications de la forme du radical. C'est le cas, par exemple, pour des verbes terminés par :

-prendre	**-duire**
-primer	**-(s)truire**
-cevoir	**-mettre**

Voici quelques exemples :

-prendre	→	-prise	prise
			entreprise
			méprise
			reprise
			surprise
-primer	→	-press-	compression
			dépression
			expressif
			impression
			oppression
			suppression
-cevoir	→	-cept-	conception
			déception
			perceptible
			récepteur
-duire	→	-duct-	conducteur
			déduction
			introduction
			productif
			séduction
-(s)truire	→	-struct-	construction
			destructeur
			instruction
-mettre	→	-mise	mise
			entremise
			remise
		-messe	promesse
		-miss-	admissible
			compromission
			démission
			omission
			soumission
			transmission

> **Tu pourras trouver d'autres exemples dans ton dictionnaire. Tu peux chercher des noms terminés par « ion » dérivés de :** *satisfaire, contredire, joindre, éteindre, réfléchir, confondre.*

QUELQUES MOTS-RACINES GRECS OU LATINS

On peut comprendre le sens de certains mots français inconnus, si on reconnaît dans ces mots des racines grecques ou latines qui ont servi à les former. Si tu t'aides, par exemple, de la liste donnée ici, tu pourras deviner qu'une cardiopathie, en langage médical, c'est une maladie de cœur. En te familiarisant avec ces racines, tu peux vite devenir capable de comprendre un grand nombre de mots, souvent très savants. Les éléments précédés d'un tiret (par exemple **-cide**) se trouvent seulement à la fin des mots : ils sont devenus des suffixes.

élément	sens	exemples	élément	sens	exemples
aéro-	air (puis : aviation)	aéromodélisme	graph-	écrire ; enregistrer	graphique, photographie
-algie	douleur	névralgie	hém(at)-	sang	hémorragie, hématome
anthrop-	homme	philanthrope	hipp-	cheval	hippique
aqu-	eau	aquatique, aqueduc	hydr-	eau	hydravion
arbor-	arbre	arboriculteur	-iatr	médecin ; soigner	psychiatre, pédiatre
-archie	le pouvoir	monarchie (pouvoir d'un seul)	lith-	pierre	monolithe, aérolithe (pierre qui tombe du ciel)
-arque	qui a le pouvoir	monarque	-logie	science	géologie, sociologie
biblio-	livre	bibliothèque, bibliophile	-logue	spécialiste	géologue, sociologue
cardi-	cœur	cardiaque, cardiologie	-mètre	mesure	thermomètre, voltmètre
carn-	chair	carnivore, incarné			
chrom-	couleur	polychrome (de plusieurs couleurs)	neur-, névr-	nerf	neurologie, névrose
chron-	temps	chronomètre	-oïde	qui est proche de	ellipsoïde, anthropoïde (singe proche de l'homme)
-cide	meurtre ; qui tue	insecticide, infanticide	path-	souffrance, émotion, maladie	pathologie, sympathie, pneumopathie
cosm-	univers	cosmique, cosmonaute			
-cratie	force, pouvoir	démocratie, bureaucratie	phag-	manger	anthropophage
crypt-	caché, secret	cryptographie (écriture secrète)	phil-	aimer ; ami	philanthrope, francophile
drom-	course	hippodrome, vélodrome	phob-	haïr ; ennemi	phobie, xénophobe
dynam-	force	dynamisme, aérodynamique (force de pénétration dans l'air)	phon-	voix ; parole ; son	phonétique, francophone
-fère	qui porte ; qui produit	mammifère, somnifère	photo-	lumière	photographie, photo-électrique
-fique	qui produit	soporifique, maléfique	psych-	esprit	psychologie, psychiatre
-fuge	qui fuit ; qui chasse	transfuge, vermifuge	scop-	voir, examiner	télescope, radioscopie
gastr-	estomac	gastrique, gastro-intestinal	-thèque	armoire, lieu de rangement	bibliothèque, discothèque
-gène	qui produit	fumigène, pathogène (qui provoque une maladie)	thérap-	soigner	thérapeutique, chimiothérapie
-gone	angle	polygone, hexagone	therm-	chaleur	thermique, thermomètre
			-vore	qui mange	carnivore

> **Tu trouveras, à leur place alphabétique dans le dictionnaire, de nombreux préfixes d'origine grecque ou latine, comme : *anti-, inter-, para-,* etc. Ils sont écrits sur un fond de couleur.**

LA PONCTUATION

Quand on parle, on ne dit pas tous les mots à la file, sur le même ton.

On s'arrête parfois, plus ou moins longtemps, et la voix change de hauteur.

À l'écrit, il est important de traduire ces arrêts et ces changements de ton par des marques : les signes de ponctuation.

ponctuation	exemples	règle
.	Je partirai demain. Aujourd'hui, je reste ici**.**	Le **point** indique la fin d'une phrase. Le ton de la voix s'abaisse.
?	Tu viens **?** Qu'est-ce que tu fais **?**	Le **point d'interrogation** s'emploie à la fin d'une phrase qui pose une question. Le ton de la voix monte.
!	Comme c'est bizarre **!** J'en ai assez **!** Quelle chance **!**	Le **point d'exclamation** s'emploie à la fin d'une phrase qui exprime la surprise, la colère, la joie, etc.
,	Dans dix jours**,** c'est les vacances.	La **virgule** indique un court arrêt.
;	Fais comme tu veux **;** après tout, ça ne me regarde pas.	Le **point-virgule** indique une séparation entre les idées un peu plus marquée que la virgule.
:	Il faut rentrer **:** il est tard.	Les **deux points** annoncent un exemple ou une explication.
« » ou **" "**	On nous a dit : « Soyez prudents. »	Les deux points indiquent aussi qu'on va répéter ce que quelqu'un a dit. On emploie alors en même temps les **guillemets** avant et après ce qu'on répète.
( )	Vous pouvez aussi aller à pied (c'est la solution la plus simple).	Les **parenthèses** encadrent une remarque que l'on ajoute à ce qui est dit.
—	« Vous êtes prêt ? – Pas encore. »	Le **tiret** indique, dans une conversation, que la phrase qui suit est dite par quelqu'un d'autre.
— —	Vous pouvez – surtout si vous n'êtes pas pressé – prendre la route touristique.	Les **tirets** peuvent aussi servir à détacher des mots dans la phrase, à peu près comme les parenthèses.
...	Si j'avais su**...** mais c'est trop tard. Cette absence me paraît**...** surprenante.	Les **points de suspension** s'emploient quand une phrase n'est pas achevée, ou quand on marque un moment d'arrêt avant de dire quelque chose d'important.

LE FÉMININ DES ADJECTIFS ET DES NOMS

	terminaisons	exemples	règle
règle générale	-e	Ce clou est pointu Cette aiguille est pointue Le jardin est grand La cour est grande Le verre est plein La tasse est pleine Mon cousin est là Ma cousine est là	En règle générale, on écrit un mot au féminin en ajoutant un « -e » au masculin.
cas particuliers	-e	Pierre est jeune Marie est jeune Où est le concierge ? Où est la concierge ?	Si le masculin se termine déjà par un « -e », le mot ne change pas au féminin.
	-ère	John est étranger Kristina est étrangère Le boucher est aimable La bouchère est aimable	Les mots masculins terminés par « -er » forment leur féminin en « -ère ».
	-tte -lle -nne	François est coquet Françoise est coquette Ce jus de fruit est naturel Cette boisson est naturelle Daniel est gentil Danielle est gentille Le chien court La chienne court Le château est ancien La maison est ancienne	Dans les mots terminés par « -et », « -el », « -il », « -on », « -en », on double la consonne finale avant d'écrire le « -e » du féminin.
	-ète	L'accord est complet L'entente est complète	*complet, discret, secret, inquiet* et quelques autres adjectifs en « -et » au masculin forment leur féminin en «-ète ».
	-elle -olle	Ce livre est beau Cette image est belle Le sol est mou La terre est molle	Les adjectifs masculins terminés par « -eau » et « -ou » forment leur féminin en « -elle » et «-olle ».
	-euse	Jacques est sérieux Catherine est sérieuse C'est un menteur C'est une menteuse	Les mots masculins terminés par « -eux » et « -eur » forment leur féminin en «-euse ».
	-ouse	Paul est jaloux Sophie est jalouse	Les mots masculins terminés par « -oux » forment leur féminin en « -ouse ».
	-eure	Ce plan est meilleur Cette solution est meilleure	*antérieur, extérieur, inférieur, meilleur, supérieur* et quelques autres adjectifs forment leur féminin en «-eure ».
	-trice	M. Dupont est directeur Mme Durand est directrice	Quelques mots en « -teur » forment leur féminin en « -trice ».
	-ve	Le combat a été vif La lutte a été vive	Les adjectifs terminés par « -f » forment leur féminin en « -ve ».
	-sse	Ce calcul est faux Cette opération est fausse	*bas, épais, faux, roux, las* forment leur féminin en « -sse ».

le féminin des adjectifs et des noms

quelques féminins irréguliers				
blanc	blanche	loup	louve
franc	franche	poulain	pouliche
frais	fraîche	dieu	déesse
sec	sèche	héros	héroïne
doux	douce	roi	reine
long	longue	fils	fille
favori	favorite		
malin	maligne		
vieux	vieille		
pécheur	pécheresse		
maître	maîtresse		
traître	traîtresse		
duc	duchesse		
grec	grecque		

LE PLURIEL DES ADJECTIFS ET DES NOMS

	terminaisons	exemples	règle
règle générale	-s	La rue est large Les rues sont larges	En règle générale, on écrit un mot au pluriel en ajoutant un « s » au singulier.
cas particuliers	-s, -x, -z	Ce prix est bas Ces prix sont bas	Les mots terminés au singulier par « -s » « -x », « -z » ne changent pas au pluriel.
	-aux	Il lit le journal Il lit les journaux	Les mots terminés par « -al » forment en général leur pluriel en « -aux ».
	-eaux -aux	Le veau est dans le pré Les veaux sont dans le pré L'étau est lourd Les étaux sont lourds	Les mots terminés par « -eau » ou « -au » forment en général leur pluriel en « -eaux » ou « -aux ».
	-aux	Ce vitrail est vieux Ces vitraux sont vieux	*bail, corail, émail, soupirail, travail, vantail, vitrail* forment leur pluriel en « -aux ».
	-eux	Son neveu est là Ses neveux sont là	Les mots terminés par « -eu » forment en général leur pluriel en « -eux ».
	-oux	Ce caillou est lisse Ces cailloux sont lisses	*bijou, caillou, chou, genou, hibou, joujou, pou* forment leur pluriel en « -oux ».
	-als -aus -eus -ails -ous	Le bal est bruyant Les bals sont bruyants Ce landau est ancien Ces landaus sont anciens Le pneu est crevé Les pneus sont crevés Le rail est brillant Les rails sont brillants Il est fou Ils sont fous	Certains mots en « -al », « -au », « -eu » et la plupart des mots en « -ail », « -ou » suivent la règle générale du pluriel en « -s ».

L'ACCORD DES PARTICIPES PASSÉS

Les tableaux de conjugaisons (à partir de la page 1048) donnent les participes passés.

Participe employé comme un adjectif : ⟶ participe accordé avec le nom

J'ai un crayon usé.
masculin singulier

J'ai des crayons usés.
masculin pluriel

J'ai une gomme usée.
féminin singulier

J'ai des chaussures usées.
féminin pluriel

Accord avec « être » : ⟶ participe accordé avec le sujet

Pierre est parti à l'école.
sujet : masculin singulier

Ils sont partis à l'école.
sujet : masculin pluriel

Claire est partie à l'école.
sujet : féminin singulier

Elles sont parties à l'école.
sujet : féminin pluriel

Accord avec « avoir » : selon la place du complément d'objet direct

■ Complément d'objet direct placé après le verbe : ⟶ participe invariable

Pierre a reçu une lettre.
Claire a reçu une lettre.

Ils ont reçu une lettre
Elles ont reçu une lettre.

■ Complément d'object direct placé avant le verbe : ⟶ participe variable

J'ai donné un bonbon à Claire : elle l'a mangé.
l' = un bonbon : masculin singulier, placé avant le verbe
(accord au masc. sing.)

J'ai donné une poire à Pierre : il l'a mangée.
l' = une poire : féminin singulier, placé avant le verbe
(accord au fém. sing.)

J'ai donné des bonbons à Claire : elle les a mangés.
les = des bonbons : masculin pluriel, placé avant le verbe
(accord au masc. plur.)

J'ai donné des poires à Pierre : il les a mangées.
les = des poires : féminin pluriel, placé avant le verbe
(accord au fém. plur.)

Le bonbon que Claire a mangé était acidulé.
que = le bonbon : masculin singulier, placé avant le verbe
(accord au masc. sing.)

Les bonbons que Claire a mangés étaient acidulés.
que = les bonbons : masculin pluriel, placé avant le verbe
(accord au masc. plur.)

La poire que Pierre a mangée était sucrée.
que = la poire : féminin singulier, placé avant le verbe
(accord au fém. sing.)

Les poires que Pierre a mangées étaient sucrées.
que = les poires : féminin pluriel, placé avant le verbe
(accord au fém. plur.)

LES HOMONYMES GRAMMATICAUX

Beaucoup de mots se prononcent de la même façon, et il ne faut pas se tromper quand on les écrit. En particulier, il ne faut pas confondre des mots qui se ressemblent mais qui appartiennent à des catégories grammaticales différentes : la troisième personne du singulier de « avoir » à l'indicatif présent (on **a**) et la préposition « **à** », par exemple.
Ce tableau est fait pour éviter ce type d'erreurs.

Mode d'emploi : pour savoir si le mot qui s'entend **[A]** s'écrit **a** sans accent ou **à** avec accent, tu compares la phrase que tu dois écrire avec les exemples 1 et avec les exemples 2.
*Si ta phrase est construite de la même façon que dans l'un des exemples 1, tu écris **a**, sans accent.*
*Si ta phrase est construite de la même façon que dans l'un des exemples 2, tu écris **à**, avec un accent.*

prononciation	écriture possible	exemples	
[A]	a	Jean **a** apporté son jeu. Marie **a** un pantalon neuf.	1
	à	Je vais **à** l'école. Je suis invité **à** manger. Je vais **à** Montréal.	2
[LA]	la	J'aime **la** tarte aux pommes. Je **la** goûterai.	1
	là	Le directeur n'est pas **là**. Je ne connais pas ce garçon-**là**.	2
	l'a	Où est le poisson ? Le chat **l'a** mangé.	3
[u]	ou	Mange une pomme **ou** une poire. Il viendra **ou** il téléphonera.	1
	où	**Où** passes-tu tes vacances ? Le stade **où** je m'entraîne est près de chez moi.	2
[E]	et	Je bois du lait **et** je mange du pain **et** du chocolat.	1
	est	Sophie **est** blonde. Pierre **est** à l'école.	2
[ɔ̃]	on	**On** frappe à la porte.	1
	on n'	Ici, **on n'**entend pas de bruit : **on n'**entend que les oiseaux.	2
	ont	Tous les élèves **ont** vu le même film.	3
[sɔ̃]	son	Nicole met **son** manteau.	1
	sont	Mes amis **sont** partis ; ils **sont** à Paris.	2
[si]	si	**Si** tu as peur des souris, n'approche pas !	1
	s'y	Tu vois ce trou ? une souris **s'y** cache. (y = dans le trou).	2
	six	J'ai **six** cousins.	3

prononciation	écriture possible	exemples	
[sə]	ce	Regarde ce beau chien !	1
	se	Le chat se lèche pour faire sa toilette.	2
[sE]	ces	Regarde ces montagnes couvertes de neige !	1
	ses	Julie a mis ses chaussures neuves.	2
	c'est	C'est le caniche du voisin.	3
	s'est	Mon frère s'est cassé la jambe.	4
	sait	Léa sait nager. Philippe sait des poésies.	5
[sEtE]	c'était	C'était le facteur qui sonnait.	1
	s'était	Mais il s'était trompé de porte.	2
[mA]	ma	J'ai cassé ma montre.	1
	m'a	Pierre m'a rapporté mon livre.	2
[tA]	ta	Attache le lacet de ta chaussure.	1
	t'a	C'est Fabienne qui t'a emprunté ton livre.	2
[LE]	les	J'aime les films d'aventures. Monique cueille des framboises et elle les mange.	1
	l'ai	Ce livre, je l'ai lu l'été dernier.	2
[nOtr]	notre	Notre classe est au rez-de-chaussée.	1
	nôtre	La nôtre est au rez-de-chaussée.	2
[vOtr]	votre	Votre classe est au premier étage.	1
	vôtre	La vôtre est au premier étage.	2
[LŒr]	leur	Il leur raconte ses vacances. Ils partent avec leur caravane.	1 2
	leurs	Les voisins et leurs enfants partent.	3
[kEL]	quel	Quel mauvais temps ! Quel jour sommes-nous ?	1
	quelle	Quelle belle journée ! Quelle heure est-il ? Dis-moi quelle heure il est.	2
	qu'elle	Qu'elle est belle, cette fleur !	3
[E]	-er	Éric fait manger son chien. Anne vient dîner chez nous.	1
	-é(e)	Il a troué son pantalon. Il porte un pantalon troué. La voiture est passée vite.	2

CONJUGAISON DES VERBES AUXILIAIRES

Infinitif	**avoir**		**être**	
Participe	passé	eu, eue, eus, eues	été (invariable)	
	présent	ayant	étant	

Temps simples

avoir

indicatif présent		subjonctif présent	
j'	ai	que j'	aie
tu	as	que tu	aies
il, elle	a	qu'il, elle	ait
nous	avons	que nous	ayons
vous	avez	que vous	ayez
ils, elles	ont	qu'ils, elles	aient

indicatif imparfait		subjonctif imparfait	
j'	avais	que j'	eusse
tu	avais	que tu	eusses
il, elle	avait	qu'il, elle	eût
nous	avions	que nous	eussions
vous	aviez	que vous	eussiez
ils, elles	avaient	qu'ils, elles	eussent

indicatif passé simple		conditionnel présent	
j'	eus	j'	aurais
tu	eus	tu	aurais
il, elle	eut	il, elle	aurait
nous	eûmes	nous	aurions
vous	eûtes	vous	auriez
ils, elles	eurent	ils, elles	auraient

indicatif futur		impératif présent	
j'	aurai		
tu	auras	aie	
il, elle	aura		
nous	aurons	ayons	
vous	aurez	ayez	
ils, elles	auront		

être

indicatif présent		subjonctif présent	
je	suis	que je	sois
tu	es	que tu	sois
il, elle	est	qu'il, elle	soit
nous	sommes	que nous	soyons
vous	êtes	que vous	soyez
ils, elles	sont	qu'ils, elles	soient

indicatif imparfait		subjonctif imparfait	
j'	étais	que je	fusse
tu	étais	que tu	fusses
il, elle	était	qu'il, elle	fût
nous	étions	que nous	fussions
vous	étiez	que vous	fussiez
ils, elles	étaient	qu'ils, elles	fussent

indicatif passé simple		conditionnel présent	
je	fus	je	serais
tu	fus	tu	serais
il, elle	fut	il, elle	serait
nous	fûmes	nous	serions
vous	fûtes	vous	seriez
ils, elles	furent	ils, elles	seraient

indicatif futur		impératif présent	
je	serai		
tu	seras	sois	
il, elle	sera		
nous	serons	soyons	
vous	serez	soyez	
ils, elles	seront		

Temps composés

avoir

indicatif passé composé		subjonctif passé		
j'	ai	eu	que j'	aie eu
tu	as	eu	que tu	aies eu
il, elle	a	eu	qu'il, elle	ait eu
nous	avons	eu	que nous	ayons eu
vous	avez	eu	que vous	ayez eu
ils, elles	ont	eu	qu'ils, elles	aient eu

indicatif plus-que-parfait		subjonctif plus-que-parfait		
j'	avais	eu	que j'	eusse eu
tu	avais	eu	que tu	eusses eu
il, elle	avait	eu	qu'il, elle	eût eu
nous	avions	eu	que nous	eussions eu
vous	aviez	eu	que vous	eussiez eu
ils, elles	avaient	eu	qu'ils, elles	eussent eu

indicatif passé antérieur		conditionnel passé		
j'	eus	eu	j'	aurais eu
tu	eus	eu	tu	aurais eu
il, elle	eut	eu	il, elle	aurait eu
nous	eûmes	eu	nous	aurions eu
vous	eûtes	eu	vous	auriez eu
ils, elles	eurent	eu	ils, elles	auraient eu

indicatif futur antérieur		impératif passé		
j'	aurai	eu		
tu	auras	eu	aie	eu
il, elle	aura	eu		
nous	aurons	eu	ayons	eu
vous	aurez	eu	ayez	eu
ils, elles	auront	eu		

être

indicatif passé composé		subjonctif passé		
j'	ai	été	que j'	aie été
tu	as	été	que tu	aies été
il, elle	a	été	qu'il, elle	ait été
nous	avons	été	que nous	ayons été
vous	avez	été	que vous	ayez été
ils, elles	ont	été	qu'ils, elles	aient été

indicatif plus-que-parfait		subjonctif plus-que-parfait		
j'	avais	été	que j'	eusse été
tu	avais	été	que tu	eusses été
il, elle	avait	été	qu'il, elle	eût été
nous	avions	été	que nous	eussions été
vous	aviez	été	que vous	eussiez été
ils, elles	avaient	été	qu'ils, elles	eussent été

indicatif passé antérieur		conditionnel passé		
j'	eus	été	j'	aurais été
tu	eus	été	tu	aurais été
il, elle	eut	été	il, elle	aurait été
nous	eûmes	été	nous	aurions été
vous	eûtes	été	vous	auriez été
ils, elles	eurent	été	ils, elles	auraient été

indicatif futur antérieur		impératif passé		
j'	aurai	été		
tu	auras	été	aie	été
il, elle	aura	été		
nous	aurons	été	ayons	été
vous	aurez	été	ayez	été
ils, elles	auront	été		

CONJUGAISON DES VERBES RÉGULIERS

Infinitif	1ᵉʳ groupe : **aimer**		2ᵉ groupe : **finir**	
Participe	passé aimé, ée, és, ées		fini, ie, is, ies	
	présent aimant		finissant	

Temps simples

indicatif présent		subjonctif présent		indicatif présent		subjonctif présent	
j'	aime	que j'	aime	je	finis	que je	finisse
tu	aimes	que tu	aimes	tu	finis	que tu	finisses
il, elle	aime	qu'il, elle	aime	il, elle	finit	qu'il, elle	finisse
nous	aimons	que nous	aimions	nous	finissons	que nous	finissions
vous	aimez	que vous	aimiez	vous	finissez	que vous	finissiez
ils, elles	aiment	qu'ils, elles	aiment	ils, elles	finissent	qu'ils, elles	finissent

indicatif imparfait		subjonctif imparfait		indicatif imparfait		subjonctif imparfait	
j'	aimais	que j'	aimasse	je	finissais	que je	finisse
tu	aimais	que tu	aimasses	tu	finissais	que tu	finisses
il, elle	aimait	qu'il, elle	aimât	il, elle	finissait	qu'il, elle	finît
nous	aimions	que nous	aimassions	nous	finissions	que nous	finissions
vous	aimiez	que vous	aimassiez	vous	finissiez	que vous	finissiez
ils, elles	aimaient	qu'ils, elles	aimassent	ils, elles	finissaient	qu'ils, elles	finissent

indicatif passé simple		conditionnel présent		indicatif passé simple		conditionnel présent	
j'	aimai	j'	aimerais	je	finis	je	finirais
tu	aimas	tu	aimerais	tu	finis	tu	finirais
il, elle	aima	il, elle	aimerait	il, elle	finit	il, elle	finirait
nous	aimâmes	nous	aimerions	nous	finîmes	nous	finirions
vous	aimâtes	vous	aimeriez	vous	finîtes	vous	finiriez
ils, elles	aimèrent	ils, elles	aimeraient	ils, elles	finirent	ils, elles	finiraient

indicatif futur		impératif présent		indicatif futur		impératif présent	
j'	aimerai			je	finirai		
tu	aimeras	aime		tu	finiras	finis	
il, elle	aimera			il, elle	finira		
nous	aimerons	aimons		nous	finirons	finissons	
vous	aimerez	aimez		vous	finirez	finissez	
ils, elles	aimeront			ils, elles	finiront		

Temps composés

			partir	
	avec l'auxiliaire **avoir**		avec l'auxiliaire **être**	
Infinitif	passé avoir aimé		être parti, ie, is, ies	
Participe	passé ayant aimé		étant parti, ie, is, ies	

indicatif passé composé	j'	ai	aimé	je	suis	parti, ie
	il, elle	a	aimé	il, elle	est	parti, ie
	nous	avons	aimé	nous	sommes	partis, ies
	ils, elles	ont	aimé	ils, elles	sont	partis, ies
indicatif plus-que-parfait	j'	avais	aimé	j'	étais	parti, ie
	il, elle	avait	aimé	il, elle	était	parti, ie
	nous	avions	aimé	nous	étions	partis, ies
	ils, elles	avaient	aimé	ils, elles	étaient	partis, ies
indicatif passé antérieur	j'	eus	aimé	je	fus	parti, ie
	il, elle	eut	aimé	il, elle	fut	parti, ie
	nous	eûmes	aimé	nous	fûmes	partis, ies
	ils, elles	eurent	aimé	ils, elles	furent	partis, ies
indicatif futur antérieur	j'	aurai	aimé	je	serai	parti, ie
	il, elle	aura	aimé	il, elle	sera	parti, ie
	nous	aurons	aimé	nous	serons	partis, ies
	ils, elles	auront	aimé	ils, elles	seront	partis, ies
conditionnel passé	j'	aurais	aimé	je	serais	parti, ie
	il, elle	aurait	aimé	il, elle	serait	parti, ie
	nous	aurions	aimé	nous	serions	partis, ies
	ils, elles	auraient	aimé	ils, elles	seraient	partis, ies
subjonctif passé	que j'	aie	aimé	que je	sois	parti, ie
	qu'il, elle	ait	aimé	qu'il, elle	soit	parti, ie
	que nous	ayons	aimé	que nous	soyons	partis, ies
	qu'ils, elles	aient	aimé	qu'ils, elles	soient	partis, ies
subjonctif plus-que-parfait	que j'	eusse	aimé	que je	fusse	parti, ie
	qu'il, elle	eût	aimé	qu'il, elle	fût	parti, ie
	que nous	eussions	aimé	que nous	fussions	partis, ies
	qu'ils, elles	eussent	aimé	qu'ils, elles	fussent	partis, ies

VOIX PASSIVE ET PRONOMINALE

Avec l'auxiliaire « être »

	Temps simples	Temps composés
Voix passive	infinitif présent : être aimé, ée, és, ées	infinitif passé : avoir été aimé, ée, és, ées
	participe présent : étant aimé, ée, és, ées	participe passé : ayant été aimé, ée, és, ées

Voix passive

indicatif présent
je	suis	aimé, ée
tu	es	aimé, ée
il, elle	est	aimé, ée
nous	sommes	aimés, ées
vous	êtes	aimés, ées
ils, elles	sont	aimés, ées

subjonctif présent
que je	sois	aimé, ée
que tu	sois	aimé, ée
qu'il, elle	soit	aimé, ée
que nous	soyons	aimés, ées
que vous	soyez	aimés, ées
qu'ils, elles	soient	aimés, ées

indicatif passé composé
| j' | ai | été aimé, ée |
| nous | avons | été aimés, ées |

indicatif plus-que-parfait
| j' | avais | été aimé, ée |
| nous | avions | été aimés, ées |

indicatif imparfait
j'	étais	aimé, ée
tu	étais	aimé, ée
il, elle	était	aimé, ée
nous	étions	aimés, ées
vous	étiez	aimés, ées
ils, elles	étaient	aimés, ées

subjonctif imparfait
que je	fusse	aimé, ée
que tu	fusses	aimé, ée
qu'il, elle	fût	aimé, ée
que nous	fussions	aimés, ées
que vous	fussiez	aimés, ées
qu'ils, elles	fussent	aimés, ées

indicatif passé antérieur
| j' | eus | été aimé, ée |
| nous | eûmes | été aimés, ées |

indicatif futur antérieur
| j' | aurai | été aimé, ée |
| nous | aurons | été aimés, ées |

indicatif passé simple
je	fus	aimé, ée
tu	fus	aimé, ée
il, elle	fut	aimé, ée
nous	fûmes	aimés, ées
vous	fûtes	aimés, ées
ils, elles	furent	aimé, ées

conditionnel présent
je	serais	aimé, ée
tu	serais	aimé, ée
il, elle	serait	aimé, ée
nous	serions	aimés, ées
vous	seriez	aimés, ées
ils, elles	seraient	aimés, ées

subjonctif passé
| que j' | aie | été aimé, ée |
| que nous | ayons | été aimés, ées |

subjonctif plus-que-parfait
| que j' | eusse | été aimé, ée |
| que nous | eussions | été aimés, ées |

conditionnel passé
| j' | aurais | été aimé, ée |
| nous | aurions | été aimés, ées |

indicatif futur
je	serai	aimé, ée
tu	seras	aimé, ée
il, elle	sera	aimé, ée
nous	serons	aimés, ées
vous	serez	aimés, ées
ils, elles	seront	aimés, ées

impératif présent
	sois	aimé, ée
	soyons	aimés, ées
	soyez	aimés, ées

impératif passé
	aie	été aimé, ée
	ayons	été aimés, ées
	ayez	été aimés, ées

Voix pronominale	infinitif présent : s'amuser	infinitif passé : s'être amusé, ée, és, ées
	participe présent : s'amusant	participe passé : s'étant amusé, ée, és, ées

Voix pronominale

indicatif présent
je	m'	amuse
tu	t'	amuses
il, elle	s'	amuse
nous	nous	amusons
vous	vous	amusez
ils, elles	s'	amusent

subjonctif présent
que je	m'	amuse
que tu	t'	amuses
qu'il, elle	s'	amuse
que nous	nous	amusions
que vous	vous	amusiez
qu'ils, elles	s'	amusent

indicatif passé composé
| je | me | suis | amusé, ée |
| nous | nous | sommes | amusés, ées |

indicatif plus-que-parfait
| je | m' | étais | amusé, ée |
| nous | nous | étions | amusés, ées |

indicatif imparfait
je	m'	amusais
tu	t'	amusais
il, elle	s'	amusait
nous	nous	amusions
vous	vous	amusiez
ils, elles	s'	amusaient

subjonctif imparfait
que je	m'	amusasse
que tu	t'	amusasses
qu'il, elle	s'	amusât
que nous	nous	amusassions
que vous	vous	amusassiez
qu'ils, elles	s'	amusassent

indicatif passé antérieur
| je | me | fus | amusé, ée |
| nous | nous | fûmes | amusés, ées |

indicatif futur antérieur
| je | me | serai | amusé, ée |
| nous | nous | serons | amusés, ées |

indicatif passé simple
je	m'	amusai
tu	t'	amusas
il, elle	s'	amusa
nous	nous	amusâmes
vous	vous	amusâtes
ils, elles	s'	amusèrent

conditionnel présent
je	m'	amuserais
tu	t'	amuserais
il, elle	s'	amuserait
nous	nous	amuserions
vous	vous	amuseriez
ils, elles	s'	amuseraient

subjonctif passé
| que je | me | sois | amusé, ée |
| que nous | nous | soyons | amusés, ées |

subjonctif plus-que-parfait
| que je | me | fusse | amusé, ée |
| que nous | nous | fussions | amusés, ées |

conditionnel passé
| je | me | serais | amusé, ée |
| nous | nous | serions | amusés, ées |

indicatif futur
je	m'	amuserai
tu	t'	amuseras
il, elle	s'	amusera
nous	nous	amuserons
vous	vous	amuserez
ils, elles	s'	amuseront

impératif présent
| amuse-toi |
| amusons-nous |
| amusez-vous |

impératif passé
inusité

CONJUGAISON DES VERBES IRRÉGULIERS

Verbes du 1ᵉʳ groupe

numéro de conjugaison infinitif		**1** **placer**		**2** **manger**		**3** **nettoyer**	
participe	passé	placé		mangé		nettoyé	
	présent	plaçant		mangeant		nettoyant	
indicatif	présent	je	place	je	mange	je	nettoie
		tu	places	tu	manges	tu	nettoies
		il, elle	place	il, elle	mange	il, elle	nettoie
		nous	plaçons	nous	mangeons	nous	nettoyons
		vous	placez	vous	mangez	vous	nettoyez
		ils, elles	placent	ils, elles	mangent	ils, elles	nettoient
	imparfait	je	plaçais	je	mangeais	je	nettoyais
	passé simple	je	plaçai	je	mangeai	je	nettoyai
	futur	je	placerai	je	mangerai	je	nettoierai
conditionnel	présent	je	placerais	je	mangerais	je	nettoierais
subjonctif	présent	que je	place	que je	mange	que je	nettoie
		que tu	places	que tu	manges	que tu	nettoies
		qu'il, elle	place	qu'il, elle	mange	qu'il, elle	nettoie
		que nous	placions	que nous	mangions	que nous	nettoyions
		que vous	placiez	que vous	mangiez	que vous	nettoyiez
		qu'ils, elles	placent	qu'ils, elles	mangent	qu'ils, elles	nettoient
	imparfait	qu'il, elle	plaçât	qu'il, elle	mangeât	qu'il, elle	nettoyât
impératif	présent	place		mange		nettoie	
		plaçons		mangeons		nettoyons	

numéro de conjugaison infinitif		**4** **payer**		**5** **peler**		**6** **appeler**	
participe	passé	payé		pelé		appelé	
	présent	payant		pelant		appelant	
indicatif	présent	je	paie *ou* paye	je	pèle	j'	appelle
		tu	paies *ou* payes	tu	pèles	tu	appelles
		il, elle	paie *ou* paye	il, elle	pèle	il, elle	appelle
		nous	payons	nous	pelons	nous	appelons
		vous	payez	vous	pelez	vous	appelez
		ils, elles	paient *ou* payent	ils, elles	pèlent	ils, elles	appellent
	imparfait	je	payais	je	pelais	j'	appelais
	passé simple	je	payai	je	pelai	j'	appelai
	futur	je	payerai	je	pèlerai	j'	appellerai
conditionnel	présent	je	paierais *ou* payerais	je	pèlerais	j'	appellerais
subjonctif	présent	que je	paie *ou* paye	que je	pèle	que j'	appelle
		que tu	paies *ou* payes	que tu	pèles	que tu	appelles
		qu'il, elle	paie *ou* paye	qu'il, elle	pèle	qu'il, elle	appelle
		que nous	payions	que nous	pelions	que nous	appelions
		que vous	payiez	que vous	peliez	que vous	appeliez
		qu'ils, elles	paient *ou* payent	qu'ils, elles	pèlent	qu'ils, elles	appellent
	imparfait	qu'il, elle	payât	qu'il, elle	pelât	qu'il, elle	appelât
impératif	présent	paie *ou* paye		pèle		appelle	
		payons		pelons		appelons	

numéro de conjugaison infinitif		**7** **acheter**		**8** **jeter**		**9** **semer**	
participe	passé	acheté		jeté		semé	
	présent	achetant		jetant		semant	
indicatif	présent	j'	achète	je	jette	je	sème
		tu	achètes	tu	jettes	tu	sèmes
		il, elle	achète	il, elle	jette	il, elle	sème
		nous	achetons	nous	jetons	nous	semons
		vous	achetez	vous	jetez	vous	semez
		ils, elles	achètent	ils, elles	jettent	ils, elles	sèment
	imparfait	j'	achetais	je	jetais	je	semais
	passé simple	j'	achetai	je	jetai	je	semai
	futur	j'	achèterai	je	jetterai	je	sèmerai
conditionnel	présent	j'	achèterais	je	jetterais	je	sèmerais
subjonctif	présent	que j'	achète	que je	jette	que je	sème
		que tu	achètes	que tu	jettes	que tu	sèmes
		qu'il, elle	achète	qu'il, elle	jette	qu'il, elle	sème
		que nous	achetions	que nous	jetions	que nous	semions
		que vous	achetiez	que vous	jetiez	que vous	semiez
		qu'ils, elles	achètent	qu'ils, elles	jettent	qu'ils, elles	sèment
	imparfait	qu'il, elle	achetât	qu'il, elle	jetât	qu'il, elle	semât
impératif	présent	achète		jette		sème	
		achetons		jetons		semons	

conjugaison des verbes irréguliers

numéro de conjugaison infinitif		10 **révéler**		11 **envoyer**		12 **aller** *	
participe	passé	révélé		envoyé		allé	
	présent	révélant		envoyant		allant	
indicatif	présent	je	révèle	j'	envoie	je	vais
		tu	révèles	tu	envoies	tu	vas
		il, elle	révèle	il, elle	envoie	il, elle	va
		nous	révélons	nous	envoyons	nous	allons
		vous	révélez	vous	envoyez	vous	allez
		ils, elles	révèlent	ils, elles	envoient	ils, elles	vont
	imparfait	je	révélais	j'	envoyais	j'	allais
	passé simple	je	révélai	j'	envoyai	j'	allai
	futur	je	révélerai	j'	enverrai	j'	irai
conditionnel	présent	je	révélerais	j'	enverrais	j'	irais
subjonctif	présent	que je	révèle	que j'	envoie	que j'	aille
		que tu	révèles	que tu	envoies	que tu	ailles
		qu'il, elle	révèle	qu'il, elle	envoie	qu'il, elle	aille
		que nous	révélions	que nous	envoyions	que nous	allions
		que vous	révéliez	que vous	envoyiez	que vous	alliez
		qu'ils, elles	révèlent	qu'ils, elles	envoient	qu'ils, elles	aillent
	imparfait	qu'il, elle	révélât	qu'il, elle	envoyât	qu'il, elle	allât
impératif	présent	révèle		envoie		va	
		révélons		envoyons		allons	

* Attention ! **Aller** est un verbe en **-er** mais il appartient au 3ᵉ groupe.

Verbes du 2ᵉ groupe

numéro de conjugaison infinitif		13 **haïr**		14 **fleurir**	15 **bénir**	
participe	passé	haï		fleuri	béni	
	présent	haïssant		fleurissant *	bénissant	
indicatif	présent	je	hais	* Ce verbe irrégulier se conjugue sur le modèle de **finir** ; la forme **[flor-]** n'existe qu'au sens figuré pour le participe présent **florissant**, et pour l'indicatif imparfait **il, elle florissait**.	je	bénis
		tu	hais		tu	bénis
		il, elle	hait		il, elle	bénit
		nous	haïssons		nous	bénissons
		vous	haïssez		vous	bénissez
		ils, elles	haïssent		ils, elles	bénissent
	imparfait	je	haïssais		je	bénissais
	passé simple	je	haïs		je	bénis
	futur	je	haïrai		je	bénirai
conditionnel	présent	je	haïrais		je	bénirais
subjonctif	présent	que je	haïsse		que je	bénisse
		qu'il, elle	haïsse		qu'il, elle	bénisse
		que nous	haïssions		que nous	bénissions
		qu'ils, elles	haïssent		qu'ils, elles	bénissent
	imparfait	qu'il, elle	haït		qu'il, elle	bénît
impératif	présent	hais			bénis	
		haïssons			bénissons	

1052

Verbes du 3ᵉ groupe

numéro de conjugaison infinitif		**16** **ouvrir**		**17** **fuir**		**18** **dormir**	
participe	passé	ouvert		fui		dormi	
	présent	ouvrant		fuyant		dormant	
indicatif	présent	j'	ouvre	je	fuis	je	dors
		tu	ouvres	tu	fuis	tu	dors
		il, elle	ouvre	il, elle	fuit	il, elle	dort
		nous	ouvrons	nous	fuyons	nous	dormons
		vous	ouvrez	vous	fuyez	vous	dormez
		ils, elles	ouvrent	ils, elles	fuient	ils, elles	dorment
	imparfait	j'	ouvrais	je	fuyais	je	dormais
	passé simple	j'	ouvris	je	fuis	je	dormis
	futur	j'	ouvrirai	je	fuirai	je	dormirai
conditionnel	présent	j'	ouvrirais	je	fuirais	je	dormirais
subjonctif	présent	que j'	ouvre	que je	fuie	que je	dorme
		qu'il, elle	ouvre	qu'il, elle	fuie	qu'il, elle	dorme
		que nous	ouvrions	que nous	fuyions	que nous	dormions
		qu'ils, elles	ouvrent	qu'ils, elles	fuient	qu'ils, elles	dorment
	imparfait	qu'il, elle	ouvrît	qu'il, elle	fuît	qu'il, elle	dormît
impératif	présent	ouvre		fuis		dors	
		ouvrons		fuyons		dormons	

numéro de conjugaison infinitif		**19** **mentir**		**20** **servir**		**21** **acquérir**	
participe	passé	menti		servi		acquis	
	présent	mentant		servant		acquérant	
indicatif	présent	je	mens	je	sers	j'	acquiers
		tu	mens	tu	sers	tu	acquiers
		il, elle	ment	il, elle	sert	il, elle	acquiert
		nous	mentons	nous	servons	nous	acquérons
		vous	mentez	vous	servez	vous	acquérez
		ils, elles	mentent	ils, elles	servent	ils, elles	acquièrent
	imparfait	je	mentais	je	servais	j'	acquérais
	passé simple	je	mentis	je	servis	j'	acquis
	futur	je	mentirai	je	servirai	j'	acquerrai
conditionnel	présent	je	mentirais	je	servirais	j'	acquerrais
subjonctif	présent	que je	mente	que je	serve	que j'	acquière
		qu'il, elle	mente	qu'il, elle	serve	qu'il, elle	acquière
		que nous	mentions	que nous	servions	que nous	acquérions
		qu'ils, elles	mentent	qu'ils, elles	servent	qu'ils, elles	acquièrent
	imparfait	qu'il, elle	mentît	qu'il, elle	servît	qu'il, elle	acquît
impératif	présent	mens		sers		acquiers	
		mentons		servons		acquérons	

numéro de conjugaison infinitif		**22** **tenir**		**23** **assaillir**		**24** **cueillir**	
participe	passé	tenu		assailli		cueilli	
	présent	tenant		assaillant		cueillant	
indicatif	présent	je	tiens	j'	assaille	je	cueille
		tu	tiens	tu	assailles	tu	cueilles
		il, elle	tient	il, elle	assaille	il, elle	cueille
		nous	tenons	nous	assaillons	nous	cueillons
		vous	tenez	vous	assaillez	vous	cueillez
		ils, elles	tiennent	ils, elles	assaillent	ils, elles	cueillent
	imparfait	je	tenais	j'	assaillais	je	cueillais
	passé simple	je	tins	j'	assaillis	je	cueillis
		nous	tînmes				
	futur	je	tiendrai	j'	assaillirai	je	cueillerai
conditionnel	présent	je	tiendrais	j'	assaillirais	je	cueillerais
subjonctif	présent	que je	tienne	que j'	assaille	que je	cueille
		qu'il, elle	tienne	qu'il, elle	assaille	qu'il, elle	cueille
		que nous	tenions	que nous	assaillions	que nous	cueillions
		qu'ils, elles	tiennent	qu'ils, elles	assaillent	qu'ils, elles	cueillent
	imparfait	qu'il, elle	tînt	qu'il, elle	assaillît	qu'il, elle	cueillît
impératif	présent	tiens		assaille		cueille	
		tenons		assaillons		cueillons	

conjugaison des verbes irréguliers

numéro de conjugaison infinitif		**25 mourir**		**26 partir**		**27 vêtir**	
participe	passé	mort		parti		vêtu	
	présent	mourant		partant		vêtant	
indicatif	présent	je	meurs	je	pars	je	vêts
		tu	meurs	tu	pars	tu	vêts
		il, elle	meurt	il, elle	part	il, elle	vêt
		nous	mourons	nous	partons	nous	vêtons
		vous	mourez	vous	partez	vous	vêtez
		ils, elles	meurent	ils, elles	partent	ils, elles	vêtent
	imparfait	je	mourais	je	partais	je	vêtais
	passé simple	je	mourus	je	partis	je	vêtis
	futur	je	mourrai	je	partirai	je	vêtirai
conditionnel	présent	je	mourrais	je	partirais	je	vêtirais
subjonctif	présent	que je	meure	que je	parte	que je	vête
		qu'il, elle	meure	qu'il, elle	parte	qu'il, elle	vête
		que nous	mourions	que nous	partions	que nous	vêtions
		qu'ils, elles	meurent	qu'ils, elles	partent	qu'ils, elles	vêtent
	imparfait	qu'il, elle	mourût	qu'il, elle	partît	qu'il, elle	vêtît
impératif	présent	meurs		pars		vêts	
		mourons		partons		vêtons	

numéro de conjugaison infinitif		**28 sortir**		**29 courir**		**30 faillir**	
participe	passé	sorti		couru		failli	
	présent	sortant		courant		*inusité*	
indicatif	présent	je	sors	je	cours	je	*inusité*
		tu	sors	tu	cours	tu	*inusité*
		il, elle	sort	il, elle	court	il, elle	*inusité*
		nous	sortons	nous	courons	nous	*inusité*
		vous	sortez	vous	courez	vous	*inusité*
		ils, elles	sortent	ils, elles	courent	ils, elles	*inusité*
	imparfait	je	sortais	je	courais		*inusité*
	passé simple	je	sortis	je	courus	je	faillis
	futur	je	sortirai	je	courrai	je	faillirai
conditionnel	présent	je	sortirais	je	courrais	je	faillirais
subjonctif	présent	que je	sorte	que je	coure		*inusité*
		qu'il, elle	sorte	qu'il, elle	coure	qu'il, elle	*inusité*
		que nous	sortions	que nous	courions	que nous	*inusité*
		qu'ils, elles	sortent	qu'ils, elles	courent	qu'ils, elles	*inusité*
	imparfait	qu'il, elle	sortît	qu'il, elle	courût		*inusité*
impératif	présent	sors		cours			*inusité*
		sortons		courons			

numéro de conjugaison infinitif		**31 bouillir**		**32 gésir**		**33 saillir**	
participe	passé	bouilli		*inusité*		sailli	
	présent	bouillant		gisant		saillant	
indicatif	présent	je	bous	je	gis	je	*inusité*
		tu	bous	tu	gis	tu	*inusité*
		il, elle	bout	il, elle	gît	il, elle	saille
		nous	bouillons	nous	gisons	nous	*inusité*
		vous	bouillez	vous	gisez	vous	*inusité*
		ils, elles	bouillent	ils, elles	gisent	ils, elles	*inusité*
	imparfait	je	bouillais	je	gisais	il, elle	saillait
	passé simple	je	bouillis		*inusité*		*inusité*
	futur	je	bouillirai		*inusité*	il, elle	saillera
conditionnel	présent	je	bouillirais		*inusité*	il, elle	saillerait
subjonctif	présent	que je	bouille	que je	*inusité*	que je	*inusité*
		qu'il, elle	bouille	qu'il, elle	*inusité*	qu'il, elle	*inusité*
		que nous	bouillions	que nous	*inusité*	que nous	*inusité*
		qu'ils, elles	bouillent	qu'ils, elles	*inusité*	qu'ils, elles	*inusité*
	imparfait		*inusité*		*inusité*		*inusité*
impératif	présent	bous			*inusité*		*inusité*
		bouillons					

1054

numéro de conjugaison infinitif		**34 recevoir**		**35 devoir**		**36 mouvoir**	
participe	passé	reçu		dû, due		mû, mue	
	présent	recevant		devant		mouvant	
indicatif	présent	je	reçois	je	dois	je	meus
		tu	reçois	tu	dois	tu	meus
		il, elle	reçoit	il, elle	doit	il, elle	meut
		nous	recevons	nous	devons	nous	mouvons
		vous	recevez	vous	devez	vous	mouvez
		ils, elles	reçoivent	ils, elles	doivent	ils, elles	meuvent
	imparfait	je	recevais	je	devais	je	mouvais
	passé simple	je	reçus	je	dus	je	mus
	futur	je	recevrai	je	devrai	je	mouvrai
conditionnel	présent	je	recevrais	je	devrais	je	mouvrais
subjonctif	présent	que je	reçoive	que je	doive	que je	meuve
		qu'il, elle	reçoive	qu'il, elle	doive	qu'il, elle	meuve
		que nous	recevions	que nous	devions	que nous	mouvions
		qu'ils, elles	reçoivent	qu'ils, elles	doivent	qu'ils, elles	meuvent
	imparfait	qu'il, elle	reçût	qu'il, elle	dût	qu'il, elle	mût
impératif	présent	reçois		dois		meus	
		recevons		devons		mouvons	

numéro de conjugaison infinitif		**37 vouloir**		**38 pouvoir**		**39 savoir**	
participe	passé	voulu		pu		su	
	présent	voulant		pouvant		sachant	
indicatif	présent	je	veux	je	peux	je	sais
		tu	veux	tu	peux	tu	sais
		il, elle	veut	il, elle	peut	il, elle	sait
		nous	voulons	nous	pouvons	nous	savons
		vous	voulez	vous	pouvez	vous	savez
		ils, elles	veulent	ils, elles	peuvent	ils, elles	savent
	imparfait	je	voulais	je	pouvais	je	savais
	passé simple	je	voulus	je	pus	je	sus
	futur	je	voudrai	je	pourrai	je	saurai
conditionnel	présent	je	voudrais	je	pourrais	je	saurais
subjonctif	présent	que je	veuille	que je	puisse	que je	sache
		qu'il, elle	veuille	qu'il, elle	puisse	qu'il, elle	sache
		que nous	voulions	que nous	puissions	que nous	sachions
		qu'ils, elles	veuillent	qu'ils, elles	puissent	qu'ils, elles	sachent
	imparfait	qu'il, elle	voulût	qu'il, elle	pût	qu'il, elle	sût
impératif	présent	veuille		*inusité*		sache	
		veuillons		*inusité*		sachons	

numéro de conjugaison infinitif		**40 valoir ***		**41 voir**		**42 prévoir**	
participe	passé	valu		vu		prévu	
	présent	valant		voyant		prévoyant	
indicatif	présent	je	vaux	je	vois	je	prévois
		tu	vaux	tu	vois	tu	prévois
		il, elle	vaut	il, elle	voit	il, elle	prévoit
		nous	valons	nous	voyons	nous	prévoyons
		vous	valez	vous	voyez	vous	prévoyez
		ils, elles	valent	ils, elles	voient	ils, elles	prévoient
	imparfait	je	valais	je	voyais	je	prévoyais
	passé simple	je	valus	je	vis	je	prévis
	futur	je	vaudrai	je	verrai	je	prévoirai
conditionnel	présent	je	vaudrais	je	verrais	je	prévoirais
subjonctif	présent	que je	vaille	que je	voie	que je	prévoie
		qu'il, elle	vaille	qu'il, elle	voie	qu'il, elle	prévoie
		que nous	valions	que nous	voyions	que nous	prévoyions
		qu'ils, elles	vaillent	qu'ils, elles	voient	qu'ils, elles	prévoient
	imparfait	qu'il, elle	valût	qu'il, elle	vît	qu'il, elle	prévît
impératif	présent	*inusité*		vois		prévois	
				voyons		prévoyons	

* **prévaloir** fait au subj. prés. **prévale**

conjugaison des verbes irréguliers

numéro de conjugaison infinitif		43 pourvoir		44 asseoir		45 surseoir	
participe	passé	pourvu		assis		sursis	
	présent	pourvoyant		asseyant *ou* assoyant		sursoyant	
indicatif	présent	je	pourvois	j'	assieds *ou* assois	je	sursois
		tu	pourvois	tu	assieds *ou* assois	tu	sursois
		il, elle	pourvoit	il, elle	assied *ou* assoit	il, elle	sursoit
		nous	pourvoyons	nous	asseyons *ou* assoyons	nous	sursoyons
		vous	pourvoyez	vous	asseyez *ou* assoyez	vous	sursoyez
		ils, elles	pourvoient	ils, elles	asseyent *ou* assoient	ils, elles	sursoient
	imparfait	je	pourvoyais	j'	asseyais *ou* assoyais	je	sursoyais
	passé simple	je	pourvus	j'	assis	je	sursis
	futur	je	pourvoirai	j'	assiérai *ou* assoirai	je	surseoirai
conditionnel	présent	je	pourvoirais	j'	assiérais *ou* assoirais	je	surseoirais
subjonctif	présent	que je	pourvoie	que j'	asseye *ou* assoie	que je	sursoie
		qu'il, elle	pourvoie	qu'il, elle	asseye *ou* assoie	qu'il, elle	sursoie
		que nous	pourvoyions	que nous	asseyions *ou* assoyions	que nous	sursoyions
		qu'ils, elles	pourvoient	qu'ils, elles	asseyent *ou* assoient	qu'ils, elles	sursoient
	imparfait	qu'il, elle	pourvût	qu'il, elle	assît	qu'il, elle	sursît
impératif	présent	pourvois		assieds *ou* assois		sursois	
		pourvoyons		asseyons *ou* assoyons		sursoyons	

numéro de conjugaison infinitif		46 seoir		47 pleuvoir		48 falloir	
participe	passé	sis *(= situé)*		plu		fallu	
	présent	seyant		pleuvant		*inusité*	
indicatif	présent	je	*inusité*	je	*inusité*	je	*inusité*
		tu	*inusité*	tu	*inusité*	tu	*inusité*
		il, elle	sied	il	pleut	il	faut
		nous	*inusité*	nous	*inusité*	nous	*inusité*
		vous	*inusité*	vous	*inusité*	vous	*inusité*
		ils, elles	*inusité*	ils, elles	*inusité*	ils, elles	*inusité*
	imparfait	il, elle	seyait	il	pleuvait	il	fallait
	passé simple	il, elle	*inusité*	il	plut	il	fallut
	futur	il, elle	siéra	il	pleuvra	il	faudra
conditionnel	présent	il, elle	siérait	il	pleuvrait	il	faudrait
subjonctif	présent	que je	*inusité*	que je	*inusité*	que je	*inusité*
		qu'il, elle	siée	qu'il	pleuve	qu'il	faille
		que nous	*inusité*	que nous	*inusité*	que nous	*inusité*
		qu'ils, elles	siéent	qu'ils, elles	*inusité*	qu'ils, elles	*inusité*
	imparfait	qu'il	*inusité*	qu'il	plût	qu'il	fallût
impératif	présent	*inusité*		*inusité*		*inusité*	
		inusité		*inusité*		*inusité*	

numéro de conjugaison infinitif		49 déchoir		50 tendre		51 fondre	
participe	passé	déchu		tendu		fondu	
	présent	*inusité*		tendant		fondant	
indicatif	présent	je	déchois	je	tends	je	fonds
		tu	déchois	tu	tends	tu	fonds
		il, elle	déchoit	il, elle	tend	il, elle	fond
		nous	déchoyons	nous	tendons	nous	fondons
		vous	déchoyez	vous	tendez	vous	fondez
		ils, elles	déchoient	ils, elles	tendent	ils, elles	fondent
	imparfait	*inusité*		je	tendais	je	fondais
	passé simple	je	déchus	je	tendis	je	fondis
	futur	je	déchoirai	je	tendrai	je	fondrai
conditionnel	présent	je	déchoirais	je	tendrais	je	fondrais
subjonctif	présent	que je	déchoie	que je	tende	que je	fonde
		qu'il, elle	déchoie	qu'il, elle	tende	qu'il, elle	fonde
		que nous	déchoyions	que nous	tendions	que nous	fondions
		qu'ils, elles	déchoient	qu'ils, elles	tendent	qu'ils, elles	fondent
	imparfait	qu'il, elle	déchût	qu'il, elle	tendît	qu'il, elle	fondît
impératif	présent	*inusité*		tends		fonds	
		inusité		tendons		fondons	

numéro de conjugaison infinitif		**52** **mordre**		**53** **rompre**		**54** **prendre**	
participe	passé		mordu		rompu		pris
	présent		mordant		rompant		prenant
indicatif	présent	je	mords	je	romps	je	prends
		tu	mords	tu	romps	tu	prends
		il, elle	mord	il, elle	rompt	il, elle	prend
		nous	mordons	nous	rompons	nous	prenons
		vous	mordez	vous	rompez	vous	prenez
		ils, elles	mordent	ils, elles	rompent	ils, elles	prennent
	imparfait	je	mordais	je	rompais	je	prenais
	passé simple	je	mordis	je	rompis	je	pris
	futur	je	mordrai	je	romprai	je	prendrai
conditionnel	présent	je	mordrais	je	romprais	je	prendrais
subjonctif	présent	que je	morde	que je	rompe	que je	prenne
		qu'il, elle	morde	qu'il, elle	rompe	qu'il, elle	prenne
		que nous	mordions	que nous	rompions	que nous	prenions
		qu'ils, elles	mordent	qu'ils, elles	rompent	qu'ils, elles	prennent
	imparfait	qu'il, elle	mordît	qu'il, elle	rompît	qu'il, elle	prît
impératif	présent		mords		romps		prends
			mordons		rompons		prenons

numéro de conjugaison infinitif		**55** **craindre**		**56** **battre**		**57** **mettre**	
participe	passé		craint		battu		mis
	présent		craignant		battant		mettant
indicatif	présent	je	crains	je	bats	je	mets
		tu	crains	tu	bats	tu	mets
		il, elle	craint	il, elle	bat	il, elle	met
		nous	craignons	nous	battons	nous	mettons
		vous	craignez	vous	battez	vous	mettez
		ils, elles	craignent	ils, elles	battent	ils, elles	mettent
	imparfait	je	craignais	je	battais	je	mettais
	passé simple	je	craignis	je	battis	je	mis
	futur	je	craindrai	je	battrai	je	mettrai
conditionnel	présent	je	craindrais	je	battrais	je	mettrais
subjonctif	présent	que je	craigne	que je	batte	que je	mette
		qu'il, elle	craigne	qu'il, elle	batte	qu'il, elle	mette
		que nous	craignions	que nous	battions	que nous	mettions
		qu'ils, elles	craignent	qu'ils, elles	battent	qu'ils, elles	mettent
	imparfait	qu'il, elle	craignît	qu'il, elle	battît	qu'il, elle	mît
impératif	présent		crains		bats		mets
			craignons		battons		mettons

numéro de conjugaison infinitif		**58** **moudre**		**59** **coudre**		**60** **absoudre**	
participe	passé		moulu		cousu		absous, absoute
	présent		moulant		cousant		absolvant
indicatif	présent	je	mouds	je	couds	j'	absous
		tu	mouds	tu	couds	tu	absous
		il, elle	moud	il, elle	coud	il, elle	absout
		nous	moulons	nous	cousons	nous	absolvons
		vous	moulez	vous	cousez	vous	absolvez
		ils, elles	moulent	ils, elles	cousent	ils, elles	absolvent
	imparfait	je	moulais	je	cousais	j'	absolvais
	passé simple	je	moulus	je	cousis	j'	absolus
	futur	je	moudrai	je	coudrai	j'	absoudrai
conditionnel	présent	je	moudrais	je	coudrais	j'	absoudrais
subjonctif	présent	que je	moule	que je	couse	que j'	absolve
		qu'il, elle	moule	qu'il, elle	couse	qu'il, elle	absolve
		que nous	moulions	que nous	cousions	que nous	absolvions
		qu'ils, elles	moulent	qu'ils, elles	cousent	qu'ils, elles	absolvent
	imparfait	qu'il, elle	moulût	qu'il, elle	cousît	qu'il, elle	absolût
impératif	présent		mouds		couds		absous
			moulons		cousons		absolvons

conjugaison des verbes irréguliers

numéro de conjugaison infinitif		**61** **résoudre**		**62** **suivre**		**63** **vivre**	
participe	passé	résolu		suivi		vécu	
	présent	résolvant		suivant		vivant	
indicatif	présent	je	résous	je	suis	je	vis
		tu	résous	tu	suis	tu	vis
		il, elle	résout	il, elle	suit	il, elle	vit
		nous	résolvons	nous	suivons	nous	vivons
		vous	résolvez	vous	suivez	vous	vivez
		ils, elles	résolvent	ils, elles	suivent	ils, elles	vivent
	imparfait	je	résolvais	je	suivais	je	vivais
	passé simple	je	résolus	je	suivis	je	vécus
	futur	je	résoudrai	je	suivrai	je	vivrai
conditionnel	présent	je	résoudrais	je	suivrais	je	vivrais
subjonctif	présent	que je	résolve	que je	suive	que je	vive
		qu'il, elle	résolve	qu'il, elle	suive	qu'il, elle	vive
		que nous	résolvions	que nous	suivions	que nous	vivions
		qu'ils, elles	résolvent	qu'ils, elles	suivent	qu'ils, elles	vivent
	imparfait	qu'il, elle	résolût	qu'il, elle	suivît	qu'il, elle	vécût
impératif	présent	résous		suis		vis	
		résolvons		suivons		vivons	

numéro de conjugaison infinitif		**64** **paraître**		**65** **naître**		**66** **croître**	
participe	passé	paru		né		crû	
	présent	paraissant		naissant		croissant	
indicatif	présent	je	parais	je	nais	je	croîs
		tu	parais	tu	nais	tu	croîs
		il, elle	paraît	il, elle	naît	il, elle	croît
		nous	paraissons	nous	naissons	nous	croissons
		vous	paraissez	vous	naissez	vous	croissez
		ils, elles	paraissent	ils, elles	naissent	ils, elles	croissent
	imparfait	je	paraissais	je	naissais	je	croissais
	passé simple	je	parus	je	naquis	je	crûs
	futur	je	paraîtrai	je	naîtrai	je	croîtrai
conditionnel	présent	je	paraîtrais	je	naîtrais	je	croîtrais
subjonctif	présent	que je	paraisse	que je	naisse	que je	croisse
		qu'il, elle	paraisse	qu'il, elle	naisse	qu'il, elle	croisse
		que nous	paraissions	que nous	naissions	que nous	croissions
		qu'ils, elles	paraissent	qu'ils, elles	naissent	qu'ils, elles	croissent
	imparfait	qu'il, elle	parût	qu'il, elle	naquît	qu'il, elle	crût
impératif	présent	parais		nais		croîs	
		paraissons		naissons		croissons	

numéro de conjugaison infinitif		**67** **rire**		**68** **conclure** *		**69** **nuire**	
participe	passé	ri		conclu		nui	
	présent	riant		concluant		nuisant	
indicatif	présent	je	ris	je	conclus	je	nuis
		tu	ris	tu	conclus	tu	nuis
		il, elle	rit	il, elle	conclut	il, elle	nuit
		nous	rions	nous	concluons	nous	nuisons
		vous	riez	vous	concluez	vous	nuisez
		ils, elles	rient	ils, elles	concluent	ils, elles	nuisent
	imparfait	je	riais	je	concluais	je	nuisais
	passé simple	je	ris	je	conclus	je	nuisis
	futur	je	rirai	je	conclurai	je	nuirai
conditionnel	présent	je	rirais	je	conclurais	je	nuirais
subjonctif	présent	que je	rie	que je	conclue	que je	nuise
		qu'il, elle	rie	qu'il, elle	conclue	qu'il, elle	nuise
		que nous	riions	que nous	concluions	que nous	nuisions
		qu'ils, elles	rient	qu'ils, elles	concluent	qu'ils, elles	nuisent
	imparfait	qu'il, elle	rît	qu'il, elle	conclût	qu'il, elle	nuisît
impératif	présent	ris		conclus		nuis	
		rions		concluons		nuisons	

★ et exclure, inclure,
sauf inclus, incluse (part. pass.)

conjugaison des verbes irréguliers

numéro de conjugaison infinitif		**70** **conduire**		**71** **écrire**		**72** **suffire**	
participe	passé	conduit		écrit		suffi	
	présent	conduisant		écrivant		suffisant	
indicatif	présent	je	conduis	j'	écris	je	suffis
		tu	conduis	tu	écris	tu	suffis
		il, elle	conduit	il, elle	écrit	il, elle	suffit
		nous	conduisons	nous	écrivons	nous	suffisons
		vous	conduisez	vous	écrivez	vous	suffisez
		ils, elles	conduisent	ils, elles	écrivent	ils, elles	suffisent
	imparfait	je	conduisais	j'	écrivais	je	suffisais
	passé simple	je	conduisis	j'	écrivis	je	suffis
	futur	je	conduirai	j'	écrirai	je	suffirai
conditionnel	présent	je	conduirais	j'	écrirais	je	suffirais
subjonctif	présent	que je	conduise	que j'	écrive	que je	suffise
		qu'il, elle	conduise	qu'il, elle	écrive	qu'il, elle	suffise
		que nous	conduisions	que nous	écrivions	que nous	suffisions
		qu'ils, elles	conduisent	qu'ils, elles	écrivent	qu'ils, elles	suffisent
	imparfait	qu'il, elle	conduisît	qu'il, elle	écrivît	qu'il, elle	suffît
impératif	présent	conduis		écris		suffis	
		conduisons		écrivons		suffisons	

numéro de conjugaison infinitif		**73** **lire**		**74** **croire**		**75** **boire**	
participe	passé	lu		cru		bu	
	présent	lisant		croyant		buvant	
indicatif	présent	je	lis	je	crois	je	bois
		tu	lis	tu	crois	tu	bois
		il, elle	lit	il, elle	croit	il, elle	boit
		nous	lisons	nous	croyons	nous	buvons
		vous	lisez	vous	croyez	vous	buvez
		ils, elles	lisent	ils, elles	croient	ils, elles	boivent
	imparfait	je	lisais	je	croyais	je	buvais
	passé simple	je	lus	je	crus	je	bus
	futur	je	lirai	je	croirai	je	boirai
conditionnel	présent	je	lirais	je	croirais	je	boirais
subjonctif	présent	que je	lise	que je	croie	que je	boive
		qu'il, elle	lise	qu'il, elle	croie	qu'il, elle	boive
		que nous	lisions	que nous	croyions	que nous	buvions
		qu'ils, elles	lisent	qu'ils, elles	croient	qu'ils, elles	boivent
	imparfait	qu'il, elle	lût	qu'il, elle	crût	qu'il, elle	bût
impératif	présent	lis		crois		bois	
		lisons		croyons		buvons	

numéro de conjugaison infinitif		**76** **faire**		**77** **plaire**		**78** **taire**	
participe	passé	fait		plu		tu	
	présent	faisant		plaisant		taisant	
indicatif	présent	je	fais	je	plais	je	tais
		tu	fais	tu	plais	tu	tais
		il, elle	fait	il, elle	plaît	il, elle	tait
		nous	faisons	nous	plaisons	nous	taisons
		vous	faites	vous	plaisez	vous	taisez
		ils, elles	font	ils, elles	plaisent	ils, elles	taisent
	imparfait	je	faisais	je	plaisais	je	taisais
	passé simple	je	fis	je	plus	je	tus
	futur	je	ferai	je	plairai	je	tairai
conditionnel	présent	je	ferais	je	plairais	je	tairais
subjonctif	présent	que je	fasse	que je	plaise	que je	taise
		qu'il, elle	fasse	qu'il, elle	plaise	qu'il, elle	taise
		que nous	fassions	que nous	plaisions	que nous	taisions
		qu'ils, elles	fassent	qu'ils, elles	plaisent	qu'ils, elles	taisent
	imparfait	qu'il, elle	fît	qu'il, elle	plût	qu'il, elle	tût
impératif	présent	fais		plais		tais	
		faisons		plaisons		taisons	

1059

conjugaison des verbes irréguliers

numéro de conjugaison infinitif	**79** **extraire**		**80** **repaître**		**81** **clore**	
participe	passé	extrait		repu		clos
	présent	extrayant		repaissant		*inusité*
indicatif	présent	j' extrais		je repais		je clos
		tu extrais		tu repais		tu clos
		il, elle extrait		il, elle repaît		il, elle clôt
		nous extrayons		nous repaissons		nous *inusité*
		vous extrayez		vous repaissez		vous *inusité*
		ils, elles extraient		ils, elles repaissent		ils, elles *inusité*
	imparfait	j' extrayais		je repaissais		je *inusité*
	passé simple	j' *inusité*		je repus		je *inusité*
	futur	j' extrairai		je repaîtrai		je clorai
conditionnel	présent	j' extrairais		je repaîtrais		je clorais
subjonctif	présent	que j' extraie		que je repaisse		que je close
		qu'il, elle extraie		qu'il, elle repaisse		qu'il, elle close
		que nous extrayions		que nous repaissions		que nous closions
		qu'ils, elles extraient		qu'ils, elles repaissent		qu'ils, elles closent
	imparfait	qu'il, elle *inusité*		qu'il, elle repût		qu'il, elle *inusité*
impératif	présent	extrais		repais		*inusité*
		extrayons		repaissons		*inusité*

numéro de conjugaison infinitif	**82** **oindre**		**83** **frire**		**84** **sourdre**	
participe	passé	oint		frit		*inusité*
	présent	oignant		*inusité*		*inusité*
indicatif	présent	j' oins		je fris		je *inusité*
		tu oins		tu fris		tu *inusité*
		il, elle oint		il, elle frit		il, elle sourd
		nous oignons		nous *inusité*		nous *inusité*
		vous oignez		vous *inusité*		vous *inusité*
		ils, elles oignent		ils, elles *inusité*		ils, elles sourdent
	imparfait	j' oignais		je *inusité*		je *inusité*
	passé simple	j' oignis		je *inusité*		je *inusité*
	futur	j' oindrai		je frirai		je *inusité*
conditionnel	présent	j' oindrais		je frirais		je *inusité*
subjonctif	présent	que j' oigne		que je *inusité*		que je *inusité*
		qu'il, elle oigne		qu'il, elle *inusité*		qu'il, elle *inusité*
		que nous oignions		que nous *inusité*		que nous *inusité*
		qu'ils, elles oignent		qu'ils, elles *inusité*		qu'ils, elles *inusité*
	imparfait	qu'il, elle oignît		qu'il, elle *inusité*		qu'il, elle *inusité*
impératif	présent	oins		fris		*inusité*
		oignons		*inusité*		*inusité*

numéro de conjugaison infinitif	**85** **vaincre**	
participe	passé	vaincu
	présent	vainquant
indicatif	présent	je vaincs
		tu vaincs
		il, elle vainc
		nous vainquons
		vous vainquez
		ils, elles vainquent
	imparfait	je vainquais
	passé simple	je vainquis
	futur	je vaincrai
conditionnel	présent	je vaincrais
subjonctif	présent	que je vainque
		qu'il, elle vainque
		que nous vainquions
		qu'ils, elles vainquent
	imparfait	qu'il, elle vainquît
impératif	présent	vaincs
		vainquons

PETITE HISTOIRE DU FRANÇAIS

Sais-tu ce qu'est une langue maternelle ?

La langue maternelle, c'est la langue que l'on parle avec sa maman dès qu'on est tout petit. Quand la famille va s'installer dans un autre pays, on parle une langue différente à l'école, et cette nouvelle langue devient peu à peu aussi familière que la langue maternelle. Certains enfants ont ainsi la chance de parler deux langues dès leur plus jeune âge.

Le français est la langue maternelle de la majorité des habitants de la France. Mais c'est aussi celle des Québécois ainsi que celle des Belges et des Suisses de certaines régions.

Qu'est-ce qu'une langue officielle ?

Dans plusieurs pays, différentes langues sont en usage, et les habitants ont des difficultés pour communiquer entre eux et se faire comprendre.

Les gouvernements de ces pays adoptent donc une langue commune à tous, même si elle n'est pas parlée dans les familles, et qui est apprise obligatoirement à l'école par les enfants. C'est ce qu'on appelle une « langue officielle ». Dans le monde, 29 pays ont choisi le français comme langue officielle. C'est le cas, en particulier, de plusieurs pays d'Afrique et d'îles parfois très éloignées de la France. Tu peux te reporter à la carte des pages suivantes si tu as envie de voir où ces pays sont situés.

Qui sont les francophones ?

Ailleurs, un peu partout dans le monde, il y a des gens qui apprennent le français en classe et qui sont capables de s'exprimer dans cette langue et de la lire plus ou moins facilement.

Au total, plus de 200 millions de personnes peuvent parler français : c'est ce qu'on appelle être « francophone ».

Depuis les années 1960, il s'est créé un mouvement en faveur de la langue française. Chaque année, les chefs des États où l'on connaît le français et où l'on aime cette langue se réunissent pour que le français demeure une langue vivante face à l'anglais qui est beaucoup plus répandu et parfois jugé un peu envahissant.

Mais il n'y a pas vraiment de danger de voir disparaître le français.

Sais-tu, par exemple, qu'il y a des écrivains dont la langue maternelle n'est pas le français mais qui choisissent d'écrire leurs livres dans cette langue, tout simplement parce qu'ils en sont amoureux ?

Si tu veux en savoir plus sur la naissance du français et sur son histoire, tourne les pages...

LE FRANÇAIS DANS LE MONDE

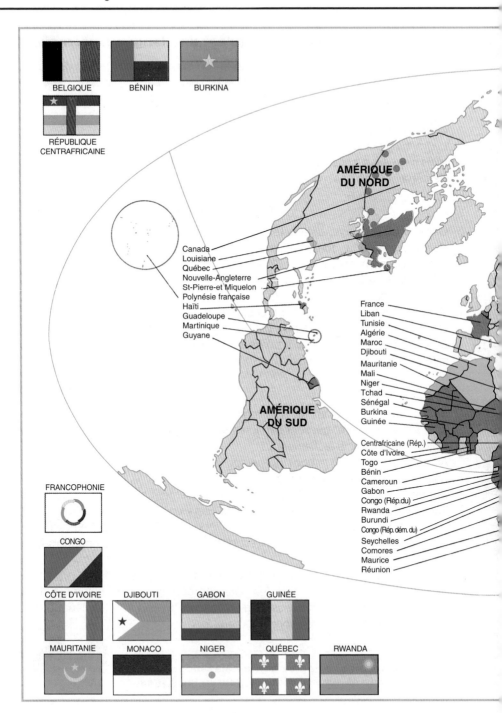

BELGIQUE   BÉNIN   BURKINA

RÉPUBLIQUE
CENTRAFRICAINE

AMÉRIQUE
DU NORD

Canada
Louisiane
Québec
Nouvelle-Angleterre
St-Pierre-et-Miquelon
Polynésie française
Haïti
Guadeloupe
Martinique
Guyane

France
Liban
Tunisie
Algérie
Maroc
Djibouti
Mauritanie
Mali
Niger
Tchad
Sénégal
Burkina
Guinée

Centrafricaine (Rép.)
Côte d'Ivoire
Togo
Bénin
Cameroun
Gabon
Congo (Rép.du)
Rwanda
Burundi
Congo (Rép. dém. du)
Seychelles
Comores
Maurice
Réunion

AMÉRIQUE
DU SUD

FRANCOPHONIE

CONGO

CÔTE D'IVOIRE   DJIBOUTI   GABON   GUINÉE

MAURITANIE   MONACO   NIGER   QUÉBEC   RWANDA

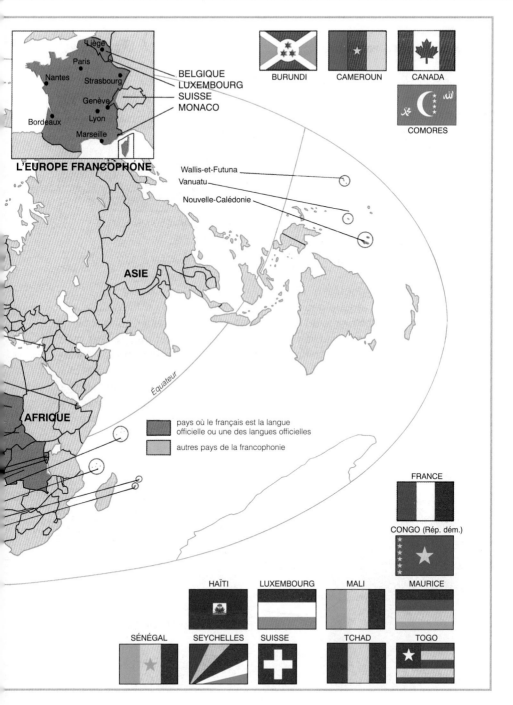

L'EUROPE FRANCOPHONE

BELGIQUE
LUXEMBOURG
SUISSE
MONACO

BURUNDI · CAMEROUN · CANADA · COMORES

Wallis-et-Futuna
Vanuatu
Nouvelle-Calédonie

ASIE

AFRIQUE

Équateur

pays où le français est la langue officielle ou une des langues officielles

autres pays de la francophonie

FRANCE
CONGO (Rép. dém.)
HAÏTI · LUXEMBOURG · MALI · MAURICE
SÉNÉGAL · SEYCHELLES · SUISSE · TCHAD · TOGO

1063

Les Gaulois et la conquête romaine

On sait peu de chose de la langue que parlaient jadis les Gaulois. On peut seulement citer quelques dizaines de mots du français actuel ayant sûrement une origine gauloise, par exemple **bec, bruyère** ou bien **char, mouton,** etc.

Après la conquête de la Gaule par le général romain César (au milieu du 1er siècle avant notre ère), les Gaulois adoptent peu à peu la langue des Romains, c'est-à-dire le **latin.**

Vers 50 après J.-C. : texte en latin.
Traduction mot à mot :
« Le vin est bon !
– Dans le vin (se trouve) la vérité !»

Mais il s'agit de latin populaire, influencé lui-même par la langue gauloise et différent sur bien des points du latin des écrivains. Par exemple, au lieu de **equus** (= cheval), les soldats romains disaient **caballus,** comme en français argotique certains disent **canasson,** ou **bourrin** ; le verbe **minare,** qui signifiait normalement « menacer » était employé au sens de «faire avan-cer en menaçant». Il fut ensuite employé pour dire « mener, conduire », au lieu du latin correct **ducere.** Les mots du latin populaire **caballus** et **minare** sont à l'origine des mots français **cheval** et **mener,** alors que **equus** a donné « équitation » et qu'on retrouve une trace de **ducere** dans «conduire» et «conducteur».

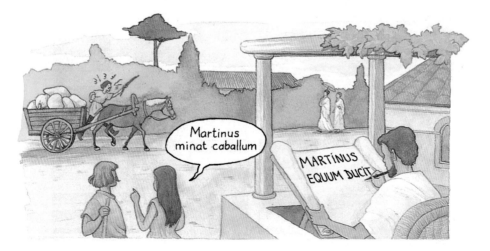

Vers l'ancien français

Au cours des mille ans qui suivent la conquête romaine, le latin populaire parlé en Gaule change beaucoup. Mais, comme la plupart des habitants ne savent ni lire ni écrire, on ne sait rien de précis sur la langue de cette époque.

C'est seulement un peu avant le 10e siècle qu'apparaissent les premiers textes écrits dans une langue un peu plus proche du français d'aujourd'hui que du latin.

On peut donc dire que **le français est né du latin** il y a un peu plus de mille ans, mais il était encore si éloigné de notre langue actuelle qu'il faut avoir fait des études spécialisées pour bien comprendre un texte écrit à cette époque lointaine.

Le français au Moyen Âge

Le français se transforme sans cesse, mais de façon différente selon les régions, au point de constituer des langues distinctes.

Dans la partie sud du territoire, on emploie divers parlers voisins entre eux, qu'on désigne sous le nom général de **langue d'oc** et, dans la partie nord, un autre ensemble de parlers auxquels on donne le nom général de **langue d'oïl.**

Ces noms donnés aux parlers du nord et du sud viennent des mots **oc** et **oïl,** qui étaient la façon de dire **oui** dans chacune de ces régions.

842 : *le serment de Strasbourg, le plus ancien texte connu, écrit dans une langue intermédiaire entre le latin et le français.*
Traduction : « Pour l'amour de Dieu et pour le salut commun du peuple chrétien et le nôtre, de ce jour et à l'avenir, pour autant que... »

881 : *chant en l'honneur de sainte Eulalie.*
Traduction : « Bonne jeune fille fut Eulalie, Elle avait un beau corps, une plus belle âme (encore). Les ennemis de Dieu voulurent la vaincre, Ils voulurent lui faire servir le diable... »

Vers 1200 : *poème de Bertran de Born, en langue d'oc.*
Traduction : « Bien me plaît le gai temps de Pâques qui fait s'épanouir feuilles et fleurs... »

1065

Ce fu au tans qu'arbre florissent
Fuellent boschage, pré verdissent
Et cil oisel en lor latin
Doucement chantent au matin

Vers 1200 : *poème de Chétien de Troyes,*
en langue d'oïl.
Traduction : « C'était au temps où les arbres
fleurissent, où les bocages se couvrent de feuilles,
où les prés verdissent,
Où les oiseaux en leur latin [= langage]
Doucement chantent au matin »

Hémorragie !

Quæstiones Scientificae et Philosophicae

QUESTIONS SCIENTIFIQUES ET PHILOSOPHIQUES

L'enrichissement du français grâce au latin et au grec

Au cours du Moyen Âge et de la période qui a suivi (en particulier au 16e siècle, pendant la Renaissance), des traducteurs et des écrivains ont créé en grand nombre de nouveaux mots français en prenant, sans presque les changer, des mots **latins** et des mots **grecs** empruntés aux écrivains de l'Antiquité. C'est ainsi qu'ont été formés, à partir du latin, des mots comme **sécurité, sculpteur, négation, fragile, circuler, scientifique...**
À partir du grec, ont été construits des mots tels que **démocratie, symétrie, enthousiasme, orchestre, omoplate, hémorragie...**
Depuis cette époque, on a encore créé beaucoup de mots français en puisant dans les vocabulaires latin et grec, en particulier pour les besoins des sciences et des techniques : **locomotive, nucléaire, microscope, téléphone, photographie, aéronautique, kinésithérapie...**
La connaissance du latin et du grec peut aider à mieux comprendre des mots français ; cependant, il y a souvent une grande différence entre le sens du mot latin ou grec et celui du mot français qui en provient. Il est surtout utile de connaître le sens général d'un certain nombre de **mots-racines** venus de ces langues et qui servent à former de très nombreux mots français.

Tu trouveras une liste des mots-racines à la page 1040.

Les mots étrangers devenus français

Tout au long de leur histoire, les Gaulois, puis les Français, ont eu des contacts avec d'autres peuples à l'occasion des invasions, des guerres, des échanges commerciaux.

C'est ainsi que de nombreuses autres langues ont apporté leurs mots au français. De la même façon, bien des mots français sont passés dans d'autres langues.

La langue des peuples germaniques qui ont envahi la Gaule dans les premiers siècles de notre ère, a donné de nombreux mots tels que **hameau, jardin, crèche, banc, fauteuil, guerre, épier...**

Depuis, c'est par milliers qu'on peut compter les mots français venus de langues étrangères. Dès le Moyen Âge, le néerlandais a donné au français une grande partie des mots liés au thème de la mer **(cabillaud, bar, maquereau, amarrer, flot, matelot...)** et au domaine de l'artisanat, comme **boulanger** ou **échoppe.**

D'Italie sont venus un grand nombre de mots concernant la musique **(opéra, piano, solfège, violon...),** les beaux-arts **(dessin, pastel, esquisse...)** et la gastronomie **(festin,**

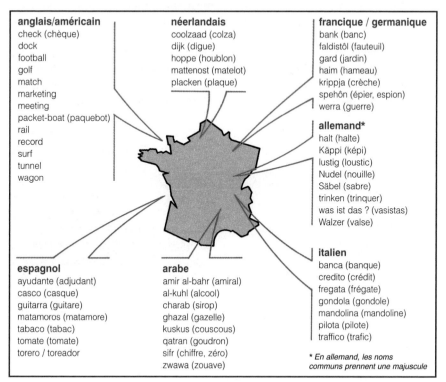

anglais/américain	néerlandais	francique / germanique
check (chèque)	coolzaad (colza)	bank (banc)
dock	dijk (digue)	faldistôl (fauteuil)
football	hoppe (houblon)	gard (jardin)
golf	mattenost (matelot)	haim (hameau)
match	placken (plaque)	krippja (crèche)
marketing		spehôn (épier, espion)
meeting		werra (guerre)
packet-boat (paquebot)		
rail		**allemand***
record		halt (halte)
surf		Käppi (képi)
tunnel		lustig (loustic)
wagon		Nudel (nouille)
		Säbel (sabre)
		trinken (trinquer)
		was ist das ? (vasistas)
		Walzer (valse)

espagnol	arabe	italien
ayudante (adjudant)	amir al-bahr (amiral)	banca (banque)
casco (casque)	al-kuhl (alcool)	credito (crédit)
guitarra (guitare)	charab (sirop)	fregata (frégate)
matamoros (matamore)	ghazal (gazelle)	gondola (gondole)
tabaco (tabac)	kuskus (couscous)	mandolina (mandoline)
tomate (tomate)	qatran (goudron)	pilota (pilote)
torero / toreador	sifr (chiffre, zéro)	traffico (trafic)
	zwawa (zouave)	

* En allemand, les noms communs prennent une majuscule

Quelques mots venus d'ailleurs

saucisson, spaghetti) et beaucoup d'autres noms de pâtes...).

L'arabe a fourni beaucoup plus de vocabulaire qu'on imagine, en particulier un grand nombre de mots qui commencent par **al-** (l'article « le », « la » en arabe) : **algèbre, alcool, alcôve, albatros...** mais aussi **magazine, ogive, chiffre, zéro...**

L'espagnol et le portugais, à la suite de la découverte de l'Amérique au 16e siècle, ont fourni beaucoup de noms d'animaux et de denrées venues de ces contrées lointaines : **caïman, lama, puma, tomate, cacahouète...**

L'allemand, au cours des siècles, a apporté un grand nombre de mots appartenant au vocabulaire militaire **(bivouac, képi, bunker...),** mais aussi scientifique et technique, comme **quartz** ou **nickel...**

Le turc, le persan, le russe, le suédois, le polonais, etc., et des langues d'Asie, d'Afrique, d'Amérique indienne ont aussi apporté leur contribution à la richesse du vocabulaire français.

Mais c'est l'anglais qui, depuis le 11e siècle, fournit un important stock de vocabulaire au français.

C'est surtout à partir de la Révolution que la proportion de mots d'origine anglaise s'accroît, dans tous les domaines : **convention, constitution, club, confort, partenaire, hall...**

Actuellement, l'anglais est la langue à laquelle le français emprunte le plus de mots, à cause de la grande influence des États-Unis.

Quand une nouveauté apparaît, venant d'Amérique, la tendance naturelle est d'adopter son nom anglais **(babysitter, best-seller...)** au lieu de chercher une traduction en français, qui réussit pourtant parfois à s'imposer (comme **planche à roulettes** pour **skate** ou **skateboard),** ou de créer un mot, comme on l'a fait avec **ordinateur** au lieu d'employer **computer.**

1068

Atlas

- Planisphère

- Amérique du Nord et Centrale

- Amérique du Sud

- Afrique

- Europe

- Asie

- Océanie

- Antarctique

Cercle Polaire

Alaska

Groenland

Rocheuses

**AMÉRIQUE
DU NORD**

EURO

Alpes

Tropique du
Cancer

Antilles

Sahara

OCÉAN

PACIFIQUE

OCÉAN

ATLANTIQUE

AFRIQ

Équateur

Amazonie

Cordillère des Andes

**AMÉRIQUE

DU SUD**

Tropique du
Capricorne

Cercle Polaire

1070

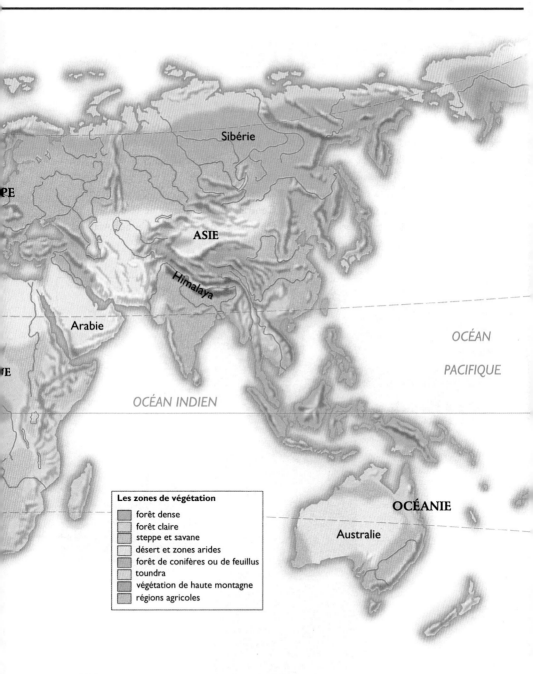

Sibérie

PE

ASIE

Himalaya

Arabie

OCÉAN

PACIFIQUE

VE

OCÉAN INDIEN

Les zones de végétation

- forêt dense
- forêt claire
- steppe et savane
- désert et zones arides
- forêt de conifères ou de feuillus
- toundra
- végétation de haute montagne
- régions agricoles

OCÉANIE

Australie

ANTARCTIQUE

1071

Amérique du Nord et Centrale

L'Amérique du Nord comprend les États-Unis, le Canada, le Mexique et le Groenland (qui est une dépendance du Danemark). Elle couvre environ 21 millions de km² et compte plus de 360 millions d'habitants. À proximité du pôle, les îles canadiennes et le Groenland sont recouverts par la toundra ou par une couche de glace. À l'ouest s'élèvent les montagnes Rocheuses ; au centre s'étendent de vastes plaines fertiles traversées par le Mississippi et le Missouri et, plus au nord, d'immenses forêts de résineux. L'Amérique Centrale, étroite bande de terre, relie l'Amérique du Nord et l'Amérique du Sud. On y inclut parfois l'archipel des Antilles, souvent ravagé par des cyclones.

▶ Le point culminant de l'Amérique du Nord est le mont McKinley, en Alaska, avec 6 194 m.

▶ La température peut atteindre 57 °C dans la Vallée de la Mort (près de Los Angeles) et - 50 °C dans certaines îles du nord du Canada.

▶ Le Groenland, grand comme quatre fois la France, compte moins de 60 000 habitants.

▲
Les *montagnes Rocheuses*, surtout au Canada, sont parsemées de multiples lacs entourés de forêts de conifères. Ces lacs résultent de la fonte des glaciers.

▶
Les gratte-ciel de *New York* sont un des symboles des États-Unis.

▲
Une partie du *Mexique*, aride, est recouverte d'une variété de cactus gigantesques.

OCÉAN
ARCTIQUE

Groenland
(DANEMARK)

Alaska
(ÉTATS-UNIS)
IcKinley
194 m

Nuuk

Mackenzie

Grand Lac
de l'Ours

Cercle polaire arctique

Grand Lac
de l'Esclave

Lac
Athabasca

Baie
d'Hudson

	capitale
	autre ville
	forêt dense
	forêt claire et savane
	forêt de conifères ou de feuillus
	steppe
	végétation de haute montagne
	toundra
	désert
	régions agricoles

0   1000 km

CANADA

ancouver

Columbia

L. Winnipeg

Terre-Neuve

Prairies
AMÉRIQUE DU NORD

Québec

Lac
Supérieur

Montréal
Ottawa

St-Laurent

an Francisco

Missouri

L. Michigan

L. Huron

Toronto

L. Ontario

L. Érié

Detroit

Denver

Chicago

New York

Los Angeles

*Grandes
Plaines*

Colorado

Ohio

Philadelphie

Washington

ÉTATS-UNIS

OCÉAN
ATLANTIQUE

Dallas

Rio Grande

Mississippi

Bermudes
(GRANDE-BRETAGNE)

La Nouvelle-
Orléans

opique
Cancer

MEXIQUE

*Golfe du
Mexique*

Miami

Guadalajara

BAHAMAS

La Havane

Mexico

ANTILLES

CUBA

Montagnes Rocheuses

Kingston

JAMAÏQUE

**RÉPUBLIQUE
DOMINICAINE**

HAÏTI

Port-
au-Prince

St-Domingue

**ANTIGUA- ET-
BARBUDA**

Guadeloupe (FRANCE)

**ST-KITTS-ET-
NEVIS**

DOMINIQUE

Martinique (FRANCE)

STE-LUCIE

BELIZE

Belmopan

GUATEMALA
Guatemala

HONDURAS

San Salvador

Tegucigalpa

Mer des Antilles
(Mer des Caraïbes)

ST-VINCENT

BARBADE

SALVADOR

NICARAGUA

Managua

GRENADE

**TRINITÉ -ET-
TOBAGO**

**AMÉRIQUE
CENTRALE**

San José

Panamá

COSTA RICA

PANAMÁ

OCÉAN
PACIFIQUE

AMÉRIQUE DU SUD

Amérique du Sud

AMÉRIQUE
CENTRALE

L'Amérique du Sud compte environ 300 millions d'habitants
et couvre une superficie de 18 millions de km². Elle est située
en grande partie dans la zone tropicale. Autour de l'équateur, où le climat est
chaud et humide, s'étendent les immenses forêts de l'Amazonie. À l'ouest,
la grande chaîne montagneuse des Andes s'étire du nord au sud sur près
de 8 000 km. Elle longe des plaines parfois désertiques (dans le nord du Chili),
des étendues herbeuses (les pampas d'Argentine) ou pierreuses (la Patagonie,
qui mène vers la Terre de Feu).

▲
Le célèbre *pain de
sucre* domine la baie
de Rio de Janeiro.

▲ À la pointe sud du
continent, au Chili et
en Argentine, îles et
archipels conduisent
au *cap Horn*.

La *forêt amazonienne*
couvre une grande
partie de l'Amérique
du Sud.
▼

◄ **A**u Pérou, près de Cuzco,
la cité ancienne de *Machu
Picchu* témoigne de la
grandeur de la civilisation
des Incas.

capitale
autre ville
forêt dense
forêt claire et savane
forêt de conifères ou de feuillus
steppe
végétation de haute montagne
désert
régions agricoles

0   1000 km

Équateur

Caracas
VENEZUELA
Orénoque
Bogotá
Georgetown
Paramaribo
GUYANA
Cayenne
COLOMBIE
SURINAME
Guyane
(FRANCE)
Quito
Guayaquil
ÉQUATEUR
Amazone
Manaus
Fortaleza
PÉROU
A m a z o n i e
Purus
BRÉSIL
Madeira
Tocantins
Lima
Cuzco
BOLIVIE
Salvador
La Paz
Sucre
Brasília
OCÉAN
PACIFIQUE
Belo Horizonte
PARAGUAY
São Paulo
Rio de Janeiro
Paraná
OCÉAN
ATLANTIQUE
Tropique du
Capricorne
Asunción
CHILI
ARGENTINE
Aconcagua
6959 m
URUGUAY
Santiago
Montevideo
Buenos Aires
A n d e s

Falkland
(GRANDE-BRETAGNE)
Terre de Feu
Cap Horn

► En Argentine, l'Aconcagua, qui atteint 6 959 m, est le plus haut sommet d'Amérique du Sud.

► À Manaus, au Brésil, le thermomètre n'est jamais descendu au-dessous de 18 °C.

► Dans la Terre de Feu, il peut geler chaque mois de l'année.

► L'Amazone est le fleuve le plus long du monde, avec 7 000 km.

► À près de 3 700 m d'altitude, La Paz, en Bolivie, est la plus haute capitale du monde.

1075

Afrique

L'Afrique compte environ 700 millions d'habitants et occupe une superficie de 30 millions de km². C'est le continent le plus chaud de la planète. De part et d'autre de l'équateur, s'étend la zone tropicale humide, couverte par une forêt dense. Quand on s'éloigne de l'équateur, la forêt laisse place à la savane, où poussent de hautes herbes et où les arbres sont rares. Les déserts occupent aussi de vastes espaces : le Sahara, au nord, est le plus grand désert du monde.

EUROPE

Rabat
Casablanca

MAROC

Tropique du Cancer

MAURITANIE

Nouakchott

MALI

Dakar SÉNÉGAL
Banjul GAMBIE Bamako
GUINÉE-BISSAU Bissau
GUINÉE BURKINA
Conakry CÔTE D'IVOIRE
Freetown GHA
SIERRA LEONE LIBERIA Accra
Monrovia Yamoussoukro Abidjan

Dans le *Sahara,* il ne pleut presque jamais et la différence de température entre le jour et la nuit est très grande. Des éleveurs nomades parcourent ce désert mais seules quelques oasis sont habitées.

Le *Kilimandjaro,* massif volcanique qui domine la savane, est couronné de neiges éternelles.
▼

Équateur

◄ **L**a *forêt dense,* toujours verte, couvre la partie de l'Afrique la plus arrosée, à proximité de l'équateur.

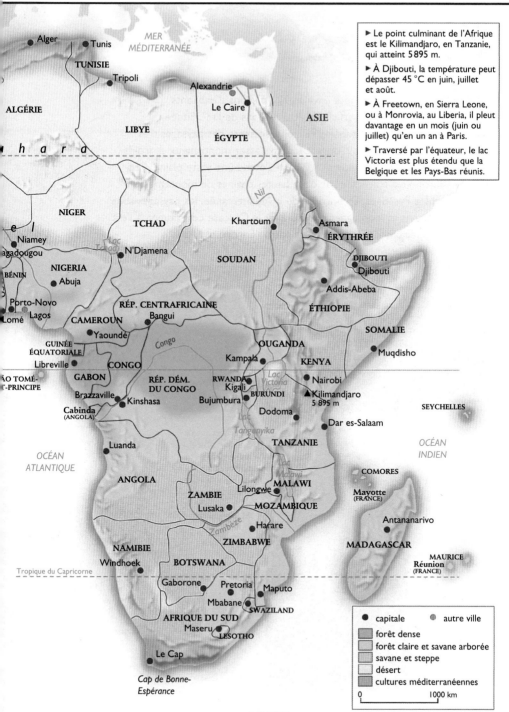

► Le point culminant de l'Afrique est le Kilimandjaro, en Tanzanie, qui atteint 5895 m.

► À Djibouti, la température peut dépasser 45 °C en juin, juillet et août.

► À Freetown, en Sierra Leone, ou à Monrovia, au Liberia, il pleut davantage en un mois (juin ou juillet) qu'en un an à Paris.

► Traversé par l'équateur, le lac Victoria est plus étendu que la Belgique et les Pays-Bas réunis.

MER MÉDITERRANÉE

Alger • Tunis •

TUNISIE

Tripoli •

Alexandrie •

ALGÉRIE

Le Caire •

ASIE

LIBYE

ÉGYPTE

h a r a

Nil

NIGER

e l

Niamey •

TCHAD

Khartoum •

Asmara •

ÉRYTHRÉE

agadougou •

N'Djamena •

SOUDAN

DJIBOUTI

Djibouti •

NIGERIA

BÉNIN

Abuja •

Addis-Abeba •

Porto-Novo •

Lomé • Lagos •

RÉP. CENTRAFRICAINE

ÉTHIOPIE

CAMEROUN

Bangui •

Yaoundé •

Congo

SOMALIE

GUINÉE ÉQUATORIALE

OUGANDA

Libreville •

CONGO

Kampala •

KENYA

Muqdisho •

ÃO TOMÉ-T-PRINCIPE

GABON

RÉP. DÉM. DU CONGO

RWANDA

Kigali

Lac Victoria

Nairobi •

Brazzaville •

Kinshasa •

Bujumbura •

BURUNDI

▲ Kilimandjaro 5 895 m

SEYCHELLES

Cabinda (ANGOLA)

Dodoma •

Lac Tanganyika

Dar es-Salaam •

Luanda •

TANZANIE

OCÉAN INDIEN

OCÉAN ATLANTIQUE

Lac Malawi

COMORES

ANGOLA

Lilongwe •

MALAWI

Mayotte (FRANCE)

ZAMBIE

MOZAMBIQUE

Lusaka •

Antananarivo •

Zambeze

Harare •

MADAGASCAR

NAMIBIE

ZIMBABWE

MAURICE

Réunion (FRANCE)

Tropique du Capricorne

Windhoek •

BOTSWANA

Gaborone •

Pretoria •

Maputo •

Mbabane •

SWAZILAND

AFRIQUE DU SUD

Maseru •

LESOTHO

Le Cap •

Cap de Bonne-Espérance

• capitale   ◦ autre ville

forêt dense

forêt claire et savane arborée

savane et steppe

désert

cultures méditerranéennes

0   1000 km

Europe

L'Europe compte environ 720 millions d'habitants pour une superficie de 10,5 millions de km². Située dans une zone de climat tempéré, l'Europe présente des paysages très variés. À l'extrême nord se trouvent les pays assez montagneux et froids de la Scandinavie. De l'Atlantique à l'Oural s'étend une vaste plaine. Plus au sud, l'Europe est traversée par deux hautes chaînes de montagnes, les Alpes et les Pyrénées. En bordure de la Méditerranée, les paysages sont souvent vallonnés et montagneux. L'Oural et le Caucase constituent, à l'est et au sud-est, les limites traditionnelles entre l'Europe et l'Asie.

Cercle polaire
arctique

Reykjavík
ISLANDE

Îles Féroé
(DANEMARK)

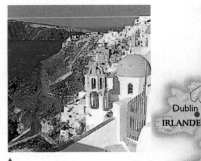

Dublin
IRLANDE

GRANDE-
BRETAGNE

Londres

Bru

Paris

Loire

OCÉAN
ATLANTIQUE

FRAN
L

▲ **A**ux Pays-Bas, les *polders*, régions conquises par l'homme sur la mer, constituent un exemple extrême de la mise en valeur des terres en Europe.

▲ **L'**île grecque de *Santorin*, située au nord de la Crète, est un exemple des îles et des archipels qui parsèment la Méditerranée.

PORTUGAL

ESPAGNE
Lisbonne
Tage
Madrid

Pyrénées
ANDORRE
Ebre

Marse

Barcel

Séville

Baléares

Gibraltar
(GRANDE-BRETAGNE)

M E R

▶ **D**ans les Alpes, le *massif du Mont-Blanc* culmine à 4 808 m.

AFRIQUE

► Le point culminant de l'Europe, si l'on exclut le Caucase, est le mont Blanc, dans les Alpes, dont l'altitude est de 4 807 m.

► Le thermomètre peut atteindre 49 °C à Séville, en Espagne. Il peut descendre au-dessous de - 30 °C à Moscou ou à Helsinki, au-dessous de - 40 °C à Arkhangelsk, en Russie.

► La Volga, en Russie, est le fleuve le plus long d'Europe, avec 3 690 km.

● capitale
● autre ville
forêt de feuillus ou de conifères
toundra
végétation de haute montagne
régions agricoles

0   500 km

MER DE BARENTS

Cap Nord

L a p o n i e

Arkhangelsk

Oural

SUÈDE

Shetland

FINLANDE

NORVÈGE

Lac Onega

Oslo

Helsinki

Lac Ladoga

Stockholm

St-Pétersbourg

Volga

Tallinn

MER DU NORD

ESTONIE

DANEMARK

Riga

Moscou

Copenhague

LETTONIE

MER BALTIQUE

LITUANIE

Amsterdam

Berlin

Vilnius

RUSSIE

PAYS-BAS

Minsk

BELGIQUE

ALLEMAGNE

POLOGNE

BIÉLORUSSIE

Elbe

LUXEMBOURG

Varsovie

Kiev

Luxembourg

Prague

Oder

Vistule

UKRAINE

Rhin

RÉPUBLIQUE TCHÈQUE

Danube

Dniepr

Berne

Bratislava

SLOVAQUIE

Dniestr

Carpates

MOLDAVIE

Vienne

SUISSE

AUTRICHE

LIECHTENSTEIN

Budapest

Chisinau

MER CASPIENNE

Blanc 4807 m

Milan

Ljubljana

HONGRIE

MER D'AZOV

Elbrous 5642 m

Po

SLOVÉNIE

Zagreb

ROUMANIE

Caucase

ITALIE

CROATIE

Belgrade

Bucarest

MONACO

ST-MARIN

Sarajevo

Danube

MER NOIRE

BOSNIE-HERZÉGOVINE

YOUGOSLAVIE

Corse

VATICAN

Sofia

BULGARIE

Rome

Tirana

Skopje

MACÉDOINE

Istanbul

Sardaigne

ALBANIE

TURQUIE

ASIE

MÉDITERRANÉE

Athènes

Sicile

GRÈCE

MALTE

Crète

1079

Asie

L'Asie compte près de 3,5 milliards d'habitants et couvre une superficie d'environ 44 millions de km². C'est le continent le plus vaste et aussi le plus peuplé. Il est formé, au nord-ouest, de régions basses et, au sud, de vastes plateaux de roches anciennes. Ces deux régions sont séparées par de hautes montagnes. L'Asie connaît les climats les plus froids, en Sibérie, comme les plus chauds, près de l'équateur, les plus humides, en Inde, comme les plus secs, en Arabie Saoudite.

▲
La *Grande Muraille,* longue d'environ 6 000 km, fut construite pour protéger la Chine des invasions.

▲
À *Tokyo,* au Japon, où l'espace est rare, les autoroutes se superposent.

▶
En Indonésie, les *rizières* s'étagent sur les pentes.

▶
Dans l'ouest de l'Asie, comme ici dans le *désert d'Arabie,* la végétation est rare.

▶ L'Everest, avec 8 846 m, est le sommet le plus élevé du monde.

▶ En Russie, dans le nord de la Sibérie, le thermomètre peut descendre au-dessous de - 65 °C en hiver. À Riyad, en Arabie Saoudite, il peut atteindre 45 °C en été.

▶ En Inde, Cherrapunji, au pied de l'Himalaya, reçoit plus de 10 m d'eau par an, à peu près vingt fois plus que Paris.

▶ Le niveau de la mer Morte, entre Israël et la Jordanie, est à environ 390 m au-dessous du niveau de la mer. C'est la région la plus basse du monde.

OCÉAN ARCTIQUE

capitale
autre ville

forêt dense
forêt claire et savane
forêt de conifères et de feuillus
steppe herbeuse
désert et zones arides
végétation de haute montagne
toundra
régions agricoles

0   1000 km

RUSSIE

Sakhaline

Kouriles

S i b é r i e

Ob

Iénisséï

Lena

Amour

Novossibirsk

Lac Baïkal

Harbin

Akmola

KAZAKHSTAN
Karaganda

Oulan-Bator

Honshu

Mer d'Aral

Lac Balkhach

Shenyang

CORÉE N.

Tokyo

MONGOLIE

JAPON

OUZBÈKISTAN
Almaty

G o b i

Pékin

Pyongyang

Osaka

Tachkent

Bichkek

Tianjin

Séoul

STAN

KIRGHIZISTAN

CORÉE S.

Douchanbe

Huang He

TADJIKISTAN

CHINE

Qingdao

FGHANISTAN

Lanzhou

Xi'an

Zibo

Kaboul

Indus

T i b e t

Nankin

Shanghai

Wuhan

KISTAN

Islamabad

H
i
m
a

Mt Everest
8 846 m

Chengdu

Tropique du Cancer

Delhi

Lhassa

l
a

New Delhi

NÉPAL

y
a

Chongqing

Taipei

chi

Katmandou

BHOUTAN

TAÏWAN

Gange

Brahmapoutre

Canton

Yangzi

Dacca

OCÉAN PACIFIQUE

INDE

Calcutta

BANGLA

BIRMANIE

HONG KONG
MACAO (PORT.)

Bombay

DESH

Nagpur

LAOS

Hanoi

PHILIPPINES

Hyderabad

Rangoon

Manille

Salouen

Mékong

Bangalore

Madras

Golfe
du Bengale

THAÏLANDE

VIÊT NAM

Bangkok

CAMBODGE

Phnom
Penh

Hô Chi Minh-Ville

Colombo

SRI LANKA

BRUNEI

DIVES

M A L A I S I E

Équateur

OCÉAN INDIEN

Kuala Lumpur

Sumatra

SINGAPOUR

Bornéo

Célèbes

I N D O N É S I E

Java

Jakarta

Surabaya

1081

Océanie

L'Océanie compte environ 30 millions d'habitants pour une superficie de près de 9 millions de km². Elle comprend un vaste pays, l'Australie, et un très grand nombre d'îles situées pour la plupart dans le sud-ouest de l'océan Pacifique (d'où le nom d'Océanie). Isolée des autres continents, l'Océanie présente parfois une faune et une flore variées, avec certaines espèces que l'on ne rencontre nulle part ailleurs. La douceur de son climat et la beauté de ses paysages attirent de nombreux touristes.

◄ **I**mmense rocher isolé dans le centre de l'Australie, *Ayers Rock* est un site sacré pour les aborigènes.

► **C**ette vue d'une *île de Vanuatu* présente un paysage typique de l'Océanie, qui est formée de milliers d'archipels et d'atolls dispersés dans le Pacifique.

▲ **A**u large de la côte nord-est de l'Australie, la *Grande Barrière de Corail* s'étire sur près de 2 000 km.

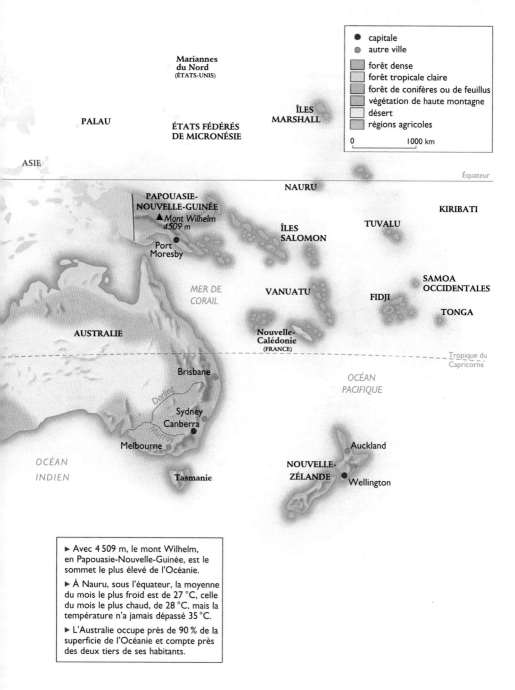

Mariannes
du Nord
(ÉTATS-UNIS)

ÎLES
MARSHALL

PALAU

ÉTATS FÉDÉRÉS
DE MICRONÉSIE

ASIE

- capitale
- autre ville
- forêt dense
- forêt tropicale claire
- forêt de conifères ou de feuillus
- végétation de haute montagne
- désert
- régions agricoles

0   1000 km

Équateur

NAURU

PAPOUASIE-
NOUVELLE-GUINÉE
▲ Mont Wilhelm
4509 m

KIRIBATI

ÎLES
SALOMON

TUVALU

Port
Moresby

MER DE
CORAIL

VANUATU

FIDJI

SAMOA
OCCIDENTALES

TONGA

AUSTRALIE

Nouvelle-
Calédonie
(FRANCE)

Tropique du
Capricorne

Brisbane

OCÉAN
PACIFIQUE

Darling

Sydney
Canberra

Murray

Melbourne

Auckland

OCÉAN
INDIEN

NOUVELLE-
ZÉLANDE

Wellington

Tasmanie

▶ Avec 4 509 m, le mont Wilhelm,
en Papouasie-Nouvelle-Guinée, est le
sommet le plus élevé de l'Océanie.

▶ À Nauru, sous l'équateur, la moyenne
du mois le plus froid est de 27 °C, celle
du mois le plus chaud, de 28 °C, mais la
température n'a jamais dépassé 35 °C.

▶ L'Australie occupe près de 90 % de la
superficie de l'Océanie et compte près
des deux tiers de ses habitants.

1083

Antarctique

L'Antarctique occupe environ 13 millions de km² et presque toutes ses terres sont recouvertes d'une couche de glace de plus de 2 000 m d'épaisseur moyenne. En raison des températures très froides et de la glace, aucune végétation ne peut y pousser. C'est un continent inhabité, à l'exception de quelques dizaines de scientifiques et d'ingénieurs groupés dans des stations de recherche.

▲

Dans la péninsule Antarctique, la *banquise* se fragmente au contact de l'océan.

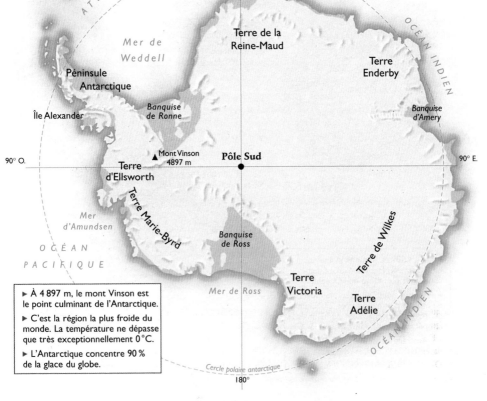

OCÉAN ATLANTIQUE

0°

Mer de Weddell

Terre de la Reine-Maud

OCÉAN INDIEN

Péninsule Antarctique

Terre Enderby

Île Alexander

Banquise de Ronne

Banquise d'Amery

90° O.

▲ Mont Vinson 4897 m

Pôle Sud

90° E.

Terre d'Ellsworth

Terre Marie-Byrd

Mer d'Amundsen

Banquise de Ross

Terre de Wilkes

OCÉAN PACIFIQUE

Terre Victoria

OCÉAN INDIEN

Mer de Ross

Terre Adélie

► À 4 897 m, le mont Vinson est le point culminant de l'Antarctique.

► C'est la région la plus froide du monde. La température ne dépasse que très exceptionnellement 0 °C.

► L'Antarctique concentre 90 % de la glace du globe.

Cercle polaire antarctique

180°